Contents

Sommario

ENTFERNUNGEN
DISTANCES
DISTANZE

Einige Erklärungen :

In jedem Ortstext finden Sie Entfernungen zur Landeshauptstadt und zu den nächstgrößeren Städten in der Umgebung. Sind diese in der nebenstehenden Tabelle aufgeführt, so wurden sie durch eine Raute ♦ gekennzeichnet. Die Kilometerangaben der Tabelle ergänzen somit die Angaben des Ortstextes.

Da die Entfernung von einer Stadt zu einer anderen nicht immer unter beiden Städten zugleich aufgeführt ist, sehen Sie bitte unter beiden entsprechenden Ortstexten nach. Eine weitere Hilfe sind auch die am Rande der Stadtpläne erwähnten Kilometerangaben.

Die Entfernungen gelten ab Stadtmitte unter Berücksichtigung der günstigsten (nicht immer kürzesten) Strecke.

Quelques précisions :

Au texte de chaque localité vous trouverez la distance de la capitale du " Land " et des villes environnantes. Lorsque ces villes sont celles du tableau ci-contre, leur nom est précédé d'un losange ♦. Les distances intervilles du tableau les complètent.

La distance d'une localité à une autre n'est pas toujours répétée en sens inverse : voyez au texte de l'une ou l'autre. Utilisez aussi les distances portées en bordure des plans.

Les distances sont comptées à partir du centre-ville et par la route la plus pratique, c'est-à-dire celle qui offre les meilleures conditions de roulage, mais qui n'est pas nécessairement la plus courte.

Commentary :

The text on each town includes its distances to the "land" capital and to its neighbours. Towns specified in the table opposite are preceded by a lozenge ♦ in the text. The distances in the table complete those given under individual town headings for calculating total distances.

To avoid excessive repetition some distances have only been quoted once, you may, therefore, have to look under both town headings. Note also that some distances appear in the margins of the town plans.

Distances are calculated from centres and along the best roads from a motoring point of view - not necessarily the shortest.

Qualche chiarimento :

Nel testo di ciascuna località troverete la distanza dalla capitale del " land " e dalle città circostanti. Quando queste città appaiono anche nella tabella a lato, il loro nome è preceduto da una losanga ♦. Le distanze tra le città della tabella le completano.

La distanza da una località ad un'altra non è sempre ripetuta in senso inverso : vedete al testo dell'una o dell'altra. Utilizzate anche le distanze riportate a margine delle piante.

Le distanze sono calcolate a partire dal centro delle città e seguendo la strada più pratica, ossia quella che offre le migliori condizioni di viaggio, ma che non è necessariamente la più breve.

DISTANCES ENTRE PRINCIPALES VILLES

DISTANCES BETWEEN MAJOR TOWNS

DISTANZE TRA LE PRINCIPALI CITTÀ

	Aachen	Augsburg	Bamberg	Berlin	Bonn	Braunschweig	Bremen	Bremerhaven	Darmstadt	Dortmund	Düsseldorf	Duisburg	Essen	Frankfurt	Freiburg	Hamburg	Hannover	Karlsruhe	Kassel	Kiel	Koblenz	Köln	Konstanz	Lübeck	Mannheim	München	Nürnberg	Oldenburg	Osnabrück	Regensburg	Saarbrücken	Stuttgart	Trier	Ulm	Wiesbaden
Augsburg	569																																		
Bamberg	466	238																																	
Berlin	639	591	405																																
Bonn	91	499	384	600																															
Braunschweig	415	553	393	230	376																														
Bremen	380	681	521	391	341	167																													
Bremerhaven	438	735	575	445	399	221	58																												
Darmstadt	268	328	216	595	186	361	475	543																											
Dortmund	158	549	404	495	119	271	236	294	253																										
Düsseldorf	81	558	435	563	73	339	290	348	237	82																									
Duisburg	105	577	454	545	91	321	265	323	256	65	29																								
Essen	121	579	438	531	93	307	252	310	258	38	31	20																							
Frankfurt	260	325	212	566	178	332	446	514	33	224	229	248	250																						
Freiburg	480	352	412	803	410	596	710	778	239	488	469	488	490	268																					
Hamburg	490	709	549	289	451	195	120	134	517	346	400	375	362	488	752																				
Hannover	356	566	406	288	317	64	123	177	374	212	280	262	248	345	609	151																			
Karlsruhe	354	232	286	677	284	470	584	652	113	362	343	362	364	142	134	626	483																		
Kassel	309	408	248	385	270	151	279	333	216	167	233	228	201	187	451	307	164	325																	
Kiel	576	808	648	356	537	294	206	166	616	432	486	461	448	587	851	96	250	725	406																
Koblenz	152	426	331	625	63	391	423	481	133	201	148	173	175	125	337	533	399	211	246	619															
Köln	69	518	395	575	28	351	316	374	197	94	40	66	68	189	429	426	292	303	245	512	106														
Konstanz	575	233	412	803	505	686	805	868	334	583	564	583	585	363	124	842	699	238	541	941	432	524													
Lübeck	548	767	607	284	509	253	178	232	575	404	458	433	420	546	810	66	209	684	365	92	591	484	900												
Mannheim	284	286	271	641	214	407	521	589	50	299	279	299	301	79	197	563	420	71	262	662	141	240	292	621											
München	627	68	232	585	569	625	753	807	386	621	620	639	641	397	410	781	638	290	480	880	484	580	258	839	344										
Nürnberg	480	171	61	434	398	454	582	636	230	450	449	468	470	226	377	610	467	251	309	709	345	409	377	668	236	165									
Oldenburg	364	697	537	439	325	215	49	58	459	220	274	249	236	430	694	168	171	568	300	254	407	300	789	226	505	769	598								
Osnabrück	267	582	422	424	228	200	121	179	362	123	177	152	139	333	597	231	141	471	185	317	310	203	692	289	408	654	483	105							
Regensburg	579	137	160	513	497	553	681	735	329	549	548	567	569	325	465	709	566	339	408	808	444	508	371	767	324	122	100	697	582						
Saarbrücken	250	413	384	752	212	518	554	612	168	332	278	304	306	197	210	674	531	143	373	773	193	236	309	732	128	471	363	538	441	451					
Stuttgart	416	164	240	631	346	514	642	696	175	424	405	424	426	204	208	670	527	88	369	769	273	365	180	728	133	222	205	630	533	293	260				
Trier	157	458	429	739	143	505	484	542	213	262	203	234	236	201	303	594	460	203	360	680	124	167	464	652	173	516	408	468	371	496	93	305			
Ulm	499	80	263	616	429	537	665	719	258	507	488	507	509	287	201	693	550	162	392	792	356	448	146	751	216	138	190	681	566	207	343	94	388		
Wiesbaden	235	365	247	594	153	360	441	499	44	219	204	223	225	41	276	516	373	150	215	615	102	164	371	574	89	432	261	425	328	360	162	212	164	295	
Würzburg	373	209	96	497	291	357	485	539	123	343	342	361	363	119	319	513	370	193	212	612	238	302	319	571	178	281	110	501	386	209	291	147	336	193	154

Beispiel Example
Exemple Esempio
Hannover – Stuttgart **527 km**

Berlin	Düsseldorf	Frankfurt	Hamburg	München	
669	227	446	441	837	Amsterdam
1853	1376	1318	1802	1370	Barcelona
862	528	327	811	399	Basel
958	624	423	907	435	Bern
1348	825	991	1178	1236	Birmingham
1647	1109	1159	1477	1272	Bordeaux
1925	1868	1667	2121	1338	Brindisi
1271	748	914	1101	1159	Bristol
781	223	402	593	769	Bruxelles-Brussel
2137	1599	1649	1967	1762	Burgos
1144	621	787	974	1032	Cherbourg
1311	836	776	1260	918	Clermont-Ferrand
1771	1806	1583	1967	1184	Dubrovnik
1855	1332	1498	1685	1743	Edinburgh
1121	787	586	1070	599	Genève
1144	621	787	974	1032	Le Havre
384	697	785	305	939	København
849	326	520	679	887	Lille
2888	2350	2400	2718	2513	Lisboa
1536	1013	1179	1366	1424	Liverpool

Berlin	Düsseldorf	Frankfurt	Hamburg	München	
1284	761	927	1114	1172	London
767	228	248	618	557	Luxembourg
1223	746	688	1172	741	Lyon
2378	1840	1890	2208	2040	Madrid
2849	2388	2314	2756	2366	Málaga
1534	1057	999	1483	1053	Marseille
1040	871	670	1117	560	Milano
1453	915	965	1283	1210	Nantes
967	1280	1368	888	1522	Oslo
2438	2381	2180	2634	1851	Palermo
1069	532	587	899	832	Paris
2709	2171	2221	2539	2334	Porto
350	733	510	665	369	Praha
1505	1448	1247	1701	918	Roma
1893	1355	1405	1723	1518	San Sebastián
1014	1327	1415	935	1569	Stockholm
751	417	216	700	358	Strasbourg
1757	1280	1222	1706	1274	Toulouse
642	933	710	957	435	Wien
1085	1120	897	1281	564	Zagreb

Beispiel Example
Exemple Esempio
Barcelona - Frankfurt

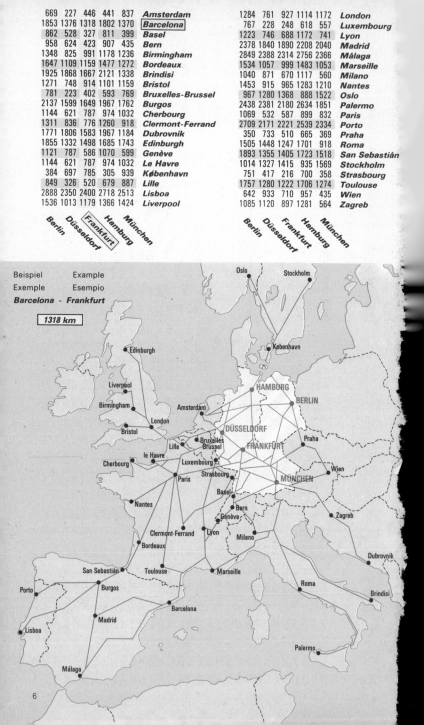

1318 km

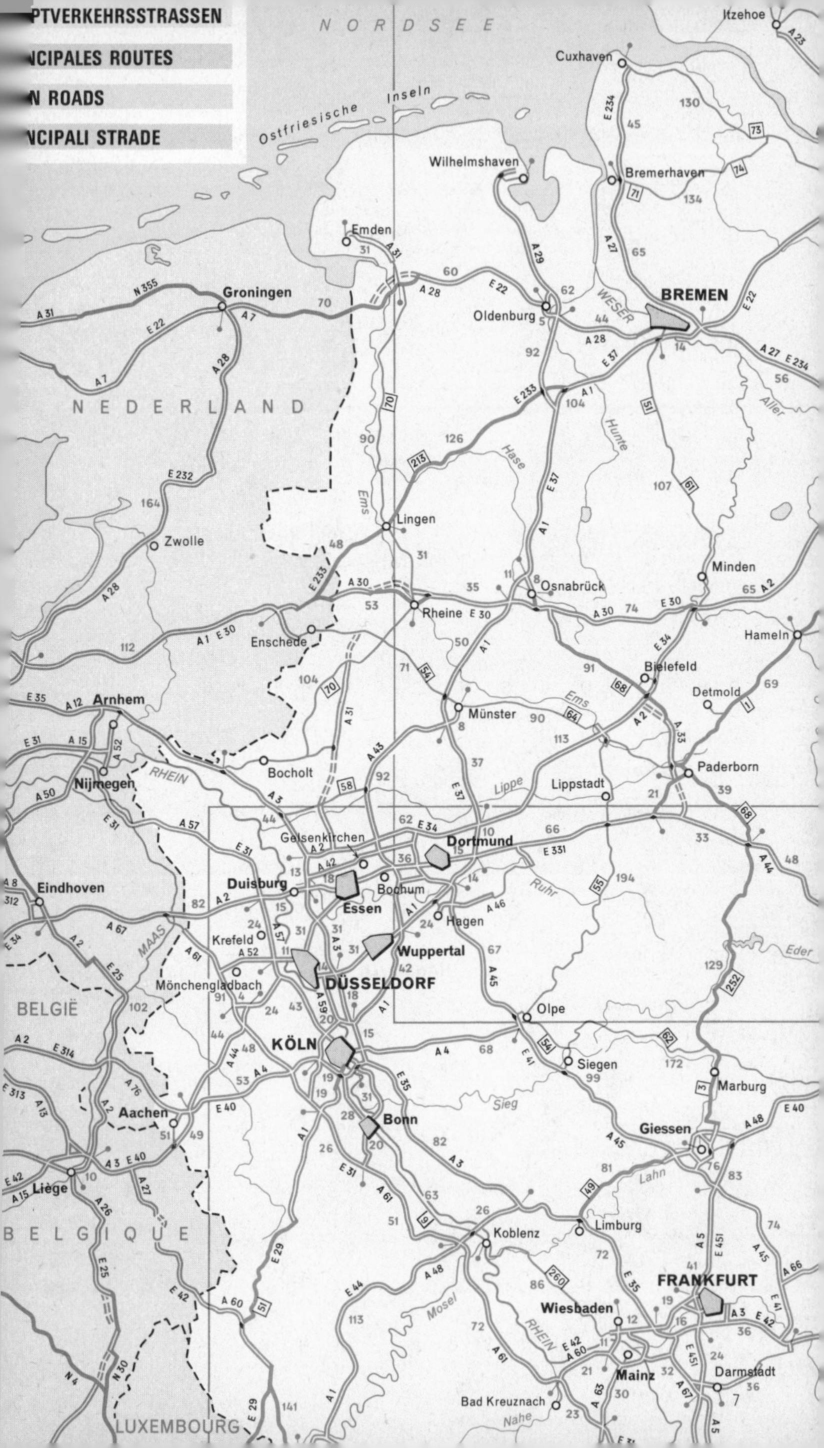
PTVERKEHRSSTRASSEN
NCIPALES ROUTES
N ROADS
NCIPALI STRADE
NORDSEE
Ostfriesische Inseln
Itzehoe
Cuxhaven
Wilhelmshaven
Bremerhaven
Emden
Groningen
Oldenburg
BREMEN
WESER
NEDERLAND
Hase
Hunte
Aller
Ems
Lingen
Zwolle
Minden
Osnabrück
Rheine
Enschede
Hameln
Bielefeld
Detmold
Arnhem
Münster
Nijmegen
RHEIN
Bocholt
Paderborn
Lippstadt
Lippe
Gelsenkirchen
Dortmund
Duisburg
Bochum
Essen
Eindhoven
Ruhr
Hagen
Krefeld
Wuppertal
MAAS
Mönchengladbach
DÜSSELDORF
Eder
BELGIË
Olpe
KÖLN
Siegen
Marburg
Aachen
Sieg
Bonn
Giessen
Liège
Lahn
BELGIQUE
Limburg
Koblenz
FRANKFURT
Mosel
Wiesbaden
Mainz
Darmstadt
Bad Kreuznach
Nahe
LUXEMBOURG

DANMARK
Flensburg
Schleswig
Kiel
Neumünster
Nord-Ostsee-Kanal
Travemünde
Lübeck
Itzehoe
Cuxhaven
HAMBURG
Schwerin
Wilhelmshaven
Bremerhaven
Lüneburg
ELBE
BUNDESREPUBLIK
BREMEN
Oldenburg
WESER
Aller
Hunte
Hase
Celle
Lingen
HANNOVER
Braunschweig
Minden
Osnabrück
Rheine
Hildesheim
Hameln
Bielefeld
Münster
Ems
Detmold
Leine
Weser
Paderborn
Lippstadt
Lippe
Nordhausen
Göttingen
Dortmund
Ruhr
Kassel
Bochum
Hagen
DEUTSCHLAND
Eder
Fulda
Erfur
Olpe

MORZE BAŁTYCKIE
OSTSEE
Sassnitz
Stralsund
Koszalin
Rostock
Neubrandenburg
SZCZECIN
Müritz See
ODER
DEUTSCHE
POLSKA
WARTA
BERLIN
Frankfurt
Havel
ELBE
Potsdam
Spree
ODRA
DEMOKRATISCHE
agdeburg
Cottbus
Halle
LEIPZIG
ELBE
Görlitz
DRESDEN
Labe
Saale
REPUBLIK
Karl-Marx-Stadt

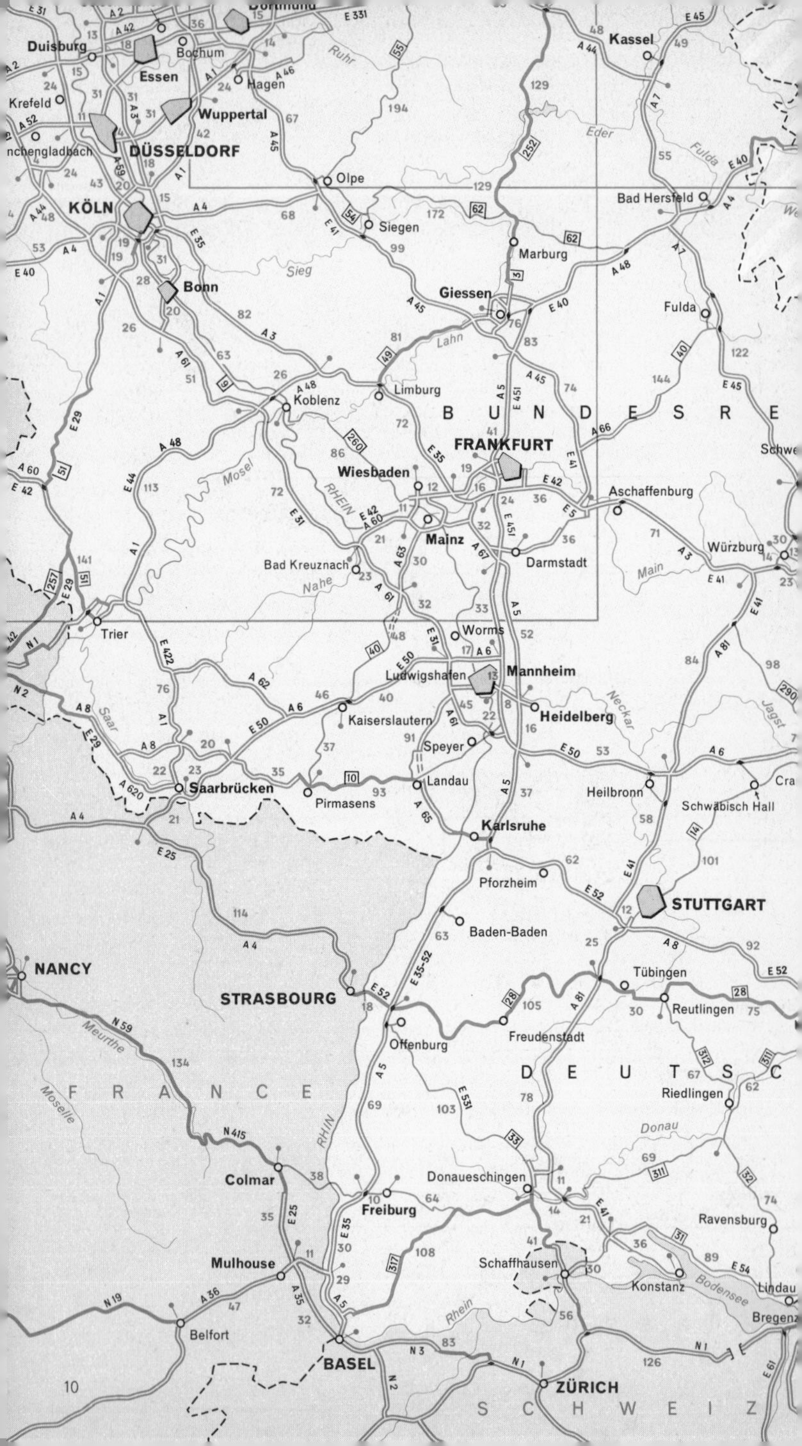
Duisburg
Bochum
Essen
Hagen
Krefeld
Wuppertal
DÜSSELDORF
Kassel
Ruhr
Eder
Fulda
Olpe
KÖLN
Siegen
Bad Hersfeld
Marburg
Sieg
Bonn
Giessen
Fulda
Lahn
Limburg
Koblenz
Mosel
B U N D E S R E
FRANKFURT
Wiesbaden
RHEIN
Mainz
Aschaffenburg
Darmstadt
Würzburg
Main
Bad Kreuznach
Nahe
Trier
Worms
Ludwigshafen
Mannheim
Heidelberg
Neckar
Jagst
Saar
Kaiserslautern
Speyer
Saarbrücken
Pirmasens
Landau
Heilbronn
Schwäbisch Hall
Karlsruhe
Pforzheim
STUTTGART
Baden-Baden
Tübingen
NANCY
STRASBOURG
Reutlingen
Freudenstadt
Offenburg
Meurthe
Moselle
F R A N C E
D E U T S C
Riedlingen
Donau
RHIN
Colmar
Donaueschingen
Freiburg
Ravensburg
Mulhouse
Schaffhausen
Konstanz
Bodensee
Lindau
Bregenz
Belfort
Rhein
BASEL
ZÜRICH
S C H W E I Z

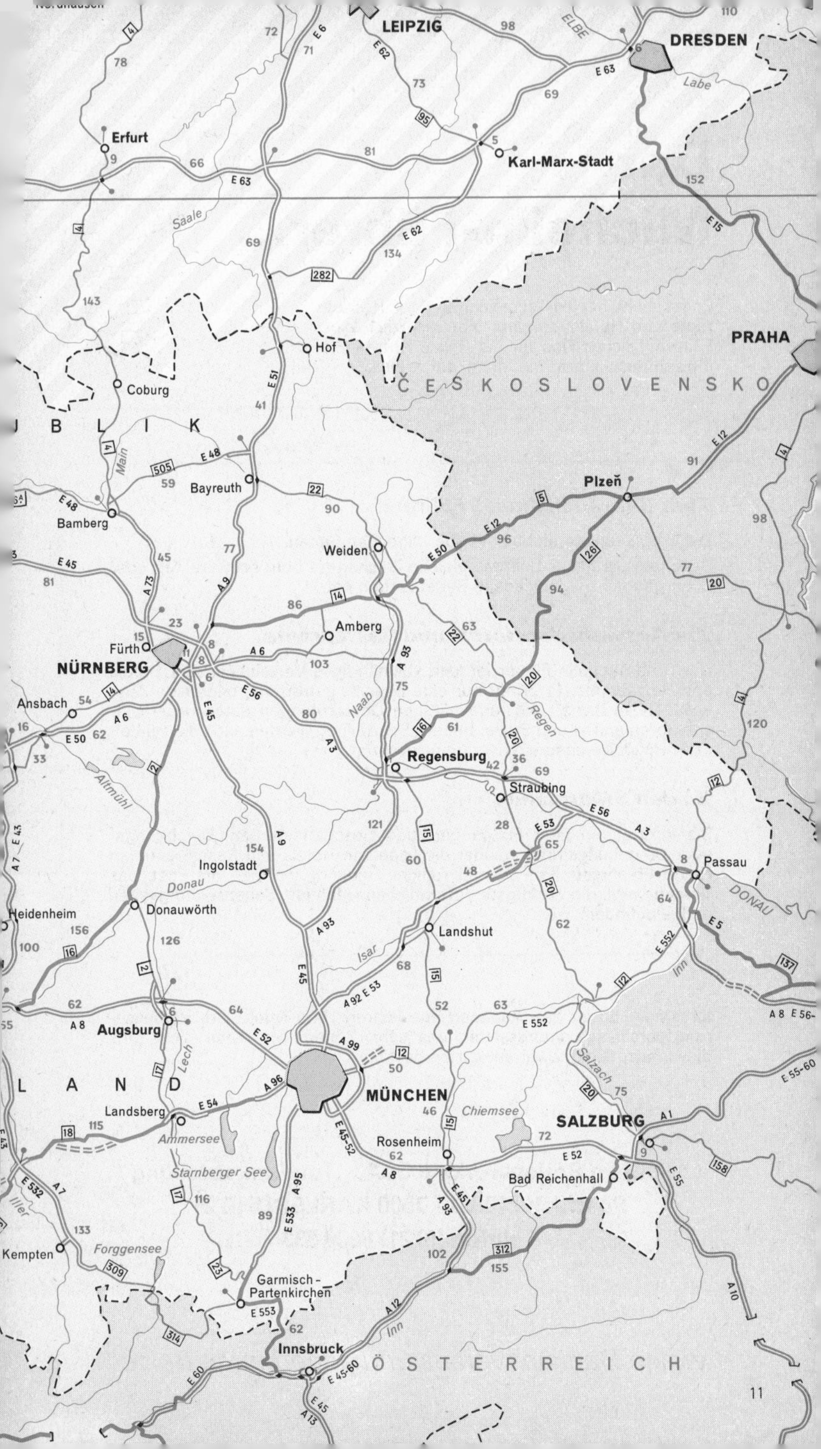
LEIPZIG
DRESDEN
Labe
ELBE
Erfurt
Karl-Marx-Stadt
Saale
Hof
PRAHA
ČESKOSLOVENSKO
Coburg
UBLIK
Main
Bayreuth
Bamberg
Plzeň
Weiden
Amberg
Fürth
NÜRNBERG
Ansbach
Naab
Regen
Regensburg
Straubing
Altmühl
Ingolstadt
Donau
Passau
DONAU
Donauwörth
Heidenheim
Landshut
Isar
Inn
Augsburg
Lech
Salzach
LAND
MÜNCHEN
Chiemsee
SALZBURG
Landsberg
Ammersee
Rosenheim
Bad Reichenhall
Starnberger See
Iller
Kempten
Forggensee
Garmisch-Partenkirchen
Innsbruck
ÖSTERREICH
E 6
E 62
E 63
E 15
E 12
E 51
E 48
E 50
E 45
E 56
E 53
E 5
E 552
E 52
E 54
E 532
E 533
E 45-52
E 451
E 55
E 553
E 45-60
E 60
E 55-60
A 9
A 73
A 6
A 93
A 3
A 7
A 8
A 92
A 99
A 96
A 95
A 12
A 13
A 10
A 1

Der Michelin-Führer...

Er ist nicht nur ein Verzeichnis guter Restaurants und Hotels, sondern gibt zusätzlich eine Fülle nützlicher Tips für die Reise. Nutzen Sie die zahlreichen Informationen, die er bietet.

Zum Gebrauch dieses Führers

Die Erläuterungen stehen auf den folgenden Seiten.

Beachten Sie dabei, daß das gleiche Zeichen rot oder schwarz, fett oder dünn gedruckt, verschiedene Bedeutungen hat.

Zur Auswahl der Hotels und Restaurants

Der Rote Michelin-Führer ist kein vollständiges Verzeichnis aller Hotels und Restaurants. Er bringt nur eine bewußt getroffene, begrenzte Auswahl. Diese basiert auf regelmäßigen Überprüfungen durch unsere Inspektoren an Ort und Stelle. Bei der Beurteilung werden auch die zahlreichen Hinweise unserer Leser berücksichtigt.

Zu den Stadtplänen

Sie informieren über Fußgänger- und Geschäftsstraßen, Durchgangs- oder Umgehungsstraßen, über die Lage von Hotels und Restaurants (an Hauptverkehrsstraßen oder in ruhiger Gegend), wo sich die Post, das Verkehrsamt, die wichtigsten öffentlichen Gebäude, Sehenswürdigkeiten u. dgl. befinden.

Ihre Meinung zu den Angaben des Führers, Ihre Kritik, Ihre Verbesserungsvorschläge interessieren uns sehr. Zögern Sie daher nicht, uns diese mitzuteilen... wir antworten bestimmt.

Michelin Reifenwerke KGaA. - Touristikabteilung
Postfach 210951 - 7500 KARLSRUHE 21
Telefon (0721) 8600 333

Vielen Dank im voraus und angenehme Reise !

Wahl eines Hotels, eines Restaurants

Unsere Auswahl ist für Durchreisende gedacht. In jeder Kategorie drückt die Reihenfolge der Betriebe eine weitere Rangordnung aus.

KLASSENEINTEILUNG UND KOMFORT

	Großer Luxus und Tradition	
	Großer Komfort	
	Sehr komfortabel	
	Mit gutem Komfort	
	Mit ausreichendem Komfort	
	Bürgerlich	
garni	Hotel ohne Restaurant	
	Restaurant vermietet auch Zimmer	mit Zim

EINRICHTUNG

Die meisten der empfohlenen Hotels verfügen über Zimmer, die alle oder doch zum größten Teil mit einer Naßzelle ausgestattet sind.

In den Häusern der Kategorien , und kann diese jedoch in einigen Zimmern fehlen.

30 Z	Anzahl der Zimmer
50 B	Anzahl der Betten
	Fahrstuhl
	Hotel ganz oder teilweise reserviert für Nichtraucher
Zim	Hotelzimmer für Nichtraucher
Rest	Restauranträume für Nichtraucher
	Klimaanlage
TV	Fernsehen im Zimmer
	Zimmertelefon mit Außenverbindung
	Für Körperbehinderte leicht zugängliche Zimmer
	Spezielle Einrichtungen/Angebote für Kinder
	Garten-, Terrassenrestaurant
	Freibad, Hallenbad oder Thermalhallenbad
	Kneippabteilung
	Sauna
	Strandbad
	Liegewiese, Garten
	Tennisplatz
18	Golfplatz und Lochzahl
	Reitpferde
	Konferenzräume (mind. 25 Plätze)
	Garage
P	Parkplatz reserviert für Gäste
	Das Mitführen von Hunden ist unerwünscht :
	im ganzen Haus
Rest	im Restaurant
Zim	im Hotelzimmer
Fax	Telefonische Dokumentenübermittlung (= Telefax) Die Vorwahlnummer (Ortsnetzkennzahl) ist wie bei Telefongesprächen zu wählen.
Mai - Okt.	Öffnungszeit, vom Hotelier mitgeteilt
nur Saison	Unbestimmte Öffnungszeit eines Saisonhotels
	Die Häuser, für die wir keine Schließungszeiten angeben, sind im allgemeinen ganzjährig geöffnet.

ANNEHMLICHKEITEN

In manchen Hotels ist der Aufenthalt wegen der schönen, ruhigen Lage, der nicht alltäglichen Einrichtung und Atmosphäre und dem gebotenen Service besonders angenehm und erholsam.

Solche Häuser und ihre besonderen Annehmlichkeiten sind im Führer durch folgende Symbole gekennzeichnet :

...	Angenehme Hotels
XXXXX ... X	Angenehme Restaurants
« Park »	Besondere Annehmlichkeit
	Sehr ruhiges, oder abgelegenes und ruhiges Hotel
	Ruhiges Hotel
< Rhein	Reizvolle Aussicht
<	Interessante oder weite Sicht

Die Übersichtskarten S. 50 bis S. 57 helfen Ihnen bei der Suche nach besonders ausgezeichneten Häusern.

Wir wissen, daß diese Auswahl noch nicht vollständig ist, sind aber laufend bemüht, weitere solche Häuser für Sie zu entdecken ; dabei sind uns Ihre Erfahrungen und Hinweise eine wertvolle Hilfe.

KÜCHE

Die Sterne : siehe Karten S. 50 bis 57.

Unter den zahlreichen in diesem Führer empfohlenen Häusern verdienen einige Ihre besondere Aufmerksamkeit : ihre regionale oder internationale Küche ist überdurchschnittlich gut. Auf diese Häuser weisen die Sterne hin.

Bei den mit « Stern » ausgezeichneten Betrieben nennen wir maximal drei kulinarische Spezialitäten, die Sie probieren sollten.

❀ **Eine sehr gute Küche : verdient Ihre besondere Beachtung**

Gutes Speiseangebot, regionale und internationale Spezialitäten : eine angenehme Unterbrechung Ihrer Reise.

Vergleichen Sie aber bitte nicht den Stern eines sehr teuren Luxusrestaurants mit dem Stern eines kleineren oder mittleren Hauses, wo man Ihnen zu einem annehmbaren Preis eine ebenfalls vorzügliche Mahlzeit reicht.

❀❀ **Eine hervorragende Küche : verdient einen Umweg**

Ausgesuchte Spezialitäten und Weine... angemessene Preise.

❀❀❀ **Eine der besten Küchen : eine Reise wert**

Ein denkwürdiges Essen, edle Weine, tadelloser Service, gepflegte Atmosphäre... entsprechende Preise.

Karte **29**/41 **Sorgfältig zubereitete, preiswerte Mahlzeiten**

Für Sie wird es interessant sein, außer den Stern-Restaurants auch solche Häuser kennenzulernen, die eine sehr gute, vorzugsweise regionale Küche zu einem besonders günstigen Preis/Leistungs-Verhältnis bieten.

Auf der Karte Seite 50 bis 57 finden Sie alle Orte, in denen wir ein solches Haus empfehlen.

Im Text sind die betreffenden Häuser durch den fettgedruckten Essenspreis hinter der roten Angabe Karte kenntlich gemacht.

Biere und Weine : Siehe S. 44 - 49

PREISE

Die Preise sind uns im Sommer 1988 angegeben worden. Sie können Veränderungen unterliegen, wenn die Lebenshaltungskosten steigen sollten. Sie können dann auf jeden Fall als Richtpreise dienen.

Halten Sie beim Betreten des Hotels den Führer in der Hand. Sie zeigen damit, daß Sie aufgrund dieser Empfehlung gekommen sind.

Die Namen der Hotels und Restaurants, die ihre Preise genannt haben, sind fett gedruckt. Gleichzeitig haben sich diese Häuser verpflichtet, die von den Hoteliers selbst angegebenen Preise den Benutzern des Michelin-Führers zu berechnen.

Informieren Sie uns bitte über jede unangemessen erscheinende Preiserhöhung.

Wenn keine Preise angegeben sind, raten wir Ihnen, sich beim Hotelier danach zu erkundigen.

Die angegebenen Preise gelten für die Hochsaison und enthalten Bedienung und MWSt.

Mahlzeiten

⬌	Mahlzeiten (3-gängig) unter 20 DM
Karte **29**/41	Sorgfältig zubereitete, preiswerte Mahlzeiten (der fettgedruckte Preis beinhaltet : Suppe oder kleine Vorspeise, Hauptgericht und Dessert)
Karte 14/32	Der niedrigste Preis entspricht einer einfachen Mahlzeit : Suppe, Hauptgericht und Dessert der höchste Preis einem reichhaltigen Essen : Vorspeise, Hauptgericht, Käse oder Dessert Diese Zusammenstellung entspricht den von vielen Häusern angebotenen Menus (Gedecken) « Couvert » wird im allgemeinen nicht extra berechnet
Fb	Frühstücksbuffet, im Übernachtungspreis enthalten (gelegentlich wird jedoch ein Zuschlag erhoben)
🍷	Preiswerte offene Weine

Zimmer

5 Z : 8 B 25/64 - 45/95	Zimmer- und Bettenzahl mit Mindest- und Höchstpreisen für Einzelzimmer - Doppelzimmer inkl. Frühstück (in einigen Hotels und Autobahn-Rasthäusern wird das Frühstück separat berechnet, ist aber im angegebenen Preis enthalten)
4 Appart. 150/200	Hotelappartements (Suiten) mit Mindest- und Höchstpreis
5 Fewo 70/120	Anzahl der Ferienwohnungen mit Mindest- und Höchstpreis pro Tag

Pension

P 58/90	Mindest- und Höchstpreis für Vollpension pro Person und Tag während der Hauptsaison (die Preise gelten im allgemeinen ab 3 Tagen)
AE ◑ E VISA	**Kreditkarten.** — Von Hotels und Restaurants akzeptierte Kreditkarten : American Express — Diners Club — Eurocard (Access-MasterCard) — Visa (BankAmericard)

NÜTZLICHE HINWEISE

Die Preise sind für Durchreisende angegeben. Aber ganz gleich, ob Sie nur für eine Nacht oder für längere Zeit in einem Hotel bleiben wollen : vereinbaren Sie mit dem Hotelier auf jeden Fall vorher den Endpreis inklusive aller evtl. Zuschläge. So sichern Sie sich am besten vor unliebsamen Überraschungen.

Erfahrungsgemäß werden bei größeren Veranstaltungen, Messen und Ausstellungen (siehe Seiten am Ende des Führers) in vielen Städten und deren Umgebung erhöhte Preise verlangt.

Vor allem außerhalb der Saison muß in Urlaubsgebieten mit kurzfristigen Schließungszeiten einzelner Betriebe gerechnet werden.

Kurtaxe

In einigen Orten ist die Kurtaxe nicht im Übernachtungs- bzw. Pensionspreis enthalten; sie wird gesondert erhoben oder in Rechnung gestellt.

Zimmerreservierung

Sie sollte, wenn möglich, rechtzeitig vorgenommen werden. Lassen Sie sich dabei vom Hotelier noch einmal die endgültigen Preise nennen.

Bei schriftlichen Zimmerbestellungen empfiehlt es sich, einen Freiumschlag oder einen internationalen Antwortschein (beim Postamt erhältlich) beizufügen.

Reiseinformationen :

Deutsche Zentrale für Tourismus (DZT),
Beethovenstr. 69, 6000 Frankfurt 1, ✆ 7 57 20,
Telex 4189178.

Allgemeine Deutsche Zimmerreservierung (ADZ),
Corneliusstr. 34, 6000 Frankfurt 1, ✆ 74 07 67,
Telex 416666.

ADAC : Adressen im jeweiligen Ortstext
Notruf (bundeseinheitlich) ✆ 1 92 11

AvD : Lyoner Str. 16, 6000 Frankfurt 71 - Niederrad, ✆ 6 60 60, Telex 411237, Notruf ✆ 6 60 63 00

ACE : Schmidener Str. 233, 7000 Stuttgart 50, ✆ 5 30 30, Telex 7254825, Notruf : ✆ 5 30 31 11

DTC : Amalienburgstr. 23, 8000 München 60, ✆ 8 11 10 48, Telex 524508.

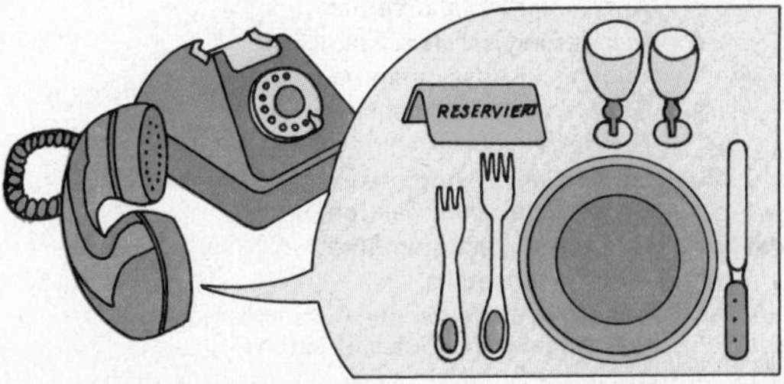

HAUPTSEHENSWÜRDIGKEITEN

	Bewertung
★★★	Eine Reise wert
★★	Verdient einen Umweg
★	Sehenswert
	Lage
Sehenswert	In der Stadt
Ausflugsziel	In der Umgebung der Stadt
N, S, O, W	Die Sehenswürdigkeit liegt im Norden (N), Süden (S), Osten (O), Westen (W) der Stadt
über ①, ④	Zu erreichen über Ausfallstraße ①, ④ auf dem Stadtplan
2 km	Entfernung in Kilometern

STÄDTE

In alphabetischer Reihenfolge (ä = ae, ö = oe, ü = ue, ß = ss)

7500	Postleitzahl
✉ **2891** Waddens	Postleitzahl und zuständiges Postamt
☎ 0211	Vorwahlnummer (bei Gesprächen vom Ausland aus wird die erste Null weggelassen)
☎ 0591 (Lingen)	Vorwahlnummer und zuständiges Fernsprechamt
L	Landeshauptstadt
413 R 20 987 ③	Nummer der Michelin-Karte mit Koordinaten bzw. Faltseite
24 000 Ew.	Einwohnerzahl
Höhe 175 m	Höhe
Heilbad Kneippkurort Heilklimatischer Kurort-Luftkurort Seebad Erholungsort Wintersport	Art des Ortes
800/1 000 m	Höhe des Wintersportgeländes und Maximal-Höhe, die mit Kabinenbahn oder Lift erreicht werden kann
2	Anzahl der Kabinenbahnen
4	Anzahl der Schlepp- oder Sessellifts
4	Anzahl der Langlaufloipen
AX A	Markierung auf dem Stadtplan
✻ ≤	Rundblick, Aussichtspunkt
18	Golfplatz mit Lochzahl
	Flughafen
7720	Ladestelle für Autoreisezüge - Nähere Auskünfte unter der angegebenen Telefonnummer
	Autofähre, Personenfähre
i	Informationsstelle
ADAC	Allgemeiner Deutscher Automobilclub (mit Angabe der Geschäftsstelle)

STADTPLÄNE

Straßen

Autobahn, Straße mit getrennten Fahrbahnen
Anschlußstelle : Autobahneinfahrt und/oder -ausfahrt
Hauptverkehrsstraße
Einbahnstraße - nicht befahrbare Straße
Fußgängerzone - Straßenbahn
Pasteur — Einkaufsstraße - Parkplatz
Tor - Passage - Tunnel
Bahnhof und Bahnlinie
Autofähre - Bewegliche Brücke

Sehenswürdigkeiten — Hotels - Restaurants

Sehenswertes Gebäude mit Haupteingang
Sehenswerter Sakralbau :
Kathedrale, Kirche oder Kapelle
Ruine - Windmühle - Sonstige Sehenswürdigkeiten
B — Referenzbuchstabe einer Sehenswürdigkeit
e — Hotel, Restaurant - Referenzbuchstabe

Sonstige Zeichen

MICHELIN — Informationsstelle - Michelin-Niederlassung
Krankenhaus - Markthalle - Wasserturm - Fabrik
Garten, Park, Wäldchen - Friedhof - Jüd. Friedhof
Stadion - Golfplatz - Bildstock - Turm
Freibad - Hallenbad
Flughafen - Pferderennbahn- Aussicht - Rundblick
Standseilbahn - Seilschwebebahn
Moschee - Synagoge
Denkmal, Statue - Brunnen - Jachthafen - Leuchtturm
Schiffsverbindungen : Autofähre - Personenfähre
Öffentliches Gebäude, durch einen Buchstaben gekennzeichnet :
J — Gerichtsgebäude
L R — Sitz der Landesregierung - Rathaus
M T — Museum - Theater
POL. — Polizei (in größeren Städten Polizeipräsidium)
U — Universität, Hochschule
3 — Straßenkennzeichnung (identisch auf Michelin-Stadtplänen und -Abschnittskarten)
Hauptpostamt (postlagernde Sendungen), Telefon
ADAC — Automobilclub - Bergwerk
U-Bahnstation, unterirdischer S-Bahnhof

Die Namen der wichtigsten Einkaufsstraßen sind am Anfang des Straßenverzeichnisses in rot aufgeführt.

Découvrez le guide...

et sachez l'utiliser pour en tirer le meilleur profit. Le Guide Michelin n'est pas seulement une liste de bonnes tables ou d'hôtels, c'est aussi une multitude d'informations pour faciliter vos voyages.

La clé du Guide

Elle vous est donnée par les pages explicatives qui suivent.
Sachez qu'un même symbole, qu'un même caractère, en rouge ou en noir, en maigre ou en gras, n'a pas tout à fait la même signification.

La sélection des hôtels et des restaurants

Ce Guide n'est pas un répertoire complet des ressources hôtelières d'Allemagne, il en présente seulement une sélection volontairement limitée. Cette sélection est établie après visites et enquêtes effectuées régulièrement sur place. C'est lors de ces visites que les avis et observations de nos lecteurs sont examinés.

Les plans de ville

Ils indiquent avec précision : les rues piétonnes et commerçantes, comment traverser ou contourner l'agglomération, où se situent les hôtels (sur de grandes artères ou à l'écart), où se trouvent la poste, l'office de tourisme, les grands monuments, les principaux sites, etc...

Sur tous ces points et aussi sur beaucoup d'autres, nous souhaitons vivement connaître votre avis. N'hésitez pas à nous écrire, nous vous répondrons.

Merci par avance.

Services de Tourisme Michelin
46, avenue de Breteuil, 75341 PARIS CEDEX 07

Bibendum vous souhaite d'agréables voyages.

Le choix d'un hôtel, d'un restaurant

Notre classement est établi à l'usage de l'automobiliste de passage. Dans chaque catégorie les établissements sont cités par ordre de préférence.

CLASSE ET CONFORT

	Grand luxe et tradition	
	Grand confort	
	Très confortable	
	De bon confort	
	Assez confortable	
	Simple mais convenable	
garni	L'hôtel n'a pas de restaurant	
	Le restaurant possède des chambres	mit Zim

L'INSTALLATION

Les chambres des hôtels que nous recommandons possèdent, en général, des installations sanitaires complètes. Il est toutefois possible que dans les catégories , et certaines chambres en soient dépourvues.

30 Z	Nombre de chambres
50 B	Nombre de lits
	Ascenseur
	Hôtel entièrement ou en partie réservé aux non-fumeurs
Zim	Chambres réservées aux non-fumeurs
Rest	Salle de restaurant réservée aux non-fumeurs
	Air conditionné
	Télévision dans la chambre
	Téléphone dans la chambre, direct avec l'extérieur (cadran)
	Chambres accessibles aux handicapés physiques
	Equipements d'accueil pour les enfants
	Repas servis au jardin ou en terrasse
	Piscine : de plein air ou couverte
	Cure Kneipp
	Sauna
	Plage aménagée
	Jardin de repos
	Tennis
18	Golf et nombre de trous
	Chevaux de selle
	Salles de conférences (25 places minimum)
	Garage
	Parc à voitures réservé à la clientèle
	Accès interdit aux chiens : dans tout l'établissement
Rest	au restaurant seulement
Zim	dans les chambres seulement
Fax	Transmission téléphonique de documents (= Telefax) L'indicatif interurbain devra être composé avant le numéro figurant au texte de l'établissement
Mai - Okt.	Période d'ouverture, communiquée par l'hôtelier
nur Saison	Ouverture probable en saison mais dates non précisées Les établissements ouverts toute l'année sont ceux pour lesquels aucune mention n'est indiquée.

L'AGRÉMENT

Le séjour dans certains hôtels se révèle parfois particulièrement agréable ou reposant.

Cela peut tenir d'une part au caractère de l'édifice, au décor original, au site, à l'accueil et aux services qui sont proposés, d'autre part à la tranquillité des lieux.

De tels établissements se distinguent dans le guide par les symboles rouges indiqués ci-après.

🏨🏨🏨🏨🏨 ... 🏨	Hôtels agréables
XXXXX ... X	Restaurants agréables
« Park »	Élément particulièrement agréable
🐎	Hôtel très tranquille ou isolé et tranquille
🐎	Hôtel tranquille
< Rhein	Vue exceptionnelle
<	Vue intéressante ou étendue

Consultez les cartes p. 50 à 57, elles faciliteront vos recherches.

Nous ne prétendons pas avoir signalé tous les hôtels agréables, ni tous ceux qui sont tranquilles ou isolés et tranquilles.

Nos enquêtes continuent. Vous pouvez les faciliter en nous faisant connaître vos observations et vos découvertes.

LA TABLE

Les étoiles : voir la carte (p. 50 à 57).

Parmi les nombreux établissements recommandés dans ce Guide certains méritent d'être signalés à votre attention pour la qualité de leur cuisine, qu'il s'agisse de cuisines propres au pays ou étrangères. C'est le but des étoiles de bonne table.

Nous indiquons presque toujours, pour ces établissements, trois spécialités culinaires. Essayez-les à la fois pour votre satisfaction et aussi pour encourager le chef dans son effort.

✿ **Une très bonne table dans sa catégorie**

Cuisine soignée, spécialités régionales et étrangères.

L'étoile marque une bonne étape sur votre itinéraire.

Mais ne comparez pas l'étoile d'un établissement de luxe à prix élevés avec celle d'une petite maison où à prix raisonnables, on sert également une cuisine de qualité.

✿✿ **Table excellente, mérite un détour**

Spécialités et vins de choix, attendez-vous à une dépense en rapport.

✿✿✿ **Une des meilleures tables, vaut le voyage**

Table merveilleuse, grands vins, service impeccable, cadre élégant... Prix en conséquence.

Karte **29**/41 **Les repas soignés à prix modérés**

Tout en appréciant les bonnes tables à étoiles, vous souhaitez parfois trouver sur votre itinéraire, des restaurants plus simples à prix modérés. Nous avons pensé qu'il vous intéresserait de connaître des maisons qui proposent, pour un rapport qualité-prix particulièrement favorable, un repas soigné, souvent de type régional.

Consultez la carte p. 50 à 57

et ouvrez votre Guide au nom de la localité choisie. La maison que vous cherchez se distingue des autres par son prix de repas imprimé en caractères gras et par le mot Karte inscrit en rouge.

La bière et les vins : voir p. 44 à 49

LES PRIX

Les prix que nous indiquons dans ce guide ont été établis en été 1988. Ils sont susceptibles d'être modifiés si le coût de la vie subit des variations importantes. Ils doivent, en tout cas, être considérés comme des prix de base.

Les prix indiqués sont des prix « Haute Saison » et s'entendent tout compris, c'est-à-dire service et T.V.A. inclus.

Entrez à l'hôtel le Guide à la main, vous montrerez ainsi qu'il vous conduit là en confiance.

Les hôtels et restaurants figurent en gros caractères lorsque les hôteliers nous ont donné tous leurs prix et se sont engagés, sous leur propre responsabilité, à les appliquer aux touristes de passage porteurs de notre guide.

Prévenez-nous de toute majoration paraissant injustifiée. Si aucun prix n'est indiqué, nous vous conseillons de demander les conditions.

Repas

⇼	Établissement proposant un repas simple à moins de 20 DM
Karte **29**/41	Repas soignés à prix modérés (il s'agit de repas composés d'un potage ou petite entrée, d'un plat garni et d'un dessert)
Karte 14/32	Le premier prix correspond à un repas à l'allemande, simple mais convenable, comprenant : potage, plat garni et dessert. Le deuxième à un repas plus complet comprenant : potage ou hors-d'œuvre, plat garni, fromage ou dessert Ces prix concernent aussi bien des repas établis à la carte que des menus à prix fixe Généralement on ne compte pas de supplément pour le couvert
Fb	Frühstücksbuffet : petit déjeuner avec choix servi au buffet, compris dans le prix de la chambre
🍷	Vin de table à prix modéré

Chambres

5 Z : 8 B	Nombre de chambres et de lits
25/64 - 45/95	Prix des chambres minimum et maximum pour une personne — pour deux personnes, par nuit, petit déjeuner inclus (sur autoroutes le petit déjeuner est parfois compté séparément)
4 Appart. 150/200	Prix minimum et maximum d'un appartement
5 Fewo 70/120	Appartements avec cuisine, destinés aux séjours. Prix minimum et maximum par jour

Pension

P 58/90	Prix minimum et maximum de la pension complète par personne et par jour en saison
	Chauffage. — En Allemagne, un supplément pour le chauffage, pourra dans certains cas, être ajouté au prix de la chambre
AE ⓓ E VISA	**Cartes de crédit.** — Principales cartes de crédit acceptées par l'établissement : American Express — Diners Club — Eurocard — Visa

QUELQUES PRÉCISIONS UTILES

Les prix sont indiqués en Deutsche Mark. Ils concernent surtout les touristes de passage, mais qu'il s'agisse d'une nuitée ou d'un séjour il est bon de s'entendre avec l'hôtelier sur les conditions « tout compris », ce qui évitera ensuite toute contestation possible.

A l'occasion de certaines manifestations commerciales ou touristiques (voir les dernières pages), les prix demandés par les hôteliers risquent d'être sensiblement majorés dans certaines villes et jusqu'à leurs lointains environs.

Principalement hors saison, il peut arriver dans les régions touristiques que certains établissements ferment pour une courte période.

Au restaurant

Les prix correspondent à des menus présentés s'il s'agit de prix fixes, et à une carte chiffrée s'il s'agit de prix à la carte, pour des repas servis aux heures normales (12 h - 13 h 30 et 18 h 30 - 21 h).

A l'hôtel

Le petit déjeuner est inclus dans le prix de la chambre, mais lorsqu'il est servi sous forme de buffet (Frühstücksbuffet), quelques suppléments peuvent être ajoutés à la note.

La pension

Elle comprend la chambre, le petit déjeuner et deux repas. Les prix de pension sont donnés à titre indicatif et sont souvent applicables à partir de trois jours, mais il est nécessaire de consulter l'hôtelier pour conclure un arrangement définitif.

Taxe de séjour

Dans quelques stations de cure la taxe de séjour n'est pas incluse dans les prix de chambres ou de pension et doit être payée en supplément.

Les réservations

Chaque fois que possible, la réservation est souhaitable. Demandez à l'hôtelier de vous fournir dans sa lettre d'accord toutes précisions utiles sur la réservation et les conditions de séjour.

A toute demande écrite, il est conseillé de joindre un coupon-réponse international.

Certains hôteliers demandent parfois le versement d'arrhes. Il s'agit d'un dépôt-garantie qui engage l'hôtelier comme le client.

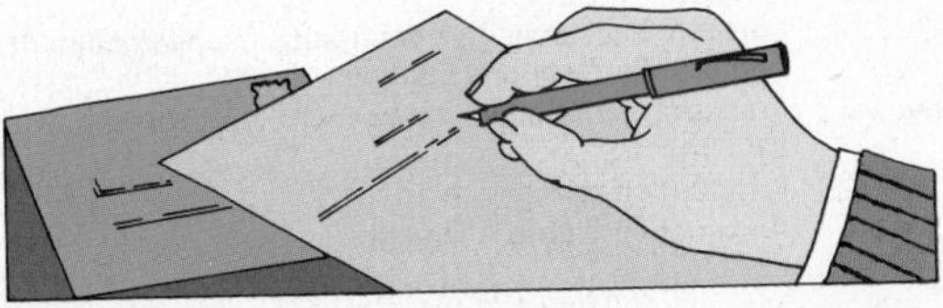

LES CURIOSITÉS

	Intérêt
★★★	Vaut le voyage
★★	Mérite un détour
★	Intéressant
	Situation
Sehenswert	Dans la ville
Ausflugsziel	Aux environs de la ville
N, S, O, W	La curiosité est située : au Nord, Sud, Est, ou Ouest
über ①, ④	On s'y rend par la sortie ① ou ④ repérée par le même signe sur le plan du Guide et sur la carte
6 km	Distance en kilomètres

LES VILLES

Classées par ordre alphabétique (mais ä = ae, ö = oe, ü = ue, ß = ss)

7500	Numéro de code postal
✉ **2891** Waddens	Numéro de code postal et nom du bureau distributeur du courrier
☏ 0211	Indicatif téléphonique interurbain
☏ 0591 (Lingen)	Indicatif téléphonique interurbain suivi, si nécessaire, de la localité de rattachement
L	Capitale de « Land »
413 R 20 987 ③	Numéro de la Carte Michelin et carroyage ou numéro du pli
24 000 Ew	Population
Höhe 175 m	Altitude de la localité
Heilbad	Station thermale
Kneippkurort	Station de cures Kneipp
Heilklimatischer	Station climatique
Kurort-Luftkurort	Station climatique
Seebad	Station balnéaire
Erholungsort	Station de villégiature
Wintersport	Sports d'hiver
800/1 000 m	Altitude de la station et altitude maximum atteinte par les remontées mécaniques
2	Nombre de téléphériques ou télécabines
4	Nombre de remonte-pentes et télésièges
4	Ski de fond et nombre de pistes
AX A	Lettres repérant un emplacement sur le plan
※ ⩤	Panorama, vue
18	Golf et nombre de trous
	Aéroport
✆ 7720	Localité desservie par train-auto. Renseignements au numéro de téléphone indiqué
	Transports maritimes : passagers et voitures, passagers seulement
i	Information touristique
ADAC	Automobile Club d'Allemagne

Pour visiter une ville et ses environs

LES PLANS

Voirie

Autoroute, route à chaussées séparées
échangeur : complet, partiel
Grande voie de circulation
Sens unique - Rue impraticable
Rue piétonne - Tramway
Pasteur — Rue commerçante - Parc de stationnement
Porte - Passage sous voûte - Tunnel
Gare et voie ferrée
Bac pour autos - Pont mobile

Curiosités — Hôtels Restaurants

Bâtiment intéressant et entrée principale
Édifice religieux intéressant :
Cathédrale, église ou chapelle
Ruines - Moulin à vent - Curiosités diverses
B — Lettre identifiant une curiosité
e — Hôtel, restaurant. Lettre les identifiant

Signes divers

MICHELIN — Information touristique - Agence Michelin
Hôpital - Marché couvert - Château d'eau - Usine
Jardin, parc, bois - Cimetière - Cimetière israélite
Stade - Golf - Calvaire - Tour
Piscine de plein air, couverte
Aéroport - Hippodrome - Vue - Panorama
Funiculaire - Téléphérique, télécabine
Mosquée - Synagogue
Monument, statue - Fontaine - Port de plaisance - Phare
Transport par bateau :
passagers et voitures, passagers seulement
Bâtiment public repéré par une lettre :
J — Palais de justice
L R — Siège du gouvernement provincial - Hôtel de ville
M T — Musée - Théâtre
POL. U — Police (commissariat central) - Université, grande école
(3) — Repère commun aux plans et aux cartes Michelin détaillées
Bureau principal de poste restante, téléphone
ADAC — Automobile Club - Puits de mine
Station de métro, gare souterraine

Les hôteliers ont pris des engagements vis-à-vis des lecteurs de ce guide. Présentez bien votre **Guide Michelin** *de l'année.*

Discover the guide...

To make the most of the guide know how to use it. The Michelin Guide offers in addition to the selection of hotels and restaurants a wide range of information to help you on your travels.

The key to the guide

...is the explanatory chapters which follow.
Remember that the same symbol and character whether in red or black or in bold or light type, have different meanings.

The selection of hotels and restaurants

This book is not an exhaustive list of all hotels in Germany but a selection which has been limited on purpose. The final choice is based on regular on the spot enquiries and visits. These visits are the occasion for examining attentively the comments and opinions of our readers.

Town plans

These indicate with precision pedestrian and shopping streets ; major through routes in built up areas ; exact locations of hotels either on main or side streets ; post offices ; tourist information centres ; the principal historic buildings and other tourist sights.

Your views or comments concerning the above subjects or any others, are always welcome. Your letter will be answered.

Thank you in advance.

Michelin Reifenwerke KGaA. - Touristikabteilung
Postfach 210951 - 7500 KARLSRUHE 21

Bibendum wishes you a pleasant journey.

Choosing your hotel or restaurant

We have classified the hotels and restaurants with the travelling motorist in mind. In each category they have been listed in order of preference.

CLASS, STANDARD OF COMFORT

🏨🏨🏨	Luxury in the traditional style	✗✗✗✗✗
🏨🏨🏨	Top class comfort	✗✗✗✗
🏨🏨	Very comfortable	✗✗✗
🏨	Comfortable	✗✗
🏠	Quite comfortable	✗
🏡	Simple comfort	
garni	The hotel has no restaurant	
	The restaurant also offers accommodation	mit Zim

HOTEL FACILITIES

In general the hotels we recommend have full bathroom and toilet facilities in each room. However, this may not be the case for certain rooms in categories 🏨, 🏠 and 🏡.

30 Z	Number of rooms
50 B	Number of beds
🛗	Lift (elevator)
🖥	Air conditioning
🚭	Hotel either partly or wholly reserved for non-smokers
🚭 Zim	Specifically designated bedrooms available for non-smokers
🚭 Rest	Restaurant reserved for non-smokers
📺	Television in room
☎	External phone in room
♿	Rooms accessible to the physically handicapped
🧒	Special facilities for children
☂	Meals served in garden or on terrace
🏊 🏊	Outdoor or indoor swimming pool
⚓	Kneipp cure service
🧖	Sauna
🏖	Beach with bathing facilities
🌳	Garden
🎾	Tennis court
⛳18	Golf course and number of holes
🐎	Horse riding
🏛	Equipped conference hall (minimum seating : 25)
🚗	Garage available (usually charged for)
🅿	Private park
🐕	Dogs are not allowed : in any part of the hotel
🐕 Rest	in the restaurant
🐕 Zim	in the bedrooms
Fax	Telephone document transmission (= Telefax)
	The STD code for the town should be dialled before the number given in the text of each establishment
Mai - Okt.	Dates when open, as indicated by the hotelier
nur Saison	Probably open for the season - precise dates not available.

PEACEFUL ATMOSPHERE AND SETTING

Your stay in certain hotels will be sometimes particularly pleasant or restful.

Such a quality may derive from the hotel's setting, its decor, welcoming atmosphere and service.

Such establishments are distinguished in the Guide by the symbols shown below.

🏨🏨🏨 ... 🏨	Pleasant hotels
XXXXX ... X	Pleasant restaurants
« Park »	Particularly attractive feature
🐎	Very quiet or quiet, secluded hotel
🐎	Quiet hotel
⋞ Rhein	Exceptional view
⋞	Interesting or extensive view

By consulting the maps on pp. 50 to 57 you will find it easier to locate them.

We do not claim to have indicated all the pleasant, very quiet or quiet, secluded hotels which exist.

Our enquiries continue. You can help us by letting us know your opinions and discoveries.

CUISINE

The stars : refer to the map on pp. 50 to 57.

Among the numerous establishments recommended in this Guide certain of them merit being brought to your particular attention for the quality of their cooking. That is the aim of the stars for good food.

For each of these restaurants we show up to three culinary specialities, that we recommend you to try.

✿ **A very good restaurant in its category**

Carefully prepared meals, speciality dishes either regional or foreign.

The star indicates a good place to stop on your journey.

But beware of comparing the star given to a « de luxe » establishment with accordingly high prices with that of a simpler one, where for a lesser sum one can still eat a meal of quality.

✿✿ **Excellent cooking, worth a detour**

Specialities and wines of first class quality... This will be reflected in the price.

✿✿✿ **Exceptional cuisine, worth a journey**

Superb food, fine wines, faultless service, elegant surroundings... One will pay accordingly !

Karte **29**/41 **Good food at moderate prices**

Apart from those establishments with stars we have felt that you might be interested in knowing of other establishments which offer good value for money with a high standard of cooking, often of the regional variety.

Refer to the maps on pp. 50-57, and turn to the appropriate pages in the text. The establishments in this category are shown with their meal prices in bold type and the word Karte in red.

Beer and Wines : see pp. 44 to 49.

PRICES

Valid for summer 1988 the rates shown may be revised if the cost of living changes to any great extent. In any event they should be regarded as basic charges.

The prices shown are for the « high season » and are inclusive of service and V.A.T.

Your recommendation is self-evident if you always walk into a hotel, guide in hand.

Hotels and restaurants whose names appear in bold type have supplied us with their charges in detail and undertaken on their own responsibility to abide by them, wherever possible, if the traveller is in possession of this year's guide.

If you think you have been overcharged, let us know. Where no rates are shown it is best to enquire about terms in advance.

Meal prices

◆	Establishment serving meals for less than 20 DM
Karte **29**/41	Good food at moderate prices (a meal composed of soup or hors-d'œuvre, main dish with vegetables, and a dessert)
Karte 14/32	The first figure is for a plain meal : soup, main dish with vegetables and dessert The second figure is for a fuller meal consisting of : soup or hors-d'œuvre, main course, cheese or dessert These prices apply equally to « à la carte » and fixed price meals There is, generally, no cover charge
Fb	Frühstücksbuffet : breakfast with choice from buffet, included in the price of the room
♁	Table wine at a moderate price

Rooms

5 Z : 8 B 25/64 - 45/95	Number of rooms and beds with lowest and highest prices for single rooms — double rooms for one night, breakfast included. (In some motorway hotels the price of breakfast is counted separately)
4 Appart. 150/200	Lowest and highest price for a suite
5 Fewo 70/120	The hotel also has apartments with kitchen for stays of some length. Prices given are the minimum and maximum daily rates

Full-board

P 58/90	Lowest and highest full « en pension » rate (room, breakfast and two meals) per person in the high season
	Heating. — In Germany, an extra charge for heating may sometimes be added to the price of the room
AE ◐ E VISA	**Credit cards** — Principal credit cards accepted by establishments : American Express — Diners Club — Eurocard (Access and MasterCard) — VISA (BankAmericard)

A FEW USEFUL DETAILS

The prices, shown in Deutsche Marks, are primarily for motorists staying for one or two nights only. But whether you are merely stopping overnight or staying much longer it is best to agree « all-in » terms with the hotelier beforehand so as to avoid any argument later.

In the case of certain trade exhibitions or tourist events (see end of guide), prices demanded by hoteliers are liable to reasonable increases in certain cities and for some distance in the area around them.

When travelling out of season, in the more popular tourist areas, remember that certain establishments may close for a short period.

Set meals

Ordinarily the meal prices relate to printed « set meal » or « à la carte » menus for set meals served at normal hours (noon to 1.30 pm and 6.30 to 9 pm).

In the Hotel

Breakfast is included in the price of the room, but when it is served from a buffet (Frühstücksbuffet) some additional charges are likely.

Full-board

This comprises room, breakfast and 2 meals per day. Full-board prices given are a guide only and are generally applicable for a minimum stay of three days. It is, however, advisable to consult the hotelier to arrange definite terms.

Tax

In certain spa (health) resorts there is a special tax applicable which is not included in the room or pension rates and must therefore be paid over and above the hotel bill.

Reservations

Reserving in advance, when possible, is advised. Ask the hotelier to provide you, in his letter of confirmation, with all terms and conditions applicable to your reservation.

It is advisable to enclose an international reply coupon with your letter.

Certain hoteliers require the payment of a deposit. This constitutes a mutual guarantee of good faith.

Seeing a town and its surroundings

SIGHTS

	Star-rating
★★★	Worth a journey
★★	Worth a detour
★	Interesting
	Finding the sights
Sehenswert	Sights in town
Ausflugsziel	On the outskirts
N, S, O, W	The sight lies north, south, east or west of the town
über ①, ④	Sign on town plan indicating the road leading to a place of interest
6 km	Distance in kilometres

TOWNS

in alphabetical order (but ä = ae, ö = oe, ü = ue, ß = ss)

7500	Postal number
✉ 2891 Waddens	Postal number and Post Office serving the town
☎ 0211	Telephone dialling code. Omit 0 when dialling from abroad
☎ 0591 (Lingen)	For a town not having its own telephone exchange, the town where the exchange serving it is located is given in brackets after the dialling code
L	Capital of « Land »
413 R 20	Michelin map number, co-ordinates
987 ③	or fold
24 000 Ew	Population
Höhe 175 m	Altitude (in metres)
Heilbad	Spa
Kneippkurort	Health resort (Kneipp)
Heilklimatischer	Health resort
Kurort-Luftkurort	Health resort
Seebad	Seaside resort
Erholungsort	Holiday resort
Wintersport	Winter sports
800/1000 m	Altitude (in metres) of resort and highest point reached by lifts
2	Number of cable-cars
4	Number of ski and chairlifts
4	Cross-country skiing and number of runs
AX **A**	Letters giving the location of a place on the town map
✻ ⋞	Panoramic view, view
18	Golf course and number of holes
✈	Airport
☏ 7720	Place with a motorail connection, further information from telephone number listed
	Shipping line : passengers and cars, passengers only
i	Tourist Information Centre
ADAC	German Automobile Club

TOWN PLANS

Roads

Motorway, dual carriageway
  Interchange : complete, limited
Major through route
One-way street - Unsuitable for traffic
Pedestrian street - Tram
Pasteur — Shopping street - Car park
Gateway - Street passing under arch - Tunnel
Station and railway
Car ferry - Lever bridge

Sights — Hotels — Restaurants

Place of interest and its main entrance
Interesting place of worship
  Cathedral, church or chapel
Ruins - Windmill - Other sights
B — Reference letter locating a sight
e — Hotel, restaurant with reference letter

Various signs

MICHELIN — Tourist Information Centre - Michelin Branch
Hospital - Covered market - Water tower - Factory
Garden, park, wood - Cemetery - Jewish cemetery
Stadium - Golf course - Cross - Tower
Outdoor or indoor swimming pool
Airport - Racecourse - View - Panorama
Funicular - Cable-car
Mosque - Synagogue
Monument, statue - Fountain
Pleasure boat harbour - Lighthouse
Ferry services : passengers and cars, passengers only
Public buildings located by letter :
  J — Law Courts
  L, R — Provincial Government Office - Town Hall
  M, T — Museum - Theatre
  POL. — Police (in large towns police headquarters)
  U — University, colleges
3 — Reference number common to town plans and detailed Michelin maps
Main post office with poste restante, telephone
ADAC — Automobile Club - Mine, pit
Underground station, S-Bahn station underground

North is at the top on all town plans.

Scoprite la guida...

e sappiatela utilizzare per trarre il miglior vantaggio. La Guida Michelin è un elenco dei migliori alberghi e ristoranti, naturalmente. Ma anche una serie di utili informazioni per i Vostri viaggi !

La " chiave "

Leggete le pagine che seguono e comprenderete !
Sapete che uno stesso simbolo o una stessa parola in rosso o in nero, in carattere magro o grasso, non ha lo stesso significato ?

La selezione degli alberghi e ristoranti

Attenzione ! La guida non elenca tutte le risorse alberghiere di Germania. E' il risultato di una selezione, volontariamente limitata, stabilita in seguito a visite ed inchieste effettuate sul posto. E, durante queste visite, amici lettori, vengono tenute in evidenza le Vs. critiche ed i Vs. apprezzamenti !

Le piante di città

Indicano con precisione : strade pedonali e commerciali, il modo migliore per attraversare od aggirare il centro, l'esatta ubicazione degli alberghi e ristoranti citati, della posta centrale, dell'ufficio informazioni turistiche, dei monumenti più importanti e poi altre e altre ancora utili informazioni per Voi !

Su tutti questi punti e su altri ancora, gradiremmo conoscere il Vs. parere. SCRIVETECI e non mancheremo di risponderVi !

Michelin Reifenwerke KGaA. - Touristikabteilung
Postfach 210951 - 7500 KARLSRUHE 21

Grazie e... buon viaggio.

La scelta di un albergo, di un ristorante

La nostra classificazione è stabilita ad uso dell'automobilista di passaggio. In ogni categoria, gli esercizi vengono citati in ordine di preferenza.

CLASSE E CONFORT

	Gran lusso e tradizione	
	Gran confort	
	Molto confortevole	
	Di buon confort	
	Abbastanza confortevole	
	Semplice ma conveniente	
garni	L'albergo non ha ristorante	
	Il ristorante dispone di camere	mit Zim

INSTALLAZIONI

Le camere degli alberghi che raccomandiamo possiedono, generalmente, delle installazioni sanitarie complete. È possibile, tuttavia, che nell' ambito delle categorie , e alcune camere ne siano sprovviste.

30 Z	Numero di camere
50 B	Numero di letti
	Ascensore
	Albergo completamente o in parte riservato ai non fumatori
Zim	Camere riservate ai non fumatori
Rest	Ristorante riservato ai non fumatori
	Aria condizionata
TV	Televisione in camera
	Telefono in camera comunicante direttamente con l'esterno
	Camere d'agevole accesso per i minorati fisici
	Attrezzatura per accoglienza e ricreazione dei bambini
	Pasti serviti in giardino o in terrazza
	Piscina : all'aperto, coperta
	Cura Kneipp
	Sauna
	Spiaggia attrezzata
	Giardino da riposo
	Tennis
18	Golf e numero di buche
	Cavalli da sella
	Sale per conferenze (minimo 25 posti)
	Garage
P	Parcheggio
	E'vietato l'accesso ai cani : ovunque
Rest	soltanto al ristorante
Zim	soltanto nelle camere
Fax	Trasmissione telefonica di documenti (= Telefax) Il prefisso interurbano dovrà essere composto prima del numero indicato nel testo dell'esercizio
Mai - Okt.	Periodo di apertura comunicato dall'albergatore
nur Saison	Apertura in stagione, ma periodo non precisato Gli esercizi senza tali indicazioni sono aperti tutto l'anno.

AMENITÀ

Il soggiorno in alcuni alberghi si rivela talvolta particolarmente ameno o riposante.

Ciò può dipendere sia dalle caratteristiche dell'edificio, dalle decorazioni non comuni, dalla sua posizione, dall'accoglienza e dai servizi offerti, sia dalla tranquillità dei luoghi.

Questi esercizi sono così contraddistinti :

🏨🏨🏨🏨🏨 ... 🏨	Alberghi ameni
XXXXX ... X	Ristoranti ameni
« Park »	Un particolare piacevole
🐴	Albergo molto tranquillo o isolato e tranquillo
🐴	Albergo tranquillo
⋲ Rhein	Vista eccezionale
⋲	Vista interessante o estesa

Consultate le carte da p. 50 a 57.

Non abbiamo la pretesa di aver segnalato tutti gli alberghi ameni, nè tutti quelli molto tranquilli o isolati e tranquilli.

Le nostre ricerche continuano. Le potrete agevolare facendoci conoscere le vostre osservazioni e le vostre scoperte.

LA TAVOLA

Le Stelle : vedere la carta da p. 50 a p. 57.

Tra i numerosi esercizi raccomandati in questa guida alcuni meritano di essere segnalati alla vostra attenzione per la qualità della loro cucina, che può essere cucina propria del paese oppure d'importazione. Questo è lo scopo delle « stelle di ottima tavola ».

Per questi esercizi indichiamo quasi sempre tre specialità culinarie : provatele, tanto per vostra soddisfazione quanto per incoraggiare l'abilità del cuoco.

✵ **Un'ottima tavola nella sua categoria**

Cucina accurata, specialità regionali e d'importazione.

Una tappa gastronomica sul vostro itinerario. Non mettete però a confronto la stella di un esercizio di lusso, dai prezzi elevati, con quella di un piccolo esercizio dove, a prezzi ragionevoli, viene offerta una cucina di qualità.

✵✵ **Tavola eccellente : merita una deviazione.**

Specialità e vini scelti... Aspettatevi una spesa in proporzione.

✵✵✵ **Una delle migliori tavole : vale il viaggio.**

Tavola meravigliosa, grandi vini, servizio impeccabile, ambientazione accurata... Prezzi conformi.

Karte **29**/41 **Pasti accurati a prezzi contenuti**

Oltre alle ottime tavole contrassegnate con stelle, abbiamo pensato potesse interessarVi conoscere degli esercizi che, per un rapporto qualità-prezzo particolarmente favorevole, offrono un pasto accurato spesso a carattere tipicamente regionale.

Consultate la carta da p. 50 a p. 57

e aprite la guida in corrispondenza della località prescelta. L'esercizio che cercate richiamerà la vostra attenzione grazie al prezzo del pasto stampato in grassetto ed alla sigla Karte evidenziata in rosso.

La birra e i vini : vedere da p. 45 a p. 49.

I PREZZI

Questi prezzi, redatti durante l'estate 1988, possono venire modificati qualora il costo della vita subisca notevoli variazioni. Essi debbono comunque essere considerati come prezzi base.

Entrate nell'albergo con la Guida alla mano, dimostrando in tal modo la fiducia in chi vi ha indirizzato.

Gli alberghi e ristoranti figurano in carattere grassetto quando gli albergatori ci hanno comunicato tutti i loro prezzi e si sono impegnati, sotto loro responsabilità, ad applicarli ai turisti di passaggio in possesso della nostra pubblicazione.

Segnalateci eventuali maggiorazioni che vi sembrino ingiustificate. Quando i prezzi non sono indicati, vi consigliamo di chiedere preventivamente le condizioni.

I prezzi indicati sono prezzi per « alta stagione » e sono calcolati tutto compreso, cioè con servizio ed I.V.A. inclusi.

Pasti

◆	Esercizio che presenta un pasto semplice per meno di 20 DM
Karte **29**/41	Pasti accurati a prezzi contenuti (comprendono : minestra o antipastino, piatto con contorno, dessert)
Karte 14/32	Il primo prezzo corrisponde ad un pasto semplice comprendente : minestra, piatto con contorno, dessert. Il secondo prezzo corrisponde ad un pasto più completo comprendente : antipasto, piatto con contorno, formaggio o dessert Questi prezzi si riferiscono tanto a pasti « alla carta » quanto a menu a prezzo fisso Generalmente, il coperto non viene addebitato
Fb	Frühstücksbuffet : prima colazione con ampia scelta servita al buffet, inclusa nel prezzo della camera
♁	Vino da tavola a prezzo modico

Camere

5 Z : 8 B	Numero di camere e di letti
25/64 - 45/95	Prezzo minimo e prezzo massimo per una notte, per una camera singola — per una camera occupata da due persone, compresa la prima colazione
4 Appart. 150/200	Prezzo minimo e massimo per un appartamento
5 Fewo 70/120	L'albergo dispone anche di appartamenti con cucina, destinati a soggiorni. Prezzo minimo e massimo giornaliero

Pensione

P 58/90	Prezzo minimo e massimo della pensione completa per persona e per giorno in alta stagione

Riscaldamento. — In certi casi, in Germania, il riscaldamento viene addebitato a parte

AE ⓓ E VISA	**Carte di credito.** — Principali carte di credito accettate da un albergo o ristorante : American Express — Diners Club — Eurocard — Visa (Bank Americard)

QUALCHE CHIARIMENTO UTILE

I prezzi sono indicati in Deutsche Mark e riguardano soprattutto i turisti di passaggio ; tuttavia, sia per un semplice pernottamento sia per un soggiorno, è bene prendere accordi con l'albergatore circa le condizioni « tutto compreso », al fine di evitare ogni possibile contestazione.

In occasione di alcune manifestazioni commerciali o turistiche (vedere le ultime pagine), i prezzi richiesti dagli albergatori possono subire un sensibile aumento nelle località interessate e nei loro dintorni.

Nelle regioni turistiche può capitare di trovare alcuni esercizi chiusi per un breve periodo soprattutto fuori stagione.

Al ristorante

I prezzi fissi corrispondono a menu regolarmente presentati, quelli alla carta ad una lista con i rispettivi prezzi : s'intende sempre per pasti serviti ad ore normali (dalle 12 alle 13,30 e dalle 18,30 alle 21).

All'albergo

La prima colazione è normalmente inclusa nel prezzo della camera, ma se viene servita come « buffet » (Frühstücksbuffet), può essere aggiunto un supplemento.

La pensione

Comprende la camera, la piccola colazione ed i due pasti. I prezzi di pensione sono dati a titolo indicativo e sono generalmente applicabili a partire da 3 giorni di permanenza : è comunque indispensabile prendere accordi preventivi con l'albergatore per stabilire le condizioni definitive.

Tassa di soggiorno

In alcune stazioni di cura, la tassa di soggiorno non è inclusa nel prezzo delle camere o della pensione e deve essere pagata in più sul conto dell'albergo.

Le prenotazioni

Appena possibile è consigliabile prenotare. Chiedete all'albergatore di fornirvi nella sua lettera di conferma ogni dettaglio sulle condizioni che vi saranno praticate.

Ad ogni richiesta scritta, è opportuno allegare un tagliando-risposta internazionale.

Alle volte alcuni albergatori chiedono il versamento di una caparra. E' un deposito-garanzia che impegna tanto l'albergatore che il cliente.

LE CURIOSITÀ

	Grado d'interesse
★★★	Vale il viaggio
★★	Merita una deviazione
★	Interessante
	Situazione
Sehenswert	Nella città
Ausflugsziel	Nei dintorni della città
N, S, O, W	La curiosità è situata : a Nord, a Sud, a Est, a Ovest
über ①, ④	Ci si va dall'uscita ① o ④ indicata con lo stesso segno sulla pianta
6 km	Distanza chilometrica

LE CITTÀ

Elencate in ordine alfabetico (ma ä = ae, ö =oe, ü = ue, ß = ss)

7500	Codice di avviamento postale
✉ 2891 Waddens	Numero di codice e sede dell'Ufficio postale
☎ 0211	Prefisso telefonico interurbano. Dall' estero non formare lo 0
☎ 0591 (Lingen)	Quando il centralino telefonico si trova in un' altra località, ne indichiamo il nome tra parentesi, dopo il prefisso
L	Capoluogo di « Land »
413 R 20 / 987 ③	Numero della carta Michelin e del riquadro o numero della piega
24 000 Ew	Popolazione
Höhe 175 m	Altitudine
Heilbad	Stazione termale
Kneippkurort	Stazione di cure Kneipp
Heilklimatischer	Stazione climatica
Kurort-Luftkurort	Stazione climatica
Seebad	Stazione balneare
Erholungsort	Stazione di villeggiatura
Wintersport	Sport invernali
800/1 000 m	Altitudine della località ed altitudine massima raggiungibile dalle risalite meccaniche
2	Numero di funivie o cabinovie
4	Numero di sciovie e seggiovie
4	Sci di fondo e numero di piste
AX **B**	Lettere indicanti l'ubicazione sulla pianta
✻ ⋞	Panorama, vista
18	Golf e numero di buche
✈	Aeroporto
✆ 7720	Località con servizio auto su treno. Informarsi al numero di telefono indicato
	Trasporti marittimi : passeggeri ed autovetture, solo passeggeri
i	Ufficio informazioni turistiche
ADAC	Automobile Club Tedesco

Per visitare una città ed i suoi dintorni

LE PIANTE

Viabilità

Autostrada, strada a carreggiate separate
svincolo : completo, parziale
Grande via di circolazione
Senso unico - Via impraticabile
Via pedonale - Tranvia
Pasteur — Via commerciale - Parcheggio
Porta - Sottopassaggio - Galleria
Stazione e ferrovia
Battello per auto - Ponte mobile

Curiosità — Alberghi - Ristoranti

Edificio interessante ed entrata principale
Costruzione religiosa interessante :
Cattedrale, chiesa o cappella
Ruderi - Mulino a vento - Curiosità varie
B — Lettera che identifica una curiosità
e — Albergo, Ristorante. Lettera di riferimento che li identifica sulla pianta

Simboli vari

MICHELIN — Centro di distribuzione Michelin
Ufficio informazioni turistiche
Ospedale - Mercato coperto - Torre idrica - Fabbrica
Giardino, parco, bosco - Cimitero - Cimitero ebreo
Stadio - Golf - Calvario - Torre
Piscina : all'aperto, coperta
Aeroporto - Ippodromo - Vista - Panorama
Funicolare - Funivia, Cabinovia
Monumento, statua - Fontana - Moschea - Sinagoga
Porto per imbarcazioni da diporto - Faro
Trasporto con traghetto :
passeggeri ed autovetture, solo passeggeri
Edificio pubblico indicato con lettera :
J — Palazzo di giustizia
L R — Sede del Governo della Provincia - Municipio
M T — Museo - Teatro
POL. — Polizia (Questura, nelle grandi città)
U — Università, grande scuola
③ — Simbolo di riferimento comune alle piante ed alle carte Michelin particolareggiate
Ufficio centrale di fermo posta, telefono
ADAC — Automobile Club - Pozzo di miniera
Stazione della Metropolitana, Stazione sotterranea

BIERE

Die Bierherstellung, deren Anfänge bis ins 9. Jh. zurückreichen, unterliegt in Deutschland seit 1516 dem Reinheitsgebot, welches vorschreibt, daß zum Bierbrauen nur Hopfen, Gerstenmalz, Hefe und Wasser verwendet werden dürfen.

Etwa 1.400 Brauereien stellen heute in Deutschland ca. 4.000 verschiedene Biere her, deren geschmackliche Vielfalt auf den hauseigenen Braurezepten beruht.

Beim Brauen prägt die aus Malz und dem aromagebenden Hopfen gewonnene Würze zusammen mit dem Brauwasser, der Gärungsart (obergärig, untergärig) und der für das Gären verwendeten Hefe entscheidend Qualität, Geschmack, Farbe und Alkoholgehalt des Bieres.

Die Vollbiere (Alt, Export, Kölsch, Märzen, Pils, Weizenbier) haben einen Alkoholgehalt von 3,7 % bis 4,2 % und einen Stammwürzegehalt (= vor der Gärung gemessener Malzextraktgehalt der Würze) von 11 % bis 14 %.

Die Starkbiere (Bock- und Doppelbockbiere) liegen im Alkoholgehalt bei 5,3 % bis 5,7 % und im Stammwürzegehalt bei 16 % bis 18 %.

Durch den höheren Malzanteil wirken vor allem die dunklen Biere (Rauchbier, Bockbier, Malzbier) im Geschmack leicht süß.

LA BIÈRE

La fabrication de la bière en Allemagne remonte au début du 9e siècle. En 1516 une « ordonnance d'intégrité » (Reinheitsgebot) précise que seuls le houblon, le malt, la levure et l'eau peuvent être utilisés pour le brassage de la bière. Il en est toujours ainsi et le procédé utilisé est le suivant :

Le malt de brasserie — grains d'orge trempés, germés et grillés — est mis à tremper et à cuire en présence de houblon qui apporte au moût, ainsi élaboré, ses éléments aromatiques. Grâce à une levure, ce moût entre en fermentation.

Aujourd'hui environ 1 400 brasseries produisent en Allemagne 4 000 sortes de bières diverses par leur goût, leur couleur et également leur teneur en alcool.

Au restaurant ou à la taverne, la bière se consomme généralement à la pression « vom Fass ».

Les bières courantes ou Vollbiere (Kölsch, Alt, Export, Pils, Märzen, bière de froment) sont les plus légères et titrent 3 à 4° d'alcool.

Les bières fortes ou Starkbiere (Bockbier, Doppelbock) atteignent 5 à 6° et sont plus riches en malt.

Elles sont légères dans le Sud (Munich, Stuttgart), un peu plus fermentées et amères en Rhénanie (Dortmund, Cologne), douceâtres à Berlin.

Les bières brunes (malt torréfié) peuvent paraître sucrées (Rauchbier, Bockbier, Malzbier).

BEER

Beer has been brewed in Germany since the beginning of 9C. In 1516 a decree on quality (Reinheitsgebot) was passed which stated that only hops, malt, yeast and water should be used for brewing. This still applies and the following method is used :

Brewer's malt — obtained from barley after soaking, germination and roasting — is mixed with water and hops which flavour the must, and boiled. Yeast is added and the must is left to ferment.

Today about 1400 breweries in Germany produce 4000 kinds of beer which vary in taste, colour and alcohol content.

In restaurants and bars, beer is generally on draught « vom Fass ».

Popular beers or Vollbiere (Kölsch, Alt, Export, Pils, Märzen and beer from wheatgerm) are light and 3-4 % proof.

Strong beers or Starkbiere (Bockbier, Doppelbock) are rich in malt and 5-6 % proof.

These are light in the South (Munich, Stuttgart), stronger and more bitter in Rhineland (Dortmund, Cologne) and sweeter in Berlin.

Dark beers (roasted malt) may seem rather sugary (Rauchbier, Bockbier, Malzbier).

LA BIRRA

La fabbricazione della birra in Germania risale all'inizio del nono secolo. Nel 1516, un "ordinanza d'integrità" (Reinheitsgebot) precisa che, per la produzione della birra, possono essere solamente adoperati il luppolo, il malto, il lievito e l'acqua. Ciò è rimasto immutato e il processo impiegato è il seguente :

Il malto -derivato da semi d'orzo macerati, germinati e tostati- viene macerato e tostato unitamente al luppolo che aggiunge al mosto, elaborato in tal modo, le sue componenti aromatiche. Grazie all'apporto di un lievito, questo mosto entra in fermentazione.

Oggigiorno, circa 1400 birrerie producono in Germania 4000 tipi di birra diversi per il loro gusto, colore e la loro gradazione alcolica.

Nei ristoranti o nelle taverne, la birra viene consumata alla spina "vom Fass".

Le birre comuni o Vollbiere (Kölsch, Alt, Export, Pils, Märzen, birra di frumento) sono le più leggere e raggiungono una gradazione alcolica di 3 o 4°.

Le birre forti o Starkbiere (Bockbier, Doppelbock) raggiungono una gradazione alcolica di 5 o 6° e sono le più ricche di malto.

Esse sono leggere nel Sud (Monaco, Stuttgart), leggermente più fermentate e amare in Renania (Dortmund, Colonia), dolciastre a Berlino.

Le birre scure (malto torrefatto) possono sembrare dolcificate (Rauchbier, Bockbier, Malzbier).

WEINBAUGEBIETE
CARTE DU VIGNOBLE
MAP OF THE VINEYARDS
CARTA DEI VIGNETI

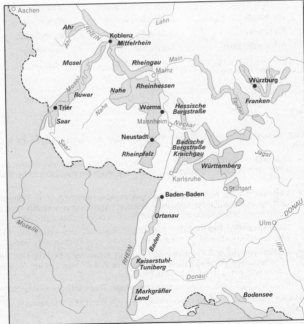

WEINE

Auf einer Gesamtanbaufläche von ca. 91.000 ha gedeiht in Deutschland in den elf bestimmten Anbaugebieten (Ahr, Mittelrhein, Mosel-Saar-Ruwer, Nahe, Rheingau, Rheinhessen, Hessische Bergstraße, Franken, Rheinpfalz, Württemberg, Baden) eine Vielfalt von Weinen unterschiedlichsten Charakters, geprägt von der Verschiedenartigkeit der Böden, vom Klima und von der Rebsorte.

Die wichtigsten Weine

Weißwein *(ca. 80 % der dt. Weinproduktion)*

REBSORTEN	CHARAKTERISTIK	HAUPTANBAUGEBIET
Gutedel	*leicht, aromatisch*	Baden
Kerner	*rieslingähnlich, rassig*	Württemberg
Morio-Muskat	*aromatisch, bukettreich*	Rheinpfalz
Müller-Thurgau	*würzig-süffig, feine Säure*	Franken, Rheinhessen, Baden, Nahe
Riesling (in Baden : Klingelberger)	*rassig, spritzig, elegant, feine Fruchtsäure*	Mittelrhein, Mosel-Saar-Ruwer, Rheingau
Ruländer	*kräftig, füllig, gehaltvoll*	Baden
Silvaner	*fruchtig, blumig, kräftig*	Franken, Rheinhessen, Nahe, Rheinpfalz
(Gewürz-) Traminer (i.d. Ortenau : Clevner)	*würzig, harmonisch*	Baden
Weißburgunder	*blumig, fruchtig, elegant*	Baden

Rotwein

Badisch Rotgold	*rassig, gehaltvoll, elegant*	Baden
Lemberger	*kernig, kräftig, wuchtig*	Württemberg
Portugieser	*leicht, süffig, mundig frisch*	Ahr, Rheinpfalz
Schwarzriesling	*zart, fruchtig*	Württemberg
(blauer) Spätburgunder (in Württemberg : Clevner)	*rubinfarben, samtig, körperreich*	Ahr, Baden
Trollinger	*leicht, frisch, fruchtig*	Württemberg

Das Weingesetz von 1971 und 1982 teilt die deutschen Weine in 4 Güteklassen ein :

- **deutscher Tafelwein** muß aus einer der 4 Weinregionen stammen (Tafelwein, ohne den Zusatz "deutscher" kann mit Weinen aus EG-Ländern verschnitten sein).
- **Landwein** trägt eine allgemeine Herkunftsbezeichnung (z. B. Pfälzer Landwein), darf nur aus amtlich zugelassenen Rebsorten gewonnen werden, muß mindestens 55 Öchslegrade haben und darf nur trocken oder halbtrocken sein.
- **Qualitätswein bestimmter Anbaugebiete** muß aus einem der 11 deutschen Anbaugebiete stammen und auf dem Etikett eine Prüfnummer haben.
- **Qualitätswein mit Prädikat** darf nur aus einem einzigen Bereich innerhalb der 11 deutschen Anbaugebiete stammen, muß auf dem Etikett eine Prüfnummer haben und eines der 6 Prädikate besitzen :

  Kabinett, Spätlese, Auslese, Beerenauslese, Trockenbeerenauslese, Eiswein.

Eiswein, wird aus Trauben gewonnen, die nach Frost von mindestens - 7° C gelesen wurden.

LES VINS

Le vignoble allemand s'étend sur plus de 91 000 ha. Les vins les plus connus proviennent principalement des 11 régions suivantes : Ahr, Mittelrhein (Rhin moyen), Mosel-Saar-Ruwer, Nahe, Rheingau, Rheinhessen (Hesse rhénane), Hessische Bergstraße (Montagne de Hesse), Franken (Franconie), Rheinpfalz (Rhénanie-Palatinat), Württemberg (Wurtemberg), Baden (Pays de Bade).

Principaux vins

Vins blancs *(80 % de la production)*

CÉPAGES	CARACTÉRISTIQUES	PRINCIPALES RÉGIONS
Gutedel	*léger, bouqueté*	Pays de Bade
Kerner	*proche du Riesling*	Wurtemberg
Morio-Muskat	*aromatique, bouqueté*	Rhénanie-Palatinat
Müller-Thurgau	*vigoureux, nerveux*	Franconie, Hesse Rhénane, Pays de Bade, Nahe
Riesling (dans le pays de Bade : Klingelberger)	*racé, élégant, au fruité légèrement acidulé*	Rhin moyen, Moselle-Sarre-Ruwer, Rheingau
Ruländer	*puissant, rond, riche*	Pays de Bade
Silvaner	*fruité, bouqueté, puissant*	Franconie, Hesse rhénane, Nahe, Rhénanie-Palatinat
Traminer, Gewürztr.	*épicé, harmonieux*	Pays de Bade
Weißburgunder	*bouqueté, fruité, élégant*	Pays de Bade

Vins rouges

Badisch Rotgold	*racé, riche, élégant*	Pays de Bade
Lemberger	*charnu, puissant*	Wurtemberg
Portugieser	*léger, gouleyant, frais*	Ahr, Rhénanie-Palatinat
Schwarzriesling	*tendre, fruité*	Wurtemberg
(blauer) Spätburgunder (en Wurtemberg : Clevner)	*de couleur rubis, velouté*	Ahr, Pays de Bade
Trollinger	*léger, frais, fruité*	Wurtemberg

La législation de 1971 et de 1982 classe les vins allemands en 4 catégories :

— **Tafelwein ou deutscher Tafelwein,** vins de table, sans provenance précise, pouvant être des coupages, soit de vins de la C.E.E., soit de vins exclusivement allemands.

— **Landwein** porte une appellation d'origine générale (ex. Pfälzer Landwein), et ne peut provenir que de cépages officiellement reconnus ; il doit avoir au minimum 55° Öchsle et ne peut être que sec ou demi sec.

— **Qualitätswein bestimmter Anbaugebiete,** vins de qualité supérieure, ils portent un numéro de contrôle officiel et ont pour origine une des 11 régions (Gebiet) déterminées.

— **Qualitätswein mit Prädikat,** vins strictement contrôlés, ils représentent l'aristocratie du vignoble, ils proviennent d'un seul vignoble d'appellation et portent en général l'une des dénominations suivantes :

Kabinett (réserve spéciale), Spätlese (récolte tardive), Auslese (récolte tardive, raisins sélectionnés), Beerenauslese, Trockenbeerenauslese (vins liquoreux), Eiswein.

Les " Eiswein » (vins des glaces) sont obtenus à partir de raisins récoltés après une gelée d'au moins — 7° C.

WINES

The German vineyards extend over 91,000 ha — 225,000 acres and 11 regions : Ahr, Mittelrhein, Mosel-Saar-Ruwer, Nahe, Rheingau, Rheinhessen, Hessische Bergstraße, Franken (Franconia), Rheinpfalz (Rhineland-Palatinate), Württemberg, Baden.

Principal Wines

White wines *(80 % of production)*

GRAPE STOCK	CHARACTERISTICS	MAIN REGIONS
Gutedel	*light, fragrant*	Baden
Kerner	*similar to Riesling*	Württemberg
Morio-Muskat	*fragrant, full bouquet*	Rhineland-Palatinate
Müller-Thurgau	*potent, lively*	Franconia, Rheinhessen, Baden, Nahe
Riesling (in Baden : Klingelberger)	*noble, elegant, slightly acid and fruity*	Mittelrhein, Mosel-Saar-Ruwer
Ruländer	*potent, smooth, robust*	Baden
Silvaner	*fruity, good bouquet, potent*	Franconia, Rheinhessen, Nahe, Rhineland-Palatinate
Traminer, Gewürztraminer	*spicy, smooth*	Baden
Weißburgunder	*delicate bouquet, fruity, elegant*	Baden

Red wines

Badisch Rotgold	*noble, robust, elegant*	Baden
Lemberger	*full bodied, potent*	Württemberg
Portugieser	*light, smooth, fresh*	Ahr, Rhineland-Palatinate
Schwarzriesling	*delicate, fruity*	Württemberg
(blauer) Spätburgunder (in Württemberg : Clevner)	*ruby colour, velvety*	Ahr, Baden
Trollinger	*light, fresh, fruity*	Württemberg

Following legislation in 1971 and 1982, German wines fall into 4 categories :

— **Tafelwein or deutscher Tafelwein** are table wines with no clearly defined region of origin, and which in effect may be a blending of other Common Market wines or of purely German ones.

— **Landwein** are medium quality wines between the table wines and the Qualitätswein b. A. which carry a general appellation of origin (i.e. Pfälzer Landwein) and can only be made from officially approved grapes, must have 55° " Öchslegrade " minimum and must be dry or medium dry.

— **Qualitätswein bestimmter Anbaugebiete,** are wines of superior quality which carry an official control number and originate from one of the 11 clearly defined regions (Gebiet) e.g. Moselle, Baden, Rhine.

— **Qualitätswein mit Prädikat,** are strictly controlled wines of prime quality. These wines are grown and made in a clearly defined and limited area or vineyard and generally carry one of the following special descriptions.

Kabinett (a perfect reserve wine), Spätlese (wine from late harvest grapes), Auslese (wine from specially selected grapes), Beerenauslese, Trockenbeerenauslese (sweet wines), Eiswein.

Eiswein (ice wines) are produced from grapes harvested after a minimum — 7°C frost.

I VINI

Il vigneto tedesco si estende su più di 91.000 ettari. Esso comporta 11 regioni : Ahr, Mittelrhein (Reno medio), Mosel-Saar-Ruwer, Nahe, Rheingau, Rheinhessen (Hesse renano), Hessische Bergstraße (montagna di Hesse), Franken (Franconia), Rheinpfalz (Renania-Palatinato), Württemberg, Baden.

Vini principali

Vini bianchi *(80 % della produzione)*

VITIGNI	CARATTERISTICHE	PRINCIPALI REGIONI
Gutedel	*leggero, aromatico*	Baden
Kerner	*molto simile al Riesling*	Württemberg
Morio-Muskat	*aromatico*	Renania-Palatinato
Müller-Thurgau	*vigoroso*	Franconia, Hesse renano, Baden, Nahe
Riesling (Nella regione di Baden : Klingelberger)	*aristocratico, elegante, fruttato leggermente acidulo*	Reno medio, Mosella-Sarre-Ruwer, Rheingau
Ruländer	*forte, corposo, robusto*	Baden
Silvaner	*fruttato, aromatico, forte*	Franconia, Hesse renano, Nahe Renania-Palatinato
Traminer (Gewürz-)	*corposo, armonico*	Baden
Weißburgunder	*aromatico, fruttato, elegante*	Baden

Vini rossi

Badisch Rotgold	*aristocratico, robusto, elegante*	Baden
Lemberger	*corposo, forte*	Württemberg
Portugieser	*leggero, fresco*	Ahr, Renania-Palatinato
Schwarzriesling	*tenero, fruttato*	Württemberg
(blauer) Spätburgunder (nella regione di Württemberg : Clevner)	*colore rubino, vellutato, pieno, corposo*	Ahr, Baden
Trollinger	*leggero, fresco, fruttato*	Württemberg

La legislazione del 1971 e del 1982 classifica i vini tedeschi in 4 categorie :

— **Tafelwein o deutscher Tafelwein :** vini da tavola, senza provenienza precisa, possono essere di taglio, sia per i vini della C.E.E. che per vini esclusivamente tedeschi.

— **Landwein :** in termini di qualità è una via di mezzo fra il vino da tavola e il Qualitätswein b.A., è contrassegnato da denominazione di origine generale (es. : Pfälzer Landwein) e proviene esclusivamente da uve ufficialmente riconosciute ; deve raggiungere minimo 55° Öchsle e può essere solo secco o semi secco.

— **Qualitätswein bestimmter Anbaugebiete :** vini di qualità superiore, sono contrassegnati da un numero di controllo ufficiale e provengono da una delle 11 regioni (Gebiet) determinate (Mosel, Baden, Rhein...)

— **Qualitätswein mit Prädikat :** vini rigorosamente controllati, rappresentano l'aristocrazia del vigneto, provengono da un unico vigneto di denominazione e sono generalmente contrassegnati da una delle seguenti denominazioni :

Kabinett (riserva speciale), Spätlese (raccolta tardiva), Auslese (raccolta tardiva, uve selezionate), Beerenauslese, Trockenbeerenauslese (vini liquorosi), Eiswein.

Gli " Eiswein " (vini dei ghiacci) si ottengono a partire da una raccolta dopo una gelata di almeno — 7° C.

1

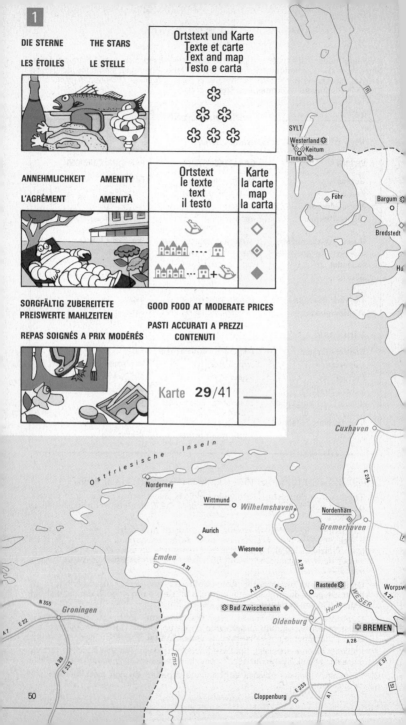

DIE STERNE / THE STARS / LES ÉTOILES / LE STELLE	Ortstext und Karte / Texte et carte / Text and map / Testo e carta

ANNEHMLICHKEIT / AMENITY / L'AGRÉMENT / AMENITÀ	Ortstext / le texte / text / il testo	Karte / la carte / map / la carta

SORGFÄLTIG ZUBEREITETE PREISWERTE MAHLZEITEN / GOOD FOOD AT MODERATE PRICES / REPAS SOIGNÉS A PRIX MODÉRÉS / PASTI ACCURATI A PREZZI CONTENUTI		
	Karte **29**/41	

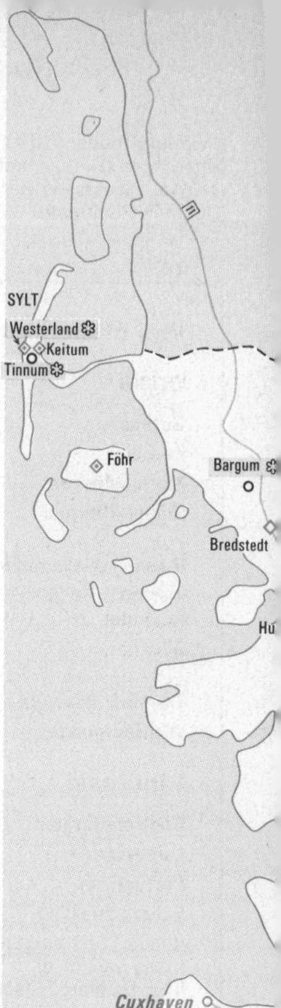

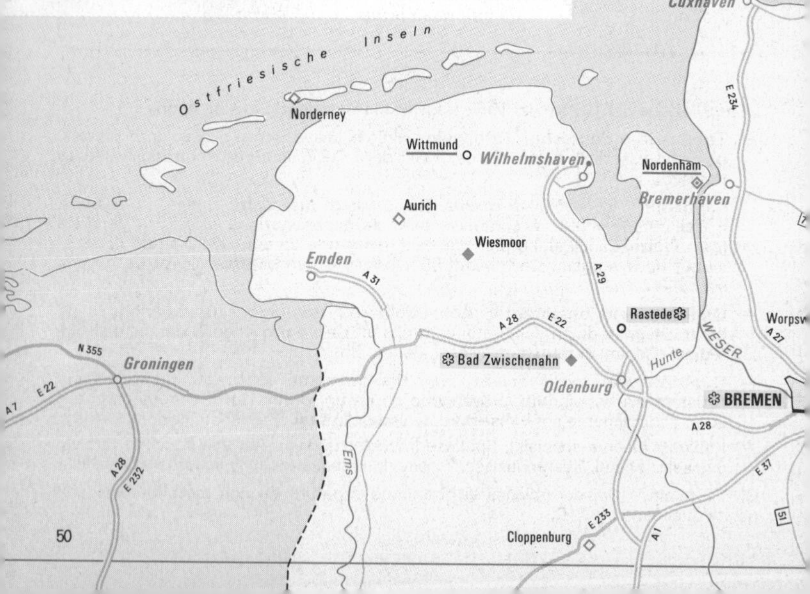

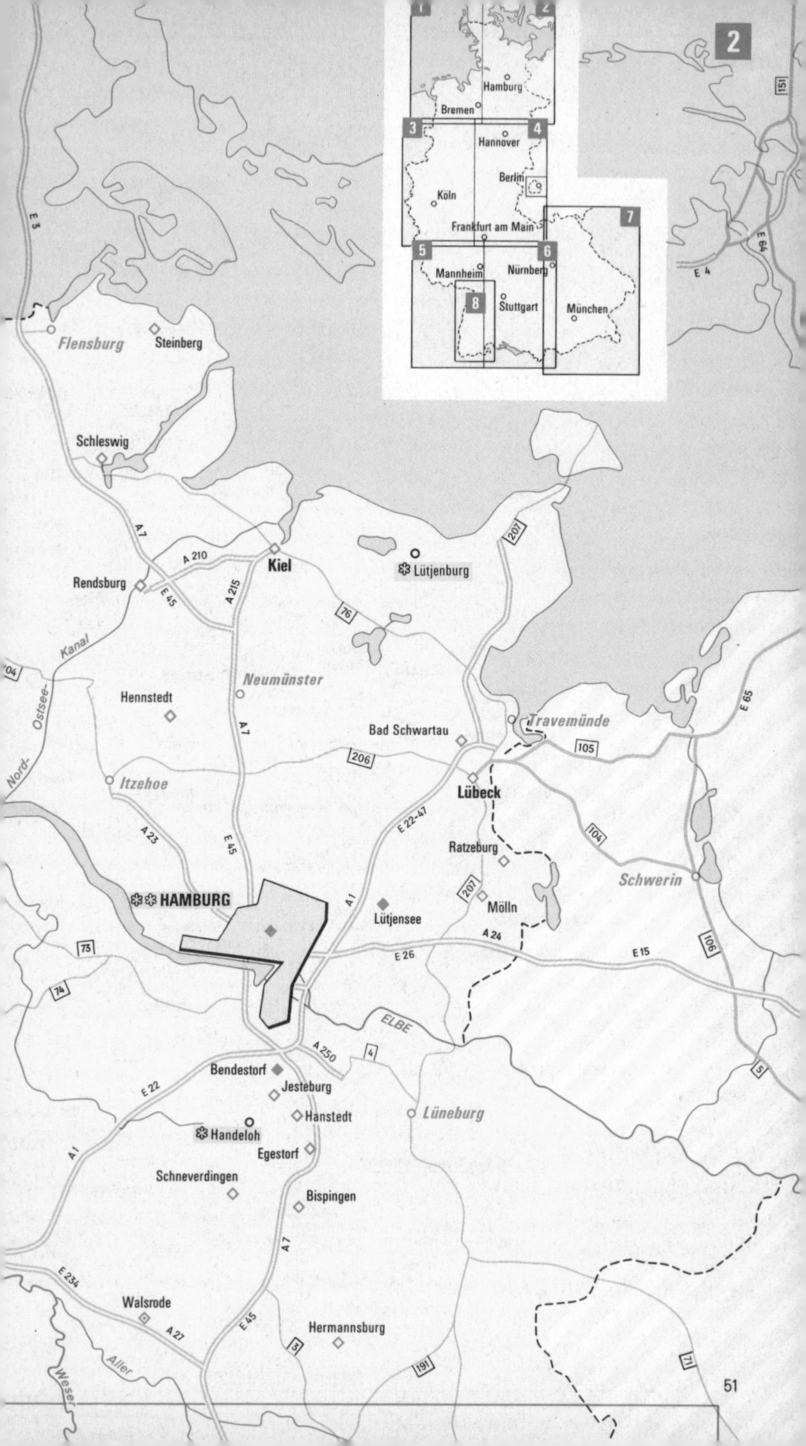
2
1
2
3
4
5
6
7
8
Hamburg
Bremen
Hannover
Berlin
Köln
Frankfurt am Main
Mannheim
Nürnberg
Stuttgart
München
Flensburg
Steinberg
Schleswig
Kiel
Lütjenburg
Rendsburg
Kanal
Ostsee-
Nord-
Hennstedt
Neumünster
Bad Schwartau
Travemünde
Lübeck
Itzehoe
Ratzeburg
Schwerin
HAMBURG
Lütjensee
Mölln
ELBE
Bendestorf
Jesteburg
Hanstedt
Lüneburg
Handeloh
Egestorf
Schneverdingen
Bispingen
Walsrode
Hermannsburg
Aller
Weser
E 3
A 7
A 210
A 215
E 45
E 4
E 64
E 65
207
76
206
105
104
E 22-47
A 23
A 1
E 26
A 24
E 15
106
73
74
A 250
4
5
E 22
E 234
A 27
3
191
71
151

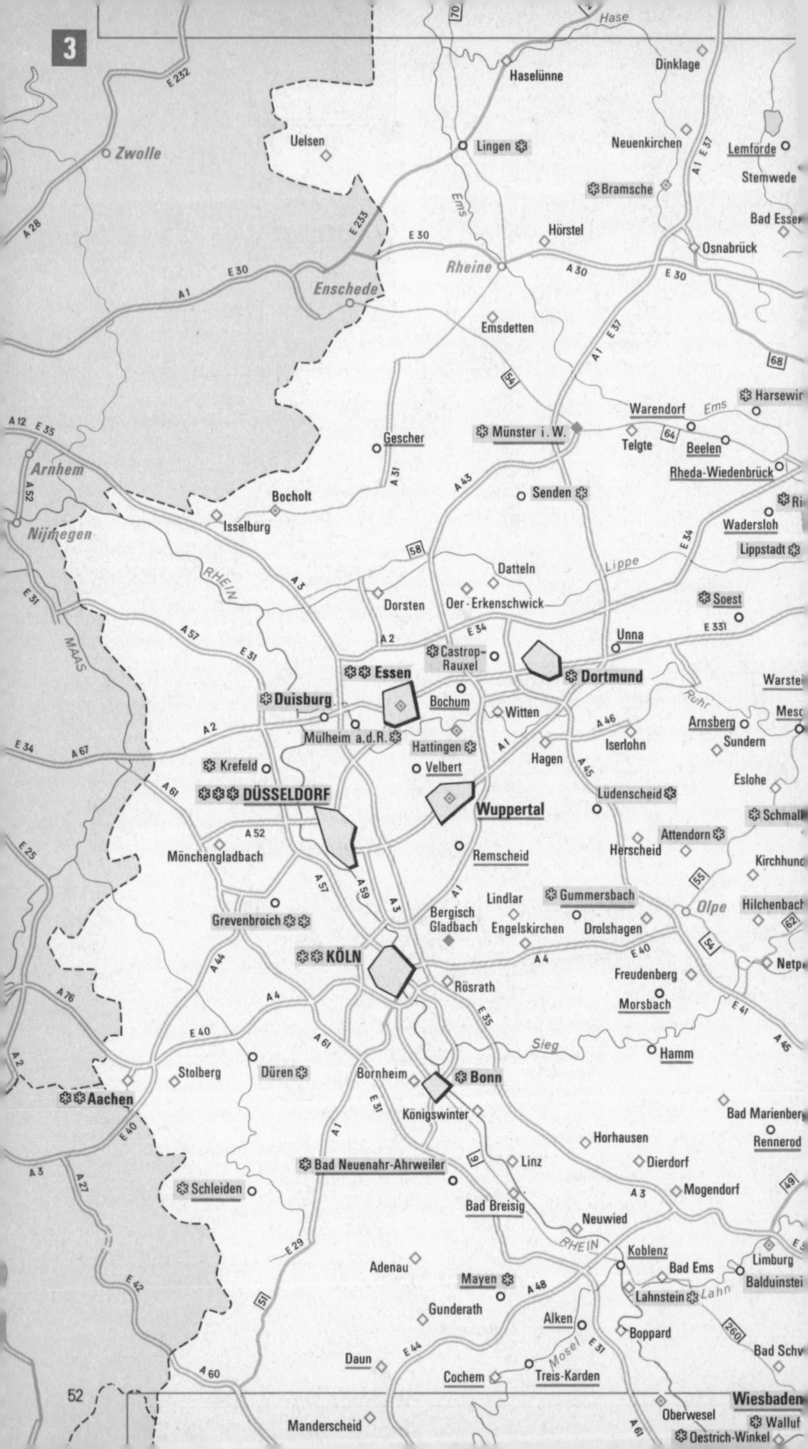
3
Zwolle
Uelsen
Lingen
Haselünne
Hase
Dinklage
Neuenkirchen
Lemförde
Stemwede
Bramsche
Bad Essen
Hörstel
Osnabrück
Ems
Rheine
Enschede
Emsdetten
E 232
E 233
A 28
A 1
E 30
A 30
A 1 E 37
68
54
70
Harsewinkel
Warendorf
Telgte
Beelen
Rheda-Wiedenbrück
64
A 12
E 35
Arnhem
A 52
Nijmegen
Gescher
A 31
Münster i. W.
A 43
Senden
Bocholt
Isselburg
Wadersloh
Lippstadt
58
Datteln
Lippe
E 34
RHEIN
A 3
E 31
Dorsten
Oer-Erkenschwick
Soest
MAAS
A 57
A 2
Castrop-Rauxel
Unna
E 331
Essen
Dortmund
Duisburg
Bochum
Witten
Ruhr
Warstein
Meschede
Mülheim a.d.R.
Hattingen
A 46
Arnsberg
Sundern
Iserlohn
Hagen
Krefeld
Velbert
A 45
E 34
A 67
A 61
Eslohe
DÜSSELDORF
Wuppertal
Lüdenscheid
Schmallenberg
A 52
Mönchengladbach
Remscheid
Attendorn
Herscheid
Kirchhundem
E 25
A 59
A 1
55
Gummersbach
Lindlar
Olpe
Hilchenbach
Grevenbroich
Bergisch Gladbach
Engelskirchen
Drolshagen
62
54
KÖLN
A 4
E 40
Freudenberg
Netphen
A 44
Rösrath
Morsbach
A 76
E 41
E 35
A 45
E 40
A 61
Sieg
Hamm
A 2
Stolberg
Düren
Bornheim
Bonn
Aachen
E 31
Königswinter
Bad Marienberg
E 40
A 1
Horhausen
Rennerod
9
Linz
Dierdorf
Bad Neuenahr-Ahrweiler
A 3
A 27
Schleiden
A 3
Mogendorf
49
Bad Breisig
Neuwied
E 29
RHEIN
Koblenz
Limburg
Adenau
Bad Ems
Balduinstein
E 42
Mayen
A 48
Lahnstein
Lahn
Gunderath
51
Alken
Boppard
E 31
260
E 44
Mosel
Daun
Bad Schwalbach
Cochem
Treis-Karden
A 60
Wiesbaden
Oberwesel
Walluf
Manderscheid
A 61
Oestrich-Winkel

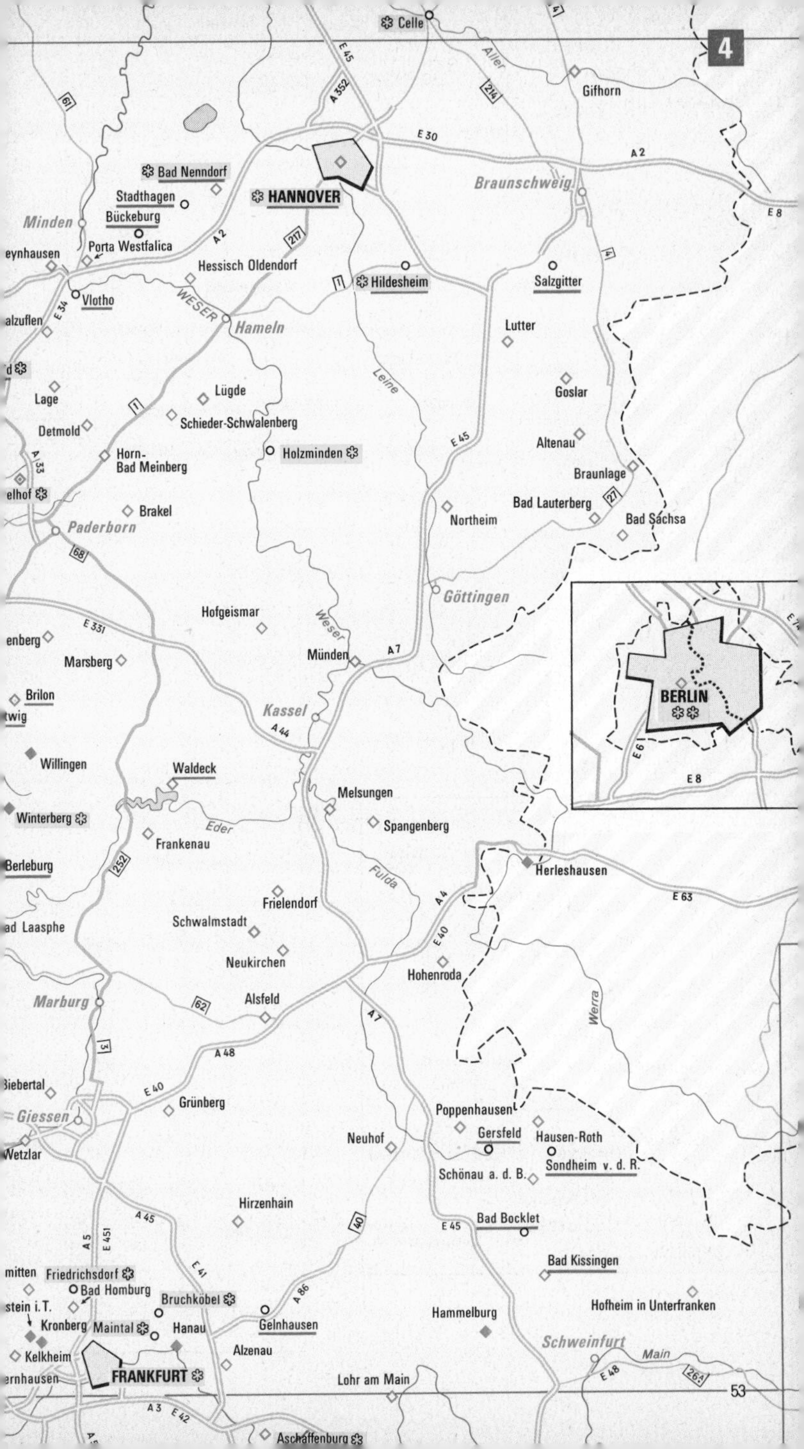
4
Celle
Aller
E 45
A 352
214
Gifhorn
61
E 30
A 2
Bad Nenndorf
HANNOVER
Braunschweig
Stadthagen
Minden
Bückeburg
E 8
A 2
217
eynhausen
Porta Westfalica
Hessisch Oldendorf
4
Hildesheim
Salzgitter
Vlotho
WESER
7
E 34
alzuflen
Hameln
Lutter
Lage
Leine
Goslar
Lügde
7
Schieder-Schwalenberg
Detmold
Altenau
A 33
Horn-
Bad Meinberg
Holzminden
E 45
Braunlage
elhof
Brakel
Bad Lauterberg
27
Bad Sachsa
Northeim
Paderborn
68
Göttingen
Hofgeismar
E 331
Weser
BERLIN
enberg
Marsberg
Münden
A 7
Brilon
twig
Kassel
A 44
E 6
Willingen
Waldeck
E 8
Melsungen
Winterberg
Spangenberg
Eder
Frankenau
Berleburg
252
Fulda
Herleshausen
E 63
A 4
Frielendorf
Schwalmstadt
ad Laasphe
E 40
Neukirchen
Hohenroda
Werra
Marburg
62
Alsfeld
A 7
3
A 48
Biebertal
E 40
Grünberg
Poppenhausen
Giessen
Gersfeld
Hausen-Roth
Neuhof
Wetzlar
Sondheim v. d. R.
Schönau a. d. B.
Hirzenhain
A 45
40
E 45
Bad Bocklet
A 5
E 451
E 41
Bad Kissingen
mitten
Friedrichsdorf
Bad Homburg
A 86
stein i. T.
Bruchköbel
Hofheim in Unterfranken
Kronberg
Maintal
Hanau
Gelnhausen
Hammelburg
Kelkheim
Alzenau
Schweinfurt
Main
FRANKFURT
ernhausen
Lohr am Main
E 48
26
A 3
E 42
Aschaffenburg

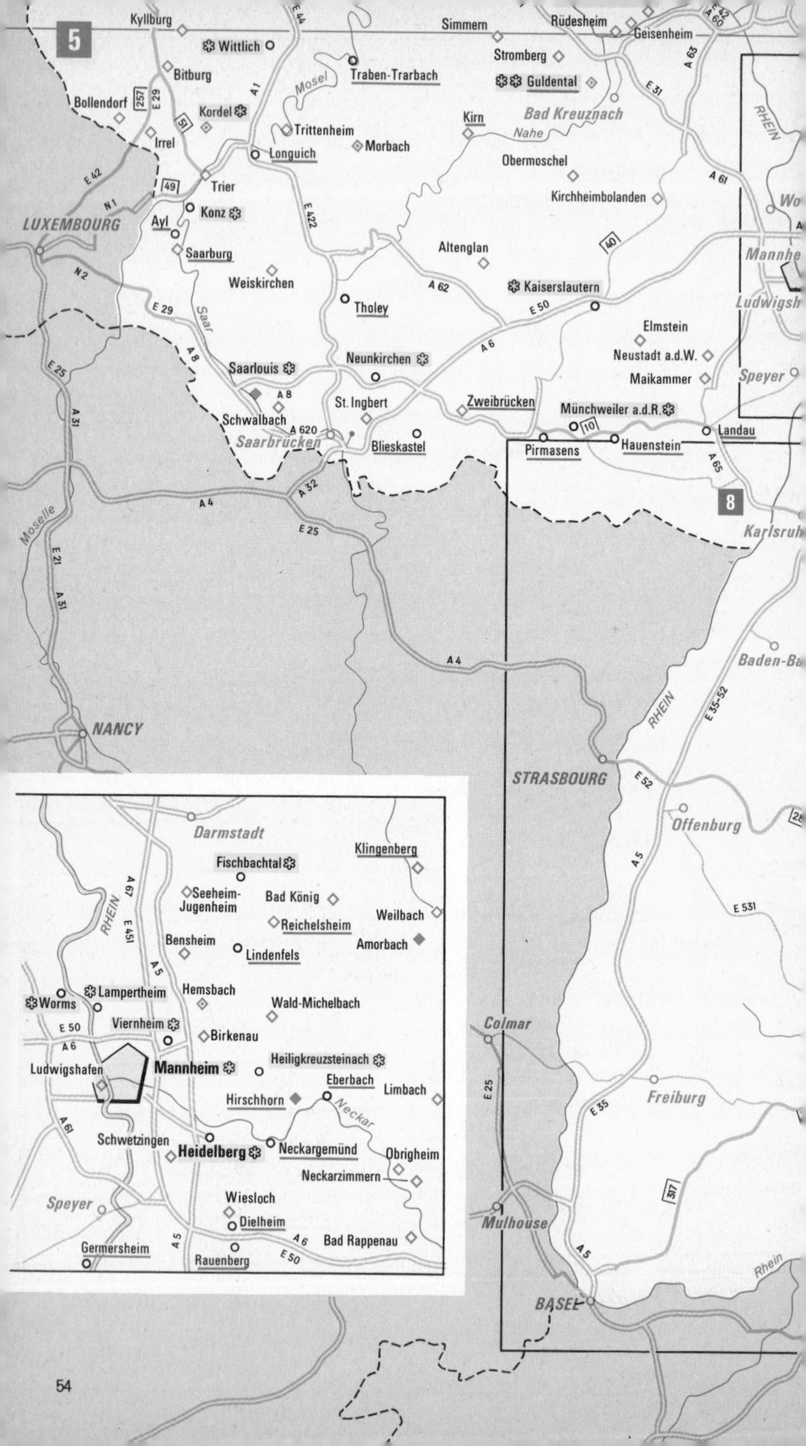

5
Kyllburg
Wittlich
Bitburg
Bollendorf
257
E 29
51
Kordel
Irrel
E 42
N 1
49
Trier
Konz
Ayl
Saarburg
LUXEMBOURG
N 2
E 29
Saar
E 44
A 1
Mosel
Traben-Trarbach
Trittenheim
Morbach
Longuich
E 422
Weiskirchen
Tholey
Simmern
Stromberg
Guldental
Rüdesheim
Geisenheim
A 60
A 42
A 63
E 31
Bad Kreuznach
Nahe
Kirn
Obermoschel
Kirchheimbolanden
A 61
40
Altenglan
A 62
Kaiserslautern
E 50
A 6
Elmstein
Neustadt a.d.W.
Maikammer
RHEIN
Mannheim
Ludwigshafen
Speyer
A 8
Saarlouis
Neunkirchen
A 8
St. Ingbert
Zweibrücken
Münchweiler a.d.R.
10
Schwalbach
A 620
Saarbrücken
Blieskastel
Pirmasens
Hauenstein
Landau
A 65
8
Karlsruhe
E 25
A 31
A 4
A 32
E 25
Moselle
E 21
A 31
A 4
NANCY
Baden-Baden
RHEIN
E 35-52
STRASBOURG
E 52
Offenburg
A 5
E 531
Colmar
E 25
Freiburg
E 35
317
Mulhouse
A 5
Rhein
BASEL
Darmstadt
Fischbachtal
Klingenberg
Seeheim-Jugenheim
Bad König
Reichelsheim
Weilbach
Amorbach
A 67
E 451
RHEIN
Bensheim
Lindenfels
A 5
Hemsbach
Lampertheim
Worms
Wald-Michelbach
Viernheim
Birkenau
E 50
A 6
Heiligkreuzsteinach
Ludwigshafen
Mannheim
Eberbach
Limbach
Hirschhorn
Neckar
A 61
Schwetzingen
Heidelberg
Neckargemünd
Obrigheim
Neckarzimmern
Wiesloch
Speyer
Dielheim
A 6
Bad Rappenau
Germersheim
A 5
Rauenberg
E 50

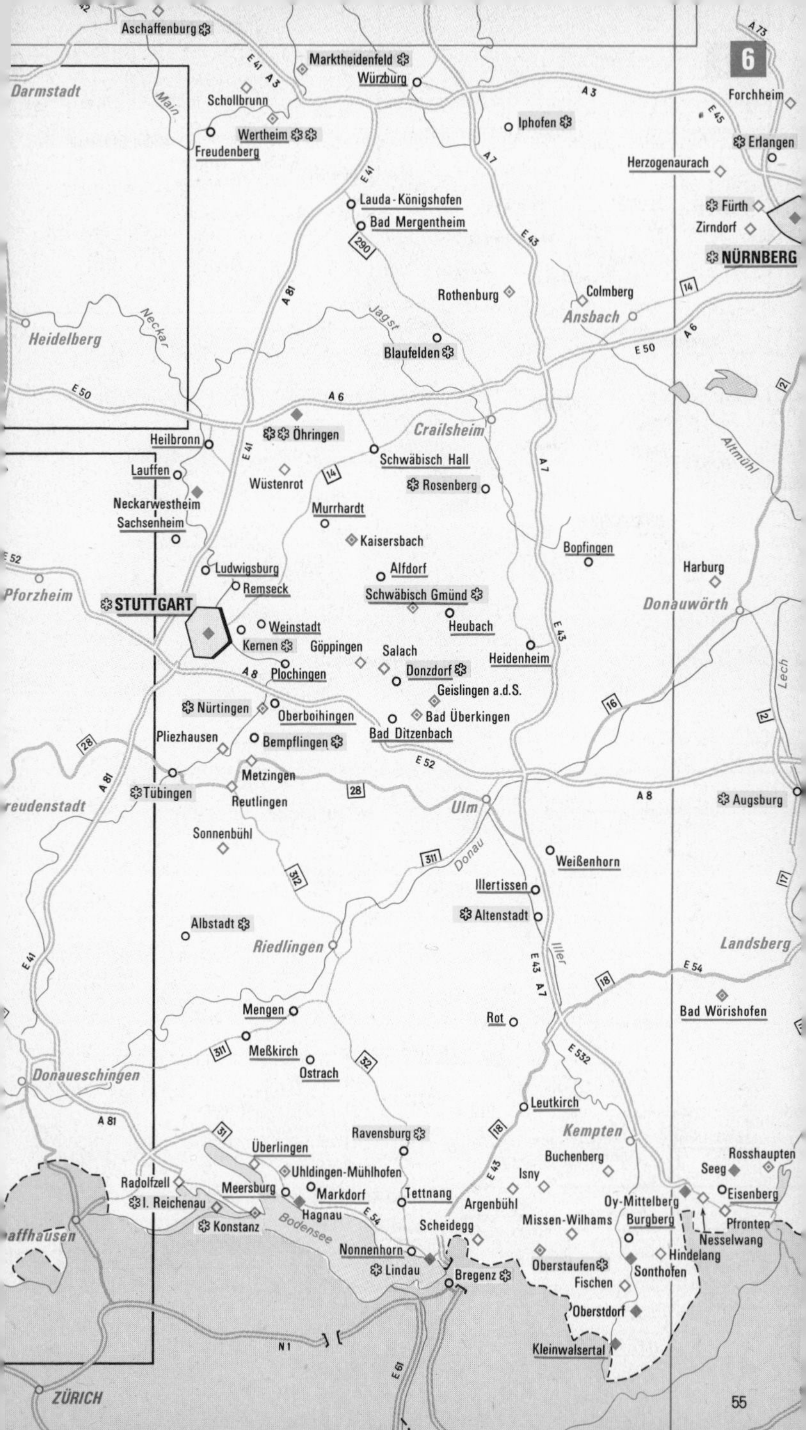
6
Aschaffenburg
Marktheidenfeld
Würzburg
Darmstadt
Main
Schollbrunn
Wertheim
Freudenberg
A 3
E 41
A 73
Forchheim
E 45
Iphofen
Erlangen
A 7
Herzogenaurach
Lauda-Königshofen
Bad Mergentheim
290
Fürth
Zirndorf
NÜRNBERG
E 43
A 81
Rothenburg
Colmberg
14
Ansbach
Heidelberg
Neckar
Jagst
Blaufelden
E 50
A 6
2
E 50
A 6
Crailsheim
Öhringen
Heilbronn
Altmühl
E 41
Schwäbisch Hall
Lauffen
Wüstenrot
14
A 7
Rosenberg
Neckarwestheim
Sachsenheim
Murrhardt
Kaisersbach
Bopfingen
E 52
Ludwigsburg
Alfdorf
Harburg
Pforzheim
Remseck
Schwäbisch Gmünd
Donauwörth
STUTTGART
Weinstadt
Heubach
E 43
Kernen
Göppingen
Salach
Heidenheim
A 8
Plochingen
Donzdorf
Lech
Geislingen a.d.S.
Nürtingen
Oberboihingen
Bad Überkingen
16
Pliezhausen
Bempflingen
Bad Ditzenbach
2
28
E 52
Metzingen
A 81
28
A 8
Augsburg
Tübingen
Reutlingen
Ulm
reudenstadt
Sonnenbühl
Weißenhorn
311
Donau
312
Illertissen
17
Altenstadt
Albstadt
Riedlingen
Landsberg
Iller
E 41
E 43
A 7
E 54
18
Bad Wörishofen
Mengen
Rot
Meßkirch
311
E 532
Ostrach
32
Donaueschingen
Leutkirch
A 81
31
Ravensburg
18
Kempten
Überlingen
Buchenberg
Rosshaupten
E 43
Uhldingen-Mühlhofen
Seeg
Radolfzell
Isny
Meersburg
Markdorf
Tettnang
Eisenberg
I. Reichenau
Argenbühl
Oy-Mittelberg
Hagnau
E 54
Konstanz
Scheidegg
Missen-Wilhams
Burgberg
Pfronten
Bodensee
affhausen
Nesselwang
Nonnenhorn
Hindelang
Oberstaufen
Sonthofen
Lindau
Bregenz
Fischen
Oberstdorf
N 1
Kleinwalsertal
E 61
ZÜRICH

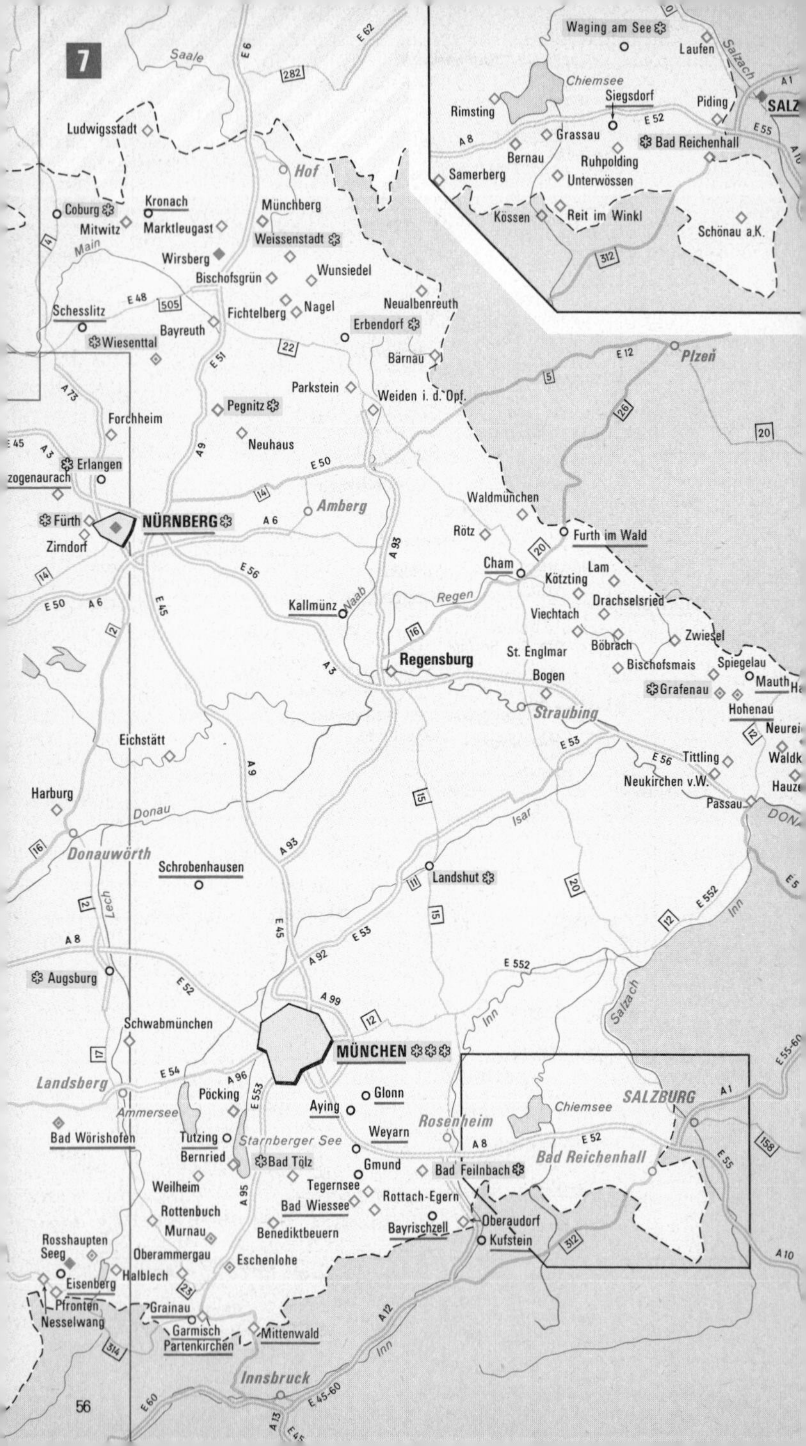
7
Saale
Ludwigsstadt
Hof
Coburg
Kronach
Münchberg
Mitwitz
Marktleugast
Weissenstadt
Main
Wirsberg
Wunsiedel
Bischofsgrün
Neualbenreuth
Schesslitz
Fichtelberg
Nagel
Bayreuth
Erbendorf
Wiesenttal
Bärnau
Parkstein
Weiden i. d. Opf.
Plzeň
Pegnitz
Forchheim
Neuhaus
Erlangen
Herzogenaurach
Amberg
Waldmünchen
Fürth
NÜRNBERG
Zirndorf
Rötz
Furth im Wald
Cham
Lam
Kötzting
Kallmünz
Naab
Regen
Drachselsried
Viechtach
Zwiesel
Böbrach
Regensburg
St. Englmar
Bischofsmais
Spiegelau
Bogen
Mauth
Grafenau
Hohenau
Straubing
Neureichenau
Eichstätt
Tittling
Waldkirchen
Neukirchen v.W.
Hauzenberg
Harburg
Passau
Donau
Isar
Donauwörth
Schrobenhausen
Landshut
Lech
Inn
Salzach
Augsburg
Schwabmünchen
MÜNCHEN
Landsberg
Pöcking
Glonn
Aying
Ammersee
Chiemsee
SALZBURG
Rosenheim
Weyarn
Bad Wörishofen
Tutzing
Starnberger See
Bernried
Bad Tölz
Gmund
Bad Feilnbach
Bad Reichenhall
Weilheim
Tegernsee
Rottach-Egern
Bad Wiessee
Rottenbuch
Murnau
Benediktbeuern
Bayrischzell
Oberaudorf
Kufstein
Rosshaupten
Seeg
Oberammergau
Eschenlohe
Eisenberg
Halblech
Pfronten
Nesselwang
Grainau
Garmisch Partenkirchen
Mittenwald
Innsbruck
Waging am See
Laufen
Siegsdorf
Piding
Rimsting
SALZ
Grassau
Bernau
Ruhpolding
Samerberg
Unterwössen
Kössen
Reit im Winkl
Schönau a.K.
E 6
E 62
282
E 48
505
22
E 51
A 9
A 73
E 45
A 3
E 50
14
A 6
E 12
5
26
20
A 93
E 56
16
2
15
E 53
11
A 8
E 52
A 92
A 99
12
E 552
E 54
A 96
E 553
A 95
17
23
314
A 12
E 60
A 13
E 45-60
A 1
E 55
158
A 10
312
E 5
E 55-60

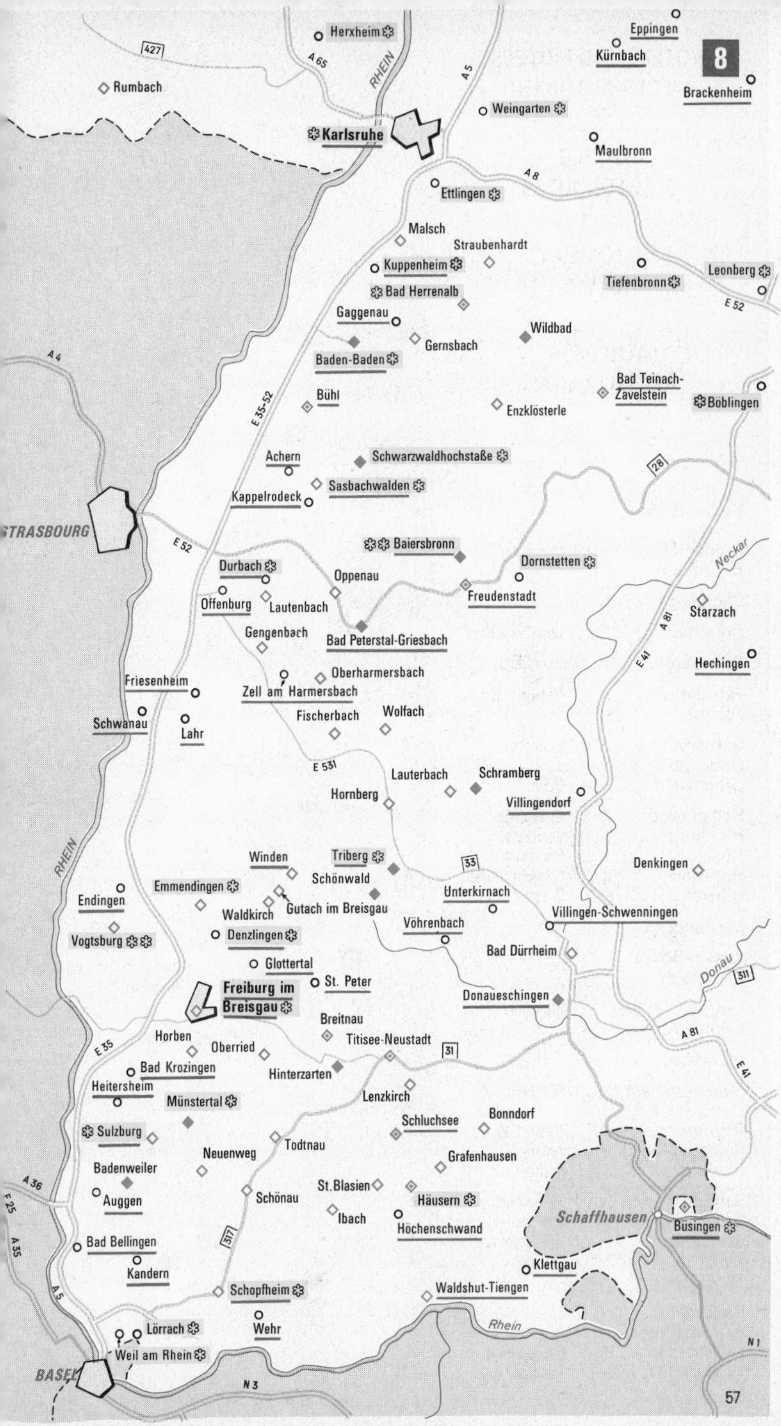
8
Herxheim
Eppingen
Kürnbach
Brackenheim
427
A 65
RHEIN
A 5
Rumbach
Weingarten
Karlsruhe
Maulbronn
A 8
Ettlingen
Malsch
Straubenhardt
Kuppenheim
Tiefenbronn
Leonberg
Bad Herrenalb
E 52
Gaggenau
Wildbad
Gernsbach
Baden-Baden
A 4
Bad Teinach-Zavelstein
Böblingen
Bühl
Enzklösterle
E 35-52
Achern
Schwarzwaldhochstaße
Sasbachwalden
Kappelrodeck
28
STRASBOURG
Baiersbronn
E 52
Dornstetten
Neckar
Durbach
Oppenau
Offenburg
Lautenbach
Freudenstadt
Starzach
A 81
Gengenbach
Bad Peterstal-Griesbach
E 41
Hechingen
Oberharmersbach
Friesenheim
Zell am Harmersbach
Schwanau
Lahr
Fischerbach
Wolfach
E 531
Lauterbach
Schramberg
Hornberg
Villingendorf
RHEIN
Winden
Triberg
33
Denkingen
Schönwald
Endingen
Emmendingen
Unterkirnach
Gutach im Breisgau
Waldkirch
Villingen-Schwenningen
Vöhrenbach
Vogtsburg
Denzlingen
Bad Dürrheim
Glottertal
Donau
311
Freiburg im Breisgau
St. Peter
Donaueschingen
Breitnau
A 81
E 35
Horben
Titisee-Neustadt
Oberried
31
Bad Krozingen
Hinterzarten
E 41
Heitersheim
Lenzkirch
Münstertal
Bonndorf
Schluchsee
Sulzburg
Todtnau
Neuenweg
Grafenhausen
Badenweiler
A 36
St.Blasien
Häusern
Schönau
Auggen
Ibach
Schaffhausen
Büsingen
F 25
Höchenschwand
A 35
Bad Bellingen
317
Kandern
Klettgau
A 5
Schopfheim
Waldshut-Tiengen
Rhein
Wehr
Lörrach
N 1
Weil am Rhein
BASEL
N 3

HOTELS UND MOTELS AN DER AUTOBAHN

HOTELS D'AUTOROUTES

MOTORWAY HOTELS

ALBERGHI AUTOSTRADALI

Baden-Baden
Bruchsal
Brunautal . . . siehe Bispingen
Büttelborn

Camberg

Dornstadt . . . . . ,, Ulm (Donau)

Edenbergen . . . ,, Gersthofen

Fernthal . . . . . . ,, Neustadt a. d. W.
Feucht

Garbsen . . . . . . ,, Hannover
Göttingen
Grunewald . . . . ,, Berlin

Heiligenroth . . . ,, Montabaur
Hienberg . . . . . ,, Schnaittach
Hösel . . . . ,, Ratingen
Holledau . . . . . . ,, Schweitenkirchen
Hünxe . . . . ,, Wesel

Irschenberg

Kassel-Söhre
Kirchheim

Langwieder See ,, München
Leipheim

Pfungstadt

Reinhardshain . ,, Grünberg
Remscheid
Rhynern . . . . . . ,, Hamm i. W.
Riedener Wald . ,, Arnstein
Rimberg . . . . . . ,, Breitenbach a. H

Schermshöhe . . ,, Schnaittach
Seligweiler . . . . ,, Ulm (Donau)
Steigerwald . . . ,, Höchstadt a. d.
,, Aisch

Tecklenburg

Waldmohr
Weibersbrunn
Weiskirchen . . . ,, Seligenstadt
Wülferode . . . . ,, Hannover

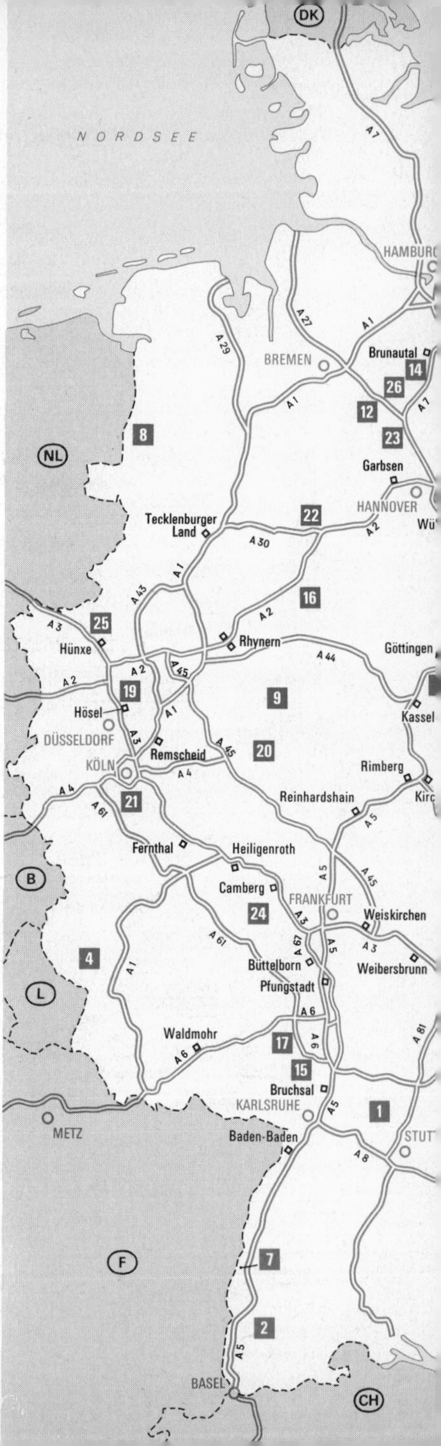

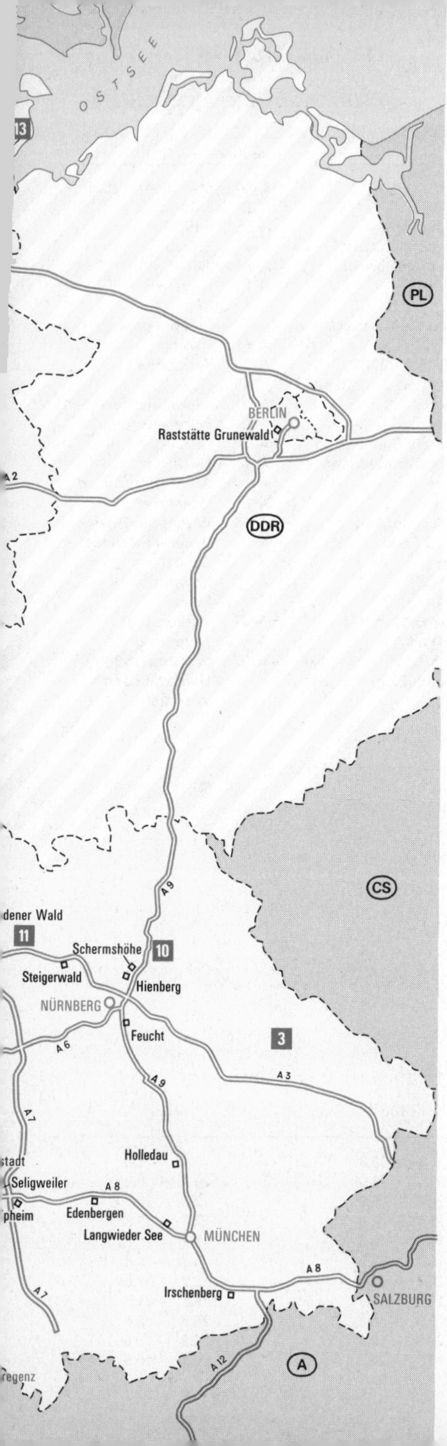

FREIZEITPARKS

Siehe auch S. 60

PARCS DE RÉCRÉATION

voir aussi p. 60

LEISURE CENTRES

see also p. 60

PARCHI DI DIVERTIMENTI

vedere anche p. 60

1 Altweibermühle Tripsdrill
2 Bergwildpark Steinwasen
3 Churpfalzpark Loifling
4 Eifelpark
5 Erlebnispark Ziegenhagen
6 Erse-Park
7 Europa-Park
8 Ferienzentrum Schloß Dankern
9 Fort Fun
10 Fränkisches Wunderland
11 Freizeit-Land
12 Freizeitpark
13 Hansaland
14 Heide-Park
15 Holiday-Park
16 Hollywood-Park
17 Kurpfalz-Park
19 Minidomm
20 Panorama-Park Sauerland
21 Phantasialand
22 potts park
23 Serengeti-Safaripark
24 Taunus-Wunderland
25 Traumland
26 Vogelpark
27 Wildpark

FREIZEITPARKS

LEISURE CENTRES

PARCS DE RÉCRÉATION

PARCHI DI DIVERTIMENTI

Ort	*Freizeitpark*	*nächste Autobahn-Ausfahrt*	
Bestwig	Fort Fun	A 44	Erwitte/Anröchte
Bottrop-Kirchhellen	Traumland	A 2	Bottrop
Brühl	Phantasialand	A 553	Brühl-Süd
Cham	Churpfalzpark Loifling	A 3	Straubing
Cleebronn	Altweibermühle Tripsdrill	A 81	Ilsfeld
Geiselwind	Freizeit-Land	A 3	Geiselwind
Gondorf	Eifelpark	A 1/48	Wittlich
Haren/Ems	Ferienzentrum Schloß Dankern	A 1	Cloppenburg
Haßloch/Pfalz	Holiday-Park	A 61	Haßloch
Hodenhagen	Serengeti-Safaripark	A 7	Westenholz
Kirchhundem	Panorama-Park Sauerland	A 45	Olpe
Mergentheim, Bad	Wildpark	A 81	Tauberbischofsheim
Minden-Dützen	potts park	A 2	Porta Westfalica
Oberried	Bergwildpark Steinwasen	A 5	Freiburg-Mitte
Plech	Fränkisches Wunderland	A 9	Plech
Ratingen	Minidomm	A 3/52	AB-Kr. Breitscheid
Rust/Baden	Europa-Park	A 5	Ettenheim
Schlangenbad	Taunus-Wunderland	A 66	Wiesbaden-Frauenstein
Schloß Holte-Stukenbrock	Hollywood-Park	A 2	Bielefeld-Sennestadt
Sierksdorf	Hansaland	A 1	Eutin
Soltau	Heide-Park	A 7	Soltau-Ost
Uetze	Erse-Park	A 2	Peine
Verden/Aller	Freizeitpark	A 27	Verden-Ost
Wachenheim	Kurpfalz-Park	A 650	Feuerberg
Walsrode	Vogelpark	A 27	Walsrode-Süd
Witzenhausen	Erlebnispark Ziegenhagen	A 7	Hann. Münden/ Werratal

FERIENTERMINE

(Angegeben ist jeweils der erste und letzte Tag der Sommerferien)

VACANCES SCOLAIRES

(premier et dernier jour des vacances d'été)

SCHOOL HOLIDAYS

(dates of summer holidays)

VACANZE SCOLASTICHE

(primo ed ultimo giorno di vacanza dell' estate)

	1989	*1990*
Baden-Württemberg	6.7. – 19.8	19.7. – 1.9.
Bayern	27.7. – 11.9	26.7. – 10.9.
Berlin	20.7. – 2.9	12.7. – 25.8.
Bremen	20.7. – 2.9	12.7. – 25.8.
Hamburg	17.7. – 26.8	9.7. – 18.8.
Hessen	13.7. – 23.8	5.7. – 15.8.
Niedersachsen	20.7. – 30.8	12.7. – 22.8.
Nordrhein-Westfalen	22.6. – 5.8	15.6. – 31.7.
Rheinland-Pfalz	29.6. – 9.8	28.6. – 8.8.
Saarland	29.6. – 12.8	28.6. – 11.8.
Schleswig-Holstein	13.7. – 26.8	6.7. – 18.8.

STÄDTE
VILLES
TOWNS
CITTÁ

In alphabetischer Reihenfolge (ä = ae, ö = oe, ü = ue)
classées par ordre alphabétique (mais ä = ae, ö = oe, ü = ue)
in alphabetic order (but ä = ae, ö = oe, ü = ue)
in ordine alfabetico (se non che ä = ae, ö = oe, ü = ue)

BREGENZ, KÖSSEN, KUFSTEIN, SALZBURG (Österreich) sind in der alphabetischen Reihenfolge,
ERMATINGEN, GOTTLIEBEN, KREUZLINGEN (Schweiz) unter Konstanz erwähnt.

[AACH (HEGAU)] 7701. Baden-Württemberg [413] J 23, [216] ⑧, [427] ⑥ – 1 400 Ew – Höhe 504 m – ☎ 07774.

♦Stuttgart 144 – ♦Freiburg im Breisgau 98 – ♦Konstanz 50 – ♦Ulm (Donau) 128 – Stockach 14.

🍴 **Krone** mit Zim, Hauptstr. 8 (B 31), ✆ 4 13, 🌳 – 🅿
Karte 18,50/43 *(Donnerstag geschl.)* 🌡 – **5 Z : 10 B** 25 - 48.

[AACH] Bayern siehe Oberstaufen.

[AACHEN] 5100. Nordrhein-Westfalen [987] ㉓, [213] ㉔, [409] ⑯ – 254 000 Ew – Höhe 174 m – Heilbad – ☎ 0241.

Sehenswert: Domschatzkammer*** – Dom** (Pala d'Oro***, Ambo Heinrichs II***, Radleuchter**) – Couven-Museum* BY **M1** – Suermondt- Ludwig-Museum* CZ **M2**.

⛳ Aachen-Seffent (über ⑨), Schurzelter Str. 300, ✆ 1 25 01.

🚗 ✆ 43 33 28.

Kongreßzentrum Eurogress (CY), ✆ 15 10 11, Telex 832319.

[i] Verkehrsverein, Bahnhofsplatz 4, ✆ 1 80 29 50.

[i] Verkehrsverein, Markt 39, ✆ 1 80 29 60.

ADAC, Strangenhäuschen 16, ✆ 1802828 Notruf ✆ 1 92 11.

♦Düsseldorf 81 ③ – Antwerpen 140 ⑨ – ♦Bonn 91 ③ – Bruxelles 142 ⑥ – ♦Köln 69 ③ – Liège 54 ⑥ – Luxembourg 182 ⑥.

Stadtplan siehe nächste Seite.

🏨 ❊ **Steigenberger Hotel Quellenhof**, Monheimsallee 52, ✆ 15 20 81, Telex 832864, Fax 154504, « Großer Park, Terrasse mit ≤ », direkter Zugang zum Kurmittelhaus – 🛗 ⇎ Zim 📺 ♿ 🚗 🏛. AE ⓓ E VISA CY **a**
Karte 47/92 – **Parkstube** *(nur Abendessen)* Karte 36/60 – **200 Z : 300 B** 175/245 - 260/330 Fb – 5 Appart. 500/700 – P 234/298
Spez. Hummer auf Artischocke in Balsamicobutter, Ente mit Melisse und grünen Zitronen, Obstsalat in Beaujolais.

🏨 **Aquis Grana-Cityhotel**, Büchel 32, ✆ 44 30, Telex 8329718, Fax 443137, direkter Zugang zum Thermalhallenbad Römerbad (Gebühr) – 🛗 📺 ♿ 🚗 🅿 🏛. AE ⓓ E VISA BY **a**
Karte 32/60 *(nur Abendessen, Samstag - Sonntag und Feiertage geschl.)* – **90 Z : 157 B** 145/165 - 195/225 Fb.

🏨 **Novotel**, Joseph-von-Görres-Straße (Am Europaplatz), ✆ 1 68 70, Telex 832435, Fax 163911, 🌳, 🏊 (geheizt), 🌳 – 🛗 ▤ 📺 ☎ ♿ 🅿 🏛. AE ⓓ E VISA DY **s**
Karte 37/59 – **119 Z : 238 B** 160 - 185 Fb.

🏨 **Royal**, Jülicher Str. 1, ✆ 1 50 61, Telex 8329357, Fax 156813 – 🛗 ▤ Rest 📺 ☎ 🚗. AE ⓓ E VISA CY **z**
Karte 40/55 *(Indische Küche, nur Abendessen)* – **31 Z : 60 B** 125/150 - 175/195 – 4 Appart. 300.

🏨 **Krott**, Wirichsbongardstr. 16, ✆ 4 83 73, Telex 832150, ≘ – 🛗 📺 ☎. AE ⓓ E VISA BZ **a**
Karte 45/68 – **20 Z : 33 B** 110/150 - 150/180.

AACHEN

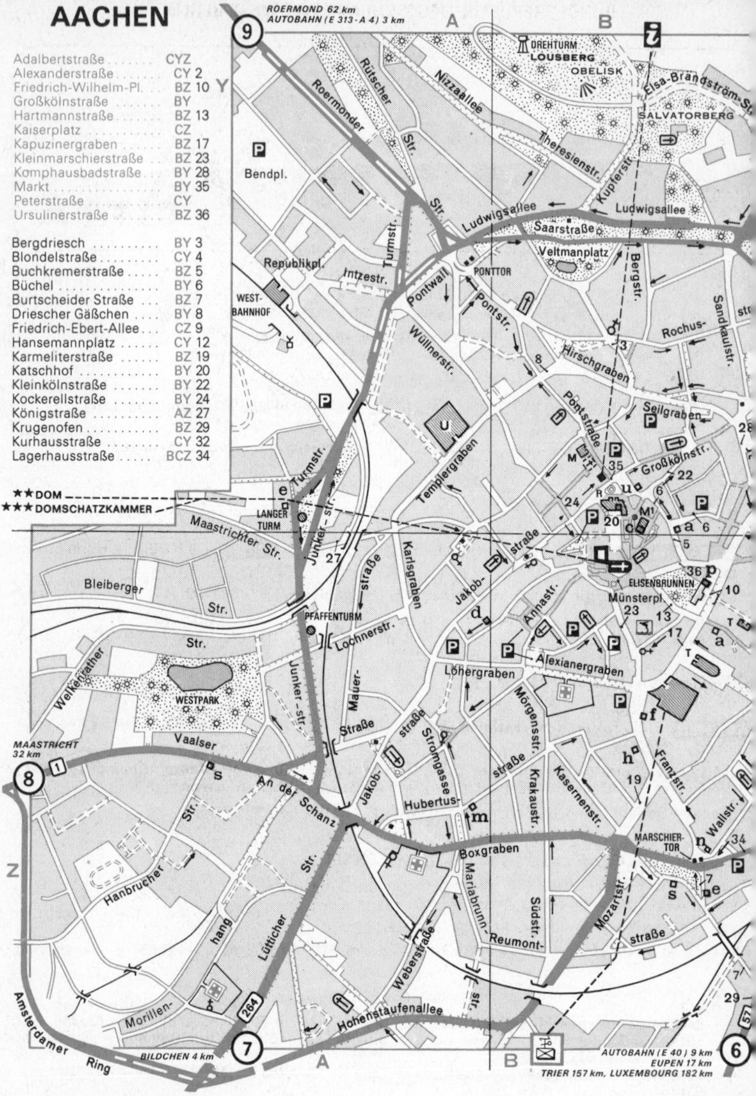

Burtscheider Markt garni, Burtscheider Markt 14, 6 60 45 – Zim . über Hauptstraße CZ
30 Z : 47 B 100/150 - 160/220 Fb.

Benelux garni, Franzstr. 21, 2 23 43 – . VISA BZ **f**
33 Z : 55 B 98/110 - 120/160.

Hotel am Marschiertor garni, Wallstr. 1, 3 19 41, Fax 31944 – . VISA BZ **n**
47 Z : 80 B 94/115 - 135/160 Fb.

Ibis, Friedlandstr. 8, 4 78 80, Telex 832413 – . VISA BZ **s**
Karte 28/44 – **104 Z : 156 B** 109 - 146 Fb.

Eupener Hof garni, Krugenofen 63, 6 20 35, Telex 832131, – . VISA über ⑥
21 Z : 39 B 89/125 - 120/160.

Stadt Koblenz garni, Leydelstr. 2, 2 22 41 – . VISA CZ **e**
20. Dez.- 10. Jan. geschl. – **16 Z : 24 B** 85/110 - 125/135.

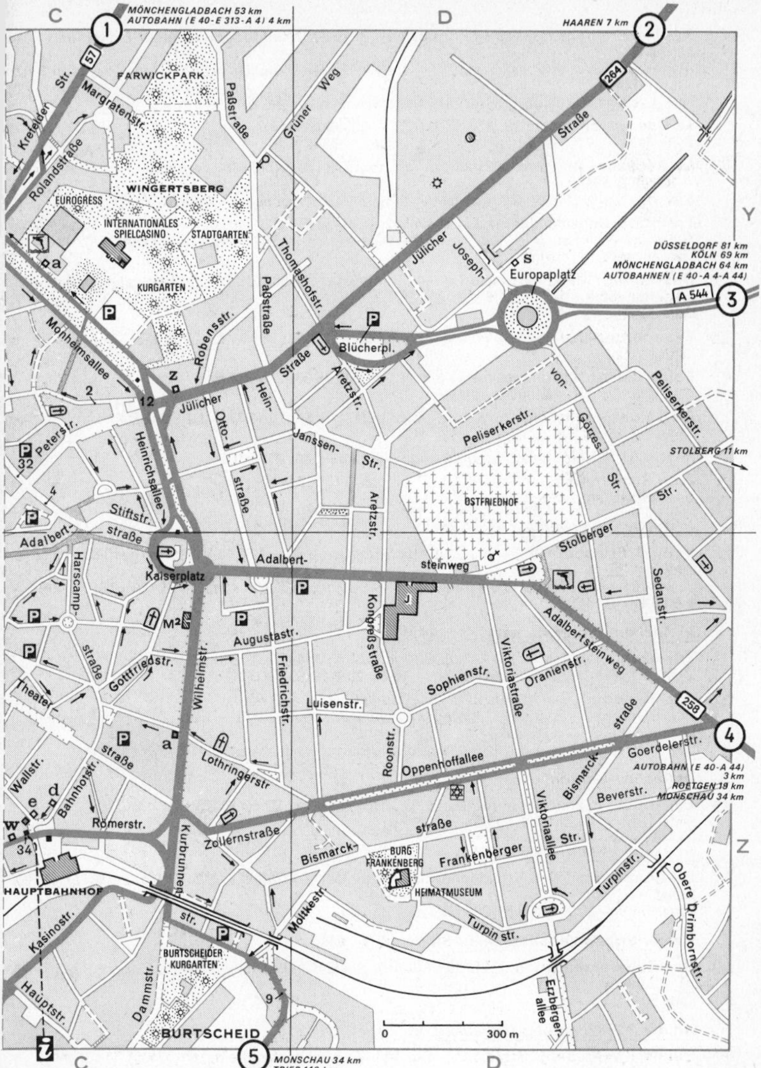

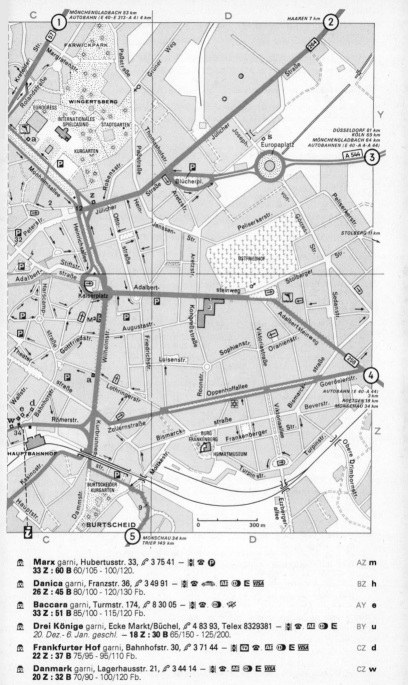

Marx garni, Hubertusstr. 33, ✆ 3 75 41 – P — AZ **m**
33 Z : 60 B 60/105 - 100/120.

Danica garni, Franzstr. 36, ✆ 3 49 91 – AE E VISA — BZ **h**
26 Z : 45 B 80/100 - 120/130 Fb.

Baccara garni, Turmstr. 174, ✆ 8 30 05 – — AY **e**
33 Z : 51 B 85/100 - 115/120 Fb.

Drei Könige garni, Ecke Markt/Büchel, ✆ 4 83 93, Telex 8329381 – AE E — BY **u**
20. Dez.- 6. Jan. geschl. – **18 Z : 30 B** 65/150 - 125/200.

Frankfurter Hof garni, Bahnhofstr. 30, ✆ 3 71 44 – TV AE E VISA — CZ **d**
22 Z : 37 B 75/95 - 95/110 Fb.

Danmark garni, Lagerhausstr. 21, ✆ 3 44 14 – AE E VISA — CZ **w**
20 Z : 32 B 70/90 - 100/120 Fb.

XXXX ✪✪ **Gala**, Monheimsallee 44 (im Casino), ✆ 15 30 13, « Modern-elegante Einrichtung » – ▤. [D] E CY
nur Abendessen, Montag geschl. – Karte 84/123 (Tischbestellung ratsam) (siehe auch Rest. Palm-Bistro)
Spez. Kalbskopf mit Trüffeln, Entengerichte, Auflauf von süßem Ziegenkäse.

XXX **Le Canard**, Bendelstr. 28, ✆ 3 86 63, ⛱ – [AE] [D] E [VISA] AZ **d**
2.- 9. Feb., 4.- 11. Mai und Donnerstag geschl. – Karte 63/80.

XX **La Bécasse** (modernes Restaurant mit französischer Küche), Hanbrucher Str. 1, ✆ 7 44 44 – [AE] [D] E [VISA] AZ **s**
Samstag bis 18 Uhr, Sonntag und Juli - Aug. 3 Wochen geschl. – Karte 64/95.

XX **Tradition**, Burtscheider Str. 11, ✆ 4 48 42 – [AE] [D] E [VISA] BZ **e**
Dienstag - Mittwoch 18 Uhr und über Karneval 1 Woche geschl. – Karte 35/62 (abends Tischbestellung ratsam).

XX **Ratskeller**, Markt (im historischen Rathaus), ✆ 3 50 01, ⛱, « Rustikale Einrichtung, Ziegelgewölbe » – [AE] [D] E [VISA] BY **R**
Karte 33/65.

XX **Elisenbrunnen**, Friedrich-Wilhelm-Platz 13a, ✆ 2 97 72, ⛱ – [AE] [D] E [VISA] BZ **p**
Karte 28/69.

XX **Palm-Bistro**, Monheimsallee 44 (im Casino), ✆ 15 30 13 – [D] E CY
nur Abendessen – Karte 35/70.

XX **Da Salvatore** (Italienische Küche), Bahnhofsplatz 5, ✆ 3 13 77 – [AE] [D] E [VISA] CZ **w**
Karte 28/60.

XX Ristorante Piccolo (Italienische Küche), Wilhelmstr. 68, ✆ 2 68 52 CZ **a**

X **Zum Schiffgen**, Hühnermarkt 23, ✆ 3 35 29 – [AE] [D] E [VISA] BYZ **c**
Sonntag 18 Uhr - Montag geschl. – Karte 23/49.

In Aachen-Friesenrath ④ : 14 km :

XXX **Schloß Friesenrath** ✋ mit Zim, Pannekoogweg 46, ✆ 50 48, « Ehem. gräfliches Palais, Park » – [TV] ☎ [P]. [AE] E
Juli - Aug. 2 Wochen und Weihnachten - Silvester geschl. – Karte 49/73 *(Montag geschl.)* – **3 Z : 6 B** 110 - 160.

In Aachen-Kornelimünster ④ : 10 km :

🏠 **Zur Abtei**, Napoleonsberg 132 (B 258), ✆ (02408) 21 48 – ☎ 🚗. E. 🚫 Rest
2. Jan.- 2. Feb. geschl. – Karte 26/58 – **16 Z : 25 B** 60/80 - 100/160.

XX ✪ **St. Benedikt**, Benediktusplatz 12, ✆ (02408) 28 88 – E [VISA]
nur Abendessen, Sonntag - Montag und Juni 2 Wochen geschl. – Karte 58/79 (Tischbestellung erforderlich)
Spez. Bretonischer Salat, Eifeler Rehkeule in Rotwein (saisonbedingt), Dessertteller "St. Benedikt".

In Aachen-Lichtenbusch ⑤ : 8 km :

🏨 **Zur Heide**, Raafstr. 80, ✆ (02408) 22 93 – [TV] ☎ [P] 👥. [AE] [D] E [VISA]
Karte 34/56 – **29 Z : 63 B** 40/83 - 70/120 Fb.

In Aachen-Walheim ④ : 12 km :

XX **Brunnenhof** mit Zim, Schleidener Str. 132 (B 258), ✆ (02408) 8 00 24 – [TV] ☎ 🚗 [P]. [AE] [D] E [VISA]
Karte 45/68 – **10 Z : 14 B** 53/60 - 95/125.

An der Straße Verlautenheide-Stolberg ③ : 9 km :

XXX **Gut Schwarzenbruch**, ✉ 5190 Stolberg, ✆ (02402) 2 22 75, « Stilvolle Einrichtung » – [P] 👥. [AE] [D]
Karte 50/80.

An der B 258 Richtung Monschau ⑤ : 12 km :

🏨 **Relais Königsberg**, Schleidener Str. 440, ✉ 5100 AC-Walheim, ✆ (02408) 50 45, ⛰ – 🛗 [TV] ☎ 🚗 [P] 👥. E
27. Dez.- 10. Jan. geschl. – Karte 33/57 – **25 Z : 40 B** 85/95 - 125/140.

XX **Gut Kalkhäuschen** (Italienische Küche), Schleidener Str. 400, ✉ 5100 AC-Walheim, ✆ (02408) 5 83 10 – [P]. 🚫
Montag - Dienstag 18 Uhr geschl. – Karte 59/68 (abends Tischbestellung ratsam).

Siehe auch : ***Würselen*** ① : 6 km

AALEN 7080. Baden-Württemberg [413] N 20, [987] ㊱ – 60 000 Ew – Höhe 433 m – Wintersport : 450/520 m ⛷1 ⛷2 – ☏ 07361.

Sehenswert : Besucherbergwerk in Aalen-Wasseralfingen.

[i] Informations- und Verkehrsamt, Neues Rathaus, ✆ 50 03 58.

ADAC, Bahnhofstr. 81, ✆ 6 47 07.

•Stuttgart 73 – •Augsburg 119 – Heilbronn 131 – •Nürnberg 132 – •Ulm (Donau) 67 – •Würzburg 135.

Café Antik, Stuttgarter Str. 47, 6 86 84 – **80 Z : 120 B** Fb.

Aalener Ratshotel garni, Friedrichstr. 7, 6 20 01 – AE E VISA
35 Z : 60 B 63/70 - 98/108 Fb – 2 Fewo 120/160.

Weißer Ochsen, Bahnhofstr. 47, 6 26 85 –
Karte 16,50/53 *(Samstag geschl.)* – **8 Z : 14 B** 55 - 100.

Alter Löwen, Löwenstr. 8, 6 61 61 – – **16 Z : 21 B** Fb.

Grauleshof, Ziegelstr. 155, 3 24 69, Biergarten – Zim – **8 Z : 13 B**.

Ratskeller, Marktplatz 30, 6 21 11 – AE E
Montag geschl. – Karte 23/52.

Waldcafé mit Zim, Stadionweg 1, 4 10 20, « Waldterrasse » – AE
Anfang - Mitte Jan. geschl. – Karte 21/54 *(Dienstag 17 Uhr - Mittwoch geschl.)* – **2 Z : 3 B** 40 - 70.

Im Pelzwasen mit Zim, Eichendorffstr. 10, 3 17 61, –
Juli 3 Wochen geschl. – Karte 20/59 *(Montag geschl.)* – **10 Z : 14 B** 31/36 - 60/65.

In Aalen-Röthardt NO : 4 km :

Vogthof, Bergbaustr. 28, 7 36 88, – AE E
Juli 3 Wochen geschl. – Karte 19,50/45 *(Freitag geschl.)* – **14 Z : 19 B** 45 - 80.

In Aalen-Unterkochen SO : 4 km :

Scholz, Aalener Str. 80, 81 21, Fahrradverleih – AE E. Rest
Karte 20/46 *(Freitag geschl.)* – **54 Z : 80 B** 59/75 - 89/98 Fb.

Goldenes Lamm, Kocherstr. 8, 81 82 – – **15 Z : 24 B**.

Kälber, Behringstr. 26, 84 44, Telex 713798, Fahrradverleih – AE E VISA
3.- 12. Jan. geschl. – Karte 25/40 *(Sonntag ab 15 Uhr geschl.)* – **20 Z : 33 B** 55/75 - 84/106.

Läuterhäusle, Waldhäuser Str. 109, 8 72 57, – E
Okt.- Nov. 3 Wochen geschl. – Karte 23/54 *(Freitag - Samstag 17 Uhr geschl.)* – **10 Z : 15 B** 45 - 75 Fb.

In Aalen-Waldhausen O : 9,5 km :

Adler mit Zim, Deutschordenstr. 8, (07367) 24 26 – AE E
Ende Feb.- Mitte März und Mitte Juli - Anfang Aug. geschl. – Karte 20/48 *(Montag geschl.)* – **8 Z : 12 B** 35 - 70.

In Aalen-Wasseralfingen N : 2 km :

Krone mit Zim, Wilhelmstr. 3 (B 19/29), 7 14 02 – – **13 Z : 17 B**.

Waldgasthof Erzgrube, Bergbaupfad (O : 2 km, in Richtung Röthardt), 7 15 24, « Betsaal der ehemaligen Grubenwirtschaft a.d.J. 1852 » – AE E
Dienstag und Jan.- Feb. 3 Wochen geschl. – Karte 19,50/37.

Siehe auch : ***Oberkochen*** (S : 9 km)

ABBACH, BAD 8403. Bayern 413 T 20 – 6 800 Ew – Höhe 374 m – Heilbad – 09405.
Kurverwaltung, Kaiser-Karl V.-Allee 5, 15 55.
♦München 109 – Ingolstadt 62 – Landshut 63 – ♦Nürnberg 112 – ♦Regensburg 10 – Straubing 56.

Pension Elisabeth garni, Ratsdienerweg 8, 13 15, –
25 Z : 31 B 40 - 70 – 8 Fewo 55/70.

Zur Post, Am Markt 21, 13 33, Biergarten –
Jan. 3 Wochen geschl. – Karte 16,50/33 *(Mittwoch geschl.)* – **20 Z : 25 B** 32/34 - 64/66 Fb – P 44/46.

Café Rathaus, Kaiser-Karl V.-Allee 6, 10 48, Biergarten – – **30 Z : 40 B**.

ABENBERG 8549. Bayern 413 P 19, 987 ㉖ – 4 800 Ew – Höhe 412 m – 09178.
Rathaus (Klöppelmuseum), Stillaplatz, 7 11.
♦München 158 – Ansbach 30 – Ingolstadt 85 – ♦Nürnberg 32.

Gasthof Altstadt, Burgsteig 5, 3 22, –
Karte 15/24 – **9 Z : 18 B** 33 - 53.

ABENSBERG 8423. Bayern 413 S 20, 987 ㉗ – 9 600 Ew – Höhe 371 m – 09443.
♦München 89 – Ingolstadt 39 – Landshut 46 – ♦Regensburg 34.

Jungbräu, Weinbergerstr. 6, 68 74 – E
27. - 31. Dez. geschl. – Karte 16/37 *(Donnerstag ab 14 Uhr geschl.)* – **32 Z : 43 B** 28/40 - 56/76.

Zum Kuchlbauer, Stadtplatz 2, 14 84 – – **24 Z : 44 B**.

In Biburg 8427 S : 3 km :

Klosterhotel, Eberhardplatz 1, (09443) 14 27, Biergarten – AE E
Karte 23/41 – **21 Z : 40 B** 40/85 - 70/150.

[ABENTHEUER] 6589. Rheinland-Pfalz – 450 Ew – Höhe 420 m – Erholungsort – ☎ 06782 (Birkenfeld).
Mainz 116 – Idar-Oberstein 22 – Trier 57.

🍴🍴 **La Cachette** mit Zim, Böckingstr. 11, ☎ 57 22, « Ehem. Jagdschloß a.d. 18. Jh. » – [P]
15. Jan.- 20. Feb. geschl. – Karte 26/47 *(Tischbestellung ratsam)* (nur Abendessen, Montag geschl.) – **7 Z : 12 B** 40 - 65

[ABTSDORFER SEE] Bayern siehe Laufen.

[ABTSWIND] 8711. Bayern [413] O 17 – 700 Ew – Höhe 265 m – ☎ 09383.
♦München 249 – ♦Nürnberg 79 – ♦Würzburg 36.

Weinstube Zur Linde garni, Ebracher Gasse 2, ☎ 18 58 – [P]
10.- 30. April geschl. – **9 Z : 16 B** 45/50 - 79.

🍴 Weingut Behringer, an der Straße nach Rehweiler (O : 2 km), ☎ 8 41, eigener Weinbau – [P].

[ACHERN] 7590. Baden-Württemberg [413] H 21, [987] ㉞, [242] ⑳ – 20 600 Ew – Höhe 143 m – ☎ 07841.
[i] Reisebüro der Sparkasse, Hauptstr. 84, ☎ 64 15 11.
♦Stuttgart 127 – Baden-Baden 33 – Offenburg 26 – Strasbourg 36.

Götz Sonne-Eintracht, Hauptstr. 112, ☎ 64 50, Telex 752277, – [P] . [AE] [E] [VISA]
Karte 36/72 *(Sonntag bis 17 Uhr geschl.)* – **56 Z : 90 B** 79/130 - 150/220.

Schwarzwälder Hof, Kirchstr. 38, ☎ 50 01, Telex 752280, Fax 27837 – [TV] ☎ [P] . [AE] [E]
Karte 30/63 *(Montag geschl.)* – **24 Z : 42 B** 48/71 - 86/145 Fb.

In Achern-Önsbach SW : 4 km :

🍴🍴 **Adler** (Restauriertes Fachwerkhaus a.d.J. 1724), Rathausstr. 5, ☎ 41 04, – [P]. [E]
Mittwoch 15 Uhr - Donnerstag, Jan.- Feb. 2 Wochen und Juli 3 Wochen geschl. – Karte **27**/62

Benutzen Sie für weite Fahrten in Europa die ***Michelin-Länderkarten :***
[920] *Europa,* [980] *Griechenland,* [984] *Deutschland,* [985] *Skandinavien-Finnland,*
[986] *Großbritannien-Irland,* [987] *Deutschland-Österreich-Benelux,* [988] *Italien,*
[989] *Frankreich,* [990] *Spanien-Portugal,* [991] *Jugoslawien.*

[ACHIM] 2807. Niedersachsen [987] ⑮ – 29 100 Ew – Höhe 20 m – ☎ 04202.
♦Hannover 102 – ♦Bremen 20 – Verden an der Aller 21.

Stadt Bremen, Obernstr. 45, ☎ 89 20, Telex 249428, – [TV] ☎ [P] . [E]. Rest
Karte 26/52 – **43 Z : 58 B** 41/95 - 75/150 Fb.

Gieschen's Hotel, Obernstr. 12, ☎ 80 06 – ☎ [P]. [AE] [E] [VISA]
Karte 29/66 – **24 Z : 30 B** 56/70 - 96/115 Fb.

In Achim-Uphusen NW : 5,5 km :

Novotel Bremer Kreuz, zum Klümoor, ☎ 60 86, Telex 249440, (geheizt), – [TV] ☎ [P]
116 Z : 232 B Fb.

In Thedinghausen 2819 S : 8 km :

Braunschweiger Hof, Braunschweiger Str. 38, ☎ (04204) 2 61 – ☎ [P]
Karte 18/35 – **14 Z : 18 B** 45 - 80.

[ACHSLACH] 8371. Bayern [413] Y 20 – 1 100 Ew – Höhe 600 m – Wintersport : 600/800 m 1 2 – ☎ 09929 (Ruhmannsfelden).
♦München 163 – Cham 41 – Deggendorf 19.

In Achslach-Kalteck S : 4 km – Höhe 750 m :

Berghotel Kalteck, ☎ (09905) 2 63, – [P]
13. März - 28 April und 30. Okt.- 22. Dez. geschl. – Karte 17/42 – **23 Z : 42 B** 53 - 84 Fb – 3 Appart. 122.

[ADELEBSEN] 3404. Niedersachsen – 3 300 Ew – Höhe 180 m – ☎ 05506.
♦Hannover 131 – Göttingen 18 – Münden 27.

Zur Post, Mühlenanger 38, ☎ 6 00 – [P]
16. Juli - 6. Aug. geschl. – Karte 18,50/39 – **13 Z : 20 B** 35 - 68.

[ADELSDORF] Bayern siehe Höchstadt an der Aisch.

[ADELSRIED] 8901. Bayern [413] P 21 – 1 500 Ew – Höhe 491 m – ☎ 08294 (Horgau).
♦München 76 – ♦Augsburg 18 – ♦Ulm (Donau) 65.

🏨 Schmid, Augsburger Str. 28, ☎ 29 10, Telex 539723, 🏨, ≘s, [🏊], 🌳 – |♦| [TV] ☎ [P] 🏨
66 Z : 112 B Fb.

In Horgau 8901 SW : 5,5 km :

🏨 Reiterhof Horgau, Hauptstr. 54, ☎ (08294) 16 51, 🏨 – ☎ [P]
9 Z : 17 B.

[ADENAU] 5488. Rheinland-Pfalz [987] ㉔ – 2 800 Ew – Höhe 300 m – ☎ 02691.
[i] Verkehrsamt, Markt 8, ☎ 18 87.
Mainz 163 – ♦Aachen 105 – ♦Bonn 48 – ♦Koblenz 72 – ♦Trier 95.

🏨 Hof Hirzenstein 🔇, Hirzensteinstraße, ☎ 21 66, ≤, 🏨, 🌳 – [P]. 🐕 Zim
8 Z : 16 B.

🍴 **Historisches Haus - Blaue Ecke** mit Zim, Markt 4, ☎ 20 05, «Schönes Fachwerkhaus a.d.J. 1578 » – [AE] [D] [E] [VISA]
Karte 24/53 – **7 Z : 12 B** 35/38 - 70.

🍴 Neubusch, Markt 5, ☎ 76 34.

An der B 412 O : 9 km :

🏨 St. Georg 🔇, ✉ 5488 Hohe Acht, ☎ (02691) 15 16, ≤, 🏨 – [TV] ☎ [P] 🏨. 🐕 Rest
18 Z : 41 B Fb.

In Kaltenborn 5489 NO : 11 km :

🏨 Grüner Stiefel 🔇, Hohe-Acht-Str. 6, ☎ (02691) 6 87, [🏊], 🌳, 🐎 – [P] – **14 Z : 27 B.**

[AERZEN] Niedersachsen siehe Hameln.

[AHAUS] 4422. Nordrhein-Westfalen [987] ⑬ ⑭, [408] ⑭ – 29 000 Ew – Höhe 50 m – ☎ 02561.
[i] Verkehrsamt, Rathaus, Rathausplatz 1, ☎ 7 22 87.
♦Düsseldorf 116 – Bocholt 49 – Enschede 26 – Münster (Westfalen) 55.

🏨 **Ratshotel Rudolph**, Coesfelder Str. 21, ☎ 20 51, Telex 89761, ≘s, Fahrradverleih – |♦| 🐕 Zim [TV] ♿ [P] 🏨. [AE] [D] [E] [VISA]
Karte 31/53 – **39 Z : 75 B** 85/105 - 130/140 Fb – 3 Appart. 170.

🏨 **Schloß-Hotel** 🔇, Oldenkott-Platz 3, ☎ 20 77, 🏨 – ☎ 🚗. [AE] [D] [E] [VISA]. 🐕 Zim
Juni - Juli 3 Wochen geschl. – Karte 28/58 *(Freitag geschl.)* – **21 Z : 27 B** 30/58 - 60/95.

🍴 **Zur Barriere**, Legdener Str. 99 (B 474; SO : 3 km), ☎ 38 00, 🏨 – [P]
Montag und 5.- 28. Feb. geschl. – Karte 24/46.

🍴 **Zur Stadthalle**, Wüllener Str. 18, ☎ 27 97 – [P]
Montag und Juni - Juli 2 Wochen geschl. – Karte 19/42.

In Ahaus-Ottenstein W : 7 km :

🍴🍴 **Haus im Flör** 🔇 mit Zim, Hörsteloe 49 (N : 2 km Richtung Alstätte), ☎ (02567) 10 57, 🌳 – [TV] ☎ 🚗 [P]. [AE] [D] [E] [VISA]. 🐕
18. Juli - 9. Aug. geschl. – Karte 36/60 *(Samstag bis 17 Uhr und Montag geschl.)* – **8 Z : 14 B** 65 - 110.

In Ahaus-Wüllen SW : 3 km :

🏨 **Hof zum Ahaus**, Argentréstr. 10, ☎ 88 21 – ☎ [P]
Karte 24/41 *(nur Abendessen, Mittwoch geschl.)* – **14 Z : 30 B** 45/50 - 80/90 Fb.

[AHAUSEN] Niedersachsen siehe Rotenburg (Wümme).

[AHLEN] 4730. Nordrhein-Westfalen [987] ⑭ – 53 700 Ew – Höhe 83 m – ☎ 02382.
♦Düsseldorf 124 – Bielefeld 67 – Hamm in Westfalen 13 – Münster (Westfalen) 34.

🏨 **Gretenkort**, Oststr. 4, ☎ 52 76 – |♦| [TV] ☎ 🚗. [AE] [D] [E] [VISA]
Karte 36/61 *(Samstag geschl.)* – **23 Z : 40 B** 40/65 - 90/120 Fb.

🍴🍴 **Haus Höllmann** mit Zim, Weststr. 124, ☎ 22 32 – 🚗 [P] 🏨
Juli - Aug. 3 Wochen geschl. – Karte 24/60 *(Montag geschl.)* – **8 Z : 12 B** 38/48 - 75/85.

🍴🍴 Zur Langst, Am Stadtwald 6, ☎ 29 32, Terrasse am See – [P].

An der Straße nach Warendorf NO : 7 km :

🍴🍴 Zur alten Schänke Samson, Tönnishäuschen 7, ✉ 4730 Ahlen 5, ☎ (02528) 14 54, 🏨 – [P] 🏨.

[AHLHORN] Niedersachsen siehe Großenkneten.

[AHNATAL] Hessen siehe Kassel.

[AHORN] Bayern siehe Coburg.

[AHRENSBURG] 2070. Schleswig-Holstein [987] ⑤ – 26 000 Ew – Höhe 25 m – ☎ 04102.

⛳ Am Haidschlag 45, ☎ 5 13 09.

♦Kiel 79 – ♦Hamburg 23 – ♦Lübeck 47.

- **Ahrensburg** garni, Ahrensfelder Weg 48, ☎ 5 13 21, Telex 2182855 – [TV] ☎ [P] [AE] [D] [E] [VISA].
  21 Z : 38 B 89/105 - 120/150.
- **Zum goldenen Kegel**, Am alten Markt 17 (B 75), ☎ 5 22 44 – [TV] ☎. [AE] [D] [E] [VISA]
  Karte 20/56 *(Sonntag ab 14 Uhr geschl.)* – **26 Z : 49 B** 80/100 - 135/150.

In Ahrensburg-Ahrensfelde S : 4 km :

- **Ahrensfelder Hof**, Dorfstr. 10, ☎ 6 63 16, (Halle) – [TV] [P]. [AE]
  Karte 29/59 *(Montag geschl.)* – **7 Z : 11 B** 70/100 - 120.

[AHRENSFELDE] Schleswig-Holstein siehe Ahrensburg.

[AIBLING, BAD] 8202. Bayern [413] T 23, [987] ㊲, [426] ⑱ – 13 400 Ew – Höhe 501 m – Heilbad – ☎ 08061.

[i] Städt. Kurverwaltung, W.-Leibl-Platz, ☎ 21 66.

♦München 63 – Rosenheim 12 – Salzburg 92.

- **Schmelmer Hof**, Schwimmbadstr. 15, ☎ 49 20, Bade- und Massageabteilung, – [P]
  Karte 26/49 – **110 Z : 165 B** 75/115 - 130/210 Fb – P 115/155.
- **Kur- und Sporthotel St. Georg**, Ghersburgstr. 18, ☎ 52 59 02, Bade- und Massageabteilung, – [TV] ☎ [P]. [AE] [D] [E] [VISA]
  Karte 25/47 – **231 Z : 480 B** 103/118 - 138/213 Fb.
- **Moorbad-Hotel Meier**, Frühlingsstr. 2, ☎ 20 34, Bade- und Massageabteilung, – [TV] ☎ [P]. [AE] [D] [E] [VISA]. Rest
  Ende Nov.- Mitte Jan. geschl. – Karte 23/47 – **80 Z : 124 B** 55/115 - 90/155 Fb.
- Kurhotel Ludwigsbad, Rosenheimer Str. 18, ☎ 20 11, « Gartenterrasse, Park », Bade- und Massageabteilung, – ☎ [P]. Rest
  nur Saison – **72 Z : 99 B** Fb.
- **Romantik-Hotel Lindner**, Marienplatz 5, ☎ 40 50, – ☎ [P]. [AE] [D] [E]
  Karte 31/57 *(26. Dez.- 6. Jan. geschl.)* – **32 Z : 45 B** 50/90 - 90/175 Fb – P 80/125.
- **Kurhotel Schuhbräu**, Rosenheimer Str. 6, ☎ 20 20, Bade- und Massageabteilung, – [TV] ☎ [P]. [AE] [D] [E] [VISA]. Rest
  Karte 23/49 – **55 Z : 90 B** 69/90 - 110/160 Fb – P 85/125.
- **Parkcafé Bihler**, Katharinenstr. 8, ☎ 40 66, – ☎ [P]. [AE] [D] [E].
  15. Jan.- 15. Feb. geschl. – Karte 21/46 *(Donnerstag geschl.)* – **22 Z : 34 B** 38/69 - 96/120 Fb – P 65/95.
- **Pension Medl**, Erlenweg 4 (Harthausen), ☎ 60 19, – [TV] ☎ [P]. Zim
  16. Dez.- 14. Jan. geschl. – Karte 21/31 *(Mittwoch geschl.)* – **13 Z : 20 B** 45 - 80.
- 🍴 **Ratskeller** mit Zim, Kirchzeile 13, ☎ 23 29, Biergarten – ☎ [P]
  Karte 20/55 *(Mittwoch geschl.)* – **6 Z : 10 B** 40/45 - 80.

[AICHACH] 8890. Bayern [413] Q 21, [987] ㊱ – 15 500 Ew – Höhe 445 m – ☎ 08251.

♦München 59 – ♦Augsburg 24 – Ingolstadt 53 – ♦Ulm (Donau) 98.

- **Bauerntanz**, Stadtplatz 18, ☎ 70 22 – ☎ [P]. [AE] [D] [E]
  Mitte - Ende Juli geschl. – Karte 24/42 *(Montag geschl.)* – **16 Z : 25 B** 48 - 80.
- **Specht**, Stadtplatz 43, ☎ 32 55, – ☎ [P].
  Ende Aug.- Anfang Sept. und 24. Dez.- 6. Jan. geschl. – Karte 14/29 *(Sonntag ab 14 Uhr und Samstag geschl.)* – **26 Z : 40 B** 42 - 75.

In Aichach - Untergriesbach :

- **Wagner**, Harthofstr. 38, ☎ 29 97 – [P]
  Karte 16/35 *(Dienstag geschl.)* – **31 Z : 52 B** 40/49 - 70 Fb.

[AICHELBERG] 7321. Baden-Württemberg [413] L 21 – 850 Ew – Höhe 400 m – ☎ 07164 (Boll).

Ausflugsziel : Holzmaden : Museum Hauff*, W : 3 km.

♦Stuttgart 43 – Göppingen 12 – Kirchheim unter Teck 11 – ♦Ulm (Donau) 51.

- Panorama, Boller Str. 11, ☎ 20 81, ← – ☎ [P]
  20 Z : 25 B.

[AIDENBACH] 8359. Bayern [413] W 21, [987] ㉘ ㊳, [426] ⑦ – 2 500 Ew – Höhe 337 m – Erholungsort – ☎ 08543.

♦München 155 – Passau 35 – ♦Regensburg 103.

- **Zum Bergwirt**, Egglhamer Str. 9, ☎ 12 08, – [P]. [AE]
  5.- 31. Jan. geschl. – Karte 19,50/41 – **16 Z : 30 B** 32/38 - 58/68.

[AINRING] **8229.** Bayern [413] V 23, [426] ⑲ – 8 500 Ew – Höhe 457 m – Luftkurort – ☎ 08654 (Freilassing).

[i] Verkehrsamt, ☎ 80 11.

♦München 135 – Bad Reichenhall 15 – Salzburg 13 – Traunstein 27.

Pension Irene, Dorfstr. 24, ☎ 85 62, – [P]
22 Z : 37 B.

[AISCHFELD] Baden-Württemberg siehe Alpirsbach.

[AITERHOFEN] Bayern siehe Straubing.

[AIX-LA-CHAPELLE] = Aachen.

[ALBERSDORF] **2243.** Schleswig-Holstein [987] ⑤ – 3 700 Ew – Höhe 6 m – Luftkurort – ☎ 04835.

♦Kiel 72 – Itzehoe 37 – Neumünster 59 – Rendsburg 36.

Kurhotel Ohlen, Am Weg zur Badeanstalt 1, ☎ 3 51, – ☎ [P]
Karte 24/50 *(Montag bis 17 Uhr geschl.)* – **12 Z : 20 B** 53/65 - 105/130.

Ramundt, Friedrichstr. 1, ☎ 2 21 – ☎ [P]
Karte 24/48 *(Sonntag geschl.)* – **12 Z : 16 B** 34/55 - 60/95.

[ALBERSHAUSEN] Baden-Württemberg siehe Göppingen.

[ALBSTADT] **7470.** Baden-Württemberg [413] K 22, [987] ㉟ – 45 900 Ew – Höhe 730 m – Wintersport : 600/975 m 5 5 – ☎ 07431.

Ausflugsziel : Raichberg ≤**, N : 11 km.

[i] Städtisches Verkehrsamt, Albstadt-Ebingen, Marktstraße, Rathaus, ☎ 16 21 22.

♦Stuttgart 98 – ♦Freiburg im Breisgau 132 – ♦Konstanz 104 – ♦Ulm (Donau) 97.

In Albstadt 1-Ebingen :

✿ **Linde**, Untere Vorstadt 1, ☎ 5 30 61, Fax 53322, « Elegantes Restaurant » – [TV] ☎. E
Karte 49/88 *(Tischbestellung ratsam)* (Samstag sowie Sonn- und Feiertage geschl.) – **23 Z : 30 B** 88/110 - 150/165 Fb
Spez. Scampi auf Linsen, Hummergerichte, Freilandente à l'orange.

Alt Ebingen, Langwatte 51, ☎ 5 30 22, Fax 53024 – [TV] ☎. [AE] E
Karte 31/52 *(Samstag bis 17 Uhr geschl.)* – **16 Z : 22 B** 48/80 - 80/110 Fb.

Kutsche garni, Poststr. 60, ☎ 30 17 – ☎ [P]. E
über Ostern und 23. Dez.- 6. Jan. geschl. – **12 Z : 22 B** 48/69 - 88/99 Fb.

Maria, Mozartstr. 1, ☎ 44 63, – ☎. E
17. Juli - 6. Aug. und 22. Dez.- 8.Jan. geschl. – (nur Abendessen für Hausgäste) – **19 Z : 24 B** 53/73 - 98/118 Fb.

🍴 **In der Breite** mit Zim, Ferdinand-Steinbeis-Str. 2, ☎ 29 10 – ☎ [P]
Juli - Aug. 3 Wochen geschl. – Karte 23/43 *(Montag geschl.)* – **5 Z : 7 B** 40/48 - 78.

In Albstadt 15-Lautlingen :

Falken, Falkenstr. 13, ☎ 7 46 44, – [P]
Juli - Aug. 3 Wochen geschl. – Karte 19,50/28 *(Freitag geschl.)* – **14 Z : 22 B** 32/43 - 62/70.

In Albstadt 2-Tailfingen – ☎ 07432

Blume - Post garni, Gerhardstr. 10, ☎ 1 20 22 – [TV] ☎. E [VISA]
22 Z : 27 B 55/80 - 95/130 Fb.

Post, Goethestr. 27, ☎ 40 98, – [TV] ☎ [P]. [AE]
23. Juli - 13. Aug. geschl. – Karte 19/54 *(Samstag geschl.)* – **30 Z : 40 B** 39/75 - 90/110 Fb.

Ochsen, Goethestr. 10, ☎ 57 53
22 Z : 27 B.

In Meßstetten-Oberdigisheim **7475** SW : 15 km ab Albstadt-Ebingen :

🍴 **Zum Ochsen**, Breitenstr. 9, ☎ (07436) 12 10 – [P]
Montag und Feb. 2 Wochen geschl. – Karte 19,50/48 *(auch vegetarische Gerichte)* (abends Tischbestellung ratsam).

[ALDERSBACH] **8359.** Bayern [413] W 21, [426] ⑦ – 3 500 Ew – Höhe 324 m – ☎ 08543 (Aidenbach).

♦München 158 – Passau 32 – Regensburg 111 – Salzburg 122.

Gasthaus Mayerhofer, Ritter-Tuschl-Str. 2, ☎ 16 02, Biergarten, – ☎ [P]. E [VISA]
2.- 16. Nov. geschl. – Karte 18,50/41 *(Montag geschl.)* – **24 Z : 34 B** 35/40 - 70/80.

ALEXANDERSBAD, BAD 8591. Bayern [413] T 16 – 1 500 Ew – Höhe 560 m – Heilbad – Luftkurort – ☎ 09232 (Wunsiedel).

ℹ Verkehrsbüro und Kurverwaltung, Markgräfliches Schloß, ☎ 26 34 – •München 262 – Bayreuth 46 – Hof 58.

🏨 **Alexandersbad** 🌙, Markgrafenstr. 24, ☎ 10 31, Telex 641179, Bade- und Massageabteilung, ♨, 🏊 – 🛗 📺 ☎ 🚗 🅿 🏛. AE ⓓ E. 🚫 Rest
Karte 19,50/50 *(auch Diät)* – **112 Z : 220 B** 74/77 - 124/130 Fb – P 104/107.

🏨 **Kur- und Sporthotel** 🌙, Markgrafenstr. 30, ☎ 8 91, Telex 641161, ☂, direkter Zugang zum Kurmittelhaus, ♨, 🏊, 🎾 – 🛗 📺 ☎ 🚗 🅿 🏛. AE ⓓ E. 🚫 Rest
Karte 28/48 – **120 Z : 237 B** 57/62 - 99/108 Fb.

ALF 5584. Rheinland-Pfalz [987] ㉔ – 1 800 Ew – Höhe 95 m – ☎ 06542 (Zell a.d. Mosel).
Ausflugsziele : Marienburg : Lage** (≤**) S : 2 km – Burg Arras (Lage, Museum, ≤) W : 3 km.
Mainz 108 – •Koblenz 84 – •Trier 61.

🏨 **Bömer**, Ferd.-Remy-Str. 27, ☎ 23 10, ☂ – 🛗. ⓓ VISA
Karte 19,50/37 – **33 Z : 60 B** 31/37 - 60/72.

🏨 **Mosel-Hotel-Alf**, Moselstr. 1, ☎ 25 81, ≤, ☂ – 🚗 🅿. AE ⓓ E VISA. 🚫 Zim
März-Okt. – Karte 21/40 🍷 – **13 Z : 27 B** 38/55 - 60/90.

ALFDORF 7077. Baden-Württemberg [413] M 20 – 5 700 Ew – Höhe 500 m – ☎ 07172.
⛳ Alfdorf-Haghof, ☎ 5 45 – •Stuttgart 49 – Schwäbisch Gmünd 12 – Schwäbisch Hall 40.

In Alfdorf 2-Haghof W : 5 km:

🏨 **Haghof**, ☎ (07182) 5 45, Telex 7246712, ♨, 🏊, 🌳, ⛳, 🐎(Halle) – 🛗 ☎ 🅿 🏛. ⓓ E VISA
Karte 33/60 – **50 Z : 70 B** 80/100 - 125/135 Fb.

ALFELD (LEINE) 3220. Niedersachsen [987] ⑮ – 22 700 Ew – Höhe 93 m – ☎ 05181.
•Hannover 52 – Göttingen 66 – Hildesheim 26 – •Kassel 108.

🏨 **City-Hotel** garni, Leinstr. 14, ☎ 30 73 – 🛗 📺 ☎ 🚗. AE ⓓ E VISA
28 Z : 34 B 52/69 - 89/130 Fb.

🏨 **Deutsches Haus**, Holzerstr. 25, ☎ 30 98 – 🛗 📺 ☎ 🚗 🏛. AE ⓓ E VISA. 🚫 Rest
Karte 26/54 *(Sonntag ab 15 Uhr geschl.)* – **28 Z : 50 B** 49/68 - 90 Fb.

🍴 **Ratskeller**, Marktplatz 1, ☎ 51 92 – AE ⓓ E VISA
Samstag geschl. – Karte 24/52.

In Alfeld-Hörsum SO : 3,5 km :

🏨 **Zur Eule** 🌙, Horststr. 45, ☎ 46 61, 🏊, 🌳 – ☎ 🚗 🅿
Karte 20/41 *(Montag bis 17 Uhr geschl.)* – **32 Z : 50 B** 30/40 - 60/80.

🏨 Haus Rosemarie garni, Horststr. 52, ☎ 34 33, 🌳 – 🅿 – **12 Z : 22 B.**

ALFTER 5305. Nordrhein-Westfalen – 18 000 Ew – Höhe 173 m – ☎ 0228 (Bonn).
•Düsseldorf 74 – •Aachen 89 – •Bonn 6 – •Köln 24.

🍴🍴🍴 **Herrenhaus Buchholz**, Buchholzweg 1 (NW : 2 km), ☎ (02222) 6 00 05, « Gartenterrasse » – 🅿 🏛. ⓓ E
Karte 48/79 (Tischbestellung ratsam).

ALITZHEIM Bayern siehe Sulzheim.

ALKEN 5401. Rheinland-Pfalz – 700 Ew – Höhe 85 m – ☎ 02605 (Löf).
Mainz 93 – Cochem 28 – •Koblenz 23.

🏨 **Romantik-Hotel Landhaus Schnee**, Moselstr. 6, ☎ 33 83, ≤, ♨ – ▤ Rest 📺 ☎ 🚗 🅿. E
Karte 23/48 *(Okt.- April Mittwoch geschl.)* 🍷 – **20 Z : 40 B** 40/50 - 80/100.

🏨 **Zum Roten Ochsen**, Moselstr. 14, ☎ 6 89, Telex 862393, ≤ – 🅿
Karte 16/38 *(Montag geschl.)* 🍷 – **28 Z : 52 B** 35/56 - 70/80.

🍴🍴 **Burg Thurant** mit Zim, Moselstr. 16, ☎ 35 81, ☂, « Restaurant in einem alten Turm » – 🅿. E
26. Jan.- 4. März geschl. – Karte 30/63 *(Montag - Dienstag 18 Uhr geschl., Okt.- Ostern wochentags nur Abendessen)* – **5 Z : 10 B** 60 - 90.

ALLENBACH Rheinland-Pfalz siehe Idar-Oberstein.

ALLENSBACH 7753. Baden-Württemberg [413] K 23, [987] ㉟, [427] ⑦ – 6 200 Ew – Höhe 400 m – Erholungsort – ☎ 07533.

ℹ Verkehrsamt, Rathausplatz 2, ☎ 63 40 – •Stuttgart 173 – •Konstanz 11 – Singen (Hohentwiel) 21.

🏨 **Haus Rose** garni, Konstanzer Str. 23, ☎ 31 00 – 📺 ☎ 🚗 🅿
9. Feb.- 4. März geschl. – **8 Z : 20 B** 64 - 98.

🏨 Haus Regina garni, Gallus-Zembroth-Str. 17, ☎ 50 91, ≤ – 🅿 – **18 Z : 28 B.**

Beim Wildpark Bodanrück NW : 5 km, über Kaltbrunn :

XX **Landgasthaus Mindelsee,** ✉ 7753 Allensbach, ☎ (07533) 13 21, ⛱ – [P]. [AE]
6. Jan.- 28. Feb. und Dienstag geschl. – Karte 24/50.

[ALLERSBERG] **8501.** Bayern [413] Q 19, [987] ㉖ – 7 100 Ew – Höhe 384 m – ☎ 09176.
♦München 139 – Ingolstadt 65 – ♦Nürnberg 29 – ♦Regensburg 94.

🏠 Zum Roten Ochsen, Marktplatz 6, ☎ 4 61 – ☎ [P] – **11 Z : 22 B.**

🏠 **Traube** garni, Gilardistr. 27, ☎ 3 67 – [P]
29 Z : 50 B 42/55 - 65/69.

An der Straße nach Nürnberg N : 6 km :

XXX **Faberhof,** ✉ 8501 Pyrbaum, ☎ (09180) 6 13, ⛱ – [P]. [AE] [D] [E]
Karte 45/75.

[ALPE ECK] Bayern siehe Sonthofen.

[ALPIRSBACH] **7297.** Baden-Württemberg [413] I 21, [987] ㉟ – 7 000 Ew – Höhe 441 m – Luftkurort – Wintersport : 628/749 m ⛷2 ⛷5 – ☎ 07444.
Sehenswert : Ehemaliges Kloster★.
[i] Kurverwaltung im Rathaus, Marktplatz, ☎ 61 42 81.
♦Stuttgart 99 – Freudenstadt 18 – Schramberg 19 – Villingen-Schwenningen 51.

🏠 **Rößle,** Aischbachstr. 5, ☎ 22 81 – [lift] 🚗 [P]. [AE]
5. Nov.- 2. Dez. geschl. – Karte 21/42 *(Montag geschl.)* 🍷 – **28 Z : 51 B** 49 - 80/82.

🏠 **Waldhorn,** Kreuzgasse 4, ☎ 24 11 – 🚗 [P]. [D] [E]
Karte 24/54 🍷 – **10 Z : 18 B** 39 - 78 Fb – P 56.

🏠 **Schwanen-Post,** Marktstr. 5, ☎ 22 05 – 🚗
✈ *Ende Okt.- Mitte Nov. geschl.* – Karte 19,50/40 *(Freitag geschl.)* 🍷 – **9 Z : 15 B** 38 - 76 – P 55.

In Alpirsbach-Aischfeld O : 5 km :

🏠 **Sonne,** Im Aischfeld 2, ☎ 23 30, 🌳 – [P]
8.- 22. Jan. geschl. – Karte 20/45 *(Dienstag bis 18 Uhr geschl.)* 🍷 – **25 Z : 45 B** 26/38 - 52/74 – P 40/50.

In Alpirsbach-Ehlenbogen :

🏡 **Mittlere Mühle** 🐦, nahe der B 294 (NO : 6 km), ☎ 23 80, ⛱, 🌳, 🎾 – ☎ 🚗 [P]
15. Nov.- 15. Dez. geschl. – Karte 22/48 *(Montag geschl.)* 🍷 – **12 Z : 23 B** 28/38 - 58/75.

🏡 **Adler,** an der B 294 (N : 2 km), ☎ 22 15, 🌳, 🐎 – 🚗 [P]. [AE] [D]
✈ *10.- 31. Jan. geschl.* – Karte 19/35 *(Mittwoch geschl.)* – **18 Z : 31 B** 25/35 - 50/70 – P 45/55.

[ALSFELD] **6320.** Hessen [987] ㉕ – 17 100 Ew – Höhe 264 m – ☎ 06631.
Sehenswert : Marktplatz★ – Rathaus★ – Rittergasse (Fachwerkhäuser★).
[i] Städt. Verkehrsbüro, Rittergasse 3, ☎ 43 00.
♦Wiesbaden 128 – ♦Frankfurt am Main 107 – Fulda 44 – ♦Kassel 93.

🏠 **Krone,** Schellengasse 2 (B 62), ☎ 40 41, ⛱ – ☎ 🚗 [P] 🏛. [AE] [D] [E] [VISA]
Karte 23/51 – **38 Z : 70 B** 50/60 - 85/90 Fb.

🏠 Zum Schwalbennest 🐦, Pfarrwiesenweg 12, ☎ 50 61, Telex 49460 – ☎ [P] 🏛
65 Z : 143 B Fb.

🏠 **Klingelhöffer,** Hersfelder Str. 47, ☎ 20 73 – [TV] ☎ [P] 🏛. [AE] [D] [E] [VISA]
Karte 23/53 – **40 Z : 75 B** 40/50 - 69/120.

🏠 **Zur Erholung,** Grünberger Str. 26 (B 49), ☎ 20 23 – ☎ 🚗 [P] 🏛. [AE] [D] [E]
✈ Karte 18/48 – **29 Z : 52 B** 40/44 - 72/80.

In Alsfeld-Eudorf NO : 3 km :

🏠 **Gästehaus im Grund,** an der B 254, ☎ 22 82, 🌳 – [TV] [P]
✈ Karte 18/31 *(Mahlzeiten im Gasthof zur Schmiede)* (Montag bis 18 Uhr und 4.-13. Jan. geschl.) 🍷 – **18 Z : 38 B** 33/66 - 56/100.

In Romrod 1 **6326** SW : 6 km über die B 49 :

🏨 **Sport-Hotel Vogelsberg** 🐦, Kneippstr. 1 (S : 1 km), ☎ (06636) 8 90, Telex 49404, ⛱, 🏊, 🏋, 🌳, 🎾 (Halle) – [lift] [TV] ☎ [P] 🏛. [AE] [D] [E] [VISA]. ✗ Rest
Karte 29/60 – **108 Z : 210 B** 95/130 - 160/190 Fb.

[ALSHEIM] **6526.** Rheinland-Pfalz [413] HI 17 – 2 700 Ew – Höhe 92 m – ☎ 06249.
Mainz 32 – Alzey 19 – ♦Darmstadt 34 – Worms 16.

🏡 **Hubertushof,** Mainzer Str. 1, ☎ 41 00, eigener Weinbau, 🏊 (geheizt), 🌳 – [P]
27. Dez.- 15. Jan. geschl. – Karte 28/43 *(nur Abendessen, Montag geschl.)* 🍷 – **9 Z : 16 B** 30 - 60/84.

[ALTBACH] Baden-Württemberg siehe Plochingen.

[ALTDORF] 8503. Bayern [413] R 18, [987] ㉖ – 12 900 Ew – Höhe 446 m – ☎ 09187.
♦München 176 – ♦Nürnberg 22 – ♦Regensburg 80.

🏨 **Alte Nagelschmiede**, Oberer Markt 13, ✆ 56 45 – ☎ [P]. [D]
8.- 16. Jan. und 20. Aug.- 11.Sept. geschl. – Karte 24/47 *(Tischbestellung ratsam)* (Sonntag - Montag 17 Uhr geschl.) – **22 Z : 28 B** 50/65 - 75/80.

🏨 Türkenbräu 🐎, Mühlweg 5, ✆ 23 21, Telex 624471 – ☎ 🚗 [P] – **33 Z : 42 B.**

[ALTDORF] Bayern siehe Landshut.

[ALTDROSSENFELD] Bayern siehe Neudrossenfeld.

[ALTENA] 5990. Nordrhein-Westfalen [987] ⑭ – 22 100 Ew – Höhe 159 m – ☎ 02352.
♦Düsseldorf 88 – Hagen 25 – Iserlohn 16 – Lüdenscheid 14.

🏨 Dewor garni, Gerichtsstr. 15, ✆ 2 53 33 – **12 Z : 21 B.**

🍴🍴 **Burg Altena**, Fritz-Thomée-Str.80 (in der Burg), ✆ 28 84 – [P]. [D] E
Montag geschl. – Karte 28/68.

In Altena-Dahle O : 7 km :

🏨 **Alte Linden** (restauriertes Fachwerkhaus a.d. 17. Jh.), Hauptstr. 38, ✆ 7 12 10, 🌳 – [TV] ☎
Karte 21/48 *(Montag bis 17 Uhr geschl.)* – **11 Z : 22 B** 49 - 88.

In Altena-Großendrescheid SW : 7 km, in Altroggenrahmede rechts ab :

🏨 **Gasthof Spelsberg** 🐎, Großendrescheid 17, ✆ 5 02 25, <, 🌲 – ☎ [P]
Karte 26/42 *(Dienstag geschl.)* – **10 Z : 22 B** 65 - 98/160 Fb.

[ALTENAHR] 5486. Rheinland-Pfalz [987] ㉔ – 1 600 Ew – Höhe 169 m – ☎ 02643.
[i] Verkehrsverein, im ehemaligen Bahnhof, ✆ 84 48.
Mainz 163 – ♦Bonn 30 – Euskirchen 29 – ♦Koblenz 62 – ♦Trier 113.

🏨 **Central-Hotel**, Brückenstr. 5, ✆ 18 15 – [P]. ✗ Zim
Dez. geschl. – Karte 23/55 *(außer Saison Dienstag geschl.)* – **25 Z : 47 B** 30/50 - 52/90.

🏨 **Zum schwarzen Kreuz**, Brückenstr. 7, ✆ 15 34, 🌲 – [|$|] [P]. ✗ Zim
2. Jan.- 15. März geschl. – Karte 27/52 *(April - Juni Dienstag geschl.)* – **18 Z : 35 B** 48/65 - 75/110.

🏨 **Zur Post**, Brückenstr. 2, ✆ 20 98, ≘s, [🏊] – [|$|] [TV] ☎ [P]. [AE] [D] E [VISA]
20. Nov.- 20. Dez. geschl. – Karte 24/47 – **55 Z : 90 B** 45/65 - 80/110.

🏨 **Ruland**, Brückenstr. 6, ✆ 83 18, 🌳 – [P]. ✗ Zim
◆ Karte 18,50/37 🍷 – **40 Z : 80 B** 28/50 - 50/80 – P 45/60.

🍴🍴 Wein-Gasthaus Schäferkarre (restauriertes Winzerhaus a.d.J. 1716), Brückenstr. 29, ✆ 71 28, bemerkenswertes Angebot von Ahrweinen.

[ALTENAU] 3396. Niedersachsen [987] ⑯ – 2 900 Ew – Höhe 450 m – Heilklimatischer Kurort – Wintersport : 450/900 m ⛷3 ⛷3 – ☎ 05328.
[i] Kurverwaltung, Schultal 5, ✆ 8 02 22.
♦Hannover 109 – ♦Braunschweig 61 – Göttingen 71 – Goslar 18.

🏨 **Moock's Hotel**, Am Schwarzenberg 11, ✆ 2 22, 🌳 – ☎ 🚗 [P]
◆ Karte 19,50/53 *(Mittwoch geschl.)* – **14 Z : 25 B** 35/70 - 70/130 Fb – P 65/75.

🏨 **Landhaus am Kunstberg** 🐎 garni, Bergmannsstieg 5, ✆ 2 55, <, ≘s, [🏊], 🌲 – [TV] ☎ 🚗 [P]
2. Nov.- 15. Dez. geschl. – **14 Z : 26 B** 58 - 96/106 Fb.

🏨 **Gebirgshotel** 🐎, Kleine Oker 17, ✆ 2 18, ≘s, [🏊], 🌲 – [|$|] ☎ 🚗 [P]. ✗ Rest
4. Nov.- 17. Dez. geschl. – Karte 20/38 – **39 Z : 62 B** 30/52 - 60/84 – P 49/61.

🏨 **Deutsches Haus**, Marktstr. 17, ✆ 3 50, 🌲 – 🚗 [P]
◆ *10.- 20. April geschl.* – Karte 17/43 *(Nov.- Mai Dienstag geschl.)* – **11 Z : 19 B** 28/35 - 60/70 Fb.

🍴 Kaminrestaurant Zur kleinen Oker, Kleine Oker 34, ✆ 5 84 – [P].

[ALTENBERGE] 4417. Nordrhein-Westfalen [987] ⑭ – 8 000 Ew – Höhe 104 m – ☎ 02505.
♦Düsseldorf 138 – Enschede 49 – Münster (Westfalen) 15.

🏨 **Stüer**, Laerstr. 6, ✆ 12 12 – [TV] ☎ [P]. [AE] [D] E [VISA]
Karte 21/39 *(wochentags nur Abendessen, Montag und 15.- 30. Juli geschl.)* – **37 Z : 71 B** 36/54 - 66/106.

[ALTENGLAN] 6799. Rheinland-Pfalz [242] ③ – 3 500 Ew – Höhe 199 m – ☎ 06381.
Mainz 102 – Kaiserslautern 27 – ♦Saarbrücken 72 – ♦Trier 94.

Beim Wildpark Potzberg SO : 7 km – Höhe 562 m :

🏨 **Turm-Hotel** 🐎, Auf dem Potzberg, ✉ 6791 Föckelberg, ✆ (06385) 56 77, < Pfälzer Bergland, 🌳, ≘s – 🚗 [P]
15. Jan.- 15. Feb. geschl. – Karte 21/43 *(Montag geschl.)* 🍷 – **15 Z : 35 B** 43/48 - 72/85 – P 60/70.

[ALTENHEIM] Baden-Württemberg siehe Neuried.

[ALTENKIRCHEN IM WESTERWALD] 5230. Rheinland-Pfalz [987] ㉔ – 5 300 Ew – Höhe 245 m – ☎ 02681.

Mainz 110 – ♦Bonn 49 – ♦Koblenz 56 – ♦Köln 65 – Limburg an der Lahn 50.

🏠 **Haus Hubertus** 🔇, Frankfurter Str. 59a, ✆ 34 28, ⛱, « Garten », 🏊 – ☎ 🚗 [P]. [D] [E] [VISA]
Karte 25/52 *(Montag geschl.)* 🍷 – **13 Z : 23 B** 44 - 80 Fb.

In Altenkirchen-Leuzbach SW : 2 km :

🏠 **Petershof**, Wiedstr. 84, ✆ 29 83, ⛱, 🌳 – 🚗 [P]. [AE]
✦ Karte 18/40 *(Freitag geschl.)* – **7 Z : 11 B** 30/42 - 75/80.

In Berod 5231 S : 7 km, über die B 8 :

🏠 Röhrig, Rheinstr. 1, ✆ (02680) 4 91 – [P] – **10 Z : 20 B.**

[ALTENKUNSTADT] Bayern siehe Burgkunstadt.

[ALTENMARKT AN DER ALZ] 8226. Bayern [413] U 22, [987] ㊲, [426] ⑲ – 3 300 Ew – Höhe 490 m – ☎ 08621 (Trostberg).

♦München 82 – Passau 113 – Rosenheim 44 – Salzburg 60.

🏠 **Angermühle**, Angermühle 1, ✆ 30 26, ⛱ – 🚗 [P]
28. Dez.- 10. Jan. geschl. – Karte 22/42 *(Freitag geschl.)* – **28 Z : 45 B** 35/50 - 60/80.

[ALTENMEDINGEN] Niedersachsen siehe Bevensen, Bad.

[ALTENSTADT] 7919. Bayern [413] N 22, [987] ㊱ – 4 500 Ew – Höhe 530 m – ☎ 08337.

♦München 165 – Bregenz 93 – Kempten (Allgäu) 58 – ♦Ulm (Donau) 36.

🏠 **Fischer**, Memminger Str. 35 (B 19), ✆ 2 68 – 🚗 [P]
✦ Karte 19,50/39 – **15 Z : 32 B** 35/45 - 75.

In Altenstadt-Illereichen [426] ⑮

🏠 ❀ **Landhotel Schloßwirtschaft** 🔇, Kirchplatz 2, ✆ 80 45, Telex 54980, ⛱ – [TV] ☎ [P]. [AE] [D] [E]
Karte 70/90 *(abends Tischbestellung ratsam)* (Montag geschl.) – **11 Z : 23 B** 86 - 130/160
Spez. Baba von Hummer, Wachtelkarbonade mit Stopfleber, Quarksoufflé mit Birnenkompott.

[ALTENSTEIG] 7272. Baden-Württemberg [413] I 21, [987] ㉟ – 10 000 Ew – Höhe 504 m – Luftkurort – Wintersport : 561/584 m ⛷1 ⛷1 – ☎ 07453.

Sehenswert : Lage★ – ≤★ auf Berneck (von der Straße nach Calw).

[i] Städt. Verkehrsamt, Rosenstr. 28 (ev. Gemeindehaus), ✆ 66 33.

♦Stuttgart 68 – Freudenstadt 25 – Tübingen 48.

🏠 **Traube**, Rosenstr. 6, ✆ 70 33 – 🚗 [P]. [AE] [D] [E] [VISA]. 🐕 Zim
25. Okt.- 20. Nov. geschl. – Karte 21/43 *(Mittwoch ab 13 Uhr geschl.)* 🍷 – **33 Z : 52 B** 30/45 - 60/84 – P 45/58.

🏠 **Deutscher Kaiser**, Poststr. 1, ✆ 85 58 – 🚗 [P]. [D] [E]
✦ *1.- 26. Okt. geschl.* – Karte 19,50/41 *(Freitag geschl.)* 🍷 – **10 Z : 16 B** 29/39 - 58/72 – P 43/50.

In Altensteig 4-Berneck NO : 3 km – Erholungsort :

🏠 **Traube**, Hauptstr. 22, ✆ 80 05, 🏊, 🏊 – 🛗 ☎ 🚗 [P] 🏔
Karte 20/53 🍷 – **54 Z : 85 B** 38/62 - 69/104 – P 63/90.

🏠 Rössle (mit 🏠 Gästehaus, 🔇), Marktplatz 8, ✆ 81 56, 🏊, 🏊, 🌳 – [TV] 🚗 [P]. 🐕 Zim
26 Z : 42 B.

In Altensteig 5-Spielberg SW : 5 km :

🏠 **Ochsen**, Römerstr. 2, ✆ 61 22 – 🚗 [P]
✦ *Nov. geschl.* – Karte 17/34 *(Montag geschl.)* 🍷 – **16 Z : 29 B** 25/38 - 50/76 – P 42/55.

In Altensteig 1-Überberg NW : 2 km :

🏠 **Hirsch**, Simmersfelder Str. 24, ✆ 82 90, 🏊, 🌳 – 🚗 [P]
✦ Karte 18/46 *(Dienstag geschl.)* – **18 Z : 36 B** 35/45 - 64/85 – P 55/65.

In Altensteig 6-Wart NO : 7 km :

🏠 **Sonnenbühl** 🔇, Wildbader Str. 44, ✆ (07458) 77 10, Telex 765400, ⛱, Bade- und Massageabteilung, 🏋, 🏊, 🏊, 🌳, 🎾, Fahrradverleih – 🛗 [TV] ☎ 🏃 [P] 🏔. [AE] [E]
Karte 23/60 – **97 Z : 196 B** 100/130 - 145/175 Fb.

[ALTGLASHÜTTE] Bayern siehe Bärnau.

[ALTGLASHÜTTEN] Baden-Württemberg siehe Feldberg im Schwarzwald.

[ALTLOHBERGHÜTTE] Bayern siehe Lohberg.

[ALTÖTTING] 8262. Bayern [413] V 22, [987] ㊲, [426] ⑥ – 12 000 Ew – Höhe 402 m – Wallfahrtsort – ☎ 08671.

[i] Wallfahrts- und Verkehrsverein, Kapellplatz 2a, ☎ 80 68.

♦München 93 – Landshut 64 – Passau 83 – Salzburg 66.

- **Zur Post**, Kapellplatz 2, ☎ 50 40, Telex 56962, Fax 6214, 🌳, ≘s, 🏊 – |♦| [TV] ☎ [P] 🏛. [AE] [①] [E] [VISA]
  Karte 36/65 – **96 Z : 160 B** 78/105 - 138/170 Fb.
- **Schex**, Kapuziner Str. 13, ☎ 40 21, 🌳 – |♦| 🚗 [P] 🏛. [AE] [①] [E]
  3. Jan.- 4. Feb. geschl. – Karte 20/43 *(Feb.- April Montag geschl.)* – **50 Z : 98 B** 65/70 - 95/100 Fb.
- **Parkhotel** garni, Neuöttinger Str. 28, ☎ 1 20 27 – [TV] ☎ 🚗 [P]. [AE] [E]
  20 Z : 28 B 60 - 100 Fb.
- **Plankl**, Schlotthamer Str. 4, ☎ 65 22, 🌲 – |♦| ♿ [P]. [AE] [①] [E]
  Karte 20/33 – **78 Z : 100 B** 33/55 - 66/100 – 3 Appart. 100/120.
- **Scharnagl**, Neuöttinger Str. 2, ☎ 1 37 10 – 🚗 [P]
  18. Dez.- 9. Jan. geschl. – Karte 18,50/35 – **105 Z : 180 B** 38/43 - 65/78.

In Bräu im Moos SW : 9,5 km, über Tüßling :

- 🍴 **Bräu im Moos**, Moos 21, ✉ 8261 Tüßling, ☎ (08633) 10 41, Biergarten, Brauerei-Museum, Hirschgehege – [P]
  Montag und 9. Jan.- 14. Feb. geschl. – Karte 20/45.

In Teising 8261 W : 5 km :

- 🍴 Gasthof Hutter, Hauptstr. 17 (B 12), ☎ (08633) 2 07, 🌳.

In Tüßling-Kiefering 8261 W : 6 km über die B 299 :

- **Landgasthof zum Bauernsepp** 🌿, ☎ (08633) 71 02, « Innenhofterrasse » – [TV] [P]. [AE]
  Karte 24/47 *(8.- 31. Jan. geschl.)* – **32 Z : 60 B** 40 - 70 – P 60.

[ALTRIP] Rheinland-Pfalz siehe Ludwigshafen am Rhein.

[ALTUSRIED] 8966. Bayern [413] N 23, [426] ⑮ – 7 800 Ew – Höhe 722 m – Erholungsort – ☎ 08373.

♦München 124 – Kempten (Allgäu) 14 – Memmingen 30.

- **Rössle**, Hauptstr. 24, ☎ 2 26 – [P]. 🚫 Zim
  Mitte Nov.- Mitte Dez. geschl. – Karte 20/34 *(Samstag geschl.)* – **10 Z : 12 B** 27/35 - 50/65.

[ALTWEILNAU] Hessen siehe Weilrod.

[ALZENAU] 8755. Bayern [413] K 16, [987] ㉕ – 16 900 Ew – Höhe 114 m – ☎ 06023.

♦München 378 – Aschaffenburg 19 – ♦Frankfurt am Main 36.

In Alzenau-Hörstein S : 4 km :

- **Käfernberg** 🌿, Mömbriser Str. 9, ☎ 26 26, Telex 4188182, ≤, « Weinstube im alpenländischen Stil », ≘s – |♦| [TV] ☎ [P] 🏛. [AE] [①] [E] [VISA]
  Karte 30/60 *(nur Abendessen, Sonntag, 1-10. Jan. und August 3 Wochen geschl.)* – **31 Z : 58 B** 55/85 - 85/130 Fb.

In Alzenau-Wasserlos SO : 2 km :

- **Krone am Park** 🌿 garni, Hellersweg 1, ☎ 60 52, Telex 4188169, ≤, ≘s, 🌲, 🎾 – [TV] ☎ 🚗 [P] 🏛. [E]
  23 Z : 31 B 73/95 - 120/130 Fb.
- **Schloßberg im Weinberg** 🌿, Schloßberg 2, ☎ 10 58, ≤ Maintal, 🌳, 🏊 – [TV] ☎ [P] 🏛. [AE] [①] [E]
  2.- 28. Jan. geschl. – Karte 32/63 – **19 Z : 31 B** 70/100 - 100/150 Fb.
- **Krone** 🌿, Hahnenkammstr. 37, ☎ 60 25, Telex 4188169 – ☎ [P] 🏛. [E]
  Mitte Juli - Mitte Aug. geschl. – Karte 32/51 *(Sonntag 15 Uhr - Montag 17 Uhr geschl.)* – **23 Z : 37 B** 52/85 - 88/120 Fb.

[ALZENBACH] Nordrhein-Westfalen siehe Eitorf.

[ALZEY] 6508. Rheinland-Pfalz [987] ㉔ – 15 800 Ew – Höhe 173 m – ☎ 06731.

[i] Städt. Verkehrsamt, Fischmarkt 3, ☎ 49 50.

Mainz 34 – ♦Darmstadt 48 – Kaiserslautern 49 – Bad Kreuznach 29 – Worms 28.

- **Alzeyer Hof**, Antoniterstr. 60, ☎ 88 05 – |♦| [TV] ☎ 🚗 🏛. [AE] [E]
  Karte 34/52 🍷 – **25 Z : 56 B** 99 - 130 Fb.
- **Massa-Hotel**, Industriestr. 13 (O : 1 km, nahe der Autobahn), ☎ 40 30, Telex 42461, 🌳, 🎾 (Halle) – ▤ Rest [TV] ☎ [P] 🏛 (mit ▤). [AE] [①] [E] [VISA]
  Karte 27/50 🍷 – **97 Z : 135 B** 84/94 - 117 Fb.
- **Krause**, Gartenstr. 2, ☎ 61 81 – ☎ 🚗 [P] 🏛
  27. Dez.- 14. Jan. geschl. – Karte 27/57 *(Samstag geschl.)* 🍷 – **16 Z : 20 B** 40/65 - 90.

AMBERG

Bahnhofstraße	BZ	
Georgenstraße	AZ	
Marktplatz	BZ	
Rathausstraße	BZ	40
Untere Nabburger Str.	BZ	
Äußere Raigeringer Str.	BY	2
Barbarastraße	BY	4
Berliner Straße	BY	5
Bruno-Hofer-Straße	BY	6
Dr.-Filchner-Straße	BY	7
Drahthammerstraße	BY	9
Fleurystraße	AYZ	12
Franziskanergasse	AZ	14
Hallstätterstraße	BY	15
Kasernstraße	BZ	17
Kastler Straße	AY	18
Katharinenfriedhofstr.	AY	19
Kleinraigering	BY	21
Kochkellerstraße	AY	23
Kümmersbrucker Str.	BY	26
Langangerweg	AY	28
Malteserplatz	AZ	29
Merianstraße	BY	31
Nabburger Torplatz	BZ	32
Nürnberger Straße	AY	34
Obere Nabburger Str.	BZ	36
Pfistermeisterstraße	BY	37
Raigeringer Straße	BY	39
Regierungsstraße	AZ	42
Roßmarkt	AZ	44
Salzstadelplatz	BZ	45
Schießstätteweg	AY	47
Schlachthausstraße	BYZ	48
Schloßgraben	AZ	50
Schrannenplatz	AZ	52
Sebastianstraße	AY	53
Sechserstraße	AY	55
Seminargasse	AZ	56
Steinhofgasse	AZ	58
Viehmarktgasse	AZ	60
Vilstorplatz	AZ	61
Werner-von-Siemens-Str.	AY	63
Wingershofer Straße	AY	64
Ziegeltorplatz	BZ	69

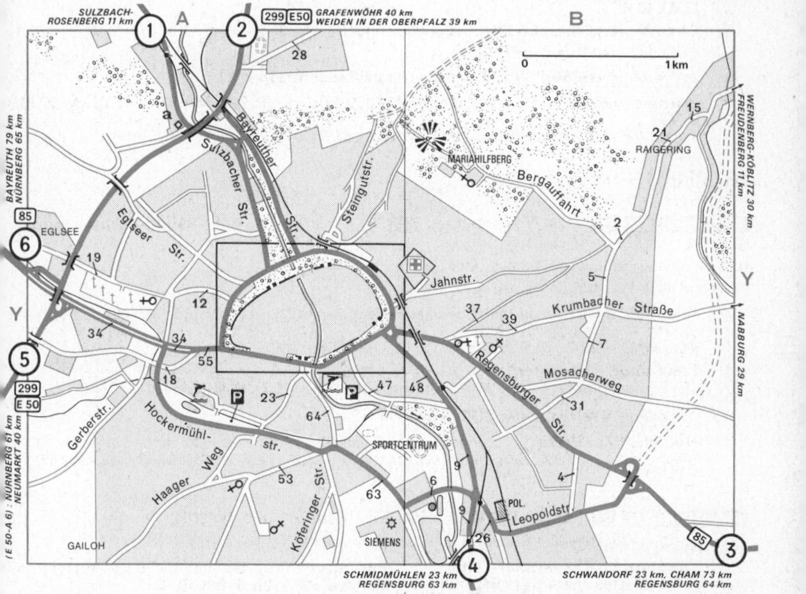

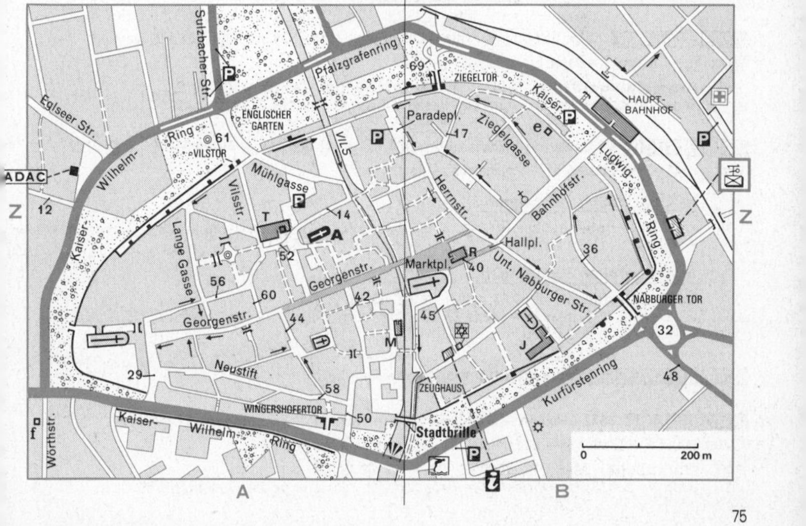

[AMBERG] 8450. Bayern [413] S 18, [987] ㉗ – 46 000 Ew – Höhe 374 m – ☎ 09621.

Sehenswert : Deutsche Schulkirche★ AZ A.

[i] Fremdenverkehrsamt, Zeughausstr. 1a, ☎ 1 02 33.

ADAC, Kaiser-Wilhelm-Ring 29a, ☎ 2 23 80, Notruf ☎ 1 92 11, Telex 631247.

♦München 204 ⑤ – Bayreuth 79 ⑥ – ♦Nürnberg 61 ⑤ – ♦Regensburg 64 ③.

Stadtplan siehe vorhergehende Seite.

🏨 **Brunner**, Batteriegasse 3, ☎ 2 39 44 – 🛗 ☎ 🚗. [D] — BZ **e**
3.- 22 Jan. geschl. – (nur Abendessen für Hausgäste) – **40 Z : 63 B** 62/68 - 104/115 Fb.

🏨 **Fleischmann** garni, Wörthstr. 4, ☎ 1 51 32 – [TV] ☎ 🚗 — AZ **f**
24. Dez.- 6.Jan. geschl. – **34 Z : 50 B** 30/65 - 70/110 Fb.

🏨 Gall, Sulzbacher Str. 89, ☎ 6 33 31 – [TV] 🚗 [P] — AY **a**
27 Z : 40 B.

🍴 **Casino - Altdeutsche Stube**, Schrannenplatz 8, ☎ 2 26 64 – 🏛. [AE] [E] [VISA] — AZ **T**
Donnerstag geschl. – Karte 20/51.

In Freudenberg 8451 NO : 10 km über Krumbacher Straße BY :

🏨 **Hammermühle** 🌳, Hammermühlstr. 1, ☎ (09627) 6 11, ⛱, 🏊, 🌲, 🎾 – ☎ [P] 🏛. [AE] [D] [E] [VISA]
Karte 20/48 *(Jan.- März Freitag geschl.)* – **28 Z : 52 B** 72/78 - 104/118 Fb.

[AMBURGO] = Hamburg.

[AMELINGHAUSEN] 2124. Niedersachsen [987] ⑮ – 2 300 Ew – Höhe 65 m – Erholungsort – ☎ 04132.

[i] Kultur- und Verkehrsverein, Rathaus, Lüneburgerstr. 50, ☎ 10 71.

♦Hannover 104 – ♦Hamburg 57 – Lüneburg 26.

🏨 **Schenck's Gasthaus** (mit Gästehaus Bergpension 🌳), Lüneburger Str. 48, ☎ 3 14, 🏊, 🏊, 🌲 – 🚗 [P] 🏛. [AE] [D] [E]
Karte 24/39 – **29 Z : 54 B** 35/70 - 70/110 Fb – P 55/75.

🏨 **Fehlhaber**, Lüneburger Str. 38, ☎ 3 76 – 🚗 [P]
10.- 26. Jan. geschl. – Karte 24/41 *(Mittwoch geschl.)* – **11 Z : 22 B** 42 - 84.

In Wriedel-Wettenbostel 3111 SO : 8 km :

🏨 **Heidehof Zur Erika** 🌳, Brunnenweg 1, ☎ (05829) 5 29, ⛱, 🏊, 🌲, Fahrradverleih – [P]
März geschl. – Karte 23/39 *(Mittwoch geschl.)* – **12 Z : 22 B** 35/40 - 64/70 – 2 Fewo 60 – P 46/50.

[AMERDINGEN] 8861. Bayern [413] O 20 – 750 Ew – Höhe 530 m – ☎ 09008.

♦München 132 – ♦Augsburg 66 – Nördlingen 17 – ♦Ulm (Donau) 67.

🏨 **Landhotel Kesseltaler Hof** 🌳, Graf-Stauffenberg-Str. 21, ☎ 6 16, Biergarten, « Renoviertes ehemaliges Bauernhaus », 🏊, 🏊, 🌲 – [TV] ☎ 🚗 [P]. [E]
Ende Jan.- Anfang Feb. geschl. – Karte 17,50/49 – **13 Z : 28 B** 55/60 - 90/120 Fb – P 70/80.

[AMMELDINGEN] 5529. Rheinland-Pfalz – 200 Ew – Höhe 520 m – ☎ 06564 (Neuerburg).

Mainz 195 – Bitburg 30 – ♦Trier 61.

🏨 **Ammeldinger Höhe** 🌳, Dorfstr. 28, ☎ 27 09, ⛱, 🏊, 🌲 – [P]. [AE] [E]
Karte 26/55 *(wochentags nur Abendessen, Montag geschl.)* – **14 Z : 23 B** 32 - 60/64.

[AMMERBUCH] 7403. Baden-Württemberg [413] I 21 – 10 000 Ew – Höhe 365 m – ☎ 07073.

♦Stuttgart 44 – Freudenstadt 51 – Pforzheim 67 – Reutlingen 25.

In Ammerbuch 1-Entringen :

🍴 Im Gärtle, Bebenhauser Str. 44, ☎ 64 35, ständige Gemäldeausstellung, « Gartenterrasse » – [P].

In Ammerbuch 2-Pfäffingen :

🏨 **Lamm**, Dorfstr. 42, ☎ 60 61, ⛱ – ☎ [P]. [AE] [D] [E] [VISA]
22. Dez.- 8. Jan. geschl. – Karte 27/60 *(Nov.- April Freitag 14 Uhr - Samstag 18 Uhr geschl.)* – **20 Z : 35 B** 52/60 - 82/90 Fb.

[AMMERTSWEILER] Baden-Württemberg siehe Mainhardt.

[AMÖNEBURG] 3572. Hessen – 4 800 Ew – Höhe 362 m – Erholungsort – ☎ 06422.

♦Wiesbaden 125 – Gießen 34 – Bad Hersfeld 71 – ♦Kassel 97 – Marburg 14.

🍴 **Dombäcker**, Markt 18, ☎ 37 55, ⛱ – [AE] [D] [E] [VISA]
Montag bis 18 Uhr, Mitte - Ende Feb. und Okt. 1 Woche geschl. – Karte 48/65.

[AMORBACH] 8762. Bayern [413] K 18, [987] ㉕ – 5 000 Ew – Höhe 166 m – Luftkurort – ☎ 09373.
Sehenswert : Abteikirche★ (Chorgitter★, Bibliothek★, Grüner Saal★).
[i] Städt. Verkehrsamt, im alten Rathaus, Marktplatz, ☎ 7 78.
♦München 353 – Aschaffenburg 47 – ♦Darmstadt 69 – Heidelberg 67 – ♦Würzburg 77.

🏨 Post (mit Gästehaus 🌿, [⇅]), Schmiedstr. 2, ☎ 14 10, ⛱, ♨ – 🚗 [P]. 🚫🐕 Rest
30 Z : 53 B Fb.

🏨 **Badischer Hof** (mit Gästehaus 🌿), Am Stadttor 4, ☎ 12 08, ⛱ – 🚗 [P] 👥. [AE]
15. Dez.- 25. Jan. geschl. – Karte 25/57 – **32 Z : 50 B** 35/60 - 70/110 – P 70/95.

🏨 **Frankenberg** 🌿, Gotthardsweg 12 (Sommerberg), ☎ 12 50, 👁, ⛱, 🏊, [🏊], 🌳 – 📞 🚗
[P]. [D] [E]
9. Jan.-24. Feb. geschl. – Karte 21/39 – **20 Z : 42 B** 33/60 - 82/90.

In Amorbach-Boxbrunn W : 10 km :

⬌ **Bayrischer Hof** (mit 🏨 Gästehaus), Hauptstr. 8, ☎ 14 35 – 🚗 [P]
Ende Jan.- Mitte Feb. geschl. – Karte 16/35 *(Freitag geschl.)* – **15 Z : 28 B** 28/34 - 52/70.

Im Otterbachtal W : 3 km über Amorsbrunner Straße :

🏨 **Der Schafhof** 🌿 (ehem. Klostergut), ✉ 8762 Amorbach, ☎ (09373) 80 88, Telex 689293, 👁, ⛱, 🌳, 🎾 – [TV] 📞 [P] 👥. [AE] [D] [E] [VISA]. 🚫🐕 Zim
2. Jan.- 2. Feb. geschl. – Karte 51/75 – **16 Z : 32 B** 120/200 - 160/260 Fb.

[AMPFING] 8261. Bayern [413] U 22, [987] ㊲, [426] ⑤ – 5 100 Ew – Höhe 415 m – ☎ 08636.
♦ München 74 – Landshut 60 – Salzburg 89.

🏨 **Fohlenhof**, Zangberger Str. 23, ☎ 8 88, ⛱ – 📞 [P] 👥. [AE] [D] [E]
Karte 26/52 *(Freitag - Samstag 16 Uhr und 29. Juli - 19. Aug. geschl.)* – **31 Z : 47 B** 58/65 - 95/130 Fb – P 90.

Verwechseln Sie nicht :

Komfort der Hotels	: 🏨🏨🏨🏨🏨 ... 🏨, ⬌
Komfort der Restaurants	: 🍴🍴🍴🍴🍴 ... 🍴
Gute Küche	: ✱✱✱, ✱✱, ✱, Karte

[AMRUM (Insel)] Schleswig-Holstein [987] ④ – Seeheilbad – Insel der Nordfriesischen Inselgruppe.
⛴ von Dagebüll (ca. 2 h). Für PKW Voranmeldung bei Wyker Dampfschiffs-Reederei GmbH in 2270 Wyk auf Föhr, ☎ (04681) 7 01.

[Nebel] 2278. – 1 045 Ew – ☎ 04682.
[i] Kurverwaltung, ☎ 5 44.

🍴 **Ekke-Nekkepenn**, Waasterstigh 17, ☎ 22 45 – [P]
Mitte März - Ende Okt. und 30. Dez.- 5. Jan. geöffnet, außer Saison Montag geschl. – Karte 23/46.

[Norddorf] 2278. – 900 Ew – ☎ 04682.
[i] Kurverwaltung, ☎ 8 11.
Nebel 4 – Wittdün 9.

🏨 **Hüttmann** 🌿, ☎ 8 68, 👁, ⛱, 🌳, Fahrradverleih – [TV] 📞 [P]. 🚫🐕
⬌ *Mitte März - Anfang Nov.* – Karte 19,50/53 – **26 Z : 50 B** 53/91 - 86/195 Fb – 4 Fewo 85/120 – P 73/125.

🏨 **Seeblick** 🌿 (Appartment-Hotel), Strandstraße, ☎ 8 88, ⛱, ♨, [🏊], 🌳 – [⇅] [TV] 📞 🚗 [P] 👥. [D] [E] [VISA]
10. Jan.- 16. Feb. geschl. – Karte 22/47 *(Nov.- März Montag und Dienstag geschl.)* – **22 Z : 44 B** 105/115 - 180/200 Fb – 15 Fewo 100/180.

🏨 Oomrang-Wiartshus 🌿, ☎ 8 36, « Altfriesische Kate, Seemannsstube », 🌳 – [TV] 📞 [P]
12 Z : 26 B – 2 Fewo.

🏨 **Graf Luckner** 🌿, ☎ 23 67 – [P]
Karte 28/56 *(Okt.- März Dienstag und Mittwoch geschl.)* – **18 Z : 29 B** 55 - 106 – P 80.

[Wittdün] 2278. – 830 Ew – ☎ 04682.
[i] Kurverwaltung, ☎ 8 61.

🏨 Strandhotel Vierjahreszeiten 🌿, Obere Wandelbahn 16, ☎ 3 50, 👁 Nordsee, ⛱ – [TV] 📞 [P]. 🚫🐕 Rest
35 Z : 65 B – 2 Fewo.

🏨 **Ferienhotel Weiße Düne**, Achtern Strand 6, ☎ 8 55, ♨, [🏊] – [TV] 📞 [P]
Karte 28/64 *(Montag geschl.)* – **13 Z : 40 B** 75/105 - 144/170 Fb.

[ANDECHS (Klosterkirche)] Bayern. Sehenswürdigkeit siehe Herrsching am Ammersee.

[ANDERNACH] 5470. Rheinland-Pfalz [987] ㉔ – 28 000 Ew – Höhe 66 m – ☎ 02632.

[i] Touristinformation, Läufstr. 11, ✆ 40 62 24.

Mainz 120 – ♦Bonn 43 – ♦Koblenz 18 – Mayen 23.

- 🏨 **Parkhotel Andernach**, Konrad-Adenauer-Allee 33, ✆ 4 40 51, Telex 865738, ≤, 🌂 – [$] [TV] ☎ 🚗 [P] 🏛. [AE] [E] [VISA]. 🚫
  Karte 30/60 – **28 Z : 56 B** 75 - 130 Fb.
- 🏨 Villa am Rhein, Konrad-Adenauer-Allee 31, ✆ 4 40 56, ≤, 🌂, 🏊 (geheizt), 🌳 – [TV] ☎ [P]
  25 Z : 50 B Fb.
- 🏨 **Fischer**, Am Helmwartsturm 4, ✆ 49 20 47 – [$] [TV] ☎ 🚗. [AE] [O] [E] [VISA]
  Karte 45/69 – **18 Z : 36 B** 80/110 - 140/180 Fb.
- 🏨 **Traube**, Konrad-Adenauer-Allee 14, ✆ 4 50 30, ≤, 🌂 – ☎. [AE] [O] [E]
  Karte 29/59 – **25 Z : 52 B** 48/65 - 80/90.
- 🏨 **Altenhofen** garni (historisches Haus a.d.J. 1677), Steinweg 30, ✆ 4 44 47 – [TV] ☎. [AE] [O] [E] [VISA]
  20. Dez.- 5. Jan. geschl. – **10 Z : 20 B** 65 - 90/110.
- 🏨 **Meder**, Konrad-Adenauer-Allee 17, ✆ 4 26 32, ≤ – [TV] ☎. [AE] [O] [E] [VISA]. 🚫 Rest
  (nur Abendessen für Hausgäste) – **10 Z : 19 B** 70/85 - 130 Fb.
- 🏠 **Urmersbach** 🐌 garni, Frankenstr. 6, ✆ 4 55 22 – 🚗 [P]
  28 Z : 45 B 45 - 80.
- 🏠 **Maaßmann** garni, Markt 12, ✆ 4 22 36 – 🚗
  13 Z : 24 B 50 - 90.
- 🍴🍴 **Bagatelle**, Hochstr. 92 (Eingang Obere Wallstraße), ✆ 49 33 81, 🌂 – [AE] [O] [E] [VISA]
  Montag geschl. – Karte 45/69.
- 🍴🍴 **Krahnenburg**, Auf dem Krahnenberg 17 (NW : 2 km), ✆ 4 71 01, ≤ Rheintal, 🌂 – [P]. [AE] [O] [E]
  Freitag geschl. – Karte 25/56.

[ANDREASBERG] Nordrhein-Westfalen siehe Bestwig.

[ANGELBACHTAL] 6929. Baden-Württemberg [413] J 19 – 3 600 Ew – Höhe 154 m – ☎ 07265.

♦Stuttgart 91 – Heilbronn 40 – ♦Karlsruhe 47 – ♦Mannheim 44.

In Angelbachtal-Eichtersheim :

- 🍴🍴 **Schloß Eichtersheim** (Wasserschloß in einem Park), Schloßstr. 1, ✆ 72 00, 🌂 – [P]
  Montag - Dienstag 18 Uhr, über Fasching und Juli - Aug. 3 Wochen geschl. – Karte 31/65.

[ANIF] Österreich siehe Salzburg.

[ANKUM] 4554. Niedersachsen – 5 200 Ew – Höhe 54 m – ☎ 05462.

♦Hannover 149 – ♦Bremen 103 – Nordhorn 62 – ♦Osnabrück 40.

- 🏨 **Artland-Sporthotel** 🐌, Tütinger Str. 28, ✆ 4 56, Telex 941419, ♨, 🏊, 🎾 (Halle), 🐎 (Halle) – [$] [TV] ☎ [P] 🏛. [AE] [O] [E] [VISA]
  Karte 31/55 – **57 Z : 117 B** 75/130 - 120/160 Fb.
- 🏠 **Raming**, Hauptstr. 21, ✆ 2 02 – 🚗 [P]
  ✦ Karte 16/30 – **18 Z : 24 B** 25/30 - 50/60.

[ANNOVER] = Hannover.

[ANNWEILER] 6747. Rheinland-Pfalz [413] GH 19, [987] ㉔, [242] ⑧ – 7 300 Ew – Höhe 183 m – Luftkurort – ☎ 06346.

Ausflugsziele : Burg Trifels : Lage★, Kapellenturm ✳★ O : 7 km – Asselstein : Felsen★ S : 5 km.

[i] Verkehrsamt, Rathaus, ✆ 22 00.

Mainz 125 – Landau in der Pfalz 15 – Neustadt an der Weinstraße 33 – Pirmasens 33 – Speyer 42.

- 🏠 **Bergterrasse** 🐌 garni, Trifelsstr. 8, ✆ 72 19, ≤, 🌳 – 🚗 [P]
  25 Z : 41 B 35 - 70.
- 🏠 **Richard Löwenherz**, Burgstr. 23, ✆ 83 94 – [P]
  15. Jan.- 14. Feb. geschl. – Karte 21/46 *(Mittwoch geschl.)* 🍷 – **14 Z : 23 B** 31/41 - 62/68.
- 🏠 **Scharfeneck**, Altenstr. 17, ✆ 83 92 – [O]
  15. Dez.- 15. Jan. geschl. – Karte 21/44 🍷 – **17 Z : 28 B** 32/45 - 60/70.

[ANRÖCHTE] 4783. Nordrhein-Westfalen – 9 300 Ew – Höhe 200 m – ☎ 02947.

♦Düsseldorf 134 – Lippstadt 13 – Meschede 30 – Soest 21.

- 🏠 **Café Buddeus**, Hauptstr. 128, ✆ 39 95 – ☎ 🚗 [P] 🏛
  ✦ Karte 18/35 *(Freitag geschl.)* – **25 Z : 35 B** 25/38 - 50/70.

ANSBACH 8800. Bayern **413** O 19, **987** ㉖ — 40 000 Ew — Höhe 409 m — 😊 0981.

Sehenswert : Residenz★ (Fayencenzimmer★★, Spiegelkabinett★).

🏰 Schloß Colmberg (NW : 17 km), 𝒫 (09803) 2 62 ; 🏰 Lichtenau, Weickershof 1 (O : 9 km 69 07.

🛈 Städt. Verkehrsamt, Rathaus, Martin-Luther-Pl. 1, 𝒫 5 12 43.

ADAC, Promenade 21, 𝒫 1 77 00, Notruf 𝒫 1 92 11.

◆München 202 — ◆Nürnberg 56 — ◆Stuttgart 162 — ◆Würzburg 78.

🏨 **Am Drechselsgarten** ⚲, Am Drechselsgarten 1, 𝒫 8 90 20, Telex 61850, Fax 8902605, ≤, 🌧, 🚝 — 🛗 ⇔ Zim 📺 😊 E **VISA**. 🦜
Karte 44/70 — **85 Z : 170 B** 110/150 - 145/220 Fb.

🏨 **Der Platengarten**, Promenade 30, 𝒫 56 11, «Gartenterrasse» — 🛗 📺 ☎
◆ 22. Dez.- 5. Jan. geschl. — Karte 18/41 (Samstag geschl.) — **22 Z : 36 B** 40/90 - 70/170.

🏨 **Bürger-Palais**, Neustadt 48, 𝒫 9 51 31, 🌧, «Modernisiertes Barockhaus, elegante Einrichtung» — 📺 ☎ 🚿, **AE** ⓞ E **VISA**
Karte 23/55 (Montag geschl.) — **10 Z : 24 B** 120/140 - 170/190.

🏨 **Christl** ⚲ garni, Richard-Wagner-Str. 39, 𝒫 81 21 — 📺 ☎ ⇔ 😊
21 Z : 27 B 59/109 - 108/150.

🏠 **Windmühle**, Rummelsberger Str. 1 (B 14), 𝒫 1 50 88 — ☎ 😊, **AE** ⓞ E
◆ 21. Dez.- 6. Jan. geschl. — Karte 18/38 (6.- 13. Jan. und Samstag geschl.) 🍷 — **40 Z : 75 B** 36/70 - 68/110.

🏠 **Schwarzer Bock**, Pfarrstr. 31, 𝒫 9 51 11, 🌧 — ☎. **AE** ⓞ E
Karte 33/59 (Sonntag ab 15 Uhr geschl.) — **19 Z : 31 B** 65/75 - 130 Fb.

🏠 Augustiner, Karolinenstr. 30, 𝒫 24 32 — 😊
14 Z : 23 B.

✕ **Museumsstube** mit Zim, Schaitberger Str. 16, 𝒫 1 59 97 — 📺 ☎
Karte 28/45 (nur Abendessen, Sonn- und Feiertage geschl.) — **4 Z : 6 B** 48 - 96.

In Ansbach-Brodswinden S : 7 km über die B 13 :

🏠 Landgasthof Kaeßer ⚲, Brodswinden 23, 𝒫 73 18 — ☎ 😊. 🦜 Zim
13 Z : 25 B Fb.

ANZING 8011. Bayern **413** S 22 — 3 100 Ew — Höhe 516 m — 😊 08121.

◆München 22 — Landshut 65 — Salzburg 148.

🏠 **Zum Kirchenwirt**, Hoegerstr. 2, 𝒫 30 33 — ⇔ 😊. **AE**
24.- 31. Dez. geschl. — Karte 22/40 (Aug. und Montag geschl.) — **16 Z : 24 B** 45 - 80.

APFELDORF 8921. Bayern **413** P 23 — 780 Ew — Höhe 670 m — 😊 08869 (Kinsau).

◆München 71 — ◆Augsburg 63 — Garmisch-Partenkirchen 65 — Kempten im Allgäu 71.

✕ **Goldener Apfel** ⚲ mit Zim, Kirchplatz 1, 𝒫 13 12, 🌧 — 😊
Jan.- März nur am Wochenende geöffnet, Nov. geschl. — Karte 23/55 (wochentags nur Abendessen, Montag geschl.) — **3 Z : 6 B** 50/75 - 70/95.

APPENWEIER 7604. Baden-Württemberg **413** GH 21, **987** ㉞, **242** ㉔ — 8 100 Ew — Höhe 137 m — 😊 07805.

◆Stuttgart 143 — Baden-Baden 47 — Freudenstadt 50 — Strasbourg 22.

🏠 **Hanauer Hof**, Ortenauer Str. 50 (B 3), 𝒫 27 48 — 🛗 😊. **AE**
Karte 27/39 (Dienstag geschl.) — **34 Z : 66 B** 25/45 - 55/75.

🏠 **Schwarzer Adler**, Ortenauer Str. 44 (B 3), 𝒫 27 85 — ⇔ 😊
◆ Jan. geschl. — Karte 19/45 (Sonntag geschl.) 🍷 — **22 Z : 40 B** 35/50 - 64/95.

AQUISGRANA = Aachen.

ARGENBÜHL 7989. Baden-Württemberg **413** MN 23, 24, **426** ⑭ — 5 000 Ew — Höhe 600 m — Erholungsort — 😊 07566.

🛈 Verkehrsamt, Rathaus in Eisenharz, Eglofser Str. 4, 𝒫 6 15.

◆Stuttgart 194 — Bregenz 38 — Ravensburg 34 — ◆Ulm (Donau) 98.

In Argenbühl-Eglofs :

🏠 **Zur Rose** ⚲, Dorfplatz 7, 𝒫 3 36, ≤, 🌧, 🚝, 🐎 — 😊
◆ 16. Nov.- 26. Dez. geschl. — Karte 18/41 (Montag geschl.) 🍷 — **19 Z : 34 B** 23/29 - 46/58 — P 43/49.

In Argenbühl-Isnyberg SO : 5 km ab Eisenharz, über die B 12 Richtung Isny und Straße nach Lindenberg :

🏨 **Bromerhof** ⚲, 𝒫 (07566) 23 81, Telex 732422, ≤, 🌧, Bade- und Massageabteilung, 🏋, 🚝, 🏊, 🐎, ✕ — 🛗 📺 ☎ 🎣 ⇔ 😊 🚿. **AE** ⓞ E. 🦜 Rest
Karte 24/55 — **37 Z : 60 B** 65/85 - 116/130 Fb — 8 Fewo 150/196 — P 95/128.

[ARNOLDSHAIN] Hessen siehe Schmitten im Taunus.

[ARNSBERG] Bayern Siehe Kipfenberg.

[ARNSBERG] **5760.** Nordrhein-Westfalen [987] ⑭ – 78 000 Ew – Höhe 230 m – ☏ 02931.

⛳ Neheim-Hüsten (NW : 9 km), ☎ (02932) 3 15 46.

[i] Verkehrsverein, Neumarkt 6, ☎ 40 55.

ADAC, Lange Wende 42 (Neheim-Hüsten), ☎ 2 79 79, Notruf ☎ 1 92 11.

♦Düsseldorf 129 – ♦Dortmund 62 – Hamm in Westfalen 42 – Meschede 22.

🏨 **Menge**, Ruhrstr. 60, ☎ 40 44, « Kleiner Garten », 🍽 – 📞 🚗 [P]
Karte **32**/54 *(nur Abendessen, Sonntag und Juli - Aug. 3 Wochen geschl.)* – **20 Z : 35 B** 45/50 - 95 Fb.

🏨 **Goldener Stern**, Alter Markt 6, ☎ 36 62
Karte 24/46 *(Dienstag geschl.)* – **13 Z : 22 B** 45 - 60/85.

🏨 **Zur Linde**, Ruhrstr. 41, ☎ 34 02 – [P]. [AE] [D] E
22. Dez.- 23. Jan. geschl. – Karte 21/36 *(Freitag geschl.)* – **14 Z : 26 B** 40 - 80.

In Arnsberg 1 - Bruchhausen NW : 4 km :

🏨 Zur Post, Bruchhausener Str. 29, ☎ (02932) 3 13 96, ⛱, 🏊 – ⇅ 📞 🚗 [P] 👥
53 Z : 95 B.

In Arnsberg 1 - Neheim-Hüsten NW: 9 km – ☏ 02932 :

🏨 **Dorint-Hotel Arnsberg-Neheim** 🌿, Zu den drei Bänken, ☎ 20 01, Fax 200228, 👁, ⛱, 🏊, [sauna], 🍽 – ⇅ [TV] 📞 ♿ [P] 👥. [AE] [D] E. 🐕 Rest
Karte 27/66 – **140 Z : 240 B** 118/125 - 185/220 Fb.

🏨 **Waldhaus - Rodelhaus** 🌿, Zu den drei Bänken 1, ☎ 2 27 60, 👁, 🏊 – 📞 [P]. [D] E. 🐕 Rest
17. Juli - 8. Aug. geschl. – Karte 25/42 *(Dienstag geschl.)* – **21 Z : 36 B** 48 - 85/90 Fb.

🏨 **Krone** 🌿, Johannesstr. 62, ☎ 2 42 31 – ⇅ 📞 🚗 [P]. E. 🐕 Zim
➡ Karte 18/37 *(nur Abendessen, Sonntag geschl.)* – **25 Z : 48 B** 29/43 - 58/82.

[ARNSTEIN] **8725.** Bayern [413] MN 17, [987] ㉕ ㉖ – 8 000 Ew – Höhe 228 m – ☏ 09363.

♦München 295 – Fulda 100 – Schweinfurt 24 – ♦Würzburg 25.

🏠 **Goldener Engel**, Marktstr. 2, ☎ 3 05, ⛱ – 🚗 [P]
➡ *ab Aschermittwoch und Aug.-Sept. je 2 Wochen geschl.* – Karte 17,50/30 *(Montag geschl.)* – **13 Z : 21 B** 27/35 - 54/70.

An der Autobahn A 7 Würzburg - Fulda :

🍴🍴 **Rasthaus Riedener Wald-Ost** mit Zim, ✉ 8702 Hausen-Rieden, ☎ (09363) 50 01, ⛱ – 📞 🚗 [P]
Karte 26/47 – **6 Z : 11 B** 69 - 102/117.

🍴 **Rasthaus Riedener Wald-West**, ✉ 8702 Hausen-Rieden, ☎ (09363) 7 01, ⛱ – [P]. [AE] [D] E [VISA]
Karte 24/50 (auch Self-service) (Motel-Umbau in 1989).

[AROLSEN] **3548.** Hessen [987] ⑮ – 16 500 Ew – Höhe 286 m – Heilbad – ☏ 05691.

[i] Kur- und Verkehrsverwaltung, Haus des Kurgastes, Prof.-Klapp-Str. 14, ☎ 20 30.

♦Wiesbaden 205 – ♦Kassel 46 – Marburg 85 – Paderborn 55.

🏨 **Dorint-Schlosshotel** 🌿, Große Allee 1, ☎ 30 91, Telex 994521, Fax 40341, ⛱, direkter Zugang zum Kurmittelhaus mit 🏊 und [sauna] – ⇅ [TV] 🚗 [P] 👥. [AE] [D] E [VISA]. 🐕 Rest
Karte 30/62 – **55 Z : 110 B** 109/119 - 182/192 Fb – P 139/167.

In Arolsen-Mengeringhausen – Erholungsort :

🏨 **Luisen-Mühle** 🌿, Luisenmühler Weg 1, ☎ 30 21, 🏊, [sauna], 🍽 – 📞 🚗 [P]. [D] E
Karte 24/43 *(Freitag geschl.)* – **14 Z : 20 B** 35/45 - 67/85 – P 56/67.

[ASBACH] Bayern siehe Drachselsried.

Gute Küchen (siehe S. 15)

haben wir für Feinschmecker

durch Karte, ✻, ✻✻ oder ✻✻✻ kenntlich gemacht.

[ASCHAFFENBURG] 8750. Bayern [413] K 17, [987] ㉕ – 59 000 Ew – Höhe 130 m – ☎ 06021.
Sehenswert : Schloß Johannisburg★ – Park Schöntal★ Z.
Ausflugsziel : Park Schönbusch : ≤★★ bis zum Aschaffenburger Schloß, ③ : 3 km.
⛳ Hösbach-Feldkahl (über ②), ☎ (06024) 72 22.
[i] Tourist-Information, Dalbergstr. 6, ☎ 3 04 26.
ADAC, Wermbachstr. 10, ☎ 2 78 90, Notruf ☎ 1 92 11.
♦München 354 ① – ♦Darmstadt 40 ③ – ♦Frankfurt am Main 40 ④ – ♦Würzburg 78 ①.

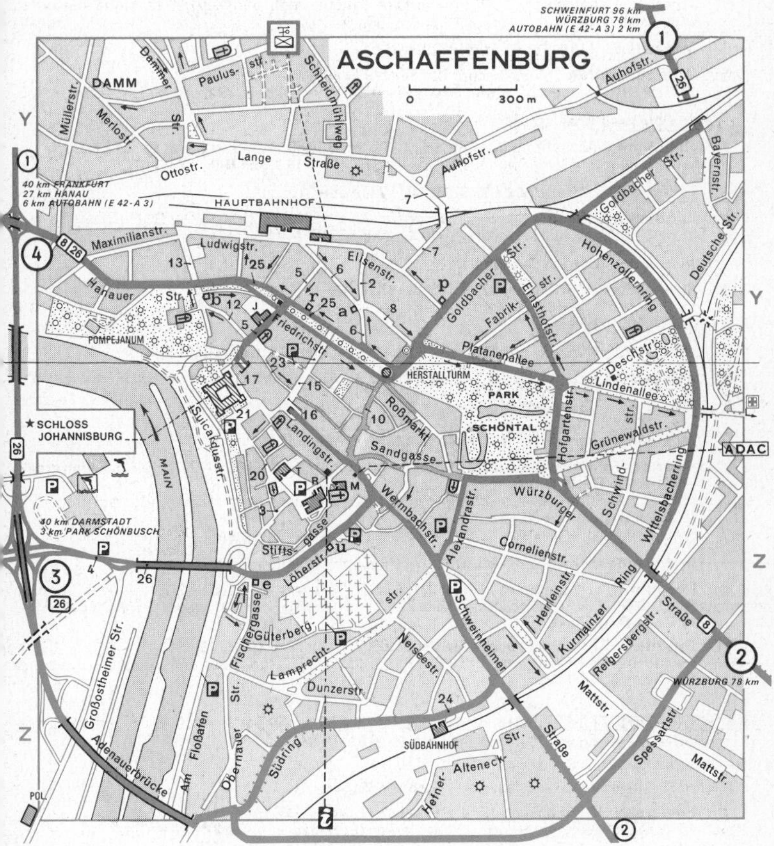

Herstallstraße	Z	10	Frohsinnstraße	Y	6	Riedingerstraße	Z	17
Roßmarkt	Z		Glattbacher Überfahrt	Y	7	Schloßgasse	Z	20
			Heinsestraße	Y	8	Schloßplatz	Z	21
Bodelschwinghstraße	Y	2	Karlstraße	Y	12	Strickergasse	YZ	23
Dalbergstraße	Z	3	Kolpingstraße	Y	13	Südbahnhofstraße	Z	24
Darmstädter Straße	Z	4	Luitpoldstraße	Z	15	Weißenburger Straße	Y	25
Erthalstraße	Y	5	Marktplatz	Z	16	Willigisbrücke	Z	26

🏨 **Romantik-Hotel Post**, Goldbacher Str. 19, ☎ 2 13 33, Telex 4188949, ≋, 🏊 – 🛗 [TV] ☎ 🚗 [P] 🏠. [AE] [O] [E] [VISA] Y **p**
Karte 29/75 – **71 Z : 100 B** 75/98 - 145/170 Fb.

🏨 **Aschaffenburger Hof**, Frohsinnstr. 11 (Einfahrt Weißenburger Str. 20), ☎ 2 14 41, Telex 4188736 – 🛗 [TV] ☎ 🚗 [P]. [AE] [O] [E] [VISA] Y **a**
Karte 19/62 *(auch vegetarische Gerichte)* – **65 Z : 110 B** 78/120 - 108/158 Fb.

🏨 **Wilder Mann**, Löherstr. 51, ☎ 2 15 55, Telex 4188329, ≋ – 🛗 [TV] ☎ 🚗 [P] 🏠. [AE] [O] [E] [VISA] Z **e**
Karte 26/55 – **60 Z : 120 B** 75/95 - 130/190 Fb.

Fortsetzung →

Zum Ochsen, Karlstr. 16, ✆ 2 31 32 – ☎ Ⓟ. AE ① E VISA Y b
Karte 27/42 *(Montag bis 18 Uhr und 31. Juli - 21. Aug. geschl.)* – **34 Z : 52 B** 60/65 - 99/105.

Syndikus, Löherstr. 35, ✆ 2 35 88 – |♦| ☎. AE ① E VISA Z u
Karte 24/53 *(nur Abendessen, Sonntag und 25. Juli - 18. Aug. geschl.)* – **18 Z : 25 B** 68/120 - 110/180 Fb.

Fischer garni, Weißenburger Str. 32, ✆ 2 34 85 – |♦| TV ☎ Y r
19 Z : 40 B Fb.

Jägerhof, Darmstädter Str. 125 (nahe Park Schönbusch), ✆ (06027) 28 68, bemerkenswerte Weinkarte – Ⓟ über ③

In Aschaffenburg-Schweinheim über ② :

Dümpelsmühle, Gailbacher Str. 80, ✆ 9 44 49, – ☎ Ⓟ.
24. Dez.- 10. Jan. geschl. – (nur Abendessen für Hausgäste) – **16 Z : 20 B** 45/65 - 85/98.

In Goldbach **8758** ① : 3,5 km :

Russmann, Aschaffenburger Str. 96, ✆ (06021) 5 16 50 – Rest TV ☎ Ⓟ. AE ① E
Karte 36/64 *(Sonn- und Feiertage ab 15 Uhr geschl.)* – **16 Z : 26 B** 38/70 - 64/100.

In Goldbach-Unterafferbach **8758** NO : 7 km über ① :

Landhaus Spessart, Dr.-Leissner-Str. 20, ✆ (06021) 5 21 71, – Ⓟ
(nur Abendessen für Hausgäste) – **10 Z : 20 B** 58 - 88 – 7 Fewo 50/110.

In Haibach **8751** ② : 4,5 km :

Spessartstuben, Jahnstr. 7, ✆ (06021) 67 96, – TV ☎ Ⓟ. ① E. Rest
Feb. und Aug. jeweils 2 Wochen geschl. – Karte 19,50/57 *(Samstag geschl.)* – **28 Z : 50 B** 65/75 - 100/115 Fb.

In Hösbach-Winzenhohl **8759** ② : 6,5 km, in Haibach-Ortsmitte links ab :

Klingerhof, Am Hügel 7, ✆ (06021) 67 91, Telex 4188809, < Spessart, Biergarten, , , – |♦| TV ☎ Ⓟ . ① E VISA
Karte 35/66 – **49 Z : 92 B** 105/140 - 160 Fb.

In Johannesberg **8752** N : 8 km über Müllerstraße Y :

Sonne - Meier's Restaurant mit Zim, Hauptstr. 2, ✆ (06021) 4 21 77, « Gartenterrasse » – TV ☎ Ⓟ. AE ① E VISA
Ende Aug.- Mitte Sept. geschl. – Karte 61/74 *(Tischbestellung ratsam)* (Montag geschl.) – **12 Z : 18 B** 48/68 - 84/98
Spez. Gemüsesuppe "für Makart", Gänseleber mit Korinthenschaum, Nougatparfait mit Lebkuchensauce.

In Johannesberg-Steinbach **8752** N : 8 km über Müllerstraße Y :

Berghof, Heppenberg 7, ✆ (06021) 4 38 31, < – Ⓟ. ① E
Aug.- Sept. 2 Wochen geschl. – Karte 22/42 *(wochentags nur Abendessen, Freitag geschl.)* – **18 Z : 27 B** 40/50 - 60/84.

Gasthaus Fäth, Steinbacher Str. 21, ✆ (06021) 4 69 17 – Ⓟ. AE ① E
Freitag bis 18 Uhr, Montag, 13.- 21. Feb. und 14.- 31. Aug. geschl. – Karte 51/79 (abends Tischbestellung ratsam).

ASCHAU IM CHIEMGAU **8213.** Bayern 413 TU 23, 987 ㊲, 426 ⑱ – 4 500 Ew – Höhe 615 m – Luftkurort – Wintersport : 700/1 550 m 1 15 5 – 08052.

Kurverwaltung, Kampenwandstr. 37, ✆ 3 92.

♦München 82 – Rosenheim 23 – Salzburg 64 – Traunstein 35.

Edeltraud, Narzissenweg 15, ✆ 5 52/45 52, <, – Ⓟ.
15. Nov.- 15. Dez. geschl. – (nur Abendessen für Hausgäste) – **14 Z : 25 B** 45/60 - 76.

Alpengasthof Brucker, Schloßbergstr. 12, ✆ 9 87, Biergarten, – Ⓟ. Zim
Anfang Nov.- 10. Dez. geschl. – Karte 16,50/29 *(Mittwoch geschl.)* – **11 Z : 19 B** 35 - 65.

In Aschau-Sachrang SW : 12 km – Höhe 738 m :

Sachranger Hof, Dorfstr. 3, ✆ (08057) 3 83, , – Ⓟ
10 Z : 23 B Fb.

ASCHBACH Hessen siehe Wald-Michelbach.

Besonders angenehme Hotels oder Restaurants sind im Führer rot gekennzeichnet.
Sie können uns helfen, wenn Sie uns die Häuser angeben, in denen Sie sich besonders wohl gefühlt haben.
Jährlich erscheint eine komplett überarbeitete Ausgabe aller Roten Michelin-Führer.

[ASCHEBERG] 4715. Nordrhein-Westfalen [987] ⑭ – 12 800 Ew – Höhe 65 m – ☎ 02593.

⛳ Nordkirchen, Am Piekenbrock 3 (SW : 5 km), ☎ (02596) 24 95.

ℹ Verkehrsverein, Katharinenplatz 1, ☎ 6 09 36.

♦Düsseldorf 116 – ♦Dortmund 50 – Hamm in Westfalen 24 – Münster (Westfalen) 24.

🏠 Haus Klaverkamp - Gästehaus Eschenburg, Steinfurter Str. 21, ☎ 10 35 (Hotel) 8 84 (Rest.) – [TV] ☎ 🚗 [P]
29 Z : 46 B.

In Ascheberg 3-Davensberg NW : 4 km :

🏠 **Clemens August** (mit Gästehaus), Burgstr. 54, ☎ 4 30, ≘s – ☎ [P] 🏠. ✗ Zim
🍴 *Ende Feb.- Ende März geschl.* – Karte 18,50/43 *(Sonntag 15 Uhr - Montag geschl.)* – **27 Z : 45 B** 48 - 88.

🏠 Haus Börger, Burgstr. 60, ☎ 2 57 – ☎ [P]
13 Z : 25 B.

In Ascheberg 2-Herbern SO : 7 km :

🏠 **Zum Wolfsjäger** garni, Südstr. 36, ☎ (02599) 4 14 – |‡| [TV] ☎ 🚗 [P] 🏠
13 Z : 22 B 55/60 - 80/100.

🏠 **Wesselmann** 🐎, Benediktuskirchplatz 6, ☎ (02599) 8 56, Fahrradverleih
🍴 Karte 17/34 *(Jan. und Mittwoch geschl.)* – **9 Z : 18 B** 40/50 - 70.

[ASCHHAUSERFELD] Niedersachsen siehe Zwischenahn, Bad.

[ASCHHEIM] Bayern siehe München.

[ASENDORF] Niedersachsen siehe Jesteburg.

[ASPACH] Baden-Württemberg siehe Backnang.

[ASPERG] 7144. Baden-Württemberg [987] ㉕㉟ – 11 400 Ew – Höhe 270 m – ☎ 07141.

♦Stuttgart 20 – Heilbronn 38 – Ludwigsburg 5 – Pforzheim 54.

🏠 **Adler** 🐎, Stuttgarter Str. 2, ☎ 6 30 01, Telex 7264603, ≘s, [🏊] – |‡| [TV] 🚗 [P] 🏠 (mit ▤). [AE] [O] [E] [VISA]
Karte 31/76 *(Tischbestellung erforderlich)* (Montag und Juli - Aug. 3 Wochen geschl.) – **63 Z : 95 B** 111/155 - 166/180 Fb – 4 Appart. 165/220.

🏠 **Landgasthof Lamm**, Lammstr. 1, ☎ 6 20 06, « Modern-rustikale Einrichtung » – [TV] ☎ [P]. [AE] [O] [E]
Karte 21/55 – **15 Z : 19 B** 78/95 - 130/140 Fb.

🍴🍴 **Alte Krone** (Fachwerkhaus a.d.J. 1649), Königstr. 15, ☎ 6 58 00 – [AE] [O] [E] [VISA]
nur Abendessen, Montag und Aug.- Sept. 2 Wochen geschl. – Karte 29/62 (Tischbestellung ratsam).

🍴 **Bären** mit Zim, Königstr. 8, ☎ 6 20 31, Biergarten – [P]. [O] [E] [VISA]
2.- 9. Jan. und Juli - Aug. 3 Wochen geschl. – Karte 20/48 *(auch vegetarische Gerichte)* (Montag geschl.) 🐕 – **7 Z : 10 B** 58/66 - 94.

[ATTENDORN] 5952. Nordrhein-Westfalen [987] ㉔ – 22 700 Ew – Höhe 255 m – ☎ 02722.

Sehenswert : Attahöhle★ – Biggetalsperre★.

ℹ Reise- und Fremdenverkehrs GmbH, Kölner Str. 12a, ☎ 30 91.

♦Düsseldorf 131 – Lüdenscheid 37 – Siegen 46.

🏠 Rauch, Wasserstr. 6, ☎ 20 48 (Hotel) 22 67 (Rest.) – ☎ 🚗 [P]
16 Z : 24 B Fb.

🏠 **Zur Post**, Niederste Str. 7, ☎ 24 65, ≘s, [🏊] – [P]
🍴 Karte 19/47 *(Montag bis 17 Uhr geschl.)* – **40 Z : 70 B** 33/55 - 66/100.

🏠 **Zum Ritter**, Kölner Str. 33, ☎ 22 49
🍴 Karte 17/32 *(Donnerstag geschl.)* – **32 Z : 54 B** 33/45 - 65/90.

Außerhalb O : 3,5 km, Richtung Helden :

🏠 **Burghotel Schnellenberg** 🐎, ✉ 5952 Attendorn, ☎ (02722) 69 40, Telex 876732, Fax 69469, « Burg a. d. 13. Jh., Burgkapelle, Burgmuseum », ✗ – [TV] [P] 🏠. [AE] [O] [E] [VISA]
2.- 19. Jan. und 20.- 28. Dez. geschl. – Karte 35/75 – **42 Z : 81 B** 110/130 - 160/190 Fb – 6 Appart. 210/220.

In Attendorn 3-Neu Listernohl SW : 3 km :

🏠 **Parkhotel Wiederhold**, Ihnestr. 30, ☎ 76 26, 🏞 – [TV] 🚗 [P]. ✗ Zim
15. Nov.- 15. Dez. geschl. – Karte 21/38 – **7 Z : 13 B** 35/50 - 70.

🍴🍴 ✿ **Le Pâté** 🐎 mit Zim, Alte Handelsstr. 15, ☎ 75 42, 🏞 – [AE] [O] [E]. ✗
Juni - Juli 4 Wochen geschl. – Karte 49/75 *(Tischbestellung ratsam)* (Montag geschl.) – **5 Z : 10 B** 40 - 80
Spez. Geräucherter Zander in Kartoffelschaum, Edelfische auf 2 Saucen, Lamm in Petersilienkruste.

In Attendorn 11-Niederhelden O : 8 km :

🏨 **Sporthotel Haus Platte**, Repetalstr. 219, ✆ (02721) 13 10, ⛱, 🧖, 🏊, 🌳, 🐎 (Halle) – ☎ 🚗 🅿 ⛺. AE ◐ E
Karte 25/51 – **45 Z : 90 B** 70/92 - 140/164 Fb.

🏨 **Landhotel Struck**, Repetalstr. 245, ✆ (02721) 15 23, 🧖, 🏊, 🌳 – 📺 ☎ 🚗 🅿 ⛺. AE ◐ E
Karte 20/50 – **43 Z : 85 B** 58/71 - 108/158 Fb.

ATZELGIFT Rheinland-Pfalz siehe Hachenburg.

ATZENHAIN Hessen siehe Mücke.

AUA Hessen siehe Neuenstein.

AUERBACH IN DER OBERPFALZ 8572. Bayern 413 R 17, 987 ㉗ – 8 600 Ew – Höhe 435 m – ☎ 09643.

♦München 212 – Bayreuth 42 – ♦Nürnberg 68 – ♦Regensburg 102 – Weiden in der Oberpfalz 49.

🏨 **Romantik-Hotel Goldener Löwe**, Unterer Markt 9, ✆ 17 65, Telex 631404 – |$| ▤ Rest 📺 ☎ 🚗 🅿 ⛺ (mit ▤). AE ◐ E VISA. ✂ Rest
Karte 26/58 – **23 Z : 42 B** 59/99 - 106/150 Fb.

🏨 **Federhof**, Bahnhofstr. 37, ✆ 12 69 – 🚗 🅿. E
✈ *24. Dez.- 12. Jan. geschl.* – Karte 18/33 *(Freitag ab 13 Uhr geschl.)* 🍷 – **25 Z : 35 B** 40/65 - 80/90.

AUERSBERGSREUT Bayern siehe Haidmühle.

AUFSESS 8551. Bayern 413 Q 17 – 1 400 Ew – Höhe 426 m – ☎ 09198.

♦München 231 – ♦Bamberg 29 – Bayreuth 31 – ♦Nürnberg 61.

🏨 **Sonnenhof** (Brauereigasthof), Im Tal 70, ✆ 2 36, ⛱, 🏊 (geheizt), 🌳 – 🅿
✈ *Jan. und Nov. jeweils 2 Wochen geschl.* – Karte 16/26 *(Nov.- März Dienstag geschl.)* – **18 Z : 36 B** 26/35 - 44/60.

AUGGEN 7841. Baden-Württemberg 413 F 23, 242 ㊵, 87 ⑨ – 2 000 Ew – Höhe 266 m – ☎ 07631 (Müllheim).

♦Stuttgart 240 – Basel 31 – ♦Freiburg im Breisgau 44 – Mulhouse 28.

🏨 **Gästehaus Krone** garni, Hauptstr. 6, ✆ 60 75, 🧖, 🏊, 🌳 – |$| ☎ 🅿. AE E
Feb. geschl. – **28 Z : 50 B** 75/95 - 98/150 Fb.

🍴 **Zur Krone**, Hauptstr. 12, ✆ 25 56, eigener Weinbau – 🅿. AE E
Mittwoch und Feb. geschl. – Karte **29**/55 🍷.

🍴 **Bären** mit Zim, Bahnhofstr. 1 (B 3), ✆ 23 06, eigener Weinbau – 🅿
27. Dez.- Jan. geschl. – Karte 26/49 *(Donnerstag-Freitag 15 Uhr geschl.)* 🍷 – **8 Z : 16 B** 38/48 - 65/85.

In Auggen-Hach NO : 2 km :

🏨 **Lettenbuck** 🐌, ✆ 40 81, ⛱, 🧖, 🏊, 🌳 – |$| ☎ 🚗 🅿. AE E
20. Dez.- 24. Jan. geschl. – Karte 32/58 *(Sonntag 14.30 Uhr - Montag geschl.)* – **36 Z : 46 B** 84/120 - 156 Fb.

AUGSBURG 8900. Bayern 413 P 21, 987 ㊱ – 250 000 Ew – Höhe 496 m – ☎ 0821.

Sehenswert : Fuggerei★ – Maximilianstraße★ – St.-Ulrich- und St.-Afra-Kirche★ (Simpertuskapelle : Baldachin mit Statuen★) – Dom (Südportal★★ des Chores, Türflügel★, Prophetenfenster★, Gemälde★ von Holbein dem Älteren) – Städtische Kunstsammlungen (Festsaal★★) Y **M1** – St.-Anna-Kirche (Fuggerkapelle★) X **B**.

⛳18 Bobingen-Burgwalden (④ : 17 km), ✆ (08234) 56 21 ; ⛳9 Stadtbergen (3 km über Augsburger Straße), ✆ (0821) 43 49 19.

ℹ Verkehrsverein, Bahnhofstr. 7, ✆ 50 20 70.

ADAC, Ernst-Reuter-Platz 3, ✆ 3 63 05, Notruf ✆ 1 92 11.

♦München 68 ① – ♦Ulm (Donau) 80 ⑥.

Stadtplan siehe gegenüberliegende Seite.

🏨 **Steigenberger Drei Mohren-Hotel** 🐌, Maximilianstr. 40, ✆ 51 00 31, Telex 53710, Fax 157864, « Gartenterrasse » – |$| ⇆ Zim ▤ Rest 📺 🚗 🅿 ⛺ (mit ▤). AE ◐ E VISA Y **a**
Karte 42/72 – **110 Z : 170 B** 165/205 - 250/320 Fb – 5 Appart. 500.

🏨 **Holiday Inn - Turmhotel** 🐌, Wittelsbacher Park, ✆ 57 70 87, Telex 533225, Restaurants in der 35. Etage mit ≤ Augsburg und Alpen, 🧖, 🏊 – |$| ⇆ Zim ▤ Rest 📺 🅿 ⛺ (mit ▤). AE E VISA. ✂ Rest Z **a**
Restaurants : – **La Fontaine** *(nur Abendessen, Aug. und Sonntag geschl.)* Karte 62/77 – **Le Bistro** Karte 31/55 – **184 Z : 302 B** 185/205 - 250/280 Fb – 11 Appart. 370/400.

AUGSBURG

Annastraße X
Bahnhofstraße . . . . X, Z 2
Bgm.-Fischer-Straße . . . . . X 5
Grottenau . . . . X 17
Hoher Weg X
Karlstraße X
Karolinenstraße . . . . X 22
Maximilianstraße . . . . Y 26

Bgm.-Ackermann-Straße . . . Z 4
Dieselstraße . . . . Z 6
Dominikanergasse . . . . Y 8
Donauwörther Straße . . . . . Z 10
Frauentorstraße . . . . X, Z 12
Fuggerstraße . . . . X 13
Georg.-Haindl-Straße . . . . . Z 14
Gesundbrunnenstraße . . . . . Z 15
Gögginger Straße . . . . Z 16
Haunstetter Straße . . . . . . Y, Z 18
Jakoberstraße . . . . X, Z 19
Jakoberwallstraße . . . . X, Z 21
Lechhauser Straße . . . . Z 23
Leonhardsberg . . . . X 24
Margaretenstraße . . . . Y 25
Mittlerer Graben . . . . X 27
Müllerstraße . . . . Z 28
Neuburger Straße . . . . Z 30
Perlachberg . . . . X 32
Predigerberg . . . . Y 33
Rathausplatz . . . . X 34
Schlettererstraße . . . . Z 36
Unterer Graben . . . . X, Z 39
Viktoriastraße . . . . Z 40
Volkhartstraße . . . . X 42
Vorderer Lech . . . . Y 43
Wintergasse . . . . X 44

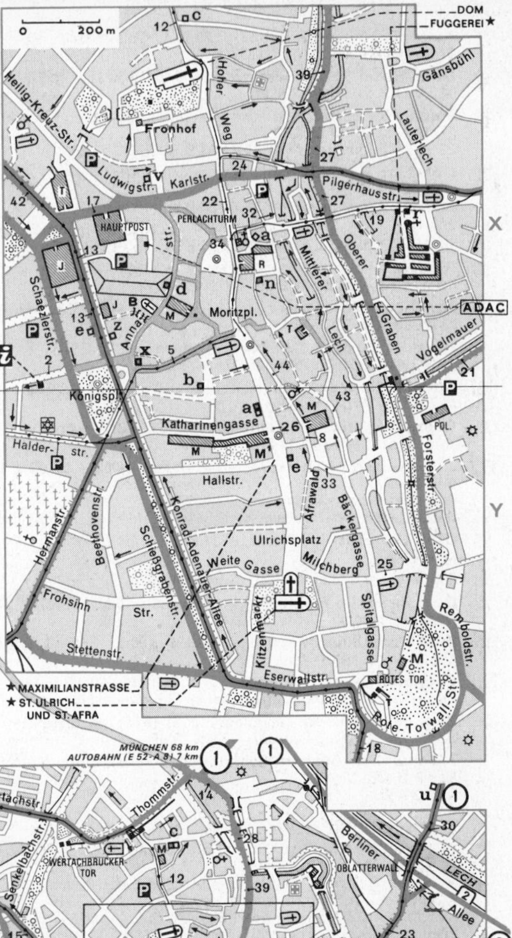

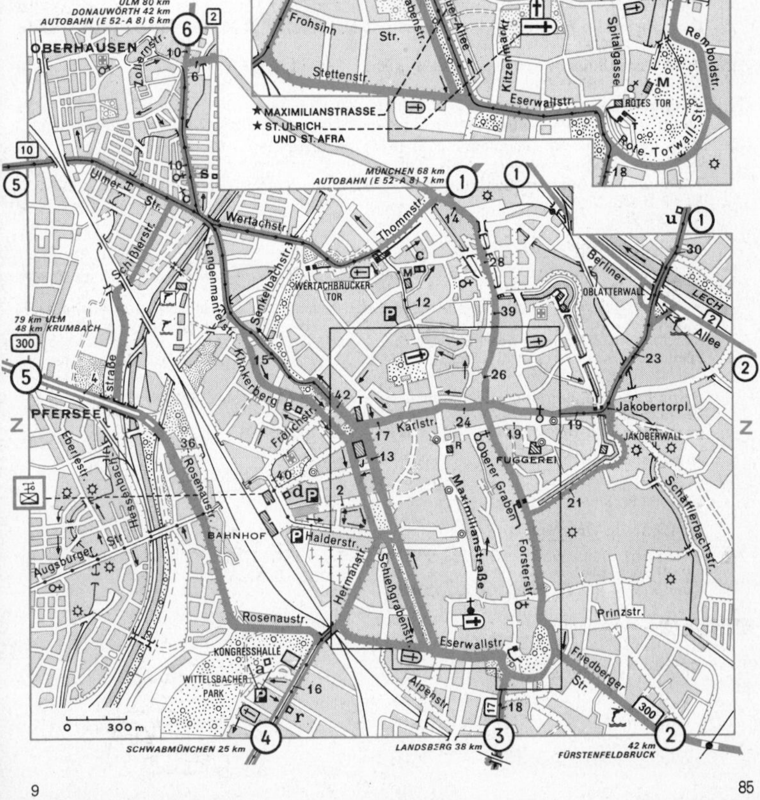

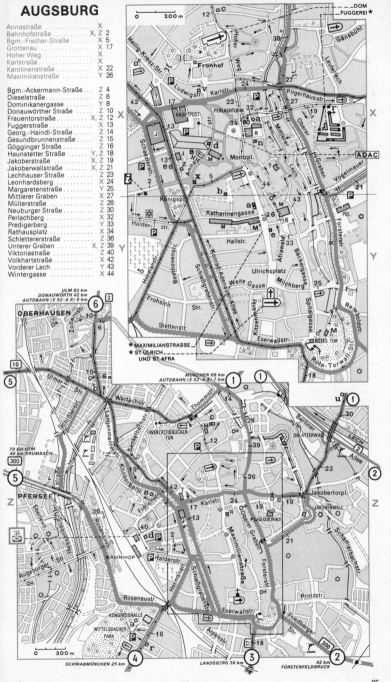

Augusta garni, Ludwigstr. 2, ✆ 50 10 40, Telex 533853, – TV P. AE E VISA
47 Z : 100 B 105/125 - 150/195 Fb. X v

Dom-Hotel garni, Frauentorstr. 8, ✆ 15 30 31 – TV P. E VISA X c
44 Z : 77 B 65/85 - 95/130 Fb.

Fischertor garni (siehe auch Restaurant Zum alten Fischertor), Pfärrle 16, ✆ 15 60 51 – TV. AE E VISA Z c
23. Dez.- 8. Jan. geschl. – **21 Z : 33 B** 70/95 - 105/135.

Hotel am Rathaus garni, Am Hinteren Perlachberg 1, ✆ 15 60 72, Telex 533326 – TV. AE E VISA X a
23. Dez.- 7. Jan. geschl. – **32 Z : 60 B** 99 - 150 Fb.

Ost garni, Fuggerstr. 4, ✆ 3 30 88, Telex 533576 – . AE E VISA X z
24. Dez.- 7. Jan. geschl. – **54 Z : 85 B** 84/115 - 130/160 Fb.

Riegele, Viktoriastr. 4, ✆ 3 90 39, Telex 53681 – TV P. AE E VISA Z d
Karte 24/58 – **32 Z : 54 B** 95/108 - 140/160 Fb.

Langer garni, Gögginger Str. 39, ✆ 57 80 77 – TV P. AE E Z r
25 Z : 60 B 68/90 - 80/148.

Post, Fuggerstr. 7, ✆ 3 60 44 – . AE E VISA X e
Karte 25/50 – **50 Z : 75 B** 60/100 - 80/160 Fb.

Von den Rappen garni, Äußere Uferstr. 3, ✆ 41 20 66 – . AE E VISA Z s
41 Z : 61 B 33/52 - 55/90.

Gästehaus Iris garni, Gartenstr. 4, ✆ 51 09 81 – Z e
Aug. geschl. – **10 Z : 14 B** 55/65 - 110/120.

Zum alten Fischertor, Pfärrle 14, ✆ 51 86 62 – AE E VISA. Z c
24.- 30. Dez., 30. Juli - 21. Aug., Montag sowie Sonn- und Feiertage geschl. – Karte 73/88 (Tischbestellung ratsam)
Spez. Gänsestopfleber auf Gemüsesulz, Barbarie-Ente mit Kartoffelmaultaschen, Roulade vom Angusfilet.

Die Ecke, Elias-Holl-Platz 2, ✆ 51 06 00 – E VISA X n
Karte 44/70.

Fuggerkeller, Maximilianstr. 38, ✆ 51 62 60 – Y a

Restaurant im Feinkost Kahn, Annastr. 16 (2. Etage), ✆ 31 20 31 – AE E VISA X d
Sonntag geschl. – Karte 37/72.

Zum Stockhaus, Maximilianstr. 73, ✆ 3 00 85 – AE E VISA Y e
Dienstag geschl. – Karte 22/58.

Fuggerei-Stube, Jakoberstr. 26, ✆ 3 08 70 – AE E VISA X r
Sonn- und Feiertage ab 15 Uhr sowie Montag geschl. – Karte 22/50 (Tischbestellung ratsam).

Zeughaus-Stuben, Zeugplatz 4, ✆ 51 16 85, , Biergarten – AE E VISA X b
Sonn- und Feiertage geschl. – Karte 23/45.

7-Schwaben-Stuben (Schwäbische Küche), Bürgermeister-Fischer-Str. 12, ✆ 31 45 63 – AE E VISA X x
Karte 24/52.

In Augsburg 21-Haunstetten ③ : 7 km :

Gregor-Restaurant Cheval blanc, Landsberger Str. 62, ✆ 8 00 50, – TV P. AE E
2.- 9. Jan. geschl. – Restaurants (Aug.- 5. Sept. geschl.) : – **Cheval blanc** *(nur Abendessen, Montag sowie Sonn- und Feiertage geschl.)* Karte 56/85 – **Lindenstube** *(Sonn- und Feiertage geschl.)* Karte 31/63 – **40 Z : 60 B** 60/95 - 115/160 Fb
Spez. Soufflierter Lachs mit Champagnercreme, Crepinetten vom Lammrücken, Topfenknödel mit Zwetschgenröster.

Prinz Leopold, Bürgermeister-Widmeier-Str. 54, ✆ 8 40 71, Telex 533882 – TV P. AE E VISA
Karte 23/45 *(Mittwoch geschl.)* – **38 Z : 69 B** 90/110 - 140/165 Fb.

In Augsburg-Lechhausen :

Lech-Hotel garni, Neuburger Str. 31, ✆ 72 10 64 – . AE E VISA Z u
39 Z : 60 B 78/88 - 125/130 Fb.

In Augsburg-Oberhausen über ⑥ :

Alpenhof, Donauwörther Str. 233, ✆ 41 30 51, Telex 533123, , – TV P. AE E VISA
Karte 25/57 – **135 Z : 251 B** 93/110 - 130/250.

AUGUSTA = Augsburg.

GRÜNE REISEFÜHRER
Landschaften, Sehenswürdigkeiten
Schöne Strecken, Ausflüge
Besichtigungen
Stadt- und Gebäudepläne.

[AUKRUG] **2356.** Schleswig-Holstein – 3 400 Ew – Höhe 25 m – ☏ 04873.

⛳ Aukrug-Bargfeld, ✆ (04873) 5 95 – ♦Kiel 44 – ♦Hamburg 71 – Itzehoe 26 – Neumünster 14.

In Aukrug-Innien :

XX **Gasthof Aukrug**, Bargfelder Str. 2, ✆ 4 24 – [P]. [AE]
wochentags nur Abendessen, Montag sowie Jan. 3 Wochen und Juni - Juli 2 Wochen geschl. – Karte 33/60.

An der B 430 SW : 6,5 km :

XX **Hof Bucken** (mit Gästehaus ⛰), ✉ 2356 Aukrug-Innien, ✆ (04873) 2 09, 🏡, « Garten » – [P]
Karte 25/57 – **11 Z : 21 B** 30/45 - 60/90.

[AUMÜHLE] **2055.** Schleswig-Holstein – 3 500 Ew – Höhe 35 m – ☏ 04104.

♦Kiel 104 – ♦Hamburg 26 – ♦Lübeck 57.

XX **Fischerhaus** ⛰ mit Zim, Am Mühlenteich 3, ✆ 50 42, ←, 🏡 – [TV] ☎ 🚗 [P]. [AE] [D] E
Karte 36/65 – **15 Z : 26 B** 72 - 102/110.

XX **Fürst Bismarck Mühle** ⛰ mit Zim, Mühlenweg 3, ✆ 20 28, 🏡 – ☎ [P]. [AE] [D] E
Karte 42/72 *(Mittwoch geschl.)* – **7 Z : 12 B** 55/90 - 105/140.

XX **Waldesruh am See** ⛰ mit Zim (ehemaliges Jagdschloß a.d. 18. Jh.), Am Mühlenteich, ✆ 30 46, « Gartenterrasse mit ← », 🏡 – [lift] [TV] ☎ [P]. [AE] [D] E VISA
Karte 30/62 *(Dienstag geschl.)* – **16 Z : 24 B** 65/80 - 110/150.

[AURICH (OSTFRIESLAND)] **2960.** Niedersachsen [987] ⑭, [408] ⑦ – 36 000 Ew – Höhe 8 m – ☏ 04941.

[i] Tourist-Information, Pavillon am Pferdemarkt, ✆ 44 64.

ADAC, Esenser Str. 122a, ✆ 7 29 99, Notruf ✆ 1 92 11.

♦Hannover 241 – Emden 26 – ♦Oldenburg 70 – Wilhelmshaven 51.

🏨 **Piqueurhof**, Burgstraße, ✆ 41 18, Telex 27457, ♨, [pool] – [lift] [TV] ☎ ♿ 🚗 [P] 🏛. [AE] [D] E VISA
Karte 25/60 – **48 Z : 90 B** 55/80 - 95/150 Fb.

🏨 **Stadt Aurich** ⛰, Hoheberger Weg 17, ✆ 43 31, 🏡, ♨ – [lift] [TV] ☎ [P] 🏛. [AE] [D] E VISA
Karte 29/63 – **48 Z : 96 B** 65/90 - 110/180 Fb – 3 Appart..

🏨 **Brems Garten**, Kirchdorfer Str. 7, ✆ 1 00 08 – [TV] ☎ [P] 🏛 (mit ▤). [AE] [D] E
Karte 25/59 – **30 Z : 55 B** 59/75 - 95/135 Fb.

🏠 **Letkant** garni, Esenser Str. 76, ✆ 43 10 – [P]. [AE] [D]
25 Z : 36 B 31/40 - 56/70.

In Aurich-Ogenbargen NO : 11,5 km :

🏡 Landgasthof Alte Post, Esenser Landstr. 299, ✆ (04947) 12 12 – [TV] [P] – **10 Z : 20 B.**

In Aurich-Wallinghausen O : 3 km :

🏨 **Köhlers Forsthaus** ⛰, Hoheberger Weg 192, ✆ 44 14, Telex 494177, « Garten », ♨, [pool] – [TV] ☎ ♿ 🚗 [P] 🏛. [D] E VISA
Karte 28/55 – **48 Z : 90 B** 50/95 - 95/180 Fb.

In Aurich-Wiesens SO : 6 km :

🏨 **Waldhof** ⛰, Zum alten Moor 10, ✆ 6 10 99, « Park, Gartenterrasse » – ☎ 🚗 [P]. 🚫 Zim
Karte 29/62 – **10 Z : 15 B** 56/64 - 120.

[AYING] **8011.** Bayern [413] S 23 – 3 000 Ew – Höhe 611 m – Wintersport : ⛷1 – ☏ 08095.

♦München 26 – Rosenheim 34.

🏨 **Brauereigasthof Aying**, Zornedinger Str. 2, ✆ 7 05, Fax 8850, 🏡, « Rustikale Einrichtung » – ☎ [P] 🏛. [AE] [D] E
Mitte Jan.- Anfang Feb. geschl. – Karte **29**/68 – **19 Z : 36 B** 80/95 - 150/175 Fb.

[AYL] **5511.** Rheinland-Pfalz – 1 200 Ew – Höhe 160 m – ☏ 06581 (Saarburg).

Mainz 178 – Merzig 28 – Saarburg 3,5 – ♦Trier 21.

🏠 **Weinhaus Ayler Kupp** ⛰, Trierer Str. 49, ✆ 30 31, Weingut, Weinprobe, « Gartenterrasse » – [P]. [D] E. 🚫 Rest
15. Dez.- Jan. geschl. – Karte **29**/60 *(Sonntag - Montag 17 Uhr geschl.)* 🍷 – **16 Z : 22 B** 30/50 - 50/80.

[BABENHAUSEN] **8943.** Bayern [413] N 22, [987] ㊱, [426] ⑮ – 4 800 Ew – Höhe 563 m – Erholungsort – ☏ 08333.

♦München 112 – ♦Augsburg 64 – Memmingen 22 – ♦Ulm (Donau) 39.

🏡 **Sailer Bräu** ⛰, Judengasse 10, ✆ 13 28 – 🚗 [P]
Karte 24/40 *(Donnerstag geschl.)* – **18 Z : 35 B** 28/40 - 52/76.

XX Post, Stadtgasse 1, ✆ 13 03.

[BABENHAUSEN] 6113. Hessen [413] J 17, [987] ㉕ – 14 000 Ew – Höhe 126 m – ☎ 06073.
♦Wiesbaden 63 – Aschaffenburg 14 – ♦Darmstadt 26.

🏨 **Deutscher Hof**, Bismarckplatz 4, ☎ 33 36 – 🚗 [P]. [AE] [D] [E]
Mitte Juli - Mitte Aug. geschl. – Karte 18,50/30 *(nur Abendessen, Samstag geschl.)* – **24 Z : 35 B** 37/52 - 74/104.

[BACHARACH] 6533. Rheinland-Pfalz [987] ㉔ – 2 600 Ew – Höhe 80 m – ☎ 06743.
Sehenswert : Markt★ – Posthof★ – Burg Stahleck (Aussichtsturm ≤★★).
[i] Städtisches Verkehrsamt, Oberstr. 1, ☎ 12 97.
Mainz 50 – ♦Koblenz 50 – Bad Kreuznach 33.

🏨 **Park-Café**, Marktstr. 8, ☎ 14 22, ♨, [🏊] – 🛗 🚗. [E] [VISA]. ⊛ Zim
15. März - 10. Nov. – Karte 23/47 *(Dienstag geschl.)* – **26 Z : 52 B** 50/65 - 80/110.

🏨 **Altkölnischer Hof**, Blücherstr. 2, ☎ 13 39 – 🛗 🚗. [D] [VISA]
April - Okt. – Karte 20/47 – **21 Z : 43 B** 50/70 - 80/95.

🏨 **Gelber Hof**, Blücherstr. 26, ☎ 10 17, 🌳 – 🛗 ☎ 🏛. [AE] [D] [E] [VISA]
2.- 31. Jan. und 15.- 25. Dez. geschl. – Karte 27/56 *(Montag geschl.)* 🍷 – **32 Z : 60 B** 45/75 - 80/100.

🏨 **Zur Post**, Oberstr. 38, ☎ 12 77 – [AE]. ⊛ Rest
10. März - Okt. – Karte 20/45 *(Dienstag geschl.)* 🍷 – **17 Z : 35 B** 38/65 - 62/88.

🏨 **Im Malerwinkel** 🐦 garni (Fachwerkhaus a.d.J. 1696), Blücherstr. 41, ☎ 12 39, 🌳 – 🚗 [P]
25 Z : 45 B 30/45 - 50/70.

[BACKNANG] 7150. Baden-Württemberg [413] L 20, [987] ㉕ – 30 000 Ew – Höhe 271 m – ☎ 07191.
♦Stuttgart 32 – Heilbronn 36 – Schwäbisch Gmünd 42 – Schwäbisch Hall 37.

🏨 **Schwanen** 🐦, Schillerstr. 9, ☎ 81 31 – 🛗 ☎ 🚗. [AE] [D] [E] [VISA]. ⊛ Zim
Karte 37/62 *(Samstag und Aug. 2 Wochen geschl.)* – **13 Z : 18 B** 95 - 135 Fb.

🏨 **Bitzer** garni, Eugen-Adolff-Str. 29, ☎ 6 53 09 – [TV] ☎ 🚗 [P]. [AE] [D] [E] [VISA]
32 Z : 49 B 56 - 96.

🏨 **Holzwarth** garni, Eduard-Breuninger-Str. 2, ☎ 81 94 – ☎ [P]
15 Z : 28 B 52/57 - 92/97.

🍴🍴 **Backnanger Stuben**, Bahnhofstr. 7 (Bürgerhaus), ☎ 6 20 61 – 🏛. [AE] [D] [E]
Dienstag geschl. – Karte 27/59.

🍴🍴 **Weinstube Mildenberger**, Schillerstr. 23 (1. Etage), ☎ 6 82 11 – [AE] [E]
Sonntag - Montag 18 Uhr geschl. – Karte 40/68.

🍴 **Königsbacher Klause**, Sulzbacher Str. 10, ☎ 6 62 38
Samstag und 6.- 21. Juli geschl. – Karte 13/36 🍷.

In Backnang 4-Steinbach O : 4 km :

🍴 Auberge du Linde mit Zim, Lindenplatz 2, ☎ 6 17 71 – [P]
6 Z : 9 B.

In Aspach-Großaspach 7152 NW : 4 km :

🍴🍴 **Lamm** mit Zim, Hauptstr. 23, ☎ (07191) 2 02 71 – [P]
24. Dez.- 6. Jan. und 13. Juli - 11. Aug. geschl. – Karte 31/50 *(Sonntag 15 Uhr - Montag geschl.)* – **2 Z : 4 B** 70 - 95.

In Aspach-Kleinaspach 7152 NW : 7 km :

🏨 **Sonnenhof** 🐦, Oberstenfelder Straße, ☎ (07148) 3 70, ♨, 🏊 (geheizt), [🏊], 🌳, 🎾 – [TV] ☎ [P] 🏛. [E]
Karte 25/55 🍷 – **145 Z : 295 B** 35/69 - 54/98 Fb – P 72/95.

[BAD...]

siehe unter dem Eigennamen des Ortes (z. B. Bad Orb siehe Orb, Bad).

voir au nom propre de la localité (ex. : Bad Orb voir Orb, Bad).

see under second part of town name (e.g. for Bad Orb see under Orb, Bad).

vedere nome proprio della località (es. : Bad Orb vedere Orb, Bad).

[BADEN-BADEN] 7570. Baden-Württemberg [413] H 20, [987] ㉞㉟, [242] ⑳ – 50 000 Ew – Höhe 181 m – Heilbad – ☎ 07221.
Sehenswert : Lichtentaler Allee★★ BZ.
Ausflugsziele : Ruine Yburg ✳★★, AZ – Schwarzwaldhochstraße (Höhenstraße★★ von Baden-Baden bis Freudenstadt) – Autobahnkirche★, ① : 8 km.
⛳18 Fremersbergstr. 127 (über Moltkestr. AZ), ☎ 2 35 79.
[i] Kurdirektion (Abt. Information), Augustaplatz 8, ☎ 27 52 00, Telex 781208.
ADAC, Lange Str. 77, ☎ 2 22 10, Notruf ☎ 1 92 11.
♦Stuttgart 112 ① – ♦Freiburg im Breisgau 112 ① – ♦Karlsruhe 39 ① – Strasbourg 61 ①.

BADEN-BADEN

Gernsbacher Str.	BY 6	Hermann-Sielcken-Straße	AZ 8
Kreuzstraße	BY 13	Hirschstraße	BY 10
Lange Straße	BY 14	Kaiser-Wilhelm-Str.	AZ 12
Lichtentaler Str.	AZ 16	Lichtentaler Allee	AZ 15
Luisenstraße	ABY	Ludwig-Wilhelm-Platz	BZ 17
Sophienstraße	BY	Markgrafenstr.	AZ 18
Burgstraße	BY 3	Marktplatz	BY 19
Fremersbergstr.	AZ 5	Rheinstraße	AZ 22
Geroldsauer Str.	AZ 7	Sonnenplatz	BY 28
		Steinstraße	BY 30
		Werderstraße	AZ 31

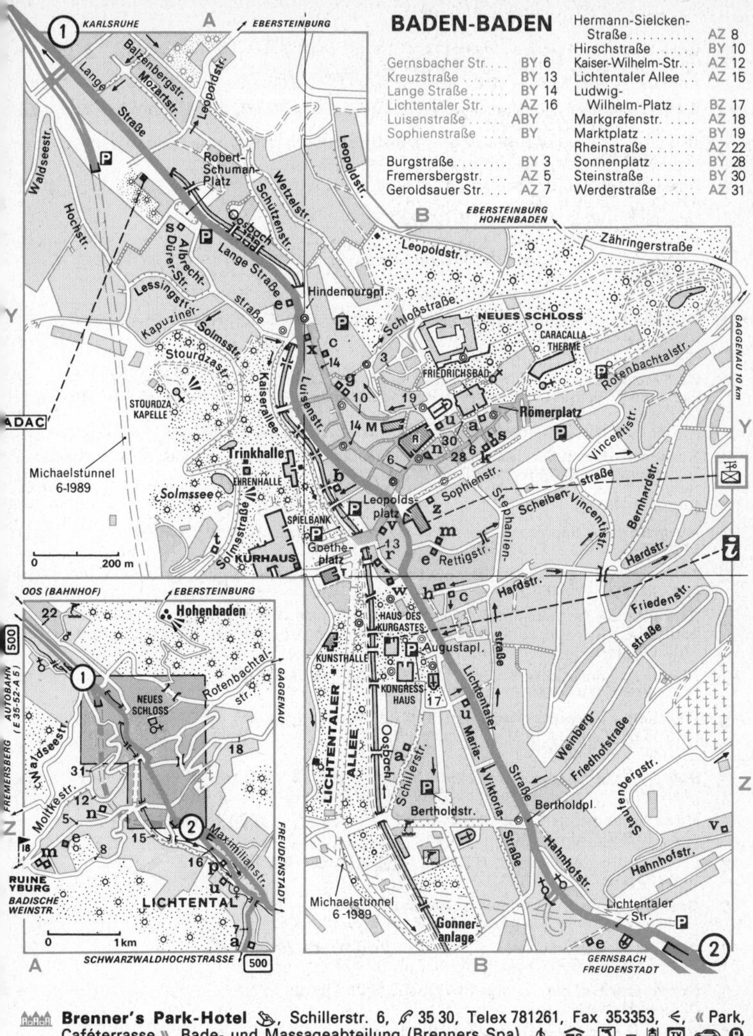

Brenner's Park-Hotel, Schillerstr. 6, ✆ 35 30, Telex 781261, Fax 353353, ≤, « Park, Caféterrasse », Bade- und Massageabteilung (Brenners Spa), ♨, ≘s, ⊡ – |‡| TV ⇔ P 🏊. AE ①. ✽ Rest — BZ **a**
Karte 73/100 (siehe auch Restaurant Schwarzwald-Stube) – **100 Z : 170 B** 238/408 - 286/1286 – 22 Appart. 1436/1986 – P 253/753.

Steigenberger-Hotel Europäischer Hof, Kaiserallee 2, ✆ 2 35 61, Telex 781188, Fax 28831, ≤ – |‡| TV P 🏊 (mit ▤). AE ① E VISA. ✽ Rest — BY **b**
Karte 50/86 – **135 Z : 201 B** 167/267 - 252/434 Fb – 4 Appart. 474/1500 – P 245/343.

Steigenberger Hotel Badischer Hof, Lange Str. 47, ✆ 2 28 27, Telex 781121, Fax 28831, ☂, Bade- und Massageabteilung, ≘s, ⊡ (Thermal), ⊡, ≠ – |‡| TV ♿ ⇔ 🏊. AE ① E VISA. ✽ Rest — AY **e**
Karte 50/86 – **140 Z : 235 B** 169/241 - 256/416 Fb – 5 Appart. 485/805 – P 245/317.

Quisisana, Bismarckstr. 21, ✆ 34 46, « Elegante Einrichtung », Bade- und Massageabteilung, ♨, ≘s, ⊡, ≠ – |‡| TV P 🏊. ✽ Rest — AZ **n**
Karte 37/65 – **56 Z : 84 B** 145/195 - 220/330 Fb – P 200/240.

Holiday Inn Sporthotel, Falkenstr. 2, ✆ 21 90, Telex 781255, Fax 219519, ☂, ≘s, ⊡, ≠, Fahrradverleih – |‡| ⇔ Zim ▤ Rest TV ♿ P 🏊 (mit ▤). AE ① E VISA — BZ **e**
Karte 34/77 *(auch vegetarische Gerichte)* – **121 Z : 200 B** 185/223 - 270/281 Fb – 5 Appart. 298/465.

Golf-Hotel, Fremersbergstr. 113, 2 36 91, Telex 781174, « Park », – (mit). Rest AZ m
April-Okt. – Karte 37/68 – **85 Z : 140 B** 120/170 - 160/240 Fb – 9 Appart. 250/350 – P 140/230.

Der Quellenhof, Sophienstr. 27, 2 21 34, Telex 781202, – Zim Rest (mit). BY s
Karte siehe : Rest. **Das Süße Löchel** – **s'Badstüble** *(auch vegetarische Gerichte)* Karte 28/50 – **52 Z : 90 B** 165/194 - 230/350 Fb.

Allee-Hotel Bären, Hauptstr. 36, 70 20, Telex 781291, « Parkterrasse », – AZ p
Karte 38/76 – **81 Z : 120 B** 130/170 - 200/320 Fb – P 185/225.

Fairway Hotel am Selighof, Fremersbergstr. 125, 21 71, Telex 781407, « Gartenterrasse », Bade- und Massageabteilung, (geheizt), – über Fremersbergstr. AZ
Karte 49/75 – **113 Z : 200 B** 158/238 - 228/258 Fb – 18 Appart. 256/460.

Holland Hotel Sophienpark, Sophienstr. 14, 35 60, Telex 781368, « Park », – BY z
Karte 30/55 – **75 Z : 111 B** 120/230 - 190/260 Fb – 8 Appart. 280/300.

Bad-Hotel Zum Hirsch, Hirschstr. 1, 2 38 96, Telex 781193, Fax 28831, « Antike Einrichtung, Ballsaal », Bade-und Massageabteilung – Rest BY g
(nur Abendessen für Hausgäste) – **58 Z : 82 B** 105/153 - 188/256 Fb.

Romantik-Hotel Der kleine Prinz, Lichtentaler Str. 36, 34 64, Telex 781433, « Elegante Einrichtung » – BZ u
Karte 51/70 *(Montag - Dienstag 18 Uhr und Jan. geschl.)* – **28 Z : 55 B** 125/215 - 200/265 Fb – 9 Appart. 275/450.

Atlantic garni, Sophienstr. 2a, 2 41 11, « Caféterrasse » – BY r
53 Z : 75 B 81/167 - 175/280 Fb.

Tannenhof garni, Hans-Bredow-Str. 20, 27 11 81, – AZ m
27 Z : 47 B 95/200 - 160/300 Fb.

Falkenhalde, Hahnhofstr. 71, 34 31, – BZ v
Karte 26/48 *(nur Abendessen, Montag - Dienstag und Dez.- Feb. geschl.)* – **32 Z : 60 B** 100/130 - 160/175 Fb.

Müller garni, Lange Str. 34, 2 32 11 – BY g
24 Z : 40 B 89/110 - 130/161 Fb.

Deutscher Kaiser, Merkurstr. 9, 3 30 36 – Rest
Karte 35/63 *(Sonntag 15 Uhr - Montag und 23. Jan.- 13. Feb. geschl.)* – **27 Z : 48 B** 110/120 - 140/160 Fb – P 120/170. BZ h

Süß, Friesenbergstr. 2, 2 23 65, – Rest AY t
Mitte März - 10. Nov. – (Restaurant nur für Hausgäste) – **40 Z : 62 B** 43/95 - 74/138.

Haus Reichert garni, Sophienstr. 4, 2 41 91, – BY v
42 Z : 70 B 95/200 - 150/300 – 9 Appart. 350.

Etol garni, Merkurstr. 7, 2 58 55 – BZ h
20 Z : 32 B 90/120 - 130/160 Fb.

Greiner garni, Lichtentaler Allee 88, 7 11 35, – AZ u
Mitte Nov.- Anfang Dez. geschl. – **33 Z : 54 B** 50/60 - 80/95.

Merkur garni, Merkurstr. 8, 3 33 60 – BZ c
29 Z : 48 B 70/100 - 120/140 Fb.

Schweizer Hof garni, Lange Str. 73, 2 42 31 – AY s
29 Z : 45 B 45/60 - 85/140.

Bischoff garni, Römerplatz 2, 2 23 78 – BY a
Dez.- Jan geschl. – **22 Z : 40 B** 65/70 - 95/130.

Römerhof garni, Sophienstr. 25, 2 34 15 – BY k
Mitte Dez.-Ende Jan. geschl. – **24 Z : 40 B** 65/70 - 110/130.

Am Markt, Marktplatz 18, 2 27 47 – BY u
(nur Abendessen für Hausgäste) – **27 Z : 42 B** 40/60 - 80/98.

Stahlbad, Augustaplatz 2, 2 45 69, « Gartenterrasse » – BZ w
Sonntag 15 Uhr - Montag geschl. – Karte 65/110.

Oxmox, Kaiserallee 4, 2 99 00 – ABY x
nur Abendessen, Sonntag und Mitte Juli - Mitte Aug. geschl. – Karte 56/85.

Schwarzwald-Stube (Stadtrestaurant des Brenner's Park Hotel), Schillerstr. 6, 35 30, – BZ a
Karte 62/90.

Das Süße Löchel, Sophienstr. 27, 2 30 30 – BY s
Dienstag - Mittwoch 18 Uhr geschl. – Karte 46/77 *(auch vegetarisches Menu)*.

Der kleine Gourmet, Lange Str. 42 (Römerpassage, 1. Etage), 2 98 00 BY c

Kurhaus-Betriebe, Kaiserallee 1, 2 27 17, – AE E VISA. AY
Karte 33/58.

Molkenkur, Quettigstr. 19, 3 32 57, – AZ e
Sonntag geschl. – Karte 19,50/72.

Zum Nest, Rettigstr. 1, 2 30 76 – BY m
15. Jan.- 8. Feb. und Donnerstag geschl. – Karte 25/57.

Münchner Löwenbräu, Gernsbacher Str. 9, 2 23 11, , Biergarten BY n
Karte 27/53.

Badener Stuben, Rettigstr. 4, 2 20 39 BY e
Sonntag 14 Uhr - Montag und 1.- 20. März geschl. – Karte 25/49.

An der Straße nach Ebersteinburg NO : 2 km :

Kappelmann, Rotenbachtalstr. 30, 7570 Baden-Baden, (07221) 35 50, Fax 355100, ,
– . AE E VISA
Karte 24/59 – **42 Z : 65 B** 100/140 - 160/185 Fb – P 125/185.

An der Straße nach Gernsbach ② : 5 km :

Waldhotel Fischkultur, Gaisbach 91, 7570 Baden-Baden, (07221) 7 10 25, ,
– . AE E
Jan.- Feb. geschl. – Karte 31/65 – **35 Z : 60 B** 65/100 - 90/185 – P 89/144.

In Baden-Baden 21-Ebersteinburg NO : 3 km über Rotenbachtalstraße BY :

Merkurwald, Staufenweg 1, 2 41 49, ←, –
16 Z : 23 B Fb.

In Baden-Baden - Geroldsau S : 5 km über Geroldsauer Str. AZ :

Sonne garni, Geroldsauer Str. 145, 74 12 –
18 Z : 36 B 70/85 - 90/95.

Hirsch, Geroldsauer Str. 130, 7 13 17, Biergarten –
Karte 26/45 *(Mittwoch und Feb. geschl.)* – **12 Z : 24 B** 45/60 - 80/105 – P 68/88.

In Baden-Baden - Lichtental :

Zum Felsen, Geroldsauer Str. 43, 7 16 41 AZ a
23. Dez.- 15. Jan. geschl. – Karte 19,50/37 *(Sonntag 14 Uhr - Montag geschl.)* – **9 Z : 18 B**
45/50 - 70.

In Baden-Baden 23 - Neuweier SW : 10 km über Fremersbergstr. AZ – 07223 :

Rebenhof, Weinstr. 58, 54 06, ← Weinberge und Rheinebene, , –
10. Jan.- Feb. geschl. – Karte **26**/51 *(Sonntag - Montag 15 Uhr geschl.)* – **17 Z : 29 B** 60/75 -
99/126.

Heiligenstein, Heiligensteinstr. 19a, 5 20 25, ← Weinberge, Rheinebene und Yburg,
, – . E
Karte 28/58 *(nur Abendessen)* – **24 Z : 48 B** 60/90 - 103/160 Fb.

Pension Röderhof garni, Im Nußgärtel 2, 5 20 44, –
14 Z : 28 B 50 - 76/98.

Zum Altenberg, Schartenbergstr. 6, 5 72 36, , , –
15. Nov.- 24. Dez. geschl. – Karte 25/49 *(Donnerstag geschl.)* – **19 Z : 25 B** 42/65 - 76/110 –
P 70/93.

✻ **Zum Alde Gott**, Weinstr. 10, 55 13, ←, – . E VISA
4.- 31. Jan. und Donnerstag - Freitag 18 Uhr geschl. – Karte 68/95
Spez. Lachs-Sülze mit Schnittlauchsauce, Seeteufel in Bärlauchsauce (nur Frühjahr), Entenbrust mit Olivensauce.

Schloß Neuweier, Mauerbergstr. 21, 5 79 44, « Gartenterrasse » – . E
Dienstag - Mittwoch 17 Uhr und Feb. geschl. – Karte 42/84.

Traube mit Zim, Mauerbergstr. 107, 5 72 16, – . AE E VISA
11.- 25. Jan. und Juli 1 Woche geschl. – Karte 28/55 *(Montag geschl.)* – **15 Z : 25 B** 49/65 -
98/125.

Zum Lamm mit Zim, Mauerbergstr. 34, 5 72 12, « Rustikale Einrichtung, Gartenterrasse »
– . AE E VISA
Karte 35/75 – **11 Z : 19 B** 80 - 95/140 Fb.

Rebstock mit Zim, Schloßackerweg 3, 5 72 40, ←, , –
4 Z : 8 B.

In Baden-Baden - Oberbeuern über ② Richtung Gernsbach :

Waldhorn, Beuerner Str. 54, 7 22 88, « Gartenterrasse mit Grill » – . AE E
VISA
Karte 26/46 *(Sept.- Mai Montag ganztägig, Juni - Aug. Montag bis 17 Uhr geschl.)* – **13 Z :
21 B** 40/70 - 85/110.

In Baden-Baden - Oos ① : 5 km :

Goldener Stern, Ooser Hauptstr. 16, 6 15 09 –
20 Z : 31 B Fb.

In Baden-Baden 24 - Sandweier ① : 8 km :

Blume, Mühlstr. 24, ✆ 5 17 11, ... – ...
Karte 29/53 – **17 Z : 40 B** 60/80 - 105.

In Baden-Baden 22-Varnhalt SW : 6 km über Fremersbergstr. AZ – ✆ 07223 :

Monpti, Auf der Alm 24, ✆ 5 70 45, ≤ Rheinebene, (geheizt), ... – ...
März - 15. Nov. – (Restaurant nur für Hausgäste) – **13 Z : 23 B** 60 - 95.

Landhaus Zuflucht garni, Auf der Alm 21, ✆ 63 21, ≤ Weinberge, ... – ...
März - Nov. – **7 Z : 11 B** 45/55 - 90/110.

Haus Rebland, Umweger Str. 133, ✆ 5 20 47, ≤ Weinberge und Rheinebene, ... – ...
Mitte Nov.- Mitte Dez. geschl. – Karte 23/50 – **24 Z : 43 B** 45/60 - 84/125.

XX ✻ **Pospisil's Restaurant Merkurius** mit Zim, Klosterbergstr. 2, ✆ 54 74, ≤ Weinberge und Rheinebene, ... – ... AE E
Karte 71/93 *(Dienstag und Samstag nur Abendessen, Montag geschl.)* – **4 Z : 8 B** 80 - 110/130
Spez. Stopfgänseleber auf geröstetem Bauernbrot, Pot au feu vom Hummer, Erdbeerknödel mit geriebenem Lebkuchen.

XX **Bocksbeutel** mit Zim, Umweger Str. 103 (Umweg), ✆ 5 80 31 – ... AE E
Karte **30**/65 *(Sonntag 14 Uhr - Montag geschl.)* – **10 Z : 20 B** 75/80 - 120.

XX **Zum Adler** mit Zim, Klosterbergstr. 15, ✆ 5 72 41, ≤ Weinberge und Rheinebene, ... – ... AE E VISA
7. Jan.- 5. Feb. geschl. – Karte 26/60 *(Donnerstag geschl.)* – **9 Z : 15 B** 52 - 90.

An der Autobahn A 5 über ① :

Rasthaus Baden-Baden, ✉ 7570 Baden-Baden 24, ✆ (07221) 6 50 43, ... – ... Zim ...
Karte 27/50 (auch Self-Service) – **39 Z : 69 B** 95/125 - 140.

BADENWEILER 7847. Baden-Württemberg 413 G 23, 987 ㉞, 216 ④ – 3 400 Ew – Höhe 426 m – Heilbad – Badenweiler ist für den Durchgangsverkehr gesperrt, Fahrerlaubnis nur für Hotelgäste oder mit Sondergenehmigung – ✆ 07632.

Sehenswert : Kurpark** – Burgruine ✻*.

Ausflugsziele : Blauen : Aussichtsturm ✻**, SO : 8 km – Schloß Bürgeln*, S : 8 km.

18 beim Grenzübergang Neuenburg (W : 16 km), ✆ (07632) 50 31.

Kurverwaltung, Ernst-Eisenlohr-Str. 4, ✆ 7 21 10.

♦Stuttgart 242 – Basel 45 – ♦Freiburg im Breisgau 46 – Mulhouse 30.

Römerbad, Schloßplatz 1, ✆ 7 00, Telex 772933, « Park », Massage, ..., (Thermal), ... – ... AE VISA. Rest
Karte 45/84 – **111 Z : 158 B** 190/300 - 270/350 – 8 Appart. 390/470 – 3 Fewo 220 – P 205/320.

Schwarzmatt, Schwarzmattstr. 6, ✆ 60 42, ... – ... Rest
Karte 44/70 (Tischbestellung ratsam) – **45 Z : 80 B** 120/160 - 240/280 Fb – 4 Appart. 330 – P 155/185.

Parkhotel Weißes Haus, Wilhelmstr. 6, ✆ 50 41, ≤, « Park », ... – ...
März - 15. Okt. – (Rest. nur für Hausgäste) – **40 Z : 60 B** 100/110 - 180 Fb – 3 Appart. 240 – P 120/140.

Blauenwald garni, Blauenstr. 11, ✆ 50 08, ... – ...
38 Z : 46 B 58/70 - 115/126 – 3 Appart. 195.

Ritter, Friedrichstr. 2, ✆ 50 74, Telex 774105, ..., « Garten », Bade- und Massageabteilung, ... – ... AE.
Karte 32/62 – **60 Z : 95 B** 70/160 - 130/250 – P 100/190.

Eckerlin - Mirador Garden, Römerstr. 2, ✆ 75 09 01, ≤, ..., « Garten », (geheizt), ... – ...
6. Jan.- Feb. und 15. Nov.- 15. Dez. geschl. – Karte 25/40 *(Dienstag 15 Uhr - Mittwoch geschl.)* – **63 Z : 90 B** 90/150 - 190/280 Fb – P 120/185.

Romantik-Hotel Sonne, Moltkestr. 4, ✆ 50 53, ... – ... AE E VISA. Zim
Anfang Feb.- Mitte Nov. – Karte 37/65 *(Mittwoch geschl.)* – **40 Z : 60 B** 76/105 - 130/180 Fb – 8 Fewo 100/145 – P 98/140.

Post (mit Gästehaus), Sofienstr. 1, ✆ 50 51, ... – ...
Mitte Feb.- Okt. – Karte 24/52 *(Donnerstag geschl.)* – **55 Z : 87 B** 67/106 - 130/200 Fb – P 95/136.

Schloßberg, Schloßbergstr. 3, ✆ 50 16, ≤, ... – ...
Mitte Feb.- Mitte Nov. – (nur Abendessen für Hausgäste) – **28 Z : 40 B** 79/90 - 138 Fb.

Anna, Oberer Kirchweg 2, ✆ 50 31, ≤, « Dachterrasse », ... – ... Rest
24. Feb.- 15. Okt. – (Restaurant nur für Hausgäste) – **40 Z : 60 B** 80/95 - 150/190 Fb – P 110/130.

Daheim, Römerstr. 8, 51 38, Massage, – . E.
Dez.-Jan. geschl. – (Rest. nur für Hausgäste) – **43 Z : 70 B** 80/105 - 160/190 Fb – P 110/135.

Schlößle garni, Kanderner Str. 4, 2 40, « Geschmackvolle Einrichtung » (geheizt), –
25. Nov.- 15. Jan. geschl. – **15 Z : 20 B** 55/60 - 105/120 Fb.

Schnepple garni, Hebelweg 15, 54 20, – .
März- 15. Nov. – **20 Z : 30 B** 66/90 - 110/158 Fb.

Kurhotel Hasenburg, Schweighofstr. 6, 4 10, Caféterrasse, – . Rest
März - Okt. – Karte 33/49 – **40 Z : 60 B** 65/110 - 130/180 Fb – P 94/124.

Eberhardt - Burghardt, Waldweg 2, 50 39, – . E VISA
Karte 22/47 – **38 Z : 54 B** 60/79 - 120/158 Fb – P 86/105.

Haus Christine garni, Glasbachweg 1, 60 04, –
7. Jan.- 15. Feb. und 30. Nov.- 19. Dez. geschl. – **15 Z : 21 B** 62/90 - 106/140.

Försterhaus Lais, Badstr. 42, 3 17, – . E
Karte 20/47 *(Sonntag geschl.)* – **27 Z : 42 B** 40/70 - 80/136 Fb – P 68/98.

Badenweiler Hof garni, Wilhelmstr. 40, 3 44 – .
22 Z : 36 B 65/85 - 120/130 Fb.

Haus Ebert garni, Friedrichstr. 7, 4 65, – .
Mitte Feb.- Mitte Nov. – **15 Z : 20 B** 43/52 - 78/96.

In Badenweiler 3-Lipburg SW : 3 km :

Landgasthof Schwanen, E.-Scheffelt-Str. 5, 52 28, eigener Weinbau, – . E
6. Jan.- 20. Feb. geschl. – Karte 24/56 *(Donnerstag, Nov.- Feb. auch Mittwoch geschl.)* – **18 Z : 28 B** 50/60 - 90/110 Fb.

In Badenweiler 3-Sehringen S : 3 km :

Gasthof zum Grünen Baum, Sehringer Str. 19, 74 11, – . Zim
17 Z : 26 B.

Auf dem Blauen SO : 8 km – Höhe 1 165 m :

Hochblauen, 7847 Badenweiler, (07632) 3 88, Schwarzwald und Alpen, –
März - 5. Nov. – (Rest. nur für Hausgäste, für Passanten Self-Service, Mittwoch 18 Uhr - Donnerstag geschl.) – **15 Z : 25 B** 35/48 - 62/90.

BÄRENTAL Baden-Württemberg siehe Feldberg im Schwarzwald.

BÄRNAU 8591. Bayern 413 U 17, 987 ㉗ – 3 800 Ew – Höhe 615 m – 09635.
Verkehrsamt, Rathaus, 2 01.
♦München 285 – Bayreuth 73 – ♦Nürnberg 139.

In Bärnau-Altglashütte S : 9 km – Wintersport : 800/900 m 2 :

Haus Rose, 4 31, –
Karte 14/30 – **16 Z : 30 B** 25/28 - 50/56 – P 37.

Blei, 2 83, –
2.- 14. Nov. geschl. – Karte 16/32 – **26 Z : 43 B** 24 - 48 – P 33.

BAHLINGEN 7836. Baden-Württemberg 413 G 22, 242 ㉜, 87 ⑦ – 3 000 Ew – Höhe 248 m – 07663 (Eichstetten).
♦Stuttgart 190 – ♦Freiburg im Breisgau 22 – Offenburg 48.

Lamm, Hauptstr. 49, 13 11, – . E
Karte 24/52 *(Sonntag geschl.)* – **27 Z : 45 B** 34/54 - 64/96 Fb.

Hecht, Hauptstr. 59, 16 33, –
Karte 21/40 *(Montag und Jan. 2 Wochen geschl.)* – **9 Z : 19 B** 30/55 - 50/80.

[BAIERBRUNN] 8021. Bayern [413] R 22 – 2 400 Ew – Höhe 638 m – ☎ 089 (München).
♦ München 15 – Garmisch Partenkirchen 72.

In Baierbrunn-Buchenhain NO : 1,5 km :

🏠 Waldgasthof Buchenhain, Buchenhain 1, ☎ 7 93 01 24, Biergarten – 🛗 ☎ [P]
42 Z : 70 B Fb.

[BAIERSBRONN] 7292. Baden-Württemberg [413] HI 21, [987] ㉟ – 14 000 Ew – Höhe 550 m – Luftkurort – Wintersport : 584/1 065 m ⛷11 ⛷12 – ☎ 07442.
[i] Kurverwaltung, Freudenstädter Str. 36, ☎ 25 70.
♦Stuttgart 100 ② – Baden-Baden 50 ① – Freudenstadt 7 ②.

Stadtplan siehe gegenüberliegende Seite.

🏠 **Rose**, Bildstöckleweg 2, ☎ 20 35, ♨, 🏊, 🌳 – 🛗 📺 ☎ ♿ 🚗 [P] 🏔. [AE] ⦿ E. ✂ AX **h**
27. Nov.- 17. Dez. geschl. – Karte 21/53 *(Dienstag geschl.)* – **47 Z : 75 B** 43/60 - 94/132 Fb – 2 Fewo 78 – P 67/90.

🏠 **Rosengarten** 🐦, Bildstöckleweg 35, ☎ 20 88, ♨, 🏊 – ☎ [P]. ✂ Zim AX **a**
3.- 19. April und 6. Nov.- 13. Dez. geschl. – Karte 21/47 *(Mittwoch geschl.)* – **27 Z : 50 B** 48/52 - 96/102 Fb – 2 Fewo 90 – P 70/74.

🏠 **Falken**, Oberdorfstr. 95, ☎ 24 43, 🌂, ♨, 🌳 – 🛗 📺 ☎ 🚗 [P]. [AE] ⦿ E [VISA] AY **s**
6.- 24. Nov. geschl. – Karte 20/42 *(Dienstag geschl.)* 🍷 – **21 Z : 36 B** 46/55 - 88/98 Fb – P 65/73.

🏠 **Café Berghof** 🐦, Bildstöckleweg 17, ☎ 70 18, ≤, 🌂, Bade- und Massageabteilung, ♨, 🏊 – 🛗 [P]. ✂ Rest AX **f**
3.- 21. April und 2. Nov.- 24. Dez. geschl. – Karte 19,50/42 *(Montag geschl.)* – **34 Z : 56 B** 39/65 - 78/102 Fb – P 59/78.

🏠 **Hirsch**, Oberdorfstr. 74, ☎ 30 33, ♨, 🏊, 🌳 – 🛗 [P] AY **d**
14.- 28. April und 25. Nov.- 16. Dez. geschl. – Karte 23/43 *(Donnerstag geschl.)* 🍷 – **43 Z : 62 B** 29/50 - 64/105 Fb – P 52/75.

🏠 **Miller-Wagner**, Forbachstr. 4, ☎ 22 57, 🌂 – 🛗 [P] AX **e**
Nov. geschl. – Karte 24/45 *(Mittwoch geschl.)* – **17 Z : 28 B** 45/55 - 88 Fb – P 60/66.

🏠 **Pappel**, Oberdorfstr. 1, ☎ 22 08 – 🛗 [P] AY **t**
Mitte - Ende April und Ende Okt.- Ende Nov. geschl. – Karte 25/43 *(Mittwoch geschl.)* – **20 Z : 40 B** 42 - 84.

🏠 **Krone**, Freudenstädter Str. 32, ☎ 22 09, ♨, 🏊 – 🚗 [P] AY **r**
10. Jan.- 1. Feb. und 25. Okt.- 6. Nov. geschl. – Karte 24/41 *(Montag geschl.)* 🍷 – **47 Z : 75 B** 33/57 - 84/108 Fb.

🏠 Gästehaus Gaiser garni, Lochweg 8, ☎ 37 10, 🌳 – 🛗 [P]. ✂ AX **s**
19 Z : 33 B.

🏠 Panorama-Hotel garni, Forststr. 1, ☎ 24 85, ≤ – [P] AY **k**
27 Z : 46 B.

In Baiersbronn 1-Tonbach :

🏠 **Kur- und Sporthotel Traube Tonbach** 🐦, Tonbachstr. 237, ☎ 49 20, Telex 764394, Fax 492692, ≤, Bade- und Massageabteilung, 🏋, ♨, 🏊 (geheizt), 🏊, 🌳, 🎾 (Halle), Ski- und Fahrradverleih – 🛗 📺 🏃 🚗 [P] 🏔. ✂ BZ **n**
(Restaurant nur für Hausgäste, siehe auch Restaurant Schwarzwaldstube und Köhlerstube) – **182 Z : 300 B** 126/179 - 255/415 Fb – 8 Appart. – P 155/208.

🏠 **Kurhotel Sonnenhalde** 🐦, Obere Sonnenhalde 63, ☎ 30 44, ≤, 🌂, ♨, 🏊, 🌳 – 🛗 📺 ☎ 🚗 [P] 🏔. ✂ Rest BZ **t**
5. Nov.- 15. Dez. geschl. – Karte 28/48 *(Mittwoch geschl.)* – **30 Z : 58 B** 68/102 - 130/204 Fb.

🏠 **Waldlust**, Tonbachstr. 174, ☎ 30 28, ♨, 🏊, 🌳 – 🛗 ☎ 🚗 [P] BZ **x**
3. Nov.- 15. Dez. geschl. – Karte 21/46 *(Dienstag geschl.)* – **45 Z : 80 B** 55/85 - 80/140 Fb – P 65/90.

🏠 Kurhotel Tanne 🐦, Tonbachstr. 243, ☎ 20 69, ≤, 🌂, ♨, 🏊, 🌳 – 🛗 📺 ☎ 🚗 [P] 🏔
60 Z : 96 B Fb. BZ **v**

🏠 **Alte Mühle** garni, Tonbachstr. 177, ☎ 26 05, 🏊, 🌳 – 🚗 [P]. ✂ BZ **s**
Nov.- 20. Dez. geschl. – **16 Z : 28 B** 48 - 90.

🏠 **Waldheim**, Tonbachstr. 59, ☎ 34 97, 🌳 – 🚗 [P] BZ **y**
Ende Okt.- Mitte Dez. geschl. – (Restaurant nur für Hausgäste) – **22 Z : 40 B** 29/48 - 58/80 – P 45/66.

🍴🍴🍴🍴 ✿✿ **Schwarzwaldstube** (Französisches Restaurant), Tonbachstr. 237, ☎ 49 26 65, ≤ – [P]. [AE] ⦿ E [VISA]. ✂ BZ **u**
10.- 28. Juli und Donnerstag - Freitag 18 Uhr geschl. – Karte 75/98 (Tischbestellung ratsam)
Spez. Marinierte Gänseleber in Trüffelgelee, Geräucherte Taubenbrust und gefülltes Keulchen in Ingwer-Sesam-Marinade, Wolfsbarsch und bretonischer Hummer vom Grill.

🍴🍴🍴 **Köhlerstube**, Tonbachstr. 237, ☎ 49 26 65, ≤, 🌂, « Behaglich-rustikale Restauranträume » – [P]. [AE] ⦿ E [VISA] BZ **u**
Karte **28**/72 (Tischbestellung ratsam).

Street	Square	No.
Forbachstraße	AX	9
Freudenstädter Straße	AXY	13
Oberdorfstraße	AY	
Alte Gasse	AY	2
Alte-Reichenbacher-Straße	AY	3
Alter Tonbachweg	BZ	4
Bildstöckleweg	AX	7
Eulengrundweg	AZ	8
Forststraße	AY	12
Kirchstraße	BY	14
Kraftenbuckelweg	AZ	17
Labbronnerweg	AZ	18
Murgstraße	BZ	19
Neumühleweg	AX	22
Orspachweg	AZ	23
Panoramaweg	AY	24
Rechtmurgstraße	AZ	27
Reichenbacher Weg	BZ	28
Schliffkopfstraße	AZ	30
Schönegründer Straße	BY	31
Schönmünzstraße	BY	32
Sonnenhalde	BZ	34
Tonbachstraße	BZ	35
Wilhelm-Münster-Straße	AX	37
Winterseitenweg	AX, BZ	38

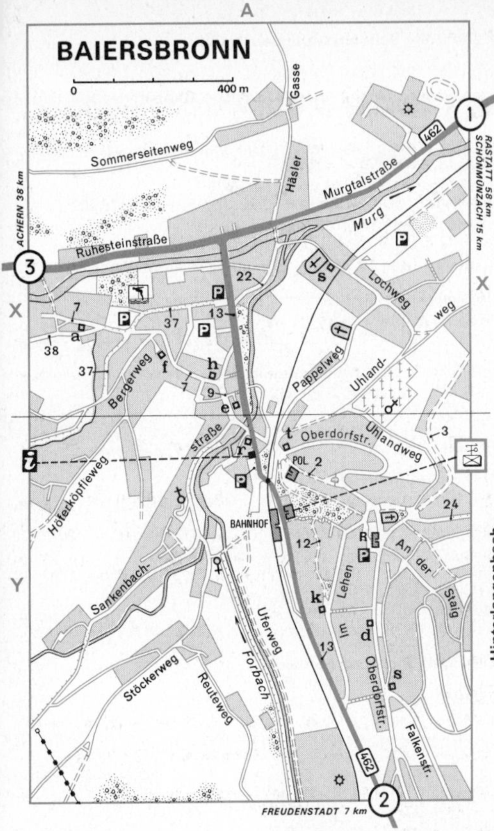

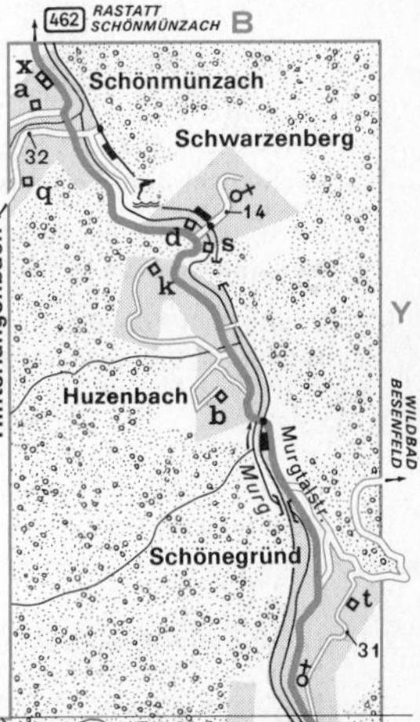
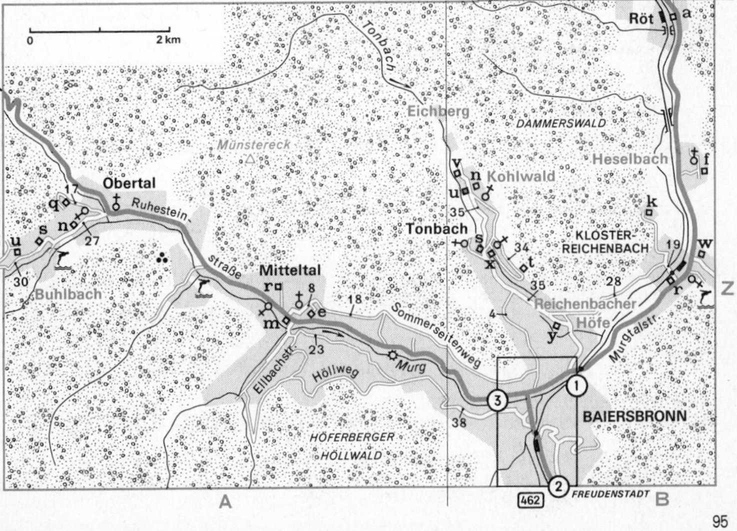

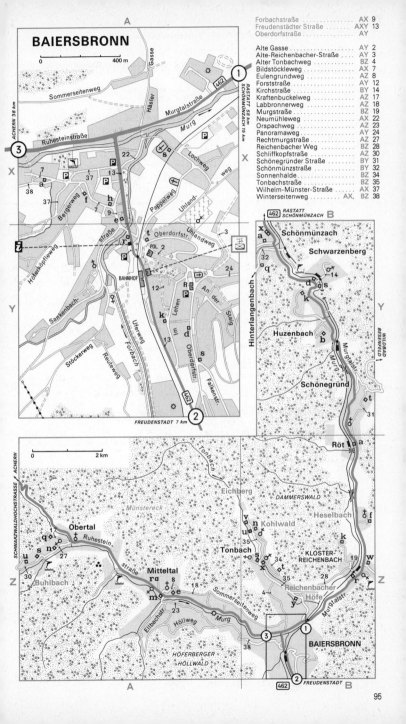

Im Murgtal, Richtung Schwarzwaldhochstraße :

In Baiersbronn 2-Mitteltal :

Kurhotel Mitteltal, Gärtenbühlweg 14, 4 70, Fax 47320, « Gartenterrasse », Bade- und Massageabteilung, (geheizt), Fahrradverleih – Rest AZ e
(Restaurant nur für Hausgäste, siehe auch Restaurant Bareiss und Kaminstube) – **100 Z : 176 B** 140/240 - 280/380 Fb – 9 Appart. 390/760 – P 160/260.

Lamm, Ellbachstr. 4, 30 15, AZ m
Mitte Nov.- Mitte Dez. geschl. – Karte 22/55 – **44 Z : 72 B** 50/80 - 99/150 Fb – P 75/100.

Gästehaus Birkenhof, Oedenhofweg 17, 39 19, AZ r
(Restaurant nur für Hausgäste) – **17 Z : 27 B** 36/58 - 70/98 – P 56/71.

Restaurant Bareiss, Gärtenbühlweg 14, 4 70, bemerkenswerte Weinkarte – AZ e
Montag - Dienstag, 16. Mai- 16. Juni und 27. Nov.- 24. Dez. geschl. – Karte 70/110.

Kaminstube, Gärtenbühlweg 14, 4 70 – AZ e
Mittwoch 15 Uhr - Donnerstag, 9.- 27. Jan., 19. Juni- 6. Juli und 11.- 24. Dez. geschl. – Karte 48/86
Spez. Lachsforelle mit Pfifferlingen, Gefüllter Ochsenschwanz in Madeirasauce, Rehmedaillons mit Gänseleber (Mai - Dez.).

In Baiersbronn 1-Obertal – 07449 :

Zum Engel, Rechtmurgstr. 28, 8 50, Bade- und Massageabteilung, – AZ n
Karte 23/59 – **68 Z : 121 B** 81/116 - 154/284 Fb – P 109/174.

Waldhotel Sommerberg, Hirschauerwald 23, 2 17, Obertal, – AZ q
10. Nov.- 15. Dez. geschl. – Karte 18/42 – **35 Z : 60 B** 65/80 - 100/180 – 2 Fewo 60 – P 90/115.

Pension Sigwart, Am Hänger 24 (Buhlbach), 6 96, – AZ u
7. Nov.- 18. Dez. geschl. – (Restaurant nur für Hausgäste) – **19 Z : 36 B** 42/55 - 88/90 – 2 Fewo 80 – P 68/90.

Blume, Rechtmurgstr. 108 (Buhlbach), 3 83, – AZ s
Mitte Nov.- Mitte Dez. geschl. – Karte 19/38 *(Mittwoch geschl.)* – **23 Z : 38 B** 27/60 - 54/120.

Im Murgtal, Richtung Forbach :

In Baiersbronn 6-Klosterreichenbach :

Heselbacher Hof, Heselbacher Weg 72, 30 98, – Zim BZ f
Nov.- 15. Dez. geschl. – Karte 20/40 *(Montag geschl.)* – **26 Z : 50 B** 61/72 - 90/144 Fb – P 60/87.

Landhotel Ailwaldhof, Ailwald 1, 24 84, – BZ k
Mitte Nov.- Mitte Dez. geschl. – Karte 26/71 – **15 Z : 25 B** 75/140 - 126/160.

Schützen, Murgstr. 1, 35 94 – BZ r
15. Nov.- 19. Dez. geschl. – Karte 20/40 *(Montag geschl.)* – **22 Z : 35 B** 29/42 - 56/82 – P 45/58.

Ochsen, Musbacher Str. 5, 22 22, – BZ w
4.- 28. April und 28. Nov.- 15. Dez. geschl. – Karte 17/41 *(Dienstag geschl.)* – **17 Z : 30 B** 38 - 70/76 – P 55.

In Baiersbronn 6-Röt :

Sonne, Murgtalstr. 323, 23 86, – BZ a
40 Z : 62 B Fb.

In Baiersbronn 6-Schönegründ :

Löwen, Schönegründer Str. 90, (07447) 4 33, – BY t
15. Okt.- 8. Nov. geschl. – Karte 21/35 *(Dienstag geschl.)* – **18 Z : 30 B** 34/36 - 64/69 – P 51.

In Baiersbronn 9-Huzenbach :

Höhenhotel Huzenbach, Roter Rain 47, (07447) 10 77, « Gartenterrasse », Bade- und Massageabteilung, – BY b
1.- 18. Dez. geschl. – Karte 26/65 *(Montag ab 14 Uhr geschl.)* – **32 Z : 57 B** 60 - 110/150 Fb.

Schloß, Silberberg 148 (NW : 2 km), (07447) 10 66, Schwarzwald, – BY k
7.- 25. Nov. geschl. – Karte 19/44 – **18 Z : 38 B** 46 - 88 Fb – P 64.

In Baiersbronn 9-Schwarzenberg :

Sackmann, Murgtalstr. 602 (B 462), (07447) 10 22, Bade- und Massageabteilung, – BY s
Karte 45/72 – **58 Z : 105 B** 55/85 - 160/184 Fb – P 75/115.

Löwen, Murgtalstr. 604 (B 462), (07447) 3 11, – BY d
Karte 27/54 – **28 Z : 48 B** 42/64 - 84/110 Fb – P 70/85.

In Baiersbronn 9-Schönmünzach – ☎ 07447 :

🏨 **Sonnenhof** 🌙, Schifferstr. 36, ☎ 10 46, ☂, 🧖, 🏊 – ⇅ ☏ 🅿. 🚫🐕 Rest BY **a**
6. Nov.- 9. Dez. geschl. – Karte 26/47 🍷 – **36 Z : 65 B** 44/71 - 86/126 Fb – P 65/89.

🏨 **Café Klumpp** 🌙, Schönmünzstr. 95 (SW : 1 km), ☎ 3 56, 🧖, 🏊, 🌳 – ⇅ 🅿. 🚫🐕 BY **q**
Mitte Nov.- Mitte Dez. geschl. – Karte 21/40 – **40 Z : 60 B** 40/48 - 80/92 – P 60/68.

🏨 Kurhotel Schwarzwald, Murgtalstr. 655, ☎ 10 88, Bade- und Massageabteilung, ⛸, 🧖, 🌳 – ⇅ 🚗 🅿 BY **x**
27 Z : 45 B Fb.

🏨 **Carola**, Murgtalstr. 647, ☎ 3 29 – ☏ 🅿 BY **x**
Karte 20/37 *(Montag ab 13 Uhr geschl.)* – **13 Z : 23 B** 42 - 82 Fb.

In Baiersbronn 9-Hinterlangenbach W : 10,5 km ab Schönmünzach BY :

🏨 **Forsthaus Auerhahn - Gästehaus Katrin** 🌙, ☎ (07447) 3 90, ☂, Wildgehege, 🧖, 🏊, 🌳, 🎾, Skiverleih – 📺 ☏ 🚗 🅿
3.- 21. April und 23. Nov.- 14. Dez. geschl. – Karte 23/39 *(Dienstag ab 14 Uhr geschl.)* – **14 Z : 30 B** 50/120 - 100/130 Fb – 9 Fewo 77/90.

[BAIERSDORF] Bayern siehe Erlangen.

[BALDUINSTEIN] **6251.** Rheinland-Pfalz – 610 Ew – Höhe 105 m – ☎ 06432 (Diez).
Mainz 69 – Limburg an der Lahn 10 – •Koblenz 62.

🏨 ✽ **Zum Bären - Kleines Restaurant**, Bahnhofstr. 24, ☎ 8 10 91 – ☏ 🅿. 🚫🐕 Rest
ab Aschermittwoch 3 Wochen und Okt. 1 Woche geschl. – Karte 67/86 *(Tischbestellung ratsam)* (Dienstag - Mittwoch 18 Uhr geschl.) – **Kachelofen** Karte 35/65 – **10 Z : 18 B** 49/62 - 98/116
Spez. Kalbsbries mit Trüffelsauce, Steinbutt in Basilikumsauce, Lammrücken in Kräutern gebraten.

[BALINGEN] **7460.** Baden-Württemberg [413] J 22, [987] ㉟ – 30 000 Ew – Höhe 517 m – ☎ 07433.
Ausflugsziel : Lochenstein ≤★, S : 8 km.
ADAC, Wilhelm-Kraut-Str. 46, ☎ 1 03 33, Telex 763626.
•Stuttgart 82 – •Freiburg im Breisgau 116 – •Konstanz 116 – Tübingen 36 – •Ulm (Donau) 134.

🏨 **Hamann**, Neue Str. 11, ☎ 25 25 – ⇅ 📺 ☏. AE ⓓ E VISA
Karte 25/54 *(Samstag - Sonntag und Juli 2 Wochen geschl.)* – **70 Z : 100 B** 50/85 - 90/150 Fb.

🏨 **Stadt Balingen** garni, Hirschbergstr. 48 (Nähe Stadthalle), ☎ 80 21, Telex 763621 – ⇅ 📺 ☏ 🅿. AE ⓓ E VISA
59 Z : 79 B 90/120 - 150 Fb.

🏨 **Thum**, Neige 20 (B 27), ☎ 87 93, ☂ – ⇅ ☏ 🚗 🅿. E
Mitte Juli - Mitte Aug. geschl. – Karte 28/49 *(Samstag geschl.)* 🍷 – **26 Z : 38 B** 42/60 - 80/105.

🏨 Lang, Wilhelm-Kraut-Str. 1, ☎ 2 14 89 – 🚗 – **26 Z : 32 B.**

🍴🍴 Zum Hirschgulden, Charlottenstr. 27 (Stadthalle), ☎ 25 81, ☂ – 🅿.

🍴 **Muttle**, Neue Str. 7, ☎ 2 15 97
Montag und 7.- 28. Aug. geschl. – Karte 20/40 🍷.

[BALJE] **2161.** Niedersachsen – 1 100 Ew – Höhe 2 m – ☎ 04753.
•Hannover 218 – •Bremerhaven 74 – Cuxhaven 38 – •Hamburg 114.

In Balje-Hörne SW : 5 km :

🍴 Zwei Linden mit Zim, Itzwördener Str. 4, ☎ 3 24 – 🚗 🅿 – **9 Z : 15 B.**

[BALLERSBACH] Hessen siehe Mittenaar.

[BALLRECHTEN-DOTTINGEN] Baden-Württemberg siehe Sulzburg.

[BALTRUM (Insel)] **2985.** Niedersachsen [987] ④ – 500 Ew – Seeheilbad – Insel der ostfriesischen Inselgruppe – ☎ 04939.
⛴ von Neßmersiel (ca. 30 min.), ☎ 2 35.
ℹ Pavillon am Anleger, ☎ 80 48.
•Hannover 269 – Aurich (Ostfriesland) 28 – Norden 17 – Wilhelmshaven 70.

🏨 **Strandhotel Wietjes** 🌙, Nr. 58, ☎ 2 37, ≤, 🧖 – ⇅ 📺 ☏
März - 15. Okt. – Karte 23/49 – **45 Z : 80 B** 75/105 - 140/230 – 28 Fewo 75/200 – P 95/120.

🏨 **Dünenschlößchen** 🌙, Ostdorf 48, ☎ 2 34, ≤, ☂, 🌳 – ⇅ ☏. 🚫🐕
April - 15. Okt. – Karte 27/54 *(Montag ab 13 Uhr geschl.)* – **43 Z : 72 B** 60/100 - 110/180 Fb – 8 Fewo 100/200 – P 100/135.

🏨 **Strandhof** 🌙, Nr. 123, ☎ 2 54, 🧖, 🌳 – ☏. 🚫🐕 Rest
März - Okt. – Karte 22/48 – **37 Z : 63 B** 64 - 96/128 – 21 Fewo 80/162 – P 82.

🍴🍴 **Witthus an't Brüg** 🌙 mit Zim, Nr. 137, ☎ 3 58, ≤, ☂ – 📺 ☏
Nov. geschl. – Karte 32/60 – **9 Z : 18 B** 60 - 120.

BALVE 5983. Nordrhein-Westfalen – 10 800 Ew – Höhe 250 m – ☎ 02375.
♦Düsseldorf 101 – Arnsberg 26 – Hagen 38 – Plettenberg 16.

In Balve 6-Binolen N : 5 km :

XX **Haus Recke** mit Zim, an der B 515, ☎ (02379) 2 09, « Tropfsteinhöhle (Eintritt DM 2,50) » – P
10.- 30. Nov.geschl. – Karte 22/53 *(Montag geschl.)* – **6 Z : 12 B** 55/58 - 98/105.

In Balve 6-Eisborn N : 9 km :

Zur Post, Dorfstr. 3, ☎ (02379) 6 66, – ☎ P. AE E. Zim
23. Juni - 13. Juli geschl. – Karte 32/58 – **50 Z : 75 B** 68 - 103 Fb.

Antoniushütte, Dorfstr. 10, ☎ (02379) 2 53, – P.
Karte 28/60 – **35 Z : 70 B** 55/65 - 96/110 Fb.

Europe

Wenn der Name eines Hotels dünn gedruckt ist, dann hat uns der Hotelier Preise und Öffnungszeiten nicht oder nicht vollständig angegeben.

BAMBERG 8600. Bayern 413 PQ 17, 987 ㉖ – 71 000 Ew – Höhe 260 m – ☎ 0951.
Sehenswert : Dom★★ (Bamberger Reiter★★★, St.-Heinrichs-Grab★★★) Z – Altes Rathaus★ Z F – Diözesanmuseum★ Z C – Böttingerhaus★ Z D – Concordia-Haus★ Z A – Alte Hofhaltung (Innenhof★★) Z – Vierkirchenblick ≤★ Z B – Terrassen der ehem. St.-Michael Abtei ≤★ Y E – Neue Residenz : Rosengarten ≤★ Z.
18 Gut Leimershof (NO : 16 km über ⑤), ☎ (09547) 15 24.
Städt. Fremdenverkehrsamt, Hauptwachstr. 16, ☎ 2 10 40.
ADAC, Schützenstr. 4a (Parkhaus), ☎ 2 10 77, Notruf ☎ 1 92 11.
♦München 232 ② – Erfurt 154 ⑤ – ♦Nürnberg 61 ② – ♦Würzburg 96 ②.

Stadtplan siehe gegenüberliegende Seite.

Bamberger Hof - Bellevue, Schönleinsplatz 4, ☎ 2 22 16, Telex 662867 – TV. AE E VISA Z e
Karte 38/67 *(Juli - Sept. Sonntag geschl.)* – **48 Z : 92 B** 100/140 - 140/200 Fb.

National, Luitpoldstr. 37, ☎ 2 41 12, Telex 662916 – TV P. AE E VISA. Y r
Karte 37/65 – **41 Z : 72 B** 80/135 - 110/180 Fb.

St. Nepomuk, Obere Mühlbrücke 9, ☎ 2 51 83, ≤, « Ehemalige Mühle in der Regnitz gelegen » – TV ☎. E VISA. Rest Z a
Karte 34/62 – **12 Z : 22 B** 80/100 - 130/150 Fb.

Barock-Hotel am Dom garni, Vorderer Bach 4, ☎ 5 40 31 – ☎. AE E Z k
6.- 31. Jan. geschl. – **19 Z : 36 B** 62/65 - 98/110.

Romantik-Hotel Weinhaus Messerschmitt, Lange Str. 41, ☎ 2 78 66, « Brunnenhof » – TV ☎. AE E VISA. Zim Z x
Karte 39/66 – **14 Z : 24 B** 60/89 - 152.

Gästehaus Steinmühle garni (Anmeldung im Rest. Böttingerhaus), Obere Mühlbrücke 5, ☎ 5 40 74, Telex 662946 – TV ☎. AE E VISA. Z c
23 Z : 47 B 95/110 - 160/260 – 5 Appart. 350.

Brudermühle, Schranne 1, ☎ 5 40 91 – Rest TV ☎. E VISA Z b
Karte 23/53 *(Montag geschl.)* – **16 Z : 28 B** 75 - 115 Fb.

Wilde Rose, Keßlerstr. 7, ☎ 2 83 17 – TV ☎. AE E VISA. Zim Y e
Karte 24/54 – **29 Z : 50 B** 65/85 - 110 Fb.

Altenburgblick garni, Panzerleite 59, ☎ 5 40 23, ≤ – ☎ P Z y
42 Z : 54 B 60/80 - 110.

Weierich, Lugbank 5, ☎ 5 40 04, « Rest. in fränkischem Bauernstil » – TV ☎ Z s
Karte 19/36 – **22 Z : 45 B** 65/70 - 90/100.

Bergschlößchen, Am Bundleshof 2, ☎ 5 20 05, ≤ Bamberg, – ☎ P
(Restaurant nur für Hausgäste) – **14 Z : 26 B** 75/85 - 120 Fb. über St.-Getreu-Straße Y

Alt Ringlein und Gästehaus garni, Dominikanerstr. 9, ☎ 5 40 98 – ☎ P. AE E. Z n
52 Z : 97 B 70/95 - 120.

Café und Gästehaus Graupner garni, Lange Str. 5, ☎ 2 51 32 – ☎. AE E Z v
28 Z : 49 B 40/55 - 60/80 Fb.

Die Alte Post, Heiliggrabstr. 1, ☎ 2 78 48, Telex 662402, – TV ☎. AE E VISA. Rest
Karte 26/39 *(nur Abendessen, Sonntag geschl.)* – **45 Z : 75 B** 70/80 - 110/170. Y z

Hospiz garni, Promenade 3, ☎ 20 00 11 – ☎. AE E VISA Y u
35 Z : 65 B 42/45 - 76/84 Fb.

Alt Bamberg garni, Habergasse 12, ☎ 2 52 66 – ☎. AE E VISA Z m
21 Z : 33 B 45/60 - 90/120.

BAMBERG

Grüner Markt	Y	13
Hauptwachstraße	Y	15
Lange Straße	Z	
Luitpoldstraße	Y	
Maximiliansplatz	Y	27
Obere Königstraße	Y	34
Untere Königstraße	Y	48
Äußere Löwenstraße	Y	2
Am Kranen	Z	3
Bischofsmühlbrücke	Z	5
Dominikanerstraße	Z	8
Friedrichstraße	Z	10
Geyerswörthstraße	Z	12
Herrenstraße	Z	16
Innere Löwenstraße	Y	17
Judenstraße	Z	18
Kapuzinerstraße	Y	19
Karolinenstraße	Z	20
Kettenbrücke	Y	21
Luitpoldbrücke	Y	24
Marienstraße	Y	25
Maternstraße	Z	26
Michelsberg	Z	28
Mittlerer Kaulberg	Z	29
Münchner Ring	Z	30
Nonnenbrücke	Z	32
Obere Karolinenstraße	Z	33
Oberer Kaulberg	Z	35
Obere Sandstraße	Z	36
Residenzstraße	Z	38
Rhein-Main-Donau-Damm	Z	39
Richard-Wagner-Straße	Z	40
St.-Getreu-Straße	Y	41
Schillerplatz	Z	42
Schönleinsplatz	Z	43
Starkenfeldstraße	Y	46
Unterer Kaulberg	Z	47
Willy-Lessing-Straße	Y	53

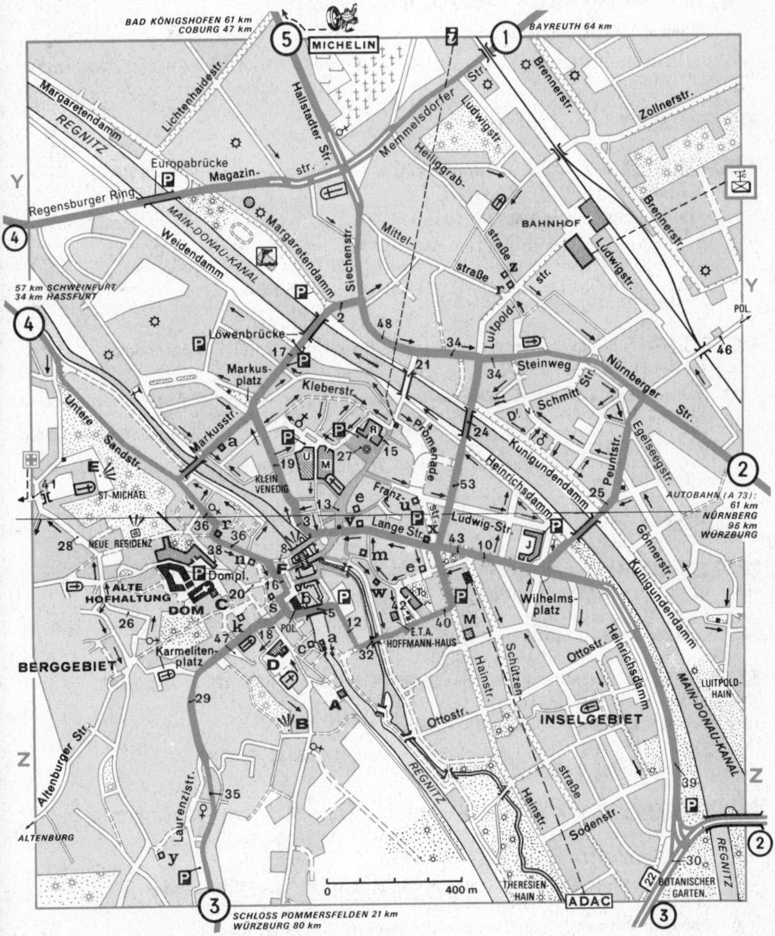

XXX **Böttingerhaus**, Judenstr. 14, ✆ 5 40 74, Telex 662946, « Restauriertes Barockhaus a.d.J. 1713, Innenhofterrasse » – AE E VISA. — Z **D**
Sonntag ab 15 Uhr geschl. – Karte 48/66 – **Weinkeller** *(nur Abendessen)* Karte 33/51.

XX Michels Küche, Markusstr. 13, ✆ 2 61 99 — Y **a**
nur Abendessen (Tischbestellung ratsam).

XX **Würzburger Weinstuben**, Zinkenwörth 6, ✆ 2 26 67, – **P**. AE E VISA — Z **w**
Ende Aug.- Mitte Sept. und Dienstag 15 Uhr - Mittwoch geschl. – Karte 27/58.

XX **Bassanese** (Italienische Küche), Obere Sandstr. 32, ✆ 5 75 51 — Z **r**
1.- 15. Jan., über Pfingsten und 28. Aug.- 11. Sept. geschl. – Karte 60/125 *(nur Menu)*.

Fortsetzung →

In Bamberg-Bug ③ : 4 km :

🏠 **Buger Hof** 🌿, Am Regnitzufer 1, ☎ 5 60 54, 🍽 – 🚗 🅿
✦ Karte 18/30 *(Montag bis 17 Uhr geschl.)* – **29 Z : 45 B** 45/50 - 90.

🏠 **Lieb-Café Bug** 🌿, Am Regnitzufer 23, ☎ 5 60 78, 🍽 – 🚗 🅿
✦ *20. Dez.- 10. Jan. geschl.* – Karte 18/38 *(Sonntag ab 15 Uhr und Freitag geschl.)* – **15 Z : 25 B** 30/45 - 60/75.

In Hallstadt **8605** ⑤ : 4 km :

🏨 **Frankenland**, Bamberger Str. 76, ☎ (0951) 7 12 21 – 🛗 📞 🚗 🅿. [AE] [E]
✦ Karte 17/36 *(Freitag geschl.)* – **39 Z : 62 B** 44/49 - 74/80 Fb.

Siehe auch : ***Memmelsdorf***

MICHELIN-REIFENWERKE KGaA. 8605 Hallstadt (über ⑤ : 5 km), ☎ (0951) 79 11, Telex 662746, Postfach 11 40.

BARDENBACH Saarland siehe Wadern.

BARGTEHEIDE 2072. Schleswig-Holstein [987] ⑤ – 9 800 Ew – Höhe 48 m – ☎ 04532.

⛳ Gut Jersbek (W : 3 km), ☎ (04532) 17 92.

♦Kiel 73 – ♦Hamburg 29 – ♦Lübeck 38 – Bad Oldesloe 14.

🏨 **Papendoor** (mit Gästehaus), Lindenstr. 1, ☎ 70 41, 🧖, 🏊 – 📺 📞 🚗 🅿
Karte 34/60 *(nur Abendessen, Sonntag geschl.)* – **27 Z : 56 B** 85/95 - 120/135 Fb.

🍴 **Utspann**, Hamburger Str. 1 (B 75), ☎ 62 20, 🍽 – 🅿. [AE] [D] [E]
Jan. und Montag geschl. – Karte 34/60.

BARGUM 2255. Schleswig-Holstein – 800 Ew – Höhe 3 m – ☎ 04672 (Langenhorn).

♦Kiel 111 – Flensburg 37 – Schleswig 63.

🍴🍴🍴 ✿ **Andresen's Gasthof - Friesenstuben** mit Zim, an der B 5, ☎ 10 98, « Geschmackvoll eingerichtete Restauranträume im friesischen Stil » – 📺 📞 🅿. [D] [E]. 🚫
Jan.- Feb. 3 Wochen und Sept. 2 Wochen geschl. – Karte 56/88 *(Tischbestellung erforderlich)* (Montag - Dienstag 18 Uhr geschl.) – **5 Z : 10 B** 85 - 110
Spez. Kohlrabigratin mit Langoustinen in Koriander, Waldschnepfe mit Steckrüben (Nov.-Dez.), Salzwiesenlamm in feinen Aromaten.

BARMSEE Bayern siehe Krün.

BARNSTORF 2847. Niedersachsen [987] ⑭ – 5 300 Ew – Höhe 30 m – ☎ 05442.

♦Hannover 105 – ♦Bremen 52 – ♦Osnabrück 67.

🏨 **Roshop**, Am Markt 6, ☎ 6 42, 🧖, 🏊, 🌳 – 🛗 ▤ Rest 📺 📞 ♿ 🚗 🅿 🎤 (mit ▤). [AE] [E]
Karte 25/47 – **62 Z : 100 B** 55/85 - 110/145 Fb.

BARNTRUP 4924. Nordrhein-Westfalen [987] ⑮ – 9 200 Ew – Höhe 200 m – ☎ 05263.

[i] Verkehrsamt, Mittelstr. 24, ☎ 20 82.

♦Düsseldorf 216 – Bielefeld 47 – Detmold 30 – ♦Hannover 67.

🏨 **Jägerhof**, Frettholz 5 (B 1/66), ☎ 25 52 – 🚭 Rest 📞 🅿. [AE] [D] [E] [VISA]
Karte 26/57 – **12 Z : 24 B** 55 - 95 Fb.

BARSINGHAUSEN 3013. Niedersachsen [987] ⑮ – 34 200 Ew – Höhe 100 m – ☎ 05105.

[i] Fremdenverkehrsamt, Rathaus, Bergamtstr. 5, ☎ 7 42 63.

♦Hannover 23 – Bielefeld 87 – Hameln 42 – ♦Osnabrück 117.

🏨 **Verbandsheim des NFV** 🌿, Bergstr. 54, ☎ 30 04, 🍽, 🧖, 🏊, 🎾 – 📞 🅿 🎤
Karte 25/53 *(auch Diät)* – **57 Z : 85 B** 65/80 - 115/130 Fb.

🏨 **Pension Caspar** 🌿 garni, Lauenauer Allee 8, ☎ 35 43 – 📺 🚗. 🚫
20. Juli - 30. Aug. geschl. – **11 Z : 20 B** 75/95 - 85/95.

In Barsinghausen-Hohenbostel NW : 2 km :

🍴🍴 **Flegel**, Heerstr. 15, ☎ 14 28 – 🅿
15. Sept.- 1. Okt. und Montag geschl. – Karte 38/52.

BARSSEL 2914. Niedersachsen – 9 500 Ew – Höhe 9 m – ☎ 04499.

♦Hannover 208 – Cloppenburg 53 – ♦Oldenburg 37 – Papenburg 36.

🏨 Ummen, Friesoyther Str. 2, ☎ 15 76 – 🅿
13 Z : 20 B.

BARTHOLOMÄ 7071. Baden-Württemberg [413] MN 20 – 1 800 Ew – Höhe 642 m – Wintersport : ⛷4 – ☏ 07173.
♦Stuttgart 74 – Aalen 16 – Heidenheim an der Brenz 18 – Schwäbisch Gmünd 21.

An der Straße nach Steinheim SO : 3 km :

🏠 **Gasthof im Wental**, ✉ 7071 Bartholomä, ℘ (07173) 75 19, ☂ – 🚗 [P] 🏔. [AE]. ✗ Zim
Dez. geschl. – Karte 20/36 *(Montag geschl.)* 🍷 – **28 Z : 43 B** 45 - 80.

BASEL Schweiz siehe Michelin-Führer "France" (unter Bâle).

BASSUM 2830. Niedersachsen [987] ⑭⑮ – 15 000 Ew – Höhe 46 m – ☏ 04241.
♦Hannover 91 – ♦Bremen 30 – ♦Hamburg 137 – ♦Osnabrück 88.

🏠 Brokate, Bremer Str. 3, ℘ 25 72 – 🚗 [P]. ✗
13 Z : 17 B.

BATTENBERG AN DER EDER 3559. Hessen [987] ㉕ – 5 100 Ew – Höhe 349 m – ☏ 06452.
♦Wiesbaden 151 – ♦Kassel 85 – Marburg 31 – Siegen 71.

🏠 **Rohde** 🌿, Hauptstr. 53, ℘ 32 04 – 🚗 [P]
⟡ Karte 18/40 🍷 – **10 Z : 20 B** 32 - 64.

BATTWEILER Rheinland-Pfalz siehe Zweibrücken.

BAUMBERG Nordrhein-Westfalen siehe Monheim.

BAUMHOLDER 6587. Rheinland-Pfalz [987] ㉔ – 4 500 Ew – Höhe 450 m – Erholungsort – ☏ 06783.
Mainz 107 – Kaiserslautern 52 – ♦Saarbrücken 75 – ♦Trier 76.

🏨 **Berghof** 🌿 garni, Korngasse 12, ℘ 10 11 – [TV] ☎ [P] 🏔. [AE] [O] [E] [VISA]
19 Z : 38 B 55/65 - 100/150.

BAUNATAL 3507. Hessen – 24 600 Ew – Höhe 180 m – ☏ 0561 (Kassel).
♦Wiesbaden 218 – Göttingen 57 – ♦Kassel 11 – Marburg 82.

In Baunatal 1-Altenbauna :

🏨 **Ambassador**, Friedrich-Ebert-Allee, ℘ 4 99 30, Telex 992240, Fax 4993500, [≘s] – [|$|] [TV] ☎
🚗 [P] 🏔. [AE] [O] [E] [VISA]
Karte 33/54 – **120 Z : 240 B** 140/160 - 185/205 Fb.

🏠 **Scirocco**, Heinrich-Nordhoff-Str. 1, ℘ 49 58 56, Telex 992478, Biergarten, [≘s] – [|$|] [TV] ☎ [P]
🏔. [AE] [O] [E] [VISA]
Karte 22/47 – **61 Z : 114 B** 70 - 108 Fb.

🏠 **Baunataler Hof**, Altenritter Str. 8, ℘ 49 30 83 – ☎ [P]. ✗ Zim
⟡ Karte 19/40 🍷 – **18 Z : 36 B** 55 - 95 Fb.

In Baunatal 2-Altenritte :

🏠 Stadt Baunatal, Wilhelmshöher Str. 5, ℘ 49 30 25, Telex 992274 – [|$|] ☎ [P] 🏔
50 Z : 110 B Fb.

In Baunatal 6-Rengershausen :

🏠 **Felsengarten** 🌿, Felsengarten 4 (O : 2 km), ℘ 49 30 68/4 10 48, ≤ Fuldatal, ☂ – ☎ [P] 🏔.
[O] [E]. ✗
Karte 32/55 – **38 Z : 65 B** 33/57 - 65/90.

BAVEN Niedersachsen siehe Hermannsburg.

BAYERBACH 8399. Bayern [413] W 21 – 1 400 Ew – Höhe 354 m – ☏ 08563.
♦München 140 – Landshut 90 – Passau 34.

In Bayerbach-Holzham NO : 1,5 km :

🏠 Landgasthof Winbeck, nahe der B 388, ℘ (08532) 3 17 – [P]. ✗ Zim
16 Z : 25 Z.

BAYERISCH EISENSTEIN 8371. Bayern 413 W 19, 987 ⑱ – 1 600 Ew – Höhe 724 m – Luftkurort – Wintersport : 724/1 456 m ≰7 ⛷5 – ✆ 09925.

Ausflugsziel : Hindenburg-Kanzel ≤★, NW : 9 km.

Verkehrsamt, im Arberhallenwellenbad, ℰ 3 27.

♦München 193 – Passau 77 – Straubing 85.

Sportel, Hafenbrädl-Allee 16, ℰ 6 25, ≤, – ☎ P. AE ⓓ E.
Nov. geschl. – (nur Abendessen für Hausgäste) – **15 Z : 30 B** 41 - 79 Fb.

Pension am Regen garni, Anton-Pech-Weg 21, ℰ 4 64, – P. E
20. Okt.- 15. Dez. geschl. – **22 Z : 38 B** 28/39 - 72 – 6 Fewo 65/80.

Waldspitze, Hauptstr. 4, ℰ 3 08, – P
Mitte Nov.- Mitte Dez. geschl. – Karte 19/46 *(Montag bis 17 Uhr geschl.)* – **40 Z : 80 B** 45/52 - 76/90 – P 61/69.

Pension Wimmer garni, Am Buchenacker 13, ℰ 4 38, ≤, Skischule – P.
20 Z : 32 B 27/36 - 50/75 Fb.

Neuwaldhaus, Hauptstr. 5, ℰ 4 44, – ☎ P. AE ⓓ E
Karte 15/38 – **33 Z : 60 B** 30/35 - 59 – P 49.

In Bayerisch Eisenstein - Regenhütte S : 5,5 km :

Sperl, Regenhütte 99, ℰ 2 25, – P.
Nov.- 10. Dez. geschl. – Karte 14/22 – **13 Z : 25 B** 28/35 - 45/55 – P 38/42.

In Bayerisch-Eisenstein - Seebachschleife S : 4 km :

Waldhotel Seebachschleife, ℰ 10 00, Fahrradverleih, Skiverleih – P – **50 Z : 100 B.**

Am Brennes NW : 7 km – Höhe 1 030 m :

Sporthotel Brennes, ✉ 8371 Bayerisch Eisenstein, ℰ (09925) 3 33, ≤, – ☎
P. AE ⓓ E VISA
Nov.- 15. Dez. geschl. – Karte 16/39 – **33 Z : 57 B** 39/55 - 70/120 – P 61/86.

BAYERISCH GMAIN Bayern siehe Reichenhall, Bad.

BAYERSOIEN 8117. Bayern 413 PQ 23 – 1 000 Ew – Höhe 812 m – Luftkurort und Moorkuren – ✆ 08845.

Ausflugsziel : Echelsbacher Brücke★ N : 3 km.

Verkehrsamt, Dorfstr. 45, ℰ 18 90.

♦München 102 – Garmisch-Partenkirchen 31 – Weilheim 38.

Kurhotel St. Georg, Eckweg 28, ℰ 10 61, Bade- und Massageabteilung, – ☎
P
Mitte Nov.- Dez. geschl. – Karte 23/42 *(Dienstag geschl.)* – **23 Z : 45 B** 56/84 - 124/170 Fb.

Metzgerwirt, Dorfstr. 39, ℰ 18 65 – ☎ P. ⓓ E VISA
15.- 30. Nov. geschl. – Karte 19/37 *(Mittwoch geschl.)* – **9 Z : 21 B** 34/47 - 66/104.

Haus am Kapellenberg, Eckweg 8, ℰ 5 22, ≤, – P
Mitte Nov.- Mitte Dez. geschl. – Karte 18/39 – **15 Z : 30 B** 28/45 - 66/74 – P 58/64.

Fischer am See garni, Dorfstr. 80, ℰ 7 91 – P.
Nov.- 20. Dez. geschl. – **15 Z : 28 B** 28/32 - 54/62 – 2 Fewo 45/50.

BAYREUTH 8580. Bayern 413 R 17, 987 ㉖ ㉗ – 72 000 Ew – Höhe 340 m – ✆ 0921.

Sehenswert : Markgräfliches Opernhaus★ Z – Richard-Wagner-Museum★ Z **M1**.

Ausflugsziel : Schloß Eremitage★ : Schloßpark★ 4 km über ②.

Festspiel-Preise : siehe Seite 17

Prix pendant le festival : voir p. 25

Prices during tourist events : see p. 33

Prezzi duranti i festival : vedere p. 41.

Tourist-Information, Luitpoldplatz 9, ℰ 8 85 88, Telex 642706.

ADAC, Hohenzollernring 64, ℰ 6 96 60, Notruf 1 92 11.

♦München 231 ③ – ♦Bamberg 65 ⑤ – ♦Nürnberg 80 ③ – ♦Regensburg 159 ③.

Stadtplan siehe gegenüberliegende Seite.

Bayerischer Hof, Bahnhofstr. 14, ℰ 2 20 81, Telex 642737, Dachgarten-Restaurant (ab 16 Uhr geöffnet), – P. AE ⓓ E VISA Y **e**
Karte 35/63 *(Sonntag geschl.)* – **62 Z : 98 B** 68/120 - 110/210 Fb.

Königshof, Bahnhofstr. 23, ℰ 2 40 94, – P. AE ⓓ E Y **f**
Karte 39/71 – **37 Z : 65 B** 65/100 - 160/220 Fb.

Schlemmerland, Kulmbacher Str. 3, ℰ 6 20 95 – ☎ P – **12 Z : 21 B.** Z **r**

Zur Lohmühle, Badstr. 37, ℰ 6 30 31, Telex 642185, – ☎ P. ⓓ E VISA. Rest
Karte 26/48 *(abends Tischbestellung ratsam)* (1.-14. Jan. und 1.- 14. Sept. geschl.) – **42 Z : 65 B** 70/90 - 110/130. Z **v**

Bahnhofstraße	Y 3
Kanalstraße	Z 6
Kanzleistraße	Z 7
Ludwigstraße	Z 12
Maximilianstraße	Z
Opernstraße	Z 15
Richard-Wagner-Str.	Z 16
Schulstraße	Y 18
Sophienstraße	Z 19
Am Mühltürlein	Z 2
Birkenstraße	Z 4
Hohenzollernring	Z 5
Karl-Marx-Straße	Y 8
Muncker Straße	Y 13
Wilhelminenstraße	Z 21
Wittelsbacherring	Z 23
Wölfelstraße	Z 24

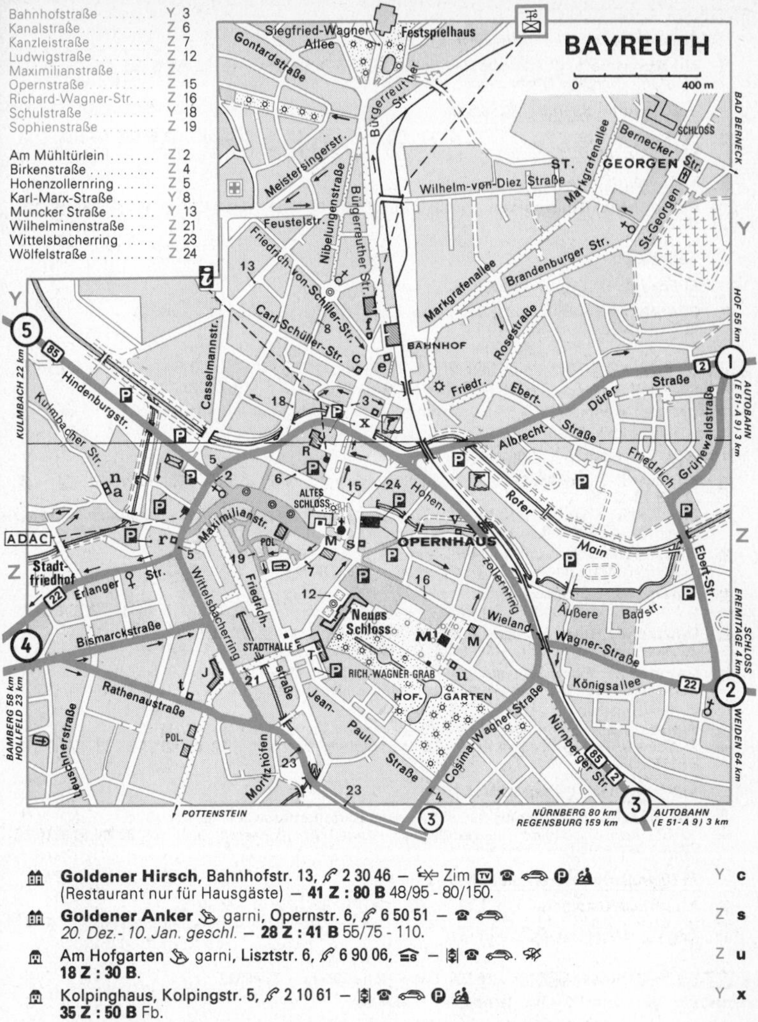

Goldener Hirsch, Bahnhofstr. 13, ☎ 2 30 46 – Zim (Restaurant nur für Hausgäste) – **41 Z : 80 B** 48/95 - 80/150. — Y **c**

Goldener Anker garni, Opernstr. 6, ☎ 6 50 51 – *20. Dez.- 10. Jan. geschl.* – **28 Z : 41 B** 55/75 - 110. — Z **s**

Am Hofgarten garni, Lisztstr. 6, ☎ 6 90 06, **18 Z : 30 B**. — Z **u**

Kolpinghaus, Kolpingstr. 5, ☎ 2 10 61 – **35 Z : 50 B** Fb. — Y **x**

Spiegelmühle, Kulmbacher Str. 28, ☎ 4 10 91 – VISA *15.- 29. Mai geschl.* – Karte 38/58 *(wochentags nur Abendessen, Sonntag ab 15 Uhr geschl.)* – **13 Z : 18 B** 50/65 - 90/100 Fb. — Z **a**

Fränkischer Hof - Restaurant Provençale, Rathenaustr. 28, ☎ 6 42 14 – AE E. — Z **t**
Sept. 3 Wochen geschl. – Karte 42/69 *(Tischbestellung ratsam)* (Mittwoch geschl.) – **12 Z : 20 B** 42/85 - 75/155.

Goldener Löwe, Kulmbacher Str. 30, ☎ 4 10 46, – AE E — Z **n**
Karte 22/31 *(Sonntag und 1.- 15. Sept. geschl.)* – **11 Z : 20 B** 48 - 82.

Bürgerreuth mit Zim, An der Bürgerreuth 20, ☎ 2 36 32, Biergarten – *1.- 15. Sept. geschl.* – Karte 28/55 *(Italienische Küche)* – **16 Z : 24 B** 38 - 70.
über Siegfried-Wagner-Allee — Y

Im Schloßpark Eremitage ② : 4 km :

Eremitage, Eremitage 42, ✉ 8580 Bayreuth, ☎ (0921) 9 92 87, – Rest
Jan. geschl. – Karte 19/34 *(Dienstag geschl.)* – **10 Z : 18 B** 30/60 - 70/90.

Fortsetzung →

In Bayreuth-Oberkonnersreuth ③ : 3 km :

🍴🍴 **Zur Sudpfanne**, Oberkonnersreuther Str. 4, ☎ 5 28 83, 🌳 – [P]. [AE] [D] [E] [VISA]
Montag - Dienstag 17 Uhr geschl. – Karte 23/66.

In Bayreuth - Seulbitz ② : 6,5 km :

🏨 **Waldhotel Stein** 🔇, ☎ 90 01, ←, 🏊, 🏊, 🐕 – 🛗 [TV] ☎ [P] 🏔. [AE] [D] [E] [VISA]. ✗ Rest
Mitte Dez.- Mitte Jan. geschl. – Karte 33/70 – **43 Z : 80 B** 58/120 - 96/196 Fb.

In Bayreuth-Thiergarten ③ : 6 km :

🍴🍴🍴 **Schloßhotel Thiergarten** 🔇 mit Zim, ☎ (09209) 13 14, 🌳 – [TV] ☎ [P] 🏔. [D] [E] [VISA].
✗ Rest
13. Feb.- 12. März geschl. – Karte 61/85 *(Sonntag 18 Uhr - Montag geschl.)* – **8 Z : 16 B** 85/100 - 150/180 Fb.

In Eckersdorf-Donndorf **8581** ④ : 5 km :

🏠 **Gästehaus Teupert** garni, Bayreuther Str. 1, ☎ (0921) 3 00 12, 🐕 – 🚗 [P]
15 Z : 25 B 30/50 - 55/75.

BAYRISCHZELL **8163.** Bayern [413] ST 23, 24, [987] ㊲, [426] ⑱ – 1 600 Ew – Höhe 802 m – Heilklimatischer Kurort – Wintersport : 800/1 800 m 🚡1 ⛷24 ⛷5 – ☎ 08023.
Ausflugsziele : Wendelstein✻** (🚡 ab Bayrischzell-Osterhofen) – Ursprung-Paß* S : 6 km.
[i] Kuramt, Kirchplatz 2, ☎ 6 48.
♦München 77 – Miesbach 23 – Rosenheim 37.

🏨 **Romantik-Hotel Meindelei** 🔇, Michael-Meindl-Str. 13, ☎ 3 18, « Garten », 🏊, 🏊 – ☎ [P]. [AE] [D] [E] [VISA]
März - April 2 Wochen und 15. Okt.- 22. Dez. geschl. – Karte **30**/65 *(nur Abendessen, Dienstag geschl.)* – **17 Z : 32 B** 85/95 - 135/165 Fb.

🏠 **Haus Effland** 🔇 garni, Tannermühlstr. 14, ☎ 2 63, 🏊, 🏊, 🐕 – ☎ [P]
3. April - 6. Mai und Nov.- 15. Dez. geschl. – **14 Z : 22 B** 56/59 - 92/132.

🏠 **Alpenrose**, Schlierseer Str. 6, ☎ 6 20, 🌳, 🐕 – 🚗 [P]
✦ *5. Nov.- 15. Dez. geschl.* – Karte 19/46 – **30 Z : 60 B** 55/65 - 90/128 Fb – 7 Fewo – P 75/85.

🏠 **Deutsches Haus**, Schlierseer Str. 16, ☎ 2 02, 🌳 – ☎ [P]. [AE] [D] [E]
20. Nov.- 18. Dez. geschl. – Karte 22/47 – **26 Z : 45 B** 37/55 - 73/109 – P 71/89.

🏠 **Gasthof zur Post**, Schulstr. 3, ☎ 2 26 – 🚗 [P]. [AE] [D] [E]
Mitte Okt.- Mitte Dez. geschl. – Karte 20/46 *(Dienstag geschl.)* – **46 Z : 71 B** 37/68 - 74/136 Fb – P 68/95.

🏡 **Wendelstein**, Ursprungstr. 1, ☎ 6 10, Biergarten, Fahrradverleih – [P]. [E]
✦ *2. Nov.-20. Dez. geschl.* – Karte 19,50/51 *(Montag geschl.)* – **22 Z : 40 B** 35/55 - 70/90 – P 61/71.

In Bayrischzell-Geitau NW : 5 km :

🏠 **Postgasthof Rote Wand** 🔇, ☎ 2 43, ←, « Gartenterrasse » – ☎ 🚗 [P]. [E]
✦ *10.- 22. April und 1. Nov.- 15. Dez. geschl.* – Karte 17/39 *(Dienstag geschl.)* – **30 Z : 50 B** 35/55 - 70/90 – P 60/70.

In Bayrischzell-Osterhofen NW : 3 km :

🏨 **Alpenhof**, Osterhofen 1, ☎ 2 87, ←, 🌳, 🏊, 🏊, 🐕 – 🛗 ☎ 🚗 [P] 🏔
✦ *21. April - 1. Mai und 1. Okt.- 23. Dez. geschl.* – Karte 19,50/58 *(Montag geschl.)* 🍷 – **45 Z : 75 B** 54/78 - 104/142 Fb – P 77/103.

BEBRA **6440.** Hessen [987] ㉕ – 16 500 Ew – Höhe 205 m – ☎ 06622.
♦Wiesbaden 182 – Erfurt 120 – Bad Hersfeld 15 – ♦Kassel 64.

🏠 **Hessischer Hof**, Kasseler Str. 4, ☎ 60 71 – ☎ 🚗 [P]
✦ *24. Dez.- 10. Jan. geschl.* – Karte 19/40 *(Samstag geschl.)* – **13 Z : 19 B** 39/42 - 75.

🏠 **Röse**, Hersfelder Str. 1, ☎ 80 26, Biergarten – 🚗 [P]. [AE] [D] [E] [VISA]
Karte 24/44 – **13 Z : 25 B** 45/50 - 80/95 Fb (Neubau mit 12 Z ab Frühjahr 1989).

In Bebra-Weiterode SO : 3 km :

🏠 **Haus Sonnenblick**, Sonnenblick 1, ☎ 30 58, 🌳, 🏊, 🏊 – [TV] ☎ [P] 🏔. [AE] [D] [E]
✦ Karte 19/42 🍷 – **45 Z : 90 B** 51/70 - 84/108 Fb.

BECHHOFEN **8809.** Bayern [413] O 19, [987] ㉖ – 5 600 Ew – Höhe 425 m – ☎ 09822.
♦München 189 – Ansbach 19 – ♦Augsburg 131 – ♦Nürnberg 67 – ♦Ulm 127.

🍴 **Landhotel Riederhof** 🔇 mit Zim, Kleinried 12, ☎ 58 51, 🌳, 🐕 – ☎ 🚗 [P]. [D]. ✗ Zim
Karte 23/48 *(Montag und Feb. geschl.)* – **6 Z : 12 B** 46/55 - 80/95.

BECHTHEIM Hessen siehe Hünstetten.

BECKE Nordrhein-Westfalen siehe Gummersbach.

BECKINGEN Saarland siehe Merzig.

BECKUM 4720. Nordrhein-Westfalen [987] ⑭ – 38 500 Ew – Höhe 110 m – ☎ 02521.
⛳ Bauernschaft Ebbecke (S : 7 km über die B 475), ℘ (02527) 81 91.
[i] Stadtinformation, Markt 1, ℘ 2 91 71.
♦Düsseldorf 130 – Bielefeld 56 – Hamm in Westfalen 20 – Lippstadt 25 – Münster (Westfalen) 41.

🍴🍴 Zaffiro (Italienische Küche), Wilhelmstr. 39, ℘ 1 42 35.

Am Höxberg S : 1,5 km – ✉ 4720 Beckum – ☎ 02521 :

🏨 **Höxberg** 🌙, Soestwarte 1, ℘ 70 88, ⛱, ♨ – ☎ ♿ 🚗 🅿 👥. [AE] [D] [E] [VISA]
Karte 33/56 – **40 Z : 67 B** 87 - 145.

🏨 **Zur Windmühle**, Unterberg 2/33, ℘ 34 08 – 🚗 🅿. 🚫🐕
Karte 27/58 *(Montag geschl.)* – **11 Z : 16 B** 48 - 80.

🏨 Haus Pöpsel 🌙, Herzfelder Str. 60, ℘ 36 28 – 🅿. 🚫🐕 Zim
(nur Abendessen) – **7 Z : 11 B.**

BEDBURG-HAU Nordrhein-Westfalen siehe Kleve.

BEDERKESA 2852. Niedersachsen [987] ⑤ – 4 500 Ew – Höhe 10 m – Luftkurort – ☎ 04745.
[i] Verkehrsamt, Amtsstr. 8, ℘ 7 91 45.
♦Hannover 198 – ♦Bremerhaven 25 – Cuxhaven 39 – ♦Hamburg 108.

🏨 **Waldschlößchen - Bösehof** 🌙, Hauptmann-Böse-Str. 19, ℘ 70 31, ←, ⛱, ♨, 🏊, 🌳, Fahrradverleih – 🛗 [TV] 🚗 🅿 👥. [AE] [D] [E] [VISA]
Karte 36/57 – **30 Z : 51 B** 58/88 - 120/150 Fb – P 93/110.

🏨 **Seehotel Dock**, Zum Hasengarten 2, ℘ 60 61, ♨, 🏊 – 🛗 ☎ ♿ 🅿 👥. 🚫🐕 Rest
Karte 27/50 – **43 Z : 77 B** 60/70 - 110/150.

In Lintig 2852 SO : 4,5 km :

🏨 Roes Gasthof, Lintiger Str. 16, ℘ (04745) 3 63, ♨, 🏊 – 🅿 👥 – **16 Z : 30 B.**

BEEDENBOSTEL Niedersachsen siehe Lachendorf.

BEELEN 4413. Nordrhein-Westfalen – 5 000 Ew – Höhe 52 m – ☎ 02586.
♦Düsseldorf 148 – Bielefeld 37 – Münster (Westfalen) 37.

🍴🍴 **Hemfelder Hof** mit Zim, Clarholzer Str. 21 (SO : 3 km, B 64), ℘ 2 15, ⛱ – [TV] 🚗 🅿 👥. 🚫🐕
Juni - Juli 3 Wochen geschl. – Karte **31**/59 *(Freitag 14 Uhr - Samstag 18 Uhr geschl.)* – **11 Z : 17 B** 45 - 80.

BEERFELDEN 6124. Hessen [413] J 18, [987] ㉕ – 7 000 Ew – Höhe 397 m – Erholungsort – ☎ 06068 – ♦Wiesbaden 106 – ♦Darmstadt 61 – Heidelberg 44 – ♦Mannheim 58.

🏨 **Schwanen**, Metzkeil 4, ℘ 22 27 – [TV] ☎. [E] [VISA]
8.- 21. Feb. und 17.- 31. Okt. geschl. – Karte 23/44 *(Montag geschl.)* 🍷 – **7 Z : 14 B** 40/42 - 78.

Auf dem Krähberg NO : 10 km :

🏨 **Reussenkreuz** 🌙, ✉ 6121 Sensbachtal, ℘ (06068) 22 63, ←, ⛱, ♨, 🌳 – 🚗 🅿
16. Nov.- 24. Dez. geschl. – Karte 24/49 *(Freitag ab 14 Uhr geschl.)* 🍷 – **22 Z : 38 B** 26/60 - 52/112 – P 44/66.

BEHRINGEN Niedersachsen siehe Bispingen.

BEHRINGERSMÜHLE Bayern siehe Gössweinstein.

BEILNGRIES 8432. Bayern [413] R 19, [987] ㉗ – 7 200 Ew – Höhe 372 m – Erholungsort – ☎ 08461.
[i] Touristik-Verband, Hauptstr. 14 (Haus des Gastes), ℘ 84 35.
♦München 108 – Ingolstadt 35 – ♦Nürnberg 72 – ♦Regensburg 51.

🏨 **Fuchs-Bräu**, Hauptstr. 23, ℘ 4 43, Biergarten, ♨, 🏊, 🌳 – 🛗 [TV] ☎ ♿ 🅿 👥. [AE] [D] [E] [VISA]
➔ *Jan. 2 Wochen geschl.* – Karte 19,50/42 – **62 Z : 110 B** 55/68 - 85/100 Fb.

🏨 **Gams**, Hauptstr. 16, ℘ 2 56, Telex 55435, ♨ – [TV] ☎ 🅿 👥. [AE] [D] [E] [VISA]
Anfang Jan. 1 Woche geschl. – Karte 24/49 – **70 Z : 130 B** 55/79 - 86/130 Fb.

🏨 **Gasthof Gallus**, Neumarkter Str. 25, ℘ 2 47, Telex 55451, ♨, 🌳, Fahrradverleih – 🛗 ☎ 🅿
➔ 👥. [AE] [D] [E] [VISA]
Karte 19/47 – **40 Z : 72 B** 48/70 - 78/90.

🏨 **Wagner-Bräu**, Hauptstr. 41, ℘ 12 29 – 🚗 🅿
➔ Karte 16/30 *(Samstag - Sonntag geschl.)* – **17 Z : 36 B** 38 - 64.

🏨 **Goldener Hahn** (Brauerei-Gasthof), Hauptstr. 44, ℘ 4 19, ⛱ – 🚗 🅿. [E]
➔ Karte 19/35 – **23 Z : 35 B** 30/47 - 58/84 (Hotelerweiterung mit 15 Z ab Frühjahr 1989).

BEILSTEIN 7141. Baden Württemberg 413 K 19 – 5 400 Ew – Höhe 258 m – ☎ 07062.
♦Stuttgart 41 – Heilbronn 16 – Schwäbisch Hall 47.

XX Langhans mit Zim, Auensteiner Str. 1, ✆ 54 36 – ☎ P
8 Z : 16 B.

X **Alte Bauernschänke**, Heerweg 19 (Ecke Wunnensteinstraße), ✆ 33 27, « Fachwerkhaus mit rustikaler Einrichtung » – P. AE ⓓ E VISA
Karte 27/53.

X Burg Hohenbeilstein, Langhans 1, ✆ 57 70, «, « Burg a.d. 13. Jh., Burgfalknerei » – P.

In Beilstein-Stocksberg 7156 NO : 11 km – Höhe 540 m :

Landgasthof Krone, Prevorster Str. 2, ✆ (07130) 13 22, «, Fahrradverleih – P. AE E VISA
6.- 16. Feb., Juli 2 Wochen und 4.- 25. Dez. geschl. – Karte 22/53 *(Montag geschl.)* – **10 Z : 16 B** 39/50 - 69/89 Fb – 3 Fewo 49.

BEILSTEIN 5591. Rheinland-Pfalz – 150 Ew – Höhe 86 m – ☎ 02673 (Ellenz-Poltersdorf).
Sehenswert : Burg Metternich <★.
Mainz 111 – Bernkastel-Kues 68 – Cochem 11.

Haus Burgfrieden, Im Mühlental 62, ✆ 14 32, – P. AE ⓓ E VISA
April - Okt. – Karte 19/45 – **30 Z : 60 B** 40/60 - 80/90.

Haus Lipmann (mit Gästehäusern), Marktplatz 3, ✆ 15 73, <, eigener Weinbau, « Rittersaal, Gartenterrasse » – P
15. März-15. Nov. – Karte 21/45 – **22 Z : 44 B** 45/65 - 75/85.

Zur guten Quelle - Klapperburg, Marktplatz 34, ✆ 14 37
nur Saison – **16 Z : 28 B.**

BELCHEN Baden-Württemberg siehe Schönau im Schwarzwald.

BELL Rheinland-Pfalz siehe Mendig.

BELLERSDORF Hessen siehe Mittenaar.

BELLHEIM 6729. Rheinland-Pfalz 413 H 19 – 7 000 Ew – Höhe 110 m – ☎ 07272.
Mainz 126 – ♦Karlsruhe 32 – Landau in der Pfalz 13 – Speyer 22.

X **Wappenschmiedmühle**, an der B 9 (O : 2 km), ✆ 23 57, – P
Donnerstag geschl. – Karte 19/38.

In Zeiskam 6721 NW : 4,5 km :

Zeiskamer Mühle, Hauptstr. 87, ✆ (06347) 67 67, Innenhofterrasse – TV ☎ P. AE E
17. Juli - 3. Aug. geschl. – Karte 25/55 *(Montag und Donnerstag jeweils bis 17 Uhr geschl.)* – **17 Z : 30 B** 65 - 110 Fb.

BELLINGEN, BAD 7841. Baden-Württemberg 413 F 23, 216 ④, 242 ㊵ – 3 200 Ew – Höhe 256 m – Heilbad – ☎ 07635.
Bade- und Kurverwaltung, im Kurmittelhaus, ✆ 10 25.
♦Stuttgart 247 – Basel 27 – Müllheim 12.

Paracelsus, Akazienweg 1, ✆ 10 18, Massageabteilung, Fahrradverleih – ☎ P.
Dez.- Jan. geschl. – (Restaurant nur für Hausgäste) – **23 Z : 34 B** 64/80 - 105 Fb.

Markushof, Badstr. 6, ✆ 10 83, – ☎ P. E.
Mitte Dez.- Mitte Jan. geschl. – Karte 26/52 *(Dienstag 14 Uhr - Mittwoch geschl.)* – **27 Z : 37 B** 60/75 - 100/130 Fb – P 84/105.

Burger, Im Mittelgrund 5, ✆ 94 58, – P
14 Z : 23 B Fb.

Therme garni, Rheinstr. 72, ✆ 93 48, – P
Anfang Nov.- 26. Dez. geschl. – **16 Z : 26 B** 45/70 - 80/100.

Eden, Im Mittelgrund 2, ✆ 10 61, Fahrradverleih – ☎ P.
(Restaurant nur für Pensionsgäste) – **23 Z : 29 B** 45/55 - 86/116 Fb – P 68/75.

Landgasthof Schwanen, Rheinstr. 50, ✆ 13 14, eigener Weinbau – P. E
Mitte Dez.- Mitte Jan. geschl. – Karte 25/56 *(Dienstag geschl.)* – **14 Z : 23 B** 40/60 - 70/90 Fb – P 69/79.

Römerhof garni, Ebnetstr. 9, ✆ 94 21, – P.
15. Dez.- Jan. geschl. – **21 Z : 32 B** 39/49 - 84/90 Fb.

Birkenhof, Rheinstr. 76, ✆ 6 23, – ☎ P.
Dez.- Jan. geschl. – (Restaurant nur für Pensionsgäste) – **15 Z : 25 B** 45 - 88 – P 67.

Kaiserhof, Rheinstr. 68, ✆ 6 00 – P. Zim
20 Z : 30 B.

<u>*In Bad Bellingen 4-Hertingen*</u> O : 3 km :

🏨 **Hebelhof-Römerbrunnen** 🌙, Bellinger Str. 5, ℘ 10 01, ☂, Massage, ♨, 🏊, 🌳 – ☎ ♿ 🚗 🅿. E. ✗
Jan. 3 Wochen geschl. – Karte 32/68 *(auch vegetarisches Menu)* (Donnerstag geschl.) 🍷 – **18 Z : 32 B** 65/75 - 130/140 Fb – P 98/120.

[BELM] Niedersachsen siehe Osnabrück.

[BELTERSROT] Baden-Württemberg siehe Kupferzell.

[BEMPFLINGEN] **7445.** Baden-Württemberg [413] K 21 – 3 100 Ew – Höhe 336 m – ☏ 07123.
♦Stuttgart 34 – Reutlingen 13 – Tübingen 21 – ♦Ulm 71.

🍴🍴🍴 ✿ **Krone**, Brunnenweg 40, ℘ 3 10 83 – 🅿 🏛
Juli - Aug. 3 Wochen, 24. Dez.- 6. Jan., Montag sowie Sonn- und Feiertage geschl. – Karte 36/83 (Tischbestellung ratsam)
Spez. Wachtelbrüstchen mit Kalbsbries und Hummer, Rehrücken mit Lemberger-Gänselebersoßle, Lamm auf Lauchgemüse.

[BENDESTORF] **2106.** Niedersachsen – 2 000 Ew – Höhe 50 m – Luftkurort – ☏ 04183.
♦Hannover 130 – ♦Hamburg 30 – Lüneburg 40.

🏨 **Haus Meinsbur** 🌙, Gartenstr. 2, ℘ 60 88, « Gartenterrasse » – 📺 ☎ 🚗 🅿. AE ⓓ E VISA
Jan., Feb. und Juli geschl. – Karte 32/70 – **15 Z : 27 B** 80/100 - 120/180.

🏨 **Waldfrieden** 🌙, Waldfriedenweg 17, ℘ 66 55, « Waldterrasse » – 🅿 🏛
Karte 23/43 – **20 Z : 33 B** 33/43 - 66/86 – 4 Fewo 90/120 – P 50/66.

[BENDORF] **5413.** Rheinland-Pfalz [987] [24] – 17 000 Ew – Höhe 81 m – ☏ 02622.
Mainz 101 – ♦Bonn 63 – ♦Koblenz 10 – Limburg an der Lahn 42.

🏨 Berghotel Rheinblick 🌙, Remystr. 79, ℘ 1 40 81, ≤ Rheintal, ☂, 🌳, 🎾 – 📺 ☎ 🚗 🅿 🏛
23 Z : 40 B Fb.

🍴🍴 **Weinhaus Syré**, Engersport 12, ℘ 25 81 – 🅿. AE ⓓ E
Montag - Dienstag 18 Uhr, über Karneval 1 Woche und Juli 3 Wochen geschl. – Karte 50/78.

🍴🍴 **La Charrue**, Bergstr. 25, ℘ 1 02 12 – 🅿. AE E
Donnerstag - Freitag 18 Uhr, Jan. 2 Wochen und Juli - Aug. 3 Wochen geschl. – Karte 45/68.

[BENEDIKTBEUERN] **8174.** Bayern [413] R 23, [987] [37], [426] [17] – 2 700 Ew – Höhe 615 m – Erholungsort – ☏ 08857.
Sehenswert : Ehemalige Klosterkirche (Anastasia-Kapelle★).
[i] Verkehrsamt, Prälatenstr. 5, ℘ 2 48.
♦München 61 – Garmisch-Partenkirchen 44 – Bad Tölz 15.

🏨 **Alpengasthof Friedenseiche** 🌙, Häusernstr. 34, ℘ 82 05, ☂, 🌳 – ☎ 🚗 🅿 🏛. AE E
✦ *6. Nov.- 20. Dez. geschl.* – Karte 18,50/45 *(Mittwoch geschl.)* – **30 Z : 50 B** 46/56 - 78/85.

[BENNINGEN] Baden-Württemberg siehe Marbach am Neckar.

[BENSHEIM AN DER BERGSTRASSE] **6140.** Hessen [413] I 17, [987] [25] – 34 000 Ew – Höhe 115 m – ☏ 06251.
Ausflugsziele : Staatspark Fürstenlager★★ N : 3 km – Auerbacher Schloß : Nordturm ≤★ N : 7 km.
[i] Städt. Fremdenverkehrsbüro, Beauner Platz, ℘ 1 41 17.
ADAC, Bahnhofstr. 30, ℘ 6 98 88, Telex 468388.
♦Wiesbaden 66 – ♦Darmstadt 26 – Heidelberg 35 – Mainz 59 – ♦Mannheim 32 – Worms 20.

🏨 **Bacchus**, Rodensteinstr. 30, ℘ 3 90 91 – 📺 ☎ 🅿. AE
Karte 26/42 – **22 Z : 45 B** 70 - 100.

🏨 Hans garni, Rodensteinstr. 48, ℘ 21 73 – 📺 ☎ 🚗 🅿
15 Z : 24 B.

🏨 **Präsenzhof** 🌙, Am Wambolter Hof 7, ℘ 42 56 (Hotel) 6 11 86 (Rest.), ♨ – 🛗 📺 ☎ 🚗
✦ Karte 17/42 *(Italienische Küche)* (Mittwoch geschl.) 🍷 – **28 Z : 50 B** 55/58 - 88.

🍴🍴🍴 **Villa Medici**, Nibelungenstr. 101, ℘ 6 38 13, « Villa in einem kleinen Park, Gartenterrasse » – 🅿. ✗
Sonntag und Mitte Juli - Mitte Aug. geschl. – Karte 49/78 (Tischbestellung ratsam).

🍴🍴 **Michelangelo** mit Zim, Berliner Ring 108 (am Badesee), ℘ 3 90 09, ☂ – ☎ 🅿. AE ⓓ E. ✗
Karte 32/51 *(Italienische Küche)* (Montag geschl.) 🍷 – **11 Z : 15 B** 51 - 95.

Fortsetzung →

In Bensheim 3-Auerbach – Luftkurort :

Parkhotel Krone, Darmstädter Str. 16 (B 3), ☎ 7 30 81, Telex 468537, 🌳, ♨, 🏊 – 🛗 ☎ [P] 🏃. [AE] [D] [E] [VISA]
Karte 33/60 – **55 Z : 110 B** 85/105 - 110/135 Fb.

🍴🍴 **Poststuben** 🔇 mit Zim, Schloßstr. 28, ☎ 7 29 87, 🌳, « Behagliches Restaurant » – [TV] 🚗. [AE] [D] [E] [VISA]
Juli - Aug. 3 Wochen geschl. – Karte 19/59 – **18 Z : 30 B** 55/60 - 75/85.

🍴🍴 Burggraf mit Zim, Darmstädter Str. 231, ☎ 7 56 60, 🌳 – [TV] ☎ [P]
6 Z : 12 B.

🍴 **Parkhotel Herrenhaus** 🔇 mit Zim, Im Staatspark Fürstenlager (O : 1 km), ☎ 7 22 74, 🌳, 🌲 – ☎ 🚗 [P]
Jan.- März geschl. – Karte 27/61 *(Abendessen nur nach Voranmeldung)* – **9 Z : 17 B** 80/120 - 110/150.

BENTHEIM, BAD 4444. Niedersachsen [987] ⑭, [408] ⑭ – 14 500 Ew – Höhe 50 m – Heilbad – ☎ 05922.
[i] Verkehrsbüro, Schloßstr. 2, ☎ 31 66.
♦Hannover 207 – Enschede 29 – Münster (Westfalen) 56 – ♦Osnabrück 75.

Großfeld 🔇 (mit Gästehäusern), Schloßstr. 6, ☎ 8 28, Telex 98326, 🌳, « Brunnengarten » ♨, 🏊, 🌲 – 🛗 [TV] 🚗 🏃. [AE] [D] [E] [VISA]
Karte 33/60 – **80 Z : 157 B** 80/90 - 160/180 Fb.

Am Berghang 🔇, Am Kathagen 69, ☎ 20 47, ♨, 🏊, 🌲, Fahrradverleih – [TV] ☎ [P]. [D] [E]. 🚫
Jan. geschl. – Karte 32/50 – **25 Z : 50 B** 75/80 - 130/140 Fb.

Steenweg, Ostend 1, ☎ 23 28 – ☎ [P]. [AE] [D] [E]. 🚫 Rest
Karte 19,50/35 – **20 Z : 30 B** 35/45 - 65/85 – P 52/55.

🍴🍴 **Schulze-Berndt**, Ochtruper Str. 38, ☎ 23 22 – [P]. [AE] [D] [E]
Karte 31/64.

In Bad Bentheim-Gildehaus W : 5 km :

Niedersächsischer Hof 🔇, Am Mühlenberg 5, ☎ (05924) 5 67, 🌳, ♨, 🏊, 🌲 – [TV] [P] 🏃. [AE] [D] [E]
Karte 31/65 – **25 Z : 35 B** 70/80 - 140/160 Fb.

BERATZHAUSEN 8411. Bayern [413] S 19 – 5 300 Ew – Höhe 417 m – Erholungsort – ☎ 09493.
[i] Verkehrsamt, Paracelsus-Str. 29, ☎ 7 48.
♦München 137 – Ingolstadt 63 – ♦Nürnberg 80 – ♦Regensburg 28.

Landgasthof Friesenmühle, Friesenmühle 1 (SO : 1,5 km), ☎ 7 35, 🌳, 🌲, Fahrradverleih – [P]
Karte 15/27 *(Mittwoch geschl.)* – **16 Z : 30 B** 25/35 - 50/70 – P 35/40.

BERCHTESGADEN 8240. Bayern [413] VW 24, [987] ㊳, [426] ⑲ – 8 200 Ew – Höhe 540 m – Heilklimatischer Kurort – Wintersport : 530/1 800 m 🚡2 ⛷27 ⛷7 – ☎ 08652.

Sehenswert : Schloßplatz* – Schloß (Dormitorium*) – Salzbergwerk.

Ausflugsziele : Deutsche Alpenstraße*** (von Berchtesgaden bis Lindau) – Kehlsteinstraße*** – Kehlstein✳** (nur mit RVO - Bus ab Obersalzberg : O : 4 km) – Roßfeld-Ringstraße <** (O : 7 km über die B 425).

⛳ Obersalzberg, ☎ 27 00.
[i] Kurdirektion, Königsseer Str. 2, ☎ 50 11, Telex 56213.
♦München 154 ③ – Kitzbühel 77 ② – Bad Reichenhall 18 ③ – Salzburg 23 ①.

Stadtplan siehe gegenüberliegende Seite.

Geiger, Stanggass, ☎ 50 55, Telex 56222, <, 🌳, « Park », ♨, 🏊 (geheizt), 🏊, 🌲 – 🛗 🚗 [P]. [AE] [D] [E] [VISA]. 🚫 Rest über ③
Karte 35/70 – **49 Z : 90 B** 105/160 - 140/300 Fb.

Fischer, Königsseer Str. 51, ☎ 40 44, <, ♨, 🏊 – 🛗 [TV] 🚗 [P]. [AE]. 🚫 s
28. Okt.- 20. Dez. geschl. – Karte 24/49 – **57 Z : 100 B** 70/150 - 140/180 Fb.

Alpenhotel Kronprinz 🔇, Am Brandholz, ☎ 6 10 61, Telex 56201, <, 🌳, ♨ – 🛗 [TV] ☎ 🚗 [P]. [AE] [D] [E] [VISA]. 🚫 Rest über Kälbersteinstr.
5. Nov.- 12. Dez. geschl. – Karte 27/52 *(Montag - Dienstag 18 Uhr geschl.)* – **65 Z : 131 B** 79/119 - 130/190 Fb – P 115/155.

Krone 🔇, Am Rad 5, ☎ 6 20 51, <, 🌳, « Gemütlich eingerichtete Zimmer im Bauernstil », 🌲 – [TV] ☎ [P]. 🚫 Rest über Locksteinstraße
Nov.- 20. Dez. geschl. – (nur Abendessen für Hausgäste) – **28 Z : 42 B** 65/77 - 120/150.

Wittelsbach garni, Maximilianstr. 16, ☎ 50 61, < – 🛗 [TV] ☎ [P]. [AE] [D] [E] [VISA] t
10. Nov.- 15. Dez. geschl. – **29 Z : 52 B** 90 - 150/200 Fb.

Post, Maximilianstr. 2, ☎ 50 67, 🌳, Biergarten – 🛗 [TV] ☎. [AE] [D] [E] [VISA] u
Karte 23/53 – **42 Z : 80 B** 80/90 - 119/169 Fb – P 97/117.

BERCHTESGADEN

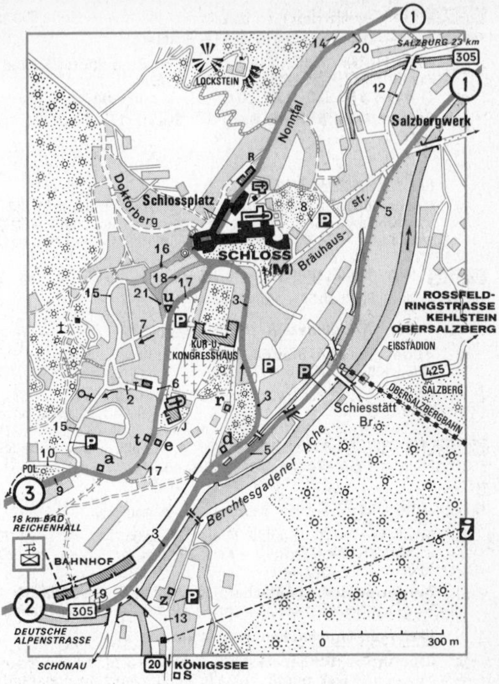

Demming, Sunklergäßchen 2, ℘ 50 21, <, – AE E VISA — r
Nov.- 20. Dez. geschl. – Karte 23/50 *(Mittwoch bis 18 Uhr geschl.)* – **35 Z : 64 B** 76/92 - 144/164 Fb – P 100/107.

Vier Jahreszeiten, Maximilianstr. 20, ℘ 50 26, <, – AE E VISA — a
Karte 22/58 – **67 Z : 100 B** 75/120 - 120/200 Fb – P 90/130.

Sporthotel Seimler, Maria am Berg 4 (NO : 1,5 km), ℘ 60 50, – AE E — über ①
Mitte Nov.- Mitte Dez. geschl. – Karte 23/45 – **45 Z : 80 B** 57/69 - 94/122 Fb.

Grünberger, Hansererweg 1, ℘ 45 60 – — z
Nov.- 15. Dez. geschl. – (nur Abendessen für Hausgäste) – **65 Z : 130 B** 59/65 - 94/98.

Bavaria, Sunklergäßchen 11, ℘ 26 20, < — d
Ende Okt.- 20. Dez. geschl. – (nur Abendessen für Hausgäste) – **29 Z : 45 B** 49/59 - 90/118.

Grassl garni, Maximilianstr. 15, ℘ 40 71, < – AE E VISA — e
33 Z : 50 B 49/70 - 88/140.

An der Roßfeld-Ringstraße O : 7 km :

Grenzgasthaus Neuhäusl, Wildmoos 45, Höhe 850 m, ✉ 8240 Berchtesgaden 3, ℘ 6 20 73, < Untersberg, –
Anfang Nov.- 20. Dez. geschl. – Karte 17/38 *(Dienstag geschl.)* – **23 Z : 50 B** 45/55 - 90/110 – 3 Fewo 120/180.

Gästehaus Neuhäusl garni, Wildmoos 42, Höhe 850 m, ✉ 8240 Berchtesgaden 3, ℘ (08652) 39 91, < Untersberg, –
19 Z : 36 B 31/40 - 50/80.

Siehe auch : ***Schönau am Königssee, Ramsau und Bischofswiesen***

BERG Baden-Württemberg siehe Ravensburg.

Erfahrungsgemäß werden bei größeren Veranstaltungen, Messen und Ausstellungen in vielen Städten und deren Umgebung erhöhte Preise verlangt.

[BERG] **8137.** Bayern [413] R 23, [426] ⑰ – 7 000 Ew – Höhe 630 m – ☎ 08151 (Starnberg).

♦München 30 – Garmisch-Partenkirchen 69 – Starnberg 6.

🏨 **Park Hotel** 🔇 garni (Restaurant im Strandhotel Schloß Berg), Am Ölschlag 9, ☎ 5 01 01, Fax 50105, ≤, 🏊, 🎾 – 🛗 ☎ [P] 🏛. E
33 Z : 64 B 98/130 - 130/160 Fb – 4 Appart. 180.

🏨 **Strandhotel Schloß Berg** 🔇, Seestr. 17, ☎ 5 01 06, ≤ Starnberger See, « Seeterrasse » – ☎ [P]
Karte 47/69 – **22 Z : 37 B** 65/115 - 90/160.

In Berg 3-Leoni S : 1 km :

🏨 **Dorint Hotel Starnberger See** 🔇, Assenbucher Str. 44, ☎ 50 60, Telex 526483, Fax 506140, ≤ Starnberger See, 🏖, 🏊, 🏊, ⛵, Fahrradverleih – 🛗 📺 ☎ [P] 🏛. [AE] [O] E VISA
Karte 33/65 – **72 Z : 130 B** 120/215 - 180/215 Fb – 4 Appart. 270 – P 168/198.

[BERG] **8683.** Bayern [413] S 15 – 2 900 Ew – Höhe 614 m – ☎ 09293.

♦München 286 – Bayreuth 57 – ♦Nürnberg 142.

In Berg-Rudolphstein N : 7 km [987] ㉗ :

🏨 **Vogel** garni, Am Bühl 50, ☎ 14 49, ≤, 🌳 – 🚗 [P]
50 Z : 100 B 35/45 - 60/80.

🍴 **Gasthof Vogel**, Hauptstraße, ☎ 2 28 – [P]
◆ Karte 17,50/40.

[BERGEN] **8221.** Bayern [413] U 23, [426] ⑲ – 3 800 Ew – Höhe 554 m – Luftkurort – Wintersport : 550/1 670 m 🚡1 ⛷5 ⛷4 – ☎ 08662 (Siegsdorf).

[i] Verkehrsverein, Dorfplatz 5, ☎ 83 21.

♦München 105 – Rosenheim 46 – Salzburg 42 – Traunstein 10.

🏨 **Säulner Hof** 🔇, Säulner Weg 1, ☎ 86 55, 🏖, 🌳 – [P]. E
26. Okt.- 10. Dez. geschl. – Karte 20/42 *(Donnerstag - Freitag 18 Uhr geschl.)* – **15 Z : 30 B** 45 - 65/75.

🏨 **Bergener Hof**, Staudacher Str. 12, ☎ 80 51, Telex 56804, 🏊, 🌳 – 📺 ☎ [P]
Nov.- Mitte Dez. geschl. – (nur Abendessen für Hausgäste) – **17 Z : 33 B** 63/82 - 82/115.

In Bergen-Holzhausen NW : 4 km :

🏨 **Alpenblick**, Schönblickstr. 6, ☎ (08661) 3 18, « Terrasse mit ≤ » – [P]. 🚫 Zim
◆ *Nov.- Mitte Dez. geschl.* – Karte 19/38 *(Dienstag Ruhetag, Jan.- Ostern auch Montag geschl.)* – **13 Z : 26 B** 30/35 - 65.

[BERGEN] **3103.** Niedersachsen [987] ⑮ – 18 200 Ew – Höhe 75 m – ☎ 05051.

♦Hannover 67 – Celle 24 – ♦Hamburg 94 – Lüneburg 68.

🏨 **Kohlmann** 🔇, Lukenstr. 6, ☎ 30 14 – ☎ 🚗 [P]. [AE] [O] E VISA
Karte 23/47 *(Montag bis 18 Uhr geschl.)* – **14 Z : 21 B** 40/50 - 80/90.

Bergen 2-Altensatzkoth siehe : *Celle*

[BERGHAUPTEN] Baden-Württemberg siehe Gengenbach.

[BERGHAUSEN] Rheinland-Pfalz siehe Katzenelnbogen.

[BERGHEIM] Österreich siehe Salzburg.

[BERGHEIM] **5010.** Nordrhein-Westfalen [987] ㉓ – 54 600 Ew – Höhe 69 m – ☎ 02271.

♦Düsseldorf 41 – ♦Köln 26 – Mönchengladbach 38.

🏨 Parkhotel, Kirchstr. 12, ☎ 4 15 60 – ☎ 🏛. 🚫 – **25 Z : 43 B** Fb.

🏨 **Konert**, Kölner Str. 33 (B 55), ☎ 4 41 83 – 🚗 [P]
◆ *22. Dez.- 7. Jan. geschl.* – Karte 18/40 *(Sonn- und Feiertage geschl.)* – **11 Z : 16 B** 38/50 - 85.

[BERGISCH GLADBACH] **5060.** Nordrhein-Westfalen [987] ㉔ – 102 100 Ew – Höhe 86 m – ☎ 02202.

⛳18 Bensberg-Refrath, ☎ (02204) 6 31 14.

♦Düsseldorf 50 – ♦Köln 17.

In Bergisch Gladbach 2 (Stadtzentrum) :

🏨 **Zur Post** garni, Hauptstr. 154 (Fußgängerzone), ☎ 3 50 51, Telex 8873229 – 🛗 📺 ☎ [P]. [AE] [O] E VISA
33 Z : 55 B 70/100 - 110/200.

🍴🍴🍴 **Eggemanns Bürgerhaus**, Bensberger Str. 102, ☎ 3 61 34 – [AE] [O] E
Montag geschl. – Karte 39/69 (Tischbestellung ratsam).

🍴 Diepeschrather Mühle 🔇 mit Zim, Diepeschrath 2 (W : 3,5 km über Paffrath), ☎ 5 16 51, 🏖 – [P] – **11 Z : 14 B**.

In Bergisch Gladbach 1-Bensberg – ☏ 02204 :

🏨 **Waldhotel Mangold** 🌳, Am Milchbornsberg 32, ✆ 5 40 11 – [TV] ☎ 🅿 ⛹. 🐕
Juni - Juli 3 Wochen geschl. – Karte 46/72 *(nur Abendessen, Montag sowie Sonn- und Feiertage geschl.)* – **20 Z : 36 B** 100/135 - 150/180.

🍴 **Tessiner Klause**, Wipperfürther Str. 43, ✆ 5 34 63, ⛱ – 🅿
Dienstag geschl. – Karte 24/45 ₰.

In Bergisch Gladbach 2-Gronau :

🏨 **Gronauer Tannenhof**, Robert-Schuman-Str. 2, ✆ 3 50 88 – ⇅ [TV] ☎ 🚗 🅿 ⛹ (mit ▤). [AE] [D] [E] [VISA]
Karte 31/61 – **35 Z : 70 B** 95/145 - 165/180 Fb.

In Bergisch Gladbach 1-Herkenrath :

🏨 **Arnold**, Strassen 31, ✆ (02204) 80 54, ⛱ – ☎ 🅿. [AE] [D] [E] [VISA]. 🐕 Rest
Karte 35/53 *(Freitag geschl.)* – **20 Z : 38 B** 70/90 - 100/110.

🏨 Hamm, Strassen 14, ✆ (02204) 80 41 – ☎ 🅿
26 Z : 53 B.

In Bergisch Gladbach 1-Refrath :

🏨 **Tannenhof Refrath** garni, Lustheide 45a, ✆ (02204) 6 70 85 – ☎ 🅿. [AE] [D] [E] [VISA]
34 Z : 70 B 70/100 - 100/150.

In Bergisch Gladbach 2-Schildgen :

🍴 **Waldrestaurant Nittum**, Nittumer Weg 7, ✆ 8 13 10 – 🅿. [AE] [D] [E]
Montag geschl. – Karte 23/58.

BERGKIRCHEN Bayern bzw. Nordrhein-Westfalen siehe Dachau bzw. Oeynhausen, Bad.

BERGLEN Baden-Württemberg siehe Winnenden.

BERGNEUSTADT 5275. Nordrhein-Westfalen [987] ㉔ – 18 500 Ew – Höhe 254 m – ☏ 02261 (Gummersbach).
♦Düsseldorf 95 – ♦Köln 57 – Olpe 20 – Siegen 47.

🏨 **Feste Neustadt**, Hauptstr. 19, ✆ 4 17 95 – 🚗
Mitte Juli - Anfang Aug. geschl. – Karte 22/48 *(Sonntag ab 15 Uhr geschl.)* – **18 Z : 27 B** 30/45 - 80/90.

In Bergneustadt-Niederrengse NO : 7 km :

🍴🍴 **Rengser Mühle** mit Zim, ✆ (02763) 3 24, ⛱ – [TV] ☎ 🅿
1.- 21. März geschl. – Karte 29/56 *(Montag 14 Uhr - Dienstag geschl.)* – **4 Z : 8 B** 58 - 88.

BERGRHEINFELD Bayern siehe Schweinfurt.

BERGSTEIG Baden-Württemberg siehe Fridingen an der Donau.

BERGTHEIM 8702. Bayern [413] N 17 – 1 900 Ew – Höhe 272 m – ☏ 09367.
♦München 285 – Schweinfurt 23 – ♦Würzburg 17.

⌂ **Pension Schlier** 🌳 garni, Raiffeisenstr. 8, ✆ 4 48, 🌲 – 🚗 🅿. 🐕
11 Z : 15 B 26/38 - 52/65.

BERGZABERN, BAD 6748. Rheinland-Pfalz [413] GH 19, [987] ㉔, [87] ② – 6 500 Ew – Höhe 168 m – Heilklimatischer Kurort – Kneippheilbad – ☏ 06343.
[i] Kurverwaltung, Kurtalstr. 25 (im Thermalhallenbad), ✆ 88 11.
Mainz 127 – ♦Karlsruhe 38 – Landau in der Pfalz 15 – Pirmasens 42 – Wissembourg 10.

🏨 **Petronella**, Kurtalstr. 47, ✆ 10 75, ⛱, 🏊, 🌲 – ⇅ ☎ ♿ 🅿 ⛹. [D] [E] [VISA]
Karte 22/60 ₰ – **33 Z : 54 B** 70/80 - 115 Fb – P 89.

🏨 Parkhotel 🌳, Kurtalstr. 83, ✆ 24 15, Bade- und Massageabteilung, ⛹, 🏊, [🏊] – ⇅ ☎ 🅿 ⛹
42 Z : 68 B Fb.

🏨 **Pfälzer Wald**, Kurtalstr. 77 (B 427), ✆ 10 56, ≤, ⛱, 🌲 – ☎ 🅿. 🐕 Zim
◆ *Feb. geschl.* – Karte 18/45 ₰ – **25 Z : 40 B** 45/60 - 90/110 Fb – P 68/85.

🏨 **Seeblick**, Kurtalstr. 71, ✆ 25 39, [🏊] – ⇅ 🅿. 🐕 Rest
15. Jan.-15. Feb. geschl. – (Restaurant nur für Hausgäste) – **60 Z : 90 B** 62/100 - 110/140 – P 90/105.

🏨 **Wasgau** 🌳, Friedrich-Ebert-Str. 21, ✆ 84 01, 🌲 – 🅿
15. Jan.- 20. Feb. geschl. – Karte 28/51 – **27 Z : 40 B** 45/60 - 90 Fb – P 65/70.

🏨 **Gästehaus Rebenhof** 🌳, Weinstr. 58, ✆ 10 35, 🌲 – ☎ 🚗 🅿
Restaurant : siehe Rebenhof – **18 Z : 36 B** 65/85 - 95/150.

🏨 Augspurger Mühle, Kurtalstr. 87 (B 427), ✆ 75 91, ⛱, 🌲 – 🅿 – **13 Z : 23 B.**

⌂ Zum Pflug, Weinstr. 39, ✆ 15 09 – ☎ 🅿 – **10 Z : 15 B.**

🍴🍴 Rebenhof, Weinstr. 58, ☎ 22 07 – [P]
wochentags nur Abendessen.

🍴🍴 Wilder Mann, Weinstr. 19, ☎ 15 00, ⛱ – [P].

🍴 **Zum Engel**, Königstr. 45, ☎ 49 33, « Restauriertes Renaissancehaus a.d. 16. Jh. »
Feb. und Dienstag geschl. – Karte 20/42 🍷.

In Pleisweiler-Oberhofen **6749** NO : 2,5 km :

🍴 **Schloßbergkeller** 🐦 mit Zim, Im Bienengarten 22 (Pleisweiler), ☎ (06343) 15 82, ⛱ – ☎ [P]
Jan. geschl. – Karte 24/45 *(Mittwoch geschl.)* 🍷 – **9 Z : 21 B** 43 - 74 – P 62.

In Gleiszellen-Gleishorbach **6749** N : 4,5 km :

🏠 **Südpfalz-Terrassen** 🐦, Winzergasse 42 (Gleiszellen), ☎ (06343) 20 66, <, ⛱, 🧖, 🏊, 🌳 – ☎ [P] 🏋
6. Jan.- Feb. geschl. – Karte 23/50 *(Montag geschl.)* 🍷 – **52 Z : 94 B** 48/60 - 80/110 Fb – P 85.

BERKHEIM **7951.** Baden-Württemberg [413] N 22, [987] ㊱, [426] ⑮ – 2 000 Ew – Höhe 580 m – ☎ 08395.

♦Stuttgart 138 – Memmingen 11 – Ravensburg 65 – ♦Ulm (Donau) 46.

🏠 **Ochsen**, Alte Steige 1, ☎ 6 57 – [P]
✦ *25. Juli - 8. Aug. geschl.* – Karte 17/35 *(Sonntag geschl.)* 🍷 – **14 Z : 19 B** 38 - 75.

BERKHOF Niedersachsen siehe Wedemark.

BERLEBURG, BAD **5920.** Nordrhein-Westfalen [987] ㉔ – 20 000 Ew – Höhe 450 m – Kneippheilbad – Wintersport : 500/750 m ⛷2 ⛷9 – ☎ 02751.

[i] Verkehrsbüro, Im Herrengarten 1, ☎ 70 77.

♦Düsseldorf 174 – Frankenberg an der Eder 46 – Meschede 56 – Siegen 44.

🏠 Landhaus Luise 🐦 garni, Lerchenweg 5, ☎ 37 42, 🧖, 🏊, 🌳 – [TV] ☎ 🚗 [P]. ✗🐕
17 Z : 32 B – 3 Fewo.

🏠 **Westfälischer Hof**, Astenbergstr. 6 (B 480), ☎ 4 94, Bade- und Massageabteilung, 🏋, 🧖 – [TV] ☎ 🚗 [P] 🏋. [AE] [D] [E] [VISA]
Karte **23**/56 – **40 Z : 60 B** 28/55 - 50/99 – P 58/85.

🏠 **Kaiser Friedrich**, Ederstr. 18 (B 480), ☎ 71 61 – [TV] ☎ [P]. [E]
1.- 15. Nov. geschl. – Karte 20/48 *(Donnerstag geschl.)* – **9 Z : 16 B** 40/65 - 80/90.

🏠 **Zum Starenkasten** 🐦, Goetheplatz 2, ☎ 39 64, <, ⛱, 🌳 – ☎ [P]. [D] [E]
Karte 20/45 *(Montag geschl.)* – **19 Z : 30 B** 43 - 86 – P 63.

🏠 **Wittgensteiner Hof**, Parkstr. 14, ☎ 72 02, ⛱, 🧖 – [P]. [D] [E]
Karte 24/57 – **27 Z : 38 B** 29/42 - 58/80 – P 47/60.

An der Straße nach Hallenberg NO : 6 km :

🏠 **Erholung** 🐦, ✉ 5920 Bad Berleburg 1-Laibach, ☎ (02751) 72 18, <, ⛱, 🌳 – 🚗 [P]
✦ *Nov. 3 Wochen geschl.* – Karte 18,50/45 – **17 Z : 31 B** 37/55 - 78/96 – P 55/69.

In Bad Berleburg 5-Raumland S : 4 km :

🏠 **Raumland**, Hinterstöppel 7, ☎ 56 67, ⛱, 🌳 – 🚗 [P]
Karte 23/38 – **12 Z : 20 B** 39/45 - 75/85 – P 50/59.

In Bad Berleburg 6-Wemlighausen NO : 3 km :

🏠 **Aderhold**, An der Lindenstr. 22, ☎ 39 60, 🧖, 🌳 – 🚗 [P]
✦ Karte 19/34 *(Montag geschl.)* – **16 Z : 28 B** 26/30 - 52/60 – P 37/40.

In Bad Berleburg 3-Wingeshausen W : 14 km :

🍴 **Weber** 🐦 mit Zim, Inselweg 5, ☎ (02759) 4 12, 🌳 – [P]. ✗🐕
15. Nov.- 15. Dez. geschl. – Karte **25**/49 *(Dienstag geschl.)* – **7 Z : 14 B** 31/33 - 64/66.

Michelin-Straßenkarten für Deutschland :
Nr. [987] im Maßstab 1:1.000.000
Nr. [984] im Maßstab 1:750.000
Nr. [412] im Maßstab 1:400.000 (Nordrhein-Westfalen, Rheinland-Pfalz, Hessen, Saarland)
Nr. [413] im Maßstab 1:400.000 (Bayern und Baden-Württemberg)

BERLIN

BERLIN Berlin-West 1000. 987 ⑰ – 1 960 000 Ew – Höhe 40 m – 030.

Frühere Reichshauptstadt, seit 1945 Viersektorenstadt unter Verwaltung des Alliierten Kontrollrates. Seit 1948 durch den Auszug der Sowjets aus dem Kontrollrat Spaltung in Berlin-Ost und Berlin-West.

Im Vertrag von 1972 zwischen der Bundesrepublik Deutschland und der DDR wurde die Zugehörigkeit von West-Berlin zur Rechts-, Wirtschafts- und Finanzordnung der Bundesrepublik Deutschland bestätigt.

Als Kultur- und Wissenschaftszentrum, Theater- und Konzertstadt (Deutsche Oper, Schiller-Theater, Philharmonie, Staatliche Museen) aber auch als Kongreß-, Messe- und Ausstellungsstadt (Messegelände, Internationales Congress-Centrum) ist Berlin weltbekannt.

Berlin ist aber auch eine « grüne » Stadt (ein Drittel des Stadtgebiets besteht aus Grün-, Wald- und Wiesenfläche) : keine andere deutsche Stadt hat so viele Seen (Havelseen) mit solcher Uferlänge (290 km), so ausgedehnte Wälder (Grunewald, Tegeler Forst), Park- und Grünanlagen (Botanischer Garten, Tiergarten) wie West-Berlin.

HAUPTSEHENSWÜRDIGKEITEN

Berlin-West

Kurfürstendamm** BDX und Kaiser-Wilhelm-Gedächtniskirche DEV – Brandenburger Tor** (Berlin-Ost) GU – Zoologischer Garten (Aquarium) ** EV.

Museum Dahlem*** (Gemäldegalerie**, Museum für Völkerkunde**) MT – Schloß Charlottenburg** (im Knobelsdorff-Flügel : Gemäldesammlung**, Goldene Galerie**) BU – Kunstgewerbemuseum* FV **M2** – Antikenmuseum* (Schatzkammer***) BU **M3** – Ägyptisches Museum* (Büste der Königin Nofretete*) BU **M4** – Nationalgalerie* FV **M6**.

Olympia-Stadion** LS **F** – Funkturm (⁂*) AV – Botanischer Garten** MT.

Havel* und Pfaueninsel* LT – Wannsee** LT.

Maria-Regina-Martyrum-Kirche* BU **D** und Gedenkstätte von Plötzensee DU.

Berlin-Ost

Brandenburger Tor** GU – Unter den Linden* GUV (Deutsche Staatsoper* GHU **C**, Neue Wache* HU **D**, Zeughaus** GHU) – Platz der Akademie* GV.

Museumsinsel (Pergamon-Museum*** GHU **M7** mit Pergamon-Altar, Nationalgalerie** HU **M8**).

Alexanderplatz** HU – Fernsehturm** (⁂) HU **K** – Karl-Marx-Allee* HU – Sowjetisches Ehrenmal* NS.

Berlin-Wannsee, Am Stölpchenweg, 8 05 50 75.

Tegel, 41 01 31 45 (Berlin S. 5 MS). – Berlin - Wannsee, 3 13 81 30.

Messegelände (Berlin S. 6 AV), 3 03 81, Telex 182908.

Berlin Tourist-Information im Europa-Center (Budapester Straße). 2 62 60 31, Telex 18 3356 ;

Verkehrsamt im Flughafen Tegel, 41 01 31 45.

ADAC, Berlin-Wilmersdorf, Bundesallee 29 (B 31), 8 68 61, Telex 183513 ; Notruf 1 92 11.

ZUGÄNGE NACH BERLIN

Diese Angaben erfolgen ohne Gewähr.

Übergänge (alle sind Tag und Nacht geöffnet) - siehe nebenstehenden Plan.

Erforderliche Papiere: Gültiger Reisepaß (auch für Jugendliche ab 15 Jahren), Führerschein, Kraftfahrzeugschein. Das benötigte Transitvisum wird am Grenzübergang ausgestellt.

Geld: DM-West und Devisen dürfen unbeschränkt mitgeführt werden. Die Mitnahme von DDR-Währung (MDN) ist nicht gestattet.

Straßenbenutzungsgebühren und Visagebühren sind nur noch von Ausländern zu entrichten.

Benzin: Benzin kann in ausreichender Menge mitgeführt werden.
Im übrigen stehen an den Transitstrecken besondere Tankstellen zur Verfügung.

Geschwindigkeitsbeschränkung: Auf den Autobahnen der DDR ist die Geschwindigkeit auf 100 km/h begrenzt.

Auf dem Luftweg: Für die Flugreise nach Berlin gelten für ausländische Staatsangehörige die gleichen Reisepapiere wie für Reisen in die Bundesrepublik.
Zahlreiche Flugverbindungen bestehen täglich zwischen Berlin und den Flughäfen der Bundesrepublik: Köln - Bonn, Bremen, Düsseldorf, Frankfurt am Main, Hamburg, Hannover, München, Nürnberg, Saarbrükken und Stuttgart mit Anschlüssen an das internationale Flugnetz. Direktflüge auch nach Glasgow, London, New York, Paris, Washington und Zürich.

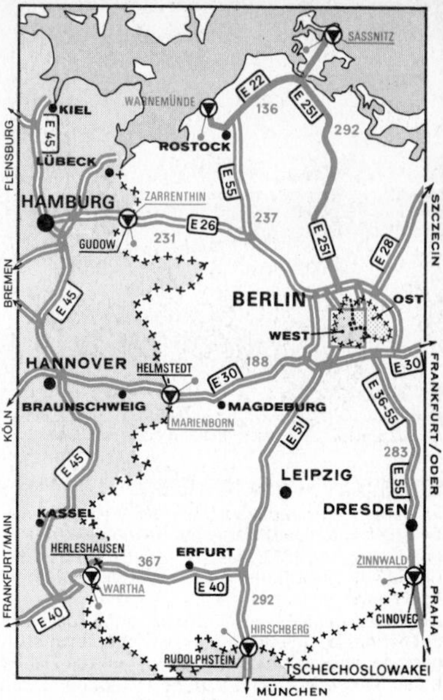

Übergangsstelle mit Kontrolle – Point de passage contrôlé – Check point
Punto di transito (Controllo)

185 Entfernung nach Berlin (West)
Distance entre ce point et Berlin-Ouest
Distance from this point to West Berlin
Distanza tra questo punto e Berlino-Ovest

ACCÈS A BERLIN

Les recommandations ci-dessous sont données sous toute réserve.

Points de transit (tous sont ouverts jour et nuit) – Voir ci-dessus.

Papiers: Passeport en cours de validité (même pour les jeunes à partir de 15 ans), visa de transit en République Démocratique Allemande délivré aux points de contrôle. Permis de conduire national, papiers nationaux de la voiture (carte grise ou certificat de propriété...), carte de contrôle remise au point de passage de la RDA. Carte Verte (assurance internationale), plaque de nationalité apposée sur la voiture.

Monnaie: Les étrangers peuvent avoir sur eux une somme illimitée de DM-Ouest et d'argent étranger (à l'exclusion de DM-Est).

Taxes: Péage et visa de transit 10,- DM (aller et retour).

Essence: En RDA, en cas de nécessité seulement, il est possible de s'approvisionner aux « postes d'essence internationaux ».

Limitation de vitesse sur les autoroutes de la RDA: 100 km/h.

Par avion: Pour les voyages aériens à destination de Berlin-Ouest, les papiers nécessaires à l'entrée en Allemagne fédérale suffisent.
Tous les jours, de nombreux avions assurent la liaison entre Berlin et les aérodromes de l'Allemagne fédérale : Cologne - Bonn, Brême, Düsseldorf, Francfort-sur-le-Main, Hambourg, Hanovre, Munich, Nuremberg, Sarrebruck, Stuttgart, et permettent la correspondance avec les réseaux aériens internationaux. Vols directs vers Glasgow, Londres, New York, Paris, Washington et Zurich.

Passage à Berlin-Est: Les étrangers (non ressortissants de l'Allemagne fédérale) qui ont l'intention de se rendre à Berlin-Est, doivent emprunter le point de contrôle de la Friedrichstraße. Ce seul point de passage est connu sous le nom de « Checkpoint Charlie » (Visa 5,- DM, valable de 0^{00} à 24^{00} h). Le passage est ouvert jour et nuit. Il n'est pas nécessaire d'avoir de laisser-passer, mais il faut présenter le passeport, le permis de conduire, la carte grise et la carte verte d'assurance internationale.

ACCESS TO BERLIN

The following information must be re-checked before travelling.

Transit Points (these are open day and night) – See Berlin p. 2.

Papers : Valid passport (separate one necessary for all children over 15), transit visa for the German Democratic Republic issued at checkpoints, current driving licence (for country of origin), vehicle documents (i.e. : registration book), control card issued at the crossing into the GDR, Green Card (international insurance), nationality plate fixed to the car.

Currency : Foreigners may carry an unlimited amount of West DM and foreign currencies (except East DM).

Taxes : Toll and transit visa (10 DM Rtn).

Petrol : In the GDR, « International filling stations » should be used in cases of emergency only.

Speed limit on motorways in GDR : 100 km/h (60 mph).

By air : To fly to West Berlin, the papers required for entering the Federal Republic are sufficient. Planes from international lines link Berlin daily with airports in the Federal Republic and elsewhere. Cologne - Bonn, Bremen, Düsseldorf, Frankfurt am Main, Hamburg, Hannover, Munich, Nuremberg, Saarbrücken, Stuttgart, Glasgow, London, New York, Paris, Washington and Zürich.

Entering East Berlin : Foreigners (non-nationals of the Federal Republic) planning to go to East Berlin must go through the checkpoint located on Friedrichstraße. This is the only access, known as « Checkpoint Charlie » (visa 5 DM, expires at midnight), and is open day and night. A pass is not required but passport, driving licence, registration book and international insurance Green Card have to be produced.

ACCESSI A BERLINO

Le raccomandazioni seguenti sono date con riserva.

Punti di transito (questi passaggi sono aperti giorno e notte) – Vedere Berlin p. 2.

Documenti : Passaporto non scaduto (anche per i giovani di età superiore ai 15 anni), visto di transito nella Repubblica Democratica Tedesca rilasciato ai posti di controllo. Patente di guida del proprio Paese, documento nazionale d'immatricolazione dell'automobile (libretto di circolazione), carta di controllo rilasciata ai punti di passagio dalla RDT. Carta Verde (certificato di assicurazione internazionale), targa di nazionalità applicata all'automobile.

Moneta : Gli stranieri possono portare indosso una somma illimitata in DM-Occidentali ed in denaro straniero (esclusi i DM Orientali).

Tasse : Pedaggio e visto di transito (10 DM andata e ritorno).

Benzina : Nella RDT, soltanto in caso di necessità è possible rifornirsi ai « distributori internazionali ».

Nella RDT, sulle autostrade, velocità limitata a 100 chilometri orari.

Via aerea : Per i viaggi aerei diretti a Berlino-Ovest, sono sufficienti i documenti necessari per l'ingresso nella Germania Federale.
Ogni giorno, numerosi aerei effettuano il collegamento tra Berlino e gli aeroporti della Germania Federale : Amburgo, Colonia - Bonn, Brema, Düsseldorf, Francoforte sul Meno, Hannover, Monaco di Baviera, Norimberga, Saarbrücken, Stoccarda, che consentono le coincidenze con le reti aeree internazionali. Collegamenti aerei diretti con Glasgow, Londra, New-York, Parigi, Washington e Zurich.

Passaggio a Berlino-Est : Gli stranieri (non originari della Germania Federale) che intendono recarsi a Berlino-Est, devono passare dal punto di controllo della Friedrichstraße. Quest' unico punto di transito è noto con il nome di « Checkpoint Charlie » (visto 5 DM, valido dalle ore 0 alle 24). Il passaggio è aperto giorno e notte. Non occorre avere un lasciapassare, ma bisogna presentare il passaporto, la patente, il libretto di circolazione e la carta verde di assicurazione internazionale.

Rheinstraße	MT	109
Schloßstr. (STEGLITZ)	MT	120
Albrechtstraße	MT	3
Am Treptower Park	NS	5
Barfußstraße	MS	9
Blankenfelder Straße	NS	12
Bornholmer Straße	NS	14
Breitenbachplatz	MT	15
Charlottenburger Chaussee	LS	20
Eichborndamm	MS	24
Fabeckstraße	MT	28
Falkenhagener Str.	LS	29
Greifswalderstraße	NS	43
Heiligendammer Str.	MT	45
Hindenburgdamm	MT	49
Karolinenstraße	MS	59
Köpenicker Landstraße	NS	61
Kurt-Schumacher-Damm	MS	62
Lentzeallee	MT	64
Mecklenburgische Straße	MT	72
Mühlenstraße	NS	79
Nikolskoer Weg	LT	86
Oberlandstraße	NT	89
Ollenhauerstraße	MS	92
Pacelliallee	MT	94
Potsdamer Straße	LT	99
Reinickendorfer Str.	NS	108
Sachsendamm	NT	112
Scharnweberstr.	MS	115
Schildhornstraße	MT	116
Siemensdamm	MS	127
Steglitzer Damm	MT	131
Stralauer Allee	NS	132
Streitstraße	LS	133
Thielallee	MT	136
Unter den Eichen	MT	138
Waidmannsluster Damm	MS	140
Warnemünder Str.	MT	141
Warschauer Straße	NS	142
Wisbyer Straße	NS	144

Straßenverzeichnis siehe Berlin S.9 und S.12

Übergangsstelle mit Kontrolle.
Point de passage contrôlé.
Checkpoint.
Punto di transito (controllo)

Nur für Einwohner der Bundesrepublik Deutschland.
Réservé aux ressortissants de la République Fédérale.
For the nationals of the Federal Republic only.
Riservato ai cittadini della Repubblica Federale.

Nur für Ausländer.
Réservé aux étrangers.
For Foreigners only.
Solamente per gli stranieri

Nur für Westberliner.
Réservé aux Berlinois de l'Ouest.
For West Berliners only.
Solo per i Berlinesi della zona Ovest

Nur für die Einreise in die Deutsche Demokratische Republik
Réservé à l'entrée en République Démocratique Allemande
Reserved forentry into the German Democratic Republic
Riservato all'ingresso nella Republica Democratica

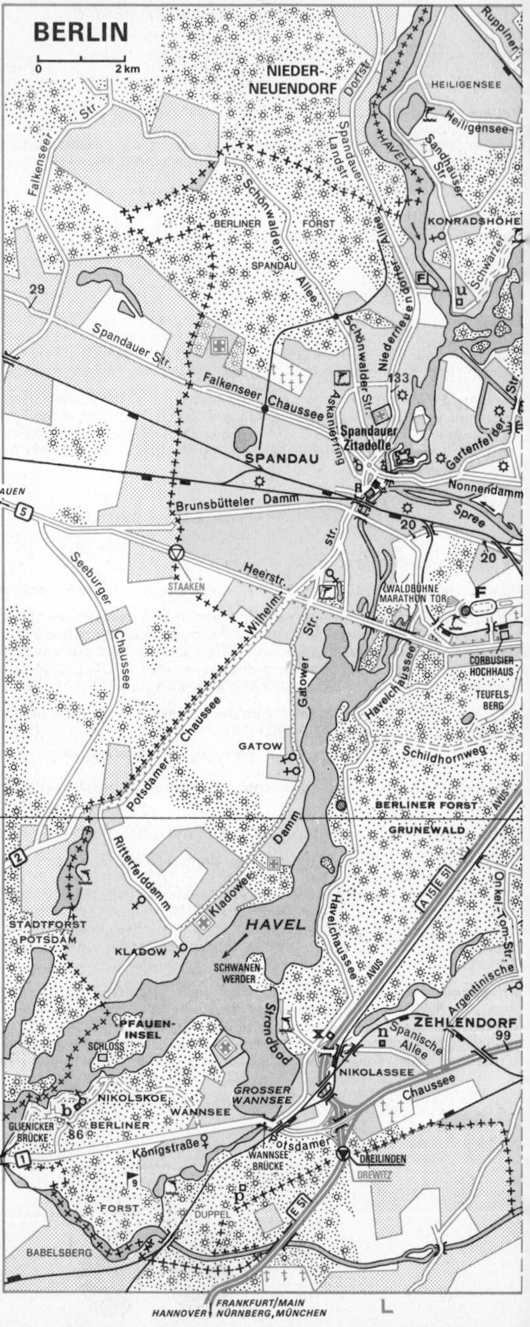

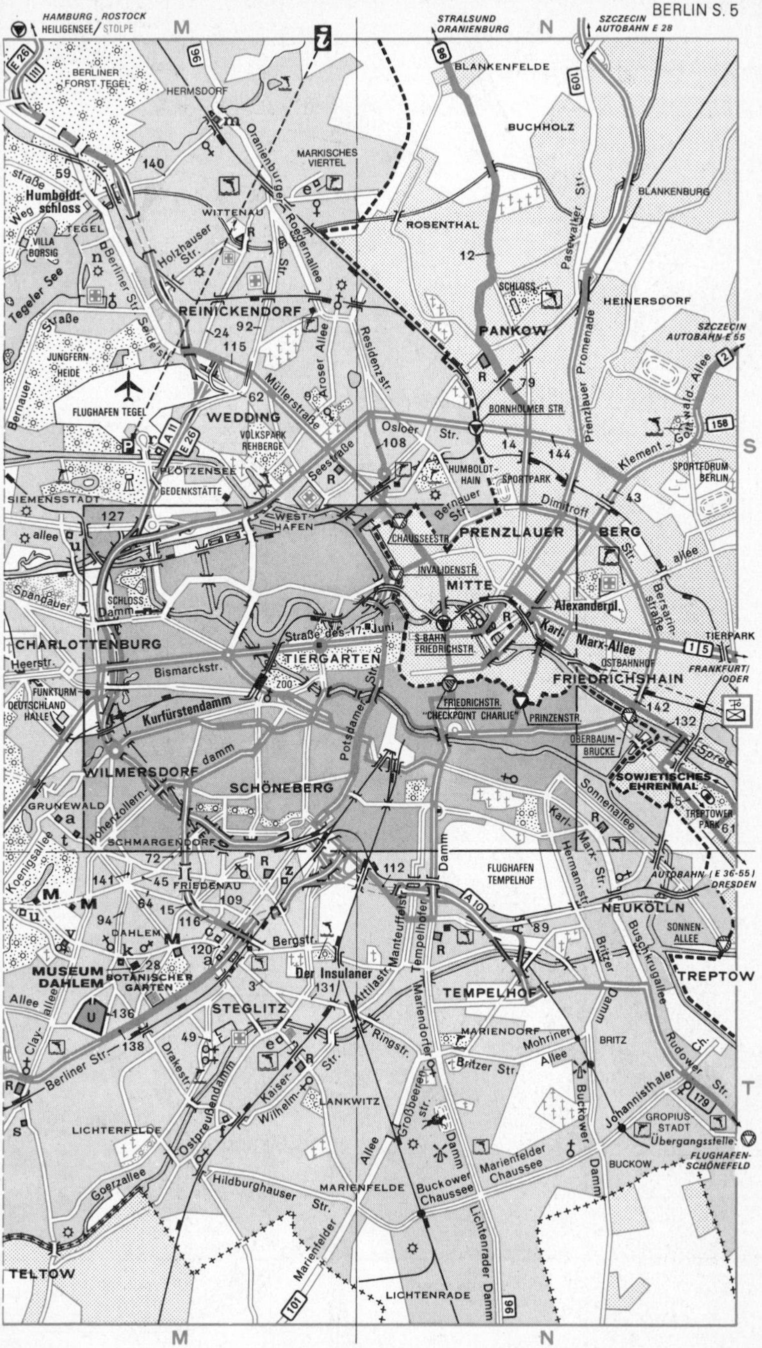

HAMBURG, ROSTOCK
HEILIGENSEE / STOLPE
STRALSUND
ORANIENBURG
SZCZECIN
AUTOBAHN E 28
M
N
S
T
BERLINER FORST TEGEL
HERMSDORF
BLANKENFELDE
BUCHHOLZ
MÄRKISCHES VIERTEL
Oranienburger
WITTENAU
Humboldt-schloss
TEGEL
VILLA BORSIG
Tegeler See
ROSENTHAL
BLANKENBURG
Pasewalker Str.
Holzhauser Str.
Roedernallee
SCHLOSS
HEINERSDORF
REINICKENDORF
Berliner Str.
Seidelstr.
PANKOW
SZCZECIN
AUTOBAHN E 55
JUNGFERNHEIDE
FLUGHAFEN TEGEL
Müllerstraße
Aroser Allee
Residenzstr.
Prenzlauer Promenade
Klement-Gottwald-Allee
WEDDING
VOLKSPARK REHBERGE
Osloer Str.
BORNHOLMER STR.
PLÖTZENSEE
GEDENKSTÄTTE
Seestraße
HUMBOLDT-HAIN
SPORTPARK
SPORTFORUM BERLIN
SIEMENSSTADT
WESTHAFEN
Bernauer Str.
Dimitroff
CHAUSSEESTR.
PRENZLAUER BERG
INVALIDENSTR.
MITTE
Spandauer
SCHLOSS
Damm
Alexanderpl.
Bersarinstraße
CHARLOTTENBURG
Straße des 17. Juni
S-BAHN FRIEDRICHSTR.
Karl-Marx-Allee
TIERPARK
Heerstr.
Bismarckstr.
TIERGARTEN
OSTBAHNHOF
FRANKFURT/ODER
FRIEDRICHSHAIN
FUNKTURM
DEUTSCHLAND HALLE
ZOO
Kurfürstendamm
FRIEDRICHSTR. "CHECKPOINT CHARLIE"
PRINZENSTR.
Potsdamer Str.
OBERBAUM BRÜCKE
Spree
WILMERSDORF
SCHÖNEBERG
SOWJETISCHES EHRENMAL
Sonnenallee
TREPTOWER PARK
GRUNEWALD
Hohenzollern-damm
Koenigsallee
SCHMARGENDORF
FLUGHAFEN TEMPELHOF
Karl-Marx-Str.
Hermannstr.
AUTOBAHN (E 36-55)
DRESDEN
FRIEDENAU
NEUKÖLLN
DAHLEM
Bergstr.
Manteuffelstr.
Tempelhofer Damm
Buschkrugallee
SONNEN-ALLEE
MUSEUM DAHLEM
BOTANISCHER GARTEN
Der Insulaner
TREPTOW
TEMPELHOF
Britzer Damm
Allee
STEGLITZ
Attilastr.
Mariendorfer Damm
MARIENDORF
BRITZ
Ringstr.
Mohriner Allee
Drakestr.
Britzer Str.
Rudower Ch.
Berliner Str.
Kaiser-Wilhelm-Str.
Clay-allee
Buckower Damm
Johannisthaler
Rudower Str.
LANKWITZ
GROPIUS-STADT
Übergangsstelle
LICHTERFELDE
Großbeeren-str.
Ostpreußendamm
FLUGHAFEN-SCHÖNEFELD
BUCKOW
Goerzallee
Marienfelder Chaussee
Hildburghauser Str.
MARIENFELDE
Buckower Chaussee
Lichtenrader Damm
TELTOW
Marienfelder
LICHTENRADE

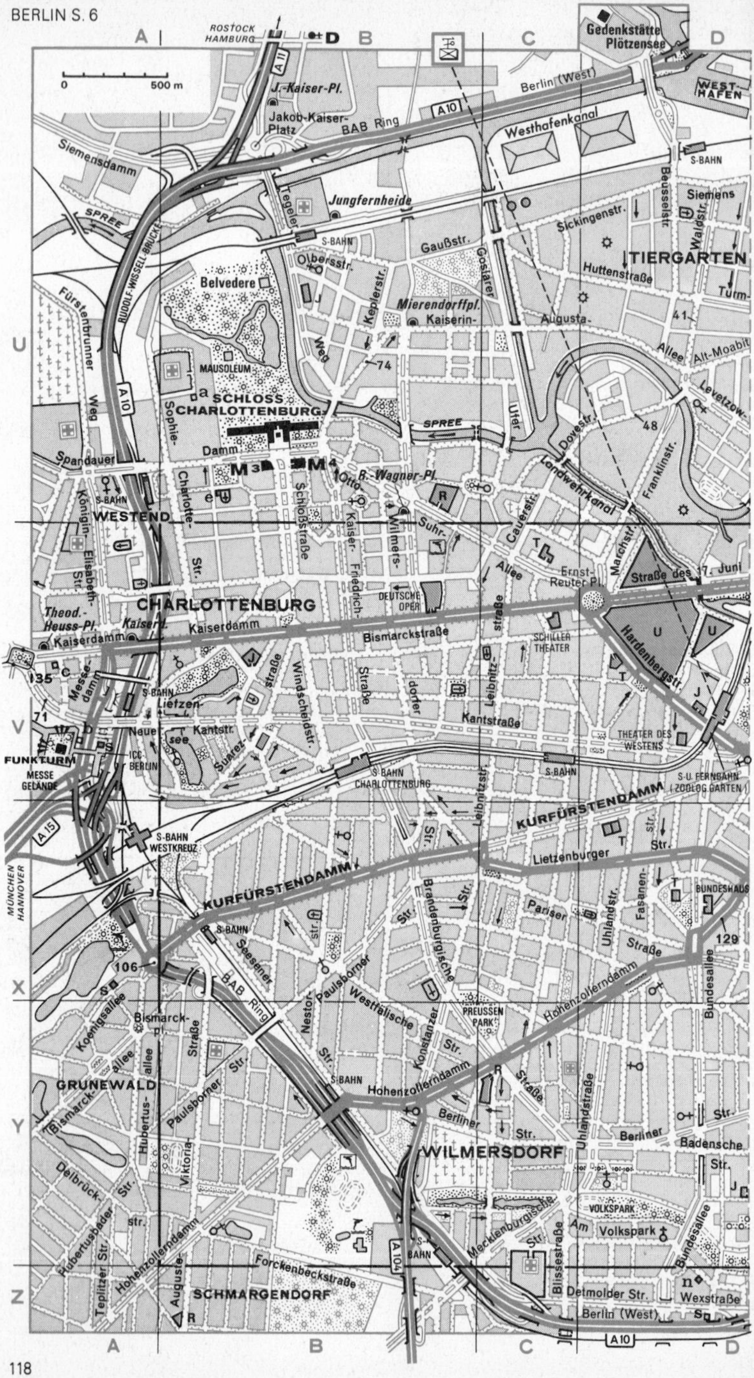
ROSTOCK
HAMBURG
Gedenkstätte
Plötzensee
WEST-
HAFEN
0
500 m
J.-Kaiser-Pl.
Jakob-Kaiser-
Platz
BAB Ring
Berlin (West)
A 10
Westhafenkanal
S-BAHN
Siemensdamm
SPREE
Tegeler
Jungfernheide
S-BAHN
Beusselstr.
Siemens
Waldstr.
Sickingenstr.
TIERGARTEN
Huttenstraße
Turm-
Gaußstr.
Olbersstr.
RUDOLF-WISSELL-BRÜCKE
Belvedere
Fürstenbrunner
Weg
Mierendorffpl.
Kaiserin-
Augusta-
Allee
Alt-Moabit
Keplerstr.
Goslarer
Ufer
MAUSOLEUM
SCHLOSS
CHARLOTTENBURG
Sophie-
Charlotte-
Str.
A 10
Levetzow-
Dovestr.
Franklinstr.
SPREE
Damm
Spandauer
S-BAHN
WESTEND
Schloßstraße
R.-Wagner-Pl.
Otto-
Landwehrkanal
Kaiser-
Friedrich-
Wilmers-
dorfer
Suhr-
Cauerstr.
Marchstr.
Ernst-
Reuter-Pl.
Straße des 17. Juni
Königin-
Elisabeth-
Str.
CHARLOTTENBURG
DEUTSCHE
OPER
Theod.-
Heuss-Pl.
Kaiserdamm
Kaiserdamm
Bismarckstraße
SCHILLER
THEATER
Hardenbergstr.
Leibnitz-
straße
Messe-
damm
S-BAHN
Lietzen-
see
Neue
Kantstr.
Suarez-
straße
Windscheidstr.
Straße
Kantstraße
THEATER DES
WESTENS
FUNKTURM
MESSE
GELÄNDE
ICC-
BERLIN
S-BAHN
CHARLOTTENBURG
S-BAHN
S-U. FERNBAHN
(ZOOLOG.GARTEN)
A 15
S-BAHN
WESTKREUZ
KURFÜRSTENDAMM
KURFÜRSTENDAMM
Leibnitzstr.
Lietzenburger
Str.
MÜNCHEN
HANNOVER
S-BAHN
Brandenburgische
Str.
Pariser
Uhlandstr.
Fasanen-
str.
BUNDESHAUS
Straße
Seesener
Paulsborner
Westfälische
Nestor-
Str.
Hohenzollerndamm
Bundesallee
Koenigsallee
Bismarck-
pl.
PREUSSEN
PARK
Konstanzer
Str.
GRUNEWALD
Bismarck-
allee
Hubertus-
allee
Paulsborner
Str.
S-BAHN
Hohenzollerndamm
Berliner
Str.
Straße
Berliner
Badensche
Str.
WILMERSDORF
Uhlandstraße
Viktoria-
Delbrück-
str.
VOLKSPARK
Am
Volkspark
Hubertusbader
Str.
Teplitzer Str.
Hohenzollerndamm
Mecklenburgische
Blissestraße
Forckenbeckstraße
A 104
S-BAHN
Wexstraße
Detmolder Str.
Auguste-
SCHMARGENDORF
Berlin (West)
A 10
A
B
C
D
U
V
X
Y
Z
74
48
41
135
71
106
129

BERLIN

Charlottenstraße	GUV	23
Friedrich-List-Ufer	FU	34
Friedrichstraße	GV	35
Goebenstraße	FX	39
Gotzkowskystraße	DU	41
Helmholtzstraße	DU	48
Innsbrucker Platz	EZ	54
Klingelhöferstraße	EV	60
Masurenallee	AV	71
Mierendorffstraße	BU	74
Moltkestraße	FU	77
Neue Wilhelmstraße	GU	85
Nollendorfplatz	EX	87
Oldenburger Straße	EU	90
Pallasstraße	FX	96
Rathenauplatz	AX	106
Spichernstraße	DX	129
Theodor-Heuss-Platz	AV	135
Wittenbergplatz	EX	145

Straßenverzeichnis siehe Berlin S. 9 u.12.

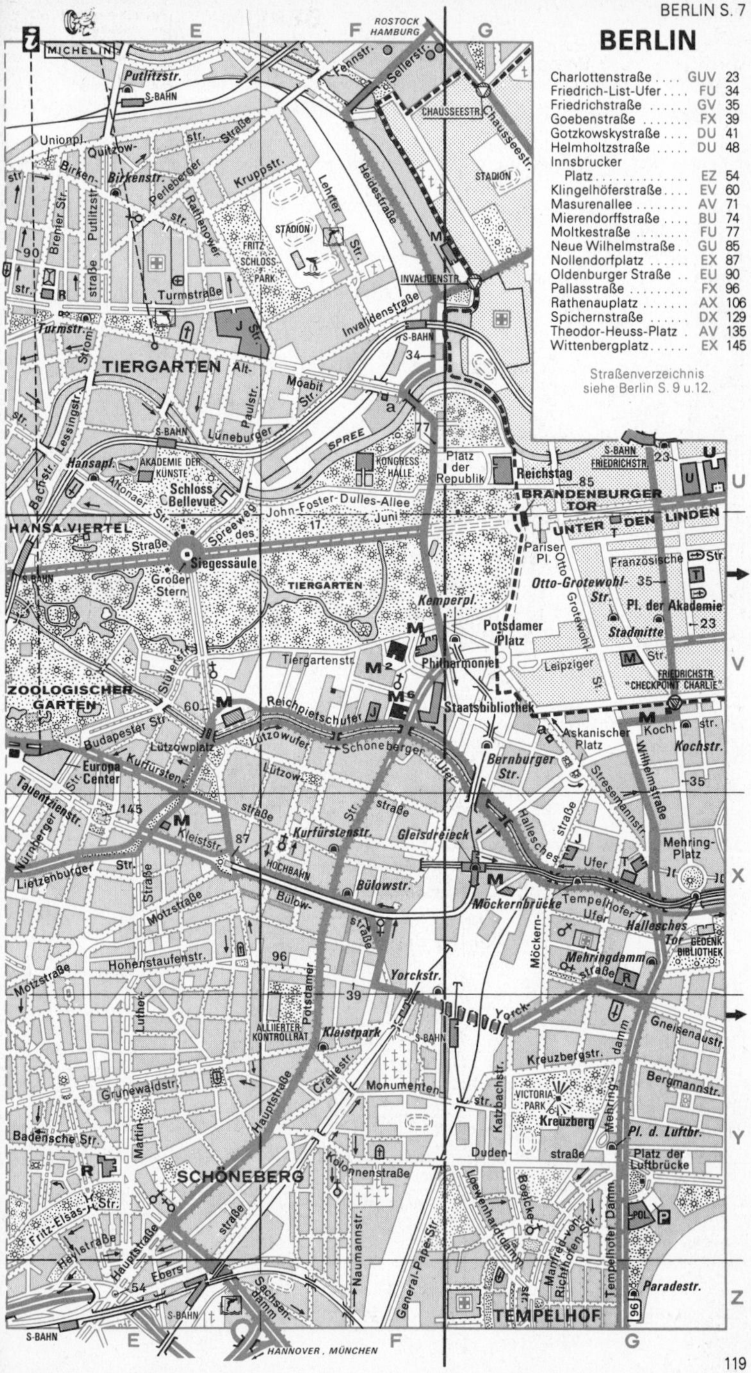

BERLIN

Straßenverzeichnis siehe Berlin S. 9 u. 12.

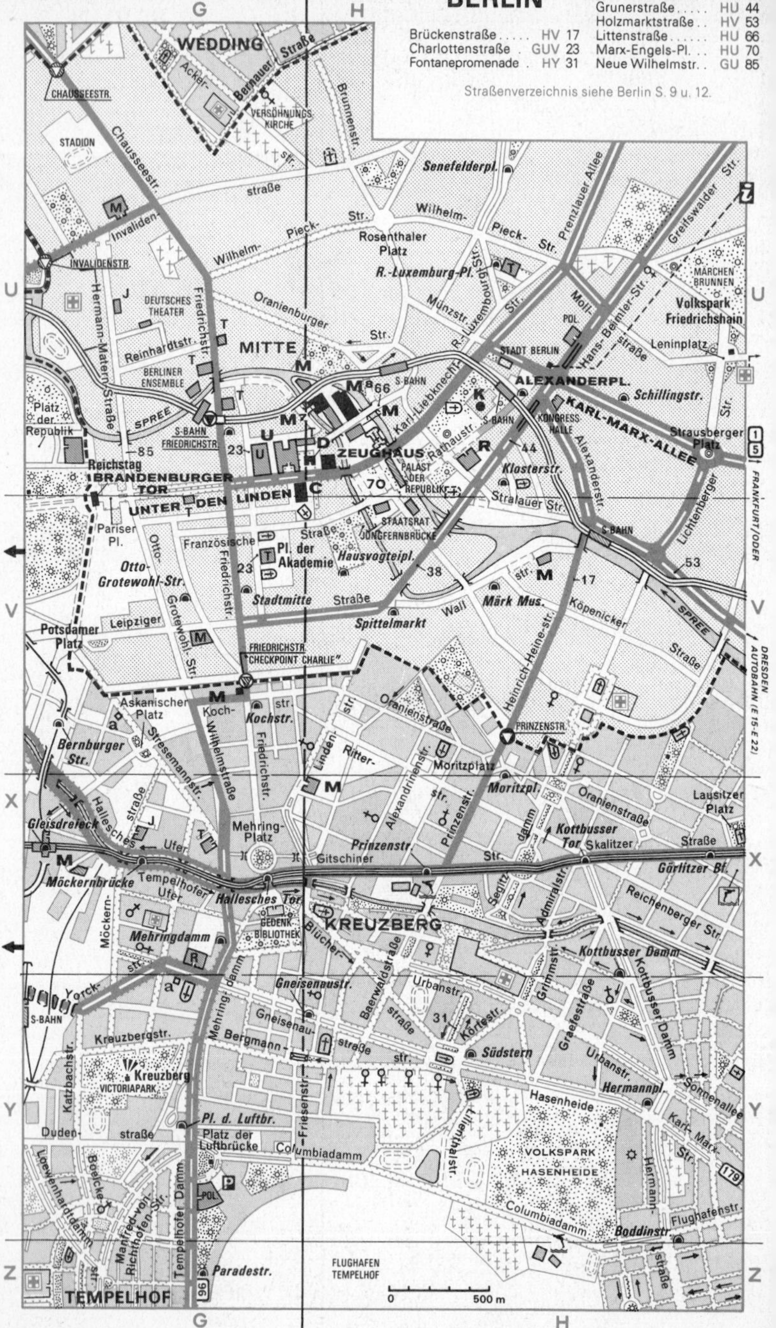

Karl-Marx-Straße	S. 8	HY	
Kurfürstendamm	S. 11	DX	
Rheinstraße	S. 5	MT	109
Schloßstr. (STEGLITZ)	S. 5	MT	120
Tauentzienstraße	S. 11	EV	
Wilmersdorfer Straße	S. 10	BV	
Ackerstraße	S. 8	GU	
Adenauerplatz	S. 10	BX	
Admiralstraße	S. 8	HX	
Akazienstraße	S. 11	EY	
Albertstraße	S. 11	EY	
Albrecht-Achilles-Str.	S. 10	BX	2
Albrechtstraße	S. 5	MT	3
Alexanderplatz	S. 8	HU	
Alexanderstraße	S. 8	HU	
Alexandrinenstraße	S. 8	HX	
Alt-Moabit	S. 7	EU	
Altonaer Straße	S. 11	EV	
Am Treptower Park	S. 5	NS	5
Am Volkspark	S. 11	DY	
Amtsgerichtsplatz	S. 10	BV	
An der Urania	S. 11	EX	6
Ansbacher Straße	S. 11	EX	
Argentinische Allee	S. 4	LT	
Aroser Allee	S. 5	MS	
Aschaffenburger Str.	S. 11	EY	
Askanierring	S. 4	LS	
Askanischer Platz	S. 7	GV	
Attilastraße	S. 5	NT	
Augsburger Straße	S. 11	DX	
Auguste-Viktoria-Straße	S. 10	BY	
Bachstraße	S. 11	EV	
Badensche Straße	S. 11	DY	
Baerwaldstraße	S. 8	HY	
Bamberger Straße	S. 11	EY	
Barbarossastraße	S. 11	EY	
Barfußstraße	S. 5	MS	9
Barstraße	S. 10	CY	
Bayerischer Platz	S. 11	EY	
Belziger Straße	S. 11	EY	
Bergmannstraße	S. 7	GY	
Bergstraße	S. 5	MT	
Berliner Straße	S. 11	DY	
Berliner Straße (REINICKENDORF)	S. 5	MS	
Berliner Straße (ZEHLENDORF)	S. 5	MT	
Bernauer Str. (TEGEL)	S. 5	MS	
Bernauer Straße (WEDDING)	S. 8	GU	
Bersarinstraße	S. 5	NS	
Beusselstraße	S. 6	DU	
Bielefelder Straße	S. 10	BY	
Birkenstraße	S. 7	EU	
Bismarckallee	S. 6	AY	
Bismarckplatz	S. 6	AY	
Bismarckstraße	S. 10	BV	
Blankenfelder Straße	S. 5	NS	12
Bleibtreustraße	S. 10	CV	
Blissestraße	S. 10	CY	
Blücherstraße	S. 8	HX	
Boelckestraße	S. 7	GY	
Bornholmer Straße	S. 5	NS	14
Brandenburgische Str.	S. 10	BX	
Breitenbachplatz	S. 5	MT	15
Breitscheidplatz	S. 11	EV	16
Bremer Straße	S. 7	EU	
Britzer Damm	S. 5	NT	
Britzer Straße	S. 5	NT	
Brückenstraße	S. 8	HV	17
Brunnenstraße	S. 8	HU	
Brunsbütteler Damm	S. 4	LS	
Buckower Chaussee	S. 5	NT	
Buckower Damm	S. 5	NT	
Budapester Straße	S. 11	EV	
Bülowstraße	S. 7	FX	

Bundesallee	S. 11	DY	
Buschkrugallee	S. 5	NT	
Carmerstraße	S. 11	DV	
Cauerstraße	S. 10	CV	19
Charlottenburger Ch.	S. 4	LS	20
Charlottenstraße	S. 7	GU	23
Chausseestraße	S. 7	GU	
Cicerostraße	S. 10	BY	
Clayallee	S. 5	MT	
Columbiadamm	S. 8	HY	
Crellestraße	S. 7	FY	
Cunostraße	S. 10	BY	
Dahlmannstraße	S. 10	BX	
Damaschkestraße	S. 10	BX	
Delbrückstraße	S. 6	AY	
Detmolder Straße	S. 6	CZ	
Dimitroffstraße	S. 5	NS	
Dominicusstraße	S. 11	EY	
Dorfstraße	S. 4	LS	
Dovestraße	S. 6	CU	
Drakestraße	S. 5	MT	
Droysenstraße	S. 10	BX	
Dudenstraße	S. 7	GY	
Düsseldorfer Straße	S. 10	CX	
Ebersstraße	S. 7	EZ	
Eichborndamm	S. 5	MS	24
Einemstraße	S. 11	EX	
Einsteinufer	S. 11	DV	
Eisenacher Straße	S. 11	EY	
Eisenzahnstraße	S. 10	BX	
Emser Platz	S. 10	CY	
Emser Straße	S. 10	CX	
Englische Straße	S. 11	DV	
Erfurter Straße	S. 11	EY	25
Ernst-Reuter-Platz	S. 11	DV	
Ettaler Straße	S. 11	EX	27
Fabeckstraße	S. 5	MT	28
Falkenhagener Straße	S. 4	LS	29
Falkenseer Chaussee	S. 4	LS	
Fasanenstraße	S. 11	DV	
Fehrbelliner Platz	S. 10	CY	
Fennstraße	S. 7	FU	
Flughafenstraße	S. 8	HY	
Fontanepromenade	S. 8	HY	31
Forckenbeckstraße	S. 6	BZ	
Franklinstraße	S. 6	DU	
Französische Straße	S. 7	GV	
Fraunhoferstraße	S. 10	CV	
Freiherr-vom-Stein-Str.	S. 11	EY	
Friedrich-List-Ufer	S. 7	FU	34
Friedrichstraße	S. 7	GV	35
Friesenstraße	S. 8	GY	
Fritschestraße	S. 10	BV	
Fritz-Elsas-Straße	S. 11	EY	
Fürstenbrunner Weg	S. 6	AU	
Fuggerstraße	S. 11	EX	
Gartenfelder Straße	S. 4	LS	
Gatower Straße	S. 4	LS	
Gaußstraße	S. 6	BU	
Geisbergstraße	S. 11	EX	
General-Pape-Straße	S. 7	FZ	
Georg-Wilhelm-Straße	S. 10	BX	
Gertraudenstraße	S. 8	HV	38
Gervinusstraße	S. 10	BV	
Gitschiner Straße	S. 8	HX	
Gneisenaustraße	S. 7	GY	
Goebenstraße	S. 7	FX	39
Goerzallee	S. 5	MT	
Goethestraße	S. 10	CV	
Goltzstraße	S. 11	EY	
Goslarer Ufer	S. 6	CU	
Gotzkowskystraße	S. 6	DU	41
Graefestraße	S. 8	HY	
Greifswalder Straße	S. 5	NS	43
Grieser Platz	S. 10	BY	
Grimmstraße	S. 8	HY	
Großbeerenstraße	S. 5	NT	

Großer Stern	S. 11	EV	
Grunerstraße	S. 8	HU	44
Grunewaldstraße	S. 11	EY	
Güntzelstraße	S. 11	DY	
Hallesches Ufer	S. 7	GX	
Hans-Beimler-Straße	S. 8	HU	
Hardenbergstraße	S. 11	DV	
Hasenheide	S. 8	HY	
Hauptstraße	S. 11	EY	
Havelchaussee	S. 4	LS	
Heerstraße	S. 4	LS	
Heidestraße	S. 7	FU	
Heilbronner Straße	S. 10	BX	
Heiligendammer Str.	S. 5	MT	45
Heiligenseestraße	S. 4	LS	
Heinrich-Heine-Straße	S. 8	HV	
Helmholtzstraße	S. 6	DU	48
Hermannstraße	S. 8	HY	
Hermann-Matern-Str.	S. 8	GU	
Heylstraße	S. 11	EY	
Hildburghauser Straße	S. 5	MT	
Hindenburgdamm	S. 5	MT	49
Hochmeisterplatz	S. 10	BX	
Hofjägerallee	S. 11	EV	
Hohenstaufenstraße	S. 11	EX	
Hohenzollerndamm	S. 10	CY	
Holtzendorffplatz	S. 10	BX	
Holtzendorffstraße	S. 10	BV	52
Holzhauser Straße	S. 5	MS	
Holzmarktstraße	S. 8	HV	53
Hubertusallee	S. 6	AY	
Hubertusbader Str.	S. 6	AY	
Huttenstraße	S. 6	DU	
Innsbrucker Platz	S. 7	EZ	54
Innsbrucker Straße	S. 11	EY	
Invalidenstraße	S. 7	FU	
Jakob-Kaiser-Platz	S. 6	BU	
Joachim-Friedrich-Str.	S. 10	BX	
Joachimstaler Platz	S. 11	DV	55
Joachimstaler Str.	S. 11	DX	
Johannisthaler Ch.	S. 5	NT	
J.-F.-Dulles-Allee	S. 7	FU	
John-F.-Kennedy-Platz	S. 11	EY	57
Kaiserdamm	S. 10	BV	
Kaiser-Friedrich-Straße	S. 10	BV	
Kaiserin-Augusta-Allee	S. 6	CU	
Kaiser-Wilhelm-Straße	S. 5	MT	
Kalischer Straße	S. 10	BY	
Kantstraße	S. 10	BV	
Karl-Liebknecht-Str.	S. 8	HU	
Karl-Marx-Allee	S. 8	HU	
Karlsruher Straße	S. 10	BX	
Karolinenstraße	S. 5	MS	59
Katzbachstraße	S. 7	GY	
Keplerstraße	S. 6	BU	
Kladower Damm	S. 4	LT	
Kleiststraße	S. 11	EX	
Klement-Gottwald-Allee	S. 5	NS	
Klingelhöferstraße	S. 11	EV	60
Knesebeckstraße	S. 11	DV	
Kochstraße	S. 7	GV	
Königin-Elisabeth-Str.	S. 6	AV	
Koenigsallee	S. 5	MT	
Königstraße	S. 4	LT	
Köpenicker Landstr.	S. 7	EV	61
Köpenicker Straße	S. 8	HV	
Körtestraße	S. 8	HY	
Kolonnenstraße	S. 7	FY	
Konstanzer Straße	S. 10	BY	
Kottbusser Damm	S. 8	HY	
Kreuzbergstraße	S. 7	GY	
Krumme Straße	S. 10	BV	
Kruppstraße	S. 7	EU	
Kufsteiner Straße	S. 11	EY	
Kurfürstenstraße	S. 11	EV	
Kurt-Schumacher-Damm	S. 5	MS	62

Fortsetzung siehe Berlin S. 12

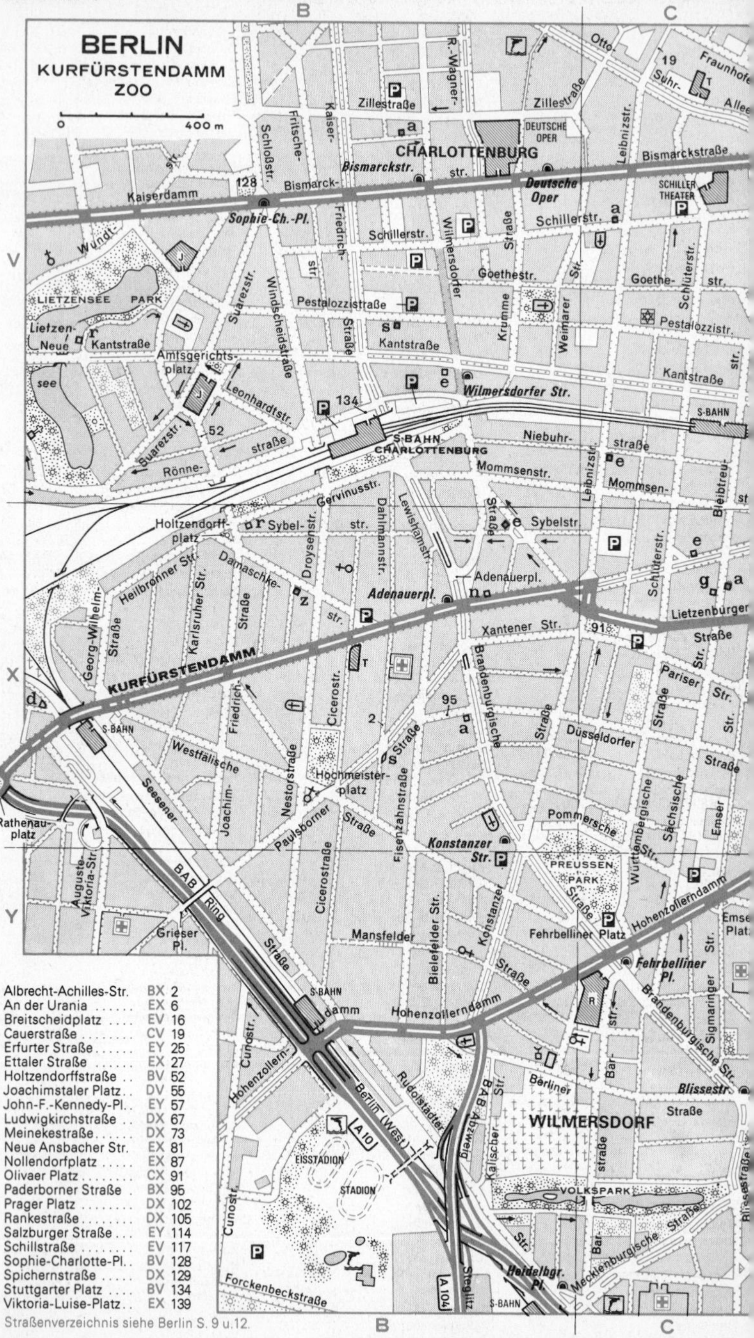

Straßenverzeichnis siehe Berlin S. 9 u.12.

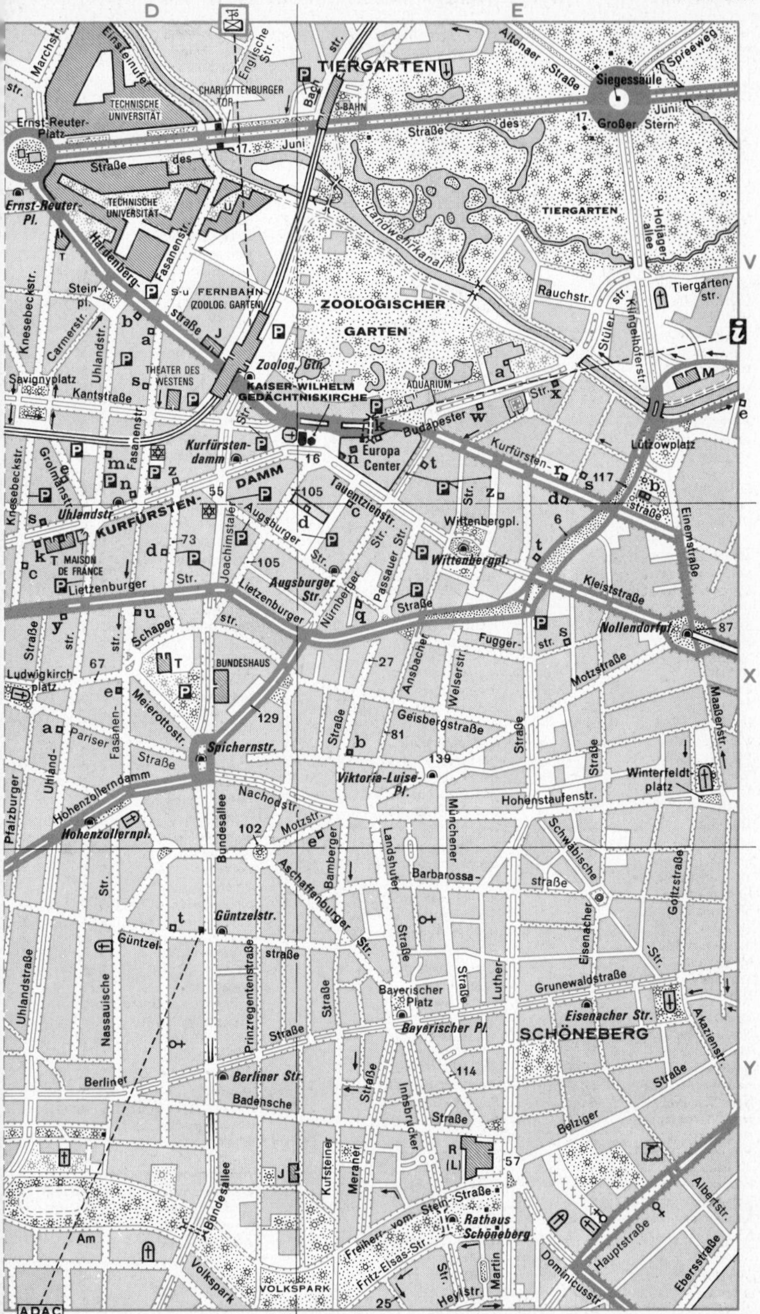

D
E
V
X
Y
TIERGARTEN
Siegessäule
Großer Stern
Spreeweg
Altonaer Straße
Straße des 17. Juni
Marchstr.
Einsteinufer
Englische Str.
CHARLOTTENBURGER TOR
TECHNISCHE UNIVERSITÄT
Ernst-Reuter-Platz
Ernst-Reuter-Pl.
Bachstr.
S-BAHN
Landwehrkanal
Hofjägerallee
Tiergartenstr.
Rauchstr.
Stülerstr.
Klingelhöferstr.
Hardenbergstraße
Fasanenstr.
Steinpl.
S-u FERNBAHN (ZOOLOG. GARTEN)
ZOOLOGISCHER GARTEN
Zoolog. Gtn.
AQUARIUM
KAISER-WILHELM GEDÄCHTNISKIRCHE
Europa Center
Budapester Str.
Kurfürstenstr.
Lützowplatz
Knesebeckstr.
Carmerstr.
Uhlandstr.
THEATER DES WESTENS
Savignyplatz
Kantstraße
Kurfürstendamm
KURFÜRSTENDAMM
Grolmanstr.
Uhlandstr.
Tauentzienstr.
Augsburger Str.
Joachimstaler Str.
Wittenbergpl.
Einemstraße
MAISON DE FRANCE
Lietzenburger Str.
Passauer Str.
Nürnberger Str.
Kleiststraße
Nollendorfpl.
Schaperstr.
Fuggerstr.
BUNDESHAUS
Ludwigkirchplatz
Meierottostr.
Fasanenstr.
Motzstraße
Ansbacher Str.
Welserstr.
Maaßenstr.
Geisbergstraße
Pariser Straße
Spichernstr.
Viktoria-Luise-Pl.
Winterfeldtplatz
Hohenstaufenstr.
Uhlandstr.
Hohenzollerndamm
Hohenzollernpl.
Pfalzburger Str.
Nachodstr.
Motzstr.
Bundesallee
Bamberger Str.
Landshuter Str.
Münchener Str.
Schwäbische Str.
Aschaffenburger Str.
Barbarossastraße
Goltzstraße
Güntzelstr.
Güntzelstraße
Eisenacher Str.
Prinzregentenstraße
Uhlandstraße
Nassauische Str.
Bayerischer Platz
Bayerischer Pl.
Lutherstraße
Grunewaldstraße
Eisenacher Str.
SCHÖNEBERG
Akazienstr.
Berliner Str.
Badensche Straße
Innsbrucker Straße
Belziger Straße
Kufsteiner
Meraner
Freiherr-vom-Stein-Straße
Rathaus Schöneberg
Fritz-Elsas-Str.
Martin-Luther-Str.
Heylstr.
Hauptstraße
Albertstr.
Eberstraße
Dominicusstr.
Am Volkspark
VOLKSPARK
Bundesallee
ADAC

HOTELS UND RESTAURANTS

Die Angabe (B 15) nach der Anschrift gibt den Postzustellbezirk an : Berlin 15
L'indication (B 15) à la suite de l'adresse désigne l'arrondissement : Berlin 15
The reference (B 15) at the end of the address is the postal district : Berlin 15
L'indicazione (B 15) posta dopo l'indirizzo precisa il quartiere urbano : Berlin 15

Im Zentrum Stadtplan Berlin : S. 10 - 11 :

Bristol-Hotel Kempinski, Kurfürstendamm 27 (B 15), 88 34 40, Telex 183553, Fax 8836075, Massage, – Zim . AE E VISA DV **n**
Restaurants : – **Kempinski-Grill** Karte 53/104 – **Kempinski-Rest.** *(Montag geschl.)* Karte 48/90 – **Kempinski-Eck** Karte 33/50 – **325 Z : 501 B** 275/400 - 346/496 Fb – 34 Appart. 700/3970.

Inter-Continental, Budapester Str. 2 (B 30), 2 60 20, Telex 184380, Fax 260280760, Massage, , Fahrradverleih – . AE E VISA. Rest EV **a**
Restaurants : – **Zum Hugenotten** Karte 66/115 – **Buffet-Restaurant Brasserie** Karte 41/61 – **600 Z : 1 150 B** 219/424 - 293/498 Fb – 70 Appart. 549/2248.

Steigenberger Berlin, Los-Angeles-Platz 1 (B 30), 2 10 80, Telex 181444, Fax 2108117, Massage, – Zim . AE E VISA EX **d**
Restaurants : – **Park-Restaurant** *(Montag geschl.)* Karte 51/89 – **Berliner Stube** Karte 30/55 – **396 Z : 780 B** 215/370 - 300/465 Fb – 11 Appart. 620/1940.

Grand Hotel Esplanade (modernes Hotel mit integrierter Sammlung zeitgenössischer Kunst), Lützowufer 15, 26 10 11, Telex 185986, Fax 2629121, Massage, , Fahrradverleih – Zim . AE E VISA EV **e**
Karte 54/80 – **402 Z : 804 B** 260 - 325 Fb – 33 Appart. 380/1240.

Berlin, Lützowplatz 17 (B 30), 2 60 50, Telex 184332, Fax 26052716, – Rest (mit). AE E VISA EV **b**
Karte 34/69 (siehe auch Berlin Grill) – **537 Z : 1 053 B** 180/325 - 195/350 Fb – 24 Appart. 400/1250.

Palace, Budapester Str. 42 (im Europa-Center) (B 30), 25 49 70, Telex 184825, Fax 2626577 – Rest (mit). AE E VISA. Rest EV **k**
Karte 32/62 *(nur Mittagessen)* – **La Réserve** *(nur Abendessen, Aug. geschl.)* Karte 46/80 – **258 Z : 430 B** 190/340 - 260/490 Fb.

Schweizerhof, Budapester Str. 21 (B 30), 2 69 60, Telex 185501, Bade- und Massageabteilung, – Zim Rest (mit). Rest EV **w**
431 Z : 860 B Fb.

Mondial, Kurfürstendamm 47 (B 15), 88 41 10, Telex 182839, Massage, – Rest (mit). AE E VISA. Rest CX **e**
Karte 41/66 – **75 Z : 150 B** 160/260 - 220/280 Fb.

Alsterhof, Augsburger Str. 5 (B 30), 21 99 60, Telex 183484, Fax 243949, Massage, , Fahrradverleih – . AE E VISA. Rest EX **q**
Karte 34/67 – **141 Z : 250 B** 149/179 - 198/220 Fb.

Berlin Penta Hotel, Nürnberger Str. 65 (B 30), 21 00 70, Telex 182877, Fax 2132009, Massage, – Zim . AE E VISA. Rest EV **t**
Karte 38/68 – **425 Z : 850 B** 189/209 - 248/268 Fb – 20 Appart. 356/431.

Savoy, Fasanenstr. 9 (B 12), 31 10 30, Telex 184292, Fax 31103333, Dachgartenterrasse – . AE E VISA. Rest DV **s**
Karte 35/65 – **130 Z : 220 B** 180/225 - 260/360 Fb – 8 Appart. 420/600.

Fortsetzung →

President, An der Urania 16 (B 30), ℘ 21 90 30, Telex 184018, Fax 2141200, – Rest AE (D) E VISA. Rest EX t
Karte 32/66 – **132 Z : 243 B** 195/258 - 235/275 Fb – 6 Appart. 300/450.

Berlin Excelsior Hotel, Hardenbergstr. 14 (B 12), ℘ 3 19 91, Telex 184781, Fax 31992849 – Rest AE (D) E VISA. Rest DV b
Karte 40/67 – **320 Z : 611 B** 164/198 - 228 Fb – 3 Appart. 486.

Ambassador, Bayreuther Str. 42 (B 30), ℘ 21 90 20, Telex 184259, Massage, – Rest AE (D) E VISA. Rest EV z
Restaurants : – **Conti-Fischstuben** *(nur Abendessen, Sonntag geschl.)* Karte 45/80 – **Schöneberger Krug** Karte 27/58 – **200 Z : 360 B** 188/278 - 238/350 Fb.

Am Zoo garni, Kurfürstendamm 25 (B 15), ℘ 88 30 91, Telex 183835 – DV z
145 Z : 200 B Fb.

Domus garni, Uhlandstr. 49 (B 15), ℘ 88 20 41, Telex 185975 – AE (D) E VISA DX a
23. Dez.- 1. Jan. geschl. – **72 Z : 93 B** 95/160 - 138/168 Fb.

Residenz - Restaurant Grand Cru, Meinekestr. 9 (B 15), ℘ 88 28 91, Telex 183082 – AE (D) E VISA. Rest DX d
Karte 50/76 – **85 Z : 170 B** 160 - 210 Fb – 5 Appart. 542.

Sylter Hof, Kurfürstenstr. 116 (B 30), ℘ 2 12 00, Telex 183317, Fax 2142826 – AE (D) E VISA. Rest EV d
Karte 43/61 *(Sonntag ab 15 Uhr geschl.)* – **154 Z : 250 B** 145/163 - 215/415 Fb.

Arosa, Lietzenburger Str. 79 (B 15), ℘ 88 00 50, Telex 183397, (geheizt) – AE (D) E VISA. Rest DX y
Karte 34/55 *(Sonntag ab 15 Uhr geschl.)* – **90 Z : 140 B** 130/185 - 200/235 Fb.

Kronprinz garni (restauriertes Haus a.d.J. 1894), Kronprinzendamm 1 (B 31), ℘ 89 60 30, Telex 181459, Biergarten – AE (D) E VISA BX d
60 Z : 100 B 100/120 - 150/175 Fb.

Hamburg, Landgrafenstr. 4 (B 30), ℘ 26 91 61, Telex 184974 – AE (D) E VISA. Rest EV s
Karte 40/68 – **240 Z : 330 B** 147/168 - 168/196 Fb.

Hecker's Deele, Grolmanstr. 35 (B 12), ℘ 8 89 01, Telex 184954 – Rest AE (D) E VISA DV e
Karte 30/56 – **60 Z : 120 B** 140/150 - 190/200.

Castor, Fuggerstr. 8 (B 30), ℘ 21 30 30 – AE (D) E VISA EX s
Karte 33/46 *(Samstag - Sonntag geschl.)* – **78 Z : 138 B** 127/162 - 174/184 Fb.

Kurfürstendamm am Adenauerplatz garni, Kurfürstendamm 68 (B 15), ℘ 88 28 41, Telex 184630 – BX n
33 Z : 55 B.

Berlin-Plaza, Knesebeckstr. 63 (B 15), ℘ 88 41 30, Telex 184181 – AE (D) E VISA DX c
Karte 29/46 – **131 Z : 221 B** 115 - 175 Fb.

Bremen garni, Bleibtreustr. 25 (B 15), ℘ 8 81 40 76, Telex 184892, Fax 8822518 – AE (D) E VISA CX g
48 Z : 72 B 170/200 - 220/240.

Astoria garni, Fasanenstr. 2 (B 12), ℘ 3 12 40 67, Telex 181745 – AE (D) E VISA DV a
33 Z : 54 B 120/130 - 170/180 Fb.

Remter garni, Marburger Str. 17 (B 30), ℘ 24 60 61, Telex 183497 – (D) E VISA EVX c
33 Z : 51 B 92/115 - 120/170 Fb.

Atrium-Hotel garni, Motzstr. 87 (B 30), ℘ 24 40 57 – E EX e
22 Z : 40 B 50/75 - 98.

XXX **Berlin-Grill**, Kurfürstenstr. 62 (im Hotel Berlin) (B 30), ℘ 2 60 50 – AE (D) E VISA. EV b
Samstag bis 18 Uhr und Sonntag geschl. – Karte 53/88 (Tischbestellung ratsam).

XXX **Ristorante Anselmo**, Damaschkestr. 17 (B 31), ℘ 3 23 30 94, « Modernes ital. Restaurant » – BX z
Montag geschl. – Karte 44/70.

XXX Tessiner Stuben, Bleibtreustr. 33 (B 15), ℘ 8 81 36 11 CX a
(Tischbestellung ratsam).

XX ✻ **Bamberger Reiter**, Regensburger Str. 7 (B 30), ℘ 24 42 82 – EX b
nur Abendessen, Sonntag - Montag, 1.- 17. Jan. und 1.- 15. Aug. geschl. – Karte 74/105 (Tischbestellung ratsam)
Spez. Gänsestopfleber in Strudelteig, Lammrücken mit Basilikumpesto, Soufflé von Ziegenkäse.

XX **Mövenpick - Café des Artistes**, Europa-Center (1. Etage) (B 30), ℘ 2 62 70 77, ≤ – AE (D) E VISA EV n
Karte 42/70 – **Mövenpick-Restaurant** Karte 27/51.

XX **Frühsammers Weinrestaurant Am Fasanenplatz**, Fasanenstr. 42 (B 15), ℘ 8 83 97 23 – (D) E VISA DX e
Sonntag - Montag und Juli - Aug. 2 Wochen geschl. – Karte 48/70.

XX **Du Pont**, Budapester Str. 1 (B 30), ℘ 2 61 88 11 – AE (D) E EV x
Samstag bis 18 Uhr, Sonn- und Feiertage sowie 24. Dez.- 2. Jan. geschl. – Karte 47/82.

XX Alt-Berliner Schneckenhaus, Kurfürstendamm 37 (im Gartenhaus) (B 15), ✆ 8 83 59 37, « Restaurant im Stil der Jahrhundertwende » DX s
nur Abendessen – (Tischbestellung ratsam).

XX **Daitokai** (Japanische Küche), Tauentzienstr. 9 (im Europa-Center, 1. Etage) (B 30), ✆ 2 61 80 99 – AE ① E VISA. ✂ EV n
Montag geschl. – Karte 43/70.

XX **Ristorante Peppino** (Italienische Küche), Fasanenstr. 65 (B 15), ✆ 8 83 67 22 – AE E
Montag und Juli - Aug. 3 Wochen geschl. – Karte 40/59. DX u

XX **Ristorante IL Sorriso** (Italienische Küche), Kurfürstenstr. 76 (B 30), ✆ 2 62 13 13, 🏠 – AE ① E VISA. ✂ EV r
Sonntag geschl. – Karte 42/65 (abends Tischbestellung ratsam).

X **Stachel** (Restaurant im Bistrostil), Giesebrechtstr. 3 (B 12), ✆ 8 82 36 29, 🏠 – AE ① E VISA
nur Abendessen, Sonntag geschl. – Karte 47/62. BX e

X **Kopenhagen** (Dänische Smörrebröds), Kurfürstendamm 203 (B 15), ✆ 8 81 62 19 – ▤. AE ① E VISA DX k
Karte 30/55.

X **Friesenhof**, Uhlandstr. 185 (B 12), ✆ 8 83 60 79 – ▤. AE E VISA DV m
Karte 24/48.

X **Hongkong** (China-Rest.), Kurfürstendamm 210 (2. Etage, |‡|) (B 15), ✆ 8 81 57 56 – AE ① E
Karte 28/48. DX T

In Berlin-Charlottenburg Stadtplan Berlin : S. 4, 6 und 10-11 :

🏨 **Seehof** 🐎, Lietzensee-Ufer 11 (B 19), ✆ 32 00 20, Telex 182943, ≤, 🏠, ≘s, ▣ – |‡| TV 🚗 🏃 (mit ▤). AE ① E VISA. ✂ Rest BV r
Karte 43/74 – **77 Z : 100 B** 150/210 - 210/250 Fb.

🏨 Kanthotel garni, Kantstr. 111 (B 12), ✆ 32 30 26, Telex 183330 – |‡| TV ☎ 🅟 BV e
55 Z : 110 B Fb.

🏨 **Schloßparkhotel** 🐎, Heubnerweg 2a (B 19), ✆ 3 22 40 61, ▣, 🌳 – |‡| TV ☎ 🅟 🏃. AE ① E VISA BU a
Karte 27/49 – **39 Z : 78 B** 129/155 - 184/220 Fb.

🏨 **Kardell**, Gervinusstr. 24 (B 12), ✆ 3 24 10 66 – |‡| ☎ 🅟. AE ① E VISA BX r
Karte 38/68 *(Samstag bis 17 Uhr geschl.)* – **33 Z : 49 B** 90/100 - 160 Fb.

🏨 **Ibis** garni, Messedamm 10 (B 19), ✆ 30 39 30, Telex 182882 – |‡| TV ☎ 🏃. AE ① E VISA
191 Z : 350 B 109/159 - 147/170 Fb. AV b

🏨 **Am Studio** garni, Kaiserdamm 80 (B 19), ✆ 30 20 81, Telex 182825 – |‡| TV ☎ 🚗. AE ① E VISA AV c
77 Z : 141 B 95/120 - 125/160 Fb.

XX **La Puce**, Schillerstr. 20 (B 12), ✆ 3 12 58 31 – AE. ✂ CV a
nur Abendessen, Sonntag - Montag und Juli - Aug. 4 Wochen geschl. – Karte 62/87.

XX ✿ **Ponte Vecchio** (Toskanische Küche), Spielhagenstr. 3 (B 10), ✆ 3 42 19 99 – ① BV a
nur Abendessen, Dienstag und Juli - Aug. 4 Wochen geschl. – Karte 47/64 (Tischbestellung erforderlich)
Spez. Insalatina di campo con animelle, Supreme di faraona all'uva, Zuccotto di ricotta.

XX ✿ **Alt Luxemburg**, Pestalozzistr. 70 (B 12), ✆ 3 23 87 30 BV s
nur Abendessen, Sonntag - Montag, Jan. 2 Wochen und Juli - Aug. 3 Wochen geschl. – Karte 58/75 (Tischbestellung ratsam).

XX **Trio**, Klausenerplatz 14 (B 19), ✆ 3 21 77 82 BU e
nur Abendessen, Mittwoch - Donnerstag geschl. – Karte 43/61 (Tischbestellung ratsam).

XX **Ristorante Mario** (Italienische Küche), Leibnitzstr. 43 (B 12), ✆ 3 24 35 16 CV e
Samstag und Juli - Aug. 3 Wochen geschl. – Karte 49/75 (Tischbestellung ratsam).

XX **Funkturm-Restaurant** (|‡|, DM 2), Messedamm 22 (B 19), ✆ 30 38 29 96, ≤ Berlin – 🅟. AE ① E VISA. ✂ AV
Karte 37/68.

XX **Pullman**, Messedamm 11 (Im Congress-Center) (B 19), ✆ 30 38 39 46, ≤ – |‡| ▤ ♿ 🏃. AE ① E VISA. ✂ AV s
bis 18 Uhr geöffnet, Samstag - Sonntag und Juli - Aug. 4 Wochen geschl. – Karte 31/67.

In Berlin-Dahlem Stadtplan Berlin : S. 5 :

🏨 **Forsthaus Paulsborn** 🐎, Am Grunewaldsee (B 33), ✆ 8 13 80 10, 🏠 – TV ☎ 🅟. AE ① E VISA MT u
16. Jan.- 10. Feb. geschl. – Karte 34/58 *(Montag geschl.)* – **11 Z : 22 B** 90 - 135/165.

XX **Alter Krug**, Königin-Luise-Str. 52 (B 33), ✆ 8 32 50 89, « Gartenterrasse » – 🅟. ① E VISA
Donnerstag geschl. – Karte 36/70. MT k

In Berlin-Friedenau Stadtplan Berlin : S. 5 :

🏨 **Hospiz Friedenau** 🐎 garni, Fregestr. 68 (B 41), ✆ 8 51 90 17 – ☎ 🚗 🅟. ✂ MT z
16 Z : 25 B 65/70 - 80/105.

In Berlin-Grunewald Stadtplan Berlin : S. 4-6 :

XXX **Hemingway's**, Hagenstr. 18 (B 33), ✆ 8 25 45 71 – AE E VISA. MS **t**
Samstag bis 19 Uhr und Sonntag geschl. – Karte 57/80 (Tischbestellung ratsam).

XX **Chalet Corniche**, Königsallee 5b (B 33), ✆ 8 92 85 97, « Terrasse über dem Ufer des Halensees » – P. AE E AX **s**
wochentags nur Abendessen – Karte 51/79.

XX **Castel Sardo** (Italienische Küche), Hagenstr. 2 (B 33), ✆ 8 25 60 14, – AE E MS **a**
Montag geschl. – Karte 48/67.

X **Chalet Suisse**, Im Jagen 5 (Zufahrt über Clayallee) (B 33), ✆ 8 32 63 62, – P. AE E VISA MT **v**
Karte 42/67.

In Berlin-Kreuzberg Stadtplan Berlin : S. 7-8 :

Hervis garni, Stresemannstr. 97 (B 61), ✆ 2 61 14 44, Telex 184063 – TV P. AE E VISA GV **a**
71 Z : 118 B 95/141 - 153/197 Fb.

Riehmers Hofgarten garni, Yorckstr. 83 (B 61), ✆ 78 10 11 – TV. AE E SY **a**
26 Z : 50 B 102/122 - 142/176.

In Berlin-Lankwitz Stadtplan Berlin : S. 5 :

Pichlers Viktoriagarten, Leonorenstr. 18 (B 46), ✆ 7 71 60 88 – P MT **e**
Juli - Aug. 4 Wochen geschl. – Karte 22/46 *(Montag bis 17 Uhr geschl.)* – **24 Z : 31 B** 40/110 - 78/140.

In Berlin-Lichterfelde Stadtplan Berlin : S. 5 :

Haus Franken garni (ehem. Villa), Hochbergplatz 7 (B 45), ✆ 7 72 10 89, – MT **f**
11 Z : 18 B 83/106 - 134/146.

In Berlin-Moabit Stadtplan Berlin : S. 7 :

X **Paris Moskau**, Alt-Moabit 141 (B 21), ✆ 3 94 20 81, – AE E VISA FU **a**
nur Abendessen – Karte 51/69 (Tischbestellung ratsam).

In Berlin-Nikolassee Stadtplan Berlin : S.4 :

XXX ✿ **Frühsammer's Restaurant An der Rehwiese**, Matterhornstr. 101 (B 38), ✆ 8 03 27 20 – E VISA LT **n**
ab 19 Uhr geöffnet, Jan. 2 Wochen und Juli - Aug. 2 Wochen geschl. – Karte 68/96 (Tischbestellung ratsam)
Spez. Püree von grünem Spargel mit Seezungenstreifen, Bohneneintopf mit Krebsen, Steinbutt mit Fenchelhonigsauce.

In Berlin-Reinickendorf Stadtplan Berlin : S. 5 :

Rheinsberg am See, Finsterwalder Str. 64 (B 26), ✆ 4 02 10 02, Telex 185972, « Gartenterrasse am See », Massage, , , , – TV P MS **e**
Karte 38/63 – **70 Z : 150 B** 108 - 162 Fb.

In Berlin-Siemensstadt Stadtplan Berlin : S. 5 :

Novotel, Ohmstr. 4 (B 13), ✆ 38 10 61, Telex 181415, Fax 3819403, (geheizt) – Rest TV P (mit). AE E VISA MS **u**
Karte 31/55 – **119 Z : 238 B** 157 - 182 Fb.

In Berlin - Steglitz Stadtplan Berlin : S. 5 :

Steglitz International, Albrechtstr. 2 (Ecke Schloßstr.) (B 41), ✆ 79 00 50, Telex 183545, Fax 79005550, Massage, – TV . AE E VISA MT **a**
Karte 34/59 – **212 Z : 400 B** 160/210 - 200/230 Fb.

Ravenna Hotel garni, Grunewaldstr. 8 (B 41), ✆ 7 92 80 31, Telex 184310 – P. AE E VISA MT **c**
45 Z : 86 B 98 - 125/200 Fb.

In Berlin-Tegel Stadtplan Berlin : S. 5 :

Novotel Berlin Airport, Kurt-Schumacher-Damm 202 (über Flughafen-Zufahrt) (B 51), ✆ 4 10 60, Telex 181605, Fax 4106700, , (geheizt) – TV P . AE E VISA MS **r**
Karte 35/64 – **187 Z : 374 B** 150/170 - 180/190 Fb.

Gästehaus am Tegeler See , Wilkestr. 2 (B 27), ✆ 4 38 40 (Hotel) 4 38 43 33 (Rest.), Fahrradverleih – TV P MS **n**
39 Z : 70 B Fb.

In Berlin-Tegelort Stadtplan Berlin : S. 4 :

Igel garni, Friederikestr. 33 (B 27), ✆ 4 33 90 67 – P LS **u**
48 Z : 100 B.

In Berlin-Waidmannslust Stadtplan Berlin : S. 5 :

XXX ✿✿ **Rockendorf's Restaurant** (elegante Einrichtung), Düsterhauptstr. 1 (B 28), ✆ 4 02 30 99 – P. AE ⦿ E MS **m**
Juli - Aug. 3 Wochen, 22. Dez.- 6. Jan., sowie Sonntag, Montag und Feiertage geschl. – Karte 90/155 *(nur Menu)* (Tischbestellung ratsam)
Spez. Wachtelmousse mit Artischocken-Trüffelsalat, Bretonischer Hummer in Sauternes, Haselnuß-Quarksoufflé.

In Berlin-Wilmersdorf Stadtplan Berlin : S. 10-11 :

Crest Hotel garni, Güntzelstr. 14 (B 31), ✆ 87 02 41, Telex 182948, Fax 8619326 – Zim TV. AE ⦿ E VISA DY **t**
110 Z : 150 B 162/192 - 208 Fb.

Prinzregent garni, Prinzregentenstr. 47 (B 31), ✆ 8 53 80 51, Telex 185217, Fax 7845032 – TV P. AE E VISA DZ **s**
35 Z : 63 B 90/120 - 140.

Franke, Albrecht-Achilles-Str. 57 (B 31), ✆ 8 92 10 97, Telex 184857 – P BX **s**
67 Z : 90 B.

Lichtburg, Paderborner Str. 10 (B 15), ✆ 8 91 80 41, Telex 184208 – . AE ⦿ E VISA
Karte 26/37 – **62 Z : 100 B** 100/110 - 154/160. BX **a**

XX Medel, Durlacher Str. 25 (Ecke Bruchsaler Str.) (B 31), ✆ 8 53 87 47, , « Einrichtung eines Südtiroler Berghofs » DZ **n**
nur Abendessen.

In Berlin-Zehlendorf Stadtplan Berlin : S. 5 :

XX **Cristallo** (Italienische Küche), Teltower Damm 52 (B 37), ✆ 8 15 66 09, – P. AE E
Dienstag geschl. – Karte 42/68. MT **s**

Am Wannsee Stadtplan Berlin : S. 4 :

Wannseeblick, Königstr. 36 (B 39), ✆ 8 05 50 28, « Terrasse am Yachthafen » – TV P
30 Z : 80 B. UT **p**

X **Blockhaus Nikolskoe,** Nikolskoer Weg (B 39), ✆ 8 05 29 14, – P. ⦿ E LT **b**
Donnerstag geschl. – Karte 23/61.

An der Avus Stadtplan Berlin : S. 4 :

Raststätte - Motel Grunewald, Kronprinzessinnenweg 120 (B 38), ✆ 8 03 10 11, – P
36 Z : 72 B. LT **x**

MICHELIN-REIFENWERKE KGaA. Niederlassung Alt Moabit 95-97 (B 21) (Berlin S. 7 EU), ✆ 3 91 30 11.

☛ *Keine Aufnahme in den* **Michelin-Führer** *durch*
- Beziehungen oder
- Bezahlung

BERMATINGEN Baden-Württemberg siehe Markdorf.

BERMERSBACH Baden-Württemberg siehe Forbach.

BERNAU AM CHIEMSEE 8214. Bayern 413 U 23, 987 ㊲, 426 ⑱ – 5 400 Ew – Höhe 555 m – Luftkurort – ✆ 08051 (Prien).

Kur- u. Verkehrsamt, Aschauer Straße, ✆ 72 18.

♦München 84 – Rosenheim 25 – Salzburg 59 – Traunstein 30.

Talfriede, Kastanienallee 1, ✆ 74 18 – P. AE ⦿ E VISA.
April - Okt. – (nur Abendessen für Hausgäste) – **29 Z : 65 B** 78/125 - 120/173 Fb.

Alter Wirt - Bonnschlößl, Kirchplatz 9, ✆ 8 90 11, Biergarten, « Park », – P
Mitte Okt.- Mitte Nov. geschl. – Karte 17/40 *(Montag geschl.)* – **44 Z : 87 B** 40/80 - 70/120 Fb.

Jägerhof, Rottauer Str. 15, ✆ 73 77, – P. ⦿ E
4.- 18. April und 14. Nov.- 19. Dez. geschl. – Karte 23/47 *(Mai - Okt. Dienstag, Dez.- April Dienstag - Mittwoch 18 Uhr geschl.)* – **15 Z : 30 B** 40/58 - 64/95.

In Bernau-Reit SW : 3 km – Höhe 700 m :

Seiser Alm , Reit 4, ✆ 74 04, ≤ Chiemgau und Chiemsee, , , – P
20. Okt.- 20. Nov. geschl. – Karte 14,50/33 *(Donnerstag geschl.)* – **25 Z : 45 B** 35/43 - 70/80.

Seiserhof , Reit 5, ✆ 72 95, ≤ Chiemgau und Chiemsee, , – P
Mitte Nov.- Mitte Dez. geschl. – Karte 20/40 *(Mittwoch geschl.)* – **22 Z : 40 B** 32/45 - 60/80 Fb – 4 Fewo 50/90.

[BERNAU IM SCHWARZWALD] 7821. Baden-Württemberg [413] H 23, [987] ㉞, [427] ⑤ – 1 700 Ew – Höhe 930 m – Luftkurort – Wintersport : 930/1 415 m 🚡 7 ⛷ 4 – ☏ 07675.

[i] Kurverwaltung, Bernau-Innerlehen, Rathaus, ℘ 8 96.

◆Stuttgart 198 – Basel 59 – ◆Freiburg im Breisgau 47 – Waldshut-Tiengen 35.

In Bernau-Dorf :

🏨 **Bergblick**, Dorf 19, ℘ 4 24, <, ⛱, 🌳 – 🚗 [P]
Ende Okt.- Weihnachten geschl. – Karte 21/40 *(Dienstag geschl.)* 🍷 – **12 Z : 23 B** 37/45 - 70/74 – P 53.

🏨 Löwen, Dorf 30, ℘ 2 77, 🏊, 🌳 – 🚗 [P]
(Restaurant nur für Hausgäste) – **13 Z : 25 B** Fb.

In Bernau-Innerlehen :

🏨 Rössle 🪑, Hauptstr. 29, ℘ 3 47, 🏊, 🌳 – 🚗 [P]
40 Z : 60 B.

In Bernau-Oberlehen :

🏨 **Schwanen**, Oberlehen 43, ℘ 3 48, 🌳 – 🚫🐕 Zim 🚗 [P]. [D] [E]
◆ *Mitte Nov.- Mitte Dez. geschl.* – Karte 19/42 *(Mittwoch geschl.)* 🍷 – **22 Z : 38 B** 30/50 - 60/80 – P 55/70.

🏨 **Bären**, Oberlehen 14, ℘ 6 40 – [TV] ☎ [P]. 🚫🐕
April und Nov.- 20. Dez. geschl. – Karte 24/46 *(Montag geschl.)* – **11 Z : 20 B** 40 - 70 – P 60.

[BERNE] 2876. Niedersachsen [987] ⑭ – 6 900 Ew – Höhe 2 m – ☏ 04406.

◆Hannover 158 – ◆Bremen 37 – Bremerhaven 54 – ◆Oldenburg 25 – Wilhelmshaven 64.

🍴🍴 **Weserblick**, Juliusplate 6 (an der Fähre nach Farge), ℘ 2 14, <, ⛱ – [P] 👥. [D]
Karte 31/61.

[BERNECK IM FICHTELGEBIRGE, BAD] 8582. Bayern [413] RS 16, [987] ㉗ – 5 000 Ew – Höhe 377 m – Kneippheilbad – Luftkurort – ☏ 09273.

[i] Kurverwaltung, Rathaus, Bahnhofstr. 77, ℘ 61 25.

◆München 244 – Bayreuth 15 – Hof 45.

🏨🏨 **Kurhotel zur Mühle** 🪑, Kolonnadenweg 1, ℘ 61 33, « Gartenterrasse », Bade- und Massageabteilung, 🏋, 🏊 – ☎ 🚗 [P]. [AE] [D] [E] [VISA]. 🚫🐕 Rest
Karte 27/55 – **42 Z : 60 B** 45/80 - 120/160 Fb.

🏨 **Kurhotel Heissinger** 🪑 garni, An der Ölschnitz 51, ℘ 3 31, 🏋 – ⇅ 🚗
10. Jan.- Feb. geschl. – **17 Z : 25 B** 39/50 - 80/98 Fb.

🏨 **Haus am Kurpark** 🪑, Heinersreuther Weg 1, ℘ 76 18 – ☎ [P]. [AE] [D] [E] [VISA]
Karte 25/45 – **15 Z : 26 B** 49/65 - 88/130.

🍴🍴 **Hübner** mit Zim, Marktplatz 34, ℘ 82 82, ♨ – [TV]. [AE] [D] [E] [VISA]
◆ *Feb. geschl.* – Karte 17/54 *(Donnerstag geschl.)* – **4 Z : 8 B** 38 - 72 – P 56.

In Bad Berneck-Goldmühl SO : 3 km :

🏨 **Schwarzes Roß** 🪑, Maintalstr. 11, ℘ 3 64, 🌳 – 🚗
◆ *20. Okt.- 1. Dez. geschl.* – Karte 16/30 *(Nov.- April Sonntag, Mai - Okt. Sonntag ab 14 Uhr geschl.)* – **27 Z : 50 B** 28/40 - 56/75 – 6 Fewo 50/120.

In Goldkronach **8581** SO : 5 km :

🏨 **Zum Alexander von Humboldt**, Bad Bernecker Str. 4, ℘ (09273) 61 96, ♨, 🏊 – ☎ [P] 👥
Karte 21/36 *(Montag und 10. Jan.- Feb. geschl.)* 🍷 – **32 Z : 64 B** 52/68 - 84/114 Fb – P 78/88.

[BERNKASTEL-KUES] 5550. Rheinland-Pfalz [987] ㉔ – 7 200 Ew – Höhe 115 m – Erholungsort – ☏ 06531.

Sehenswert : Markt★.

Ausflugsziel : Burg Landshut <★★, S : 3 km.

[i] Tourist-Information, in Bernkastel, Gestade 5, ℘ 40 23.

Mainz 113 – ◆Koblenz 103 – ◆Trier 49 – Wittlich 16.

Im Ortsteil Bernkastel :

🏨🏨 **Zur Post** (Fachwerkhaus a.d.J. 1827 mit neuzeitlichem Hotelanbau), Gestade 17, ℘ 20 22, Telex 4721569 – ⇅ [TV] ☎ ♿ 👥. [AE] [D] [E] [VISA]
4.- 31. Jan. geschl. – Karte 30/62 – **40 Z : 85 B** 45/88 - 65/130 Fb.

🏨🏨 **Römischer Kaiser**, Markt 29, ℘ 30 38 – ☎. [AE] [D] [E] [VISA]
Jan.- Feb. geschl. – Karte 23/57 – **31 Z : 60 B** 50/75 - 85/120.

🏨 **Behrens** garni, Schanzstr. 9, ℘ 60 88 – ⇅ [TV] ☎ 🚗. [AE] [E]
Jan.- Feb. geschl. – **27 Z : 55 B** 48/85 - 84/130 Fb.

🏨 **Burg Landshut**, Gestade 11, ℘ 30 19, Telex 4721565 – ☎. [AE] [D] [E] [VISA]
2. Jan.- 2. März und 3.-27. Dez. geschl. – Karte 28/62 *(3.- 17. Dez. und Dienstag geschl.)* – **30 Z : 60 B** 50/100 - 85/150.

Binz, Markt 1, ✆ 22 25 – TV ☎
15. Dez.- Jan. geschl. – Karte 20/46 – **10 Z : 20 B** 35/65 - 70/100.

Moselblümchen, Schwanenstr. 10, ✆ 23 35
Feb.- 15. März geschl. – Karte 18/51 *(Nov.- Ostern Sonntag, Ostern - Okt. Montag geschl.)* – **22 Z : 40 B** 32/50 - 52/80.

Huwer, Römerstr. 35, ✆ 23 53
Ende Feb.- Anfang März geschl. – Karte 16/37 *(Montag geschl.)* – **11 Z : 19 B** 26/45 - 52/80.

Rôtisserie Royale, Burgstr. 19, ✆ 65 72, « Originelle Einrichtung in einem Fachwerkhaus a.d. 17. Jh. »
nur Abendessen, 15.- 30. Dez. geschl. – Karte 42/70 (Tischbestellung ratsam).

Altes Brauhaus, Gestade 4, ✆ 25 52, – AE E
Jan.- Feb. geschl. – Karte 24/58.

Im Ortsteil Kues :

Mosel Hotelpark, Am Kurpark, ✆ 20 11, Telex 4721559, Fax 7311, (Halle), Fitness-Sportcenter – TV ☎ P. AE E VISA
Karte 30/58 – **110 Z : 220 B** 99/109 - 144/164 Fb – 12 Appart. 168/190 – 40 Fewo 115/120.

Drei Könige garni, Bahnhofstr. 1, ✆ 20 35 – ☎ P. AE E
Mitte März- Mitte Nov. – **40 Z : 68 B** 75/100 - 125/150.

Panorama garni, Rebschulweg 48, ✆ 30 61, – ☎ P. E
15 Z : 30 B 40/55 - 70/100.

Weinhaus St. Maximilian garni, Saarallee 12, ✆ 24 31, eigener Weinbau – P
Ostern - Mitte Nov. – **10 Z : 20 B** 40/65 - 65/90.

Café Volz mit Zim, Lindenweg 18, ✆ 66 27, Fahrradverleih – ☎ P. AE E VISA
2. Jan.- 5. Feb. geschl. – Karte 23/48 *(Montag geschl.)* – **7 Z : 13 B** 45 - 70.

Im Ortsteil Wehlen NW : 4 km :

Mosel-Hotel, Uferallee 3, ✆ 85 27, ≤, – P
März - Nov. – Karte 22/48 – **16 Z : 30 B** 50/65 - 70/95.

Sonnenuhr, Hauptstr. 110, ✆ 84 23 – P. AE E
März 2 Wochen geschl. – Karte 32/65 *(Dienstag geschl.)* – **9 Z : 17 B** 42/48 - 76/90.

BERNRIED 8351. Bayern 413 V 20 – 4 060 Ew – Höhe 500 m – Wintersport : 750/1 000 m 2 2 – 09905.

Verkehrsamt, ✆ 2 17.

♦München 160 – Passau 57 – ♦ Regensburg 65 – Straubing 33.

Bernrieder Hof, Bogener Str. 9, ✆ 2 28, (geheizt), – ☎ P. Rest
15 Z : 26 B.

In Bernried-Böbrach N : 2 km :

Staufert, Böbrach 12, ✆ 4 35, ≤, – P
Mitte Nov.- Mitte Dez. geschl. – Karte 18/30 – **15 Z : 30 B** 35 - 70.

In Bernried-Rebling NO : 10 km :

Reblinger Hof, Kreisstr. 3, ✆ 5 55, ≤, Damwildgehege, – P
3. Nov.- 20. Dez. geschl. – Karte 23/45 *(Montag geschl.)* – **16 Z : 31 B** 50/65 - 100/130 Fb.

BERNRIED AM STARNBERGER SEE 8139. Bayern 413 Q 23, 426 ⑰ – 2 000 Ew – Höhe 633 m – Erholungsort – 08158.

Verkehrsbüro, Bahnhofstr. 4, ✆ 80 45, Fax 8046.

♦München 47 – Starnberg 20 – Weilheim 18.

Marina Bernried, Segelhafen 1, ✆ 60 46, Telex 527764, Fax 7117, ≤, Yachthafen – TV ☎ P. E VISA
15. Dez.- 7. Jan. geschl. – Karte 35/66 – **57 Z : 114 B** 120/180 - 157/190 Fb – 18 Fewo 110/125.

Seeblick, Tutzinger Str. 9, ✆ 30 51, Fax 3056, – TV ☎ P
Mitte Dez.- Mitte Jan. geschl. – Karte 22/50 – **122 Z : 230 B** 47/90 - 66/114 Fb – P 77/95.

BEROD Rheinland-Pfalz siehe Altenkirchen im Westerwald.

The overnight or full board prices may
in some cases be increased by the addition of a local bed tax or
a charge for central heating.
Before making your reservation confirm with the hotelier
the exact price that will be charged.

[BERTRICH, BAD] 5582. Rheinland-Pfalz [987] ㉔ – 1 400 Ew – Höhe 165 m – Heilbad – ☎ 02674.

[i] Verkehrsamt, im Thermalhallenbad, ✆ 12 93.

Mainz 118 – ♦Koblenz 93 – ♦Trier 60.

🏨 **Staatl. Kurhaus - Kurhotel**, Kurfürstenstr. 34, ✆ 8 34, « Gartenterrasse », Bade- und Massageabteilung – ⇅ ☎ [P] 👥. [E]
Karte 26/50 *(auch Diät)* – **36 Z : 50 B** 63/90 - 126 Fb.

🏨 Fürstenhof 🌙, Kurfürstenstr. 36, ✆ 3 66, direkter Zugang zum Kurmittelhaus – ⇅ ☎ 🚗. 🐕 Rest
37 Z : 62 B Fb – (Wiedereröffnung März 1989).

🏨 **Alte Mühle** 🌙, Bäderstr. 46, ✆ 8 73, « Terrasse am Park », ♨ – ⇅ ☎ [P] 👥. 🐕 Rest
Karte 26/50 – **40 Z : 55 B** 46/50 - 94/112.

🏨 **Diana**, Kurfürstenstr. 5, ✆ 8 91, ⛱, Bade- und Massageabteilung, 🏃 – ☎ 🚗 [P]. [E]. 🐕
Karte 24/54 *(auch Diät)* – **15 Z : 23 B** 60/70 - 115/140 – P 90/100.

🏨 **Café Am Schwanenweiher** 🌙 garni, Am Schwanenweiher, ✆ 6 69, 🌳 – ☎ 🚗 [P]
12 Z : 24 B 55 - 94/140.

🏨 **Haus Christa** 🌙 garni, Viktoriastr. 4, ✆ 4 29 – ⇅ ☎. [AE] [D] [E] [VISA]. 🐕
März - 16. Nov. – **24 Z : 36 B** 47/50 - 80 Fb.

🏨 **Am Üßbach**, Kurfürstenstr. 19, ✆ 3 69 – ⇅ [TV] ♿
Karte 21/44 *(auch vegetarische Gerichte)* – **20 Z : 30 B** 45 - 90 Fb – P 65.

[BESCHEID] Rheinland-Pfalz siehe Trittenheim.

[BESENFELD] Baden-Württemberg siehe Seewald.

☞ *Michelin hängt keine Schilder an die empfohlenen Hotels und Restaurants.*

[BESIGHEIM] 7122. Baden-Württemberg [413] K 20, [987] ㉕ – 9 000 Ew – Höhe 185 m – ☎ 07143.

Ausflugsziel : Hessigheim (Felsengarten ≤*) O : 3 km.

♦Stuttgart 30 – Heilbronn 20 – Ludwigsburg 14 – Pforzheim 60.

🏨 **Ortel**, Am Kelterplatz, ✆ 30 31 – [TV] ☎. [D] [E] [VISA]
Karte 23/49 *(Dienstag geschl.)* – **7 Z : 14 B** 68 - 98/108 Fb.

🏨 Hotel am Markt garni, Kirchstr. 43, ✆ 38 98, « Renoviertes Fachwerkhaus a.d.J. 1615 » – ☎ [P]
9 Z : 19 B.

🏠 **Röser**, Weinstr. 6 (beim Bahnhof), ✆ 3 51 71 – 🚗 [P]
➔ *8.- 24. Mai und 24. Dez.- 8. Jan. geschl.* – Karte 19/32 *(nur Abendessen, Mittwoch geschl.)* 🍷 – **22 Z : 35 B** 30/45 - 55/80.

🍴 **Ratsstüble**, Kirchstr. 22, ✆ 3 59 41
Montag geschl. – Karte 29/53.

In Freudental 7121 W : 6 km :

🏠 **Lamm**, Hauptstr. 14, ✆ (07143) 2 53 53 – [P]
Feb. geschl. – Karte 23/40 *(Donnerstag 14 Uhr - Freitag geschl.)* 🍷 – **11 Z : 20 B** 40 - 60/80.

[BESTWIG] 5780. Nordrhein-Westfalen – 11 200 Ew – Höhe 350 m – Wintersport : 500/750 m ⛷3 ⛷4 – ☎ 02904.

[i] Verkehrsamt, an der B 7, ✆ 8 12 75.

♦Düsseldorf 156 – Brilon 14 – Meschede 8.

In Bestwig 7-Andreasberg S : 6 km :

🏨 **Andreasberg**, Dorfstr. 37, ✆ (02905) 6 13, « Garten », ♨, 🏊 – [P] 👥. 🐕 Rest
ab Aschermittwoch 3 Wochen geschl. – Karte 23/43 *(Donnerstag geschl.)* – **18 Z : 35 B** 50 - 90.

In Bestwig 2-Föckinghausen N : 3,5 km :

🏨 Waldhaus Föckinghausen 🌙, ✆ 22 62, ⛱, 🌳 – ☎ [P]
17 Z : 30 B.

In Bestwig 4-Ostwig O : 1,5 km :

🏨 **Nieder**, Hauptstr. 19, ✆ 5 91, « Gartenterrasse », ♨, 🌳 – ⇅ ☎ [P] 👥. 🐕 Rest
➔ Karte 19/43 *(Montag geschl.)* – **35 Z : 60 B** 54/59 - 96/106 – P 70.

In Bestwig 2-Velmede W : 1,5 km :

🍴🍴 **Frielinghausen** mit Zim, Oststr. 4, ✆ 23 91 – [P]. [AE] [D]
15.- 23. Feb. und 31. Juli - 14. Aug. geschl. – Karte **30**/53 *(Montag geschl.)* – **8 Z : 12 B** 40 - 64/79.

BETZDORF 5240. Rheinland-Pfalz [987] [24] – 10 700 Ew – Höhe 185 m – ☏ 02741.

Mainz 120 – ♦Köln 99 – Limburg an der Lahn 65 – Siegen 23.

🏨 **Breidenbacher Hof**, Klosterhof 7, ☎ 2 26 96, « Gemütliche Restauranträume » – 🚪 [P] 🏛. [AE] [D] [E] [VISA]
Ende Juli - Anfang Aug. geschl. – Karte 32/55 *(Samstag und Feiertage jeweils bis 18 Uhr sowie Sonntag geschl.)* – **16 Z : 28 B** 60/80 - 110/150 Fb.

🏨 Bürgergesellschaft, Augustastr. 5, ☎ 10 41, ⛱ – 🚪 🚗 [P]
8 Z : 14 B.

🍴 Stadthalle, Hellerstr. 30, ☎ 2 55 55, Biergarten – [P] 🏛.

BETZENSTEIN 8571. Bayern [413] R 17 – 2 300 Ew – Höhe 511 m – Erholungsort – ☏ 09244.

♦München 211 – Bayreuth 41 – ♦Nürnberg 45 – ♦Regensburg 125 – Weiden in der Oberpfalz 65.

🏨 Lärchenhof 🌿, Klausberger Str. 7, ☎ 4 91, ⛱ – [TV] 🚪 [P]
10 Z : 20 B.

🏠 **Burghardt**, Hauptstr. 7, ☎ 2 06
Ende Feb.- Ende März geschl. – Karte 14,50/28 *(Mittwoch ab 14 Uhr geschl.)* – **13 Z : 23 B** 26/30 - 50/65.

BEUREN 7444. Baden-Württemberg [413] L 21 – 3 300 Ew – Höhe 434 m – Erholungsort – ☏ 07025 (Neuffen).

♦Stuttgart 44 – Reutlingen 21 – ♦Ulm (Donau) 66.

🏨 **Beurener Hof** 🌿, Hohenneuffenstr. 16, ☎ 51 57, ⛱ – 🚪 [P]
10.- 30. Jan. geschl. – Karte 43/66 *(Dienstag - Mittwoch 18 Uhr geschl.)* – **10 Z : 17 B** 55 - 96.

🏠 **Schwanen** 🌿, Kelterstr. 6, ☎ 22 90 – [P]
Juli - Aug. 2 Wochen und Weihnachten - Anfang Jan. geschl. – Karte 22/44 *(nur Abendessen, Montag geschl.)* – **13 Z : 20 B** 32/38 - 58/68.

🍴 **Schloß-Café**, Am Thermalbad 1, ☎ 32 70, ⛱ – [P]
Montag, am letzten Wochenende im Monat auch Samstag und Sonntag sowie Mitte - Ende Juli geschl. – Karte 24/43.

BEURON 7792. Baden-Württemberg [413] J 22, [987] [35] – 1 100 Ew – Höhe 625 m – Erholungsort – ☏ 07466.

♦Stuttgart 117 – ♦Freiburg im Breisgau 114 – ♦Konstanz 64 – ♦Ulm (Donau) 113.

🏨 **Pelikan**, Abteistr. 12, ☎ 4 06, ⛱ – 🛗 🚪 🚗 [P]
7. Jan.- 10. März geschl. – Karte 27/42 – **30 Z : 50 B** 44/48 - 80/88 Fb.

In Beuron-Hausen im Tal NO : 9 km :

🏨 **Steinhaus**, Schwenninger Str. 2, ☎ (07579) 5 56 – [P] 🏛. 🚭 Zim
20. Nov.- 24. Dez. geschl. – Karte 21/36 *(Montag geschl.)* 🍷 – **11 Z : 20 B** 37 - 74 – P 53.

In Beuron-Thiergarten NO : 14,5 km :

🏨 **Hammer**, Zum Hammer 3, ☎ (07570) 4 76, ⛱ – 🚗 [P]
Mitte Jan.- Mitte Feb. geschl. – Karte 32/52 *(Donnerstag geschl.)* 🍷 – **9 Z : 20 B** 35/45 - 70 – P 58.

🍴🍴 **Berghaus Alber** 🌿 mit Zim, Waldstr. 52, ☎ (07570) 3 93, ←, ⛱, 🌳 – [P]
7. Jan.- 15. Feb. geschl. – Karte 29/49 *(Dienstag geschl.)* 🍷 – **7 Z : 15 B** 36/40 - 55/75 – P 56/61.

BEVENSEN, BAD 3118. Niedersachsen [987] [16] – 9 600 Ew – Höhe 39 m – Heilbad und Kneipp-Kurort – ☏ 05821.

[i] Kurverwaltung, Brückenstr. 1, ☎ 30 77.

♦Hannover 113 – ♦Braunschweig 100 – Celle 70 – Lüneburg 24.

🏨 **Fährhaus** 🌿, Alter Mühlenweg 1, ☎ 4 20 22, Telex 91377, ⛱, Bade- und Massageabteilung, 🏊, 🏊, 🌳 – 🛗 [TV] 🚪 ♿ [P] 🏛. [AE] [D] [E] [VISA]
Karte 27/58 *(auch Diät)* – **49 Z : 82 B** 81/99 - 128/162 Fb – P 95/112.

🏨 **Landhaus Marina** 🌿, Haberkamp 2, ☎ 30 06, « Gartenterrasse », Bade- und Massageabteilung, 🏊, 🌳 – [TV] 🚪 [P]. 🚭
6.- 31. Jan. und 1.- 18. Dez. geschl. – Karte 60/72 *(Tischbestellung erforderlich)* (mittags nur Menu 25/40, Montag geschl.) – **25 Z : 38 B** 83/105 - 164/180 Fb – P 101/124.

🏨 **Kieferneck** 🌿, Lerchenweg 1, ☎ 30 33, Bade- und Massageabteilung, 🏊, 🏊, Fahrradverleih – 🛗 🚭 Rest [TV] 🚪 [P]
Karte 29/58 – **52 Z : 85 B** 70/95 - 124/130 Fb – P 100/110.

🏨 **Zur Amtsheide-Pension Ronco** 🌿, Zur Amtsheide 5, ☎ 12 49, Bade- und Massageabteilung, 🌳, Fahrradverleih – 🛗 🚪 ♿ [P]. 🚭 Rest
(Restaurant nur für Hausgäste) – **48 Z : 76 B** 65/100 - 100/150 Fb – 18 Fewo 80/135.

🏨 **Sonnenhügel** 🌿, Zur Amtsheide 9, ☎ 4 10 41, Bade- und Massageabteilung, 🏊 – 🛗 [TV] 🚪 [P]. 🚭
(Restaurant nur für Hausgäste) – **27 Z : 33 B** 65/80 - 116/130 Fb – 8 Fewo 100/140 – P 82/97.

Fortsetzung →

🏨 **Heidekrug**, Bergstr. 15, ☎ 70 71, 🌳 – 🛗 📺 ☎ 🚗 🅿
Mitte Jan.- Feb. geschl. – Karte 31/63 *(Dienstag geschl.)* – **17 Z : 21 B** 56/65 - 98/104 – P 88/96.

🏨 **Sporthotel**, Römstedter Str. 8, ☎ 30 85, ☂, ♨, 🎾 (Halle) – 🚭 Rest 📺 ☎ 🅿 🏟
Karte 24/43 – **31 Z : 69 B** 56/76 - 112/140.

🏨 **Karstens** 🌙, Am Klaubusch, ☎ 4 10 27, ☂ – ☎ 🅿. 🚫
12. Dez.- 7. Jan. geschl. – Karte 29/54 – **14 Z : 19 B** 53/80 - 84/104 Fb.

In Bad Bevensen-Medingen NW : 1,5 km :

🏨 **Vier Linden-Tannenhof**, Bevenser Str. 3, ☎ 30 88, ☂, Bade- und Massageabteilung, ♨, 🏊, 🌳, Fahrradverleih – 🚭 Rest 📺 ☎ 🅿 🏟. [AE] [E]
Karte 31/62 *(auch vegetarische Gerichte)* – **43 Z : 74 B** 68/95 - 110/160 Fb – P 97/114.

In Altenmedingen 3119 N : 6 km – ☎ 05807 :

🏨 **Hof Rose** 🌙 (Niedersächsischer Gutshof), Niendorfer Weg 12, ☎ 2 21, ☂, « Gartenanlagen », ♨, 🏊, 🌳, 🐎, Fahrradverleih – 📺 🅿
(Restaurant nur für Hausgäste) – **20 Z : 28 B** 43/95 - 86/124 Fb – P 72/103.

🏨 Altes Forsthaus 🌙, Reisenmoor (NW : 1 km), ☎ 2 56, ♨, 🏊, 🎾 (Halle), 🐎 – ☎ 🅿
28 Z : 56 B Fb.

🏨 Fehlhabers Hotel, Hauptstr. 5, ☎ 2 34, 🏊, 🌳 – 🚗 🅿. [DC] [E] – **27 Z : 40 B**.

In Eddelstorf 3119 N : 8 km :

🏨 **Hansens Hof** 🌙, Alte Dorfstr. 2, ☎ (05807) 12 57, Telex 91239, Fax 803777, Cafégarten, « Niedersächsischer Gutshof mit geschmackvoller Einrichtung », 🌳, 🐎 – 📺 ☎ 🅿 🏟. [AE] [DC] [E]
Karte 26/61 – **19 Z : 36 B** 60/90 - 120/160 – P 85/115.

In Bienenbüttel 3116 NW : 11 km :

🏨 **Drei Linden**, Lindenstr. 6, ☎ (05823) 70 82, ☂, ♨, 🏊 – 🛗 ☎ 🚗 🅿 🏟
Karte 20/49 – **29 Z : 50 B** 33/45 - 66/90 – P 60/72.

[BEVERN] 3454. Niedersachsen – 4 600 Ew – Höhe 90 m – ☎ 05531.

♦Hannover 71 – Göttingen 63 – ♦Kassel 85 – Paderborn 68.

🍴🍴 **Schloß Bevern** (modern-elegantes Restaurant in einem Schloß der Weserrenaissance), Schloß 1, ☎ 87 83, ☂ – 🅿. [AE] [DC] [E] [VISA]
Montag geschl. – Karte 37/70.

[BEVERUNGEN] 3472. Nordrhein-Westfalen [987] ⑮ – 16 100 Ew – Höhe 96 m – ☎ 05273.

[i] Verkehrsamt, Rathaus, Weserstr. 12, ☎ 9 21 55.

♦Düsseldorf 226 – Göttingen 63 – ♦Hannover 115 – ♦Kassel 56.

🏨 **Stadt Bremen**, Lange Str. 13, ☎ 13 75, ♨, 🏊, Fahrradverleih – 🛗 📺 ☎ 🅿 🏟. [AE] [DC] [E] [VISA]
Karte 22/52 – **48 Z : 80 B** 50/55 - 80/110 Fb.

🏨 Pension Resi 🌙, Am Kapellenberg 2, ☎ 13 97, ♨, 🏊 – 🅿
(Restaurant nur für Hausgäste) – **11 Z : 20 B**.

🏨 **Pension Bevertal** 🌙 garni, Jahnweg 1a, ☎ 54 85, 🌳 – 🅿
15 Z : 28 B 35/36 - 64/70.

🏠 **Böker**, Bahnhofstr. 25, ☎ 13 54 – 🅿 🏟
✦ Karte 18/34 – **10 Z : 21 B** 30/32 - 60/64.

🏠 **Kuhn** 🌙, Weserstr. 27, ☎ 13 53 – 🚗 🅿
✦ Karte 18/29 *(Sept.- April Mittwoch geschl.)* – **15 Z : 29 B** 30/40 - 64/68.

In Beverungen-Blankenau N : 3 km :

🏨 Weserblick, Kasseler Str. 2, ☎ 53 03, ☂, ♨, 🐎 – ☎ 🚗 🅿 🏟 – **28 Z : 56 B** Fb.

In Beverungen 2-Dalhausen SW : 7 km :

🏨 Zur Mühle, Beverstr. 2, ☎ (05645) 16 51, ♨, 🏊, 🌳 – 📺 🅿 🏟 – **49 Z : 112 B** Fb.

[BEXBACH] 6652. Saarland [242] ⑦, [57] ⑦, [87] ⑪ – 19 500 Ew – Höhe 249 m – ☎ 06826.

♦Saarbrücken 30 – Homburg/Saar 7 – Kaiserslautern 41 – Neunkirchen/Saar 7.

🏨 **Hochwiesmühle** 🌙, Hochwiesmühle 50 (N : 1,5 km), ☎ 81 90, Biergarten, ♨, 🏊, 🎾 – 📺 ☎ 🅿 🏟. [DC] [E] [VISA]
Karte 29/53 🍷 – **53 Z : 100 B** 37/68 - 68/108 Fb.

🏨 **Zur Krone**, Rathausstr. 6, ☎ 59 56 – 🛗 📺 ☎ 🚗 🅿. [AE] [DC] [E] [VISA]
Karte 30/60 – **16 Z : 30 B** 55/65 - 95/130 Fb.

🏨 **Klein - Restaurant Stadtkeller**, Rathausstr. 35, ☎ 48 10 (Hotel) 14 96 (Rest.) – 📺
Karte 21/46 *(Freitag 14 Uhr - Samstag 17 Uhr geschl.)* – **20 Z : 40 B** 35/50 - 60/80.

🏠 **Carola**, Rathausstr. 70, ☎ 40 34 – ☎ 🅿
Karte 23/50 *(Dienstag geschl.)* – **13 Z : 20 B** 30 - 60.

[BIBERACH AN DER RISS] 7950. Baden-Württemberg [413] M 22, [987] ㊱, [426] ⑭ – 28 000 Ew – Höhe 532 m – ☎ 07351.

[i] Städt. Fremdenverkehrsstelle, Theaterstr. 6, ☎ 5 14 36.

♦Stuttgart 134 – Ravensburg 47 – ♦Ulm (Donau) 42.

🏨 **Eberbacher Hof**, Schulstr. 11, ☎ 1 20 16, 🌳 – 🛗 [TV] ☎. [AE] [E]
Karte 29/60 *(Samstag geschl.)* 🍷 – **26 Z : 41 B** 70/80 - 100/130 Fb.

🏨 Berliner Hof 🐦, Berliner Platz 5, ☎ 2 10 51, 🏠 – 🛗 [TV] ☎ 🚗 [P] 🏛
28 Z : 46 B Fb.

🏨 Erlenhof garni, Erlenweg 18, ☎ 20 71 – [TV] ☎ 🚗 [P]
16 Z : 30 B Fb.

🏨 **Brauerei-Gaststätte und Gästehaus Haberhäusle** 🐦, Haberhäuslestr. 22, ☎ 70 57,
✦ 🌳 – 🛗 [TV] ☎ [P]. [O]. 🚫 Zim
Juli - Aug. 2 Wochen geschl. – Karte 19,50/37 (Samstag bis 17 Uhr und Sonntag 14 Uhr - Montag geschl.) 🍷 – **13 Z : 19 B** 63/70 - 98/110.

🍴🍴 **Stadthalle - Restaurant Kupferdächle**, Theaterstr. 8, ☎ 79 88, 🌳 – 🏛. [AE] [O] [E] [VISA]. 🚫
Karte 26/50.

🍴🍴 **Zur Goldenen Ente**, Gymnasiumstr. 17, ☎ 1 33 94 – [E]
1.- 6. Jan., Juli - Aug. 3 Wochen und Sonntag - Montag 18 Uhr geschl. – Karte 34/62.

[BIBERACH IM KINZIGTAL] 7616. Baden-Württemberg [413] GH 21, [987] ㉞, [242] ㉘ – 2 800 Ew – Höhe 195 m – Erholungsort – ☎ 07835 (Zell am Harmersbach).

[i] Verkehrsbüro, Hauptstr. 27, ☎ 33 14.

♦Stuttgart 164 – ♦Freiburg im Breisgau 55 – Freudenstadt 47 – Offenburg 18.

In Biberach-Prinzbach SW : 6 km :

🏨 **Badischer Hof** 🐦 (mit 2 Gästehäusern), Talstr. 20, ☎ 81 49, 🏠, 🏊 (geheizt), 🌲 – ☎ [P] 🏛. [E] [VISA]
Feb. geschl. – Karte 25/45 *(im Sommer Mittwoch ab 18 Uhr, im Winter Mittwoch ganztägig geschl.)* – **44 Z : 80 B** 40/60 - 80/90 Fb.

[BIBURG] Bayern siehe Abensberg.

[BIEBELRIED] Bayern siehe Würzburg.

[BIEBER] Hessen siehe Biebertal.

[BIEBEREHREN] Baden-Württemberg siehe Creglingen.

[BIEBERTAL] 6301. Hessen – 9 600 Ew – Höhe 190 m – ☎ 06409.

♦Wiesbaden 99 – Gießen 10 – Marburg 27.

In Biebertal 6-Bieber :

🏠 Reehmühle (ehemalige Mühle a.d. 17. Jh.), Hauptstr. 59, ☎ 3 63, 🌳 – [P]
5 Z : 8 B.

In Biebertal 4-Fellingshausen :

🏠 **Pfaff am Dünsberg** 🐦, ☎ 70 82, ≤, 🌳, 🏊, 🌲 – [P] 🏛. [O] [VISA]
✦ *Jan. geschl.* – Karte 19/50 – **21 Z : 30 B** 45 - 86.

In Biebertal 2-Königsberg :

🍴🍴 **Berghof Reehmühle** mit Zim, Bergstr. 47, ☎ (06446) 3 60, ≤, « Hübsche Einrichtung », 🌲 – [P]. [E]
Jan. geschl. – Karte 22/60 *(Montag geschl.)* – **8 Z : 13 B** 45 - 80 – P 75.

[BIEBESHEIM] 6083. Hessen [413] I 17 – 6 200 Ew – Höhe 90 m – ☎ 06258.

♦Wiesbaden 48 – ♦Darmstadt 19 – Mainz 36 – ♦Mannheim 39 – Worms 24.

🏨 **Biebesheimer Hof**, Königsberger Str. 1, ☎ 70 54, 🌳 – ☎ [P] 🏛
Karte 26/42 🍷 – **18 Z : 22 B** 48/62 - 96/98.

[BIEDENKOPF] 3560. Hessen [987] ㉕ – 14 400 Ew – Höhe 271 m – Luftkurort – Wintersport : 500/674 m ⛷2 ⛷2 – ☎ 06461.

[i] Städt.Verkehrsbüro, Am Markt 4, ☎ 30 26.

♦Wiesbaden 152 – ♦Kassel 101 – Marburg 32 – Siegen 55.

🏨 **Panorama** 🐦, Auf dem Radeköppel, ☎ 30 91, ≤, 🌳, 🏠 – [TV] ☎ [P] 🏛. [AE] [O] [E] [VISA]. 🚫 Rest
7.- 21. Jan. geschl. – Karte 29/55 – **40 Z : 85 B** 65/75 - 110/130 Fb.

🏨 **Berggarten** 🐦, Am Altenberg 1, ☎ 49 00, ≤, 🌳 – [P] 🏛. [O] [E]
Karte 23/44 – **18 Z : 30 B** 35/43 - 70/85.

BIELEFELD

Bahnhofstraße . . . . DY
Feilenstraße . . . . DY
Gehrenberg . . . . DZ
Jahnplatz . . . . DY 69

Niedernstraße . . . . DZ 92
Obernstraße . . . . DZ

Adenauerplatz . . . . DZ 2
Altenhagener Straße . . . . CX 4
Altmühlstraße . . . . BZ 7
Altstädter Kirchplatz . . . . DZ 9

Altstädter Kirchstraße . . . . DZ 12
Am Brodhagen . . . . BX 14
Am Güterbahnhof . . . . DY 15
Am Preßwerk . . . . AY 18
Am Sparrenberg . . . . DZ 21
Am Stadtholz . . . . BY 23
Amtmann-Bullrich-Straße . . . . CY 24

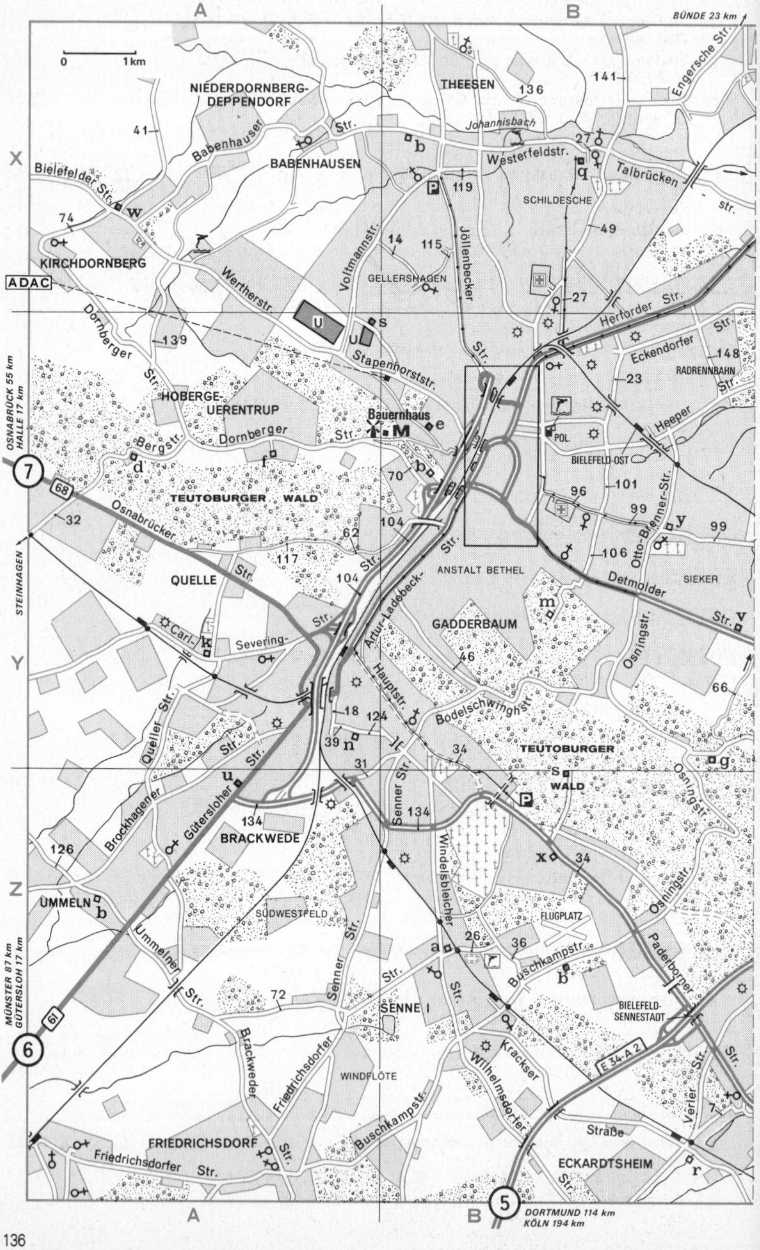

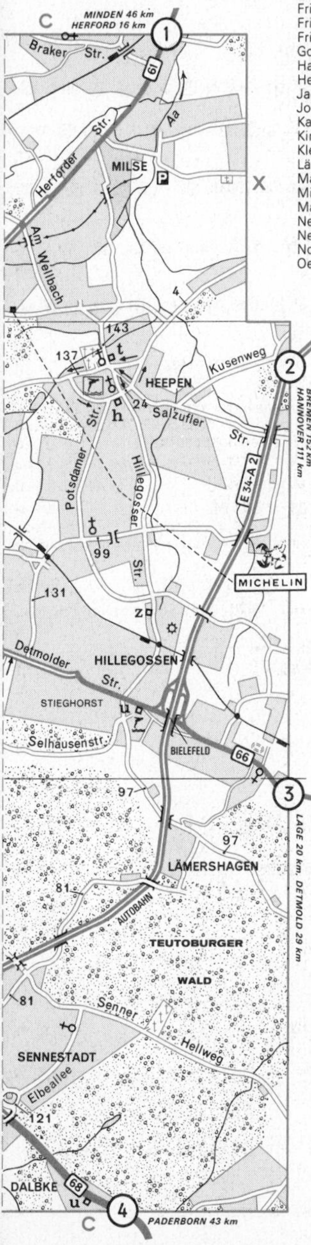

MINDEN 46 km
HERFORD 16 km
Braker Str.
Herforder Str.
MILSE
Am Wellbach
Kusenweg
HEEPEN
Salzufler Str.
Potsdamer Str.
Hillegosser Str.
BREMEN 152 km
HANNOVER 111 km
MICHELIN
HILLEGOSSEN
Detmolder Str.
STIEGHORST
Selhausenstr.
BIELEFELD
LAGE 20 km, DETMOLD 29 km
LÄMERSHAGEN
AUTOBAHN
TEUTOBURGER
WALD
Senner Hellweg
SENNESTADT
Elbeallee
DALBKE
PADERBORN 43 km

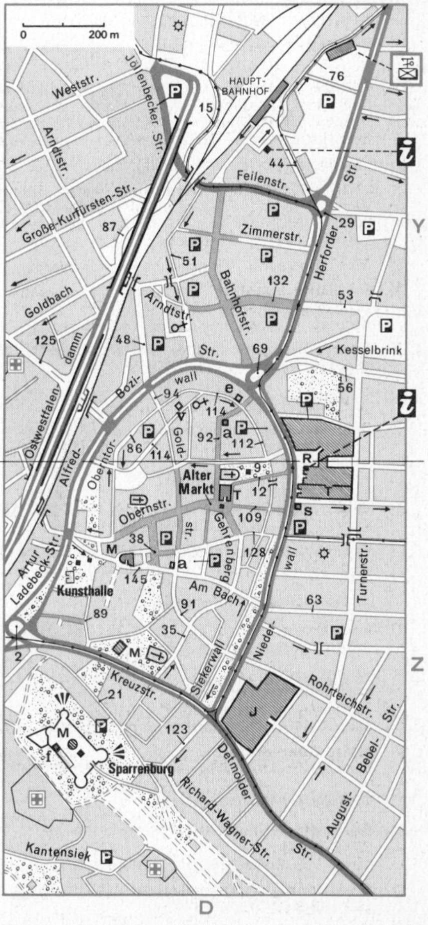

0 200 m
Weststr.
Jöllenbecker Str.
HAUPT-BAHNHOF
Arndtstr.
Große-Kurfürsten-Str.
Feilenstr.
Zimmerstr.
Herforder Str.
Bahnhofstr.
Goldbach
Ostwestfalendamm
Kesselbrink
Bozi-wall
Alter Markt
Obernstr.
Gehrenberg
Kunsthalle
Artur Ladebeck-Str.
Am Bach
Kreuzstr.
Sieker-wall
Niederwall
Turnerstr.
Rohrteichstr.
Sparrenburg
Detmolder Str.
Richard-Wagner-Str.
August-Bebel-Str.
Kantensiek

[BIELEFELD] 4800. Nordrhein-Westfalen [987] ⑭ – 303 000 Ew – Höhe 118 m – ☎ 0521.

⛳ Bielefeld-Hoberge, Dornberger Str. 375 (AY), ☎ 10 51 03.

[i] Tourist-Information, Am Bahnhof (Leinenmeisterhaus), ☎ 17 88 44.

[i] Verkehrsverein, Altes Rathaus, Niederwall 23, ☎ 17 88 99.

ADAC, Stapenhorststr. 131, ☎ 1 08 10, Notruf ☎ 1 92 11.

♦Düsseldorf 182 ⑤ – ♦Dortmund 114 ⑤ – ♦Hannover 108 ②.

Stadtpläne siehe vorhergehende Seiten.

🏨 **Mercure** 🌲, Am Waldhof 15, ☎ 5 28 00, Telex 932891, ≋ – ⇅ ▤ [TV] ☎ ♿ 👥. [AE] [D] [E] [VISA]
Karte 31/63 – **125 Z : 250 B** 145 - 190 Fb. DZ **a**

🏨 Novotel 🌲, Am Johannisberg 5, ☎ 12 40 51, Telex 932991, 🏊 (geheizt), 🌳 – ⇅ ▤ [TV] ☎ ♿ [P] 👥 BY **b**
119 Z : 238 B Fb.

🏨 **Senator**, Sonderburger Str. 3, ☎ 2 50 55, Telex 932766, Fax 25058, ≋ – ⇅ [TV] ☎ [P] 👥. [AE] [D] [E] [VISA] BY **v**
Karte 29/54 – **57 Z : 71 B** 125/160 - 160/180 Fb.

🏨 **Waldhotel Brand's Busch** 🌲, Furtwänglerstr. 52, ☎ 2 40 91, Telex 932835, ☂, ≋ – ⇅ [TV] ☎ [P] 👥. [AE] [D] [E] [VISA] BY **m**
Karte 36/61 – **65 Z : 120 B** 66/104 - 120/148 Fb.

🏨 **Brenner Hotel Diekmann**, Otto-Brenner-Str. 133, ☎ 29 60 06, Telex 932303 – ⇅ [TV] ☎ [P]. [AE] [D] [E] [VISA] BY **y**
Karte 30/59 – **69 Z : 110 B** 85/150 - 160/200 Fb.

🏨 **Altstadt-Hotel** garni, Ritterstr. 15, ☎ 17 93 14, ≋ – ⇅ [TV] ☎. [AE] [E] [VISA] DY **v**
20. Dez.- 4. Jan. geschl. – **23 Z : 40 B** 102/112 - 140/145 Fb.

XXX ✿ **Ente**, Niedernstr. 18 (1. Etage, ⇅), ☎ 55 54 55, bemerkenswerte Weinkarte – [AE] [D] [E]
Juli - Aug. 2 Wochen, Sonntag - Montag und Feiertage geschl. – Karte 65/95 (Tischbestellung ratsam) – **Bistro Tele-Treff** *(geöffnet bis 20 Uhr, Sonntag Ruhetag)* Karte 25/42 DY **a**
Spez. Hühnercreme mit Trüffeln, Lachsroulade mit Lachskaviar, Ente unter Sesamkruste.

XX La Bohème (Italienische Küche), Niederwall 37, ☎ 17 85 53 – ✗ DZ **s**

X ✿ **Klötzer's Kleines Restaurant** (Bistro), Ritterstr. 33, ☎ 6 89 54 – [E] DY **e**
Samstag 16 Uhr - Sonntag geschl. – Karte 44/60
Spez. Seezungenröllchen mit Safrannudeln, Seeteufel im Kräutermantel, Mousse von weißer und brauner Schokolade mit zwei Kaffeesaucen.

X Nico's Restaurant (Griechische Küche), Werther Str. 58, ☎ 12 30 22 BY **e**

X **Im Bültmannshof** (Restaurierter Fachwerkbau a.d.J. 1802), Kurt-Schumacher-Str. 17a, ☎ 10 08 41, ☂ – [P]. [D] [E] AY **s**
Montag, 1.- 5. Jan. und 16. Juli - 7. Aug. geschl. – Karte 28/59.

X **Sparrenburg**, Am Sparrenberg 38a, ☎ 6 59 39, ☂ – [P] DZ **f**
Dienstag geschl. – Karte 29/50.

In Bielefeld 1-Babenhausen :

🏠 Bültmannskrug, Babenhauser Str. 37, ☎ 88 31 44 – ☎ [P] BX **b**
(wochentags nur Abendessen) – **9 Z : 12 B.**

In Bielefeld 14-Brackwede :

🏨 **Wiebracht**, Cheruskerstr. 35, ☎ 44 14 03, ≋, 🏊 – ☎ 🚗 [P] AY **n**
Karte 21/51 – **35 Z : 53 B** 45/50 - 96 Fb.

XX **Brackweder Hof** mit Zim, Gütersloher Str. 236, ☎ 44 25 26 – [P]. [D] [E] AZ **u**
Aug. 3 Wochen geschl. – Karte **28**/52 *(Montag geschl.)* – **5 Z : 8 B** 31 - 56.

In Bielefeld 1-Großdornberg :

XX **Kreuzkrug**, Werther Str. 462, ☎ 10 22 64, ☂ – [P]. [E] AX **w**
Montag geschl. – Karte 25/53.

In Bielefeld 17-Heepen :

🏨 **Petter**, Alter Postweg 68, ☎ 3 38 61 – ☎ 🚗 [P]. [AE] [D] [E] CY **h**
Karte 30/44 *(nur Abendessen, Sonntag geschl.)* – **18 Z : 26 B** 75 - 115.

🏨 **Haus Oberwittler**, Vogteistr. 10, ☎ 33 32 31 – [P]. ✗ CY **t**
Karte 25/46 *(Donnerstag geschl.)* – **10 Z : 15 B** 35/38 - 69/74.

In Bielefeld 18-Hillegossen :

🏨 **Berghotel Stiller Friede** 🌲, Selhausenstr. 12, ☎ 2 30 54, ☂, ≋, 🌳, 🐎 – [TV] ☎ 🚗 [P]. [AE] [D] [E] [VISA] BY **g**
Karte 17/55 *(Freitag geschl.)* – **28 Z : 38 B** 75/85 - 120/130 Fb.

🏨 **Siekmann** garni, Detmolder Str. 624, ☎ 20 60 44 – 🚗 [P]. ✗ CY **u**
16 Z : 19 B 60 - 90.

In Bielefeld 1 - Hoberge-Uerentrup :

Hoberger Landhaus, Schäferdreesch 18, 10 10 31, – P. E VISA AY f
Karte 28/57 – **30 Z : 55 B** 95/105 - 140 Fb.

Peter auf'm Berge, Bergstr. 45, 10 00 36, – P. AE E AY d
Karte 30/51 *(Freitag geschl.)* – **12 Z : 16 B** 54/64 - 100.

In Bielefeld 18-Oldentrup :

Oldentruper Hof, Hillegosser Str. 260, 2 09 00, Telex 932537, Fax 2090100, – P. AE E VISA CY z
Karte 35/58 – **65 Z : 123 B** 105/150 - 145/180 Fb.

In Bielefeld 14-Quelle :

Büscher, Carl-Severing-Str. 136, 45 03 11, – P. AE E VISA
Karte 25/57 – **24 Z : 33 B** 36/65 - 75/90 Fb. AY k

In Bielefeld 1-Schildesche :

Bonne Auberge (restauriertes Fachwerkhaus a.d.J. 1775), An der Stiftskirche 10, 8 16 68 – P BX q
nur Abendessen, 2.- 17. Jan. geschl. – Karte 35/58.

In Bielefeld 12-Senne :

Zur Spitze, Windelsbleicher Str. 215, 4 00 08 – P BZ a
21 Z : 30 B Fb.

Café Busch, Brackweder Str. 120 (B 68), 4 90 05, – P. Zim BZ x
11 Z : 17 B.

Auberge le Concarneau, Buschkampstr. 75, 49 37 17, « Restauriertes, westfälisches Fachwerkhaus im Museumshof Senne » – P BZ b
nur Abendessen, Jan. und Juni- Juli jeweils 2 Wochen sowie Sonntag - Montag und Feiertage geschl. – Karte 56/90 (Tischbestellung ratsam).

Gasthaus Buschkamp (regionale Küche), Buschkampstr. 75, 49 28 00, « Historisches Gasthaus im Museumshof Senne » – P BZ b
Karte **27**/57.

Waterbör (restauriertes Fachwerkhaus im Ravensberger Bauernstil), Waterboerstr. 77, 2 41 41, – P. AE E BYZ s
Freitag und März - April 2 Wochen geschl. – Karte 30/67.

In Bielefeld 11-Sennestadt :

Niedermeyer, Paderborner Str. 290 (B 68), (05205) 76 73 – P. Zim CZ u
Karte 26/48 *(nur Abendessen, Sonntag geschl.)* – **40 Z : 60 B** 56/80 - 115/140 Fb – 4 Appart. 160/180.

Wintersmühle, Sender Str. 6, (05205) 7 03 85, Fahrradverleih – P. AE E BZ r
(nur Abendessen für Hausgäste) – **18 Z : 26 B** 65/90 - 100/140 Fb.

In Bielefeld 14-Ummeln:

Diembeck, Steinhagener Str. 45, 48 78 78, Biergarten – P. AE E AZ b
Karte 26/53 *(Montag geschl.)* – **17 Z : 19 B** 48/62 - 85/88.

MICHELIN-REIFENWERKE KGaA. Niederlassung Eckendorfer Str. 129 (CX), 7 59 55,.

BIENENBÜTTEL Niedersachsen siehe Bevensen, Bad.

BIENGEN Baden-Württemberg siehe Krozingen, Bad.

BIENWALDMÜHLE Rheinland-Pfalz siehe Scheibenhardt.

BIESSENHOFEN Bayern siehe Kaufbeuren.

Gerenommeerde keukens

Fijnproevers
voor U hebben wij bepaalde
restaurants aangeduid met Karte, ✿, ✿✿, ✿✿✿.

BIETIGHEIM-BISSINGEN 7120. Baden-Württemberg 413 K 20, 987 ㉕ – 36 300 Ew – Höhe 220 m – 07142.
Stadtinformation, Arkadengebäude, Marktplatz, 7 42 27.
♦Stuttgart 25 – Heilbronn 25 – Ludwigsburg 9 – Pforzheim 55.

Im Stadtteil Bietigheim :

Parkhotel, Freiberger Str. 71, 5 10 77, Telex 724203, –
47 Z : 78 B Fb.

Rose-Combé, Kronenbergstr. 14, 4 10 38 –
Juli - Aug. 3 Wochen geschl. – Karte 24/43 *(nur Abendessen, Samstag sowie Sonn- und Feiertage geschl.)* – **27 Z : 38 B** 40/78 - 66/100.

Alka, Freiberger Str. 57, 5 27 30, – . Zim
20 Z : 32 B.

Zum Schiller, Marktplatz 5, 4 10 18 – . E
Jan. und März jeweils 1 Woche geschl. – Karte 27/60 *(Samstag 14 Uhr - Sonntag und Feiertage geschl.)* – **30 Z : 48 B** 50/120 - 80/140 Fb.

Gästehaus Else garni, Finkenweg 21, 5 27 28, « Garten » –
23. Dez.- 9. Jan. geschl. – **12 Z : 15 B** 35/50 - 65/90.

Kronenstuben, Mühlenwiesenstr. 2 (2. Etage,), 4 45 31
Montag geschl. – Karte 24/57.

Im Stadtteil Bissingen :

Otterbach, Bahnhofstr. 153, 60 53 – . AE E VISA
Karte 27/56 *(Samstag bis 18 Uhr geschl.)* – **55 Z : 90 B** 60/85 - 100/130 Fb.

Litz - Restaurant Flößerstube, Bahnhofstr. 9/2, 39 12 –
18 Z : 24 B Fb.

BIETINGEN Baden-Württemberg siehe Gottmadingen.

BILFINGEN Baden-Württemberg siehe Kämpfelbach.

BILLERBECK 4425. Nordrhein-Westfalen 987 ⑭, 408 ⑭ – 10 300 Ew – Höhe 138 m – 02543.
Verkehrsverein, Bahnhofstr. 5 (Sparkasse), 3 49.
♦Düsseldorf 110 – Enschede 56 – Münster (Westfalen) 32 – Nordhorn 65.

Weissenburg , Gantweg 18 (N : 2 km), 7 50, <, « Wildgehege, Park », , , –
. AE E VISA
Karte 24/65 *(Montag geschl.)* – **50 Z : 85 B** 60/100 - 120/170 Fb.

Domschenke, Markt 6, 44 24, « Gediegene, gemütliche Einrichtung », Fahrradverleih –
. AE E
Jan.- Feb. 2 Wochen geschl. – Karte 25/54 – **17 Z : 32 B** 50/75 - 90/120.

Homoet, Schmiedestr. 2, 3 26, – . E
Karte 19/45 *(wochentags nur Abendessen, Okt.- April Donnerstag geschl.)* – **15 Z : 25 B** 45/65 - 80/110.

An der Straße nach Altenberge NO : 6 km :

Schöne - Fuselkotten mit Zim, Beerlage Langenhorst 15, ✉ 4425 Billerbeck, (02507) 12 93, , – . AE E VISA
Karte 17/40 *(wochentags nur Abendessen, Montag geschl.)* – **9 Z : 16 B** 48 - 72.

BILLIGHEIM-INGENHEIM 6741. Rheinland-Pfalz 413 H 19 – 3 800 Ew – Höhe 161 m – 06349.
Mainz 119 – ♦ Karlsruhe 31 – Landau in der Pfalz 7 – Wissembourg 20.

Im Ortsteil Ingenheim :

Gästehaus Villa Maria garni, Vogesenstr. 18, 68 54, – – **7 Z : 14 B** – 2 Fewo.

Pfälzer Hof, Hauptstr. 45, 86 16, Gartenwirtschaft.

In Heuchelheim-Klingen 6741 W : 3,5 km :

Gästehaus Mühlengrund garni, Untermühle 2 (Heuchelheim), (06349) 14 49, –
.
Mitte Jan.- Mitte Feb. geschl. – **16 Z : 30 B** 32 - 58.

BILLINGSHAUSEN Bayern siehe Birkenfeld.

BILM Niedersachsen siehe Sehnde.

BINGEN 6530. Rheinland-Pfalz 987 ㉔ – 24 000 Ew – Höhe 82 m – 06721.
Sehenswert : Burg Klopp <★.
Ausflugsziele : Burg Rheinstein <★★ ⑤ : 6 km – Rheintal★★★ (von Bingen bis Koblenz).
Städt. Verkehrsamt, Rheinkai 21, 18 42 05.
Mainz 34 ③ – ♦Koblenz 66 ④ – Bad Kreuznach 15 ② – ♦Wiesbaden 36 ③.

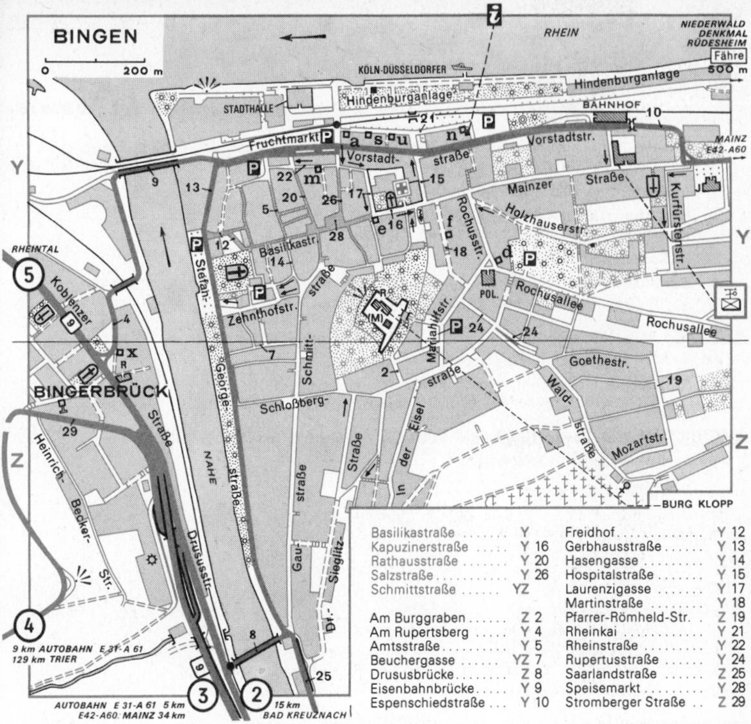

Basilikastraße	Y	Freidhof	Y 12
Kapuzinerstraße	Y 16	Gerbhausstraße	Y 13
Rathausstraße	Y 20	Hasengasse	Y 14
Salzstraße	Y 26	Hospitalstraße	Y 15
Schmittstraße	YZ	Laurenzigasse	Y 17
		Martinstraße	Y 18
Am Burggraben	Z 2	Pfarrer-Römheld-Str.	Z 19
Am Rupertsberg	Y 4	Rheinkai	Y 21
Amtsstraße	Y 5	Rheinstraße	Y 22
Beuchergasse	YZ 7	Rupertusstraße	Y 24
Drususbrücke	Z 8	Saarlandstraße	Z 25
Eisenbahnbrücke	Y 9	Speisemarkt	Y 28
Espenschiedstraße	Y 10	Stromberger Straße	Z 29

Krone, Rheinkai 19, ✆ 1 70 16 – ☎. AE ⓓ E VISA. Zim — Y **n**
27. Dez.- 7. Jan. geschl. – Karte 18/46 *(Sonntag 16 Uhr - Montag geschl.)* – **26 Z : 45 B** 40/50 - 80/90.

Gästehaus Martinskeller garni, Martinstr. 1, ✆ 1 34 75, Fax 2508 – TV ☎. AE ⓓ E VISA — Y **f**
23. Dez.- 4. Jan. geschl. – **15 Z : 30 B** 75/95 - 105/165.

Rheinhotel Starkenburger Hof garni, Rheinkai 1, ✆ 1 43 41 – ☎. AE ⓓ E VISA — Y **a**
Jan. geschl. – **30 Z : 55 B** 35/60 - 66/110.

Café Köppel garni, Kapuzinerstr. 12, ✆ 1 47 70 – AE E VISA — Y **e**
30 Z : 56 B 40/55 - 65/90.

Am Rochusberg garni, Rochusstr. 17, ✆ 1 25 32 – . AE ⓓ E VISA — Y **d**
19 Z : 38 B 36/55 - 65/95.

Engelbert garni, Rheinkai 9, ✆ 1 47 15 – AE ⓓ E VISA — Y **u**
Feb. und 18. Mai - 2. Juni geschl. – **15 Z : 24 B** 30/55 - 60/90.

Germaniablick garni, Mainzer Str. 142, ✆ 1 47 73 – Ⓟ. AE ⓓ E VISA
17 Z : 35 B 33/52 - 60/84. — über Mainzer Str. Y

Goldener Kochlöffel garni, Rheinstr. 22, ✆ 1 39 44 — Y **m**
17. Dez.- 2. Feb. geschl. – **12 Z : 22 B** 35/53 - 64/88.

Anker mit Zim, Rheinkai 4, ✆ 1 43 22 — Y **s**
Feb. geschl. – Karte 19,50/61 *(Dienstag geschl.)* – **11 Z : 23 B** 30/45 - 60.

In Bingen-Bingerbrück :

Römerhof garni, Rupertsberg 10, ✆ 3 22 48 – TV Ⓟ — Z **x**
Mitte März - Mitte Nov. – **30 Z : 55 B** 35/60 - 65/95.

In Münster-Sarmsheim **6538** ② : 4 km :

Trollmühle, Rheinstr. 199, ✆ (06721) 4 40 66, , , – ☎ Ⓟ
Nov. geschl. – Karte 27/50 *(Montag geschl.)* – **26 Z : 43 B** 55 - 90 Fb.

In Laubenheim **6531** ② : 6 km :

Traube, Naheweinstr. 66, ✆ (06704) 12 28 – ☎ Ⓟ
Karte 22/36 *(nur Abendessen, Montag und Aug. 3 Wochen geschl.)* – **14 Z : 21 B** 35 - 65.

BINZEN 7852. Baden-Württemberg 413 F 24, 242 ⑩, 216 ④ – 2 000 Ew – Höhe 285 m – ☎ 07621 (Lörrach).
♦Stuttgart 260 – Basel 11 – ♦Freiburg im Breisgau 64 – Lörrach 6.

Ochsen, Hauptstr. 42, ☎ 6 23 26 – TV ☎ P
1.-15. Dez. geschl. – Karte 27/58 *(Mittwoch - Donnerstag 17 Uhr geschl.)* – **19 Z : 30 B** 48/58 - 75/100 Fb.

XX **Mühle** mit Zim, Mühlenstr. 26, ☎ 60 72, « Gartenterrasse », – TV ☎ P
Karte 30/70 *(Sonntag 15 Uhr - Montag und 6.- 20. Feb. geschl.)* – **14 Z : 25 B** 60/90 - 85/120.

In Wittlingen 7851 NO : 3,5 km :

Hirschen, Kandertalstr. 6, ☎ (07621) 30 69, – P
(nur Abendessen für Hausgäste) – **25 Z : 44 B** 30/60 - 60/85.

In Schallbach 7851 N : 4 km :

X **Zur Alten Post**, Alte Poststr. 16, ☎ 8 82 42, eigener Weinbau – P. AE ① E
Donnerstag und 2.- 20. Feb. geschl. – Karte 24/51.

BIPPEN 4576. Niedersachsen – 2 600 Ew – Höhe 60 m – ☎ 05435.
♦Hannover 160 – Nordhorn 59 – ♦Osnabrück 45.

Maiburger Hof, Bahnhofstr. 6, ☎ 3 33, – P
1.- 15. Okt. geschl. – Karte 15,50/29 *(Montag geschl.)* – **16 Z : 21 B** 30/35 - 60/70.

BIRGLAND 8451. Bayern 413 R 18 – 1 500 Ew – Höhe 510 m – ☎ 09666 (Illschwang).
♦München 194 – Amberg 22 – ♦Nürnberg 51.

In Birgland-Schwend :

Birgländer Hof, ☎ 5 05, – ☎ P
Karte 13/38 – **34 Z : 58 B** 38/52 - 69/72 Fb.

Die im Michelin-Führer verwendeten Zeichen und Symbole haben – **fett** oder dünn gedruckt, rot oder **schwarz** – jeweils eine andere Bedeutung. Lesen Sie daher die Erklärungen (S. 12 bis 19) aufmerksam durch.

Karte **25**/45

BIRKENAU 6943. Hessen 413 J 18 – 10 500 Ew – Höhe 110 m – Luftkurort – ☎ 06201 (Weinheim a.d.B.).
Verkehrsamt, Rathaus, Hauptstr. 119, ☎ 30 05.
♦Wiesbaden 97 – ♦Darmstadt 44 – Heidelberg 27 – ♦Mannheim 22.

Drei Birken, Hauptstr. 170, ☎ 30 32 (Hotel) 3 23 68 (Rest.), – ☎ P. ①
Karte 26/57 *(Freitag, Feb. 2 Wochen und Aug. 3 Wochen geschl.)* – **20 Z : 35 B** 60/68 - 100/110.

XX **Ratsstuben** mit Zim, Hauptstr. 105, ☎ 3 30 25, « Rustikale Einrichtung » – ☎ P. AE ①
Karte 50/75 *(Montag und Samstag nur Abendessen, Sonntag geschl.)* – **6 Z : 10 B** 70/80 - 135.

In Birkenau - Reisen-Schimbach NO : 7 km :

Schimbacher Hof, ☎ (06209) 2 58, – ☎ P. AE
Karte 25/56 – **17 Z : 31 B** 50/60 - 90/110 Fb.

BIRKENFELD Baden-Württemberg siehe Pforzheim.

BIRKENFELD 7534. Baden-Württemberg 413 I 20 – 9 000 Ew – Höhe 343 m – ☎ 07231 (Pforzheim).
♦Stuttgart 56 – ♦Karlsruhe 36 – Pforzheim 6,5.

XX Zur Sonne mit Zim, Dietlinger Str. 134, ☎ 4 78 24, « Gemütliche Einrichtung » – ☎ P
5 Z : 8 B.

BIRKENFELD (MAIN-SPESSART-KREIS) 8771. Bayern 413 M 17 – 1 800 Ew – Höhe 211 m – ☎ 09398.
♦München 312 – ♦Frankfurt 100 – ♦Würzburg 28.

In Birkenfeld-Billingshausen NO : 2 km :

X **Goldenes Lamm** (Steinhaus a. d. J. 1883), Untertorstr. 13, ☎ 3 52 – P.
Mitte Juni - Mitte Juli und Dienstag - Mittwoch geschl. – Karte 20/38 *(Samstag - Sonntag Tischbestellung ratsam)*.

BIRKWEILER Rheinland-Pfalz siehe Landau.

BIRNAU-MAURACH Baden-Württemberg. Sehenswürdigkeit siehe Uhldingen-Mühlhofen.

BIRNBACH, BAD **8345.** Bayern [413] W 21, [426] ⑥⑦ – 5 000 Ew – Höhe 450 m – Heilbad – ☎ 08563.

[i] Verkehrsamt, Neuer Marktplatz 1, ✆ 21 05.

◆München 147 – Landshut 82 – Passau 46.

🏨 **Kurhotel Hofmark** 🏞, Professor-Drexel-Str. 16, ✆ 5 48, Bade- und Massageabteilung, direkter Zugang zur Therme – 📺 ☎ 🅿 🏃
Karte 27/48 – **76 Z : 152 B** 79/89 - 124/144 Fb.

🏨 **Kurhotel Quellenhof** 🏞, Brunnaderstr. 11, ✆ 6 66, Bade- und Massageabteilung, 🧖, 🏊, 🌳 – 📺 ☎ 🚗 🅿. [AE] [E]
7.- 31. Jan. und 6.- 22. Dez. geschl. – Karte 23/46 *(Donnerstag geschl.)* – **38 Z : 76 B** 65/100 - 105/140 Fb.

🏨 **Alte Post**, Hofmark 23, ✆ 21 64, Massage – ☎ 🅿. [E]
🍴 Karte 19/42 *(auch Diät)* – **30 Z : 48 B** 45 - 84 Fb.

🏨 **Eckershof** 🏞 garni, Brunnaderstr. 17, ✆ 18 80 – ♿ 🚗 🅿. 🚫🐕
23 Z : 43 B 37/59 - 60/114 Fb.

🏨 **Rappensberg** garni, Brunnaderstr. 9, ✆ 6 02, 🧖 – ☎ 🚗 🅿. 🚫🐕
6.- 27. Dez. geschl. – **19 Z : 33 B** 38/48 - 60/64.

BISCHOFSDHRON Rheinland-Pfalz siehe Morbach.

BISCHOFSGRÜN **8583.** Bayern [413] S 16, [987] ㉗ – 2 300 Ew – Höhe 679 m – Luftkurort – Wintersport : 653/1 024 m ⛷5 ⛷6 (Skizirkus Ochsenkopf) – Sommerrodelbahn – ☎ 09276.

[i] Verkehrsamt im Rathaus, Hauptstr. 27, ✆ 12 92.

◆München 259 – Bayreuth 27 – Hof 57.

🏨 **Sport-Hotel Kaiseralm** 🏞, Fröbershammer 31, ✆ 8 00, Telex 642839, 👁 Bischofsgrün und Fichtelgebirge, ⛱, Massage, 🧖, 🏊, 🌳, 🎾 (Halle und Schule) – 🛗 📺 🚗 🅿 🏃. [AE] [D] [E] [VISA]. 🚫🐕 Rest
Karte 25/63 *(auch Diät)* – **112 Z : 182 B** 75/135 - 139/176 Fb – 4 Appart. 330 – P 108/133.

🏨 **Kurhotel Puchtler - Deutscher Adler** 🏞, Kirchenring 4, ✆ 10 44, Telex 642164, Bade- und Massageabteilung, 🏋, 🧖, 🌳 – 🛗 ☎ ♿ 🚗 🅿. [AE] [D]
15. Nov.- 15. Dez. geschl. – Karte 21/51 *(auch Diät)* – **40 Z : 70 B** 34/62 - 58/110 Fb – 7 Fewo 85/95 – P 66/88.

🏨 **Landhaus Tannenhof** 🏞 garni, Ochsenkopfstr. 27, ✆ 13 33, 🧖, 🌳 – 🅿
Anfang Nov.- Mitte Dez. geschl. – **11 Z : 20 B** 42/54 - 84/90 Fb.

🏨 **Berghof** 🏞, Ochsenkopfstr. 40, ✆ 10 21, 👁, ⛱, 🧖, 🌳 – ☎ 🚗 🅿. [D]
🍴 *25. Nov.- 15. Dez. geschl.* – Karte 18,50/38 – **30 Z : 54 B** 30/42 - 68/90 – P 56/65.

🏨 **Goldener Löwe**, Hauptstr. 10, ✆ 4 59, ⛱, 🌳 – 🚗 🅿
🍴 *Nov.- 15. Dez. geschl.* – Karte 19,50/38 *(Mittwoch geschl.)* – **20 Z : 35 B** 33/42 - 60/78.

🏨 **Jägerhof**, Hauptstr. 12, ✆ 2 57, 🧖 – 🚗 🅿
🍴 *10. Nov.- 15. Dez. geschl.* – Karte 17/42 *(Donnerstag ab 15 Uhr geschl.)* 🍺 – **16 Z : 29 B** 24/44 - 48/76 – P 42/58.

🏨 **Siebenstern** 🏞 garni (Mahlzeiten im Gasthof Siebenstern), Kirchbühl 15, ✆ 3 07, 👁, 🌳 – 🅿
Nov.- Mitte Dez. geschl. – **15 Z : 30 B** 35/45 - 60/66.

🏨 **Hirschmann** 🏞 garni, Fröbershammer 9, ✆ 4 37, 🧖, 🌳 – 🚗 🅿. 🚫🐕
Nov.- Mitte Dez. geschl. – **18 Z : 30 B** 33/35 - 60/65.

BISCHOFSHEIM AN DER RHÖN **8743.** Bayern [413] N 15, [987] ㉕ ㉖ – 5 000 Ew – Höhe 447 m – Erholungsort – Wintersport : 450/930 m ⛷10 ⛷5 – ☎ 09772.

Ausflugsziel : Kreuzberg (Kreuzigungsgruppe 👁★) SW : 7 km.

[i] Verkehrsverein, Altes Amtsgericht, Kirchplatz 5, ✆ 14 52.

◆München 364 – Fulda 39 – Bad Neustadt an der Saale 20 – ◆Würzburg 96.

🏨 **Bischofsheimer Hof** 🏞, Bauersbergstr. 59a, ✆ 12 97, 👁, ⛱, 🧖, 🌳 – 🚗 🅿
🍴 *Mitte Nov.- Mitte Dez. geschl.* – Karte 19/39 *(Montag geschl.)* – **8 Z : 14 B** 39 - 66 – P 54.

🏨 **Adler**, Ludwigstr. 28, ✆ 3 20, 🌳 – 🚗 🅿
🍴 *15. Nov. - 20. Dez. geschl.* – Karte 19,50/34 🍺 – **26 Z : 46 B** 29/39 - 49/68 – P 45/54.

In Bischofsheim-Haselbach :

🏨 **Luisenhof** 🏞 garni, Haselbachstr. 93, ✆ 18 80, 🧖, 🌳 – 🅿. [AE] [E]
14 Z : 27 B 35 - 65 Fb.

In Bischofsheim - Oberweißenbrunn W : 5 km :

🏨 **Zum Lamm**, Geigensteinstr. 26 (B 279), ✆ 2 96, 🧖, 🌳 – ☎ 🚗
🍴 *5.- 31. März und 12. Okt.- 15. Dez. geschl.* – Karte 14/31 *(Montag geschl.)* – **21 Z : 38 B** 28/35 - 52/60.

[BISCHOFSMAIS] 8379. Bayern [413] W 20 – 2 850 Ew – Höhe 685 m – Erholungsort – Wintersport : 700/1 097 m ⛷5 ⛷8 – ☎ 09920.

ℹ Verkehrsamt im Rathaus, ☎ 13 80 – ◆München 159 – Deggendorf 18 – Regen 8.

- 🏨 **Alte Post**, Dorfstr. 2, ☎ 2 74 – 🛗 ☎ 🅿
  Nov.- Mitte Dez. geschl. – Karte 14/32 – **32 Z : 65 B** 35/40 - 70 Fb.
- 🏨 Berghof Plenk 🌲 garni, Oberdorf 18, ☎ 4 42, 🌳 – 🅿 – **17 Z : 32 B** Fb.

In Bischofsmais-Habischried NW : 4,5 km :

- 🏨 **Schäffler**, Ortsstr. 2, ☎ 13 75, 🌂, 🧖, Fahrradverleih – ☎ 🅿
  Nov.- 7. Dez. geschl. – Karte 16/33 *(Montag geschl.)* – **16 Z : 26 B** 28/32 - 54/64 – P 45/50.

In Bischofsmais-Wastlsäg NW : 2 km :

- 🏨 **Wastlsäge** 🌲, Lina-Müller-Weg 3, ☎ 1 70, Telex 69158, ≤, 🌂, Massage, 🧖, 🏊, 🌳, 🎾 – 🛗 ♿ 🚗 🅿 🏛. AE ⓓ E VISA
  Nov.- Mitte Dez. geschl. – Karte 36/59 – **91 Z : 180 B** 77 - 148/160 Fb.

Siehe auch : *Liste der Feriendörfer*

[BISCHOFSWIESEN] 8242. Bayern [413] V 24, [987] ㊳, [426] ⑲ – 7 500 Ew – Höhe 600 m – Heilklimatischer Kurort – Wintersport : 600/1 390 m ⛷3 ⛷3 – ☎ 08652 (Berchtesgaden).

ℹ Verkehrsverein, Hauptstr. 48 (B 20), ☎ 72 25, Telex 56238.

◆München 148 – Berchtesgaden 5 – Bad Reichenhall 13 – Salzburg 28.

- 🏨 **Brennerbascht**, Hauptstr. 46 (B 20), ☎ 70 21, 🌂, « Gaststuben in alpenländischem Stil mit kleiner Brauerei » – 🛗 ☎ 🅿. AE E
  3. Nov.- 15. Dez. geschl. – Karte 17/46 – **25 Z : 52 B** 56/68 - 96/114 Fb.
- 🏨 **Mooshäusl**, Jennerweg 11, ☎ 72 61, ≤ Watzmann, Hoher Göll und Brett, 🧖, 🌳 – 🚗 🅿. 🚫 Rest
  25. Okt.- 20. Dez. geschl. – (nur Abendessen für Hausgäste) – **20 Z : 34 B** 49/69 - 88/96 Fb.

[BISPINGEN] 3045. Niedersachsen [987] ⑮ – 5 500 Ew – Höhe 70 m – Luftkurort – ☎ 05194.

ℹ Verkehrsverein, Rathaus, Borsteler Str. 4, ☎ 8 87.

◆Hannover 94 – ◆Hamburg 60 – Lüneburg 45.

- 🏨 **Rieckmanns Gasthof**, Kirchweg 1, ☎ 12 11, « Cafégarten », 🌳 – 🚗 🅿. AE E
  15. Dez.- 10. Jan. geschl. – Karte 15/35 *(Nov.-Mai Montag geschl.)* – **24 Z : 46 B** 30/50 - 45/92 – P 53/75.

In Bispingen-Behringen NW : 4 km :

- 🏨 **Behringer Hof**, Seestr. 6, ☎ 4 44, 🌂, 🌳 – 🅿. ⓓ
  30. Jan.- 2. März und 13. Nov.- 7. Dez. geschl. – Karte 18/43 – **10 Z : 18 B** 43/50 - 63/91 Fb.
- 🍴🍴 **Niedersachsen Hof** mit Zim, Widukindstr. 3, ☎ 77 50, 🌂 – 📺 ☎ 🅿 🏛. AE E
  Jan.- Feb. geschl. – Karte 25/52 *(Dienstag geschl.)* – **5 Z : 12 B** 55/65 - 98/120.

In Bispingen-Hützel NO : 2,5 km :

- 🏠 **Ehlbecks Gasthaus**, Bispinger Str. 8, ☎ 23 19, 🌳 – 🚗 🅿
  15. Feb.- 15.März geschl. – Karte 22/38 *(Nov.- Mai Montag geschl.)* – **14 Z : 22 B** 28/47 - 70/76 – P 50/61.

In Bispingen-Niederhaverbeck NW : 10 km – ☎ 05198 :

- 🏨 **Menke** 🌲, ☎ 3 30, 🌂, 🧖 – ♿ 🚗 🅿 🏛
  Mitte Feb.- Mitte März geschl. – Karte 27/59 *(Nov.- März Donnerstag geschl.)* – **17 Z : 31 B** 35/50 - 70/98.
- 🏨 **Landhaus Haverbeckhof** 🌲, ☎ 2 51, 🌂, 🌳 – 🅿
  Karte 25/58 – **37 Z : 60 B** 34/85 - 68/98 – P 68/83.
- 🏨 **Landhaus Eickhof** 🌲, ☎ 2 88, 🌳 – 🅿
  Jan.- Feb. geschl. – Karte 25/59 – **20 Z : 40 B** 36/48 - 68/100.

In Bispingen-Oberhaverbeck NW : 9 km :

- 🏨 **Reiterpension Stimbekhof** 🌲, ☎ (05198) 2 21, 🌳 – 🚗 🅿. 🚫
  (Restaurant nur für Pensionsgäste) – **16 Z : 25 B** 45/70 - 86/96 – P 79/84.

An der Autobahn A 7- Westseite :

- 🏨 Motel-Raststätte Brunautal, ✉ 3045 Bispingen-Behringen, ☎ (05194) 8 85 – ☎ ♿ 🅿
  30 Z : 67 B.

[BISSENDORF KREIS OSNABRÜCK] 4516. Niedersachsen – 13 100 Ew – Höhe 108 m – ☎ 05402.

⛳ Jeggen (N : 8 km), ☎ (05402) 6 36.

◆Hannover 129 – Bielefeld 49 – ◆Osnabrück 13.

In Bissendorf 2-Schledehausen NO : 8 km – Luftkurort :

- 🏨 **Bracksiek**, Bergstr. 22, ☎ 71 81 – 🛗 ♿ 🚗 🅿. E
  Karte 25/42 *(Dienstag bis 18 Uhr geschl.)* – **33 Z : 60 B** 37/43 - 73/90.

BISSINGEN AN DER TECK 7311. Baden-Württemberg 413 L 21 – 3 000 Ew – Höhe 422 m – ☎ 07023 (Weilheim).
♦Stuttgart 41 – Kirchheim unter Teck 7 – ♦Ulm (Donau) 57.

In Bissingen-Ochsenwang SO : 6 km – Höhe 763 m :

Krone, Eduard-Mörike-Str. 33, ✆ 33 67, – P
Karte 26/45 *(Dienstag geschl.)* – **20 Z : 38 B** 40/50 - 76 Fb.

BISTENSEE Schleswig-Holstein siehe Rendsburg.

BITBURG 5520. Rheinland-Pfalz 987 ⑳, 409 ㉗ – 11 700 Ew – Höhe 339 m – ☎ 06561.
Verkehrsbüro Bitburger Land, Bedastr. 11, ✆ 89 34.
Mainz 165 – ♦Trier 31 – Wittlich 36.

Eifelbräu, Römermauer 36, ✆ 70 31 – TV ☎ P. AE E VISA
Karte 26/54 *(Montag geschl.)* – **28 Z : 51 B** 60 - 95 Fb.

Louis Müller, Hauptstr. 42, ✆ 48 40 – TV. AE E
Karte 19/40 *(Mittwoch geschl.)* – **17 Z : 34 B** 50 - 80/85.

Zum Simonbräu mit Zim, Marktplatz 7, ✆ 33 33 – TV ☎ P. AE E VISA
Jan.- 15. Feb. geschl. – Karte 24/54 – **6 Z : 10 B** 65/80 - 105/120.

In Rittersdorf 5521 NW : 4 km :

Zur Wisselbach, Bitburger Str. 2, ✆ (06561) 33 80, – P. AE E VISA. Rest
8.- 29. Jan. geschl. – Karte 23/36 – **20 Z : 40 B** 40/45 - 76/86 – P 63/68.

Burg Rittersdorf, in der Burg, ✆ (06561) 24 33, , « Wasserburg a.d. 15. Jh. » – P. AE E VISA
Montag geschl. – Karte 31/61 (auf Vorbestellung : Essen wie im Mittelalter).

In Wolsfeld 5521 SW : 8 km :

Zur Post, an der B 257, ✆ (06568) 3 27, – P.
Karte 19/44 *(Dienstag geschl.)* – **19 Z : 40 B** 45 - 80.

In Dudeldorf 5521 O : 11 km über die B 50 :

Romantik-Hotel Zum alten Brauhaus, Herrengasse 2, ✆ (06565) 20 57, « Gartenterrasse », – TV ☎ P. AE E VISA. Rest
Jan. geschl. – Karte 37/65 *(Mittwoch geschl.)* – **15 Z : 30 B** 90 - 150 Fb.

In Gondorf 5521 O : 11 km über die B 50 :

Waldhaus Eifel, Eifelpark, ✆ (06565) 20 77, , , – TV ☎ P. AE E VISA
Karte 19/39 *(Dez.- März Donnerstag ganztägig, April - Okt. Donnerstag ab 18 Uhr sowie 9. Nov.- 8 Dez. geschl.)* – **52 Z : 100 B** 50/65 - 92/96 Fb.

Am Stausee Bitburg NW : 12 km über Biersdorf – 5521 Biersdorf – ☎ 06569 :

Dorint Sporthotel Südeifel, ✆ 8 41, Telex 4729607, Fax 7909, , , Massage, , , , (Halle) – TV P. AE E VISA. Rest
Restaurants : – **Gartenrestaurant** Karte 34/66 – **Bitstube** Karte 23/46 – **106 Z : 212 B** 98/140 - 158/218 Fb – 6 Appart. 240.

Waldhaus Seeblick, Ferienstr. 1, ✆ 2 22, Stausee, « Terrasse mit Grillplatz », – P. Rest
5. Jan.- 15. Feb. geschl. – Karte 18,50/44 – **20 Z : 40 B** 42/48 - 70/74 – P 56/72.

Berghof, Ferienstr. 3, ✆ 8 88, Stausee, , – ☎ P
15. Nov.- 24. Dez. geschl. – Karte 18,50/55 *(Montag geschl.)* – **12 Z : 24 B** 45 - 70 – P 60.

Siehe auch : ***Liste der Feriendörfer***

BITZFELD Baden-Württemberg siehe Bretzfeld.

BLAIBACH Bayern siehe Kötzting.

BLAICHACH Bayern siehe Sonthofen.

BLANKENHEIM 5378. Nordrhein-Westfalen 987 ㉓ – 8 300 Ew – Höhe 500 m – Erholungsort – ☎ 02449.
Verkehrsbüro im Rathaus, Rathausplatz, ✆ 3 33.
♦Düsseldorf 110 – ♦Aachen 77 – ♦Köln 74 – ♦Trier 99.

Kölner Hof, Ahrstr. 22, ✆ 10 61, , – ☎ P
13. Feb.- 5. März geschl. – Karte 21/53 *(Mittwoch geschl.)* – **26 Z : 50 B** 30/50 - 62/80.

Schloßblick, Nonnenbacher Weg 2, ✆ 2 38, Telex 833631, , – ☎ P. AE E VISA
Nov.- 22. Dez. geschl. – Karte 19/51 *(Dez.- März Mittwoch geschl.)* – **33 Z : 62 B** 30/60 - 60/82.

Café Violet, Kölner Str. 7, ✆ 13 88, , , – E
1.- 22. März und 30. Nov.- 15. Dez. geschl. – Karte 26/46 *(Dienstag geschl.)* – **9 Z : 18 B** 40/50 - 74.

[BLAUBACH] Rheinland-Pfalz siehe Kusel.

[BLAUBEUREN] 7902. Baden-Württemberg [413] M 21, [987] ㉟ ㊱ – 12 000 Ew – Höhe 519 m – ☎ 07344.

Sehenswert : Ehemaliges Kloster (Hochaltar**).

[i] Stadtverwaltung, Rathaus, Karlstr. 2, ☎ 13 17.

♦Stuttgart 83 – Reutlingen 57 – ♦Ulm (Donau) 18.

🏠 **Zum Ochsen**, Marktstr. 4, ☎ 62 65 – ☎ 🚗. [AE] E
Karte 23/45 – **31 Z : 52 B** 35/65 - 70/120.

In Blaubeuren-Weiler W : 2 km :

🏠 **Forellenfischer** 🐦 garni, Aachtalstr. 5, ☎ 50 24 – ☎ [P]. E
18.- 31. Dez. geschl. – **22 Z : 36 B** 39/70 - 78/100 Fb.

🍴🍴 **Forellen-Fischer**, Aachtalstr. 6, ☎ 65 45 – [P]. [D]
Sonntag 15 Uhr - Montag, Jan. 3 Wochen und Aug. 1 Woche geschl. – Karte 38/60.

[BLAUEN] Baden-Württemberg siehe Badenweiler.

[BLAUFELDEN] 7186. Baden-Württemberg [413] M 19 – 4 500 Ew – Höhe 460 m – ☎ 07953.

♦Stuttgart 123 – Heilbronn 80 – ♦Nürnberg 122 – ♦Würzburg 89.

🍴🍴 ✿ **Zum Hirschen** mit Zim, Hauptstr. 15, ☎ 10 41, bemerkenswerte Weinkarte – [TV] ☎ 🚗 [P]
Jan. geschl. – Karte 54/86 *(auch regionale Küche, Karte 31/40)* (Tischbestellung ratsam, April - Okt. Montag, Nov.- März Sonntag 15 Uhr - Montag geschl.) – **9 Z : 14 B** 45/90 - 90/210
Spez. Hummersalat mit Koriander, Geschmorte Zickleinschulter mit Gemüsen (Mai - Juli), Gefüllte Taube mit Waldpilzen.

🍴 **Krone**, Hauptstr. 17, ☎ 3 29 – [P]
Dienstag und 10.- 30. Okt. geschl. – Karte 20/37 🍷.

[BLECKEDE] 2122. Niedersachsen [987] ⑯ – 8 000 Ew – Höhe 10 m – ☎ 05852.

[i] Stadtverwaltung, Auf dem Kamp 1, ☎ 14 22.

♦Hannover 148 – ♦Hamburg 66 – Lüneburg 24.

🏠 **Landhaus an der Elbe** 🐦, Elbstr. 5, ☎ 12 30, ≤, 🌳, 🌳 – [P]
Karte 16/25 *(Okt.- März Freitag geschl.)* – **11 Z : 18 B** 43/60 - 82/105.

In Neetze 2121 SW : 8 km :

🏠 Gasthof Strampe, Am Dorfplatz 10, ☎ (05850) 13 16, 🏊 – [P] 🎾
33 Z : 65 B.

[BLEIALF] Rheinland-Pfalz siehe Prüm.

[BLIESKASTEL] 6653. Saarland [987] ㉔, [57] ⑦, [87] ⑪ – 23 500 Ew – Höhe 211 m – Kneippkurort – ☎ 06842.

♦Saarbrücken 25 – Neunkirchen/Saar 16 – Sarreguemines 24 – Zweibrücken 12.

🍴 **Gasthaus Schwalb**, Gerbergasse 4, ☎ 23 06 – [P]. E
Jan. 2 Wochen, Juli - Aug. 3 Wochen und Sonntag 15 Uhr - Montag geschl. – Karte **21**/42 🍷.

In Blieskastel-Niederwürzbach NW : 5 km :

🍴🍴🍴 **Gutshof Junkerwald - L'Ermitage**, Am Weiher (NW : 2 km), ☎ 70 77, « Gartenterrasse mit ≤ Weiher » – [P]
Karte 50/70 *(Tischbestellung erforderlich)* (Sonntag 15 Uhr - Montag geschl.) – **Junkerschenke** *(Montag geschl.)* Karte 31/45.

🍴 Hubertushof 🐦 mit Zim, Kirschendell 32, ☎ 65 44, 🌳, Damwildgehege – [TV] ☎ [P]
6 Z : 12 B.

[BLOMBERG] 4933. Nordrhein-Westfalen [987] ⑮ – 15 000 Ew – Höhe 200 m – ☎ 05235.

⛳18 Blomberg-Cappel, ☎ (05236) 4 59.

[i] Städt. Verkehrsamt, Marktplatz 2, ☎ 50 40.

♦Düsseldorf 208 – Detmold 21 – ♦Hannover 74 – Paderborn 38.

🏨 **Burghotel Blomberg** 🐦, Am Brink 1, ☎ 5 00 10, Fax 500145, 🌳, « Mittelalterliche Burg », 🏊, 🏋 – 🛗 [TV] [P] 🎾. [D] E [VISA]
Karte 40/78 – **52 Z : 94 B** 69/90 - 117/147 Fb.

🏠 Deutsches Haus, Marktplatz 7, ☎ 4 68 – [TV] ☎
15 Z : 28 B.

🏠 Café Knoll, Langer Steinweg 33, ☎ 73 98, « Historische Fachwerkfassade a.d.J.1622 » – [TV] ☎ [P]
10 Z : 19 B.

[BLUMBERG] 7712. Baden-Württemberg [413] I 23, [427] ⑥, [216] ⑦ – 10 000 Ew – Höhe 703 m – ☏ 07702.

♦Stuttgart 143 – Donaueschingen 17 – Schaffhausen 26 – Waldshut-Tiengen 44.

🏨 **Hirschen**, Hauptstr. 72, ✆ 26 57 – ⇅ [P]. 🚫🐕
6. Okt.- 7. Nov. geschl. – Karte 22/40 *(Montag geschl.)* 🍷 – **18 Z : 34 B** 38 - 58/68.

In Blumberg 3-Epfenhofen SO : 3 km :

🏨 Löwen, Kommental 2 (B 314), ✆ 21 19, 🌳 – ⇅ [P]
25 Z : 48 B – 2 Fewo.

In Blumberg 2-Zollhaus O : 1,5 km :

🏨 **Kranz**, Schaffhausener Str. 11 (B 27), ✆ 25 30 – [TV] ☎ 🚗 [P]. E
✈ *1.- 24. Feb. geschl.* – Karte 18/47 *(Samstag geschl.)* – **25 Z : 48 B** 44/48 - 75/82.

[BOCHOLT] 4290. Nordrhein-Westfalen [987] ⑬, [408] ⑳ – 70 000 Ew – Höhe 26 m – ☏ 02871.

[i] Stadtinformation - Verkehrsbüro, Europaplatz 22, ✆ 50 44.

♦Düsseldorf 83 – Arnhem 57 – Enschede 58 – Münster (Westfalen) 82.

🏨 **Stadt-Hotel**, Bahnhofstr. 24, ✆ 1 50 44 – [TV] ☎ [P]. [AE] [D] E [VISA]
Karte 36/67 *(Samstag - Sonntag geschl.)* – **21 Z : 33 B** 80/95 - 140/170 Fb.

🏨 Kupferkanne, Dinxperloer Str. 53, ✆ 41 31 – ⇅ [TV] ☎ [P] 🎤
29 Z : 59 B Fb.

🏨 **Zigeuner-Baron**, Bahnhofstr. 17, ✆ 1 53 18, ⛱ – [TV] ☎ 🚗 [P]. [AE] [D] E
Karte 24/55 – **11 Z : 21 B** 60/70 - 115/130.

🏨 Werk II garni, Gasthausplatz 7, ✆ 1 28 37 – **11 Z : 16 B**.

In Bocholt-Barlo N : 5 km :

🏨 **Schloß Diepenbrock** 🔇, Schloßallee 5, ✆ 35 45, ⛱, 🌳, Fahrradverleih – [TV] ☎ 🚗 [P]
🎤. [AE] [D] E [VISA]. 🚫🐕 Rest
Karte 48/74 – **20 Z : 34 B** 128/148 - 205/225 Fb.

[BOCHUM] 4630. Nordrhein-Westfalen [987] ⑭ – 403 000 Ew – Höhe 83 m – ☏ 0234.

Siehe Ruhrgebiet (Übersichtsplan).

Sehenswert : Bergbaumuseum★.

⛳ Im Mailand 125 (über ④), ✆ 79 98 32.

[i] Verkehrsverein im Hauptbahnhof, ✆ 1 30 31.

[i] Informationszentrum Ruhr-Bochum, Rathaus, Rathausplatz, ✆ 6 21 39 75.

ADAC, Ferdinandstr. 12, ✆ 31 10 01, Notruf ✆ 1 92 11.

♦Düsseldorf 48 ⑥ – ♦Dortmund 21 ② – ♦Essen 17 ⑥.

Stadtplan siehe nächste Seite.

🏨 **Novotel**, Stadionring 22, ✆ 59 40 41, Telex 825429, Fax 503036, 🏊, 🏊 (geheizt), 🌳 – ⇅
🚭 Zim ▤ [TV] ☎ ♿ [P] 🎤. [AE] [D] E [VISA] X n
Karte 32/56 – **118 Z : 236 B** 137 - 172 Fb.

🏨 **Haus Oekey**, Auf dem alten Kamp 10, ✆ 3 86 71 – [TV] ☎ 🚗 [P]. [AE] [D] E [VISA] X c
Karte 34/60 *(Samstag bis 18 Uhr und Sonntag geschl.)* – **18 Z : 34 B** 78 - 108 Fb.

🏨 **Schmidt - Restaurant Vitrine**, Drusenbergstr. 164, ✆ 3 70 77 (Hotel) 31 24 69 (Rest.) –
[P]. [AE] E X r
Karte 34/70 – **33 Z : 45 B** 49/54 - 70/80.

🏨 **Ibis** garni, Kurt-Schumacher-Platz (Im Hauptbahnhof), ✆ 6 06 61, Telex 825644 – ⇅ [TV] ☎ [P]
🎤. [AE] [D] E [VISA] Z c
80 Z : 145 B 88/95 - 129/139.

🏨 **Plaza** garni, Hellweg 20, ✆ 1 30 85 – ⇅ [TV] ☎. [AE] [D] E [VISA] Z a
36 Z : 40 B 80 - 100 Fb.

🏨 **Arcade**, Universitätsstr. 3, ✆ 3 33 11, Telex 825447 – ⇅ ☎ [P] 🎤. E [VISA]. 🚫🐕 Rest Z s
Karte 24/39 *(15. Dez.- 8. Jan., 16. Juni - 7. Aug. und Samstag - Sonntag geschl.)* – **168 Z : 350 B**
90/125 - 123/165.

XX **Stammhaus Fiege**, Bongardstr. 23, ✆ 1 26 43 Y v
Donnerstag und 26. Juni - 27. Juli geschl. – Karte **29**/60.

XX **Alt Nürnberg**, Königsallee 16, ✆ 31 16 98 – [AE] [D] E Z r
nur Abendessen, Montag geschl. – Karte 36/67.

XX **Schweizer Stübli**, Wittener Str. 123, ✆ 33 57 60 X s
Mittwoch und Juni - Juli 4 Wochen geschl. – Karte 41/62.

X **Mutter Wittig**, Bongardstr. 35, ✆ 1 21 41, ⛱ – [AE] [D] E [VISA] Y k
Karte 24/49.

In Bochum-Stiepel S : 6 km über Universitätsstraße X :

🏨 **Wald- und Golf-Hotel Lottental** 🔇, Grimbergstr. 52, ✆ 79 10 55, Telex 825552, 🏊, 🧖
– ⇅ [TV] ☎ [P] 🎤. [AE] [D] E [VISA]
Karte 30/60 – **77 Z : 156 B** 90 - 130 Fb.

BOCHUM

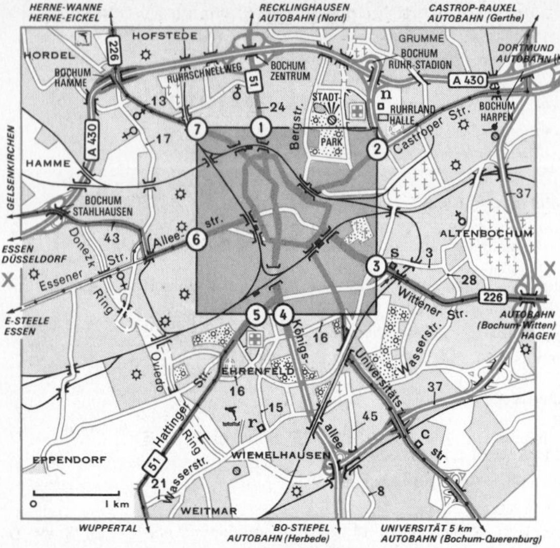

Bleichstraße	Y	
Bongardstraße	Y	7
Brückstraße	Y	10
Bruderstraße	Z	12
Grabenstraße	Y	18
Hellweg	Z	
Huestraße	Z	25
Kortumstraße	YZ	
Luisenstraße	Z	29
Massenbergstraße	Z	31
Südring	Z	39
Viktoriastraße	YZ	
Altenbochumer Str.	X	3
Bruchstraße	X	8
Dorstener Straße	X	13
Drusenbergstraße	X	15
Friederikastraße	X	16
Gahlensche Straße	X	17
Große Beckstraße	Y	19
Hans-Böckler-Straße	Y	20
Hasenkampstraße	X	21
Hattinger Straße	Z	23
Herner Straße	X, Y	24
Kurt-Schumacher-Pl.	Z	26
Liebfrauenstraße	X	28
Maximilian-Kolbe-Str.	Z	32
Rathausplatz	Y	33
Schwanenmarkt	Y	34
Sheffieldring	X	37
Untere Marktstraße	Y	42
Wattenscheider Str.	X	43
Wiemelhauser Str.	X	45

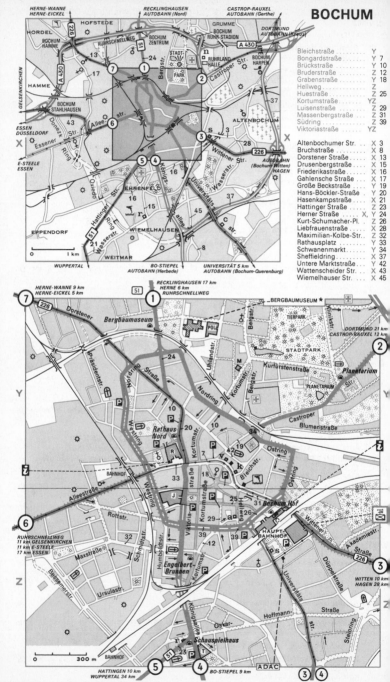

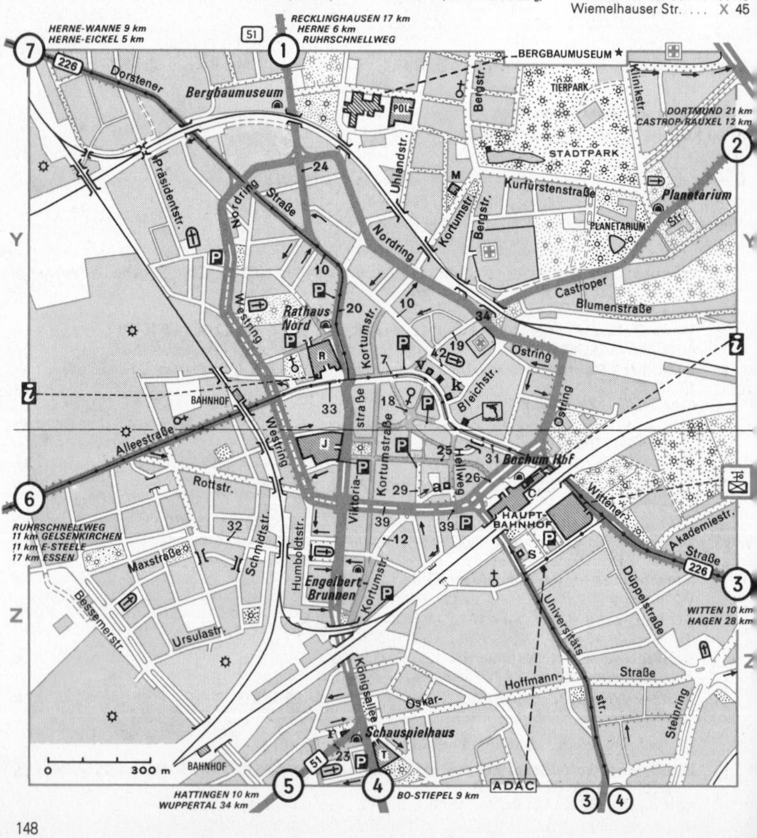

In Bochum-Sundern über ⑤ :

XXX **Haus Waldesruh**, Papenloh 8 (nahe der Sternwarte), ℘ 47 16 76, <, ⛱ – [P]
Feb. und Montag geschl. – Karte 40/61.

In Bochum 6-Wattenscheid ⑥ : 9 km :

🏨 **Beckmannshof**, Berliner Str. 39, ℘ (02327) 37 84, ⛱ – ☎ [P] 🏛. [AE] [O] [E] [VISA]. 🚫 Rest
1.- 20. Jan. geschl. – Karte 25/64 *(Samstag bis 18 Uhr geschl.)* – **20 Z : 24 B** 80 - 120.

[BOCKENEM] 3205. Niedersachsen [987] ⑮ – 12 000 Ew – Höhe 113 m – ☏ 05067.
◆Hannover 68 – ◆Braunschweig 50 – Göttingen 54.

🏨 **Mackensen** 🔇, Stobenstr. 4, ℘ 15 84 – 🚫 Zim
⇔ *Juni geschl.* – Karte 18/38 *(April - Sept. Samstag und Sonntag jeweils bis 18 Uhr, Okt.- März Samstag geschl.)* – **12 Z : 20 B** 36/46 - 68/88.

[BOCKLET, BAD] 8733. Bayern [413] N 16 – 2 220 Ew – Höhe 230 m – Heilbad – ☏ 09708.
Ausflugsziel : Schloß Aschach: Graf-Luxburg-Museum★, SW : 1 km (Mai - Okt. Fahrten mit hist. Postkutsche).
ℹ Kurverwaltung, im Haus des Kurgastes, Kurhausstraße ℘ 2 17.
◆München 339 – Fulda 62 – Bad Kissingen 10.

🏨 **Kurhotel Kunzmann** 🔇, An der Promenade 6, ℘ 8 11, ⛱, Bade- und Massageabteilung,
⇔ 🏋, ♨, 🏊, 🌳 – 🛗 ▤ Rest ☎ ♿ 🚗 [P] 🏛. [E]
Karte 17,50/48 *(auch Diät)* – **79 Z : 112 B** 61/84 - 120/148 Fb – P 83/96.

🏨 **Laudensack**, von-Hutten-Str. 37, ℘ 2 24, « Gartenterrasse », 🌳, Fahrradverleih – [P]
Mitte Dez.- Mitte Feb. geschl. – Karte 23/46 *(Dienstag geschl.)* 🍷 – **Kutscherstube** *(nur Abendessen, Dienstag und Sonntag geschl.)* Karte 44/61 – **33 Z : 51 B** 44/47 - 82/86 – P 63/69.

🏨 **Kurpension Diana** 🔇, Waldstr. 19, ℘ 13 86, Massage, ♨, 🌳 – 🚗 [P]
März - Mitte Nov. – (Restaurant nur für Hausgäste) – **17 Z : 23 B** 42/50 - 80/84.

In Bad Bocklet 2-Steinach NO : 4 km :

X **Adler und Post**, Am Marktplatz 6, ℘ 15 57 – [P]
Mittwoch geschl. – Karte 24/40 🍷.

[BODELSHAUSEN] Baden-Württemberg siehe Hechingen.

[BODENMAIS] 8373. Bayern [413] W 19, [987] ㉘ – 3 400 Ew – Höhe 689 m – Luftkurort – Wintersport : 700/1 456 m 🚡1 ⛷1 ⛷3, am Arber : 🚡1 ⛷5 ⛷5 – ☏ 09924.
Ausflugsziele : Großer Arber <★★ NO : 11 km und Sessellift – Großer Arbersee★ NO : 8 km.
ℹ Verkehrsamt, Bergknappenstr. 10, ℘ 70 01, Telex 69103.
◆München 178 – Cham 51 – Deggendorf 35 – Passau 73.

🏨 Kur- und Sporthotel Adam, Bahnhofstr. 51, ℘ 70 11, Bade- und Massageabteilung, ♨, 🏊, 🌳 – 🛗 [TV] ☎ [P]. 🚫 Rest
(nur Abendessen für Hausgäste) – **33 Z : 75 B** Fb.

🏨 **Waldhotel Riederin** 🔇, Riederin 1, ℘ 70 71, < Bodenmais, Bade- und Massageabteilung, ♨, 🏊 (geheizt), 🏊, 🌳, 🎾 (Halle), Tennisschule, Skiverleih, ⛷ – 🛗 [TV] ☎ 🚗 [P]. 🚫
9.- 29. April und 5. Nov.- 18. Dez. geschl. – Karte 21/43 – **54 Z : 104 B** 66/74 - 80/140 Fb.

🏨 **Kur- und Sporthotel Sonnenhof** 🔇, Rechensöldenweg 8, ℘ 77 10, Telex 69133, Fax 771499, <, ⛱, ♨, 🏊, 🌳, 🎾 – 🛗 [TV] ☎ 🧒 🚗 [P] 🏛. [AE] [O] [E]
Karte 28/50 – **115 Z : 230 B** 79/119 - 138/238 Fb.

🏨 **Hofbräuhaus**, Marktplatz 5, ℘ 70 21, ⛱, ♨, 🏊 – 🛗 [TV] ☎ 🚗 [P]. 🚫
⇔ *Anfang Nov.- Mitte Dez. geschl.* – Karte 18,50/42 – **79 Z : 148 B** 55/60 - 90/120 Fb.

🏨 **Andrea** 🔇, Hölzlweg 10, ℘ 3 86, < Bodenmais, ♨, 🏊, 🌳 – [TV] ☎ [P]. [E]. 🚫 Rest
5. Nov.- 15. Dez. geschl. – (nur Abendessen für Hausgäste) – **20 Z : 39 B** (nur ½ P) 69/94 - 138/158 Fb.

🏨 **Hubertus** 🔇, Amselweg 2, ℘ 70 26, <, ⛱, ♨, 🏊, 🌳 – [TV] ☎ 🚗 [P]
10.- 28. April und 6. Nov.- 19. Dez. geschl. – Karte 20/35 *(Dienstag geschl.)* – **36 Z : 66 B** 38/58 - 82/137 Fb.

🏨 **Neue Post**, Kötztinger Str. 25, ℘ 70 77, ⛱, ♨, 🌳, 🎾 – [TV] ☎ [P]. [E]. 🚫 Rest
⇔ *8.- 23. April und 3. Nov.- 15. Dez. geschl.* – Karte 19/42 – **42 Z : 80 B** 36/50 - 60/86 Fb.

🏨 Waldeck 🔇, Arberseestr. 39, ℘ 70 55, <, Biergarten, ♨, 🌳 – [TV] [P]
55 Z : 100 B Fb.

🏨 Fürstenbauer, Kötztinger Str. 34, ℘ 70 91, <, ⛱, ♨, 🌳 – [TV] ☎ [P]
22 Z : 43 B Fb.

🏨 **Waldesruh**, Scharebenstr. 31, ℘ 70 81, <, ⛱, ♨, 🌳 – 🛗 ☎ [P] 🏛
⇔ *3. Nov.- 15. Dez. geschl.* – Karte 18/38 *(Juni - Okt. Montag geschl.)* – **76 Z : 130 B** 36/42 - 62/72 Fb.

🏨 **Appartementhotel Bergknappenhof** garni, Silberbergstr. 8, ℘ 4 66, ♨, 🏊, 🌳, 🎾 – 🛗 🚗 [P]. 🚫
18 Z : 31 B 45/64 - 74/120 – 8 Fewo 62/90.

⌂ Kurparkhotel, Amselweg 1, ☎ 10 94, ♨ – ☎ [P]
18 Z : 35 B.

⌂ **Zur Klause** 🌿 garni, Klause 1a, ☎ 18 85, ←, ♨s, 🌳 – [P]. ✂
Nov.- Mitte Dez. geschl. – **18 Z : 36 B** 45 - 60/68.

⌂ Bayerischer Hof, Bahnhofstr. 29, ☎ 10 64 – 🚗 [P]
16 Z : 30 B.

In Bodenmais-Böhmhof SO : 1 km :

⌂ **Böhmhof** 🌿, Böhmhof 1, ☎ 2 22, ♨s, 🏊 (geheizt), 🌳 – [TV] ☎ 🚗 [P]
✦ *April und Nov.- 15. Dez. geschl.* – Karte 18/35 ♨ – **23 Z : 50 B** 48/58 - 88/96 Fb.

In Bodenmais-Mais NW : 2,5 km :

⌂ **Waldblick**, ☎ 3 57, ♨s, 🏊, 🌳 – [TV] [P]
Ende Okt.- Mitte Dez. geschl. – (nur Abendessen für Hausgäste) – **20 Z : 40 B** 35/50 - 80/100.

In Bodenmais-Mooshof NW : 1 km :

⌂ **Mooshof**, Mooshof 7, ☎ 70 61, ←, ♨, Massageabteilung, ♨s, 🏊, 🌳, 🐎 (Halle) – [lift] [TV] ☎
✦ [P]. ✂ Rest
2. Nov.- 15. Dez. geschl. – Karte 17/40 – **53 Z : 90 B** 44/70 - 76/108 Fb.

BODENSEE Baden-Württemberg und Bayern 413 KL 23, 24, 987 ㉟ ㊱, 216 ⑨ ⑩ ⑪ – Höhe 395 m.
Sehenswert : See★★ mit den Inseln Mainau★★ und Reichenau★ (Details siehe unter den erwähnten Ufer-Orten).

BODENTEICH 3123. Niedersachsen 987 ⑯ – 4 600 Ew – Höhe 55 m – Kneipp-Kurort – Luftkurort – ☎ 05824.

[i] Kurverwaltung und Fremdenverkehrsamt, Rathaus, Hauptstr. 23, ☎ 10 11.

♦Hannover 107 – ♦Braunschweig 76 – Lüneburg 50 – Wolfsburg 54.

⌂ **Braunschweiger Hof**, Neustädter Str. 2, ☎ 10 16, Bade- und Massageabteilung, ⛹, ♨s, 🏊, 🌳, 🐎 – [lift] ☎ ♿ [P] 🏛
Karte 21/45 – **33 Z : 62 B** 35/60 - 60/100 – P 67/92.

BODENWERDER 3452. Niedersachsen 987 ⑮ – 6 200 Ew – Höhe 75 m – Luftkurort – ☎ 05533.

[i] Städt. Verkehrsamt, Brückenstr. 7, ☎ 25 60.

♦Hannover 68 – Detmold 59 – Hameln 23 – ♦Kassel 103.

⌂ **Deutsches Haus**, Münchhausenplatz 4, ☎ 39 25, ♨ – [lift] [TV] ☎ [P] 🏛. [AE] [E]
Karte 22/50 – **43 Z : 68 B** 33/65 - 62/105 Fb.

BODENWÖHR 8465. Bayern 413 T 19, 987 ㉗ – 3 500 Ew – Höhe 378 m – ☎ 09434.

♦München 168 – Cham 34 – ♦Nürnberg 99 – ♦Regensburg 46.

⌂ **Brauereigasthof Jacob**, Ludwigsheide 2, ☎ 12 38, ←, ♨, 🏖, 🌳 – [TV] ☎ 🚗 [P] 🏛.
✦ ✂ Zim
Karte 18/35 – **24 Z : 48 B** 50/55 - 80/90 Fb – 2 Fewo 50.

BODMAN-LUDWIGSHAFEN 7762. Baden-Württemberg 413 J 23, 987 ㉟, 427 ⑦ – 3 300 Ew – Höhe 410 m – ☎ 07773.

[i] Verkehrsamt, Rathaus (Bodman), Seestr. 5, ☎ 54 86.

[i] Verkehrsbüro, Rathaus (Ludwigshafen), Rathausstr. 2, ☎ 50 23.

♦Stuttgart 165 – Bregenz 74 – ♦Konstanz 34 – Singen (Hohentwiel) 26.

Im Ortsteil Bodman – Erholungsort :

⌂ **Linde am See** 🌿, Kaiserpfalzstr. 50, ☎ 50 65, Telex 793212, ←, ♨, Boots- und Badesteg, ♨s, 🎾 – ✂ Rest [P]. [AE] [D] [E]
Ostern - Okt. – Karte 37/56 *(Dienstag geschl.)* – **45 Z : 76 B** 52/76 - 78/125 Fb.

⌂ **Sommerhaus** 🌿 garni, Kaiserpfalz Str. 67, ☎ 76 82, ←, 🌳 – [AE]
April - Okt. – **11 Z : 21 B** 55/60 - 90/95.

⌂ **Adler** 🌿, Kaiserpfalzstr. 119, ☎ 56 50, « Terrasse mit ← », ♨s, 🌳 – [P]
✦ *April - Mitte Nov.* – Karte 19,50/35 – **24 Z : 40 B** 30/45 - 60/90.

⌂ Seehaus 🌿, Kaiserpfalzstr. 21, ☎ 56 62, ←, ♨, 🏖, 🌳, Bootssteg, Fahrradverleih – [P]
nur Saison – **9 Z : 18 B.**

🍴🍴 **Weinstube Torkel** (Fachwerkhaus a.d.J. 1772), Am Torkel 6, ☎ 56 66 – [P]. [D] [E] [VISA]
April - Okt. geöffnet, wochentags nur Abendessen, Mittwoch geschl. – Karte 38/63 *(Tischbestellung ratsam).*

Im Ortsteil Ludwigshafen :

⌂ Strandhotel Adler, Hafenstr. 4, ☎ 52 14, ←, « Gartenterrasse am See », 🌳 – 🚗 [P]
23 Z : 40 B.

⌂ **Krone**, Hauptstr. 25, ☎ 53 16, ♨s – [P]. [D] [E]
✦ *1.- 20. Nov. geschl.* – Karte 19/44 *(Montag geschl.)* – **20 Z : 35 B** 30/50 - 56/80.

[BÖBINGEN AN DER REMS] 7079. Baden-Württemberg [413] M 20 – 3 700 Ew – ☎ 07173.

♦Stuttgart 58 – Aalen 13 – ♦Ulm 81.

🍴 **Lamm**, Scheuelbergstr. 16, ☎ 89 02 – [P]
Montag 14 Uhr - Dienstag und Sept. 3 Wochen geschl. – Karte 29/60.

[BÖBLINGEN] 7030. Baden-Württemberg [413] K 20, [987] ㉟ – 42 000 Ew – Höhe 464 m – ☎ 07031.

[i] Städt. Verkehrsamt, Kongreßhalle, ☎ 6 66 20.

ADAC, Schafgasse 1, ☎ 2 08 64.

♦Stuttgart 19 – ♦Karlsruhe 80 – Reutlingen 36 – ♦Ulm (Donau) 97.

🏨 **Böhler**, Postplatz 17, ☎ 2 51 43, ≘s, [▭] – |‡| ☎ [P] 🚶. [AE] [O] [E] [VISA]. ✗ Rest
Karte 36/65 *(Freitag 18 Uhr - Samstag und 10.- 30. Juli geschl.)* – **41 Z : 56 B** 120/145 - 160/190 Fb.

🏨 **Böblinger Haus**, Keilbergstr. 2, ☎ 22 70 44 – [TV] ☎ 🚗 [P]. [AE] [E]. ✗
23. Dez.- 9. Jan. geschl. – Karte 26/55 *(Sonntag ab 15 Uhr und Samstag geschl.)* – **26 Z : 36 B** 95/120 - 140/160 Fb.

🏨 ✿ **Wanner - Restaurant Exquisit**, Tübinger Str. 2, ☎ 22 77 05 (Hotel) 2 52 59 (Rest.) – [TV] ☎ 🚗. [AE] [O] [E] [VISA]
24. Dez.- 6. Jan. geschl. – Karte 62/87 *(Samstag bis 18.30 Uhr, Montag - Dienstag 18.30 Uhr, sowie Jan. und Juli - Aug. je 2 Wochen geschl.)* – **33 Z : 55 B** 119/139 - 164/170 Fb
Spez. Terrinen, Zanderfilet in Hummersauce, Warme Apfeltorte mit Kaffee-Eis.

🏨 **Rieth**, Tübinger Str. 155 (B 464), ☎ 27 35 44, 🌳 – ☎ 🚗 [P]. [AE] [O] [E] [VISA]
31. Juli - 20. Aug. geschl. – (nur Abendessen für Hausgäste) – **46 Z : 67 B** 80/90 - 95/130.

🏨 **Decker** garni, Marktstr. 40, ☎ 22 50 87 – 🚗. ✗
18 Z : 21 B 52/60 - 80.

🍴🍴 **Seerestaurant Kongreßhalle**, Tübinger Str. 14, ☎ 2 60 56, ≤, 🌂 – [P] 🚶. [AE] [O] [E] [VISA]
Karte 30/58.

In Böblingen-Hulb :

🏨 **Novotel Böblingen**, Otto-Lilienthal-Str. 18, ☎ 2 30 71, Telex 7265438, Fax 228816, ≘s, [▭] (geheizt), 🌳 – |‡| [TV] ☎ ♿ [P] 🚶. [AE] [O] [E] [VISA]. ✗ Rest
Karte 27/56 – **118 Z : 236 B** 152 - 187 Fb.

In Schönaich 7036 SO : 6 km – ☎ 07031 :

🏨 **Pfefferburg**, Böblinger Straße, ☎ 5 50 10, Fax 550160, ≤, 🌂 – [TV] ☎ [P]. [AE] [O] [E] [VISA]
Karte 32/65 *(Sonntag ab 15 Uhr, Samstag, 6.- 11. Feb. und 14.- 27. Aug. geschl.)* – **Burggrill** *(nur Abendessen)* Karte 28/59 – **27 Z : 36 B** 78/95 - 130/150 Fb.

🏨 **Wagner** 🐌 garni, Cheruskerstr. 8, ☎ 5 10 94 – [TV] ☎ [P]. [AE] [O] [E] [VISA]. ✗
15. Dez.- 6. Jan. geschl. – **25 Z : 38 B** 73 - 97.

🏨 **Sulzbachtal**, im Sulzbachtal (NO : 2 km, Richtung Steinenbronn), ☎ 5 10 88 (Hotel) 5 15 11 (Rest.), 🌂 – [TV] ☎ [P]
Dez.- Jan. 3 Wochen geschl. – Karte 23/48 *(Montag geschl.)* – **20 Z : 32 B** 71/75 - 94/98.

[BÖBRACH] 8371. Bayern [413] W 19 – 1 500 Ew – Höhe 575 m – Erholungsort – Wintersport : ⛷8 – ☎ 09923 (Teisnach).

[i] Verkehrsverein, Rathaus, ☎ 23 52.

♦München 171 – Passau 78 – Regen 18 – ♦Regensburg 98.

🏨 Ödhof 🐌, Öd Nr. 5, ☎ 12 46, ≤, 🌂, ≘s, [▭], 🌳, 🎾, 🐎 – |‡| ☎ 🚗 [P]. ✗ Zim
18 Z : 34 B.

Siehe auch : *Liste der Feriendörfer*

[BÖHMENKIRCH] 7926. Baden-Württemberg [413] M 20, [987] ㊱ – 4 500 Ew – Höhe 696 m – ☎ 07332 (Weißenstein).

♦Stuttgart 70 – Göppingen 26 – Heidenheim an der Brenz 17 – ♦Ulm (Donau) 45.

🏠 **Lamm**, Kirchstr. 8, ☎ 52 43 – [P]. [O] [E]
23.- 31. Dez. geschl. – Karte 16/34 *(Montag geschl.)* 🍷 – **23 Z : 34 B** 28/35 - 56/70.

[BÖNNIGHEIM] 7124. Baden-Württemberg [413] K 19 – 6 300 Ew – Höhe 221 m – ☎ 07143.

♦Stuttgart 40 – Heilbronn 17 – Ludwigsburg 24 – Pforzheim 36.

🏨 **Bebenhauser Hof**, Bechergasse 7, ☎ 20 89 – [TV] ☎ 🚶. [AE] [E] [VISA]
Karte 29/49 *(nur Abendessen, Sonntag geschl.)* – **19 Z : 32 B** 65 - 95.

🏠 **Rössle**, Karlstr. 37, ☎ 2 17 80
Juli - Aug. 3 Wochen und 23. Dez.- 9. Jan. geschl. – Karte 19,50/29 *(Montag geschl.)* 🍷 – **13 Z : 18 B** 35/40 - 70/76.

[BÖRSTINGEN] Baden-Württemberg siehe Starzach.

[BÖSINGEN] Baden-Württemberg siehe Pfalzgrafenweiler.

[BÖTTIGHEIM] Bayern siehe Neubrunn.

[BOGEN] 8443. Bayern [413] V 20, [987] ㉗ – 9 000 Ew – Höhe 332 m – ☏ 09422.
♦München 134 – ♦Regensburg 60 – Straubing 12.

- 🏠 **Zur Post**, Stadtplatz 15, ✆ 13 46, Biergarten – 🚗 [P]
  15.- 28. Mai geschl. – Karte 15/31 *(Freitag geschl.)* – **20 Z : 31 B** 27/30 - 48/55.

In Bogen-Bogenberg O : 3,5 km :

- 🍴 Schöne Aussicht 🌙 mit Zim, ✆ 15 39, ≤ Donauebene, Biergarten – 🚗 [P]. 🚫🐕 Zim
  6 Z : 10 B.

[BOHMTE] 4508. Niedersachsen [987] ⑭ – 9 700 Ew – Höhe 58 m – ☏ 05471.
♦Hannover 122 – ♦Bremen 98 – ♦Osnabrück 21.

- 🏨 **Gieseke-Asshorn**, Bremer Str. 55, ✆ 10 01, ≘ – ☎ 🚗 [P]. E
  Karte 27/42 – **11 Z : 18 B** 32/37 - 57/70.

[BOLL] 7325. Baden-Württemberg [413] L 21 – 4 600 Ew – Höhe 425 m – ☏ 07164.
[i] Verkehrsamt, Hauptstr. 94 (Rathaus), ✆ 20 65.
♦Stuttgart 48 – Göppingen 9 – ♦Ulm (Donau) 49.

- 🏨 **Badhotel Stauferland** 🌙, Gruibinger Str. 32, ✆ 20 77, « Terrasse mit ≤ », ≘, 🏊, 🌳 – 🛗 ☎ 🚗 [P] 🎪. AE ⓓ E VISA. 🚫🐕 Rest
  Juli - Aug. 3 Wochen geschl. – Karte 33/69 – **45 Z : 57 B** 75/100 - 140/160 Fb.
- 🏠 **Löwen**, Hauptstr. 46, ✆ 50 13 – 📺 [P]. ⓓ E
  18. Dez.- 17. Jan. geschl. – Karte 19/45 *(Montag geschl.)* 🍷 – **22 Z : 30 B** 35/58 - 65/110.

Verwechseln Sie nicht :

Komfort der Hotels	: 🏨🏨🏨 ... 🏨, 🏠
Komfort der Restaurants	: XXXXX ... X
Gute Küche	: ✿✿✿, ✿✿, ✿, Karte

[BOLLENDORF] 5526. Rheinland-Pfalz [409] ㉗, [214] ⑳ – 1 700 Ew – Höhe 215 m – Luftkurort – ☏ 06526.
Mainz 193 – Bitburg 28 – Luxembourg 43 – ♦Trier 34.

- 🏨 **Sonnenberg** 🌙, Im Beitberg (NW : 1,5 km), ✆ 5 52, ≤ Sauertal, ☂, ≘, 🏊, 🌳 – 🛗 [P]. 🚫🐕 Rest
  10.- 31. Jan. und 15. Feb.- März geschl. – Karte 21/50 🍷 – **28 Z : 56 B** 55/80 - 100/132 Fb – P 73/98.
- 🏨 **Ritschlay** 🌙, Auf der Ritschlay 3, ✆ 2 12, ≤ Sauertal, Garten mit Grillpavillon, 🌳 – [P]
  10. Jan.- Feb. und 18. Nov.- 18. Dez. geschl. – (Restaurant nur für Hausgäste) – **20 Z : 35 B** 50/55 - 97/110 – P 76/83.
- 🏨 **Burg Bollendorf** 🌙, ✆ 6 90, ☂, Vogelpark, 🌳, 🎾, 🐎 – 🛗 📺 ☎ [P] 🎪. E
  2.- 28. Jan. geschl. – Karte 22/45 – **39 Z : 76 B** 75 - 130 – 20 Fewo 98.
- 🏨 **Scheuerhof**, Sauerstaden 42, ✆ 3 95, Biergarten – ☎ [P]. ⓓ E
  1.- 22. März und 11.- 24. Dez. geschl. – Karte 21/45 *(Nov.- April Montag geschl.)* 🍷 – **14 Z : 30 B** 42/60 - 78/94 Fb – P 65/78.
- 🏨 **Landhaus Oesen** 🌙, Auf dem Oesen 13, ✆ 3 05, ≤ Sauertal und Bollendorf, ☂, 🌳 – [P]. 🚫🐕
  15. Nov.- 20. Dez. geschl. – Karte 18,50/40 – **15 Z : 30 B** 35/47 - 60/84 – P 54/62.
- 🏨 **Vier Jahreszeiten** 🌙, Auf dem Träuschfeld 6, ✆ 2 67, ≤, ☂, 🌳 – [P]. 🚫🐕 Rest
  Karte 20/41 – **13 Z : 26 B** 50/60 - 88/100 Fb.
- 🏠 **Hauer**, Sauerstaden 20, ✆ 3 23, ☂ – [P]. 🚫🐕
  Karte 18/40 – **25 Z : 40 B** 32/43 - 72/76 – P 58/68.

An der Straße nach Echternacherbrück SO : 2 km :

- 🏨 **Am Wehr**, ✉ 5526 Bollendorf, ✆ (06526) 2 42, ≤, ☂ – [P]. ⓓ E. 🚫🐕
  Karte 17/36 – **16 Z : 36 B** 47/55 - 78/102.

[BONN] 5300. Nordrhein-Westfalen [987] ㉓㉔ – Bundeshauptstadt – 293 000 Ew – Höhe 64 m – ☏ 0228.
Sehenswert : In Bonn : Regierungsviertel★, Beethovenhaus★ CY – Doppelkirche Schwarz-Rheindorf★ DY – Rheinisches Landesmuseum (Römische Abteilung★) BZ **M** – Münster (Kreuzgang★) CZ **A** – Alter Zoll ≤★ CY **B** – In Bonn-Bad Godesberg : Rheinufer★ (≤★) – Godesburg ✳★.

✈ Köln-Bonn in Wahn (① : 27 km), ✆ (02203) 4 01.
[i] Informationsstelle, Münsterstr. 20 (Cassius Bastei), ✆ 77 34 66.
ADAC, Godesberger Allee 125 (Bad Godesberg), ✆ 37 66 68, Notruf ✆ 1 92 11.
♦Düsseldorf 73 ⑥ – ♦Aachen 91 ⑥ – ♦Köln 28 ⑥ – Luxembourg 190 ④.

Bristol, Prinz-Albert-Str. 1, 2 69 80, Telex 8869661, Fax 2698222, – . AE E VISA. Rest CZ v
Karte 59/80 – **120 Z : 200 B** 220/270 - 270/370.

Pullman-Hotel Königshof, Adenauerallee 9, 2 60 10, Telex 886535, Fax 2601529, Rhein, – . AE E VISA. CZ a
Karte 38/84 – **137 Z : 209 B** 161/211 - 212/262 Fb – 4 Appart. 300/380.

Domicil garni (siehe auch Restaurant Felix Krull), Thomas-Mann-Str. 24, 72 90 90, Telex 886633, Fax 691207, « Elegante Einrichtung », – . AE E VISA BY e
20. Dez.- 4. Jan. geschl. – **42 Z : 70 B** 173/298 - 251/406 Fb.

Kaiser-Karl-Hotel garni, Vorgebirgsstr. 56, 65 09 33, Telex 886856, Innenhof-Garten, « Elegante Einrichtung » – . AE E VISA BY a
52 Z : 70 B 184/319 - 254/339.

Schloßpark-Hotel, Venusbergweg 27, 21 70 36, Telex 889661, – . AE E VISA. BZ a
Karte 38/60 *(Samstag bis 18 Uhr geschl.)* – **70 Z : 90 B** 90/140 - 120/210 Fb.

Consul garni, Oxfordstr. 12, 7 29 20, Telex 8869660 – . AE E VISA CY t
23. Dez.- 2. Jan. geschl. – **90 Z : 124 B** 98/140 - 150/180 Fb.

Continental garni, Am Hauptbahnhof, 63 53 60 – Zim . AE E VISA CZ r
22. Dez. - 6. Jan. geschl. – **35 Z : 62 B** 125/170 - 180/240.

Beethoven, Rheingasse 26, 63 14 11, Telex 886467 – . AE E VISA CY s
Karte 30/54 *(Samstag geschl.)* – **59 Z : 99 B** 69/139 - 139/159 Fb.

Auerberg garni, Kölnstr. 362, 67 10 31, – . AE E VISA.
22. Dez.- 2. Jan. geschl. – **30 Z : 36 B** 85/110 - 125/135. über Kölnstraße ABY

Astoria, Hausdorffstr. 105, 23 95 07, Telex 8869992, – . AE E VISA
20. Dez.- 5. Jan. geschl. – (nur Abendessen für Hausgäste) – **50 Z : 74 B** 85/130 - 130/160 Fb.
über Hausdorffstraße CZ

Sternhotel garni, Markt 8, 65 44 55, Telex 886508 – . AE E VISA. CY e
70 Z : 125 B 94/150 - 125/170 Fb.

Römerhof, Römerstr. 20, 63 47 96 – . CY f
Juli geschl. – (nur Abendessen für Hausgäste) – **26 Z : 40 B** 86/98 - 142/160.

Jacobs garni, Bergstr. 85, 23 28 22, « Einrichtung im Bauernstil, ländliche Antiquitäten », – über Hausdorffstraße CZ
34 Z : 55 B 55/85 - 95/135 Fb.

Rheinland garni, Berliner Freiheit 11, 65 80 96 – . AE CY q
32 Z : 56 B 95 - 135.

Kölner Hof garni, Kölnstr. 502, 67 10 04 – . AE E VISA über Kölnstraße ABY
Juni - Juli 3 Wochen geschl. – **41 Z : 62 B** 67 - 110.

Krug garni, Sternenburgstr. 15, 22 58 68 – BZ e
28 Z : 52 B 60 - 90.

Kurfürstenhof garni, Baumschulallee 20, 63 11 66 – . E VISA BZ x
27 Z : 48 B 39/95 - 76/125.

Löhndorf garni, Stockenstr. 6, 63 47 26 – . – **15 Z : 21 B** Fb. CYZ p

Weiland garni, Breite Str. 98a, 65 50 57 – . AE E VISA CY d
17 Z : 28 B 48/80 - 98/115 Fb.

Bergischer Hof, Münsterplatz 23, 63 34 41 – CY m
Karte 21/50 – **28 Z : 48 B** 49/79 - 89/115.

Schwan garni, Mozartstr. 24, 63 41 08 – BZ n
24 Z : 36 B 49/83 - 83/125.

Am Tulpenfeld, Heussallee 2, 21 90 81, – . E VISA. über ③
Sonn- und Feiertage ab 15 Uhr sowie Samstag geschl. – Karte 45/88.

Zur Lese, Adenauerallee 37, 22 33 22, Rhein, – . AE E VISA. CZ e
Montag geschl. – Karte 35/60.

Petit Poisson, Wilhelmstr. 23 a, 63 38 83 – AE E VISA CY x
Sonntag - Montag geschl. – Karte 62/100 (Tischbestellung ratsam).

Ristorante Grand'Italia (Italienische Küche), Bischofsplatz 1, 63 83 33 – AE E VISA. CYZ c
Karte 35/70.

Ristorante Caminetto (Italienische Küche), Römerstr. 83, 65 42 27 – AE E VISA
Sonntag und Juni - Juli 3 Wochen geschl. – Karte 36/67. CY h

Felix Krull, Thomas-Mann-Str. 24, 65 53 00 – AE E VISA BY e
Sonntag geschl. – Karte 50/78.

Zum Kapellchen, Brüdergasse 12, 65 10 52, – AE E VISA CY n
Sonntag und Juni - Juli 3 Wochen geschl. – Karte 47/81.

Em Höttche, Markt 4, 65 85 96, « Altdeutsche Gaststätte » – AE E VISA CY e
Karte 29/62.

Schaarschmidt, Brüdergasse 14, 65 44 07 – E. CY a
Samstag bis 18 Uhr, Sonntag und Juli - Aug. 3 Wochen geschl. – Karte 52/81 (Tischbestellung ratsam).

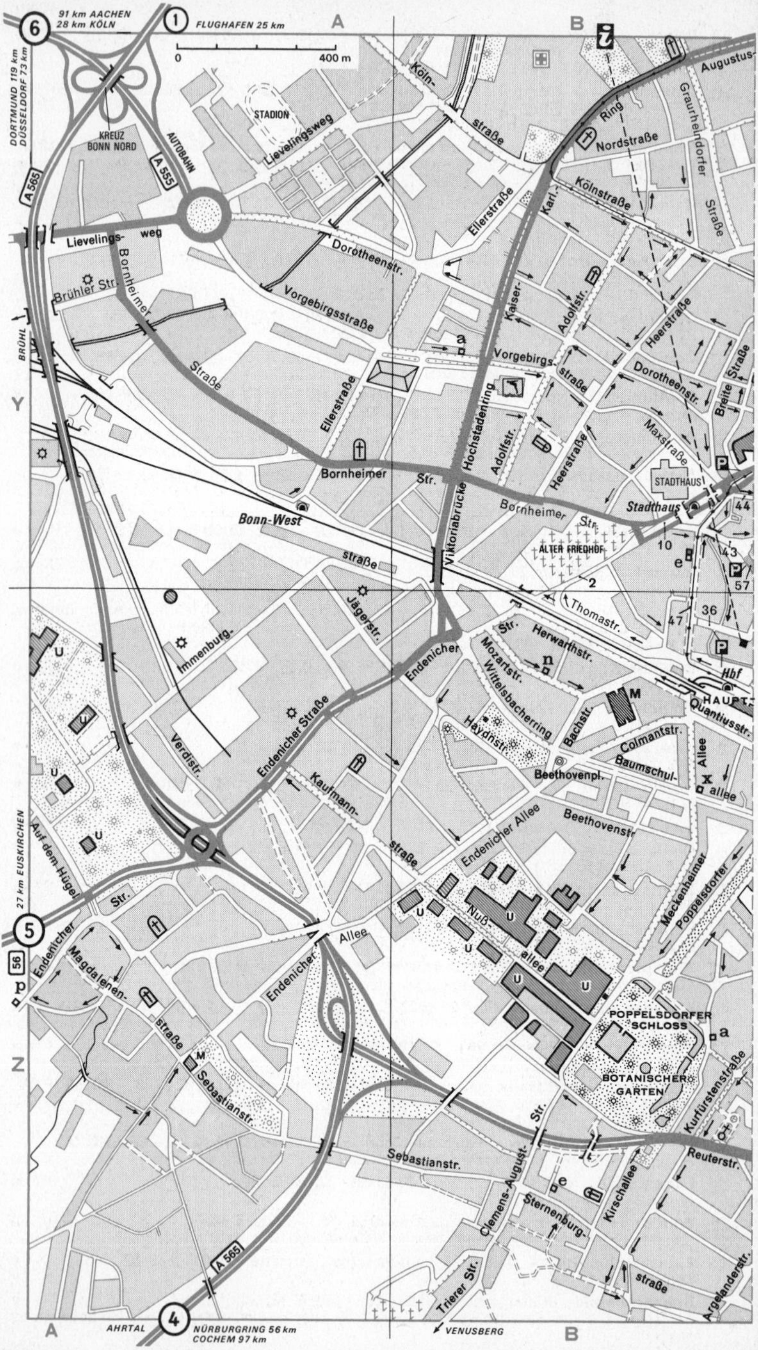
91 km AACHEN
28 km KÖLN
FLUGHAFEN 25 km
DORTMUND 119 km
DÜSSELDORF 73 km
0
400 m
KREUZ BONN NORD
AUTOBAHN
A 555
A 565
STADION
Lievelingsweg
Lievelings- weg
Köln- straße
Ring
Nordstraße
Augustus-
Graurheindorfer Straße
Kölnstraße
Karl-
Ellerstraße
Dorotheenstr.
Vorgebirgsstraße
Brühler Str.
Bornheimer Straße
Kaiser-
Adolfstr.
Heerstraße
Vorgebirgs- straße
Dorotheenstr.
Breite Straße
Maxstraße
STADTHAUS
Stadthaus
Hochstadenring
Viktoriabrücke
Adolfstr.
Heerstraße
Bornheimer Str.
Bornheimer Str.
BRÜHL
Bonn-West
straße
ALTER FRIEDHOF
Thomastr.
Jägerstr.
Immenburg-
Endenicher Straße
Endenicher
Herwarthstr.
Str.
Mozartstr.
Wittelsbacherring
Haydnstr.
Bachstr.
Colmantstr.
Baumschul-
Beethovenpl.
Quantiusstr.
Hbf
HAUPT-
Allee
allee
Verdistr.
Kaufmann- straße
Beethovenstr.
Endenicher Allee
Auf dem Hügel
Str.
27 km EUSKIRCHEN
Nuß- allee
Meckenheimer
Poppelsdorfer
Endenicher
Allee
Endenicher
Magdalenen- straße
Sebastianstr.
POPPELSDORFER SCHLOSS
BOTANISCHER GARTEN
Kurfürstenstraße
Reuterstr.
Sebastianstr.
Clemens-August- Str.
Sternenburg- straße
Kirschallee
Argelanderstr.
Trierer Str.
VENUSBERG
AHRTAL
NÜRBURGRING 56 km
COCHEM 97 km
A
B
Y
Z

BONN

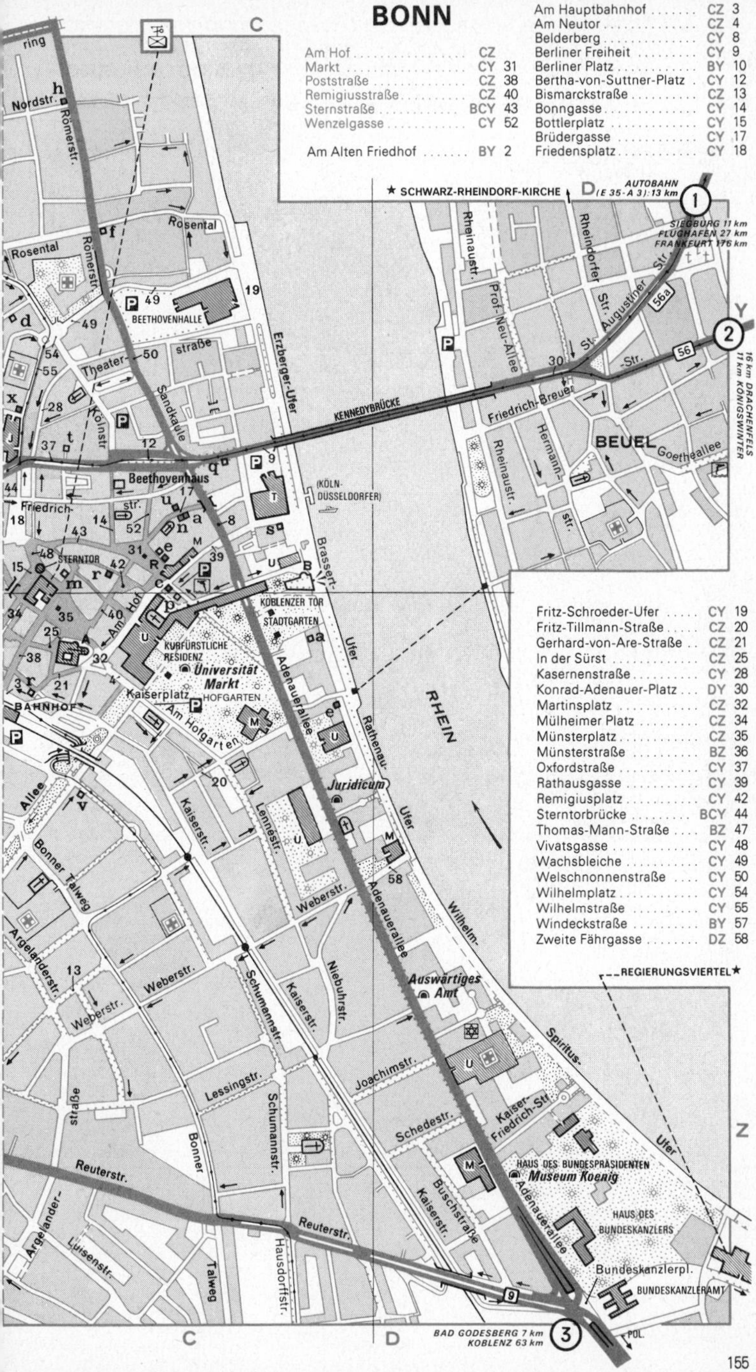

★ SCHWARZ-RHEINDORF-KIRCHE
AUTOBAHN (E 35-A 3): 13 km
SIEGBURG 11 km
FLUGHAFEN 27 km
FRANKFURT 176 km
16 km DRACHENFELS
11 km KÖNIGSWINTER
BEETHOVENHALLE
KENNEDYBRÜCKE
BEUEL
Beethovenhaus
(KÖLN-DÜSSELDORFER)
STERNTOR
KOBLENZER TOR
STADTGARTEN
KURFÜRSTLICHE RESIDENZ
Universität
Markt
HOFGARTEN
Kaiserplatz
BAHNHOF
RHEIN
Juridicum
Auswärtiges Amt
REGIERUNGSVIERTEL★
HAUS DES BUNDESPRÄSIDENTEN
Museum Koenig
HAUS DES BUNDESKANZLERS
Bundeskanzlerpl.
BUNDESKANZLERAMT
BAD GODESBERG 7 km
KOBLENZ 63 km
Adenauerallee
Erzberger-Ufer
Rathenau-Ufer
Wilhelm-Spiritus-Ufer
Reuterstr.
Kaiserstr.
Schumannstr.
Weberstr.
Lessingstr.
Joachimstr.
Schedestr.
Buschstraße
Niebuhrstr.
Lennéstr.
Sandkaule
Römerstr.
Rosental
Friedrich-Breuer-Str.
Hermann-str.
Rheinaustr.
Goethealle
Bonner Talweg
Argelanderstr.
Luisenstr.
Hausdorffstr.

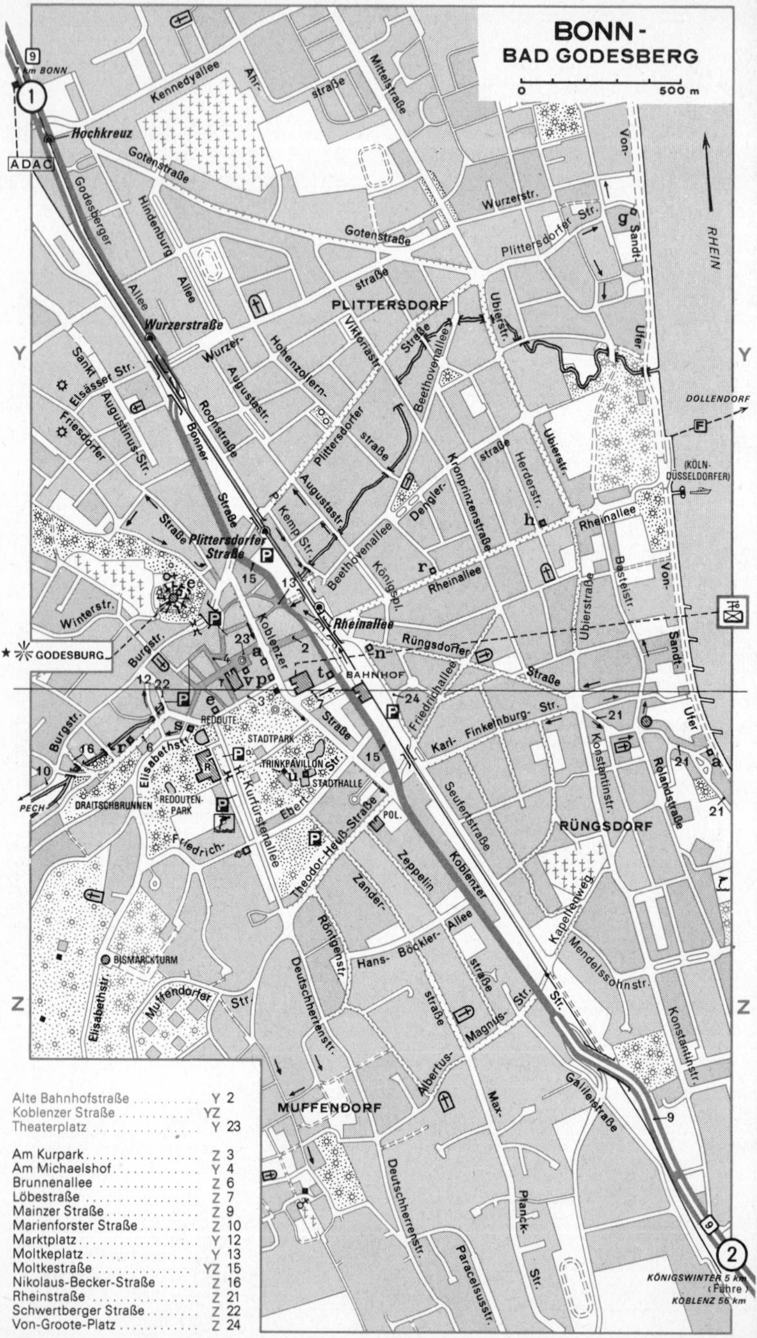

Alte Bahnhofstraße .... Y 2
Koblenzer Straße .... YZ
Theaterplatz .... Y 23

Am Kurpark .... Z 3
Am Michaelshof .... Y 4
Brunnenallee .... Z 6
Löbestraße .... Z 7
Mainzer Straße .... Z 9
Marienforster Straße .... Z 10
Marktplatz .... Y 12
Moltkeplatz .... Y 13
Moltkestraße .... YZ 15
Nikolaus-Becker-Straße .... Z 16
Rheinstraße .... Z 21
Schwertberger Straße .... Z 22
Von-Groote-Platz .... Z 24

Bayrische Botschaft, Brüdergasse 15, 65 88 00 CY **u**

Im Bären (Brauereigaststätte), Acherstr. 1, 63 32 00, Karte 23/48. CY **r**

Auf dem Venusberg SW : 4 km über Trierer Straße BZ und Im Wingert :

Steigenberger Hotel Venusberg, An der Casselsruhe 1, 5300 Bonn 1, (0228) 28 80, Massage, Fahrradverleih – Rest (mit). AE E VISA
Restaurants : – **Venusberg** Karte 46/79 – **Casselsruhe** Karte 33/56 – **86 Z : 130 B** 185/265 - 260/300 Fb – 6 Appart. 460/1260.

In Bonn 3-Beuel :

Schloßhotel Kommende Ramersdorf (ehem. Ritterordens-Schloß, Schloßmuseum), Oberkasseler Str. 10 (Ramersdorf), 44 07 34, «Einrichtung mit Stil-Möbeln und Antiquitäten» – AE E VISA über ② und die B 42
Karte 46/70 *(Italienische Küche)* (Dienstag und Juli - Aug. 4 Wochen geschl.) – **18 Z : 28 B** 85/120 - 150/170 Fb.

Florin garni, Ölbergweg 17, 47 18 40 – AE E über Hermannstr. DY
21 Z : 27 B 60 - 100.

Willkens, Goetheallee 1, 47 16 40, Telex 8869769 – AE E VISA.
Karte 21/42 *(nur Abendessen, Samstag geschl.)* – **33 Z : 57 B** 69/110 - 110/125. über Goetheallee DY

Mertens, Rheindorfer Str. 134, 47 44 51 – über Rheindorfer Str. DY
Karte 22/35 *(wochentags nur Abendessen, Dienstag geschl.)* – **14 Z : 24 B** 50 - 90.

In Bonn 1-Endenich :

Altes Treppchen, Endenicher Str. 308, 62 50 04, «Behagliches Restaurant mit altdeutscher Einrichtung» – AE E VISA AZ **p**
23. Dez.- 4. Jan. geschl. – Karte 40/63 *(Samstag geschl.)* – **23 Z : 29 B** 48/56 - 89/98.

In Bonn 2-Bad Godesberg :

Rheinhotel Dreesen, Rheinstr. 45, 8 20 20, Telex 885417, ≤ Rhein und Siebengebirge, «Park» – AE E VISA. Rest Z **a**
Karte 40/75 – **68 Z : 113 B** 125/190 - 180/240 Fb.

Godesburg-Hotel, Auf dem Godesberg 5 (in der Godesburg-Ruine), 31 60 71, Telex 885503, ≤ Bad Godesberg und Siebengebirge, – AE E VISA. Rest
Karte 44/65 – **14 Z : 20 B** 110/125 - 140/150. Y **e**

Zum Adler garni, Koblenzer Str. 60, 36 40 71 – AE E VISA Y **a**
40 Z : 55 B 95/140 - 140/180.

Insel-Hotel, Theaterplatz 5, 36 40 82, Telex 885592, – AE E VISA
Karte 23/43 – **66 Z : 100 B** 107/125 - 175/195. Y **v**

Parkhotel garni, Am Kurpark 1, 36 30 81, Telex 885463 – E Y **p**
52 Z : 68 B 85/160 - 125/200 Fb.

Kaiserhof garni, Moltkestr. 64, 36 20 16, Telex 889757 – AE E VISA
20. Dez.- 8. Jan. geschl. – **50 Z : 73 B** 85/140 - 170/210. Y **t**

Rheinland, Rheinallee 17, 35 30 87 – AE E VISA Y **r**
Karte 28/60 – **32 Z : 60 B** 85/110 - 125/170 Fb.

Eden garni, Am Kurpark 5a, 35 60 34, Telex 885440 – AE E VISA Z **e**
42 Z : 70 B 95/120 - 130/180 Fb.

Schaumburger Hof, Am Schaumburger Hof 10, 36 40 95, ≤ Rhein und Siebengebirge, «Gartenterrasse am Rhein» – Y **g**
34 Z : 54 B.

Zum Löwen garni, Von Grooteplatz 1, 35 49 51 – AE E VISA Y **n**
22. Dez. - 6. Jan. geschl. – **49 Z : 60 B** 65/85 - 99/160.

Wirtshaus St. Michael, Brunnenallee 26, 36 47 65, «Antike Einrichtung» – AE E VISA
Sonntag geschl. – Karte 36/75. Z **r**

Halbedel's Gasthaus, Rheinallee 47, 35 42 53 – E Y **h**
nur Abendessen, Montag und 20. Juli - 20. Aug. geschl. – Karte 58/80 (Tischbestellung ratsam)
Spez. Hummersalat mit Austernpilzen und Mango, Roulade von Lotte und Räucherlachs, Pflaumenstrudel mit Zimteis.

Korkeiche (rustikales Restaurant in einem kleinen Fachwerkhaus), Lyngsbergstr. 104 (in Lannesdorf), 34 78 97, über ②
nur Abendessen, Montag geschl. – Karte 49/80 (Tischbestellung erforderlich).

Cäcilienhöhe mit Zim, Goldbergweg 17, 32 10 01, ≤ Bad Godesberg und Siebengebirge – AE über Muffendorfer Str. Z
Karte 52/70 *(Italienische Küche)* (Samstag bis 18 Uhr und Sonntag geschl.) – **10 Z : 19 B** 100 - 130.

Stadthalle, Koblenzer Str. 80, 36 40 35, ≤, – Z **u**
19.- 25. Dez. geschl. – Karte 29/50.

Redüttchen, Kurfürstenallee 1, 36 40 41, Z **s**

Fortsetzung →

In Bonn 1-Hardtberg über ④ :

Novotel, Konrad-Adenauer-Damm/Ecke Pascalstraße, ☎ 5 20 10, Telex 886743, Fax 614658, 🍴, 🏊 (geheizt) – ⇅ ☰ [TV] ☎ ♿ [P] 🏛. [AE] [O] [E] [VISA]
Karte 40/64 – **142 Z : 284 B** 163 - 210 Fb.

In Bonn 3-Holzlar über ② :

Wald-Café 🐌, Am Rehsprung 35, ☎ 48 20 44, 🍴 – [TV] ☎ 🚗 [P] 🏛. [AE] [E]
Karte 25/55 *(Montag geschl.)* – **26 Z : 40 B** 48/70 - 75/120.

In Bonn 1-Lengsdorf über ④ :

Kreuzberg garni, Provinzialstr. 35 (B 257), ☎ 25 39 18 – ☎ [P]
20 Z : 24 B.

XXX ✿ **Le Marron**, Provinzialstr. 35 (B 257), ☎ 25 32 61 – [P]. [AE] [O] [E]
Samstag - Sonntag 19 Uhr geschl. – Karte 64/92
Spez. Gänseleber im Brotteig, Cordon bleu vom Steinbutt.

GREEN TOURIST GUIDES

Picturesque scenery, buildings
Attractive routes
Touring programmes
Plans of towns and buildings.

[BONNDORF] 7823. Baden-Württemberg [413] I 23, [987] ㉟, [427] ⑤⑥ – 5 000 Ew – Höhe 847 m – Luftkurort – Wintersport : 847/898 m ⛷3 ⛷6 – ☎ 07703.

[i] Tourist-Informations-Zentrum, Schloßstr. 1, ☎ 76 07.

♦Stuttgart 151 – Donaueschingen 25 – ♦Freiburg im Breisgau 55 – Schaffhausen 35.

Schwarzwald-Hotel, Rothausstr. 7, ☎ 4 21, ≘s, 🏊, 🌳 – ⇅ [P]. [AE] [O] [E] [VISA]
Mitte Nov.- Mitte Dez. geschl. – Karte 26/60 ♁ – **67 Z : 120 B** 47/68 - 90/122 Fb – P 77/93.

Sonne, Martinstr. 7, ☎ 3 36 – [P]
7.- 30. Nov. geschl. – Karte 18/40 ♁ – **33 Z : 60 B** 26/36 - 60/68 – P 49/57.

Bonndorfer Hof, Bahnhofstr. 2, ☎ 71 18, 🌳 – [P]. 🚫 Zim
Ende Okt.- Ende Nov. geschl. – Karte 23/42 *(Montag geschl.)* ♁ – **12 Z : 20 B** 30/38 - 56/76 – P 46/56.

X **Germania** mit Zim, Martinstr. 66, ☎ 2 81 – [P]. 🚫 Zim
Jan. geschl. – Karte 22/55 *(Montag geschl.)* ♁ – **8 Z : 12 B** 27/34 - 54/68.

Im Steinatal – ✉ 7823 Bonndorf – ☎ 07703 :

Steinasäge, (W : 4 km), ☎ 5 84, 🍴 – 🚗 [P]
7 Z : 14 B.

Walkenmühle 🐌, (W : 5 km), ☎ 80 84, ≘s, 🌳 – ☎ 🚗 [P]
15. Nov.- 15. Dez. geschl. – Karte 26/45 *(nur Abendessen, Mittwoch geschl.)* – **14 Z : 26 B** 46/55 - 93/119.

Sommerau 🐌 (400 Jahre altes Schwarzwälder Holzhaus), (W : 9 km), ☎ 6 70, 🌳, 🐎, ⛷ – [P]
April geschl. – Karte 22/55 *(Montag - Dienstag geschl.)* – **12 Z : 24 B** 41 - 76.

In Bonndorf-Holzschlag NW : 8 km – Luftkurort :

Schwarzwaldhof Nicklas (moderner Schwarzwaldhof), Bonndorfer Str. 66, ☎ (07653) 8 03, 🍴, « Rustikale Einrichtung, Garten » – ☎ [P]. [AE] [O] [E]
Anfang Jan.- Anfang Feb. geschl. – Karte 29/56 *(Dienstag geschl.)* – **14 Z : 30 B** 49/58 - 79/110.

Pension Waldfrieden 🐌, Tiroler Str. 24, ☎ (07653) 7 50, Damwildgehege, 🏊 (geheizt), 🌳 – 🚗 [P]
23 Z : 46 B.

[BOPFINGEN] 7085. Baden-Württemberg [413] O 20, [987] ㉖㊱ – 11 200 Ew – Höhe 470 m – ☎ 07362.

♦Stuttgart 100 – ♦Augsburg 82 – ♦Nürnberg 104 – ♦Ulm (Donau) 77.

Sonne, Hauptstr. 20, ☎ 30 11, ≘s – ☎ 🚗 [P]. [AE] [O] [E] [VISA]
über Fasching und Aug. jeweils 2 Wochen geschl. – Karte **32**/61 *(Sonntag 14 Uhr - Montag 18 Uhr geschl.)* – **20 Z : 32 B** 50/80 - 90/110 Fb.

Ipf-Hof 🐌, Richard-Wagner-Str. 2, ☎ 75 31, ≤, 🍴 – ☎ 🚗 [P]
Karte 24/52 *(Freitag - Sonntag nur Mittagessen)* – **20 Z : 30 B** 30/70 - 80/100 Fb.

Café Dietz garni, Hauptstr. 63, ☎ 70 44, Caféterrasse – [TV] ☎ [P]. [AE] [O] [E]
Jan. 2 Wochen geschl. – **17 Z : 28 B** 40/55 - 80/90.

BOPPARD 5407. Rheinland-Pfalz 987 ㉔ – 17 000 Ew – Höhe 70 m – Kneippheilbad – ☎ 06742.
Sehenswert : Gedeonseck ≤★.
ℹ Städt. Verkehrsamt, Karmeliterstr. 2, ✆ 1 03 19.
ℹ Verkehrsamt, Am Theodor-Hoffmann-Platz (Bad Salzig), ✆ 62 97.
Mainz 89 – Bingen 42 – ♦Koblenz 21.

Bellevue, Rheinallee 41, ✆ 10 20, Telex 426310, Fax 102602, ≤, Fahrradverleih – AE E VISA. Rest
Karte 46/70 – **95 Z : 200 B** 95/150 - 150/240 Fb.

Rheinlust, Rheinallee 27, ✆ 30 01, Telex 426319, ≤ – AE E VISA
15. April - 28. Okt. – Karte 28/60 – **93 Z : 186 B** 40/78 - 68/140 – P 72/113.

Baudobriga - Weinhaus Ries, Rheinallee 43, ✆ 23 30, ≤, eigener Weinbau – AE E VISA
März - Nov. – Karte 18/50 *(März und Nov. geschl.)* – **42 Z : 67 B** 44/110 - 60/160.

Günther garni, Rheinallee 40, ✆ 23 35, ≤ –
Mitte Dez.- Mitte Jan. geschl. – **19 Z : 35 B** 38/50 - 65/98 Fb.

Rebstock, Rheinallee 31, ✆ 26 71, ≤ –
12. Jan.- Feb. geschl. – Karte 22/50 *(Okt.- Mai Dienstag geschl.)* – **26 Z : 48 B** 30/70 - 60/140.

Am Ebertor, Heerstraße (B 9), ✆ 20 81, – AE E VISA
April - Okt. – Karte 24/47 – **60 Z : 120 B** 72 - 101 Fb.

In Boppard 4-Buchholz W : 6,5 km – Höhe 406 m :

Tannenheim, Bahnhof Buchholz 3 (B 327), ✆ 22 81, –
30. Juli - 20. Aug. geschl. – Karte 19/40 *(Sonn- und Feiertage kein Abendessen)* – **14 Z : 23 B** 39/42 - 71/83.

In Boppard 1-Bad Salzig S : 3 km – Mineralheilbad :

Haus Bach, Salzbornstr. 6, ✆ 62 54, Telex 426331, – AE E
Jan.- 10. Feb. geschl. – Karte 26/45 *(im Winter Montag geschl.)* – **35 Z : 55 B** 35/44 - 52/70 – P 56/65.

Berghotel Rheinpracht, Am Kurpark, ✆ 62 79, ≤, –
15. März - 24. Okt. – Karte 16,50/34 *(Dienstag geschl.)* – **12 Z : 22 B** 31/56 - 64/82 – P 43/54.

Außerhalb N : 12 km über die B 9 bis Spay, dann links ab Auffahrt Rheingoldstraße :

Klostergut Jakobsberg, Höhe 318 m, ✉ 5407 Boppard, ✆ (06742) 30 61, Telex 426323, ≤, Bade- und Massageabteilung, (Halle) – Rest
110 Z : 214 B Fb.

BORCHEN Nordrhein-Westfalen siehe Paderborn.

BORDESHOLM 2352. Schleswig-Holstein 987 ⑤ – 7 000 Ew – Höhe 25 m – ☎ 04322.
♦Kiel 22 – ♦Hamburg 78 – Neumünster 12.

Zur Kreuzung, Holstenstr. 23, ✆ 45 86, Cafégarten –
Karte 21/40 – **29 Z : 70 B** 32/35 - 56/60.

BORGHOLZHAUSEN 4807. Nordrhein-Westfalen 987 ⑭ – 7 500 Ew – Höhe 135 m – ☎ 05425.
♦Düsseldorf 185 – Bielefeld 26 – Münster (Westfalen) 57 – ♦Osnabrück 35.

In Borgholzhausen 3 - Kleekamp W : 5 km :

Sportel Westfalenruh, Osnabrücker Str. 82, ✆ (05421) 17 17, Fahrradverleih –
(nur Abendessen für Hausgäste) – **15 Z : 32 B** 40/60 - 80/95 – 2 Fewo 70/120.

In Borgholzhausen - Winkelshütten N : 3 km :

Landhaus Uffmann, Barnhausen 1, ✆ 50 05, – AE E VISA
Karte 28/56 – **34 Z : 65 B** 55/85 - 90/135 Fb.

BORKEN 3587. Hessen – 15 400 Ew – Höhe 190 m – ☎ 05682.
♦Wiesbaden 196 – Bad Hersfeld 42 – ♦Kassel 43 – Marburg 56.

Bürgerhaus, Bahnhofstr. 33, ✆ 24 91 –
27. Dez.- 10. Jan. geschl. – Karte 22/44 *(Sonntag ab 14 Uhr und Samstag geschl.)* – **11 Z : 15 B** 45 - 80.

BORKEN 4280. Nordrhein-Westfalen 987 ⑬, 408 ⑳ – 33 900 Ew – Höhe 46 m – ☎ 02861.
♦Düsseldorf 86 – Bocholt 18 – Enschede 57 – Münster (Westfalen) 64.

Lindenhof, Raesfelder Str. 2, ✆ 81 87 – – **60 Z : 105 B** Fb.

In Borken-Gemen N : 1 km :

Demming-Evers, Neustr. 15 (B 70), ✆ 23 12 –
Karte 19/42 *(nur Abendessen, Freitag geschl.)* – **9 Z : 14 B** 40 - 75/85.

Fortsetzung →

In Borken-Rhedebrügge W : 6 km :

XX **Haus Grüneklee** mit Zim, Rhedebrügger Str. 16, ✆ (02872) 18 18, « Gartenterrasse » – ☎ Ⓟ. ✻ Zim
Jan. geschl. – Karte 35/53 *(wochentags nur Abendessen, Dienstag geschl.)* – **5 Z : 10 B** 40 - 80.

In Heiden 4284 SO : 7 km :

Beckmann, Borkener Str. 7a, ✆ (02867) 85 41, Grillterrasse, Fahrradverleih – ☎ Ⓟ
Karte 18,50/44 *(Donnerstag geschl.)* – **12 Z : 26 B** 40/44 - 75/80.

BORKUM (Insel) 2972. Niedersachsen 987 ③, 408 ⑥ – 8 300 Ew – Seeheilbad – Größte Insel der ostfriesischen Inselgruppe – ☏ 04922.

von Emden-Außenhafen (ca. 2h 30min) - Voranmeldung ratsam, ✆ (04921) 89 07 22.

Verkehrsbüro am Bahnhof, ✆ 42 80.

♦Hannover 253 – Emden 4.

Nautic-Hotel Upstalsboom ⑤, Goethestr. 18, ✆ 30 40, Bade- und Massageabteilung, – ☎ Ⓟ. AE ⓘ E VISA
(Restaurant nur für Hausgäste) – **78 Z : 168 B** 109/119 - 186/230 Fb.

Poseidon ⑤, Bismarckstr. 40, ✆ 8 11, Fax 4189, – ☎. ⓘ E. ✻
Anfang Jan.- Mitte Feb. geschl. – Karte 30/75 *(nur Abendessen)* – **Kattegat** Karte 27/65 – **62 Z : 117 B** 90/160 - 160/220 Fb.

Nordsee-Hotel ⑤, Bubertstr. 9, ✆ 8 41, ≤, Bade- und Massageabteilung, – ☎ Ⓟ. ⓘ E. ✻ Rest
März - Okt. – (Rest. nur für Hausgäste) – **100 Z : 200 B** 106/156 - 152/232 Fb – P 112/184.

Friesenhof ⑤, Rektor-Meyer-Pfad 2, ✆ 5 78, – ☎ Ⓟ
(nur Abendessen für Hausgäste) – **19 Z : 50 B** Fb.

Seehotel Upstalsboom ⑤, Viktoriastr. 2, ✆ 20 67 – Zim ☎. ✻ Rest
nur Saison – **39 Z : 72 B** Fb.

Miramar ⑤, Am Westkaap 20, ✆ 8 91, ≤, – ☎ Ⓟ. ✻ Rest
(Restaurant nur für Hausgäste) – **36 Z : 72 B** 119/200 - 196/290 – P 126/223.

Graf Waldersee ⑤, Bahnhofstr. 6, ✆ 10 94, Fahrradverleih – ☎. AE ⓘ. ✻ Rest
Mitte März - Okt. – Karte 26/50 *(auch Diät)* – **28 Z : 49 B** 78/80 - 106/166 Fb – P 82/109.

BORNHEIM 5303. Nordrhein-Westfalen – 35 000 Ew – Höhe 55 m – ☏ 02222.

♦Düsseldorf 71 – ♦Aachen 86 – ♦Bonn 11 – ♦Köln 21.

In Bornheim-Roisdorf SO : 2 km :

Heimatblick ⑤, Brombeerweg, ✆ 6 00 37, ≤ Bonn und Rheinebene, « Gartenterrasse » – ☎ Ⓟ. E. ✻ Zim
Karte 30/53 – **18 Z : 30 B** 48 - 90.

BORNHEIM Rheinland-Pfalz siehe Landau in der Pfalz.

BORNHÖVED 2351. Schleswig-Holstein 987 ⑤ – 2 600 Ew – Höhe 42 m – ☏ 04323.

♦Kiel 31 – ♦Hamburg 83 – ♦Lübeck 49 – Oldenburg in Holstein 60.

In Ruhwinkel 2355 N : 2 km :

Zum Landhaus, Dorfstr. 18, ✆ (04323) 63 82, « Garten » – Ⓟ
Okt. 2 Wochen geschl. – Karte 18,50/34 *(Nov.- Mai Freitag geschl.)* – **14 Z : 24 B** 26/33 - 52/60.

BOSAU 2422. Schleswig-Holstein – 3 100 Ew – Höhe 25 m – Erholungsort – ☏ 04527 (Hutzfeld).

Verkehrsamt, Haus des Kurgastes, Bischofsdamm, ✆ 4 98.

♦Kiel 41 – Eutin 16 – ♦Lübeck 37.

Strauers Hotel am See ⑤, Neuer Damm 2, ✆ 2 07, ≤, « Gartenterrasse », , Bootssteg – Rest ☎ Ⓟ
März - Mitte Nov. – Karte 30/62 *(Montag ab 18 Uhr geschl.)* – **35 Z : 65 B** 80/105 - 126/230 – 5 Fewo 120 – P 108/125.

Braasch zum Frohsinn ⑤, Kirchplatz 6, ✆ 2 69, ≤, , Bootssteg – Ⓟ. ✻ Rest
März - Nov. – Karte 21/39 *(außer Saison Dienstag geschl.)* – **32 Z : 60 B** 43 - 94.

BOSEN Saarland siehe Nohfelden.

BOTHEL Niedersachsen siehe Rotenburg (Wümme).

*Keine Aufnahme in den **Michelin-Führer** durch*
- Beziehungen oder
- Bezahlung

BOTTROP 4250. Nordrhein-Westfalen 987 ⑬ – 115 000 Ew – Höhe 30 m – ☎ 02041.

Siehe Ruhrgebiet (Übersichtsplan).

Reisebüro und Verkehrsverein, Gladbecker Str. 9, ☎ 2 70 11, Telex 8579426.
ADAC, Schützenstr. 3, ☎ 2 80 32.
♦Düsseldorf 44 – ♦Essen 11 – Oberhausen 8,5.

City-Hotel garni, Osterfelder Str. 9, ☎ 2 30 48 – AE E
23 Z : 46 B 70/95 - 110/150.

Außerhalb N : 4 km :

Forsthaus Specht, Oberhausener Str. 391 (B 223), ✉ 4250 Bottrop, ☎ (02041) 9 40 84, – P. AE E
Karte 22/61.

In Bottrop 2-Kirchhellen NW : 9 km über die B 223 :

Petit marché (Restaurant im Bistro-Stil), Hauptstr. 16, ☎ (02045) 32 31 – P
Sonntag - Montag geschl. – Karte 47/64 (abends Tischbestellung erforderlich).

In Bottrop 2 - Kirchhellen-Feldhausen N : 14 km über die B 223 :

Landhaus Berger garni, Marienstr. 5, ☎ (02045) 30 61, – P. E VISA
12 Z : 17 B 65/75 - 110.

Gasthof Berger, Schloßgasse 35, ☎ (02045) 26 68, – P. E VISA
Montag und 26. Juni - 18. Juli geschl. – Karte 23/50.

BOXBERG 6973. Baden-Württemberg 413 LM 18 – 6 200 Ew – Höhe 298 m – ☎ 07930.
♦Stuttgart 103 – Heilbronn 63 – ♦Würzburg 35.

In Boxberg-Wölchingen :

Panorama mit Zim, Panoramaweg 45, ☎ 26 46, ←, – P – **6 Z : 12 B.**

BRACKENHEIM 7129. Baden-Württemberg 413 K 19, 987 ㉕ – 10 500 Ew – Höhe 192 m – ☎ 07135.
♦Stuttgart 41 – Heilbronn 15 – ♦Karlsruhe 58.

In Brackenheim-Botenheim S : 1,5 km :

Adler, Hindenburgstr. 4, ☎ 51 63 – P
Dienstag und Juli - Aug. 4 Wochen geschl. – Karte **30**/58 ♂.

BRÄUNLINGEN 7715. Baden-Württemberg 413 I 23, 427 ⑥ – 5 300 Ew – Höhe 694 m – Erholungsort – ☎ 0771 (Donaueschingen).
Städt. Verkehrsamt, Kirchstr. 10, ☎ 60 31 44.
♦Stuttgart 132 – Donaueschingen 6,5 – ♦Freiburg im Breisgau 58 – Schaffhausen 41.

Lindenhof, Zähringer Str. 24, ☎ 6 25 14 – P. AE
Karte 17/48 *(Nov.- März Freitag geschl.)* ♂ – **21 Z : 38 B** 35/42 - 68/76 – P 52/70.

Weinstube Wehinger, Spitalplatz 5, ☎ 6 16 85 – P.
10.- 25. Juli geschl. – Karte 17,50/29 *(Montag geschl.)* ♂ – **9 Z : 16 B** 34 - 56 – P 48.

Österreichische Stub'n, Kirchstr. 7, ☎ 6 17 57 – P. E
Dienstag geschl. – Karte 30/55 ♂.

In Bräunlingen 5-Unterbränd W : 7,5 km :

Sternen-Post, Kapellenstr. 5, ☎ (07654) 4 02, – P
20. Nov.- 20. Dez. geschl. – Karte 21/42 *(Montag geschl.)* – **18 Z : 35 B** 44 - 88 Fb – P 64.

BRAKE 2880. Niedersachsen 987 ⑭ – 18 000 Ew – Höhe 4 m – ☎ 04401.
♦Hannover 178 – ♦Bremen 59 – ♦Oldenburg 31.

Wilkens-Hotel Haus Linne, Mitteldeichstr. 51, ☎ 53 57, ←, – P.
Karte 34/62 *(Samstag geschl.)* – **12 Z : 23 B** 70 - 110 Fb.

BRAKEL 3492. Nordrhein-Westfalen 987 ⑮ – 16 700 Ew – Höhe 141 m – Luftkurort – ☎ 05272.
Verkehrsamt, Haus des Gastes, Am Markt, ☎ 60 92 69.
♦Düsseldorf 206 – Detmold 43 – ♦Kassel 76 – Paderborn 36.

Kurhotel am Kaiserbrunnen - Haus am Park, Brunnenallee 77, ☎ 60 50, Telex 931717, – P. AE E VISA
Karte 26/60 – **72 Z : 114 B** 58/71 - 106/132 Fb.

Stein, Ringstr. 30, ☎ 96 95 – P
Karte 16/38 *(Montag bis 16 Uhr geschl.)* – **10 Z : 17 B** 35 - 65.

In Brakel-Istrup SW : 6,5 km :

Waldesruh, Am Brunsberg 119, ☎ 71 97, (Gebühr), – P. Rest
Karte 23/41 – **9 Z : 16 B** 38/45 - 70/75 – P 55.

[BRAMSCHE] 4550. Niedersachsen [987] ⑭ – 25 000 Ew – Höhe 46 m – ☎ 05461.
♦Hannover 167 – ♦Bremen 111 – Lingen 56 – ♦Osnabrück 16 – Rheine 54.

🏨 **Idingshof** 🔇, Bührener Esch 1 (über Malgartener Str.), ☎ 37 31, 🍽 – 🛗 📺 ☎ 🅿 🎳. [AE] 💳 [E] [VISA]
Karte 31/60 – **48 Z : 76 B** 70/105 - 110/160 Fb.

🏨 **Bramgau**, Malgartener Str. 9, ☎ 38 54 – ☎ 🚗 🅿
Karte 26/49 *(Montag geschl.)* – **9 Z : 15 B** 50 - 80.

🏨 **Schulte**, Münsterstr. 20, ☎ 42 83 – 🚗 🅿. [E]
24. Juli - 6. Aug. geschl. – Karte 22/45 *(Mittwoch geschl.)* – **16 Z : 24 B** 35/50 - 65/80.

In Bramsche 4-Hesepe N : 2,5 km :

🏨 **Haus Surendorff**, Dinklingsweg 1, ☎ 30 46, 🧖, 🏊, 🌳 – ☎ 🚗 🅿. 💳 [VISA]. 🚫 Zim
1.- 8. Jan. geschl. – Karte 25/53 *(Juli - Aug. 2 Wochen geschl.)* – **17 Z : 27 B** 36/55 - 60/90.

In Bramsche 1-Malgarten NO : 6 km :

🍴🍴 ✿ **Landhaus Hellmich** mit Zim, Sögelner Allee 47, ☎ 38 41 – ☎ 🚗 🅿. [AE] 💳 [E] [VISA]
2.- 23. Jan. geschl. – Karte 46/80 *(Montag geschl.)* – **9 Z : 14 B** 54/60 - 82/105
Spez. St. Jacobsmuscheln und Lachs auf Trüffelbutter, Kalbsrückensteak mit Brieskruste, Lamm- und Wildgerichte (Saison).

[BRAMSTEDT, BAD] 2357. Schleswig-Holstein [987] ⑤ – 10 000 Ew – Höhe 10 m – Heilbad – ☎ 04192.
⛳ Ochsenweg 38, ☎ 34 44.
[i] Verkehrsbüro, Rathaus, Bleeck 17, ☎ 15 35.
♦Kiel 58 – ♦Hamburg 48 – Itzehoe 27 – ♦Lübeck 60.

🏨 **Kurhotel Gutsmann** 🔇, Birkenweg 4, ☎ 50 80, « Gartenterrasse », 🧖, 🏊, Fahrradverleih – 🛗 📺 ☎ ♿ 🅿 🎳. [AE] 💳 [E]
Karte 35/64 *(auch Diät)* – **120 Z : 200 B** 55/90 - 110/160 Fb – P 84/125.

🏨 **Köhlerhof** 🔇, Am Köhlerhof 4, ☎ 50 50, Telex 2180104, Fax 505638, 🍽, « Park mit Teich », 🧖, 🏊, Fahrradverleih – 🛗 🚭 Zim ☎ 🚗 🅿 🎳. [AE] 💳 [E] [VISA]
Karte 39/63 – **130 Z : 260 B** 100/120 - 145/175 Fb – P 133/180.

🏨 **Zur Post**, Bleeck 29, ☎ 40 55, Telex 2180288 – 📺 ☎ 🚗 🅿 🎳. [AE] 💳 [E] [VISA]
Karte 32/62 – **35 Z : 55 B** 73/90 - 103/143 Fb.

🍴 **Bruse** mit Zim, Bleeck 7, ☎ 14 38, 🍽 – 🅿. [AE] 💳 [E]
Okt. geschl. – Karte 26/50 *(Montag 15 Uhr - Dienstag geschl.)* – **7 Z : 12 B** 35/45 - 70/90.

🍴 **Bramstedter Wappen**, Bleeck 9, ☎ 33 54, 🍽 – 🅿
Donnerstag 18 Uhr - Freitag und Mitte - Ende Sept. geschl. – Karte 24/45.

[BRANDENBERG] Baden-Württemberg siehe Todtnau.

[BRANDMATT] Baden-Württemberg siehe Sasbachwalden.

[BRANNENBURG] 8204. Bayern [413] T 23, [426] ⑱ – 5 000 Ew – Höhe 509 m – Luftkurort – Wintersport : 800/1 730 m 🚡2 (Skizirkus Wendelstein) ⛷1 – ☎ 08034.
Ausflugsziel : Wendelsteingipfel ☀ (mit Zahnradbahn, 55 Min.).**
[i] Verkehrsamt, Rosenheimer Str. 5, ☎ 5 15.
♦München 72 – Miesbach 32 – Rosenheim 17.

🏨 **Hubertushof**, Nußdorfer Str. 15, ☎ 86 45, 🌳 – ☎ 🚗 🅿
Ende Okt.- Mitte Dez. geschl. – Karte 24/43 *(Dienstag - Mittwoch 17 Uhr geschl.)* – **19 Z : 36 B** 65/80 - 94/150.

🏨 **Zur Post**, Sudelfeldstr. 20, ☎ 10 66, 🍽, 🧖, 🌳 – ☎ 🚗 🅿
◆ *12. Jan.- 2. Feb. und 28. März - 9. April geschl.* – Karte 18/43 *(Donnerstag geschl.)* – **35 Z : 65 B** 48/70 - 78/95.

🏨 **Kürmeier**, Dapferstr. 5, ☎ 4 35, 🍽 – 🚗 🅿
◆ *15.- 30. April und 2.- 30. Nov. geschl.* – Karte 18/33 *(Montag geschl.)* – **19 Z : 37 B** 37/44 - 64/78 – P 44/53.

🏨 **Schloßwirt**, Kirchplatz 1, ☎ 23 65 – 🚗 🅿. 🚫
◆ *15. Nov.- 10. Dez. geschl.* – Karte 16/30 *(Montag 14 Uhr - Dienstag geschl.)* 🍷 – **17 Z : 37 B** 35/40 - 70/74.

[BRAUBACH] 5423. Rheinland-Pfalz [987] ㉔ – 3 800 Ew – Höhe 71 m – ☎ 02627.
Ausflugsziel : Lage der Marksburg* S : 2 km.**
Mainz 87 – ♦Koblenz 13.

🏨 **Zum weißen Schwanen**, Brunnenstr. 4, ☎ 5 59, « Weinhaus a.d. 17. Jh. », 🌳 – ☎ 🅿. [AE] 💳
Juli geschl. – Karte 32/50 *(Tischbestellung ratsam)* (nur Abendessen, Mittwoch geschl.) 🍷 – **14 Z : 25 B** 40/50 - 70/90.

🍴 **Hammer** mit Zim, Untermarktstr. 15, ☎ 3 36, eigener Weinbau – 🚗. 💳 [E] [VISA]
Jan. geschl. – Karte 25/53 *(Donnerstag ab 15 Uhr geschl.)* – **8 Z : 15 B** 40 - 70.

[BRAUNEBERG] Rheinland-Pfalz siehe Mülheim/Mosel.

[BRAUNFELS] 6333. Hessen [413] I 15, [987] ㉔ ㉕ – 9 600 Ew – Höhe 285 m – Luftkurort – ☎ 06442.

Homburger Hof (W : 1 km), ☎ 45 30.

Kur-GmbH, Fürst-Ferdinand-Str. 4 (Haus des Gastes), ☎ 50 61.

♦Wiesbaden 84 – Gießen 28 – Limburg an der Lahn 34.

Schloß-Hotel, Hubertusstr. 2, ☎ 50 51 (Hotel) 55 88 (Rest.), – ☎ [P]. [AE] [E]
Weihnachten - Mitte Jan. geschl. – Karte 31/60 *(wochentags nur Abendessen)* – **36 Z : 60 B** 65/80 - 90/115 Fb.

🍴 **Solmser Hof**, Markt 1, ☎ 42 35, – [AE] [E]
Donnerstag geschl. – Karte 29/54.

🍴 Ratsstube, Fürst-Ferdinand-Str. 4a, ☎ 62 67 – [P].

[BRAUNLAGE] 3389. Niedersachsen [987] ⑯ – 7 000 Ew – Höhe 565 m – Heilklimatischer Kurort – Wintersport : 560/965 m 1 3 3 – ☎ 05520.

Kurverwaltung Braunlage, Elbingeröder Str. 17, ☎ 10 54.

Kurverwaltung Hohegeiss, Kirchstr. 15 a, ☎ (05583) 2 41.

♦Hannover 124 – ♦Braunschweig 69 – Göttingen 67 – Goslar 33.

Maritim Berghotel, Pfaffenstieg, ☎ 30 51, Telex 96261, Fax 3620, <, Bade- und Massageabteilung, – [TV] [P]. [E] [VISA]
Karte 44/76 – **300 Z : 600 B** 137/217 - 208/330 Fb – 8 Appart. 480 – P 155/273.

Hohenzollern, Dr.-Barner-Str. 11, ☎ 30 91, <, – ☎ [P]. [E].
Ende Nov.- Mitte Dez. geschl. – Karte 31/56 – **31 Z : 55 B** 63/80 - 116/148 Fb – P 90/112.

Klavehn, Am Jermerstein 17, ☎ 5 29, <, – [P]
Nov. geschl. – (nur Abendessen für Hausgäste) – **23 Z : 43 B** 45/80 - 80/130 Fb.

Kurhotel Rögener, Wurmbergstr. 1, ☎ 30 86, Massage, – ☎ [P].
Karte 27/52 – **64 Z : 110 B** 65/76 - 144/150 Fb – 3 Fewo 83 – P 89/100.

Brauner Hirsch, Am Brunnen 1, ☎ 10 64, – ☎ [P]. [E]
Karte 21/50 – **49 Z : 76 B** 44/75 - 84/110.

Bremer Schlüssel, Robert-Roloff-Str. 11, ☎ 30 68, – ☎ [P].
(Restaurant nur für Pensionsgäste) – **12 Z : 21 B** 47/60 - 84/94 – P 67/85.

Hasselhof garni, Schützenstr. 6, ☎ 30 41, – ☎ [P]. [AE] [E] [VISA]
Nov. geschl. – **21 Z : 40 B** 36/58 - 72/110.

Zur Erholung, Lauterberger Str. 10, ☎ 13 79, – [TV] [P]. [E]
Mitte Nov.- Mitte Dez. geschl. – Karte 21/50 – **32 Z : 59 B** 45/70 - 80/90.

Pension Sohnrey, Herzog-Joh.-Albrecht-Str. 39, ☎ 10 61, – ☎ [P].
(Restaurant nur für Hausgäste) – **15 Z : 21 B** 36/45 - 72/80 – P 58/63.

Berliner Hof, Elbingeröder Str. 12, ☎ 4 27 – [P]
Nov.- Mitte Dez. geschl. – Karte 14/40 *(Mittwoch geschl.)* – **30 Z : 40 B** 25/36 - 54/68 – P 47/58.

🍴🍴 **Romantik-Hotel Tanne** (mit Zim. und Gästehaus), Herzog-Wilhelm-Str. 8, ☎ 10 34, « Geschmackvoll - behagliche Einrichtung », Fahrradverleih – [TV] ☎ [P]. [AE] [E] [VISA]. Zim
Karte 38/83 (Tischbestellung ratsam) – **22 Z : 38 B** 60/90 - 90/175 Fb – P 90/135.

In Braunlage 2 - Hohegeiss SO : 12 km – Höhe 642 m – Heilklimatischer Kurort – Wintersport : 600/700 m 4 3 – ☎ 05583 :

Rust, Am Brande 3, ☎ 8 31, <, – ☎ [P]. Zim
Nov.- 15. Dez. geschl. – Karte 19/28 – **15 Z : 27 B** 45/50 - 86/90 – P 64/65.

Gästehaus Brettschneider, Hubertusstr. 2, ☎ 8 06, – [P].
Nov.- 20. Dez. geschl. – (Restaurant nur für Hausgäste) – **11 Z : 19 B** 37/40 - 74/82 – P 57/61.

Müllers Hotel, Bohlweg 2, ☎ 8 26 – [P]
Mitte März - April geschl., an Ostern geöffnet – Karte 19/36 *(Mittwoch geschl.)* – **18 Z : 46 B** 38/40 - 70/75 – P 55/58.

🍴🍴 **Landhaus bei Wolfgang**, Hindenburgstr. 6, ☎ 8 88 – [AE] [E].
Anfang Nov.- Mitte Dez. und Donnerstag geschl., im Winter wochentags nur Abendessen – Karte 43/69 (ab 21 Uhr Unterhaltungsmusik).

🍴 Brockenblick mit Zim, Wilhelm-Raabe-Str. 1, ☎ 8 67, – [TV] ☎ [P]
6 Z : 11 B.

[BRAUNSBACH] 7176. Baden-Württemberg [413] M 19 – 2 600 Ew – Höhe 235 m – ☎ 07906.

♦Stuttgart 93 – Heilbronn 53 – Schwäbisch Hall 13.

In Braunsbach-Döttingen NW : 3 km :

Schloß Döttingen, ☎ 5 73, (geheizt), – Zim ☎ [P]
24. Juli - 7. Aug. geschl. – Karte 19/36 *(Sonntag geschl.)* – **55 Z : 100 B** 48/65 - 100/115.

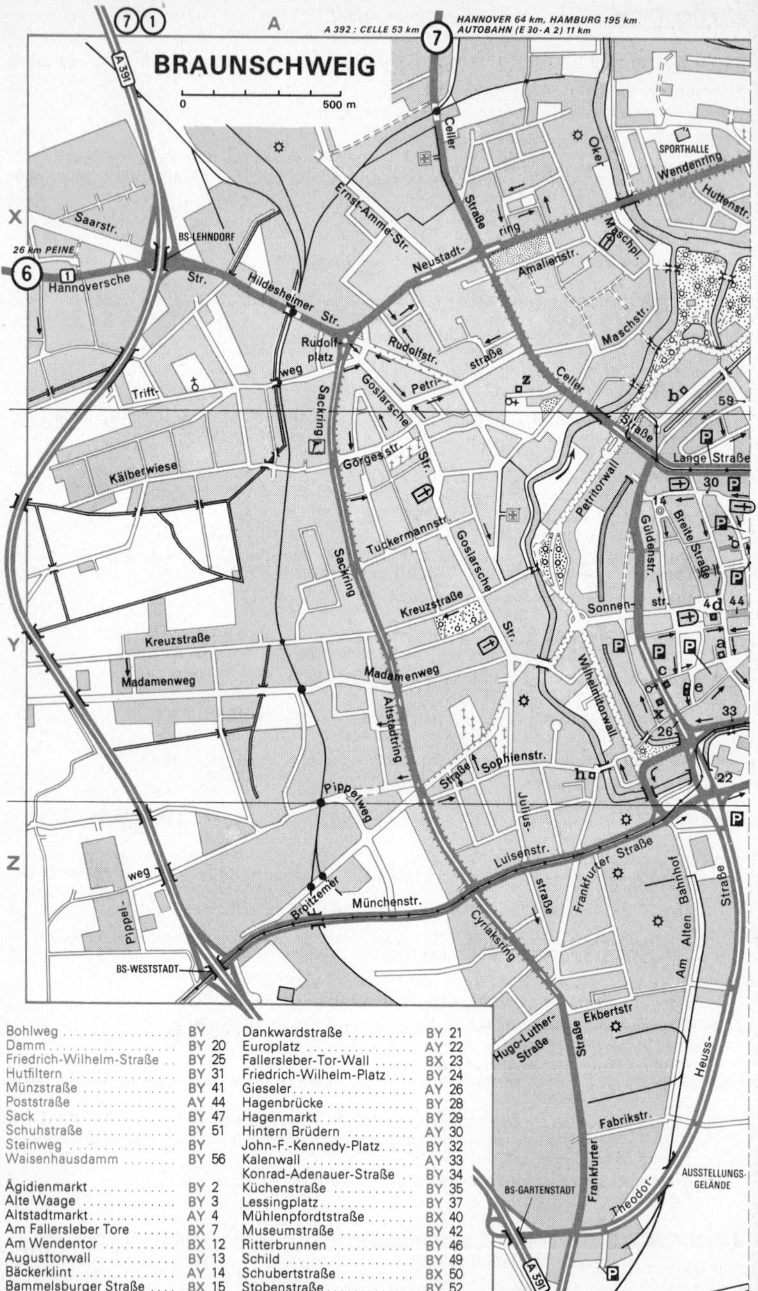

Bohlweg	BY		Dankwardstraße	BY	21
Damm	BY	20	Europlatz	AY	22
Friedrich-Wilhelm-Straße	BY	25	Fallersleber-Tor-Wall	BX	23
Hutfiltern	BY	31	Friedrich-Wilhelm-Platz	BY	24
Münzstraße	BY	41	Gieseler	AY	26
Poststraße	AY	44	Hagenbrücke	BY	28
Sack	BY	47	Hagenmarkt	BY	29
Schuhstraße	BY	51	Hintern Brüdern	AY	30
Steinweg	BY		John-F.-Kennedy-Platz	BY	32
Waisenhausdamm	BY	56	Kalenwall	AY	33
			Konrad-Adenauer-Straße	BY	34
Ägidienmarkt	BY	2	Küchenstraße	BY	35
Alte Waage	BY	3	Lessingplatz	BY	37
Altstadtmarkt	AY	4	Mühlenpfordtstraße	BX	40
Am Fallersleber Tore	BX	7	Museumstraße	BY	42
Am Wendentor	BX	12	Ritterbrunnen	BY	46
Augusttorwall	BY	13	Schild	BY	49
Bäckerklint	AY	14	Schubertstraße	BX	50
Bammelsburger Straße	BX	15	Stobenstraße	BY	52
Bruchtorwall	BY	16	Vor der Burg	BY	55
Brucknerstraße	BX	17	Wendenstraße	BY	57
Bültenweg	BX	18	Wendenwehr	BX	58
Burgplatz	BY	19	Wollmarkt	AX	59

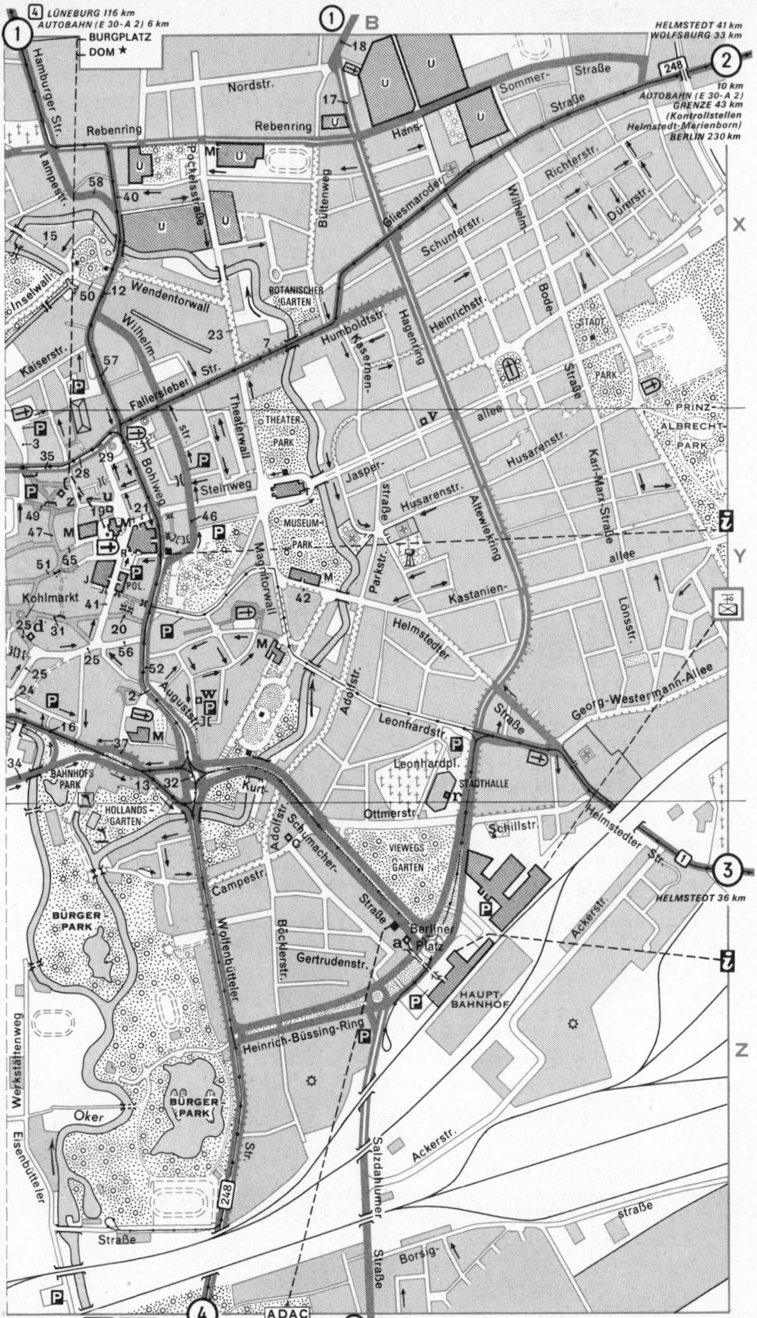

4 LÜNEBURG 116 km
AUTOBAHN (E 30-A 2) 6 km
BURGPLATZ
DOM ★
HELMSTEDT 41 km
WOLFSBURG 33 km
10 km
AUTOBAHN (E 30-A 2)
GRENZE 43 km
(Kontrollstellen
Helmstedt-Marienborn)
BERLIN 230 km
Hamburger Str.
Nordstr.
Rebenring
Sommer-Straße
Hans-
Pockelsstraße
Lampestr.
Richterstr.
Dürerstr.
Gliesmaroder
Bültenweg
Schunterstr.
Wilhelm-
Inselwall
Wendentorwall
BOTANISCHER GARTEN
Humboldtstr.
Hagenring
Heinrichstr.
Bode-
Wilhelm-Str.
Kasernen-
STADT-PARK
Kaiserstr.
Fallersleber Str.
Theaterwall
Straße
PRINZ-ALBRECHT-PARK
THEATER-PARK
allee
Bohlweg
Jasper-
Husarenstr.
Karl-Marx-Straße
Steinweg
straße
MUSEUM-PARK
Magnitorwall
Altewiekring
allee
Kohlmarkt
Parkstr.
Kastanien-
Lönsstr.
POL.
Helmstedter
Adolfstr.
Augustsstr.
Georg-Westermann-Allee
Leonhardstr.
Straße
Leonhardpl.
STADTHALLE
BAHNHOFS PARK
Kurt-
HOLLANDS GARTEN
Ottmerstr.
Schillstr.
Helmstedter Str.
Adolfstr.
Schumacher-
VIEWEGS GARTEN
HELMSTEDT 36 km
Campestr.
Straße
BÜRGER PARK
Wolfenbütteler
Böcklerstr.
Berliner Platz
Ackerstr.
Gertrudenstr.
HAUPT-BAHNHOF
Heinrich-Büssing-Ring
Werkstättenweg
Oker
BÜRGER PARK
Str.
Eisenbütteler
Salzdahlumer
Ackerstr.
248
Straße
straße
Borsig-
Straße
ADAC
AUTOBAHNEN A 39 A 395
WOLFENBÜTTEL 12 km
5 km
X
Y
Z
B

BRAUNSCHWEIG 3300. Niedersachsen [987] ⑮ ⑯ – 252 000 Ew – Höhe 72 m – ☎ 0531.

Sehenswert: Dom★ (Imerward-Kruzifix★★, Bronzeleuchter★) – Ausstellung: Ausgewählte Kostbarkeiten mittelalterlicher Kunst★ BY **M1** – Burgplatz (Löwendenkmal★).

⛳ Schwarzkopffstr. 10 (über ④), ☎ 69 13 69.

[i] Städt. Verkehrsverein, Hauptbahnhof, ☎ 7 92 37 und Bohlweg (Pavillon), ☎ 4 64 19, Telex 952895.

ADAC, Kurt-Schumacher-Str. 2, ☎ 7 20 66, Notruf ☎ 1 92 11.

♦Hannover 64 ⑦ – ♦Berlin 230 ② – Magdeburg 92 ②.

Stadtplan siehe vorhergehende Seiten

🏨 **Ritter St. Georg**, Alte Knochenhauerstr. 13, ☎ 1 30 39, « Ältestes Fachwerkhaus Braunschweigs, barocke Deckenbemalung im Restaurant » – 📺 🏛. [AE] 🔴 [E] AY **e**
Karte 46/78 *(Tischbestellung ratsam)* – **24 Z : 46 B** 105/165 - 155/240.

🏨 **Mercure Atrium**, Berliner Platz 3, ☎ 7 00 80, Telex 952576 – 🛗 📺 🚗 🏛. [AE] 🔴 [E] [VISA] BZ **a**
Karte 45/72 – **Schmortopf** Karte 27/55 – **130 Z : 200 B** 133/150 - 165/225 Fb.

🏨 **Mövenpick-Hotel** 🌙, Welfenhof, ☎ 4 81 70, Telex 952777, Fax 4817551, ☂, direkter Zugang zum Fun-Club mit Saunarium 🏊 und Sole-Grotte, Fahrradverleih – 🛗 🚭 Zim ▤ Rest 📺 ♿ 🚗 🏛 (mit ▤). [AE] 🔴 [E] BY **z**
Karte 33/70 – **132 Z : 220 B** 167/187 - 214/234 – 10 Appart. 240/500.

🏨 **Deutsches Haus**, Burgplatz 1, ☎ 4 44 22, Telex 952744 – 🛗 📺 ☎ 🅿 🏛. [AE] 🔴 [E] [VISA]
Karte 27/68 – **84 Z : 120 B** 87/157 - 126/206. BY **u**

🏨 Fürstenhof, Campestr. 12, ☎ 79 10 61, 🧖, 🏊 – ☎ BZ **c**
(nur Abendessen, auch indonesische Küche) – **44 Z : 65 B** Fb.

🏨 **Lessing- Hof** 🌙, Okerstr. 13, ☎ 4 54 55, Fax 400535 – 🛗 📺 ☎ 🚗 🅿 🏛. [E]. 🚫 Rest
Karte 25/50 *(nur Abendessen, Sonntag geschl.)* – **42 Z : 70 B** 58/88 - 85/120. AX **b**

🏨 **Gästehaus Wartburg** 🌙 garni, Rennelbergstr. 12, ☎ 50 00 11 – 📺 ☎. [AE] [E] AX **z**
21 Z : 31 B 65/70 - 98/120.

🏨 Forsthaus, Hamburger Str. 72 (B 4), ☎ 3 28 01 – 🛗 ☎ 🚗 🅿 🏛. 🚫 über ①
50 Z : 60 B.

🏨 **Lorenz**, Friedrich-Wilhelm-Str. 2, ☎ 4 55 68 – 🛗 ☎ 🚗 🏛. [AE] 🔴 [E] [VISA] BY **d**
Karte 26/48 – **45 Z : 60 B** 60/80 - 90/120 Fb.

🏨 **Frühlingshotel** garni, Bankplatz 7, ☎ 4 93 17 – 🛗 📺 ☎. [AE] 🔴 [E] [VISA] AY **a**
66 Z : 90 B 60/90 - 108/140 Fb.

🏨 **Zur Oper** garni, Jasperallee 21, ☎ 33 60 95 – ☎. [E] BY **v**
42 Z : 65 B 40/90 - 78/130.

🏨 **Pension Wienecke** garni, Kuhstr. 14, ☎ 4 64 76, 🧖 – 🚗 BY **w**
17 Z : 20 B 39/70 - 70/87.

🏨 **Thüringer Hof** 🌙 garni, Sophienstr. 1, ☎ 8 12 22 – 🚗 AY **h**
27 Z : 45 B 37/55 - 70/85.

🍴🍴🍴 Haus zur Hanse, Güldenstr. 7, ☎ 4 61 54, « Fachwerkhaus a.d. 16. Jh. » – 🏛 AY **x**

🍴🍴 **Altes Haus** (Fachwerkhaus a.d. 15. Jh.), Alte Knochenhauerstr. 11, ☎ 1 30 39, ☂ – [AE] 🔴 [E] AY **e**
Montag geschl. – Karte 35/62.

🍴🍴 **Gewandhauskeller**, Altstadtmarkt 1, ☎ 4 44 41 – 🔴 [E] [VISA] AY **d**
Sonntag ab 14 Uhr geschl. – Karte 29/66.

🍴 **Brabanter Hof**, Güldenstr. 77, ☎ 4 30 90 – [AE] 🔴 [E] [VISA]. 🚫 AY **c**
31. Juli - 17. Aug. und Sonntag geschl. – Karte 34/61.

🍴 **Löwen-Krone**, Leonhardplatz (Stadthalle), ☎ 7 20 76, ☂ – 🅿 🏛. [AE] 🔴 [E] [VISA] BY **r**
Karte 25/52.

In Braunschweig-Ölper ⑦ : 3,5 km :

🏨 **Ölper Turm** (historisches Gebäude a.d. Zeit um 1600), Celler Heerstr. 46, ☎ 5 40 85, Biergarten – 📺 ☎ 🅿 🏛
Karte 25/54 *(nur Abendessen)* – **8 Z : 14 B** 60/80 - 110.

In Braunschweig-Riddagshausen über Kastanienallee BY :

🏨 **Landhaus Seela**, Messeweg 41, ☎ 3 70 01 62, Ferienfahrschule – 🛗 📺 ☎ 🚗 🅿 🏛 (mit ▤). [AE] 🔴 [E] [VISA]
Karte 23/52 – **38 Z : 58 B** 80/130 - 140/220 Fb.

🍴 Grüner Jäger, Ebertallee 50, ☎ 7 16 43, ☂ – 🅿 🏛.

In Braunschweig-Rüningen ⑤ : 5 km :

🏨 **Zum Starenkasten**, Thiedestr. 25 (B 248), ☎ 87 41 21, 🧖, 🏊 – 🛗 ☎ 🅿 🏛. [AE] 🔴 [E] [VISA]
Karte 23/53 – **57 Z : 102 B** 65/105 - 120/130 Fb – 5 Appart. 160/190.

In Braunschweig-Volkmarode ② : 5 km :

🏨 Jägerhof, Volkmarsweg 16, ☎ 3 66 57 – ☎ 🅿 – **18 Z : 34 B** Fb.

In Hülperode 3301 ⑦ : 9 km :

🏨 **Altes Zollhaus**, Celler Str. 2 (B 214), ☎ (05303) 20 71, ☂ – ☎ 🚗 🅿. [AE] 🔴 [E] [VISA]
Karte 30/70 – **30 Z : 44 B** 60/65 - 90/95 Fb.

In Cremlingen 1-Weddel 3302 ③ : 10 km :

🏠 **Gästehaus Niemann,** Dorfplatz 24, 📞 (05306) 44 77 – 🚗 [P]
Karte 25/50 *(Montag bis 17 Uhr geschl.)* – **16 Z : 22 B** 40/45 - 76/80 Fb.

In Schwülper 3301 ⑦ : 11 km, nahe BAB-Abfahrt Braunschweig-West :

🏠 Zwischen Harz und Heide, Ackerstr. 25 (B 214), 📞 (05303) 60 55 – ☎ [P]
10 Z : 20 B.

[BRAUWEILER] Nordrhein-Westfalen siehe Pulheim.

[BREDSTEDT] **2257.** Schleswig-Holstein [987] ④ – 5 700 Ew – Höhe 5 m – 📞 **04671.**

[i] Fremdenverkehrsverein, Markt, 📞 20 66.

♦Kiel 101 – Flensburg 38 – Husum 17 – Niebüll 25.

🏠 **Thomsens Gasthof,** Markt 13, 📞 14 13 – ☎ 🚗 [P]
Dez.- 15. Jan. geschl. – Karte 22/49 *(Samstag 14 Uhr - Sonntag 17 Uhr geschl.)* – **20 Z : 36 B** 38/60 - 65/80 Fb.

🍴🍴 **Friesenhalle** mit Zim, Hohle Gasse 2, 📞 15 21 – [TV] ☎ 🚗 [P]. [AE] [DC] [E] [VISA]. ✱ Rest
10. Feb.- 5. März und Okt. 2 Wochen geschl. – Karte 35/68 *(Freitag 14 Uhr - Samstag 18 Uhr geschl.)* – **7 Z : 15 B** 43/60 - 85/120.

In Ockholm-Bongsiel 2255 NW : 13 km Richtung Dagebüll :

🏠 ♦ **Thamsens Gastwirtschaft Bongsiel** 🐦 (nordfriesisches Dorfgasthaus und ehem. Schleusenwärterhaus), 📞 (04674) 14 45, « Bildersammlung bekannter deutscher Maler », 🌳 – [P]
15. Jan.- 25. Feb. geschl. – Karte 19/52 *(vorwiegend Fischgerichte)* (Dienstag geschl.) – **12 Z : 24 B** 35/45 - 60/70 – 6 Fewo 40/80.

In Ockholm - Schlüttsiel 2255 NW : 17 km :

🍴 **Fährhaus Schlüttsiel** 🐦 mit Zim, 📞 (04674) 2 55, ≤ Nordsee und Halligen – [TV] ☎ [P]
Jan.- Feb. geschl. – Karte 25/52 *(Okt.- April Montag geschl.)* – **5 Z : 10 B** 56 - 92.

Siehe auch : ***Bargum*** N : 10,5 km

[BREGENZ] **A-6900.** [L] Österreich [413] M 24, [987] ㊱, [426] ⑭ – 28 000 Ew – Höhe 396 m – Wintersport : 414/1 020 m 🚡1 ⛷2 – 📞 05574 (innerhalb Österreich).

Sehenswert : ≤★ (vom Hafendamm) BY – Vorarlberger Landesmuseum★ BY **M1** – Martinsturm ≤★ BY.

Ausflugsziel : Pfänder★★ :≤★★, Alpenwildpark (auch mit 🚡) BY.

Festspiel-Preise : siehe Seite 17
Prix pendant le festival : voir p. 25
Prices during tourist events : see pp. 33
Prezzi duranti i festival : vedere p. 41.

[i] Fremdenverkehrsamt, Inselstr. 15, 📞 2 33 91.

Wien 627 ① – Innsbruck 199 ② – ♦München 196 ① – Zürich 119 ③.

Die Preise sind in der Landeswährung (ö. S.) angegeben.

Stadtplan siehe nächste Seite.

🏠🏠🏠 **Mercure,** Platz der Wiener Symphoniker, 📞 2 61 00, Telex 57470, Fax 27412, 🌳 – [lift] ❄ Rest [TV] ♿ [P] 🏋 (mit ❄). [AE] [DC] [E] [VISA] AY **e**
Restaurants : – **Gourmet-Restaurant** *(nur Abendessen)* Karte 320/450 – **Theater-Café** Karte 175/390 – **94 Z : 190 B** 990 - 1500 Fb.

🏠🏠 Schwärzler, Landstr. 9, 📞 2 24 22, Telex 57672, 🌳, 🧖, [🏊], 🌳 – [lift] [TV] ☎ ♿ 🚗 [P] 🏋
75 Z : 145 B Fb. über Landstr. AZ

🏠🏠 ♦ **Messmer,** Kornmarktstr. 16, 📞 2 23 56, Telex 57715, 🌳, 🧖 – [lift] ☎ ♿ [P]. [AE] [DC] [E] [VISA]
Karte 130/420 – **49 Z : 86 B** 480/960 - 800/2200 Fb. BY **u**

🏠🏠 **Weisses Kreuz** garni, Römerstr. 5, 📞 2 24 88, Telex 57741 – [lift] [TV] ☎. [AE] [DC] [E] [VISA] BY **s**
44 Z : 86 B 690/860 - 1110/1230 Fb – 4 Appart 1780.

🏠 **Central** garni, Kaiserstr. 26, 📞 2 29 47 – [lift] ☎. [AE] [E] [VISA] BY **a**
15. Dez.- Jan. geschl. – **40 Z : 70 B** 550/700 - 900/1000.

🏠 Heidelberger Fass, Kirchstr. 30, 📞 2 24 63 – ☎. ✱ Rest – **18 Z : 30 B.** BZ **r**

🏠 ♦ **Germania,** Am Steinenbach 9, 📞 2 27 66, 🌳 – ☎ 🚗 [P]. [AE] [E] [VISA]. ✱ BY **n**
Nov. geschl. – Karte 98/365 *(Montag geschl.)* – **17 Z : 34 B** 460/540 - 700/820.

🍴🍴🍴 ✿ **Zoll,** Arlbergstr. 118, 📞 3 17 05, 🌳 – [VISA]. ✱ über ②
Donnerstag - Freitag 18 Uhr geschl. – Karte 340/660 (Tischbestellung ratsam)
Spez. Parfait vom Räucheraal, Kalbsbries in Champagner-Estragoncreme, Bodenseelachsforelle mit Basilikumsauce.

🍴 **Weinstube Ilge** (Haus a.d. 15. Jh.), Maurachgasse 6, 📞 2 36 09 – [VISA] BY **e**
Sonntag ab 15 Uhr, Donnerstag sowie Jan. - Feb. und Juni jeweils 3 Wochen geschl. – Karte 250/470 (abends Tischbestellung ratsam) 🍇.

BREGENZ

Bahnhofstraße	AY	
Kaiserstraße	BY	4
Rathausstraße	BY	10
Anton-Schneider-Str.	BY	3
Kirchstraße	BYZ	5
Kornmarktstraße	BY	6
Landstraße	AZ	7
Leutbühel	BY	8
Maurachgasse	BY	9
Seestraße	BY	13
Thalbachgasse	BZ	14
Weiherstraße	ABY	15

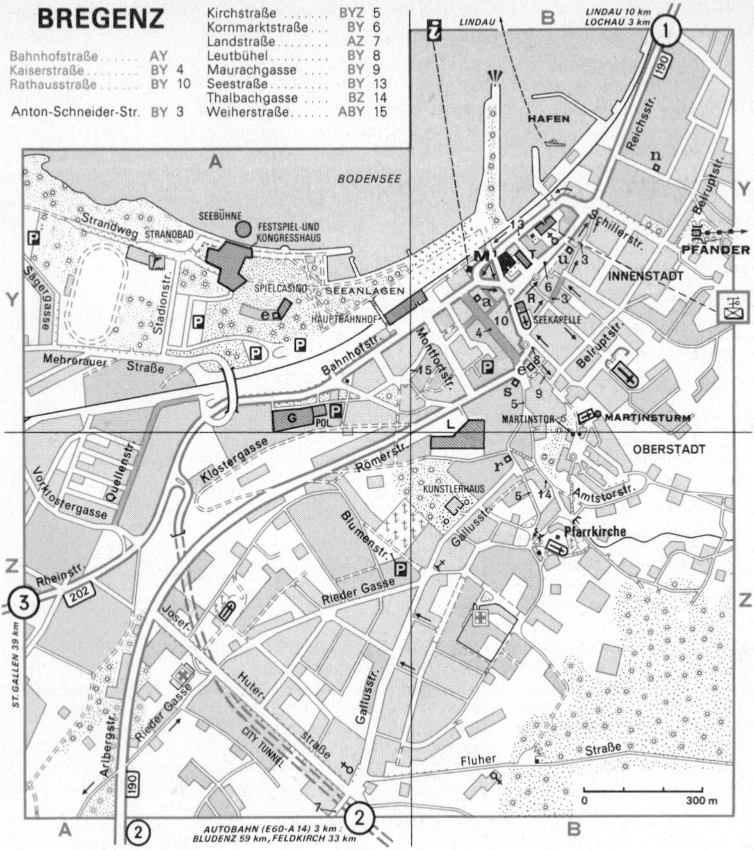

<u>*In Bregenz-Fluh*</u> O : 5 km über Fluher Str. BZ – Höhe 750 m :

Berghof Fluh ⑤, ☎ 2 42 13, < Bregenzer Wald, 🍴 – ☎ 🚗 P. AE ⓓ E VISA
6. Jan.- 1. März geschl. – Karte 195/340 *(März - Juni Mittwoch geschl.)* – **12 Z : 22 B** 400 - 760.

<u>*In Lochau*</u> A-6911 ① : 3 km :

Mangold, Pfänderstr. 3, ☎ (05574) 2 24 31, 🍴 – P. E VISA
Montag - Dienstag 17 Uhr und 7. Jan.- 3. Feb. geschl. – Karte 250/415.

Weinstube Messmer, Landstr. 3, ☎ (05574) 2 41 51, 🍴 – P
Ende Nov.- Anfang Dez., Donnerstag und Nov.- April auch Freitag bis 17 Uhr geschl. – Karte 208/420.

<u>*In Hörbranz*</u> A-6912 ① : 6 km :

Brauer garni, Unterhochstegstr. 25, ☎ (05573) 24 04 – ☎ P
34 Z : 70 B 350/650 - 650/800.

Kronen-Stuben, Lindauer Str. 48, ☎ (05573) 23 41, 🍴 – P. AE ⓓ E VISA
1.- 22. Aug. geschl. – Karte 173/320 &.

<u>*In Eichenberg*</u> A-6911 ① : 8 km – Höhe 796 m – Erholungsort :

Schönblick ⑤, Dorf 6, ☎ (05574) 2 59 65, < Bodensee, Lindau und Alpen, 🍴, ≘s, 🏊, 🌳, 🎾 – 🛗 TV ☎ P
10. Jan.- 1. Feb. und 15. Nov.- 20. Dez. geschl. – Karte 175/330 *(Montag geschl.)* & – **16 Z : 40 B** 380/500 - 700 Fb – 3 Appart. 800 – 7 Fewo 540/960.

<u>*Auf dem Pfänder*</u> Zufahrt mit 🚡 oder über Lochau O : 15 km :

Berghaus Pfänder - Rôtisserie, ✉ A-6900 Bregenz, ☎ (05574) 2 21 84, < Bodensee – P
nur Abendessen, mittags Self-Service-Restaurant, 20. Sept.- 10. Mai und Montag geschl. – Karte 230/370 (Tischbestellung ratsam).

BREISACH 7814. Baden-Württemberg 413 F 22, 987 ㉞, 242 ㉜ – 10 000 Ew – Höhe 191 m – 07667.

Sehenswert : Münster (Lage★, Hochaltar★), Terrasse ≤★.

Verkehrsamt, Werd 9, ✆ 8 32 27.

ADAC, Im Grenzzollamt, ✆ 5 45.

♦Stuttgart 209 – Colmar 24 – ♦Freiburg im Breisgau 28.

Am Münster, Münsterbergstr. 23, ✆ 70 71, Telex 772687, ≤ Rheinebene und Vogesen, – . AE E VISA
7.- 20. Jan. geschl. – Karte 34/66 – **42 Z : 63 B** 81/95 - 120/154 Fb.

Kapuzinergarten, Kapuzinergasse 26, ✆ 10 55, ≤ Kaiserstuhl und Schwarzwald, –
Karte 25/58 *(Mittwoch und Feb. geschl.)* – **12 Z : 24 B** 65/82 - 90/110 Fb.

Breisacher Hof, Neutorplatz 16, ✆ 3 92, –
31 Z : 60 B.

Kaiserstühler Hof, Richard-Müller-Str. 2, ✆ 2 36
9. Feb.- 1. März geschl. – Karte 32/59 *(Mittwoch geschl.)* – **16 Z : 30 B** 29/32 - 58/64.

Bären, Kupfertorplatz 7, ✆ 2 81, –
Jan. geschl. – Karte 19/38 *(Sonntag 14 Uhr - Montag 17 Uhr geschl.)* – **28 Z : 49 B** 35/55 - 70/80.

In Breisach-Hochstetten SO : 2,5 km :

Landgasthof Adler, Hochstetter Landstr. 3, ✆ 2 85, –
über Fasching 3 Wochen geschl. – Karte 27/52 *(Donnerstag geschl.)* – **19 Z : 31 B** 48/60 - 75/85.

BREISIG, BAD 5484. Rheinland-Pfalz – 7 000 Ew – Höhe 62 m – Heilbad – 02633.

Ausflugsziel : Burg Rheineck : ≤★ S : 2 km.

Verkehrsamt, Albert-Mertes-Str. 11 (Heilbäderhaus Geiersprudel), ✆ 9 70 71.

Mainz 133 – ♦Bonn 33 – ♦Koblenz 30.

Kurhaus, Koblenzer Str. 33 (im Kurpark), ✆ 9 73 11, ≤, direkter Zugang zum Kurzentrum – . AE E VISA
Karte 28/60 – **65 Z : 98 B** 59/84 - 127/160 Fb – P 100/125.

Quellenhof - Zum Fritze Will, Albert-Mertes-Str. 23, ✆ 94 79, – . AE E. Zim
6. Nov.- 15. Dez. geschl. – Karte 22/48 *(Dienstag geschl.)* – **19 Z : 29 B** 33/50 - 78/88 Fb.

Niederée, Zehnerstr. 2 (B 9), ✆ 92 10, – . AE E VISA.
Karte 21/48 *(6.- 31. Jan. und Mittwoch geschl.)* – **37 Z : 55 B** 32/55 - 64/94 Fb – P 57/80.

Zur Mühle, Koblenzer Str.15 (B 9), ✆ 91 42, ≤, – . AE . Zim
7. Jan.- 24. Feb. geschl. – Karte 17/43 – **41 Z : 60 B** 36/70 - 64/124 – P 57/95.

Haus am Bocksborn, Eifelstr. 62, ✆ 93 35, – . Rest
(Restaurant nur für Hausgäste) – **16 Z : 24 B.**

Haus Mathilde, Waldstr. 5, ✆ 91 44 –
15. Nov.- 14. Dez. geschl. – (Restaurant nur für Hausgäste) – **21 Z : 33 B** 38/55 - 76/100 – P 52/72.

Anker, Rheinufer 12, ✆ 93 29, ≤, –
nur Saison – **21 Z : 30 B.**

Zum Weißen Roß, Zehnerstr. 19 (B 9), ✆ 91 35, – AE VISA
Montag geschl. – Karte 25/63.

Am Kamin, Zehnerstr. 10 (B 9), ✆ 9 67 22, – AE E
Montag und Juli - Aug. 2 Wochen geschl. – Karte **29**/60.

Historisches Weinhaus Templerhof (Haus a.d.J. 1657), Koblenzer Str.45 (B 9), ✆ 94 35, – . AE E
Mittwoch, Jan. 2 Wochen und 12.- 30. Juli geschl. – Karte 36/75.

Vater und Sohn mit Zim, Zehnerstr. 78 (B 9), ✆ 91 48, – . AE E VISA
Karte 25/55 – **7 Z : 13 B** 35/45 - 66/86.

In Waldorf 5481 SW : 8 km über Gönnersdorf :

Berghotel Iwelstein, ✆ (02636) 75 88, « Park », –
Nov.- 15. Dez. geschl. – (Restaurant nur für Hausgäste) – **18 Z : 30 B** 38/58 - 84/102 – P 58/81.

BREITACHKLAMM Bayern. Sehenswürdigkeit siehe Oberstdorf.

In some towns and their surrounding areas, hoteliers are liable to increase their prices during certain trade exhibitions and tourist events.

BREITBRUNN AM CHIEMSEE 8211. Bayern 413 U 23 – 1 300 Ew – Höhe 539 m – ☎ 08054.

Sehenswert : Chiemsee★.

Verkehrsamt, Gollenshauser Str. 1, ✆ 2 34.

♦München 96 – Rosenheim 26 – Traunstein 28.

Beim Oberleitner am See ⛰, Seestr. 24, ✆ 3 96, ≤, ⛱, 🌳, Bootssteg – Ⓟ
April - 15. Okt. – Karte 18,50/37 *(Mittwoch geschl.)* – **9 Z : 18 B** 28/40 - 48/60.

Wastlhuberhof, ✆ 4 82 – Ⓟ
Feb. 2 Wochen, Ende Okt.- Mitte Dez. und Dienstag - Mittwoch 18 Uhr geschl. – Karte 31/54.

BREITENBACH AM HERZBERG 6431. Hessen – 2 000 Ew – Höhe 250 m – Erholungsort – ☎ 06675.

♦Wiesbaden 149 – Fulda 35 – Gießen 42 – ♦Kassel 75.

An der Autobahn A 5 (Nordseite) NW : 5 km :

Rasthaus Motel Rimberg, ✉ 6431 Rimberg, ✆ (06675) 5 61, ≤ – ▮ ☎ ♿ 🚗 Ⓟ. AE ⓪ E VISA
Karte 25/50 – **11 Z : 24 B** 57/69 - 97/102.

BREITENGÜSSBACH 8613. Bayern 413 P 17, 987 ㉖ – 3 500 Ew – Höhe 542 m – ☎ 09544.

♦München 239 – ♦Bamberg 9 – Bayreuth 64 – Coburg 37 – Schweinfurt 63.

Vierjahreszeiten ⛰, Sportplatz 6, ✆ 8 61, ≘s, ▣ – ☎ Ⓟ 🏠. AE ⓪ E
Karte 21/37 *(Freitag geschl.)* – **38 Z : 65 B** 55/80 - 85/95 – 3 Appart. 150.

BREITNAU 7821. Baden-Württemberg 413 H 23 – 1 800 Ew – Höhe 950 m – Luftkurort – Wintersport : 1 000/1 200 m ⛷2 ⛸1 – ☎ 07652 (Hinterzarten).

Kurverwaltung, Rathaus, ✆ 16 97.

♦Stuttgart 167 – Donaueschingen 42 – ♦Freiburg im Breisgau 30.

Kaiser's Tanne Wirtshus, Am Wirbstein 27 (B 500, SO : 2, km), ✆ 15 51, « Gartenterrasse mit ≤ », ≘s, ▣, 🌳 – ▮ TV ☎ 🚗 Ⓟ. ⓪. ✂ Zim
13. Nov.- 14. Dez. geschl. – Karte 45/70 *(Montag geschl.)* – **29 Z : 60 B** 70/110 - 110/180 Fb.

Café Faller, an der B 500 (SO : 2 km), ✆ 3 11/4 09, « Terrasse mit ≤ », ≘s, 🌳 – TV 🚗 Ⓟ. E
Ende Nov.- Mitte Dez. geschl. – Karte 23/48 *(Donnerstag geschl.)* – **15 Z : 32 B** 40/60 - 60/130 Fb.

Backhof Helmle, Ödenbachstr. 3 (SO : 2 km, an der B 500), ✆ 3 89, ⛱, 🌳 – 🚗 Ⓟ
Karte 24/36 *(Dienstag bis 17 Uhr geschl.)* – **24 Z : 54 B** 36/47 - 68 – P 54.

Löwen, an der B 500 (O : 1 km), ✆ 3 59, ≤, ⛱, ≘s, 🌳 – 🚗 Ⓟ
10. Nov.- 20. Dez. geschl. – Karte 20/45 *(Dienstag geschl.)* – **13 Z : 26 B** 40/42 - 75/80 – P 68.

Kreuz ⛰, Dorfstr. 1, ✆ 13 88, ≤, direkter Zugang zum ▣ im Kurhaus – 🚗 Ⓟ
April 2 Wochen und 2. Nov.- 8. Dez. geschl. – Karte 19/40 *(Montag geschl.)* – **16 Z : 32 B** 40/50 - 70/80 Fb – P 65.

In Breitnau-Höllsteig SW : 9 km über die B 31 :

Hofgut Sternen, am Eingang der Ravennaschlucht, ✆ 10 82, ⛱ – ▮ TV ☎ ♿ Ⓟ. AE ⓪ E VISA
Karte 28/43 – **52 Z : 100 B** 100 - 154 Fb – P 140.

BREKENDORF 2372. Schleswig-Holstein – 700 Ew – Höhe 15 m – ☎ 04336.

♦Kiel 46 – Rendsburg 24 – Schleswig 14.

Hüttener Berge, Am Hang 1, ✆ 32 88 – Ⓟ. ✂ Zim
32 Z : 60 B.

BRELINGEN Niedersachsen siehe Wedemark.

[BREMEN] **2800.** [L] Stadtstaat Bremen [987] ⑭⑮ – 522 000 Ew – Höhe 10 m – ☎ 0421.

Sehenswert: Marktplatz★★ – Focke-Museum★★ U **M2** – Rathaus★ (Treppe★★) – Dom St. Petri★ (Taufbecken★★ Madonna★) – Wallanlagen★ ABXY – Böttcherstraße★ BY : Roseliushaus★ (Nr.6) und Paula-Modersohn-Becker-Haus★ (Nr.8) BY **B** – Schnoor-Viertel★ BY – Kunsthalle★ CY **M.**

⛳ Bremen-Vahr, Bgm.-Spitta-Allee 34 (U), ☎ 23 00 41 ; ⛳ Garlstedt (N : 11 km über die B 6 U), ☎ (04795) 4 17.

✈ Bremen-Neustadt (S : 6 km) V, ☎ 5 59 51 – 🚗 ☎ 30 63 07.

Ausstellungsgelände a. d. Stadthalle (CX), ☎ 3 50 52 34.

[i] Verkehrsverein, Tourist-Information am Bahnhofsplatz, ☎ 30 80 00, Telex 244854.

ADAC, Bennigsenstr. 2, ☎ 4 99 40, Notruf ☎ 1 92 11.

♦Hamburg 120 ① – ♦Hannover 123 ①.

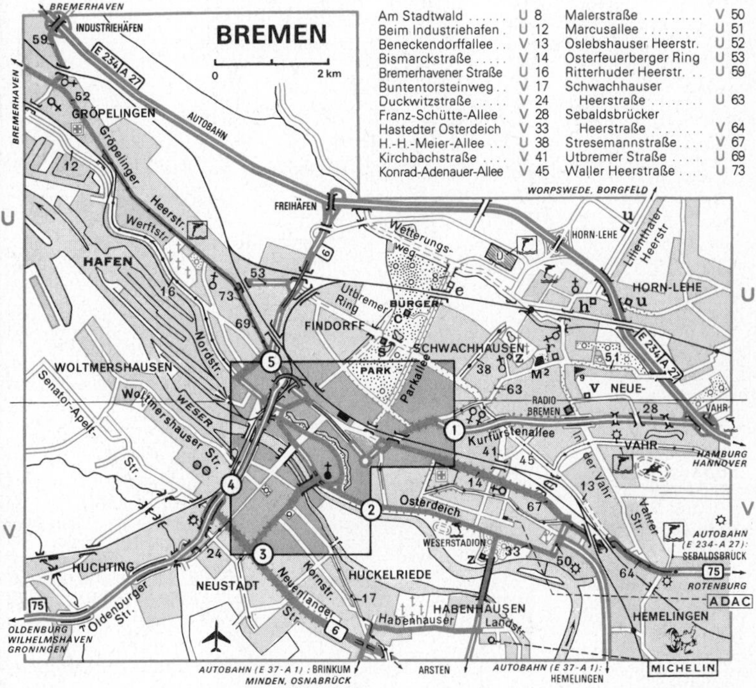

Am Stadtwald	U 8	Malerstraße	V 50
Beim Industriehafen	U 12	Marcusallee	U 51
Beneckendorffallee	V 13	Oslebshauser Heerstr.	U 52
Bismarckstraße	V 14	Osterfeuerberger Ring	U 53
Bremerhavener Straße	U 16	Ritterhuder Heerstr.	U 59
Buntentorsteinweg	V 17	Schwachhauser Heerstraße	U 63
Duckwitzstraße	V 24	Sebaldsbrücker Heerstraße	V 64
Franz-Schütte-Allee	V 28	Stresemannstraße	V 67
Hastedter Osterdeich	V 33	Utbremer Straße	U 69
H.-H.-Meier-Allee	U 38	Waller Heerstraße	U 73
Kirchbachstraße	V 41		
Konrad-Adenauer-Allee	V 45		

🏨 **Park-Hotel** ♨, im Bürgerpark, ☎ 3 40 80, Telex 244343, Fax 3408602, ←, « Terrasse am Hollersee », 🌳, Fahrradverleih – 🛗 📺 🚗 🅿 🏛 (mit ▤). AE ⓓ E VISA CX **a**
Karte 47/85 – **142 Z : 212 B** 200/260 - 300/360 – 10 Appart. 440/860.

🏨 **CP Bremen Plaza,** Hillmannplatz 20, ☎ 1 76 70, Telex 246868, Fax 1767238, ♨ – 🛗 🚭 ▤ 📺 ♿ 🅿 🏛. AE ⓓ E VISA. 🐕 Rest BXY **n**
Restaurants : – **Belvedere** *(Sonntag und Juli - Aug. 3 Wochen geschl.)* Karte 48/76 – **Hillman's Garten** Karte 35/55 – **230 Z : 460 B** 200/290 - 270/360 Fb – 4 Appart. 840.

🏨 **Zur Post,** Bahnhofsplatz 11, ☎ 3 05 90, Telex 244971, Fax 3059591, Massage, ♨, 🏊 – 🛗 🚭 Zim 📺 ♿ 🚗 🏛. AE ⓓ E VISA BX **x**
Karte 28/70 – **211 Z : 334 B** 140/190 - 180/280 Fb – 4 Appart. 490.

🏨 **Mercure-Columbus,** Bahnhofsplatz 5, ☎ 1 41 61, Telex 244688, ♨ – 🛗 📺 🏛. AE ⓓ E VISA. 🐕 Rest BX **f**
Karte 37/63 – **153 Z : 270 B** 150/174 - 195/278 – 5 Appart..

🏨 Munte, Am Stadtwald, ☎ 21 20 63, Telex 246562, ♨, 🏊 – 🛗 📺 ☎ 🅿 🏛 U **e**
64 Z : 128 B Fb.

🏨 Überseehotel garni, Wachtstr. 27, ☎ 3 60 10, Telex 246501 – 🛗 🚭 Zim 📺 ☎ ♿ 🏛 BY **u**
126 Z : 220 B Fb.

🏨 Ibis, Rembertiring 51, ☎ 3 69 70, Telex 244511 – 🛗 ☎ ♿ 🚗 🏛 – **162 Z : 250 B** Fb. CY **e**

🏨 **Bremer Haus,** Löningstr. 16, ☎ 3 29 40, Telex 244353 – 🛗 📺 ☎ 🚗 🅿 🏛. AE ⓓ E VISA
Karte 25/49 *(Samstag - Sonntag nur Mittagessen)* – **76 Z : 110 B** 96/105 - 125/155 Fb. CXY **d**

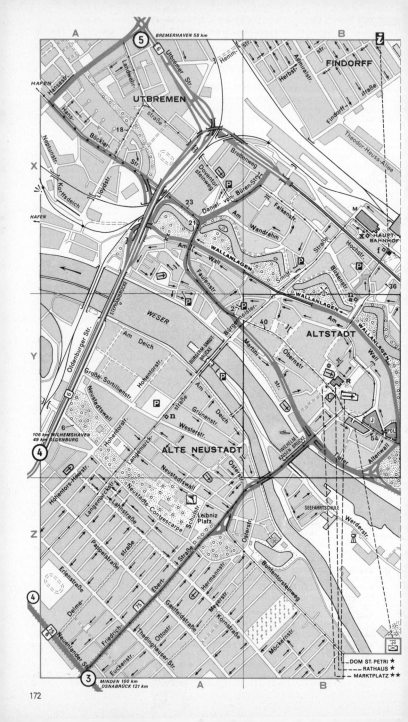

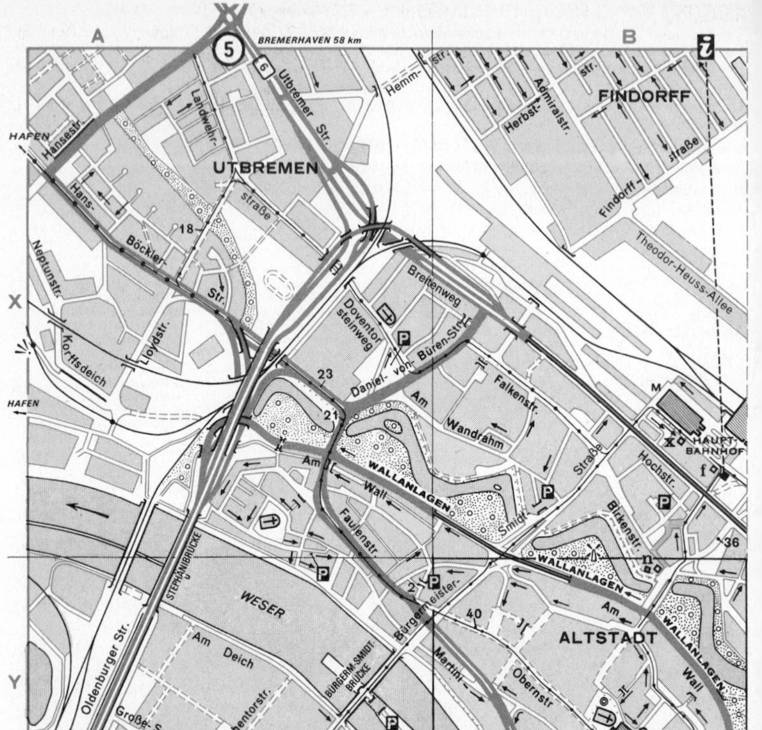
A
B
BREMERHAVEN 58 km
5
6
UTBREMEN
FINDORFF
Utbremer Str.
Landwehrstraße
Hemmstr.
Herbststr.
Admiralstr.
Findorffstraße
Theodor-Heuss-Allee
HAFEN
Hansestr.
Hans-Böckler-Str.
18
Neptunstr.
X
Lloydstr.
Korffsdeich
HAFEN
Breitenweg
Doventorsteinweg
Daniel-von-Büren-Str.
23
21
Am Wandrahm
Falkenstr.
M
HAUPTBAHNHOF
Hochstr.
Am Wall
WALLANLAGEN
Faulenstr.
Smidtstraße
Birkenstr.
36
WALLANLAGEN
STEPHANIBRÜCKE
WESER
Bürgermeister-Smidt-Str.
2
40
Am Wall
ALTSTADT
WALLANLAGEN
Am Deich
BÜRGERM.-SMIDT-BRÜCKE
Martinistr.
Obernstr.
Y
Oldenburger Str.
Große-Sortillienstr.
Hohentorstr.
Neustadtswall
Am Deich
Grünenstr.
Westerstr.
R
J
POL
54
106 km WILHEMSHAVEN
49 km OLDENBURG
4
ALTE NEUSTADT
Langemarckstraße
WILHELM-KAISEN-BRÜCKE
Tiefer
Altenwall
Neustadtswall
Osterstr.
Hohentors-Heerstr.
Langemarckstr.
Neustadts-Contrescarpe
Lahnstraße
Schulstr.
Leibniz Platz
SEEFAHRTSCHULE
Werderstr.
Z
Osterstr.
Pappelstraße
Buntentorsteinweg
Erlenstraße
Friedrich-Ebert-Straße
Hermannstr.
Meyerstr.
Gastfeldstraße
Kornstraße
Delme-straße
75
6
Neuenlander Str.
Thedinghauser Str.
Ottostr.
Möckernstr.
Euckenstr.
DOM ST. PETRI ★
RATHAUS ★
MARKTPLATZ ★★
3
MINDEN 100 km
OSNABRÜCK 121 km

BREMEN

Straße	Planquadrat	Nr.
Balgebrückstraße	BY	
Böttcherstraße	BY	15
Domsheide	BY	20
Hutfilterstraße	BY	40
Knochenhauerstr.	BY	43
Marktplatz	BY	
Martinistraße	BY	
Obernstraße	BY	
Papenstraße	BY	56
Schüsselkorb	BY	62
Violenstraße	BY	70
Wachtstraße	BY	71
Am Brill	AY	2
Am Dobben	CDY	3
Am Dom	BY	4
Am Hohentorsplatz	AY	6
Am Landherrnamt	BY	7
Ansgaritorstraße	BY	9
Ansgaritorwallstraße	BY	10
Bürgermeister-Hildebrand-Str.	AX	18
Dechanatstraße	BY	19
Doventor	AX	21
Doventors-Contrescarpe	AX	23
Ernst-Glässel-Str.	CY	26
Goetheplatz	CY	29
Herdentorswallstr.	BY	35
Herdentorsteinweg	BY	36
Komturstraße	BY	44
Kurfürstenallee	DX	46
Ostertorstraße	BY	54
Ostertorswallstr.	BY	55
Pelzerstraße	BY	57
Pieperstraße	BY	58
Sandstraße	BY	59
Schnoor	BY	60
Schüttingstraße	BY	61
Sögestraße	BY	65
Stavendamm	BY	66
Wandschneiderstr.	BY	72
Wegesende	BY	73

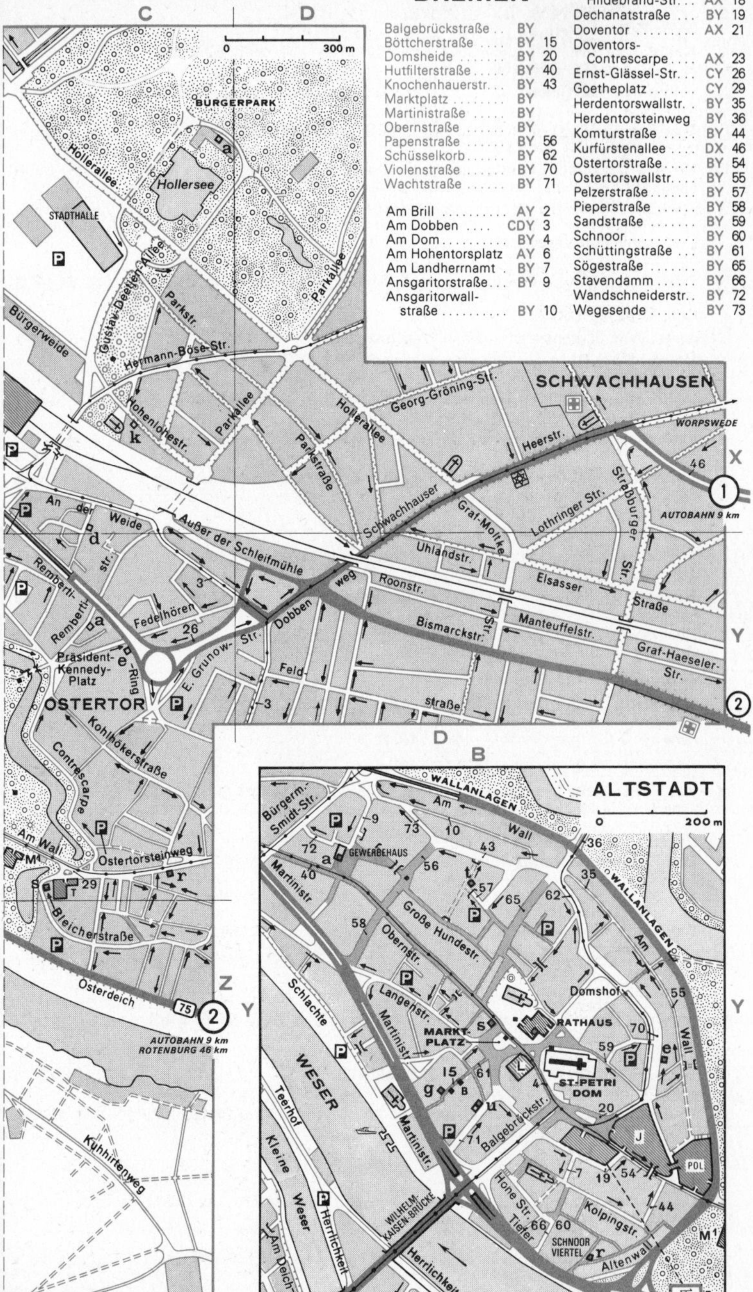

Lichtsinn garni, Rembertistr. 11, 32 32 35 – CY a
25 Z : 45 B.

Residence garni, Hohenlohestr. 42, 34 10 20, – CX k
34 Z : 60 B 50/75 - 85/110 Fb.

Meierei, im Bürgerpark, 21 19 22, ≤, « Gartenterrasse » – U c
Karte 60/80.

Das Bremer Flett, Böttcherstr. 3, 32 09 95 – BY g
Sonntag geschl. – Karte 38/65.

Ratskeller-Bacchuskeller, im alten Rathaus, 3 29 09 10 – BY R
Karte 33/59 (Weinkarte mit etwa 600 deutschen Weinen).

Grashoff's Bistro, Contrescarpe 80 (neben der Hillmann-Passage), 1 47 40 –
wochentags bis 18.30 Uhr geöffnet, Samstag 14 Uhr - Sonntag geschl. – Karte 65/80 (Tischbestellung erforderlich) BY n
Spez. Spaghetti mit Hummer, Schellfisch mit Senfbutter, Früchte mit Mascarpone-Crème.

Deutsches Haus - Fischrestaurant, Am Markt 1 (1. Etage), 3 29 09 20 – BY s
Karte 33/60.

Jürgenshof, Jürgensdeich 1 (Nähe Weserstadion), 44 10 37, – V z

Vosteen am Ostertor, Ostertorsteinweg 80, 7 80 37 – CY r
Mittwoch geschl. – Karte 27/56.

Concordenhaus, Hinter der Holzpforte 2, 32 53 31 – BY r
Karte 46/65 (abends Tischbestellung ratsam).

Kaffeehaus am Emmasee, im Bürgerpark, 34 42 41, ≤, « Terrasse am See » – U s

La Villa (Italienische Küche), Goetheplatz 4, 32 79 63, « Gartenterrasse » CY s
24. Dez.- 1. Jan., Samstag bis 18 Uhr und Sonntag geschl. – Karte 33/55 (Tischbestellung ratsam).

Alte Gilde, Ansgaritorstr. 24, 17 17 12 – BY a

Topaz (Einrichtung im Bistro-Stil), Violenstr. 13, 32 52 58 – BY e
Samstag bis 18 Uhr und Sonntag geschl. – Karte 48/66.

Friesenhof (Brauerei-Gaststätte), Hinter dem Schütting 12, 32 16 61 BY u
Karte 29/61.

Zum Herforder (Brauerei-Gaststätte), Pelzerstr. 8, 1 30 51 BY t
Sonntag geschl. – Karte 25/52.

In Bremen 1 - Alte Neustadt :

Westfalia, Langemarckstr. 40, 50 04 40, Telex 246190 – Rest AY n
Karte 53/50 *(Sonntag geschl.)* – **69 Z : 105 B** 79/95 - 120/135 Fb.

In Bremen 71-Blumenthal **2820** ⑤ : 26 km :

Zur Heidquelle, Schwaneweder Str. 52, 60 33 12 –
Karte 34/66 – **20 Z : 30 B** 45/95 - 75/150.

In Bremen 33 - Borgfeld NO : 11 km über Lilienthaler Heerstr. U :

Borgfelder Landhaus, Warfer Landstr. 73, 27 05 12 –
Dienstag geschl. – Karte 35/55.

In Bremen 71-Farge **2820** ⑤ : 32 km :

Fährhaus Meyer-Farge, Wilhelmshavener Str. 1, 6 86 81, Telex 245074, ≤, , « Schiffsbegrüßungsanlage » –
Karte 39/67 – **20 Z : 38 B** 85/98 - 140/150 Fb.

In Bremen 33 - Horn :

Landgut Horn, Leher Heerstr. 140, 25 10 35 – U u
Karte 35/57 – **21 Z : 34 B** 105/135 - 140/180 (Hotelerweiterung mit 80 Z ab Frühjahr 1989).

Landhaus Louisenthal - Senator Bölkenhof, Leher Heerstr. 105, 23 20 76, Telex 246925, – U h
Karte 28/58 – **60 Z : 125 B** 50/90 - 90/160 Fb.

Deutsche Eiche, Lilienthaler Heerstr. 174, 25 10 11, Telex 244130, , – Rest (mit). U a
Karte 33/50 – **29 Z : 42 B** 70 - 110/140 Fb.

In Bremen 41-Schwachhausen :

Queens Hotel, August-Bebel-Allee 4, 2 38 70, Telex 244560, Fax 234617, Fahrradverleih – Zim Rest (mit). U v
Karte 49/66 – **144 Z : 188 B** 169/216 - 223/233 Fb – 3 Appart. 388.

La Campagne, Schwachhauser Heerstr. 276, 23 60 59 – U r
(nur Abendessen) – **15 Z : 27 B.**

Heldt, Friedhofstr. 41, 21 30 51 – U z
Karte 22/36 *(nur Abendessen, Sonntag geschl.)* – **43 Z : 65 B** 57/85 - 83/110 Fb.

In Bremen 70 - Vegesack 2820 ⑤ : 22 km :

Strandlust Vegesack ⑤, Rohrstr. 11, ℘ 66 70 73, ≤, « Terrasse am Weserufer » – TV P. AE ① E VISA. ✻ Zim
Karte 42/66 – **24 Z : 48 B** 118/135 - 170/195 Fb.

Garni, Gerhard-Rohlfs-Str. 54, ℘ 66 90 15 – ☎ P
41 Z : 53 B 40/65 - 70/90.

In Lilienthal 2804 NO : 12 km Richtung Worpswede U – ☎ 04298 :

Rohdenburg's Gaststätte, Trupermoorer Landstr. 28, ℘ 36 10 – ☎ P. AE ①
Karte 23/43 *(Mittwoch geschl., Montag nur Abendessen)* – **16 Z : 27 B** 55 - 90.

Schomacker, Heidberger Str. 25, ℘ 37 10 – ☎ P. ① E VISA
Karte 22/46 *(Freitag bis 16 Uhr und Dienstag geschl.)* – **28 Z : 48 B** 68/78 - 98/118 Fb.

Motel Lilienthal garni, Hauptstr. 84, ℘ 10 55, – ☎ P
28 Z : 46 B Fb.

Le Soir, Hauptstr. 73, ℘ 12 94 – P
nur Abendessen – (bemerkenswerte Weinkarte) (Tischbestellung ratsam).

In Oyten 2806 SO : 17 km über die B 75 – ☎ 04207 :

Café Hollmann garni, Hauptstr. 85, ℘ 45 54 – TV ☎ P. ①. ✻
Anfang Dez.- Anfang Jan. geschl. – **18 Z : 25 B** 58/70 - 94/120.

Motel Höper, Hauptstr. 58, ℘ 9 66, – TV ☎ P. AE ① E VISA. ✻ Rest
Karte 27/49 *(Samstag - Sonntag nur Abendessen)* – **35 Z : 70 B** 68/73 - 95/125.

Fehsenfeld garni, Hauptstr. 50, ℘ 8 48 – TV ☎ P. AE ① E VISA. ✻
1.- 6. Jan. geschl. – **9 Z : 17 B** 50/55 - 80/86.

MICHELIN-REIFENWERKE KGaA. Niederlassung 2800 Bremen 61-Habenhausen, Ziegelbrennerstr. 5 (V), ℘ (0421) 8 35 41.

In questa guida
uno stesso simbolo, uno stesso carattere
stampati in rosso o in , in magro o in **grassetto**
hanno un significato diverso.
Leggete attentamente le pagine esplicative (p. 36 a 43).

Karte **25**/45

BREMERHAVEN 2850. Bremen 987 ④ – 133 300 Ew – Höhe 3 m – ☎ 0471.

Sehenswert : Deutsches Schiffahrtsmuseum★★★ AZ **M**.

Verkehrsamt und Stadtstudio, Obere Bürger (im Columbus-Center), ℘ 5 90 22 43.

ADAC, Fährstr. 18, ℘ 4 24 70, Notruf ℘ 1 92 11.

♦Bremen 58 ③ – ♦Hamburg 134 ②.

Stadtplan siehe nächste Seite.

Nordsee-Hotel Naber, Theodor-Heuss-Platz 1, ℘ 4 87 70, Telex 238881, Fax 4877999, – TV P. AE ① E VISA — AZ **a**
Karte 38/65 – **101 Z : 184 B** 125/155 - 160/210 Fb.

Haverkamp, Prager Str. 34, ℘ 4 83 30, Telex 238679, – TV ☎ P. AE ① E VISA. ✻ Rest — AZ **n**
Karte 22/62 – **110 Z : 188 B** 100/180 - 160/260 Fb.

Parkhotel - Restaurant Waldschenke ⑤, im Bürgerpark, ℘ 2 70 41, – TV ☎ P. AE ① E VISA — über Walter-Delius-Str. BZ
Karte 31/51 – **46 Z : 100 B** 99/109 - 149/168 Fb.

Geestemünde ⑤ garni, Am Klint 20, ℘ 2 88 00 – — BZ **z**
14 Z : 20 B 50/69 - 90/95.

Am Theaterplatz garni, Schleswiger Str. 5, ℘ 4 26 20 – ☎ P. E VISA. ✻ — AZ **r**
14 Z : 24 B 45/60 - 80/100.

Fischereihafen-Restaurant Natusch, Am Fischbahnhof 1, ℘ 7 10 21, « Maritimes Dekor » – AE ① E VISA — BY **x**
Montag geschl. – Karte 32/70.

Museums-Restaurant Seute Deern (vorwiegend Fischgerichte), Am Alten Hafen, ℘ 41 62 64, « Restaurant auf einer Dreimast-Bark a.d.J. 1919 » – AE ① E VISA — AZ **u**
Karte 25/60.

In Bremerhaven-Lehe :

Zur Börse, Lange Str. 34, ℘ 8 80 41 – TV ☎ P. AE ① E VISA. ✻ Rest — BY **c**
Karte 18,50/33 *(Freitag 14 Uhr - Sonntag geschl.)* – **34 Z : 52 B** 46/69 - 82/92.

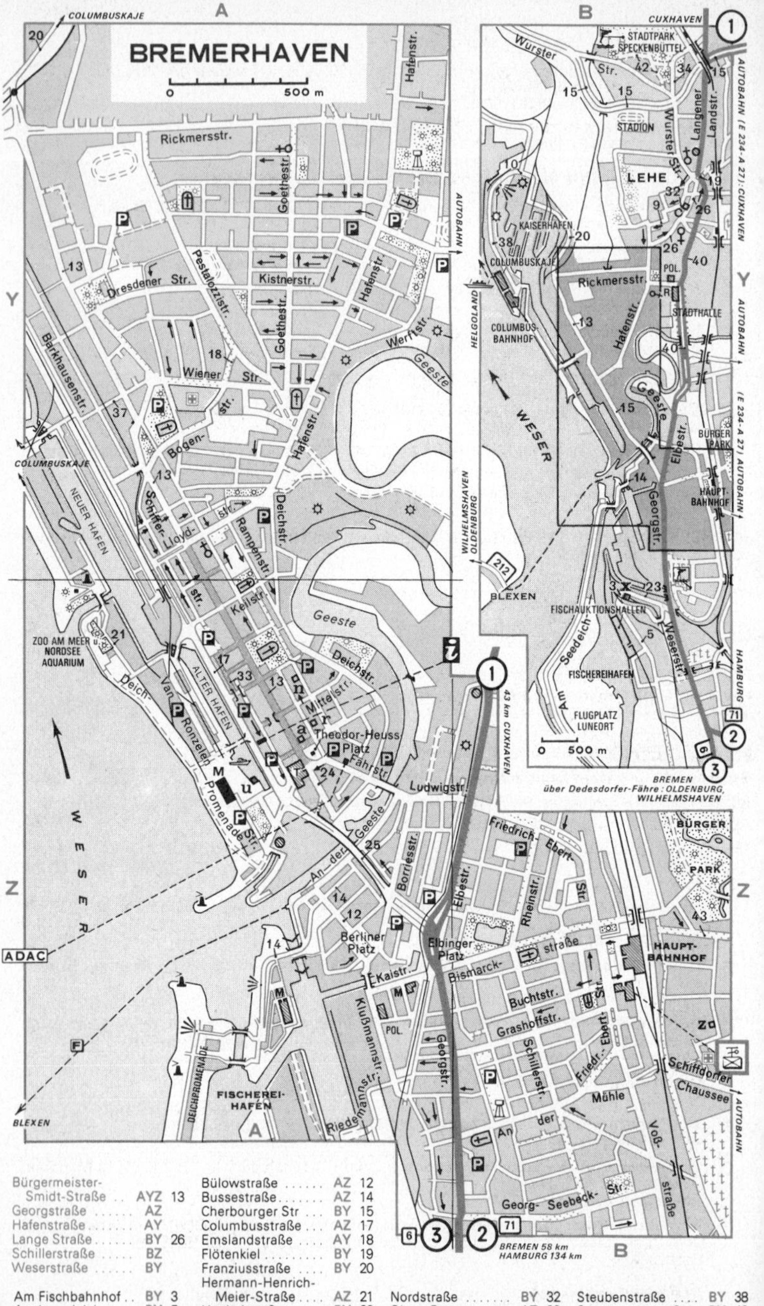

Bürgermeister-Smidt-Straße	AYZ 13	Bülowstraße	AZ 12		
Georgstraße	AZ	Bussestraße	AZ 14		
Hafenstraße	AY	Cherbourger Str	BY 15		
Lange Straße	BY 26	Columbusstraße	AZ 17		
Schillerstraße	BZ	Emslandstraße	AY 18		
Weserstraße	BY	Flötenkiel	BY 19		
		Franziusstraße	BY 20		
Am Fischbahnhof	BY 3	Hermann-Henrich-Meier-Straße	AZ 21	Nordstraße BY 32	Steubenstraße BY 38
Am Lunedeich	BY 5	Hoebelstraße	BY 23	Obere Bürger AZ 33	Stresemannstraße BY 40
Brookstraße	BY 9	Karlsburg	AZ 24	Parkstraße BY 34	Timmermannallee BY 42
Brückenstraße	BY 10	Kennedy-Brücke	AZ 25	Schleusenstraße AY 37	Walter-Delius-Str. BZ 43

BREMERVÖRDE 2740. Niedersachsen [987] ⑤ – 19 200 Ew – Höhe 4 m – ☎ 04761.

[i] Touristik-Information, Bremer Str. 3, ☎ 8 63 35.

♦Hannover 170 – ♦Bremen 71 – ♦Bremerhaven 48 – ♦Hamburg 78.

🏠 **Park-Hotel**, Stader Str. 22 (B 74), ☎ 24 60, 🌳, 🍽 – ☎ 🚗 [P] 🏛. [AE] [O] [E]
Karte 26/48 – **16 Z : 30 B** 48/80 - 90/110.

🏠 **Daub**, Bahnhofstr. 2, ☎ 30 86, [S] – ☎ [P] 🏛. [AE] [O] [E]
Karte 24/46 *(Sonntag ab 14 Uhr geschl.)* – **38 Z : 65 B** 44/50 - 82/88.

BRENNES Bayern siehe Bayerisch Eisenstein.

BRENSBACH 6101. Hessen [413] J 17 – 4 700 Ew – Höhe 175 m – ☎ 06161.

♦Wiesbaden 73 – ♦Darmstadt 26 – ♦Mannheim 53 – Michelstadt 19.

In Brensbach-Mummenroth NO : 3 km :

🍴 **Zum Brünnchen** 🌿 mit Zim, ☎ 5 53, 🌳 – [P]
über Fastnacht und Okt. 1 Woche geschl. – Karte 30/53 *(April - Sept. Montag bis 18 Uhr und Dienstag, Okt.- März Montag - Dienstag geschl.)* 🍷 – **3 Z : 7 B** 25/29 - 50/58.

In Brensbach 3-Stierbach SO : 4 km :

🏠 **Schnellertshof**, Erbacher Str. 100, ☎ 23 80, Wildgehege, [S], [🏊], 🍽, 🎾 – [P]. [O] [E]
Karte 23/51 *(Dienstag geschl.)* – **14 Z : 28 B** 50/53 - 90/96 – P 70/75.

In Brensbach 1-Wersau NW : 2 km :

🏠 **Zum Kühlen Grund**, Bahnhofstr. 81 (B 38), ☎ 4 47 – [|$|] ☎ [P] 🏛. [E]. 🚫 Zim
◆ *2.- 10. Jan. und 17. Juli - 11. Aug. geschl.* – Karte 18/57 *(Montag geschl.)* 🍷 – **26 Z : 36 B** 52 - 90 Fb.

BRETTEN 7518. Baden-Württemberg [413] IJ 19, [987] ㉕ – 23 100 Ew – Höhe 180 m – ☎ 07252.

♦Stuttgart 54 – Heilbronn 47 – ♦Karlsruhe 28 – ♦Mannheim 64.

🏠 **Krone**, Melanchthonstr. 2, ☎ 20 41, Fax 80 598 – [|$|] ☎ [P] 🏛. [AE] [O] [E] [VISA]
26. Dez.- 10. Jan. geschl. – Karte 31/64 *(Freitag-Samstag 18 Uhr geschl.)* – **45 Z : 75 B** 45/78 - 68/105 Fb.

BRETZENHEIM 6551. Rheinland-Pfalz – 2 200 Ew – Höhe 110 m – ☎ 0671 (Bad Kreuznach).

Mainz 38 – ♦Koblenz 75 – Bad Kreuznach 5.

🏠 **Grüner Baum**, Kreuznacher Str. 33, ☎ 22 38 – [|$|] ☎ 🚗 [P]. 🚫 Zim
16.- 31. Juli und 24. Dez.- 8. Jan. geschl. – Karte 21/33 *(nur Abendessen, Freitag und Sonntag geschl.)* 🍷 – **35 Z : 47 B** 34/48 - 64/88.

BRETZFELD 7117. Baden-Württemberg [413] L 19 – 8 500 Ew – Höhe 210 m – ☎ 07946.

♦Stuttgart 61 – Heilbronn 20 – ♦Nürnberg 145 – ♦Würzburg 107.

In Bretzfeld-Bitzfeld N : 2 km :

🏠 **Zur Rose**, Weißlensburger Str. 12, ☎ 20 47 – [|$|] ☎ [P] 🏛
◆ Karte 18/42 *(Donnerstag geschl.)* 🍷 – **16 Z : 26 B** 32/45 - 53/80 Fb.

In Bretzfeld-Brettach SO : 9 km, Richtung Mainhardt :

🍴 **Rössle** 🌿 mit Zim, Mainhardter Str. 26, ☎ (07945) 22 64, Biergarten – ☎ [P]. [AE]
6.- 14. Feb. und 10.- 24. Juli geschl. – Karte 25/52 *(Montag 14 Uhr - Dienstag geschl.)* 🍷 – **5 Z : 9 B** 38/42 - 78/84.

BREUBERG/ODENWALD 6127. Hessen [413] K 17 – 7 150 Ew – Höhe 150 m – ☎ 06165.

♦Wiesbaden 83 – Aschaffenburg 24 – ♦Darmstadt 38.

In Breuberg-Neustadt :

🏠 Rodensteiner, Wertheimer Str. 3, ☎ 20 01, 🌳, 🍽 – [|$|] [TV] ☎ [P] 🏛
40 Z : 70 B Fb.

BREUNA 3549. Hessen – 3 600 Ew – Höhe 200 m – ☎ 05693.

♦Wiesbaden 240 – ♦Kassel 36 – Paderborn 59.

🏠 **Sonneneck** 🌿, Stadtpfad 2, ☎ 2 93, 🌳, [S] – [P]. [O] [E]
15. Feb.- 11. März geschl. – Karte 27/47 – **24 Z : 44 B** 45/55 - 80.

BRIETLINGEN Niedersachsen siehe Lüneburg.

BRIGACHTAL Baden-Württemberg siehe Villingen-Schwenningen.

BRILON 5790. Nordrhein-Westfalen 987 ⑭⑮ − 25 000 Ew − Höhe 455 m − Luftkurort − Wintersport : 450/600 m ⟨2 ⟨3 − ✪ 02961.

🛈 Städt. Verkehrsamt, Steinweg 26, 🖀 80 96.

◆Düsseldorf 168 − ◆Kassel 89 − Lippstadt 47 − Paderborn 47.

🏨 **Zur Post**, Königstr. 7, 🖉 40 44, 😤, 🖃, 🖳 − 🕸 📺 🖀 ⇐ 🅟. 🖭 ⓪ 🇪 𝚅𝙸𝚂𝙰
    Karte 25/49 − **20 Z : 40 B** 65/75 - 99/134 Fb.

🏨 **Quellenhof**, Strackestr. 12 (B 7/480), 🖉 30 34, 😤, 🖃 − 📺 🖀 ⇐ 🅟. 🖭 ⓪ 🇪 𝚅𝙸𝚂𝙰
 ◆ Karte 19/49 *(Donnerstag geschl.)* − **18 Z : 34 B** 46/65 - 96/108.

🏨 **Waldpension Brilon**, Hölsterloh 1 (SO : 1,5 km), 🖉 34 73, ≼, Caféterrasse, 😤, 🐎 − 🖀
    ⇐ 🅟. 🖭 ⓪ 🇪
    15. Nov.- 15. Dez. geschl. − Karte 21/42 − **13 Z : 25 B** 41/47 - 76/84 Fb − P 52/60.

🏠 **Starke**, Am Markt 15 (B 7), 🖉 80 08 − 🕸 📺 🖀 ⇐ 🏤. 🖭 ⓪ 🇪 𝚅𝙸𝚂𝙰
    Karte 18,50/45 − **17 Z : 31 B** 32/44 - 54/68.

   In Brilon-Gudenhagen S : 4 km über die B 7 und die B 251 :

🏨 **Ströthoff** ≫, Rübezahlweg 47, 🖉 25 40, 😤, 🖃, 🐎 − 📺 🖀 ⇐ 🅟
 ◆ Karte 19/34 − **28 Z : 52 B** 44/52 - 88/104 − 2 Fewo 50 − P 54/62.

🏨 **Berghotel Schwarzwald** ≫, Triftweg 20, 🖉 35 45, ≼, 😤, 😤, 🗆, 🖃, 🐎 − 🅟. 🛎 Rest
    1.- 20. Dez. geschl. − Karte 30/47 − **21 Z : 40 B** 40/50 - 80/140 Fb − P 60/75.

XX **Haus Waldsee** mit Zim, Am Waldfreibad, 🖉 33 18, 😤, 🐎 − 🅟
    Karte **30**/60 *(nur Abendessen, Montag geschl.)* − **5 Z : 11 B** 45 - 90.

   In Brilon-Wald S : 8 km über die B 7 und die B 251 :

🏨 **Jagdhaus Schellhorn** ≫, In der Lüttmecke 9, 🖉 33 34, 😤, 🖃, 🐎 − 🅟
    20. Nov.- 20. Dez. geschl. − (Restaurant nur für Hausgäste) − **15 Z : 25 B** 55 - 110 − P 65.

BRINKUM Niedersachsen siehe Stuhr.

BRODENBACH 5401. Rheinland-Pfalz − 600 Ew − Höhe 85 m − Erholungsort − ✪ 02605 (Löf).

Mainz 94 − Cochem 25 − ◆Koblenz 26.

🏨 **Peifer**, Moselweinstr. 43 (SW : 1,5 km), 🖉 7 56, ≼, 🖃, 🐎 − 🕸 🅟. 🖭 ⓪ 🇪
 ◆ Karte 17,50/42 🍷 − **31 Z : 58 B** 40/45 - 80/90 − P 60/62.

BRODERSBY Schleswig-Holstein siehe Liste der Feriendörfer.

BROMBACH Nordrhein-Westfalen siehe Overath.

BROME 3127. Niedersachsen 987 ⑯ − 2 500 Ew − Höhe 67 m − ✪ 05833.

◆Hannover 118 − ◆Hamburg 141 − ◆Braunschweig 60.

   In Brome-Zicherie S : 4 km :

🏨 **Hubertus**, an der B 244, 🖉 15 15, 😤, Wildgehege − 🖀 ⇐ 🅟 🏤
    Mitte Jan.- Mitte Feb. geschl. − Karte 22/46 *(wochentags nur Abendessen, Montag geschl.)* − **31 Z : 41 B** 45/50 - 80/90.

BRUCHERTSEIFEN Rheinland-Pfalz siehe Hamm (Sieg).

BRUCHHAUSEN-VILSEN 2814. Niedersachsen − 4 700 Ew − Höhe 19 m − Luftkurort − ✪ 04252.

◆Hannover 79 − ◆Bremen 40 − Minden 83 − Verden an der Aller 30.

XX **Forsthaus Heiligenberg**, Homfeld (SW : 4 km), 🖉 6 33, « Niedersächsisches Fachwerkhaus mit gemütlicher Einrichtung im Landhausstil, Gartenterrasse » − 🅟 🏤 🖭 🇪
    Dienstag und 2.- 18. Jan. geschl., Nov.- März Montag kein Abendessen − Karte 28/64.

XX **Dillertal**, an der B 6 (SW : 4 km), 🖉 26 80, 😤 − 🅟 🏤. ⓪ 🇪
    Donnerstag geschl. − Karte 28/58.

BRUCHKÖBEL 6454. Hessen 413 J 16 − 18 000 Ew − Höhe 113 m − ✪ 06181.

◆Wiesbaden 65 − ◆ Frankfurt am Main 21 − Fulda 86 − Gießen 60 − ◆ Würzburg 118.

XX ✿ **Zum Adler** (restauriertes Fachwerkhaus a.d.J. 1842), Hauptstr. 63, 🖉 7 59 10, 😤 − 🅟. 🖭
    🇪
    Samstag bis 18 Uhr, Montag und 1.- 15. Jan. geschl. − Karte 60/79
    Spez. Salat von mariniertem Seeteufel, Kotelett vom Stubenküken, Lammfilet im Entenmantel.

BRUCHMÜHLBACH-MIESAU 6793. Rheinland-Pfalz 413 F 18. 57 ⑧ − 7 500 Ew − Höhe 265 m − ✪ 06372.

Mainz 109 − Homburg/Saar 13 − Kaiserslautern 26 − ◆Saarbrücken 48.

🏠 **Haus Hubertus**, Sandstr. 3 (Bruchmühlbach), 🖉 13 26 − ⇐ 🅟. 🛎
 ◆ Ende Juli - Mitte Aug. geschl. − Karte 15/35 *(nur Abendessen, Samstag geschl.)* 🍷 − **8 Z : 11 B** 27/34 - 45/51.

BRUCHSAL 7520. Baden-Württemberg [413] I 19, [987] ㉕ – 37 000 Ew – Höhe 115 m – ☎ 07251.

Sehenswert : Schloß (Treppenhaus**).

[i] Stadtinformation, Am alten Schloß 2 (Bürgerzentrum), ☎ 7 93 01, Telex 7822430.

♦Stuttgart 68 – Heidelberg 37 – Heilbronn 61 – ♦Karlsruhe 25 – ♦Mannheim 49.

Scheffelhöhe - Restaurant Belvedere ⑤, Unteröwisheimer Str. 20, ☎ 80 20 (Hotel) 33 73 (Rest.), Telex 7822221, ≤, 余, ≘s – |‡| [TV] ☎ [P] 🏛
Karte 28/60 – **93 Z : 126 B** 82/95 - 120/150 Fb.

Keller, Heidelberger Str. 19 (B 3), ☎ 1 80 11, Telex 7822415, ≘s, [▲], 🚘 – ⇔ Zim [TV] ☎ [P] 🏛. [AE] [O] [E] [VISA]
Weihnachten - 6. Jan. geschl. – Karte 32/59 *(Samstag - Sonntag geschl.)* – **54 Z : 80 B** 85/110 - 125/150 Fb.

Goldenes Lamm, Kübelmarkt 8, ☎ 8 31 49 – [TV] ☎ 🚗. [O] [E] [VISA]
Juli - Aug. 4 Wochen geschl. – Karte 25/62 *(Freitag - Samstag 18 Uhr geschl.)* – **16 Z : 32 B** 90 - 150.

Ratskeller, Kaiserstr. 68, ☎ 1 51 11 – |‡| [TV] ☎ 🚗
22. Dez.- 10. Jan. geschl. – Karte 22/45 *(nur Abendessen, Sonntag geschl.)* ♁ – **30 Z : 44 B** 52/65 - 100/120.

Garni, Amalienstr. 6, ☎ 21 38, 🚘 – 🚗. [AE] [E]
15 Z : 27 B 44/52 - 84/88.

Bären, Schönbornstr. 28, ☎ 8 86 27, Biergarten – [P]. [AE] [E] [VISA]
Karte 28/51.

In Bruchsal 5-Büchenau SW : 7 km :

Ritter, Au in den Buchen 83, ☎ (07257) 30 21 (Hotel) 14 23 (Rest.), Telex 725710, Biergarten, ≘s – |‡| [TV] ☎ [P] 🏛. [AE] [O] [E] [VISA]
27. Dez.- 11. Jan. geschl. – Karte 26/50 ♁ – **55 Z : 80 B** 55/65 - 100/110 Fb.

In Bruchsal 3-Obergrombach S : 7 km :

Grüner Baum, Hauptstr. 40, ☎ (07257) 20 04, eigener Weinbau – 🚗 [P]
Sept. geschl. – Karte 18,50/30 *(Donnerstag und Sonntag geschl.)* ♁ – **8 Z : 12 B** 25 - 50.

In Bruchsal 4-Untergrombach SW : 4,5 km :

Zum weissen Lamm, Schulstr. 6, ☎ (07257) 13 66, eigener Weinbau – [TV] ☎ [P]
8 Z : 16 B.

Michaelsklause, Auf dem Michaelsberg (NO : 2,5 km), Höhe 274 m, ☎ (07257) 32 30, ≤ Rheinebene und Pfälzer Wald, Biergarten – [P]. [AE] [O] [E]
Karte 24/47.

In Karlsdorf-Neuthard 7528 NW : 4 km :

Karlshof, Bruchsaler Str. 1 (B 35), ☎ (07251) 4 10 79 – [TV] ☎ [P]. [AE] [E]
Karte 27/59 – **16 Z : 36 B** 75/85 - 90/110 Fb.

Schlindwein-Stuben, Altenbürgstr. 6, ☎ (07251) 4 10 76, 余 – [AE] [O] [E] [VISA]
Donnerstag und Juli 2 Wochen geschl. – Karte 24/68.

Nahe den Ausfahrten zu den Autobahn-Raststätten NW : 5 km :

Forst ⑤, Gottlieb-Daimler-Straße 6, ✉ 7529 Forst, ☎ (07251) 1 60 58, 余, 🚘 – [TV] ☎ [P]. [AE] [O] [E] [VISA]
Karte 30/69 *(März 1 Woche, Juli - Aug. 3 Wochen, Samstag bis 18 Uhr und Montag geschl.)* – **27 Z : 48 B** 75/95 - 120/135.

An der Autobahn A 5 - Westseite :

Rasthof Bruchsal, ✉ 7529 Forst, ☎ (07251) 33 23, Telex 7822203, 余 – ☎ ♿ 🚗 [P]
Karte 25/63 – **48 Z : 110 B** 60/89 - 85/176.

BRUCHWEILER Rheinland-Pfalz siehe Kempfeld.

BRUCKMÜHL 8206. Bayern [413] S 23, [987] ㊲, [426] ⑱ – 12 000 Ew – Höhe 507 m – ☎ 08062.

♦München 44 – Innsbruck 119 – Salzburg 100.

In Bruckmühl-Kirchdorf N : 1 km :

Großer Wirt, Am Griesberg 2, ☎ 12 49, 余, ≘s, [▲] (geheizt), 🚘 – [TV] ☎ 🚗 [P]
Karte 22/54 *(Donnerstag geschl.)* – **12 Z : 26 B** 45 - 80 Fb.

BRÜCKENAU, BAD 8788. Bayern [413] M 16, [987] ㉕ – 6 500 Ew – Höhe 300 m – Heilbad – ☎ 09741.

[i] Städt. Kurverwaltung, Rathaus, ☎ 8 04 11.

♦München 345 – ♦Frankfurt am Main 97 – Fulda 34 – ♦Würzburg 78.

In Bad Brückenau 1 – Stadtbezirk :

Zur Mühle ⑤, Ernst-Putz-Str. 17, ☎ 50 61, 🚘 – 🚗 [P]. [O] [E]. ⚘
Karte 20/49 *(Nov.- März Mittwoch geschl.)* ♁ – **37 Z : 60 B** 33/60 - 70/116 Fb – P 58/83.

In Bad Brückenau 2 – Staatsbad :

Dorint-Kurhotel, Heinrich-von-Bibra-Str. 13, ☎ 8 50, direkter Zugang zum Kurmittelzentrum – ♿ P. Rest
147 Z : 280 B Fb – 31 Fewo.

Fürstenhof - Schloßhotel, Heinrich-v.-Bibra-Str. 16, ☎ 50 71, – ☎ ♿ P. Rest – **45 Z : 60 B**.

Haus Buchonia garni, Wernarzer Str. 21, ☎ 28 23, – ☎ P.
8 Z : 12 B 42 - 77.

In Bad Brückenau-Wernarz SW : 4 km :

Landhotel Weißes Ross, Frankfurter Str. 30, ☎ 20 60, – P
1.- 20. März und 15.- 26. Dez. geschl. – Karte 24/46 *(Montag geschl.)* – **16 Z : 32 B** 57 - 92.

In Oberleichtersbach 8781 S : 4 km :

Rhön-Hof, Hammelburger Str. 4 (B 27), ☎ (09741) 50 91, – ☎ P
32 Z : 56 B Fb.

Im Zeitlofs-Eckarts 8787 SW : 6 km :

Sonnenhof, Sonnenstr. 1, ☎ (09746) 6 36, – ☎ P
28. Nov.- 18. Dez. geschl. – Karte 19/40 *(Sonntag ab 18 Uhr geschl.)* – **21 Z : 26 B** 38/40 - 76/80 Fb.

BRÜGGEN 4057. Nordrhein-Westfalen 408 ⑲, 212 ⑳ – 11 700 Ew – Höhe 40 m – ☎ 02163.
♦Düsseldorf 54 – Mönchengladbach 22 – Roermond 17 – Venlo 17.

Brüggener Klimp, Burgwall 15, ☎ 50 95, Telex 852375, – ☎ P. AE E VISA
Karte 21/43 *(Dienstag geschl.)* – **60 Z : 120 B** 65/75 - 90/100 Fb.

🍴 Zum Burghof, Klosterstr. 33, ☎ 53 40, – P.

In Brüggen-Born NO : 2 km :

Borner Mühle, ☎ 70 01, – ☎ P. AE E VISA
Karte 23/55 – **27 Z : 47 B** 39/74 - 108/148 Fb.

In Brüggen 2-Bracht N : 5 km :

🍴 **Haus Uhle** mit Zim, Kaldenkirchener Str. 36 (B 221), ☎ (02157) 71 70 – P
10.- 25. Feb. geschl. – Karte 25/53 *(Montag geschl., Okt.- April auch Dienstag bis 17 Uhr geschl.)* – **3 Z : 6 B** 30 - 60.

BRÜHL 5040. Nordrhein-Westfalen 987 ㉓ – 42 000 Ew – Höhe 65 m – ☎ 02232.
Sehenswert : Schloß (Treppenhaus★).
[i] Informationszentrum, Uhlstr. 1, ☎ 7 92 43.
♦Düsseldorf 61 – ♦Bonn 20 – Düren 35 – ♦Köln 13.

Rheinischer Hof garni, Euskirchener Str. 123, ☎ 3 30 21 – ☎ P. AE E VISA
15. Dez.- 5. Jan. geschl. – **22 Z : 48 B** 68/73 - 95/98 Fb.

BRÜN Nordrhein-Westfalen siehe Wenden.

BRUNSBÜTTEL 2212. Schleswig-Holstein 987 ⑤ – 13 000 Ew – Höhe 2 m – ☎ 04852.
♦Kiel 96 – ♦Hamburg 83 – Itzehoe 27.

Zur Traube, Am Markt 9, ☎ 5 10 11 – ☎ P. E VISA
Karte 30/49 – **22 Z : 43 B** 70 - 110 Fb.

BRUNSWICK = Braunschweig.

BRUSCHIED Rheinland-Pfalz siehe Kirn.

BUBENREUTH Bayern siehe Erlangen.

BUCHAU AM FEDERSEE, BAD 7952. Baden-Württemberg 413 L 22, 987 ㉟ – 3 800 Ew – Höhe 586 m – Moorheilbad – ☎ 07582.
Ausflugsziele : Steinhausen : Wallfahrtskirche★ SO : 10 km – Bad Schussenried : ehemaliges Kloster (Klosterbibliothek★) SO : 9 km.
[i] Städt. Kur- und Verkehrsamt, Marktplatz 1, ☎ 8 08 12.
♦Stuttgart 112 – Ravensburg 43 – Reutlingen 71 – ♦Ulm (Donau) 63.

Zum Kreuz, Hofgartenstr. 1, ☎ 82 72 –
23. Dez.- 15. Jan. geschl. – Karte 20/35 *(Mittwoch geschl.)* – **20 Z : 40 B** 30/50 - 60/100.

Moorbadstuben, Schussenrieder Str. 30, ☎ 21 77 – . Zim
Nov.- 15. Jan. geschl. – Karte 23/35 *(Freitag geschl.)* – **11 Z : 19 B** 29/38 - 54/74 – P 46/54.

🍴 Hofbräuhaus mit Zim, Schloßplatz 12, ☎ 82 27, Fahrradverleih – P. – **8 Z : 12 B**.

[BUCHEN (ODENWALD)] 6967. Baden-Württemberg [413] K 18, [987] ㉕ – 14 500 Ew – Höhe 342 m – Erholungsort – ☏ 06281.

ℹ Verkehrsamt, Hochstadtstr. 1, ✆ 27 80.

♦Stuttgart 113 – Heidelberg 87 – Heilbronn 59 – ♦Würzburg 68.

🏨 **Romantik-Hotel Prinz Carl**, Hochstadtstr. 1, ✆ 18 77, « Rustikale Weinstube, ab 18 Uhr geöffnet » – 🛗 [TV] ☎ 🚗 Ⓟ 👥. [AE] [O] [E] [VISA]. 🚫🐕
Karte 39/63 – **23 Z : 32 B** 80/95 - 145 Fb.

In Buchen-Hainstadt N : 1,5 km :

🏨 **Zum Schwanen**, Hornbacher Str. 4, ✆ 28 63, 🏊 – 🛗 ☎. 🚫🐕 Zim
✦ *Juli - Aug. 3 Wochen geschl.* – Karte 16/27 *(Mittwoch geschl.)* 🍷 – **19 Z : 35 B** 35 - 62 – P 43/47.

In Buchen-Hettigenbeuern NW : 9 km :

🏨 **Löwen** ☘, Morretalstr. 8, ✆ (06286) 2 75, ♨, 🏊, 🌳 – Ⓟ. 🚫🐕
✦ *15. Nov.- 20. Dez. geschl.* – Karte 17/30 *(Mittwoch geschl.)* 🍷 – **20 Z : 40 B** 38 - 76 – P 50.

[BUCHENBACH] Baden-Württemberg siehe Kirchzarten.

Jährlich eine neue Ausgabe,
Aktuellste Informationen,
jährlich für Sie !

[BUCHENBERG] 8961. Bayern [413] N 23, [426] ⑮ – 3 500 Ew – Höhe 895 m – Luftkurort – Wintersport : 900/1 036 m 🚡7 ⛷3 – ☏ 08378.

♦München 133 – Kempten (Allgäu) 8,5 – Isny 17.

🏨 **Jagdhaus Schwarzer Bock** ☘, Kürnacher Str. 169 (NW : 1,5 km), ✆ 4 72, ♨, 🏊, 🌳, 🎾 (Halle), Fahrradverleih – [TV] ☎ Ⓟ 👥. 🚫🐕 Rest
Karte 28/49 *(Sonntag 15 Uhr - Montag 17 Uhr und Mitte Nov.- Mitte Dez. geschl.)* – **27 Z : 46 B** 70/115 - 130/160 Fb – P 100/115.

🏨 **Haus Sommerau** ☘, Eschacher Str. 35, ✆ 70 11, <, ⛱, Massage, ♨, 🌳 – Ⓟ 👥. [AE] [E]
Karte 23/47 *(Dienstag geschl.)* – **39 Z : 73 B** 60/76 - 100/120 Fb – P 80/106.

🏨 **Adler**, Lindauer Str. 15, ✆ 2 49, Biergarten, ♨, 🏊, 🌳 – Ⓟ. [AE]
Karte 20/45 *(Montag und 25. Nov.- 25. Dez. geschl.)* – **21 Z : 38 B** 48/55 - 58/95 Fb.

[BUCHHOLZ IN DER NORDHEIDE] 2110. Niedersachsen [987] ⑮ – 29 000 Ew – Höhe 46 m – ☏ 04181.

⛳18 Holm-Seppensen (S : 5 km), ✆ (04181) 3 62 00.

♦Hannover 124 – ♦Bremen 96 – ♦Hamburg 37.

In Buchholz-Dibbersen :

🏨 **Frommann**, Harburger Str. 8 (B 75), ✆ 78 00, 🏊, 🌳 – ☎ 🚗 Ⓟ. [AE] [O] [E] [VISA]
Karte 25/50 – **41 Z : 75 B** 35/50 - 58/80 – P 54/75.

In Buchholz-Steinbeck :

🏨 **Zur Eiche**, Steinbecker Str. 111, ✆ 80 68, ⛱ – [TV] ☎ 🚗 Ⓟ 👥. [AE] [O] [E]. 🚫🐕 Rest
Karte 29/56 – **18 Z : 36 B** 75 - 100.

🏨 **Hoheluft**, Hoheluft 1, ✆ 3 17 00, 🌳 – 🚗 Ⓟ 👥. [AE] [E]
Karte 23/48 *(Samstag geschl.)* – **21 Z : 36 B** 38/68 - 60/98.

[BUCHING] Bayern siehe Halblech.

[BUCHLOE] 8938. Bayern [413] P 22, [987] ㊱ – 8 500 Ew – Höhe 627 m – ☏ 08241.

♦München 68 – ♦Augsburg 42 – Kempten (Allgäu) 60 – Memmingen 49.

🏨 **Hirsch**, Bahnhofstr. 57, ✆ 45 22 – 🚗 Ⓟ. 🚫🐕 Zim
✦ *23. Dez.- 9. Jan. geschl.* – Karte 19/32 *(Samstag - Sonntag geschl.)* – **19 Z : 26 B** 32/36 - 55/70.

[BÜCHLBERG] 8391. Bayern [413] X 20,21 – 3 200 Ew – Höhe 489 m – Erholungsort – Wintersport : ⛷2 – ☏ 08505.

ℹ Verkehrsamt, Hauptstr. 5 (Rathaus), ✆ 12 22.

♦München 192 – Freyung 21 – Passau 15.

🏨 **Zur Post**, Marktplatz 6, ✆ 12 10, ⛱, 🌳, 🐎 – Ⓟ
✦ *Anfang Nov.- Mitte Dez. geschl.* – Karte 15/29 *(Mitte Jan.- Mitte April Montag geschl.)* – **33 Z : 70 B** 31/35 - 54/62.

🏨 **Pension Beinbauer** ☘ garni, Pangerlbergstr. 5, ✆ 5 20, ♨, 🌳 – Ⓟ
Nov.- 20. Dez. geschl. – **28 Z : 50 B** 35 - 62.

🏨 **Gasthof Binder**, Freihofer Str. 6, ✆ 16 71, <, ⛱, ♨, 🌳 – 🛗 ☎ Ⓟ
✦ Karte 16/34 *(Donnerstag geschl.)* – **29 Z : 52 B** 46/53 - 64/68 – P 42.

BÜCKEBURG **3062.** Niedersachsen [987] ⑮ – 20 100 Ew – Höhe 60 m – ☎ 05722.
Sehenswert : Schloß (Fassade★).
[i] Städt. Verkehrsamt, Stadthaus 2, Lange Str. 45, ☎ 2 06 24.
♦Hannover 62 – Bielefeld 63 – ♦Bremen 106 – ♦Osnabrück 93.

Altes Forsthaus ⛰, Harrl 1a, ☎ 2 80 40, Fax 280444 – |$| [TV] ☎ [P] 🏔. [AE] [O] [E] [VISA]
Karte 31/59 – **42 Z : 54 B** 80/180 - 145/240 Fb.

🍴 Ratskeller, Bahnhofstr. 2, ☎ 40 96.

In Bückeburg-Röcke W : 5 km :

🍴🍴 **Große Klus**, Am Klusbrink 19, ☎ 62 48, bemerkenswerte Weinkarte, « Gemütlich-rustikale Einrichtung » – [P]
Donnerstag geschl. – Karte **25**/65.

In Bückeburg-Rusbend N : 7 km :

Schäferhof, Rusbender Str. 31, ☎ 44 70 – ☎ [P]
9 Z : 18 B.

In Luhden-Schermbeck **3061** SO : 6 km :

🍴🍴 **Landhaus Schinken-Kruse**, Steinbrink 10, ☎ (05722) 44 04, « Terrasse mit ≤ » – [P]. [AE] [O] [E]
Montag geschl. – Karte 27/60 (bemerkenswerte Weinkarte).

BÜCKEN **2811.** Niedersachsen – 2 300 Ew – Höhe 20 m – ☎ 04251.
♦Hannover 68 – ♦Bremen 56 – ♦Hamburg 122.

Thöle - Zur Linde, Dedendorf 33, ☎ 23 25, 🌳 – [P]. [AE] [E]
Karte 22/38 *(Sonntag ab 14 Uhr geschl.)* – **25 Z : 42 B** 28/50 - 46/80.

BÜDINGEN **6470.** Hessen [413] K 16, [987] ㉕ – 18 000 Ew – Höhe 130 m – Luftkurort – ☎ 06042.
Sehenswert : Stadtmauer★ – Schloß (Kapelle : Chorgestühl★).
[i] Städt. Verkehrsamt, Auf dem Damm 2, ☎ 30 91.
♦Wiesbaden 91 – ♦Frankfurt am Main 48 – Fulda 78.

Stadt Büdingen, Jahnstr. 16, ☎ 5 61, Telex 4102437, 🌳, ≘s, 🏊 – |$| ☎ [P] 🏔
52 Z : 96 B.

Haus Sonnenberg, Sudetenstr. 4, ☎ 30 51, 🌳 – ☎ [P] 🏔
13 Z : 21 B.

BÜDLICHERBRÜCK Rheinland-Pfalz siehe Trittenheim.

BÜHL **7580.** Baden-Württemberg [413] H 20, [987] ㉞, [242] ⑳ – 23 700 Ew – Höhe 135 m – ☎ 07223.
Ausflugsziel : Burg Altwindeck ≤★ SO : 4 km.
[i] Verkehrsamt, Hauptstr. 41, ☎ 28 32 33.
♦Stuttgart 117 – Baden-Baden 17 – Offenburg 41.

Wehlauer's Badischer Hof, Hauptstr. 36, ☎ 2 30 63, Telex 786121, Fax 23065, « Gartenterrasse » – |$| [TV] ☎ 🏔. [AE] [O] [E] [VISA]
Karte 37/89 – **25 Z : 46 B** 86/125 - 160/220 Fb.

Grüne Bettlad (Haus a.d. 17. Jh.), Blumenstr. 4, ☎ 2 42 38 – ☎. [E] [VISA]
Karte 50/76 *(Sonntag 14 Uhr - Montag, Juli - Aug. 2 Wochen und 22. Dez.- 14. Jan. geschl.)* – **8 Z : 15 B** 75/90 - 125/170.

Maja garni, Johannesplatz 8, ☎ 2 36 76 – [TV] ☎
11 Z : 15 B 50 - 90.

Adler, Johannesplatz 3, ☎ 2 46 22 – |$| 🚗
Karte 20/40 *(Freitag - Samstag 17 Uhr geschl.)* – **9 Z : 15 B** 38/50 - 75.

🍴🍴 **Gude Stub**, Dreherstr. 9, ☎ 84 80, 🌳, « Kleine Stuben im Bauernstil » – [AE] [E]. 🚫
Karte **33**/70 (Tischbestellung ratsam) 🍷.

In Bühl-Eisental :

🍴 **Zum Rebstock**, Weinstr. 2 (B 3), ☎ 2 42 45 – [P]. [O] [E] [VISA]. 🚫
1.- 15. Jan., 1.- 15. Aug. und Montag geschl. – Karte 37/55 *(auch vegetarische Gerichte)*.

In Bühl-Kappelwindeck :

Jägersteig ⛰, Kappelwindeckstr. 95a, ☎ 2 41 25, ≤ Bühl und Rheinebene, 🌳 – [P]
10. Jan.- 20. Feb. geschl. – Karte 26/54 *(Donnerstag geschl.)* – **12 Z : 24 B** 45/60 - 68/96.

🍴🍴 **Der Einsiedelhof** mit Zim, Kappelwindeckstr. 51, ☎ 2 12 76, 🌳 – 🚗 [P]
Feb. geschl. – Karte 25/55 *(Dienstag geschl.)* – **9 Z : 15 B** 38/46 - 68/86.

🍴 **Zum Rebstock** mit Zim, Kappelwindeckstr. 85, ☎ 2 21 09, 🌳, 🌳 – [P]
März geschl. – Karte 23/41 *(Mittwoch geschl.)* 🍷 – **6 Z : 10 B** 30 - 60.

In Bühl-Neusatz :

🏨 **Pension Linz** garni, Waldmattstr. 10, ☎ 2 52 06, ≤, 🚗, 🌲, ✂ – ☎ 🚗 🅿
11 Z : 19 B 38/50 - 78/88.

🍴🍴 **Traube**, Obere Windeckstr. 20 (Waldmatt), ☎ 2 16 42 – [D] E
wochentags nur Abendessen, Montag bis Dienstag sowie Jan. und Sept. jeweils 2 Wochen geschl. – Karte 37/63.

In Bühl-Rittersbach :

🍴🍴 Zur Blume mit Zim, Hubstr. 85, ☎ 2 21 04 – ☎ 🚗 🅿
13 Z : 23 B.

Siehe auch : ***Schwarzwaldhochstraße***

[BÜHL AM ALPSEE] Bayern siehe Immenstadt im Allgäu.

> Erfahrungsgemäß werden bei größeren Veranstaltungen, Messen und Ausstellungen in vielen Städten und deren Umgebung erhöhte Preise verlangt.

[BÜHLERTAL] **7582.** Baden-Württemberg [413] H 20, [57] ⑳ – 8 000 Ew – Höhe 500 m – Luftkurort – ☎ 07223 (Bühl).

[i] Verkehrsamt, Hauptstr. 92, ☎ 7 33 95.

♦Stuttgart 120 – Baden-Baden 20 – Strasbourg 51.

🏨 **Rebstock**, Hauptstr. 110, ☎ 7 38 18, 🌲, 🌲 – |♦| ☎ 🅿 🚶. [AE] [D] E
Mitte Feb.- Mitte März und Mitte Nov.- Mitte Dez. geschl. – Karte 28/63 – **21 Z : 50 B** 50/70 - 90/120 Fb.

🏨 **Grüner Baum**, Hauptstr. 31, ☎ 7 22 06, 🌲 – 🚗 🅿 🚶. [AE]
Karte 20/45 – **50 Z : 80 B** 50/55 - 90/100.

🏠 **Zur Laube**, Hauptstr. 72, ☎ 7 22 30 – 🅿. ✂
Ende Okt.- Mitte Nov. geschl. – Karte 18/34 *(Montag geschl.)* – **10 Z : 15 B** 32 - 60.

In Bühlertal-Obertal :

🏨 **Schwarzwaldmädel**, Längenbergweg 2, ☎ 78 36, 🌲 – 🚗 🅿. [AE] E [VISA]
Nov. geschl. – Karte 26/48 *(Montag geschl.)* – **14 Z : 25 B** 47/50 - 80/96 – P 72/82.

[BÜHLERZELL] **7161.** Baden-Württemberg [413] M 19, 20 – 1 700 Ew – Höhe 391 m – Erholungsort – ☎ 07974.

♦Stuttgart 84 – Aalen 42 – Schwäbisch Hall 23.

🏠 **Goldener Hirsch**, Heilbergerstr. 2, ☎ 3 86 – 🅿
Mitte Jan.- Anfang Feb. geschl. – Karte 16/35 *(Donnerstag geschl.)* – **8 Z : 15 B** 32 - 60 – P 48.

[BÜNDE] **4980.** Nordrhein-Westfalen [987] ⑭ – 41 800 Ew – Höhe 70 m – ☎ 05223.

[i] Verkehrsamt, Rathaus, Bahnhofstr. 15, ☎ 16 12 12.

♦Düsseldorf 203 – Bielefeld 23 – ♦Hannover 97 – ♦Osnabrück 46.

🏨 City-Hotel - Restaurant zur alten Post, Kaiser-Wilhelm-Str. 2, ☎ 1 00 96, Telex 9313141 – |♦| [TV] ☎ 🅿 🚶
54 Z : 106 B Fb.

In Bünde 1-Ennigloh :

🏨 **Parkhotel Sonnenhaus**, Borriesstr. 29, ☎ 4 29 69, 🌲 – [TV] ☎ 🚗 🅿 🚶. [AE] [D] E [VISA]
Karte 29/56 *(Sonntag geschl.)* – **18 Z : 20 B** 66/70 - 100 Fb.

🍴 **Waldhaus Dustholz**, Ellersiekstr. 81, ☎ 6 16 06, 🌲 – 🅿. [AE]
Montag geschl. – Karte 25/54.

[BÜRCHAU] Baden-Württemberg siehe Neuenweg.

[BÜREN] **4793.** Nordrhein-Westfalen [987] ⑭ ⑮ – 18 000 Ew – Höhe 232 m – ☎ 02951.

♦Düsseldorf 152 – ♦Kassel 92 – Paderborn 29.

🏨 **Kretzer**, Wilhelmstr. 2, ☎ 24 43 – ☎ 🅿. [D] E
Juli - Aug. 3 Wochen geschl. – Karte 18/40 *(Mittwoch ab 14 Uhr geschl.)* – **15 Z : 24 B** 30/35 - 55/60.

🏠 **Ackfeld**, Bertholdstr. 9, ☎ 22 04 – 🚗. E
Karte 16/38 *(Samstag geschl.)* – **16 Z : 26 B** 28/30 - 56/60.

[BÜRGSTADT] 8768. Bayern [413] K 17 – 3 850 Ew – Höhe 130 m – ☎ 09371 (Miltenberg).

♦München 352 – Aschaffenburg 43 – Heidelberg 79 – ♦Würzburg 76.

- **Weinhaus Stern**, Hauptstr. 23, ☎ 26 76, « Weinlaube », – ☎ P
  Feb. 2 Wochen geschl. – Karte 29/52 *(Donnerstag - Freitag 18 Uhr geschl.)* – **10 Z : 17 B** 38 - 68/98.
- 🍴 **Centgraf-Anker** mit Zim, Josef-Ulrich-Str. 19, ☎ 21 29, – P
  Karte 16/39 *(Donnerstag bis 18 Uhr geschl.)* – **10 Z : 20 B** 33/38 - 58/80.

[BÜRSTADT] 6842. Hessen [413] I 18, [987] ㉔ ㉕ – 15 000 Ew – Höhe 90 m – ☎ 06206.

♦Wiesbaden 73 – ♦Frankfurt am Main 65 – ♦Mannheim 21 – Worms 7.

- **Berg - Restaurant St. Michael**, Vinzenzstr. 6, ☎ 60 65 (Hotel) 7 17 94 (Rest.), – [TV] ☎ P. [DC] E [VISA]
  Karte 29/50 *(Samstag bis 17 Uhr und 30. Jan.- 17. Feb. geschl.)* – **30 Z : 55 B** 65/80 - 98/130 Fb.

In Bürstadt-Bobstadt N : 3 km :

- Bergsträsser Hof, Mannheimer Str. 2, ☎ (06245) 80 94 – ☎
  13 Z : 20 B.

[BÜSINGEN] 7701. Baden-Württemberg [413] J 23, [427] ⑥, [216] ⑧ – Deutsche Exklave im Schweizer Hoheitsgebiet, Schweizer Währung (sfrs) – 1 300 Ew – Höhe 421 m – ☎ 07734 (Gailingen).

♦Stuttgart 167 – ♦Konstanz 42 – Schaffhausen 5 – Singen (Hohentwiel) 15.

- 🍴🍴🍴 ✿ **Alte Rheinmühle** mit Zim (ehemalige Mühle a.d.J. 1664), Junkerstr. 93, ☎ 60 76, Telex 793788, Fax 420, ≤, – ☎ P. [AE] [DC] E
  1.- 15. Jan. geschl. – Karte 60/95 (Tischbestellung erforderlich) – **16 Z : 32 B** 80/100 - 160/180
  Spez. Bachsaibling in Schnittlauchsauce, Kalbsfilet mit Morchelsauce, Tournedos "Maison".
- 🍴 **Hauenstein**, Schaffhauser Str. 69 (W : 2,5 km), ☎ 62 77, ≤ – P
  Montag - Dienstag sowie Jan., Juni und Okt. je 2 Wochen geschl. – Karte 32/50 (Tischbestellung ratsam).

[BÜSUM] 2242. Schleswig-Holstein [987] ④ – 6 000 Ew – Nordseeheilbad – ☎ 04834.

Büsumer Warwerort (O : 8 km), ☎ (04834) 63 00.

Kurverwaltung, ☎ 80 01.

♦Kiel 102 – Flensburg 103 – Meldorf 25.

- **Strandhotel Hohenzollern**, Strandstr. 2, ☎ 22 93 – [TV] ☎ P. [AE]
  Nov.- 20. Dez. geschl., 5. Jan.- Feb. garni – Karte 26/53 – **43 Z : 81 B** 61/135 - 122/142 Fb – P 90/100.
- **Zur Alten Apotheke** garni, Hafenstr. 10, ☎ 20 46 – [TV] ☎ P.
  März-Okt. – **15 Z : 30 B** 100 - 130 Fb.
- **Strandhotel Erlengrund**, Nordseestr. 100 (NW : 2 km), ☎ 20 71, – [TV] P
  21.- 26. Dez. geschl. – Karte 25/48 – **47 Z : 84 B** 49/118 - 98/154 – P 86/108.
- **Windjammer**, Dithmarscher Str. 17, ☎ 60 10 – [TV] ☎ P. [AE] [DC] E [VISA]
  20. Jan.- Feb. und 20. Nov.- 20. Dez. geschl. – Karte 25/47 – **17 Z : 33 B** 71/132 - 142/146 Fb.
- **Friesenhof**, Nordseestr. 66, ☎ 20 95, – ☎ P. [AE] [DC] E
  9. Jan.- 12. Feb. geschl. – Karte 27/62 – **33 Z : 60 B** 84/100 - 134/142 Fb – P 101/118.
- **Seegarten**, Strandstr. 3, ☎ 60 20, ≤ – ☎ P. [DC] E [VISA]. Zim
  Mitte März - Okt. – Karte 35/58 – **23 Z : 39 B** 60/70 - 120/150 – 21 Fewo 90/140 – P 102/117.
- **Stadt Hamburg**, Kirchenstr. 11, ☎ 20 85, – [TV] P. Zim
  21.- 26. Dez. geschl. – Karte 20/45 – **47 Z : 69 B** 36/53 - 64/91 – P 64/81.
- Pension Dorn, Deichstr. 15, ☎ 20 15, – [TV] ☎ P. Rest
  (Restaurant nur für Hausgäste) – **31 Z : 45 B** Fb.
- Zur Alten Post, Hafenstr. 2, ☎ 23 92, « Dithmarscher Bauernstube » – P
  29 Z : 52 B.

In Büsumer Deichhausen 2242 O : 2 km :

- **Dohrn's Rosenhof**, To Wurth, ☎ (04834) 20 54, « Gartenterrasse », Fahrradverleih – [TV] ☎ P. [AE] E
  15. März - Okt. – Karte 30/56 – **23 Z : 45 B** 77 - 138 Fb – 3 Appart. 238.
- **Deichgraf**, Achtern Dieck 14, ☎ (04834) 22 71, – P. [AE]
  Mitte März - Mitte Okt. – Karte 26/48 – **22 Z : 40 B** 46/53 - 78/92 Fb – 2 Fewo 75 – P 74.

In Westerdeichstrich 2242 N : 3 km :

- Der Mühlenhof, Dorfstr. 22, ☎ (04834) 20 61, « Restaurant in einer ehemaligen Windmühle », – [TV] ☎ P.
  nur Saison – **16 Z : 32 B** – 8 Fewo.

BÜTTELBORN 6087. Hessen 413 I 17 – 10 000 Ew – Höhe 85 m – ☎ 06152.
♦Wiesbaden 35 – ♦Darmstadt 12 – ♦Frankfurt am Main 35 – Mainz 28 – ♦Mannheim 56.

Haus Monika, an der B 42 (O : 1,5 km), ✆ 50 82 – ☎ P
24. Dez.- 2. Jan. geschl. – Karte 19/44 *(Freitag 15 Uhr - Samstag und Juli 2 Wochen geschl.)* – **28 Z : 42 B** 55 - 86.

An der Autobahn A 67 :

Raststätte Büttelborn Süd, ✉ 6087 Büttelborn, ✆ (06152) 50 16 – P
22 Z : 42 B.

BÜTZFLETH Niedersachsen siehe Stade.

BUFLINGS Bayern siehe Oberstaufen.

BUGGINGEN Baden-Württemberg siehe Heitersheim.

Europe

Si le nom d'un hôtel figure en petits caractères demandez, à l'arrivée, les conditions à l'hôtelier.

BURBACH 5909. Nordrhein-Westfalen 987 ㉔ – 14 200 Ew – Höhe 370 m – ☎ 02736.
♦Düsseldorf 145 – ♦Köln 108 – Limburg an der Lahn 45 – Siegen 21.

In Burbach-Holzhausen O : 8 km :

XX **D'r Fiester-Hannes**, Flammersbacher Str. 7, ✆ 39 33, « Restauriertes Fachwerkhaus a.d. 17. Jh. mit geschmackvoller Einrichtung » – AE O E.
Dienstag und Feb. 2 Wochen geschl. – Karte 49/82.

In Burbach-Wahlbach NW : 2 km :

Gilde-Hotel Bechtel, Heisterner Weg 49, ✆ 66 73, – P. E.
17. Dez.- 8. Jan. geschl. – Karte 17,50/35 *(Samstag geschl.)* – **17 Z : 28 B** 38/58 - 68/100 – P 48/68.

In Burbach-Wasserscheide O : 5,5 km :

Haus Wasserscheide, Dillenburger Str. 66, ✆ 80 68, Biergarten – ☎ P. E
Karte 23/50 *(Samstag bis 16 Uhr geschl.)* – **14 Z : 22 B** 35/57 - 70/105.

BURG Schleswig-Holstein siehe Fehmarn (Insel).

BURG (KREIS DITHMARSCHEN) 2224. Schleswig-Holstein – 4 000 Ew – Höhe 46 m – Luftkurort – ☎ 04825.
♦Kiel 87 – Flensburg 114 – ♦Hamburg 78.

Riedel, Nantzstr. 3, ✆ 81 34 – ☎. AE O E
Karte 22/38 *(Okt.- Mai Samstag geschl.)* – **14 Z : 22 B** 45 - 80.

BURG/MOSEL Rheinland-Pfalz siehe Enkirch.

BURGBERG IM ALLGÄU 8978. Bayern 413 N 24 – 2 750 Ew – Höhe 750 m – Wintersport : 750/900 m 1 2 – ☎ 08321 (Sonthofen).
Verkehrsbüro, Rathaus, Grüntenstr. 2, ✆ 8 48 10.
♦München 145 – Kempten (Allgäu) 26 – Oberstdorf 16.

XX **Burgberger Stuben**, Bergstr. 2, ✆ 8 74 10 – P. O
Dienstag geschl. – Karte **29**/56.

BURGDORF 3167. Niedersachsen 987 ⑮ – 28 000 Ew – Höhe 56 m – ☎ 05136.
18 Burgdorf-Ehlershausen, ✆ (05085) 76 28.
♦Hannover 25 – ♦Braunschweig 52 – Celle 24.

In Burgdorf-Hülptingsen O : 3 km :

Sporting-Hotel, Tuchmacherweg 20 (B 188), ✆ 8 50 51, Telex 921553, (Halle) – TV ☎ P. AE O E VISA
Karte 29/55 – **15 Z : 30 B** 59 - 101 Fb.

BURGEBRACH 8602. Bayern 413 P 17 – 4 800 Ew – Höhe 269 m – ☎ 09546.
♦München 227 – ♦Bamberg 15 – ♦Nürnberg 56 – ♦Würzburg 66.

Gasthof u. Gästehaus Goldener Hirsch, Hauptstr. 14, ✆ 12 27, , , – P. Zim
24. Dez.- 5. Jan. geschl. – Karte 14/26 *(Freitag geschl.)* – **58 Z : 100 B** 28/40 - 50/68.

BURGHASLACH 8602. Bayern 413 O 17 – 2 100 Ew – Höhe 300 m – ☎ 09552 (Schlüsselfeld).
♦München 229 – ♦Bamberg 46 – ♦Nürnberg 58 – ♦Würzburg 59.

Pension Talblick garni, Fürstenforster Str. 32, ☎ 17 70, ←, – P
10 Z : 23 B 25 - 50.

Rotes Ross, Kirchplatz 5, ☎ 3 74 – P
6. Jan.- 5. Feb. geschl. – Karte 16,50/26 – **16 Z : 28 B** 24/28 - 50.

In Burghaslach-Oberrimbach W : 5 km :

Steigerwaldhaus, ☎ 8 58, – P. AE E
31. Juli - 15. Aug. und 13. Nov.- 9. Dez. geschl. – Karte 22/45 *(Dienstag geschl.)* – **18 Z : 40 B** 24/32 - 44/56.

BURGHAUSEN 8263. Bayern 413 V 22, 987 ㊳, 426 ⑲ – 17 500 Ew – Höhe 350 m – ☎ 08677.
Sehenswert : Lage** der Burg**.
Marktl, Falkenhof 1 (N : 13 km), ☎ (08678) 2 07.
Verkehrsamt, Rathaus, Stadtplatz 112, ☎ 24 35.
♦München 110 – Landshut 78 – Passau 81 – Salzburg 58.

Bayerische Alm, Unghauserstr. 53, ☎ 20 61, Terrasse mit ←, – TV ☎ P. E.
Karte 23/55 *(Freitag geschl.)* – **20 Z : 40 B** 75/90 - 95/130 Fb.

Post, Stadtplatz 39, ☎ 30 44, – TV ☎ . AE E VISA
27. Dez.- Mitte Jan. geschl. – Karte 19/49 *(Freitag geschl.)* – **37 Z : 70 B** 60/75 - 85/115 Fb.

Glöcklhofer, Ludwigsberg 4, ☎ 70 24, Biergarten, (geheizt), – TV ☎ P. AE E VISA
Karte 22/49 – **58 Z : 80 B** 45/78 - 80/140.

Salzach garni, Hans-Stiglocher-Str. 11, ☎ 70 18, ← – TV ☎ P. E
15 Z : 30 B 60/75 - 95/105 Fb.

Burghotel, Marktler Str. 2, ☎ 70 38, – P. AE E VISA
Karte 26/50 – **30 Z : 52 B** 35/55 - 78/90.

Lindacher Hof, Mehringer Str. 47, ☎ 45 45 – P. AE E
Karte 21/38 *(Dienstag geschl.)* – **42 Z : 58 B** 36/45 - 70/90.

In Burghausen-Raitenhaslach SW : 5 km :

Klostergasthof Raitenhaslach, ☎ 70 62, , Biergarten, « Modernisierter Brauereigasthof a.d. 16. Jh. » – TV ☎ P
14 Z : 26 B Fb.

BURGKUNSTADT 8622. Bayern 413 Q 16, 987 ㉖ – 7 000 Ew – Höhe 281 m – ☎ 09572.
♦München 273 – ♦Bamberg 48 – Bayreuth 38 – Coburg 34.

Drei Kronen, Lichtenfelser Str. 24, ☎ 8 18 – P.
Karte 14/25 – **52 Z : 99 B** 26/35 - 52/70.

Gampertbräu, Bahnhofstr. 22, ☎ 14 67, – P. Zim
Jan. geschl. – Karte 18/42 *(Montag geschl.)* – **6 Z : 10 B** 35 - 70.

In Altenkunstadt 8621 S : 2 km :

Gondel, Marktplatz 7, ☎ (09572) 6 61, « Restaurant mit rustikaler Einrichtung » – TV ☎ P. E
Karte 28/56 *(Freitag 14 Uhr - Samstag 17 Uhr und 2.- 9. Jan. geschl.)* – **37 Z : 65 B** 48/65 - 78/125.

BURGLENGENFELD 8412. Bayern 413 ST 19, 987 ㉗ – 10 300 Ew – Höhe 347 m – ☎ 09471.
Ausflugsziel : Kallmünz (Burgruine ←*) SW : 9 km.
Schmidmühlen (NW : 11 km), ☎ (09474) 7 01.
♦München 149 – Amberg 34 – ♦Nürnberg 90 – ♦Regensburg 27.

Gerstmeier, Berggasse 5, ☎ 52 44 – ☎ P
(nur Abendessen) – **27 Z : 43 B**.

Zu den 3 Kronen, Hauptstr. 1, ☎ 52 81 – P
1.- 8. März, 25. Sept.- 5. Okt. und Mittwoch geschl. – Karte 16/30.

BURGTHANN 8501. Bayern 413 Q 18 – 9 500 Ew – Höhe 440 m – ☎ 09183.
♦München 159 – ♦Nürnberg 24 – ♦Regensburg 79.

Blaue Traube mit Zim, Schwarzachstr. 7, ☎ 5 55, – ☎
8 Z : 13 B.

BURGWALD 3559. Hessen – 4 900 Ew – Höhe 230 m – ☎ 06457.
♦Wiesbaden 145 – ♦Kassel 90 – Marburg 24 – Paderborn 111 – Siegen 82.

In Burgwald-Ernsthausen :

Burgwald-Stuben, Marburger Str. 25 (B 252), ☎ 80 66 – P. AE
Mittwoch geschl. – Karte 36/72.

[BURGWEDEL] 3006. Niedersachsen – 19 500 Ew – Höhe 58 m – ☎ 05139.

♦Hannover 22 – ♦Bremen 107 – Celle 28 – ♦Hamburg 137.

In Burgwedel 1-Grossburgwedel [987] ⑮ :

Springhorstsee 🐦, Am Springhorstsee (NW : 1,5 km, Richtung Bissendorf), ✆ 70 88 (Hotel) 33 47 (Rest.), ≤, 🌳 – 📺 ☎ 🅿
Karte 31/65 *(wochentags nur Abendessen, Montag geschl.)* – **20 Z : 30 B** 75 - 120/150 Fb.

Marktkieker garni, Am Markt 7, ✆ 70 93, « Modernes Hotel in einem 300 Jahre alten Fachwerkhaus » – 📺 ☎ 🅿. [AE]
Weihnachten - Anfang Jan. geschl. – **12 Z : 20 B** 78/88 - 123/164 Fb.

Oetting, Dammstr. 18, ✆ 25 09 – 🅿
Mitte Dez.-Mitte Jan. geschl. – Karte 22/40 *(Freitag geschl.)* – **28 Z : 40 B** 48/70 - 80/105 Fb.

In Burgwedel 5-Wettmar :

Remise, Hauptstr. 31, ✆ 33 33, « Ehem. Remise, eingerichtet mit alten ostfriesischen Möbeln » – 🅿
wochentags nur Abendessen, Dienstag und Juni- Juli 3 Wochen geschl. – Karte 38/65 (Tischbestellung ratsam).

[BURLADINGEN] 7453. Baden-Württemberg [413] K 22 – 11 800 Ew – Höhe 722 m – ☎ 07475.

♦Stuttgart 78 – ♦Freiburg im Breisgau 173 – ♦Ulm (Donau) 92.

In Burladingen 9-Gauselfingen SO : 4,5 km :

Wiesental, Gauzolfstr. 23, ✆ 75 35 – 🚗 🅿
Nov. geschl. – Karte 16/40 *(Donnerstag geschl.)* 🍷 – **16 Z : 21 B** 30/40 - 52/60.

In Burladingen 4-Killer NW : 6 km :

Lamm, Bundesstr. 1 (B 32), ✆ (07477) 10 88 – ☎ 🚗 🅿
Karte 23/50 *(Freitag geschl.)* – **13 Z : 23 B** 32/38 - 64/76.

In Burladingen 7-Melchingen N : 12 km :

Gästehaus Hirlinger 🐦 garni, Falltorstr. 9, ✆ (07126) 5 55, [≘s], 🌳 – 🚗 🅿
14 Z : 26 B 30/35 - 60/62.

[BURSCHEID] 5093. Nordrhein-Westfalen [987] ㉔ – 16 500 Ew – Höhe 200 m – ☎ 02174.

♦Düsseldorf 42 – ♦Köln 26 – Remscheid 19.

Schützenburg, Hauptstr. 116 (B 232), ✆ 56 18, [🏊] – 📺 ☎ 🅿 🏋
Karte 27/60 *(14. Juli - 13. Aug. und Freitag - Samstag 17 Uhr geschl.)* – **26 Z : 36 B** 50/90 - 100/140 Fb.

In Burscheid 2-Hilgen NO : 4 km :

Heyder, Kölner Str. 94 (B 51), ✆ 50 91, [🏊] – 📺 ☎ 🚗 🅿. 🚫
15. Juli - 5. Aug. und 23. Dez.- 2. Jan. geschl. – Karte 33/60 *(Samstag geschl.)* – **25 Z : 34 B** 42/80 - 75/130.

[BUSECK] 6305. Hessen [413] J 15 – 11 700 Ew – Höhe 160 m – ☎ 06408.

♦Wiesbaden 91 – Gießen 10 – Marburg 30.

In Buseck-Oppenrod SO : 5,5 km :

Lohberg - Restaurant Pfeffermühle 🐦, Turmstr. 3, ✆ 30 31 – ☎ 🚗 🅿 🏋 – **13 Z : 18 B.**

[BUSENBACH] Baden-Württemberg siehe Waldbronn.

[BUTJADINGEN] 2893. Niedersachsen – 6 400 Ew – Höhe 3 m – ☎ 04733.

[i] Kurverwaltung, Strandallee (Burhave), ✆ 16 16.

♦Hannover 214 – ♦Bremerhaven 15 – ♦Oldenburg 67.

In Butjadingen 1-Fedderwardersiel – Seebad :

Zur Fischerklause 🐦, Sielstr. 16, ✆ 3 62, 🌳 – 🅿
Karte 23/44 *(Dienstag geschl.)* – **17 Z : 29 B** 39/45 - 65/85.

In Butjadingen 3-Ruhwarden :

Schild's Hotel 🐦 (mit Gästehäusern), Butjadinger Str. 8, ✆ (04736) 2 25 (Hotel) 2 18 (Rest.), [≘s], 🏊 (geheizt), 🌳, Fahrradverleih – 🅿. 🚫 Zim
Rest. 10. Jan.- 10. Feb., Hotel Okt.- Ostern geschl. – Karte 25/60 *(Mittwoch geschl.)* – **68 Z : 160 B** 40/55 - 76/88.

In Butjadingen 2-Stollhamm :

Rolands-Eck mit Zim, Hauptstr. 34, ✆ (04735) 2 48 – ☎ 🅿 🏋. 🚫 Zim – **7 Z : 14 B.**

In Butjadingen 3-Tossens – Seebad :

Strandhof 🐦, Strandallee 35, ✆ 12 71, Bade- und Massageabteilung, [≘s], 🌳 – 📺 ☎ 🅿 🏋
Karte 19/49 – **19 Z : 38 B** 45/69 - 80/88 – 18 Fewo 80/120 – P 58.

[BUTZBACH] 6308. Hessen [413] IJ 15, [987] ㉕ – 21 500 Ew – Höhe 205 m – ☎ 06033.
♦Wiesbaden 71 – ♦Frankfurt am Main 42 – Gießen 23.

🏨 **Garni Römer**, Jakob-Rumpf-Str. 2, ✆ 69 63 – [lift] ☎ [P]. [AE] [D] [E] [VISA]
30 Z : 60 B 75 - 140 Fb.

🏨 **Hessischer Hof** garni, Weiseler Str. 43, ✆ 41 38 – [lift] ☎ 🚗 [P]
34 Z : 50 B 55/65 - 95/120.

🍴 **Zum Roßbrunnen** (Italienische Küche), Am Roßbrunnen 2, ✆ 6 51 99, ⛱ – [AE] [D] [E]
Karte 27/49.

In Butzbach-Griedel O : 2 km :

🍴🍴 **Wetterau**, Hauptstr. 51, ✆ 6 06 00 – [AE] [D] [E] [VISA]
Samstag bis 18 Uhr, Montag und Juli - Aug. 3 Wochen geschl. – Karte 53/75.

In Lang-Göns - Espa **6308** W : 8 km über Butzbach-Hausen :

🏨 **Kleehof** 🌿, Höhenstr. 29, ✆ (06033) 23 60, ≤, ⛱ – ☎ [P]
✈ *5.- 31. Jan. geschl.* – Karte 18/45 *(wochentags nur Abendessen, Montag geschl.)* – **9 Z : 18 B** 40 - 70.

[BUXHEIM] Bayern siehe Memmingen.

[BUXTEHUDE] 2150. Niedersachsen [987] ⑤ – 33 000 Ew – Höhe 5 m – ☎ 04161.
Ausflugsziel : Jork : Bauernhäuser★, NW : 9 km.
⛳18 Zum Lehmfeld 1 (S : 4 km), ✆ (04161) 8 13 33 ; ⛳9 Ardestorfer Weg 1 (SO : 6 km), ✆ (04161) 8 76 99.
[i] Stadtinformation, Lange Str. 4, ✆ 50 12 97.
♦Hannover 158 – ♦Bremen 99 – Cuxhaven 93 – ♦Hamburg 37.

🏨 **Zur Mühle**, Ritterstr. 16, ✆ 5 06 50 – [lift] [TV] ☎. [AE] [D] [E] [VISA]. 🐕
Karte 41/66 *(Dienstag geschl.)* – **30 Z : 51 B** 72/99 - 99/150 Fb.

In Buxtehude-Hedendorf W : 5 km :

🍴🍴 **Zur Walhalla**, Harsefelder Str. 39, ✆ (04163) 20 55, ⛱, « Mehrere Stuben mit verschiedenen Einrichtungen » – [P] 🎪. [AE] [D] [E]
Karte 29/58.

In Buxtehude 1-Neukloster W : 4 km :

🏨 **Seeburg**, Cuxhavener Str. 145 (B 73), ✆ 8 20 71, ≤, « Gartenterrasse », Fahrradverleih – ☎ 🚗 [P] 🎪. [D] [E]
Karte 28/64 – **14 Z : 21 B** 65/80 - 110 Fb.

In Jork **2155** NW : 9 km :

🍴🍴 **Herbstprinz**, Osterjork 76, ✆ (04162) 74 03, « Ehem. Altländer Bauernhaus mit antiker Einrichtung » – [P]. [AE] [D] [E] [VISA]
Montag geschl. – Karte 33/61.

[CADENBERGE] 2175. Niedersachsen [987] ⑤ – 3 200 Ew – Höhe 8 m – ☎ 04777.
♦Hannover 218 – ♦Bremerhaven 56 – Cuxhaven 33 – ♦Hamburg 97.

🏨 Eylmann's Hotel, Bergstr. 5, ✆ 2 21 – [lift] [TV] ☎ 🚗 [P] 🎪 – **31 Z : 55 B.**

[CADOLZBURG] 8501. Bayern [413] P 18 – 8 000 Ew – Höhe 351 m – ☎ 09103.
♦München 179 – Ansbach 30 – ♦Nürnberg 19 – ♦Würzburg 87.

In Cadolzburg-Egersdorf O : 2 km :

🏨 Grüner Baum 🌿, Dorfstr. 11, ✆ 9 21, ⛱ – ☎ [P] – **27 Z : 48 B** Fb.

[CALDEN] Hessen siehe Kassel.

[CALW] 7260. Baden-Württemberg [413] J 20, [987] ㉟ – 22 500 Ew – Höhe 395 m – ☎ 07051.
[i] Kurverwaltung, Rathaus Hirsau, ✆ 56 71.
♦Stuttgart 47 – Freudenstadt 66 – Pforzheim 26 – Tübingen 40.

🏠 **Zum Rößle**, Hermann-Hesse-Platz 2, ✆ 3 00 52 – ☎ 🚗
Karte 24/41 *(Freitag geschl.)* – **21 Z : 32 B** 32/68 - 68/103.

🍴 **Zum Rappen** mit Zim, Bahnhofstr. 8, ✆ 21 64 – ☎ [P]. [E]
Karte 23/46 *(Samstag geschl.)* 🍷 – **9 Z : 11 B** 29/50 - 65/70.

In Calw-Hirsau N : 2,5 km – Luftkurort :

🏨 **Kloster Hirsau**, Wildbader Str. 2, ✆ 56 21, Telex 726145, ♨, [🏊], 🎾 – [lift] ☎ 🚗 [P] 🎪. [D] [E]
Karte 38/72 *(Montag geschl.)* – **42 Z : 71 B** 65/80 - 130/140 Fb – P 105/115.

In Calw - Stammheim SO : 4,5 km :

🍴🍴 **Adler** mit Zim, Hauptstr. 16, ✆ 42 87, ⛱ – [TV] ☎ [P]. 🐕
Karte 41/72 – **18 Z : 35 B** 60 - 100.

[CAMBERG, BAD] 6277. Hessen [413] Hl 16, [987] ㉔ – 12 000 Ew – Höhe 200 m – Kneippheilbad – ☎ 06434.

[i] Städt. Kurverwaltung, Am Amthof 6, ☎ 60 05.

♦Wiesbaden 37 – ♦Frankfurt am Main 61 – Limburg an der Lahn 17.

- **Panorama** garni, Priessnitzstr. 6, ☎ 63 96,
  14 Z : 22 B 50/70 - 85/95.

An der Hochtaunusstraße O : 2 km :

- **Waldschloß**, ✉ 6277 Bad Camberg, ☎ (06434) 60 96, – [TV] ☎ [P]. [AE] [D] [E]
  Karte 24/59 – **17 Z : 30 B** 50/85 - 80/185 Fb.

An der Autobahn A 3 W : 4 km :

- **Rasthaus und Motel Camberg**, (Westseite), ✉ 6277 Bad Camberg, ☎ (06434) 60 66, ≤ – ☎ [P]
  Karte 23/51 – **27 Z : 51 B** 68/82 - 114.

[CARTHAUSEN] Nordrhein-Westfalen siehe Halver.

[CASSEL] = Kassel.

[CASTROP-RAUXEL] 4620. Nordrhein-Westfalen [987] ⑭ – 80 000 Ew – Höhe 55 m – ☎ 02305.

Siehe Ruhrgebiet (Übersichtsplan).

♦Düsseldorf 73 – Bochum 12 – ♦Dortmund 12 – Münster (Westfalen) 56.

- 🍴🍴🍴 ✿ **Haus Goldschmieding**, Ringstr. 97, ☎ 3 29 31 – [P]. [AE] [D] [E]
  Samstag bis 18 Uhr und Montag geschl. – Karte 51/86
  Spez. Sülze vom Tafelspitz mit Trüffelvinaigrette, Edelfische in zwei Saucen, Lammrücken mit Kräutern auf Bordeauxsauce.

[CELLE] 3100. Niedersachsen [987] ⑮ – 71 500 Ew – Höhe 40 m – ☎ 05141.

Sehenswert : Altstadt★★ – Schloß (Hofkapelle★) Y.

Ausflugsziel : Wienhausen (Kloster★) ③ : 10 km.

Celle-Garßen (über ②), ☎ (05086) 3 95.

[i] Verkehrsverein, Schloßplatz 6a, ☎ 2 30 31 – ADAC, Nordwall 1a, ☎ 10 60, Notruf ☎ 1 92 11.

♦Hannover 45 ④ – ♦Bremen 112 ⑤ – ♦Hamburg 117 ①.

Stadtplan siehe nächste Seite.

- ✿ **Fürstenhof - Restaurant Endtenfang**, Hannoversche Str. 55, ☎ 20 10, Telex 925293, Fax 201120, « Historisches Palais mit Hotelanbau », – [TV] [P] [AE] [D] [E]. Rest — Z e
  Karte 65/88 – **Kutscherstube** *(nur Abendessen, Sonntag geschl.)* Karte 33/52 – **75 Z : 110 B** 98/190 - 180/380 Fb – 3 Appart. 400
  Spez. Gurkensuppe mit Krebsen (Mai - Sept.), Entengerichte, Heidschnuckenrücken mit Senfsauce.
- **Borchers** garni, Schuhstr. 52 (Passage), ☎ 70 61 – [TV] ☎. [AE] [D] [E] — Y f
  19 Z : 37 B 90/145 - 130/190 Fb.
- **Nordwall** garni, Nordwall 4, ☎ 2 90 77 – [TV] ☎ [P]. [AE] [D] [E] — Y a
  20 Z : 35 B 85/135 - 105/190 Fb.
- **Bacchus**, Bremer Weg 132a, ☎ 5 20 31 – [TV] ☎ [P]. [AE] [D] [E] [VISA]
  Karte 25/46 *(nur Abendessen)* – **15 Z : 28 B** 65/72 - 118. — über Bremer Weg Y
- **Atlantik** garni, Südwall 12a, ☎ 2 30 39 – ☎. [AE] [D] [E] [VISA] — Y b
  20. Dez.- 15. Jan. geschl. – **15 Z : 25 B** 72/148 - 95/168 Fb.
- 🍴🍴 **Städtische Union Celle**, Thaerplatz 1, ☎ 60 96, – [P]. [AE] [D] [E] — Z u
  Sonntag 19 Uhr - Montag geschl. – Karte 32/58.
- 🍴🍴 **Historischer Ratskeller**, Markt 14, ☎ 2 90 99 – [AE] [E] — Y R
  3.- 19. Jan. und Dienstag geschl. – Karte 36/71.
- 🍴🍴 **Zum Kanonier**, Schuhstr. 52 (Passage), ☎ 2 40 60 – . [AE] [D] [E] [VISA] — Y f
  Mittwoch geschl. – Karte 30/52.
- 🍴 **Schwarzwaldstube**, Bergstr. 14, ☎ 21 73 41 – [D] [E] [VISA] — Y r
  Montag - Dienstag geschl. – Karte 31/57.

In Celle-Altencelle ③ : 3 km :

- **Schaperkrug**, Braunschweiger Heerstr. 85 (B 214), ☎ 8 30 91, Telex 925227 – ☎ [P]. [AE] [D] [E] [VISA]
  Karte 27/58 *(Sonntag ab 14 Uhr geschl.)* – **34 Z : 59 B** 65/95 - 100/160 Fb.

In Celle-Groß Hehlen ① : 4 km :

- **Celler Tor**, Celler Str. 13 (B 3), ☎ 5 10 11, – [TV] [P]. [AE] [D] [E] [VISA]
  Karte 31/60 *(Sonn- und Feiertage ab 15 Uhr geschl.)* – **55 Z : 100 B** 88/105 - 155/175 Fb.

In Nienhagen 3101 S : 10 km über ④ :

- 🍴🍴 **Jahnstuben**, Jahnring 13, ☎ (05144) 31 11 – [P]. [E]
  Montag und Juli - Aug. 3 Wochen geschl. – Karte 30/69.

CELLE

Großer Plan	Y	8
Hehlentorstraße	Y	9
Markt	Y	18
Poststraße	Y	27
Schuhstraße	Y	33
Zöllnerstraße	Y	42
Am Heiligen Kreuz	Y	3
Bergstraße	Y	4
Brandplatz	Y	5
Braunhirschstr.	Y	6
Braunschweiger Heerstraße	Z	7
Kalandgasse	Y	12
Kanzleistraße	Y	13
Kleiner Plan	Y	14
Magnusstraße	Z	17

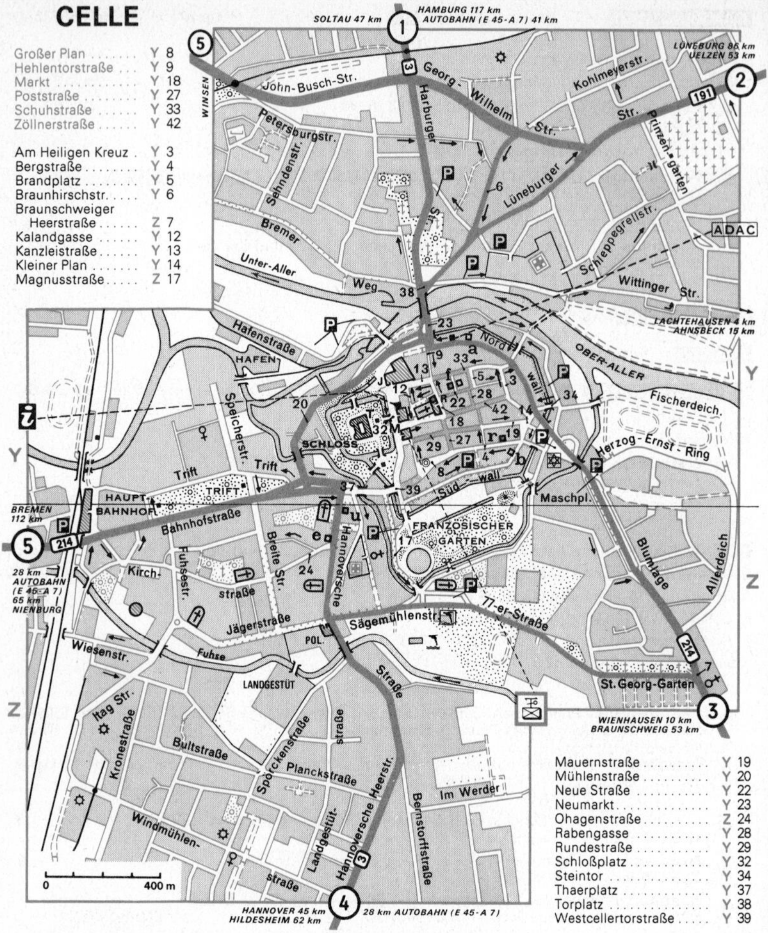

Mauernstraße	Y	19
Mühlenstraße	Y	20
Neue Straße	Y	22
Neumarkt	Y	23
Ohagenstraße	Z	24
Rabengasse	Y	28
Rundestraße	Y	29
Schloßplatz	Y	32
Steintor	Y	34
Thaerplatz	Y	37
Torplatz	Y	38
Westcellertorstraße	Y	39

In Bergen 2-Altensalzkoth **3103** ① : 14 km :

Helms, an der Straße nach Celle, ✆ (05054) 10 71, Fahrradverleih – TV ☎ P ◆
15. Dez.- Jan. geschl. – Karte 16/46 – **41 Z : 63 B** 51/77 - 102/128.

CHAM 8490. Bayern 413 UV 19, 987 ㉗ – 16 600 Ew – Höhe 368 m – ☎ 09971.

i Städt. Verkehrsamt, Probsteistr. 46 (im Cordonhaus), ✆ 49 33.

◆München 178 – Amberg 73 – Passau 109 – Plzen 94 – ◆Regensburg 56.

Randsberger Hof, Randsberger-Hof-Str. 15, ✆ 12 66, Biergarten, – ☎ P AE ⓓ E VISA
Karte 11/34 – **89 Z : 175 B** 37/43 - 74/86 Fb.

Gästeheim am Stadtpark, garni, Tilsiter Str. 3, ✆ 22 53 –
11 Z : 20 B 25/28 - 50/56 – 2 Fewo 40/50.

Ratskeller mit Zim, Am Kirchplatz, ✆ 14 41 – TV ☎. AE ⓓ E VISA
10.- 30. Jan. geschl. – Karte **28**/50 *(Sonntag 15 Uhr - Montag geschl.)* – **11 Z : 20 B** 45 - 78/85.

In Cham-Chammünster **8491** O : 3 km über die B 85 :

Berggasthaus Oedenturm, Am Oedenturm 11, ✆ 38 80, – P. ⓓ
15. Okt.- 15. Dez. geschl. – Karte 14,50/37 *(Montag geschl.)* – **11 Z : 20 B** 29/35 - 58/70 – P 45/50.

[CHAMERAU] 8491. Bayern [413] V 19 – 2 300 Ew – Höhe 375 m – ☎ 09944.
♦München 183 – ♦Nürnberg 141 – Passau 102 – ♦Regensburg 60.

Landgasthof Schwalbenhof, Am Kalvarienberg 1, ✆ 8 68, ≤, 🌳 – [P]
15. Feb.- 15. März geschl. – Karte 17/46 *(Okt.- April Mittwoch geschl.)* – **17 Z : 30 B** 32/34 - 60/64 – P 43/47.

[CHIEMING] 8224. Bayern [413] U 23, [987] ㊲, [426] ⑲ – 3 700 Ew – Höhe 532 m – Erholungsort – ☎ 08664.
Sehenswert : Chiemsee★.
[18] Chieming-Hart (N : 7 km), ✆ (08669) 75 57.
[i] Verkehrsamt, Rathaus, Hauptstr. 20, ✆ 2 45.
♦München 104 – Traunstein 12 – Wasserburg am Inn 37.

Unterwirt, Hauptstr. 32, ✆ 2 14, Biergarten – 🚗 [P]
24. Okt.- Nov. geschl. – Karte 21/47 *(auch vegetarische Gerichte)* (Montag - Dienstag geschl.) ⚲ – **14 Z : 24 B** 28/56 - 68.

In Chieming-Ising NW : 7 km – Luftkurort :

Zum goldenen Pflug 🔇, Kirchberg 3, ✆ 7 90, Telex 56542, 🌳, « Bayerischer Gutsgasthof, Zimmer mit Stil- und Bauernmöbeln », 🏊, 🌳, 🎾, 🐎 (Reitschule und -hallen) – [lift] ☎ 🚗 [P] 🏛. [AE] [D] [E]
Karte 31/64 – **55 Z : 108 B** 97/112 - 161/171 – 6 Appart. 227/242.

In Grabenstätt-Hagenau 8221 S : 3 km :

Chiemseefischer, ✆ (08661) 2 17, 🌳, 🏊 – 🚗 [P]
Jan.- Feb. geschl. – Karte 21/44 *(März - Mitte Mai Montag geschl.)* – **12 Z : 28 B** 35/38 - 60/85.

[CLAUSTHAL-ZELLERFELD] 3392. Niedersachsen [987] ⑯ – 17 100 Ew – Höhe 600 m – Heilklimatischer Kurort – Wintersport : 600/800 m ⛷1 ⛷4 – ☎ 05323.
Ausflugsziel : ≤★★ von der B 242, SO : 7 km.
[i] Kurgeschäftsstelle, Bahnhofstr. 5a, ✆ 70 24.
♦Hannover 98 – ♦Braunschweig 62 – Göttingen 59 – Goslar 19.

Wolfs-Hotel, Goslarsche Str. 60 (B 241), ✆ 8 10 14, 🏊, [🏊], 🌳 – [TV] ☎ [P] 🏛. [E]
Karte 24/50 *(Sonntag ab 14 Uhr und Juli - Aug. 2 Wochen geschl.)* – **33 Z : 65 B** 69/79 - 100/120 Fb – P 76/105.

Kronprinz, Goslarsche Str. 20 (B 241), ✆ 8 10 88 – ☎ [P]
Karte 21/43 *(Montag geschl.)* – **22 Z : 44 B** 45/70 - 70/110.

Friese, Burgstätter Str. 2, ✆ 33 10 – ☎ [P]. [AE] [D] [E] [VISA]
Karte 24/40 *(6.- 15. Jan., 15. Juli - 15. Aug., Sonntag ab 14 Uhr und Dienstag geschl.)* – **25 Z : 50 B** 40/66 - 70/102 Fb – P 62/88.

Schnabelhaus, Rollstr. 31, ✆ 14 28 – ☎ [P]
(Restaurant nur für Hausgäste) – **11 Z : 17 B** 30/38 - 66/76.

In Clausthal-Zellerfeld 3 - Buntenbock S : 3,5 km – Luftkurort :

Gästehaus Tannenhof, An der Ziegelhütte 2 (B 241), ✆ 55 69 (Hotel) 16 97 (Rest.), Cafégarten, 🏊, 🌳 – [TV] ☎ [P]
Nov. geschl. – Karte 19/38 *(Mittwoch und 10.- 25. März geschl.)* – **10 Z : 20 B** 42 - 75.

[CLEVE] [CLEVES] = Kleve.

[CLOEF] Saarland. Sehenswürdigkeit siehe Mettlach.

[CLOPPENBURG] 4590. Niedersachsen [987] ⑭ – 22 600 Ew – Höhe 42 m – ☎ 04471.
Sehenswert : Museumsdorf★.
[i] Städt. Verkehrsamt, Rathaus, ✆ 18 50.
♦Hannover 178 – ♦Bremen 67 – Lingen 68 – ♦Osnabrück 76.

Schäfers Hotel, Lange Str. 66, ✆ 24 84 – ☎ 🚗 [P]. [AE] [D] [E] [VISA]
Karte 18,50/52 *(Montag bis 17 Uhr geschl.)* – **12 Z : 18 B** 55/75 - 90/110.

Schlömer, Bahnhofstr. 17, ✆ 28 38 – [TV] ☎ 🚗 [P]. [AE] [E] [VISA]. ✗ Zim
Karte 27/47 *(Sonntag geschl.)* – **12 Z : 22 B** 60/65 - 100/110 Fb.

Deeken, Friesoyther Str. 2, ✆ 25 85, 🏊, 🌳 – [TV] 🚗 [P]. [AE] [D]
Karte 16/54 *(Samstag und Juli - Aug. 3 Wochen geschl.)* – **22 Z : 37 B** 40/80 - 80/120 Fb – 3 Fewo 100.

Zum weißen Roß, Löninger Str. 37, ✆ 65 25 – ☎ 🚗 [P]. [AE] [D] [E] [VISA]
Karte 15/38 *(Freitag 15 Uhr - Samstag 17 Uhr geschl.)* – **16 Z : 24 B** 40/60 - 90/120.

Taphorn, Auf dem Hook 3, ✆ 36 46 – [P]. ✗ Zim
26 Z : 37 B.

Fortsetzung →

In Resthausen **4599** NW : 6 km über Resthauser Straße :

Landhaus Schuler, Kastanienallee 6, ✆ (04475) 4 95, – ☎ Ⓟ
Karte 24/57 *(Freitag geschl.)* – **11 Z : 17 B** 50/60 - 100/120.

An der Thülsfelder Talsperre Süd NW : 12 km :

Heidegrund, Dreibrückenweg 10, ✉ 4594 Garrel-Petersfeld, ✆ (04495) 2 12, « Gartenterrasse », Fahrradverleih – ☎ Ⓟ
Feb. 2 Wochen geschl. – Karte 27/48 *(Nov.- März Montag geschl.)* – **11 Z : 22 B** 45 - 65/74 - P 66/74.

An der Thülsfelder Talsperre Nord NW : 15 km :

Seeblick, Seeblickstr. 3, ✉ 2908 Friesoythe-Thülsfelde, ✆ (04495) 2 75, ←, – Ⓟ
Mitte Feb.- Mitte Nov. – Karte 18/38 – **12 Z : 22 B** 32/39 - 64/78 – P 49/55.

COBBENRODE Nordrhein-Westfalen siehe Eslohe.

COBLENCE COBLENZA = Koblenz.

COBURG **8630. Bayern** 413 **P 16,** 987 ㉖ **– 44 500 Ew – Höhe 297 m –** ☎ **09561.**

Sehenswert : Veste Coburg★ Y – **Schloß Ehrenburg** Z **und Hofgarten★** YZ – **Gymnasium Casimirianum★** Z **A – Natur-Museum** Y **M.**

Schloß Tambach (W : 10 km), ✆ (09567) 12 12.

Fremdenverkehrsamt, Herrngasse 4, ✆ 9 50 71.

ADAC, Webergasse 26, ✆ 9 47 47.

♦München 279 ② – ♦Bamberg 47 ② – Bayreuth 74 ②.

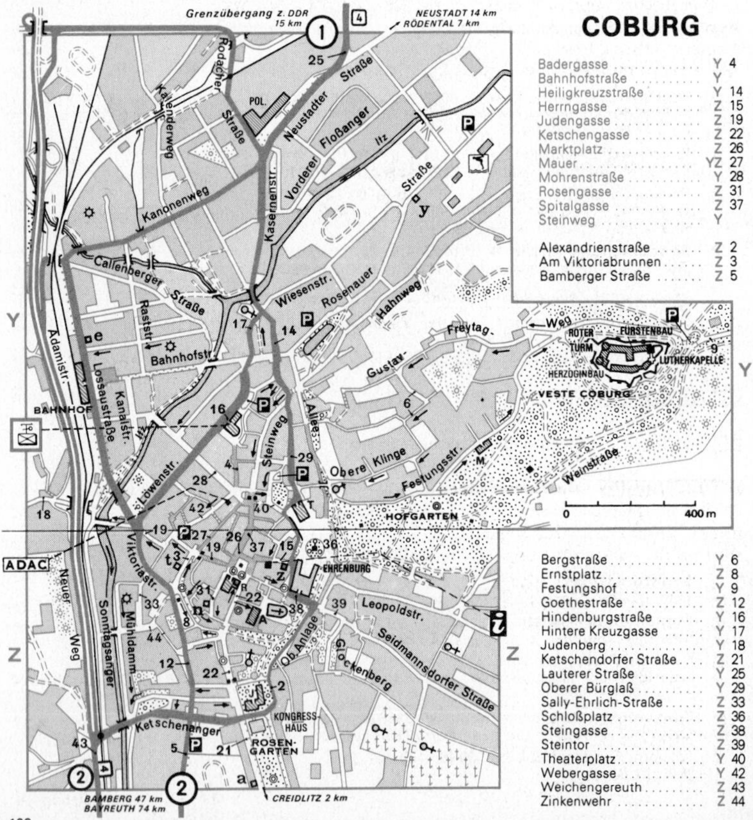

Badergasse	Y	4
Bahnhofstraße	Y	
Heiligkreuzstraße	Y	14
Herrngasse	Z	15
Judengasse	Z	19
Ketschengasse	Z	22
Marktplatz	Z	26
Mauer	YZ	27
Mohrenstraße	Y	28
Rosengasse	Z	31
Spitalgasse	Z	37
Steinweg	Y	
Alexandrienstraße	Z	2
Am Viktoriabrunnen	Z	3
Bamberger Straße	Z	5
Bergstraße	Y	6
Ernstplatz	Z	8
Festungshof	Y	9
Goethestraße	Z	12
Hindenburgstraße	Y	16
Hintere Kreuzgasse	Y	17
Judenberg	Y	18
Ketschendorfer Straße	Z	21
Lauterer Straße	Y	25
Oberer Bürglaß	Y	29
Sally-Ehrlich-Straße	Z	33
Schloßplatz	Z	36
Steingasse	Z	38
Steintor	Z	39
Theaterplatz	Y	40
Webergasse	Y	42
Weichengereuth	Z	43
Zinkenwehr	Z	44

🏨 **Blankenburg - Restaurant Kräutergarten**, Rosenauer Str. 30, ☎ 7 50 05, 🌂, « Restaurant mit rustikaler Einrichtung » – 🛗 📺 ☎ 🅿 🏊. AE ⓓ E VISA. 🚫 Y y
Karte 37/68 *(2.- 8. Jan. und Sonntag geschl.)* – **38 Z : 70 B** 75/105 - 115/215 Fb.

🏨 **Stadt Coburg** 🌿, Lossaustr. 12, ☎ 77 81, « Rustikales Grillrestaurant », ♨ – 🛗 📺 ☎ 🅿 🏊. E. 🚫 Rest Y e
Karte 30/60 *(Sonntag geschl.)* – **44 Z : 75 B** 75/90 - 110/135 Fb.

🏨 **Goldene Traube**, Am Viktoriabrunnen 2, ☎ 98 33, ♨ – 🛗 📺 ☎ 🚗 🅿 🏊. AE ⓓ E VISA Z t
Karte 25/54 – **83 Z : 135 B** 47/85 - 120/150 Fb.

🏨 ✿ **Coburger Tor - Restaurant Schaller**, Ketschendorfer Str. 22, ☎ 2 50 74, 🌂 – 🛗 📺 ☎ 🅿. 🚫 Z a
Karte 64/84 *(Tischbestellung ratsam)* (Freitag - Samstag 18 Uhr geschl.) – **17 Z : 27 B** 60/95 - 90/145 Fb
Spez. Gebeizter Lachs auf süßer Senfcreme, Seezungenfilets mit Hummer und getrüffeltem Graupenrisotto, Ochsenfilet in drei Pfeffern gebraten.

🏨 **Goldener Anker**, Rosengasse 14, ☎ 9 50 27, ♨, 🏊 – 🛗 📺 ☎ 🚗 🏊. AE ⓓ E VISA
Karte 29/57 *(Sonntag geschl.)* – **63 Z : 105 B** 60/90 - 100/160 Fb. Z n

🍴🍴 **Loreley**, Herrngasse 14, ☎ 9 24 70 Z z
Sonntag ab 14 Uhr geschl. – Karte 21/47.

🍴 Ratskeller, Markt 1, ☎ 9 24 00 Z R

In Coburg-Scheuerfeld W : 3 km über Judenberg Y :

🏨 **Gasthof Löhnert** 🌿, Schustersdamm 28, ☎ 3 00 41, ♨, 🏊 – ☎ 🅿
✦ Karte 19/29 *(Donnerstag geschl.)* – **56 Z : 81 B** 30/50 - 60/85.

In Rödental 8633 N : 7 km über Neustadter Straße Y :

🏨 **Brauereigasthof Grosch** (Brauereibesichtigung möglich), Oeslauer Str. 115, ☎ (09563) 5 47
✦ – ☎ 🚗 🅿
Karte 18,50/49 *(Montag geschl.)* – **16 Z : 30 B** 32/55 - 56/90.

In Ahorn-Witzmannsberg 8631 SW : 10 km über ② und die B 303 :

🏨 **Waldpension am Löhrholz** 🌿, Badstr. 20a, ☎ (09561) 13 35, 🌂 – 🅿. E VISA
✦ Karte 19/40 (Mahlzeiten im Restaurant Freizeitzentrum) 🍷 – **18 Z : 30 B** 40/45 - 72 Fb.

In Großheirath 8621 ② : 11 km :

🏨 **Steiner**, Hauptstr. 5, ☎ (09565) 8 35, ♨, 🏊 – 🛗 ☎ 🅿 🏊. E
✦ Karte 17/37 *(Montag bis 18 Uhr geschl.)* – **42 Z : 95 B** 47 - 80 Fb.

COCHEM 5590. Rheinland-Pfalz [987] ㉔ – 6 000 Ew – Höhe 91 m – ☎ 02671.

Sehenswert : Lage★ – Pinnerkreuz ≤★ (mit Sessellift).

[i] Verkehrsamt, Endertplatz, ☎ 39 71 – Mainz 139 – ♦Koblenz 51 – ♦Trier 92.

🏨 **Germania**, Moselpromenade 1, ☎ 2 61, Telex 869422, ≤, 🌂 – 🛗 📺 ☎ 🚗. AE ⓓ E VISA
Mitte Jan.- Mitte Feb. geschl. – Karte 29/53 *(im Winter Mittwoch geschl.)* – **15 Z : 32 B** 75/120 - 120/180.

🏨 **Alte Thorschenke**, Brückenstr. 3, ☎ 70 59, 🌂, « Historisches Haus a.d.J. 1332 » – 🛗 ☎ 🏊. AE ⓓ E VISA. 🚫 Rest
7. Jan.- 15. März geschl. – Karte 35/68 *(Mitte Nov.- Jan. Mittwoch geschl.)* – **45 Z : 90 B** 75/115 - 145/165 Fb.

🏨 **Haus Erholung** garni (mit Gästehäusern), Moselpromenade 64, ☎ 75 99, ♨, 🏊 – 🛗 🅿. 🚫
Mitte März - Mitte Nov. – **13 Z : 26 B** 38/58 - 68/80 – 2 Fewo 75/95.

🏨 **Weinhaus Feiden**, Liniusstr. 1, ☎ 32 56
3.- 26. April geschl. – Karte **25**/52 *(Montag geschl.)* 🍷 – **10 Z : 18 B** 45 - 64/70.

🍴🍴 **Lohspeicher** 🌿 mit Zim, Obergasse 1, ☎ 39 76, 🌂 – 🛗 ☎. AE ⓓ E. 🚫
2. Jan.- Feb. geschl. – Karte 36/76 *(Dienstag geschl.)* – **9 Z : 18 B** 49/75 - 98/110.

🍴🍴 **Zur Börse** mit Zim, Pater-Martin-Str. 2, ☎ 81 80 – 📺 ☎. AE ⓓ E
Mitte - Ende Feb. geschl. – Karte 31/67 *(Nov.- Mai Mittwoch geschl.)* – **3 Z : 6 B** 45/55 - 90.

In Cochem-Cond :

🏨 **Triton** 🌿 garni, Uferstr. 10, ☎ 2 18, ≤, ♨, 🏊 – 🛗 ☎. AE ⓓ E VISA. 🚫
15. März - Okt. – **17 Z : 32 B** 65/95 - 100/120.

🏨 **Haus Görg** garni, Bergstr. 6, ☎ 88 94, ≤, ♨ – 🛗 📺 🅿
10. Jan.- 15. Feb. geschl. – **12 Z : 24 B** 45/55 - 80/100 Fb – 8 Fewo 60/85.

🏨 **Am Rosenhügel** garni, Valwiger Str. 57, ☎ 13 96, ≤, 🌳 – 🛗. E VISA
15. Dez.- 15. Jan. geschl. – **23 Z : 45 B** 43/48 - 82/96.

🏨 **Am Hafen**, Uferstr. 4, ☎ 84 74, ≤, 🌂 – ☎ 🚗. AE ⓓ E VISA
Karte 20/49 *(2.- 31. Jan. geschl.)* 🍷 – **16 Z : 30 B** 40/65 - 70/100.

🏨 **Café Thul** 🌿, Brauselaystr. 27, ☎ 71 34, ≤ Cochem und Mosel, 🌂, 🌳, Fahrradverleih – 🛗 🚗 🅿. ⓓ E
März - Nov. – Karte 25/39 🍷 – **26 Z : 45 B** 40/100 - 70/120 Fb.

🏨 **Brixiade** 🌿, Uferstr. 13, ☎ 30 15, ≤, « Gartenterrasse » – 🛗. AE. 🚫 Zim
✦ *20.- 27. Dez. geschl.* – Karte 17,50/52 🍷 – **38 Z : 70 B** 45/75 - 75/100 – P 72/85.

In Cochem-Sehl :

🏨 **Parkhotel Landenberg**, Sehler Anlagen 1, 📞 71 10, « Gartenterrasse », ♨, 🏊 – ☎ 🚗 [P]. [AE] [D] [E] [VISA]
5. Jan.- 15. März geschl. – Karte 32/85 – **24 Z : 50 B** 65/95 - 140/160.

🏨 **Panorama**, Klostergartenstr. 44, 📞 84 30, ♨, 🏊, 🌳 – 🛗 ☎ [P]. [D] [E]. 🚫🐕 Rest
Jan. 2 Wochen geschl. – Karte 21/50 *(Nov.- März Montag geschl.)* – **27 Z : 47 B** 50/110 - 90/130 Fb – 10 Fewo 65/80 – (Erweiterungsbau mit 30 B ab Mai 1989).

🏨 Gästehaus Keßler-Meyer 🔇 garni, Am Reilsbach, 📞 45 64, ⛰, ♨, 🏊, 🌳 – ☎ 🚗
nur Saison – **19 Z : 38 B.**

🏨 **Weinhaus Klasen**, Sehler Anlagen 8, 📞 76 01, eigener Weinbau – 🛗 [P]. 🚫🐕 Zim
◆ *Weihnachten - Neujahr geschl.* – Karte 18/27 *(nur Abendessen, Nov.- Mai Mittwoch geschl.)* 🍷 – **11 Z : 20 B** 35/43 - 70/86 – 2 Fewo 50.

🏨 **Zur schönen Aussicht**, Sehler Anlagen 22, 📞 72 32, ⛰, eigener Weinbau – 🚫🐕
◆ *Weihnachten - Neujahr geschl.* – Karte 18/35 *(Nov.- Mai Montag geschl.)* 🍷 – **18 Z : 38 B** 27/45 - 48/90.

Im Enderttal NW : 3 km :

🏨 **Weißmühle** 🔇, ✉ 5590 Cochem, 📞 (02671) 89 55, Telex 863608, ☂, 🌳 – 🛗 [TV] ☎ [P] 🎤
Karte 31/59 – **36 Z : 66 B** 57/63 - 105/160 Fb.

In Valwig 5591 O : 4 km :

🏨 **Moog**, Moselweinstr. 60, 📞 (02671) 74 75, ⛰, ☂, 🌳 – 🛗 [P]
◆ *Mitte März - Nov.* – Karte 19/41 *(März - Juni Dienstag, Juli - Nov. Dienstag bis 18 Uhr geschl.)* 🍷 – **21 Z : 45 B** 50/54 - 70/78.

In Ernst 5591 O : 5 km :

🏨 Traube, Moselstr. 71, 📞 (07671) 71 20, ⛰, ☂ – [P]
nur Saison – 🍷 – **23 Z : 44 B.**

🏨 **Weinhaus André**, Moselstr. 1, 📞 (02671) 46 88, ⛰, ☂, eigener Weinbau – [P]. 🚫🐕 Zim
◆ *Jan. geschl., Feb.- März garni* – Karte 18/27 🍷 – **16 Z : 30 B** 32/40 - 60/72 – P 48/52.

CÖLBE Hessen siehe Marburg.

COESFELD 4420. Nordrhein-Westfalen [987] ⑭, [408] ⑭ – 30 600 Ew – Höhe 81 m – ☏ 02541.
[i] Verkehrsamt, Rathaus, Markt 8, 📞 1 51 51.
♦Düsseldorf 105 – Münster (Westfalen) 38.

🏨 **Westfälischer Hof**, Süringstr. 32, 📞 28 58 – ☎ 🚗 [P]. [AE] [D] [E]
Karte 20/45 – **13 Z : 19 B** 45 - 85.

🏨 **Haus Klinke**, Harle 1 (Doruper Straße), 📞 30 84, ☂, Biergarten – [TV] ☎ [P] 🎤
◆ Karte 18/35 – **18 Z : 25 B** 50 - 90.

🏨 Jägerhof, Süringstr. 48, 📞 30 90, « Gemütliches, altdeutsches Restaurant » – 🚗 [P]
13 Z : 18 B.

COLMBERG 8801. Bayern [413] O 18 – 1 100 Ew – Höhe 442 m – ☏ 09803.
♦München 225 – Ansbach 17 – Rothenburg ob der Tauber 18 – ♦Würzburg 71.

🏨 **Burg Colmberg** 🔇, 📞 2 62, ⛰, « Hotel in einer 1000-jährigen Burganlage, Wildpark, Gartenterrasse », ⛳ – [P] 🎤. [E]
Feb. geschl. – Karte 22/38 *(Dienstag geschl.)* – **27 Z : 50 B** 50/80 - 80/140.

COLOGNE **COLONIA** = Köln.

CONSTANCE **CONSTANZA** = Konstanz.

CRAILSHEIM 7180. Baden-Württemberg [413] N 19, [987] ㉖ – 25 500 Ew – Höhe 413 m – ☏ 07951.
[i] Städt. Verkehrsamt, Rathaus, 📞 40 31 25.
♦Stuttgart 114 – ♦Nürnberg 102 – ♦Würzburg 112.

🏨 **Post-Faber**, Lange Str. 2 (B 14/290), 📞 80 38, Telex 74318, ♨ – 🛗 [TV] ☎ 🚗 [P] 🎤. [AE] [D] [E] [VISA]
Karte 27/58 *(Freitag 15 Uhr - Samstag 15 Uhr geschl.)* – **67 Z : 100 B** 52/82 - 92/108 Fb.

🏨 Wilhelmshöhe 🔇 garni, Blezingerweg 6 (nahe dem Volksfestplatz), 📞 4 21 92, Telex 749322, ♨, 🏊 – ☎ 🚗 [P]
10 Z : 15 B.

🏨 **Schwarzer Bock**, Bahnhofstr. 5, 📞 2 22 92, Biergarten – [P]
◆ Karte 17/43 *(Samstag und Juli - Aug. 3 Wochen geschl.)* 🍷 – **27 Z : 38 B** 25/33 - 50/66.

CREGLINGEN 6993. Baden-Württemberg 413 N 18, 987 ㉖ – 4 900 Ew – Höhe 277 m – Erholungsort – ☎ 07933.

Sehenswert : Herrgottskirche (Marienaltar★★).

☐ Verkehrsamt, Rathaus, ✆ 6 31.

♦Stuttgart 145 – Ansbach 50 – Bad Mergentheim 28 – ♦Würzburg 45.

Krone, Hauptstr. 12, ✆ 5 58 – ⊖
15. Dez.- Jan. geschl. – Karte 17/33 *(Montag geschl.)* – **25 Z : 40 B** 28/50 - 56/70.

In Bieberehren-Klingen 8701 NW : 3,5 Km :

Zur Romantischen Straße, ✆ (09338) 2 09 – ⊖
Nov. geschl. – (Restaurant nur für Hausgäste) – **11 Z : 20 B** 33 - 64.

CREMLINGEN Niedersachsen siehe Braunschweig.

CUXHAVEN 2190. Niedersachsen 987 ④ – 62 000 Ew – Höhe 3 m – Nordseeheilbad – ☎ 04721.

Sehenswert : Landungsbrücke "Alte Liebe★" (≤★ Schiffsverkehr) – Kugelbake (≤★ Elbmündung).

Ausflugsziel : Lüdingworth : Kirche★ ① : 9,5 km.

Oxstedt, Hohe Klint (SW : 11 km über ②), ✆ (04723) 27 37.

☐ Verkehrsverein, Lichtenbergplatz, ✆ 3 60 46.

♦Hannover 222 ② – ♦Bremerhaven 43 ① – ♦Hamburg 130 ①.

Stadtplan siehe nächste Seite.

Donner's Hotel, Am Seedeich 2, ✆ 50 90, Telex 232152, ≤, – TV ☎ ⊖. AE ⓓ E VISA Y b
Karte 32/67 – **85 Z : 150 B** 64/131 - 117/200 Fb – P 95/135.

Seepavillon Donner, Bei der Alten Liebe 5, ✆ 3 80 64, Telex 232145, ≤ Nordsee-Schiffsverkehr, Fahrradverleih – TV ☎ ⊖. AE ⓓ E VISA. Zim Y f
Karte 27/66 – **47 Z : 88 B** 60/90 - 126/164 Fb.

Stadt Cuxhaven, Alter Deichweg 11, ✆ 3 70 88, Telex 232244 – TV ☎ ⊖. AE ⓓ E VISA Y e
Karte 26/70 – **42 Z : 72 B** 59/75 - 115/125 Fb.

Beckröge (ehemalige Villa), Dohrmannstr. 9, ✆ 3 55 19 – Y a
(nur Abendessen für Hausgäste) – **11 Z : 21 B** 48/52 - 88/92.

In Cuxhaven 12-Altenbruch ① : 8 km :

Deutsches Haus, Altenbrucher Bahnhofstr. 2, ✆ (04722) 3 11 – TV ☎ ⊖
Jan. geschl. – Karte 19/44 *(Okt.- März Sonn- und Feiertage geschl.)* – **25 Z : 50 B** 49 - 92/130 – P 72.

In Cuxhaven 13-Altenwalde ② : 5 km :

Am Königshof garni, Hauptstr. 67 (B 6), ✆ (04723) 30 42 – ☎ ⊖. AE E VISA
18 Z : 38 B 50/60 - 85/94.

Messmer garni, Schmetterlingsweg 6, ✆ (04723) 41 69, Fahrradverleih – ⊖
24. Dez.- 7. Jan. geschl. – **23 Z : 42 B** 45/50 - 80/120.

In Cuxhaven-Döse NW : 3 km über Strichweg Y :

Kur-Hotel Deichgraf, Nordfeldstr. 16, ✆ 40 50, ≤, Bade- und Massageabteilung, – TV ☎ ⊖. AE ⓓ E VISA
Karte 37/80 *(auch vegetarische Gerichte)* – **84 Z : 150 B** 69/180 - 120/198 Fb – 4 Appart. 360 – 42 Fewo 70/250.

Astrid garni, Hinter der Kirche 26, ✆ 4 89 03, – TV ☎ ⊖
März - Okt. – **25 Z : 47 B** 60/90 - 90/130 Fb – 8 Appart. 120/150.

In Cuxhaven-Duhnen NW : 6 km über Strichweg Y :

Badhotel Sternhagen, Cuxhavener Str. 86, ✆ 4 70 04, ≤, Nordseethermen, – Rest Rest TV ⊖. ⓓ.
22. Nov.- 20. Dez. geschl. – Karte 55/87 – **50 Z : 90 B** 135/300 - 230/400 Fb – 10 Appart. 300/680.

Golf- und Strandhotel Duhnen, Duhner Strandstr. 7, ✆ 40 30, ≤, – TV ☎ ⊖. AE ⓓ E VISA.
15.Jan.- Feb. geschl. – Karte 41/84 – **65 Z : 134 B** 80/190 - 130/230 Fb – 6 Fewo 95/175 – P 103/162.

Strandperle-Landhaus Stutzi, Duhner Strandstr. 15, ✆ 4 00 60, Fax 400696, ≤, – TV ☎ ⊖. AE ⓓ E
Karte 28/68 – **58 Z : 105 B** 65/120 - 130/220 – 10 Fewo 150/220 – P 95/150.

Wehrburg, Wehrbergsweg 53, ✆ 4 00 80, – ☎ ⊖. AE ⓓ E VISA
Nov. geschl. – (nur Abendessen für Hausgäste) – **76 Z : 140 B** 50/85 - 90/146 Fb – 7 Fewo 75/95.

Fortsetzung →

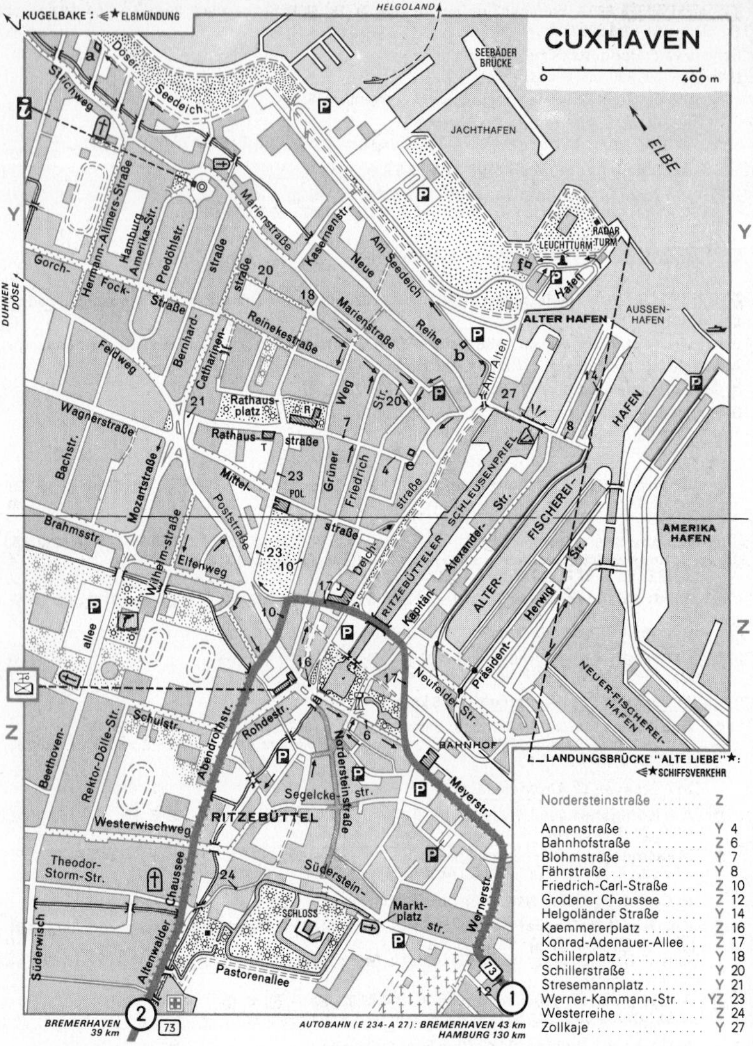

Nordersteinstraße	Z	
Annenstraße	Y	4
Bahnhofstraße	Z	6
Blohmstraße	Y	7
Fährstraße	Y	8
Friedrich-Carl-Straße	Z	10
Grodener Chaussee	Z	12
Helgoländer Straße	Y	14
Kaemmererplatz	Z	16
Konrad-Adenauer-Allee	Z	17
Schillerplatz	Y	18
Schillerstraße	Y	20
Stresemannplatz	Y	21
Werner-Kammann-Str.	YZ	23
Westerreihe	Z	24
Zollkaje	Y	27

Seelust, Cuxhavener Str. 65, ☏ 4 70 65, ≤, ≘, ⊠, ⊼ – ⊞ ⊡ ☎ ♿ Ⓟ ⛹
Karte 25/53 *(Mitte Jan.- Mitte Feb. geschl.)* – **80 Z : 132 B** 65/120 - 128/168 Fb – 6 Appart. 178/214 – P 96/152.

Meeresfriede ⛵, Wehrbergsweg 11, ☏ 4 60 11, ⊠, ⊼ – ⊡ ☎ 🚗 Ⓟ. ✗
Jan.- Feb. geschl. – (nur Abendessen für Hausgäste) – **31 Z : 72 B** (½ P) 79/99 - 178/196 Fb.

Neptun ⛵ garni, Nordstr. 11, ☏ 4 80 71, ⊼ – ☎ Ⓟ. AE ⓪ E VISA. ✗
April - Okt. – **24 Z : 46 B** 60/110 - 116/180 Fb.

Fischerstube, Nordstr. 8a, ☏ 4 81 44 – Ⓟ. AE ⓪ E VISA
März - Okt. – Karte 23/55.

__In Cuxhaven-Sahlenburg__ W : 10 km über Westerwischweg Z :

Itjen ⛵ garni, Am Sahlenburger Strand, ☏ 2 94 45, ≤ – ⊡ ☎ Ⓟ. ✗
März - Okt. – **21 Z : 42 B** 52 - 88.

DACHAU 8060. Bayern 413 R 22, 987 ㉗, 426 ⑰ – 33 100 Ew – Höhe 505 m – ☎ 08131.

An der Floßlände 1, ✆ 1 08 79 ; Eschenried (SW : 4 km), ✆ (08131) 32 38.

♦München 17 – ♦Augsburg 54 – Landshut 72.

Hörhammerbräu, Konrad-Adenauer-Str. 12, ✆ 47 11 – TV ☎ . AE VISA
Karte 22/50 – **21 Z : 38 B** 95/100 - 125/160 Fb.

Zieglerbräu, Konrad-Adenauer-Str. 8, ✆ 40 74, – ☎
26 Z : 50 B.

Le Gourmet, Martin-Huber-Str. 20, ✆ 7 23 39 – D
nur Abendessen, Sonntag - Montag und Aug. geschl. – Karte 37/55.

In Dachau-Ost :

Götz, Pollnstr. 6, ✆ 2 10 61, , (Gebühr) – TV ☎ P. AE E
Karte 27/51 *(nur Abendessen)* – **38 Z : 55 B** 86/96 - 98/140 Fb.

Huber , garni, Josef-Seliger-Str. 7, ✆ 18 88, Telex 527545 – TV ☎ P. AE D E VISA.
17 Z : 28 B 82/86 - 105/115.

In Bergkirchen-Günding 8066 SW : 3 km :

Forelle, Brucker Str. 16, ✆ (08131) 40 07, – TV ☎ P. AE D E. Zim
24. Dez.- 8. Jan. geschl. – Karte 21/40 *(Samstag - Sonntag geschl.)* – **25 Z : 50 B** 65/75 - 80/90 Fb.

In Hebertshausen 8061 N : 4 km :

Landgasthof Herzog, Heripertplatz 1, ✆ (08131) 16 21, – ☎ P. AE E
Karte 24/49 *(Montag geschl.)* – **25 Z : 54 B** 52 - 89/94.

DACHSBERG 7821. Baden-Württemberg 413 H 23, 216 ⑥ – 1 300 Ew – Höhe 940 m – Erholungsort – Wintersport : 2 – ☎ 07672.

Verkehrsbüro, Rathaus Wittenschwand, ✆ 20 75.

♦Stuttgart 201 – Basel 65 – Donaueschingen 75 – St. Blasien 11.

In Dachsberg-Wittenschwand :

Dachsberger Hof , ✆ 26 47, ←, , , , – TV P
15. Nov.- 15. Dez. geschl. – Karte 15/40 – **18 Z : 30 B** 30/42 - 50/70 Fb – P 40/55.

DÄNISCH-NIENHOF Schleswig-Holstein siehe Schwedeneck.

DAHLEM 5377. Nordrhein-Westfalen – 4 300 Ew – Höhe 520 m – ☎ 02447.

♦Düsseldorf 122 – ♦Aachen 79 – ♦Köln 80 – Mayen 69 – Prüm 26.

In Dahlem-Kronenburg SW : 9 km : – ☎ 06557 :

Auberge Zur Kyllterrasse, St. Vither Str. 3, ✆ (06557) 2 71, ← – TV P
6 Z : 12 B.

Eifelhaus , Burgbering 12, ✆ 2 95, ←
6. Jan.- Anfang Feb. geschl. – Karte 24/43 *(Montag geschl.)* – **16 Z : 29 B** 30/40 - 60/70.

DAHLENBURG 2121. Niedersachsen 987 ⑯ – 3 100 Ew – Höhe 30 m – ☎ 05851.

♦Hannover 148 – ♦Braunschweig 118 – Lüneburg 24.

Kurlbaum, Gartenstr. 12, ✆ 4 09, – TV P. E.
März 2 Wochen und Sept. 3 Wochen geschl. – Karte 22/45 *(Samstag geschl.)* – **13 Z : 21 B** 28/50 - 56/90.

In Tosterglope-Ventschau 2121 NO : 10 km :

Heil's Hotel , Hauptstr. 31, ✆ (05853) 18 16, , , , , – TV ☎ P .
Rest
Ende Okt.- Anfang Nov. geschl. – Karte 24/38 *(Montag geschl.)* – **11 Z : 20 B** 40/42 - 79/83 – 6 Fewo.

DAHME 2435. Schleswig-Holstein 987 ⑥ – 1 400 Ew – Höhe 5 m – Ostseeheilbad – ☎ 04364.

Kurverwaltung, Kurpromenade, ✆ 80 11.

♦Kiel 79 – Grömitz 13 – Heiligenhafen 22.

Holsteinischer Hof , Strandstr. 9, ✆ 10 85 – ☎ P
15. Jan.- Feb. und Nov.- 15. Dez. geschl. – Karte 21/55 *(Okt. und März Dienstag geschl.)* – **40 Z : 70 B** 78/100 - 140/150.

Boness, Denkmalplatz 5, ✆ 3 43, – P. AE D E VISA
Nov.- 15. Dez. geschl. – Karte 25/57 *(Donnerstag geschl.)* – **15 Z : 28 B** 40/75 - 65/120 – 4 Fewo 65/95.

[DAHN] 6783. Rheinland-Pfalz [413] G 19, [987] ㉔, [57] ⑨ – 4 900 Ew – Höhe 210 m – Luftkurort – ☎ 06391.

Sehenswert : Burgruinen★ (≤★).

Ausflugsziel : Felsenlandschaft★ des Wasgaus.

[i] Fremdenverkehrsbüro, Schulstr. 29, Rathaus, ☎ 58 11.

Mainz 143 – Landau in der Pfalz 35 – Pirmasens 22 – Wissembourg 24.

🏠 **Zum Jungfernsprung** garni, Pirmasenser Str. 9, ☎ 32 11 – [P]. 🚫
Mitte Nov.- Anfang Dez. geschl. – **18 Z : 28 B** 28/50 - 56/88.

🍴 **Ratsstube,** Weißenburger Str. 1, ☎ 16 53 – 🚫
Montag - Dienstag 17 Uhr und Mitte Jan.- Mitte Feb. geschl. – Karte 27/45.

In Erfweiler **6781** NO : 3 km :

🏠 **Die kleine Blume,** Winterbergstr. 106, ☎ (06391) 12 34, ☂, ≋, 🏊 – 🛗 [TV] ☎ 🚗 [P] 🏃
10.- 20. Jan. und 5.- 20. Dez. geschl. – Karte 27/55 *(nur Abendessen, Montag geschl.)* – **13 Z : 26 B** 69 - 108 Fb.

🏠 **Haus Felsenland** 🔇 garni, Eibachstr. 1, ☎ (06391) 26 91, ≋, 🌳 – [P]
April-Mitte Nov. – **15 Z : 29 B** 35/40 - 64/70.

[DAMP] Schleswig-Holstein siehe Liste der Feriendörfer.

[DANNENBERG] 3138. Niedersachsen [987] ⑯ – 14 900 Ew – Höhe 22 m – ☎ 05861.

⛳ Zernien-Braasche (W : 14 km), ☎ (05863) 5 56.

[i] Gästeinformation, Markt 5, ☎ 3 01.

♦Hannover 137 – ♦Braunschweig 125 – Lüneburg 51.

🏠 **Zur Post,** Marschtorstr. 6, ☎ 25 11 – [TV] ☎ 🚗 [P]
26.- 31. Dez. geschl. – Karte 21/35 *(Sonntag ab 14 Uhr geschl.)* – **16 Z : 29 B** 52/65 - 85.

[DANNENFELS] Rheinland-Pfalz siehe Kirchheimbolanden.

[DARMSTADT] 6100. Hessen [413] IJ 17, [987] ㉕ – 135 000 Ew – Höhe 146 m – ☎ 06151.

Sehenswert : Hessisches Landesmuseum★ – Prinz-Georg-Palais (Großherzogliche Porzellansammlung★).

Ausflugsziel : Jagdschloß Kranichstein : Jagdmuseum★ NO : 5 km.

⛳ Mühltal-Traisa, Dippelshof, ☎ 14 65 43.

[i] Verkehrsamt, Luisen-Center, Luisenplatz 5, ☎ 13 27 80.

[i] Tourist-Information am Hauptbahnhof, ☎ 13 27 82.

ADAC, Marktplatz 4, ☎ 2 62 77, Notruf ☎ 1 92 11.

♦Wiesbaden 44 ④ – ♦Frankfurt am Main 33 ⑤ – ♦Mannheim 50 ④.

Stadtplan siehe gegenüberliegende Seite.

🏠 **Maritim-Hotel,** Rheinstr. 105 (B 26), ☎ 87 80, Telex 419625, Fax 893194, ≋, 🏊 – 🛗 🚭 Zim ▤ [TV] ♿ 🚗 🏃. [AE] [E] [VISA]. 🚫 Rest — Y **d**
Karte 41/74 – **352 Z : 558 B** 153/263 - 210/340 Fb – 11 Appart. 380.

🏠 **Weinmichel,** Schleiermacherstr. 10, ☎ 2 68 22, Telex 419275, « Gemütlich-rustikales Restaurant, Weinrestaurant "Taverne" (ab 17 Uhr) » – 🛗 [TV] ☎ [P] 🏃. [AE] [O] [E] [VISA] — X **h**
Karte 27/59 🍷 – **74 Z : 100 B** 83/134 - 139/154 Fb – 3 Appart..

🏠 **Prinz Heinrich,** Bleichstr. 48, ☎ 8 28 88, « Rustikale Einrichtung » – 🛗 [TV] ☎ — Y **k**
Karte 31/55 (abends Tischbestellung ratsam) – **64 Z : 85 B** 90/110 - 140/150 Fb.

🏠 **Parkhaus-Hotel,** Grafenstr. 31, ☎ 2 81 00, Telex 419434, ☂ – 🛗 [TV] ☎ [P] 🏃. [AE] [O] [E] [VISA]
Karte 25/45 🍷 – **80 Z : 140 B** 95/115 - 120/150 Fb. — X **e**

🏠 **Donnersberg** garni, Donnersbergring 38, ☎ 3 31 58, Telex 4197271 – 🛗 [TV] ☎. [AE] [E] [VISA]. 🚫
20 Z : 34 B 89/140 - 129/169. — Z **t**

🏠 **Mathildenhöhe** garni, Spessartring 53, ☎ 4 80 46, ≋ – 🛗 [TV] ☎ 🚗 [P]. [AE] [O] [E] [VISA]
31.Dez. - 4.Jan. geschl. – **22 Z : 44 B** 95/115 - 132/155. — Y **t**

🏠 Zum Rosengarten, Frankfurter Str. 79 (B 3), ☎ 7 50 73 – ☎ [P] – **41 Z : 50 B** Fb. — über ①

🏠 **City-Hotel** garni, Adelungstr. 44, ☎ 3 36 91 – 🛗 ☎ [P]. [AE] [O] [E] [VISA] — X **v**
58 Z : 73 B 75/95 - 95/130.

🍴🍴 **Orangerie,** Bessunger Str. 44, ☎ 66 49 46, ☂ – [AE] [O] [E] [VISA] — Z **a**
Sonntag 15 Uhr - Montag und 1.- 15. Jan. geschl. – Karte 56/77.

🍴 **Da Marino** (Italienische Küche), Am Alten Bahnhof 4, ☎ 8 44 10 – [AE] [O] [E] [VISA] — Y **a**
◆ *Montag und Juli - Aug. 3 Wochen geschl.* – Karte 19/49 🍷.

In Darmstadt-Eberstadt ③ : 7 km :

🏠 Stadt Heidelberg, Heidelberger Landstr. 351, ☎ 5 50 71, ☂, ≋, 🏊 – [TV] ☎ – **20 Z : 33 B.**

🏠 **Rehm** garni, Heidelberger Landstr. 306, ☎ 5 50 22 – [TV] ☎ 🚗. 🚫
22 Z : 44 B 45/65 - 75/98.

🏠 **Schweizerhaus,** Mühltalstr. 35, ☎ 5 44 60, « Gartenterrasse » – ☎ 🚗 [P]. [E]
Karte 33/54 *(Freitag geschl.)* – **20 Z : 25 B** 40/75 - 120 Fb.

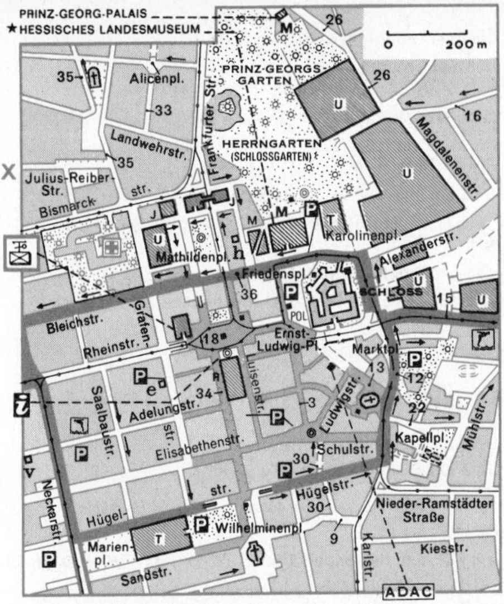

DARMSTADT

Elisabethenstraße	X	
Ernst-Ludwig-Straße	X	3
Ludwigstraße	X	
Luisenplatz	X	18
Marktplatz	X	
Rheinstraße	Y	
Wilhelminenstraße	X, Z	34
Arheilger Straße	Y	2
Feldbergstraße	Y	4
Gräfenhäuser Straße	Y	5
Gutenbergstraße	Y	6
Heidenreichstraße	Y	7
Hobrechtstraße	Z	8
Hölgesstraße	X	9
Hohler Weg	Y	10
Holzstraße	X	12
Kirchstraße	X	13
Klappacher Straße	Z	14
Landgraf-Georg-Straße	X	15
Lauteschlägerstraße	X	16
Liebfrauenstraße	Y	17
Mollerstraße	Y	19
Olbrichweg	Y	21
Pädagogstraße	X	22
Pützerstraße	Y	24
Riedeselstraße	Z	25
Schloßgartenstraße	X, Y	26
Schützenstraße	X	30
Steubenplatz	Y	31
Teichhausstraße	Y	32
Viktoriastraße	X, Y	33
Wilhelm-Leuschner-Straße	X	35
Zeughausstraße	X	36

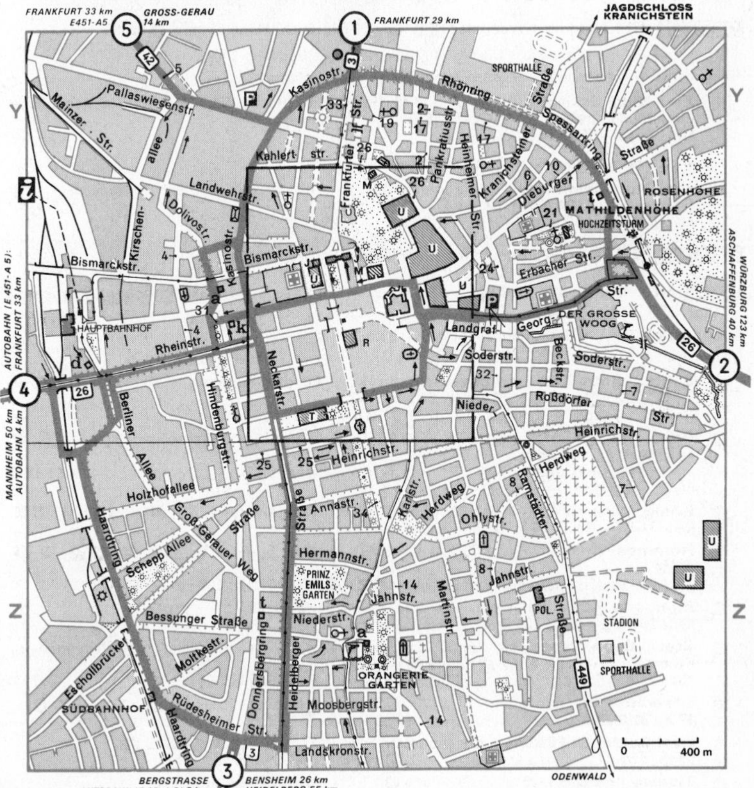

In Darmstadt-Einsiedel NO : 7 km über Dieburger Straße Y :

XX **Einsiedel**, Dieburger Str. 263, ✆ (06159) 2 44, ⛱ – Ⓟ
Dienstag - Mittwoch 18 Uhr, 3.- 18. Jan. und 15.- 31. Aug. geschl. – Karte 52/75.

In Weiterstadt-Gräfenhausen **6108** NW : 8 km über ⑤ :

🏠 **Zum Löwen**, Darmstädter Landstr. 11, ✆ (06150) 5 10 25 – ☎ Ⓟ. 🚫 Zim
◆ Karte 18/42 *(Samstag geschl.)* 🍷 – **14 Z : 19 B** 54 - 80.

In Mühltal 4-Trautheim **6109** SO : 5 km über Nieder-Ramstädter-Straße Z :

🏠 **Waldesruh** 🌿, Am Bessunger Forst 28, ✆ (06151) 1 40 88, ⛱, 🏊 – ⇕ ☎ Ⓟ
Karte 22/49 *(Freitag geschl.)* 🍷 – **36 Z : 50 B** 65/75 - 100/110 Fb.

Auf der Ruine Frankenstein ③ : 11 km über Darmstadt-Eberstadt :

XX **Burg Frankenstein**, ✉ 6109 Mühltal 3, ✆ (06151) 5 46 18, < Rheinebene, ⛱ – Ⓟ 👥
Montag geschl. – Karte 29/52.

DARSCHEID Rheinland-Pfalz siehe Daun.

DASBURG **5529.** Rheinland-Pfalz [987] ㉓, [409] ㉖ – 300 Ew – Höhe 408 m – ✆ 06550.
Mainz 241 – Prüm 35 – Vianden 21.

🏡 **Zur Post**, Hauptstr. 3 (B 410), ✆ 15 30 – Ⓟ. [AE] [E]
◆ Karte 17/39 *(Montag geschl.)* 🍷 – **14 Z : 22 B** 30/40 - 56/60.

DASSENDORF **2055.** Schleswig-Holstein – 2 500 Ew – Höhe 45 m – ✆ 04104 (Aumühle).
◆Kiel 112 – ◆Hamburg 27 – Lübeck 63 – Lüneburg 34.

XX **Jagdhaus am Riesenbett** 🌿 mit Zim, Am Riesenbett 1, ✆ 21 74, ⛱, 🌳, 🎳 – ☎ Ⓟ. [AE] [D] [E] [VISA]
Karte 28/60 – **9 Z : 18 B** 68 - 95 Fb.

DATTELN **4354.** Nordrhein-Westfalen [987] ⑭ – 36 500 Ew – Höhe 53 m – ✆ 02363.

Siehe Ruhrgebiet (Übersichtsplan).

◆Düsseldorf 81 – ◆Dortmund 20 – Münster (Westfalen) 44 – Recklinghausen 12.

🏠 **Zum Ring**, Ostring 41 (B 235), ✆ 5 24 65 (Hotel) 42 65 (Rest.), ⛱, « Individuelle, gemütliche Einrichtung », ♨ – [TV] ☎ Ⓟ. [AE] [D] [E]
Karte 28/60 – **9 Z : 14 B** 60/75 - 120.

In Datteln-Ahsen NW : 7 km über Westring :

🏨 **Landhaus Jammertal** 🌿, Redderstr. 421, ✆ 40 63, ⛱, ♨, 🌳, 🎳, Fahrradverleih – ⇕ [TV] ☎ ♿ Ⓟ 👥. [D] [E] [VISA]. 🚫 Rest
Karte 34/68 – **40 Z : 60 B** 70/100 - 95/140 Fb – P 80/100.

DAUCHINGEN Baden-Württemberg siehe Villingen-Schwenningen.

DAUN **5568.** Rheinland-Pfalz [987] ㉓ – 8 200 Ew – Höhe 425 m – Heilklimatischer Kneippkurort – Mineralheilbad – ✆ 06592.
Ausflugsziel : Weinfelder Kirche : Lage★ SO : 3 km.
[i] Kurverwaltung, Leopoldstr. 14, ✆ 7 14 77 – Mainz 161 – ◆Bonn 79 – ◆Koblenz 70 – ◆Trier 64.

🏰 **Schloß-Hotel Kurfürstliches Amtshaus** 🌿, Auf dem Burgberg, ✆ 30 31, Telex 4729310, <, ⛱, ♨, 🏊, 🌳 – ⇕ [TV] Ⓟ 👥. [AE] [D] [E] [VISA]
3.- 6. Jan. geschl. – Karte 58/78 – **42 Z : 71 B** 88/118 - 148/296 Fb.

🏨 **Panorama** 🌿, Rosenbergstr. 26, ✆ 13 47, <, Bade- und Massageabteilung, 🏋, ♨, 🏊, 🌳 – ⇕ ☎ ♿ Ⓟ. 🚫 Rest
10. Jan.- 10. Feb. und 10. Nov.- 15. Dez. geschl. – Karte 22/48 *(Montag geschl.)* – **26 Z : 52 B** 64/66 - 114/118 Fb – P 81/92.

🏨 **König**, Maria-Hilf-Str. 16, ✆ 5 53, Telex 4729318, « Caféterrasse », ♨, 🌳 – ☎ Ⓟ 👥. [AE] [E]
Karte 31/51 – **28 Z : 49 B** 70/75 - 120/140 – P 95/110.

🏨 **Hommes**, Wirichstr. 9, ✆ 5 38, Telex 4729301, <, ♨, 🏊, 🌳 – ⇕ [TV] ☎ 🚗 Ⓟ 👥. [AE] [D] [E] [VISA]
15. Nov.- 22. Dez. geschl. – Karte 26/55 – **42 Z : 70 B** 71/75 - 128/196 Fb – P 93/127.

🏠 **Eifelperle** 🌿, Reiffenbergstr. 1, ✆ 5 47, 🏊, 🌳 – ☎ Ⓟ. [AE]
Karte 20/40 🍷 – **22 Z : 34 B** 34/44 - 68/88 Fb.

🏠 **Stadt Daun**, Leopoldstr. 14, ✆ 35 55, Telex 4729311, freier Zugang zum Hallenbad im Kurzentrum – ⇕ [TV] ☎ Ⓟ 👥. [AE] [D] [E] [VISA]
Karte 25/43 *(Sonntag geschl.)* – **27 Z : 55 B** 60 - 108 Fb – P 82/88.

🏠 Eifeler Hof garni, Bahnhofstr. 10, ✆ 22 79, Bade- und Massageabteilung, 🏋, ♨ – 🚗 Ⓟ
17 Z : 31 B Fb.

🏠 **Zum Goldenen Fäßchen**, Rosenbergstr. 5, ✆ 30 97, ♨ – ⇕ ☎ Ⓟ. [AE] [E] [VISA]
◆ Karte 19,50/44 *(Donnerstag geschl.)* – **27 Z : 48 B** 48/54 - 96/108 Fb – P 70/75.

🏠 **Thielen**, Trierer Str. 20, ✆ 25 80 – 🚗 Ⓟ
3.- 28. März geschl. – Karte 20/43 *(Donnerstag geschl.)* – **13 Z : 20 B** 35/38 - 70/76.

In Daun-Gemünden S : 2 km :

Berghof , Lieserstr. 20, ☎ 28 91, ≤, – P. Rest
Nov. geschl. – Karte 23/47 *(Montag geschl.)* – **17 Z : 34 B** 30/45 - 54/78 – P 52/59.

Müller, Lieserstr. 17, ☎ 25 06, , – P. Rest
12 Z : 23 B Fb.

In Schalkenmehren **5569** SO : 5 km – Erholungsort – ☎ 06592 :

Landgasthof Michels , St.-Martin-Str. 9, ☎ 23 02, , , – P
Karte 24/55 – **29 Z : 50 B** 46/59 - 76/98 Fb – P 66/87.

Schneider-Haus am Maar, Maarstr. 22, ☎ 23 18, , – P
15. Jan.- 15. Feb. geschl. – Karte 18/50 – **21 Z : 35 B** 38/70 - 60/110 – 2 Fewo 80 – P 54/72.

Kraterblick garni, Auf Koop 6, ☎ 39 43, Telex 4729319, – P
13 Z : 25 B 40 - 80.

In Darscheid **5569** NO : 6 km – Erholungsort :

Kucher's Landhotel mit Zim, Karl-Kaufmann-Str. 2, ☎ (06592) 6 29, – P
Karte **33**/65 *(Montag geschl.)* – **15 Z : 30 B** 38/45 - 70/76 Fb.

Siehe auch : ***Liste der Feriendörfer***

DAUSENAU Rheinland-Pfalz siehe Ems, Bad.

DECKENPFRONN **7269.** Baden-Württemberg [413] J 21 – 2 200 Ew – Höhe 575 m – ☎ 07056.
♦Stuttgart 37 – Freudenstadt 57 – Pforzheim 37 – Tübingen 29.

Krone garni (Mahlzeiten im Gasthof Krone, gegenüber), Marktplatz 10, ☎ 30 11, – ☎
P. E
24 Z : 32 B 65/75 - 108 Fb.

DEDELSTORF Niedersachsen siehe Hankensbüttel.

DEGGENDORF **8360.** Bayern [413] V 20, [987] ㉘ – 31 000 Ew – Höhe 312 m – Wintersport : 500/1 200 m 5 8 – ☎ 0991.
Ausflugsziel : Kloster Metten (Kirche und Bibliothek ★) NW : 5 km.
Berghof Rusel (NO : 10 km), ☎ (09920) 9 11.
Städt. Verkehrsamt, Oberer Stadtplatz, ☎ 38 01 69.
♦München 144 – Landshut 74 – Passau 65 – ♦Regensburg 80.

Centralhotel, Östlicher Stadtgraben 30, ☎ 60 11, Telex 69712, , – ☎ P. [AE]
E [VISA]. Zim
Karte 19/49 – **72 Z : 112 B** 65/85 - 100/130 Fb.

Charivari, Bahnhofstr. 26 (im Tekko-Haus), ☎ 77 70 – [AE] E
Montag und Samstag jeweils bis 18 Uhr , Sonntag, Jan. 1 Woche und Ende Juli - Mitte Aug. geschl. – Karte 50/70 (Tischbestellung ratsam).

Stadthalle, Edlmaierstr. 24, ☎ 40 07, Biergarten – P
Montag geschl. – Karte 24/46.

Ratskeller, Oberer Stadtplatz 1, ☎ 67 37
Freitag geschl. – Karte 17,50/46 .

Zum Grafenwirt, Bahnhofstr. 7, ☎ 87 29, – [AE] E
Dienstag und 22. Mai - 7. Juni geschl. – Karte 19/41.

In Deggendorf-Natternberg SW : 6 km :

Zum Burgwirt , Deggendorfer Str. 7, ☎ 3 22 36, – ☎ P
Aug. geschl. – Karte 19/37 *(Montag bis 18 Uhr geschl.)* – **18 Z : 35 B** 40 - 70.

DEIDESHEIM **6705.** Rheinland-Pfalz [413] H 18, [987] ㉔, [242] ④ – 3 500 Ew – Höhe 117 m – Luftkurort – ☎ 06326.
Tourist Information, Bahnhofstraße (Stadthalle), ☎ 50 21.
Mainz 88 – Kaiserslautern 39 – ♦Mannheim 23 – Neustadt an der Weinstraße 8.

Hatterer's Hotel Zum Reichsrat, Weinstr. 12, ☎ 60 11, Telex 454826, , Fahrradverleih
– ☎ P . [AE]
Restaurants : – **Elsässer Restaurant** Karte 38/88 – **Weinstube** Karte 25/52 – **57 Z : 95 B** 90/125 - 140/210 Fb.

Romantik-Hotel Deidesheimer Hof, Am Marktplatz, ☎ 18 11, Telex 454657, ,
« Gewölbekeller » – ☎ P . [AE] E [VISA]
4.- 15. Jan. geschl. – Restaurants: – **Weinstube St. Urban** (regionale Küche) Karte 37/67 – **Schwarzer Hahn** (ab April geöffnet) *(nur Abendessen, Sonntag geschl.)* Karte 58/87 – **27 Z : 51 B** 57/118 - 88/179 Fb.

Gästehaus Hebinger garni, Bahnhofstr. 21, ☎ 3 87, Weinprobierstube –
20. Dez.- 6. Jan. geschl. – **11 Z : 22 B** 37/50 - 70/90.

Fortsetzung →

XXX **Zur Kanne** (Gasthaus seit dem 12. Jh., mit kleinem Innenhof), Weinstr. 31, ☎ 3 96 – [D] [E]
Dienstag geschl. – Karte 56/90.

X **Gästehaus Tenne** mit Zim, Weinstr. 69, ☎ 14 24, ⛱, 🌳 – ☎ [P]. 🚫 Rest
Karte 23/35 *(nur Abendessen, Samstag - Sonntag geschl.)* 🍷 – **7 Z : 13 B** 45/55 - 73/88.

In Forst **6701** N : 2 km :

X **Landhaus an der Wehr**, Im Elster 8, ☎ (06326) 69 84 – [P]
Montag und 17.- 28. Juli geschl. – Karte 28/50 🍷.

DEIZISAU Baden-Württemberg siehe Plochingen.

DELBRÜCK **4795.** Nordrhein-Westfalen – 22 700 Ew – Höhe 95 m – ☎ 05250.
♦Düsseldorf 171 – Bielefeld 39 – Münster (Westfalen) 74 – Paderborn 16.

🏨 **Balzer**, Oststr. 4, ☎ 2 41 – ☎ 🚗. [AE] [E]. 🚫
Juni - Juli 3 Wochen geschl. – Karte 36/60 *(wochentags nur Abendessen, Samstag geschl.)* – **9 Z : 14 B** 48 - 96.

DELECKE Nordrhein-Westfalen siehe Möhnesee.

DELLIGSEN **3223.** Niedersachsen – 9 900 Ew – Höhe 130 m – ☎ 05187.
♦Hannover 54 – Hameln 55 – Hildesheim 41.

In Delligsen-Grünenplan NW : 4 km – Erholungsort :

🏨 **Lampes Hotel**, Obere Hilsstr. 1 (Kurhausweg 1), ☎ 72 82 – [|♦|] [TV] ☎ [P] 🏃. [AE] [D] [E] [VISA]
17. Juli - 7. Aug. geschl. – Karte 23/48 *(Montag geschl.)* – **20 Z : 45 B** 58/65 - 88/98 – P 69/93.

DELLMENSINGEN Baden-Württemberg siehe Erbach (Alb-Donau-Kreis).

DELMENHORST **2870.** Niedersachsen [987] ⑭ – 78 000 Ew – Höhe 18 m – ☎ 04221.
ADAC, Reinersweg 34, ☎ 7 10 00.
♦Hannover 136 – ♦Bremen 13 – ♦Oldenburg 37.

🏨 **Gut Hasport**, Hasporter Damm 220, ☎ 26 81, 🌳, Fahrradverleih – [TV] ☎ 🚗 [P] 🏃. [D] [E].
🚫 Rest
(nur Abendessen für Hausgäste) – **22 Z : 41 B** 65 - 95 Fb.

🏨 **Hotel am Stadtpark**, An den Graften 3, ☎ 1 46 44, Telex 249545, ⛱, [🏊] – [|♦|] ☎ 🚗 🏃.
[AE] [D] [E] [VISA]
Karte 31/55 – **100 Z : 200 B** 75/95 - 115/125.

🏨 **Thomsen**, Bremer Str. 186, ☎ 7 00 98 – ☎ [P] 🏃. [AE] [D] [E] [VISA]
Karte 18/48 *(Samstag bis 17 Uhr geschl.)* – **70 Z : 120 B** 38/55 - 65/80.

🏨 **Motel Annenriede**, Annenheider Damm 129, ☎ 68 71, Telex 249514 – [TV] ☎ [P]. [AE] [D] [E]
[VISA]. 🚫 Rest
Karte 25/45 *(nur Abendessen)* – **60 Z : 110 B** 51/56 - 74/91.

🏨 **Zum Burggrafen**, Brauenkamper Str. 28, ☎ 8 25 46 – [P]
Karte 24/35 *(nur Abendessen, Sonntag geschl.)* – **12 Z : 18 B** 25/35 - 50/60.

Siehe auch : ***Ganderkesee***

DENKENDORF **7306.** Baden-Württemberg [413] KL 20 – 9 400 Ew – Höhe 300 m – ☎ 0711 (Stuttgart).
♦Stuttgart 23 – Göppingen 34 – Reutlingen 32 – ♦Ulm (Donau) 71.

🏨 **Bären-Post**, Deizisauer Str. 12, ☎ 34 40 26, ⛱ – [|♦|] ☎ [P] 🏃. [AE] [E]
15.- 30. Juli und 22. Dez.- 8. Jan. geschl. – Karte 24/61 *(Samstag bis 18 Uhr geschl.)* – **65 Z : 113 B** 96 - 146 Fb.

🏨 **Zum Schlüssel**, Mörikestr. 16, ☎ 3 46 14 30 – ☎ 🚗 [P]. [E]
Karte 20/39 *(nur Abendessen, Freitag - Sonntag und Juli geschl.)* – **22 Z : 28 B** 39/72 - 70/120.

DENKENDORF **8071.** Bayern [413] R 20, [987] ㉗ – 3 200 Ew – Höhe 480 m – ☎ 08466.
♦München 95 – ♦Augsburg 107 – Ingolstadt 22 – ♦Nürnberg 72 – ♦Regensburg 88.

🏨 Post, Hauptstr. 14, ☎ 2 36, ⛱ – [P]
68 Z : 130 B.

DENKINGEN **7209.** Baden-Württemberg [413] J 22 – 1 800 Ew – Höhe 697 m – ☎ 07424.
♦Stuttgart 107 – Donaueschingen 37 – Offenburg 97 – Tübingen 73.

Auf dem Klippeneck O : 4,5 km – Höhe 998 m :

XX **Höhenrestaurant Klippeneck** 🌄 mit Zim, ✉ 7209 Denkingen, ☎ (07424) 8 59 28, Fax 85059, ◄ Baar und Schwarzwald, ⛱ – ☎ [P] 🏃
Mitte - Ende Jan. geschl. – Karte 26/55 *(Montag geschl.)* 🍷 – **10 Z : 17 B** 55 - 95.

[DENZLINGEN] 7819. Baden-Württemberg [413] G 22, [242] ㉜, [87] ⑦ – 11 500 Ew – Höhe 235 m – ☎ 07666.

♦Stuttgart 203 – ♦Freiburg im Breisgau 12 – Offenburg 61.

🏠 **Krone**, Hauptstr. 44, ☎ 22 41, Gartenwirtschaft – [P]
Aug. geschl. – Karte 20/41 *(nur Abendessen, Freitag geschl.)* 🍷 – **20 Z : 30 B** 30/40 - 60/80.

🍴🍴 ✿ **Rebstock-Stube** mit Zim, Hauptstr. 74, ☎ 20 71 – [P]. [AE] [O] [E] [VISA]
Aug. 2 Wochen geschl. – Karte 49/78 *(Tischbestellung ratsam)* (Sonntag - Montag geschl., an Feiertagen geöffnet) – **2 Z : 3 B** 40 - 80
Spez. Pasteten und Terrinen, Steinbutt auf Pilzen, Gefüllte Wachteln "Großmütterchen Art".

🍴🍴 **Arnold** mit Zim, Bahnhofstr. 2, ☎ 22 23 – 🚗 [P]. [AE] [O] [E]. ✗ Zim
Aug. 2 Wochen geschl. – Karte 29/62 *(Sonntag 15 Uhr - Montag geschl.)* 🍷 – **8 Z : 12 B** 30/40 - 60/70.

__In Vörstetten__ 7801 W : 3 km :

🏠 **Sonne**, Freiburger Str. 4, ☎ (07666) 23 26, 🌳 – 🚗 [P]. [E]. ✗ Rest
19. Aug.- 10. Sept. geschl. – Karte 26/43 *(Samstag geschl.)* 🍷 – **11 Z : 19 B** 30/45 - 60/80.

__In Vörstetten-Schupfholz__ 7801 NW : 5 km :

🏠 **Jahn** 🔇, Kaiserstuhlstr. 2, ☎ (07666) 25 92, 🌳 – 🚗 [P]
(nur Abendessen für Hausgäste) – **16 Z : 25 B** 39/45 - 65/85.

[DERNAU] 5487. Rheinland-Pfalz – 1 900 Ew – Höhe 125 m – ☎ 02643 (Altenahr).

Mainz 152 – Adenau 27 – ♦Bonn 30.

🏠 **Kölner Hof**, Schmittmannstr. 40 (B 267), ☎ 84 07 – [P]
✦ *Feb. geschl.* – Karte 18/36 *(Donnerstag geschl.)* 🍷 – **19 Z : 34 B** 35 - 60/65.

[DERNBACH (KREIS NEUWIED)] 5419. Rheinland-Pfalz – 750 Ew – Höhe 310 m – ☎ 02689 (Dierdorf).

Mainz 106 – ♦Koblenz 30 – ♦Köln 71 – Limburg an der Lahn 47.

🏨 Country-Hotel 🔇, Hauptstr. 42, ☎ 29 90, Telex 869939, 🏊, [🏊], 🌳, 🎾 – [lift] [TV] [P] 🏛
148 Z : 260 B Fb.

[DERSAU] 2323. Schleswig-Holstein – 700 Ew – Höhe 40 m – Erholungsort – ☎ 04526.

♦Kiel 39 – ♦Hamburg 92 – ♦Lübeck 60.

🏠 **Zur Mühle am See** (mit Gästehaus), Dorfstr. 47, ☎ 3 45, ⛵, 🌳 – [TV] ☎ [P]. [AE] [O] [E] [VISA]
Karte 26/50 – **31 Z : 57 B** 35/45 - 70/90.

[DETMOLD] 4930. Nordrhein-Westfalen [987] ⑮ – 68 000 Ew – Höhe 134 m – ☎ 05231.

Ausflugsziele : Westfälisches Freilichtmuseum ★ S : 2 km BX **M** – Hermannsdenkmal★ (✳★) SW : 6 km ABY.

[i] Städt. Verkehrsamt, Rathaus, Lange Straße, ☎ 76 73 28.

ADAC, Paulinenstr. 64, ☎ 2 34 06, Notruf ☎ 1 92 11.

♦Düsseldorf 197 ⑤ – Bielefeld 29 ① – ♦Hannover 95 ③ – Paderborn 27 ④.

Stadtplan siehe nächste Seite.

🏨 **Detmolder Hof** (Steingiebelhaus a.d.J. 1560), Lange Str. 19, ☎ 2 82 44, Telex 935850,
✦ « Elegantes Restaurant » – [lift] [TV] 🏛. [AE] [O] [E] [VISA] AZ **v**
Karte 19/66 – **39 Z : 65 B** 80/110 - 120/220 Fb.

🏨 **Lippischer Hof - Restaurant Le Gourmet** 🔇, Allee 2, ☎ 3 10 41, Telex 935637 – [lift] [TV] ☎ ♿ [P] 🏛. [AE] [O] [E] [VISA]. ✗ Rest AZ **n**
Karte 39/67 – **24 Z : 38 B** 73/90 - 120/150 Fb.

🍴🍴 **Ratskeller**, Rosental am Schloß, ☎ 2 22 66 – 🏛. [AE] [O] [E] [VISA] AZ **f**
Dienstag geschl. – Karte 25/58.

__In Detmold-Berlebeck :__

🏨 **Hirschsprung**, Paderborner Str. 212, ☎ 49 11, « Gartenterrasse », 🌳 – [TV] ☎ 🚗 [P]. [AE] [E] BY **t**
Karte 36/69 *(im Winter Donnerstag geschl.)* – **10 Z : 16 B** 65/85 - 95/130.

__In Detmold-Heidenoldendorf :__

🏠 Landhotel Diele, Bielefelder Str. 257, ☎ 6 60 31 – [TV] ☎ [P] AX **a**
(im Winter wochentags nur Abendessen) – **23 Z : 36 B** Fb.

__In Detmold-Heiligenkirchen :__

🏠 **Achilles**, Paderborner Str. 87, ☎ 41 66, 🏊 – ☎ 🚗 [P]. [AE] [O] [E] [VISA] BY **g**
10. Feb.- 10. März geschl. – Karte 23/43 *(Sonntag geschl.)* – **25 Z : 44 B** 44/70 - 80/95 Fb.

__In Detmold-Hiddesen__ – Kneippkurort :

🏠 **Römerhof** 🔇, Maiweg 37, ☎ 8 82 38, ≤, 🌳 – [lift] ☎ [P]. [AE] [O] [E] AY **d**
Karte 25/42 – **19 Z : 38 B** 55/65 - 110.

🍴🍴 **Teutonis**, Hindenburgstr. 50, ☎ 8 72 89, 🌳 – [P]. [AE] [O] [E] [VISA] AX **e**
Dienstag geschl. – Karte 40/67.

DETMOLD

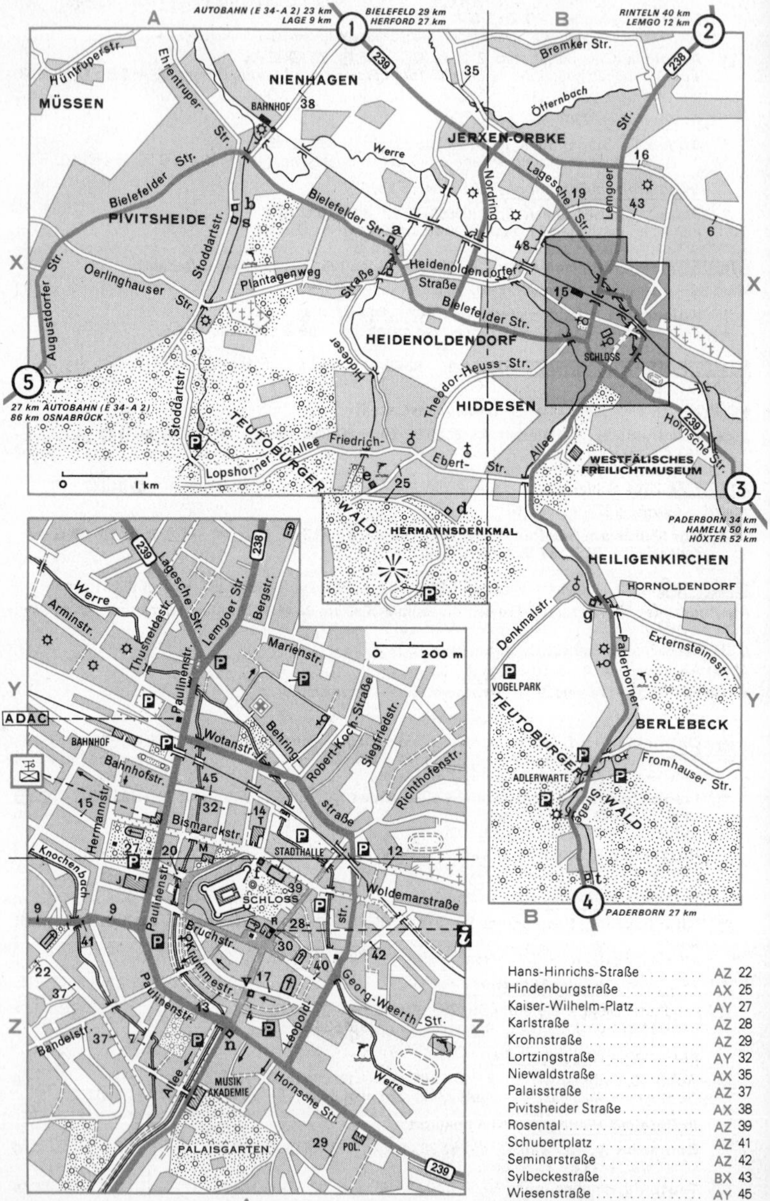

AUTOBAHN (E 34-A 2) 23 km
LAGE 9 km
BIELEFELD 29 km
HERFORD 27 km
RINTELN 40 km
LEMGO 12 km
NIENHAGEN
MÜSSEN
JERXEN-ORBKE
PIVITSHEIDE
HEIDENOLDENDORF
HIDDESEN
SCHLOSS
WESTFÄLISCHES FREILICHTMUSEUM
TEUTOBURGER WALD
HERMANNSDENKMAL
HEILIGENKIRCHEN
HORNOLDENDORF
VOGELPARK
ADLERWARTE
BERLEBECK
27 km AUTOBAHN (E 34-A 2)
86 km OSNABRÜCK
PADERBORN 34 km
HAMELN 50 km
HÖXTER 52 km
PADERBORN 27 km
BAHNHOF
ADAC
STADTHALLE
MUSIK AKADEMIE
PALAISGARTEN
POL.
0 1 km
0 200 m

In Detmold-Pivitsheide :

[Hotel] **Forellenhof** [ruhig], Gebr.-Meyer-Str. 50, ☎ (05232) 8 78 91, [Garten] – [TV] ☎ [P]. [AE] [D] [E]. [Hunde]
(nur Abendessen für Hausgäste) – **7 Z : 14 B** 48/52 - 78/82 Fb. AX **b**

[Hotel] **Parkhotel Berkenhoff**, Stoddartstr. 48, ☎ (05232) 81 20, « Park » – [Garage] [P] AX **s**
Jan. geschl. – Karte 23/42 *(nur Mittagessen, Montag und Freitag geschl.)* – **11 Z : 20 B** 38/53 - 66/86.

In Detmold-Schönemark über ③ : 8 km :

[Hotel] Berghof Stork [ruhig], Leistruper Waldstr. 100, ☎ 5 83 10, ← – [P]
6 Z : 12 B.

DETTELBACH 8716. Bayern [413] N 17, [987] ㉖ – 4 300 Ew – Höhe 189 m – ☎ 09324.
Sehenswert : Wallfahrtskirche (Kanzel★).
♦München 264 – ♦Bamberg 61 – ♦Nürnberg 93 – ♦Würzburg 19.

[Gasthof] **Grüner Baum** (altfränkischer Gasthof), Falterstr. 2, ☎ 14 93 – [Garage]
✈ *1.- 15. Aug. und 24. Dez.- 15. Jan. geschl.* – Karte 19,50/38 *(Sonntag 16 Uhr - Montag 17 Uhr geschl.)* [Wein] – **23 Z : 36 B** 25/45 - 48/85.

🍴 **Zur Sonne** mit Zim, Markt 1, ☎ 14 86
Mitte - Ende Aug. und 22.- 25. Dez. geschl. – Karte 21/35 *(Dienstag geschl.)* [Wein] – **9 Z : 19 B** 33 - 60.

DETTINGEN / ERMS 7433. Baden-Württemberg [413] L 21 – 8 000 Ew – Höhe 398 m – ☎ 07123 (Metzingen).
♦Stuttgart 46 – Reutlingen 13 – ♦ Ulm (Donau) 61.

[Hotel] **Zum Rößle**, Uracher Str. 30, ☎ 7 10 91 – ☎ [P]. [Hunde]
Juni geschl. – Karte 24/55 *(Sonntag - Montag geschl.)* – **13 Z : 19 B** 38/50 - 75/80.

DETTINGEN UNTER TECK 7319. Baden-Württemberg [413] L 21 – 5 200 Ew – Höhe 385 m – ☎ 07021.
♦Stuttgart 36 – Reutlingen 34 – ♦Ulm (Donau) 57.

[Hotel] **Teckblick**, Teckstr. 36, ☎ 5 47 88, [Terrasse] – ☎ [P] [Saal]. [AE] [D] [E] [VISA]
Karte 26/44 – **15 Z : 28 B** 45/50 - 72/82 Fb.

DEUDESFELD 5531. Rheinland-Pfalz – 500 Ew – Höhe 450 m – ☎ 06599 (Weidenbach).
Mainz 181 – Bitburg 28 – ♦Bonn 107 – ♦Trier 67.

[Hotel] **Sonnenberg** [ruhig], Birkenstr. 14, ☎ 8 67, [Hallenbad], [Freibad], [Garten] – [P]
✈ *Mitte Nov.- Mitte Dez. geschl.* – Karte 19,50/34 *(Montag geschl.)* – **22 Z : 40 B** 29/40 - 58/70 – P 42/48.

[Gasthof] **Zur Post**, Hauptstr. 8, ☎ 8 66, [Hallenbad], [Garten] – [P]. [Hunde] Rest
Nov. geschl. – Karte 20/34 *(im Winter Donnerstag geschl.)* – **23 Z : 40 B** 25/28 - 50/56.

DEUTSCH-EVERN Niedersachsen siehe Lüneburg.

DEUTSCHE ALPENSTRASSE Bayern [413] LM 24 bis W 24, [987] ㊱㊲㊳
Sehenswert : Panoramastraße★★★ von Lindau bis Berchtesgaden (Details siehe unter den erwähnten Orten entlang der Strecke).

DEUX-PONTS = Zweibrücken.

DIEBLICH 5401. Rheinland-Pfalz – 2 200 Ew – Höhe 65 m – ☎ 02607 (Kobern).
Mainz 96 – Cochem 39 – ♦Koblenz 14.

[Hotel] **Pistono**, Hauptstr. 30, ☎ 2 18, [Hallenbad], [Freibad] – [Lift] [P]. [Hunde]
✈ Karte 19,50/30 *(Montag geschl.)* [Wein] – **86 Z : 185 B** 45/55 - 70/90.

DIEBURG 6110. Hessen [413] I J 17, [987] ㉕ – 14 000 Ew – Höhe 144 m – ☎ 06071.
♦Wiesbaden 61 – Aschaffenburg 28 – ♦Darmstadt 16 – ♦Frankfurt 36.

[Hotel] **Mainzer Hof**, Markt 22, ☎ 2 50 95, Biergarten – ☎ [P] [Saal]. [AE] [D] [E] [VISA]
Restaurants : – **Le Gourmet** Karte 42/59 – **Rustikal** Karte 25/51 – **34 Z : 53 B** 100 - 120/152.

DIELHEIM 6912. Baden-Württemberg [413] J 19 – 7 600 Ew – Höhe 130 m – ☎ 06222.
♦Stuttgart 102 – Heidelberg 25 – Heilbronn 50 – ♦Karlsruhe 48 – ♦Mannheim 38.

In Dielheim 2-Horrenberg O : 3,5 km :

🍴🍴 **Hirsch** mit Zim, Hoffenheimer Str. 7, ☎ 7 20 58 – ☎ [P]. [Hunde] Zim
Juli - Aug. 3 Wochen geschl. – Karte 23/49 *(Donnerstag geschl.)* – **5 Z : 8 B** 45/50 - 80.

🍴🍴 **Zum wilden Mann**, Burgweg 1, ☎ 7 10 53 – [P]. [E]
Dienstag, 23. Dez.- 12. Jan. und Juli - Aug. 3 Wochen geschl. – Karte **29**/58.

[DIEMELSEE] **3543.** Hessen – 5 000 Ew – Höhe 340 m – ☎ 05633.
♦Wiesbaden 200 – ♦Kassel 70 – Marburg 80 – Paderborn 62.

In Diemelsee-Heringhausen :

Fewotel Diemelsee, Seestr. 9, ☎ 8 83, Fax 5429, ≤, 🍴, Fahrradverleih – TV ☎ P. AE E VISA. Rest
Karte 31/46 – **69 Z : 150 B** 72/95 - 104/150 Fb.

In Diemelsee-Ottlar :

Ottonenhof, Zum Upland 8, ☎ 10 55, – P
17 Z : 35 B.

In Diemelsee-Vasbeck :

Landhotel Westfalenblick, Marsberger Str. 22, ☎ (02993) 4 11, ≤, – ☎ P
Karte 21/42 – **35 Z : 70 B** 50 - 86.

[DIEMELSTADT] **3549.** Hessen [987] ⑮ – 6 000 Ew – Höhe 280 m – ☎ 05694.
[i] Städt. Verkehrsamt, Ramser Str. 6 (Wrexen), ☎ (05642) 4 34.
♦Wiesbaden 218 – ♦Dortmund 126 – ♦Kassel 53 – Paderborn 38.

In Diemelstadt 4-Wethen :

Pension Hanebeck, ☎ 4 32, – TV P.
3. Nov. - 15. Dez. geschl. – (Restaurant nur für Hausgäste) – **16 Z : 32 B** 36/45 - 46/92 Fb.

In Diemelstadt 2-Wrexen – Luftkurort :

Kussmann, Hauptstr. 5, ☎ (05642) 4 15 – P
Karte 18/31 *(Freitag geschl.)* – **18 Z : 38 B** 35 - 70.

[DIEPHOLZ] **2840.** Niedersachsen [987] ⑭ – 14 700 Ew – Höhe 39 m – ☎ 05441.
♦Hannover 109 – ♦Bremen 67 – ♦Oldenburg 64 – ♦Osnabrück 51.

In Diepholz 4 -Heede NO : 2 km :

🍴 **Zum Jagdhorn**, Heeder Dorfstr. 31, ☎ 22 02 – P
20. Juli - 19. Aug. und Mittwoch geschl. – Karte 21/48.

In Diepholz 3-St. Hülfe NO : 3 km :

Lohaus (Niedersächsisches Fachwerkhaus a.d.J. 1819, mit Gästehaus), Bremer Str. 20 (B 51), ☎ 20 64, – TV ☎ P. AE
Karte 23/41 *(Montag geschl.)* – **13 Z : 25 B** 52 - 86.

[DIERDORF] **5419.** Rheinland-Pfalz [987] ㉔ – 4 400 Ew – Höhe 240 m – ☎ 02689.
Mainz 106 – ♦Koblenz 30 – ♦Köln 77 – Limburg an der Lahn 47.

Waldhotel, an der B 413 (W : 2 km), ☎ 20 88, – ☎ P
Karte 25/50 *(Montag geschl.)* – **18 Z : 30 B** 45 - 75.

In Großmaischeid **5419** SW : 6 km :

Tannenhof, Stebacher Str. 64, ☎ (02689) 51 67, – P
Karte 18/45 – **26 Z : 45 B** 47/56 - 90/112.

In Thalhausen **5459** SW : 10 km :

Thalhauser Mühle, Iserstr. 85, ☎ (02639) 6 18, – P.
Anfang Jan.- Anfang Feb. geschl. – Karte 18/41 *(Montag geschl.)* – **10 Z : 25 B** 50 - 80/91.

In Isenburg **5411** SW : 11 km :

Haus Maria, Caaner Str. 5, ☎ (02601) 29 80, – P. Rest
27. Dez.- 20. Jan. geschl. – Karte 22/49 *(Montag geschl.)* – **14 Z : 28 B** 38/50 - 76/90.

[DIESSEN AM AMMERSEE] **8918.** Bayern [413] Q 23, [987] ㊱, [426] ⑯ – 8 400 Ew – Höhe 536 m – Luftkurort – ☎ 08807.
Sehenswert : Stiftskirche★ – Ammersee★.
[i] Verkehrsamt, Mühlstr. 4a, ☎ 10 48.
♦München 53 – Garmisch-Partenkirchen 62 – Landsberg am Lech 22.

Strand-Hotel, Jahnstr. 10, ☎ 50 38, ≤, – P. AE Zim
Karte 30/58 *(20. Dez.- Jan., Montag und Nov.- März auch Dienstag geschl.)* – **13 Z : 24 B** 70/105 - 98/150.

Seefelder Hof, Alexander-Koester-Weg 6, ☎ 10 22, Biergarten – ☎ P. E
Jan. geschl. – Karte 19,50/56 *(Donnerstag geschl.)* – **22 Z : 40 B** 35/97 - 70/126 Fb – P 74/130.

In Diessen-Riederau N : 4 km :

Kramerhof, Ringstr. 4, ☎ 77 97, Biergarten, Fahrradverleih – TV ☎ P. E
2.- 20. Jan. geschl. – Karte 19,50/45 *(Mittwoch geschl.)* – **12 Z : 25 B** 50/60 - 85/100 – P 70/88.

🍴🍴 Seehaus, Seeweg 22, ☎ 73 00, ≤ Ammersee, « Terrassen am See », Bootssteg – P.

[DIETERSHEIM] Bayern siehe Neustadt an der Aisch.

[DIETFURT AN DER ALTMÜHL] 8435. Bayern [413] R 19, [987] [27] – 5 100 Ew – Höhe 365 m – ☎ 08464.

[i] Verkehrsbüro, Rathaus, Hauptstraße, ℘ 17 15.

♦München 126 – Ingolstadt 44 – ♦Nürnberg 81 – ♦Regensburg 61.

🏨 Zum Bräu-Toni, Hauptstr. 4, ℘ 4 23 – [P] 🏞
27 Z : 53 B.

🏨 **Zur Post**, Hauptstr. 25, ℘ 3 21, 🌳 – [P]
✦ *28. Okt.- 14. Nov. und 24. Dez.- 2. Jan. geschl.* – Karte 14,50/28 *(Dienstag geschl.)* – **30 Z : 52 B** 22/30 - 48/60.

In Dietfurt-Mühlbach SO : 2,5 km :

🏨 **Zum Wolfsberg**, Riedenburger Str. 1, ℘ 17 57, ☂, 🧖, 🏊, 🌳 – [P] 🏞
✦ *10. Jan.- Feb. und 15. Nov.- 15. Dez. geschl.* – Karte 16/28 🍷 – **65 Z : 100 B** 28/40 - 54/80.

[DIETMANNSRIED] 8969. Bayern [413] N 23, [987] [36] – 5 900 Ew – Höhe 682 m – ☎ 08374.

♦München 112 – ♦Augsburg 90 – Kempten 13 – Memmingen 25.

In Dietmannsried-Probstried NO : 3 km :

🍴🍴 **Landhaus Haase** mit Zim, Wohlmutser Weg 2, ℘ 80 10, ☂, « Gemütlich-rustikale Einrichtung » – ☎ 🚗 [P]. [AE] [E]
Karte 46/68 *(Tischbestellung ratsam)* – **8 Z : 15 B** 58 - 90/120 – 3 Appart. 120.

[DIETRINGEN] Bayern siehe Füssen.

[DIETZENBACH] 6057. Hessen [413] J 16, 17 – 26 000 Ew – Höhe 125 m – ☎ 06074.

♦Wiesbaden 48 – Aschaffenburg 41 – ♦Darmstadt 24 – ♦Frankfurt am Main 13.

In Dietzenbach-Steinberg N : 2 km :

🏨 **Main Taunus Hotel**, Taunusstr. 15, ℘ 21 91, ☂ – [TV] ☎ [P]. [AE] [E] [VISA]
Karte 30/50 *(Samstag geschl.)* – **16 Z : 24 B** 60 - 90.

[DIETZHÖLZTAL] 6344. Hessen – 6 000 Ew – Höhe 315 m – ☎ 02774.

♦Wiesbaden 142 – Gießen 63 – Marburg 49 – Siegen 30.

In Dietzhölztal-Ewersbach :

🏨 Weise 🐦, Am Ebersbach 2, ℘ 24 38, 🧖 – [P]
8 Z : 14 B Fb.

[DIEZ/LAHN] 6252. Rheinland-Pfalz [987] [24] – 9 000 Ew – Höhe 119 m – Felke- und Luftkurort – ☎ 06432.

[i] Verkehrsamt, Rathaus, Wilhelmstr. 63, ℘ 50 12 70.

Mainz 54 – ♦Koblenz 56 – Limburg an der Lahn 4,5.

🍴🍴 **IL Mulino**, Wilhelmstr. 42, ℘ 46 06, ☂ – [AE] [D] [E]
Karte 23/56.

[DILLENBURG] 6340. Hessen [987] [24] – 25 000 Ew – Höhe 220 m – ☎ 02771.

[i] Städt. Verkehrsamt, Hauptstr. 19, ℘ 9 61 17.

♦Wiesbaden 127 – Gießen 47 – Marburg 52 – Siegen 30.

🏨🏨 **Zum Schwan**, Wilhelmsplatz 6, ℘ 60 11 – ☎. [AE] [D] [E] [VISA]
28. Dez.- 15. Jan. geschl. – Karte 27/68 *(Samstag geschl.)* – **16 Z : 22 B** 40/63 - 95 Fb.

🏨🏨 **Oranien** garni, Am Untertor 1, ℘ 70 85, Telex 873230 – [TV] ☎ 🚗 [P]. [AE] [D] [E]
25 Z : 50 B 75 - 100.

In Dillenburg-Eibach O : 4 km :

🏨 **Kanzelstein** 🐦, Fasanenweg 2, ℘ 58 36, ☂ – [P]. 🚫 Zim
Karte 21/30 – **20 Z : 26 B** 39 - 70.

⌂ **Quellenhof** 🐦, Grünsweg 5, ℘ 63 05, 🌳 – [P]
✦ Karte 18/35 *(Freitag geschl.)* – **12 Z : 20 B** 28/38 - 56/80.

Do not mix up :

Comfort of hotels	: 🏨🏨🏨🏨🏨 ... 🏨, ⌂
Comfort of restaurants	: 🍴🍴🍴🍴🍴 ... 🍴
Quality of the cuisine	: ✿✿✿, ✿✿, ✿, Karte

DILLINGEN AN DER DONAU 8880. Bayern [413] O 21, [987] ㊱ – 17 500 Ew – Höhe 434 m – ⊗ 09071.

♦München 108 – ♦Augsburg 50 – ♦Nürnberg 121 – ♦Ulm (Donau) 53.

🏨 **Convikt** 🔇, Conviktstr. 9 a, ✆ 40 55, ⛱ – ☎ 🚗 [P] 👥
Karte 23/43 – **40 Z : 60 B** 50/70 - 80/100.

🏨 **Dillinger Hof**, Rudolf-Diesel-Str. 8, ✆ 80 61 (Hotel) 4 16 71 (Rest.) – ☎ [P]. [AE] [E]
Karte 26/45 – **43 Z : 65 B** 55/65 - 85/95 Fb.

🏨 **Garni**, Donauwörther Str. 62, ✆ 30 72 – ☎ 🚗 [P]. [E]
20 Z : 26 B 30/45 - 60/65.

🏨 **Gästehaus am Zoll** garni, Georg-Schmid-Ring 47, ✆ 47 95 – 🚗 [P]
23. Dez.- 10. Jan. geschl. – **14 Z : 21 B** 32/38 - 60/68.

DILLINGEN/SAAR 6638. Saarland [987] ㉓ ㉔, [242] ⑥, [57] ⑤ – 23 000 Ew – Höhe 182 m – ⊗ 06831 (Saarlouis).

♦Saarbrücken 33 – Saarlouis 5 – ♦Trier 62.

🏨 **Saarland-Hotel König**, Göbenstr. 1, ✆ 7 80 01 – ☎ [P]. [AE] [DC] [E]
Karte 26/56 *(auch vegetarische Gerichte)* (Sonntag 15 Uhr - Montag 17 Uhr geschl.) – **15 Z : 25 B** 49/55 - 85 Fb.

🏨 **Gambrinus**, Saarstr. 33, ✆ 7 11 03 – [P]
Karte 27/47 *(Mittwoch und Sept. geschl.)* – **12 Z : 21 B** 40/50 - 70/90.

In Dillingen-Diefelen NO : 3,5 km :

🏨 **Bawelsberger Hof** (modernes Hotel, Einrichtung im Stil Henri II und Louis XV), ✆ 70 39 93, Telex 443298, 🍴 – 🛗 [TV] ♿ 🚗 [P] 👥. [AE] [DC] [E] [VISA]
Karte 45/66 *(Sonntag 15 Uhr - Montag geschl.)* – **23 Z : 46 B** 92 - 124/312 Fb.

DINGOLFING 8312. Bayern [413] U 21, [987] ㊲ – 14 300 Ew – Höhe 364 m – ⊗ 08731.

♦München 101 – Landshut 32 – Straubing 34.

In Loiching 1-Oberteisbach 8311 SW : 5 km :

🏨 **Räucherhansl**, ✆ (08731) 30 25, ⛱, 🏊 – 🛗 ☎ ♿ [P] 👥
⬌ Karte 15,50/39 *(Dienstag geschl.)* – **56 Z : 107 B** 45/50 - 70/80 Fb.

DINKELSBÜHL 8804. Bayern [413] NO 19, [987] ㉖ – 11 000 Ew – Höhe 440 m – ⊗ 09851.

Sehenswert : St.-Georg-Kirche★ – Deutsches Haus★.

[i] Städt. Verkehrsamt, Marktplatz, ✆ 9 02 40.

♦München 159 – ♦Nürnberg 93 – ♦Stuttgart 115 – ♦Ulm (Donau) 103 – ♦Würzburg 105.

🏨 **Deutsches Haus**, Weinmarkt 3, ✆ 23 46, ⛱, « Fachwerkhaus a.d. 15. Jh. » – [TV] ☎ 🚗 👥. [AE] [DC] [E]
1.- 15. Feb. geschl. – Karte 23/49 – **11 Z : 20 B** 70/90 - 110/160 Fb.

🏨 **Eisenkrug**, Dr.-Martin-Luther-Str. 1, ✆ 34 29, « Restaurant in einem historischen Gewölbekeller » – 🛗. [AE] [DC] [E]
Karte 28/53 *(Nov.- März Freitag und 15. Jan.- 5. Feb. geschl.)* – **11 Z : 20 B** 65/75 - 98/110.

🏨 **Blauer Hecht**, Schweinemarkt 1, ✆ 8 11 – [TV] 🚗 👥. [AE] [DC] [E] [VISA]
2.- 31. Jan. geschl. – Karte 25/51 *(Feb. und Montag geschl.)* – **30 Z : 54 B** 69/85 - 98/120 Fb (Gästehaus mit 15 Z ab Frühjahr 1989).

🏨 **Goldene Kanne**, Segringer Str. 8, ✆ 60 11 – [TV] ☎ 🚗 👥. [AE] [DC] [E] [VISA]
Karte 27/48 *(Nov.- April Montag geschl.)* – **26 Z : 48 B** 65/80 - 110/150 Fb.

🏨 **Goldene Rose und Bräustüberl**, Marktplatz 4, ✆ 8 31, Telex 61123 – [TV] ☎ 🚗 [P]. [AE] [DC] [E] [VISA]
7. Jan.- 27. Feb. geschl. – Karte 21/53 – **34 Z : 68 B** 65/130 - 86/150.

🏨 **Goldener Anker**, Untere Schmiedgasse 22, ✆ 8 22 – [TV] ☎. [AE] [DC] [E] [VISA]
Jan. 3 Wochen geschl. – Karte 22/53 – **15 Z : 30 B** 50/60 - 90/100.

🏨 **Goldene Krone**, Nördlinger Str. 24, ✆ 22 93 – 🛗 🚗. [AE] [DC] [E] [VISA]
⬌ *Nov. geschl.* – Karte 16/30 *(Mittwoch geschl.)* – **26 Z : 48 B** 45/48 - 66/70.

🏨 **Weißes Ross**, Steingasse 12, ✆ 22 74 – [TV] ☎ 🚗. [DC] [E] [VISA]. 🚫🐕 Rest
⬌ *15.Jan.- 15. Feb. geschl.* – Karte 19/39 – **24 Z : 43 B** 38/50 - 48/90.

DINKLAGE 2843. Niedersachsen [987] ⑭ – 9 600 Ew – Höhe 30 m – ⊗ 04443.

♦Hannover 131 – ♦Bremen 79 – ♦Oldenburg 59 – ♦Osnabrück 48.

🏨 **Burghotel** 🔇, Burgallee 1, ✆ 10 25, Telex 25929, ⛱, Wildpark, 🏊 – 🛗 [TV] ☎ [P] 👥. [AE] [DC] [E] [VISA]
Karte 39/61 – **54 Z : 103 B** 80/102 - 115/145 Fb.

🏨 Wiesengrund, Lohner Str. 17 (W : 2 km, nahe der Autobahn-Ausfahrt), ✆ 20 50 – 🚗 [P]
19 Z : 38 B.

[DINSLAKEN] 4220. Nordrhein-Westfalen [987] ⑬ – 63 400 Ew – Höhe 30 m – ☎ 02134.

Siehe Ruhrgebiet (Übersichtsplan).

[i] Stadtinformation, Bahnhofsvorplatz, ✆ 6 62 22.

♦Düsseldorf 49 – ♦Duisburg 16 – Oberhausen 20 – Wesel 14.

- **Bahnhofshotel**, Bahnstr. 53, ✆ 26 72 – ☎
  20 Z : 32 B.
- **Garni**, Bahnhofsvorplatz 9, ✆ 5 23 09 – [P]. [AE] [D] [E]
  22 Z : 34 B 40/55 - 70/80.
- **Zum schwarzen Ferkel**, Voerder Str. 79 (an der B 8), ✆ 5 11 20 – 🚗 [P]. [AE] [D] [E] [VISA]
  26. Dez.- 5. Jan. und Juli - Aug. 3 Wochen geschl. – Karte 23/46 – **10 Z : 14 B** 45/50 - 80.

[DIRMSTEIN] 6716. Rheinland-Pfalz [413] H 18 – 2 500 Ew – Höhe 108 m – ☎ 06238.

Mainz 61 – Kaiserslautern 43 – ♦Mannheim 24 – Worms 13.

- **Café Kempf**, Marktstr. 3, ✆ 30 11, ☂, ♨, [🏊] – |♦| ☎ ⛺. ✂ Zim
  Jan. 3 Wochen geschl. – Karte 24/58 *(Dienstag geschl.)* 🍷 – **28 Z : 56 B** 75/95 - 80/160 Fb.

In Großkarlbach 6711 SW : 4 km :

- Winzergarten, Hauptstr. 17, ✆ (06238) 21 51, ☂ – ☎ [P] ⛺
  35 Z : 65 B.
- 🍴🍴 **Schänke im Weinkeller**, Hauptstr. 67, ✆ (06238) 6 78, eigener Weinbau, « Gartenterrasse » – [AE]
  nur Abendessen – Karte 45/73 (Tischbestellung ratsam) 🍷.

[DISCHINGEN] 7925. Baden-Württemberg [413] O 20 – 4 500 Ew – Höhe 463 m – ☎ 07327.

♦Stuttgart 109 – Heidenheim an der Brenz 18 – Nördlingen 27.

- **Schloßgaststätte** 🐦, Im Schloß Taxis, ✆ 4 25 – ☎ 🚗 [P]. [AE] [D] [E]
  ◆ Karte 17,50/35 *(Montag geschl.)* – **14 Z : 22 B** 26/42 - 76/88.

[DITTELSHEIM-HESSLOCH] 6521. Rheinland-Pfalz [413] H 17 – 1 800 Ew – Höhe 200 m – ☎ 06244.

Mainz 38 – Kaiserslautern 60 – Bad Kreuznach 39 – Worms 19.

- 🍴 **Weinkastell**, auf dem Kloppberg, ✆ 74 85, ≤, ☂ – [P]
  15. Jan.- 15. Feb. und Montag geschl. – Karte 27/61 🍷.

[DITZENBACH, BAD] 7342. Baden-Württemberg [413] M 21 – 3 000 Ew – Höhe 509 m – Heilbad – ☎ 07334 (Deggingen).

[i] Verkehrsamt, Haus des Gastes, Helfensteinstr. 20, ✆ 69 11.

♦Stuttgart 56 – Göppingen 19 – Reutlingen 51 – ♦Ulm (Donau) 44.

- **Zum Lamm**, Hauptstr. 30, ✆ 43 21 – ☎ 🚗 [P]. [D] [E]
  Feb. geschl. – Karte 23/61 *(Dienstag 14 Uhr - Mittwoch geschl.)* – **8 Z : 16 B** 50 - 80 – P 70.
- **Heuändres**, Helfensteinstr. 8, ✆ 53 20, 🌳 – [P]
  6.- 20. Juli und Mitte Dez.- Anfang Jan. geschl. – Karte 24/51 *(Montag geschl.)* – **9 Z : 13 B** 32/38 - 70 – P 54/65.
- 🍴 **Gästehaus Schulz** mit Zim, Lindenstr. 2, ✆ 62 38, ☂ – [P]. ✂
  23. Dez.- 10. Jan. geschl. – Karte 26/42 *(Dienstag geschl.)* 🍷 – **7 Z : 11 B** 35 - 70 – P 55.

In Bad Ditzenbach-Gosbach SW : 2 km :

- **Hirsch**, Unterdorfstr. 2, ✆ (07335) 51 88 – ☎ [P]. [E]. ✂
  9. Jan.- 2. Feb., 10.- 24. Juli und 23. Okt.- 6. Nov. geschl. – Karte 26/61 *(Montag geschl.)* 🍷 – **12 Z : 24 B** 45 - 75.

[DOBEL] 7544. Baden-Württemberg [413] I 20, [987] ㉟ – 1 700 Ew – Höhe 689 m – Heilklimatischer Kurort – Wintersport : 500/710 m ⛷2 ⛷2 – ☎ 07083 (Bad Herrenalb).

[i] Kurverwaltung, im Rathaus, ✆ 7 45 13.

♦Stuttgart 74 – Baden-Baden 28 – ♦Karlsruhe 33 – Pforzheim 24.

- **Gästehaus Flora** 🐦 garni, Brunnenstr. 7, ✆ 29 48, [🏊], 🌳 – ☎ [P]. ✂
  10 Z : 18 B 46/55 - 80/92.
- **Rössle** 🐦, Joh.-P.-Hebel-Str. 7, ✆ 23 53 – 🚗 [P]
  ◆ *15. Nov.- 15. Dez. geschl.* – Karte 19,50/38 *(Dienstag geschl.)* 🍷 – **26 Z : 35 B** 28/45 - 56/78 – P 50/64.

In Dobel-Eyachmühle SO : 3 km :

- 🍴 **Eyachmühle**, ✆ (07081) 25 91, ≤, ☂ – [P]
  2. Nov.- 20. Dez. und Dienstag geschl. – Karte 20/41.

[DÖHLE] Niedersachsen siehe Egestorf.

[DÖRENTRUP] 4926. Nordrhein-Westfalen – 8 000 Ew – Höhe 200 m – ☎ 05265.

◆Düsseldorf 206 – Bielefeld 37 – Detmold 20 – ◆Hannover 75.

In Dörentrup-Farmbeck :

🏠 **Landhaus Begatal**, Bundesstr. 2 (B 66), ☎ 82 55, ⛱ – [TV] ☏ Ⓟ ♿. [①] [E] [VISA]. 🐕 Rest
Feb. und Juli jeweils 2 Wochen geschl. – Karte 23/43 *(Montag geschl.)* – **10 Z : 19 B** 48/58 - 76/96.

In Dörentrup 4-Schwelentrup – Luftkurort :

🏠 **Waldhotel** 🐦, Am Wald 2, ☎ 4 28, ≘s, 🏊 – Ⓟ ♿
Karte 21/42 – **25 Z : 50 B** 42/48 - 84/96.

🍴 **Jagdrestaurant Grünental**, Sternberger Str. 3, ☎ 2 52 – Ⓟ. [①] [E]
Montag geschl. – Karte 24/50.

[DÖRLINBACH] Baden-Württemberg siehe Schuttertal.

[DÖRNICK] Schleswig-Holstein siehe Plön.

[DÖRPEN] 2992. Niedersachsen – 3 300 Ew – Höhe 5 m – ☎ 04963.

◆Hannover 242 – ◆Bremen 118 – Groningen 64 – ◆Oldenburg 71 – ◆Osnabrück 115.

🏠 **Borchers**, Neudörpener Str. 210, ☎ 16 72 – [TV] ☏ 🚗 Ⓟ ♿. [AE] [①] [E] [VISA]. 🐕
Karte 21/53 *(Samstag geschl.)* – **31 Z : 42 B** 45/60 - 85/100 Fb.

[DÖRRENBACH] 6749. Rheinland-Pfalz [413] G 19, [242] ⑫, [87] ② – 1 100 Ew – Höhe 350 m – Erholungsort – ☎ 06343.

Mainz 131 – ◆Karlsruhe 42 – Pirmasens 46 – Wissembourg 10.

🏠 **Pension Waldruhe** 🐦 garni, Wiesenstr. 6, ☎ 15 06 – Ⓟ
10 Z : 19 B 36 - 66.

🍴 **Hubertusklause - Pension Hubertus** mit Zim, Hauptstr. 99, ☎ 75 44 – Ⓟ
◆ *13.- 24. Feb. geschl.* – Karte 18/41 *(Montag geschl.)* 🍷 – **12 Z : 20 B** 27 - 38/50.

🍴 **Keschtehäusel** mit Zim (Weinstube a.d.J. 1736), Hauptstr. 4, ☎ 87 97, ⛱ – Ⓟ
Karte 24/42 *(Donnerstag geschl.)* – **5 Z : 11 B** 33/45 - 65/90.

[DÖRVERDEN] Niedersachsen siehe Verden an der Aller.

[DÖTTESFELD] 5419. Rheinland-Pfalz – 350 Ew – Höhe 220 m – Erholungsort – ☎ 02685 (Flammersfeld).

Mainz 117 – ◆Koblenz 43 – ◆Köln 74 – Limburg an der Lahn 58.

🏠 **Zum Wiedbachtal** 🐦, Wiedstr. 14, ☎ 10 60, 🏊, 🌳 – ☏ Ⓟ. [E]. 🐕
◆ *Okt. 2 Wochen geschl.* – Karte 16/43 *(Dienstag geschl.)* – **14 Z : 22 B** 40 - 80 – P 55.

In Oberlahr 5231 W : 3 km :

🏠 **Der Westerwald Treff** 🐦, ☎ (02685) 8 70, Telex 868611, Fax 87268, Biergarten, ≘s, 🏊, 🌳, 🎾 (Halle), Fahrradverleih – ⇕ [TV] 👪 Ⓟ ♿. [AE] [①] [E] [VISA]
Karte 26/65 – **148 Z : 296 B** 80/90 - 130/150 Fb – 47 Fewo 90/170.

[DÖTTINGEN] Baden-Württemberg siehe Braunsbach.

[DONAUESCHINGEN] 7710. Baden-Württemberg [413] I 23, [987] ㉟, [427] ⑥ – 18 200 Ew – Höhe 686 m – ☎ 0771.

Sehenswert : Fürstenberg-Sammlungen (Gemäldegalerie★ : Passionsaltar★★).

⛳ Donaueschingen-Aasen (NO : 4 km), ☎ 8 45 25.

[i] Verkehrsamt, Karlstr. 58, ☎ 38 34.

◆Stuttgart 131 – Basel 108 – ◆Freiburg im Breisgau 65 – ◆Konstanz 67 – Reutlingen 124 – Zürich 99.

🏠 **Öschberghof** 🐦, am Golfplatz (NO : 4 km), ☎ 8 46 00, Telex 792717, ≤, ⛱, Massage, ≘s, 🏊, 🌳, ⛳ – ⇕ [TV] 🚗 Ⓟ ♿. [AE] [E] [VISA]. 🐕
9.- 29. Jan. geschl. – Karte 32/58 *(Tischbestellung ratsam)* – **53 Z : 93 B** 138 - 185 Fb.

🏠 **Schützen**, Josefstr. 2, ☎ 50 85, Fax 50 87 – [TV] ☏ Ⓟ ♿. [AE] [E] [VISA]
Karte 28/55 *(Sonntag - Montag geschl.)* – **24 Z : 43 B** 60/70 - 95 Fb.

🏠 **Ochsen**, Käferstr. 18, ☎ 40 44 (Hotel) 36 88 (Rest.), ≘s, 🏊 – ⇕ ☏ 🚗 Ⓟ
◆ Karte 18,50/39 *(Donnerstag, 6.- 30. Jan. und Juli - Aug. 2 Wochen geschl.)* 🍷 – **46 Z : 70 B** 45/58 - 68/84 Fb.

🏠 **Linde**, Karlstr. 18, ☎ 30 48 – ⇕ [TV] ☏ Ⓟ. [AE] [①] [E] [VISA]
28. Jan.- 8. Feb. und 22. Dez.- 15. Jan. geschl. – Karte 21/45 *(nur Abendessen, Freitag - Samstag geschl.)* – **22 Z : 35 B** 50/60 - 95 Fb.

🏠 **Zur Sonne**, Karlstr. 38, ☎ 31 44, ≘s – 🚗 Ⓟ
23. Dez.- 25. Jan. geschl. – Karte 23/51 *(Sonntag 14 Uhr - Montag geschl.)* 🍷 – **20 Z : 30 B** 45/55 - 88.

XXX Fürstenberg-Parkrestaurant, Brigachweg 8 (beim Sportzentrum), 33 93 – P.

X **Donaustuben**, Marktstr. 2 (Donauhalle), 21 89 – P
10. Juli - 10. Aug. und Sonntag 15 Uhr und Montag geschl. – Karte 22/48.

In Donaueschingen - Allmendshofen S : 2 km :

Grüner Baum, Friedrich-Ebert-Str. 59, 20 97, – P
40 Z : 70 B Fb.

In Donaueschingen-Aufen NW : 2,5 km – Erholungsort :

Waldblick, Am Hinteren Berg 7, 40 74, – P AE E VISA. Zim
1.- 20. Dez. geschl. – Karte 21/48 *(Montag geschl.)* – **45 Z : 75 B** 45/70 - 80/130 Fb.

In Donaueschingen 15-Wolterdingen NW : 6 km :

Tannenhof, Hubertshofener Str. 8, (07705) 4 44, – P
Karte 25/50 *(Freitag geschl.)* – **22 Z : 43 B** 40/50 - 76/96 Fb.

DONAUSTAUF Bayern siehe Regensburg.

DONAUWÖRTH 8850. Bayern 413 P 20, 987 36 – 17 500 Ew – Höhe 405 m – 0906.
Ausflugsziele : Kaisheim : ehemalige Klosterkirche (Chorumgang★) N : 6 km – Harburg : Schloß (Sammlungen★) NW : 11 km.

Verkehrsamt, Rathaus, Rathausgasse 1, 78 91 45.

♦München 100 – Ingolstadt 56 – ♦Nürnberg 95 – ♦Ulm (Donau) 79.

Drei Kronen, Bahnhofstr. 25, 2 10 77, Telex 51339 – P. AE E
30. Jan.- 19. Feb. geschl. – Karte 18,50/37 *(Sonntag geschl.)* – **37 Z : 56 B** 55 - 95 Fb.

Traube, Kapellstr. 14, 60 96, Telex 51331, – P. AE E VISA
Karte 21/45 *(Mittwoch bis 17 Uhr geschl.)* – **43 Z : 65 B** 55/67 - 84/106 Fb.

Goldener Hirsch, Reichsstr. 44, 31 24 – P
15 Z : 24 B.

XX Tanzhaus, Reichsstr. 34 (2. Etage,), 50 01.

In Donauwörth-Nordheim SO : 2 km über die B 16 :

Donauwörther Hof, Teutonenweg 16, 59 50, – P. AE E
Karte 23/38 *(Sonntag geschl.)* – **26 Z : 50 B** 50/55 - 85/95.

In Donauwörth-Parkstadt :

Parkcafé, Sternschanzenstr. 1, 60 37, Donauwörth, – TV P AE E
27. Dez.- 10. Jan. geschl. – Karte 24/58 *(Nov.- Feb. Freitag geschl.)* – **35 Z : 50 B** 60/70 - 110/115 Fb.

Zum Deutschmeister, Hochbrucker Str. 2, 80 95, – P. E
1.- 12. Aug. geschl. – Karte 18/37 *(Montag geschl.)* – **9 Z : 13 B** 39 - 72.

DONZDORF 7322. Baden-Württemberg 413 M 20 – 11 100 Ew – Höhe 405 m – 07162 (Süßen).

Schloß Ramsberg, 2 71 71.

♦Stuttgart 57 – Göppingen 13 – Schwäbisch Gmünd 17 – ♦Ulm (Donau) 45.

Becher - Restaurant De Balzac (mit Gästehaus,), Schloßstr. 7, 2 00 50 (Hotel) 20 05 37 (Rest.), Fax 200555, Caféterrasse, – TV P E VISA
Jan. 1 Woche und 23. Juli - 12. Aug. geschl. – Karte 57/85 *(Tischbestellung ratsam)* (Sonntag - Montag 18 Uhr geschl.) – **Bauernstube** Karte 24/53 *(Sonntag 14 Uhr - Montag 18 Uhr geschl.)* – **65 Z : 102 B** 70/110 - 98/165 Fb
Spez. Lasagne von Hummer und Wildlachs, Pot au feu von Taubenbrust und Gänsestopfleber, Hausgemachtes Eis in der Blüte.

DORMAGEN 4047. Nordrhein-Westfalen 987 23 – 57 000 Ew – Höhe 45 m – 02106.
Ausflugsziel : Zons : befestigtes Städtchen★ N : 6 km.

♦Düsseldorf 25 – ♦Köln 24 – Neuß 19.

Romantik-Hotel Höttche, Krefelder Str. 14, 4 10 41, Telex 8517376, « Rustikales Restaurant », – TV P AE E VISA
23.- 30. Dez. geschl. – Karte 50/82 – **56 Z : 84 B** 100/145 - 145/195 Fb.

In Dormagen 5-St. Peter NW : 5,5 km über die B 9 :

Stadt Dormagen garni, Robert-Bosch-Str. 2, 78 28, – P. AE E VISA
22. Dez.- 8. Jan. geschl. – **14 Z : 20 B** 60 - 100.

In Dormagen-Zons N : 6 km :

XX **Altes Zollhaus**, Rheinstr. 16, 4 01 03 – AE E VISA
Montag - Dienstag 18 Uhr und Jan.- Mitte Feb. geschl. – Karte 37/73.

DORNBURG 6255. Hessen – 8 000 Ew – Höhe 400 m – ☎ 06436.
Mainz 75 – ♦Frankfurt am Main 88 – Koblenz 46 – Siegen 55.

In Dornburg-Frickhofen :

Café Bock garni, Hauptstr. 30, ☎ 20 77 – ☎.
10 Z : 20 B 50/60 - 100/120.

DORNHAN 7242. Baden-Württemberg 413 I 21 – 5 300 Ew – Höhe 650 m – Erholungsort – ☎ 07455.
♦Stuttgart 83 – Freudenstadt 19 – Rottweil 29.

In Dornhan-Fürnsal N : 3 km :

Pension Schaupp, Bettenhauser Str. 26, ☎ 13 46. – Rest
Nov.- 15. Dez. geschl. – (Restaurant nur für Hausgäste) – **10 Z : 15 B** 28/30 - 56/60 – 2 Fewo 75.

Rössle, Dorfwiesenstr. 11, ☎ 82 28, ←, –
20. Okt.- 15. Nov. geschl. – Karte 15,50/30 *(Montag geschl.)* – **10 Z : 18 B** 28/32 - 54/60 – P 40/43.

DORNSTADT Baden-Württemberg siehe Ulm (Donau).

DORNSTETTEN 7295. Baden-Württemberg 413 I 21, 987 ㊲ – 5 700 Ew – Höhe 615 m – Luftkurort – ☎ 07443.
Kurverwaltung, Rathaus, Marktplatz 2, ☎ 58 68.
♦Stuttgart 87 – Freudenstadt 8.

Löwen, Hauptstr. 3, ☎ 64 81, –
Nov. geschl. – Karte 19/40 *(Freitag geschl.)* – **35 Z : 60 B** 36/41 - 66/78 – P 50/60.

In Dornstetten-Aach SW : 2 km – Erholungsort :

Waldgericht (Fachwerkhaus a.d. 15. Jh.), Grüntaler Str. 4, ☎ 80 33 – ☎
18 Z : 27 B.

In Dornstetten-Hallwangen NO : 2,5 km – Luftkurort :

Die Mühle, Eichenweg 23 (nahe der B 28), ☎ 63 29 –
Mittwoch - Donnerstag 17 Uhr geschl. – Karte 37/72
Spez. Gemüseterrine mit Gänseleber, Seeteufel auf Wirsingspätzle, Lammrücken mit Kräuterkruste.

DORNUM 2988. Niedersachsen 987 ④ – 4 900 Ew – Höhe 5 m – ☎ 04933.
♦Hannover 262 – Emden 46 – ♦Oldenburg 91 – Wilhelmshaven 54.

Burg-Hotel mit Zim, Beningalohne 2, ☎ 19 11, – ☎. E
Jan.- Feb. geschl. – Karte 25/50 – **8 Z : 15 B** 50/55 - 75/140.

DORSTEN 4270. Nordrhein-Westfalen 987 ⑬ – 74 000 Ew – Höhe 37 m – ☎ 02362.

Siehe Ruhrgebiet (Übersichtsplan).

♦Düsseldorf 61 – Bottrop 17 – ♦Essen 29 – Recklinghausen 19.

Am Kamin, Alleestr. 37, ☎ 2 70 07 – ☎. AE E VISA
Karte 39/64 *(nur Abendessen)* – **25 Z : 50 B** 90 - 120 Fb.

Koop - Dorstener Hof, Markt 13, ☎ 2 26 29 – AE E VISA
Karte 26/48 *(Freitag ab 14 Uhr und Montag geschl.)* – **14 Z : 20 B** 40/60 - 55/85.

In Dorsten 21-Hervest :

Haus Berken, An der Molkerei 30, ☎ 6 12 13, – ☎
Karte 29/51 *(Mittwoch geschl.)* – **21 Z : 30 B** 46/65 - 90/100.

Henschel, Borkener Str. 47, ☎ 6 26 70 – AE E
Samstag bis 18 Uhr und Ende Juni - Mitte Juli geschl. – Karte 60/85.

In Dorsten 12 - Lembeck NO : 10,5 km :

Schloßhotel Lembeck mit Zim, im Wasserschloß Lembeck (S : 2 km), ☎ (02369) 72 13, Schloßkapelle, Museum, « Park » – ☎. AE E VISA
Karte 33/66 *(Montag bis 17 Uhr geschl.)* – **10 Z : 19 B** 58/73 - 105/128.

In Dorsten 11 - Wulfen NO : 7 km :

Humbert, Burghof 2 (B 58), ☎ (02369) 41 09, , Fahrradverleih – ☎. AE E VISA
18. Juli - 6. Aug. geschl. – Karte 20/55 *(Montag geschl.)* – **21 Z : 32 B** 35/50 - 70/100.

In Dorsten 11 - Wulfen-Deuten W : 4 km ab Wulfen :

Grewer, Weseler Str. 351 (B 58), ☎ (02369) 41 39, – . E
Juli - Aug. 3 Wochen geschl. – Karte 19/45 *(Donnerstag geschl.)* – **15 Z : 21 B** 38/45 - 70/80.

DORTMUND 4600. Nordrhein-Westfalen [987] ⑭ – 570 000 Ew – Höhe 87 m – ☎ 0231.

Siehe Ruhrgebiet (Übersichtsplan).

Sehenswert : Fernsehturm★ (※★) – Westfalenpark★ BCZ – Marienkirche (Marienaltar★) BYZ **B**.

⛳18 Dortmund-Reichsmark (⑤ : 7 km), ☎ 77 41 33.

✈ (Holzwickede) ☎ (02301) 23 81.

Ausstellungsgelände Westfalenhalle (AZ), ☎ 1 20 45 21, Telex 822321.

[i] Verkehrspavillon am Hauptbahnhof, ☎ 14 03 41.

[i] Informations- und Presseamt, Südwall 6, ☎ 54 22 56 66.

ADAC, Kaiserstr. 63, ☎ 5 49 91 15, Notruf ☎ 1 92 11.

♦Düsseldorf 82 ⑤ – ♦Bremen 236 ③ – ♦Frankfurt am Main 224 ⑤ – ♦Hannover 212 ③ – ♦Köln 94 ⑤.

Stadtplan siehe nächste Seiten.

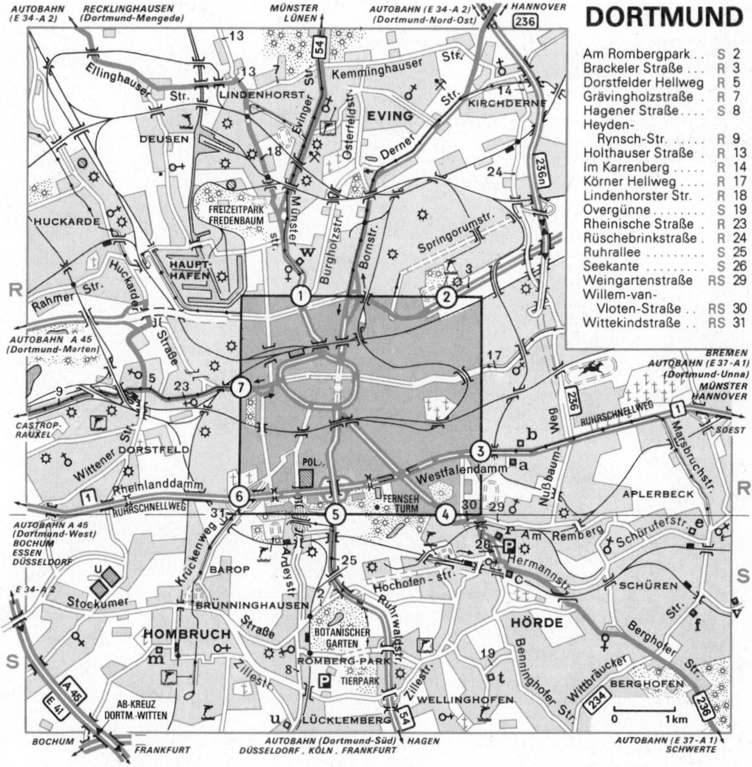

🏨 **Parkhotel Wittekindshof**, Westfalendamm 270 (B 1), ☎ 59 60 81, Telex 822216, 🍴, ♨ – 🛗 ⇆ Zim ▤ 📺 ♿ 🅿 🏔. AE ⓞ E VISA. 🐕 — R **b**
Karte 38/79 *(Samstag bis 18 Uhr geschl.)* – **65 Z : 100 B** 148/168 - 230/350 Fb.

🏨 **Parkhotel Westfalenhallen** 🐢, Strobelallee 41, ☎ 1 20 42 45, Telex 822413, Fax 1204555, ←, 🍴, ♨, 🏊 – 🛗 📺 ♿ 🅿 🏔. AE ⓞ E VISA — AZ **s**
10. Juli - 6. Aug. geschl. – Karte 35/69 – **110 Z : 133 B** 130/155 - 180/250 Fb.

🏨 **Drees**, Hohe Str. 107, ☎ 10 38 21, Telex 822490, 🏊 – 🛗 📺 ♿ 🅿 🏔. AE ⓞ E. 🐕 Rest
Karte 27/56 – **114 Z : 170 B** 74/110 - 110/140 Fb. — AZ **n**

🏨 **Consul** garni (Mahlzeiten im Hotel Drees), Gerstenstr. 3, ☎ 10 38 25, Telex 822490, ♨, 🏊 – 🛗 📺 ☎ 🚗. AE ⓞ E — AZ **v**
42 Z : 51 B 84/110 - 120/128 Fb.

🏨 **Römischer Kaiser**, Olpe 2, ☎ 5 43 21, Telex 822441, 🍴 – 🛗 📺 ☎ ♿ 🏔. AE ⓞ E VISA
Karte 27/62 – **160 Z : 220 B** 141/166 - 182/225 Fb. — BZ **a**

🏨 Senator, Münsterstr. 187 (B 54), ☎ 81 81 61, Telex 8227507 – 🛗 📺 ☎ 🚗 🅿 — R **w**
34 Z : 70 B Fb.

Fortsetzung →

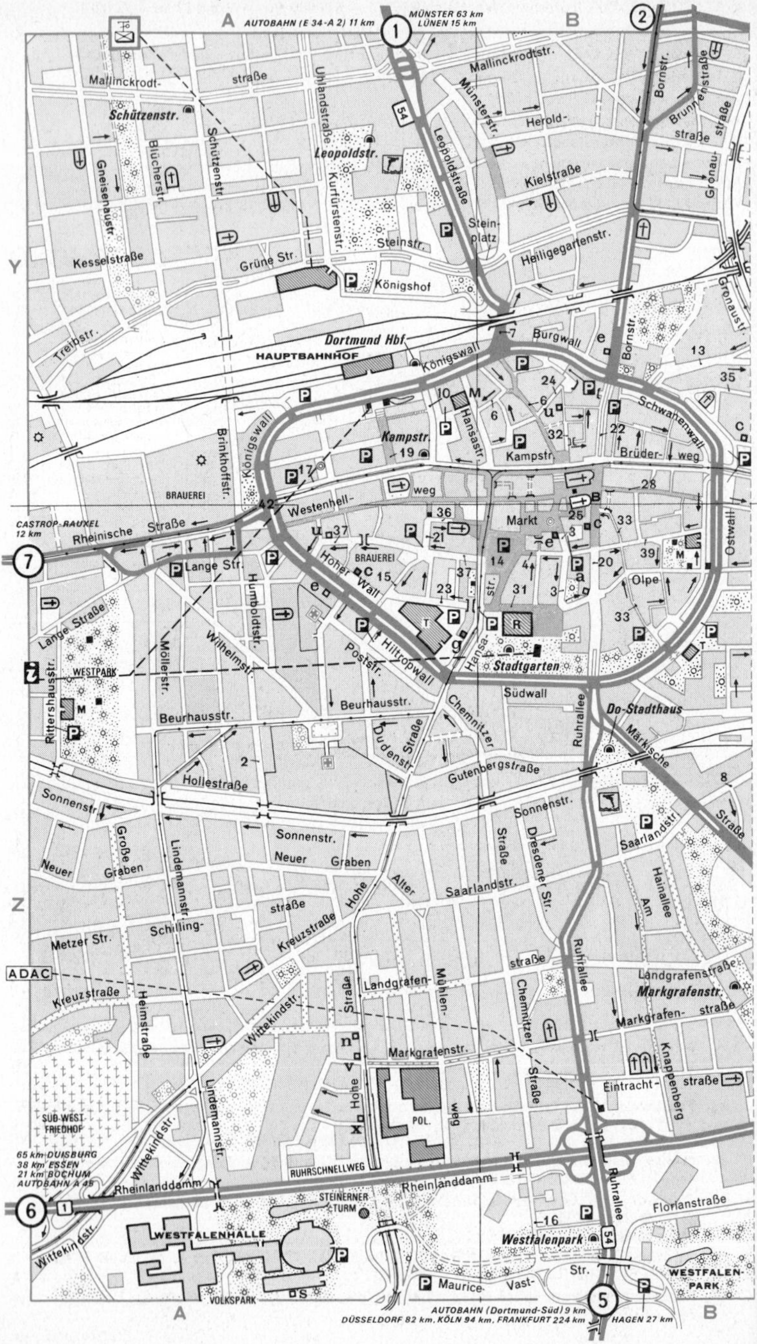
A
B
Y
Z
AUTOBAHN (E 34-A 2) 11 km
MÜNSTER 63 km
LÜNEN 15 km
Mallinckrodt-
straße
Mallinckrodtstr.
Schützenstr.
Uhlandstraße
Münsterstr.
Herold-
Bornstr.
Brunnenstraße
straße
Gronau-
Blücherstr.
Gneisenaustr.
Schützenstr.
Leopoldstr.
Kurfürstenstr.
Leopoldstraße
Kielstraße
Steinplatz
Steinstr.
Heiligegartenstr.
Kesselstraße
Grüne Str.
Königshof
Gronaustr.
Treibstr.
Dortmund Hbf
HAUPTBAHNHOF
Königswall
Burgwall
Bornstr.
Schwanenwall
Kampstr.
Hansastr.
Brinkhoffstr.
Königswall
BRAUEREI
Brüderweg
Westenhellweg
Markt
Ostwall
CASTROP-RAUXEL
12 km
Rheinische Straße
Lange Str.
Hoher Wall
BRAUEREI
Olpe
Humboldstr.
Wilhelmstr.
Möllerstr.
Lange Straße
WESTPARK
Poststr.
Hiltropwall
Hansastr.
Stadtgarten
Südwall
Ruhrallee
Do-Stadthaus
Rittershausstr.
Beurhausstr.
Chemnitzer
Dudenstr.
Straße
Märkische
Straße
Hollestraße
Gutenbergstraße
Sonnenstr.
Große Graben
Lindemannstr.
Sonnenstr.
Neuer Graben
Alter
Saarlandstr.
Dresdener Str.
Hainallee
Am
Saarlandstr.
straße
Hohe
Schilling-
Metzer Str.
Kreuzstraße
ADAC
Kreuzstraße
Heimstraße
Wittekindstr.
Straße
Landgrafen-
Mühlenweg
Chemnitzer Straße
Landgrafenstraße
Markgrafenstr.
Markgrafenstraße
Knappenberg
Eintrachtstraße
Markgrafenstr.
Hohe
POL.
SÜD-WEST-FRIEDHOF
65 km DUISBURG
38 km ESSEN
21 km BOCHUM
AUTOBAHN A 45
Wittekindstr.
Lindemannstr.
RUHRSCHNELLWEG
Rheinlanddamm
Rheinlanddamm
STEINERNER TURM
Ruhrallee
Florianstraße
WESTFALENHALLE
Westfalenpark
Wittekindstr.
Maurice-Vast-Str.
WESTFALEN-PARK
VOLKSPARK
AUTOBAHN (Dortmund-Süd) 9 km
DÜSSELDORF 82 km, KÖLN 94 km, FRANKFURT 224 km
HAGEN 27 km

DORTMUND

Brückstraße . . . . BY 6
Hansastraße . . . . . ABY
Kampstraße . . . . . ABY 17
Kleppingstraße . . . . BZ 20
Kuckelke . . . . BY 22
Münsterstr. . . . . . . ABY
Ostenhellweg . . . . . BY 28
Westenhellweg . . . AYZ

Alexanderstraße . . . AZ 2
Betenstraße . . . . BZ 3
Brauhausstraße . . . BZ 4
Burgtor . . . . BY 7
Ernst-Mehlich-Str. . . BZ 8
Franziskanerstraße . CZ 9
Freistuhl . . . . AY 10
Gerichtsstraße . . . . CY 12
Geschwister-Scholl-Straße . . BY 13
Hansaplatz . . . . . . BZ 14
Hövelstraße . . . . . . AZ 15
Joseph-Scherer-Straße . . . . BZ 16
Katharinenstraße . AY 19
Kolpingstraße . . . . AZ 21
Kuhstraße . . . . AZ 23
Ludwigstraße . . . . BY 24
Marienkirchhof . . . BZ 25
Prinzenstraße . . . . BZ 31
Reinoldistraße . . . BY 32
Rosental . . . . BZ 33
Schwanenstraße . BCY 35
Schwarze-Brüder-Straße . . . . AZ 36
Silberstraße . . . . . . AZ 37
Viktoriastraße . . . . BZ 39
Westentor . . . . . . AYZ 42

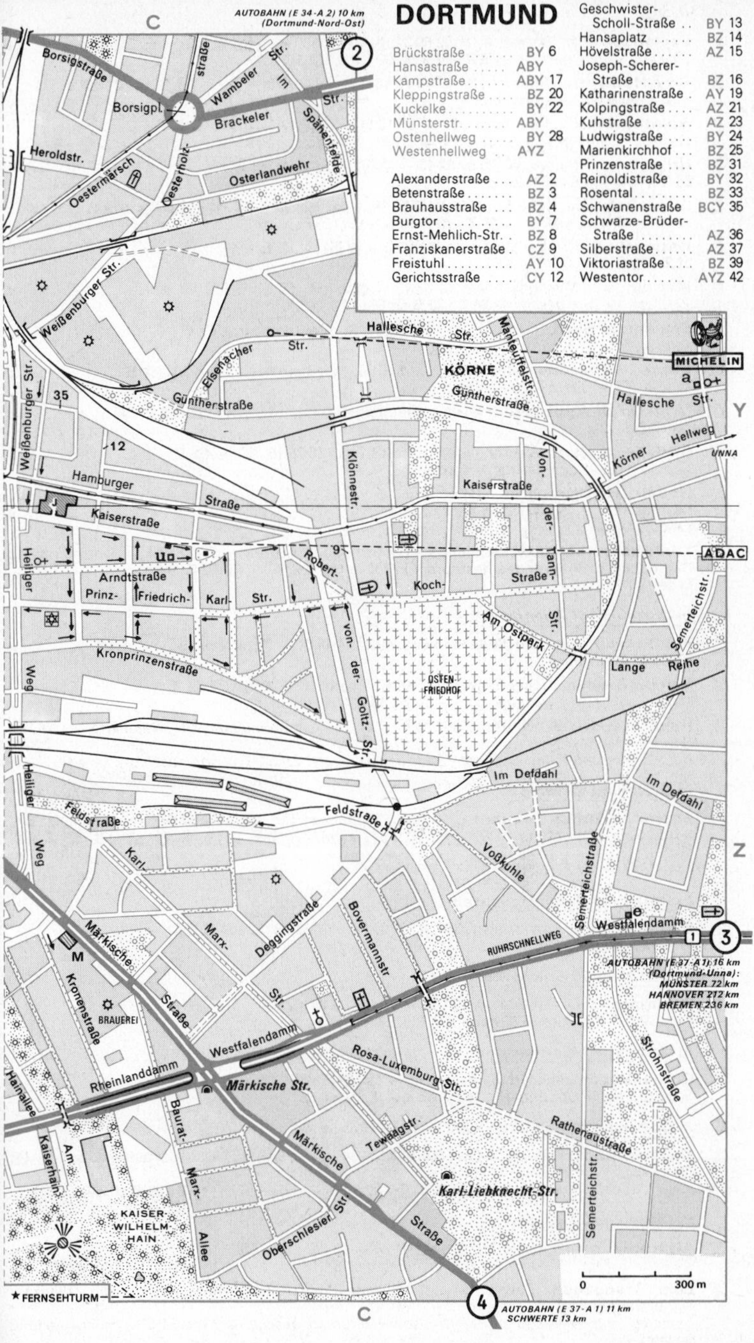

Esplanade garni, Bornstr. 4, ✆ 52 89 31, Telex 822330 – TV ☎. AE ⓓ E VISA — BY e
23. Dez.- 2. Jan. geschl. – **48 Z : 67 B** 80/90 - 100/125 Fb.

City-Hotel garni, Silberstr. 37, ✆ 14 20 86, Telex 8227570 – TV ☎ P. AE ⓓ E VISA — AZ u
50 Z : 100 B 85/125 - 125/150.

Stadthotel garni, Reinoldistr. 14, ✆ 57 10 11 – TV ☎. AE ⓓ E VISA — BY u
22. Dez.- 2. Jan. geschl. – **31 Z : 47 B** 82/98 - 115/125.

Union garni, Arndtstr. 66, ✆ 52 82 43 – TV ☎. AE ⓓ E VISA — CZ u
26 Z : 42 B 45/85 - 85/120 Fb.

Gildenhof garni, Hohe Str. 139, ✆ 12 20 35, Telex 822807 – TV ☎. ⓓ E — AZ x
20. Dez.- 6. Jan. geschl. – **49 Z : 90 B** 55/90 - 99/129 Fb.

National garni, Hoher Wall 2, ✆ 14 00 12 – TV ☎. AE E VISA — AZ e
21 Z : 35 B 78/100 - 120/140.

Merkur garni, Milchgasse 5, ✆ 52 83 49 – ☎. AE ⓓ E VISA. — BY c
22. Dez.- 10. Jan. geschl. – **24 Z : 30 B** 55/85 - 110/145.

Schwarzer Rabe, Hansastr. 101, ✆ 1 69 27, Straßenterrasse – AE E — AZ g
Karte 24/64.

Krone - Rôtisserie, Alter Markt, ✆ 52 75 48, , Biergarten – . AE ⓓ E — BZ e
Karte 38/73 – **Bistro** Karte 27/55.

Mövenpick-Appenzeller Stube, Kleppingstr. 11, ✆ 57 92 25 – AE ⓓ E VISA — BZ c
Karte 42/75.

SBB-Restaurant, Westfalendamm 166 (B 1), ✆ 59 78 15, – P. AE ⓓ E — CZ e
Samstag bis 18 Uhr geschl. – Karte 31/58.

Hövels Hausbrauerei, Hoher Wall 5, ✆ 14 10 44, Biergarten, « Kleine Brauerei im Restaurant » – . AE ⓓ E VISA — AZ c
Karte 25/47.

Turmrestaurant, im Westfalenpark (Eintritt und 3,50 DM), ✆ 12 61 44, ✻ Dortmund und Umgebung, « Rotierendes Restaurant in 138 m Höhe » – P. AE E. — CZ
Karte 31/60.

In Dortmund 41-Aplerbeck :

Postkutsche garni, Postkutschenweg 20, ✆ 44 10 01 – TV ☎ P — S e
27 Z : 42 B 55 - 95.

Märker Stuben, Kleine Schwerter Str. 4, ✆ 48 11 15 – ☎ P. AE ⓓ E — S f
Karte 17,50/40 *(Mittwoch geschl.)* – **10 Z : 15 B** 46/50 - 90.

Haus Weisse, Schweizer Allee 127, ✆ 44 75 44, bemerkenswerte Weinkarte – AE ⓓ E — S v
nur Abendessen, Montag, Mitte - Ende Jan. und Juni - Juli 3 Wochen geschl. – Karte 44/70.

In Dortmund 50-Barop :

Romantik-Hotel Lennhof , Menglinghauser Str. 20, ✆ 7 57 26, Telex 822602, , « Rustikale Einrichtung », , , , , Fahrradverleih – TV ☎ P . AE ⓓ E VISA. Rest — S m
Karte 45/80 – **37 Z : 62 B** 103/115 - 170/240 Fb.

In Dortmund 72-Bövinghausen ⑥ : 8 km :

Commerz garni, Provinzialstr. 396, ✆ 63 00 53 – ☎ P. AE ⓓ E VISA
37 Z : 43 B 69/78 - 118 Fb.

In Dortmund 30-Brücherhof :

Schuggert, Brücherhofstr. 98, ✆ 46 40 81, – ☎ P. AE — S t
Karte 30/52 – **26 Z : 42 B** 60/65 - 100/105.

In Dortmund 1-Gartenstadt :

Grüner Baum, Lübkestr. 9, ✆ 43 02 55 – AE ⓓ E VISA — R a
Samstag bis 18 Uhr und Montag geschl. – Karte 33/62.

In Dortmund 30-Höchsten über Wittbräucker Str. S :

Haus Überacker, Wittbräucker Str. 504 (B 234), ✆ (02304) 8 04 21, « Gartenterrasse » – TV P. AE E
Juni - Juli 3 Wochen geschl. – Karte 22/54 *(Donnerstag geschl.)* – **15 Z : 20 B** 50/60 - 80/90.

In Dortmund 30-Hörde :

Alt Hörde, Benninghofer Str. 4, ✆ 41 41 84 – P. AE ⓓ E VISA — S c
30. Jan.- 7. Feb., 19. Juni - 12. Juli, Samstag bis 18 Uhr und Dienstag geschl. – Karte 43/70.

Zum Treppchen, Faßstr. 21, ✆ 43 14 42, Biergarten, « Haus a.d.J. 1763, rustikale Einrichtung » – P — S r
Samstag und Feiertage bis 18 Uhr sowie Sonntag geschl. – Karte 34/57 (Tischbestellung ratsam).

In Dortmund 50-Kirchhörde :

Haus Mentler, Schneiderstr. 1, 73 17 88, Biergarten – E VISA
Karte 36/69 *(Donnerstag geschl.)* – **16 Z : 28 B** 90 - 135. S u

In Dortmund 1-Körne :

Körner Hof garni, Hallesche Str. 102, 59 00 28, – AE E VISA
23. Dez.- 2. Jan. geschl. – **21 Z : 44 B** 81 - 120. CY a

In Dortmund 50-Lücklemberg über Hagener Str. S :

Zum Kühlen Grunde, Galoppstr. 57, 7 39 47, Biergarten, – AE E VISA
22. Dez.- 10. Jan. geschl. – Karte 25/51 *(nur Abendessen, Sonntag geschl.)* – **30 Z : 43 B** 85 - 128.

In Dortmund 76-Oespel ⑥ : 6 km :

Novotel Dortmund-West, Brennaborstr. 2, 6 54 85, Telex 8227007, Fax 650944, (geheizt), – Zim AE E VISA
Karte 28/58 – **104 Z : 208 B** 132 - 167 Fb.

Haus Horster, Borussiastr. 7, 6 58 58 –
Montag geschl. – Karte 27/54.

In Dortmund 50-Schanze ⑤ : 10 km, nach BAB-Kreuz Dortmund-Süd rechts ab :

Hülsenhain, Am Ossenbrink 57, 73 17 67, – AE E VISA. Zim
27. Dez.- 8. Jan. geschl. – Karte 29/48 *(Freitag bis 15 Uhr und Montag geschl.)* – **14 Z : 24 B** 65 - 95.

In Dortmund 30-Syburg ⑤ : 13 km :

Parkhotel Landhaus Syburg, Westhofener Str. 1, 77 44 71, Telex 8227534, Fax 774421, Massage, – AE E VISA. Zim
Karte 36/66 – **64 Z : 118 B** 120/150 - 150/180 Fb.

Dieckmann, Wittbräucker Str. 980 (B 54), 77 44 61, Biergarten, « Individuelle, gemütliche Einrichtung » – AE E VISA
Karte 30/61 – **21 Z : 36 B** 80/95 - 120/140 Fb.

Haus Schröer, Hohensyburgstr. 186, 77 44 91, Fahrradverleih –
Karte 20/48 *(20. Dez.- 20. Jan. und Samstag geschl.)* – **21 Z : 32 B** 75/85 - 110/125.

La Table, Hohensyburgstr. 200 (im Spielcasino), 77 44 44, Fax 7740116 – AE E.
nur Abendessen – Karte 71/95 *(bemerkenswerte Weinkarte)* – **Neue Ruhrterrassen** *(auch Mittagessen)* Karte 36/60
Spez. Lauwarme Kalbskopfterrine, Rochenflügel mit Linsensprossen, Pfefferpotthast vom Rehrücken.

MICHELIN-REIFENWERKE KGaA. Niederlassung 4600 Dortmund, Eisenacher Str. 13 (CY), (0231) 52 73 45.

DORUM 2853. Niedersachsen 987 ④ – 2 800 Ew – Höhe 2 m – Seebad – 04742.

Kurverwaltung, Poststr. 16, 87 50.

♦Hannover 207 – ♦Bremerhaven 20 – Cuxhaven 25.

In Dorum-Neufeld NW : 6,5 km :

Wurster Land, Sieltrift 37, (04741) 10 71, –
Karte 26/60 – **16 Z : 50 B** 80 - 110/130 Fb.

Grube, Am Neuen Deich 2, (04741) 14 36 –
15. Nov.- 15. Jan. geschl. – Karte 22/39 *(Nov.- April Montag geschl.)* – **16 Z : 30 B** 39/45 - 77/90 – 5 Fewo 70/90.

Siehe auch : ***Liste der Feriendörfer***

DOSSENHEIM 6915. Baden-Württemberg 413 J 18 – 9 600 Ew – Höhe 120 m – 06221 (Heidelberg).

♦Stuttgart 126 – ♦Darmstadt 57 – Heidelberg 5,5 – Mainz 86 – ♦Mannheim 22.

Am Kirchberg garni (Mahlzeiten im Goldenen Hirsch), Steinbruchweg 4, 8 50 40 – AE E.
14 Z : 28 B 50 - 80 Fb.

Goldener Hirsch, Hauptstr. 59, 8 51 19 – AE E. Zim
Karte 20/50 – **10 Z : 20 B** 50 - 80 Fb.

Bären garni, Daimlerstr. 6 (Gewerbegebiet-Süd), 8 50 29 –
19 Z : 38 B 50 - 80 Fb.

Heidelberger Tor, Heidelberger Str. 32, 8 52 34 –
(nur Abendessen für Hausgäste) – **20 Z : 40 B** Fb.

DRACHSELSRIED 8371. Bayern 413 W 19 – 2 200 Ew – Höhe 533 m – Erholungsort – Wintersport : 700/850 m 2 6 – 09945 (Arnbruck).

Verkehrsamt, Zellertalstr. 8, 5 05.

München 178 – Cham 37 – Deggendorf 35.

Zum Schlossbräu, Hofmark 1, 10 38, – Zim
Nov.- 22. Dez. geschl. – Karte 15/28 – **70 Z : 130 B** 25/39 - 46/78.

Falter, Zellertalstr. 6, 13 92, –
34 Z : 59 B.

In Drachselsried-Asbach S : 6 km :

Berggasthof Fritz, (09923) 22 12, –
Nov.- 15. Dez. geschl. – Karte 14/24 – **45 Z : 81 B** 28/35 - 50/70 – P 40/48.

In Drachselsried-Oberried SO : 2 km :

Margeriten-Hof, Oberried 124, 4 96, Massage, –
Nov.- 10. Dez. geschl. – Karte 24/40 *(Mittagessen nur für Hausgäste)* (Dienstag geschl.) – **28 Z : 54 B** 63 - 134/148 Fb.

Berggasthof Hochstein, Oberried 9 1/2, 4 63, –
Nov.- 22. Dez. geschl. – Karte 17/38 – **54 Z : 74 B** 43/46 - 72/82 – P 48/51.

Rieder Eck, Oberried 31, 6 42, –
15. Nov.- 15. Dez. geschl. – (Restaurant nur für Hausgäste) – **30 Z : 54 B** 40/60 - 80 Fb.

In Drachselsried-Unterried SO : 3 km :

Lindenwirt, Unterried 9, 3 83, –
5. Nov.- 20. Dez. geschl. – Karte 15/29 – **42 Z : 78 B** 34/38 - 60/70 Fb – P 48/50.

Außerhalb O : 6 km, über Oberried – Höhe 730 m :

Berggasthof Riedlberg, 8371 Drachselsried, (09924) 70 35, (geheizt), –
1.- 28. April und Nov.- 15. Dez. geschl. – Karte 15/26 – **29 Z : 52 B** 34/42 - 66/76 – P 49/54.

DREIEICH 6072. Hessen 413 J 16 – 42 000 Ew – Höhe 130 m – 06103.

Wiesbaden 45 – Darmstadt 17 – Frankfurt am Main 18.

In Dreieich-Dreieichenhain :

Burghof, Am Weiher 6, 8 40 02, –
14 Z : 18 B.

XX Alte Bergmühle, Geisberg 25, 8 18 58, « Rustikale Einrichtung, Gartenterrasse » –
(auf Vorbestellung: "Essen wie im Mittelalter").

In Dreieich-Götzenhain :

Krone, Wallstr. 2, 8 41 15, –
Karte 26/32 *(nur Abendessen, Samstag geschl.)* – **47 Z : 63 B** 50/55 - 90/95.

In Dreieich-Sprendlingen :

Dorint-Kongress-Hotel, Eisenbahnstr. 200, 60 60, Telex 417954, Fax 63019, – AE E VISA
Karte 34/67 – **94 Z : 178 B** 145/249 - 190/280 Fb.

Rhein-Main-Hotel garni, Hauptstr. 47, 6 30 70, Telex 417931 – AE E VISA
76 Z : 100 B 80/140 - 118/180.

Herrenbrod - Ständecke, Hauptstr. 29, 6 30 37 – E VISA
Karte 29/46 *(Samstag - Sonntag 17 Uhr und 23. Juli - 20. Aug. geschl.)* – **56 Z : 64 B** 70/75 - 102/110 Fb.

XX **Ristorante Tonini** (Italienische Küche), Fichtestr. 50 (im Bürgerhaus), 6 10 81 – AE E VISA
Karte 25/58 (Tischbestellung ratsam).

Gutsschänke Neuhof siehe unter *Frankfurt am Main*.

DREIS KREIS BERNKASTEL-WITTLICH Rheinland-Pfalz siehe Wittlich.

DRENSTEINFURT 4406. Nordrhein-Westfalen – 11 600 Ew – Höhe 78 m – 02508.

Düsseldorf 123 – Hamm in Westfalen 15 – Münster (Westfalen) 22.

An der B 63 SO : 6,5 km :

Haus Volking, Herrenstein 22, 4406 Drensteinfurt 2-Walstedde, (02387) 6 65 –
Karte 21/48 *(Montag geschl.)* – **17 Z : 32 B** 35/45 - 60/78.

DRIBURG, BAD 3490. Nordrhein-Westfalen [987] ⑮ – 18 500 Ew – Höhe 220 m – Heilbad – ☎ 05253.

⛳ Am Kurpark, ☎ 84 23 49.

[i] Verkehrsamt, Lange Str. 140, ☎ 8 81 80.

♦Düsseldorf 190 – Detmold 28 – ♦Kassel 86 – Paderborn 20.

Kur- und Sporthotel Quellenhof, Caspar-Heinrich-Str. 14, ☎ 30 11, Telex 936515, Badeabteilung, ♨, 🏊 – 🛗 📺 🅿 🏛. AE ⓓ E VISA
Karte 27/56 – **48 Z : 100 B** 78/83 - 148/158 Fb – P 118/123.

Gräfliches Kurhaus 🌿, Am Bad 9 (im Kurpark), ☎ 84 22 04, Telex 936629, 🏋, 🌳, 🎾 – 🛗 📺 ☎ 🚗 🅿 🏛. E. ✗ Rest
Karte 31/65 – **77 Z : 102 B** 80/120 - 160/180 Fb – P 120/130.

Schwallenhof, Brunnenstr. 34, ☎ 32 23, ♨, 🏊, 🌳, 🐎 – 🛗 📺 🚗 🅿. E
Karte 26/47 *(auch Diät)* – **34 Z : 45 B** 56/68 - 112/136 Fb – 5 Fewo 50/100.

Neuhaus 🌿, Steinbergstieg 18, ☎ 40 80, ♨, 🏊 – 🛗 📺 ☎ 🚗 🅿 🏛. AE ⓓ E. ✗ Rest
5.- 30. Jan. geschl. – Karte 31/57 – **68 Z : 91 B** 39/69 - 78/103 Fb – 8 Fewo 60 – P 69/89.

Althaus Parkhotel, Caspar-Heinrich-Str. 17, ☎ 20 88, « Gartenterrasse » – 🛗 ☎ 🅿 🏛
Karte 17/41 *(auch Diät)* – **50 Z : 70 B** 44/110 - 94/150 – 4 Appart. 120/180 – 3 Fewo 60/85 – P 65/107.

Café am Rosenberg 🌿, Hinter dem Rosenberge 22, ☎ 20 02, ≤, « Gartenterrasse », ♨, 🌳 – ☎ 🅿. ✗ Zim
Karte 21/48 *(Mittwoch geschl.)* 🍷 – **22 Z : 29 B** 48/52 - 90/100 – P 52/67.

Reform-Hotel 🌿, Steinbergstieg 15, ☎ 30 61, ♨, 🏊 – 🛗 🚭 Zim ☎ 🅿. AE ⓓ E. ✗ Rest
(Restaurant nur für Hausgäste, nur vegetarische Kost) – **39 Z : 49 B** 49/69 - 98/102 Fb – P 75/86.

Eggenwirth, Mühlenstr. 17, ☎ 24 51, 🏋 – 📺 🚗 🅿. AE ⓓ E VISA
Feb. 2 Wochen geschl. – Karte 19,50/48 – **18 Z : 28 B** 39/45 - 80 – P 65/68.

Zur Rose 🌿, Rosenmühlenweg 4, ☎ 34 79, 🌳 – 🚗 🅿
(Restaurant nur für Hausgäste) – **14 Z : 27 B** 33/43 - 55/80 – 2 Fewo 100 – P 48/63.

Teutoburger Hof garni, Brunnenstr. 2, ☎ 22 25 – 🅿
18 Z : 24 B 40 - 76/82 Fb.

🍴 Brauner Hirsch mit Zim, Lange Str. 70, ☎ 22 20 – 🚗 🅿
7 Z : 11 B.

DROLSHAGEN 5962. Nordrhein-Westfalen – 10 500 Ew – Höhe 375 m – ☎ 02761.

[i] Verkehrsamt, Klosterhof 2, ☎ 7 03 17.

♦Düsseldorf 114 – Hagen 59 – ♦Köln 70 – Siegen 34.

Auf dem Papenberg 🌿, Auf dem Papenberg 15, ☎ 7 12 10, ≤, 🌳 – 🅿. ✗
(Restaurant nur für Hausgäste) – **9 Z : 16 B** 34/40 - 70.

In Drolshagen-Frenkhauserhöh N : 4 km :

Zur schönen Aussicht 🌿, Biggeseestraße, ☎ 25 83, ≤, 🌳 – 📺 🅿 🏛. ✗
Anfang - Mitte Jan. geschl. – Karte 23/38 *(Dienstag geschl.)* – **14 Z : 24 B** 38/45 - 75/90.

In Drolshagen-Hützemert NW : 3 km :

Haus Wigger, Vorm Bahnhof 4, ☎ (02763) 5 88, 🏋, ♨, 🌳 – 🅿
März 3 Wochen geschl. – Karte 23/41 *(Donnerstag geschl.)* – **14 Z : 26 B** 36 - 70.

In Drolshagen-Scheda NW : 6 km :

Haus Schulte, Zum Höchsten 2, ☎ (02763) 3 88, 🎾 – 🅿. E
Karte 19/55 *(Mittwoch geschl.)* – **16 Z : 32 B** 25/30 - 50/60.

DUDELDORF Rheinland-Pfalz siehe Bitburg.

DUDERSTADT 3408. Niedersachsen [987] ⑮ ⑯ – 23 500 Ew – Höhe 172 m – ☎ 05527.

[i] Fremdenverkehrsamt, Rathaus, Marktstr. 66,.

♦Hannover 131 – ♦Braunschweig 118 – Göttingen 32.

Zum Löwen, Marktstr. 30, ☎ 30 72, Fax 72630, 🏋, « Elegante Einrichtung », ♨, 🏊, Fahrradverleih – 🛗 📺 ♿ 🏛. AE ⓓ E VISA
Karte 44/64 – **Gourmet-Stübchen** *(nur Abendessen, nur Menü)* Karte 64/128 – **Bierstube Alt-Duderstadt** Karte 24/48 – **37 Z : 73 B** 85/100 - 130/250 Fb.

Deutsches Haus 🌿, Hinterstr. 29, ☎ 40 52 – ☎ 🚗
Karte 16,50/39 *(Montag geschl.)* – **31 Z : 53 B** 35/50 - 70/80.

In Duderstadt-Fuhrbach NO : 6 km :

Zum Kronprinzen 🌿, Fuhrbacher Str. 31, ☎ 30 01, 🌳 – ☎ 🅿 🏛
Karte 18,50/36 – **37 Z : 70 B** 32/40 - 56/70.

[DÜLMEN] 4408. Nordrhein-Westfalen [987] ⑭, [408] ㉑ – 40 000 Ew – Höhe 70 m – ☎ 02594.

[i] Verkehrsamt, Rathaus, ☎ 1 22 92.

♦Düsseldorf 94 – Münster (Westfalen) 34 – Recklinghausen 27.

🏨 **Merfelder Hof** (mit Gästehaus), Borkener Str. 60, ☎ 10 55, 🌳, ♨ – [TV] ☎ [P] 🏛. [AE] [D] [E]
Karte 31/61 – **35 Z : 66 B** 50/70 - 95/120.

🏨 **Zum Wildpferd**, Münsterstr. 52, ☎ 50 63, ♨, 🏊 – 🛗 ☎ ♿ 🚗 [P] 🏛. [AE] [D] [E] [VISA]
Karte 23/40 *(Sonntag ab 14 Uhr geschl.)* – **37 Z : 70 B** 55/74 - 90/125 Fb.

🏨 **Am Markt**, Marktstr. 21, ☎ 23 88 – 🚗 🏛. [AE] [D] [E] [VISA]
✦ Karte 18,50/44 *(Freitag ab 14 Uhr geschl.)* – **20 Z : 28 B** 40/55 - 75/95.

🏨 **Lehmkuhl** garni, Coesfelder Str. 8, ☎ 44 34
11 Z : 20 B 30/40 - 60/80.

In Dülmen 4-Hausdülmen SW : 3 km :

🏨 **Große Teichsmühle**, Borkenbergestr. 78, ☎ 23 74, 🌳, Fahrradverleih – 🚗 [P] 🏛. [AE] [D] [E]
Karte 23/50 – **16 Z : 31 B** 35/48 - 84.

Außerhalb NW : 5 km über Borkener Straße :

🍴🍴 **Haus Waldfrieden**, Börnste 20, ✉ 4408 Dülmen, ☎ (02594) 22 73, 🌳, Märchenwald,
✦ Kinderspielplatz – [P]. 🚫
27. Nov.- 25. Dez. und Freitag geschl. – Karte 19/50.

> Michelin road maps for Germany :
> no [987] at 1:1 000 000
> no [984] at 1:750 000
> no [412] at 1:400 000
> no [413] at 1:400 000 (Bavaria and Baden-Württemberg)

[DÜREN] 5160. Nordrhein-Westfalen [987] ㉓ – 85 100 Ew – Höhe 130 m – ☎ 02421.

⛳ Düren-Gürzenich (über ⑥ und die B 264 X), ☎ 6 72 78.

ADAC, Oberstr. 30, ☎ 1 45 98., Notruf ☎ 1 92 11.

♦Düsseldorf 71 ① – ♦Aachen 34 ② – ♦Bonn 57 ④ – ♦Köln 48 ②.

Stadtplan siehe gegenüberliegende Seite.

🏨 **Düren's Post-Hotel**, Josef-Schregel-Str. 36, ☎ 1 70 01, Telex 833880, Fax 10138 – 🛗 ▤ [TV] 🚗 [P] 🏛. [AE] [D] [E] [VISA]. 🚫 — Y r
Karte 35/78 – **51 Z : 73 B** 124 - 145/180 – 3 Appart. 320.

🏨 **Germania**, Josef-Schregel-Str. 20, ☎ 1 50 00, Fax 10745 – 🛗 ☎ 🏛. [E] — Y c
Karte 22/50 – **49 Z : 85 B** 65/90 - 85/130.

🏨 **Düren Ost**, Kölner Landstr. 77 (B 264), ☎ 3 32 83 – ☎ 🚗 [P]. [AE] [E] — Y s
20. Juli - 5. Aug. geschl. – Karte 22/40 *(Sonntag geschl.)* – **28 Z : 54 B** 40/52 - 78/85 Fb.

🏨 **Zum Nachtwächter**, Kölner Landstr. 12 (B 264), ☎ 7 50 81 – ☎ [P]. [E] — Y e
24. Dez.- 9. Jan. geschl. – Karte 25/46 *(nur Abendessen)* – **37 Z : 75 B** 36/60 - 60/100.

🍴🍴🍴 ✿ **Hefter** (kleines modern-elegantes Restaurant), Kölnstr. 95, ☎ 1 45 85 – 🚫 — Y a
Montag 15 Uhr - Dienstag sowie Feb.- März und Juni - Juli jeweils 2 Wochen geschl. – Karte 57/84 (Tischbestellung erforderlich) – **Bistro Bonne Cuisine** Karte 31/58
Spez. Gebeizter Lachs auf Rauchsauce, Wildgerichte, Printenparfait auf Schokoladenschaum.

🍴🍴 **Stadtpark-Restaurant**, Valencienner Str. 2, ☎ 6 30 68, « Gartenterrasse » – [P] 🏛. [AE] [D] [E] [VISA] — X n
Karneval, Juli - Aug. 3 Wochen, Samstag bis 18 Uhr und Dienstag geschl. – Karte 31/60.

🍴🍴 **Stadthalle**, Bismarckstr. 15, ☎ 1 63 74, 🌳 – [P] 🏛. [E] — Y
Montag geschl. – Karte 21/48.

In Düren-Mariaweiler NW : 3 km über Mariaweiler Str. X :

🏨 **Mariaweiler Hof**, An Gut Nazareth 45, ☎ 8 10 05 – ☎ [P]. [AE] [E]
Karte 21/43 *(Mittwoch bis 16 Uhr geschl.)* – **17 Z : 25 B** 32/65 - 62/110.

In Düren-Niederau S : 3 km über Nideggener Str. X :

🏨 **Europa**, Kreuzauer Str. 103, ☎ 5 80 58 – [TV] ☎ [P]. [AE] [E] [VISA]
Karte 22/52 – **17 Z : 34 B** 95 - 130.

In Kreuzau-Untermaubach **5166** S : 11 km über Nideggener Str. X :

🍴🍴 **Mühlenbach**, Rurstr. 16, ☎ (02422) 41 58 – [P]. [E]
Dienstag und 10.- 28. Feb. geschl. – Karte 23/60.

DÜREN

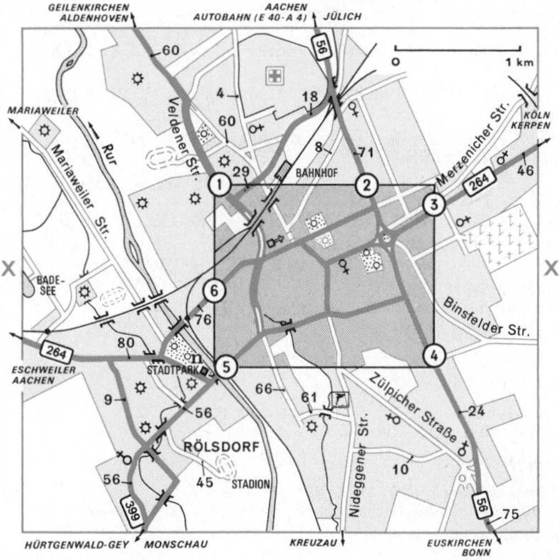

GEILENKIRCHEN
ALDENHOVEN
AACHEN
AUTOBAHN (E 40-A 4)
JÜLICH
MARIAWEILER
Rur
Mariaweiler Str.
Veldener Str.
BAHNHOF
Merzenicher Str.
KÖLN
KERPEN
BADE-SEE
Binsfelder Str.
ESCHWEILER
AACHEN
STADTPARK
RÖLSDORF
STADION
Zülpicher Straße
Nideggener Str.
HÜRTGENWALD-GEY
MONSCHAU
KREUZAU
EUSKIRCHEN
BONN
1 km

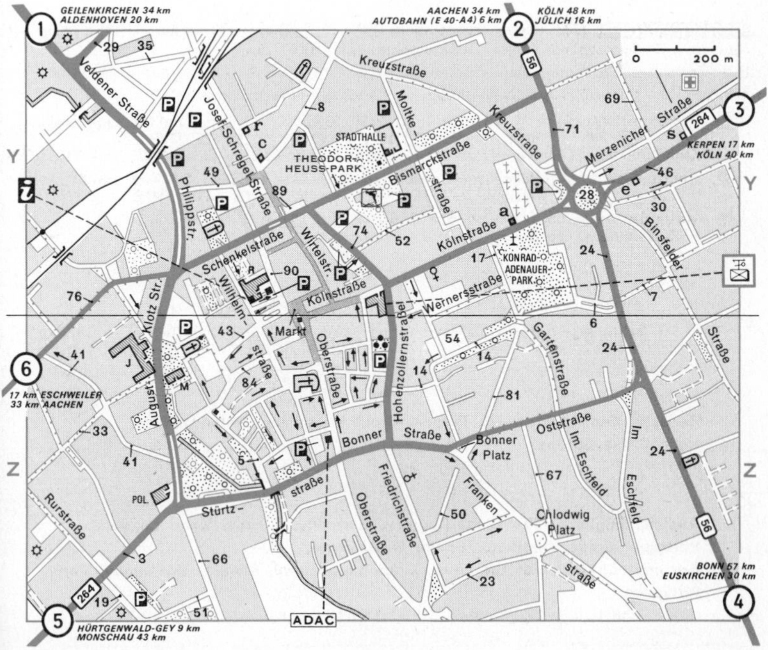

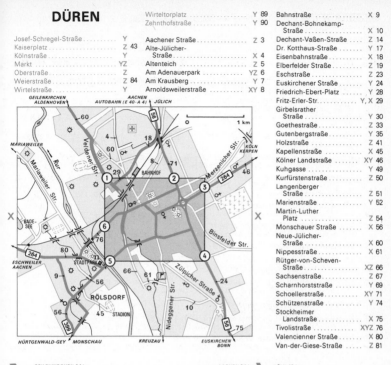

GEILENKIRCHEN 34 km
ALDENHOVEN 20 km
AACHEN 34 km
AUTOBAHN (E 40-A4) 6 km
KÖLN 48 km
JÜLICH 16 km
200 m
Veldener Straße
Kreuzstraße
Moltke-straße
STADTHALLE
THEODOR-HEUSS-PARK
Josef-Schregel-Straße
Philippstr.
Bismarckstraße
Kreuzstraße
Merzenicher Straße
KERPEN 17 km
KÖLN 40 km
Binsfelder
Schenkelstraße
Wilhelm-straße
Wirtelstr.
Kölnstraße
KONRAD-ADENAUER-PARK
Wernersstraße
Klotz Str.
Markt
Oberstraße
Hohenzollernstraße
Gartenstraße
Straße
17 km ESCHWEILER
33 km AACHEN
August-
POL.
Bonner Straße
Bonner Platz
Oststraße
Im Eschfeld
Im Eschfeld
Stürtz-straße
Friedrichstraße
Oberstraße
Franken-straße
Chlodwig Platz
Rurstraße
BONN 67 km
EUSKIRCHEN 30 km
HÜRTGENWALD-GEY 9 km
MONSCHAU 43 km
ADAC

[DÜRKHEIM, BAD] **6702.** Rheinland-Pfalz [413] H 18, [987] ㉔, [242] ④ – 18 000 Ew – Höhe 120 m – Heilbad – ☎ 06322.

ℹ Städt. Verkehrsamt, am Bahnhofsplatz, ☎ 79 32 75.

Mainz 82 – Kaiserslautern 33 – ♦Mannheim 22 – Neustadt an der Weinstraße 14.

🏨 **Dorint Hotel** 🐦, Kurbrunnenstr. 30, ☎ 60 10, Telex 454694, Fax 601603 – 🛗 ⇆ Zim 📺 ♿ 🅿 🎪. AE ⓓ E VISA
Restaurants : – **Salinen-Restaurant** Karte 26/60 – **Kelter-Stube** *(ab 18 Uhr geöffnet)* Karte 22/45 – **100 Z : 200 B** 145 - 198/270 – P 147/193.

🏨 **Kurparkhotel** 🐦, Schloßplatz 1, ☎ 79 70, Telex 454818, ≤, ⛱, Massage, ♨, 🏊 – 🛗 ♿ 🅿 🎪 (mit ▤). AE ⓓ E VISA
Restaurants : – **Schlemmer-Ecke** Karte 42/68 – **Café am Park** Karte 30/57 – **109 Z : 195 B** 130 - 190 Fb – P 180.

🏨 **Leininger Hof** garni, Kurgartenstr. 17, ☎ 60 20, ♨, 🏊, 🌳 – 🛗 📺 🚗 🎪. AE ⓓ E VISA
96 Z : 144 B 115/130 - 160/210 Fb.

🏨 **Fronmühle**, Salinenstr. 15, ☎ 6 80 81, ⛱, ♨, 🏊 – 🛗 ☎ 🅿 🎪. AE ⓓ E VISA
Karte 38/64 *(Montag geschl.)* 🍷 – **21 Z : 45 B** 75 - 122 Fb – P 95/109.

🏨 **Gartenhotel Heusser** 🐦, Seebacher Str. 50, ☎ 20 66, Telex 454889, « Garten », ♨, 🏊 (geheizt), 🏊, 🌳 – 🛗 📺 ☎ 🅿 🎪. AE ⓓ E VISA
(Restaurant nur für Hausgäste) – **76 Z : 120 B** 72/98 - 128/150 Fb – P 99/133.

🏨 **Haus Boller**, Kurgartenstr. 19, ☎ 14 28, 🌳 – ☎ 🚗. AE ⓓ E VISA
⟷ *Feb. geschl.* – Karte 18,50/53 *(Dienstag geschl.)* – **15 Z : 24 B** 39/78 - 74/124.

🍴 **Weinakademie**, Holzweg 76, ☎ 24 14
wochentags nur Abendessen, Mittwoch und 7.- 30. Juni geschl. – Karte 23/49 🍷.

🍴 Weinstube Bach-Mayer, Gerberstr. 13, ☎ 86 11
nur Abendessen.

In Bad Dürkheim-Seebach SW : 1,5 km :

🏨 **Landhaus Fluch** 🐦 garni, Seebacher Str. 95, ☎ 24 88, 🌳 – ☎ 🅿
20. Dez.- 9. Jan. geschl. – **25 Z : 48 B** 58/62 - 100/110 Fb.

In Bad Dürkheim-Ungstein N : 2 km :

🏨 **Panorama** 🐦, Alter Dürkheimer Weg 8, ☎ 47 11, ≤, ⛱, 🌳 – 🚗 🅿
⟷ *Jan. geschl.* – Karte 19/37 *(nur Abendessen, Freitag geschl.)* – **15 Z : 28 B** 35/48 - 80/90.

🏨 **Weinstube Bettelhaus**, Weinstr. 89, ☎ 6 35 59
Mitte Dez.- Mitte Jan. geschl. – Karte 20/35 *(nur Abendessen, Dienstag geschl.)* 🍷 – **16 Z : 33 B** 38/45 - 84.

[DÜRRHEIM, BAD] **7737.** Baden-Württemberg [413] I 22, [987] ㉟ – 10 500 Ew – Höhe 706 m – Heilbad – Heilklimatischer Kurort – Wintersport : ⛷2 – ☎ 07726.

ℹ Zimmernachweis, im Kurmittelhaus, ☎ 6 42 96.

♦Stuttgart 113 – ♦Freiburg im Breisgau 70 – ♦Konstanz 76 – Villingen-Schwenningen 8.

🏨 **Parkhotel Waldeck** 🐦, Waldstr. 18, ☎ 66 30, Telex 7921315, Bade- und Massageabteilung, 🏋, ♨, 🏊, 🌳 – 🛗 ⇆ Zim ▤ Rest 📺 ☎ ♿ 🚗 🅿 🎪 (mit ▤). AE ⓓ E VISA
Karte 33/58 *(auch Diät und vegetarische Gerichte)* – **25 Z : 40 B** 95/125 - 142/190 Fb – P 101/155.

🏨 **Salinensee** 🐦, Am Salinensee 1, ☎ 80 21, ≤, « Terrasse am See », 🌳 – ☎ 🚗 🅿 🎪. 🚫
⟷ *14.- 24. Dez. geschl.* – Karte 19,50/40 *(Okt.- April Freitag geschl.)* – **20 Z : 30 B** 50/56 - 100/108.

🏨 **Haus Baden** 🐦 garni, Kapfstr. 6, ☎ 76 81, 🌳 – ☎ 🅿. 🚫
17 Z : 24 B 42/80 - 86/100.

DÜSSELDORF **4000.** L Nordrhein-Westfalen 987 ㉓㉔ – 566 700 Ew – Höhe 40 m – ☎ 0211.

Sehenswert : Königsallee★ – Hofgarten★ – Hetjensmuseum★ BX **M2** – Landesmuseum Volk u. Wirtschaft★ BV **M1** – Goethe-Museum – Thyssenhaus★ CVX **E.**

Ausflugsziel : Schloß Benrath (Park★) S : 10 km über Kölner Landstr. T – 18 Ratingen-Hösel (16 km über die A 44 S , ☎ (02102) 6 86 29 ; 18 Gut Rommeljans (12 km über die A 44 S), ☎ (02102) 8 10 92 ; 18 D-Hubbelrath (12 km über die B 7 S), ☎ (02104) 7 21 78 ; 9 Düsseldorf-Hafen (T), Auf der Lausward, ☎ (0211) 39 65 98 – ✈ Düsseldorf-Lohausen (① : 8 km), ☎ 42 11 – 🚘 ☎ 3 68 04 68. Messe-Gelände (S), ☎ 4 56 01, Telex 8584853.

ℹ Verkehrsverein, Konrad-Adenauer-Platz, Heinrich-Heine-Allee 24 und im Hauptbahnhof, ☎ 35 05 05, Telex 8587785 – **ADAC,** Himmelsgeister Str. 63, ☎ 34 70 35, Notruf ☎ 1 92 11.

Amsterdam 225 ② – ♦Essen 31 ② – ♦Köln 40 ⑦ – Rotterdam 237 ②.

Die Angabe (D 15) nach der Anschrift gibt den Postzustellbezirk an : Düsseldorf 15
L'indication (D 15) à la suite de l'adresse désigne l'arrondissement : Düsseldorf 15
The reference (D 15) at the end of the address is the postal district : Düsseldorf 15
L'indicazione (D 15) posta dopo l'indirizzo precisa il quartiere urbano : Düsseldorf 15

Messe-Preise : siehe S. 17
Foires et salons : voir p. 25
Fairs : see p. 33
Fiere : vedere p. 41

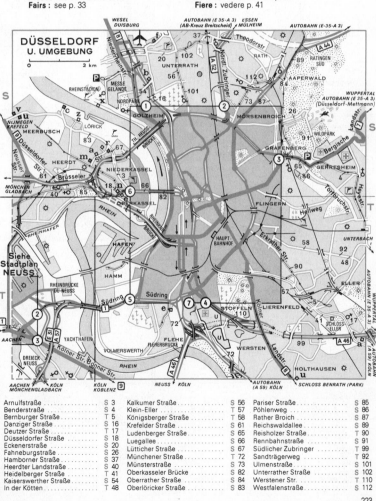

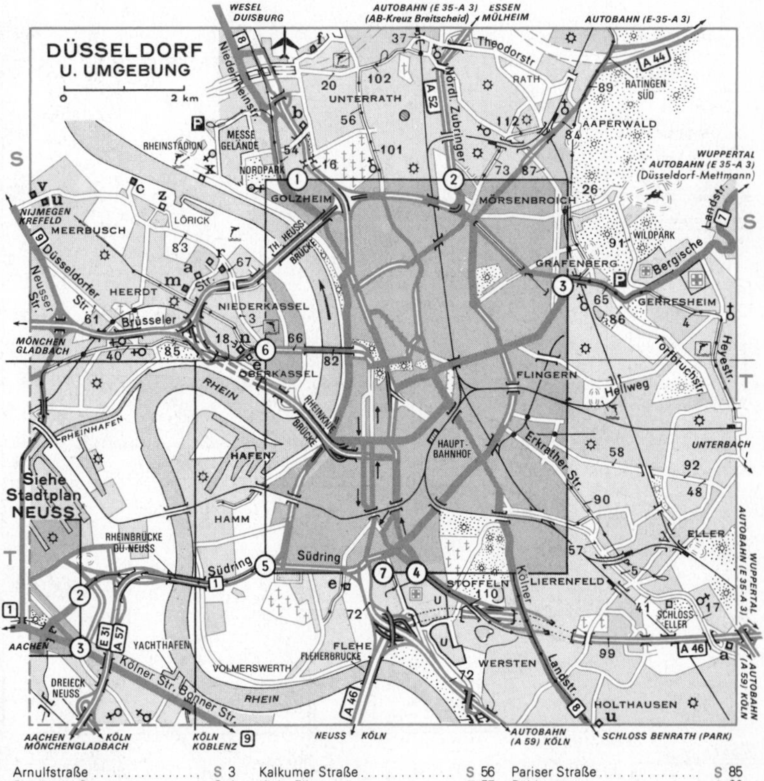

Arnulfstraße	S	3	Kalkumer Straße	S	56	Pariser Straße	S	85
Benderstraße	S	4	Klein-Eller	T	57	Pöhlenweg	S	86
Bernburger Straße	T	5	Königsberger Straße	T	58	Rather Broich	S	87
Danziger Straße	S	16	Krefelder Straße	S	61	Reichswaldallee	S	89
Deutzer Straße	T	17	Ludenberger Straße	S	65	Reisholzer Straße	T	90
Düsseldorfer Straße	S	18	Luegallee	S	66	Rennbahnstraße	S	91
Eckenerstraße	S	20	Lütticher Straße	S	67	Südlicher Zubringer	T	99
Fahneburgstraße	S	26	Münchener Straße	T	72	Sandträgerweg	T	92
Hamborner Straße	S	37	Münsterstraße	S	73	Ulmenstraße	S	101
Heerdter Landstraße	S	40	Oberkasseler Brücke	S	82	Unterrather Straße	S	102
Heidelberger Straße	T	41	Oberrather Straße	S	84	Werstener Str.	T	110
Kaiserswerther Straße	S	54	Oberlöricker Straße	S	83	Westfalenstraße	S	112
In der Kötten	T	48						

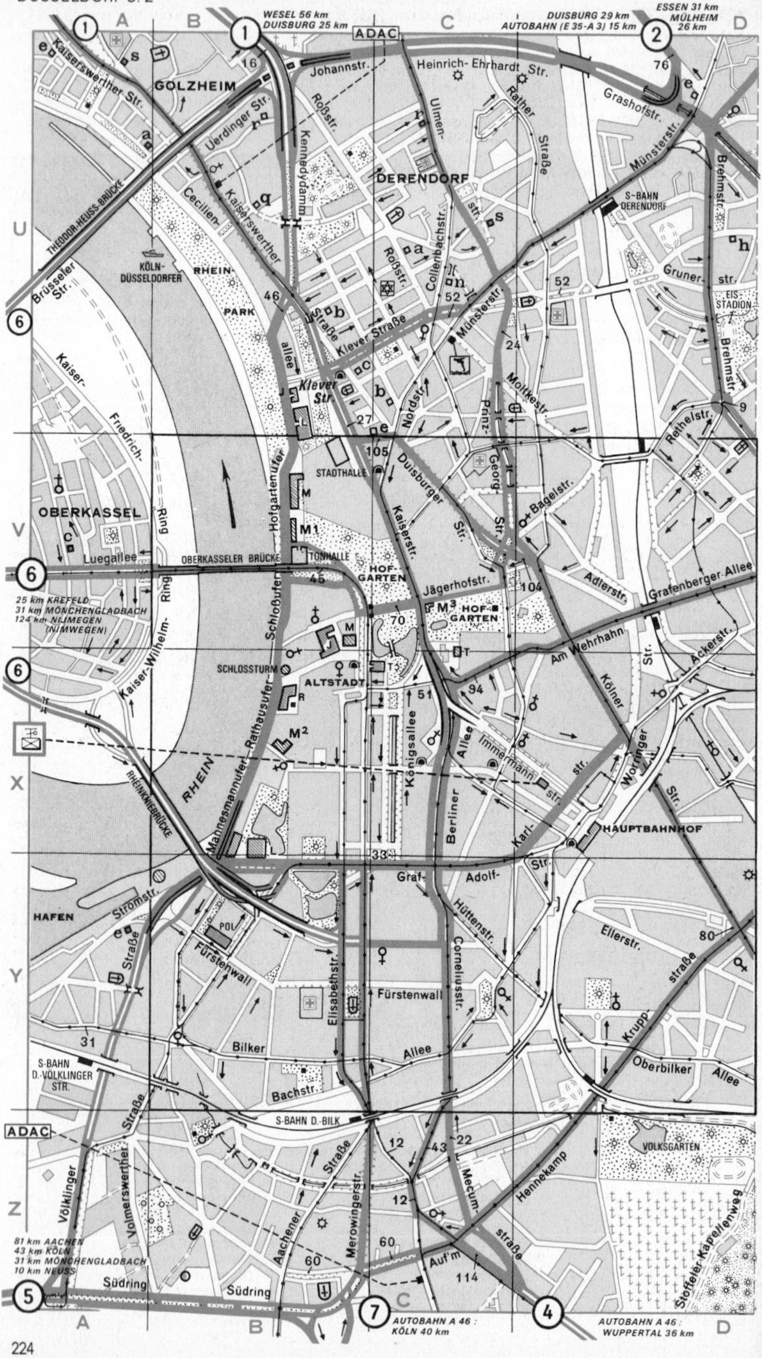
WESEL 56 km
DUISBURG 25 km
ADAC
DUISBURG 29 km
AUTOBAHN (E 35-A 3) 15 km
ESSEN 31 km
MÜLHEIM 26 km
GOLZHEIM
Kaiserswerther Str.
Johannstr.
Heinrich-Ehrhardt Str.
Grashofstr.
Uerdinger Str.
Roßstr.
Kennedydamm
Ulmen-
Rather Straße
THEODOR-HEUSS-BRÜCKE
Cecilien-
DERENDORF
Münsterstr.
S-BAHN DERENDORF
Brehmstr.
KÖLN-DÜSSELDORFER
RHEIN-
PARK
Collenbachstr.
Gruner-str.
EIS-STADION
Brüsseler Str.
Klever Straße
Klever Str.
Moltkestr.
Nordstr.
Prinz-Georg-Str.
Kaiser-Friedrich-Ring
Rethelstr.
STADTHALLE
Duisburger Str.
Kaiserstr.
Hofgartenufer
Bagelstr.
OBERKASSEL
Luegallee
OBERKASSELER BRÜCKE
TONHALLE
HOFGARTEN
Jägerhofstr.
Adlerstr.
Grafenberger Allee
25 km KREFELD
31 km MÖNCHENGLADBACH
124 km NIJMEGEN (NIMWEGEN)
Schloßufer
Kaiser-Wilhelm-Ring
Am Wehrhahn
Ackerstr.
SCHLOSSTURM
ALTSTADT
Königsallee
Immermann-str.
Kölner Str.
Worringer Str.
RHEIN
Rathausufer
Mannesmannufer
RHEINKNIEBRÜCKE
Berliner Allee
Karl-Str.
HAUPTBAHNHOF
Graf-Adolf-Str.
HAFEN
Stromstr.
Straße
POL
Fürstenwall
Hüttenstr.
Corneliusstr.
Ellerstr.
Elisabethstr.
Kruppstraße
Bilker Allee
Oberbilker Allee
S-BAHN D.-VÖLKLINGER STR.
Bachstr.
S-BAHN D.-BILK
ADAC
Straße
VOLKSGARTEN
Völklinger Straße
Volmerswerther Straße
Aachener Straße
Merowingerstr.
Mecumstraße
Hennekamp
Stoffeler Kapellenweg
81 km AACHEN
43 km KÖLN
31 km MÖNCHENGLADBACH
10 km NEUSS
Südring
Auf'm
AUTOBAHN A 46 : KÖLN 40 km
AUTOBAHN A 46 : WUPPERTAL 36 km

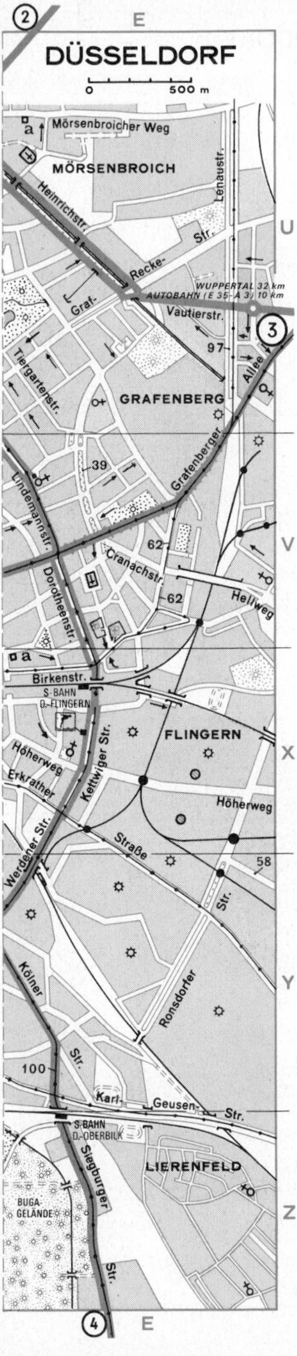

2
E
DÜSSELDORF
0 500 m
Mörsenbroicher Weg
MÖRSENBROICH
Heinrichstr.
Lenaustr.
Str.
Recke-
WUPPERTAL 32 km
AUTOBAHN (E 35-A 3) 10 km
Graf-
Vautierstr.
3
97
U
Tiergartenstr.
Allee
GRAFENBERG
39
Grafenberger
Lindemannstr.
62
Cranachstr.
62
Hellweg
Dorotheenstr.
V
Birkenstr.
S-BAHN D.-FLINGERN
FLINGERN
Kettwiger Str.
Höherweg
Erkrather
Höherweg
X
Straße
Werdener Str.
58
Str.
Kölner
Ronsdorfer
Y
Str.
100
Karl-
Geusen-
Str.
S-BAHN D.-OBERBILK
LIERENFELD
Siegburger
BUGA-GELÄNDE
Str.
Z
4
E

Am Wehrhahn	DV	
Berliner Allee	CX	
Flinger Straße	BX	28
Graf-Adolf-Straße	CY	
Königsallee	CX	
Schadowstraße	CX	94
Blumenstraße	CX	7
Bolkerstraße	BX	8
Citadellstraße	BX	13
Elberfelder Straße	CX	21
Ernst-Reuter-Platz	CY	23
Fischerstraße	BV	27
Friedrich-Ebert-Straße	DX	29
Fürstenplatz	CY	30
Grabbeplatz	BX	32
Graf-Adolf-Platz	CX	33
Heinrich-Heine-Allee	BX	42
Hofgartenrampe	BV	45
Jan-Wellem-Platz	CX	51
Konrad-Adenauer-Platz	DX	59
Marktplatz	BX	68
Martin-Luther-Platz	CX	69
Maximilian-Weyhe-Allee	CV	70
Mühlenstraße	BX	71
Oberbilker Markt	DY	80
Ratinger Straße	BV	88
Schadowplatz	CX	93
Schneider-Wibbel-Gasse	BX	95
Schwanenmarkt	BX	96
Tonhallenstraße	CX	102
Vagedesstraße	CV	104
Venloer Straße	CV	105

Straßenverzeichnis siehe Düsseldorf S. 3.

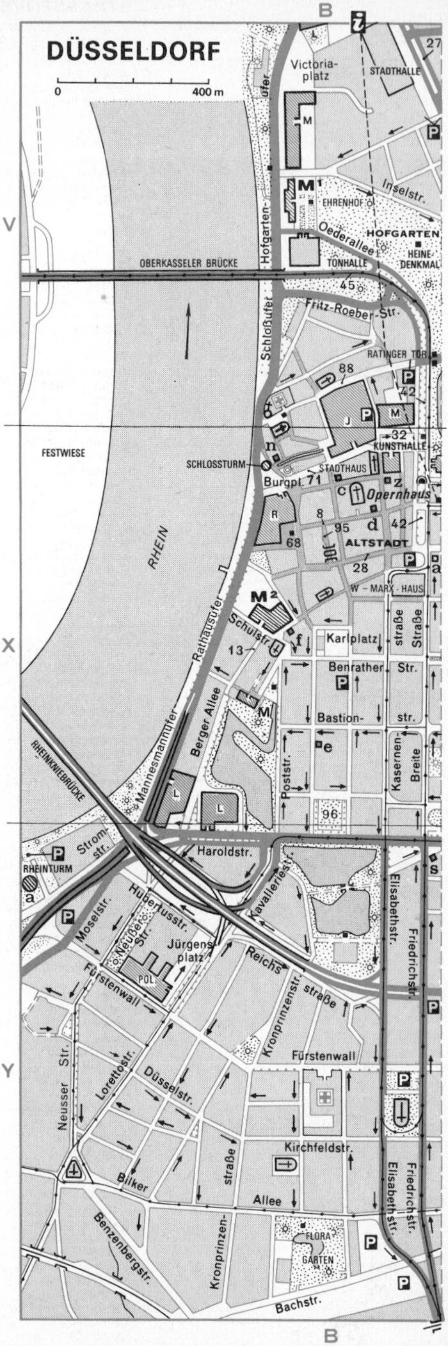

Benutzen Sie im Stadtverkehr die

Pläne des Roten Michelin-Führers:

Durchfahrts- und Umgehungsstraßen,

wichtige Kreuzungen und Plätze,

neu angelegte Straßen,

Einbahnstraßen

Parkplätze,

Fußgängerzonen...

Eine Fülle nützlicher

Informationen, die jährlich auf den

neuesten Stand gebracht werden.

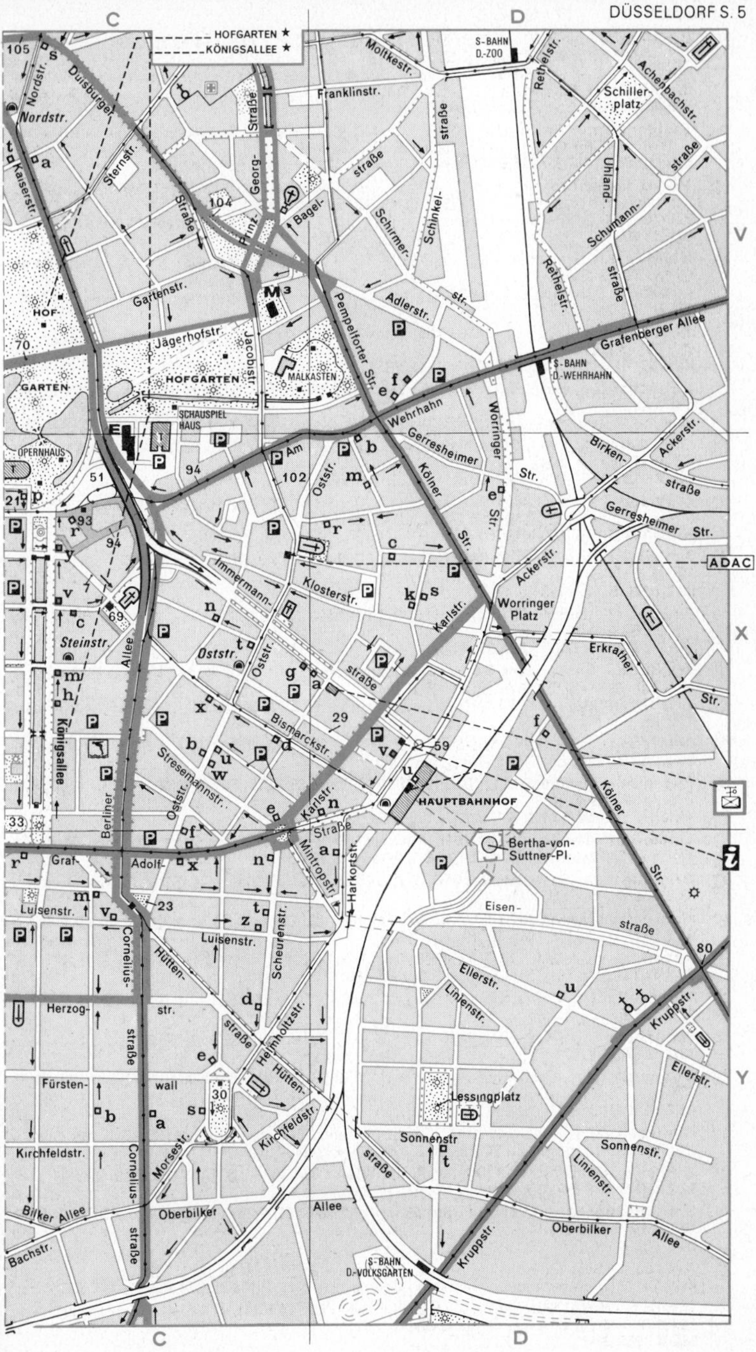
C
D
HOFGARTEN ★
KÖNIGSALLEE ★
S-BAHN
D.-ZOO
Moltkestr.
Franklinstr.
Rethelstr.
Schiller-
platz
Achenbachstr.
Duisburger
Nordstr.
Nordstr.
Kaiserstr.
Sternstr.
Straße
Georg-
Prinz-
Bagel-
straße
Schirmer-
Schinkel-
straße
Uhland-
straße
Schumann-
straße
Gartenstr.
Jägerhofstr.
Jacobistr.
M3
Pempelforter Str.
Adlerstr.
str.
Grafenberger Allee
S-BAHN
D.-WEHRHAHN
HOF-
GARTEN
HOFGARTEN
MALKASTEN
SCHAUSPIEL
HAUS
Wehrhahn
Worringer
Gerresheimer
Str.
OPERNHAUS
Am
Oststr.
Kölner
Str.
Birken-
straße
Ackerstr.
Gerresheimer Str.
Immermann-
Klosterstr.
ADAC
Ackerstr.
Karlstr.
Worringer
Platz
Steinstr.
Oststr.
Oststr.
Allee
straße
Erkrather
Str.
Bismarckstr.
Königsallee
Berliner
Stresemannstr.
Oststr.
Karlstr.
HAUPTBAHNHOF
Kölner
Str.
Straße
Graf-
Adolf-
Mintropstr.
Harkortstr.
Bertha-von-
Suttner-Pl.
Luisenstr.
Luisenstr.
Cornelius-
Hütten-
Scheurenstr.
Eisen-
straße
Ellerstr.
Linienstr.
Herzog-
str.
straße
Helmholtzstr.
Hütten-
Kruppstr.
Ellerstr.
Fürsten-
wall
Kirchfeldstr.
Lessingplatz
Kirchfeldstr.
Morsestr.
Sonnenstr
straße
Sonnenstr.
Linienstr.
Cornelius-
straße
Bilker Allee
Oberbilker
Allee
Oberbilker
Allee
Bachstr.
Kruppstr.
S-BAHN
D.-VOLKSGARTEN
V
X
Y

Breidenbacher Hof, Heinrich-Heine-Allee 36 (D 1), ✆ 1 30 30, Telex 8582630, Fax 1303830, – Zim . AE E VISA. Rest BX **a**
Restaurants : – **Grill Royal** *(Samstag und Sonntag jeweils bis 18 Uhr geschl.)* Karte 70/105 – **Breidenbacher Eck** Karte 48/80 – **The Traders** *(nur Abendessen)* Karte 41/77 – **155 Z : 230 B** 290/480 - 420/520 – 21 Appart. 840/2300.

Steigenberger Parkhotel, Corneliusplatz 1 (D 1), ✆ 86 51, Telex 8582331, Fax 131679, – Zim (mit). AE E VISA. Rest CX **p**
Karte 52/85 – **160 Z : 230 B** 195/335 - 340/460 Fb – 12 Appart. 580/1280.

Nikko, Immermannstr. 41 (D 1), ✆ 86 61, Telex 8582080, Fax 161216, , Massage, , . Fahrradverleih – Zim . AE E VISA. Rest DX **a**
Restaurants : – **Benkay** (Japanisches Restaurant) Karte 37/85 – **Travellers** Karte 45/125 – **301 Z : 600 B** 245/420 - 320/445 Fb – 16 Appart. 500/1550.

Holiday Inn, Graf-Adolf-Platz 10 (D 1), ✆ 3 87 30, Telex 8586359, , – Zim . AE E VISA CY **r**
Karte 46/75 – **Suppentopf** *(nur Mittagessen, Samstag - Sonntag geschl.)* Karte 24/40 – **177 Z : 275 B** 270/390 - 310/425 Fb.

Savoy, Oststr. 128 (D 1), ✆ 36 03 36, Telex 8584215, Massage, , – (mit). AE E VISA CX **w**
Karte 47/79 – **130 Z : 180 B** 185/260 - 265/362 Fb.

Uebachs, Leopoldstr. 5 (D 1), ✆ 36 05 66, Telex 8587620 – . AE E VISA. Rest DX **r**
Karte 45/74 *(außerhalb der Messezeiten Sonntag geschl.)* – **82 Z : 110 B** 147/189 - 200/280 Fb.

Graf Adolf garni, Stresemannplatz 1 (D 1), ✆ 36 05 91, Telex 8587844, Fax 354120 – . AE E VISA CX **e**
100 Z : 130 B 150/205 - 205/220 Fb – 3 Appart. 350.

Madison I garni, Graf-Adolf-Str. 94 (D 1), ✆ 1 68 50, Fax 1685328, Massage, , . Fitness-Center – . AE E VISA DX **n**
95 Z : 169 B 140/160 - 180/260 Fb.

Ambassador garni, Harkortstr. 7 (D 1), ✆ 37 00 03, Telex 8586286, Fax 376702 – . AE E VISA DY **a**
68 Z : 120 B 145 - 195 Fb.

Eden garni, Adersstr. 29 (D 1), ✆ 3 89 70, Telex 8582530, Fax 3897777 – Zim . AE E VISA CY **m**
130 Z : 200 B 167/317 - 237/332 Fb.

Majestic - Restaurant La Grappa, Cantadorstr. 4 (D 1), ✆ 36 70 30, Telex 8584649, Fax 3670399, – . AE E VISA DVX **b**
Karte 31/62 *(Italienische Küche)* (Sonntag geschl.) – **52 Z : 88 B** 155/220 - 210/305 Fb – 6 Appart. 275/380.

Madison II garni, Graf-Adolf-Str. 47 (D 1), ✆ 37 02 96, Fax 1685328 – . AE E VISA
24 Z : 48 B 125/145 - 170 Fb – 8 Appart. 220. CY **x**

Esplanade, Fürstenplatz 17 (D 1), ✆ 37 50 10, Telex 8582970, Fax 374032, , – . AE E VISA CY **s**
Karte 41/70 – **80 Z : 110 B** 145/210 - 186/298 Fb.

Lindenhof garni, Oststr. 124 (D 1), ✆ 36 09 63, Telex 8587012 – . AE E VISA
24. Dez.- 1. Jan. geschl. – **43 Z : 70 B** 120/155 - 160/195. CX **u**

Cristallo garni, Schadowplatz 7 (D 1), ✆ 8 45 25, Telex 8582119 – . AE. CX **r**
35 Z : 39 B 140 - 198.

Aida garni, Ubierstr. 36 (D 1), ✆ 1 59 90, Fax 1599103, – . AE E VISA
93 Z : 137 B 125/185 - 185/255 Fb. T **e**

Astoria garni, Jahnstr. 72 (D 1), ✆ 38 20 88, Telex 8581834 – . AE E VISA.
25 Z : 40 B 100/165 - 155/200 Fb – 3 Appart. 250. CY **b**

Fürstenhof garni, Fürstenplatz 3 (D 1), ✆ 37 05 45, Telex 8586540 – . AE E VISA
43 Z : 75 B 180 - 245 Fb. CY **e**

Börsenhotel garni, Kreuzstr. 19a (D 1), ✆ 36 30 71, Telex 8587323 – CX **n**
76 Z : 102 B Fb.

Concorde garni, Graf-Adolf-Str. 60 (D 1), ✆ 36 98 25, Telex 8588008 – . AE E VISA. CY **f**
60 Z : 110 B 130/250 - 180/350 Fb.

Central garni, Luisenstr. 42 (D 1), ✆ 37 90 01, Telex 8582145 – . AE E VISA CY **v**
22. Dez.- 2. Feb. geschl. – **75 Z : 116 B** 165/210 - 230/240 Fb.

City garni, Bismarckstr. 73 (D 1), ✆ 36 50 23, Telex 8587362 – . AE E VISA.
52 Z : 95 B 110/180 - 150/250. CX **d**

Schumacher garni, Worringer Str. 55 (D 1), ✆ 36 04 34, Telex 8586610, Fax 365099 – . AE E VISA DX **e**
30 Z : 53 B 135/255 - 190/380 Fb.

Arcade, Ludwig-Erhard-Allee 2 (D 1), ✆ 7 70 10 – . E VISA DX **f**
Karte 24/46 *(nur Abendessen, Samstag - Sonntag geschl.)* – **148 Z : 322 B** 95/130 - 140/150 Fb.

Intercity-Hotel Ibis garni, Konrad-Adenauer-Platz 14 (D 1), ✆ 1 67 20, Telex 8588913, Fax 1672101 – . AE E VISA DX **u**
166 Z : 255 B 141/161 - 172 Fb.

Bellevue garni, Luisenstr. 98 (D 1), ☎ 37 70 71, Telex 8584771, – AE E VISA. CY z
22. Dez.- 2. Jan. geschl. – **52 Z : 65 B** 130/195 - 195/265 Fb – 4 Appart. 250/450.

Monopol garni, Oststr. 135 (D 1), ☎ 8 42 08, Telex 8587770 – E VISA. CX b
45 Z : 60 B 130/170 - 180/250 Fb.

Regina garni, Scheurenstr. 3 (D 1), ☎ 37 04 46 – – **35 Z : 60 B** Fb. CY n

Lancaster garni, Oststr. 166 (D 1), ☎ 35 10 66 – AE E VISA. CXY f
38 Z : 60 B 135/165 - 170/190 Fb.

Cornelius - Restaurant Cornelius Stuben, Corneliusstr. 82, ☎ 38 20 55, Telex 8587385, – – **48 Z : 70 B** Fb. CY a

Beyer garni, Scheurenstr. 57 (D 1), ☎ 37 09 91 – AE E VISA CY d
19 Z : 36 B 65/115 - 95/180.

Minerva garni, Cantadorstr. 13a (D 1), ☎ 35 09 61, Fax 356398 – AE E VISA
22. Dez.- 2. Jan. geschl. – **15 Z : 25 B** 90/130 - 130/180 Fb. DX m

Astor garni, Kurfürstenstr. 23 (D 1), ☎ 36 06 61, Telex 8586201, – AE E DX k
16 Z : 25 B 75/125 - 105/185.

Großer Kurfürst garni, Kurfürstenstr. 18 (D 1), ☎ 35 76 47, Telex 8586201 – AE E
22 Z : 38 B 75/125 - 95/185. DX s

Stuttgarter Hof garni, Bismarckstr. 39 (D 1), ☎ 32 90 63 – AE E VISA CX x
22.- 31. Dez. geschl. – **35 Z : 45 B** 75/110 - 100/160 Fb.

Wieland garni, Wielandstr. 8 (D 1), ☎ 35 01 71, Telex 8588923 – AE E DV e
23. Dez.- 2. Jan. geschl. – **22 Z : 45 B** 95/150 - 135/250.

Wurms garni, Scheurenstr. 23 (D 1), ☎ 37 50 01, Telex 8584290 – AE E VISA CY t
28 Z : 41 B 60/130 - 100/180.

Prinz Anton garni, Karl-Anton-Str. 11 (D 1), ☎ 35 20 00, Telex 8588925 – AE E VISA DX c
23. Dez.- 2. Jan. geschl. – **42 Z : 66 B** 90/210 - 140/230 Fb.

Weidenhof garni, Oststr. 87 (Ecke Marienstraße) (D 1), ☎ 32 54 54, Telex 8586271 – AE E VISA CX t
30 Z : 45 B 150/160 - 195/215 Fb.

XXX ✿ **Victorian**, Königstr. 3a (1. Etage) (D 1), ☎ 32 02 22 – AE E. CX c
Sonn- und Feiertage geschl. – Karte 65/95 (Tischbestellung erforderlich) – **Lounge** *(Mai - Aug. Sonn- und Feiertage bis 16 Uhr geschl.)* Karte 45/67 (auch vegetarische Gerichte)
Spez. Salat von Land und Meer, Langustinenschwänze auf Kressepüree mit Kerbelsabayon, Spanferkelrücken in Trüffelsauce.

XXX **Orangerie**, Bilker Str. 30 (D 1), ☎ 13 18 28 – AE E BX e
außerhalb der Messezeiten Sonntag geschl. – Karte 63/91 – **Bistro** Karte 49/72.

XXX **Mövenpick - Café des Artistes**, Königsallee 60 (Kö-Galerie) (D 1), ☎ 32 03 14 – AE E VISA CX h
Sonntag geschl. – Karte 61/88 – **Locanda Ticinese** Karte 38/63.

XXX **La Scala**, Königsallee 14 (1. Etage,) (D 1), ☎ 32 68 32 – AE E CX y
Sonntag geschl. – Karte 50/78.

XX **La Terrazza** (Italienische Küche), Königsallee 30 (Kö-Center, 2. Etage,) (D 1), ☎ 32 75 40 – AE E VISA CX v
Sonn- und Feiertage geschl. – Karte 54/85 (Tischbestellung ratsam).

XX **Daitokai** (Japanisches Restaurant), Mutter-Ey-Str. 1 (D 1), ☎ 32 50 54 – AE E VISA. BX z
außerhalb der Messezeiten Sonntag geschl. – Karte 39/70 (Tischbestellung ratsam).

XX **Tse-Yang** (Chinesisches Restaurant), Immermannstr. 65 (Immermannhof) (D 1), ☎ 36 90 20 – AE E VISA DX v
Karte 30/65.

XX China-Sichuan-Restaurant, Graf-Adolf-Platz 7 (1. Etage) (D 1), ☎ 37 96 41 (Tischbestellung ratsam). BY s

XX **Nippon Kan** (Japanisches Restaurant), Immermannstr. 35 (D 1), ☎ 35 31 35 – AE E VISA. CX g
Karte 40/90 (Tischbestellung ratsam).

XX **Weinhaus Tante Anna** (ehemalige Hauskapelle a. d. J. 1593), Andreasstr. 2 (D 1), ☎ 13 11 63, « Antike Bilder und Möbel » – AE E VISA. BX c
nur Abendessen – Karte 40/75.

Brauerei-Gaststätten :

X **Zum Schiffchen**, Hafenstr. 5 (D 1), ☎ 13 24 22 – AE E VISA BX f
Weihnachten - Neujahr, sowie Sonn- und Feiertage geschl. – Karte 31/58.

X Frankenheim, Wielandstr. 14 (D 1), ☎ 35 14 47 DV f

X **Im Goldenen Ring**, Burgplatz 21 (D 1), ☎ 13 31 61, Biergarten BX n
Karte 22/52.

X **Benrather Hof**, Steinstr. 1 (D 1), ☎ 32 52 18, CX m
Karte 21/43.

X **Im Goldenen Kessel**, Bolker Str. 44 (D 1), ☎ 32 60 07 BX d
Weihnachten - Neujahr geschl. – Karte 27/43.

In Düsseldorf 31-Angermund ① : 15 km über die B 8 :

Haus Litzbrück, Bahnhofstr. 33, ℘ (0203) 7 44 81, « Gartenterrasse », – AE E VISA
Karte 40/69 – **23 Z : 38 B** 135 - 185/225.

Haus Mariand'l garni, Blumenweg 3, ℘ (0203) 7 44 55, –
14 Z : 25 B 95/115 - 135/165.

In Düsseldorf 13-Benrath über Kölner Landstr. T :

Rheinterrasse, Benrather Schloßufer 39, ℘ 71 10 70, Telex 8582459, « Terrasse mit ≤ » – AE E VISA
Karte 33/68 – **42 Z : 90 B** 110/135 - 175/235 Fb.

Waldesruh, Am Wald 6, ℘ 71 60 08 – E VISA
Karte 24/46 *(nur Abendessen)* – **35 Z : 42 B** 60/70 - 110/120.

Lignano (Italienische Küche), Hildener Str. 43, ℘ 71 19 36 – AE E VISA.
Samstag bis 18 Uhr, Sonntag, 14.- 28. Mai und 3.- 17. Sept. geschl. – Karte 48/75.

Pigage mit Zim (Italienische Küche), Benrather Schloßallee 28, ℘ 71 40 66 – E VISA. Zim
Karte 42/75 *(Samstag bis 18 Uhr, sowie Sonn- und Feiertage geschl.)* – **9 Z : 15 B** 65/90 - 100/130.

In Düsseldorf 30-Derendorf Stadtplan Düsseldorf : S. 2 und 5 :

Excelsior garni, Kapellstr. 1, ℘ 48 60 06, Telex 8584737, Fax 490242 – AE E VISA
65 Z : 100 B 146/158 - 238/275. CV **a**

Consul garni, Kaiserswerther Str. 59, ℘ 49 20 78, Telex 8584624 – AE E VISA BU **c**
29 Z : 65 B 115/170 - 162/220 Fb.

Michelangelo garni, Roßstr. 61, ℘ 48 01 01, Telex 8588649 – AE E VISA
23.- 27. Dez. geschl. – **70 Z : 133 B** 120/205 - 150/260 Fb. CU **a**

Gildors Hotel garni, Collenbachstr. 51, ℘ 48 80 05, Telex 8584418 – AE E VISA CU **n**
Weihnachten - Neujahr geschl. – **35 Z : 60 B** 140/180 - 195/215 Fb.

Doria garni, Duisburger Str. 1a, ℘ 48 03 01 – AE E VISA CV **s**
23. Dez.- 2. Jan. geschl. – **40 Z : 59 B** 95/160 - 130/190 Fb.

Imperial garni, Venloer Str.9, ℘ 48 30 08, Telex 8587187 – AE E VISA BCU **e**
39 Z : 56 B 89/149 - 119/169.

National garni, Schwerinstr. 16, ℘ 49 90 62, Telex 8586597, – AE E VISA
32 Z : 64 B 105/185 - 160/220 Fb. CU **b**

Gästehaus am Hofgarten garni, Arnoldstr. 5, ℘ 44 63 82, Telex 8581426 – AE E
20. Dez.- 6. Jan. geschl. – **27 Z : 37 B** 98/135 - 150/200. CV **t**

Amalfi (Italienische Küche), Ulmenstr. 122, ℘ 43 38 09 – AE E CU **r**
Sonntag geschl. – Karte 44/81.

Gatto Verde (Italienische Küche), Rheinbabenstr. 5, ℘ 46 18 17, – AE E CU **s**
Samstag bis 18 Uhr, Montag, Juni - Juli 3 Wochen und 23. Dez.- 6. Jan. geschl. – Karte 46/73.

In Düsseldorf 1-Düsseltal Stadtplan Düsseldorf : S. 2 :

Haus am Zoo garni, Sybelstr. 21, ℘ 62 63 33, « Garten », (geheizt) – AE E. DU **h**
24. Dez.- 2. Jan. geschl. – **22 Z : 37 B** 130/140 - 170/200 Fb.

In Düsseldorf 13-Eller Stadtplan Düsseldorf : S. 1 :

Novotel Düsseldorf Süd, Am Schönenkamp 9, ℘ 74 10 92, Telex 8584374, Fax 745512, (geheizt), – AE E VISA T **a**
Karte 33/68 – **120 Z : 240 B** 167 - 192 Fb.

In Düsseldorf 1-Flingern Stadtplan Düsseldorf : S. 3 :

Im Tönnchen garni, Wetterstr. 4, ℘ 68 44 04 – AE E VISA EX **a**
20 Z : 40 B 95/125 - 115/150 Fb.

In Düsseldorf 30-Golzheim Stadtplan Düsseldorf : S. 2 :

Inter-Continental, Karl-Arnold-Platz 5, ℘ 4 55 30, Telex 8584601, Fax 4553110, Massage, – AE E VISA. Rest BU **q**
Restaurants (Juli, Samstag bis 18 Uhr und Sonntag geschl.) : – **Les Continents** Karte 70/98 – **Café de la Paix** Karte 42/71 – **310 Z : 520 B** 241/406 - 306/501 Fb – 20 Appart. 851/1001.

Düsseldorf Hilton, Georg-Glock-Str. 20, ℘ 4 37 70, Telex 8584376, Fax 4377650, Massage, – Zim AE E VISA. Rest BU **r**
Restaurants : – **Hofgarten** Karte 34/59 – **San Francisco** separat erwähnt – **376 Z : 750 B** 249/419 - 308/508 Fb – 9 Appart. 798/1548.

Golzheimer Krug, Karl-Kleppe-Str. 20, ℘ 43 44 53 (Hotel) 43 11 53 (Rest.), Telex 8588919, – AE E VISA AU **e**
Karte 57/98 *(Montag geschl.)* – **27 Z : 50 B** 135/170 - 170/250 Fb.

Rheinpark garni, Bankstr. 13, ℘ 49 91 86 – BU **b**
30 Z : 40 B 55/90 - 98/130 Fb.

XXXX **San Francisco**, Georg-Glock-Str. 20 (im Hilton-Hotel), ✆ 4 37 77 41 – ▤ P. AE ⓓ E VISA. ✻ BU r
Karte 65/93 (abends Tischbestellung ratsam).

XX **Fischer-Stuben Mulfinger**, Rotterdamer Str. 15, ✆ 43 26 12, « Gartenterrasse » – AE
Freitag 15 Uhr - Samstag geschl. – Karte 43/80 (Tischbestellung ratsam). ABU a

XX **Rosati** (Italienische Küche), Felix-Klein-Str. 1, ✆ 4 36 05 03, 🏖 – P. AE ⓓ E VISA AU s
Samstag bis 18 Uhr und Sonntag geschl. – Karte 55/79 (Tischbestellung ratsam).

In Düsseldorf 13-Holthausen Stadtplan Düsseldorf : S. 1 :

Dase garni, Bonner Str. 7 (Eingang Am Langen Weiher), ✆ 79 90 71 – |$| TV ☎ P. AE ⓓ E VISA. ✻ T u
22. Dez.- 2. Jan. geschl. – **50 Z : 54 B** 100/110 - 150/160 Fb.

In Düsseldorf 31-Kaiserswerth über ① und die B 8 :

Barbarossa garni, Niederrheinstr. 365 (B 8), ✆ 40 27 19 – |$| ☎ P. AE ⓓ E VISA
33 Z : 39 B 85/125 - 125/145.

Haus Rittendorf garni, Friedrich-von-Spee-Str. 44, ✆ 40 40 41 – ☎ P
10 Z : 20 B 70/90 - 100/150.

XXXX ✿✿✿ **Im Schiffchen** (Französische Küche), Kaiserswerther Markt 9 (1. Etage), ✆ 40 10 50 – AE ⓓ E VISA. ✻
nur Abendessen, 15. Juli - 15. Aug. sowie Sonn- und Feiertage geschl. – Karte 95/120 *(Tischbestellung ratsam)* (siehe auch Restaurant Aalschokker) – (Wiedereröffnung Frühjahr 1989)
Spez. Mit Kalbsbries gefüllte Cannelloni in Trüffelbutter, Hummer in Kamillenblüten gedämpft, Süppchen von Walderdbeeren in Champagner.

XX **Aalschokker** (Deutsche Küche), Kaiserswerther Markt 9 (Erdgeschoß), ✆ 40 39 48 – AE ⓓ E VISA. ✻
nur Abendessen, 15. Juli - 15. Aug. sowie Sonn- und Feiertage geschl. – Karte 63/78 (Tischbestellung ratsam) – (Wiedereröffnung Frühjahr 1989).

In Düsseldorf 31-Kalkum ① : 10 km über die B 8 :

X **Landgasthof zum Schwarzbach**, Edmund-Bertrams-Str. 43, ✆ 40 43 08, 🏖 – P
Dienstag - Freitag nur Abendessen, Jan. und Montag geschl. – Karte 41/66 (Tischbestellung ratsam).

In Düsseldorf 11-Lörick Stadtplan Düsseldorf : S. 1 :

Fischerhaus 🐦, Bonifatiusstr. 35, ✆ 59 20 07, Telex 8584449 – TV ☎ P. AE ⓓ E VISA
Karte : siehe Restaurant Hummerstübchen – **35 Z : 62 B** 135/207 - 164/217 Fb. S z

XX ✿ **Hummerstübchen**, Bonifatiusstr. 35 (im Hotel Fischerhaus), ✆ 59 44 02 – AE ⓓ E
Sonn- und Feiertage sowie Juni - Juli 4 Wochen geschl. – Karte 69/90 (Tischbestellung ratsam) S z
Spez. Hummer- und Fischgerichte.

In Düsseldorf 30-Lohausen Stadtplan Düsseldorf : S. 1 :

XX **Flughafen Grill-Restaurant**, Terminal 2 (4. Etage |$|), ✆ 4 21 60 97, ← – AE ⓓ E VISA. ✻
Karte 42/70. S f

In Düsseldorf 30-Mörsenbroich Stadtplan Düsseldorf : S. 2-3 :

Ramada-Renaissance-Hotel, Nördlicher Zubringer 6, ✆ 6 21 60, Telex 8586435, Fax 6216666, Massage, ≘s, 🏊 – |$| ⇔ Zim ▤ TV ♿ P 🏛. AE ⓓ E VISA. ✻ Rest DU e
Restaurants : – **Summertime** Karte 56/79 – **Orchidee** Karte 37/53 – **245 Z : 490 B** 341/391 - 437/487 Fb – 8 Appart. 600/1400.

Merkur garni, Mörsenbroicher Weg 49, ✆ 63 40 31, Fax 622525 – ☎ 🚗 P. AE ⓓ E VISA
23. Dez.- 2. Jan. geschl. – **26 Z : 40 B** 70/130 - 98/170 Fb. EU a

In Düsseldorf 1-Oberbilk Stadtplan Düsseldorf : S. 5 :

Lessing garni, Volksgartenstr. 6, ✆ 72 30 53, Telex 8587219, ≘s – |$| TV ☎ 🚗. AE ⓓ E VISA DY t
30 Z : 60 B 142/230 - 180/280 Fb.

Berliner Hof garni, Ellerstr. 110, ✆ 78 47 44 – |$| ☎ 🚗. AE ⓓ E VISA DY u
21 Z : 30 B 74/124 - 100/162 Fb.

In Düsseldorf 11-Oberkassel Stadtplan Düsseldorf : S. 1 :

Ramada, Am Seestern 16, ✆ 59 10 47, Telex 8585575, Fax 593569, ≘s, 🏊 – |$| ⇔ Zim ▤ TV P 🏛. AE ⓓ E VISA. ✻ Rest S a
Karte 37/76 – **222 Z : 390 B** 198/288 - 266/376 Fb – 6 Appart. 796.

Rheinstern Penta Hotel, Emanuel-Leutze-Str. 17, ✆ 5 99 70, Telex 8584242, Fax 5997339, ≘s, 🏊 – |$| ⇔ Zim ▤ Rest TV P 🏛 (mit ▤). AE ⓓ E VISA. ✻ Zim S r
Karte 40/72 – **217 Z : 434 B** 233/269 - 291/328 Fb – 4 Appart. 868.

Hanseat garni, Belsenstr. 6, ✆ 57 50 69, Telex 8581997, « Geschmackvolle Einrichtung » – TV ☎ – **31 Z : 54 B** Fb. S n

Arosa garni, Sonderburgstr. 48, ✆ 55 40 11, Telex 8582242 – |$| ☎ 🚗 P. AE ⓓ E VISA
23. Dez.- 3. Jan. geschl. – **32 Z : 44 B** 100/140 - 150/180. ST e

XXX **De' Medici** (Italienische Küche), Amboßstr. 3, ✆ 59 41 51 – AE ⓓ E VISA S m
außerhalb der Messezeiten Samstag bis 18 Uhr sowie Sonn- und Feiertage geschl. – Karte 42/75 (abends Tischbestellung erforderlich).

XX **Edo** (Japanische Restaurants : Teppan, Robata und Tatami), Am Seestern 3, ✆ 59 10 82, « Japanische Gartenanlage » – Ⓟ. AE ⓓ E VISA. ✻ S r
Samstag bis 18 Uhr geschl. – Karte 31/82.

XX **La Crème**, Oberkasseler Str. 100, ✆ 57 56 72 – AE ⓓ E Stadtplan Düsseldorf S. 2 AV c
nur Abendessen, Montag und Juli - Aug. 2 Wochen geschl. – Karte 67/94 (Tischbestellung ratsam).

In Düsseldorf 30-Stockum Stadtplan Düsseldorf : S. 1 :

Schnellenburg, Rotterdamer Str. 120, ✆ 43 41 33 (Hotel) 4 38 04 38 (Rest.), Telex 8581828, ≤ – TV ☎ Ⓟ 🏛 S x
50 Z : 85 B Fb.

Fashion Hotel, Am Hain 44 (D 30), ✆ 43 41 82 – TV ☎ Ⓟ. AE ⓓ E VISA S b
Restaurants : – **Ristorante Sergio** (Italienische Küche) *(Montag geschl.)* Karte 36/67 – **Müller's Heideröschen** Karte 25/44 – **29 Z : 43 B** 150 - 200/240 Fb.

In Düsseldorf 12-Unterbach SO : 11 km über Rothenbergstr. T :

Am Zault, Gerresheimer Landstr. 40, ✆ 25 10 81, Telex 8581872 – TV ☎ Ⓟ 🏛. AE ⓓ E VISA. ✻ Zim
Karte 48/82 *(Samstag bis 18 Uhr geschl.)* – **44 Z : 72 B** 140/180 - 180/230 Fb.

In Düsseldorf 1-Unterbilk Stadtplan Düsseldorf : S. 2 :

XXX **Savini** (Italienische Küche), Stromstr. 47, ✆ 39 39 31 – AE ⓓ E AY e
Karte 54/85 (Tischbestellung ratsam).

XX **Rheinturm Top 180**, Stromstr. 20, ✆ 84 85 80, ✻ Düsseldorf und Rhein, « Rotierendes Restaurant in 172 m Höhe », (|$|, Gebühr DM 4,50) – ▤. AE ⓓ E VISA. ✻
Karte 45/70. Stadtplan Düsseldorf : S. 4 BY a

In Düsseldorf 31-Wittlaer ① : 12 km über die B 8 :

XX Brand's Jupp, Kalkstr. 49, ✆ 40 40 49, « Gartenterrasse » – Ⓟ.

In Meerbusch 1 **4005** über ⑥ und die B 9 :

Rheinhof, Moerser Str. 127, ✆ (02105) 56 84, Telex 8585964, Fax 10656, ≘s, ▣ – |$| TV ☎ Ⓟ 🏛. AE ⓓ E VISA
Karte 39/63 – **51 Z : 102 B** 96/196 - 152/262 Fb.

In Meerbusch 1-Büderich **4005** – ✪ 02105 – Stadtplan Düsseldorf : S. 1 :

XXX **Landhaus Mönchenwerth**, Niederlöricker Str. 56 (an der Schiffsanlegestelle), ✆ 7 79 31, ≤, « Gartenterrasse » – Ⓟ. AE ⓓ E VISA. ✻ S c
Samstag geschl. – Karte 49/106.

XXX **Haus Landsknecht** mit Zim, Poststr. 70, ✆ 59 47 – TV ☎ Ⓟ. AE ⓓ E VISA. ✻ S u
Karte 49/90 – **8 Z : 14 B** 85/190 - 130/250.

X **Lindenhof**, Dorfstr. 48, ✆ 26 64 S v
nur Abendessen, Montag, 10.- 31. Juli und 23. Dez.- 4. Jan. geschl. – Karte **32**/59 (Tischbestellung erforderlich).

In Meerbusch 3 - Langst-Kierst **4005** über ⑥ und Neußer Str. S :

Haus Niederrhein ⛱, Zur Rheinfähre, ✆ (02150) 28 39, ≤, ☂ – TV ☎ Ⓟ
12 Z : 24 B.

MICHELIN-REIFENWERKE KGaA. Niederlassung 4040 Neuß 1, Moselstr. 11 (über ⑤), ✆ (02101) 4 90 61.

DUISBURG 4100. Nordrhein-Westfalen 987 ⑬ – 518 300 Ew – Höhe 31 m – ✪ 0203.

Siehe Ruhrgebiet (Übersichtsplan).

Sehenswert : Hafen ★ (Rundfahrt★) AZ.

⛳ Großenbaumer Allee 240 (AZ), ✆ 72 14 69.

ℹ Stadtinformation, Königstr. 53, ✆ 2 83 21 89.

ADAC, Claubergstr. 4, ✆ 2 90 33, Notruf ✆ 1 92 11.

♦Düsseldorf 29 ③ – ♦Essen 20 ① – Nijmegen 107 ①.

Stadtplan siehe gegenüberliegende Seite.

Steigenberger-Hotel Duisburger Hof, Neckarstr. 2, ✆ 33 10 21, Telex 855750, Fax 339847, ☂ – |$| ⇎ Zim TV Ⓟ 🏛. AE ⓓ E VISA. ✻ Rest CX f
Karte 52/82 – **112 Z : 145 B** 161/250 - 250/310 Fb – 9 Appart. 480.

Novotel, Landfermannstr. 20, ✆ 30 00 30, Telex 8551638, Fax 338689, ≘s, ▣ – |$| ⇎ Zim ▤ TV ☎ ♿ Ⓟ 🏛. AE ⓓ E VISA CX w
Karte 32/57 – **162 Z : 324 B** 162 - 187 Fb.

Plaza und Haus Hammerstein garni, Dellplatz 1, ✆ 2 19 75, Telex 8551661, Fax 22288, ≘s, ▣ – |$| TV ☎. AE ⓓ E VISA BY c
63 Z : 94 B 98/149 - 120/205 Fb.

DUISBURG

Aldenrader Straße	AY	2
Am Nordhafen	AY	4
Asterlager Straße	AZ	6
Bürgermeister-Pütz-Straße	AY	10
Düsseldorfer Straße	AZ	14
Eisenbahnstraße	AY	16
Emmericher Straße	AYZ	17
Essenberger Straße	AZ	20
Friedrich-Ebert-Brücke	AY	21
Friedrich-Ebert-Straße	AZ	22
Friemersheimer Straße	AZ	24
Großenbaumer Allee	AZ	25
Hohenbudberger Straße	AZ	28
Honigstraße	AY	29
Kaiser-Wilhelm-Straße	AY	30
Krefelder Straße	AZ	36
Kreuzacker	AZ	37
Lauerstraße	AZ	42
Obermeidericher Straße	AY	57
Papiermühlenstraße	AY	60
Rathenaustraße	AY	64
Ruhrorter Straße	AZ	65
Schwarzenberger-Straße	AZ	68
Schweizer Straße	AZ	69
Sittardsberger Allee	AZ	70
Stockholmer Straße	AY	78
Wanheimer Straße	AZ	83
Wedauer Straße	AZ	84

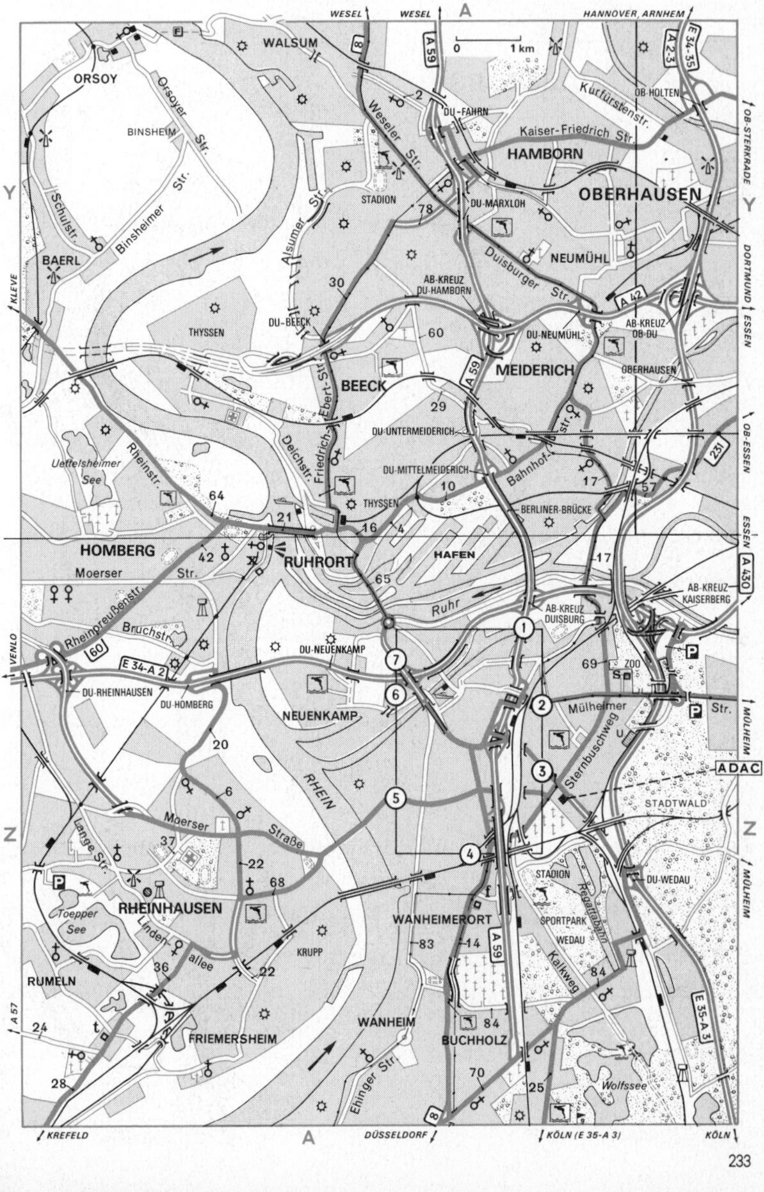

Straße	Planquadrat	Nr.
Beekstraße	BX	
Königstraße	CX	
Münzstraße	BX	51
Sonnenwall	BX	74
Alter Markt	BX	3
Brückenplatz	BY	8
Burgplatz	BX	12
Dellplatz	BY	13
Friedrich-Wilhelm-Straße	CXY	23
Gutenbergstraße	CX	27
Köhnenstraße	CX	31
König-Heinrich-Platz	CX	32
Koloniestraße	CY	33
Kommandantenstraße	CY	34
Kuhlenwall	CX	35
Kuhstraße	BX	38
Kuhtor	CX	39
Landfermannstraße	CX	40
Mainstraße	CX	43
Marientor	BXY	44
Max-Pieters-Straße	BX	46
Menzelstraße	BCY	48
Mülheimer Straße	CX	50
Musfeldstraße	BY	52
Neckarstraße	CX	53
Neue Fruchtstraße	CY	54
Neue Marktstraße	CY	56
Oranienstraße	CX	58
Papendelle	BY	59
Portsmouthplatz	CY	63
Siegstraße	CX	73
Steinsche Gasse	BX	75
Universitätsstraße	BX	79
Unterstraße	BX	80
Wupperstraße	CX	85

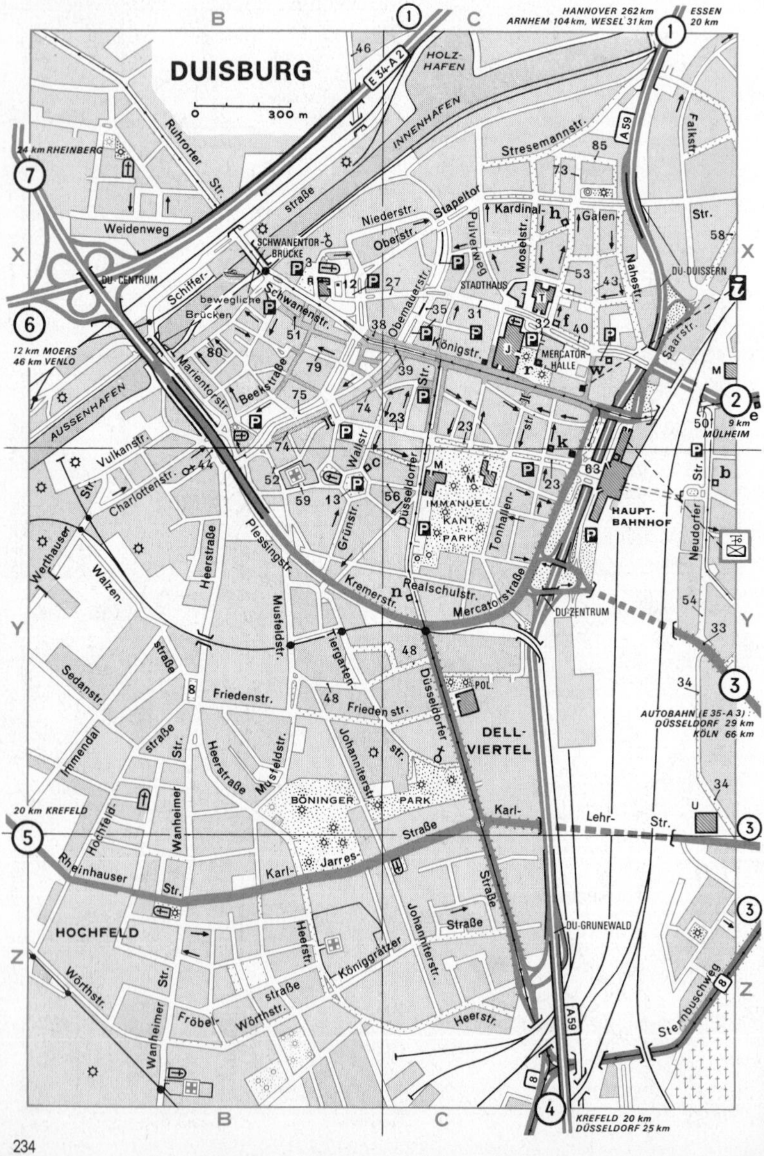

Haus Friederichs, Neudorfer Str. 33, ☎ 35 57 37 – CY **b**
Karte 30/55 *(nur Abendessen, Sonntag geschl.)* – **34 Z : 46 B** 75/90 - 130 Fb.

Haus Reinhard garni, Fuldastr. 31, ☎ 33 13 16, Garten – CX **h**
22. Dez.- 3. Jan. geschl. – **15 Z : 22 B** 95/130 - 160/210 Fb.

Stadt Duisburg, Düsseldorfer Str. 124, ☎ 28 70 85, Telex 855888 – AE E VISA. Rest CY **n**
Karte 33/51 *(nur Abendessen, Samstag - Sonntag und Juli - 15. Aug. geschl.)* – **35 Z : 60 B** 99/159 - 149/209 Fb.

Intercity Hotel Ibis (im Hauptbahnhof), Mercatorstr. 15, ☎ 30 00 50, Telex 855872 – AE E VISA CY
Karte 26/53 – **95 Z : 143 B** 93/113 - 124 Fb.

XX ❀ **La Provence**, Hohe Str. 29, ☎ 2 44 53 – CX **k**
25. Juni - 13. Juli, 22. Dez.- 4. Jan., Samstag bis 18 Uhr sowie Sonn- und Feiertage geschl. – Karte 70/90 (Tischbestellung ratsam)
Spez. Terrinen und Pasteten, Bresse-Täubchen an Pilzen, Lammsattel mit Kräuter-Senfkruste (ab 2 Pers.).

XX **Mercatorhalle**, König-Heinrich-Platz, ☎ 33 20 66 – AE E VISA CX **r**
Karte 31/65.

XX **Rôtisserie Laterne im Klöcknerhaus**, Mülheimer Str. 38, ☎ 2 12 98 –
Samstag - Sonntag geschl. – Karte 31/62. CX **e**

In Duisburg 17 - Homberg :

Rheingarten, Königstr. 78, ☎ (02136) 50 01, Telex 8551435 – AE E VISA AZ **x**
Karte 37/67 – **28 Z : 56 B** 100/130 - 146/170 Fb.

In Duisburg 25-Huckingen über die B 8 AZ :

XX Angerhof mit Zim, Düsseldorfer Landstr. 431, ☎ 78 16 58 –
10 Z : 18 B.

In Duisburg 1-Kaiserberg :

XX **Wilhelmshöhe**, Am Botanischen Garten 21, ☎ 33 06 66, « Gartenterrasse » – AE E
Montag - Dienstag geschl. – Karte 19,50/54. AZ **s**

In Duisburg 14-Rheinhausen :

Mühlenberger Hof, Hohenbudberger Str. 88, ☎ (02135) 45 65, Biergarten, « Rustikal-gemütliche Einrichtung » – AE E AZ **t**
über Karneval 2 Wochen und 20. Sept.- 6. Okt. geschl. – Karte 27/56 *(Samstag bis 18 Uhr und Montag geschl.)* – **10 Z : 14 B** 50/80 - 100/120.

In Duisburg 1-Wanheimerort :

Am Sportpark garni, Buchholzstr. 27, ☎ 77 03 40 – AE E VISA AZ **f**
20 Z : 35 B 65/70 - 95/110.

DUNNINGEN 7213. Baden-Württemberg 413 I 22 – 5 000 Ew – Höhe 665 m – ☎ 07403.
♦Stuttgart 101 – Freudenstadt 49 – Villingen-Schwenningen 25.

Krone, Hauptstr. 8 (B 462), ☎ 2 75 –
Ende Jan.- Anfang Feb. und Juli 3 Wochen geschl. – Karte 21/41 *(Freitag ab 14 Uhr und Montag geschl.)* – **10 Z : 16 B** 40 - 75.

DURACH Bayern siehe Kempten (Allgäu).

DURBACH 7601. Baden-Württemberg 413 H 21, 87 ⑤ – 3 700 Ew – Höhe 216 m – Erholungsort – ☎ 0781 (Offenburg).
Verkehrsverein, Talstr. 184, ☎ 4 21 53.
♦Stuttgart 148 – Baden-Baden 54 – Freudenstadt 51 – Offenburg 9.

❀ **Zum Ritter**, Tal 185, ☎ 3 10 31, « Geschmackvolle Einrichtung » – AE
Karte 40/95 *(Montag bis 18 Uhr und 9. Jan.- 2. Feb. geschl.)* – **62 Z : 110 B** 64/150 - 110/250 Fb – 8 Appart. 380
Spez. Badische Schneckensuppe, Gratiniertes Lammrückenfilet mit Rosmarinsauce, Schwarzwälder Kirschauflauf mit Traminer-Weinschaum-Sauce (2 Pers.).

Rebstock, Halbgütle 30, ☎ 4 15 70 –
Karte **29**/57 *(30. Jan.- 20. Feb. und Montag geschl.)* – **36 Z : 68 B** 46/90 - 90/170 Fb – P 75/120.

In Durbach-Ebersweier NW : 4 km :

Krone, Am Durbach 1, ☎ 4 12 44 –
Karte 22/45 *(Dienstag geschl.)* – **14 Z : 27 B** 30/40 - 60/80.

DURMERSHEIM 7552. Baden-Württemberg [413] H 20 – 11 500 Ew – Höhe 119 m – ☎ 07245.
♦Stuttgart 91 – ♦Karlsruhe 14 – Rastatt 10.

🏨 **Adler**, Hauptstr. 49, ℘ 24 57, Biergarten – [P]. [E]. 🐕
2.- 20. Jan. geschl. – Karte 21/51 *(Donnerstag geschl.)* 🍷 – **23 Z : 35 B** 42/60 - 65/100.

EBELSBACH Bayern siehe Eltmann.

EBENSFELD 8629. Bayern [413] P 16 – 5 200 Ew – Höhe 254 m – ☎ 09573.
♦München 251 – ♦ Bamberg 21 – Bayreuth 67 – Coburg 29 – Hof 88.

🏨 **Pension Veitsberg** 🔇 garni, Prächtinger Str. 14, ℘ 64 00, 🌳 – 🚗 [P]
14 Z : 18 B 30/38 - 52/62 – 3 Fewo 60.

EBERBACH AM NECKAR 6930. Baden-Württemberg [413] JK 18, [987] ㉕ – 15 400 Ew – Höhe 131 m – Heilquellen-Kurbetrieb – ☎ 06271.
[i] Kurverwaltung, Im Kurzentrum, Kellereistr. 32, ℘ 48 99.
♦Stuttgart 107 – Heidelberg 33 – Heilbronn 53 – ♦Würzburg 111.

🏨 **Karpfen** (Fassade mit Fresken der Stadtgeschichte), Am alten Markt 1, ℘ 23 16 – ⇅ [P]. [AE] [E] [VISA]
Karte 21/45 *(Dienstag bis 18 Uhr geschl.)* 🍷 – **44 Z : 75 B** 38/65 - 68/95.

🏨 Kettenboot, Friedrichstr. 1, ℘ 24 70, ☂ – ⇅
16 Z : 25 B.

🏨 **Krone-Post**, Hauptstr. 1, ℘ 20 13, ≤, ☂ – ⇅ ☎ [P]. [AE] [D] [E] [VISA]. 🐕 Rest
Nov. geschl. – Karte 32/55 *(im Winter Samstag geschl.)* – **45 Z : 75 B** 75/95 - 95/120 Fb.

🍴🍴🍴 **Altes Badhaus** mit Zim, Am Lindenplatz 1, ℘ 56 16, Fax 7671, ☂, « Fachwerkhaus a.d. 13. Jh. mit moderner Einrichtung » – [TV] ☎ 🏛. [AE] [D] [E] [VISA]
Karte 57/87 *(nur Abendessen, Badstube auch Mittagessen, Sonntag geschl.)* – **Badstube** Karte **28**/65 *(Sonntag 17 Uhr - Montag geschl.)* – **13 Z : 25 B** 85/115 - 145/185 Fb.

🍴🍴 **Kurhaus**, Leopoldsplatz 1, ℘ 27 00, ≤, ☂ – [AE] [D] [E]
Montag geschl. – Karte 23/55.

Eberbach-Brombach siehe unter ***Hirschhorn am Neckar***.

EBERMANNSTADT 8553. Bayern [413] Q 17, [987] ㉖ – 5 700 Ew – Höhe 290 m – Erholungsort – ☎ 09194.
⛳ Kanndorf 8, ℘ 92 28.
[i] Verkehrsamt, im Bürgerhaus, Bahnhofstr. 7, ℘ 81 28.
♦München 219 – ♦Bamberg 30 – Bayreuth 61 – ♦Nürnberg 48.

🏨 **Schwanenbräu**, Marktplatz 2, ℘ 2 09 – [TV] 🚗 🏛
✦ *2.- 10. Jan. geschl.* – Karte 16/48 – **17 Z : 30 B** 40 - 70/80.

🏨 **Resengörg**, Hauptstr. 36, ℘ 81 74, 🌳 – ⇅ ☎ 🚗 [P] 🏛. [D] [E]
✦ Karte 17/32 – **31 Z : 62 B** 40 - 75 – P 55.

🏨 **Sonne**, Hauptstr. 29, ℘ 3 42, 🌳 – 🚗
✦ Karte 17/28 – **32 Z : 60 B** 32/35 - 64/70.

🏨 **Haus Feuerstein** garni, Georg-Wagner-Str. 15, ℘ 85 05, 🌳
12 Z : 23 B 33 - 60.

In Ebermannstadt-Rothenbühl O : 2 km über die Straße nach Gößweinstein :

🏠 **Pension Bieger** 🔇, Rothenbühl 3, ℘ 95 34 – [P]. 🐕 Rest
✦ Karte 14/32 – **39 Z : 70 B** 31/37 - 54/66 – P 44/49.

EBERN 8603. Bayern [413] P 16, [987] ㉖ – 7 000 Ew – Höhe 271 m – ☎ 09531.
♦München 255 – ♦Bamberg 26 – Coburg 26 – Schweinfurt 56.

🏠 **Post**, Bahnhofstr. 2, ℘ 80 77 – [P]
✦ *27. Dez.- 18. Jan. geschl.* – Karte 14/30 *(Montag geschl.)* 🍷 – **17 Z : 26 B** 28/37 - 56/64.

EBERSBACH AN DER FILS 7333. Baden-Württemberg [413] L 20 – 13 900 Ew – Höhe 292 m – ☎ 07163.
♦Stuttgart 33 – Göppingen 10 – ♦Ulm (Donau) 70.

🏨 **Rose**, Hauptstr. 16 (B 10), ℘ 20 94 – ☎
Karte 28/50 🍷 – **23 Z : 30 B** 54 - 90.

🏨 **Adler**, Stuttgarter Str. 4 (B 10), ℘ 35 28 – ⇅ [P]. [AE] [D] [E]
✦ Karte 17/52 *(Montag bis 17 Uhr geschl.)* – **27 Z : 45 B** 36/50 - 70/100.

Europe

Wenn der Name eines Hotels dünn gedruckt ist,
dann hat uns der Hotelier Preise
und Öffnungszeiten nicht oder nicht vollständig angegeben.

EBERSBERG 8017. Bayern 413 S 22, 987 ㊲, 426 ⑱ – 8 700 Ew – Höhe 563 m – Erholungsort – ☎ 08092.
♦München 32 – Landshut 69 – Rosenheim 31.

Klostersee ⛺, Am Priel 3, ☎ 2 10 73 – ☎ P. AE ⓓ E
13.- 28. Mai und 12.- 20. Aug. geschl. – Karte 27/42 *(nur Abendessen, Samstag - Sonntag geschl.)* – **23 Z : 35 B** 48/65 - 80/97.

Ebersberger Hof, Sieghartstr. 16, ☎ 2 04 42 – ☎
Karte 25/46 *(Montag geschl.)* – **11 Z : 18 B** 43/80 - 70/110.

In Ebersberg-Oberndorf O : 2,5 km :

Huber, Münchner Str. 11, ☎ 2 10 26, ☎ P
23.- 30. Dez. geschl. – Karte 20/42 – **54 Z : 90 B** 60 - 100.

EBERSDORF 8624. Bayern 413 Q 16 – 5 700 Ew – Höhe 303 m – ☎ 09562.
♦München 276 – ♦Bamberg 49 – Coburg 12 – Kronach 20.

Brauereigasthof Goldener Stern, Canter Str. 15, ☎ 10 61 – ☎ P
Aug. 2 Wochen geschl. – Karte 17/40 *(Montag ab 14 Uhr geschl.)* – **23 Z : 28 B** 26/41 - 48/78.

In Sonnefeld 8625 O : 5,5 km :

Zum goldenen Löwen, Thüringer Str. 2, ☎ (09562) 89 21 – P.

EBERSTADT Baden-Württemberg siehe Weinsberg.

EBRACH Bayern. Sehenswürdigkeit siehe Geiselwind.

EBSDORFERGRUND Hessen siehe Marburg.

EBSTORF 3112. Niedersachsen – 4 500 Ew – Höhe 50 m – Luftkurort – ☎ 05822.
Sehenswert : Ehemaliges Benediktiner Kloster (Nachbildung der Ebstorfer Weltkarte★).
Verkehrsbüro, Rathaus, Hauptstr. 30, ☎ 29 96.
♦Hannover 108 – ♦Braunschweig 95 – ♦Hamburg 80 – Lüneburg 25.

Zur Krone, Bahnhofstr. 8, ☎ 24 77 – ☎ P
Feb. geschl. – Karte 22/42 *(Okt.- Mai Donnerstag geschl.)* – **9 Z : 17 B** 35 - 65/78.

ECHING 8057. Bayern 413 R 22 – 10 500 Ew – Höhe 460 m – ☎ 089 (München).
♦München 21 – Ingolstadt 59 – Landshut 55.

Olymp, Wielandstr. 3, ☎ 3 19 50 73, Telex 5214960, – ☎ P
66 Z : 106 B Fb.

Huberwirt, Untere Hauptstr. 1, ☎ 31 90 50 – ☎ P
Karte 17,50/40 *(Dienstag geschl.)* – **50 Z : 94 B** 40/75 - 70/105.

ECHTERNACHERBRÜCK 5521. Rheinland-Pfalz 242 ⑳, 409 ㉗ – 600 Ew – Höhe 160 m – ☎ 06525.
Mainz 188 – Bitburg 21 – Luxembourg 36 – Trier 26.

Im Wingert ⛺, Bollendorfer Str. 36, ☎ 4 30, – ☎ P. ⓓ E VISA
Karte 48/86 *(Dienstag - Mittwoch 19 Uhr geschl.)* – **12 Z : 28 B** 92/110 - 160.

ECKENHAGEN Nordrhein-Westfalen siehe Reichshof.

ECKERNFÖRDE 2330. Schleswig-Holstein 987 ⑤ – 23 000 Ew – Höhe 5 m – Seebad – ☎ 04351.
Schloß Altenhof, ☎ (04351) 4 12 27 – Kurverwaltung, im Meerwasserwellenbad, ☎ 9 05 20.
♦Kiel 28 – Rendsburg 30 – Schleswig 24.

Stadt Kiel garni, Kieler Str. 74, ☎ 50 27 – . AE ⓓ E
21 Z : 40 B 45/70 - 90/140.

Sandkrug, Berliner Str. 146 (B 76), ☎ 4 14 93, – P
2. Jan.- 10. Feb. geschl. – Karte 22/45 *(Montag geschl.)* – **15 Z : 30 B** 37/54 - 70/88.

Ratskeller (Haus a.d.J. 1420), Rathausmarkt 8, ☎ 24 12,
Feb. und Montag geschl. – Karte 29/52.

In Gammelby 2330 NW : 5 km über die B 76 :

Gammelby, Dorfstr. 6, ☎ (04351) 88 10, Fax 88166, – ☎ P. AE ⓓ E VISA
Karte 29/64 – **32 Z : 65 B** 43/72 - 82/120 Fb.

In Groß Wittensee 2333 SW : 9 km, an der B 203 :

Schützenhof, Rendsburger Str. 2, ☎ (04356) 70, – ☎ P. AE ⓓ E
Karte 23/45 *(Okt.- Mai Donnerstag geschl.)* – **45 Z : 90 B** 48/78 - 84/120 – 3 Fewo 95/160.

ECKERSDORF Bayern siehe Bayreuth.

EDDELSTORF Niedersachsen siehe Bevensen, Bad.

EDELSFELD Bayern siehe Königstein.

EDENKOBEN 6732. Rheinland-Pfalz [413] H 19, [987] ㉔, [242] ⑧ – 6 000 Ew – Höhe 148 m – Luftkurort – ☎ 06323.

Ausflugsziele : Schloß Ludwigshöhe (Max-Slevogt - Sammlung) W : 2 km – Rietburg : ≤ ★ W : 2 km und Sessellift.

[i] Verkehrsamt, Weinstr. 86, ✆ 32 34.

Mainz 101 – Landau in der Pfalz 11 – Neustadt an der Weinstraße 10.

🏨 Pfälzer Hof - Rebenhof, Weinstr. 85, ✆ 29 41
22 Z : 38 B.

EDERSEE, EDERTAL Hessen siehe Waldeck.

EDESHEIM 6736. Rheinland-Pfalz [413] H 19 – 2 400 Ew – Höhe 150 m – ☎ 06323 (Edenkoben).

Mainz 101 – Kaiserslautern 48 – ♦ Karlsruhe 46 – ♦ Mannheim 41.

🍴 **Wein-Castell** mit Zim (Sandsteinbau a.d.J. 1840), Staatsstr. 21 (B 38), ✆ 23 92, Weingut, Weinprobe – [P]. ⚹ Zim
Feb. 3 Wochen geschl. – Karte 25/46 *(Montag - Dienstag geschl.)* 🍷 – **7 Z : 14 B** 55 - 80.

EDIGER-ELLER 5591. Rheinland-Pfalz – 1 500 Ew – Höhe 92 m – ☎ 02675.

Mainz 118 – Cochem 8 – ♦Koblenz 61 – ♦Trier 70.

Im Ortsteil Ediger :

🏨 **Weinhaus Feiden**, Moselweinstr. 22, ✆ 2 59, eigener Weinbau, « Blumenterrasse » – 🚗 [P]. E
Feb. geschl. – Karte 22/50 *(Donnerstag geschl.)* 🍷 – **17 Z : 31 B** 45/50 - 56/84.

🏨 **Zum Löwen**, Moselweinstr. 23, ✆ 2 08, ≤, ⛱, eigener Weinbau – 🚗 [P]. AE (D) E VISA
Karte 23/63 🍷 – **22 Z : 40 B** 35/60 - 100/120 – P 60/70.

🏨 **St. Georg**, Moselweinstr. 10, ✆ 2 05, eigener Weinbau, ≘s – AE (D) E VISA
◆ *Anfang Jan.- Feb. geschl.* – Karte 19/40 🍷 – **12 Z : 29 B** 40/50 - 60/100.

Im Ortsteil Eller :

🏨 **Oster**, Moselweinstr. 61, ✆ 2 32, eigener Weinbau – 🚗 [P]. AE (D) E VISA. ⚹ Zim
◆ *März - Nov.* – Karte 19/37 *(Dienstag bis 17 Uhr geschl.)* 🍷 – **12 Z : 23 B** 30/45 - 58/82.

EDINGEN-NECKARHAUSEN Baden-Württemberg siehe Mannheim.

EFRINGEN-KIRCHEN 7859. Baden-Württemberg [413] F 24, [427] ④, [216] ④ – 6 800 Ew – Höhe 266 m – ☎ 07628.

♦Stuttgart 254 – Basel 15 – ♦Freiburg im Breisgau 60 – Müllheim 28.

🏨 **Haus Barbara**, Egringer Str. 12, ✆ 19 00 – [P]. (D) E VISA. ⚹
Hotel: 23. Dez.- 16. Jan., Restaurant: Jan. geschl. – Karte 29/51 *(Sonntag 15 Uhr - Montag geschl.)* – **15 Z : 32 B** 50/60 - 70/80.

In Efringen-Kirchen 4 - Egringen NO : 3 km :

🍴 **Rebstock** mit Zim, Kanderner Str. 21, ✆ 3 70, Gartenwirtschaft, eigener Weinbau – [TV] ☎ [P]. E
1.- 14. Feb. und 2.- 16. Aug. geschl. – Karte 21/57 *(Montag - Dienstag geschl.)* 🍷 – **7 Z : 14 B** 47/55 - 70/85.

In Efringen-Kirchen - Maugenhard NO : 7 km :

🏡 **Krone** 🐚 (mit Gästehaus), Mappacher Str. 34, ✆ 3 22, ⛱, eigener Weinbau, 🌳 – 🚗 [P]
Feb. 2 Wochen geschl. – Karte 24/55 *(Dienstag - Mittwoch geschl.)* 🍷 – **24 Z : 47 B** 35/55 - 70/90.

EGESTORF 2115. Niedersachsen [987] ⑮ – 2 200 Ew – Höhe 80 m – Erholungsort – ☎ 04175.

[i] Verkehrsverein, Barkhof 1 b, ✆ 15 16.

♦Hannover 107 – ♦Hamburg 46 – Lüneburg 29.

🏨 **Zu den 8 Linden**, Alte Dorfstr. 1, ✆ 4 50, Fahrradverleih – ☏ [P] 🏞. AE (D) E
Karte 23/55 – **30 Z : 50 B** 40/70 - 70/125.

🏨 **Soltau**, Lübberstedter Str. 1, ✆ 4 80, ⛱ – ☏ [P] 🏞
Karte 24/50 – **28 Z : 55 B** 40/60 - 70/100 – P 65/90.

In Egestorf-Döhle SW : 5 km :

🏨 **Aevermannshof** 🐚, Dorfstr. 44, ✆ 14 54, ⛱ – ☏ [P]. AE E
Karte 24/48 – **19 Z : 35 B** 47/55 - 84.

🏡 Pension Auetal 🐚, Dorfstr. 42, ✆ 4 39, Caféterrasse, ≘s, 🏊 (geheizt), 🌳 – ♿ [P]
(nur Abendessen für Hausgäste) – **20 Z : 34 B.**

In Egestorf-Sahrendorf NW : 3 km :

Hof Sudermühlen, Nordheide 1 (S : 1 km), ℰ 14 41, Telex 2180412,
50 Z : 100 B.

Studtmann's Gasthof, Im Sahrendorf 19, ℰ 5 03, Zim
15. Jan. - 15. Feb. geschl. – Karte 19,50/46 *(Dienstag geschl.)* – **17 Z : 30 B** 42/48 - 76/84.

EGGENFELDEN 8330. Bayern 413 V 21, 987 ㊳, 426 ⑥ – 12 000 Ew – Höhe 415 m – ☎ 08721.

beim Bahnhof Kaismühle (O : 11 km über die B 388), ℰ (08561) 28 61.

♦München 117 – Landshut 56 – Passau 72 – Salzburg 98 – Straubing 62.

Bachmeier, Schönauer Str. 2, ℰ 30 71, AE E VISA
Karte 27/55 – **47 Z : 65 B** 60/80 - 90/110 Fb.

Motel Waldhof, Michael-Sallinger-Weg 5, ℰ 28 58 – AE E
15. Dez.- 10. Jan. geschl. – (nur Abendessen für Hausgäste) – **19 Z : 25 B** 36/40 - 65/70.

EGGENSTEIN-LEOPOLDSHAFEN 7514. Baden-Württemberg 413 HI 19 – 13 000 Ew – Höhe 111 m – ☎ 0721 (Karlsruhe).

♦Stuttgart 97 – ♦Karlsruhe 12 – ♦Mannheim 63.

Im Ortsteil Eggenstein :

Zum Goldenen Löwen, Hauptstr. 51, ℰ 78 57 07 – Zim
11 Z : 14 B.

EGGERODE Nordrhein-Westfalen siehe Schöppingen.

Verwechseln Sie nicht X und ✿ :

X kennzeichnet den Komfort des Restaurants,

✿ kennzeichnet die überdurchschnittliche Qualität der Küche.

EGGINGEN 7891. Baden-Württemberg 413 I 23, 427 ⑤⑥, 216 ⑦ – 1 500 Ew – Höhe 460 m – ☎ 07746.

♦Stuttgart 163 – Donaueschingen 37 – Schaffhausen 29 – Waldshut-Tiengen 21.

Drei König, Waldshuter Str. 6, ℰ 6 20, Zim
Nov. geschl. – Karte 22/43 *(Donnerstag geschl.)* – **10 Z : 18 B** 34/40 - 60/70 Fb.

EGGSTÄTT 8201. Bayern 413 U 23 – 1 800 Ew – Höhe 539 m – Erholungsort – ☎ 08056.

♦München 99 – Rosenheim 23 – Traunstein 28.

Zur Linde (mit Gästehaus), Priener Str. 42, ℰ 2 47,
Nov.- Mitte Dez. geschl. – (Restaurant nur für Pensionsgäste) – **37 Z : 61 B** 38 - 76 Fb – P 55.

Widemann, Kirchplatz 8, ℰ 3 37, Zim
Karte 16,50/25 *(Okt.- Mai Montag geschl.)* – **40 Z : 80 B** 27/35 - 54/70.

EGING AM SEE 8359. Bayern 413 W 20 – 3 000 Ew – Höhe 420 m – Erholungsort – ☎ 08544.

♦München 172 – Deggendorf 29 – Passau 30.

Passauer Hof, Deggendorfer Str. 9, ℰ 2 29,
100 Z : 200 B.

EGLING Bayern siehe Wolfratshausen.

EGLOFFSTEIN 8551. Bayern 413 Q 17, 987 ㉖ – 2 000 Ew – Höhe 350 m – Luftkurort – ☎ 09197.

♦München 201 – ♦Bamberg 45 – Bayreuth 52 – ♦Nürnberg 36.

Häfner, Badstr. 131, ℰ 5 35, Rest AE E
6. Jan.- 10. Feb. geschl. – Karte 23/44 *(Dienstag geschl.)* – **26 Z : 42 B** 45/55 - 90.

Post, Talstr. 8, ℰ 5 55, E VISA
9. Jan.- Mitte Feb. geschl. – Karte 14,50/47 *(Nov.- März Montag geschl.)* – **29 Z : 52 B** 25/41 - 50/78 Fb – P 47/59.

EGLOFS Baden-Württemberg siehe Argenbühl.

EGRINGEN Baden-Württemberg siehe Efringen-Kirchen.

EHEKIRCHEN 8859. Bayern 413 Q 21 – 3 200 Ew – Höhe 405 m – ☎ 08435.

♦München 54 – ♦Augsburg 40 – Ingolstadt 35.

Strixner Hof, Leitenweg 5 (Schönesberg), ℰ 18 77,
23. Jan.- 9. Feb. geschl. – Karte 18/36 *(Donnerstag geschl.)* – **7 Z : 14 B** 48 - 78.

[EHINGEN] 7930. Baden-Württemberg [413] M 22, [987] ㊱ – 22 000 Ew – Höhe 511 m – ☎ 07391.
Ausflugsziel : Obermarchtal : ehem. Kloster* SW : 14 km.
♦Stuttgart 101 – Ravensburg 70 – ♦Ulm (Donau) 26.

- **Zur Linde**, Lindenstr. 51, ☎ 34 98, – [TV] ☎ [P]. [AE] [O] [E]
  Karte 22/44 – **12 Z : 20 B** 60 - 90/95.
- Zum Pfauen, Schulgasse 4, ☎ 5 35 29 – [TV] ☎
  8 Z : 12 B.
- Brauerei-Gasthof Schwert, Am Viehmarkt 9, ☎ 12 88 – [P]
  14 Z : 16 B.
- 🍴 **Rose**, Hauptstr. 10, ☎ 83 00
  Montag und Juli - Aug. 3 Wochen geschl. – Karte 20/50.

In Ehingen 15-Kirchen W : 7,5 km :

- **Zum Hirsch**, Osterstr. 3, ☎ (07393) 40 41 – [TV] ☎ [P]
  Karte 22/40 *(Montag geschl.)* – **17 Z : 30 B** 50/75 - 85/110 Fb.

[EHLSCHEID] 5451. Rheinland-Pfalz – 1 200 Ew – Höhe 360 m – Luftkurort – ☎ 02634.
[i] Kurverwaltung, Haus des Kurgastes, ☎ 22 07.
Mainz 118 – ♦Koblenz 35 – ♦Köln 73.

- **Haus Westerwald**, Parkstr. 3, ☎ 26 26, Telex 868527, – ☎ [P]. [E]
  Karte 28/54 – **60 Z : 96 B** 35/60 - 70/105 – P 79/104.
- **Müller-Krug**, Parkstr. 15, ☎ 80 65, – [P]. [AE] [O] [E]
  9.- 28. Jan. und 13. Nov.- 26. Dez. geschl. – Karte 22/60 – **31 Z : 48 B** 36/78 - 62/84 – P 58/78.
- Haus Roseneck garni, Parkstr. 21, ☎ 26 55, – [TV] ☎ [P]
  16 Z : 30 B.
- **Zum grünen Kranz**, Wilhelmstr. 5, ☎ 23 02, – [P]. [O] [E]
  Karte 20/50 *(Dienstag ab 14 Uhr geschl.)* – **22 Z : 35 B** 50/63 - 90 Fb.

[EHRENBERG (RHÖN)] 6414. Hessen [413] MN 15, [987] ㉕ ㉖ – 2 700 Ew – Höhe 577 m – Wintersport : 800/900 m 3 – ☎ 06683.
[i] Verkehrsamt, Rathaus in Wüstensachsen, ☎ 12 06.
♦Wiesbaden 168 – ♦Frankfurt am Main 124 – Fulda 30 – ♦Nürnberg 171.

In Ehrenberg-Seiferts :

- **Zur Krone**, Eisenacher Str. 24 (B 278), ☎ 2 38 – [P]
  Karte 19/30 *(Mittwoch geschl.)* – **19 Z : 37 B** 33/38 - 44/56.

[EHRENKIRCHEN] 7801. Baden-Württemberg [413] G 23, [242] ㊱ – 5 600 Ew – Höhe 265 m – ☎ 07633.
♦Stuttgart 221 – Basel 56 – ♦Freiburg im Breisgau 14.

In Ehrenkirchen 1-Kirchhofen :

- **Sonne-Winzerstuben**, Lazarus-Schwendi-Str. 20, ☎ 70 70, « Garten » – [P]. [AE] [O] [E] [VISA]
  1.- 13. Aug. und 15. Dez.- 9. Jan. geschl. – Karte 33/57 *(Freitag geschl.)* – **14 Z : 23 B** 35/50 - 70/100.
- 🍴 **Zur Krone** mit Zim, Herrenstr. 5, ☎ 52 13, – [P]. [O] [E] [VISA]
  Karte 28/53 *(Juli 3 Wochen und Dienstag - Mittwoch 15 Uhr geschl.)* – **9 Z : 15 B** 40/45 - 65.

In Pfaffenweiler 7801 NO : 2 km ab Kirchhofen :

- 🍴🍴 **Historisches Gasthaus zur Stube**, Weinstr. 39, ☎ (07664) 62 25 – [P]
  3. März - 2. April geschl. – Karte 64/78.

[EHRINGSHAUSEN] 6332. Hessen [413] I 15 – 8 900 Ew – Höhe 174 m – ☎ 06443.
♦Wiesbaden 107 – ♦Frankfurt am Main 96 – ♦Koblenz 86.

- Friedrichshof, Bahnhofstr. 72, ☎ 22 20 – [P]
  13 Z : 19 B.

[EHRLICH] Rheinland-Pfalz siehe Heimborn.

[EIBELSTADT] 8701. Bayern [413] MN 17 – 2 300 Ew – Höhe 177 m – ☎ 09303.
♦München 271 – ♦Frankfurt am Main 119 – ♦Nürnberg 108 – ♦Stuttgart 149 – ♦Würzburg 10.

- **Zum Roß**, Hauptstr. 14, ☎ 2 14 – [P]
  Mitte Jan.- Ende Feb. geschl. – Karte 18,50/31 *(Montag - Dienstag geschl.)* – **18 Z : 34 B** 36/50 - 62/85.

[EICHELHÜTTE] Rheinland-Pfalz siehe Eisenschmitt.

[EICHENBERG] Österreich siehe Bregenz.

EICHENZELL 6405. Hessen 413 M 15 – 8 200 Ew – Höhe 285 m – ☎ 06659.
♦Wiesbaden 134 – ♦ Frankfurt am Main 95 – Fulda 8 – Würzburg 100.

In Eichenzell 7-Löschenrod W : 2,5 km :

XX **Zur Alten Brauerei**, Frankfurter Str. 1, ✆ 12 08 – P. AE ⓓ.
Montag geschl. – Karte 51/71 (abends Tischbestellung ratsam).

EICHSTÄTT 8078. Bayern 413 Q 20, 987 ㉖ – 13 100 Ew – Höhe 390 m – ☎ 08421.
Sehenswert : Bischöflicher Residenzbezirk★ : Residenzplatz★★ (Mariensäule★) – Dom (Pappenheimer Altar★★, Mortuarium★, Kreuzgang★) – Hofgarten (Muschelpavillon★).
Städt. Verkehrsbüro, Domplatz 18, ✆ 79 77.
♦München 107 – ♦Augsburg 76 – Ingolstadt 27 – ♦Nürnberg 93.

Adler, Marktplatz 22, ✆ 67 67, « Restauriertes Barockhaus a.d. 17. Jh. », – Zim TV
28 Z : 68 B Fb.

Café Fuchs garni, Ostenstr. 8, ✆ 79 98, , Fahrradverleih – . AE
22 Z : 40 B 44 - 72 Fb.

Zur Trompete, Ostenstr. 3, ✆ 16 13, Biergarten –
14 Z : 22 B.

Burgschänke, Burgstr. 19 (in der Willibaldsburg), ✆ 49 70, ≤, Biergarten, – P
Jan.- Feb. geschl. – Karte 34/44 *(Montag geschl.)* – **8 Z : 17 B** 47/55 - 85 Fb.

XXX **Domherrenhof**, Domplatz 5 (1. Etage), ✆ 61 26, « Restauriertes Stadthaus a.d. Rokokozeit » – . AE E
Montag und Jan.- Feb. 2 Wochen geschl. – Karte 46/77.

X **Krone**, Domplatz 3, ✆ 44 06, Biergarten
Karte 17/48.

In Eichstätt-Landershofen O : 3 km :

Haselberg, Am Haselberg 1, ✆ 47 35/67 01, Caféterrasse – P.
Karte 27/58 *(Dienstag geschl.)* – **26 Z : 43 B** 40/55 - 70/75 Fb.

In Eichstätt-Wasserzell SW : 4,5 km :

Zum Hirschen, Brückenstr. 9, ✆ 40 07, Biergarten, – P
Jan. geschl. – Karte 16/30 – **40 Z : 87 B** 28/45 - 52/74.

An der B 13 NW : 9 km :

Zum Geländer, ✉ 8079 Schernfeld-Geländer, ✆ (08421) 67 61, Biergarten, Wildschweingehege, , Fahrradverleih – P
Mitte Jan.- Mitte Feb. geschl. – Karte 17/38 *(Donnerstag geschl.)* – **29 Z : 53 B** 29/49 - 54/80.

EICHTERSHEIM Baden-Württemberg siehe Angelbachtal.

EIGELTINGEN 7706. Baden-Württemberg 413 J 23, 427 ⑥, 216 ⑨ – 2 700 Ew – Höhe 450 m – ☎ 07774.
♦Stuttgart 148 – ♦Freiburg im Breisgau 103 – ♦Konstanz 45 – Stockach 10 – ♦Ulm (Donau) 124.

Zur Lochmühle, Hinterdorfstr. 44, ✆ 71 41, « Einrichtung mit bäuerlichen Antiquitäten, Sammlung von Kutschen und Traktoren, Gartenterrasse », – TV P
Feb. geschl. – Karte 21/47 *(Montag geschl.)* – **27 Z : 50 B** 40/50 - 80/100 – P 76/86.

EILSEN, BAD 3064. Niedersachsen – 2 400 Ew – Höhe 70 m – Heilbad – ☎ 05722.
Kurverwaltung, Haus des Gastes, Bückeburger Str. 2, ✆ 8 53 72.
♦Hannover 58 – Hameln 27 – Minden 15.

Haus Christopher garni, Rosenstr. 11, ✆ 8 44 46 – P.
Feb.- Okt. – **16 Z : 28 B** 45/50 - 90/100 Fb.

EIMELDINGEN 7859. Baden-Württemberg 413 F 24, 242 ⑩, 216 ④ – 1 600 Ew – Höhe 266 m – ☎ 07621 (Lörrach).
♦Stuttgart 260 – Basel 11 – ♦Freiburg im Breisgau 63 – Lörrach 7.

Landgasthaus Steinkellerhof - Ochsen, Hauptstr. 32 (B 3), ✆ 67 13, – P. AE ⓓ E VISA
Karte 25/61 *(Montag geschl.)* – **18 Z : 39 B** 50/90 - 80/120 Fb.

X **Zum Löwen** (mit Gästehaus), Hauptstr. 23 (B 3), ✆ 6 25 88, Gartenwirtschaft, , – TV P
Karte 28/58 *(12.- 23. Jan., 22. Juni - 3. Juli und Dienstag - Mittwoch geschl.)* – **6 Z : 12 B** 65/75 - 100/125 Fb.

In Fischingen **7851** N : 2 km :

X **Zur Tanne** mit Zim, Dorfstr. 31, ✆ (07628) 3 63, – P. Zim
Jan. 2 Wochen geschl. – Karte 25/53 *(Mittwoch - Donnerstag geschl.)* – **7 Z : 14 B** 50/65 - 80/95.

EIMKE 3111. Niedersachsen – 1 100 Ew – Höhe 45 m – ☎ 05873.
♦Hannover 97 – ♦Braunschweig 93 – Celle 54 – Lüneburg 48.

Dittmers Gasthaus, Dorfstr. 6, ✆ 3 29, Fahrradverleih – P
20. Feb.- 6. März geschl. – Karte 26/48 *(Montag geschl.)* – **7 Z : 14 B** 35 - 70.

EINBECK 3352. Niedersachsen 987 ⑮ – 29 400 Ew – Höhe 114 m – ☎ 05561.
Sehenswert : Marktplatz★★ – Haus Marktstraße 13★★ – Tiedexer Straße★★ – Ratswaage★.
Fremdenverkehrsamt, Rathaus, Marktplatz 6, ✆ 31 61 21.
♦Hannover 71 – ♦Braunschweig 94 – Göttingen 41 – Goslar 64.

Panorama, Mozartstr. 2, ✆ 7 20 72, Telex 965600, – TV P. E VISA
Karte 27/55 – **40 Z : 70 B** 70/85 - 112/130 Fb.

Zum Hasenjäger, Hubeweg 119, ✆ 40 63, ←, – TV P. AE E VISA
Karte 25/52 – **16 Z : 26 B** 58/64 - 85/105 Fb.

Gildehof, Marktplatz 3, ✆ 21 60, – . AE E VISA
Karte 24/50 *(im Winter Freitag, im Sommer Mittwoch geschl.)* – **17 Z : 32 B** 45/55 - 80/90 Fb.

Zum Schwan mit Zim, Tiedexer Str. 1, ✆ 46 09, – P. AE E. Rest
Karte 34/66 *(wochentags nur Abendessen, Freitag geschl.)* – **9 Z : 13 B** 50/57 - 89/100.

An der Straße nach Bad Gandersheim O : 3 km :

Die Clus (historischer Gasthof), Am Roten Stein 3, ✉ 3352 Einbeck 1, ✆ (05561) 48 45, –
P
12 Z : 20 B.

EINRUHR Nordrhein-Westfalen siehe Simmerath.

EISENÄRZT Bayern siehe Siegsdorf.

EISENBACH 7821. Baden-Württemberg 413 H 23 – 2 200 Ew – Höhe 950 m – Luftkurort – Wintersport : 959/1 138 m 2 2 – ☎ 07657.
Kurverwaltung, im Bürgermeisteramt, ✆ 4 98.
♦Stuttgart 148 – Donaueschingen 22 – ♦Freiburg im Breisgau 43.

Eisenbachstube, Mühleweg 1, ✆ 4 64 – P
Ende Feb.- Mitte März geschl. – Karte 20/35 *(Dienstag geschl.)* – **11 Z : 24 B** 39/44 - 68/78 – P 56/66.

Bad, Hauptstr. 55, ✆ 4 71, – P
Nov. geschl. – Karte 20/37 *(auch Diät)* (Montag geschl.) – **39 Z : 72 B** 30/39 - 58/72.

EISENBACH Baden-Württemberg siehe Seewald.

EISENBERG 8959. Bayern 413 O 24 – 850 Ew – Höhe 870 m – ☎ 08364.
♦ München 125 – Füssen 12 – Kempten (Allgäu) 34.

Gockelwirt, Pröbstener Str. 23, ✆ 10 41, – P. Zim
15. Jan.- 15. Feb. und Nov.-26. Dez. geschl. – Karte 23/49 *(Okt.- Juni Donnerstag geschl.)* – **28 Z : 52 B** 30/51 - 50/120 Fb.

Pfeffermühle, Pröbstener Str. 5, ✆ 82 64, – TV P
6 Z : 12 B.

In Eisenberg-Zell SW : 2 km :

Burghotel Bären, Dorfstr. 4, ✆ (08363) 50 11, – P. Zim
3.- 28. April und 27. Nov.- 25. Dez. geschl. – Karte 23/54 *(Dienstag geschl.)* – **26 Z : 50 B** 49/52 - 92/114 Fb.

EISENBERG (PFALZ) 6719. Rheinland-Pfalz – 8 100 Ew – Höhe 248 m – ☎ 06351.
Mainz 59 – Kaiserslautern 29 – ♦Mannheim 40.

Waldhotel, Martin-Luther-Str. 20, ✆ 4 31 75, – TV P
39 Z : 78 B Fb.

EISENHEIM Bayern siehe Volkach.

EISENSCHMITT 5561. Rheinland-Pfalz – 600 Ew – Höhe 328 m – Erholungsort – ☎ 06567 (Oberkail).
Mainz 146 – Kyllburg 13 – ♦Trier 54 – Wittlich 17.

In Eisenschmitt-Eichelhütte :

Molitors Mühle, ✆ 5 81, ←, « Gartenterrasse », – P. AE E VISA. Rest
10.- 31. Jan. geschl. – Karte 27/60 – **30 Z : 50 B** 50/100 - 94/150 Fb.

EISLINGEN AN DER FILS 7332. Baden-Württemberg 413 M 20, 987 ㉟ ㊱ – 18 300 Ew – Höhe 336 m – ☎ 07161 (Göppingen).

♦Stuttgart 49 – Göppingen 5 – Heidenheim an der Brenz 38 – ♦Ulm (Donau) 45.

- **Hirsch**, Ulmer Str. 1 (B 10), ℰ 8 30 41 – TV ☎ P. AE E VISA.
  Karte 22/47 *(Freitag - Samstag geschl.)* – **26 Z : 38 B** 45/90 - 90/150 Fb.
- **Schönblick**, Höhenweg 11, ℰ 8 20 47, Terrasse mit ≤
  Montag - Dienstag und Juli - Aug. 3 Wochen geschl. – Karte 41/73.

EITORF 5208. Nordrhein-Westfalen 987 ㉔ – 16 500 Ew – Höhe 89 m – ☎ 02243.

♦Düsseldorf 89 – ♦Bonn 32 – ♦Köln 49 – Limburg an der Lahn 76 – Siegen 78.

- **Böck Dich**, Markt 15, ℰ 25 93
  15. Juni - 5. Juli und Dienstag geschl. – Karte 17/42.

In Eitorf-Alzenbach O : 2 km :

- **Schützenhof**, Windecker Str. 2, ℰ 23 57, – ☎ P
  Karte 17/40 – **86 Z : 180 B** 33/60 - 55/110.

In Eitorf-Niederottersbach NO : 4,5 km :

- **Steffens**, Ottersbachtalstr. 15, ℰ 62 24, – TV ☎ P
  Karte 23/50 *(Montag geschl.)* – **16 Z : 28 B** 45 - 86.

EIWEILER Saarland siehe Heusweiler.

ELCHINGEN 7915. Bayern 413 N 21 – 9 100 Ew – Höhe 464 m – ☎ 07308.

♦München 127 – ♦Augsburg 69 – ♦Ulm (Donau) 14.

In Elchingen-Oberelchingen :

- **Klosterbräustuben**, Klosterhof 1, ℰ 25 93, – P
  Karte 21/44.

In Elchingen-Unterelchingen :

- Zahn, Hauptstr. 35, ℰ 23 38 – P
  16 Z : 24 B.

ELFERSHAUSEN 8731. Bayern 413 M 16 – 2 200 Ew – Höhe 199 m – ☎ 09704.

♦München 318 – Fulda 69 – Bad Kissingen 12 – ♦Würzburg 52.

- **Gästehaus Ullrich**, August-Ullrich-Str. 42, ℰ 2 81, Telex 672807, Fax 6107, « Garten », – ☎ P. AE
  Karte 34/60 – **71 Z : 132 B** 84/88 - 123/130 Fb.

ELLENZ-POLTERSDORF 5597. Rheinland-Pfalz – 900 Ew – Höhe 85 m – ☎ 02673.

Mainz 130 – Bernkastel-Kues 69 – Cochem 11.

- **Dehren**, Kurfürstenstr. 30 (Poltersdorf), ℰ 13 25, eigener Weinbau – P. AE. Rest
  Karte 19/39 *(Montag geschl.)* – **24 Z : 47 B** 50/65 - 70/100.
- **Weinhaus Fuhrmann**, Moselweinstr. 21 (Ellenz), ℰ 15 62, ≤, – ☎ P. AE E VISA
  4. Jan.- März und 15. Nov.- 24. Dez. geschl. – Karte 21/52 – **40 Z : 80 B** 40/54 - 70/88.

ELLMENDINGEN Baden-Württemberg siehe Keltern.

ELLWANGEN 7090. Baden-Württemberg 413 N 20, 987 ㉖ – 21 600 Ew – Höhe 439 m – Erholungsort – ☎ 07961.

ℹ Städt. Verkehrsamt, Schmiedstr. 1, ℰ 24 63.

♦Stuttgart 94 – Aalen 19 – ♦Nürnberg 114 – ♦Ulm (Donau) 82 – ♦Würzburg 135.

- **Roter Ochsen**, Schmiedstr. 16, ℰ 40 71 – ☎ P. AE. Zim
  Karte 27/61 *(Sonntag 15 Uhr - Montag und Juli 2 Wochen geschl.)* – **24 Z : 35 B** 43/85 - 75/150.
- **Weißer Ochsen**, Schmiedstr. 20, ℰ 24 37 – P
  27. Dez.- 8. Jan. geschl. – Karte 22/40 *(Freitag geschl.)* – **22 Z : 32 B** 36/48 - 58/88.
- **König Karl**, Schloßvorstadt 6, ℰ 5 36 82 – AE E
  Dienstag geschl. – Karte 27/58.
- **Stiftskeller** (Gewölbekeller a.d.J. 1730), Marktplatz 18, ℰ 26 66 – AE E VISA
  wochentags nur Abendessen, Aug.- Sept. 3 Wochen geschl. – Karte 28/55.

In Ellwangen-Espachweiler SW : 4 km :

- **Seegasthof**, Bussardweg 1, ℰ 77 60, – ☎ P
  27. Dez.- Mitte Jan. geschl. – Karte 19,50/39 *(Freitag geschl.)* – **11 Z : 18 B** 28/35 - 56/70.

ELM Saarland siehe Schwalbach.

ELMSHORN 2200. Schleswig-Holstein 987 ⑤ – 41 500 Ew – Höhe 5 m – ☎ 04121.
♦Kiel 90 – Cuxhaven 77 – ♦Hamburg 34 – Itzehoe 25.

Royal, Lönsweg 5, ✆ 2 20 66, ≘s, ⛆ – ☎ Ⓟ 🏛. E
Karte 35/60 – **69 Z : 120 B** 68/83 - 111/141 Fb.

Drei Kronen, Gärtnerstr. 92, ✆ 2 20 49 – TV ☎ 🚗 Ⓟ. AE ⓪ E VISA
Karte 23/48 – **26 Z : 50 B** 55/70 - 88/98 Fb.

XXX **Mercator** (ehemalige Kate a.d.J. 1750), Hafenstr. 16, ✆ 6 36 38 – ⓪ E. ✻
Samstag bis 19 Uhr und Dienstag, Juli - Aug. auch Montag geschl. – Karte 60/91.

ELMSTEIN 6738. Rheinland-Pfalz 418 G 18, 242 ⑧, 87 ① – 3 000 Ew – Höhe 225 m – Erholungsort – ☎ 06328.
ℹ Verkehrsamt, Bahnhofstr. 14, ✆ 2 34.
Mainz 111 – Kaiserslautern 28 – Neustadt an der Weinstraße 23.

In Elmstein-Appenthal SO : 1 km :

XX **Zum Lokschuppen**, Bahnhofstr. 13, ✆ 2 81, 🌳 – Ⓟ. E
Montag und 5.- 29. Jan. geschl. – Karte 28/59 🍷.

In Elmstein 2-Hornesselwiese S : 10 km über Helmbach :

X **Waldhotel Hornesselwiese** 🐦 mit Zim, ✆ 7 24, 🌳, 🌲 – TV ☎
9. Jan.- 9. Feb. und 19.- 23. Juni geschl. – Karte 23/45 🍷 – **7 Z : 13 B** 40 - 76/80.

ELTEN Nordrhein-Westfalen siehe Emmerich.

ELTMANN 8729. Bayern 413 OP 17, 987 ㉖ – 4 900 Ew – Höhe 240 m – ☎ 09522.
♦München 254 – ♦Bamberg 19 – Schweinfurt 35.

Zur Wallburg, Wallburgstr. 1, ✆ 60 11, 🌳, ≘s – ☎ 🚗 Ⓟ. ✻
Weihnachten - 6. Jan. geschl. – Karte 16/31 *(wochentags nur Abendessen, Dienstag geschl.)* 🍷 – **16 Z : 32 B** 25/35 - 48/64.

Haus am Wald 🐦 garni, Georg-Göpfert-Str. 31, ✆ 2 31, ≤, ⛆ (geheizt), 🌲 – ☎ Ⓟ
12 Z : 25 B 34 - 60/64.

In Ebelsbach **8729** N : 1 km :

Klosterbräu, Georg-Schäfer-Str. 11, ✆ (09522) 60 27, 🌳 – ☎ 🚗 Ⓟ
15 Z : 25 B.

In Ebelsbach-Steinbach **8729** NW : 3,5 km :

Landgasthof Neeb, Dorfstr. 1, ✆ (09522) 60 22, 🌳 – ☎ Ⓟ 🏛. E. ✻ Zim
Karte 16/38 *(Montag geschl.)* 🍷 – **6 Z : 12 B** 42 - 74.

ELTVILLE AM RHEIN 6228. Hessen – 16 000 Ew – Höhe 90 m – ☎ 06123.
ℹ Städt. Verkehrsamt, Schmittstr. 3, ✆ 50 91.
♦Wiesbaden 14 – Limburg an der Lahn 51 – Mainz 17.

Sonnenberg 🐦 garni, Friedrichstr. 65, ✆ 30 81 – 🛗 ☎ 🚗 Ⓟ. AE E
20. Dez.- 2. Jan. geschl. – **29 Z : 60 B** 80/105 - 108/130 Fb.

XX **Burg Crass** 🐦 mit Zim, Freygäßchen 1 (an der B 42), ✆ 36 35, ≤, 🌳 – TV ☎ Ⓟ. E VISA
Feb. geschl. – Karte 37/61 *(bemerkenswerte Weinkarte)* (Montag geschl.) 🍷 – **2 Z : 4 B** 110 - 125.

XX Weinpump, Rheingauer Str. 3, ✆ 23 89, « Innenhof ».

X **Schänke Altes Holztor**, Schwalbacher Str. 18, ✆ 25 82
wochentags nur Abendessen, Montag geschl. – Karte 29/57 🍷.

In Eltville 2-Erbach W : 2 km :

Tillmanns Erben, Hauptstr. 2, ✆ 40 14, 🌳, eigener Weinbau – TV ☎ Ⓟ. E VISA
21. Jan.- 20. Feb. geschl. – Karte 28/54 *(nur Abendessen, Donnerstag geschl.)* 🍷 – **16 Z : 34 B** 65 - 95/130.

In Eltville 3-Hattenheim W : 4 km :

Zum Krug (Fachwerkhaus a.d.J. 1720), Hauptstr. 34, ✆ (06723) 28 12, eigener Weinbau – ☎ Ⓟ
20. Dez.- 20. Jan. geschl. – Karte 32/65 *(Sonntag 16 Uhr - Montag geschl.)* 🍷 – **9 Z : 16 B** 70 - 130.

XXX Zur Rebe mit Zim, Hauptstr. 19, ✆ (06723) 30 13, « Gartenterrasse », 🌲 – TV ☎ Ⓟ
12 Z : 22 B.

In Eltville 5-Rauenthal N : 5 km :

Weinhaus Engel, Hauptstr. 12, ✆ 7 23 00, 🌳 – Ⓟ. ✻ Zim
10. Dez.- 10. Feb. geschl. – Karte 22/40 *(Mittwoch - Donnerstag geschl.)* 🍷 – **9 Z : 17 B** 28/45 - 56/80.

ELTZ (Burg) Rheinland-Pfalz Sehenswürdigkeit siehe Moselkern.

[ELZACH] 7807. Baden-Württemberg [413] H 22, [987] ㉞, [242] ㉜ – 6 400 Ew – Höhe 361 m – Luftkurort – ☎ 07682.

[i] Verkehrsamt, im Haus des Gastes, ☎ 79 90.

♦Stuttgart 189 – ♦Freiburg im Breisgau 31 – Offenburg 43.

🏨 **Bären**, Hauptstr. 59, ☎ 3 20
◆ *Nov. geschl.* – Karte 19/35 *(Dienstag geschl.)* 🍷 – **10 Z : 17 B** 30/35 - 60/70.

🏨 **Waldgasthof Summeri** 🐦, Krankenhausstr. 4a, ☎ 12 12, <, 🌳 – [P]
◆ *22. Nov. - 11. Dez. geschl.* – Karte 19/35 *(wochentags Mittagessen nur für Hausgäste, Montag geschl.)* 🍷 – **9 Z : 17 B** 37/39 - 74/78.

🏨 **Hirschen-Post** (mit Gästehaus), Hauptstr. 37 (B 294), ☎ 2 01, 🛗 – 🚗. 🐕 Zim
◆ *Feb. - März und Okt. - Nov. jeweils 3 Wochen geschl.* – Karte 18/30 *(Freitag geschl.)* 🍷 – **21 Z : 38 B** 27/38 - 54/78 – P 42/52.

In Elzach 3-Oberprechtal NO : 7,5 km – Höhe 459 m :

🏨 Adler, Waldkircher Str. 2, ☎ 12 91 – [P]
27 Z : 41 B.

🏨 **Pension Endehof**, Waldkircher Str. 13, ☎ 12 62, 🛗, 🌳 – [P]
(Restaurant nur für Hausgäste) – **24 Z : 42 B** 40 - 70 – P 48.

> Les hôtels ou restaurants agréables
> sont indiqués dans le guide par un signe rouge.
> Aidez-nous en nous signalant les maisons où,
> par expérience, vous savez qu'il fait bon vivre.
> Votre guide Michelin sera encore meilleur.
>
> 🏨🏨🏨🏨🏨 ... 🏨
>
> ✕✕✕✕✕ ... ✕

[ELZE] 3210. Niedersachsen [987] ⑮ – 9 600 Ew – Höhe 76 m – ☎ 05068.

♦Hannover 30 – Göttingen 82 – Hameln 31 – Hildesheim 17.

🏨 Deutsches Haus, Hauptstr. 1, ☎ 21 01 – 🚗 [P]
9 Z : 16 B.

In Elze-Mehle SW : 3 km :

✕✕✕ Schökel's mit Zim, Alte Poststr. 35 (B 1), ☎ 30 66 – ☎ 🚗 [P]
10 Z : 18 B.

An der Straße nach Esbeck SW : 2,5 km :

✕✕ Landhaus Saalemühle - Reckzeh's Restaurant, ✉ 3210 Elze 1, ☎ (05068) 33 24, 🌳, 🌳 – [P]
wochentags nur Abendessen – (Tischbestellung ratsam).

[ELZTAL] Baden-Württemberg siehe Mosbach.

[EMBSEN] Niedersachsen siehe Lüneburg.

[EMDEN] 2970. Niedersachsen [987] ⑬⑭, [408] ⑦ – 50 000 Ew – Höhe 4 m – ☎ 04921.

Sehenswert : Ostfriesisches Landesmuseum★ (Rüstkammer★★) Z **M.**

⛴ **nach Borkum (Autofähre, Voranmeldung erforderlich)** ☎ **89 07 22.**

[i] Verkehrsverein, Feuerschiff im Ratsdelft, ☎ 3 25 28.

ADAC, Kirchstr. 12, ☎ 2 20 02.

♦Hannover 251 ② – Groningen 98 ② – ♦Oldenburg 80 ② – Wilhelmshaven 77 ①.

Stadtplan siehe nächste Seite.

🏨 **Goldener Adler**, Neutorstr. 5, ☎ 2 40 55 – [TV] ☎. [AE] [D] [E] [VISA] Z **e**
Karte 26/63 *(Sonntag - Montag und Aug. geschl.)* – **16 Z : 25 B** 90/100 - 130 Fb.

🏨 **Am Boltentor** garni, Hinter dem Rahmen 10, ☎ 3 23 46 – [TV] ☎ [P]. 🐕 Y **r**
19 Z : 32 B 88/98 - 110/135 Fb.

🏨 **Faldernpoort**, Courbièrestr. 6, ☎ 2 10 75 – [TV] ☎ [P] 🏢. [D] [E] [VISA]. 🐕 Rest Z **u**
Karte 25/48 *(nur Abendessen)* – **30 Z : 42 B** 50/80 - 90/120 Fb.

🏨 **Heerens Hotel**, Friedrich-Ebert-Str. 67, ☎ 2 37 40, Fax 23158 – [TV] ☎ 🚗 [P]. [D]. 🐕
Karte 31/60 *(Samstag und Juli - Aug. 2 Wochen geschl.)* – **23 Z : 34 B** 89 - 90/125 Fb. Z **c**

🏨 **Upstalsboom** garni, Courbièrestr. 12, ☎ 2 90 21, Fax 20127 – [TV] ☎ [P]. [AE] [D] [E] [VISA] Z **u**
11 Z : 22 B 82 - 118 Fb.

🏨 **Deutsches Haus**, Neuer Markt 7, ☎ 2 20 48 – [TV] ☎ 🚗 [P]. [AE] [D] [E] [VISA]. 🐕 Z **a**
Karte 28/56 *(Samstag und 20. Juli - 20. Aug. geschl.)* – **27 Z : 36 B** 80/130 - 120/150 Fb.

🏨 Schmidt, Friedrich-Ebert-Str. 79, ☎ 2 40 57 – ☎ 🚗 [P] Z **x**
(nur Abendessen) – **27 Z : 40 B** Fb.

EMDEN

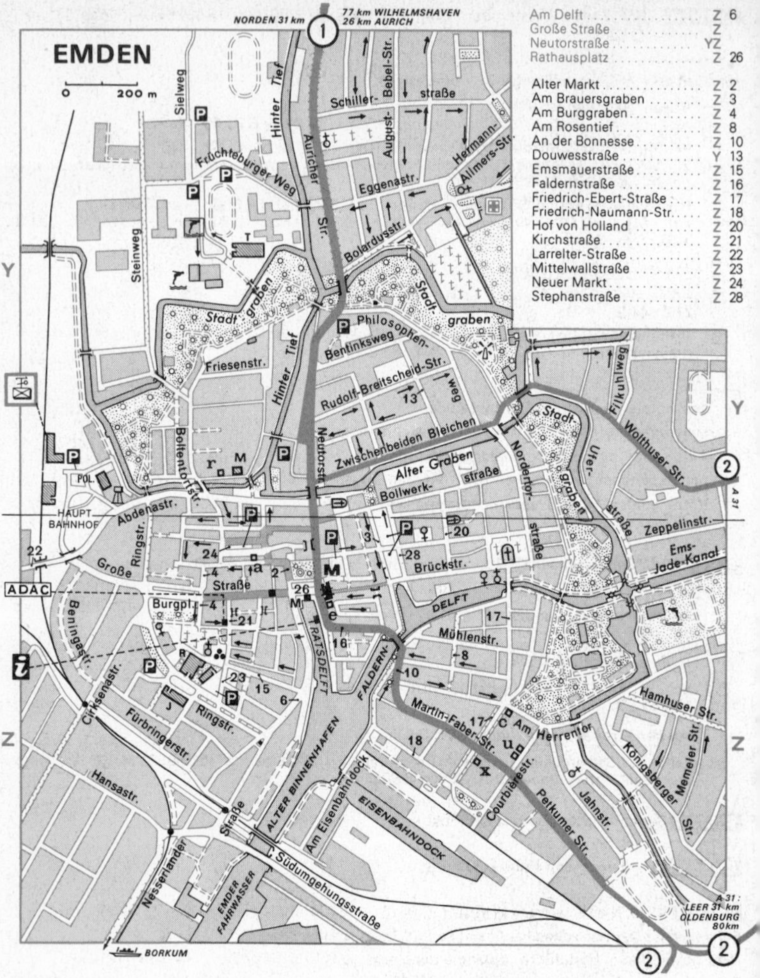

Se scrivete ad un albergo all'estero,
allegate alla vostra lettera un tagliando-risposta internazionale
(disponibile presso gli uffici postali).

EMMELSHAUSEN **5401.** Rheinland-Pfalz – 4 100 Ew – Höhe 490 m – Luftkurort – ☎ 06747.
Mainz 76 – ♦Koblenz 30 – Bad Kreuznach 57 – ♦Trier 112.

- **Union - Hotel**, Rhein-Mosel-Str. 71, ✆ 5 67 – Karte 17/48 *(Mittwoch geschl.)* – **30 Z : 60 B** 50 - 85/95.
- **Stoffel**, Waldstr. 3a, ✆ 80 64, (Restaurant nur für Hausgäste) – **19 Z : 35 B** 38/50 - 74/82 Fb – P 54/68.
- **Tannenhof**, Simmerner Str. 21, ✆ 76 54, Rest (nur Abendessen für Hausgäste) – **15 Z : 38 B** 53/55 - 86/90 – 2 Fewo 55.

In Halsenbach-Ehr **5401** N : 3,5 km :

- **Zur Katz**, Auf der Katz 6 (B 327), ✆ (06747) 66 26, *10.- 31. Jan. geschl.* – Karte 22/40 *(Montag geschl.)* – **18 Z : 30 B** 40 - 80.

EMMENDINGEN 7830. Baden-Württemberg [413] G 22, [987] ㉞, [242] ㉜ – 25 000 Ew – Höhe 201 m – ☎ 07641.

[i] Verkehrsamt, Marktplatz 1 (Rathaus), ☎ 45 23 26.

♦Stuttgart 193 – ♦Freiburg im Breisgau 16 – Offenburg 51.

🏨 Zur Post, Bahnhofstr. 1, ☎ 25 28 – **14 Z : 19 B** Fb.

🏨 **Drei Linden** garni, Karl-Bautz-Str. 7, ☎ 86 77 – 🚗
10 Z : 19 B 33/40 - 65/70 Fb.

In Emmendingen 12-Maleck NO : 4 km :

🍴🍴🍴 ✿ **Park-Hotel Krone** 🐦 mit Zim, Brandelweg 1, ☎ 84 96, « Gartenterrasse mit Pavillons und Teich », 🌳 – 📺 ☎ 🅿 🏛. AE ⓓ E VISA
6.- 20. Feb. geschl. – Karte 50/90 *(Tischbestellung ratsam)* – **13 Z : 21 B** 55/85 - 110/120
Spez. Gänseleber mit Apfelscheiben in Majoran, Seeteufel auf Sojacreme, Lammsattel auf Tomaten.

In Emmendingen 13-Windenreute O : 3,5 km :

🏨 **Windenreuter Hof** 🐦, Rathausweg 19, ☎ 40 86, ≤, ☂, 🌳 – 📺 ☎ 🅿 🏛. AE ⓓ E VISA.
✗ Zim
Karte 25/82 – **34 Z : 65 B** 70/85 - 120/150.

EMMERICH 4240. Nordrhein-Westfalen [987] ⑬, [408] ⑲ – 30 000 Ew – Höhe 19 m – ☎ 02822.

[i] Fremdenverkehrsamt, Martinikirchgang 2 (Rheinmuseum), ☎ 7 53 31.

♦Düsseldorf 103 – Arnhem 33 – Nijmegen 34 – Wesel 40.

🍴🍴 **Rheincafé Staffeld**, Rheinpromenade 2, ☎ 38 59, ≤, ☂ – E
Montag und 27. Dez.- 5. Jan. geschl. – Karte 26/60.

In Emmerich 3-Elten NW : 7 km – ☎ 02828 :

🏨 **Waldhotel Hoch-Elten** 🐦, Lindenallee 34, ☎ 20 91, Telex 8125286, Fax 7122, ≤ Niederrheinische Tiefebene, « Terrasse », 🏊, 🏊, 🌳, Fahrradverleih – 🛗 📺 ☎ 🅿 🏛.
AE ⓓ E. ✗ Rest
Karte 45/88 *(2.- 13. Jan. geschl.)* – **20 Z : 40 B** 95 - 160 Fb.

🏨 **Auf der Heide** 🐦, Luitgardisstr. 8, ☎ 5 49, Telex 8125251, 🏊, 🌳 – 📺 ☎ ♿ 🅿. AE ⓓ E
Karte 31/52 *(Dienstag geschl.)* – **15 Z : 23 B** 77/87 - 112/137 Fb.

🏨 Wanders, Eltener Markt 2, ☎ 22 20 – 🚗 🅿. ✗ – **11 Z : 20 B.**

In Emmerich 1-Vrasselt SO : 5 km :

🏨 **Heering**, Reeser Str. 384 (B 8), ☎ 81 93, 🏊, 🏊 – ☎ 🚗 🅿
20. Dez.- 10. Jan. geschl. – Karte 21/47 *(Freitag 14 Uhr - Samstag geschl.)* – **17 Z : 26 B** 40/85 - 70/120.

EMS, BAD 5427. Rheinland-Pfalz [987] ㉔ – 10 000 Ew – Höhe 85 m – Heilbad – ☎ 02603.

⛳ Denzerheide (N : 5 km), ☎ (02603) 65 41.

[i] Kur- und Verkehrsverein, Pavillon, Lahnstr. 90, ☎ 44 88.

Mainz 66 – ♦Koblenz 17 – Limburg an der Lahn 40 – ♦Wiesbaden 61.

🏨 **Kurhotel**, Römerstr. 1, ☎ 79 90, Telex 869017, Fax 799252, Massage, 🏊, 🏊 – 🛗 📺 ♿ 🅿
🏛. AE ⓓ E VISA
Karte 43/68 – **105 Z : 166 B** 112 - 170 Fb – P 160.

🏨 Kuckenberg, Lahnstr. 6, ☎ 25 82, ≤, ☂ – 🛗 📺 ☎
nur Saison – **33 Z : 60 B.**

🏨 **Park-Hotel** 🐦, Malbergstr. 7, ☎ 20 58, ☂, 🏊, 🏊, 🌳 – 🛗 ☎ 🅿. AE ⓓ E
Nov.- Mitte Jan. geschl. – Karte 26/40 – **30 Z : 50 B** 48/66 - 110/122.

🏨 **Alter Kaiser**, Koblenzer Str. 36, ☎ 43 44, 🏊 – 📺 ☎ 🅿. AE ⓓ E
Karte 28/71 *(Montag geschl.)* – **10 Z : 20 B** 55/65 - 110/130 – P 85/95.

🏨 **Bäderlei-Hotels Weidenbusch und Mainau** garni, Grabenstr. 24, ☎ 20 40 – AE ⓓ E
VISA
29 Z : 46 B 50/60 - 80/100 Fb – 2 Fewo 60.

🍴🍴 **Schweizer Haus** 🐦 mit Zim, Malbergstr. 21, ☎ 27 16, ☂ – 📺 🅿. AE ⓓ E
Mitte Okt.- Anfang Nov. geschl. – Karte /60 *(Donnerstag geschl.)* – **11 Z : 20 B** 45/55 - 90/110.

Außerhalb S : 3 km über Braubacher Str. :

🏨 **Café Wintersberg** 🐦 garni, ✉ 5427 Bad Ems, ☎ (02603) 42 82, ≤ Bad Ems und Umgebung, 🏊, 🌳 – 🅿
15. Dez.- 15. Jan. geschl. – **14 Z : 24 B** 50/62 - 98.

In Dausenau 5409 O : 4 km :

🏨 **Lahnhof**, Lahnstr. 3, ☎ (02603) 61 74 – ✗
♦ *10.- 28. Feb. geschl.* – Karte 17,50/36 *(Donnerstag geschl.)* 🍷 – **15 Z : 28 B** 30/39 - 52/70 – P 43/52.

In Kemmenau 5421 NO : 5 km – Erholungsort :

🍴🍴 **Kupferpfanne-Maurer-Schmidt** (mit Gästehaus, 🐦), Hauptstr. 17, ☎ (02603) 1 41 97, 🌳 – ☎ 🚗 🅿. AE ⓓ E. ✗
1.- 26. Nov. geschl. – Karte 44/73 *(Dienstag geschl.)* – **12 Z : 21 B** 45/55 - 90/110 – P 80.

EMSDETTEN 4407. Nordrhein-Westfalen [987] [14] – 31 600 Ew – Höhe 45 m – ☏ 02572.

[i] Verkehrsverein, Am Markt, ℘ 8 26 66.

♦Düsseldorf 152 – Enschede 50 – Münster (Westfalen) 31 – ♦Osnabrück 46.

🏨 **Lindenhof**, Emsstr. 42, ℘ 70 11, ♨ – ☎ 🚗 [P]
20. Dez.- 7. Jan. und 20. Juli - 5. Aug. geschl. – Karte 27/47 *(nur Abendessen, Sonntag geschl.)* – **25 Z : 40 B** 35/55 - 70/98.

🏨 **Kloppenborg**, Frauenstr. 15, ℘ 8 10 77 – ☎ 🚗 [P]. E VISA. 🐕 Zim
Karte 22/47 *(nur Abendessen, Sonntag und 16. Juli - 6. Aug. geschl.)* – **22 Z : 40 B** 37/50 - 70/95 Fb.

🍴 Altdeutsches Gasthaus Bisping-Waldesruh, Emsstr. 100 (NO : 1 km), ℘ 28 82 – [P].

Jenseits der Ems NO : 4 km über die B 475, dann links ab :

🏨 **Schipp-Hummert** 🔇, Veltrup 17, ✉ 4407 Emsdetten, ℘ (02572) 73 37, ⛱, 🌳 – ♿ [P]
Karte 21/42 *(Montag geschl.)* – **16 Z : 25 B** 45 - 70.

EMSING Bayern siehe Titting.

EMSKIRCHEN 8535. Bayern [413] P 18, [987] [26] – 4 900 Ew – Höhe 320 m – ☏ 09104.

♦München 207 – ♦Bamberg 59 – ♦Nürnberg 32 – ♦Würzburg 69.

🏨 Rotes Herz, Hindenburgstr. 21 (B 8), ℘ 6 94 – 🚗 [P]. 🐕 – **12 Z : 20 B.**

🏨 **Post-Gasthof Goldener Hirsch**, Marktplatz 6, ℘ 6 95 – ☎ 🚗 [P]. AE [D] E VISA
Karte 25/47 *(Montag geschl.)* – **12 Z : 20 B** 40 - 72.

EMSTAL 3501. Hessen – 6 400 Ew – Höhe 320 m – Luftkurort – ☏ 05624.

[i] Verkehrsverein, Kasseler Str. 57, ℘ 7 77.

♦Wiesbaden 212 – ♦Frankfurt am Main 203 – ♦Kassel 22.

In Emstal-Sand :

🏨 **Emstaler Höhe** 🔇, Kissinger Str. 2, ℘ 80 81, <, ⛱, ♨ – 🛗 [P] 🏔. E. 🐕
Karte 21/46 – **51 Z : 95 B** 51/60 - 87/97 Fb – P 73/78.

🏨 **Sander Hof** 🔇, Karlsbader Str. 27, ℘ 80 11, 🌳 – ♿ [P]
7. Jan.- 4. März geschl. – (Restaurant nur für Hausgäste) – **30 Z : 51 B** 45/52 - 84/88.

🏨 **Grischäfer**, Kasseler Str. 78, ℘ 3 54, « Hessisch-rustikale Einrichtung » – [P]
4.- 29. Jan. geschl. – Karte 30/47 *(wochentags nur Abendessen, Montag geschl.)* (auf Vorbestellung: Essen wie im Mittelalter) – **16 Z : 32 B** 45 - 90.

ENDINGEN 7833. Baden-Württemberg [413] G 22, [242] [32], [62] [20] – 7 050 Ew – Höhe 187 m – ☏ 07642 – [i] Verkehrsbüro, Hauptstr. 60, ℘ 15 55.

♦Stuttgart 189 – ♦Freiburg im Breisgau 27 – Offenburg 47.

🏨 **Pfauen** garni, Hauptstr. 78, ℘ 80 50, eigener Weinbau – 🚗 [P]
26 Z : 45 B 35/40 - 60.

🍴🍴🍴 **Schindlers Ratsstube**, Marktplatz 10, ℘ 34 58, ⛱ – 🖃. E
Dienstag 15 Uhr - Mittwoch geschl. – Karte **27**/66 🍷.

🍴🍴 **Badische Weinstube**, Hauptstr. 23, ℘ 78 16 – [D] E VISA
Dienstag - Mittwoch 17 Uhr geschl. – Karte **29**/54.

🍴 Winzerstube Rebstock, Hauptstr. 2, ℘ 79 00 – [P].

In Endingen-Kiechlingsbergen SW : 5,5 km :

🍴 **Zur Stube** mit Zim, Winterstr. 28, ℘ 17 86
Jan. 3 Wochen und Juli 2 Wochen geschl. – Karte 21/50 *(Dienstag - Mittwoch 17 Uhr geschl.)* – **5 Z : 10 B** 35 - 58.

In Endingen-Königschaffhausen W : 4,5 km :

🏨 Adler, Hauptstr. 35, ℘ 32 12 – [P] – **12 Z : 23 B.**

ENDORF, BAD 8207. Bayern [413] T 23, [987] [37], [426] [18] – 5 400 Ew – Höhe 520 m – Kurort – ☏ 08053.

⛳ Höslwang (N : 8 km), ℘ (08075) 7 14 – [i] Kurverwaltung im Rathaus, Bahnhofstr. 6, ℘ 4 22.

♦München 85 – Rosenheim 15 – Wasserburg am Inn 19.

🏨 **Elisabeth**, Kirchplatz 2, ℘ 8 37, Massage, ♨ – 🛗 ☎ [P]
22. Dez.- 8. Jan. geschl. – (Restaurant nur für Hausgäste) – **30 Z : 50 B** 48/65 - 85/98 Fb.

🏨 **Zum Alten Ziehbrunnen** 🔇, Bergstr. 30, ℘ 93 29, 🌳 – [P]
Nov. geschl. – (Restaurant nur für Hausgäste) – **14 Z : 20 B** 35/60 - 70/104 – P 65/95.

🏨 **Münchner Kindl**, Kirchplatz 2, ℘ 12 14 – 🚗 [P]
20. Feb.- 9. März und 9.- 30. Okt. geschl. – Karte 18,50/38 *(Montag geschl.)* – **8 Z : 15 B** 38/45 - 70.

In Bad Endorf-Pelham NO : 5 km :

🏨 Seeblick 🔇, ℘ 93 45, <, ⛱, 🏊, 🌳 – 🛗 [P]. 🐕 Rest – **75 Z : 150 B.**

ENGELSBERG Bayern siehe Tacherting.

ENGELSBRAND 7543. Baden-Württemberg [413] I 20 – 4 000 Ew – Höhe 620 m – ☎ 07082 (Neuenbürg).

♦Stuttgart 61 – Calw 19 – Pforzheim 11.

In Engelsbrand 2-Grunbach :

🍴🍴 Landgasthof Krone mit Zim, Calwer Str.15, ✆ (07235) 4 44 – Ⓟ
(wochentags nur Abendessen) – **6 Z : 9 B.**

In Engelsbrand 3-Salmbach :

🏠 **Schwarzwald** 🌙, Pforzheimer Str. 41, ✆ (07235) 3 32, 🌳 – [TV] ☎ 🚗 Ⓟ 🏔. [AE]
Nov. geschl. – Karte 21/43 *(Donnerstag und Juli 3 Wochen geschl.)* – **17 Z : 28 B** 50/60 - 80/90.

ENGELSKIRCHEN 5250. Nordrhein-Westfalen [987] ㉔ – 19 900 Ew – Höhe 120 m – ☎ 02263.

[i] Verkehrsamt, Rathaus, Engels-Platz 4 ✆ 8 31 37.

♦Düsseldorf 73 – ♦Köln 36 – Olpe 43.

🏠 **Lindenhof,** Bergische Str. 27, ✆ 25 61 – ☎ Ⓟ 🏔
23. Dez.- 6. Jan. geschl. – Karte 23/47 – **14 Z : 26 B** 56 - 93.

In Engelskirchen-Oberstaat W : 7 km über die B 55 :

🏠 Bergische Schweiz 🌙, ✆ 24 78, ≤, 🌳, Wildgehege – Ⓟ – **12 Z : 23 B.**

In Engelskirchen-Ründeroth O : 4,5 km :

🏡 Baumhof, Hauptstr. 18, ✆ 55 12 – Ⓟ – **14 Z : 20 B.**

In Engelskirchen - Wiehlmünden O : 6,5 km :

🍴🍴🍴 Kümmelecke - Windsor Room, Gummersbacher Str. 60 (B 55/56), ✆ 58 31 – Ⓟ. 🚫.

ENGEN IM HEGAU 7707. Baden-Württemberg [413] J 23, [987] ㉟, [427] ⑥ – 9 000 Ew – Höhe 520 m – ☎ 07733.

Ausflugsziel : Hegaublick ≤★, NW : 6 km (an der B 31).

[i] Verkehrsamt, Rathaus, Hauptstr. 11, ✆ 50 22 02.

♦Stuttgart 142 – Bregenz 101 – Donaueschingen 28 – Singen (Hohentwiel) 16.

🏠 **Badischer Hof,** Breite Str. 26, ✆ 54 31, 🌳 – 🚗
Karte 20/55 *(Samstag geschl.)* – **25 Z : 48 B** 38/60 - 75/110 Fb.

🍴 **Kapuziner Stube,** Hegaustr. 7, ✆ 68 76 – Ⓟ. [AE] [E]
Samstag und Montag jeweils bis 18 Uhr geschl. – Karte 27/54 *(auch vegetarische Gerichte).*

Am Neuhewen NW : 7 km über die B 31 – Höhe 790 m :

🍴 Hegaublick 🌙 mit Zim, Hegaublick 4, ✉ 7707 Engen-Stetten, ✆ (07733) 87 54, ≤ Hegau, 🌳 – Ⓟ – **5 Z : 9 B.**

ENGENHAHN Hessen siehe Niedernhausen.

ENGER 4904. Nordrhein-Westfalen [987] ⑭ – 17 100 Ew – Höhe 94 m – ☎ 05224.

♦Düsseldorf 196 – Bielefeld 16 – ♦Hannover 99 – Herford 9 – ♦Osnabrück 45.

🍴🍴 Brünger in der Wörde, Herforder Str. 14, ✆ 23 24 – Ⓟ 🏔.

ENINGEN UNTER ACHALM Baden-Württemberg siehe Reutlingen.

ENKIRCH 5585. Rheinland-Pfalz – 2 000 Ew – Höhe 100 m – Erholungsort – ☎ 06541 (Traben-Trarbach).

Ausflugsziel : Starkenburg ≤★, S : 5 km.

[i] Verkehrsbüro, Brunnenplatz, ✆ 92 65.

Mainz 104 – Bernkastel-Kues 29 – Cochem 51.

🏠 **Sponheimer Hof** 🌙 (mit Gästehäusern), Sponheimer Str. 19, ✆ 66 28, eigener Weinbau, Weinproben, ♨, 🏊, 🌳 – [TV] Ⓟ. ⓓ [E] [VISA]
5. Jan.- 15. Feb. geschl. – Karte 23/41 *(Dienstag geschl.)* 🍷 – **22 Z : 44 B** 38/40 - 76/80.

🏠 **Neumühle** 🌙, Großbachtal 17, ✆ 15 50, 🌳, nur Eigenbauweine, 🌳 – Ⓟ
➡ *3. Jan.- 15. März geschl.* – Karte 18/37 🍷 – **35 Z : 70 B** 47/75 - 74/100.

🏡 **Dampfmühle,** Am Steffensberg 80, ✆ 68 67, eigener Weinbau, 🏊 (geheizt), 🌳 – 🚭 Zim Ⓟ. [AE] [E] [VISA]
2. Jan.- 9. März geschl. – Karte 21/44 – **18 Z : 32 B** 45/50 - 60/80.

In Burg/Mosel **5581** N : 3 km :

🏠 **Zur Post,** Moselstr. 18, ✆ (06541) 92 14, 🌳, eigener Weinbau, Kellerbesichtigung – 🚗.
➡ 🚫
6.- 31. Jan. geschl. – Karte 18/42 🍷 – **15 Z : 26 B** 30/36 - 56/80.

[ENNEPETAL] 5828. Nordrhein-Westfalen [987] ⑭ – 35 000 Ew – Höhe 200 m – ☎ 02333.
[i] Haus Ennepetal, Gasstr. 10 (Milspe), ☎ 78 65.
♦Düsseldorf 54 – Hagen 12 – ♦Köln 61 – Wuppertal 14.

In Ennepetal-Königsfeld SW : 7 km ab E.-Milspe :

🍴 **Spreeler Mühle**, Spreeler Weg 128, ☎ (0202) 61 13 49, 🌳 – [P]
Montag und 15. Jan.- 15. Feb. geschl. – Karte 23/50.

In Ennepetal-Voerde :

🏠 Wiemer Hof 🌿, Dr.-Siekermann-Weg 8, ☎ 20 21 – [P]
(nur Abendessen) – **23 Z : 28 B.**

[ENNIGER] Nordrhein-Westfalen siehe Ennigerloh.

[ENNIGERLOH] 4722. Nordrhein-Westfalen – 20 400 Ew – Höhe 106 m – ☎ 02524.
Ausflugsziel : Wasserburg Vornholz* NO : 5 km.
♦Düsseldorf 134 – Beckum 10 – Bielefeld 60 – Warendorf 16.

🏨 **Hubertus**, Enniger Str. 4, ☎ 20 94, 🍺 – [TV] ☎ 🚗 [P] 🏊. [AE] [O] [E]
Karte 21/51 *(Donnerstag geschl.)* – **19 Z : 25 B** 50/75 - 95/100 Fb.

In Ennigerloh-Enniger W : 5,5 km :

🍴 **Lindenhof** (restauriertes Fachwerkhaus a. d. 18. Jh.), Hauptstr. 62, ☎ (02528) 84 65 – [P]. [O]
✦ [E]
Dienstag, 13. Juli - 5. Aug. und 23. Dez.- 7. Jan. geschl. – Karte 17/50.

In Ennigerloh-Ostenfelde NO : 5 km :

🏠 **Kröger**, Hessenknapp 17, ☎ 22 14, 🌳 – [TV] ☎ [P]
✦ *Mitte Juli - Mitte Aug. geschl.* – Karte 18/35 *(nur Abendessen, Freitag geschl.)* – **14 Z : 22 B** 46 - 75.

[ENZKLÖSTERLE] 7546. Baden-Württemberg [413] I 20, 21 – 1 300 Ew – Höhe 598 m – Luftkurort – Wintersport : 600/900 m ⛷3 ⛷4 – ☎ 07085.
[i] Kurverwaltung, Friedenstr. 16, ☎ 5 17.
♦Stuttgart 89 – Freudenstadt 26 – Pforzheim 39.

🏨 **Enztalhotel**, Freudenstädter Str. 67, ☎ 6 11, 🌳, 🍺, 🏊 – [lift] [TV] 🚗 [P] 🏊. ✗ Zim
Dez. 3 Wochen geschl. – Karte 30/65 – **50 Z : 88 B** 75/85 - 132/180 Fb – P 98/122.

🏨 Schwarzwaldschäfer 🌿, Am Dietersberg 2, ☎ 3 80, « Gartenterrasse mit Grill », 🍺, 🏊, 🌳, Tanzschule – 🚗 [P]
(Restaurant nur für Hausgäste) – **27 Z : 44 B** Fb – 2 Fewo.

🏨 **Gästehaus am Lappach** garni, Aichelberger Weg 4, ☎ 5 11, 🏊, 🌳 – [lift] ☎ [P]. ✗
5. Nov.- 19. Dez. geschl. – **32 Z : 53 B** 62/68 - 92/106.

🏨 **Hirsch - Café Klösterle**, Freudenstädter Str. 2, ☎ 2 61, 🌳, 🍺 – 🚗 [P]
Nov.- 15. Dez. geschl. – Karte 26/50 *(Jan.- April Montag geschl.)* – **52 Z : 85 B** 35/60 - 58/96 Fb – P 56/80.

🏨 **Gästehaus Forsthaus** 🌿 garni, Im Rohnbachtal 63, ☎ 6 80, 🍺, 🏊, 🌳 – [TV] ☎ [P]. ✗
Nov.- 20. Dez. geschl. – **13 Z : 25 B** 58/75 - 96/128 Fb.

🏠 **Schwarzwaldhof**, Freudenstädter Str. 9, ☎ 2 63 – [lift] 🚗 [P]
19. Feb.- 12. März geschl. – Karte 20/45 – **25 Z : 40 B** 52 - 96 Fb – P 63/69.

🏠 Park-Hotel Hetschelhof 🌿, Hetschelhofweg 1, ☎ 2 73, 🌳, 🌳 – [P]
29 Z : 58 B Fb.

🏠 **Wiesengrund** 🌿, Friedenstr. 1, ☎ 2 27, 🌳 – [lift] [P]. ✗ Zim
✦ *20. Nov.- 20. Dez. geschl.* – Karte 19/37 – **28 Z : 49 B** 43/55 - 66/102 Fb.

In Enzklösterle-Poppeltal SW : 5 km :

🏠 **Waldeck** 🌿, Eschentalweg 10, ☎ 5 15 – [lift] [P]
✦ Karte 19/38 – **32 Z : 56 B** 45 - 80.

[EPPELHEIM] Baden-Württemberg siehe Heidelberg.

[EPPENBRUNN] 6789. Rheinland-Pfalz [413] F 19, [242] ⑪ – 1 700 Ew – Höhe 390 m – Luftkurort – ☎ 06335.
Mainz 135 – Landau in der Pfalz 59 – Pirmasens 14.

🏠 **Kupper** 🌿, Himbaumstr. 22, ☎ 3 41, Biergarten, 🍺, 🏊 – [P]. [E]
Karte 26/48 *(Mittwoch, 3.- 20. Jan. und 5.- 20. Juli geschl.)* 🍷 – **20 Z : 40 B** 40 - 80.

[EPPERTSHAUSEN] 6116. Hessen [413] J 17 – 5 300 Ew – Höhe 140 m – ☎ 06071.
♦Wiesbaden 57 – Aschaffenburg 27 – ♦Darmstadt 22 – ♦Frankfurt am Main 24.

🏠 **Krone**, Dieburger Str. 1 (B 45), ☎ 3 15 08 – [lift] [TV] ☎ 🚗 [P]. ✗ Zim
27. Juli - 15. Aug. geschl. – Karte 20/39 *(Samstag bis 18 Uhr und Sonntag geschl.)* – **40 Z : 60 B** 44/62 - 78/88.

EPPINGEN 7519. Baden-Württemberg [413] J 19, [987] ㉕ – 15 500 Ew – Höhe 190 m – ☎ 07262.
♦Stuttgart 80 – Heilbronn 26 – ♦Karlsruhe 48 – ♦Mannheim 64.

🏨 **Villa Waldeck**, Waldstr. 80, ☎ 10 61, – ☎ [P]. AE ◑ E VISA
1.- 23. Jan. geschl. – Karte 25/51 *(Montag geschl.)* – **16 Z : 26 B** 46/52 - 86 Fb – P 70/80.

🏨 **Geier**, Kleinbrückentorstr. 4, ☎ 44 24 – ☎ [P]. AE ◑ E VISA
Karte 15/40 – **26 Z : 38 B** 45/50 - 80.

🍴 Berliner Eck, Berliner Ring 40, ☎ 44 82 – [P].

In Gemmingen 7519 NO : 8 km :

🍴 **Krone** mit Zim, Richener Str. 3, ☎ (07267) 2 56 – [P]. AE.
Anfang Jan. und Ende März je 1 Woche und Juli 3 Wochen geschl. – Karte 27/45 *(Samstag bis 18 Uhr und Dienstag geschl.)* – **2 Z : 4 B** 35 - 65.

EPPSTEIN 6239. Hessen [413] I 16 – 12 500 Ew – Höhe 184 m – Luftkurort – ☎ 06198.
Sehenswert : Hauptstraße (< ★ zur Burgruine).
♦Wiesbaden 20 – ♦Frankfurt am Main 28 – Limburg an der Lahn 41.

In Eppstein-Vockenhausen :

🏨 **Nassauer Hof**, Hauptstr. 104, ☎ 14 44 – [P]
Juni 3 Wochen geschl. – Karte 21/45 *(Montag - Dienstag geschl.)* – **10 Z : 16 B** 35 - 70.

ERBACH IM ODENWALD 6120. Hessen [413] JK 18, [987] ㉕ – 11 000 Ew – Höhe 223 m – Luftkurort – ☎ 06062.
Sehenswert : Schloß (Hirschgalerie★).
[i] Verkehrsamt, Neckarstr. 3, ☎ 64 39.
♦Wiesbaden 95 – ♦Darmstadt 50 – Heilbronn 79 – ♦Mannheim 59 – ♦Würzburg 100.

🏨 Odenwälder Bauern- und Wappenstuben, Am Schloßgraben 30, ☎ 22 36 – ☎
12 Z : 20 B.

🍴🍴 **Zum Hirsch**, Bahnstr. 2, ☎ 35 59 –
Mittwoch 14 Uhr - Donnerstag 18 Uhr geschl. – Karte 28/57.

In Erbach-Erlenbach SO : 2 km :

🏨 **Erlenhof**, ☎ 31 74, – ☎ [P]. E
12.- 28. Feb. geschl. – Karte 19/38 *(Dienstag geschl.)* – **18 Z : 34 B** 46/52 - 84.

ERBACH (ALB-DONAU-KREIS) 7904. Baden-Württemberg [413] M 22 – 10 700 Ew – Höhe 530 m – ☎ 07305.
♦Stuttgart 104 – Tuttlingen 105 – ♦Ulm (Donau) 12.

🏨 **Kögel**, Ehinger Str. 44, ☎ 80 21 – ☎ [P]. ◑ E
24. Dez.- 22. Jan. geschl. – Karte 33/58 *(Sonntag geschl.)* – **28 Z : 42 B** 38/68 - 69/98 Fb.

🏨 Zur Linde, Bahnhofstr. 8, ☎ 73 20 – [P]
14 Z : 23 B.

🏨 **Schloßberg-Hotel** garni, Max-Johann-Str. 27, ☎ 72 51 – [P]
24 Z : 34 B 39/50 - 72/94.

🍴 **Schloß-Restaurant**, Am Schloßberg 1, ☎ 69 54, – [P]. AE ◑ E VISA
Montag - Dienstag 18 Uhr und 8.- 28. Feb. geschl. – Karte 41/60.

In Erbach-Dellmensingen SO : 3 km :

🏨 **Brauereigasthof Adler**, Adlergasse 2, ☎ 73 42 – ☎ [P]
11.- 25. Sept. geschl. – Karte 18/37 *(Montag und 20.- 25. März geschl.)* – **12 Z : 22 B** 41 - 74.

ERBENDORF 8488. Bayern [413] T 17, [987] ㉗ – 4 800 Ew – Höhe 509 m – Erholungsort – ☎ 09682.
[i] Verkehrsamt, Bräugasse, ☎ 23 27.
♦München 248 – Bayreuth 40 – ♦Nürnberg 108 – Weiden in der Oberpfalz 24.

🏨 **Pension Pöllath** garni, Josef-Höser-Str. 12, ☎ 5 87, – . AE
15 Z : 23 B 21/25 - 40/50.

🍴🍴 ✿ **Am Kreuzstein** mit Zim, an der B 22/B 299 (SW : 1 km), ☎ 13 20 – [P]. ◑.
18.- 30. Jan. und Aug.- Sept. 2 Wochen geschl. – Karte 52/78 *(wochentags nur Abendessen, Sonntag 14 Uhr - Dienstag geschl.)* (Tischbestellung ratsam) – **2 Z : 4 B** 30 - 60
Spez. Geflügelleber-Parfait, Ravioli von Edelfischen in Tomatenschaum, Rhabarber-Parfait in Vanillesahne (April - Sept.).

In Erbendorf-Pfaben N : 6 km, Höhe 720 m – Wintersport 1 :

🏨 **Steinwaldhaus**, ☎ 23 91, < Oberpfälzer Wald, – ☎ [P]
26. Feb.- 17. März und 13. Nov.- 16. Dez. geschl. – Karte 18/39 – **56 Z : 108 B** 48 - 84 – 31 Fewo 132/136 – P 73.

[ERDING] 8058. Bayern [413] S 22, [987] ㊲ – 25 300 Ew – Höhe 462 m – ☎ 08122.

⛳ Grünbach (O : 8 km über die B 388), ☎ (08122) 64 65.

♦München 35 – Landshut 39 – Rosenheim 66.

🏨 **Kastanienhof**, Am Bahnhof 7, ☎ 4 10 41, Telex 5270424, 🍽, ♨ – 🛗 📺 ☎ 🅿 🏛. AE ⦿ E VISA
Karte 24/54 – **90 Z : 200 B** 98/145 - 140/192 Fb – 4 Appart. 180/225.

🏨 **Mayr-Wirt**, Haager Str. 4, ☎ 70 94 – 🛗 ☎ 🚗 🏛. AE ⦿ E
Karte 19,50/50 *(Samstag geschl.)* 🍷 – **52 Z : 83 B** 34/65 - 77/106.

🏨 **Schmidbauer**, Zollnerstr. 7, ☎ 1 41 40 – 🚗. 🐕 Zim
Karte 17/27 *(Montag geschl.)* – **16 Z : 20 B** 45/50 - 80.

In Oberding 8059 NW : 6 km :

🍴🍴 **Balthasar Schmid** mit Zim, Hauptstr. 29, ☎ (08122) 25 65 – 📺 🅿
Karte 22/45 *(Donnerstag geschl.)* 🍷 – **6 Z : 8 B** 56 - 94.

[ERFTSTADT] 5042. Nordrhein-Westfalen [987] ㉓ – 46 800 Ew – Höhe 90 m – ☎ 02235.

♦Düsseldorf 64 – Brühl 8 – ♦Köln 18.

In Erftstadt-Lechenich :

🍴🍴 Husarenquartier mit Zim, Schloßstr. 10, ☎ 50 96 – ☎ 🅿
6 Z : 11 B.

In Erftstadt-Kierdorf :

🍴🍴 **Zingsheim**, Goldenbergstr. 30, ☎ 8 53 32 – AE ⦿ E
Samstag nur Abendessen – Karte 46/88.

🍴🍴 Schönau, Martinusplatz 7, ☎ 8 54 67 – 🅿
nur Abendessen.

[ERFWEILER] Rheinland-Pfalz siehe Dahn.

[ERGOLDING] Bayern siehe Landshut.

[ERGOLDSBACH] 8305. Bayern [413] T 20, [987] ㉗㊲ – 6 000 Ew – Höhe 417 m – ☎ 08771.

♦München 88 – Ingolstadt 80 – Landshut 16 – ♦Regensburg 44.

🏨 **Dallmaier**, Hauptstr. 26, ☎ 12 10, Biergarten – 🚗 🅿
Karte 15/32 – **15 Z : 24 B** 33 - 66.

[ERKELENZ] 5140. Nordrhein-Westfalen [987] ㉓ – 37 800 Ew – Höhe 97 m – ☎ 02431.

♦Düsseldorf 45 – ♦Aachen 38 – Mönchengladbach 15.

🏨 **Rheinischer Hof** garni, Kölner Str. 18, ☎ 22 94 – 📺 ☎ 🚗. AE E VISA
25 Z : 36 B 70/130 - 120/180 Fb.

🍴🍴 **Oerather Mühle**, Roermonder Str. 36, ☎ 24 02, 🍽 – 🅿. AE E
Mittwoch geschl. – Karte 17/72.

Siehe auch : ***Wegberg*** N : 8 km

[ERKENSRUHR] Nordrhein-Westfalen siehe Simmerath.

[ERKHEIM] 8941. Bayern [413] NO 22, [426] ⑮ – 10 000 Ew – Höhe 600 m – ☎ 08336.

♦München 98 – ♦Augsburg 67 – Memmingen 14 – ♦Ulm (Donau) 68.

🏨 **Gästehaus Herzner** 🐌, Färberstr. 19, ☎ 3 00, ♨, 🏊 (Gebühr), 🌳 – 🅿
(nur Abendessen für Hausgäste) – **16 Z : 28 B** 35/40 - 60/70.

[ERKRATH] 4006. Nordrhein-Westfalen – 46 000 Ew – Höhe 50 m – ☎ 0211 (Düsseldorf).

♦Düsseldorf 9 – Wuppertal 26.

In Erkrath 2-Hochdahl O : 3 km :

🏨 **Schildsheide**, Schildsheider Str. 47, ☎ (02104) 4 60 81, 🍽 – 📺 ☎ 🅿. AE ⦿ E VISA
Juli - Aug. 3 Wochen geschl. – Karte 30/70 *(Freitag geschl.)* – **19 Z : 32 B** 90/195 - 140/295 Fb.

In Erkrath-Unterfeldhaus S : 4,5 km :

🏨 **Unterfeldhaus** 🐌 garni, Millrather Weg 21, ☎ 25 30 09 – 📺 ☎ 🅿. 🐕
22. Dez.- 2. Jan. geschl. – **12 Z : 22 B** 95 - 130 Fb.

[ERLABRUNN] Bayern siehe Würzburg.

ERLANGEN 8520. Bayern 413 PQ 18, 987 ㉖ – 100 000 Ew – Höhe 285 m – ☎ 09131.

Kleinsendelbach (0: 14 km über ②), ☎ (09126) 50 40.

Touristinformation, Rathaus, Rathausplatz 1, ☎ 2 50 74.

ADAC, Henkestr. 26, ☎ 2 56 52, Notruf ☎ 1 92 11.

♦München 191 ④ – ♦Bamberg 40 ① – ♦Nürnberg 20 ④ – ♦Würzburg 91 ⑥.

Stadtplan siehe nächste Seite.

Bayerischer Hof, Schuhstr. 31, ☎ 81 10, Telex 629908, – AE E VISA Z q
Karte 25/68 *(Samstag - Sonntag 18 Uhr geschl.)* – **155 Z : 300 B** 160 - 185 Fb – 5 Appart. 250/280.

Transmar-Kongress-Hotel, Beethovenstr. 3, ☎ 80 40, Telex 629750, Fax 804104, – AE E VISA Z u
Restaurants : – **Frankenkrug-Ratsstüberl** *(Sonn- und Feiertage geschl.)* Karte 25/63 – **Bistro** *(Freitag ab 18 Uhr geschl.)* Karte 30/51 – **138 Z : 263 B** 159/239 - 189/279 Fb – 2 Appart. 329.

Luise garni, Sophienstr. 10, ☎ 12 20, – E X p
75 Z : 95 B 79/109 - 115/145 Fb.

Altstadt garni, Kuttlerstr. 10, ☎ 2 70 70, Fahrradverleih – AE E VISA Y a
23. Dez.- 6. Jan. geschl. – **31 Z : 45 B** 90/100 - 130/140 Fb.

Rokokohaus garni, Theaterplatz 13, ☎ 2 90 63 – AE E VISA Y r
24. Dez.- 6. Jan. geschl. – **37 Z : 60 B** 75/115 - 125/160 Fb.

Fischküche Silberhorn, Wöhrstr. 13, ☎ 2 30 05 – Y f
Mai - Aug. garni – Karte 30/60 *(Sonntag ab 15 Uhr und Dienstag geschl.)* – **20 Z : 26 B** 75/95 - 130/155 Fb.

Fränkischer Hof (mit rustikalem Salvator- und Weinkeller ab 17 Uhr geöffnet), Goethestr. 34, ☎ 2 20 12 – Z a
Karte 25/54 *(Samstag und Aug. geschl.)* – **31 Z : 50 B** 75/85 - 78/120.

Bahnhof-Hotel garni, Bahnhofplatz 5, ☎ 2 70 07 – AE E VISA Z t
5. Aug.- 2. Sept. geschl. – **15 Z : 20 B** 45/90 - 125/135 Fb.

Am Eichenwald garni, Palmstr. 5, ☎ 2 20 30 – AE E VISA V b
34 Z : 54 B 35/85 - 90/135.

Süd garni, Wacholderweg 37, ☎ 3 20 21 – X u
14 Z : 20 B 75 - 98/105.

Wiessner garni, Harfenstr. 1c, ☎ 2 90 84 – Y n
23. Dez.- 10. Jan. geschl. – **25 Z : 34 B** 48/85 - 75/135.

✿ **A'Petit** (Einrichtung im Bistro-Stil), Theaterstr. 6, ☎ 2 42 39 – E Y b
Samstag und Sonntag jeweils bis 18 Uhr sowie Dienstag geschl. – Karte 44/81 (Tischbestellung ratsam)
Spez. Fränkische Lammtorte auf Tomatensauce, Maispoularde in Pimentosauce, Tirami-Su.

Altmann's Stube mit Zim, Theaterplatz 9, ☎ 2 40 82, – AE E. Y v
Karte 39/70 *(Samstag - Sonntag und Feiertage geschl.)* – **17 Z : 25 B** 65/95 - 95/110 Fb.

Weinstube Kach, Kirchenstr. 2, ☎ 2 23 72 – E VISA. Y s
nur Abendessen, 15. Aug.- 15. Sept. sowie Sonn- und Feiertage geschl. – Karte 40/60.

Oppelei, Halbmondstr. 4, ☎ 2 15 62 Z x

Gasthaus Strauß mit Zim, Rückertstr. 10, ☎ 2 36 45 – Z r
Karte 21/57 – **13 Z : 20 B** 43/80 - 85/110 Fb.

Grüner Markt, Einhornstr. 9, ☎ 2 25 51 – AE Z k
Sonn- und Feiertage ab 15 Uhr sowie 16.- 31. Juli geschl. – Karte 18/41.

In Erlangen-Alterlangen :

West garni, Möhrendorfer Str. 44, ☎ 4 20 46, – V f
44 Z : 65 B 75/95 - 95/165.

In Erlangen-Bruck :

Grille, Bunsenstr. 35, ☎ 61 36, Telex 629839, – AE E VISA
Karte 38/64 *(Samstag, 23.- 29. Dez. und 14.- 29. Aug. geschl.)* – **62 Z : 90 B** 81/130 - 152/162 Fb.
über Günther-Scharowsky-Str. X

Roter Adler, Fürther Str. 5, ☎ 6 32 85 (Hotel) 6 60 04 (Rest.), – E VISA X r
24. Dez.- 6. Jan. geschl. – Karte 22/45 *(Samstag und über Pfingsten geschl.)* – **30 Z : 42 B** 64/75 - 94/120.

In Erlangen-Eltersdorf S : 5 km über Fürther Str. X :

Rotes Ross garni, Eltersdorfer Str. 15a, ☎ 6 00 84, – AE E VISA
28 Z : 50 B 59/79 - 89/109 Fb.

In Erlangen-Frauenaurach über ⑤ :

Schwarzer Adler garni, Herdegenplatz 1, ☎ 99 20 51, « Renoviertes Fachwerkhaus a.d. 16. Jh., Weinstube » – VISA
Aug. und 22. Dez.- 7. Jan. geschl. – **8 Z : 13 B** 82/105 - 120/130.

ERLANGEN

Hauptstraße	YZ	
Hugenottenplatz	Z	29
Marktplatz	Y	40
Nürnberger Straße	Z	
Am Anger	X	2
Bahnhofplatz	Z	4
Bayreuther Straße	V	6
Bismarckstraße	Y	8
Breslauer Straße	X	10
Essenbacher Straße	V	14
Fließbachstraße	X	16
Fürther Straße	X	18
Glockenstraße	Y	20
Glückstraße	Y	21
Günther-Scharowsky-Str.	X	22
Güterhallenstraße	Z	24
Haagstraße	X	25
Heuwaagstraße	Y	26
Hindenburgstraße	Y	28
Jahnstraße	X	30
Karl-Zucker-Straße	X	32
Koldestraße	X	33
Komotauer Straße	X	34
Kuttlerstraße	Y	35
Langemarckplatz	Z	36
Loewenichstraße	Y	37
Lorlebergplatz	Y	38
Loschgestraße	Y	39
Martinsbühler Straße	Y	41
Maximiliansplatz	Y	42
Münchener Straße	YZ	43
Nägelbachstraße	Z	44
Neckarstraße	X	45
Östliche Stadtmauerstr.	Y	46
Palmsanlage	Y	47
Palmstraße	V	48
Pfälzer Straße	X	49
Rathausplatz	Z	50
Resenscheckstraße	X	51
Schillerstraße	Y	52
Schloßplatz	Y	53
Sieboldstraße	X	57
Sophienstraße	X	58
Theaterplatz	Y	62
Wasserturmstraße	Y	65
Westliche Stadtmauerstr.	YZ	66
Wöhrstraße	Y	67

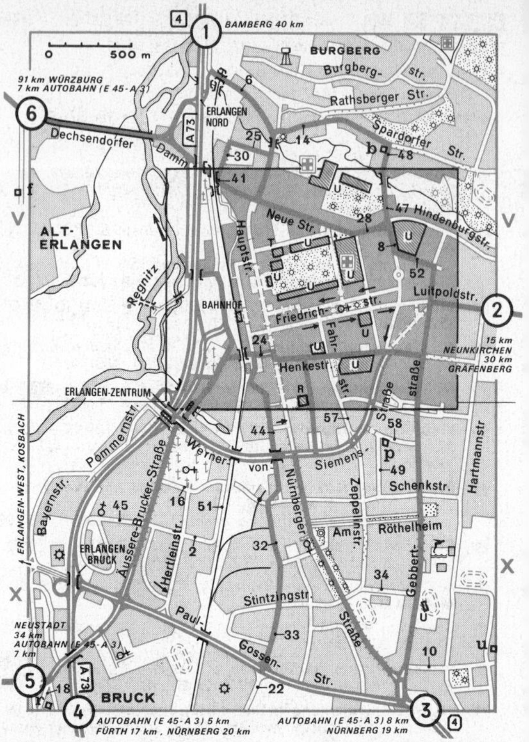

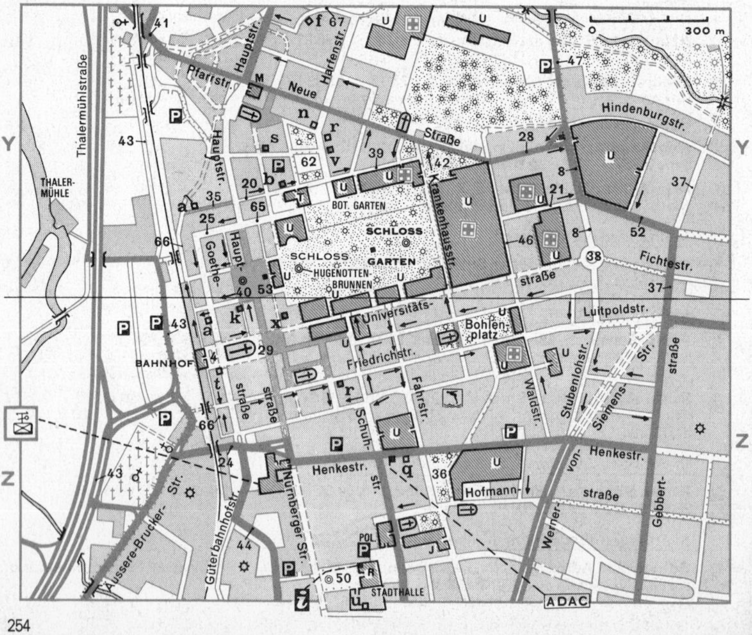

In Erlangen-Kosbach W : 6 km :

XX ✿ **Polster**, Am Deckersweiher 26, ☎ 4 14 32, 🌳 – [P]. [AE] [D] [E]
Montag geschl. – Karte 42/70 (Tischbestellung ratsam)
Spez. Baby-Lachs mit Rote-Bete-Creme, Rehbockrücken auf Walnuß-Quitten-Sauce mit Pilzmaultaschen, Kirschstrudel und Stachelbeermus auf Joghurtsauce.

In Erlangen-Tennenlohe über ③ :

🏨 **Transmar-Motor-Hotel**, Am Wetterkreuz 7, ☎ 60 80, Telex 629912, Fax 804104, ♨, [▧], 🍴 – [‡] [TV] [P] 🏔. [AE] [D] [E] [VISA]
Karte 30/50 – **126 Z : 252 B** 149/219 - 179/259 Fb.

🏨 **Tennenloher Hof**, Am Wetterkreuz 32, ☎ 6 00 18, ♨, [▧] – [‡] [TV] ☎ [P]. [AE] [D] [E] [VISA]
Karte 23/45 *(nur Abendessen, Samstag geschl.)* 🍷 – **26 Z : 50 B** 75 - 95 Fb.

In Bubenreuth **8526** N : 3 km :

🏠 Mörsbergei, Hauptstr. 14, ☎ (09131) 2 00 00, Biergarten – [TV] ☎ [P]
19 Z : 32 B.

In Marloffstein **8525** NO : 5 km :

🏠 **Alter Brunnen**, Am alten Brunnen 1, ☎ (09131) 5 00 15, 🌳 – ☎ [P]. [E]
Karte 20/40 *(wochentags nur Abendessen, Dienstag, März 1 Woche und Aug. 2 Wochen geschl.)* 🍷 – **18 Z : 35 B** 48 - 78 Fb.

In Baiersdorf **8523** ① : 7 km :

XX **Zum Storchennest**, Hauptstr. 41, ☎ (09133) 8 26, 🌳 – [P]. [D] [E]
Sonntag 15 Uhr - Montag, 2.- 10. Jan. und Aug. 2 Wochen geschl. – Karte 39/74.

ERLENBACH Baden-Württemberg siehe Weinsberg.

ERLENBACH AM MAIN **8765.** Bayern [413] K 17 – 8 500 Ew – Höhe 125 m – ☎ 09372.
♦München 354 – Aschaffenburg 25 – Miltenberg 16 – ♦Würzburg 78.

🏠 **Tannenhof** 🌲, Am Stadtwald 66, ☎ 44 40, 🍴 – 🚗 [P]. 🚫
Karte 26/35 *(nur Abendessen, Sonntag geschl.)* 🍷 – **20 Z : 34 B** 40/45 - 75.

🏠 **Fränkische Weinstuben**, Mechenharder Str. 5, ☎ 50 49, 🌳, eigener Weinbau, 🍴 – [P]. [E]. 🚫 Zim
Jan.- Mitte Feb. geschl. – Karte 22/40 *(Freitag geschl.)* 🍷 – **16 Z : 24 B** 38/48 - 60/75.

ERLENSEE **6455.** Hessen [413] J 16 – 10 700 Ew – Höhe 105 m – ☎ 06183.
♦Wiesbaden 65 – ♦Frankfurt am Main 26 – Fulda 81 – ♦Würzburg 114.

In Erlensee-Rückingen :

🏨 **Brüder-Grimm-Hotel**, Rhönstr. 9 (B 40 - Abfahrt Erlensee-Süd), ☎ 8 20 – [‡] [TV] ☎ [P] 🏔. [AE] [D] [E] [VISA]
Karte 30/57 *(Samstag - Sonntag 18 Uhr geschl.)* – **90 Z : 144 B** 85/90 - 130/135 Fb.

ERMATINGEN Schweiz siehe Konstanz.

ERNST Rheinland-Pfalz siehe Cochem.

ERNSTHAUSEN Hessen siehe Burgwald.

ERPFINGEN Baden-Württemberg siehe Sonnenbühl.

ERWITTE **4782.** Nordrhein-Westfalen [987] ⑭ – 13 700 Ew – Höhe 106 m – ☎ 02943.
♦Düsseldorf 135 – Lippstadt 7 – Meschede 36 – Soest 17.

🏠 **Büker**, Am Markt 14, ☎ 23 36 – 🚗 [P]. [AE]
➜ Karte 18/34 *(Freitag geschl.)* – **21 Z : 30 B** 30/40 - 60/78.

ERZBACH Hessen siehe Reichelsheim.

ESCHAU **8751.** Bayern [413] K 17 – 4 100 Ew – Höhe 171 m – ☎ 09374.
♦München 347 – Aschaffenburg 32 – Miltenberg 16 – ♦Würzburg 71.

In Eschau-Hobbach NO : 5,5 km :

🏠 **Zum Engel** (ehemaliger Bauernhof a.d.J. 1786), Bayernstr. 47, ☎ 3 88, 🍴 – ☎ [P] 🏔
1.- 15. Aug. und 20.- 26. Nov. geschl. – Karte 23/43 *(Montag geschl.)* 🍷 – **24 Z : 36 B** 30/46 - 60/90 – P 50/60.

In Eschau-Wildensee O : 10 km :

Waldfrieden 🌙, ☎ 3 28, 🌳 – 🚗 🅿. ✗
27. Feb.- 11. März und Nov.- 25. Dez. geschl. – Karte 15/30 *(Montag geschl.)* 🍷 – **20 Z : 38 B** 29/42 - 64.

Zum Hirschen 🌙, Hauptstr. 8, ☎ 12 78, ☂, 🌳 – 🚗 🅿. ✗ Zim
Feb. geschl. – Karte 16,50/28 *(Freitag geschl.)* – **9 Z : 16 B** 35 - 70.

ESCHBACH 5429. Rheinland-Pfalz – 300 Ew – Höhe 380 m – ☎ 06771.
Mainz 57 – Bingen 37 – ♦Koblenz 27.

Zur Suhle 🌙, Talstr. 2, ☎ 79 21, ≤, ☂, « Garten mit Teich », ♨, 🏊, 🏊, 🌳, 🎾 – 🛗 ☎ 🅿 🏔. ✗ Rest
15.- 31. Juli geschl. – Karte 21/47 🍷 – **21 Z : 36 B** 55/90 - 125/160.

ESCHBORN Hessen siehe Frankfurt am Main.

ESCHEDE 3106. Niedersachsen [987] ⑮ – 6 500 Ew – Höhe 70 m – ☎ 05142.
♦Hannover 60 – Celle 17 – Lüneburg 69.

Deutsches Haus, Albert-König-Str. 8, ☎ 22 36, 🌳 – ☎ 🚗 🅿. ⓓ. ✗
Feb.- Mitte März geschl. – Karte 28/50 *(Montag geschl.)* – **12 Z : 24 B** 30/50 - 60/90.

ESCHENBURG 6345. Hessen – 9 900 Ew – Höhe 299 m – ☎ 02774.
♦Wiesbaden 137 – Gießen 58 – Marburg 44 – Siegen 41.

In Eschenburg-Wissenbach :

Bauernstuben, Bezirksstr. 22 (B 253), ☎ 18 29 – 🚗 🅿
Karte 23/48 *(Montag geschl.)* – **9 Z : 17 B** 37 - 74.

ESCHENLOHE 8116. Bayern [413] Q 24, [426] ⑯ – 1 400 Ew – Höhe 636 m – Erholungsort – ☎ 08824.
[i] Verkehrsamt im Rathaus, Murnauer Str. 1, ☎ 2 21.
♦München 74 – Garmisch-Partenkirchen 15 – Weilheim 30.

Tonihof 🌙, Walchenseestr. 42, ☎ 10 21, ≤ Loisachtal mit Wettersteingebirge, ☂, Massage, ♨, 🌳, Fahrradverleih – 📺 ☎ ♿ 🚗 🅿 🏔
Karte 40/76 *(Mittwoch geschl.)* – **25 Z : 43 B** 59/101 - 128/172 Fb – P 97/129.

Zur Brücke - Villa Bergkristall, Loisachstr. 1, ☎ 2 10, 🌳 – 🚗 🅿
Mitte Nov.- Mitte Dez. geschl. – Karte 21/42 *(Dienstag geschl.)* – **26 Z : 45 B** 28/48 - 56/96.

In Eschenlohe-Wengen :

Wengererhof 🌙 garni, ☎ 10 42, ≤, 🌳 – ☎ 🅿. ✗
23 Z : 50 B 51/55 - 100/108.

ESCHWEGE 3440. Hessen [987] ⑮⑯ – 24 000 Ew – Höhe 170 m – ☎ 05651.
♦Wiesbaden 221 – Göttingen 49 – Bad Hersfeld 58 – ♦Kassel 56.

National garni, Friedrich-Wilhelm-Str. 2, ☎ 6 00 35, ♨ – 🛗 📺 ☎ 🚗 🅿. AE ⓓ E VISA
37 Z : 67 B 51/90 - 106/119 Fb.

Stadthalle, Wiesenstr. 9, ☎ 5 00 41, ☂ – 🛗 ☎ 🅿 🏔. AE ⓓ E
Karte 19/54 – **15 Z : 21 B** 45/53 - 78 Fb.

Zur Struth 🌙, Struthstr. 7a, ☎ 86 61, ☂ – 🅿. E VISA
Juli - Aug. 3 Wochen geschl. – Karte 21/40 *(Sonntag 15 Uhr - Montag 17 Uhr geschl.)* – **31 Z : 42 B** 30/55 - 60/90.

ESCHWEILER 5180. Nordrhein-Westfalen [987] ㉓, [213] ㉔ – 52 000 Ew – Höhe 161 m – ☎ 02403.
♦Düsseldorf 74 – ♦Aachen 15 – Düren 17 – ♦Köln 55.

Park-Hotel, Parkstr. 16, ☎ 2 61 88 – ☎. AE ⓓ E VISA
Karte 24/42 *(nur Abendessen)* – **18 Z : 26 B** 46/85 - 97/120.

ESENS 2943. Niedersachsen [987] ④ – 6 000 Ew – Seebad – ☎ 04971.
[i] Kurverwaltung, Kirchplatz 1, ☎ 30 88.
♦Hannover 261 – Emden 50 – ♦Oldenburg 91 – Wilhelmshaven 50.

Wieting's Hotel, Am Markt 7, ☎ 45 68, ♨, 🌳, Fahrradverleih – 📺 🅿. AE ⓓ E VISA. ✗
5.- 31. Jan. und 5.- 19. Nov. geschl. – Karte 19/51 *(Nov.- April Sonntag geschl.)* – **23 Z : 42 B** 43/55 - 85/110.

Waldhotel, Auricher Str. 52, ☎ 21 11, 🌳 – ☎ ♿ 🚗 🅿. ✗ Zim
9 Z : 16 B.

In Esens-Bensersiel NW : 4 km :

Hörn van Diek, Lammertshörn 1, ☎ 24 29, [🏊] – 🅿. 🚫🐕
März - Okt. – Karte 30/51 *(nur Abendessen)* – **18 Z : 40 B** 75 - 110/130 Fb.

Störtebeker 🐦, Am Wattenmeer 4, ☎ 17 67, 🧖 – ☎ 🅿
(nur Abendessen für Hausgäste) – **25 Z : 45 B** 43 - 76 – 5 Fewo 70.

Nordkap 🐦 garni, Am Wattenmeer 2, ☎ 40 24, 🧖 – 🅿. 🚫🐕
10 Z : 20 B 40 - 70.

Siehe auch : ***Liste der Feriendörfer***

[ESLOHE] **5779.** Nordrhein-Westfalen [987] ⑭ – 8 900 Ew – Höhe 310 m – Luftkurort – ☎ 02973.
[i] Verkehrsbüro, Kurhaus, Kupferstr. 30, ☎ 4 42.
♦Düsseldorf 159 – Meschede 20 – Olpe 43.

Forellenhof Poggel, Homertstr. 21, ☎ 62 71, 🍴, 🌳 – [lift] 🅿. 🚫🐕 Rest
Karte 24/43 – **21 Z : 40 B** 45/50 - 90/100 Fb – P 50/65.

Haus Stötzel 🐦 garni, St. Rochus-Weg 1a, ☎ 67 32, 🌳 – 🅿. 🚫🐕
7 Z : 13 B 36 - 68.

In Eslohe 2-Cobbenrode S : 7,5 km :

Berghotel Habbel 🐦, Stertberg 1, ☎ (02970) 4 22, ≤, 🍴, Massage, 🧖, [🏊], 🌳, 🏇 – [lift] [TV] ☎ 🅿 🏛. [AE] [D] [E]. 🚫🐕
9.- 21. Dez. geschl. – Karte 32/56 – **32 Z : 63 B** 60/105 - 110/180 Fb.

Hennemann, Olper Str. 28 (B 55), ☎ (02970) 2 36, 🧖, [🏊], 🌳, 🎾 (Halle) – [lift] [TV] ☎ 🚗 🅿 🏛. [D] [E]
Karte 23/48 *(Montag geschl.)* – **23 Z : 45 B** 68 - 116/150 Fb.

In Eslohe 7-Niedersalwey W : 4 km :

Woiler Hof, Salweytal 10, ☎ 4 97 – 🚗 🅿
Karte 17/35 *(Dienstag geschl.)* – **19 Z : 35 B** 24/40 - 48/65.

In Eslohe 3-Wenholthausen N : 4 km :

Sauerländer Hof, Südstr. 35, ☎ 7 77, 🍴, 🧖, [🏊], 🌳, Fahrradverleih – [TV] ☎ 🅿. [AE] [D] [E]. 🚫🐕 Rest
20. Feb.- 12. März geschl. – Karte 24/52 *(Donnerstag geschl.)* – **20 Z : 45 B** 49 - 84/94 – P 61/75.

Die im Michelin-Führer
verwendeten Zeichen und Symbole haben –
***fett** oder dünn gedruckt, rot oder **schwarz** –*
jeweils eine andere Bedeutung.
Lesen Sie daher die Erklärungen aufmerksam durch.

[ESPACHWEILER] Baden-Württemberg siehe Ellwangen (Jagst).

[ESPELKAMP] **4992.** Nordrhein-Westfalen [987] ⑭⑮ – 24 500 Ew – Höhe 43 m – ☎ 05772.
♦Düsseldorf 223 – ♦Bremen 99 – ♦Hannover 93 – ♦Osnabrück 46.

Haus Mittwald 🐦, Ostlandstr. 23, ☎ 40 29 – [lift] [TV] ☎ 🅿 🏛
Karte 23/54 *(Samstag geschl.)* – **50 Z : 70 B** 56/75 - 95/140 Fb.

[ESPENAU] Hessen siehe Kassel.

[ESSEL] Niedersachsen siehe Schwarmstedt.

[ESSELBACH] Bayern siehe Marktheidenfeld.

[ESSEN] **4300.** Nordrhein-Westfalen [987] ⑭ – 620 000 Ew – Höhe 120 m – ☎ 0201.
Siehe Ruhrgebiet (Übersichtsplan).

Sehenswert : Münster : Münsterschatzkammer** (Vortragekreuze***) BX **E**, Goldene Madonna*** BX **D** – Museum Folkwang** ABY – Villa Hügel* (Historische Sammlung Krupp**) S – Grugapark* AZ – Johanniskirche : Altar* BX **F**.

Ausflugsziel : Essen-Werden : Abteikirche (Vierungskuppel*, Bronzekruzifixus*) S **A**.

⛳18 Essen-Heidhausen (über die B 224 S), ☎ 40 41 11 ; ⛳18 Essen-Kettwig, Laupendahler Landstr. (S), ☎ (02054) 8 39 11 ; ⛳9 Essen-Bredeney, Freiherr-vom-Stein-Str. 92a (S), ☎ 44 14 26.

Messegelände a.d. Grugahalle (AZ), ☎ 7 24 41, Telex 8579647.

[i] Verkehrsverein im Hauptbahnhof, Südseite, ☎ 23 54 27 und 8 10 60 82.

ADAC, Klarastr. 58, ☎ 77 00 88, Notruf ☎ 1 92 11.

♦Düsseldorf 31 ⑤ – Amsterdam 204 ⑧ – Arnhem 108 ⑧ – ♦Dortmund 38 ③.

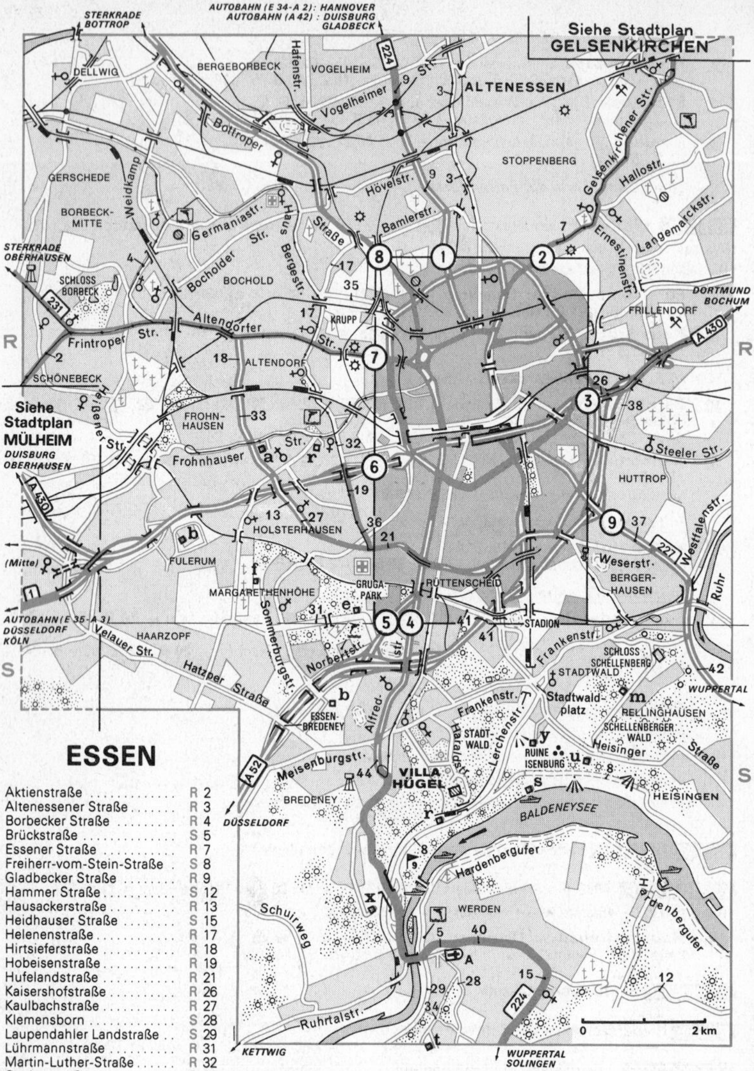

ESSEN

Sheraton Hotel, Huyssenallee 55, ✆ 2 09 51, Telex 8571266, Fax 231173, Massage, – Zim Rest — BY **e**
Karte 50/90 – **207 Z : 414 B** 205/355 - 265/415 Fb – 12 Appart. 515/975.

Handelshof Hotel Mövenpick, Am Hauptbahnhof 2, ✆ 1 70 80, Telex 857562, Fax 1708173 – Zim — BX **n**
Karte 30/70 – **195 Z : 248 B** 162/202 - 219/259 Fb – 3 Appart. 417.

Essener Hof, Teichstr. 2, ✆ 2 09 01, Telex 8579582 – Rest . Rest — BX **c**
(nur Abendessen) – **130 Z : 160 B** Fb.

Assindia, Viehofer Platz 5, ✆ 23 50 77, Telex 8571374, – — BX **z**
Karte 40/55 *(nur Abendessen, Samstag geschl.)* – **45 Z : 80 B** 105/160 - 135/190 Fb.

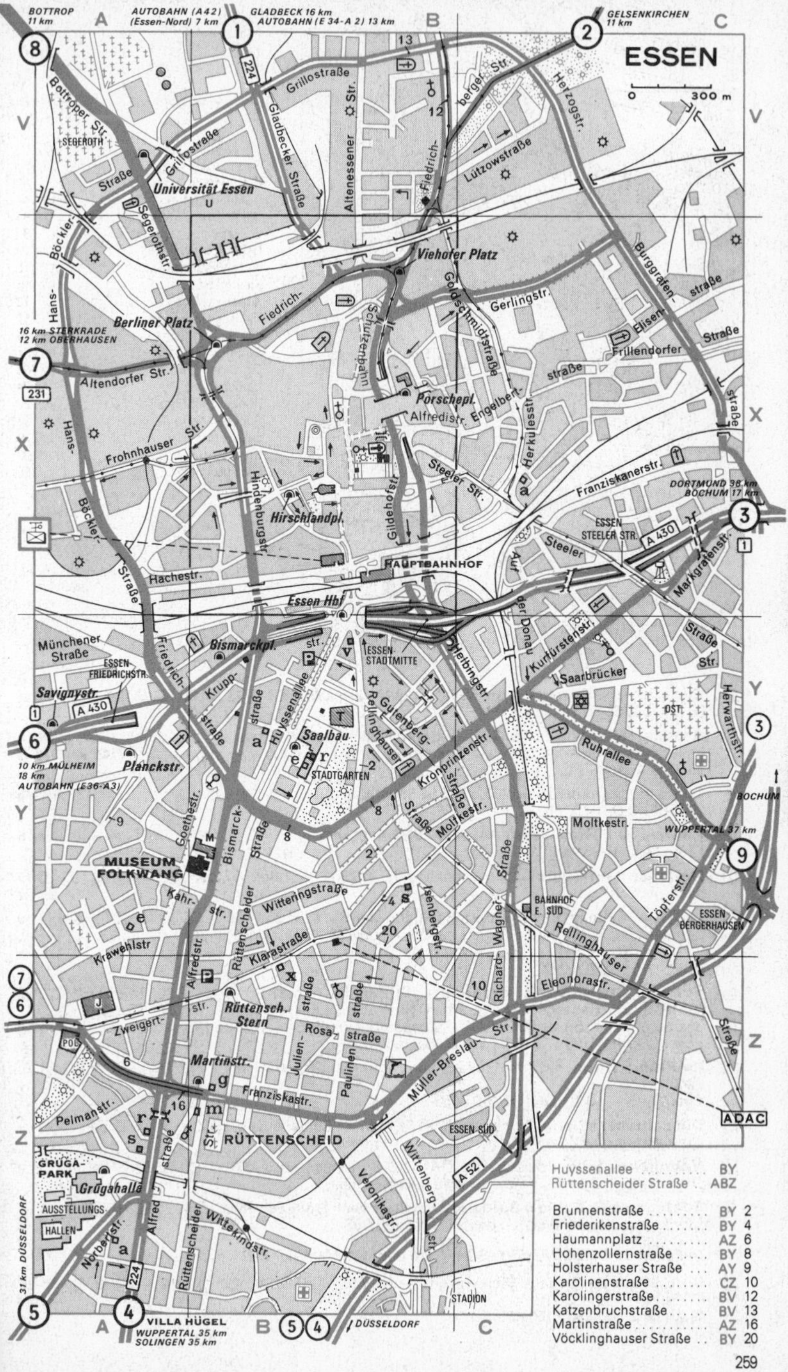

Huyssenallee	BY	
Rüttenscheider Straße .	ABZ	
Brunnenstraße	BY	2
Friederikenstraße	BY	4
Haumannplatz	AZ	6
Hohenzollernstraße	BY	8
Holsterhauser Straße ...	AY	9
Karolinenstraße	CZ	10
Karolingerstraße	BV	12
Katzenbruchstraße	BV	13
Martinstraße	AZ	16
Vöcklinghauser Straße ..	BY	20

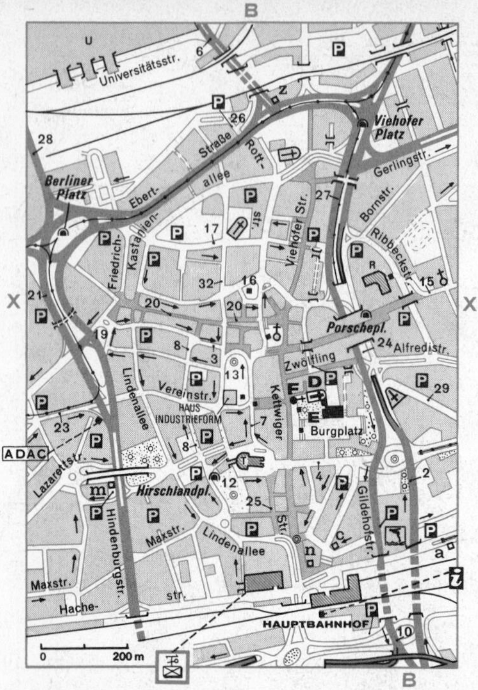

En haute saison, et surtout dans les stations, il est prudent de retenir à l'avance

Europa garni, Hindenburgstr. 35, ✆ 23 20 41, Telex 8579852 – AE E VISA — BX **m**
50 Z : 75 B 68/105 - 130/160 Fb.

Arcade, Hollestr. 50, ✆ 2 42 80, Telex 8571133 – E VISA. Rest — BX **a**
Karte 26/45 *(nur Abendessen, Samstag - Sonntag und Juli - Aug. geschl.)* – **144 Z : 314 B** 95/126 - 135/140 Fb.

Luise garni, Dreilindenstr. 96, ✆ 23 92 53 – AE — BY **a**
29 Z : 41 B 80 - 118 Fb.

Central garni, Herkulesstr. 14, ✆ 22 78 27 — CX **a**
17 Z : 30 B 84/95 - 140/150.

XXX **Rôtisserie im Saalbau**, Huyssenallee 53, ✆ 22 18 66, Telex 8571190, – AE E
Karte 37/69. — BY **r**

XXX **La Grappa** (Italienische Küche), Rellinghauser Str. 4, ✆ 23 17 66 – AE E VISA — BY **v**
Samstag bis 18 Uhr und Sonntag geschl. – Karte 48/78 (Tischbestellung ratsam).

In Essen 1-Bredeney :

Scandic Crown Hotel Bredeney, Theodor-Althoff-Str. 5, ✆ 76 90, Telex 857597, Fax 7693143, , Massage, , , – Zim Rest (mit). AE E VISA
Restaurants : – **Bisou** Karte 50/81 – **Rhapsody** Karte 43/64 – **Pfanne** *(nur Abendessen, Sonntag geschl.)* Karte 41/63 – **314 Z : 558 B** 185/190 - 255 Fb. — S **b**

XXX **Parkhaus Hügel** mit Zim, Freiherr-vom-Stein-Str. 209, ✆ 47 10 91, ≤, – AE E
Karte 41/75 – **13 Z : 25 B** 95/110 - 150 Fb. — S **r**

XX **Die schwarze Lene**, Baldeney 38, ✆ 44 23 51, ≤ Baldeneysee, – E VISA — S **u**
Donnerstag und 2. Jan.- 4. Feb. geschl. – Karte 40/70.

XX **Heimliche Liebe**, Baldeney 33, ✆ 44 12 21, ≤ Baldeneysee, – AE E VISA — S **y**
Dienstag und 2. Jan.- 2. Feb. geschl. – Karte 37/68.

X **Seeterrassen Schloß Baldeney**, Freiherr-vom-Stein-Str. 386a, ✆ 47 20 86, ≤, –
Montag und Jan. 3 Wochen geschl. – Karte 32/62. — S **s**

In Essen 17-Burgaltendorf SO : 12 km über Wuppertaler Str. S :

Burg Mintrop garni, Schwarzensteinweg 81, ✆ 57 17 10, , , – AE E VISA.
45 Z : 60 B 100/130 - 150/175.

In Essen 1-Frohnhausen :

🏨 **Oehler** 🔇 garni, Liebigstr. 8, ☎ 70 53 27 – [P] R r
17. Dez.- 8. Jan. geschl. – **16 Z : 20 B** 40/44 - 76/80.

🍴🍴 **Kölner Hof**, Duisburger Str. 20, ☎ 76 34 30 – [E] [VISA] R a
Montag - Dienstag 18 Uhr, Jan. und Juli - Aug. je 3 Wochen geschl. – Karte 38/72.

In Essen 18-Kettwig ④ : 11 km – ☎ 02054 :

🏨 ✿ **Schloß Hugenpoet** 🔇 (ehem. Wasserschloß), August-Thyssen-Str. 51 (W : 2,5 km), ☎ 1 20 40, Fax 120450, ☂, « Park, umfangreiche Gemäldesammlung », 🎾 – [lift] [TV] 🚗 [P] 🏛. [AE] [O] [E] [VISA]. ✗ Rest
Karte 59/100 – **19 Z : 33 B** 165/225 - 225/330
Spez. Gänseleberparfait, Steinbutt und Hummer im Gemüsesud, Getrüffelte Poulardenbrust im Blätterteig.

🏨 ✿ **Romantik-Hotel Résidence** 🔇, Auf der Forst 1, ☎ 89 11, Telex 8579129 – [TV] ☎ [P]. [AE] [O] [E] [VISA]. ✗ Zim
1.- 9. Jan. geschl. – Karte 70/89 *(Tischbestellung ratsam)* (nur Abendessen, Sonntag - Montag geschl.) – **Benedikt** ✗ *(nur Menu, Öffnungszeiten wie Hotelrestaurant)* Karte 95/125 – **18 Z : 33 B** 150/190 - 195/400 Fb
Spez. Hummer auf Dicken Bohnen, Roulade von Lachs und Petersfisch, Quarkauflauf mit Zitrusfrüchten.

🏨 Sengelmannshof 🔇, Sengelmannsweg 35, ☎ 60 68, ♨ – [lift] ☎ 🚗 [P] 🏛
26 Z : 42 B Fb.

🏨 **Schmachtenbergshof**, Schmachtenbergstr. 157, ☎ 89 33 – ☎ [P]
Karte 22/40 *(wochentags nur Abendessen, Montag geschl.)* – **27 Z : 44 B** 55/80 - 110/130 Fb.

🍴🍴🍴🍴 ✿✿ **Ange d'or**, Ruhrtalstr. 326, ☎ 23 07, ☂ – [P]. [AE] [O] [E] [VISA]. ✗
nur Abendessen, Sonntag - Montag, Juni und 20. Dez.- 10. Jan. geschl. – Karte 75/116 (Tischbestellung ratsam)
Spez. Hummer mit Poulardenbrust "Auguste Thonart", Entengerichte, Gefüllter Ochsenschwanz.

In Essen 1-Margarethenhöhe :

🍴 Bauer-Barkhoff (ehem. Bauernhaus a.d.J. 1825), Lehnsgrund 14a, ☎ 71 54 83, ☂ – [P] R f

In Essen 1-Rellinghausen :

🍴🍴🍴 Kockshusen (Fachwerkhaus a.d. 17. Jh.), Pilgrimsteig 51, ☎ 47 17 21, « Gartenterrasse » – [P] 🏛 S m

In Essen 1-Rüttenscheid :

🏨 Arosa, Rüttenscheider Str. 149, ☎ 7 22 80, Telex 857354 – [lift] ▤ [TV] ☎ [P] BZ g
68 Z : 85 B Fb.

🏨 **Hotel an der Gruga** garni, Eduard-Lucas-Str. 17, ☎ 4 19 10, « Behagliche Einrichtung » – [lift] [TV] ☎ [P] AZ a
43 Z : 50 B 92/115 - 152/185 Fb.

🏨 **Jung** garni, Wehmenkamp 1, ☎ 79 30 33 – [lift] [TV] ☎. [AE] [O] [E] [VISA] BZ m
42 Z : 54 B 98/146 - 156/166 Fb.

🏨 **Behr's Parkhotel** garni, Alfredstr. 118, ☎ 77 90 95 – ☎ [P] AZ r
20 Z : 30 B 85/120 - 130/170.

🏨 **Ruhr - Hotel** garni, Krawehlstr. 42, ☎ 77 51 72 – [lift] [TV] ☎ AY e
29 Z : 40 B 85/98 - 130/150 Fb.

🏨 **Rüttenscheider Hof**, Klarastr. 18, ☎ 79 10 51 – [TV] ☎. [AE] [O] [VISA] BZ x
Karte 31/60 *(Mittwoch und Samstag bis 17 Uhr, Donnerstag und Juni - Juli 4 Wochen geschl.)* – **22 Z : 33 B** 95 - 160.

🍴🍴🍴 **Silberkuhlshof**, Lührmannstr. 80, ☎ 77 32 67, « Gartenterrasse » – [P]. [AE] [O] [E] [VISA] R e
Montag und 27. Dez.- 15. Jan. geschl. – Karte 35/70.

🍴🍴 **Bonne auberge**, Witteringstr. 92, ☎ 78 39 99 – [AE] [O] [E] [VISA] BY s
Sonntag geschl. – Karte 44/65.

🍴 **Gruga Hof**, Alfredstr. 122, ☎ 77 17 70 – [O] [E] [VISA] AZ s
Karte 28/64.

In Essen 16-Werden :

🍴🍴🍴 **La Buvette**, An der Altenburg 30, ☎ 40 80 48 – [P]. [AE] S t
über Karneval geschl. – Karte 58/86.

🍴🍴 Zur Platte, Weg zur Platte 73, ☎ 49 12 37, ≤ Baldeneysee und Werden, ☂ – [P] S x

ESSEN, BAD 4515. Niedersachsen [987] ⑭ – 12 400 Ew – Höhe 90 m – Heilbad – ☎ 05472.
[i] Kurverwaltung, Ludwigsweg 6, ☎ 8 33.
♦Hannover 133 – Bielefeld 54 – ♦Osnabrück 24.

🏨 **Haus Deutsch Krone** 🔇, Ludwigsweg 10, ☎ 8 61, ≤, ☂, ♨, 🏊 – [lift] [TV] ☎ [P] 🏛. [O]
Karte 25/52 – **74 Z : 166 B** 57/174 - 84/188 Fb.

🏨 **Parkhotel** 🔇, Auf der Breede 1, ☎ 20 68, ≤, ☂ – [lift] [TV] ☎ [P] 🏛. [AE] [O] [E] [VISA]
Karte 24/53 – **29 Z : 58 B** 55/75 - 95/120.

ESSING Bayern siehe Kelheim.

ESSINGEN 7087. Baden-Württemberg [413] N 20 – 5 200 Ew – Höhe 520 m – Wintersport : 500/700 m ⛷3 ⛷3 – ☎ 07365.

♦Stuttgart 70 – Aalen 6 – ♦Augsburg 126 – ♦Ulm (Donau) 68.

🏨 **Brauereigasthof Sonne**, Rathausgasse 17, ☎ 2 72 – 🚗 [P]. [E]
Karte 20/38 *(Freitag und Juli - Aug. 3 Wochen geschl.)* – **21 Z : 29 B** 26/36 - 46/68.

ESSLINGEN AM NECKAR 7300. Baden-Württemberg [413] KL 20, [987] ㉟ – 87 500 Ew – Höhe 240 m – ☎ 0711 (Stuttgart).

Sehenswert : Altes Rathaus★ Y B.

[i] Kultur- und Freizeitamt, Marktplatz 16 (Spaeth'sches Haus), ☎ 3 51 24 41.

ADAC, Hindenburgstr. 95, ☎ 31 10 72, Telex 7256472.

♦Stuttgart 14 ④ – Reutlingen 40 ③ – ♦Ulm (Donau) 80 ③.

Bahnhofstraße	Z	Blarerplatz	Z 5	Landolinsplatz	Y 21
Küferstraße	Z	Brückenstraße	Z 6	Milchstraße	Y 23
Marktplatz	Y 22	Charlottenplatz	Z 7	Plochinger Straße	Z 29
Oberer Metzgerbach	Z 26	Entengrabenstraße	Z 10	Rathausplatz	Y 30
Pliensaustraße	Z	Franziskanergasse	Z 12	Roßmarkt	Z 31
Unterer Metzgerbach	Z 36	Heugasse	Y 14	Strohstraße	YZ 33
		Im Heppächer	Z 16	Vogelsangbrücke	Z 39
Bahnhofplatz	Z 2	Kurt-Schumacher-Straße	Z 17	Wielandstraße	YZ 40

🏨 **Am Schelztor** garni, Schelztorstr. 5, ☎ 35 30 51, Telex 7256684, 🚿 – [lift] [TV] ☎ 🚗. [AE] [D] [E] [VISA]. 🐕 Z e
33 Z : 65 B 100 - 130.

🏨 **Rosenau**, Plochinger Str. 65, ☎ 31 63 97, 🚿, 🏊 – [lift] [TV] ☎ [P]
Karte 26/50 *(nur Abendessen, Samstag, 23. Dez.- 6. jan., über Ostern und Juli - Aug. 4 Wochen geschl.)* – **57 Z : 72 B** 75/115 - 120/140 Fb. über Plochinger Straße Z

🏨 **Panorama-Hotel** garni, Mülberger Str. 66, ☎ 37 10 94, ← – [lift] ☎ [P]. [AE] [D] [E] [VISA] Y a
24. Dez.- 6. Jan. geschl. – **35 Z : 43 B** 53/94 - 138 Fb.

🍴🍴 **Dicker Turm**, in der Burg (Zufahrt über Mülberger Str.), ☎ 35 50 35, ← Esslingen – [lift] [P]
(abends Tischbestellung ratsam). Y d

🍴🍴 **Kupferschmiede**, Mittlere Beutau 43, ☎ 35 37 21 – [AE] [D] [E] Y c
1.- 10. Jan., Juli - Aug. 3 Wochen, Samstag bis 18 Uhr und Sonntag geschl. – Karte 56/74 (abends Tischbestellung erforderlich).

In Esslingen-Berkheim ③ : 4 km :

🏨 **Linde**, Ruiter Str. 2, ☎ 34 53 18, Fax 3454125, ♨, 🏊 (geheizt), 🏊, 🌳 – 🛗 ☏ [P]. [AE] ⓓ [E] [VISA]. ⊘ Rest
Karte 21/48 *(23. Dez.- 6. Jan. und Samstag geschl.)* – **90 Z : 110 B** 39/120 - 76/170.

🏨 Berkheimer Hof, Kastellstr. 1, ☎ 3 45 16 07, ☂ – 🚗 [P] – **14 Z : 19 B.**

In Esslingen-Liebersbronn ① : 4 km :

🏨 Jägerhaus, Römerstr. 1, ☎ 37 12 69, ← Schwäbische Alb, « Gartenterrasse », ♨ – 🛗 [TV] ☏ ♿ 🚗 [P] – **38 Z : 76 B** Fb.

🏨 **Traube** 🔇, Im Gehren 6, ☎ 37 11 03, ♨, 🏊 – 🛗 [TV] ☏ [P]
Mitte Juli - Anfang Aug. geschl. – Karte 27/52 – **52 Z : 110 B** 75/95 - 100/120 Fb.

In Esslingen-Sulzgries NW : 4 km über Geiselbachstraße Y :

🍴 **Hirsch**, Sulzgrieser Str. 114, ☎ 37 13 56 – [P]. [AE] ⓓ [VISA]
Mittwoch - Donnerstag 17 Uhr geschl. – Karte 32/68.

In Esslingen - Zell ② : 4 km :

🏨 **Zeller Zehnt**, Hauptstr. 97, ☎ 36 70 21, ♨ – 🛗 [TV] ☏ 🚗. [AE] ⓓ [E] [VISA]. ⊘
Karte 63/85 *(Samstag bis 18 Uhr und Sonntag sowie Juli - Aug. 3 Wochen geschl.)* – **29 Z : 39 B** 90/110 - 120/140 Fb.

ETTAL 8107. Bayern [413] Q 24, [426] ⑯ – 1 000 Ew – Höhe 878 m – Luftkurort – Wintersport : ⛷2 – ☏ 08822 (Oberammergau).

Sehenswert : Benediktiner-Kloster.

Ausflugsziel : Schloß Linderhof★ : Schloßpark★★ W : 9,5 km.

[i] Verkehrsamt, Ammergauer Str. 8, ☎ 5 34.

♦München 88 – Garmisch-Partenkirchen 15 – Landsberg am Lech 62.

🏨 **Benediktenhof** 🔇, Zieglerstr. 1, ☎ 46 37, Telex 592460, ←, ☂, « Haus im bäuerlichen Barockstil » – 🚗 [P]
Nov.- 22. Dez. geschl. – Karte 31/59 – **18 Z : 34 B** 55/68 - 90/115.

🏨 **Ludwig der Bayer**, Kaiser-Ludwig-Platz 10, ☎ 66 01, Telex 592416, ☂, ♨, 🏊, 🌳, 🎾, Fahrradverleih – 🛗 ☏ [P] 🏛. ⊘
7. Nov.- 22. Dez. geschl. – Karte 20/42 – **66 Z : 120 B** 60/80 - 80/120 Fb – 15 Fewo 50/120.

🏨 **Zur Post**, Kaiser-Ludwig-Platz 18, ☎ 5 96, ☂ – [TV] 🚗 [P]. [AE] ⓓ [E] [VISA]
✈ *6. Jan.- 15. März und Nov.- 20. Dez. geschl.* – Karte 19/41 – **22 Z : 44 B** 40/80 - 60/140.

🏨 Blaue Gans 🔇, Vogelherdweg 12, ☎ 64 49, ←, ☂ – [P] – **15 Z : 30 B.**

ETTENHAUSEN Bayern siehe Schleching.

ETTLINGEN 7505. Baden-Württemberg [413] HI 20, [987] ㉕㉟ – 37 000 Ew – Höhe 135 m – ☏ 07243.

[i] Verkehrsamt im Schloß, ☎ 10 11.

♦Stuttgart 79 – Baden-Baden 36 – ♦Karlsruhe 8 – Pforzheim 30.

🏨 ✿ **Erbprinz**, Rheinstr. 1, ☎ 1 20 71, Telex 782848, Fax 16471 – 🛗 [TV] 🚗 [P] 🏛. [AE] ⓓ [E]
Karte 56/114 – **Weinstube Sibylla** *(Sonntag geschl.)* Karte 35/54 – **49 Z : 76 B** 140/220 - 180/250 – 6 Appart. 320/340
Spez. Gugelhupf von Räucherfischen, Perlhuhnbrust mit Scampi gefüllt, Weißes Kaffeeis mit Minzesabayon.

🏨 **Stadthotel Engel**, Kronenstr. 13, ☎ 33 00, ♨ – 🛗 [TV] ☏ ♿ [P] 🏛 (mit ▤). [AE] ⓓ [E] [VISA]. ⊘ Rest
Karte 54/71 *(nur Abendessen, Sonntag geschl.)* – **64 Z : 100 B** 98 - 135/156 Fb.

🏨 **Holder**, Forlenweg 18, ☎ 1 60 08, ♨ – ☏ [P]. [AE] [E]
24. Dez.- 7. Jan. geschl. – (nur Abendessen für Hausgäste) – **30 Z : 42 B** 63/75 - 85/105 Fb.

🏨 **Sonne**, Pforzheimer Str. 21, ☎ 1 22 15 – 🚗 [P]. ⓓ [E] [VISA]
✈ *Jan. geschl.* – Karte 19,50/49 *(nur Abendessen, Mittwoch geschl.)* 🍷 – **24 Z : 45 B** 40/58 - 60/90.

🍴 **Schloß Arkaden**, Klostergasse 8, ☎ 3 10 61, ☂ – 🏛
Montag und Jan. geschl. – Karte 28/50.

🍴 **Weinstube zum Engele**, Kronenstr. 13, ☎ 1 28 52, bemerkenswerte Weinkarte
nur Abendessen, Sonntag und 28. Aug.- 15. Sept. geschl. – Karte 37/62.

🍴 Ratsstuben, Kirchenplatz 1, ☎ 1 47 54.

🍴 **Yasmin** (Chinesische Küche), Marktstr. 16 (1. Etage), ☎ 39 29 – [AE] [E]
Karte 25/50.

In Ettlingen 3-Spessart SO : 5 km :

🏨 **Zum Strauß**, Talstr. 2, ☎ 21 10, 🌳 – 🚗 [P]. ⊘
Karte 23/43 *(Montag geschl.)* – **7 Z : 13 B** 35 - 65.

🏨 **Spessarter Hof** 🔇, Linienring 18, ☎ 24 98, ☂ – [P]. [AE]. ⊘ Zim
Karte 24/52 *(Freitag geschl.)* 🍷 – **6 Z : 13 B** 32/35 - 58/65.

ETZELWANG 8459. Bayern 413 R 18 – 1 500 Ew – Höhe 450 m – ☎ 09663.
♦München 195 – Amberg 27 – Hersbruck 14 – Nürnberg 49.

Gasthof Pürner, Hauptstr. 20, ☎ 12 30 – P – **21 Z : 41 B.**

In Etzelwang-Lehendorf SW : 2 km :

Peterhof, ☎ (09154) 47 03 – P. AE
23. Jan.- 21. Feb. geschl. – Karte 16/40 *(Montag - Dienstag geschl.)* – **11 Z : 24 B** 30 - 60.

Etzelwang-Lehenhammer SW : 2,5 km :

Forellenhof, ☎ (09154) 48 54, – P – **18 Z : 36 B.**

In Etzelwang-Neutras NW : 5 km :

Zum Neutrasfelsen, ☎ (09154) 13 23, (geheizt), – P – **14 Z : 26 B.**

EUSKIRCHEN 5350. Nordrhein-Westfalen 987 ㉓ – 45 000 Ew – Höhe 150 m – ☎ 02251.
Verkehrs- und Reisebüro, Wilhelmstr. 9, ☎ 5 40 81.
♦Düsseldorf 78 – ♦Bonn 27 – Düren 30 – ♦Köln 41.

Eifel-Hotel garni, Frauenberger Str. 181, ☎ 50 10, – TV P. AE E VISA.
25 Z : 50 B 78/88 - 104/114 Fb.

Rothkopf, Kommerner Str. 76 (B 56), ☎ 5 56 11 – TV
26 Z : 52 B Fb.

Regent garni, Kirchwall 18, ☎ 44 66, – . AE E
21 Z : 31 B 50/65 - 85/100.

Kupferkanne, Kölner Str. 7, ☎ 31 44 – E
Montag 15 Uhr - Dienstag und Juli - Aug. 3 Wochen geschl. – Karte 24/55.

EUTIN 2420. Schleswig-Holstein 987 ⑥ – 16 300 Ew – Höhe 35 m – Luftkurort – ☎ 04521.
Fremdenverkehrsamt, Haus des Kurgastes, ☎ 31 55.
♦Kiel 44 – ♦Lübeck 40 – Oldenburg in Holstein 29.

Romantik-Hotel Voss-Haus, Vossplatz 6, ☎ 17 97, « Historische Räume a. d. 18. Jh. » – TV P. AE E VISA
Karte 46/67 – **15 Z : 32 B** 70/90 - 120/150 Fb.

Residenz garni, Albert-Mahlstedt-Str. 57a, ☎ 7 21 33 – P. E
36 Z : 72 B 65/70 - 110/120 Fb.

Wittler, Bahnhofstr. 28, ☎ 26 22 – . AE E
Karte 28/45 – **29 Z : 58 B** 45/80 - 70/130.

In Eutin-Fissau N : 2,5 km :

Wiesenhof, Leonhardt-Boldt-Str. 25, ☎ 27 26, – P.
15. März - Okt. – (nur Abendessen für Hausgäste) – **35 Z : 60 B** 58/84 - 104/146 Fb.

Fissauer Fährhaus, Leonhardt-Boldt-Str. 8, ☎ 23 83, ←, « Terrasse am See » – P
Nov.- März Dienstag und 9. Jan.- 9. März geschl. – Karte 27/60.

In Eutin-Neudorf SW : 2 km :

Freischütz garni, Braaker Str. 1, ☎ 24 60, – P
15 Z : 30 B 65 - 90.

In Eutin-Sielbeck N : 5,5 km :

Uklei-Fährhaus, Eutiner Str. 7 (am Kellersee), ☎ 24 58, ←, « Terrasse am See », – P
15. Feb.- Nov. – Karte 19,50/53 *(außer Saison Donnerstag geschl.)* – **22 Z : 40 B** 50/70 - 92/130 – 6 Fewo 75/130 – P 70/100.

An der Straße nach Schönwalde NO : 3 km :

Redderkrug, Am Redderkrug 5, ✉ 2420 Eutin, ☎ (04521) 22 32, ←, – P
Nov.- März Donnerstag geschl. – Karte 24/48 – auch 22 Fewo 65/95.

EXTERTAL 4923. Nordrhein-Westfalen – 13 100 Ew – Höhe 220 m – ☎ 05262.
♦Düsseldorf 221 – ♦Hannover 72 – Paderborn 64 – ♦Osnabrück 103.

In Extertal-Bösingfeld :

Timpenkrug, Mittelstr. 14, ☎ 22 20 – TV P
Karte 21/39 – **18 Z : 34 B** 38/48 - 58/68.

In Extertal-Linderhofe :

Zur Burg Sternberg, Sternberger Str. 37, ☎ 21 79, – TV P
Karte 20/45 – **65 Z : 100 B** 44/67 - 76/114.

FAHL Baden-Württemberg siehe Todtnau.

FALKAU Baden-Württemberg siehe Feldberg im Schwarzwald.

FALKENSTEIN KREIS CHAM 8411. Bayern [413] U 19 – 3 000 Ew – Höhe 627 m – Luftkurort – Wintersport : 630/700 m ⛷1 ⛷1 – ☏ 09462.

ℹ Verkehrsamt im Rathaus, 📞 2 44.

♦München 162 – Cham 21 – ♦Regensburg 40 – Straubing 29.

- 🏨 **Schröttinger Bräu**, Marktplatz 7, 📞 3 21 – [P]. [AE] [D] E
  🍴 Karte 16/37 – **25 Z : 50 B** 33 - 60.
- 🏨 **Café Schwarz** 🌙, Arracher Höhe 1, 📞 2 50, ≤, ≋, 🏊, 🌳 – 🚗 [P]
  Nov. geschl. – (Rest. nur für Pensionsgäste) – **23 Z : 46 B** 30/31 - 60 – P 41/42.

FALLINGBOSTEL 3032. Niedersachsen [987] [15] – 11 200 Ew – Höhe 45 m – Kneippheilbad – Luftkurort – Schrothkurort – ☏ 05162.

⛳ Fallingbostel-Tietlingen, 📞 (05162) 38 89 – ℹ Kurverwaltung, Sebastian-Kneipp-Platz 1, 📞 30 83.

♦Hannover 59 – ♦Bremen 70 – ♦Hamburg 95 – Lüneburg 69.

- 🏨 **Café Berlin**, Düshorner Str. 7, 📞 30 66, ☂, 🌳 – [TV] ☎ 🚗 [P]. [D] E VISA
  Karte 28/50 – **20 Z : 38 B** 65/75 - 88/110 Fb.
- 🏨 **Karpinski** garni, Kirchplatz 1, 📞 30 41 – [$] ☎ 🚗 [P]. [D] E VISA
  Mitte Dez.- Mitte Jan. geschl. – **22 Z : 40 B** 46/55 - 86/92.

In Fallingbostel-Dorfmark NO : 7 km :

- 🏠 **Heidehof**, Großer Hof 1, 📞 (05163) 12 33 – [P] 🏕
  Karte 21/45 – **14 Z : 24 B** 40 - 70.
- 🏠 **Deutsches Haus**, Hauptstr. 26, 📞 (05163) 12 32, 🌳 – [P]
  Karte 24/41 – **15 Z : 25 B** 30/45 - 60/80.

Siehe auch : ***Walsrode*** NW : 2 km :

FARCHANT 8105. Bayern [413] Q 24, [426] [16] – 3 400 Ew – Höhe 700 m – Erholungsort – ☏ 08821 (Garmisch-Partenkirchen).

ℹ Verkehrsamt im Rathaus, Am Gern 1, 📞 67 55.

♦München 84 – Garmisch-Partenkirchen 4 – Landsberg am Lech 73.

- 🏨 **Apparthotel Farchanter Alm** 🌙, Esterbergstr. 37, 📞 6 87 18, ≤, ☂, ≋, 🏊, 🌳 – [TV] ☎
  🍴 🚗 [P]
  26. Okt.- 18. Dez. geschl. – Karte 18,50/42 *(Dienstag geschl.)* – **25 Z : 80 B** 72/85 - 116/130.
- 🏨 **Föhrenhof** 🌙, Frickenstr. 2, 📞 66 40, ☂, 🌳 – [TV] [P]. E
  3. April - 2. Mai und 23. Okt.- 22. Dez. geschl. – Karte 24/42 *(Montag geschl.)* – **20 Z : 35 B** 37/55 - 57/92.
- 🏨 **Gästehaus Zugspitz** garni, Mühldörflstr. 4, 📞 67 29, ≤, ≋, 🌳 – ☎ [P]. 🐕
  14 Z : 22 B 40 - 80/85 Fb.
- 🏠 **Alter Wirt**, Bahnhofstr. 3, 📞 62 38, ☂ – [P]
  🍴 *März 2 Wochen und Nov.- Dez. 2 Wochen geschl.* – Karte 18/44 *(Montag geschl.)* 🍷 – **34 Z : 54 B** 32/45 - 59/77.

In Oberau **8106** NO : 4 km :

- 🏨 **Forsthaus**, Hauptstr. 1, 📞 (08824) 2 12, Biergarten, ≋, Fahrradverleih – ☎ 🚗 [P]. [AE] [D] E VISA
  Nov.- 18. Dez. geschl. – Karte 22/43 *(Dienstag geschl.)* – **33 Z : 64 B** 60/80 - 98/120.

FASSBERG 3105. Niedersachsen – 7 000 Ew – Höhe 60 m – ☏ 05055.

ℹ Verkehrsbüro in Müden, Hauptstr. 6, 📞 (05053) 3 29.

♦Hannover 87 – Celle 44 – Munster 14.

In Faßberg 2-Müden SW : 4 km – Erholungsort – ☏ 05053 :

- 🏨 **Zur Post**, Hauptstr. 7, 📞 10 77, « Gartenterrasse », ≋ – [TV] ☎ 🚗 [P] 🏕. [AE] E VISA. 🐕
  Karte 32/65 – **34 Z : 55 B** 78/110 - 120/180 Fb.
- 🏨 **Zum Bauernwald** 🌙, Alte Dorfstr. 8, 📞 5 88, « Gartenterrasse », ≋, 🌳 – [TV] ☎ 🚗 [P] 🏕. [AE] [D] E VISA. 🐕 Rest
  Karte 26/48 *(Dienstag geschl.)* – **36 Z : 55 B** 70/110 - 100/150 Fb.
- 🏨 Herrenbrücke, am Schwimmbad (NO : 2 km), 📞 5 92, ☂, ≋ – ☎ [P] 🏕 – **40 Z : 80 B.**
- 🏨 **Jägerhof** 🌙, Wietzendorfer Weg 19, 📞 5 81, ☂, 🌳, 🎾 – ☎ [P]
  Karte 25/54 – **26 Z : 52 B** 74/90 - 104/120 – P 84/99.

FAULENFÜRST Baden-Württemberg siehe Schluchsee.

FEHMARN Schleswig-Holstein [987] [6] – Ostseeinsel, durch die Fehmarnsundbrücke★ (Auto und Eisenbahn) mit dem Festland verbunden.

🚘 (Fähre), 📞 (04371) 21 68.

⛴ von Puttgarden nach Rodbyhavn/Dänemark.

ℹ Verkehrsamt in Burg, Rathaus, Markt 1, 📞 30 54 – ℹ Kurverwaltung in Südstrand, 📞 40 11.

Burg 2448 – 6 500 Ew – Ostseeheilbad – ✆ 04371.
♦Kiel 86 – ♦Lübeck 86 – Oldenburg in Holstein 31.

Kurhotel Hasselbarth, Sahrensdorfer Str. 39, ✆ 23 22, Telex 29813, Bade- und Massageabteilung, – (Restaurant nur für Hausgäste) – **15 Z : 23 B** 80/90 - 150 – P 130/160.

Doppeleiche, Breite Str. 32, ✆ 32 23, – AE E
5. Jan.- 5. März und 15.- 30. Nov. geschl., Okt.- Mai Dienstag Ruhetag – Karte 26/50.

Landhaus Kröger, Breite Str. 10, ✆ 7 53.

In Burg-Burgstaaken :

Schützenhof, Menzelweg 2, ✆ 96 02 – . Zim
Anfang Jan.- Anfang Feb. geschl. – Karte 21/43 *(außer Saison Dienstag geschl.)* – **32 Z : 58 B** 35/65 - 75/100.

In Burg-Südstrand :

Intersol, Südstrandpromenade, ✆ 40 91, , Fahrradverleih – . AE E
5. Jan.- Feb. geschl. – Karte 30/54 – **36 Z : 116 B** 142/152 - 155/255 Fb.

Landkirchen 2448 – 1 900 Ew – ✆ 04371.
Burg 7 km.

In Landkirchen-Neujellingsdorf :

Margaretenhof, Dorfstraße, ✆ 39 75 – – *nur Abendessen.*

Siehe auch : *Liste der Feriendörfer*

FEILNBACH, BAD 8201. Bayern 413 T 23, 426 ⑱ – 6 000 Ew – Höhe 540 m – Moorheilbad – ✆ 08066.
Kur- und Verkehrsamt, Bahnhofstr. 5, ✆ 14 44.
♦München 62 – Miesbach 22 – Rosenheim 19.

Gästehaus Kneipp, Wendelsteinstr. 41, ✆ 3 37, – . Zim
15. Okt.- Nov. geschl. – (nur Mittagesen für Hausgäste) – **12 Z : 19 B** 38/43 - 80/86.

Gundelsberg, Gundelsberger Str. 9, ✆ 2 19, Voralpenlandschaft, –
13 Z : 23 B.

In Bad Feilnbach - Au NW : 5 km :

Landgasthof zur Post mit Zim, Hauptstr. 48, ✆ (08064) 7 42 – , E. Zim
Karte 68/98 *(nur Menu, Tischbestellung erforderlich)* (wochentags nur Abendessen, Sonntag 15 Uhr - Montag geschl.) – **7 Z : 15 B** 50 - 100
Spez. Gebeizter Lachs auf Dillsauce, Lammfilet mit Gemüsen, Verschiedene Mousses au chocolat.

FELDAFING 8133. Bayern 413 Q 23, 987 ㊲, 426 ⑰ – 4 900 Ew – Höhe 650 m – Erholungsort – ✆ 08157.
Tutzinger Str. 15, ✆ 70 05.
♦München 35 – Garmisch-Partenkirchen 65 – Weilheim 19.

Kaiserin Elisabeth, Tutzinger Str. 2, ✆ 10 13, Telex 526408, Starnberger See, « Park », – . AE E VISA. Rest
Karte 44/68 – **70 Z : 100 B** 70/160 - 130/230 Fb.

FELDBERG IM SCHWARZWALD 7828. Baden-Württemberg 413 H 23, 987 ㉞, 427 ⑤ – 2 000 Ew – Höhe 1 230 m – Luftkurort – Wintersport : 1 000/1 500 m 17 3 – ✆ 07655.
Sehenswert : Fernsehturm ✱★★ – Bismarck-Denkmal ★★ – Feldsee★★ (3 km zu Fuß).
Kurverwaltung, Feldberg-Altglashütten, Kirchgasse 1, ✆ 80 19.
♦Stuttgart 170 – Basel 60 – Donaueschingen 45 – ♦Freiburg im Breisgau 43.

Kur- und Sporthotel Feldberger Hof, Am Seebuck 10, ✆ (07676) 3 11, Telex 7721124, Massage, – . E VISA
Karte 29/56 (auch Self-Service) – **75 Z : 150 B** 85/115 - 150/170 Fb – 15 Appart. 180/220 – 32 Fewo 90/180.

In Feldberg 1-Altglashütten – Höhe 950 m :

Waldeck - Gästehaus Monika, Windgfällstr. 19, ✆ 3 64, – . E VISA. Zim
Nov.- Mitte Dez. geschl. – Karte 19/53 *(Mittwoch geschl.)* – **30 Z : 55 B** 45/50 - 62/86 Fb – P 59/73.

Pension Schlehdorn, Sommerberg 1 (B 500), ✆ 5 64, –
(Restaurant nur für Hausgäste) – **16 Z : 31 B** 40/50 - 76/100.

Sonneck, Schwarzenbachweg 5, ✆ 2 11, – – **18 Z : 34 B.**

Seehof, Am Windgfällweiher (SO : 1,5 km), ✆ 2 55, – .
Nov.- 20. Dez. geschl. – Karte 21/40 *(Dienstag geschl.)* – **11 Z : 20 B** 36/40 - 64/72 Fb – P 58/66.

In Feldberg 2-Bärental – Höhe 980 m:

Tannhof, Im Dobel 1, ℘ 3 44, ≤, – P. Rest
22 Z : 40 B Fb – 2 Fewo.

Adler (ehemaliges Bauernhaus a.d.J. 1840), Feldbergstr. 4 (B 317), ℘ 2 30 – P. AE E
Karte 22/60 *(Dienstag geschl.)* – **11 Z : 22 B** 55/70 - 100/130 Fb – 2 Fewo 85 – P 90/105.

Hubertus, Panoramaweg 9, ℘ 5 36, ≤, – P. Rest
Mitte Nov.- Mitte Dez. geschl. – Karte 18,50/40 – **10 Z : 20 B** 40/55 - 80/90.

In Feldberg 4-Falkau – Höhe 950 m :

Peterle, Schuppenhörnlestr. 18, ℘ 6 77, ≤, – P.
10.- 30. April und 20. Nov.- 20. Dez. geschl. – Karte 19,50/46 *(auch vegetarische Gerichte)* (Donnerstag geschl.) – **12 Z : 22 B** 34/45 - 68/72 Fb.

FELDKIRCHEN Bayern siehe München.

FELDKIRCHEN-WESTERHAM 8152. Bayern 413 S 23 – 6 000 Ew – Höhe 551 m – ☎ 08063.
♦München 37 – Rosenheim 24.

Im Ortsteil Feldkirchen :

Mareis, Münchner Str. 10, ℘ 97 30, – P. AE E
2.- 8. Jan. und 5.- 12. Feb. geschl. – Karte 29/63 *(Mai - Dez. Sonntag ab 15 Uhr, Jan.- April Sonntag ganztägig geschl.)* – **61 Z : 87 B** 54/65 - 90/110 Fb.

Im Ortsteil Westerham :

Schäffler, Miesbacher Str. 23, ℘ 2 03 – P. Zim
Feb. 3 Wochen geschl. – Karte 16/34 *(Dienstag 15 Uhr - Mittwoch geschl.)* – **16 Z : 27 B** 30/40 - 60.

Im Ortsteil Aschbach NW : 3 km ab Feldkirchen :

Berggasthof Aschbach mit Zim, ℘ 90 91, ≤, – P. E
Mitte Jan.-Mitte Feb. geschl. – Karte 26/55 *(Montag geschl.)* – **9 Z : 18 B** 57/66 - 90/100.

FELDSEE Baden-Württemberg. Sehenswürdigkeit siehe Feldberg.

FELLBACH Baden-Württemberg siehe Stuttgart.

FELLINGSHAUSEN Hessen siehe Biebertal.

FENSTERBACH Bayern siehe Schwarzenfeld.

FEUCHT 8501. Bayern 413 Q 18, 987 ㉖ – 11 500 Ew – Höhe 361 m – ☎ 09128.

Siehe Nürnberg (Umgebungsplan).

♦München 153 – ♦Nürnberg 17 – ♦Regensburg 95.

Bauer garni, Schwabacher Str. 25b, ℘ 29 33 – P. E — CT x
36 Z : 55 B 34/45 - 58/95.

Bernet, Marktplatz 6, ℘ 33 07 — CT n
30. Mai - 23. Juni und 22. Dez.- 3. Jan. geschl. – Karte 13,50/27 *(Freitag geschl.)* – **11 Z : 19 B** 25 - 50.

An der Autobahn A 9 SW : 2 km :

Rasthaus und Motel Nürnberg-Feucht, Ostseite, ✉ 8501 Feucht, ℘ (09128) 34 44 – P — CT e
Karte 24/41 (auch Self-Service) – **58 Z : 110 B** 50/97 - 85/115.

FEUCHTWANGEN 8805. Bayern 413 NO 19, 987 ㉖ – 10 500 Ew – Höhe 450 m – Erholungsort – ☎ 09852.
Verkehrsbüro, Marktplatz 1, ℘ 9 04 44.
♦München 171 – Ansbach 25 – Schwäbisch Hall 52 – ♦Ulm (Donau) 115.

Romantik-Hotel Greifen-Post, Marktplatz 8, ℘ 20 02, Telex 61137, « Geschmackvolle Einrichtung », Fahrradverleih – AE E VISA
Karte 50/74 *(2. Jan.- 3. Feb. geschl.)* – **35 Z : 60 B** 85/115 - 130/200 Fb – 3 Appart. 250/350 – P 150/180.

Wilder Mann, Ansbacher Berg 2, ℘ 7 19 – P
Ende Aug.-Mitte Sept. geschl. – Karte 15/26 *(Donnerstag geschl.)* – **13 Z : 26 B** 36 - 65.

Lamm, Marktplatz 5, ℘ 5 00 –
Karte 20/36 *(Dienstag geschl.)* – **8 Z : 15 B** 40/55 - 65/80.

Ballheimer, Ringstr. 57, ℘ 91 82, Biergarten, – P
Karte 17/27 *(nur Abendessen, Donnerstag geschl.)* – **14 Z : 22 B** 37/47 - 60/69.

In Feuchtwangen-Dorfgütingen N : 6 km :

Landgasthof Zum Ross, Dorfgütingen 37, ✆ 99 33, Biergarten, – [TV] ☎ 🚗 [P]
24. Dez.- 16. Jan. geschl. – Karte 19,50/43 *(Okt.- April Freitag, Mai - Sept. Dienstag bis 17 Uhr geschl.)* – **12 Z : 22 B** 45 - 70/82.

In Feuchtwangen-Wehlmäusel SO : 7 km :

Pension am Forst, Wehlmäusel 4, ✆ (09856) 5 14, – 🚗 [P]
Karte 13,50/33 *(Dienstag geschl.)* – **21 Z : 41 B** 30/32 - 56/60.

FEUERSCHWENDT Bayern siehe Liste der Feriendörfer (Neukirchen vorm Wald).

FICHTELBERG 8591. Bayern [413] S 16, 17 – 2 800 Ew – Höhe 684 m – Luftkurort – Wintersport : 700/920 m 1 5 – ☎ 09272.

[i] Verkehrsamt im Rathaus, Bayreuther Str. 4, ✆ 3 53.

♦München 259 – Bayreuth 30 – Marktredwitz 21.

Schönblick, Gustav-Leutelt-Str. 18, ✆ 3 08, – 🚗 [P] [AE] [E].
Karte 29/49 *(Mittwoch geschl.)* – **50 Z : 100 B** 45/75 - 70/110 Fb – 2 Fewo 50/80.

In Fichtelberg-Neubau NW : 2 km :

Waldhotel am Fichtelsee, ✆ 4 66, – ☎ [P]
6.- 18. März und Nov.- 16. Dez. geschl. – Karte 19,50/34 – **18 Z : 33 B** 41 - 74/79 – P 59/63.

Specht, Fichtelberger Str. 41, ✆ 2 40/4 12, – [P]
Karte 16/31 – **26 Z : 48 B** 27/35 - 50/70 – P 43/53.

FILDERSTADT 7024. Baden-Württemberg [413] K 20 – 37 000 Ew – Höhe 370 m – ☎ 0711 (Stuttgart).

♦Stuttgart 16 – Reutlingen 25 – ♦Ulm (Donau) 80.

In Filderstadt 1-Bernhausen :

Schumacher garni, Volmarstr. 19, ✆ 70 30 83 – ☎ 🚗
25 Z : 31 B 85 - 120 Fb.

Schwanen, Bernhäuser Hauptstr. 36, ✆ 70 10 11/70 00 05
Karte 26/56.

In Filderstadt 4-Bonlanden :

Am Schinderbuckel, Bonländer Hauptstr. 145 (nahe der B 312), ✆ 77 10 36, Telex 7255837, – [TV] [P] [AE] [E]
Karte 38/84 – **135 Z : 180 B** 143/170 - 178/198 Fb.

FINNENTROP 5950. Nordrhein-Westfalen [987] ㉔ – 17 400 Ew – Höhe 230 m – ☎ 02721 (Grevenbrück).

♦Düsseldorf 130 – Lüdenscheid 43 – Meschede 46 – Olpe 25.

In Finnentrop 1-Bamenohl SO : 2 km :

Cordes, Bamenohler Str. 59, ✆ 7 07 36 – ☎ 🚗 [P] [E]
Karte 29/60 *(Dienstag geschl.)* – **10 Z : 18 B** 45/54 - 90/108.

In Finnentrop-Fretter NO : 7 km :

Ruttke, Am Weingarten 23, ✆ (02724) 7 65, Skiverleih – [P]. [E] [VISA]
Karte 19/39 *(Montag geschl.)* – **10 Z : 19 B** 45/48 - 80/90.

Im stillen Winkel, Kapellenstr. 11, ✆ (02395) 3 71 – [TV] ☎ [P]. [E] [VISA]
3.- 10. Nov. geschl. – Karte 19,50/45 *(Donnerstag geschl.)* – **9 Z : 15 B** 43/59 - 88/98.

FINSTERAU Bayern siehe Mauth.

FISCHACH 8935. Bayern [413] OP 22 – 3 700 Ew – Höhe 490 m – ☎ 08236.

♦München 90 – ♦Augsburg 22 – ♦Ulm (Donau) 73.

Zur Posthalterei mit Zim, Poststr. 14, ✆ 15 57, Biergarten – ☎ [P].
Juni 3 Wochen geschl. – Karte 18/43 *(Donnerstag geschl.)* – **9 Z : 14 B** 32 - 60.

FISCHBACH Saarland siehe Quierschied.

FISCHBACH KREIS HOCHSCHWARZWALD Baden-Württemberg siehe Schluchsee.

Die Preise — Einzelheiten über die in diesem Führer angegebenen Preise finden Sie in der Einleitung.

FISCHBACHAU 8165. Bayern [413] S 23, [426] ⑱ – 4 700 Ew – Höhe 771 m – Erholungsort – Wintersport : 770/900 m 🚡1 ⛷7 – ✆ 08028.

[i] Verkehrsamt, Rathaus, Kirchplatz 10, ☎ 8 76 – ♦München 72 – Miesbach 18.

In Fischbachau-Birkenstein O : 1 km :

🏨 Kramerwirt 🌙, Birkensteinstr. 80, ☎ 8 02, 🌳 – [P]. 🐕 Zim – **21 Z : 40 B** Fb.

🏨 **Oberwirt** 🌙, Birkensteinstr. 91, ☎ 8 14, 🌳 – [P]. [AE]
◆ *1.- 15. Dez. und 15.- 30. Jan. geschl.* – Karte 19/38 *(Mittwoch geschl.)* – **22 Z : 40 B** 31/52 - 62/72 – P 51/56.

In Fischbachau-Winkl N : 1 km :

🍴 **Café Winklstüberl** mit Zim, Leitzachtalstr. 68, ☎ 7 42, « Gemütliche Bauernstuben, Sammlung von Kaffeemühlen, Gartenterrasse mit < » – [P]
Karte 20/40 – **8 Z : 14 B** 25/30 - 50/60.

FISCHBACHERHÜTTE Rheinland-Pfalz siehe Niederfischbach.

FISCHBACHTAL 6101. Hessen [413] J 17 – 2 500 Ew – Höhe 300 m – ✆ 06166.

♦Wiesbaden 72 – ♦Darmstadt 25 – ♦Mannheim 57.

In Fischbachtal 2-Lichtenberg – Erholungsort :

🍴🍴🍴 ❁ **Landhaus Baur** 🌙 mit Zim (mit Gästehaus, [≋]), Lippmannweg 15, ☎ 83 13, <, 🌳, « Ehem. Villa in einem kleinen Park », 🌲 – [P]. 🐕 Rest
über Fastnacht 1 Woche geschl. – Karte 62/86 *(Tischbestellung ratsam)* (Montag geschl.) – **11 Z : 22 B** 60/100 - 90/140
Spez. Gefülltes Schnitzel vom Odenwälder Zicklein (Frühling), Kalbsleberscheiben mit Brombeeren (Sommer), Hasenrücken mit Backpflaumen und Pumpernikel (Winter).

FISCHEN IM ALLGÄU 8975. Bayern [413] N 24, [987] ㊱, [426] ⑮ – 3 400 Ew – Höhe 760 m – Luftkurort – Wintersport : 760/1 665 m 🚡3 ⛷4 – ✆ 08326.

[i] Verkehrsamt, Am Anger 15, ☎ 18 15 – ♦München 157 – Kempten (Allgäu) 33 – Oberstdorf 6.

🏨 **Rosenstock**, Berger Weg 14, ☎ 18 95, 🌳, ≘s, [≋], 🌲 – |♦| [TV] ☎ [P]. 🐕
3. Nov.- 17. Dez. geschl. – (Restaurant nur für Hausgäste) – **42 Z : 70 B** 69/79 - 107/158 Fb – P 73/98.

🏨 **Burgmühle** 🌙, Auf der Insel 4a, ☎ 73 52, ≘s, 🌲 – [TV] ☎ [P]. 🐕
Nov.- 15. Dez. geschl. – (nur Abendessen für Hausgäste) – **26 Z : 46 B** 58/110 - 106/146 – 3 Appart. 176.

🏨 **Café Haus Alpenblick** 🌙, Maderhalmer Weg 10, ☎ 3 37, <, 🌲 – 🚗 [P]. 🐕
3. April - 4. Mai und 23. Okt.- 20. Dez. geschl. – (nur Abendessen für Hausgäste) – **21 Z : 36 B** 45/55 - 90 Fb.

🏠 **Münchner Kindl**, Hauptstr. 11, ☎ 3 89, 🌲 – [P]
◆ *2. Nov.- Mitte Dez. geschl.* – Karte 18,50/32 *(Donnerstag geschl.)* – **16 Z : 31 B** 44/48 - 86/96 – 12 Fewo 65/90.

🏠 **Krone**, Auf der Insel 1, ☎ 2 87, 🌳 – [P]
◆ *Mitte Nov.- 20. Dez. geschl.* – Karte 18,50/48 *(Montag 14 Uhr - Dienstag geschl.)* – **16 Z : 28 B** 30/52 - 60/98 – P 50/68.

In Fischen-Berg :

🏨 **Kaserer-Zacher** 🌙, Gundelsberger Weg 7, ☎ 4 17, <, 🌲 – 🚗 [P]. 🐕
31. März - 27. April und 29. Okt. - 20. Dez. geschl. – (nur Abendessen für Hausgäste) – **32 Z : 56 B** 34/64 - 80/92.

In Fischen-Langenwang S : 3 km :

🏨 **Kur- und Sporthotel Sonnenbichl** 🌙, Sägestr. 19, ☎ 18 51, <, 🌳, Bade- und Massageabteilung, 🏋, ≘s, [≋], 🌲, 🎾 – |♦| ☎ 🚗 [P]. 🐕 Zim
Nov.- 17. Dez. geschl. – Karte 24/49 *(auch Diät)* – **53 Z : 100 B** 57/96 - 114/160 Fb – P 77/102.

🏨 **Café Frohsinn** 🌙, Wiesenweg 4, ☎ 18 48, <, Bade- und Massageabteilung, ≘s, [≋], 🌲 – |♦| [P]. 🐕 Rest
Anfang April - Anfang Mai und Nov.- Mitte Dez. geschl. – Karte 24/43 *(Sonntag 18 Uhr - Montag geschl.)* – **60 Z : 106 B** 34/71 - 68/125 Fb – P 49/77.

In Fischen-Maderhalm :

🏨 **Kur- und Sporthotel Tanneck** 🌙, Maderhalmer Weg 20, ☎ 18 88, < Fischen und Allgäuer Berge, 🌳, Bade- und Massageabteilung, 🏋, ≘s, [≋], 🌲, 🎾 – |♦| [TV] 🚗 [P] ⛹. [AE]
2. Nov.- 19. Dez. geschl. – (Rest. nur für Hausgäste) – **63 Z : 110 B** 98/148 - 164/276 Fb – 3 Appart. 310 – P 130/170.

🏨 **Café Maderhalm** 🌙, Maderhalmer Weg 19, ☎ 2 56, < Fischen und Allgäuer Berge, 🌳 – 🚗 [P]. [AE] [E]. 🐕 Zim
31. Okt.- 20. Dez. geschl. – Karte 20/40 *(Mittwoch 14 Uhr - Donnerstag geschl.)* – **15 Z : 25 B** 46/48 - 84/88.

🏨 **Bergblick - Haus Alpenruh** 🌙, Maderhalmer Weg 14, ☎ 18 74, < Allgäuer Berge, 🌳, 🌲 – [P]
15.- 30. April und Nov.- 10. Dez. geschl. – Karte 20/41 *(Dienstag geschl.)* – **12 Z : 24 B** 33/46 - 66/72.

In Obermaiselstein **8975** W : 3 km :

Berwanger, Niederdorf 11, (08326) 18 55, –
15. Nov.- 15. Dez. geschl. – Karte 28/47 – **26 Z : 52 B** 51/55 - 105/120 Fb.

Café Steiner, Niederdorf 21, (08326) 4 90, –
Nov.- Mitte Dez. geschl. – (Restaurant nur für Hausgäste) – **13 Z : 24 B** 34/39 - 68/78 Fb – P 53/59.

FISCHERBACH 7612. Baden-Württemberg 413 H 22, 242 ㉘ – 1 600 Ew – Höhe 220 m – Erholungsort – 07832 (Haslach).

♦Stuttgart 149 – ♦Freiburg im Breisgau 51 – Freudenstadt 50 – Offenburg 33.

Krone, Vordertalstr. 17, 29 97, – Zim
über Fastnacht und Nov. jeweils 2 Wochen geschl. – Karte 19/41 *(Montag geschl.)* – **20 Z : 36 B** 40/43 - 76/82.

Außerhalb N : 7 km, Zufahrt über Hintertal – Höhe 668 m :

Nillhof mit Zim, Hintertal 29, 7612 Fischerbach, (07832) 25 00, Schwarzwald, –
Karte 17/57 – **17 Z : 29 B** 40/55 - 88/110 Fb – P 55/70.

FISCHINGEN Baden-Württemberg siehe Eimeldingen.

FISSAU Schleswig-Holstein siehe Eutin.

FLADUNGEN 8741. Bayern 413 N 15, 987 ㉖ – 2 400 Ew – Höhe 416 m – 09778.

Fremdenverkehrsverein, im Rathaus, Marktplatz, 2 48.

♦München 377 – ♦Bamberg 107 – Fulda 40 – ♦Würzburg 109.

Sonnentau, Wurmbergstr. 1 (NO : 1,5 km), 3 92, –
16 Z : 36 B – 2 Fewo.

An der Hochrhönstraße NW : 6 km – Höhe 785 m :

Sennhütte, 8741 Fladungen, (09778) 2 27, – – **17 Z : 37 B.**

FLAMMERSFELD 5232. Rheinland-Pfalz – 1 000 Ew – Höhe 270 m – Luftkurort – 02685.

Verkehrsverein, Raiffeisenstr. 4, 10 11.

Mainz 119 – ♦Koblenz 45 – ♦Köln 66 – Limburg an der Lahn 60.

Bergischer Hof, Rheinstr. 37, 4 49, –
1.- 15. März geschl. – Karte 17/34 – **17 Z : 25 B** 30/40 - 60/80 – P 53.

In Rott **5232** SW : 2 km :

Zur Schönen Aussicht, Hauptstr. 17, (02685) 3 44, « Garten », –
Nov.- 15. Dez. geschl. – (Restaurant nur für Hausgäste) – **18 Z : 30 B** 42/46 - 84/100 – P 61/67.

FLECK Bayern siehe Lenggries.

FLECKEBY 2334. Schleswig-Holstein – 1 400 Ew – Höhe 20 m – 04354.

♦Kiel 38 – Eckernförde 10 – Schleswig 13.

In Hummelfeld-Fellhorst **2334** S : 5 km :

Sport- und Tagungshotel Fellhorst, (04354) 7 21, Telex 29539, –
Karte 26/56 – **26 Z : 52 B** 63/73 - 110/191 Fb.

FLECKL Bayern siehe Warmensteinach.

FLEIN Baden-Württemberg siehe Heilbronn.

FLENSBURG 2390. Schleswig-Holstein 987 ⑤ – 86 000 Ew – Höhe 20 m – 0461.

Sehenswert : Städtisches Museum★ – Nikolaikirche (Orgel★) – Flensburger Förde★ Y.

Verkehrsverein, Norder Str. 6, 2 30 90.

ADAC, Robert-Koch-Str. 33, 5 30 33, Notruf 1 92 11.

♦Kiel 88 ③ – ♦Hamburg 158 ③.

Stadtplan siehe gegenüberliegende Seite.

Flensburger Hof, Süderhofenden 38, 1 73 20, Telex 22594 –
Karte 23/55 *(nur Abendessen, Sonntag geschl.)* – **28 Z : 50 B** 120/135 - 160 Fb. Z g

Am Wasserturm, Blasberg 13, 3 60 71, Telex 22580, –
Karte 29/50 – **36 Z : 53 B** 70/100 - 110/140 Fb. Y c

FLENSBURG

Große Straße	Y
Holm	YZ
Nordermarkt	Y
Rathausstraße	Y 23
Südermarkt	Z 33
Am Mühlenteich	Z 2
Am Nordertor	Y 3
Am Pferdewasser	Z 4
Angelburger Straße	Z 5
Apenrader Straße	Y 6
Brauereiweg	Y 7
Friedrich-Ebert-Straße	Z 8
Gasstraße	Y 9
Hafermarkt	Z 10
Heinrichstraße	Z 12
Neue Straße	Y 16
Neumarkt	Z 18
Nikolaistraße	Y 19
Nordergraben	Y 20
Norderhofenden	Y 21
Parsevalstraße	Y 22
Rote Straße	Z 24
Schiffbrückstraße	Y 25
Schulgasse	Y 26
Südergraben	YZ 32

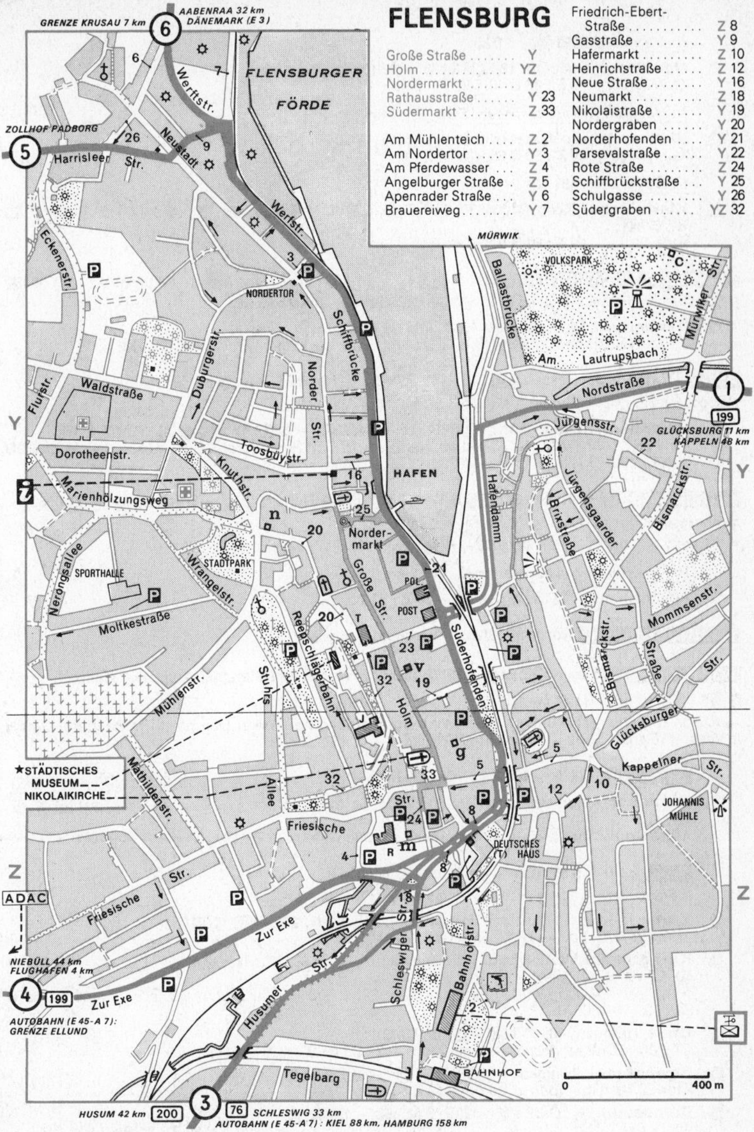

🏨 Am Rathaus garni, Rote Str. 32, ✆ 1 73 33 – 🛗 ☎ Ⓟ — Z **m**
44 Z : 65 B.

🏨 **Am Stadtpark**, Nordergraben 70, ✆ 2 49 00 – AE Ⓓ E VISA — Y **n**
Karte 23/40 – **22 Z : 30 B** 35/65 - 78/98.

✗✗ **Stadtrestaurant im Deutschen Haus**, Bahnhofstr. 15, ✆ 2 35 66 – Ⓟ 🏛. AE Ⓓ E VISA — Z
Sonntag geschl. – Karte 27/53.

✗ **Borgerforeningen**, Holm 17, ✆ 2 33 85, 🏖 – Ⓟ 🏛. AE Ⓓ E VISA — Y **v**
Sonntag geschl. – Karte 22/55.

Fortsetzung →

In Harrislee **2398** ⑤ : 3,5 km :

Nordkreuz, Süderstr. 12, ✆ 7 30 35 – ☎ P
Karte 27/56 – **17 Z : 36 B** 40/58 - 68/85 Fb.

In Harrislee-Wassersleben **2398** ⑥ : 5 km :

Wassersleben, Wassersleben 4, ✆ (0461) 7 20 85, ≤, – ☎ P. AE E VISA
Karte 28/58 – **25 Z : 50 B** 85 - 130.

In Oeversee **2391** ③ : 9 km an der B 76 :

Historischer Krug, ✆ (04630) 3 00, Telex 22714, Massage, – TV ☎ ♿ P. AE E VISA
Karte 43/83 – **44 Z : 90 B** 69/79 - 125/197 Fb.

FLINTSBACH AM INN **8201.** Bayern 413 T 23 – 2 200 Ew – Höhe 496 m – Luftkurort – 08034.
Verkehrsamt, Rathaus, Kirchstr. 9, ✆ 4 13 – ♦München 73 – Rosenheim 18.

Dannerwirt, Kirchplatz 4, ✆ 20 17 – ☎ P
7.- 25. Nov. geschl. – Karte 19/42 *(Okt.- April Donnerstag geschl.)* – **28 Z : 50 B** 40 - 70.

FLÖRSHEIM **6093.** Hessen 412 I 18 – 16 600 Ew – Höhe 95 m – 06145.
♦Wiesbaden 21 – ♦Darmstadt 28 – ♦Frankfurt am Main 29 – Mainz 15.

Herrnberg, Kapellenstr. 2, ✆ 20 11, Telex 4064352 – TV ☎ P. AE E VISA
Karte 26/41 *(Montag und Samstag jeweils bis 18 Uhr, Sonntag ab 15 Uhr geschl.)* – **36 Z : 66 B** 75/115 - 95/135 Fb.

FLOSSENBÜRG **8481.** Bayern 413 U 17 – 2 000 Ew – Höhe 530 m – Erholungsort – 09603.
Sehenswert : Burgruine (Lage★, ≤ ★).
♦München 224 – Hof 96 – ♦Nürnberg 123 – ♦Regensburg 100 – Weiden 17.

In Flossenbürg-Altenhammer W : 2 km :

Altenhammer, ✆ 3 52, – P – **30 Z : 53 B.**

FÖCKINGHAUSEN Nordrhein-Westfalen siehe Bestwig.

FÖHR (Insel) Schleswig-Holstein 987 ④ Insel der Nordfriesischen Inselgruppe – Seebad.
Nieblum, ✆ (04681) 32 77.
von Dagebüll (ca. 45 min). Für PKW Voranmeldung bei Wyker Dampfschiffs-Reederei GmbH in Wyk, ✆ (04681) 80 40 – ♦Kiel 126 – Flensburg 57 – Niebüll 15.

Süderende **2270** – 150 Ew – 04683

Landhaus Altes Pastorat, ✆ 2 26, « Garten », Fahrradverleih – Rest TV ☎ P.
Mitte April - Sept. – (nur Abendessen für Hausgäste) – **5 Z : 10 B** (nur ½ P) 200 - 360/400.

Wyk **2270** – 5 800 Ew – Heilbad – 04681.
Städt. Kurverwaltung, Rathaus, Hafenstraße, ✆ 30 40.

Kurhaus - Hotel garni, Sandwall 40, ✆ 7 92, ≤, – TV ☎ P
15. März - 15. Nov. – **28 Z : 55 B** 80/152 - 140/190.

Kurhotel am Wellenbad, Sandwall 29, ✆ 21 99, ≤, Massage, – TV ☎ P. AE E. Rest
Mitte Jan.- Anfang März geschl. – Karte 37/68 *(im Winter nur Abendessen)* – **44 Z : 88 B** 94/140 - 184/208 Fb.

Duus, Hafenstr. 40, ✆ 7 08 – TV ☎. AE E
22. Feb.- 20. März geschl. – Karte 26/68 – **27 Z : 49 B** 44/75 - 80/140.

Strandhotel, Königstr. 1, ✆ 7 97, ≤, – TV ☎ P
Karte 23/49 *(Feb.- März geschl.)* – **14 Z : 19 B** 68/95 - 120 – 12 Fewo 175/225.

Colosseum, Große Str. 42, ✆ 9 61, – TV ☎ P
Mitte Feb.- Mitte März geschl. – Karte 22/44 *(Samstag geschl.)* – **20 Z : 34 B** 62/80 - 114/120 Fb – 4 Fewo 85/110 – P 88/103.

Haus der Landwirte, Hafenstr. 2, ✆ 5 35 – TV ☎. Zim
Karte 24/47 *(Nov.- Mitte März garni)* – **11 Z : 21 B** 55/100 - 110/130.

XXX **La Brochette**, Süderstr. 4, ✆ 41 41, – P
außer Saison nur Abendessen, Montag und 15. Jan.- 15. Feb. geschl. – Karte 52/80.

X **Alt Wyk**, Große Str. 4, ✆ 32 12
Mitte Jan.- Feb. geschl., Okt.- Mai Dienstag Ruhetag – Karte 27/53 – auch 7 Fewo.

X **Friesenstube**, Süderstr. 8, ✆ 24 04 – AE E VISA
10.- 28. April und 27. Nov.- 20. Dez. geschl., Okt.- März Montag Ruhetag – Karte 26/68.

FÖRTSCHENDORF Bayern siehe Pressig.

[FORBACH] 7564. Baden-Württemberg [413] I 20 – 6 000 Ew – Höhe 331 m – Luftkurort – ☎ 07228.

[i] Kurverwaltung, Kurhaus, Striedstr. 14, ℰ 23 40.

♦Stuttgart 106 – Baden-Baden 26 – Freudenstadt 31 – ♦Karlsruhe 50.

🏠 Goldener Hirsch, Hauptstr. 2, ℰ 22 18, 🌳, 🏊 – 🅿 🏛
nur Saison – **22 Z : 41 B.**

🏡 Löwen, Hauptstr. 9, ℰ 22 29, 🌳, 🍽 – 🛗 🚗 – **27 Z : 49 B.**

In Forbach 3-Bermersbach NW : 3 km :

🏡 **Sternen** 🐦, Bermersbachstr. 8, ℰ 22 66 –
✦ Karte 19/32 *(Dienstag geschl.)* 🍷 – **10 Z : 16 B** 30/38 - 60/70 – P 48/55.

In Forbach 5-Raumünzach S : 6,5 km :

🏠 **Wasserfall**, Schwarzwaldtälerstr. 5 (B 462), ℰ 8 89, ≤, 🍽 – 🅿
Karte 23/38 *(Donnerstag geschl.)* – **15 Z : 27 B** 30/40 - 56/80 – P 53/65.

An der Schwarzenbachtalsperre SW : 9,5 km über Raumünzach – Höhe 670 m :

🏠 **Schwarzenbach-Hotel** 🐦, ✉ 7564 Forbach, ℰ (07228) 24 59, ≤, 🏊, 🍽 – 🛗 ☎ 🅿 🏛. [AE] [E] [VISA]
Karte 27/56 – **40 Z : 70 B** 40/68 - 68/104.

In Forbach 5-Hundsbach SW : 14 km über Raumünzach – Wintersport : 750/1000 m ⛷1 ⛷1 – ☎ 07220 :

🏠 Tannberger 🐦, Aschenplatz 2, ℰ 2 87, 🌳, 🍽, ✂ – ☎ 🅿 🏛 – **25 Z : 50 B** Fb.

🏠 **Feiner Schnabel** 🐦, Hundseckstr. 24, ℰ 2 72, 🌳, 🏊, 🏊, 🍽 – [TV] 🚗 🅿. [D] [VISA].
✦ ✂ Rest
2. Nov.- 22. Dez. geschl. – Karte 16,50/40 🍷 – **12 Z : 20 B** 41/55 - 90/98 Fb – P 64/78.

🏡 Zur Schönen Aussicht 🐦, Kapellenstr. 14, ℰ 2 27, ≤, 🍽 – 🅿 – **14 Z : 25 B.**

[FORCHHEIM] 8550. Bayern [413] PQ 17, [987] ㉖ – 28 000 Ew – Höhe 265 m – ☎ 09191.

Sehenswert : Pfarrkirche (Bilder der Martinslegende*).

[i] Städt. Verkehrsamt, Rathaus, ℰ 8 43 38.

♦München 206 – ♦Bamberg 25 – ♦Nürnberg 35 – ♦Würzburg 93.

🏨 **Franken** 🐦 garni, Ziegeleistr. 17, ℰ 16 09 – [TV] ☎ 🚗 🅿. [AE] [D] [E]. ✂
40 Z : 60 B 51/66 - 87/92.

🏠 **Pilatushof** 🐦 garni, Kapellenstr. 13, ℰ 8 99 70 – [TV] ☎
Aug. geschl. – **8 Z : 12 B** 50/65 - 85/90 Fb.

🏡 **Höpfl**, Fr.-v.-Schletz-Str. 30 (über Äußere Nürnberger Straße), ℰ 28 01 – 🚗 🅿
(nur Abendessen für Hausgäste) – **45 Z : 86 B** 28/45 - 54/80.

In Kunreuth-Regensberg 8551 SO : 15 km :

🏠 **Berggasthof Hötzelein** 🐦, ℰ (09199) 5 31, ≤, 🌳, 🏊, 🍽 – 🛗 ☎ 🅿 🏛. [D] [E] [VISA]. ✂
24. Nov.- 24. Dez. geschl. – Karte 25/44 *(Dienstag geschl.)* – **30 Z : 53 B** 45/50 - 85/95 – 2 Fewo 105.

[FORCHTENBERG] 7119. Baden-Württemberg [413] L 19 – 3 800 Ew – Höhe 189 m – ☎ 07947.

♦Stuttgart 83 – Heilbronn 41 – Künzelsau 13 – ♦Würzburg 93.

In Forchtenberg-Sindringen W : 6 km :

🏠 **Krone**, Untere Gasse 2, ℰ (07948) 4 01 – ☎ 🅿 🏛. [E]
2.- 24. Jan. geschl. – Karte 24/43 *(Dienstag geschl.)* 🍷 – **13 Z : 21 B** 40/45 - 70/75 – P 50.

[FORSBACH] Nordrhein-Westfalen siehe Rösrath.

[FORST] Rheinland-Pfalz siehe Deidesheim.

[FRAMMERSBACH] 8773. Bayern [413] L 16, [987] ㉕ – 4 800 Ew – Höhe 225 m – Erholungsort – Wintersport : 450/530 m ⛷1 ⛷3 – ☎ 09355.

[i] Verkehrsverein im Rathaus, Marktplatz 3, ℰ 8 00.

♦München 332 – ♦Frankfurt am Main 71 – Fulda 74 – ♦Würzburg 52.

🏠 **Spessartruh**, Wiesener Str. 129, ℰ 74 43, ≤, 🌳, 🏊, 🏊, 🍽 – 🛗 🅿. ✂
✦ *Mitte Nov.- Mitte Dez. geschl.* – Karte 16/32 🍷 – **32 Z : 56 B** 45/55 - 90 Fb.

🏡 **Kessler**, Orber Str. 23 (B 276), ℰ 12 36, 🍽 – 🚗 🅿
✦ *9.- 16. Jan. und 30. Okt.- 16. Nov. geschl.* – Karte 19/44 *(Mittwoch ab 14 Uhr geschl.)* 🍷 – **13 Z : 27 B** 25/35 - 50/70 Fb – P 35/49.

🍴 **Schwarzkopf** mit Zim, Lohrer Str. 80 (B 276), ℰ 3 07 – [TV] 🚗. [AE] [E]
März geschl. – Karte 22/52 *(Montag geschl.)* – **5 Z : 8 B** 33/35 - 60/70.

In Frammersbach-Habichsthal W : 7,5 km :

🏡 **Zur frischen Quelle**, Dorfstr. 10, ℰ (06020) 3 93, 🌳, 🍽 – 🅿
✦ *8. Feb.- 11. März geschl.* – Karte 17/30 *(Nov.- April Donnerstag geschl.)* – **24 Z : 38 B** 29 - 49/55.

FRANCFORT-SUR-LE-MAIN = Frankfurt am Main.

FRANCOFORTE-SUL-MENO = Frankfurt am Main.

FRANKENAU Hessen siehe Liste der Feriendörfer.

FRANKENBERG AN DER EDER 3558. Hessen [987] ㉕ – 18 800 Ew – Höhe 323 m – ☎ 06451.
Sehenswert : Rathaus*.
Ausflugsziel : Haina : Ehemaliges Kloster* (Klosterkirche*) O : 18 km.
[i] Verkehrsamt, Obermarkt 13 (Stadthaus), ✆ 50 51 49.
♦Wiesbaden 156 – ♦Kassel 78 – Marburg 36 – Paderborn 104 – Siegen 83.

- 🏨 **Sonne** 🔇, Marktplatz 2, ✆ 90 19, Telex 484422 – 🛗 [TV] ☎ 🏊. [AE] [D] [E]
  Karte 45/77 – **26 Z : 47 B** 70/130 - 105/180 Fb.
- 🏨 Rats-Schänke 🔇, Marktplatz 7, ✆ 30 66 – 🛗 [TV] ☎ 🚗
  26 Z : 52 B Fb.

FRANKENSTEIN (Ruine) Hessen siehe Darmstadt.

FRANKENTHAL IN DER PFALZ 6710. Rheinland-Pfalz [413] I 18, [987] ㉔ ㉕ – 47 000 Ew – Höhe 94 m – ☎ 06233.
Siehe auch Mannheim-Ludwigshafen (Umgebungsplan).
[i] Städt. Verkehrsverein, Rathaus, ✆ 8 93 95.
Mainz 66 ③ – Kaiserslautern 47 ③ – ♦Mannheim 13 ① – Worms 10 ③.

FRANKENTHAL IN DER PFALZ

Bahnhofstraße
Rathausplatz 19
Speyerer Straße

Am Kanal 2
August-Bebel-Straße 3
Erzberger Straße 5
Europa Ring 6
Friedrich-Ebert-Straße 7
Heinrich-Heine-Straße 10
Hessheimer Straße 12
Karolinenstraße 13
Mahlastraße 14
Mühlstraße 16
Nürnberger Straße 17
Philipp-Karcher-Straße 18
Wallonenstraße 21
Westliche Ringstraße 23
Wormser Straße 24

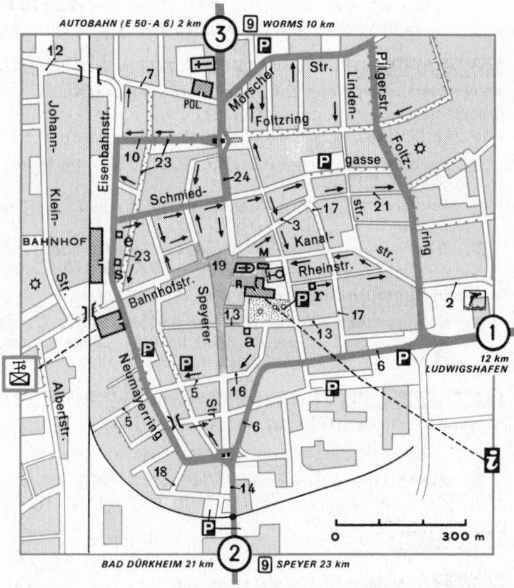

Wenn Sie ein angenehmes, ruhiges Hotel suchen, benutzen Sie die Karte S. 50 bis 57.

- 🏨 **Central**, Karolinenstr. 6, ✆ 87 80, Telex 465246, Fax 27586, 🧖, 🏊 – 🛗 🚭 Zim ▤ Rest [P] 🏋. [AE] [D] [E] [VISA] **a**
  Karte 42/74 – **80 Z : 155 B** 119/139 - 149/195 Fb.
- 🏨 **Rathaus-Café** garni, Rheinstr. 8, ✆ 2 10 41 – ☎ **r**
  30 Z : 48 B 38/65 - 75/95.
- 🏨 **Post-Hotel** garni, Eisenbahnstr. 2, ✆ 2 72 17 – 🛗 ☎ **s**
  27 Z : 54 B 30/65 - 50/80.
- 🏨 Brauhauskeller, Eisenbahnstr. 8, ✆ 2 72 62, ⛱ **e**
  26 Z : 42 B.
- 🍴 **Adamslust**, An der Adamslust 10, ✆ 6 17 16, ⛱ – [P]. [D] [E]
  über Fasching 2 Wochen, Ende Sept. - Anfang Okt., Sonntag 15 Uhr - Montag und Feiertage geschl. – Karte 46/70 (Tischbestellung ratsam).
  Umgebungsplan Mannheim-Ludwigshafen AU **n**

Lärmen Sie nicht im Hotel ! Ihre Nachbarn werden Ihnen dankbar sein.

FRANKFURT AM MAIN 6000. Hessen [413] IJ 16, [987] ㉕ – 612 600 Ew – Höhe 91 m – ☎ 069.

Sehenswert: Zoo*** FX – Goethehaus** und Goethemuseum* DEY **M1** – Dom* (Turm**, Domschatz*, Chorgestühl*) EY – Palmengarten* CV – Senckenberg-Museum* (Paläontologie**) CX **M8** – Städelsches Kunstinstitut** DY **M2** – Museum für Kunsthandwerk** EY **M4** – Evangelische Katharinenkirche (Glasfenster*) EX **A** – Henninger Turm ※ * DZ.

⛳ Frankfurt-Niederrad (BT), ☎ 6 66 23 17.

✈ Rhein-Main (⑤ : 12 km, AU), ☎ 6 90 25 95.

🚗 in Neu-Isenburg, ☎ (06102) 85 75.

Messegelände (CY), ☎ 7 57 50, Telex 411558.

[i] Verkehrsamt, im Hauptbahnhof (Nordseite), ☎ 2 12 88 49.

[i] U-Bahnstation Hauptwache, B-Ebene, ☎ 2 12 87 08.

ADAC, Schumannstr. 4, ☎ 7 43 00, Notruf ☎ 1 92 11.

♦Wiesbaden 41 ⑤ – ♦Bonn 178 ⑤ – ♦Nürnberg 226 ④ – ♦Stuttgart 204 ⑤.

Die Angabe (F 15) nach der Anschrift gibt den Postzustellbezirk an : Frankfurt 15
L'indication (F 15) à la suite de l'adresse désigne l'arrondissement : Frankfurt 15
The reference (F 15) at the end of the address is the postal district : Frankfurt 15
L'indicazione (F 15) posta dopo l'indirizzo precisa il quartiere urbano : Frankfurt 15

Messe-Preise : siehe S. 17
Fairs : see p. 33
Foires et salons : voir p. 25
Fiere : vedere p. 41

Stadtplan siehe nächste Seite.

🏨🏨🏨🏨🏨 **Steigenberger Frankfurter Hof**, Bethmannstr. 33 (F 16), ☎ 2 15 02, Telex 411806, Fax 215900, 🍴 – 🛗 ⇔ Zim ▤ Rest 📺 🏛. AE ⓓ E VISA. ⚐ Rest DY **e**
Restaurants (siehe auch Restaurant français und Frankfurter Stubb) : – **Hofgarten** *(Samstag geschl.)* Karte 45/85 – **Kaiserbrunnen** Karte 27/44 – **360 Z : 570 B** 221/422 - 324/484 Fb – 30 Appart. 625/3550.

🏨🏨🏨🏨🏨 **Hessischer Hof**, Friedrich-Ebert-Anlage 40 (F 97), ☎ 7 54 00, Telex 411776, Fax 7540924, « Sèvres-Porzellansammlung im Restaurant » – 🛗 📺 🅿 🏛. AE ⓓ E VISA. ⚐ Rest CY **p**
Karte 58/97 – **160 Z : 190 B** 197/454 - 327/515 – 7 Appart. 671/1402.

🏨🏨🏨🏨 **Frankfurt Intercontinental**, Wilhelm-Leuschner-Str. 43 (F 1), ☎ 2 60 50, Telex 414585, Fax 252467, ≤ Frankfurt, Massage, ♨, 🏊 – 🛗 ⇔ Zim ▤ 📺 ♿ 🏛. AE ⓓ E VISA. ⚐ Rest
Restaurants : – **Rôtisserie** *(Sonntag geschl.)* Karte 60/99 – **Brasserie** Karte 32/70 – **Bierstube** Karte 20/30 – **800 Z : 1 450 B** 354/424 - 428/498 Fb – 62 Appart. 700/2600. CY **a**

🏨🏨🏨🏨 Frankfurt Plaza, Hamburger Allee 2 (F 90), ☎ 77 07 21, Telex 412573, ≤ Frankfurt, ♨ – 🛗 ▤ 📺 ♿ 🏛. ⚐ Rest CX **a**
591 Z : 1 182 B Fb.

🏨🏨🏨 **Mövenpick Parkhotel Frankfurt**, Wiesenhüttenplatz 28 (F 1), ☎ 2 69 70, Telex 412808, Fax 26978849, Massage, ♨ – 🛗 ⇔ Zim ▤ 📺 🚗 🅿 🏛. AE ⓓ E VISA. ⚐ Rest CY **k**
Restaurants : – **La Truffe** *(Samstag bis 19 Uhr sowie Sonn- und Feiertage geschl.)* Karte 65/94 – **Die Parkstube** (regionale deutsche Küche) Karte 40/65 – **280 Z : 420 B** 209/399 - 360/560 Fb – 17 Appart. 440/600 - (ab Mai 1989 nach Umbau 303 Z).

🏨🏨🏨 **Pullman-Hotel Savigny**, Savignystr. 14 (F 1), ☎ 7 53 30, Telex 412061, Fax 7533175 – 🛗 📺 🏛. AE ⓓ E VISA. ⚐ Rest CY **f**
Karte 47/78 – **124 Z : 180 B** 190/280 - 240/320 Fb.

🏨🏨🏨 **Altea Hotel**, Voltastr. 29 (F 90), ☎ 7 92 60, Telex 413791, Fax 79261606, 🍴, ♨ – 🛗 ⇔ Zim 📺 🅿 🏛. AE ⓓ E VISA. ⚐ Rest BS **t**
Karte 36/70 – **426 Z : 872 B** 146/240 - 197/277 Fb – 12 Appart. 292/352.

🏨🏨🏨 **Palmenhof - Restaurant Bastei**, Bockenheimer Landstr. 89 (F 1), ☎ 7 53 00 60 – 🛗 📺 🚗. AE ⓓ E VISA CX **m**
Karte 43/74 *(Sonn- und Feiertage geschl.)* – **45 Z : 72 B** 145/190 - 200/300 Fb.

🏨🏨🏨 **National**, Baseler Str. 50 (F 1), ☎ 23 48 41, Telex 412570 – 🛗 📺 🏛. AE ⓓ E VISA. ⚐ CY **x**
Karte 40/71 – **71 Z : 100 B** 139/223 - 223/246 Fb.

🏨🏨🏨 **Scandic Crown Hotel**, Wiesenhüttenstr. 42 (F 16), ☎ 27 39 60, Telex 416394, Fax 27396795, Massageabteilung, ♨, 🏊 – 🛗 ⇔ Zim ▤ Rest 📺 🚗 🏛 (mit ▤). AE ⓓ E VISA CY **s**
Restaurants : – **Savoy** *(Samstag bis 18 Uhr und Sonntag geschl.)* Karte 56/98 – **Rhapsody** Karte 36/65 – **144 Z : 200 B** 215/300 - 275/360 Fb.

🏨🏨 **Imperial**, Sophienstr. 40 (F 90), ☎ 7 93 00 30, Telex 4189636, Fax 79300388 – 🛗 📺 ☎ 🚗. AE ⓓ E VISA CV **t**
Karte 40/68 *(nur Abendessen, Sonntag geschl.)* – **60 Z : 120 B** 180/270 - 245/320 Fb.

🏨🏨 **An der Messe** garni, Westendstr. 102 (F 1), ☎ 74 79 79, Telex 4189009, Fax 748349 – 🛗 📺 ☎ 🚗. AE ⓓ E VISA CX **e**
46 Z : 88 B 160/230 - 200/350 Fb.

🏨🏨 **Turm - Hotel** garni, Eschersheimer Landstr. 20 (F 1), ☎ 15 40 50 – 🛗 📺 ☎ 🅿. AE ⓓ E VISA
23. Dez.- 2. Jan. geschl. – **75 Z : 130 B** 105 - 170 Fb. EX **b**

An der Hauptwache	S. 6	EX	
Goethestraße	S. 6	DX	
Gr. Bockenheimer Straße	S. 6	DX	27
Kaiserstraße	S. 6	DY	
Münchener Straße	S. 6	DY	
Roßmarkt	S. 6	EY	
Schillerstraße	S. 6	EX	55
Zeil	S. 6	EX	

Adalbertstraße	S. 4	CX	
Adickesallee	S. 5	EV	
Alfred-Brehm-Platz	S. 5	FX	2
Allerheiligenstr.	S. 6	EX	3
Alte Brücke	S. 6	EY	
Alte Gasse	S. 6	EX	
Am Tiergarten	S. 5	FX	
Arnsburger Straße	S. 5	FV	4
Bärenstraße	S. 5	FX	6
Baseler Straße	S. 4	CY	
Battonnstraße	S. 6	EY	
Beethovenstraße	S. 4	CX	
Berger Straße	S. 5	FV	
Berliner Straße	S. 6	EY	
Bethmannstraße	S. 6	DY	7
Biebergasse	S. 6	EX	
Bleichstraße	S. 6	EX	
Bleidenstraße	S. 6	EY	9
Bockenheimer Anlage	S. 6	DX	
Bockenheimer Landstraße	S. 6	DX	10
Börsenstraße	S. 6	DX	
Braubachstraße	S. 6	EY	
Bremer Straße	S. 4	DV	12
Brückenstraße	S. 6	EY	
Burgstraße	S. 5	FV	
Danziger Platz	S. 5	FX	
Darmstädter Landstr.	S. 5	FZ	
Deutschherrnufer	S. 6	EY	
Diesterwegstraße	S. 6	EY	
Domstraße	S. 6	EY	13
Dreieichstraße	S. 5	FY	
Dürerstraße	S. 6	DY	
Düsseldorfer Str.	S. 4	CY	14
Eckenheimer Landstr.	S. 5	EV	
Elisabethenstraße	S. 6	EY	16
Eschenheimer Anlage	S. 6	EX	
Eschersheimer Landstr.	S. 4	DV	
Eysseneckstraße	S. 4	DV	
Fahrgasse	S. 6	EX	
Flößerbrücke	S. 5	FY	17
Frankenallee	S. 4	CY	
Franz-Rücker-Allee	S. 4	CV	
Frauenlobstraße	S. 4	CV	
Friedberger Anlage	S. 6	EX	20
Friedberger Landstr.	S. 6	EX	22
Friedensbrücke	S. 4	CY	
Friedensstraße	S. 6	DY	24
Friedrich-Ebert-Anlage	S. 4	CY	
Fürstenberger Str.	S. 4	CV	
Gallusanlage	S. 6	DY	
Gartenstraße	S. 6	EY	
Gerbermühlstraße	S. 5	FY	
Gießener Straße	S. 3	BR	
Goetheplatz	S. 6	DX	
Gräfstraße	S. 4	CV	
Gr. Eschenheimer Str.	S. 6	EX	
Große Friedberger Straße	S. 6	EX	29
Große Gallusstraße	S. 6	DY	
Großer Hirschgraben	S. 6	EY	30
Grüneburgweg	S. 4	CV	
Guiollettstraße	S. 4	CX	
Gunthersburgallee	S. 5	FV	
Gutleutstraße	S. 6	DY	
Gutzkowstraße	S. 6	EY	
Habsburgerallee	S. 5	FV	
Hafenstraße	S. 4	CY	
Hamburger Allee	S. 4	CX	
Hanauer Landstraße	S. 5	FY	
Hans-Thoma-Straße	S. 6	EY	
Hasengasse	S. 6	EX	
Hochstraße	S. 6	DX	
Höhenstraße	S. 5	FV	
Holbeinstraße	S. 6	DY	
Holzhausenstraße	S. 5	EV	
Homburger Landstr.	S. 3	BR	

Im Prüfling	S. 5	FV	
Isenburger Schneise	S. 3	BT	
Junghofstraße	S. 6	DX	
Kalbächer Gasse	S. 6	DX	32
Karlstraße	S. 4	CY	33
Kennedy-Allee	S. 6	DY	
Kleiner Hirschgraben	S. 6	EY	35
Konrad-Adenauer-Straße	S. 6	EX	
Konstabler Wache	S. 6	EX	
Kurt-Schumacher-Straße	S. 6	EY	
Lange Straße	S. 5	FY	
Liebigstraße	S. 4	CV	
Limpurgergasse	S. 6	EY	36
Mainkai	S. 6	EY	
Mainzer Landstr.	S. 4	CY	
Markt	S. 6	EY	
Miquelallee	S. 4	CV	
Mörfelder Landstr.	S. 5	EZ	
Münzgasse	S. 6	EY	40
Neebstraße	S. 5	FV	42
Neue Mainzer Str.	S. 6	DY	
Nibelungenallee	S. 5	EV	
Nordendstraße	S. 5	EV	
Obermainanlage	S. 5	FY	
Obermainbrücke	S. 5	FY	45
Oeder Weg	S. 6	EX	
Offenbacher Landstr.	S. 5	FY	
Oppenheimer Landstraße	S. 6	EY	
Oskar-von-Miller-Straße	S. 5	FY	
Ostendstraße	S. 5	FY	
Paradiesgasse	S. 6	EY	
Petersstraße	S. 6	EX	
Pfingstweidstraße	S. 5	FX	47
Platz der Republik	S. 4	CY	
Rechneigrabenstr.	S. 6	EY	50
Reuterweg	S. 6	DX	
Rhönstraße	S. 5	FX	
Röderbergweg	S. 5	FX	
Römerberg	S. 6	EY	
Rothschildallee	S. 5	FV	
Saalburgallee	S. 5	FV	
Saalburgstraße	S. 5	FV	
Sachsenhäuser Ufer	S. 6	EY	
Sandweg	S. 5	FX	
Schäfergasse	S. 6	EX	
Schaumainkai (Museumsufer)	S. 6	EY	
Scheffelstraße	S. 5	EV	
Schifferstraße	S. 6	EY	
Schloßstraße	S. 4	CX	
Schöne Aussicht	S. 6	EY	
Schwanheimer Ufer	S. 2	AT	
Schweizer Platz	S. 6	EY	
Schweizer Straße	S. 6	EY	
Seehofstraße	S. 5	FY	54
Seilerstraße	S. 6	EX	
Senckenberganlage	S. 4	CX	
Siemensstraße	S. 5	FY	56
Siesmayerstraße	S. 4	CV	
Sonnemannstraße	S. 5	FY	
Sophienstraße	S. 4	CV	
Sprendlinger Landstraße	S. 3	BU	
Stegstraße	S. 6	EY	
Stiftstraße	S. 6	EX	
Stoltzestraße	S. 6	EX	58
Stresemannallee	S. 4	DZ	
Taunusanlage	S. 6	DX	
Taunusstraße	S. 6	DY	62
Taunustor	S. 6	DY	
Textorstraße	S. 6	EY	
Theodor-Heuss-Allee	S. 4	CX	
Töngesgasse	S. 6	EX	
Untermainanlage	S. 6	DY	65
Untermainbrücke	S. 6	DY	
Untermainkai	S. 6	EY	
Vilbeler Straße	S. 6	EX	
Walter-Kolb-Straße	S. 6	EY	
Wasserweg	S. 5	FY	67
Weißfrauenstraße	S. 6	DY	68
Wendelsweg	S. 5	FZ	
Weserstraße	S. 6	DY	69
Westendstraße	S. 4	CX	
Wilhelm-Leuschner-Straße	S. 6	DY	
Windeckstraße	S. 5	FY	74
Wittelsbacherallee	S. 5	FX	

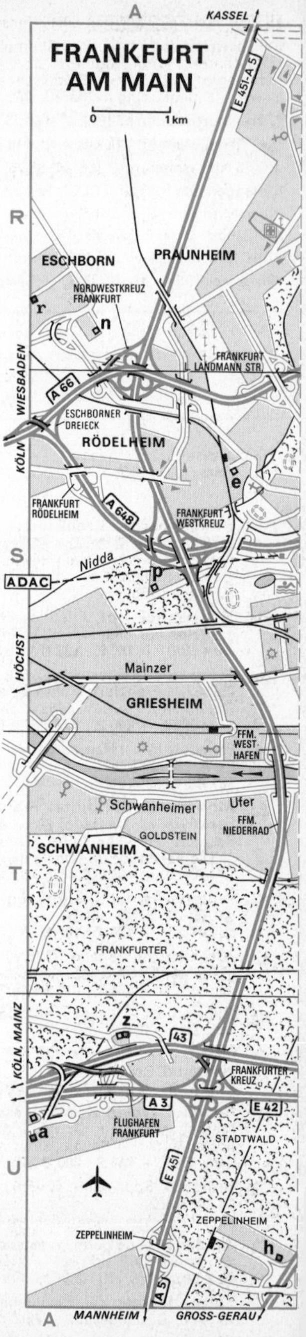

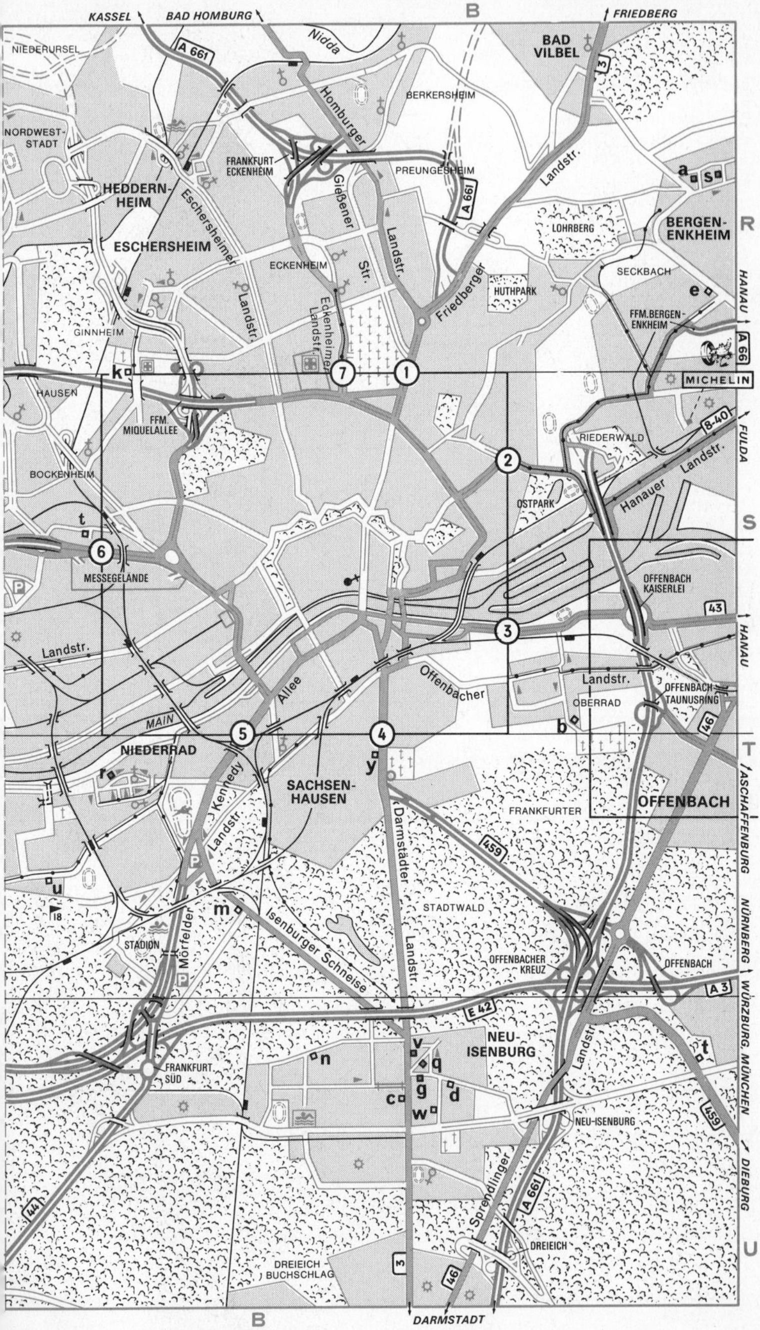
KASSEL
BAD HOMBURG
B
FRIEDBERG
NIEDERURSEL
A 661
Nidda
BAD VILBEL
3
BERKERSHEIM
Homburger
NORDWEST-STADT
FRANKFURT-ECKENHEIM
PREUNGESHEIM
HEDDERN-HEIM
Eschersheimer
Gießener
Landstr.
A 661
a
s
ESCHERSHEIM
LOHRBERG
BERGEN-ENKHEIM
R
ECKENHEIM
Str.
SECKBACH
Landstr.
Eckenheimer Landstr.
HUTHPARK
Friedberger
HANAU
e
GINNHEIM
FFM.BERGEN-ENKHEIM
A 66
k
7
1
MICHELIN
HAUSEN
FFM. MIQUELALLEE
8-40
FULDA
RIEDERWALD
BOCKENHEIM
2
Hanauer
Landstr.
OSTPARK
t
S
6
MESSEGELÄNDE
P
OFFENBACH KAISERLEI
43
3
HANAU
Landstr.
Offenbacher
Landstr.
Allee
OFFENBACH TAUNUSRING
MAIN
OBERRAD
5
4
b
46
NIEDERRAD
T
y
r
SACHSEN-HAUSEN
Kennedy
ASCHAFFENBURG
Darmstädter
FRANKFURTER
OFFENBACH
Landstr.
459
P
u
STADTWALD
m
18
NÜRNBERG
Isenburger Schneise
Landstr.
STADION
Mörfelder
OFFENBACHER KREUZ
OFFENBACH
P
A 3
WÜRZBURG, MÜNCHEN
E 42
NEU-ISENBURG
v
q
t
n
FRANKFURT-SÜD
Landstr.
g
d
c
w
NEU-ISENBURG
459
DIEBURG
Sprendlinger
A 661
44
DREIEICH
U
DREIEICH-BUCHSCHLAG
3
46
DARMSTADT
B

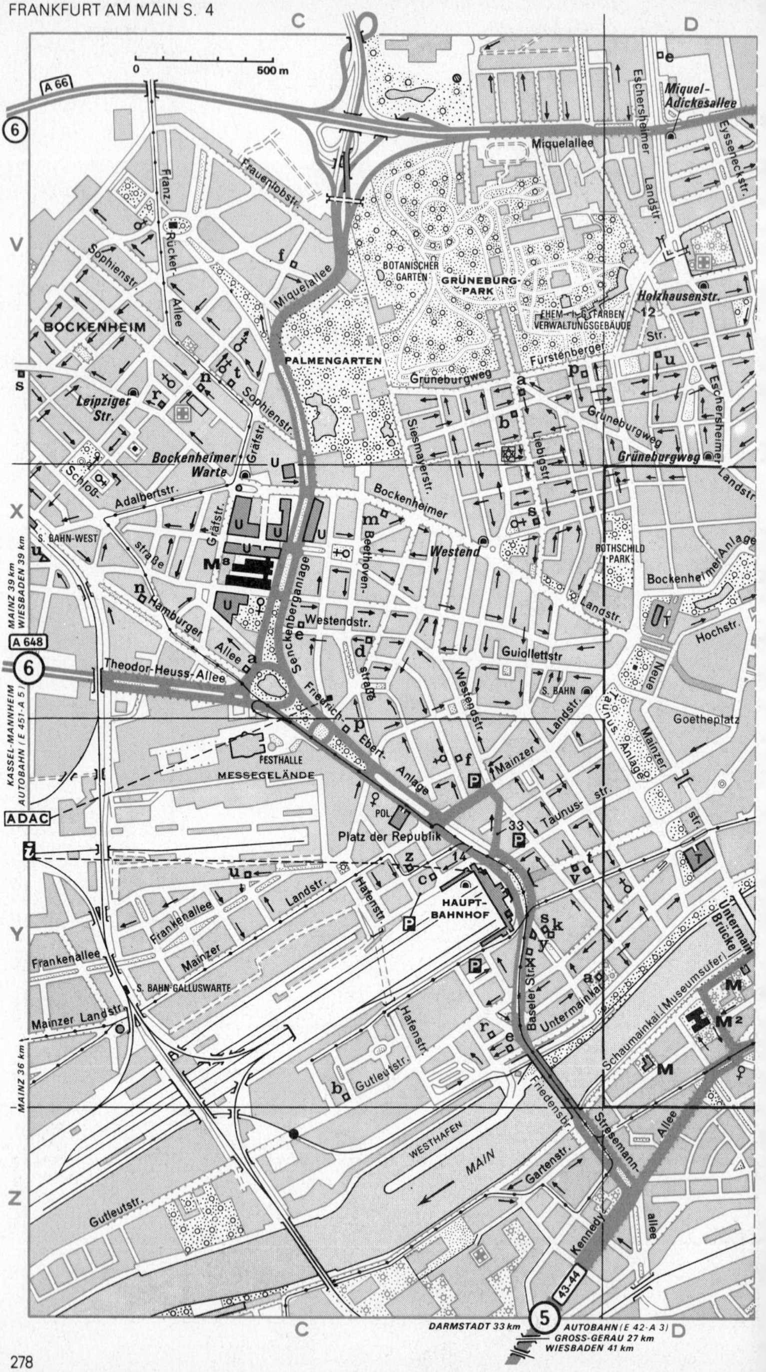
C
D
V
X
Y
Z
0
500 m
A 66
6
A 648
ADAC
7
5
43-44
Miquel-Adickesallee
Miquelallee
Eschersheimer Landstr.
Eysseneckstr.
Frauenlobstr.
Franz-Rücker-Allee
Sophienstr.
BOCKENHEIM
Leipziger Str.
Bockenheimer Warte
Gräfstr.
Schloß-
Adalbertstr.
S. BAHN-WEST
Hamburger Allee
Theodor-Heuss-Allee
BOTANISCHER GARTEN
GRÜNEBURG-PARK
EHEM. I. G. FARBEN VERWALTUNGSGEBÄUDE
Holzhausenstr.
Fürstenberger Str.
PALMENGARTEN
Grüneburgweg
Siesmayerstr.
Liebigstr.
Bockenheimer Landstr.
Westend
Beethovenstr.
Senckenberganlage
Westendstr.
ROTHSCHILD PARK
Bockenheimer Anlage
Hochstr.
Guiollettstr
S. BAHN
Neue Mainzer Str.
Goetheplatz
Taunus Anlage
Friedrich-Ebert-Anlage
FESTHALLE
MESSEGELÄNDE
Mainzer Landstr.
POL
Platz der Republik
Taunusstr.
HAUPT-BAHNHOF
Hafenstr.
Frankenallee
Mainzer Landstr.
S. BAHN-GALLUSWARTE
Baseler Str.
Untermainkai
Untermain Brücke
Schaumainkai (Museumsufer)
Gutleutstr.
Friedensbr.
Stresemann-allee
WESTHAFEN
MAIN
Gartenstr.
Kennedy-Allee
MAINZ 39 km
WIESBADEN 39 km
KASSEL-MANNHEIM AUTOBAHN (E 451-A 5)
MAINZ 36 km
DARMSTADT 33 km
AUTOBAHN (E 42-A 3)
GROSS-GERAU 27 km
WIESBADEN 41 km

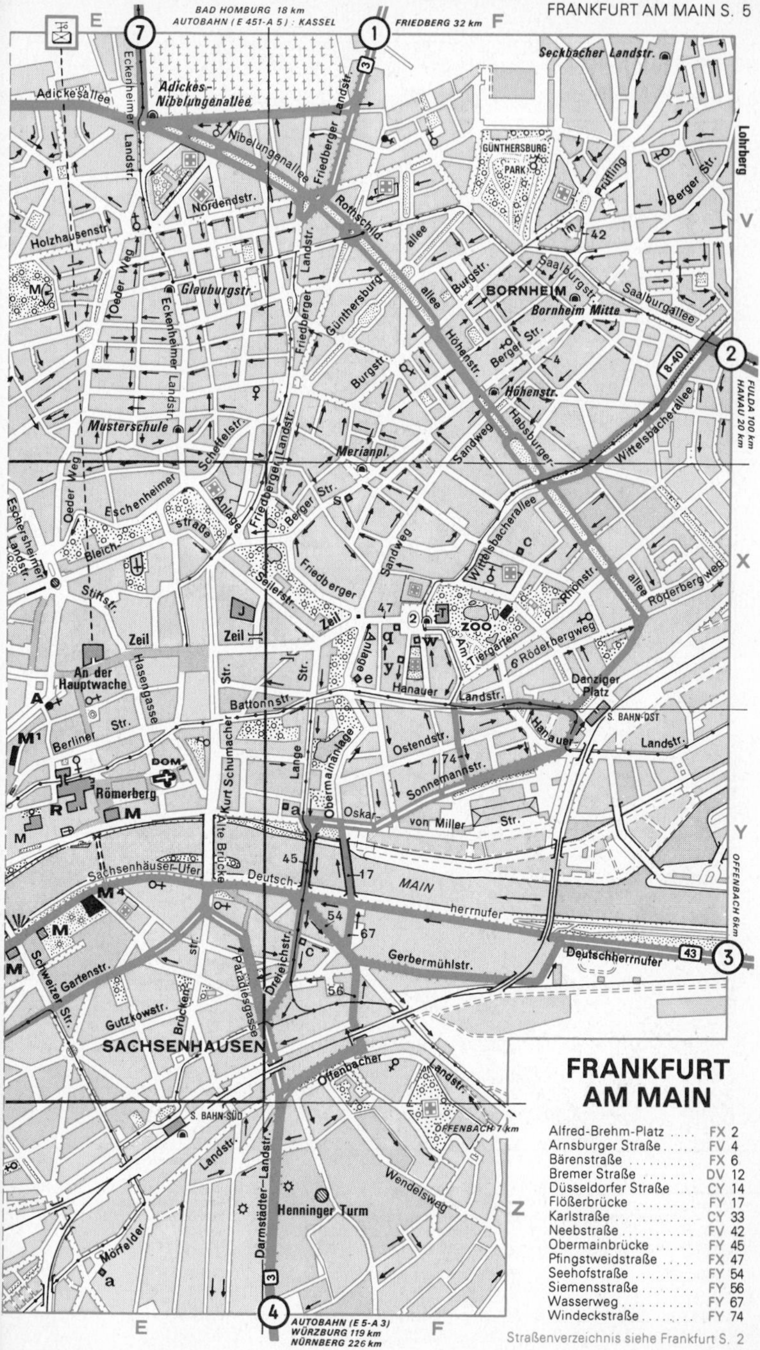

FRANKFURT AM MAIN

Alfred-Brehm-Platz	FX	2
Arnsburger Straße	FV	4
Bärenstraße	FX	6
Bremer Straße	DV	12
Düsseldorfer Straße	CY	14
Flößerbrücke	FY	17
Karlstraße	CY	33
Neebstraße	FV	42
Obermainbrücke	FY	45
Pfingstweidstraße	FX	47
Seehofstraße	FY	54
Siemensstraße	FY	56
Wasserweg	FY	67
Windeckstraße	FY	74

Straßenverzeichnis siehe Frankfurt S. 2

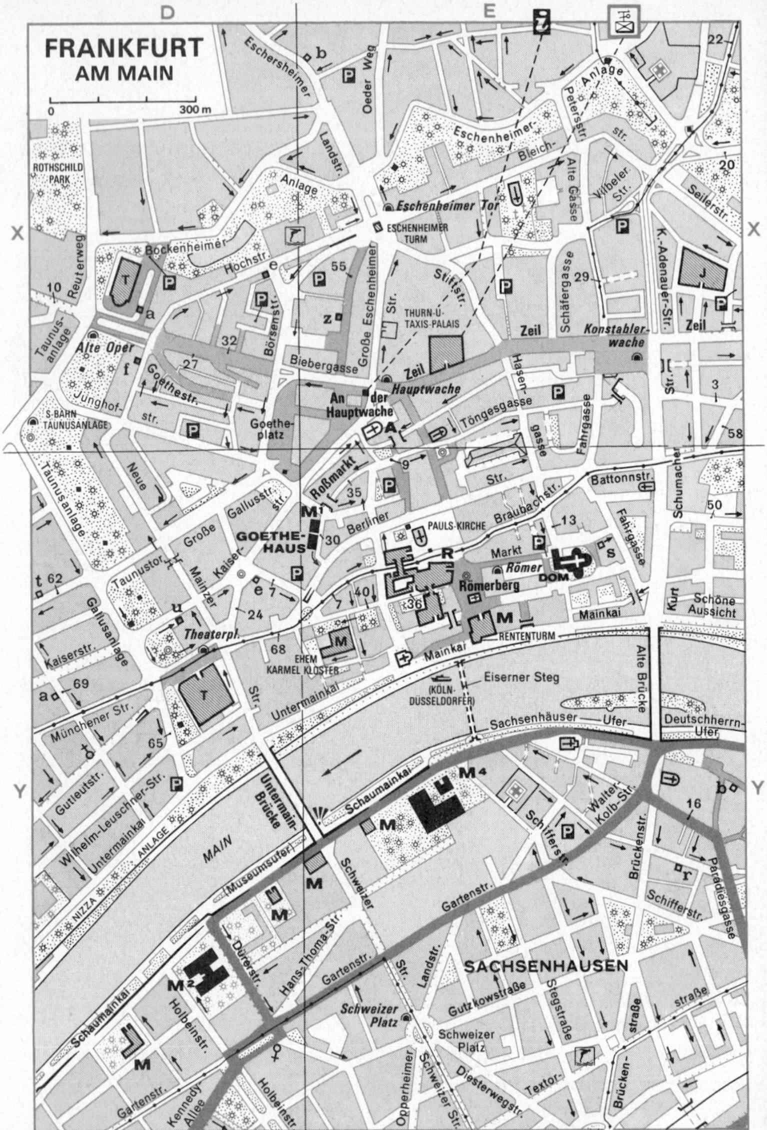

An der Hauptwache	EX		Bethmannstraße	DY	7	Kalbächer Gasse	DX	32
Goethestraße	DX		Bleidenstraße	EY	9	Kleiner Hirschgraben	EY	35
Gr. Bockenheimer Str.	DX	27	Bockenheimer Landstr.	DX	10	Limpurgergasse	EY	36
Kaiserstraße	DY		Domstraße	EY	13	Münzgasse	EY	40
Münchener Straße	DY		Elisabethenstraße	EY	16	Rechneigrabenstr.	EY	50
Roßmarkt	EY		Friedberger Anlage	EX	20	Stoltzestraße	EX	58
Schillerstraße	EX	55	Friedberger Landstr.	EX	22	Taunusstraße	DY	62
Zeil	EX		Friedensstraße	DY	24	Untermainanlage	DY	65
			Große Friedberger Str.	EX	29	Weißfrauenstraße	DY	68
Allerheiligenstraße	EX	3	Großer Hirschgraben	EY	30	Weserstraße	DY	69

Straßenverzeichnis siehe Frankfurt S. 2

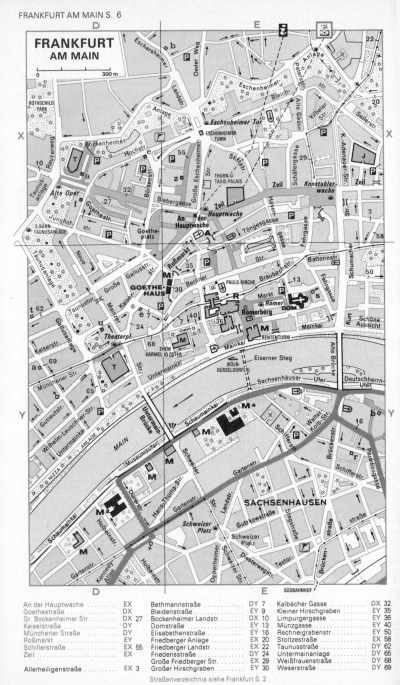

Hotel Rhein-Main, Heidelberger Str. 3 (F 1), 25 00 35, Telex 413434, Fax 252518 – AE E VISA. CY **b**
Karte 38/58 *(nur Abendessen, 16. Juni- 15. Aug. geschl.)* – **48 Z : 72 B** 150/210 - 210/380 Fb.

Mozart garni, Parkstr. 17 (F 1), 55 08 31 – AE E VISA CV **p**
20. Dez.- 5. Jan. geschl. – **35 Z : 56 B** 125/145 - 195.

Continental, Baseler Str. 56 (F 1), 23 03 41, Telex 412502 – AE E VISA. Rest CY **y**
Karte 34/61 *(Sonn- und Feiertage geschl.)* – **80 Z : 117 B** 120/160 - 165/230.

Arcade, Speicherstr. 3 (F 1), 27 30 30 – E VISA. Rest CY **e**
Karte 27/44 *(Samstag - Sonntag geschl.)* – **193 Z : 420 B** 98/130 - 150 Fb.

Cristall garni, Ottostr. 3 (Nordseite Hauptbahnhof) (F 1), 23 03 51, Telex 4170654 – CY **c**
30 Z : 58 B Fb.

Falk garni, Falkstr. 38 a (F 90), 70 80 94 – CV **n**
22. Dez.- 2. Jan. geschl. – **32 Z : 50 B** 98/115 - 160/175.

Am Dom garni, Kannengießergasse 3 (F 1), 28 21 41, Telex 414955 – E VISA
35 Z : 60 B 100/150 - 150/210 Fb. EY **s**

Tatra garni, Kreuznacher Str. 37 (F 90), 77 20 71 – AE E VISA. CX **u**
24. Dez.- 4. Jan. geschl. – **25 Z : 40 B** 160/190 - 200 Fb.

Jaguar garni, Theobald-Christ-Str. 19 (F 1), 43 93 01 – FX **y**
37 Z : 56 B.

Regent garni, Weserstr. 17 (F 1), 23 09 52, Telex 413063 – DY **a**
52 Z : 96 B.

Attaché garni, Kölner Str. 10 (F 1), 73 02 82, Telex 414099 – CY **u**
40 Z : 80 B Fb.

Topas garni, Niddastr. 88 (F 1), 23 08 52 – CY **z**
31 Z : 60 B Fb.

Merkur garni, Esslinger Str. 8 (F 1), 23 50 54 – CY **r**
22. Dez.- 2. Jan. geschl. – **44 Z : 71 B** 80 - 120 Fb.

Ebel garni, Taunusstr. 26 (F 1), 23 07 56, Telex 4189414 – AE E VISA DY **t**
31 Z : 55 B 95/130 - 140/190.

Am Zoo garni, Alfred-Brehm-Platz 6 (F 1), 49 07 71, Telex 4170082 – AE E VISA. FX **q**
85 Z : 140 B 90/100 - 145/150.

Diana garni, Westendstr. 83 (F 1), 74 70 07, Telex 416227 – AE E VISA CX **d**
27 Z : 38 B 69/84 - 118.

Admiral garni, Hölderlinstr. 25 (F 1), 44 80 21 – FX **w**
47 Z : 67 B.

Corona garni, Hamburger Allee 48 (F 90), 77 90 77 – AE E CX **n**
15. Dez.- 5. Jan. geschl. – **27 Z : 52 B** 55/110 - 100/210.

XXXX **Restaurant français**, Bethmannstr. 33 (im Steigenberger-H. Frankfurter Hof) (F 16), 2 15 02 – AE E VISA. DY **e**
außerhalb der Messezeiten Sonn- und Feiertage sowie Juli - Aug. 4 Wochen geschl. – Karte 62/119 (Tischbestellung ratsam)
Spez. Salat von Hummer und Jakobsmuscheln, Steinbuttfilet auf Mango-Ingwer-Sauce, Lammrücken mit Schafskäse überbacken.

XXXX **Weinhaus Brückenkeller**, Schützenstr. 6 (F 1), 28 42 38, « Alte Kellergewölbe mit kostbaren Antiquitäten » – AE E VISA. FY **a**
nur Abendessen, Sonn- und Feiertage geschl. – Karte 72/110 (Tischbestellung ratsam)
Spez. Steinbutt mit Hummerragout und Lauch, Crépinette vom Rehrücken, Grießknödel auf Zwetschgen.

XXX **Jacques Offenbach**, Opernplatz 1 (in der alten Oper) (F 1), 1 34 03 80 – AE E VISA
nur Abendessen, Sonntag - Montag und 13. Juli - 23. Aug. geschl. – Karte 54/80 – **Opernkeller** *(ab 16 Uhr geöffnet)* Karte 38/69. DX **a**

XXX **Mövenpick-Baron de la Mouette**, Opernplatz 2 (F 1), 2 06 80, – AE E VISA
Karte 49/76 – **Orangerie** Karte 31/55. DX **f**

XXX **Das Restaurant im Union-International Club**, Am Leonhardsbrunn 12 (F 90), 70 30 33, – AE E VISA. CV **f**
Sonntag ab 15 Uhr, Samstag und 19. Dez.- 5. Jan. geschl. – Karte 55/75.

XXX **Humperdinck**, Grüneburgweg 95 (Ecke Liebigstr.) (F 1), 72 21 22 – AE E VISA
Samstag bis 19 Uhr, Sonntag und Juli - Aug. 2 Wochen geschl. – Karte 72/94 CV **a**
Spez. Variationen von der Gänsestopfleber, Hummer - Maultaschen im Safransud, Sauté von Taube und Wachtelbrüstchen.

XXX **Tse-Yang** (Chinesische Küche), Kaiserstr. 67 (F 1), 23 25 41 – AE E VISA CY **v**
Karte 40/76.

XXX **Le Midi**, Liebigstr. 47 (F 1), 72 14 38, – AE E VISA CV **b**
Samstag - Sonntag 19 Uhr und Juli - Aug. 3 Wochen geschl. – Karte 72/102 (Tischbestellung ratsam).

Fortsetzung →

XX **Kikkoman** (Japanisches Restaurant), Friedberger Anlage 1 (Zoo-Passage) (F 1), ✆ 4 99 00 21 – ▤. AE ⓓ E VISA. ⅋ FX e
Samstag sowie Sonn- und Feiertage nur Abendessen – Karte 49/75.

XX **Da Bruno** (Italienische Küche), Elbestr. 15 (F 1), ✆ 23 34 16 – ▤. AE ⓓ E CY t
Sonn- und Feiertage sowie Mitte Juli - Mitte Aug. geschl. – Karte 43/65.

XX **La Galleria** (Italienische Küche), Theaterplatz 2 (BfG-Haus UG) (F 1), ✆ 23 56 80 – ▤. AE ⓓ E VISA. ⅋ DY u
außerhalb der Messezeiten Sonn- und Feiertage geschl. – Karte 59/78 (Tischbestellung ratsam).

XX **Frankfurter Stubb** (Restaurant im Kellergewölbe des Hotels Frankfurter Hof), Bethmannstr. 33 (F 16), ✆ 2 15 02 – ▤. AE ⓓ E VISA. ⅋ DY e
außerhalb der Messezeiten Sonn- und Feiertage geschl. – Karte 30/59 (Tischbestellung ratsam).

XX **Da Franco** (Italienische Küche), Fürstenbergerstr. 179 (F 1), ✆ 55 21 30 – ▤. AE ⓓ E VISA. ⅋ DV u
Sonntag und 25. Juli - 10. Aug. geschl. – Karte 40/75.

XX Firenze (Italienische Küche), Berger Str. 30 (F 1), ✆ 43 39 56 – ▤. ⅋ FX s
(Tischbestellung ratsam).

XX **Börsenkeller**, Schillerstr. 11 (F 1), ✆ 28 11 15 – ▤ 🏛. AE ⓓ E VISA EX z
außerhalb der Messezeiten Sonn- und Feiertage geschl. – Karte 30/65.

X **Ernos Bistro** (Französische Küche), Liebigstr. 15 (F 1), ✆ 72 19 97, 余 – AE ⓓ E VISA
außerhalb der Messezeiten Samstag - Sonntag und Mitte Juni - Mitte Juli geschl. – Karte 69/93 (Tischbestellung erforderlich). CX s

X **Gasthof im Elsass**, Waldschmidtstr. 59 (F 1), ✆ 44 38 39 FX c
nur Abendessen, 22. Dez.- 4. Jan. geschl. – Karte 36/69.

X Kempf's Gaststätte, Hochstr. 27 (F 1), ✆ 29 28 67 DX e

X **Intercity-Restaurant**, im Hauptbahnhof (1. Etage |$|) (F 1), ✆ 27 39 50 – 🏛. E CY
Karte 31/57.

In Frankfurt 60 - Bergen-Enkheim Stadtplan Frankfurt : S. 3 – ✪ 06109 :

🏨 Klein, Vilbeler Landstr. 55, ✆ 3 10 23, Telex 4175019, 余 – |$| TV ☎ P 🏛 BR e
60 Z : 87 B Fb.

XX **Eugen's Restaurant**, Marktstr. 15, ✆ 2 33 34, 余 – 🏛. AE ⓓ E VISA BR s
Montag geschl. – Karte 33/60.

XX Schelmenstube, Landgraben 1, ✆ 2 10 32 – 🏛 BR a

In Frankfurt 90-Bockenheim Stadtplan Frankfurt : S. 4 :

XX **La Femme** (mit Weinkeller im Bistrostil), Am Weingarten 5, ✆ 7 07 16 06 – AE ⓓ E. ⅋ CV r
Sonntag geschl. – Karte 56/85.

X **Gargantua** (Bistro-Restaurant), Friesengasse 3, ✆ 77 64 42 – AE ⓓ E VISA CV s
nur Abendessen, Sonntag - Montag geschl. – Karte 64/80 (Tischbestellung ratsam).

In Frankfurt 50 - Eschersheim Stadtplan Frankfurt : S. 4 :

🏨 **Motel Frankfurt** garni, Eschersheimer Landstr. 204 (F 1), ✆ 56 80 11 – TV ☎ P. AE DV e
60 Z : 105 B 72/105 - 112/135.

🏨 Goldener Schlüssel, Eschersheimer Landstr. 442, ✆ 52 01 22 – ☎ BR b
14 Z : 23 B Fb.

In Frankfurt 90 - Ginnheim Stadtplan Frankfurt : S. 3 :

XX **Ristorante Atelier**, Ginnheimer Landstr. 49, ✆ 53 14 07 – P. AE ⓓ E VISA BR k
Karte 34/74.

In Frankfurt 80 - Griesheim Stadtplan Frankfurt : S. 2 :

🏨 Ramada Caravelle, Oeserstr. 180, ✆ 3 90 50, Telex 416812, ≘s, 🏊 – |$| ⇔ Zim ▤ Rest TV P 🏛 (mit ▤) AS p
236 Z : 400 B Fb.

In Frankfurt 56- Harheim über Homburger Landstraße BR und Bonames :

🏨 **Harheimer Hof**, Alt Harheim 11, ✆ (06101) 40 50 – |$| TV ☎ ♿ 🚗 P 🏛 (mit ▤). AE ⓓ E VISA
Karte 39/70 *(Samstag bis 18 Uhr geschl.)* – **44 Z : 86 B** 100/183 - 130/208 Fb.

In Frankfurt 80 - Höchst W : 10 km, über Mainzer Landstraße (AS) oder über die A 66 :

🏨 Höchster Hof, Mainberg 3, ✆ 3 00 40, Telex 414990, ≘s – |$| TV ☎ P 🏛
185 Z : 250 B Fb.

In Frankfurt 56 - Nieder-Erlenbach über Homburger Landstraße BR :

XX **Alte Scheune** mit Zim, Alt Erlenbach 44, ✆ (06101) 4 45 51, 余, « Rustikales Restaurant mit Backsteingewölbe » – TV ☎ 🏛. AE E. ⅋ Zim
Karte 41/68 *(wochentags nur Abendessen)* (Tischbestellung ratsam) – **13 Z : 24 B** 110 - 145 Fb.

In Frankfurt 56 - Nieder-Eschbach über Homburger Landstraße BR :

Markgraf, Deuil-La-Barre-Str. 103, ✆ 5 07 57 67 – TV ☎ P. AE E. Zim
Karte 18/43 – **13 Z : 16 B** 75/110 - 138/158.

In Frankfurt 71 - Niederrad Stadtplan Frankfurt : S. 3 :

Arabella Congress Hotel, Lyoner Str. 44, ✆ 6 63 30, Telex 416760, – Rest TV P (mit). AE E VISA BT u
Karte 52/80 – **400 Z : 600 B** 180/280 - 230/330 Fb – 8 Appart. 380/600.

Crest-Hotel Frankfurt, Isenburger Schneise 40, ✆ 6 78 40, Telex 416717, Fax 6702634 – Zim TV P . E VISA. Rest BT m
Karte 43/76 – **279 Z : 420 B** 219/340 - 285/293 Fb.

Weidemann, Kelsterbacher Str. 66, ✆ 67 59 96, – P. AE E VISA BT r
Samstag, Sonn- und Feiertage nur Abendessen – Karte 63/80 (Tischbestellung ratsam).

In Frankfurt 70 - Oberrad Stadtplan Frankfurt : S. 3 :

Waldhotel Hensels Felsenkeller, Buchrainstr. 95, ✆ 65 20 86, , – BS b
Karte 19,50/27 *(nur Abendessen, Samstag-Sonntag geschl.)* – **21 Z : 30 B** 48/78 - 80/100.

In Frankfurt 94-Rödelheim Stadtplan Frankfurt : S. 2 :

Radilohof garni, Radilostr. 39, ✆ 78 32 87 – P. AS e
35 Z : 51 B 55/85 - 90/150.

In Frankfurt 70 - Sachsenhausen Stadtplan Frankfurt : S. 3, 5 und 6 :

Holiday Inn - Conference Center, Mailänder-Str. 1, ✆ 6 80 20, Telex 411805, Fax 6802333, – Zim TV P . AE E VISA. Rest BT y
Restaurants : – **Le Ballon** *(nur Abendessen, Sonntag, 1.- 26. Aug. und 24. Dez.- 10. Jan. geschl.)* Karte 47/83 – **Kaffeemühle** Karte 34/62 – **405 Z : 750 B** 249/289 - 330/380 Fb.

Primus garni, Große Rittergasse 19, ✆ 62 30 20, Telex 4189600 – TV ☎. AE E VISA FY c
22. Dez.- Anfang Jan. geschl. – **30 Z : 46 B** 110/180 - 140/200.

Hübler garni, Große Rittergasse 91, ✆ 61 60 38 – ☎ . AE E VISA. EY b
7. Juli - 21. Aug. und 8. Dez.- 8. Jan. geschl. – **46 Z : 58 B** 55/90 - 100/140.

Royal garni, Wallstr. 17, ✆ 62 30 26 – ☎. AE E VISA EY r
35 Z : 50 B 80/120 - 120/150.

Bistrot 77 (modernes Bistro-Restaurant), Ziegelhüttenweg 1, ✆ 61 40 40, – AE E VISA
Samstag bis 19 Uhr, Sonntag und Mitte Juni - Mitte Juli geschl. – Karte 63/95. EZ a

Henninger Turm - Drehrestaurant (DM 3), Hainer Weg 60, ✆ 6 06 36 00, Frankfurt, « Rotierendes Restaurant in 101 m Höhe » – P FZ
Montag geschl. – Karte 27/52.

In Frankfurt-Sindlingen **6230** W : 13 km über die A 66 AS :

Post, Sindlinger Bahnstr. 12, ✆ (069) 3 70 10, Telex 416681, , – TV ☎ P (mit). AE E VISA. Zim
Karte 26/51 *(Samstag bis 18 Uhr sowie Sonn- und Feiertage geschl.)* – **105 Z : 174 B** 99/157 - 160/245 Fb.

In Eschborn **6236** NW : 12 km :

Novotel, Philipp-Helfmann-Str. 10, ✆ (06196) 4 28 12, Telex 4072842, Fax 482114, , (geheizt), – TV ☎ P . AE E VISA AR n
Karte 32/58 – **227 Z : 454 B** 155/182 - 200/211 Fb.

Stadthalle - Ratsschänke, Rathausplatz 34, ✆ (06196) 4 32 32 – P AR v

In Neu-Isenburg **6078** S : 7 km (Stadtplan Frankfurt : S. 3) – 06102 :

Isabella, Herzogstr. 61, ✆ 35 70, Telex 4185651, – TV ☎ P . AE E VISA.
Karte 35/50 *(nur Abendessen, Freitag - Samstag geschl.)* – **220 Z : 350 B** 149/210 - 195/250 Fb. BU w

Wessinger, Alicestr. 2, ✆ 2 70 79, Telex 4185654, « Gartenterrasse » – TV ☎ P . AE E VISA BU n
Karte 29/76 *(Montag geschl.)* – **40 Z : 54 B** 65/135 - 95/179 Fb.

Alfa garni, Frankfurter Str. 123 (B 3), ✆ 1 70 24 – ☎. AE E VISA BU c
23 Z : 37 B 45/95 - 95/110.

Sauer garni, Offenbacher Str. 83, ✆ 3 68 79 – P. E BU d
15 Z : 25 B 45/65 - 78/88.

Isenburger Hof, Frankfurter Str. 40 (B 3), ✆ 3 53 20, – ☎ P. AE E BU v
Karte 38/61 *(Dienstag geschl.)* – **12 Z : 20 B** 68/78 - 88.

Neuer Haferkasten (Italienische Küche), Löwengasse 4, ✆ 3 53 29 – AE E VISA BU v
Mitte Juli - Mitte Aug. und Sonntag geschl. – Karte 56/78.

Grüner Baum (traditionelles Äppelwoilokal), Marktplatz 4, ✆ 3 83 18, « Innenhof » – P. AE E VISA BU q
außerhalb der Messezeiten Montag geschl. – Karte 22/48 (Tischbestellung ratsam).

Alt Isenburg, Offenbacher Str. 21, ✆ 3 63 08 – BU g

In Neu-Isenburg 2-Gravenbruch **6078** SO : 11 km :

Gravenbruch-Kempinski-Frankfurt, (06102) 50 50, Telex 417673, Fax 505445, « Park », Massage, (geheizt), kostenloser Flughafentransfer – . Rest BU **t**
Karte 47/85 (siehe auch Gourmet-Rest.) – **298 Z : 520 B** 274/409 - 413/435 Fb – 30 Appart. 623/1298.

XXXX ✿ **Gourmet Restaurant** (im Hotel Gravenbruch-Kempinski), (06102) 50 50 – . BU **t**
nur Abendessen, Juli - Aug. 4 Wochen, sowie außerhalb der Messezeiten Samstag, Sonn- und Feiertage geschl. – Karte 68/127 (Tischbestellung ratsam)
Spez. Entengalantine mit Schalotten - Konfitüre, Risotto mit Krebsschwänzen, Rehrücken in Holunder.

In Neu-Isenburg - Zeppelinheim **6078** ⑤ : 11 km, an der B 44 :

X **Forsthaus Mitteldick**, Flughafenstr. 20, (069) 69 18 01, –
Sonntag geschl. – Karte 32/82. AU **h**

Beim Rhein-Main Flughafen SW : 12 km (Nähe BAB-Ausfahrt Flughafen) – **6000** Frankfurt 75 – 069 :

Sheraton, Am Flughafen (Terminal Mitte), 6 97 70, Telex 4189294, Fax 69772209, – Zim . Rest AU **a**
Restaurants: – **Papillon** *(Samstag bis 18 Uhr sowie Sonn- und Feiertage geschl.)* Karte 69/114 – **Maxwell's Bistro** Karte 40/70 – **Taverne** *(Samstag - Sonntag geschl.)* Karte 30/60 – **1050 Z : 2100 B** 290/420 - 385/470 Fb – 30 Appart. 700/2000.

Steigenberger Hotel Frankfurt Airport, Unterschweinstiege 16, 6 98 51, Telex 413112, Fax 69851, kostenloser Flughafentransfer – Zim . Rest AU **z**
Karte 41/78 *(Italienische Küche)* – **350 Z : 500 B** 208/298 - 298/358 Fb – 10 Appart. 520/580.

XXX **Rôtisserie 5 Continents**, im Flughafen, Ankunft Ausland B (Besucherhalle, Ebene 3), 6 90 34 44, ← – . AU **a**
Karte 50/79.

XX **Waldrestaurant Unterschweinstiege**, Unterschweinstiege 16, 69 25 03, « Gartenterrasse, rustikale Einrichtung » – AU **z**
Karte 44/74 (Mittags kalt-warmes Buffet, Tischbestellung ratsam).

An der Straße von Neu - Isenburg nach Götzenhain S : 13 km über die A 661 und Autobahnausfahrt Dreieich BU :

XXX **Gutsschänke Neuhof**, 6072 Dreieich-Götzenhain, (06102) 32 14, Telex 411377, « Rustikale Einrichtung, Gartenterrasse » –
Karte 41/92.

Siehe auch : *Maintal* ② : 13 km

MICHELIN-REIFENWERKE KGaA. Niederlassung 6000 Frankfurt 61-Fechenheim, Orber Str. 16 (BS), (069) 41 70 06.

FRASDORF **8201.** Bayern 413 T 23, 987 ㊲, 426 ⑱ – 2 400 Ew – Höhe 598 m – 08052 (Aschau).

Verkehrsamt, Hauptstr. 9, 7 71.

♦München 78 – Innsbruck 115 – Salzburg 64.

Landgasthof Karner, Nußbaumstr. 6, 14 67, « Einrichtung im alpenländischen Stil, Gartenterrasse », –
Weihnachten geschl. – Karte 59/74 *(Nov. - März Montag - Freitag nur Abendessen)* – **21 Z : 42 B** 70 - 95/126.

In Frasdorf-Umrathshausen NO : 3 km :

Landgasthof Goldener Pflug, Humprehtstr. 1, 3 58, –
Karte 24/44 *(Dienstag geschl.)* – **21 Z : 42 B** 45/55 - 80.

FRAUENAU **8377.** Bayern 413 W 20 – 3 000 Ew – Höhe 616 m – Erholungsort – Wintersport : 620/800 m 1 5 – 09926.

Sehenswert : Glasmuseum.

Verkehrsamt, Rathausplatz 4, 7 19.

♦München 187 – Cham 66 – Deggendorf 43 – Passau 57.

Büchler, Dörflstr. 18, 3 50, ←, –
6. Nov.- 20. Dez. geschl. – Karte 16,50/35 – **23 Z : 43 B** 32/40 - 56/64 – P 50/55.

Landgasthof Hubertus, Loderbauerweg 2, 7 01, –
15. Nov.- 15. Dez. geschl. – Karte 14,50/34 – **23 Z : 47 B** 35/40 - 68 Fb – P 59.

🏨 **Garni Eibl-Brunner**, Hauptstr. 18, ☎ 3 16, ≘s, 🏊, 🌳 – 🛗 ☎ 🅿
Nov.- 18. Dez. geschl. – (Mahlzeiten im Gasthof Eibl-Brunner) – **28 Z : 52 B** 36/42 - 72/80.

🏨 **Gästehaus Poppen** 🐦, Godehardstr. 18, ☎ 7 15, ≤, ≘s, 🌳 – ☎ 🚗 🅿. [AE] [E]
(nur Abendessen für Hausgäste) – **16 Z : 44 B** 38 - 66.

🏨 **Café Ertl**, Krebsbachweg 3, ☎ 7 30, ≘s, 🏊, 🌳 – 🅿. 🐕
Nov.- 15. Dez. geschl. – (nur Abendessen für Hausgäste) – **20 Z : 40 B** 32 - 60.

[FRAUENBERG] Bayern siehe Haidmühle bzw. Laaber.

[FRECHEN] **5020.** Nordrhein-Westfalen [987] ㉓ – 44 000 Ew – Höhe 65 m – ☎ 02234.
♦Düsseldorf 47 – ♦Aachen 62 – ♦Bonn 36 – ♦Köln 13.

🏨 Bartmannkrug, Kölner Str. 76, ☎ 5 95 41, ☂ – 🛗 [TV] ☎ 🅿. 🐕
21 Z : 44 B Fb.

🏨 **Haus Schiffer**, Elisabethstr. 6, ☎ 5 51 51 – ☎ 🅿. [AE] [D] [E] [VISA]
Karte 25/48 *(nur Abendessen, Montag geschl.)* – **22 Z : 40 B** 40/66 - 90.

🍴🍴 **Ristorante Ermanno** (Italienische Küche), Othmarstr. 46, ☎ 1 41 63 – [AE] [E]
Samstag bis 19 Uhr, Sonntag und Juni - Juli 2 Wochen geschl. – Karte 46/69.

[FREDEBURG] Schleswig-Holstein siehe Ratzeburg.

[FREDEN (LEINE)] **3222.** Niedersachsen – 3 900 Ew – Höhe 95 m – ☎ 05184.
♦Hannover 61 – Einbeck 19 – Hildesheim 35.

🏨 **Steinhoff**, Mitteldorf 1, ☎ 3 91 – 🛗 🚗 🅿 🏛. [AE]
Karte 20/44 – **26 Z : 48 B** 33/45 - 60/80.

[FREDENBECK] **2161.** Niedersachsen – 4 200 Ew – Höhe 5 m – ☎ 04149.
♦Hannover 181 – ♦ Bremen 91 – ♦ Bremerhaven 69 – ♦ Hamburg 57.

🏨 **Fredenbeck** garni, Dinghorner Str. 19, ☎ 4 12, Caféterrasse – [TV] ☎ 🅿. [AE] [E]
23. Dez.- 7. Jan. geschl. – **10 Z : 15 B** 45/60 - 85/95 Fb.

🍴 **Zur Dorfschänke** mit Zim, Schwingestr. 33, ☎ 2 44, ☂ – 🅿 🏛. [AE] [D]
♦ Karte 19,50/39 – **12 Z : 18 B** 30/35 - 50/60.

[FREIAMT] **7838.** Baden-Württemberg [413] G 22, [242] ㉜, [87] ⑦ – 3 900 Ew – Höhe 434 m – ☎ 07645.
[i] Verkehrsamt, Kurhaus, Badstraße, ☎ 6 44.
♦Stuttgart 195 – ♦Freiburg im Breisgau 30 – Offenburg 53.

In Freiamt-Brettental :

🏨 **Ludinmühle** 🐦, Brettental 20, ☎ 5 01, ≘s, 🌳, Fahrradverleih – ☎ 🅿 🏛. [AE] [D] [E]
18.- 29. Jan. geschl. – Karte 25/63 🍷 – **30 Z : 54 B** 55/70 - 94/130 Fb – P 61/84.

In Freiamt-Eckacker :

🍴 Eckacker, beim Kurhaus, ☎ 2 23, ☂ – 🅿.

In Freiamt-Ottoschwanden :

🏠 **Café Hipp**, Helgenstöckle 150, ☎ 2 42, 🌳, 🎾 – 🚗 🅿
1.- 20. Nov. geschl. – Karte 22/40 *(Montag geschl.)* 🍷 – **14 Z : 23 B** 36/38 - 72/76.

🏠 Sonne, Hauptstr. 193, ☎ 2 14, « Innenhofterrasse » – 🅿
12 Z : 22 B.

In Freiamt-Reichenbach :

🏨 Freiämter Hof, Reichenbach 8, ☎ 3 13 – ☎ 🅿
11 Z : 19 B.

[FREIBERG AM NECKAR] Baden-Württemberg siehe Ludwigsburg.

[FREIBURG IM BREISGAU] **7800.** Baden-Württemberg [413] G 22,23, [987] ㉞, [242] ㉜ ㊱ – 176 000 Ew – Höhe 278 m – ☎ 0761.

Sehenswert : Münster★★ : Turm★★★ (≤★), Hochaltar von Baldung Grien★★ BY – Ehemaliges Kaufhaus★ BY **A** – Rathausplatz★ und Neues Rathaus★ BY **R1** – Augustiner-Museum★ (mittelalterliche Kunst★★, Adelhauser Kreuz★★) BY **M1**.

Ausflugsziel : Schloßberg★ (≤★) 5 min mit der Seilbahn CY.

⛳18 Kirchzarten, Krüttweg (② : 9 km), ☎ (07661) 55 69.

Messegelände an der Stadthalle (über ②), ☎ 7 10 20.

[i] Städt. Verkehrsamt, Rotteckring 14, ☎ 2 16 32 89, Telex 761110.

ADAC, Karlsplatz 1, ☎ 3 68 80, Notruf ☎ 1 92 11.

♦Stuttgart 208 ④ – Basel 71 ④ – ♦Karlsruhe 134 ④ – Strasbourg 86 ④.

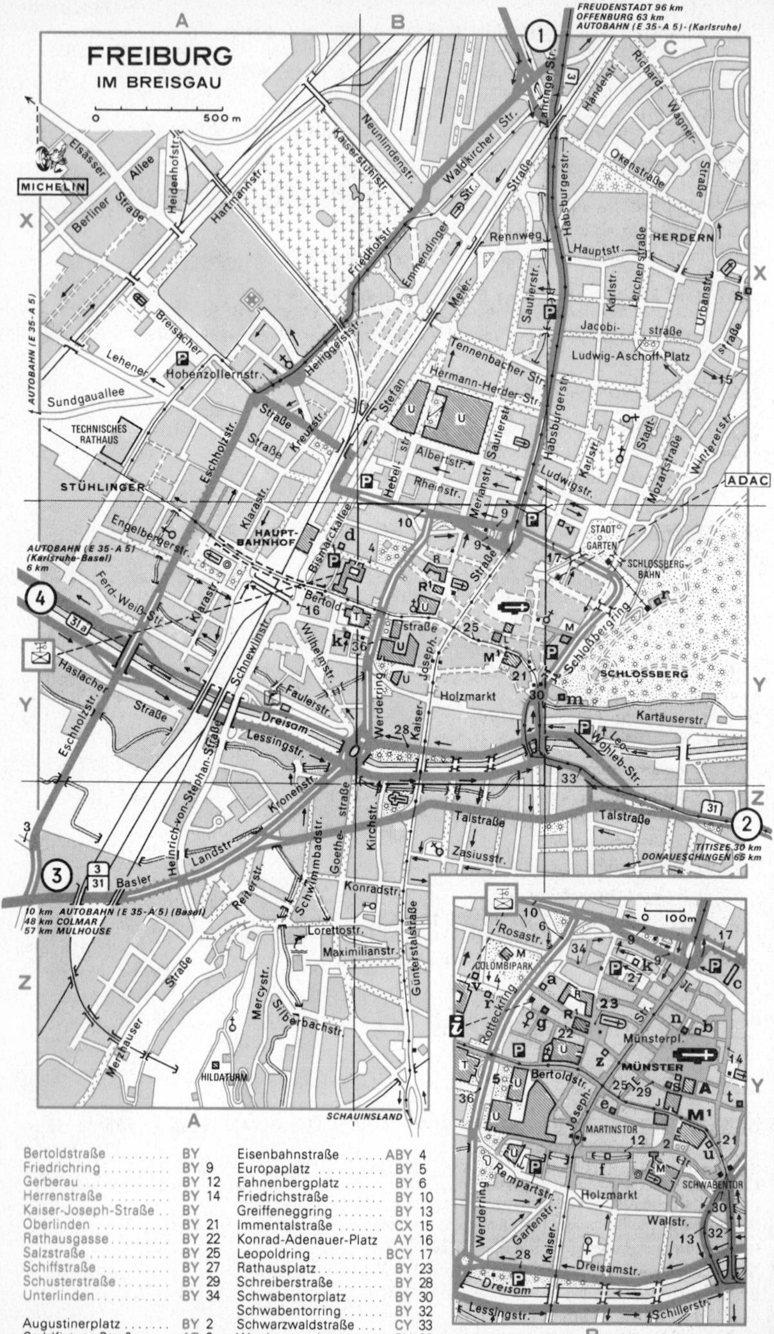

Bertoldstraße	BY		Eisenbahnstraße	ABY	4
Friedrichring	BY	9	Europaplatz	BY	5
Gerberau	BY	12	Fahnenbergplatz	BY	6
Herrenstraße	BY	14	Friedrichstraße	BY	10
Kaiser-Joseph-Straße	BY		Greiffeneggring	BY	13
Oberlinden	BY	21	Immentalstraße	CX	15
Rathausgasse	BY	22	Konrad-Adenauer-Platz	AY	16
Salzstraße	BY	25	Leopoldring	BCY	17
Schiffstraße	BY	27	Rathausplatz	BY	23
Schusterstraße	BY	29	Schreiberstraße	BY	28
Unterlinden	BY	34	Schwabentorplatz	BY	30
			Schwabentorring	BY	32
Augustinerplatz	BY	2	Schwarzwaldstraße	CY	33
Carl-Kistner-Straße	AZ	3	Werthmannplatz	BY	36

Colombi-Hotel, Rotteckring 16, ✆ 3 14 15, Telex 772750, Cafeterrasse – (mit). AE E VISA. Rest BY **a**
Karte 54/89 (Tischbestellung erforderlich) – **101 Z : 180 B** 180/216 - 260/290 – 4 Appart. 450/560
Spez. Salat von Trüffelnudeln mit Hummer und Kaviar, Kalbsbriesscheiben mit Shiitake-Pilzen, Rochenflügel und Langustinen in Safrankruste.

Rheingold, Eisenbahnstr. 47, ✆ 3 60 66, – Rest (mit). AE E VISA. Rest AY **d**
Karte 32/59 – **37 Z : 73 B** 130/150 - 170/190 Fb.

Zum Roten Bären (Haus a.d.J. 1120, seit 1311 Gasthof), Oberlinden 12, ✆ 3 69 13, Telex 7721574 – . AE E VISA. Rest BY **u**
Karte 44/70 – **25 Z : 40 B** 125/155 - 170/190 Fb.

Park Hotel Post garni, Eisenbahnstr. 35, ✆ 3 16 83, Telex 7721528 – . AE E VISA BY **v**
41 Z : 76 B 103/115 - 155/175 Fb.

Victoria, Eisenbahnstr. 54, ✆ 3 18 81 – . AE E VISA BY **r**
Karte 35/63 – **70 Z : 100 B** 100/130 - 150/200 Fb.

Novotel Freiburg, Am Karlsplatz, ✆ 3 12 95, Telex 772774, Fax 30767, – Rest (mit). AE E VISA BY **c**
Karte 39/56 – **112 Z : 189 B** 170 - 195 Fb.

Central-Hotel garni, Wasserstr. 6, ✆ 3 18 31 – . AE E VISA BY **k**
49 Z : 91 B 98/140 - 150/180 Fb.

Oberkirchs Weinstuben, Münsterplatz 22, ✆ 3 10 11 – . VISA BY **s**
20. Dez.- 20. Jan. geschl. – Karte 25/60 *(Sonn- und Feiertage geschl.)* – **28 Z : 50 B** 75/130 - 175/200.

Rappen, Münsterplatz 13, ✆ 3 13 53, – . AE E VISA BY **b**
Karte 26/60 – **19 Z : 36 B** 95 - 145 Fb.

Am Rathaus garni, Rathausgasse 6, ✆ 3 11 29, Telex 7721828 – . AE E VISA BY **z**
40 Z : 60 B 80/95 - 145/160 Fb.

Markgräfler Hof (ehem. Stadtpalais a.d.J. 1476), Gerberau 22, ✆ 3 25 40 – . BY **f**
18 Z : 29 B Fb.

Kolpinghaus, Karlstr. 7, ✆ 3 19 30 – . AE E VISA CY **v**
8.- 18. Feb. geschl. – Karte 21/44 – **90 Z : 150 B** 88/98 - 120 Fb.

XXX Wolfshöhle (Italienische Küche), Konviktstr. 8, ✆ 3 03 03 BY **t**

XXX **Ratskeller**, Münsterplatz 11 (Untergeschoß), ✆ 3 75 30 – AE E VISA BY **n**
Sonntag 15 Uhr - Montag geschl. – Karte 19,50/66.

XX Weinstube Zur Traube, Schusterstr. 17, ✆ 3 21 90 – BY **s**
(Tischbestellung ratsam).

XX **Greiffenegg-Schlössle**, Schloßbergring 3 (), ✆ 3 27 28, « Terrasse mit ≤ Freiburg und Kaiserstuhl » – AE E VISA CY **m**
Feb. und Montag geschl. – Karte 33/64.

XX **Kleiner Meyerhof**, Rathausgasse 27, ✆ 2 69 41 BY **g**
im Sommer Sonntag geschl. – Karte 28/62.

XX **Schloßbergrestaurant Dattler**, Am Schloßberg 1 (Zufahrt über Wintererstraße, oder mit Schloßberg-Seilbahn, DM 2,80), ✆ 3 17 29, ≤ Freiburg und Kaiserstuhl, – . AE E
Dienstag und 9.- 28. Jan. geschl. – Karte 36/58 . CY **r**

X **Großer Meyerhof**, Grünwälderstr. 7, ✆ 2 25 52 BY **e**
Montag 14 Uhr-Dienstag geschl. – Karte 23/41 .

X **Greif**, Sedanstr. 2, ✆ 3 98 77 AY **k**
30. Juli - 15. Aug. und Dienstag geschl. – Karte 29/48 .

In Freiburg-Betzenhausen ④ : 2 km :

Zur Bischofslinde garni, Am Bischofskreuz 15, ✆ 8 26 88 –
22 Z : 44 B.

In Freiburg-Ebnet ② : 3,5 km :

Ruh, Schwarzwaldstr. 225 (B 31), ✆ 6 20 65 –
14 Z : 28 B.

In Freiburg-Günterstal S : 2 km über Günterstalstraße BZ :

XX **Kühler Krug** mit Zim, Torplatz 1, ✆ 2 91 03, – . AE E
Juni 3 Wochen geschl. – Karte 29/74 *(Tischbestellung ratsam)* (Donnerstag-Freitag 18 Uhr geschl.) – **7 Z : 14 B** 60 - 90/110.

In Freiburg-Herdern :

Panoramahotel am Jägerhäusle , Wintererstr. 89, ✆ 5 10 30, Telex 772613, ≤ Freiburg und Kaiserstuhl, , Massage, , , – . AE E VISA. Rest
Karte 40/74 – **87 Z : 140 B** 155/170 - 205/220 Fb. über Immentalstr. CX

XX **Eichhalde**, Stadtstr. 91, ✆ 5 48 17 – AE E VISA CX **s**
Samstag bis 18 Uhr und Dienstag geschl. – Karte 54/73.

In Freiburg-Kappel SO : 7 km über ② und FR-Littenweiler :

Zum Kreuz, Großtalstr. 28, ✆ 6 20 55, – TV ☎ Ⓟ
Karte 19,50/52 *(Mittwoch - Donnerstag 17 Uhr und 8. Feb.- 1. März geschl.)* – **20 Z : 27 B** 70/85 - 90/110 Fb.

Adler, Im Schulerdobel 1, ✆ 6 54 13, – Ⓟ
Karte 22/45 *(Donnerstag - Freitag 17 Uhr und Jan. 2 Wochen geschl.)* – **12 Z : 21 B** 40/50 - 65/80.

In Freiburg-Lehen ④ : 3 km :

Bierhäusle, Breisgauer Str. 41, ✆ 8 50 17 – ☎ Ⓟ. AE ⓓ E
Karte 23/68 *(Dienstag und 18. Juli - 8. Aug. geschl.)* – **44 Z : 62 B** 45/85 - 80/140.

Hirschen mit Zim, Breisgauer Str. 47, ✆ 8 21 18, Gartenwirtschaft – Ⓟ
Karte **24**/56 *(Tischbestellung erforderlich)* (Donnerstag geschl.) – **10 Z : 18 B** 55 - 80.

In Freiburg-Littenweiler ② : 2 km :

Schwärs Hotel Löwen, Kappler Str. 120, ✆ 6 30 41, – TV ☎ Ⓟ. AE ⓓ E VISA
Karte 25/51 – **60 Z : 100 B** 39/100 - 75/140 Fb.

In Freiburg-Opfingen W : 10,5 km über Carl-Kistner-Str. AZ :

Zur Tanne (Badischer Gasthof a.d. 18. Jh.), Altgasse 2, ✆ (07664) 18 10
8. Jan.- 16. Feb. geschl. – Karte 21/52 *(Juli - Mitte April Dienstag geschl.)* (von Mitte April - Mitte Juni nur Spargelgerichte) – **16 Z : 32 B** 31/43 - 56/80.

In Freiburg-St. Georgen ③ : 3 km :

Ritter St. Georg garni, Basler Landstr. 82 (B 3/31), ✆ 4 35 93 – TV ☎ Ⓟ. AE ⓓ E VISA.
23. Dez.- 7. Jan. geschl. – **17 Z : 30 B** 60/80 - 110/140 Fb.

Zum Schiff, Basler Landstr. 35 (B 3/31), ✆ 4 33 78, Telex 7721984 – Ⓟ. AE ⓓ E VISA
Karte 26/46 *(Sonn- und Feiertage geschl.)* – **45 Z : 75 B** 56/80 - 90/130 Fb – (ab Juni 1989 60 Z : 120 B,).

In Freiburg-Tiengen ③ : 9,5 km :

Zum Anker, Freiburger Landstr. 37, ✆ (07664) 14 85 – Ⓟ.

In Freiburg-Zähringen N : 2 km über Zähringer Str. BCX :

Zähringer Burg, Reutebachgasse 19, ✆ 5 40 41, « Badische Gaststube a.d. 18. Jh. » – Ⓟ. AE ⓓ E
Sonntag 15 Uhr - Montag geschl. – Karte 44/76 (Tischbestellung ratsam)
Spez. Steinbutt in Champagner, Kalbsrückensteak in Gänseleberrahm, Dessertvariation.

In Merzhausen **7802** SW : 3 km über Merzhauser Straße AZ :

Frohe Einkehr, Alte Str. 23, ✆ (0761) 40 90 76, , eigener Weinbau – ☎ Ⓟ
17 Z : 30 B.

Siehe auch : ***Horben und Oberried-Schauinsland***

MICHELIN-REIFENWERKE KGaA. Niederlassung 7800 Freiburg-Hochdorf (Industriegebiet), Weißerlenstraße (über Elsässer Str. AX), ✆ (0761) 1 60 81.

FREIGERICHT **6463.** Hessen 413 K 16 – 12 600 Ew – Höhe 178 m – ✆ 06055.
♦Wiesbaden 77 – Aschaffenburg 28 – ♦Frankfurt am Main 41.

In Freigericht 4-Horbach – Erholungsort :

Haus Vorspessart, Geiselbacher Str. 11, ✆ 31 33, – ☎ Ⓟ. E
Feb. und Okt. je 2 Wochen geschl. – Karte 36/56 *(Freitag geschl.)* – **16 Z : 28 B** 43/48 - 74/90 Fb – P 69/80.

FREILASSING **8228.** Bayern 413 V 23, 987 ㊳, 426 ⑲ – 13 000 Ew – Höhe 425 m – Erholungsort – ✆ 08654.
♦München 139 – Bad Reichenhall 19 – Salzburg 7 – Traunstein 29.

Moosleitner, Wasserburger Str. 52 (W : 2,5 km), ✆ 20 81, , , , (Halle), Fahrradverleih – TV ☎ Ⓟ. AE ⓓ E VISA
Karte 29/56 – **50 Z : 80 B** 75/95 - 110/130 Fb – 2 Fewo 100.

Rupertus, Martin-Oberndorfer-Str. 6, ✆ 6 10 19, – Ⓟ. AE E
Jan. geschl. – Karte 22/33 *(Freitag geschl.)* – **34 Z : 50 B** 33/55 - 66/90.

Zollhäusl, Zollhäuslstr. 11, ✆ 6 20 11, Biergarten, – ☎ Ⓟ. AE E VISA
Karte 18,50/40 – **18 Z : 30 B** 33/50 - 58/75 Fb.

Siehe auch : ***Salzburg*** (Österreich)

FREILINGEN 5419. Rheinland-Pfalz [987] ㉔ – 650 Ew – Höhe 370 m – Luftkurort – ☎ 02666.
Mainz 88 – ♦Köln 94 – Limburg an der Lahn 28.

🏠 **Ludwigshöh**, Hohe Str. 33 (B 8), ℰ 2 80, 🌳, 🌲 – 🚗 Ⓟ
Jan. geschl. – Karte 23/40 *(Freitag geschl.)* – **11 Z : 20 B** 30/38 - 60/75.

FREINSHEIM 6713. Rheinland-Pfalz – 4 000 Ew – Höhe 100 m – ☎ 06353.
Mainz 79 – Kaiserslautern 42 – ♦Mannheim 22.

🍴🍴 **von Busch-Hof** (Restaurant in einem ehemaligen Klosterkeller), ℰ 77 05
wochentags nur Abendessen, Dienstag und Jan. geschl. – Karte 34/50.

FREISING 8050. Bayern [413] S 21, [987] ㊲ – 35 000 Ew – Höhe 448 m – ☎ 08161.
Sehenswert : Domberg★ – Dom★ (Chorgestühl★, Benediktuskapelle★).
♦München 34 – Ingolstadt 56 – Landshut 36 – ♦Nürnberg 144.

🏨 Isar-Hotel, Isarstr. 4, ℰ 8 10 04, Telex 526552 – |♦| [TV] ☎ Ⓟ 🏛
36 Z : 72 B Fb.

🏨 **Bayerischer Hof**, Untere Hauptstr. 3, ℰ 30 37 – |♦| ☎ 🚗 Ⓟ
Karte 21/38 *(Samstag und Ende Juli - Ende Aug. geschl.)* – **70 Z : 90 B** 50/52 - 92/96.

🏨 **Zur Gred**, Bahnhofstr. 8, ℰ 30 97 – ☎ 🏛
⟡ Karte 18,50/51 *(Montag geschl.)* – **30 Z : 50 B** 39/60 - 65/90.

🍴🍴 **La Lanterna** (Italienische Küche), General-von-Nagel-Str. 16, ℰ 25 80 – [AE] [DC] [E] [VISA]
Samstag bis 18 Uhr und Mittwoch geschl. – Karte 39/57.

In Freising-Haindlfing NW : 5 km :

🍴 Gasthaus Landbrecht, Freisinger Str. 1, ℰ (08167) 6 26 – Ⓟ.

FREMDINGEN 8864. Bayern [413] O 20 – 2 200 Ew – Höhe 475 m – ☎ 09086.
♦München 143 – ♦Nünberg 114 – ♦Würzburg 124.

In Fremdingen-Raustetten :

🏨 Jägerblick 🐦, Raustetten 10, ℰ 3 14, 🌳 – Ⓟ
20 Z : 41 B.

🏠 Waldeck 🐦, Raustetten 12, ℰ 2 30 – 🚗 Ⓟ
10 Z : 18 B.

FREUDENBERG 6982. Baden-Württemberg [413] KL 17, [987] ㉕ – 4 000 Ew – Höhe 127 m – ☎ 09375.
♦Stuttgart 145 – Aschaffenburg 48 – Heidelberg 85 – ♦Würzburg 64.

🏨 **Goldenes Faß**, Faßgasse 3, ℰ 6 51, 🌳 – ☎ 🚗 Ⓟ 🏛. [DC] [E]
Jan. 2 Wochen geschl. – Karte 25/46 *(auch Diät)* (Montag geschl.) 🍷 – **14 Z : 22 B** 52 - 85.

🍴🍴 **Rose** mit Zim, Hauptstr. 230, ℰ 6 53, 🌳 – Ⓟ. [DC] [E]
Okt.- Nov. 2 Wochen geschl. – Karte 21/58 *(Dienstag geschl.)* 🍷 – **6 Z : 12 B** 45 - 75.

In Freudenberg-Boxtal O : 10 km – Erholungsort :

🏨 **Rose** 🐦, Kirchstr. 15, ℰ (09377) 12 12, 🌳, 🌲 – Ⓟ
⟡ *Jan. geschl.* – Karte 16/37 *(Montag geschl.)* 🍷 – **23 Z : 46 B** 28/38 - 48/68.

FREUDENBERG Bayern siehe Amberg.

FREUDENBERG 5905. Nordrhein-Westfalen [987] ㉔ – 16 800 Ew – Höhe 300 m – Luftkurort – ☎ 02734.
Sehenswert : Fachwerkhäuser.
Ausflugsziel : Wasserschloß Crottorf★ W : 11 km.
[i] Städt. Verkehrsamt, Krottorfer Str. 25, ℰ 43 64.
♦Düsseldorf 119 – ♦Dortmund 94 – Hagen 75 – ♦Köln 82 – Siegen 17.

🏨 **Zum Alten Flecken** 🐦, Marktstr. 11, ℰ 80 41, ≘s – [TV] ☎ 🚗 Ⓟ. 🚫
Karte 24/57 – **16 Z : 30 B** 36/55 - 90/100 – P 66/85.

🏨 Haus im Walde 🐦, Schützenstr. 31, ℰ 70 57, Telex 876843, ≘s, [🏊], 🌲 – |♦| ☎ 🚗 Ⓟ 🏛
40 Z : 80 B.

🏠 **Schreiber**, Krottorfer Str. 116, ℰ 71 96, ≘s – ☎ Ⓟ
⟡ Karte 18/33 *(Montag geschl.)* – **14 Z : 28 B** 35 - 70.

FREUDENSTADT 7290. Baden-Württemberg [413] J 21, [987] ㉟ – 20 300 Ew – Höhe 735 m – Heilklimatischer Kurort – Wintersport : 660/938 m ⛷4 ⛷8 – ☎ 07441.
Sehenswert : Marktplatz★ – Stadtkirche (Lesepult★★).
Ausflugsziel : Schwarzwaldhochstraße (Höhenstraße★★ von Freudenstadt bis Baden-Baden) ④.
⛳ Hohenrieder Straße, ℰ 30 60.
[i] Kurverwaltung, Promenadeplatz 1, ℰ 86 40.
♦Stuttgart 88 ② – Baden-Baden 57 ⑤ – ♦Freiburg im Breisgau 96 ③ – Tübingen 73 ②.

FREUDENSTADT

Loßburger Straße 13
Marktplatz
Martin-Luther-Straße 18
Straßburger Straße
Stuttgarter Straße

Blaicherstraße 3
Forststraße 4
Friedrich-Ebert-Straße 5
Friedrichstraße 6
Herrenfelder Straße 7
Hirschkopfstraße 8
Karl-von-Hahn-Straße 9
Katharinenstraße 10
Lauterbadstraße 12
Ludwig-Jahn-Straße 15
Moosstraße 19

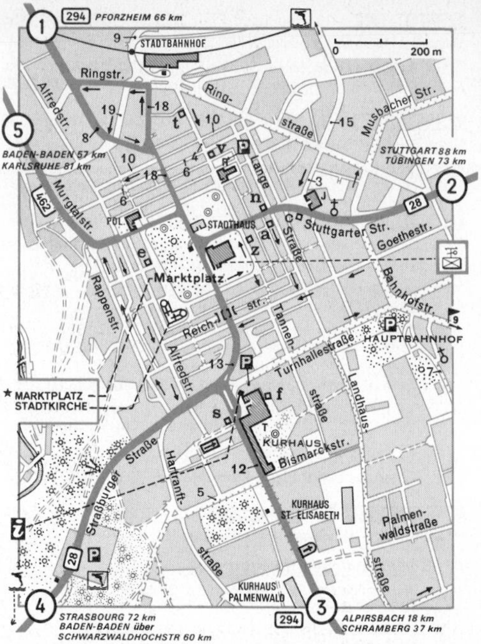

Steigenberger-Hotel, Karl-von-Hahn-Str. 129, 8 10 71, Telex 764266, Fax 84813, Bade- und Massageabteilung, – AE E VISA Rest über ①
Restaurants : – **Zum Jagdhorn** Karte 43/71 – **Im Schnokeloch** Karte 32/55 – **134 Z : 226 B** 109/134 - 178/228 Fb – 3 Appart. 700 – P 160/189.

Kurhotel Sonne am Kurpark, Turnhallestr. 63, 60 44, Telex 764388, Bade- und Massageabteilung, (Halle) – AE E VISA. f
1.- 26. Dez. geschl. – Karte 35/56 *(auch Diät)* – **45 Z : 60 B** 97/177 - 172/242 Fb – P 124/191.

Kurhotel Schwarzwaldhof, Hohenrieder Str. 74 (beim Golfplatz), 74 21, Telex 764371, direkter Zugang zur Badeabteilung mit des Kurhotel Eden – AE E VISA. Rest über Bahnhofstr.
Karte 35/60 *(auch vegetarische Gerichte)* – **40 Z : 66 B** 80/98 - 145/215 Fb – P 113/148.

Hohenried, Zeppelinstr. 5, 24 14, – Zim über ③
Karte 27/49 *(Montag geschl.)* – **27 Z : 42 B** 80/108 - 140/192 Fb – P 102/140.

Post, Stuttgarter Str. 5, 24 21, – AE E VISA n
Karte 29/50 – **52 Z : 90 B** 75/95 - 120/160 Fb – P 105/135.

Bären, Langestr. 33, 27 29 – E a
15.- 31. Jan. geschl. – Karte 29/65 *(Montag geschl.)* – **15 Z : 26 B** 55/70 - 110/140 Fb – P 95/105.

Schwarzwaldhotel Birkenhof, Wildbader Str. 95 (B 294), 40 74, Telex 764236, – AE E VISA über ①
Karte 30/60 – **64 Z : 106 B** 90/125 - 150/200 Fb – P 133/183.

Kur- und Sporthotel Eden, im Nickentäle 5, 70 37, Telex 764270, Bade- und Massageabteilung, – AE E VISA. Rest über Bahnhofstr.
Karte 28/53 – **80 Z : 160 B** 99/115 - 162/275 Fb.

Landhaus Bukenberger garni, Herrenfelder Str. 65, 27 71, – über Herrenfelder Str.
14 Z : 26 B Fb.

König Karl, Bahnhofstr. 83, 22 87, Biergarten, – E über Bahnhofstr.
Karte 28/54 *(Montag geschl.)* – **12 Z : 22 B** 48 - 96 Fb – P 78.

Zum Warteck, Stuttgarter Str. 14, 74 18 – c
April 3 Wochen geschl. – Karte 29/59 *(Samstag geschl.)* – **12 Z : 22 B** 50/55 - 90/110 Fb.

Café Württemberger Hof garni, Lauterbadstr. 10, 60 47 – AE E VISA s
1.- 20. Dez. geschl. – **22 Z : 35 B** 45/73 - 76/134 Fb.

Zur Traube, Marktplatz 41, 28 80 e
10. Nov.- 10. Dez. geschl. – (Restaurant nur für Hausgäste) – **27 Z : 46 B** 38 - 72 – P 56.

Schwanen, Forststr. 6, 22 67 v
10. Nov.- 6. Dez. geschl. – Karte 21/42 *(Donnerstag ab 14 Uhr geschl.)* – **17 Z : 31 B** 42/61 - 84/94 Fb – P 64/70.

Pension Regina garni, Lauterbadstr. 156, 29 10, – über ③
23 Z : 36 B Fb.

Gasthof See, Forststr. 17, 26 88 – . Zim t
15. Nov.- 15. Dez. geschl. – Karte 19/33 *(Mittwoch geschl.)* – **13 Z : 25 B** 34/50 - 62/88 – P 49/60.

Jägerstüble (mit Gästehaus), Marktplatz 12, 23 87 – z
Mitte Okt.- Anfang Nov. geschl. – Karte 23/46 *(Montag geschl.)* – **19 Z : 35 B** 33/45 - 65/80.

An der B 28 ④ : 2 km :

Langenwaldsee, Straßburger Str. 99, 7290 Freudenstadt, (07441) 22 34, <, –
2. Nov.- 15. Dez. geschl. – Karte 27/55 – **40 Z : 70 B** 50/120 - 100/180 Fb.

In Freudenstadt - Dietersweiler ② : 5 km – Erholungsort :

Café Brück, Geschwister-Scholl-Str. 2, 8 11 11, –
20. Okt.- 10. Nov. geschl. – (Restaurant nur für Hausgäste) – **23 Z : 38 B** 38/40 - 76/80 – P 55/57.

In Freudenstadt-Igelsberg ① : 11 km – Erholungsort :

Krone, Hauptstr. 8, (07442) 34 58, – . E
1.- 20. Dez. geschl. – Karte 28/48 – **30 Z : 55 B** 48/74 - 96/142 Fb – P 71/110.

In Freudenstadt-Lauterbad ③ : 3 km – Luftkurort :

Grüner Wald, Kinzigtalstr. 23, 24 27, – . E
Karte 19,50/45 – **42 Z : 75 B** 47/75 - 84/140 Fb.

Kurhotel Lauterbad, Amselweg 5, 8 10 07, – . E. Rest
15. Nov.- 15. Dez. geschl. – Karte 28/48 *(auch vegetarische Gerichte)* (Freitag geschl.) – **20 Z : 31 B** 46/95 - 100/140 Fb – P 71/120.

Gut Lauterbad, Dietrichstr. 5, 74 96, – . E VISA
10.- 25. Jan. und 20. Nov.- 20. Dez. geschl. – Karte 25/55 *(Mittwoch geschl.)* – **20 Z : 36 B** 49/58 - 78/102 Fb – P 69/88.

Landhaus Waldesruh, Hardtsteige 5, 30 35, –
(nur Abendessen für Hausgäste) – **28 Z : 48 B** 30/35 - 56/70 Fb.

Berghof, Hardtsteige 20, 8 26 37, –
35 Z : 52 B.

In Freudenstadt-Zwieselberg ④ : 8 km Richtung Bad Rippoldsau :

Hirsch, Hauptstr. 10, 21 10, –
2. Nov.- 15. Dez. geschl. – Karte 20/39 – **35 Z : 60 B** 26/47 - 52/90 – P 48/71.

Freudenstadt-Kniebis siehe : ***Schwarzwaldhochstraße***

FREUDENTAL Baden-Württemberg siehe Besigheim.

FREYSTADT 8437. Bayern 413 QR 19 – 6 600 Ew – Höhe 406 m – 09179.
•München 134 – Ansbach 67 – Ingolstadt 61 – •Nürnberg 40.

Pietsch, Marktplatz 55, 51 04 – .
Karte 17,50/37 *(Sonntag geschl.)* – **55 Z : 105 B** 37/55 - 66/86.

FREYUNG 8393. Bayern 413 X 20, 987 ㉘, 426 ⑦ – 7 500 Ew – Höhe 658 m – Luftkurort – Wintersport : 658/800 m 3 7 – 08551.
Direktion für Tourismus, Rathaus, Langgasse 5, 44 55.
•München 205 – Grafenau 15 – Passau 34.

Brodinger, Schulgasse 15, 40 04, –
März 2 Wochen und Ende Okt.- Anfang Nov. geschl. – Karte 19,50/39 *(Samstag 15 Uhr - Sonntag geschl.)* – **17 Z : 38 B** 38/40 - 70/80 – P 55/60.

Brodinger - Am Freibad, Zuppinger Str. 3, 43 42, –
April und Nov. je 2 Wochen geschl. – Karte 19,50/39 *(Montag geschl.)* – **15 Z : 32 B** 38/40 - 70/80 Fb – P 55/60.

Zur Post, Stadtplatz 2, 40 25, –
30 Z : 53 B.

Veicht garni, Stadtplatz 14, 8 63 –
32 Z : 50 B 30/40 - 54/66.

In Mitterfirmiansreut 8391 NO : 19 km über Philippsreut – Erholungsort – Wintersport : 900/1 100 m ⛷5 ⛷2 :

🏨 **Sporthotel Sperlich** 🌳, Hauptstr. 54, ☎ (08557) 7 33, ≤, 🏊, 🌲, 🎾 (Halle) – 🚗 [P]
16. April - 13. Mai und 29. Okt.- 18. Dez. geschl. – (nur Abendessen für Hausgäste) – **26 Z : 50 B** 40/54 - 80/88.

Siehe auch : ***Liste der Feriendörfer***

FRIBOURG FRIBURGO = Freiburg im Breisgau.

FRICKENHAUSEN Baden-Württemberg siehe Nürtingen.

FRICKENHAUSEN 8701. Bayern [413] N 17 – 1 300 Ew – Höhe 180 m – ☎ 09331 (Ochsenfurt).
♦München 277 – Ansbach 61 – ♦Würzburg 21.

🏨 **Weingut Meintzinger** 🌳 garni, Jahnplatz 33, ☎ 30 77 – 📺 ☎ 🚗 [P]. [AE] [E] [VISA]
21 Z : 40 B 75/115 - 100/190 Fb.

🍴 **Fränkische Weinstube**, Hauptstr. 19, ☎ 6 51, 🌳, « Ehrbars Keller »
24. Dez.- 19. Jan., 13.- 29. Aug. und Montag geschl. – Karte 33/53 (Tischbestellung ratsam) 🍷.

Siehe auch : ***Ochsenfurt***

FRICKINGEN 7771. Baden-Württemberg [413] K 23, [216] ⑩ – 2 400 Ew – Höhe 500 m – ☎ 07554 (Heiligenberg).
♦Stuttgart 142 – Bregenz 67 – Sigmaringen 41.

🏨 Löwen, Kirchstr. 23, ☎ 2 15 – [P]
11 Z : 20 B.

🏨 **Paradies**, Kirchstr. 8, ☎ 2 75 – 🚗 [P]. 🚭 Zim
20. Dez.- 20. Jan. geschl. – Karte 21/32 *(Samstag geschl.)* – **18 Z : 28 B** 33/35 - 65/70.

FRIDINGEN AN DER DONAU 7203. Baden-Württemberg [413] J 22, [987] ㉟, [427] ⑥ ⑦ – 2 900 Ew – Höhe 600 m – Erholungsort – ☎ 07463 (Mühlheim an der Donau).
Ausflugsziel : Knopfmacherfelsen : Aussichtskanzel ≤**, O : 3 km.
♦Stuttgart 118 – ♦Freiburg im Breisgau 107 – ♦Konstanz 57 – ♦Ulm (Donau) 120.

🏨 Sonne, Bahnhofstr. 22, ☎ 4 46 – ☎ 🚗 [P]
13 Z : 26 B.

In Fridingen-Bergsteig SW : 2 km Richtung Mühlheim – Höhe 670 m :

🍴 **Landhaus Donautal** mit Zim, ☎ 4 69, ≤, 🌳, 🌲 – 🚗 [P]. [E]
10. Jan.- 10. Feb. geschl. – Karte 27/52 *(Freitag ab 14 Uhr und Montag geschl.)* 🍷 – **7 Z : 13 B** 75/80 - 120/130.

Beim Knopfmacherfelsen O : 2,5 km Richtung Beuron :

🍴 **Berghaus Knopfmacher** 🌳 mit Zim, ✉ 7203 Fridingen, ☎ (07463) 10 57, ≤, 🌳 – ☎ [P]. [AE] [E]
6. Jan.- 15. März geschl. – Karte 22/46 *(Montag - Dienstag geschl.)* – **5 Z : 12 B** 48 - 96.

FRIEDBERG/HESSEN 6360. Hessen [413] J 15, [987] ㉕ – 25 000 Ew – Höhe 150 m – ☎ 06031.
Sehenswert : Judenbad* – Burg (Adolfsturm*) – Stadtkirche (Sakramentshäuschen*).
[i] Amt für Fremdenverkehr, Am Seebach 2, (in der Stadthalle), ☎ 98 87.
♦Wiesbaden 61 – ♦Frankfurt am Main 32 – Gießen 36.

🏨 **Stadthalle**, Am Seebach 2, ☎ 90 85, 🌳 – 🛗 ☎ [P] 🏛. [E]
Karte 25/48 – **20 Z : 32 B** 68/75 - 120/125.

FRIEDEBURG 2947. Niedersachsen [987] ⑭ – 9 600 Ew – Höhe 10 m – Erholungsort – ☎ 04465.
♦Hannover 224 – ♦Oldenburg 54 – Wilhelmshaven 25.

🏨 **Deutsches Haus**, Hauptstr. 87, ☎ 4 81, 🌲 – 🚗 [P] 🏛
Karte 20/37 *(Montag bis 17 Uhr geschl.)* – **20 Z : 34 B** 34/40 - 63/70.

🏨 Landhaus Eichenhorst 🌳, Margaretenstr. 19, ☎ 14 82, 🏊, Fahrradverleih – 🚭 ♿ [P]
(nur Vollwertkost) (nur Abendessen) – **15 Z : 29 B** Fb.

🏨 **Oltmanns** (Gasthof a.d. 18. Jh.), Hauptstr. 79, ☎ 2 05, « Gartenterrasse », 🌲 – 🚗 [P]
2.- 15. Jan. geschl. – Karte 26/58 *(Donnerstag - Freitag 18 Uhr geschl.)* – **21 Z : 35 B** 40 - 75.

🍴 **Friedeburg**, Hopelser Weg 11 (W : 1,5 km, nahe der B 436), ☎ 3 67, « Gartenterrasse » – [P]
Montag und Okt. 3 Wochen geschl. – Karte 24/54.

[FRIEDENFELS] 8591. Bayern [413] T 17 – 1 900 Ew – Höhe 537 m – Erholungsort – ☎ 09683.

♦München 259 – Bayreuth 50 – ♦Nürnberg 112 – Weiden in der Oberpfalz 34.

🏠 **Pension Zeitler** garni (Mahlzeiten im Restaurant Schloßschenke), Otto-Freundl-Str. 11, ☎ 2 73, – 🅟
40 Z : 80 B 27/31 - 53/61.

🍴 **Schloßschenke**, Schloßbergstr. 31, ☎ 2 73, – 🅟
Karte 18/39.

[FRIEDENWEILER] 7829. Baden-Württemberg [413] H 23 – 1 600 Ew – Höhe 910 m – Kneippkurort – Wintersport : 920/1 000 m 1 6 – ☎ 07651 (Titisee-Neustadt).

[i] Kurverwaltung, Rathausstr. 16, ☎ 50 34.

♦Stuttgart 151 – Donaueschingen 25 – ♦Freiburg im Breisgau 42.

🏠 **Ebi**, Klosterstr. 4, ☎ 75 74, – ☎ 🅟. [AE] E VISA
Nov.-20. Dez. geschl. – Karte 28/56 *(auch vegetarische Gerichte)* (Dienstag geschl.) – **20 Z : 37 B** 68/90- 110/130 Fb – P 89/112.

Steppacher, Rathausstr. 4, ☎ 75 16, – 🅟
15. Nov.- 15. Dez. geschl. – Karte 18/37 *(Montag geschl.)* – **12 Z : 20 B** 23 - 46 – P 45.

In Friedenweiler-Rötenbach SO : 4 km – Erholungsort – ☎ 07654 :

Rössle, Hauptstr. 14, ☎ 3 51, – 🅟
15. Nov.- 15. Dez. geschl. – Karte 15,50/36 *(Dienstag geschl.)* – **16 Z : 30 B** 22/32 - 44/64 – P 44/50.

[FRIEDLAND] Niedersachsen siehe Göttingen.

[FRIEDRICHSDORF] 6382. Hessen [413] I 16 – 23 000 Ew – Höhe 220 m – ☎ 06172.

♦Wiesbaden 56 – Bad Homburg v.d.H. 5 – ♦ Frankfurt am Main 27 – Gießen 42.

🏨 **Queens Hotel im Taunus**, Im Dammwald 1, ☎ 73 90, Telex 415892, Fax 739852, – Zim [TV] ☎ 🅟. [AE] E VISA. Rest
Karte 36/64 – **127 Z : 177 B** 174/199 - 233/265 Fb.

🏨 **Lindenhof**, Hugenottenstr. 47, ☎ 50 77, (geheizt), – Rest [TV] ☎ 🅟. [AE] E VISA
Karte 39/62 *(nur Abendessen, Samstag geschl.)* – **36 Z : 55 B** 105 - 150 Fb.

🍴🍴🍴 **Sängers Restaurant - Weißer Turm** mit Zim, Hugenottenstr. 121, ☎ 7 20 20 – ☎ 🅟. E
Juli - Aug. 2 Wochen geschl. – Karte 74/104 *(Tischbestellung ratsam)* (Samstag bis 19 Uhr und Sonntag geschl.) – **13 Z : 18 B** 55/100 - 100/150
Spez. Roulade von Seezunge und Lachs, Rehragout in Spätburgunder (nur Saison), Gefüllter Ochsenschwanz in 2 Gängen serviert.

[FRIEDRICHSHAFEN] 7990. Baden-Württemberg [413] L 24, [987] ㉟ ㊱, [427] ⑦ – 52 000 Ew – Höhe 402 m – ☎ 07541.

Messegelände, am Riedlepark (BY), ☎ 2 30 01, Telex 734315.

[i] Tourist-Information, Friedrichstr. 18 (am Yachthafen), ☎ 2 17 29.

♦Stuttgart 167 ① – Bregenz 30 ② – ♦Freiburg im Breisgau 161 ③ – Ravensburg 20 ①.

Stadtplan siehe nächste Seite.

🏨 **Buchhorner Hof**, Friedrichstr. 33, ☎ 20 50, Telex 734210 – [TV] AZ a
19. Dez. - Mitte Jan. geschl. – Karte 41/77 – **65 Z : 120 B** 95/119 - 140/220 Fb.

🏨 **Föhr**, Albrechtstr. 73, ☎ 2 60 66, Telex 734248, – [TV] 🅟. [AE] E VISA über Albrechtstr. AZ
23. Dez.- 10. Jan. geschl. – Karte 37/60 *(nur Abendessen)* – **56 Z : 112 B** 79/95 - 120/170 Fb.

🏨 **City-Krone**, Schanzstr. 7, ☎ 2 20 86, Telex 734215, – [TV] ☎ 🅟. [AE] E VISA
Mitte Dez.- Mitte Jan. geschl. – Karte 29/51 *(nur Abendessen, Samstag - Sonntag geschl.)* – **80 Z : 125 B** 75/100 - 99/160 Fb. AY c

🏠 Zeppelin garni, Eugenstr. 41/1, ☎ 2 50 71, Telex 734369 – [TV] 🅟 AZ v
18 Z : 20 B Fb.

🏠 **Goldenes Rad - Drei Könige**, Karlstr. 43, ☎ 2 10 81 (Hotel) 2 16 25 (Rest.), Telex 734391, – [TV] ☎ 🅟. [AE] E VISA AY n
15. Dez.- 6. Jan. geschl. – Karte 25/49 – **70 Z : 120 B** 65/110 - 80/160 Fb.

🏠 **Krager**, Ailinger Str. 52, ☎ 7 10 11 – ☎ 🅟 BY s
20. Dez.- 10. Jan. geschl. – Karte 25/40 *(nur Abendessen, Freitag geschl.)* – **17 Z : 27 B** 52/68 - 94/102.

🍴🍴 **Kurgartenrestaurant**, Olgastr. 20 (im Graf-Zeppelin-Haus), ☎ 7 20 72, Bodensee, « Terrasse am See » – 🅟. [AE] E VISA AZ e
Karte 30/61 *(auch vegetarische Gerichte)*.

FRIEDRICHSHAFEN

Buchhornplatz	AY	3	Klosterstraße	AZ	22
Dammstraße	AY	6	Maybachstraße	AZ	23
Friedrichstraße	AY		Meistershofener Straße	BY	25
Goldschmiedstraße	AY	13	Montfortstraße	AY	26
Karlstraße	AY		Östliche Uferstraße	BZ	28
Wilhelmstraße	AY	41	Olgastraße	AZ	29
			Paulinenstraße	AY	30
Albrechtstraße	AZ	2	Ravensburger Straße	BZ	32
Charlottenstraße	BZ	4	Schanzstraße	AY	33
Eugen-Bolz-Straße	AY	8	Scheffelstraße	BZ	35
Flugplatzstraße	BY	10	Schloßstraße	AZ	36
Gebhardstraße	BZ	12	Schwabstraße	BY	37
Hans-Böckler-Straße	BZ	16	Seestraße	AY	38
Hofener Straße	AZ	18	Wendelgardstraße	BZ	39
Katharinenstraße	BZ	21	Zeppelinstraße	AZ	42

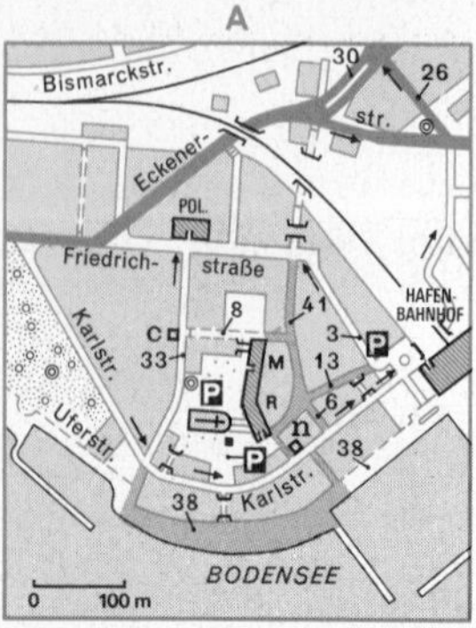

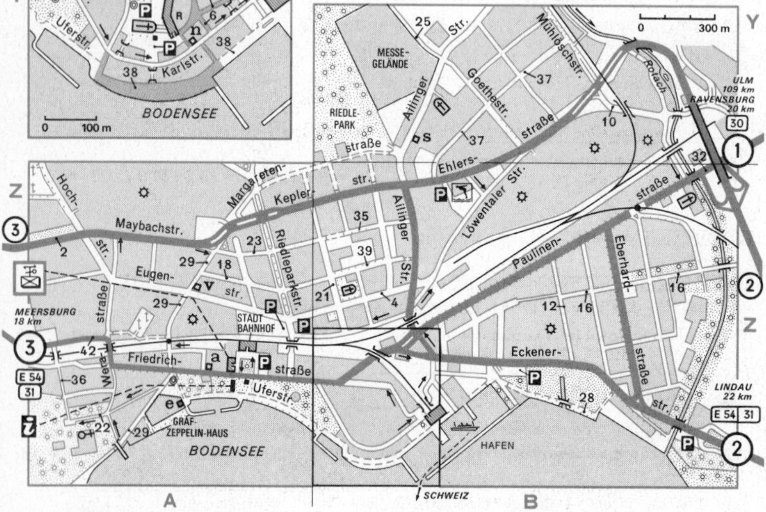

In Friedrichshafen 5-Ailingen N : 6 km, über Ailinger Str. BY – Erholungsort :

Sieben Schwaben, Hauptstr. 37, ✆ 5 50 98 – AE E VISA
Karte 27/42 *(nur Abendessen, Nov.- März Sonntag geschl.)* – **24 Z : 45 B** 56/70 - 96 Fb.

Zur Gerbe, Hirschlatter Str. 14, ✆ 5 10 84, –
38 Z : 67 B Fb.

In Friedrichshafen 2-Fischbach ③ : 5 km :

Traube, Meersburger Str. 13, ✆ 4 20 38, Telex 734366, – AE E VISA
23. Dez.- 10. Jan. geschl. – Karte 26/61 *(Nov.- Mai Freitag geschl.)* – **55 Z : 100 B** 70/95 - 100/150 Fb.

Maier, Poststr. 1, ✆ 49 15, Telex 734801, – AE E VISA
11. Jan.- 4. Feb. geschl. – Karte 30/59 *(Freitag bis 17 Uhr geschl.)* – **47 Z : 85 B** 65/85 - 95/140 Fb.

In Friedrichshafen 1-Jettenhausen N : 2 km, über Riedleparkstr. AZ :

Knoblauch, Jettenhauser Str. 32, ✆ 5 10 44, –
Karte 28/50 *(Freitag geschl.)* – **32 Z : 68 B** 45/75 - 75/120 Fb.

In Friedrichshafen - Schnetzenhausen NW : 4 km, über Hochstr. AZ :

Krone - Haus Sonnenbüchel, Untere Mühlbachstr. 1, ✆ 49 01, Telex 734217, (geheizt), (Halle), Fahrradverleih – AE E VISA. Zim
20.- 25 Dez. geschl. – Karte 20/54 – **97 Z : 170 B** 65/125 - 105/170 Fb – P 90/162.

XX **Kachlofe**, Manzeller Str. 30, ✆ 4 16 92, « Wintergarten » – AE E
Samstag geschl. – Karte 40/58.

In Friedrichshafen - Waggershausen N : 3 km, über Hochstr. AZ :

Traube, Sonnenbergstr. 12, ✆ 5 50 07, – AE E VISA
24.- 30. Dez. geschl. – Karte 20/45 *(Montag bis 17 Uhr geschl.)* – **32 Z : 58 B** 45/68 - 85/110 Fb.

[FRIEDRICHSHALL, BAD] 7107. Baden-Württemberg [413] K 19, [987] ㉕ – 11 800 Ew – Höhe 160 m – ☎ 07136.

♦Stuttgart 62 – Heilbronn 10 – ♦Mannheim 83 – ♦Würzburg 110.

In Bad Friedrichshall 1-Jagstfeld :

🏨 **Zur Sonne**, Deutschordenstr. 16, ☎ 40 63, ≤, 🌳 – ☎ 🅿. [AE] [E] [VISA]
Karte 25/48 *(Freitag - Samstag 16 Uhr geschl.)* 🍷 – **14 Z : 26 B** 54/62 - 90/98.

🏨 Café Schöne Aussicht, Deutschordenstr. 2, ☎ 60 57, ≤, 🌳, 🍴 – 🅿
16 Z : 30 B.

In Bad Friedrichshall 2-Kochendorf :

🏨 **Schloß Lehen**, Hauptstr. 2, ☎ 40 44, 🌳 – 🛗 [TV] ☎ 🚗 🅿 🏃. [AE] [O] [E] [VISA]
Karte 29/55 *(auch vegetarische Gerichte)* – **Gourmet-Stüble** Karte 39/79 – **27 Z : 39 B** 75/95 - 120/160 Fb.

🏨 **Krone-Gästehaus Bauer**, Marktplatz 2, ☎ 84 17 – 🅿
✦ *Ende Okt.- 10. Nov. geschl.* – Karte 19/30 *(Okt.- März Freitag geschl.)* 🍷 – **70 Z : 110 B** 55/70 - 90/110.

[FRIEDRICHSKOOG] 2228. Schleswig-Holstein [987] ④ ⑤ – 3 000 Ew – Höhe 2 m – Seebad – ☎ 04854.

[i] Kurverwaltung, Koogstr. 66, ☎ 10 84.

♦Kiel 116 – ♦Hamburg 108 – Itzehoe 52 – Marne 13.

🏨 **Stadt Hamburg** 🐕, Strandweg 6 (NW : 4 km), ☎ 2 86, 🌳, 🍴 – [TV] 🅿. [AE] [O] [E]
5.- 31. Jan. geschl. – Karte 27/55 *(Nov.- März Dienstag geschl.)* – **16 Z : 32 B** 65/75- 90/110 – 9 Fewo 95/140.

[FRIEDRICHSRUHE] Baden-Württemberg siehe Öhringen.

[FRIEDRICHSTADT] 2254. Schleswig-Holstein [987] ⑤ – 2 600 Ew – Höhe 4 m – Luftkurort – ☎ 04881.

[i] Tourist-Information, am Mittelburgwall 23, ☎ 72 40.

♦Kiel 82 – Heide 25 – Husum 15 – Schleswig 49.

🏨 **Aquarium-Café**, Am Mittelburgwall 6, ☎ 4 19, 🌳 – 🅿. [AE] [O] [E]
Karte 27/55 *(Nov.- Feb. Dienstag geschl.)* – **21 Z : 45 B** 60 - 80.

🍴🍴 **Holländische Stube** mit Zim, Am Mittelburgwall 24, ☎ 72 45, 🌳, « Holländisches Haus a.d. 17. Jh. » – [TV] ☎. [AE] [O] [E]
Karte 28/49 *(Nov.- Feb. Mittwoch geschl.)* – **7 Z : 18 B** 75 - 100.

[FRIELENDORF] Hessen siehe Liste der Feriendörfer.

[FRIESENHEIM] 7632. Baden-Württemberg [413] G 21, [242] ㉘ – 10 200 Ew – Höhe 158 m – ☎ 07821 (Lahr).

♦Stuttgart 158 – ♦Freiburg im Breisgau 54 – Offenburg 12.

🏨 **Krone**, Kronenstr. 2 (B 3), ☎ 6 20 38 – ☎ 🚗 🅿 🏃
Aug. 2 Wochen und 27. Dez.- 10. Jan. geschl. – Karte 22/47 *(Freitag geschl.)* 🍷 – **29 Z : 40 B** 27/45 - 59/83.

In Friesenheim 2-Oberweier :

🍴🍴 **Mühlenhof** mit Zim, Oberweierer Hauptstr. 32, ☎ 65 20 – ☎ 🚗 🅿
Jan. und Aug. je 3 Wochen geschl. – Karte 24/44 *(Dienstag geschl.)* 🍷 – **12 Z : 18 B** 38/42 - 62/72.

[FRITZLAR] 3580. Hessen [987] ㉕ – 15 000 Ew – Höhe 235 m – ☎ 05622.

Sehenswert : Dom★ – Marktplatz★ – Stadtmauer (Grauer Turm★).

[i] Verkehrsbüro, Rathaus, ☎ 8 03 43.

♦Wiesbaden 201 – Bad Hersfeld 48 – ♦Kassel 32 – Marburg 61.

🏨 Deutscher Kaiser, Kasseler Str. 27, ☎ 15 06 – ☎ 🚗
12 Z : 24 B.

In Fritzlar-Ungedanken SW : 8 km :

🏨 **Büraberg**, an der B 253, ☎ 40 40, 🌳 – ☎ 🚗 🅿. [O] [E]
✦ Karte 17/40 *(Sonntag 15 Uhr - Montag 17 Uhr geschl.)* – **14 Z : 25 B** 40/50 - 70/80 Fb.

[FRÖNDENBERG] 5758. Nordrhein-Westfalen – 22 000 Ew – Höhe 140 m – ☎ 02373 (Menden).

♦Düsseldorf 97 – ♦Dortmund 29 – Iserlohn 17.

🍴🍴 **Landhaus Toque Blanche** mit Zim, Sümbergstr. 29a, ☎ 73 92 – [TV] ☎ 🅿
Karte 38/67 *(Samstag bis 18 Uhr sowie Sonn- und Feiertage geschl.)* – **6 Z : 11 B** 80 - 120/140.

[FUCHSTAL] 8915. Bayern [413] P 23, [426] ⑯ – 2 500 Ew – Höhe 619 m – ☎ 08243.

♦München 69 – Garmisch-Partenkirchen 72 – Landsberg am Lech 12.

- **Landgasthof Hohenwart**, an der B 17 (Seestall), ✆ 22 31, 🌳 – [P]
  Karte 24/50 *(Nov.- Ostern Donnerstag geschl.)* – **14 Z : 29 B** 35/45 - 65/75.

[FÜRSTENAU] 4557. Niedersachsen [987] ⑭ – 7 800 Ew – Höhe 50 m – ☎ 05901.

♦Hannover 195 – ♦Bremen 117 – Nordhorn 48 – ♦Osnabrück 44.

- **Zum Deutschen Reich**, Bahnhofstr. 20, ✆ 10 76 – 🚗 [P]. [AE]
  2.- 16. Jan. geschl. – Karte 18/42 *(Montag geschl.)* – **17 Z : 28 B** 36/40 - 70/80.
- **Stratmann**, Große Str. 29, ✆ 31 39 – ☎ 🚗 [P]. [AE]
  Karte 16,50/35 – **12 Z : 22 B** 35 - 70.
- **Wübbel**, Osnabrücker Str. 56 (B 214), ✆ 7 89 – [P]. [E]. 🐕
  Aug. geschl. – Karte 17/40 *(Dienstag geschl.)* – **10 Z : 17 B** 40/50 - 80.
- **Landwehr**, Buten Porten 1, ✆ 31 76, 🌳 – 🚗 [P]. 🐕
  Juli - Aug. 3 Wochen geschl. – Karte 18/38 – **9 Z : 13 B** 27/35 - 54/65.

[FÜRSTENBERG] 3476. Niedersachsen – 1 300 Ew – Höhe 93 m – Erholungsort – ☎ 05271.

[i] Verkehrsamt, Haus des Gastes, ✆ 51 01.

♦Hannover 107 – ♦Düsseldorf 236 – Göttingen 69 – ♦Kassel 66.

- Hubertus 🏞, Derentaler Str. 58, ✆ 59 11, 🌳, 🎾 – [TV] ☎ [P]
  23 Z : 45 B.

[FÜRSTENFELDBRUCK] 8080. Bayern [413] Q 22, [987] ㊱㊲, [426] ⑯⑰ – 32 000 Ew – Höhe 528 m – ☎ 08141.

♦München 26 – ♦Augsburg 42 – Garmisch-Partenkirchen 97.

- **Post**, Hauptstr. 7, ✆ 2 40 74 – [$] [TV] ☎ 🚗 [P] 🏛. [AE] [O] [E] [VISA]
  23. Dez.- 6. Jan. geschl. – Karte 25/50 *(Sonntag ab 15 Uhr, Samstag und Aug. 3 Wochen geschl.)* – **44 Z : 65 B** 75/95 - 90/120.
- **Gästehaus Brucker** garni, Kapellenstr. 3, ✆ 66 08 – [TV] ☎ 🚗 [P]. [AE] [O] [E] [VISA]
  13 Z : 21 B 75/90 - 110/135.
- **Drexler** garni, Hauptstr. 10, ✆ 50 61 – ☎ 🚗
  24. Dez.- 12. Jan. geschl. – **19 Z : 30 B** 50/80 - 80/120.

[FÜRSTENLAGER (STAATSPARK)] Hessen. Sehenswürdigkeit siehe Bensheim a.d. Bergstraße.

[FÜRSTENZELL] 8399. Bayern [413] W 21, [987] ㊳, [426] ⑦ – 6 400 Ew – Höhe 358 m – ☎ 08502.

♦München 169 – Linz 92 – Passau 14 – ♦Regensburg 121.

- **Mayer**, Griesbacher Str. 6, ✆ 2 26 – 🚗 [P]
  23. Aug.- 12. Sept. geschl. – Karte 18/31 *(Samstag geschl.)* 🍷 – **18 Z : 26 B** 30/38 - 60/70 – P 44/53.

[FÜRTH] 8510. Bayern [413] P 18, [987] ㉖ – 99 000 Ew – Höhe 294 m – ☎ 0911 (Nürnberg).

Siehe auch Nürnberg-Fürth (Umgebungsplan).

[i] Verkehrsverein im ABR, Bahnhofplatz, ✆ 77 26 70.

ADAC, Fürther Freiheit 15, ✆ 77 60 06.

♦München 172 ⑧ – ♦Nürnberg 7 ⑧.

Stadtplan siehe gegenüberliegende Seite.

- **Bavaria** garni, Nürnberger Str. 54, ✆ 77 49 41, Telex 626570, 🏊, 🏊 – [$] [TV] ☎ 🚗 [P]. [AE] [O] [E] — Z e
  58 Z : 96 B 83/136 - 123/260.
- **Park-Hotel** garni, Rudolf-Breitscheid-Str. 15, ✆ 77 66 66, Telex 623471 – [$] [TV] ☎ 🚗 [P] 🏛 — Z a
  70 Z : 100 B Fb.
- **Marienstraße** garni, Marienstr. 11, ✆ 77 59 51 – [TV] ☎ — Z c
  16 Z : 33 B.
- 🍴🍴🍴 ✿ **Baumann** mit Zim, Schwabacher Str. 131, ✆ 77 76 50 – [$] [TV] ☎ [P]. [AE] [O] [E] — Z d
  Aug.- Sept. 3 Wochen geschl. – Karte 66/96 *(Tischbestellung ratsam)* (Montag bis 18 Uhr sowie Sonn- und Feiertage geschl.) – **21 Z : 33 B** 85/125 - 98/145
  Spez. Geliertes Wachtelbrüstchen mit Aromaten, Saibling in Franken-Riesling, Barbarie-Ente aus dem Ofen (für 2 Pers.).
- 🍴🍴 ✿ **Kupferpfanne** (Restaurant mit rustikaler Einrichtung), Königstr. 85, ✆ 77 12 77 – [AE] [O] [E] [VISA] — Y n
  Sonn- und Feiertage geschl. – Karte 51/84 (Tischbestellung ratsam)
  Spez. Entensülze mit Kresse, Gefüllter Seeteufel mit Bärlauchnudeln (Frühjahr), Dessertteller "Kupferpfanne".
- 🍴 **Duckla**, Mühlstr. 2, ✆ 77 86 60 – [AE] [O] [E] — Y u
  1.- 6. Jan., 1.- 27. Aug. sowie Sonn- und Feiertage geschl. – Karte 50/67 (Tischbestellung ratsam).

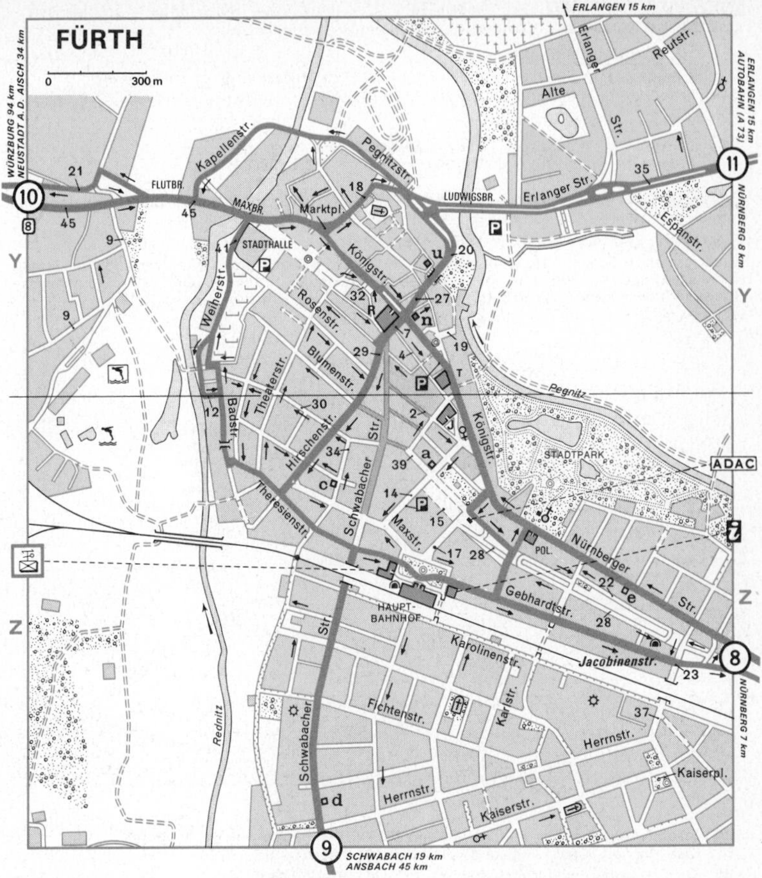

Schwabacher Straße	Z		Gustav-Schickedanz-Str.	Z 17		Kohlenmarkt	Y 29
			Heiligenstraße	Y 18		Mathildenstraße	Z 30
Alexanderstraße	Z 2		Helmplatz	Y 19		Obstmarkt	Y 32
Bäumenstraße	Y 4		Henri-Dunant-Straße	Y 20		Ottostraße	Z 34
Brandenburger Straße	Y 7		Hochstraße	Y 21		Poppenreuther Straße	Y 35
Cadolzburger Straße	Y 9		Hornschuhpromenade	Z 22		Ritterstraße	Z 37
Denglerstraße	Z 12		Jacobinenstraße	Z 23		Rudolf-Breitscheid-Straße	Z 39
Friedrichstraße	Z 14		Königsplatz	Y 27		Uferstraße	Y 41
Fürther Freiheit	Z 15		Königswarterstraße	Z 28		Würzburger Straße	Y 45

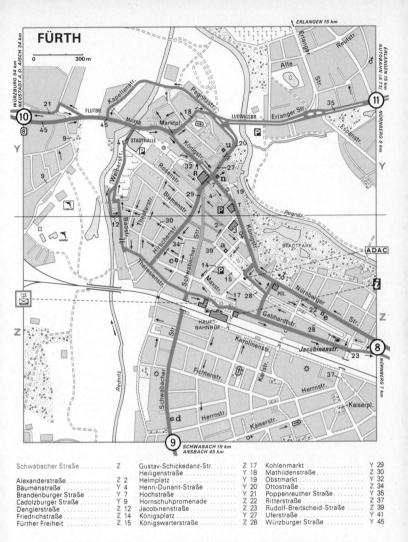

Folgende Häuser finden Sie auf dem Stadtplan Nürnberg-Fürth :

In Fürth-Dambach :

Forsthaus, Zum Vogelsang 20, ☎ 77 98 80, Telex 626385 – TV P. AE E VISA. Rest — AS **g**
Karte 59/75 – **107 Z : 145 B** 145 - 180 Fb – 7 Appart. 300/600.

In Fürth-Poppenreuth :

Novotel Fürth, Laubenweg 6, ☎ 79 10 10, Telex 622214, Fax 793466, (geheizt), – Zim TV P. AE E VISA — AS **n**
Karte 35/54 – **131 Z : 262 B** 140/160 - 175/240 Fb.

In Fürth-Ronhof :

Hachmann, Ronhofer Hauptstr. 191, ☎ 79 80 05, – TV P. E. Zim — AS **s**
23.- 31. Dez. geschl. – Karte 22/45 *(Sonntag und 1.- 20. Aug. geschl.)* – **25 Z : 42 B** 85/108 - 140/175.

[FÜRTH IM ODENWALD] **6149.** Hessen [413] J 18 – 10 100 Ew – Höhe 198 m – Erholungsort – ☎ 06253 – ♦Wiesbaden 83 – ♦Darmstadt 42 – Heidelberg 36 – ♦Mannheim 33.

In Fürth-Weschnitz NO : 6 km :

🏨 **Erbacher Hof,** Hammelbacher Str. 2, ☎ 56 04, ≘s, 🏊, ⛱ – Ⓟ 🏟. [AE] [D] [E] [VISA]
Karte 18/51 🍷 – **45 Z : 79 B** 50 - 95 – P 75.

In Rimbach **6149** SW : 4,5 km :

🏨 **Berghof** 🔇, Holzbergstr. 27, ☎ (06253) 64 54, ⛱ – ☎ Ⓟ. 🐕
Karte 23/44 *(Donnerstag - Freitag 14 Uhr geschl.)* – **12 Z : 28 B** 47 - 94.

[FÜSSEN] **8958.** Bayern [413] OP 24, [987] ㊱, [426] ⑯ – 15 300 Ew – Höhe 803 m – Kneipp- und Luftkurort – Wintersport : 810/950 m ⛷3 ⛷12 – ☎ 08362.

Sehenswert : St.-Anna-Kapelle (Totentanz★) **B.**

Ausflugsziele : Schloß Neuschwanstein★★ ≤★★★ ② : 4 km und 1,5 km zu Fuß – Schloß Hohenschwangau★ 4 km über ② – Alpsee★ : Pindarplatz ≤★ 4 km über ② – Romantische Straße★★ (von Füssen bis Würzburg) – [i] Kurverwaltung, Augsburger Torplatz 1, ☎ 70 77.

♦München 120 ② – Kempten (Allgäu) 41 ④ – Landsberg am Lech 63 ②.

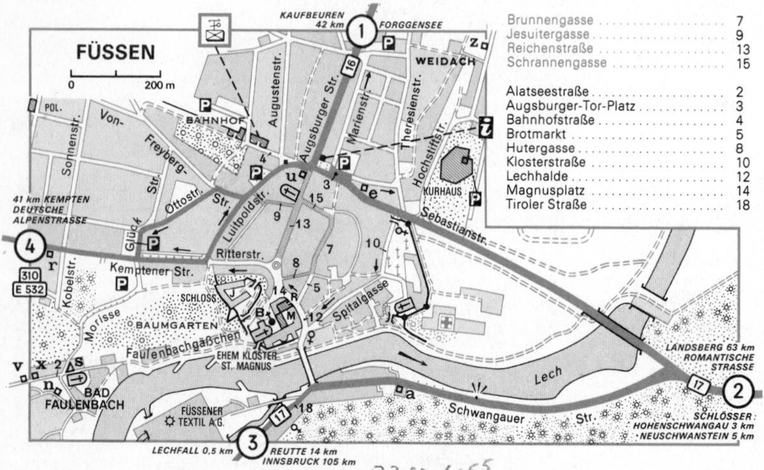

8362-1055

🏨 **Hirsch,** Schulhausstr. 4, ☎ 60 55, Telex 541308, Biergarten – ☎ Ⓟ. [AE] [D] [VISA] **e**
Dez.- 15. Feb. geschl. – Karte 32/60 – **46 Z : 85 B** 85/100 - 150/170 Fb.

🏨 **Christine** 🔇 garni, Weidachstr. 31, ☎ 72 29, ⛱ – 📺 ☎ Ⓟ. 🐕 **z**
15. Jan.- 15. Feb. geschl. – **15 Z : 30 B** 80/130 - 130/160.

🏨 **Fürstenhof** garni, Kemptener Str. 23 (B 310), ☎ 70 06 – ☎ Ⓟ. [AE] [E] **r**
Nov.- 15. Dez. geschl. – **15 Z : 30 B** 51/70 - 102 Fb.

🏨 **Sonne** garni, Reichenstr. 37, ☎ 60 61 – 🛗 ☎ Ⓟ. [AE] [D] [E] [VISA] **u**
32 Z : 64 B 80 - 125 Fb.

🏠 **Kapuziner,** Schwangauer Str. 20, ☎ 77 45 – Ⓟ **a**
Ende Okt.- 20. Dez. geschl. – Karte 21/35 *(Freitag geschl.)* – **12 Z : 20 B** 33/50 - 55/75 – P 55/65.

🍴 **Kurhaus-Pulverturm,** Schwedenweg 1 (im Kurhaus), ☎ 60 78, ⛱ – ▤ Ⓟ 🏟. [AE] [D] [E]
13.- 28. Jan. und Nov. geschl. – Karte 30/51.

In Füssen - Bad Faulenbach – Mineral- und Moorbad :

🏨 **Alpenschlößle** 🔇, Alatseestr. 28, ☎ 40 17, ⛱ – ☎ Ⓟ **v**
Ende Okt.- Ende Nov. geschl. – Karte 27/63 *(Dienstag geschl.)* – **10 Z : 20 B** 57/75 - 106/124 – P 85/107.

🏨 **Kurhotel Wiedemann** 🔇, Am Anger 3, ☎ 3 72 31, Bade- und Massageabteilung, 🏋 – 🛗 🚭 Rest ☎ 🚗 Ⓟ **n**
Mitte Nov.- 20. Dez. geschl. – (Restaurant nur für Hausgäste) – **31 Z : 47 B** 54 - 104 Fb – P 77/79.

🏨 **Kurhotel Berger** 🔇, Alatseestr. 26, ☎ 60 31, Bade- und Massageabteilung, 🏋, ≘s, 🏊, ⛱ – 🛗 ☎ Ⓟ. 🐕 Rest **x**
10. Jan.- 10. Feb. und Nov.- 19. Dez. geschl. – (Restaurant nur für Hausgäste) – **34 Z : 50 B** 57/75 - 124 Fb.

🏠 **Frühlingsgarten,** Alatseestr. 8, ☎ 61 07, ⛱ **s**
Nov.- 25. Dez. geschl. – Karte 15/28 *(Freitag geschl.)* 🍷 – **17 Z : 30 B** 40/50 - 80/120 – P 54/74.

In Füssen-Hopfen am See ① : 5 km :

Alpenblick, Uferstr. 10, 5 05 70, Telex 541343, Bade- und Massageabteilung,
Karte 25/55 – **46 Z : 96 B** 100/110 - 126/156.

Geiger, Uferstr. 18, 70 74,
Ende März - Mitte April und Nov.- Mitte Dez. geschl. – Karte 24/48 *(Jan.- April Donnerstag geschl.)* – **24 Z : 40 B** 46/75 - 80/110 Fb – P 70/90.

Landhaus Enzensberg, Höhenstr. 53, 40 61
Ende Okt.- Mitte Nov. geschl. – Karte 31/78 – **10 Z : 20 B** 58/98 - 136/156 Fb – 3 Appart. 256.

Fischerhütte (Fischspezialitäten), Uferstr. 16, 71 03, « Terrasse am See »
10. Jan.- Mitte Feb. geschl., Nov.-Ostern Montag - Dienstag Ruhetag – Karte 28/58.

In Füssen-Weißensee ④ : 6 km :

Bergruh, Alte Steige 16, 77 42, Telex 541347, Bade- und Massageabteilung,
7. Nov.- 24. Dez. geschl. – Karte 28/47 *(auch Diät)* (Okt.- April Dienstag geschl.) – **27 Z : 50 B** 45/115 - 94/200 Fb – 4 Appart. 214.

Seegasthof Weißensee, an der B 310, 70 95,
Mitte Jan.- Mitte Feb. und Mitte Nov.- 25. Dez. geschl. – Karte 21/44 – **22 Z : 41 B** 61/81 - 112/138 Fb – P 96/110.

Seehof, Gschrifter Str. 5, 68 22, Zim
Nov.- 20. Dez. geschl. – Karte 18,50/34 *(Dienstag geschl.)* – **14 Z : 26 B** 40/52 - 76/99.

Steigmühle garni, Alte Steige 3 (Oberkirch), 73 73,
15. Nov.- 20. Dez. geschl. – **10 Z : 25 B** 35 - 66/72 – 6 Fewo 70/90.

Weißer Hirsch, Wiedmar 10, (08363) 4 38,
15. Okt.- 25. Dez. geschl. – Karte 19/28 *(Montag geschl.)* – **12 Z : 24 B** 28/45 - 52/78 – P 45/58.

In Dietringen **8959** ① : 9 km :

Schwarzenbach, an der B 16, (08367) 3 43, Forggensee und Allgäuer Alpen,
29 Z : 60 B Fb.

Siehe auch : *Schwangau*

FÜSSING, BAD 8397. Bayern 413 W 21, 426 ⑦ – 6 300 Ew – Höhe 324 m – Kurort – 08531.

Kurverwaltung, Kurallee 15, 22 62 43.

♦München 147 – Passau 32 – Salzburg 110.

Kurhotel Wittelsbach, Beethovenstr. 8, 2 10 21, Telex 57631, Bade- und Massageabteilung, (geheizt),
2.- 31. Jan. geschl. – (Restaurant nur für Hausgäste) – **68 Z : 104 B** 115/150 - 200/250 Fb – 3 Appart. 300 – P 135/180.

Kurhotel Zink, Thermalbadstr. 1, 2 20 31, Bade- und Massageabteilung, (Thermal),
10. Dez.- 16. Jan. geschl. – (Restaurant nur für Hausgäste) – **105 Z : 170 B** 88/198 - 168/240 Fb.

Kurhotel Mürz, Birkenallee 9, 2 16 16, Bade- und Massageabteilung,
(Restaurant nur für Hausgäste) – **70 Z : 100 B** Fb.

Kurhotel Holzappel, Thermalbadstr. 5, 2 13 81, Bade- und Massageabteilung, direkter Zugang zu den Thermalschwimmbädern
Dez.- Jan. geschl. – Karte 22/52 – **90 Z : 130 B** 75/88 - 154/198 Fb – P 104/127.

Parkhotel, Waldstr. 16, 2 20 83, « Gartenterrasse », Bade- und Massageabteilung, (Thermal),
3. Dez.- 4. Feb. geschl. – Karte 21/42 – **108 Z : 140 B** 65/110 - 133/180 – P 110/135.

Mühlbach-Stuben, Bachstr.15 (Safferstetten, S : 1 km), 2 20 11, Bade- und Massageabteilung,
Dez.- Jan. geschl. – Karte 19/45 *(Freitag geschl.)* – **57 Z : 85 B** 55/75 - 110/140 Fb.

Kurhotel Sonnenhof, Schillerstr. 4, 2 26 40, Bade- und Massageabteilung, Zim
16. Nov.- 22. Dez. geschl. – Karte 28/53 – **100 Z : 136 B** 84/96 - 146/155 Fb.

Kurpension Falkenhof garni, Paracelsusstr. 4, 20 32, Massage,
Mitte Feb.- Nov. – **41 Z : 58 B** 56/70 - 102 Fb.

Zur Post, Inntalstr. 36 (Riedenburg, SO : 1 km), 2 10 94,
46 Z : 68 B Fb.

Sacher, Schillerstr. 3, 2 10 44, Massage, Rest
Anfang Dez.- Mitte Jan. geschl. – Karte 19/45 *(Samstag geschl.)* – **38 Z : 46 B** 50 - 100 – P 80.

Pension Diana garni, Kurallee 12, ℘ 2 20 71, Massage – **42 Z : 60 B** 48/50 - 80/82 Fb.

Bayerischer Hof, Kurallee 18, ℘ 28 11, Bade- und Massageabteilung, – . Rest
8. Jan.- 18. Feb. geschl. – Karte 22/42 – **58 Z : 94 B** 90/125 - 150 Fb – P 100/115.

Brunnenhof garni, Schillerstr. 9, ℘ 26 29, Massage –
Dez.- Jan. geschl. – **28 Z : 40 B** 46/65 - 78.

Schloßtaverne, Inntalstr. 26 (Riedenburg, SO : 1 km), ℘ 25 68, Biergarten –
Mitte Jan.- Mitte Feb. und Mittwoch geschl. – Karte 22/44.

Aichmühle, Hochrainstr. 50, ℘ 2 29 20, –
nur Saison.

Ganz Europa auf einer Karte (mit Ortsregister) :
Michelin-Karte Nr. 920

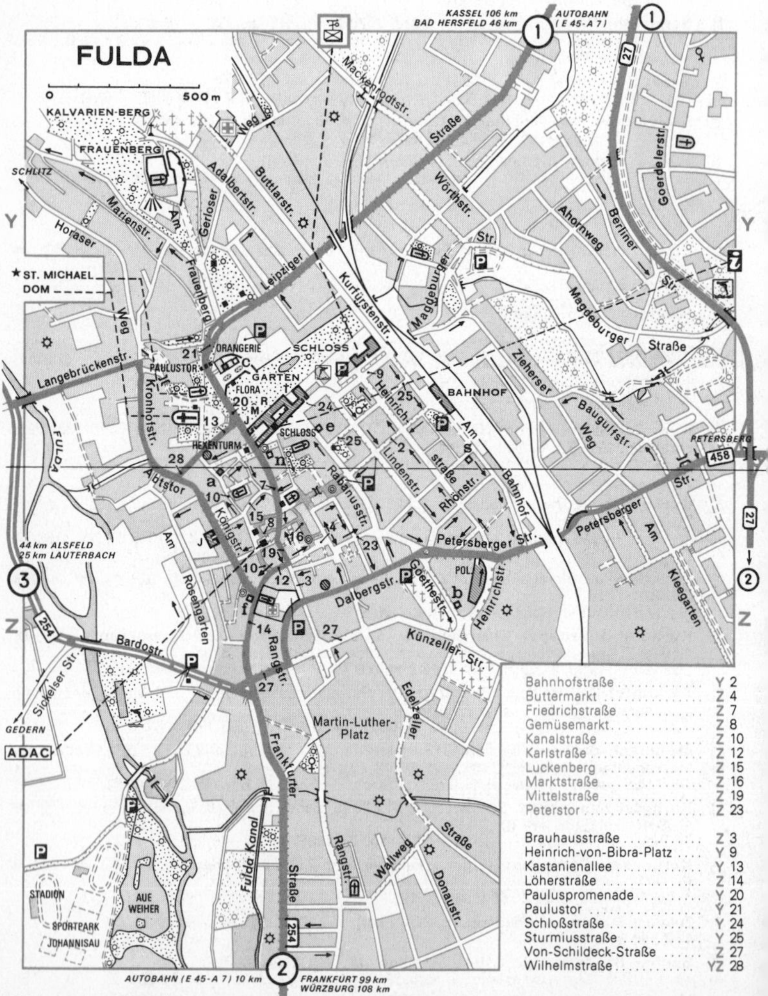

Bahnhofstraße	Y	2
Buttermarkt	Z	4
Friedrichstraße	Z	7
Gemüsemarkt	Z	8
Kanalstraße	Z	10
Karlstraße	Z	12
Luckenberg	Z	15
Marktstraße	Z	16
Mittelstraße	Z	19
Peterstor	Z	23
Brauhausstraße	Z	3
Heinrich-von-Bibra-Platz	Y	9
Kastanienallee	Y	13
Löherstraße	Z	14
Pauluspromenade	Y	20
Paulustor	Y	21
Schloßstraße	Y	24
Sturmiusstraße	Y	25
Von-Schildeck-Straße	Z	27
Wilhelmstraße	YZ	28

[FULDA] 6400. Hessen [413] LM 15, [987] ㉕ – 56 600 Ew – Höhe 280 m – ☎ 0661.

Sehenswert : Dom (Bonifatiusgruft : Bonifatiusaltar★, Domschatz★) – St.-Michael-Kirche★.

Ausflugsziel : Kirche auf dem Petersberg (romanische Steinreliefs★★, Lage★, ≤★) O : 4 km (über die B 458 Y).

⛳18 Hofbieber (O : 11 km über die B 458), ☎ (06657) 13 34.

[i] Städt. Verkehrsbüro, Schloßstr. 1, ☎ 10 23 46.

ADAC, Robert-Kircher-Str. 6, ☎ 7 71 11, Notruf ☎ 1 92 11.

♦Wiesbaden 141 ② – ♦Frankfurt am Main 99 ② – Gießen 109 ① – ♦Kassel 106 ① – ♦Würzburg 108 ②.

Stadtplan siehe gegenüberliegende Seite.

🏨 **Romantik-Hotel Goldener Karpfen**, Simpliziusplatz 1, ☎ 7 00 44, ♨ – |♦| [TV] ♿ 🚗 [P] 🏛. [AE] [D] [E] [VISA]. ✗ Rest Z f
Karte 35/65 – **50 Z : 110 B** 120/180 - 160/280 Fb.

🏨 **Maritim-Hotel Am Schloßgarten - Restaurant Dianakeller**, Paulusspromenade 2, ☎ 28 20, Telex 49136, « Restaurant in einem Gewölbekeller a.d. 17. Jh. », ♨, 🏊 – |♦| [TV] 🏛. [D] [E] [VISA] Y c
Karte 39/75 – **112 Z : 224 B** 132/202 - 202/282 – 3 Appart. 350.

🏨 **Zum Kurfürsten** (ehem. Palais a.d.J. 1737), Schloßstr. 2, ☎ 7 00 01, ♨ – |♦| [TV] ☎ [P] 🏛. [AE] [D] [E] [VISA] Y n
Karte 34/59 – **69 Z : 132 B** 49/90 - 90/170.

🏨 **Europa**, Haimbacher Str. 65, ☎ 7 50 43, ⛱, 🌳 – |♦| ☎ 🚗 [P]. [AE] [D] [E]
Karte 26/53 – **65 Z : 120 B** 54/75 - 94/118. über Langebrückenstr. Y

🏨 **Kolpinghaus**, Goethestr. 13, ☎ 7 60 52, ⛱ – |♦| ☎ [P] 🏛. [AE] [D] [E] [VISA] Z b
Karte 24/49 – **55 Z : 80 B** 71 - 115 Fb.

🏨 **Bachmühle** (Sandsteinbau a.d.J. 1840), Künzeller Str. 133, ☎ 7 78 00, ⛱ – ☎ [P]. [AE] [E] [VISA]
Karte 24/45 – **19 Z : 38 B** 56 - 90. über Künzeller Str. Z

🏨 **Peterchens Mondfahrt** garni, Rabanusstr. 7 (5. Etage), ☎ 7 70 94 – |♦| [TV] ☎. [AE] [D] [E] [VISA]
21 Z : 35 B 66/74 - 112/125. Y e

🏨 **Hessischer Hof** garni, Nikolausstr. 22, ☎ 7 22 89 – [AE] [E] [VISA] Y s
30 Z : 52 B 38/70 - 65/95.

🍴🍴 **Corniche de France**, Kanalstr. 3, ☎ 7 02 00 – [AE] [D] [E] [VISA]. ✗ YZ a
Sonntag - Montag 18 Uhr, Juli - Aug. 3 Wochen und über Weihnachten 2 Wochen geschl. – Karte 51/74.

In Fulda-Lehnerz ① : 2,5 km über die B 27, nahe Autobahnausfahrt Nord :

🏨 **Keiper** garni, Leipziger Str. 180, ☎ 6 90 70 – 🚗 [P]
13 Z : 20 B 32/40 - 64/75.

🍴 Grillenburg mit Zim, Leipziger Str. 183, ☎ 6 76 63 – [P]
8 Z : 11 B.

[FULDATAL] Hessen siehe Kassel.

[FURTH IM WALD] 8492. Bayern [413] V 19, [987] ㉗ – 10 000 Ew – Höhe 410 m – Erholungsort – Wintersport : 610/950 ⛷3 ⛷5 – ☎ 09973.

⛳9 Gut Voitenberg (NW : 4 km), ☎ (09973) 12 40.

[i] Fremdenverkehrsamt, Schloßplatz 1, ☎ 38 13.

♦München 198 – Cham 19 – ♦Regensburg 75.

🏨 **Hohenbogen**, Bahnhofstr. 25, ☎ 15 09 – |♦| ☎ 🚗 🏛. [E]
Karte 25/47 🍷 – **45 Z : 60 B** 34/42 - 68/76.

🏨 **Zur Post**, Stadtplatz 12, ☎ 15 06 – ☎ [P]. [D] [E] [VISA]
Mitte Nov.- Mitte Dez. geschl. – Karte 14/28 *(Sonntag ab 15 Uhr und Samstag geschl.)* 🍷 – **25 Z : 38 B** 25/35 - 50/60 – P 35/45.

🏨 Hofer-Bräu, Waldschmidtstr. 20, ☎ 13 27 – 🚗 [P]
19 Z : 27 B.

[FURTWANGEN] 7743. Baden-Württemberg [413] H 22, [987] ㉟ – 10 000 Ew – Höhe 870 m – Erholungsort – Wintersport : 850/1 150 m ⛷6 ⛷5 – ☎ 07723.

Ausflugsziele : Brend : Aussichtsturm ✳★ NW : 6 km – Hexenlochschlucht★ SW : 10 km.

[i] Fremdenverkehrsverein, Rathaus, Marktplatz 4, ☎ 6 14 00.

♦Stuttgart 141 – Donaueschingen 29 – ♦Freiburg im Breisgau 48 – Offenburg 71.

🏨 **Kussenhof** 🌿, Kussenhofstr. 43, ☎ 77 60, ≤, 🌳 – ☎ [P]
13. Nov.- 8. Dez. geschl. – Karte 18/35 *(Montag geschl.)* 🍷 – **13 Z : 23 B** 25/35 - 50/65.

Neueck siehe : ***Gütenbach***

[FUSCHL AM SEE] Österreich siehe Salzburg.

[GÄRTRINGEN] 7034. Baden-Württemberg [413] J 21 – 10 000 Ew – Höhe 476 m – ☏ 07034.

♦Stuttgart 32 – Freudenstadt 59 – ♦Karlsruhe 88.

🏨 **Bären**, Daimlerstr. 11, ☎ 2 10 61 – [TV] 📞 [P]. [AE] [O] E [VISA]
24. Dez.- 10. Jan. geschl. – Karte 21/43 *(Sonntag geschl.)* – **24 Z : 36 B** 75/85 - 112/130 Fb.

[GAGGENAU] 7560. Baden-Württemberg [413] H 20, [987] ㉟ – 29 700 Ew – Höhe 142 m – ☏ 07225.

♦Stuttgart 103 – Baden-Baden 16 – ♦Karlsruhe 30 – Rastatt 14.

🏨 **Stadthotel Gaggenau**, Konrad-Adenauer-Str. 1, ☎ 6 70, Telex 78808, ⛱, Fahrradverleih – ↕ [TV] [P] 👥. [AE] [O] E [VISA]
Restaurants: – **Le Triangle** Karte 54/73 – **Hechtstube** Karte 28/59 – **63 Z : 108 B** 131/176 - 201/226 Fb.

In Gaggenau 19-Michelbach NO : 3,5 km :

XX **Zur Traube** (Restaurant in einem restaurierten Fachwerkhaus a.d. 18. Jh.), Lindenstr. 10, ☎ 7 62 63 – [P]. [AE] E
Karte 45/70 (abends Tischbestellung ratsam).

In Gaggenau 15-Moosbronn NO : 8 km :

🏨 **Mönchhof** 🐦, Mönchskopfweg 2, ☎ (07204) 6 19, ⛱, « Ehem. Meisterhaus der Glashütte a.d.J. 1723 », 🐎 – [P]. [O]
Dez.- 2. Jan. geschl. – (Restaurant nur für Hausgäste) – **16 Z : 40 B** 44/49 - 88/98 Fb.

🏨 **Hirsch**, Herrenalber Str. 17, ☎ (07204) 2 37, ⛱, 🌳 – [P]
15. Nov.- 15. Dez. geschl. – Karte 20/45 *(Montag 19 Uhr - Dienstag geschl.)* 🍷 – **10 Z : 15 B** 31/38 - 62/76.

In Gaggenau 13 - Ottenau SO : 2 km :

XX **Gasthaus Adler** (regionale Küche), Hauptstr. 255, ☎ 37 06
Sonntag 15 Uhr - Montag und Juli - Aug. 3 Wochen geschl. – Karte 29/54 (Tischbestellung ratsam).

In Gaggenau 12-Bad Rotenfels NW : 2 km :

🏨 **Ochsen**, Murgtalstr. 20, ☎ 15 82 – 📞 🚗 [P]. 🚫🐕 Zim
Karte 28/50 *(Mitte Dez.- Mitte Jan. und Samstag geschl.)* 🍷 – **30 Z : 50 B** 40/60 - 60/85.

[GAHLEN] Nordrhein-Westfalen siehe Schermbeck.

[GAIENHOFEN] 7766. Baden-Württemberg [413] JK 23, [216] ⑨ – 4 200 Ew – Höhe 400 m – ☏ 07735.

ℹ Verkehrsbüro, Gemeindeverwaltung, ☎ 30 03.

♦Stuttgart 175 – Schaffhausen 29 – Singen (Hohentwiel) 23 – Zürich 68.

In Gaienhofen 3-Hemmenhofen – Erholungsort :

🏨 Kur- und Sporthotel Höri 🐦, Uferstr. 20, ☎ 81 10, Telex 793740, <, ⛱, Bade- und Massageabteilung, 🏋, ♨, 🏊, 🏖, 🌳, 🎾, 🐎 (Halle) – [TV] 📞 [P] 👥
87 Z : 130 B Fb.

🏨 **Landgasthaus Kellhof**, Hauptstr. 318, ☎ 20 35, ⛱ – 🚗 [P]
15. Nov.- Weihnachten geschl. – Karte 24/42 *(Dienstag geschl.)* 🍷 – **7 Z : 15 B** 54 - 98 – P 81/86.

[GAILDORF] 7160. Baden-Württemberg [413] M 19, 20, [987] ㉕ ㉖ – 10 500 Ew – Höhe 329 m – ☏ 07971.

♦Stuttgart 67 – Aalen 43 – Schwäbisch Gmünd 29 – Schwäbisch Hall 17.

In Gaildorf 3-Unterrot S : 3 km :

🏨 **Kocherbähnle**, Schönberger Str. 8, ☎ 70 54 – [TV] 📞 🚗 [P]. [AE] [O] E
Juli - Aug. 2 Wochen geschl. – Karte 23/48 *(auch vegetarische Gerichte)* (Sonntag 15 Uhr - Montag 17 Uhr geschl.) – **8 Z : 16 B** 46 - 78.

[GAMMELBY] Schleswig-Holstein siehe Eckernförde.

[GAMMERTINGEN] 7487. Baden-Württemberg [413] K 22, [987] ㉟ – 6 000 Ew – Höhe 665 m – ☏ 07574.

♦Stuttgart 77 – ♦Freiburg im Breisgau 160 – ♦Konstanz 100 – ♦Ulm (Donau) 79.

🏨 **Romantik Hotel Post**, Sigmaringer Str. 4, ☎ 22 10, Fax 878, ♨ – ↕ [TV] 📞 [P] 👥. [AE] [O] E [VISA]
Karte 32/63 – **33 Z : 60 B** 85/98 - 135/170 Fb.

Les cartes Michelin sont constamment tenues à jour.

[GANDERKESEE] 2875. Niedersachsen [987] ⑭ – 27 000 Ew – Höhe 25 m – Erholungsort – ☎ 04222.

♦Hannover 140 – ♦Bremen 20 – ♦Oldenburg 31.

🏨 **Atlas-Motel**, Adelheider Str. 21 (B 212), ☎ 20 41, ⛱, ♨ – [TV] ☎ [P] 🚩. [AE] ⓞ E [VISA]
Karte 23/47 – **57 Z : 80 B** 55/75 - 80/120 Fb.

🏠 **Oldenburger Hof**, Wittekindstr. 16 (B 212), ☎ 33 09 – ☎ [P]
22. Dez.- 6. Jan. geschl. – Karte 20/44 *(Samstag geschl.)* – **21 Z : 32 B** 50 - 80.

Am Flugplatz W : 2,5 km :

🏨 **Airfield Hotel**, ☎ (04222) 10 91 – [TV] ☎ [P] 🚩. [AE] ⓞ E [VISA]
Karte 23/48 – **24 Z : 48 B** 55 - 80.

In Ganderkesee 2-Bookholzberg N : 8 km über die B 212 :

🏨 Waldhof Hasbruch 🔇, Hedenkampstr. 20, ☎ (04223) 84 00, ⛱ – [P]
15 Z : 30 B.

In Ganderkesee 1-Hoyerswege SO : 2,5 km :

🏨 **Hof Hoyerswege**, Wildeshauser Landstr. 66 (B 213), ☎ 24 11, « Gartenterrasse », 🌳, Fahrradverleih – [TV] ☎ 🚗 [P] 🚩. [AE] ⓞ E [VISA]
Karte 37/67 – **20 Z : 29 B** 59 - 89.

In Ganderkesee 2-Stenum N : 6 km :

🍴🍴 **Lüschens Bauerndiele**, Dorfring 75, ☎ (04223) 4 44, « Gartenterrasse » – [P]. [AE] ⓞ E [VISA]
Mittwoch und Juli - Aug. 3 Wochen geschl. – Karte 23/47.

[GANGKOFEN] 8314. Bayern [413] U 21, [987] ㊲, [426] ⑥ – 6 000 Ew – Höhe 440 m – ☎ 08722.

♦München 95 – Landshut 40 – Passau 88.

🏠 **Café Danner**, Marktplatz 13, ☎ 2 55 – [P]
22. Aug.- 4. Sept. geschl. – Karte 17/32 *(Montag geschl.)* – **8 Z : 12 B** 32 - 52.

[GARBSEN] Niedersachsen siehe Hannover.

[GARCHING] 8046. Bayern [413] RS 21, [426] ⑰ – 12 700 Ew – Höhe 485 m – ☎ 089 (München).

♦ München 13 – Landshut 64 – ♦Regensburg 112.

🏨 Am Park garni, Bürgermeister-Amon-Str. 2, ☎ 3 20 40 84, Telex 5214233 – ☎ 🚗 [P]
34 Z : 52 B Fb.

🍴 Gasthof Post, Freisinger Landstr. 3, ☎ 3 20 65 27, Biergarten – [P].

[GARLSTORF] Niedersachsen siehe Salzhausen.

[GARMISCH-PARTENKIRCHEN] 8100. Bayern [413] Q 24, [987] ㊱㊲, [426] ⑯ – 28 500 Ew – Höhe 707 m – Heilklimatischer Kurort – Wintersport : 800/2 950 m 🚡12 ⛷39 ⛷3 – ☎ 08821.

Sehenswert : St.-Anton-Anlagen (Y) ≤★.

Ausflugsziele : Wank ※★★ O : 2 km und 🚡 – Partnachklamm★★ 25 min zu Fuß (ab Skistadion) – Zugspitzgipfel★★★ (※★★★) mit Zahnradbahn (Fahrzeit 75 min) oder mit 🚡 ab Eibsee (Fahrzeit 10 min).

⛳ Schwaigwang (N : 2 km), ☎ (08821) 24 73 ; ⛳ Oberau, Gut Buchwies (NO : 10 km), ☎ (08824) 83 44.

[i] Verkehrsamt, Bahnhofstr. 34, ☎ 1 80 22, Telex 59660.

[i] Kurverwaltung, Schnitzschulstr. 19, ☎ 18 00.

ADAC, Hindenburgstr. 14, ☎ 22 58, Telex 59672.

♦München 89 ① – ♦Augsburg 117 ① – Innsbruck 60 ② – Kempten (Allgäu) 103 ③.

Stadtplan siehe nächste Seite.

🏨 **Grand-Hotel Sonnenbichl**, Burgstr. 97, ☎ 70 20, Telex 59632, Fax 702131, ≤, ⛱, Massage, ♨, 🏊 – 🛗 [TV] ⚘ [P] 🚩. [AE] ⓞ E [VISA]. ⚘ Rest X **u**
Restaurants : – **Blauer Salon** Karte 34/78 – **Zirbelstube** Karte 27/55 – **90 Z : 170 B** 135/200 - 220/280 Fb – P 190/220.

🏨 **Posthotel Partenkirchen**, Ludwigstr. 49, ☎ 5 10 67, Telex 59611, « Historische Herberge mit rustikaler Einrichtung » – 🛗 [P] 🚩. [AE] ⓞ E [VISA] Y **u**
Karte 36/75 – **61 Z : 100 B** 95/185 - 145/195 Fb – P 118/160.

🏨 **Obermühle** 🔇, Mühlstr. 22, ☎ 70 40, Telex 59609, ≤, « Gartenterrasse », ♨, 🏊, 🌳 – 🛗 [TV] 🚗 [P] 🚩. [AE] ⓞ E [VISA] X **e**
Karte 39/70 – **93 Z : 178 B** 110/195 - 200/300 Fb – 5 Fewo 258 – P 165/200.

🏨 **Reindl's Partenkirchner Hof**, Bahnhofstr. 15, ☎ 5 80 25, Telex 592412, ≤ Wetterstein, « Terrasse », ♨, 🏊, 🌳 – 🛗 [TV] 🚗 [P]. [AE] ⓞ E [VISA] Z **r**
15. Nov.-15. Dez. geschl. – Karte **30**/67 (Tischbestellung ratsam) – **80 Z : 140 B** 80/150 - 166/186 Fb – 14 Appart. 206/346 – P 148/165.

Fortsetzung →

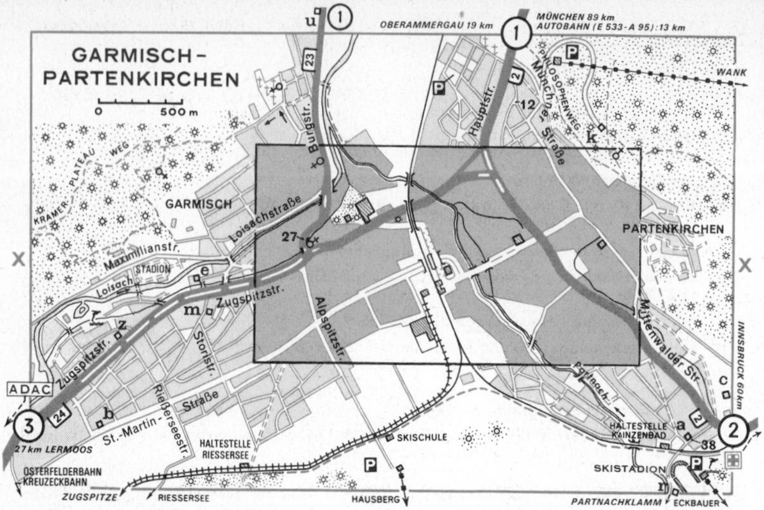

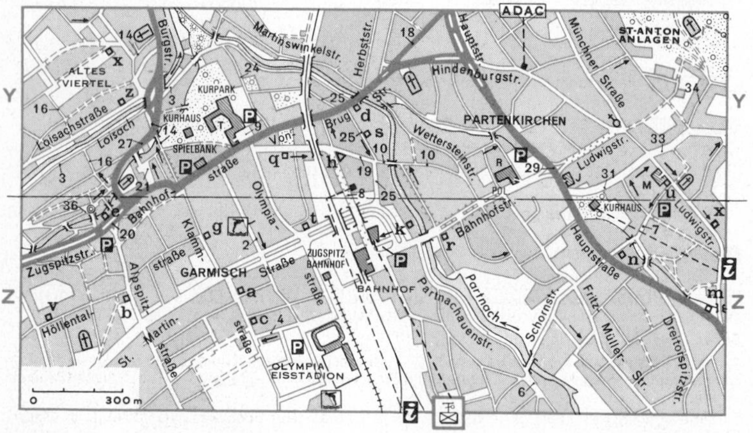

Bahnhofstraße	YZ	8	Achenfeldstraße	Z	2	Ferdinand-Barth-Str.	X	12	Partnachstraße	YZ	25
Hauptstraße	YZ		Alleestraße	Y	3	Fürstenstraße	Y	14	Promenadestraße	Y	27
Ludwigstraße	YZ		Am Eisstadion	Z	4	Kramerstraße	Y	16	Schnitzschulstraße	Y	31
Marienplatz	Z	20	Am Holzhof	Z	6	Krottenkopfstraße	Y	18	Sonnenbergstraße	Y	33
Rathausplatz	Y	29	Badgasse	Z	7	Landschaftsstraße	Y	19	St-Anton-Straße	Y	34
Von-Brug-Straße	Y		Dr.-Richard-Strauß-Pl.	Y	9	Mohrenplatz	Y	21	St-Joseph-Platz	Z	36
Zugspitzstraße	Z		Enzianstraße	Y	10	Parkstraße	Y	24	Wildenauer Straße	X	38

Dorint Sporthotel, Mittenwalder Str. 59, ℘ 70 60, Telex 592464, Fax 706618, ←, Biergarten, Massage, (Halle), Fahrradverleih – TV P. AE E VISA
Karte 29/53 – **Zirbelstube** *(nur Abendessen)* Karte 44/60 – **156 Z : 480 B** 151/250 - 210/350 Fb – P 186/306. X **c**

Clausings Post - Romantik-Hotel, Marienplatz 12, ℘ 70 90, Telex 59679, Fax 709205, – TV P. AE E VISA Z **e**
Restaurants: – **Boulevard-Terrasse** Karte 30/59 – **Post-Hörndl** Karte 20/42 – **Poststüberl** *separat erwähnt* – **31 Z : 57 B** 110/140 - 130/250 Fb.

Residence-Hotel, Mittenwalder Str. 2, ℘ 75 61, Telex 592415, Fax 74268, – Zim TV P. AE E VISA Z **m**
Karte 32/62 – **117 Z : 189 B** 187/197 - 239/249 Fb – 5 Appart. 265/282.

Wittelsbach, von-Brug-Str. 24, ℘ 5 30 96, Telex 59668, ← Waxenstein und Zugspitze, « Gartenterrasse », – TV P. AE E VISA. Rest Y **d**
20. Okt.- 20. Dez. geschl. – Karte 34/67 – **60 Z : 100 B** 94/160 - 140/194 Fb – P 114/145.

Staudacherhof garni, Höllentalstr. 48, 5 51 55, <, – P. E Z v
11. April - 8. Mai und 15. Nov.- 15. Dez. geschl. – **35 Z : 60 B** 65/140 - 140/220 Fb.

Bellevue garni, Rießerseestr. 9, 5 80 08, « Garten », Fahrradverleih – P X m
Anfang Nov.- Mitte Dez. geschl. – **25 Z : 43 B** 62/134 - 118/200 Fb.

Mercure - Königshof, St.-Martin-Str. 4, 72 70, Telex 59644, Dachterrasse mit <, Massage, – Rest (mit). AE E VISA. Rest Z k
Karte 29/55 – **84 Z : 180 B** 113 - 160/180 Fb – 4 Appart. 220/240.

Zugspitz, Klammstr. 19, 10 81, <, – P. AE E VISA Z g
Karte 29/54 *(Mittwoch geschl.)* – **38 Z : 60 B** 55/156 - 90/196 Fb – 3 Appart. 256.

Alpina, Alpspitzstr. 12, 5 50 31, Telex 59691, « Gartenterrasse », (geheizt), – P Z b
Karte 28/55 *(Dienstag und Nov.- 15. Dez. geschl.)* – **35 Z : 65 B** 80/150 - 160/300 Fb.

Gästehaus Renate garni, Olympiastr. 21, 7 20 41, <, – P. E Z t
Nov.- 20. Dez. geschl. – **17 Z : 27 B** 70/95 - 130/140.

Boddenberg garni, Wildenauer Str. 21, 5 10 89, <, « Garten », (geheizt), – P. AE E VISA X r
Nov.- 15. Dez. geschl. – **24 Z : 40 B** 65/72 - 120/136 Fb.

Garmischer Hof garni, Bahnhofstr. 51, 5 10 91, « Garten », – P. AE E
42 Z : 64 B 57/90 - 104/120 Fb. Y q

Brunnthaler garni, Klammstr. 31, 5 80 66, <, – P. Z a
22 Z : 39 B 75/97 - 120/130.

Buchenhof garni, Brauhausstr. 3, 5 21 21, <, – P Y x
15. Nov.- 15. Dez. geschl. – **15 Z : 30 B** 70/160 - 95/180.

Berggasthof Panorama, St. Anton 3, 25 15, < Garmisch-Partenkirchen und Zugspitzmassiv, « Terrasse » – P. E X k
Mitte Nov.- Mitte Dez. geschl. – Karte 21/43 – **15 Z : 30 B** 50/60 - 85/100 – 2 Fewo 120/180.

Rheinischer Hof, Zugspitzstr. 76, 7 20 24, Fahrradverleih – P
Karte 24/48 *(10. Nov.- 15. Dez. geschl.)* – **30 Z : 58 B** 81/100 - 129/161 Fb. X z

Birkenhof garni, St.-Martin-Str. 110, 37 96, – . E. X b
April und Nov.- Mitte Dez. geschl. – **10 Z : 19 B** 62/72 - 104.

Leiner, Wildenauer Str. 20, 5 00 34, <, « Garten », – P. AE E VISA. Rest X a
April und Ende Okt.- 19. Dez. geschl. – Karte 27/50 – **53 Z : 74 B** 45/106 - 112/124 Fb – 2 Fewo 120/130 – P 78/101.

Gasthof Fraundorfer, Ludwigstr. 24, 21 76 – P Z x
4.- 25. April und 7. Nov.- 8. Dez. geschl. – Karte 21/43 *(Dienstag geschl.)* – **24 Z : 50 B** 48/85 - 96/130 – 3 Appart. 200.

Roter Hahn garni, Bahnhofstr. 44, 5 40 65, – P Y h
32 Z : 45 B 50/80 - 108/110.

Aschenbrenner garni, Loisachstr. 46, 5 80 29, <, – P. AE E VISA Y z
25 Z : 43 B 65/110 - 130/160 Fb.

Flora, Hauptstr. 85, 7 20 39 – P. E Z n
Karte 22/47 *(Montag geschl.)* – **19 Z : 30 B** 50/80 - 100/130.

Bavaria, Partnachstr. 51, 34 66, – P. AE. Rest Y s
20. Okt.- 20. Dez. geschl. – (nur Abendessen für Hausgäste) – **30 Z : 50 B** 64 - 108/116.

Hilleprandt, Riffelstr. 17, 28 61, – P. E VISA. Z c
(nur Abendessen für Hausgäste) – **16 Z : 28 B** 68/90 - 100/124.

XXX **Poststüberl**, Marienplatz 12, 5 80 71, « Bayerische Posthalterstube mit rustikal-eleganter Einrichtung » – AE E VISA Z e
nur Abendessen, Montag geschl. – Karte 45/66.

XX **Alpenhof**, Bahnhofstr. 74 (in der Spielbank), 5 90 55, – P. E Y
Karte **30**/63.

__Außerhalb__ S : 4 km, über Wildenauer Str. X – Höhe 900 m, hoteleigene :

Forsthaus Graseck, Graseck 10, 8100 Garmisch-Partenkirchen, (08821) 5 40 06, Telex 59653, Fax 55700, < Wetterstein, Bade- und Massageabteilung, – P
Nov. geschl. – Karte 27/52 – **38 Z : 70 B** 45/131 - 70/218 Fb – 4 Appart. 196/218 – P 73/169.

__Am Rießersee__ S : 2 km über Rießerseestraße X :

Ramada-Sporthotel, Rieß 5, 8100 Garmisch-Partenkirchen, (08821) 75 80, Telex 59658, Fax 3811, <, Biergarten, Skischule, Skiverleih – Zim P. AE E VISA
Restaurants : – **Bayerische Bierstube** Karte 30/59 – **Gallerie** Karte 42/68 – **155 Z : 310 B** 160/180 - 240/310 Fb – P 172/232.

XX **Café Restaurant Rießersee** mit Zim, Rieß 6, 8100 Garmisch-Partenkirchen, (08821) 5 01 81, < See und Zugspitzmassiv, « Seeterrasse », – P. AE E
3.- 20. April und Nov.- Mitte Dez. geschl. – Karte 28/54 – **5 Z : 13 B** 75/110 - 120/160.

Am Zugspitzplatt – Höhe 2 650 m – (Zahnradbahn ab Garmisch-Partenkirchen bzw. ab Eibsee oder ab Eibsee über Zugspitzgipfel) :.

Schneefernerhaus, ✉ 8101 Garmisch-Partenkirchen - Zugspitze, ℘ (08821) 5 80 11, Telex 59633, ≤ Alpen, Liegeterrassen, – ☎ Zugspitzbahnhof Z
Karte 23/38 – **11 Z : 21 B** ½ P 99/102 - 188/198.

GARTOW 3136. Niedersachsen 987 ⑯ – 1 300 Ew – Höhe 27 m – Luftkurort – ☎ 05846.

Kurverwaltung, Hahnenberger Str. 2, ℘ 3 33.

◆Hannover 162 – Lüneburg 78 – Uelzen 66.

Wendland, Hauptstr. 11, ℘ 4 11, Caféterrasse, – Ⓟ
Karte 22/40 *(Montag geschl., Nov.- März Dienstag - Freitag nur Abendessen)* – **15 Z : 25 B** 58 - 90 Fb.

GAU-BISCHOFSHEIM Rheinland-Pfalz siehe Mainz.

GAUTING 8035. Bayern 413 R 22, 987 ㊲, 426 ⑰ – 18 000 Ew – Höhe 585 m – ☎ 089 (München).

◆München 20 – ◆Augsburg 60 – Garmisch-Partenkirchen 83.

Simon garni, Bahnhofplatz 6, ℘ 8 50 14 15, – ☎ Ⓟ. AE E VISA
15. Dez.- 15. Feb. geschl. – **27 Z : 55 B** 80 - 95/165.

GEESTHACHT 2054. Schleswig-Holstein 987 ⑤ – 25 000 Ew – Höhe 16 m – ☎ 04152.

◆Kiel 118 – ◆Hamburg 29 – ◆Hannover 167 – Lüneburg 29.

Fährhaus Ziehl, Fährstieg 20, ℘ 30 41, – ☎ Ⓟ. E
Karte 22/47 *(2.- 30. Juli und Freitag geschl.)* – **19 Z : 30 B** 54/68 - 82/96.

Lindenhof, Joh.-Ritter-Str. 38, ℘ 30 61 – ☎ Ⓟ
(nur Abendessen) – **20 Z : 40 B** Fb.

Ratskeller, Am Markt 15, ℘ 7 12 82 – AE E VISA
Montag und Ende Juni - Ende Juli geschl. – Karte 26/63.

GEFREES 8586. Bayern 413 S 16, 987 ㉗ – 5 000 Ew – Höhe 503 m – ☎ 09254.

◆München 253 – Bayreuth 25 – Hof 36.

Grüner Baum, Hauptstr. 51, ℘ 3 37
Aug. 2 Wochen geschl. – Karte 21/34 *(Samstag geschl.)* – **16 Z : 26 B** 30/45 - 55/70.

GEHRDEN 3007. Niedersachsen – 13 800 Ew – Höhe 75 m – ☎ 05108.

◆Hannover 13 – Bielefeld 98 – Osnabrück 128.

Ratskeller, Am Markt 6, ℘ 20 98 – ☎. E VISA
Karte 22/57 *(8.- 29. Aug., Samstag bis 18 Uhr und Montag geschl.)* – **15 Z : 23 B** 65/75 - 95/110.

GEILENKIRCHEN 5130. Nordrhein-Westfalen 987 ㉓, 408 ㉖ – 22 200 Ew – Höhe 75 m – ☎ 02451.

◆Düsseldorf 68 – ◆Aachen 25 – Mönchengladbach 40.

Stadthotel garni, Konrad-Adenauer-Str. 146, ℘ 70 77 – ☎. AE E
14 Z : 22 B 58/68 - 95.

Jabusch, Markt 3, ℘ 27 25 – . AE E
Karte 20/48 *(Montag geschl.)* – **13 Z : 20 B** 40/55 - 70/90.

GEISELHÖRING 8442. Bayern 413 U 20, 987 ㉗ – 5 900 Ew – Höhe 353 m – ☎ 09423.

◆München 113 – Landshut 44 – ◆Regensburg 33 – Straubing 15.

Erlbräu, Stadtplatz 17, ℘ 3 57, Biergarten – Ⓟ
20 Z : 26 B.

GEISELWIND 8614. Bayern 413 O 17 – 2 000 Ew – Höhe 330 m – ☎ 09556.

Ausflugsziel : Ebrach : Ehemaliges Kloster** (Klosterkirche*) N : 11 km.

◆München 237 – ◆Bamberg 55 – ◆Nürnberg 67 – ◆Würzburg 44.

Zur Krone, Kirchplatz 2, ℘ 2 44 – Ⓟ. AE E
↔ Karte 16,50/29 – **64 Z : 135 B** 45 - 70 – P 56.

Stern, Marktplatz 11, ℘ 2 17 – Ⓟ. E
↔ Karte 18/40 *(Mittwoch geschl.)* – **34 Z : 68 B** 30/40 - 52/80 Fb.

Gasthof Lamm, Marktplatz 8, ℘ 2 47 – Ⓟ. E
↔ Karte 14,50/29 – **49 Z : 102 B** 25/31 - 52.

GEISENHAUSEN Bayern siehe Schweitenkirchen.

[GEISENHEIM] 6222. Hessen – 11 700 Ew – Höhe 96 m – ☎ 06722 (Rüdesheim).
♦Wiesbaden 28 – ♦Koblenz 68 – Mainz 31.

🍴 **Rheingau-Pavillon,** Rheinufer, ✆ 85 15, ≤ Rhein, 🏖 – [P]
Donnerstag 15 Uhr - Freitag geschl. – Karte 21/52 🍷.

Beim Kloster Marienthal N : 4 km :

🏨 **Waldhotel Gietz** 🌿, Marienthaler Str. 20, ✉ 6222 Geisenheim-Marienthal, ✆ (06722) 60 77, Fax 71447, 🏖, ♨, 🏊, 🌳 – [TV] ☎ [P] 🏛. [AE] [D] [E]
Karte 31/56 🍷 – **37 Z : 50 B** 70/100 - 130/240 Fb.

An der Straße nach Presberg N : 4,5 km :

🏨 **Haus Neugebauer** 🌿, ✉ 6222 Geisenheim-Johannisberg, ✆ (06722) 60 38, 🏖, 🌳 – 🚗 [P]. [AE] [D] [E] [VISA]
Karte 26/59 – **13 Z : 26 B** 70/80 - 120.

[GEISINGEN] 7716. Baden-Württemberg [413] I 23, [987] ㉟, [427] ⑥ – 5 700 Ew – Höhe 661 m – ☎ 07704.
♦Stuttgart 128 – Donaueschingen 15 – Singen (Hohentwiel) 30 – Tuttlingen 17.

In Geisingen 3 - Kirchen-Hausen SO : 2,5 km :

🏨 **Gasthof Sternen,** Ringstr. 2, ✆ 2 13, Telex 792813, ♨, 🏊 – [TV] ☎ [P] 🏛. [AE] [D] [E] [VISA]
Karte 21/50 🍷 – **54 Z : 100 B** 32/62 - 60/108.

🏨 **Zur Burg,** Bodenseestr. 4(B 31), ✆ 2 35, 🏖, 🌳 – 🚗 [P]. [AE] [D] [E] [VISA]. 🚫 Rest
3.- 22. Nov. geschl. – Karte 21/50 *(Mittwoch geschl.)* – **10 Z : 18 B** 42/45 - 68/72 – 3 Fewo 45/80.

[GEISLINGEN AN DER STEIGE] 7340. Baden-Württemberg [413] M 21, [987] ㊱ – 26 300 Ew – Höhe 464 m – ☎ 07331.
ℹ Kultur- und Verkehrsamt, Hauptstr. 19, ✆ 2 42 66.
♦Stuttgart 69 – Göppingen 18 – Heidenheim an der Brenz 30 – ♦Ulm (Donau) 32.

🏨 **Krone,** Stuttgarter Str. 148 (B 10), ✆ 6 10 71 – 🛗 [TV] ☎ [P] 🏛. [D] [E] [VISA]. 🚫
1.- 8. Jan. geschl. – Karte 21/46 *(Sonntag geschl.)* 🍷 – **32 Z : 64 B** 55/80 - 99/140.

In Geislingen-Eybach NO : 4 km :

🏨 **Ochsen** (mit Gästehaus), von-Degenfeld-Str. 22, ✆ 6 20 51, 🏖, 🌳 – 🛗 ☎ 🚗 [P]
25. Okt.- 15. Nov. geschl. – Karte 20/48 *(Freitag geschl.)* – **28 Z : 40 B** 45/75 - 90/130 Fb.

In Geislingen - Weiler ob Helfenstein O : 3 km – Höhe 640 m :

🏨 **Burghotel** 🌿 garni, Burggasse 41, ✆ 4 10 51, ♨, 🏊, 🌳, Fahrradverleih – [TV] ☎ 🚗 [P]. 🚫
Juli 3 Wochen geschl. – **23 Z : 34 B** 72/109 - 113/171.

🍴🍴 **Burgstüble,** Dorfstr. 12, ✆ 4 21 62 – [P]. [AE] [D] [E]
nur Abendessen, Sonntag und 10. Juli - 2. Aug. geschl. – Karte 43/70 *(auch vegetarisches Menu)* (Tischbestellung erforderlich).

[GEITAU] Bayern siehe Bayrischzell.

[GELDERN] 4170. Nordrhein-Westfalen [987] ⑬, [409] ⑦ – 29 000 Ew – Höhe 25 m – ☎ 02831.
⛳ Issum (O : 10 km), ✆ (02835) 36 26.
♦Düsseldorf 63 – ♦Duisburg 43 – Krefeld 30 – Venlo 23 – Wesel 29.

🏨 **Rheinischer Hof,** Bahnhofstr. 40, ✆ 55 22 – 🚗. [AE] [D] [E]
Karte 23/43 *(1.- 21. Juli und Samstag geschl.)* – **25 Z : 48 B** 30/45 - 60/76.

[GELNHAUSEN] 6460. Hessen [413] K 16, [987] ㉕ – 19 000 Ew – Höhe 140 m – ☎ 06051.
Sehenswert : Marienkirche★ (Chorraum★★) – ℹ Verkehrsbüro, Kirchgasse 2, ✆ 82 00 54.
♦Wiesbaden 84 – ♦Frankfurt am Main 42 – Fulda 62 – ♦Würzburg 86.

🏨 **Burg-Mühle,** Burgstr. 2, ✆ 8 20 50, Telex 4102439, ♨ – ☎ 🚗 [P]. [AE] [D] [E] [VISA]. 🚫 Rest
Karte 35/62 *(Sonntag ab 15 Uhr geschl.)* – **33 Z : 44 B** 68/95 - 85/160.

🏨 **Grimmelshausen-Hotel** garni, Schmidtgasse 12, ✆ 1 70 31 – [TV] 🚗. [AE] [E]
20. Dez.- 10. Jan. geschl. – **24 Z : 40 B** 38/75 - 72/98.

🏠 **Schelm von Bergen,** Obermarkt 22, ✆ 27 55
Karte 17/32 *(nur Abendessen, Freitag geschl.)* – **10 Z : 18 B** 40 - 50/85.

🍴 **Stadt-Schänke,** Fürstenhofstr. 1, ✆ 46 18, 🏖 – [P]. [AE] [D] [E] [VISA]
Mittwoch, über Ostern und Okt. jeweils 2 Wochen geschl. – Karte 25/47.

In Gelnhausen 2-Meerholz SW : 5 km :

🍴🍴 **Schießhaus,** Schießhausstr. 10, ✆ 6 69 29 – [P]. [D] [E]
Mittwoch, 2.- 13. Jan. und Juli - Aug. 2 Wochen geschl. – Karte 32/58.

In Linsengericht 2-Eidengesäß 6464 SO : 4 km :

🍴🍴 **Der Löwe,** Hauptstr. 20, ✆ (06051) 7 13 43 – [AE] [E] [VISA]
wochentags nur Abendessen, Montag sowie Feb. und Juli - Aug. je 2 Wochen geschl. – Karte 26/49.

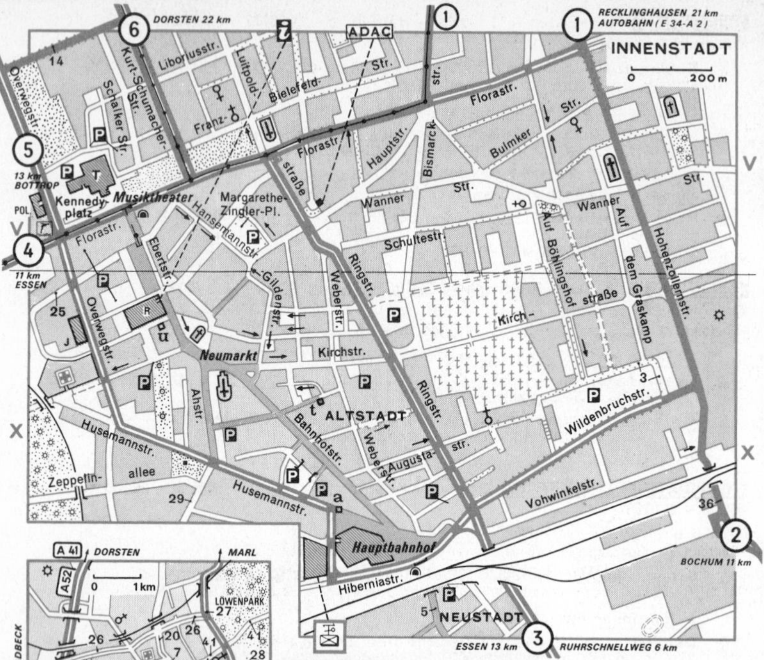

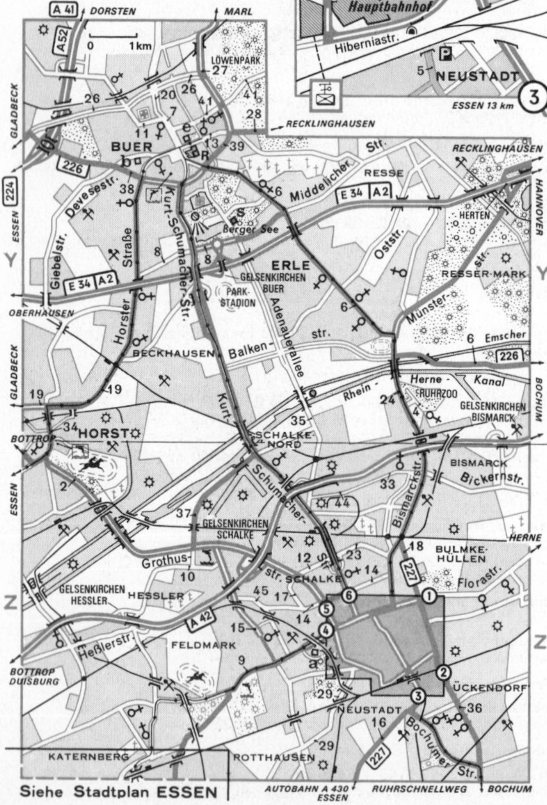

GELSENKIRCHEN

Bahnhofstraße	X	
An der Rennbahn	Z	2
Augustastraße	X	3
Bleckstraße	Y	4
Bochumer Straße	X	5
Cranger Straße	Y	6
De-la-Chevallerie-Str.	Y	7
Emil-Zimmermann-Allee	Y	8
Feldmarkstraße	Z	9
Fersenbruch	Z	10
Freiheit	Y	11
Gewerkenstraße	Z	12
Goldbergstraße	Y	13
Grenzstraße	Z	14
Hans-Böckler-Allee	Z	15
Hattinger Straße	Z	16
Herzogstraße	Z	17
Hohenzollernstraße	Z	18
Kärntener Ring	Y	19
Königswiese	Y	20
Magdeburger Straße	Z	23
Münsterstraße	Y	24
Munckelstraße	X	25
Nordring	Y	26
Ostring	Y	27
Ressestraße	Y	28
Rotthauser Straße	Z	29
Trinenkamp	Z	33
Turfstraße	Y	34
Uechtingstraße	Y	35
Ückendorfer Straße	Z	36
Uferstraße	Z	37
Vinckestraße	Y	38
Vom-Stein-Straße	Y	39
Westerholter Straße	Y	41
Wiesmannstraße	Z	44
Wilhelminenstraße	Z	45

[GELSENKIRCHEN] 4650. Nordrhein-Westfalen [987] ⑭ – 285 000 Ew – Höhe 54 m – ☎ 0209.

Siehe Ruhrgebiet (Übersichtsplan).

ℹ Verkehrsverein, Hans-Sachs-Haus, ✆ 2 33 76.

ADAC, Ruhrstr. 2, ✆ 2 39 73, Notruf ✆ 1 92 11.

♦Düsseldorf 45 ③ – ♦Dortmund 32 ② – ♦Essen 11 ④ – Oberhausen 19 ⑤.

Stadtplan siehe gegenüberliegende Seite.

🏨 **Maritim**, Am Stadtgarten 1, ✆ 1 59 51, Telex 824636, <, ⛱, 🏊, 🏊 – ⇅ [TV] Ⓟ 👥. ⓓ E VISA. 🚫🐕 Rest — Z a
Karte 38/65 *(Sonntag geschl.)* – **265 Z : 500 B** 139/189 - 208/266 Fb – 27 Appart. 300/500.

🏨 **Ibis**, Bahnhofsvorplatz 12, ✆ 1 70 20, Telex 824705, ⛱ – ⇅ ☎ Ⓟ 👥. [AE] ⓓ E VISA — X a
(Restaurant nur für Hausgäste) – **104 Z : 156 B** 89/99 - 120/130 Fb.

🏨 **St. Petrus - Restaurant Dubrovnik**, Munckelstr. 3, ✆ 2 64 73 – ⇅ ☎ 🚗 — X u
Karte 20/48 – **18 Z : 36 B** 65/80 - 88/98.

🍴🍴 **Hirt**, Arminstr. 14, ✆ 2 32 35 – ♿ — X t
Samstag geschl. – Karte 32/56.

In Gelsenkirchen - Buer :

🏨 Monopol, Springestr. 9, ✆ 37 55 62 – ⇅ [TV] ☎ 🚗 👥 — Y e
(nur Abendessen) – **30 Z : 50 B** Fb.

🏨 **Zum Schwan**, Urbanusstr. 40, ✆ 3 72 44 – [TV] ☎ — Y b
Karte 29/43 *(wochentags nur Abendessen)* – **15 Z : 21 B** 73 - 110 Fb.

🍴🍴🍴 **Mövenpick Schloß Berge - Baron de la Mouette**, Adenauerallee 103, ✆ 5 99 58, « Terrasse mit < » – ≡ Ⓟ 👥. [AE] ⓓ E VISA — Y s
Samstag bis 18 Uhr geschl. – Karte 45/73 – **Belle Terrasse-Taverne** Karte 31/59.

[GEMMINGEN] Baden-Württemberg siehe Eppingen.

[GEMÜNDEN] Rheinland-Pfalz siehe Daun.

Bei Übernachtungen in kleineren Orten
oder abgelegenen Hotels empfehlen wir, hauptsächlich in der Saison,
rechtzeitige telefonische Anmeldung.

[GEMÜNDEN AM MAIN] 8780. Bayern [413] M 16, [987] ㉕ – 10 600 Ew – Höhe 160 m – ☎ 09351.

ℹ Verkehrsamt, Scherenbergstr. 4, ✆ 38 30.

♦München 319 – ♦Frankfurt am Main 88 – Bad Kissingen 38 – ♦Würzburg 39.

🏨 **Atlantis Main-Spessart-Hotel** garni, Hofweg 11, ✆ 8 00 40, Telex 689453, Fax 800430 – ⇅ [TV] ☎ Ⓟ 👥. [AE] ⓓ VISA
52 Z : 98 B 89 - 129 Fb.

🏨 **Koppen** (Sandsteinhaus a.d. 16. Jh.), Obertorstr. 22, ✆ 33 12
Mitte Jan.- Mitte Feb. geschl. – Karte 24/53 – **10 Z : 20 B** 39 - 72.

[GEMÜNDEN (RHEIN-HUNSRÜCK-KREIS)] 6545. Rheinland-Pfalz [987] ㉔ – 1 200 Ew – Höhe 282 m – Erholungsort – ☎ 06765.

Mainz 74 – ♦Koblenz 68 – Bad Kreuznach 44 – ♦Trier 95.

🏨 **Waldhotel Koppenstein** 🪑, SO : 1 km Richtung Bad Kreuznach, ✆ 4 56, <, ⛱, 🌳 – Ⓟ
Karte 27/61 *(Montag geschl.)* 🍷 – **14 Z : 31 B** 36/45 - 66/86.

[GENGENBACH] 7614. Baden-Württemberg [413] H 21, [242] ㉔ – 10 500 Ew – Höhe 172 m – Erholungsort – ☎ 07803.

ℹ Kurverwaltung im Winzerhof, Hauptstr. 20, ✆ 82 58.

♦Stuttgart 160 – Offenburg 11 – Villingen-Schwenningen 68.

🏨 **Blume**, Brückenhäuserstr. 10, ✆ 24 39 – 🚗 Ⓟ
Karte 21/43 *(Mittwoch und Sonntag jeweils ab 14 Uhr geschl.)* 🍷 – **21 Z : 40 B** 34/48 - 62/90.

🍴🍴 **Jägerstüble** 🪑 mit Zim, Mattenhofweg 3, ✆ 27 38, <, ⛱, « Wildgehege » – ☎ Ⓟ
Karte 29/54 – **14 Z : 25 B** 60 - 120.

🍴 **Pfeffermühle** (mit Gästehaus), Victor-Kretz-Str. 17, ✆ 37 05, ⛱ – [TV] ☎. [AE] ⓓ E
Karte 25/47 *(Donnerstag 15 Uhr - Freitag und 10.- 25. Jan. geschl.)* – **11 Z : 20 B** 45 - 76.

🍴 Hirsch mit Zim, Grabenstr. 34, ✆ 33 87
4 Z : 8 B.

In Berghaupten 7611 W : 2,5 km – Erholungsort :

🍴🍴 Hirsch 🪑 mit Zim, Dorfstr. 9, ✆ (07803) 28 90 – 🚗 Ⓟ
7 Z : 14 B.

[GENSINGEN] **6537.** Rheinland-Pfalz – 2 300 Ew – Höhe 90 m – ☎ 06727.

Mainz 36 – •Koblenz 72 – Bad Kreuznach 9.

Landhotel St. Hubertus, Kreuznacher Str. 61 (B 41), ☎ 2 62 – 🚗 [P]. [AE] [D] [E] [VISA]
Karte 28/50 – **12 Z : 25 B** 35/40 - 60/70.

[GEORGSMARIENHÜTTE] **4504.** Niedersachsen – 32 400 Ew – Höhe 100 m – ☎ 05401.

•Hannover 142 – Bielefeld 51 – Münster (Westfalen) 51 – •Osnabrück 8,5.

In Georgsmarienhütte-Oesede :

Herrenrest, an der B 51 (S : 2 km), ☎ 53 83, 🌳 – ☎ 🚗 [P] 🏆. Zim
Karte 18,50/35 *(Montag geschl.)* – **28 Z : 50 B** 33/48 - 58/80.

[GERETSRIED] **8192.** Bayern [413] QR 23, [987] ㊲, [426] ⑰ – 20 000 Ew – Höhe 593 m – ☎ 08171 (Wolfratshausen).

• München 45 – Garmisch Partenkirchen 65 – Innsbruck 99.

Parkhotel am Stern, Sudetenstr. 45, ☎ 49 40, ♨ – [TV] ☎ ♿ 🚗 [P] 🏆. Zim
68 Z : 99 B Fb.

In Geretsried-Gelting NW : 6 km :

Zum alten Wirth, Buchberger Str. 4, ☎ 71 94, 🌳, Biergarten, ♨ – [TV] ☎ [P] 🏆. [AE] [D] [E] [VISA]
Karte 25/50 *(Dienstag und 15.- 31. Aug. geschl.)* – **40 Z : 60 B** 65 - 110 Fb.

[GERLINGEN] Baden-Württemberg siehe Stuttgart.

[GERMERING] **8034.** Bayern [413] R 22, [987] ㊲, [426] ⑰ – 35 200 Ew – Höhe 532 m – ☎ 089 (München).

•München 18 – •Augsburg 53 – Starnberg 18.

Mayer, Augsburger Str. 15 (B 2), ☎ 84 40 71 (Hotel) 8 40 15 15 (Rest.), 🏊 – ☎ [P] 🏆
65 Z : 93 B Fb.

Regerhof, Dorfstr. 38, ☎ 84 00 40, 🌳, ♨ – [TV] ☎ [P]. [AE] [D] [E] [VISA]
Aug. geschl. – Karte 26/50 *(Samstag geschl.)* – **34 Z : 50 B** 80 - 140 Fb.

In Germering - Unterpfaffenhofen S : 1 km :

Huber, Bahnhofplatz 8, ☎ 84 60 01, 🌳 – [TV] ☎ [P]. [AE] [E]
Karte 25/51 – **50 Z : 90 B** 78/88 - 110/134 Fb.

In Puchheim **8039** NW : 2 km :

Parsberg, Augsburger Str. 1 (B 2), ☎ (089) 80 20 71 – [TV] ☎ 🚗 [P] 🏆
44 Z : 85 B Fb.

[GERMERSHEIM] **6728.** Rheinland-Pfalz [413] HI 19, [987] ㉔ ㉕ – 13 700 Ew – Höhe 105 m – ☎ 07274.

Mainz 111 – •Karlsruhe 34 – Landau in der Pfalz 21 – Speyer 18.

Kurfürst, Oberamtsstr. 1, ☎ 24 31
(nur Abendessen) – **19 Z : 31 B.**

🍴🍴 **Alt Germersheim 1770**, Hauptstr. 12, ☎ 15 48
wochentags nur Abendessen – Karte **24**/47 🍷.

🍴 **Bayerischer Hof** mit Zim, Hauptstr. 18, ☎ 25 58 – [P]. [E].
29. Juni - Ende Juli und 24. Dez.- 8. Jan. geschl. – Karte 28/48 *(Mittwoch ab 14 Uhr und Samstag geschl.)* 🍷 – **6 Z : 8 B** 30 - 60.

[GERNSBACH] **7562.** Baden-Württemberg [413] HI 20, [987] ㉟ – 14 000 Ew – Höhe 160 m – Luftkurort – ☎ 07224.

Sehenswert : Altes Rathaus★.

[i] Verkehrsamt, Rathaus, Igelbachstr. 11, ☎ 6 44 44.

•Stuttgart 91 – Baden-Baden 11 – •Karlsruhe 35 – Pforzheim 41.

Stadt Gernsbach garni, Hebelstr. 2, ☎ 20 91, Telex 78939 – Zim ☎ [P]. [AE] [D] [E] [VISA]
40 Z : 80 B 69/85 - 110/117.

Sonnenhof, Loffenauer Str. 33, ☎ 30 96, <, 🌳 – [TV] ☎ [P]. [AE] [E]
Karte 27/52 – **21 Z : 40 B** 45/55 - 75/88 Fb.

An der Straße nach Lautenbach SO : 2 km :

Brandeck 🔇, Schwannweg 130, ✉ 7562 Gernsbach, ☎ (07224) 22 97, <, 🌳, ♨ – [P]
Karte 24/52 *(Dienstag geschl.)* – **17 Z : 30 B** 45/60 - 75/120.

An der Straße nach Baden-Baden und zur Schwarzwaldhochstr. SW : 4 km :

Nachtigall, Müllenbild 1, ✉ 7562 Gernsbach, ☎ (07224) 21 29, 🍴 – 🚗 [P]
31. Jan.- 24. Feb. geschl. – Karte 22/47 *(Montag geschl.)* – **15 Z : 25 B** 32/55 - 64/110.

In Gernsbach-Obertsrot S : 2 km :

🍴 **Markgräflich Badische Gaststätte**, Im Schloß Eberstein, ☎ 21 50, « Terrasse mit ≤ Murgtal » – [P]. [AE] [E]
Dienstag und Jan.- Feb. geschl. – Karte 23/44.

In Gernsbach 7-Reichental SO : 7 km – Höhe 416 m :

Grüner Baum ≫, Süßer Winkel 1, ☎ 34 38 – 🚗 [P]
2. Nov.- 6. Dez. geschl. – Karte 20/52 *(Montag geschl.)* – **15 Z : 28 B** 35/45 - 55/70.

In Gernsbach 7 - Reichental-Kaltenbronn SO : 16 km – Höhe 900 m – Wintersport : 900/1 000 m ≴2 ⛷1 :

Sarbacher, ☎ 10 44, ⛲, Skiverleih – ☎ 🚗 [P]. [AE] [O] [E] [VISA]
14.- 31. März und 2. Nov.- 24. Dez. geschl. – Karte 28/57 – **14 Z : 23 B** 43/50 - 84/106 – P 73/80.

In Gernsbach 3-Staufenberg W : 2,5 km :

Sternen, Staufenberger Str. 111, ☎ 33 08, 🌳 – 🚗 [P]
Nov. geschl. – Karte 23/47 *(Donnerstag geschl.)* ♿ – **15 Z : 25 B** 40 - 64 Fb.

Forsthaus Staufenberg ≫ garni, Hildgrundweg 3, ☎ 23 90, ≤, « Garten » – [P]
10.- 28. Feb. geschl. – **11 Z : 21 B** 40/62 - 70/108 Fb.

In Loffenau 7563 O : 5 km – Höhe 320 m :

Tannenhof ≫, Bocksteinweg 9, ☎ (07083) 86 36, ≤ Loffenau und Murgtal, ⛲, ≘s, 🌳 – ☎ [P] 🏔
12. Jan.- 12. Feb. geschl. – Karte 23/43 *(Montag geschl.)* – **15 Z : 27 B** 40 - 70.

Zur Sonne, Obere Dorfstr. 4, ☎ (07083) 24 87, 🌳 – [$] [P]
Anfang Jan.- Anfang Feb. geschl. – Karte 24/50 *(Mittwoch geschl.)* ♿ – **20 Z : 40 B** 34/42 - 54/74 – P 50/58.

GERNSHEIM
6084. Hessen [413] I 17, [987] ㉕ – 8 000 Ew – Höhe 90 m – ☎ 06258.
♦Wiesbaden 53 – ♦Darmstadt 21 – Mainz 46 – ♦Mannheim 39 – Worms 20.

Hubertus, Waldfrieden (O : 2 km), ☎ 22 57, ⛲ – ☎ [P] 🏔. [O]
✦ Karte 19/42 ♿ – **30 Z : 50 B** 35/65 - 65/85.

GEROLSBACH
8069. Bayern [413] R 21 – 2 400 Ew – Höhe 456 m – ☎ 08445.
♦München 63 – ♦Augsburg 47 – Ingolstadt 44.

🍴🍴 **Zur Post**, St.-Andreas-Str. 3, ☎ 5 02 – [P]
wochentags nur Abendessen, Montag - Dienstag geschl. – Karte 48/68 (Tischbestellung ratsam).

GEROLSTEIN
5530. Rheinland-Pfalz [987] ㉓ – 7 000 Ew – Höhe 400 m – Luftkurort – ☎ 06591.
[i] Verkehrsamt, Rathaus, ☎ 13 82.
Mainz 182 – ♦Bonn 90 – ♦Koblenz 86 – Prüm 20.

Waldhotel Rose ≫, Zur Büschkapelle 5, ☎ 1 80, ≤, ≘s, [🏊], 🌳 – [TV] ☎ [P] 🏔. [AE] [O] [E] [VISA]. ⊗ Rest
Karte 27/58 – **30 Z : 60 B** 74/95 - 124/170 Fb – 48 Fewo 115/125 – P 107/122.

Seehotel ≫, am Stausee, ☎ 2 22, ≘s, [🏊], 🌳 – 🚗 [P]. ⊗ Rest
✦ *5. Nov.- 20. Dez. geschl.* – Karte 19,50/38 – **35 Z : 70 B** 45/70 - 72/102.

Landhaus Tannenfels, Lindenstr. 68, ☎ 41 23, 🌳 – 🚗 [P]
✦ Karte 18/40 – **12 Z : 21 B** 43 - 80/90 – P 58/63.

In Gerolstein-Müllenborn NW : 5 km :

Landhaus Müllenborn ≫, Auf dem Sand 45, ☎ 2 88, ≤, ⛲, ≘s – [TV] ☎ 🚗 [P] 🏔. [AE] [O] [E] [VISA]. ⊗ Rest
Karte 34/58 – **20 Z : 47 B** 45/80 - 110/150 Fb – P 80/115.

Carte stradali Michelin per la Germania :
n° [984] in scala 1/750 000
n° [987] in scala 1/1 000 000
n° [412] in scala 1/400 000
n° [413] in scala 1/400 000 (Baviera e Bade Wurtemberg)

[GEROLZHOFEN] 8723. Bayern [413] O 17, [987] ㉖ – 6 900 Ew – Höhe 245 m – ☎ 09382.
ℹ Verkehrsamt, im alten Rathaus, Marktplatz, ☎ 2 61.
♦München 262 – ♦Bamberg 52 – ♦Nürnberg 91 – Schweinfurt 22.

- **An der Stadtmauer** garni, Rügshöfer Str. 25, ☎ 70 11, 🌳 – 🛗 ☎ 🏌. AE ⓓ E VISA
  28 Z : 55 B 45/59 - 85/120 Fb.
- Wilder Mann, Marktplatz 2, ☎ 3 22 – 🚗 Ⓟ
  16 Z : 24 B.

[GERSFELD] 6412. Hessen [413] M 15, [987] ㉕ ㉖ – 5 800 Ew – Höhe 482 m – Kneippheilbad – Wintersport : 500/950 m ⛷5 ⛷7 – ☎ 06654.
Ausflugsziel : Wasserkuppe : ≤** N : 9,5 km über die B 284.
ℹ Kurverwaltung, Haus am Marktplatz, ☎ 70 77.
♦Wiesbaden 160 – Fulda 28 – ♦Würzburg 96.

- **Gersfelder Hof** 🕊, Auf der Wacht 14, ☎ 70 11, ≤, ⛱, Bade- und Massageabteilung, ⛹, ♨, 🏊, 🌳, 🎾 – 🛗 📺 ☎ Ⓟ 🏌. AE ⓓ E VISA
  Karte 28/58 – **62 Z : 100 B** 73/81 - 120/144 Fb – P 107/115.
- **Sonne**, Amelungstr. 1, ☎ 3 03, ♨ – 🚗
  1.- 22. Dez. geschl. – Karte 17,50/37 – **18 Z : 36 B** 30/40 - 53/61.

In Gersfeld-Obernhausen NO : 5 km über die B 284 :

- Berghof Wasserkuppe, an der B 284, ☎ 2 51, ≤, ⛱, ♨, 🌳 – Ⓟ
  20 Z : 46 B.
- 🍴 **Peterchens Mondfahrt** mit Zim, Auf der Wasserkuppe (N : 4 km), ☎ 3 81, ≤ – ☎ Ⓟ. E
  Nov.- 15. Dez. geschl. – Karte 24/44 *(Montag 18 Uhr - Dienstag geschl.)* – **7 Z : 13 B** 42 - 70.

[GERSHEIM] 6657. Saarland [242] ⑪, [57] ⑰, [87] ⑫ – 7 000 Ew – Höhe 240 m – ☎ 06843.
⛳ Gersheim-Rubenheim, ☎ (06843) 87 97.
♦Saarbrücken 30 – Sarreguemines 13 – Zweibrücken 23.

- 🍴 **Quirin** mit Zim, Bliesstr. 5, ☎ 3 15, Biergarten – Ⓟ. ⓓ
  Juli 2 Wochen geschl. – Karte 15/45 *(Samstag bis 18 Uhr und Montag geschl.)* 🍷 – **2 Z : 4 B** 34 - 68.

In Gersheim 6-Walsheim NO : 2 km :

- **Walsheimer Hof**, Bliesdahlheimer Weg 4, ☎ 83 55 – 📺
  Karte 14/41 *(Montag geschl.)* – **7 Z : 14 B** 35/45 - 70/90.

[GERSTETTEN] 7929. Baden-Württemberg [413] N 21, [987] ㊱ – 10 300 Ew – Höhe 624 m – ☎ 07323.
♦Stuttgart 89 – ♦Augsburg 93 – Heidenheim an der Brenz 15 – ♦Ulm (Donau) 33.

In Gerstetten-Gussenstadt NW : 6 km :

- **Krone**, Bühlstr. 4, ☎ 51 21, ♨, 🏊 – 🚗 Ⓟ
  Karte 19/29 *(Freitag geschl.)* 🍷 – **10 Z : 16 B** 38/45 - 76/85.

[GERSTHOFEN] 8906. Bayern [413] P 21, [987] ㊱ – 16 800 Ew – Höhe 470 m – ☎ 0821 (Augsburg).
♦München 65 – ♦ Augsburg 7 – ♦ Ulm (Donau) 76.

- **Via Claudia**, Augsburger Str. 130, ☎ 4 98 50, Telex 533538, Fax 4985506 – 🛗 📺 Ⓟ 🏌. AE ⓓ E VISA
  Karte 32/56 – **90 Z : 185 B** 75/125 - 155/165 Fb.
- **Römerstadt** garni, Donauwörther Str. 42, ☎ 49 50 55 – 🛗 ☎ 🚗 Ⓟ. AE ⓓ E VISA. 🐕
  22. Dez.- 7. Jan. geschl. – **36 Z : 65 B** 85/95 - 130 Fb.

An der Autobahn A 8-Südseite W : 6 km :

- **Rasthaus Edenbergen**, ✉ 8906 Gersthofen 2, ☎ (0821) 48 30 82, ⛱ – 🚗 Ⓟ. AE ⓓ
  Karte 22/49 *(auch Self-service)* – **22 Z : 42 B** 41/65 - 80/102.

[GESCHER] 4423. Nordrhein-Westfalen [987] ⑬, [408] ⑭ – 14 400 Ew – Höhe 62 m – ☎ 02542.
ℹ Verkehrsverein, Katharinenstr. 1, ☎ 43 00.
♦Düsseldorf 107 – Bocholt 39 – Enschede 45 – Münster (Westfalen) 49.

- **Domhotel**, Kirchplatz 6, ☎ 3 63 – ☎ 🚗 Ⓟ 🏌. AE ⓓ E VISA. 🐕 Zim
  Juli - Aug. 3 Wochen geschl. – Karte 28/55 *(Montag geschl.)* – **10 Z : 18 B** 48/52 - 80/84.
- **Tenbrock**, Hauskampstr. 12, ☎ 3 18 – 🚗 Ⓟ. AE ⓓ
  Ende Juni - Anfang Juli geschl. – Karte 18/38 *(nur Abendessen, Sonntag nur Mittagessen)* – **11 Z : 22 B** 32/35 - 64/70.
- **Zur Krone**, Hauptstr. 39, ☎ 10 50 – 🚗 Ⓟ. ⓓ E
  Juni - Juli 2 Wochen geschl. – Karte 18/39 *(Sonntag 15 Uhr-Montag 15 Uhr geschl.)* – **12 Z : 20 B** 26/38 - 52/76.

GETTORF 2303. Schleswig-Holstein [987] ⑤ – 5 400 Ew – Höhe 15 m – ☎ 04346.

♦Kiel 16 – ♦Hamburg 112 – Schleswig 37.

🏨 **Stadt Hamburg**, Süderstr. 1, ☎ 94 60 – ☎ 🅿 🚗
Karte 25/41 *(Sonntag geschl.)* – **9 Z : 18 B** 50 - 85/95.

GEVELSBERG 5820. Nordrhein-Westfalen [987] ⑭ – 31 000 Ew – Höhe 140 m – ☎ 02332.

Siehe Ruhrgebiet (Übersichtsplan).

♦Düsseldorf 57 – Hagen 9 – ♦Köln 62 – Wuppertal 17.

🏨 **Auto-Hotel**, Hagener Str. 225 (B 7), ☎ 63 87 – ☎ 🅿
Karte 26/48 *(nur Abendessen, Sonntag geschl.)* – **27 Z : 45 B** 60/70 - 88/98.

🏨 **Garni**, Großer Markt 1, ☎ 47 24 – [‡] ☎ 🚗. [AE] [D] [E]
15 Z : 25 B 55/65 - 90/100.

GIENGEN AN DER BRENZ 7928. Baden-Württemberg [413] N 21, [987] ㊱ – 18 500 Ew – Höhe 464 m – ☎ 07322.

Ausflugsziel : Lonetal* SW : 7 km.

♦Stuttgart 116 – ♦Augsburg 82 – Heidenheim an der Brenz 12 – ♦Ulm (Donau) 34.

🏨 **Zum Lamm**, Marktstr. 19, ☎ 50 93 – [‡] ☎ 🅿 🚗. [D] [E]
Karte 21/45 – **33 Z : 43 B** 48/90 - 78/140 Fb.

🏨 Gawron 🐚, Richard-Wagner-Str. 5, ☎ 70 31 – [‡] [TV] ☎ 🚗 🅿
35 Z : 60 B Fb.

🏨 **Kanne**, Marktstr. 22, ☎ 50 10 – 🚗
21.- 27. März geschl. – Karte 17/30 *(Samstag 16 Uhr - Sonntag und Sept. 3 Wochen geschl.)* – **21 Z : 35 B** 28/44 - 54/84.

GIESEL Hessen siehe Neuhof.

☞ *Keine Aufnahme in den* Michelin-Führer *durch*
- Beziehungen oder
- Bezahlung

GIESSEN 6300. Hessen [413] IJ 15, [987] ㉕ – 71 000 Ew – Höhe 165 m – ☎ 0641.

Ausflugsziel : Burg Krofdorf-Gleiberg (Bergfried ☀*) (NW : 6 km).

[i] Verkehrs- und Informationsbüro, Berliner Platz 2, ☎ 3 06 24 89.

ADAC, Bahnhofstr. 15, ☎ 7 20 08, Notruf ☎ 1 92 11.

♦Wiesbaden 89 ⑤ – ♦Frankfurt am Main 61 ⑤ – ♦Kassel 139 ④ – ♦Koblenz 106 ②.

Stadtplan siehe nächste Seite.

🏨 **Steinsgarten**, Hein-Heckroth-Str. 20, ☎ 3 89 90, Telex 4821713, ☂, [≋] – [‡] [TV] 🅿 🚗. [AE] [D] [E] [VISA] Z **a**
Karte 29/55 – **86 Z : 122 B** 112/135 - 168/185 Fb – 3 Appart. 210.

🏨 **Kübel - Restaurant Dudelsack**, Bahnhofstr. 47 (Ecke Westanlage), ☎ 7 70 70, Telex 4821754 – [TV] ☎ 🅿 🚗. [AE] [D] [E] [VISA] Z **e**
Karte 30/49 *(nur Abendessen, 15. Juli - 15. Aug. geschl.)* – **45 Z : 68 B** 65/141 - 108/178.

🏨 **Köhler**, Westanlage 35, ☎ 7 60 86 (Hotel) 7 77 55 (Rest.), Telex 4821792 – [‡] [TV] ☎. [AE] [D] [E] [VISA] Z **t**
24. Dez.- 2. Jan. geschl., Restaurant ganzjährig geöffnet – Karte 25/49 *(Italienische Küche)* – **27 Z : 50 B** 70/100 - 130/140.

🏨 Am Ludwigsplatz garni, Ludwigsplatz 8, ☎ 3 30 82, Telex 482710 – [‡] [TV] ☎ 🚗 Z **h**
45 Z : 71 B.

🏨 **Motel an der Lahn** garni, Lahnstr. 21, ☎ 7 35 16 – 🚗 Y **f**
14 Z : 20 B 65/70 - 85/90.

🏨 **Parkhotel Sletz**, Wolfstr. 26, ☎ 4 20 96 – [TV] ☎ 🚗. [AE] [D] [E] [VISA] Z **r**
Karte 21/37 *(nur Abendessen, Sonntag geschl.)* – **19 Z : 30 B** 45/83 - 70/99.

🍴🍴 **Schlosskeller** (Restaurant in einem alten Kellergewölbe), Brandplatz 2, ☎ 3 83 06, ☂ – [AE] [D] [E] Y **s**
Montag, Jan. und Aug. geschl. – Karte 47/74.

🍴 **Giessener Stuben**, Berliner Platz 2 (in der Krongresshalle), ☎ 7 30 25, ☂ – 🚗 Z **k**
Sonn- und Feiertage geschl. – Karte 18/43.

🍴 Martinshof, Liebigstr. 20, ☎ 7 37 13, ☂ – 🅿 🚗 Z **d**

In Wettenberg 1 - Krofdorf-Gleiberg **6301** NW : 6 km über Krofdorfer Str. Y :

🏨 **Wettenberg**, Am Augarten 1, ☎ (0641) 8 20 17, Telex 4821144 – ☎ 🅿 🚗. [AE] [D] [E] [VISA]
Karte 29/56 – **45 Z : 80 B** 50/85 - 110/124 Fb.

🍴 Burg Gleiberg, Burgstr. 88, ☎ (0641) 8 14 44, ≤, ☂ – 🅿.

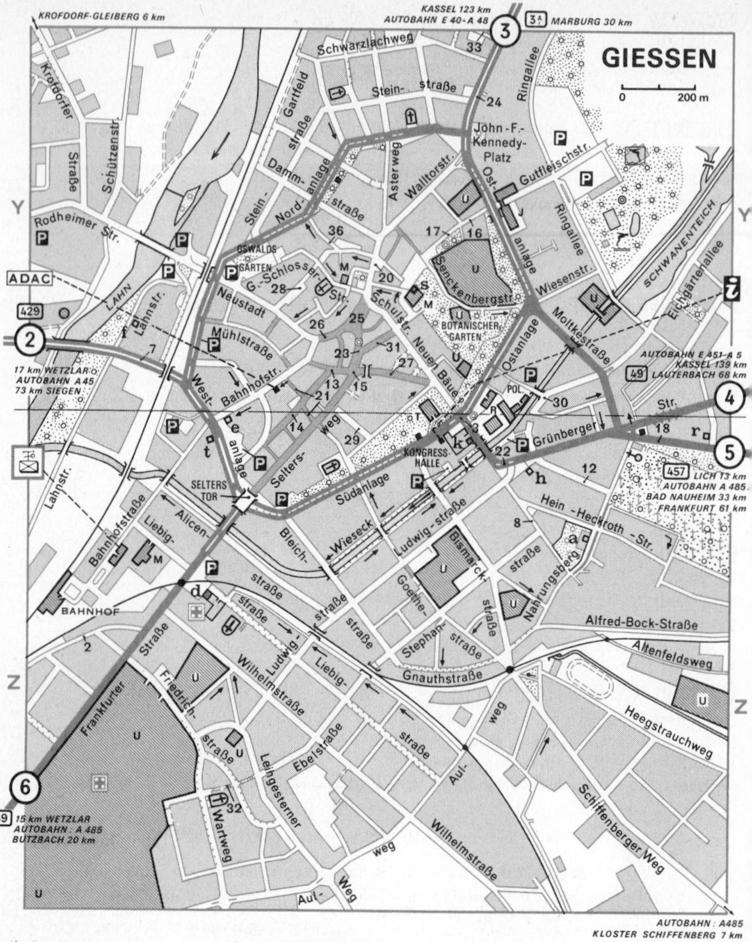

<u>***In Pohlheim 1-Watzenborn - Steinberg***</u> **6301** SO : 7,5 km über Schiffenberger Weg Z :

Goldener Stern, Kreuzplatz 6, ✆ (06403) 6 16 24 – ⛟ **P**. ✻
Juli - Aug. 3 Wochen geschl. – Karte 22/37 *(Freitag geschl.)* – **20 Z : 28 B** 35 - 58/66.

Dinges, Kirchstr. 2, ✆ (06403) 6 45 43, ☂ – **P**. AE ◑ E VISA
Samstag bis 18 Uhr, Sonn- und Feiertage sowie 2.- 16. Feb. geschl. – Karte 53/76 (Tischbestellung ratsam).

Orte mit mindestens einem für Rollstuhlfahrer geeigneten Hotel bzw.
mit eigenem Tennisplatz,
Golfplatz oder Reitpferden finden Sie auf einer Liste am Ende des Führers.

[GIFHORN] 3170. Niedersachsen [987] ⑯ – 36 000 Ew – Höhe 55 m – ☎ 05371.

⛳ Wilscher Weg 56, ☎ 1 67 37.

ℹ Tourist-Information, Cardenap 1 (Ratsweinkeller), ☎ 8 81 75.

♦Hannover 79 – ♦Braunschweig 28 – Lüneburg 88.

- **Heidesee** garni (siehe auch Restaurant Heidesee), Celler Str. 109 (B 188, W : 2 km), ☎ 5 30 21, 🏊, 🌳, Fahrradverleih – 🛗 🚗 🅿 🏛. [AE] ⓪ [E] [VISA]
  23.- 29. Dez. geschl. – **45 Z : 68 B** 77/125 - 134/165 Fb.
- **Grasshoff** garni, Weißdornbusch 4, ☎ 5 30 36 – 📺 ☎ 🅿
  11 Z : 22 B 67/74 - 88/98.
- **Deutsches Haus**, Torstr. 11, ☎ 5 40 51 – 📺 ☎ 🅿 🏛. [AE] [E]
  Karte 31/71 *(Samstag bis 18 Uhr und Sonntag ab 15 Uhr geschl.)* – **38 Z : 61 B** 28/60 - 54/110 Fb – 6 Fewo 110/160.
- 🍴🍴 **Heidesee**, Celler Str. 109 (B 188, W : 2 km), ☎ 43 48, ≤, 🌳 – 🅿 🏛. ⓪ [VISA]
  Karte 30/58.
- 🍴 Jägerhof mit Zim, Bromer Str. 4 (B 188, O : 2 km), ☎ 1 23 87, 🌳, 🏊 – ☎ 🚗 🅿 🏛
  16 Z : 23 B.
- 🍴 **Ratsweinkeller**, Cardenap 1, ☎ 5 91 11, « Renoviertes Fachwerkhaus a.d. 16. Jh. » – [AE] ⓪ [E]
  Dienstag geschl. – Karte 25/42.

In Gifhorn-Winkel SW : 6 km :

- **Landhaus Winkel** 🐦 garni, Hermann-Löns-Weg 2, ☎ 1 29 55, 🌳 – ☎ ♿ 🅿
  23. Dez.- 2. Jan. geschl. – **21 Z : 34 B** 54/64 - 90/106 Fb.

Am Tankumsee SO : 7 km:

- **Seehotel** 🐦, Eichenpfad 2, ✉ 3172 Isenbüttel, ☎ (05374) 16 21, Telex 957137, ≤, 🌳, 🏊, 🏊 – 📺 ☎ ♿ 🅿 🏛. [AE] [E]
  Karte 30/58 *(Sonntag ab 18 Uhr geschl.)* – **45 Z : 89 B** 89/120 - 140/170 Fb.

[GINSHEIM-GUSTAVSBURG] Hessen siehe Mainz.

[GLADBECK] 4390. Nordrhein-Westfalen [987] ⑬⑭ – 74 000 Ew – Höhe 30 m – ☎ 02043.

Siehe Ruhrgebiet (Übersichtsplan).

♦Düsseldorf 54 – Dorsten 11 – ♦Essen 16.

- Schultenhof, Schultenstr. 10, ☎ 5 17 79 – ☎ 🚗 🅿. 🐕
  14 Z : 20 B.
- 🍴🍴 **Schloß Wittringen - Kaminzimmer**, Burgstr. 64, ☎ 2 23 23, 🌳, « Wasserschloß a.d. 13. Jh. » – 🅿 🏛. [AE] ⓪ [E]
  Karte 33/70.

[GLADENBACH] 3554. Hessen [987] ㉕ – 11 500 Ew – Höhe 340 m – Kneippheilbad – Luftkurort – ☎ 06462.

ℹ Kurverwaltung, im Haus des Gastes, Hainstraße, ☎ 17 30.

♦Wiesbaden 122 – Gießen 28 – Marburg 20 – Siegen 61.

- **Am Schloßgarten** 🐦, Hainstr. 7, ☎ 70 15, 🏊, 🏊, 🌳 – ☎ 🅿. [AE] ⓪ [E]
  Karte 23/52 – **20 Z : 30 B** 51 - 99 Fb.
- **Gladenbacher Hof**, Bahnhofstr. 72, ☎ 13 67, 🏊, 🏊, 🌳 – ☎ 🅿
  Karte 18/56 *(Montag bis 17 Uhr geschl.)* – **36 Z : 60 B** 48/70 - 85/120 – P 57/80.

[GLANDORF] 4519. Niedersachsen [987] ⑭ – 5 400 Ew – Höhe 64 m – ☎ 05426.

♦Hannover 148 – Bielefeld 38 – Münster (Westfalen) 33 – ♦Osnabrück 26.

- **Herbermann**, Münsterstr. 25, ☎ 18 01 – 🅿 🏛
  Karte 15/26 *(Dienstag geschl.)* (Mahlzeiten in der Gastwirtschaft Herbermann) – **13 Z : 28 B** 40 - 69.

[GLASHÜTTE] Nordrhein-Westfalen siehe Schieder-Schwalenberg.

[GLASHÜTTEN] 6246. Hessen [413] I 16 – 5 230 Ew – Höhe 506 m – Luftkurort – ☎ 06174 (Königstein im Taunus).

♦Wiesbaden 34 – ♦Frankfurt am Main 30 – Limburg an der Lahn 33.

- **Weitzel**, Limburger Str. 17, ☎ 69 81, 🌳, 🌳 – ☎ 🅿 🏛. [E]
  25. Nov.- 22. Dez. geschl. – Karte 26/56 *(Freitag geschl.)* – **30 Z : 48 B** 55/85 - 110/140 Fb.
- 🍴🍴 **Glashüttener Hof** mit Zim, Limburger Str. 84, ☎ 69 22, 🌳 – ☎ 🅿. [AE] [E] [VISA]. 🐕 Zim
  Karte 39/63 *(Montag geschl.)* – **9 Z : 14 B** 80 - 160.

In Glashütten 2-Schloßborn SW : 3,5 km :

- 🍴🍴 **Schützenhof**, Langstr. 13, ☎ 6 10 74 – 🅿
  Sonn- und Feiertage bis 18 Uhr, Mittwoch und März - April 4 Wochen geschl. – Karte 69/88.

GLATTEN 7296. Baden-Württemberg 413 I 21 – 2 200 Ew – Höhe 535 m – Luftkurort – ☎ 07443 (Dornstetten).
♦Stuttgart 89 – Freudenstadt 10.

Schwanen, Neuneckerstr. 2, ☎ 64 22 – |‡|. AE
15. Jan.- 15. Feb. geschl. – Karte 17/35 *(Montag geschl.)* – **23 Z : 42 B** 35 - 70.

GLAUBURG 6475. Hessen 413 JK 16 – 3 000 Ew – Höhe 130 m – ☎ 06041.
♦Wiesbaden 94 – ♦ Frankfurt am Main 52 – Fulda 63 – Gießen 50.

In Glauburg 2-Stockheim :

Die Trüffel, Bahnhofstr. 19, ☎ 44 84, – AE E
Mittwoch ab 15 Uhr und Samstag bis 18 Uhr geschl. – Karte 44/58.

GLEISZELLEN-GLEISHORBACH Rheinland-Pfalz siehe Bergzabern, Bad.

GLONN 8019. Bayern 413 S 23 – 4 000 Ew – Höhe 536 m – Erholungsort – ☎ 08093.
♦München 29 – Rosenheim 33.

Café Schwaiger garni, Feldkirchner Str. 3, ☎ 50 88 – TV ☎ P
53 Z : 90 B 42/50 - 65/90.

Zur Lanz, Prof.-Lebsche-Str. 24, ☎ 6 76 – P. D
25. Juli - 18. Aug. und Montag - Dienstag geschl. – Karte **29**/63 (abends Tischbestellung ratsam).

GLOTTERTAL 7804. Baden-Württemberg 413 G 22, 242 ㉜ – 2 500 Ew – Höhe 306 m – Erholungsort – ☎ 07684 – Verkehrsamt, in der Kur- und Sporthalle, ☎ 2 53.
♦Stuttgart 208 – ♦Freiburg im Breisgau 17 – Waldkirch 11.

Hirschen (mit Gästehaus Rebenhof und Winzerstube), Rathausweg 2, ☎ 8 10, Telex 772349, « Gemütliche Restauranträume im Schwarzwaldstil », – |‡| TV P. E
Karte 36/78 *(Montag geschl.)* – **55 Z : 90 B** 75/120 - 150/200 Fb.

Schloßmühle, Talstr. 22, ☎ 2 29, – |‡| ☎ P. AE D E VISA
Karte 22/64 *(Nov. und Mittwoch geschl.)* – **10 Z : 20 B** 50 - 100 Fb.

Kreuz, Landstr. 14, ☎ 2 06, – |‡| ☎ P – **25 Z : 41 B.**

Zum Goldenen Engel, Friedhofstr. 2, ☎ 2 50, « Alter Schwarzwaldgasthof » – P
2. Jan.- Mitte Feb. geschl. – Karte 24/58 *(Mittwoch geschl.)* – **9 Z : 18 B** 40/45 - 66/70 – P 70/75.

Schwarzenberg, Talstr. 24, ☎ 3 17, – ☎ P. AE D E
(nur Abendessen für Hausgäste) – **20 Z : 40 B** 45/60 - 80/90.

Pension Faller garni, Talstr. 9, ☎ 2 26, – ☎ P.
4.- 25. Dez. geschl. – **11 Z : 20 B** 40/70 - 60/98.

Zur Linde, Talstr. 98, ☎ 2 49 – P
Mitte Jan.- Mitte Feb. geschl. – Karte 19/42 *(Montag geschl.)* – **10 Z : 17 B** 35 - 64.

Zum Adler mit Zim, Talstr. 11, ☎ 10 81, « Einrichtung im Schwarzwälder Bauernstil », – TV ☎ P. D E VISA
Karte 29/65 *(Tischbestellung ratsam)* (Dienstag geschl.) – **14 Z : 26 B** 35/80 - 60/120.

In Heuweiler 7803 W : 2,5 km :

Zur Laube mit Zim, Glottertalstr. 1, ☎ (07666) 22 67, « Restauriertes Fachwerkhaus » – |‡| TV ☎ P. E. Zim
30. Jan.- 14. Feb und 5.- 20. Juni geschl. – Karte **29**/73 *(Dienstag geschl.)* – **7 Z : 15 B** 69 - 118.

GLÜCKSBURG 2392. Schleswig-Holstein 987 ⑤ – 7 600 Ew – Höhe 30 m – Seeheilbad – ☎ 04631.
Sehenswert : Wasserschloß (Lage★) – Glücksburg-Bockholm (NO : 3 km), ☎ (04631) 25 47.
Kurverwaltung, Sandwigstr. 1a (Kurmittelhaus), ☎ 9 21.
♦Kiel 93 – Flensburg 10 – Kappeln 40.

Intermar, Fördestr. 2, ☎ 9 41, Telex 22670, ≤, Caféterrasse, Fahrradverleih – |‡| Zim Rest TV ☎ P (mit). AE D E VISA
Restaurants : – **König von Dänemark** Karte 42/65 – **Dampfer** Karte 25/40 – **80 Z : 160 B** 105/124 - 168/210 Fb.

Kurpark-Hotel, Sandwigstr. 1, ☎ 5 51 – |‡| ☎ P. AE D E VISA
Karte 32/53 – **40 Z : 100 B** 70/90 - 119 Fb – 10 Appart. 155/210.

In Glücksburg-Holnis NO : 5 km :

Café-Drei, Drei 5, ☎ 25 75 – TV ☎ P
Karte 30/50 *(Nov.- Feb. Mittwoch geschl.)* – **10 Z : 20 B** 65 - 98/105 – P 100.

In Glücksburg-Meierwik SW : 4 km :

Alter Meierhof, Uferstr. 1, ☎ 79 92, ≤, – P. AE E
9.- 19. Jan. geschl. – Karte 29/56 (Tischbestellung ratsam).

GLÜCKSTADT 2208. Schleswig-Holstein 987 ⑤ – 12 000 Ew – Höhe 3 m – ☎ 04124.
♦Kiel 91 – ♦Bremerhaven 75 – ♦Hamburg 54 – Itzehoe 22.

Tiessens Hotel, Kleine Kremper Str. 18, ☎ 21 16 – ☎ P. AE ① E VISA
Karte 26/51 *(nur Abendessen, Donnerstag geschl.)* – **21 Z : 30 B** 60/80 - 95/110.

XX **Ratskeller**, Markt 4, ☎ 24 64 – E
Feb. und Montag geschl., Okt.- März auch Sonntag ab 15 Uhr geschl. – Karte 38/64 (Tischbestellung ratsam).

GMUND AM TEGERNSEE 8184. Bayern 413 S 23, 987 ㊲, 426 ⑰ – 6 400 Ew – Höhe 739 m – Luftkurort – Wintersport : 700/900 m ≰3 ⛷3 – ☎ 08022 (Tegernsee).
18 Gut Steinberg, ☎ 73 66.
♦München 48 – Miesbach 11 – Bad Tölz 14.

Oberstöger, Tölzer Str. 4, ☎ 70 19, Biergarten – ☎ P. ① E
Nov.- 10. Dez. geschl. – Karte 18/40 *(Mittwoch geschl.)* – **31 Z : 51 B** 38/47 - 66/76.

XXX **Gut Kaltenbrunn - Wittelsbacher Stube**, Kaltenbrunn 1, ☎ 79 69, ←, Biergarten mit Selbstbedienung – P. E
nur Abendessen, Dienstag geschl. – Karte 35/63 – **Gutsschänke** Karte **25**/40 *(auch Mittagessen).*

In Gmund-Ostin SO : 2 km :

Obermoarhof ⑤, Neureuthstr. 10, ☎ 70 95, ←, ≘s, ⛱, ✗ – TV ☎ P. AE ① E
Nov.- 15. Dez. geschl. – Karte 23/38 *(Dienstag - Mittwoch geschl.)* – **20 Z : 38 B** 67 - 104/124 – P 105.

Zum Kistlerwirt, Schlierseer Str. 60, ☎ 77 19, ←, ⛱ – P
23 Z : 50 B.

GOCH 4180. Nordrhein-Westfalen 987 ⑬, 408 ⑲ – 29 000 Ew – Höhe 18 m – ☎ 02823.
ℹ Verkehrsamt, Markt 2, ☎ 32 02 02.
♦Düsseldorf 87 – Krefeld 54 – Nijmegen 31.

Odenthal, Brückenstr. 46, ☎ 54 12, ≘s – ☎ P
Karte 23/48 *(Sonntag geschl.)* – **26 Z : 38 B** 35/50 - 70/85.

Litjes, Pfalzdorfer Str. 2, ☎ 40 16 – ☎ P
Karte 23/44 *(Montag geschl.)* – **15 Z : 24 B** 45 - 80.

Zur Friedenseiche, Weezer Str. 1, ☎ 73 58 – 🚗 P. AE E
Karte 20/37 *(nur Abendessen, Sonntag geschl.)* – **20 Z : 28 B** 33/40 - 60/80.

In Goch 7-Nierswalde NW : 5 km :

Martinschänke ⑤, Dorfstr. 2, ☎ 20 53, ← – ☎ P. AE ① E VISA
1.- 16. Jan. und 2.- 9. Feb. geschl. – Karte 27/49 *(Dienstag - Freitag nur Abendessen, Montag geschl.)* – **14 Z : 24 B** 32/62 - 64/82.

GOCKENHOLZ Niedersachsen siehe Lachendorf.

GÖDENSTORF Niedersachsen siehe Salzhausen.

GÖGGINGEN Baden-Württemberg siehe Krauchenwies.

GÖHRDE Niedersachsen siehe Hitzacker.

GÖPPINGEN 7320. Baden-Württemberg 413 LM 20, 987 ㉟ – 53 000 Ew – Höhe 323 m – ☎ 07161.
Ausflugsziel : Gipfel des Hohenstaufen ✳★, NO : 8 km.
9 Donzdorf (O : 13 km), ☎ (07162) 2 71 71.
ℹ Verkehrsamt, Marktstr. 2, ☎ 6 52 92.
ADAC, Ulrichstr. 62, ☎ 2 19 19, Telex 727813.
♦Stuttgart 44 ⑤ – Reutlingen 49 ⑤ – Schwäbisch Gmünd 26 ① – ♦Ulm (Donau) 63 ④.

Stadtplan siehe nächste Seite.

Hohenstaufen, Freihofstr. 64, ☎ 7 00 77, Telex 727619 – TV ☎ 🚗. AE ① E VISA Y **b**
Karte 41/62 *(23. Dez.- 1. Jan. und Freitag - Samstag 18 Uhr geschl.)* – **50 Z : 70 B** 79/95 - 130/150 Fb.

Kaisergarten, Poststr. 14a, ☎ 6 89 47, ← – |‡| TV ☎ P Z **r**
12 Z : 24 B.

International, Grünewaldweg 2, ☎ 7 90 31, Massage, ≘s, 🏊 – |‡| TV ☎ 🚗 P 🏛. AE ① E VISA. ✗ Rest über Dürerstr. Z
Juli - Aug. 3 Wochen geschl. – (nur Abendessen für Hausgäste) – **58 Z : 100 B** 79/160 - 118/160.

GÖPPINGEN

In Göppingen 11-Hohenstaufen ② : 8 km :

XX **Panorama-Hotel Honey-do** mit Zim, Eutenbühl 1, ✆ (07165) 3 39, ≤ Schwäbische Alb – TV ☎ P.
Karte 26/58 *(Dienstag geschl.)* – **6 Z : 10 B** 52 - 104.

In Göppingen 6-Holzheim über Heininger Straße Z :

Stern, Eislinger Str. 15, ✆ 81 22 13 – P
24. Dez.- 6. Jan. und 29. Juli - 18. Aug. geschl. – Karte 18/33 *(Freitag - Samstag 15 Uhr geschl.)* – **12 Z : 20 B** 30/40 - 60/78.

In Göppingen 8-Jebenhausen ④ : 3 km :

Pension Winkle, Schopflenbergweg 5, ✆ 4 15 74, – ☎ P. E.
20. Dez.- 10. Jan. geschl. – (nur Abendessen für Hausgäste) – **17 Z : 23 B** 55/70 - 90/100.

In Göppingen 7-Ursenwang ③ : 5 km :

XXX **Bürgerhof - Alt-Tirol**, Tannenstr. 2, ✆ 81 12 26 – P. AE E
Sonntag 15 Uhr - Montag und Juli 3 Wochen geschl. – Karte 46/64.

In Wangen **7321** ⑤: 6 km :

Linde, Hauptstr. 30, ✆ (07161) 2 30 22 – TV ☎ P. E.
Mitte - Ende Feb. und Anfang - Mitte Nov. geschl. – Karte 29/51 – **12 Z : 15 B** 40/68 - 98.

XX **Landgasthof Adler**, Hauptstr. 3, ✆ (07161) 2 11 95 – P. E
Montag, Mitte - Ende Jan. und Juli 1 Woche geschl. – Karte 40/65.

In Albershausen **7321** ⑤ : 8 km :

Stern, Uhinger Str. 1, ✆ (07161) 3 20 81, – P
44 Z : 64 B Fb.

Les prix

Pour toutes précisions sur les prix indiqués dans ce guide, reportez-vous aux pages de l'introduction.

GÖSSWEINSTEIN 8556. Bayern [413] QR 17, [987] ㉖ – 4 200 Ew – Höhe 493 m – Luftkurort – ✆ 09242.

Sehenswert : Barockbasilika (Wallfahrtskirche) – Marienfelsen <** – Wagnershöhe <*.

Ausflugsziel : Fränkische Schweiz**.

[i] Verkehrsamt, Burgstr. 67, ✆ 4 56.

♦München 219 – ♦Bamberg 45 – Bayreuth 46 – ♦Nürnberg 75.

🏨 **Zur Rose**, Marktplatz 7, ✆ 2 25, ⛱ – 🚫 Zim
Nov. geschl. – Karte 16,50/38 *(Montag geschl.)* – **19 Z : 39 B** 40/50 - 70/78.

🏨 **Regina** garni, Pezoldstr. 109, ✆ 2 50, 🌲 – 🚗 [P]
16 Z : 29 B 42/48 - 68/82.

🏨 **Fränkische Schweiz**, Pezoldstr. 21, ✆ 2 90, ⛱ – 🚗 [P]
15. Nov.- 15. Dez. geschl. – Karte 14,50/28 *(Dienstag geschl.)* – **12 Z : 22 B** 24/38 - 54/64 – P 45.

🍴 **Schönblick** 🌙 mit Zim, August-Sieghardt-Str. 202, ✆ 3 77, <, ⛱ – [TV] [P]
6. Jan.- 10. Feb. geschl. – Karte 29/40 *(Dienstag geschl.)* – **5 Z : 10 B** 37/42 - 72/90.

In Gössweinstein - Behringersmühle :

🏨 **Frankengold**, Pottensteiner Str. 29, ✆ 15 05, ⛱, 🌲 – [lift] [P]. [E]
10. Jan.- 10. Feb. geschl. – Karte 18,50/43 *(Donnerstag geschl.)* – **18 Z : 38 B** 43/53 - 80/90 Fb – P 57/67.

🏨 **Zur schönen Aussicht** 🌙, Haus Nr. 22, ✆ 2 94, <, 🌲 – 🚫
20. Dez.-10. Jan. geschl. – (Restaurant nur für Hausgäste) – **10 Z : 19 B** 25/33 - 46/64 – P 32/39.

GÖTTELFINGEN Baden-Württemberg siehe Seewald.

Europe	If the name of the hotel is not in bold type, on arrival ask the hotelier his prices.

GÖTTINGEN 3400. Niedersachsen [987] ⑮ – 133 000 Ew – Höhe 159 m – ✆ 0551.

Sehenswert : Fachwerkhäuser (Junkernschänke*) YZ **B**.

[18] Schloß Levershausen (① : 20 km), ✆ (05551) 6 19 15.

[i] Fremdenverkehrsamt, Altes Rathaus, Markt 9, ✆ 5 40 00.

[i] Tourist Office, vor dem Bahnhof, ✆ 5 60 00.

ADAC, Herzberger Landstr. 3, ✆ 5 10 28, Notruf ✆ 1 92 11.

♦Hannover 122 ③ – ♦Braunschweig 109 ③ – ♦Kassel 47 ③.

Stadtplan siehe nächste Seite.

🏨 **Park-Hotel Ropeter**, Kasseler Landstr. 45, ✆ 90 20, Telex 96821, Massage, ≘s, 🏊, 🌲 – [lift] ▤ Rest [TV] 🚗 [P] 🏛. [AE] ◑ [E] [VISA] über ③
Karte 39/68 – **102 Z : 148 B** 75/115 - 110/180 Fb.

🏨 **Gebhards Hotel**, Goetheallee 22, ✆ 5 61 33, Telex 96602, ⛱, 🏊 – [lift] [TV] [P] 🏛. [AE] [E] [VISA]
Karte 45/75 *(Sonntag geschl.)* – **61 Z : 82 B** 75/140 - 150/200 Fb. Y **e**

🏨 **Eden** 🌙 garni, Reinhäuser Landstr. 22a, ✆ 7 60 07, ≘s, 🏊 – [lift] [TV] ☎ [P]. 🚫 Z **d**
62 Z : 89 B 70/110 - 104/165 Fb.

🏨 **Central** garni, Jüdenstr. 12, ✆ 5 71 57 – ☎ 🚗 [P]. [AE] ◑ [E] [VISA] Y **n**
22. Dez.- 2. Jan. geschl. – **45 Z : 70 B** 55/110 - 95/170.

🏨 **Rennschuh** garni, Kasseler Landstr. 93, ✆ 9 30 44, ≘s, 🏊 – ☎ 🚗 [P]. [E] [VISA] über ③
22. Dez.- 2. Jan. geschl. – **76 Z : 118 B** 50/60 - 80/90.

🏨 **Zur Sonne** garni, Paulinerstr. 10, ✆ 5 67 38, Telex 96787 – [lift] ☎ 🚗 [P]. ◑ [E] [VISA] YZ **a**
20. Dez.-5. Jan. geschl. – **41 Z : 62 B** 68/85 - 98/118 Fb.

🏨 **Kasseler Hof**, Rosdorfer Weg 26, ✆ 7 20 81 – ☎ [P]. [E] [VISA]. 🚫 Z **f**
17.- 25. März und 21.- 30. Juli geschl. – Karte 22/43 *(nur Abendessen, Sonntag geschl.)* – **30 Z : 50 B** 42/75 - 72/125.

🏨 **Hainholzhof-Kehr** 🌙, Borheckstr. 66 (SO : 4 km), ✆ 7 50 08, ⛱ – ☎ [P] 🏛. [AE] ◑ [E]
Karte 25/48 *(Montag geschl.)* – **12 Z : 21 B** 40/50 - 65/85. über Herzberger Landstraße Y

🏨 **Garni Gräfin v. Holtzendorff** 🌙, Ernst-Ruhstrat-Str. 4 (im Industriegebiet), ✆ 6 39 87 – **22 Z : 30 B** 39/48 - 68/78. über ④

🍴🍴 **Junkernschänke**, Barfüßerstr. 5, ✆ 5 73 20, « Fachwerkhaus a. d. 15. Jh. » – 🏛. [AE] [E] [VISA]
Montag geschl. – Karte 39/71. Y **n**

🍴🍴 **Rathskeller**, Markt 9, ✆ 5 64 33, ⛱ – [AE] ◑ [E] [VISA] Z **u**
Karte 26/52.

🍴🍴 **Zum Schwarzen Bären** (Gaststätte a. d. 16. Jh.), Kurze Str. 12, ✆ 5 82 84 – [AE] ◑ [E]
Montag geschl. – Karte 27/51. Z **x**

Fortsetzung →

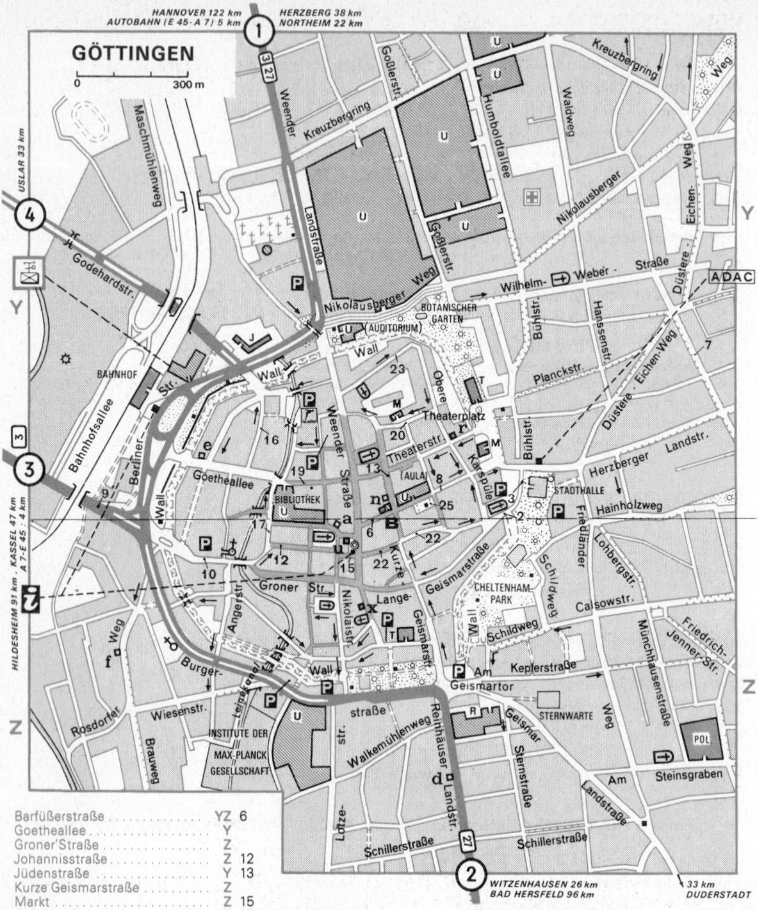

Barfüßerstraße . . . . . YZ 6
Goetheallee . . . . . Y
Groner Straße . . . . . Z
Johannisstraße . . . . . Z 12
Jüdenstraße . . . . . Y 13
Kurze Geismarstraße . . . . . Z
Markt . . . . . Z 15
Papendiek . . . . . YZ 17
Prinzenstraße . . . . . Y 19
Rote Straße . . . . . Z 22
Theaterstraße . . . . . Y
Weender Straße . . . . . Y

Albanikirchhof . . . . . YZ 2
Albaniplatz . . . . . Y 3
Dahlmannstraße . . . . . Y 7
Friedrichstraße . . . . . Y 8
Groner Landstraße . . . . . Y 9

Groner-Tor-Straße . . . . . Z 10
Obere Maschstraße . . . . . Y 16
Ritterplan . . . . . Y 20
Untere Karspüle . . . . . Y 23
Wilhelmsplatz . . . . . Y 25

✕ **Gauß-Keller**, Obere Karspüle 22, ☏ 5 66 16 — Y **r**
nur Abendessen.

✕ **Balkan-Sonne**, Paulinerstr. 10, ☏ 4 29 12 — YZ **a**

In Göttingen - Groß-Ellershausen ③ : 4 km :

Freizeit In, Dransfelder Str. 3 (B 3), ☏ 9 00 10, Telex 96681, Massage, , , (Halle) – Zim . AE E
Karte 23/54 – **123 Z : 246 B** 90/135 - 155/205 Fb.

Lindenhof, Dransfelder Str. 9 (B 3), ☏ 9 22 52 – . E VISA.
22. Dez.- 7. Jan. geschl. – Karte 19/35 *(Sonn- und Feiertage ab 14 Uhr geschl.)* – **22 Z : 28 B** 45/60 - 65/98.

In Göttingen 23-Nikolausberg NO : 5 km über Nikolausberger Weg Y :

Beckmann garni, Ulrideshuser Str. 44, ☏ 2 10 55 – . E VISA.
28 Z : 42 B 42/62 - 72/88.

***In Friedland* 3403** ② : 12 km :

✕ **Biewald** mit Zim, Weghausstr. 20, ☏ (05504) 2 25, – . E
Karte 25/52 *(Montag geschl.)* – **6 Z : 11 B** 45/60 - 60/90.

In Friedland - Groß-Schneen 3403 ② : 10 km :

XX **Schillingshof** mit Zim, Lappstr. 14, ✆ (05504) 2 28 – TV ☎ Ⓟ. Ⓓ E VISA
Karte 49/81 *(Montag geschl.)* – **3 Z : 6 B** 70 - 100.

An der Autobahn A 7 (Westseite) ③ : 6,5 km :

Autobahn-Rasthaus und Motel, ✉ 3405 Rosdorf 1-Mengershausen, ✆ (05509) 6 33 – ☎ Ⓟ
32 Z : 86 B.

GOLDBACH Bayern siehe Aschaffenburg.

GOLDKRONACH Bayern siehe Berneck im Fichtelgebirge, Bad.

GOMADINGEN 7423. Baden-Württemberg 418 L 21 – 2 200 Ew – Höhe 675 m – Luftkurort – Wintersport : 680/800 m ≰3 – ✆ 07385.

Verkehrsamt, Rathaus, Marktplatz 2, ✆ 10 41.

♦Stuttgart 64 – Reutlingen 23 – ♦Ulm (Donau) 60.

In Gomadingen-Dapfen SO : 3 km :

Zum Hirsch, Lautertalstr. 59, ✆ 4 27, ≘s, 🖾, 🐎 – ⇔ Ⓟ 🏔. ⚹ Zim
20. Jan.- 20. Feb. geschl. – Karte 23/39 *(Dienstag und 10.- 20. Jan. geschl.)* – **20 Z : 40 B** 42/45 - 76/80.

In Gomadingen-Offenhausen W : 2 km :

XX **Gestütsgasthof** (mit Gästehaus, 300 m entfernt), Ziegelbergstr. 22, ✆ 5 21, ☂, ≘s, 🐎, Fahrradverleih – |≑| TV ☎ Ⓟ 🏔
10.- 28. Feb. geschl. – Karte 31/54 *(Dienstag 15 Uhr - Mittwoch geschl.)* – **21 Z : 42 B** 41/48 - 78/90 Fb.

GONDORF Rheinland-Pfalz siehe Bitburg.

GORXHEIMERTAL Hessen siehe Weinheim.

GOSBACH Baden-Württemberg siehe Ditzenbach, Bad.

Der Rote Michelin-Führer ist kein vollständiges Verzeichnis aller Hotels und Restaurants. Er bringt nur eine bewußt getroffene, begrenzte Auswahl.

GOSLAR 3380. Niedersachsen 987 ⑯ – 49 000 Ew – Höhe 320 m – ✆ 05321.

Sehenswert : Altstadt★★★ (Marktplatz★★, Fachwerkhäuser★★, Rathaus★ mit Huldigungssaal★★) – Wallanlagen★ B – Breites Tor★ B – Neuwerkkirche★ A.

Ausflugsziel : Klosterkirche Grauhof★ ① : 3 km.

Kur- und Fremdenverkehrsgesellschaft, Markt 7, ✆ 28 46.

Kurverwaltung Hahnenklee, Rathausstr. 16, ✆ 20 14.

ADAC, Breite Str. 31, ✆ 2 40 43, Notruf ✆ 1 92 11.

♦Hannover 90 ④ – ♦Braunschweig 43 ① – Göttingen 80 ④ – Hildesheim 59 ④.

Stadtplan siehe nächste Seite.

Der Achtermann, Rosentorstr. 20, ✆ 2 10 01, Telex 953847, ☂, Bade- und Massageabteilung, ≘s, 🖾, Fahrradverleih – |≑| ⇔ Zim ♿ Ⓟ 🏔. AE Ⓓ E VISA — A **r**
Karte 29/61 – **155 Z : 250 B** 88/165 - 165/258 Fb.

Kaiserworth (Haus a.d. 15. Jh.), Markt 3, ✆ 2 11 11, Telex 953874 – TV ☎ Ⓟ 🏔. AE Ⓓ E VISA — B **x**
Karte 32/58 – **56 Z : 100 B** 95/110 - 140/180 Fb.

Das Brusttuch (Haus a.d. 16. Jh.), Hoher Weg 1, ✆ 2 10 81 – |≑| TV ☎ — AB **B**
13 Z : 26 B Fb.

Schwarzer Adler, Rosentorstr. 25, ✆ 2 40 01, ☂ – ☎ Ⓟ — A **e**
Karte 25/43 *(Sonntag 14 Uhr - Montag und Aug. geschl.)* – **27 Z : 50 B** 75/85 - 110/130.

Goldene Krone, Breite Str. 46, ✆ 2 27 92 – Ⓟ — B **d**
25 Z : 37 B.

Villa Berger, Oberer Triftweg 6, ✆ 2 16 40, 🐎 – TV ⇔ — A **u**
12 Z : 22 B Fb.

Zur Tanne, Bäringerstr. 10, ✆ 2 11 31 – ☎ ⇔ Ⓟ — A **h**
(nur Abendessen für Hausgäste) – **24 Z : 42 B** 42/85 - 78/120 Fb.

Gästehaus Graul garni, Bergdorfstr. 2, ✆ 2 19 31 – ⇔ — B **a**
10 Z : 19 B 35/60 - 65/80.

X Weißer Schwan - Balkan-Grill, Münzstr. 11, ✆ 2 57 37 — AB **A**

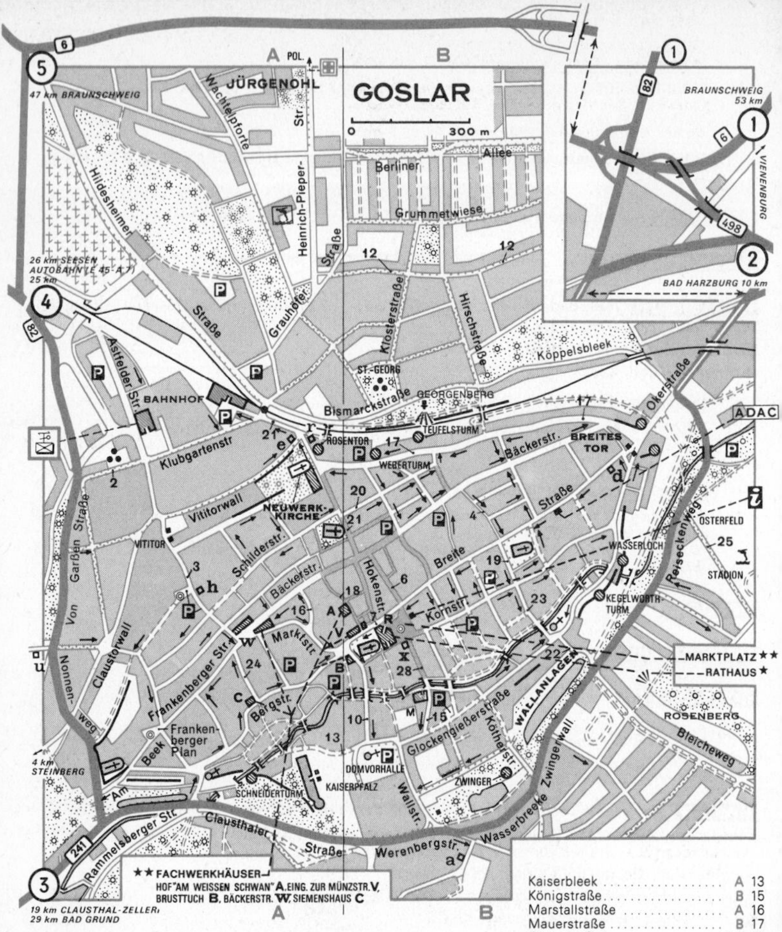

Breite Straße	B	
Fischemäkerstraße	B	6
Hokenstraße	B	
Marktstraße	A	
Petersilienstraße	B	20
Rosentorstraße	AB	21
Am Heiligen Grabe	A	2
Bäringerstraße	A	3
Brüggemannstraße	B	4
Fleischscharren	B	7
Hoher Weg	B	10
Jürgenweg	B	12
Kaiserbleek	A	13
Königstraße	B	15
Marstallstraße	A	16
Mauerstraße	B	17
Münzstraße	AB	18
Obere Kirchstraße	B	19
St-Annen-Höhe	B	22
Schielenstraße	B	23
Schreiberstraße	A	24
Schützenallee	B	25
Worthstraße	B	28

In Goslar 1-Grauhof NO : 4,5 km über Heinrich-Pieper-Straße A :

Landhaus Grauhof, Am Grauhof-Brunnen, ☎ 8 40 01, « Park », – AE E VISA
Karte 38/70 *(Donnerstag geschl.)* – **30 Z : 45 B** 46/119 - 92/140 Fb – P 91/125.

In Goslar 2-Hahnenklee SW : 15 km über ③ – Höhe 560 m – Heilklimatischer Kurort – Wintersport : 560/724 m 1 2 1 – 05325 :

Dorint-Harzhotel Kreuzeck, Am Kreuzeck (SO : 3,5 km), ☎ 7 41, Telex 953721, Fax 74839, – AE E Rest
Karte 39/56 – **92 Z : 180 B** 115/135 - 178/198 Fb.

Diana-Café Seerose, Parkstr. 4, ☎ 70 30, –
Karte 29/59 *(Nov.- Mitte Dez. geschl.)* – **29 Z : 50 B** 65/85 - 96/130 Fb – 10 Fewo 75/120 – P 90/100.

Hahnenkleer Hof, Parkstr. 24a, ☎ 20 11, – AE E
15. Nov.- 15. Dez. geschl. – Karte 30/57 – **32 Z : 52 B** 85/90 - 160/200 Fb.

Walpurgis Hof, Am Bocksberg 1, ☎ 70 90, – AE E
Karte 24/45 – **60 Z : 144 B** 65/125 - 110/160 Fb.

Vier Jahreszeiten, Parkstr. 14, ✆ 7 70, Telex 953757, Fax 77255, – ⓟ. AE ⓓ E
Karte 29/51 – **130 Z : 260 B** 89 - 148 Fb – P 112/127.

Hotel am Park garni, Parkstr. 2, ✆ 20 31, – ⓟ
25 Z : 45 B 65/85 - 100/150.

Der Waldgarten, Lautenthaler Str. 36, ✆ 20 81, « Gartenterrasse », – ⓟ
22. Okt.- 16. Dez. geschl. – Karte 18/46 – **42 Z : 56 B** 59/76 - 110/126 – P 82/93.

Bellevue garni, Birkenweg 5 (Bockswiese), ✆ 20 84, – ⓟ. E
26 Z : 45 B 40/65 - 80/98 Fb – 6 Fewo 75/110.

Harzer Hof, Rathausstr. 9, ✆ 25 13 – ⓟ. Zim
10.- 27. April und 30. Nov.- 15. Dez. geschl. – Karte 25/53 *(Okt.- Mai Donnerstag geschl.)* – **11 Z : 14 B** 50/80 - 100 Fb – P 80.

Eden am See, Grabenweg 10 (Bockswiese), ✆ 23 88, – ⓟ
3.- 27. April und 25. Okt.- 20. Dez. geschl. – Karte 22/43 – **14 Z : 24 B** 50 - 90 – P 70.

Siehe auch : ***Liste der Feriendörfer***

Wenn Sie ein ruhiges Hotel suchen,
benutzen Sie zuerst die Übersichtskarte in der Einleitung
oder wählen Sie im Text ein Hotel mit dem Zeichen .

GOTTINGA = Göttingen.

GOTTLIEBEN Schweiz siehe Konstanz.

GOTTMADINGEN 7702. Baden-Württemberg 413 J 23, 427 ⑥, 216 ⑧ – 8 900 Ew – Höhe 432 m – ✆ 07731 Singen (Hohentwiel).
♦Stuttgart 159 – Schaffhausen 17 – Singen (Hohentwiel) 7.

Sonne, Hauptstr. 61, ✆ 7 16 28 – ⓟ. AE ⓓ E VISA
Karte 19/42 *(Freitag geschl.)* – **40 Z : 80 B** 30/80 - 65/130.

Heilsberg, Heilsbergweg 2, ✆ 7 16 64 – ⓟ. Zim
Karte 21/35 *(Dienstag geschl.)* – **11 Z : 20 B** 48 - 90.

In Gottmadingen 2-Bietingen W : 3 km :

Landgasthof Wider, Ebringer Str. 11, ✆ (07734) 22 68 – ⓟ. E
Karte 21/38 *(1.- 7. Nov. und Dienstag geschl.)* – **15 Z : 29 B** 40 - 70.

GRAACH 5550. Rheinland-Pfalz – 830 Ew – Höhe 105 m – ✆ 06531 (Bernkastel-Kues).
Mainz 116 – Bernkastel-Kues 3 – ♦Trier 46 – Wittlich 13.

Weinhaus Pfeiffer garni, Gestade 12, ✆ 40 01, ←, eigener Weinbau – ⓟ.
13 Z : 23 B 40/60 - 70/80.

Antoniushof garni, Bernkasteler Str. 11, ✆ 66 01, ←, – ⓟ
April - Dez. – **12 Z : 29 B** 50/65 - 85/90.

Zur Traube, Hauptstr. 102, ✆ 21 89 – ⓟ
Jan. geschl. – Karte 16,50/32 *(Montag geschl.)* – **12 Z : 21 B** 26/38 - 40/60.

GRABENSTÄTT Bayern siehe Chieming.

GRÄFELFING 8032. Bayern 413 R 22, 987 ㊲, 426 ⑰ – 13 300 Ew – Höhe 540 m – ✆ 089 (München).
♦München 12 – Garmisch-Partenkirchen 81 – Landsberg am Lech 46.

In Gräfelfing-Lochham :

Würmtaler Gästehaus, Rottenbucher Str. 55, ✆ 85 12 81, – ⓟ.
52 Z : 80 B.

In Planegg **8033** SW : 1 km :

Planegg garni, Gumstr. 13, ✆ (089) 8 57 10 79 – ⓟ
20. Dez.- 6. Jan. geschl. – **39 Z : 58 B** 60/75 - 100 Fb.

GRÄFENDORF 8781. Bayern 413 M 16 – 1 700 Ew – Höhe 166 m – ✆ 09357.
♦München 330 – ♦Frankfurt am Main 99 – Bad Kissingen 34 – ♦Würzburg 50.

In Gräfendorf-Seewiese SW : 2 km :

Jagdschloß Seewiese, ✆ 2 81, – ⓟ
26 Z : 50 B Fb.

GRAFENAU 8352. Bayern 413 X 20, 987 ㉘, 426 ⑦ – 8 000 Ew – Höhe 610 m – Luftkurort – Wintersport : 610/700 m ≰2 ⛷8 – ☎ 08552.

ℹ Verkehrsamt im Rathaus, Rathausgasse 1, ✆ 20 85, Telex 57425.

♦München 190 – Deggendorf 46 – Passau 37.

Steigenberger-Hotel Sonnenhof ⑤, Sonnenstr. 12, ✆ 20 33, Telex 57413, ≤, ☂, Bade- und Massageabteilung, ⚕, ≘s, ⊡, ⛱, ✂, Fahrradverleih – ▮ TV ⛹ ⇔ Ⓟ ⚐. AE ⓓ E VISA. ⚹ Rest
Karte 29/50 – **196 Z : 320 B** 79/107 - 148/180 Fb – 4 Appart. 240 – P 126/144.

Parkhotel ⑤, Freyunger Str. 51 (am Kurpark), ✆ 24 44, ≤, ☂, Massage, ≘s, ⊡, ⛱ – ▮ ⛌ TV ☎ ⇔ Ⓟ. AE ⓓ E
Karte 34/56 – **51 Z : 90 B** 85 - 160/220 Fb – P 124.

✗✗ ✿ **Säumerhof** mit Zim, Steinberg 32, ✆ 24 01, ≤, ≘s, ⛱ – TV ☎ Ⓟ
Karte 56/76 *(Montag - Mittwoch nur Abendessen)* – **11 Z : 19 B** 56/84 - 112/180
Spez. Kalbsbries mit Kräutern und Schwammerln, Ragout vom Donauwaller in Sauerrahm, Marzipanstrudel mit Früchten.

In Grafenau-Grüb N : 1,5 km :

Hubertus, Grüb 20, ✆ 13 59, ☂ – ⇔ Ⓟ
15.- 30. März und Nov. geschl. – Karte 17/38 *(Montag geschl.)* – **13 Z : 28 B** 37/40 - 70/74 – P 50/53.

In Grafenau-Rosenau NO : 3 km :

Postwirt, ✆ 10 18, ≘s, ⊡ – ▮ ☎ Ⓟ. ⚹ Zim
19. Nov.- 10. Dez. geschl. – Karte 18,50/30 *(Dienstag geschl.)* – **36 Z : 68 B** 40/45 - 76 Fb.

In Neuschönau 8351 NO : 9 km :

Bayerwald ⑤, Am Hansenhügel 5, ✆ (08558) 17 13, ≘s, ⊡ – ▮ Ⓟ
25. März - 28. April und 10. Nov.- 22. Dez. geschl. – (nur Abendessen für Hausgäste) – **32 Z : 60 B** 42 - 80 Fb.

GRAFENHAUSEN 7821. Baden-Württemberg 413 H 23, 427 ⑤, 216 ⑥ – 2 000 Ew – Höhe 895 m – Luftkurort – Wintersport : 900/1 100 m ≰1 ⛷5 – ☎ 07748.

ℹ Kurverwaltung, Rathaus, ✆ 2 65.

♦Stuttgart 174 – Donaueschingen 41 – ♦Freiburg im Breisgau 58 – Waldshut-Tiengen 30.

Tannenmühle ⑤, Tannenmühlenweg 5 (SO : 3 km), ✆ 2 15, ☂, kleines Tiergehege, Museumsmühle, ⛱ – Ⓟ
Mitte Nov.- Mitte Dez. geschl. – Karte 27/43 *(Okt.- Mai Dienstag geschl.)* 🍷 – **17 Z : 37 B** 40/50 - 70/90 Fb – P 70/80.

In Grafenhausen-Rothaus N : 3 km – Höhe 975 m :

Kurhaus Rothaus, ✆ 12 51, Bade- und Massageabteilung, ⚕, ⛱ – ⇔ Ⓟ ⚐
2.- 16. April und Mitte Nov.- Mitte Dez. geschl. – Karte 26/55 – **51 Z : 90 B** 65/100 - 130/140 Fb – P 93.

GRAFENWIESEN 8491. Bayern 413 V 19 – 1 400 Ew – Höhe 509 m – Erholungsort – ☎ 09941 (Kötzting).

♦München 191 – Cham 26 – Deggendorf 50.

Birkenhof ⑤, Auf der Rast 7, ✆ 15 82, ≤, ⛱ – ▮ Ⓟ
10. Jan.- 20. Feb. und 25. Okt.- 20. Dez. geschl. – Karte 14/35 🍷 – **34 Z : 65 B** 34 - 58 Fb.

Wildgatter ⑤, Kaitersberger Weg 25, ✆ 82 36, ≤, ☂, ⛱ – Ⓟ
Karte 17/32 – **28 Z : 60 B** 25/35 - 50.

GRAFING 8018. Bayern 413 S 22, 987 ㊲, 426 ⑱ – 10 500 Ew – Höhe 519 m – ☎ 08092.

⛳9 Oberelkofen (S : 3 km), ✆ (08092) 74 94.

♦München 36 – Landshut 80 – Rosenheim 35 – Salzburg 110.

Hasi garni, Griesstr. 5, ✆ 40 27 – ☎ ⇔ Ⓟ. E
21 Z : 37 B 35/50 - 70.

Le ottime tavole (vedere p. 39)

Buongustai :

per voi abbiamo contraddistinto
alcuni ristoranti con Karte, ✿, ✿✿ o ✿✿✿.

[GRAINAU] 8104. Bayern [413] Q 24, [987] ㊱, [426] ⑯ – 3 800 Ew – Höhe 748 m – Luftkurort – Wintersport : 750/2 950 m 🚡3 ⛷5 ⛷4 – ☎ 08821 (Garmisch-Partenkirchen).

Ausflugsziel : Zugspitzgipfel★★★ (❄★★★) mit Zahnradbahn (40 min) oder 🚡 ab Eibsee (10 min).

[i] Verkehrsamt, Waxensteinstr. 35, ✆ 8 14 11 – •München 94 – Garmisch-Partenkirchen 6.

- **Eibsee - Hotel** 🌿, am Eibsee (SW : 3 km), ✆ 80 81, Telex 59666, Fax 82585, ≤ Eibsee, 🌳, Grillgarten, ♨, 🏊, 🛶, 🌲, 🎾, Fahrradverleih, Surf-, Ski- und Segelschule – 🛗 📺 Ⓟ 🏛. [AE] ⓓ [E]
  Karte 33/62 – **Bistro Taverne** *(nur Abendessen, April und Nov. geschl.)* Karte 28/57 – **116 Z : 214 B** 135 - 195 Fb – 9 Appart. 205/250 – P 185.
- **Alpenhof** 🌿, Alpspitzstr. 22, ✆ 80 71, ≤, 🌳, ♨, 🏊, 🌲 – 🛗 📺 ☎ Ⓟ. [AE] ⓓ [E]. 🚫
  3.- 30. April und 10. Nov.- 17. Dez. geschl. – Karte 31/55 – **37 Z : 68 B** 70/125 - 160/220 Fb.
- **Alpenhotel Waxenstein** 🌿, Eibseestr. 16, ✆ 80 01, Telex 59663, ≤ Waxenstein und Zugspitze, 🌳, Massage, ♨, 🏊, 🌲 – 🛗 📺 ☎ 🚗 Ⓟ 🏛. [AE] ⓓ [E] [VISA]. 🚫 Rest
  Karte **29**/58 – **50 Z : 90 B** (nur ½ P) 114/150 - 150/250 Fb.
- **Wetterstein** garni, Waxensteinstr. 14c, ✆ 80 04, ♨, 🌲 – ☎ 🚗 Ⓟ. 🚫
  15 Z : 27 B 60/90 - 110.
- **Längenfelder Hof** 🌿 garni, Längenfelderstr. 8, ✆ 80 88, ≤, ♨, 🏊, 🌲 – ☎ 🚗 Ⓟ. 🚫
  Nov.- Mitte Dez. geschl. – **17 Z : 34 B** 65 - 120.
- **Alpspitz**, Loisachstr. 56, ✆ 8 16 85, 🌳, ♨, 🌲 – ☎ Ⓟ. [AE] [E]
  3.- 13. April und 28. Okt.- 15. Dez. geschl. – Karte 25/42 *(Mittwoch geschl.)* – **18 Z : 40 B** 45/75 - 96/130.
- **Haus Bayern** 🌿 garni, Zugspitzstr. 54a, ✆ 89 85, ≤, 🏊 (geheizt), 🌲 – ☎ Ⓟ. 🚫
  16 Z : 26 B 50/55 - 90/100.
- **Post** 🌿, Postgasse 10, ✆ 88 53, ≤, 🌲 – 🚗 Ⓟ. [AE] ⓓ [E] [VISA]
  8. Jan.- 10. Feb. und 20. Okt.- 20. Dez. geschl. – (nur Abendessen für Hausgäste) – **20 Z : 35 B** 69/79 - 118/140 – 8 Fewo 80/140.
- **Jägerhof** 🌿 garni, Enzianweg 1, ✆ 85 18, 🌲, Fahrradverleih – Ⓟ
  Ende Okt.- Mitte Dez. geschl. – **27 Z : 44 B** 47/80 - 96/106.
- **Gästehaus Barbara** 🌿 garni, Am Krepbach 12, ✆ 89 24, 🌲 – 🚗 Ⓟ. 🚫
  13 Z : 23 B 40/65 - 76/80 – 5 Fewo 75/80.
- **Grainauer Hof**, Schmölzstr. 5, ✆ 5 00 61, ≤, ♨, 🏊 (geheizt), 🏊, 🌲 – ☎ Ⓟ. [AE] ⓓ [E]
  (nur Abendessen für Hausgäste) – **31 Z : 55 B** 65/85 - 96/150 Fb.
- 🍴 **Gasthaus am Zierwald** mit Zim, Zierwaldweg 2, ✆ 88 40, ≤, 🌳, 🌲 – ☎ Ⓟ. [AE] ⓓ [E] [VISA]
  28. März - 6. April geschl. – Karte 22/38 *(Mittwoch geschl.)* – **5 Z : 10 B** 43/52 - 78/90.

[GRANDORF] Niedersachsen siehe Holdorf.

[GRASBRUNN] 8011. Bayern [413] S 22 – 3 500 Ew – Höhe 560 m – ☎ 089 (München).

•München 18 – Landshut 87 – Salzburg 141.

In Grasbrunn-Harthausen SO : 3 km :

- **Zum Forstwirt**, Zum Forstwirt 1 (SO : 1 km), ✆ (08106) 9 73 74, Biergarten – ☎ Ⓟ. [AE] ⓓ [E]
  Jan. geschl. – Karte 27/52 *(Montag bis 18 Uhr geschl.)* – **20 Z : 27 B** 70 - 120 Fb.

[GRASDORF] Niedersachsen siehe Holle.

[GRASELLENBACH] 6149. Hessen [413] J 18 – 3 000 Ew – Höhe 420 m – Kneippheilbad – Luftkurort – ☎ 06207 (Wald-Michelbach).

[i] Verkehrsbüro, Nibelungenhalle, ✆ 25 54.

•Wiesbaden 95 – Beerfelden 21 – •Darmstadt 55 – •Mannheim 46.

- Kur- und Ferienhotel Siegfriedbrunnen 🌿, Hammelbacher Str. 7, ✆ 4 21, 🌳, Bade- und Massageabteilung, 🚶, ♨, 🏊 (geheizt), 🏊 (Gebühr), 🌲, 🎾 – 🛗 ☎ Ⓟ 🏛
  69 Z : 118 B Fb.
- Marienhof 🌿, Güttersbacher Str. 43, ✆ 50 55, 🏊, 🌲 – 🛗 ☎ Ⓟ. 🚫
  (Restaurant nur für Hausgäste) – **26 Z : 44 B** Fb.
- **Dorflinde**, Siegfriedstr. 14, ✆ 22 50, 🌳, 🌲 – 📺 Ⓟ. 🚫 Zim
  ◆ *10. Jan.- 10. Feb. und 1.- 15. Nov. geschl.* – Karte 19,50/43 *(auch Diät, Dienstag geschl.)* 🍷 – **22 Z : 32 B** 40/65 - 72/128 Fb – P 53/65.
- **Café Gassbachtal** 🌿, Hammelbacher Str. 16, ✆ 50 31, Bade- und Massageabteilung, 🚶, ♨ – 🛗 ☎ Ⓟ. 🚫
  (Restaurant nur für Pensionsgäste) – **23 Z : 37 B** 56/69 - 100/132 Fb.
- **Landhaus Muhn** 🌿, Im Erzfeld 10, ✆ 23 16, ♨, 🌲 – Ⓟ. 🚫
  Mitte Nov.- Mitte Dez. geschl. – (Restaurant nur für Hausgäste) – **14 Z : 23 B** 54/66 - 108 – P 74.

In Grasellenbach-Hammelbach W : 5 km :

- **Jägerhof**, Weschnitzer Str. 39, ✆ (06253) 56 11 – Ⓟ
  ◆ *Nov. geschl.* – Karte 17/35 *(Dienstag geschl.)* 🍷 – **15 Z : 28 B** 25/31 - 50/62 – P 34/44.

In Grasellenbach-Tromm SW : 7 km – Höhe 580 m :

Zur schönen Aussicht, Auf der Tromm 2, ✆ 33 10, ≤, – P
4.- 24. Dez. geschl. – Karte 17/33 *(Montag geschl.)* – **17 Z : 27 B** 26/36 - 46/70 – P 40/50.

In Grasellenbach-Wahlen S : 2 km :

Burg Waldau, Volkerstr. 1, ✆ 22 78 – TV P
15.- 30. Nov. geschl. – Karte 23/37 – **11 Z : 23 B** 34/42 - 68/84.

GRASSAU 8217. Bayern 413 U 23, 426 ⑱⑲ – 5 400 Ew – Höhe 557 m – Luftkurort – ✆ 08641.
Verkehrsbüro, Kirchplatz 3, ✆ 23 40.
♦München 91 – Rosenheim 32 – Traunstein 25.

Sporthotel Achental, Mietenkamer Str. 65, ✆ 40 10, Telex 563320, – P (mit). AE E VISA
Karte 22/53 – **160 Z : 300 B** 106 - 136 Fb.

Hansbäck, Kirchplatz 18, ✆ 20 58, – P
31 Z : 70 B – 10 Fewo.

Sperrer, Marktstr. 4, ✆ 20 11, – P
36 Z : 64 B.

Weißbräu, Rottauer Str. 1, ✆ 24 83 – P
21 Z : 46 B.

Außerhalb NW : 6 km über die B 305, nach Rottau links ab :

Berggasthof Adersberg, Höhe 815 m, ✉ 8217 Grassau, ✆ (08641) 30 11, ≤ Chiemsee und Alpenlandschaft, (geheizt), – P
25 Z : 50 B.

GREBENSTEIN 3523. Hessen – 6 000 Ew – Höhe 175 m – ✆ 05674.
♦Wiesbaden 241 – ♦Kassel 17 – Paderborn 63.

Zur Deutschen Eiche, Untere Schnurstr. 3, ✆ 2 46 – P . E
Mittwoch und 18. Juli - 10. Aug. geschl. – Karte 18/48.

GREDING 8547. Bayern 413 R 19, 987 ㉖㉗ – 6 500 Ew – Höhe 400 m – Erholungsort – ✆ 08463.
Verkehrsamt, Marktplatz (Rathaus), ✆ 2 33.
♦München 113 – Ingolstadt 39 – ♦Nürnberg 55 – ♦Regensburg 61.

Schuster, Marktplatz 23, ✆ 16 16, Telex 55430, – P . AE E VISA
Karte 24/46 – **69 Z : 130 B** 55/98 - 80/120.

Hotel am Markt, Marktplatz 2, ✆ 94 04 – P – **30 Z : 61 B.**

Bauer-Keller, Kraftsbucher Str. 1 (jenseits der BAB-Ausfahrt), ✆ 2 03, ≤, – P. AE E VISA
16. Nov.- 16. Dez. geschl. – Karte 18,50/38 *(Sonntag bis 17 Uhr geschl.)* – **28 Z : 49 B** 28/37 - 59.

Krone, Marktplatz 1, ✆ 2 58 – wc P – **14 Z : 30 B.**

GREETSIEL Niedersachsen siehe Krummhörn.

GREFRATH 4155. Nordrhein-Westfalen – 13 700 Ew – Höhe 32 m – ✆ 02158.
♦Düsseldorf 48 – Krefeld 20 – Mönchengladbach 25 – Venlo 16.

Grefrather Hof, Am Waldrand 1 (Nähe Eisstadion), ✆ 40 70, Telex 854863, (Halle) – TV P . AE E VISA
23.- 30. Dez. geschl. – Karte 34/65 – **80 Z : 152 B** 74/105 - 102/134 Fb.

GREIFENSTEIN 6349. Hessen – 7 100 Ew – Höhe 432 m – Erholungsort – ✆ 06449 (Ehringshausen-Katzenfurt).
♦Wiesbaden 90 – Gießen 38 – Limburg an der Lahn 40 – Siegen 54.

Simon, Talstr. 3, ✆ 2 09, ≤, – P
Jan.- Mitte Feb. geschl. – Karte 22/35 *(Dienstag geschl.)* – **21 Z : 40 B** 35/55 - 60/85.

GREIMERATH Rheinland-Pfalz siehe Zerf.

GREIMHARTING Bayern siehe Rimsting.

GREMERSDORF 2440. Schleswig-Holstein – 900 Ew – Höhe 5 m – ✆ 04361 (Oldenburg i.H.).
♦Kiel 62 – ♦Oldenburg 7 – Puttgarden 29.

Zum grünen Jäger, an der B 207, ✆ 70 28 – P
Karte 19/43 *(nur Abendessen)* – **27 Z : 68 B** 45/55 - 85/105.

GREMSDORF Bayern siehe Höchstadt an der Aisch.

GRENZACH-WYHLEN 7889. Baden-Württemberg [413] FG 24, [427] ④, [216] ④ – 13 200 Ew – Höhe 272 m – ☏ 07624.

♦Stuttgart 271 – Basel 6 – Bad Säckingen 25.

Im Ortsteil Grenzach :

🏨 **Eckert**, Basler Str. 20, ℘ 50 01, ⛱ – 🛗 ☎ Ⓟ. E
Karte 28/55 *(Freitag-Samstag 16 Uhr geschl.)* 🍷 – **29 Z : 40 B** 67 - 96/144 Fb.

In Grenzach-Wyhlen-Rührberg N : 3 km :

🏨 **Rührberger Hof** 🔇, Inzlinger Str. 1, ℘ 43 91, ⛱ – ☎ Ⓟ. [D] E [VISA]
Karte 20/54 *(Montag - Dienstag und 9.- 31. Jan. geschl.)* 🍷 – **13 Z : 25 B** 42/45 - 80 Fb.

GREVEN 4402. Nordrhein-Westfalen [987] ⑭ – 30 000 Ew – Höhe 52 m – ☏ 02571.

♦Düsseldorf 141 – Enschede 59 – Münster (Westfalen) 20 – ♦Osnabrück 43.

X ✈ **Altdeutsche Gaststätte Wauligmann**, Schiffahrter Damm 22 (B 481, SO : 4,5 km), ℘ 23 88, ⛱ – Ⓟ
Montag - Dienstag und 10. Juli - 1. Aug. geschl. – Karte 18/46.

In Greven-Gimbte S : 4,5 km :

🏨 **Schraeder**, Dorfstr. 29, ℘ 5 30 53 – ☎ 🚗 Ⓟ 🎤. [AE] E
Karte 20/48 *(Sonntag 14 Uhr - Montag 18 Uhr geschl.)* – **26 Z : 44 B** 45/58 - 85/95.

GREVENBROICH 4048. Nordrhein-Westfalen [987] ㉓ – 57 000 Ew – Höhe 60 m – ☏ 02181.

Ausflugsziel : Schloß Dyck★ N : 7 km.

♦Düsseldorf 28 – ♦Köln 31 – Mönchengladbach 26.

🏨 **Sonderfeld**, Bahnhofsvorplatz 6, ℘ 14 33, Telex 8517106 – 🛗 [TV] ☎ Ⓟ 🎤. [D] E [VISA]. 🚫🐕 Rest
Karte 28/54 *(nur Abendessen, Samstag, Sonn- und Feiertage sowie Juli 3 Wochen geschl.)* – **45 Z : 63 B** 65/95 - 95/150 Fb.

🏨 **Stadt Grevenbroich** garni, Röntgenstr. 40, ℘ 30 48 – ☎ Ⓟ. [AE]
22. Dez.- Anfang Jan. geschl. – **27 Z : 37 B** 50/75 - 85/110 Fb.

🏨 **Zur Alten Schmiede**, Südwall 2, ℘ 36 79 – 🛗 [TV] ☎ Ⓟ. [AE] [D] E [VISA]
Karte 32/50 *(Dienstag geschl.)* – **8 Z : 14 B** 68/98 - 98/159.

XXXX ✿✿ **Zur Traube** mit Zim, Bahnstr. 47, ℘ 6 87 67, Telex 8517193, bemerkenswerte Weinkarte – [TV] ☎ 🚗 Ⓟ. [AE] [D] E. 🚫🐕 Zim
24. Dez.- 18. Jan., 19.- 28. März und 16.- 31. Juli geschl. – Karte 72/98 *(Tischbestellung erforderlich)* (Sonntag - Montag geschl.) – **6 Z : 11 B** 150/320 - 260/480
Spez. Langustinen im Courgettenkranz, Variationen vom Täubchen, Tannenhonigparfait mit Mus von Waldbeeren.

XX **Harlekin**, Lilienthalstr. 16 (im Tennis-Center Heiderberg), ℘ 6 35 34 – Ⓟ. [AE] [D] E
Montag und 1.- 15. Aug. geschl. – Karte 45/74.

GRIESBACH IM ROTTAL 8394. Bayern [413] W 21, [987] ㊳, [426] ⑦ – 6 700 Ew – Höhe 535 m – Luftkurort – Thermalbad – ☏ 08532.

⛳18 Am Brunnenplatzl 2, ℘ 71 73 – [i] Kurverwaltung, Stadtplatz 3 und Kurallee 6 (Kurzentrum), ℘ 10 41.

♦München 153 – Landshut 95 – Passau 41 – Salzburg 116.

🏨 **Residenz Griesbach**, Prof.-Baumgartner-Str. 1, ℘ 70 80, Bade- und Massageabteilung, ♨, [🏊] – 🛗 🚭 Zim [TV] Ⓟ 🎤. [D]
Karte 23/38 – **90 Z : 185 B** 55/68 - 96/120.

🏨 **Rottaler Hof** 🔇 garni, Kronberger Str. 11, ℘ 13 09, <, 🌳 – 🚗 Ⓟ
15. Nov.- 25. Dez. geschl. – **19 Z : 30 B** 30/40 - 72/84.

In Bad Griesbach S : 3 km :

🏨 **Steigenberger-Hotel Bad Griesbach** 🔇, Am Kurwald 2, ℘ 10 01, Telex 57606, « Gemütliche, rustikale Ausstattung », Bade- und Massageabteilung, 🏋, ♨, 🏊 (Thermal), [🏊], 🌳, 🎾 (Halle), Fahrradverleih – 🛗 [TV] Ⓟ 🎤. [AE] [D] E [VISA]. 🚫🐕 Rest
Karte 38/65 – **185 Z : 330 B** 120/150 - 200/240 Fb – P 150/200.

🏨 Parkhotel Bad Griesbach 🔇, Am Kurwald 10, ℘ 2 81, Bade- und Massageabteilung, 🏋, ♨, 🏊 (Thermal), [🏊], 🌳, 🎾 – 🛗 [TV] Ⓟ. 🚫🐕 Rest
160 Z : 303 B Fb.

🏨 **Fürstenhof** 🔇, Thermalbadstr. 28, ℘ 70 51, Fax 1033, ⛱, Bade- und Massageabteilung, ♨, 🏊 (Thermal), [🏊], 🌳, Fahrradverleih – 🛗 [TV] Ⓟ. [AE] [D] E [VISA]
Karte 25/36 – **148 Z : 240 B** 90/135 - 160/210 Fb – 8 Appart. 290 – P 135/150.

🏨 **Konradshof** 🔇, Thermalbadstr. 30, ℘ 70 20, Bade- und Massageabteilung, [🏊], 🌳 – 🛗 [TV] ☎ ♿ Ⓟ. 🚫🐕
(Restaurant nur für Hausgäste) – **72 Z : 115 B** 56/70 - 106/126.

🏨 **Birkenhof** 🔇, Thermalbadstr. 15, ℘ 70 31 11, Massage, 🏊 (geheizt), [🏊], 🌳 – 🛗 ☎ ♿ Ⓟ. [AE] [D] E [VISA]
Karte 21/40 – **85 Z : 170 B** (½ P) 80/105 - 152/190 – 70 Fewo 80.

🏨 **Glockenspiel** 🔇 garni, Thermalbadstr. 21, ℘ 70 60, Bade- und Massageabteilung, 🏊 (geheizt), [🏊], 🌳 – 🛗 [TV] ☎ Ⓟ. 🚫🐕
52 Z : 100 B 58/65 - 100/110 Fb – 9 Fewo 76/86.

🏠 **Haus Christl** 🔇 garni, Thermalbadstr. 11, ☎ 17 91, Massage, [≘s], [≈], 🌳 – 📺 ☎. ✗
Dez.- 15. Jan. geschl. – **20 Z : 35 B** 50/55 - 79/94.

🏠 **Haus Kurpark** 🔇 garni, Thermalbadstr. 8, ☎ 88 44, 🌳 – 📺. ✗
39 Z : 56 B 53/65 - 98.

🏠 St. Leonhard 🔇, Thermalbadstr. 9, ☎ 20 31, Biergarten, Massage – 📺 ☎
21 Z : 39 B.

In Griesbach-Schwaim S : 4 km :

🏠 **Venus-Hof**, ☎ 5 74, Biergarten, [≘s], 🌳 – [P]. ✗
6. Jan.- 25. Feb. geschl. – Karte 20/38 *(Montag geschl.)* – **27 Z : 50 B** 45 - 80 Fb.

Beim Golfplatz S : 5 km, jenseits der B 388 :

🍴🍴 **Gutshof Bad Griesbach**, Schwaim 52, ✉ 8394 Bad Griesbach, ☎ (08394) 20 36, ⛱ – [P].
[AE]
Karte 30/48.

Siehe auch : *Liste der Feriendörfer*

GRIESHEIM 6103. Hessen [413] I 17 – 21 400 Ew – Höhe 145 m – ☎ 06155.
Wiesbaden 43 – Darmstadt 7 – ♦Frankfurt am Main 35.

🏠 **Prinz Heinrich** 🔇, Am Schwimmbad 12, ☎ 6 00 90, ⛱, « Behaglich-rustikale Einrichtung », [≘s] – [lift] 📺 ☎ [P] 🚗
27. Dez.- 4. Jan. geschl. – Karte 28/48 *(wochentags nur Abendessen)* 🍷 – **80 Z : 110 B** 92/118 - 147/180 Fb.

🏠 Café Nothnagel garni, Wilhelm-Leuschner-Str. 67, ☎ 40 31, [≘s], [≈] – [lift] ☎ [P]
32 Z : 50 B.

GRÖMITZ 2433. Schleswig-Holstein [987] ⑥ – 7 200 Ew – Höhe 10 m – Seeheilbad – ☎ 04562.
[i] Kurverwaltung, Kurpromenade, ☎ 6 92 56.
♦Kiel 72 – Neustadt in Holstein 12 – Oldenburg in Holstein 21.

🏠 **Golf- und Sporthotel Reimers** 🔇, Am Schoor 46, ☎ 39 90, Telex 261232, [≘s], [≈], 🌳, 🎾 (Halle) – [lift] 📺 ☎ [P] 🚗
Karte 26/63 *(nur Abendessen)* – **92 Z : 183 B** 85/97 - 160/194 Fb – 26 Fewo 80/145.

🏠 **Villa am Meer** 🔇, Seeweg 6, ☎ 80 05, [≘s] – [lift] ☎ [P]. ✗ Rest
Ostern - Mitte Okt. – Karte 23/50 – **33 Z : 60 B** 80/145 - 135/159.

🏠 **Strandidyll** 🔇, Uferstr. 26, ☎ 18 90, ≤ Ostsee, ⛱, [≘s], [≈] – [lift] [P]. ✗
18. März - Okt. – Karte 26/65 – **28 Z : 65 B** 138/148 - 150/182 Fb – 3 Appart. 295 – 60 Fewo 155.

🏠 **Kaiserhof**, Am Strande 14, ☎ 80 07, ≤, ⛱ – [lift] 📺 ☎ [P]. [AE] [DC] [E] [VISA]
20. März - 15. Okt. – Karte 29/65 – **12 Z : 46 B** 120/160 - 155/200 45 Fewo 90/140 (ganzjährig geöffnet).

🏠 **Zur schönen Aussicht** 🔇, Uferstr. 12, ☎ 70 81, ≤ Strand und Ostsee, [≘s] – [lift] 🚗 [P]
März - Okt. – Karte 23/50 – **73 Z : 124 B** 65/85 - 126/166 Fb.

🏠 **Pinguin - Restaurant La Marée**, Christian-Westphal-Str. 52, ☎ 98 27 – [P]
Nov. und Jan.- Feb. geschl. – Karte 47/78 *(nur Abendessen, Montag geschl.)* – **22 Z : 34 B** 68/85 - 110/115.

🏠 Wanner, Blankwasserweg 10, ☎ 80 27 – [lift] ☎ [P]
nur Saison – **23 Z : 52 B** – 5 Fewo.

GRÖNENBACH 8944. Bayern [413] N 23, [987] ㊱, [426] ⑮ – 4 300 Ew – Höhe 680 m – Kneippkurort – ☎ 08334.
[i] Kurverwaltung, Haus des Gastes, Marktplatz, ☎ 77 11.
♦München 128 – Kempten (Allgäu) 27 – Memmingen 15.

🏠 **Renate** 🔇 (mit Gästehaus, [≈]), Ziegelberger Str. 1, ☎ 10 12, 🏊, [≘s], 🌳 – 📺 ☎ [P]. [AE] [E]
Karte 44/57 *(nur Abendessen)* – **18 Z : 36 B** 75/95 - 95/120.

🏠 **Zur Post**, Marktstr. 10, ☎ 2 06 – 🚗 [P]
Karte 19,50/37 *(Dienstag geschl.)* 🍷 – **18 Z : 30 B** 25/35 - 50/70.

🍴🍴 **Badische Weinstube**, Marktplatz 8, ☎ 5 05, « Gemütlich-rustikales Restaurant » – [P]. [DC] [E]
Karte 23/58.

An der Straße Wolfertschwenden-Dietmannsried SO : 6 km :

🍴🍴 Forsthaus am Allgäuer Tor, Niederholz 2, ✉ 8944 Grönenbach, ☎ (08334) 15 30, ⛱ – [P]
wochentags nur Abendessen.

[GRONAU IN WESTFALEN] 4432. Nordrhein-Westfalen [987] ⑭, [408] ⑭ – 41 000 Ew – Höhe 40 m – ☎ 02562.

[i] Verkehrsverein, Konrad-Adenauer-Str. 45, ☎ 14 87.

♦Düsseldorf 133 – Enschede 10 – Münster (Westfalen) 54 – ♦Osnabrück 81.

🏨 **Landhaus Rottmann** ✈, Amtsvennweg 60 (am Vogelpark, W : 4 km), ☎ 60 04, ☂, 🍴 – ☎ [P] 🏛. [AE] ⓓ E [VISA]
2.- 17. Jan. geschl. – Karte 22/53 *(Montag bis 17 Uhr geschl.)* – **16 Z : 29 B** 45 - 90.

🏨 **Gronauer Sporthotel** ✈, Jöbkesweg 5 (O : 3 km, über Ochtruper Straße), ☎ 2 00 15, Telex 89661, Massage, ♨, 🏊 – ☎ [P] 🏛. [AE] ⓓ E. ✈ Rest
23.- 30. Dez. geschl. – Karte 22/41 *(Sonntag ab 14 Uhr geschl.)* – **24 Z : 45 B** 50/75 - 94/105 Fb.

🏨 Autorast Bergesbuer, Ochtruper Str. 161 (B 54, O : 3,5 km), ☎ 43 23, 🐎(Halle) – ☎ 🚗 [P]
15 Z : 22 B.

🏨 **Zum alten Fritz**, Enscheder Str. 59, ☎ 33 02 – ☎ 🚗 [P]
Karte 21/44 *(Sonntag 14 Uhr - Montag 17 Uhr geschl.)* – **15 Z : 25 B** 35/42 - 60/78.

🍴🍴 Driland mit Zim, Gildehauser Str. 350 (NO : 4,5 km), ☎ 36 00, ☂ – [TV] [P] 🏛. ✈
5 Z : 10 B.

In Gronau-Epe S : 3,5 km – ☎ 02565 :

🏨 **Schepers**, Ahauser Str. 1, ☎ 12 67, ☂ – [$] [TV] ☎ 🚗 [P]. [AE] ⓓ E [VISA]
22. Dez.- 10. Jan. geschl. – Karte 27/55 *(Samstag bis 18 Uhr und Sonntag geschl.)* – **23 Z : 38 B** 60/80 - 110/140 Fb.

🏨 **Ammertmann**, Nienborger Str. 23, ☎ 13 14 – 🚗 [P]
◆ Karte 18/46 – **23 Z : 33 B** 30/70 - 65/90.

🍴🍴 **Heidehof**, Amtsvenn 1 (W : 4 km), ☎ 13 30, ☂ – [P]. [AE] ⓓ E [VISA]
15. Jan.- 15. Feb., Samstag bis 15 Uhr und Montag geschl. – Karte 30/72.

[GRONAU (LEINE)] 3212. Niedersachsen – 5 100 Ew – Höhe 78 m – ☎ 05182.

⛳ Rheden (S : 3 km), ☎ (05182) 26 80.

♦Hannover 39 – Hameln 40 – Hildesheim 18.

🍴 **Zur grünen Aue** mit Zim, Leintor 19, ☎ 24 72, ☂ – [P]. ⓓ E [VISA]
3.- 23. Aug. geschl. – Karte 34/46 *(Mittwoch geschl.)* – **6 Z : 7 B** 35 - 70.

[GROSSALMERODE] 3432. Hessen – 8 000 Ew – Höhe 354 m – ☎ 05604.

♦Wiesbaden 255 – Göttingen 39 – ♦Kassel 23.

🏨 **Pempel**, In den Steinen 2, ☎ 70 57 – [TV] ☎ [P]. E. ✈
◆ Karte 16,50/43 – **10 Z : 18 B** 35/45 - 70/90.

[GROSSBETTLINGEN] Baden-Württemberg siehe Nürtingen.

[GROSSBOTTWAR] 7141. Baden-Württemberg [413] KL 19, 20 – 6 900 Ew – Höhe 215 m – ☎ 07148.

♦Stuttgart 35 – Heilbronn 23 – Ludwigsburg 19.

🏨 **Pension Bruker** garni, Kleinaspacher Str. 18, ☎ 80 63 – [TV] ☎ [P]
8 Z : 13 B 45 - 75.

🍴🍴 **Stadtschänke** mit Zim, Hauptstr. 36, ☎ 80 24, « Historisches Fachwerkhaus a. d. 15. Jh. » – ☎. [AE] ⓓ E [VISA]
Karte 36/62 *(Mittwoch geschl.)* – **5 Z : 8 B** 50 - 90.

[GROSSBURGWEDEL] Niedersachsen siehe Burgwedel.

[GROSSENBRODE] 2443. Schleswig-Holstein [987] ⑥ – 2 400 Ew – Höhe 5 m – Ostseeheilbad – ☎ 04367.

[i] Kurverwaltung im Rathaus, Teichstr.12, ☎ 80 01.

♦Kiel 75 – ♦Oldenburg 20 – Puttgarden 17.

🏨 **Ostsee-Hotel** ✈, Strandpromenade, ☎ 80 16, ≤ – [TV] ☎ [P] 🏛. [AE] E
Karte 28/55 – **18 Z : 44 B** 90/105 - 130/180 Fb – P 126/141.

🍴🍴 **Hanseatic**, Strandpromenade, ☎ 2 84, ≤, ☂ – [P]
5. Jan.- März und Nov.- 24. Dez. geschl., außer Saison Donnerstag Ruhetag – Karte 26/63.

Am Yachthafen SW : 2 km :

🍴🍴 **Der Lachs**, von-Heswarth-Str. 16, ✉ 2443 Großenbrode, ☎ (04367) 4 76, ≤, ☂ – [P]. [AE] E
wochentags nur Abendessen, Nov.- März Dienstag geschl. – Karte 36/76 (Tischbestellung ratsam).

GROSSENKNETEN 2907. Niedersachsen – 11 500 Ew – Höhe 35 m – ☎ 04435.
♦Hannover 170 – ♦Bremen 57 – ♦Oldenburg 27 – ♦Osnabrück 82.

In Großenkneten-Ahlhorn S : 6 km [987] ⑭ :

Altes Posthaus, Cloppenburger Str. 2 (B 213), ☎ 20 04 – [P]. Zim
12 Z : 18 B.

In Großenkneten 1-Moorbek O : 5 km :

Gut Moorbeck, Amelhauser Str. 56, ☎ (04433) 2 55, <, « Gartenterrasse am See », , , , Fahrradverleih – ☎ [P] . [AE] [E]. Zim
Karte 22/52 *(Dienstag geschl.)* – **16 Z : 29 B** 68/75 - 108/125.

GROSSER ARBER Bayern. Sehenswürdigkeit siehe Bodenmais.

GROSSER FELDBERG Hessen. Sehenswürdigkeit siehe Schmitten im Taunus.

GROSS-GERAU 6080. Hessen [413] I 17, [987] ㉕ – 14 500 Ew – Höhe 90 m – ☎ 06152.
♦Wiesbaden 32 – Mainz 24 – ♦Darmstadt 14 – ♦Frankfurt am Main 31 – ♦Mannheim 58.

Adler, Frankfurter Str. 11, ☎ 80 90 – ☎ [P] . [AE] [E] [VISA].
23. Dez.- 2. Jan. geschl. – Karte 30/61 *(Sonntag ab 15 Uhr geschl.)* – **63 Z : 100 B** 90/125 - 125/230 Fb.

GROSS-GRÖNAU Schleswig-Holstein siehe Lübeck.

GROSSHEIRATH Bayern siehe Coburg.

GROSSHEUBACH 8766. Bayern [413] K 17 – 4 500 Ew – Höhe 125 m – Erholungsort – ☎ 09371 (Miltenberg).
♦München 354 – Aschaffenburg 38 – Heidelberg 77 – Heilbronn 83 – ♦Würzburg 78.

Rosenbusch, Engelbergweg 6, ☎ 81 42, eigener Weinbau, , Fahrradverleih – ☎ [P]
15. Feb.- 30. März geschl. – Karte 24/36 *(nur Abendessen, Donnerstag geschl.)* – **18 Z : 36 B** 42 - 80.

🍴🍴 **Zur Krone** mit Zim, Miltenberger Str. 1, ☎ 26 63 – [P]. [E]
Nov. geschl. – Karte 28/51 *(Montag geschl.)* – **9 Z : 14 B** 42/45 - 75.

GROSSKARLBACH Rheinland-Pfalz siehe Dirmstein.

GROSSMAISCHEID Rheinland-Pfalz siehe Dierdorf.

GROSS MECKELSEN Niedersachsen siehe Sittensen.

GROSS-SACHSEN Baden-Württemberg siehe Hirschberg.

GROSS-UMSTADT 6114. Hessen [413] J 17, [987] ㉕ – 19 000 Ew – Höhe 160 m – ☎ 06078.
♦ Wiesbaden 67 – ♦Darmstadt 22 – ♦Frankfurt am Main 37 – ♦Mannheim 75 – ♦Würzburg 108.

Gästehaus Jakob garni, Zimmerstr. 43, ☎ 20 28, <, , – [TV] ☎ [P]. [AE] [E].
Juli - Aug. 2 Wochen geschl. – **26 Z : 46 B** 55/75 - 95/105.

GROSS WITTENSEE Schleswig-Holstein siehe Eckernförde.

GRÜNBERG 6310. Hessen [413] JK 15, [987] ㉕ – 11 700 Ew – Höhe 273 m – Erholungsort – ☎ 06401.
[i] Fremdenverkehrsamt, Rabegasse 1 (Marktplatz), ☎ 70 45.
♦Wiesbaden 102 – ♦Frankfurt am Main 73 – Gießen 22 – Bad Hersfeld 72.

Sporthotel Sportschule, Am Tannenkopf (O : 1,5 km), ☎ 80 20, , « Park », , , , (Halle) – ☎ [P] . Rest
22. Dez.- 5. Jan. geschl. – Karte 28/54 *(Sonntag ab 15 Uhr geschl.)* – **52 Z : 98 B** 59/65 - 90 Fb – 16 Fewo 49/89.

An der Autobahn A 48 NW : 6 km :

Raststätte Reinhardshain, Nordseite, ✉ 6310 Grünberg 1, ☎ (06401) 60 61, – [P] . [E]
Karte 24/44 – **36 Z : 67 B** 45/70 - 79/120.

GRÜNENPLAN Niedersachsen siehe Delligsen.

GRÜNSTADT 6718. Rheinland-Pfalz [987] ㉔ – 12 400 Ew – Höhe 165 m – ☎ 06359.

Mainz 59 – Kaiserslautern 36 – •Mannheim 29 – Neustadt an der Weinstraße 28.

In Grünstadt-Asselheim N : 2 km :

🏨 **Pfalzhotel Asselheim**, Holzweg 6, ☎ 30 51, ⛱, ♨, 🏋, Fahrradverleih – [TV] 📞 🚗 [P]. [AE] [E] VISA
Karte 32/64 *(Dienstag - Freitag nur Abendessen, Sonntag 15 Uhr - Montag, 2.- 9. Jan. und 17. Juli - 7. Aug. geschl.)* ♿ – **25 Z : 45 B** 65/85 - 110/150 Fb – 2 Fewo 60/100.

In Neuleiningen **6719** SW : 3 km :

🏨 **Haus Sonnenberg**, Am Sonnenberg 1, ☎ 8 26 60 (Hotel) 26 06 (Rest.), <, eigener Weinbau, Weinproben, ♨, 🏋 – [P]
1.- 20. Jan. geschl. – Karte 29/55 *(Montag - Dienstag 17 Uhr geschl.)* – **7 Z : 15 B** 58 - 86.

🍴🍴 **Liz' Stuben**, Am Goldberg 2, ☎ (06359) 53 41, ⛱ – [P]
nur Abendessen, Montag, Sonn- und Feiertage sowie Jan. 2 Wochen und Juni geschl. – Karte 47/68 (Tischbestellung ratsam).

GRÜNWALD Bayern siehe München.

GRUNBACH Baden-Württemberg siehe Engelsbrand.

GRUND, BAD 3362. Niedersachsen [987] ⑮⑯ – 3 100 Ew – Höhe 325 m – Moor-Heilbad – ☎ 05327.

[i] Kurverwaltung, Clausthaler Str. 38, ☎ 20 21.

•Hannover 90 – •Braunschweig 77 – Göttingen 66 – Goslar 29.

🏨 **Pension Berlin** 🔇, von-Eichendorff-Str. 18, ☎ 20 72, ♨, 🏋, 🌳 – [TV] 📞 [P]. 🚫 Rest
5. Nov.- 15. Dez. geschl. – (Restaurant nur für Hausgäste) – **22 Z : 39 B** 53/70 - 100 Fb – P 75.

🏨 **Jägerstieg** 🔇, von-Eichendorff-Str. 9, ☎ 27 62, ♨, 🏋, 🌳 – ⇅ [TV] 📞 [P]. [AE] [D] [E] VISA
(Restaurant nur für Hausgäste) – **15 Z : 27 B** 48/60 - 95.

🏨 **Rolandseck** 🔇, von-Eichendorff-Str. 10, ☎ 13 03, ♨, 🏋, 🌳 – [TV] 🚗 [P]
(Restaurant nur für Hausgäste) – **12 Z : 20 B** 42 - 84 Fb.

GRUNDHOF 2391. Schleswig-Holstein – 1 000 Ew – Höhe 35 m – ☎ 04636.

•Kiel 88 – Flensburg 19 – Schleswig 47.

🍴 Grundhof Krug mit Zim, Holnisser Weg 4, ☎ 3 27, ⛱ – [TV] [P] 👥
wochentags nur Abendessen – **5 Z : 10 B.**

GSCHWEND 7162. Baden-Württemberg [413] M 20 – 4 300 Ew – Höhe 475 m – Erholungsort – ☎ 07972.

•Stuttgart 55 – Schwäbisch Gmünd 19 – Schwäbisch Hall 27.

In Gschwend-Mittelbronn SO : 7 km :

🍴 **Stern**, Eschacher Str. 4, ☎ 4 98 – [P]. [D]
Mittwoch und Mitte Jan.- Mitte Feb. geschl. – Karte 25/53 ♿.

GSTADT AM CHIEMSEE 8211. Bayern [413] U 23, [987] ㊲, [426] ⑱ – 1 000 Ew – Höhe 534 m – Erholungsort – ☎ 08054.

Sehenswert : Chiemsee★.

•München 94 – Rosenheim 27 – Traunstein 27.

🏨 **Gästehaus Heistracher** garni, Seeplatz 3, ☎ 2 51, < – 🚗 [P]
23 Z : 46 B 38/50 - 62/82.

🏨 **Pension Jägerhof**, Breitbrunner Str. 5, ☎ 2 42, ♨, 🌳 – [P]. 🚫
Ostern - Okt. – (nur Abendessen für Hausgäste) – **32 Z : 50 B** 38/42 - 66/84.

GUDENHAGEN Nordrhein-Westfalen siehe Brilon.

GÜGLINGEN 7129. Baden-Württemberg [413] JK 19 – 4 500 Ew – Höhe 220 m – ☎ 07135 (Brackenheim).

•Stuttgart 48 – Heilbronn 20 – •Karlsruhe 54.

🏨 **Herzogskelter** (historisches Gebäude a.d. 16. Jh.), Deutscher Hof 1, ☎ 40 11, « Innenhofterrasse » – ⇅ [TV] 📞 [P] 👥. [AE] [D] [E] VISA
Karte 32/65 – **32 Z : 45 B** 70/90 - 110/190.

In Güglingen-Frauenzimmern O : 2 km :

🏨 **Gästehaus Löwen**, Brackenheimer Str. 23, ☎ 61 09 – 📞 [P]
22. Dez.- 8. Jan. geschl. – Karte 22/33 *(Mahlzeiten im Gasthof Löwen)* (Ende Juli - Anfang Aug. und Mittwoch geschl.) ♿ – **14 Z : 30 B** 65 - 90/105 Fb.

GÜNNE Nordrhein-Westfalen siehe Möhnesee.

[GÜNZ] Bayern siehe Westerheim.

[GÜNZBURG] 8870. Bayern [413] N 21, [987] ㊱ – 18 500 Ew – Höhe 448 m – ☎ 08221.

⛳ Schloß Klingenburg (SO : 19 km), ✆ (08225) 8 71.

♦München 112 – ♦Augsburg 54 – ♦Nürnberg 147 – ♦Ulm (Donau) 29.

🏨 **Zettler**, Ichenhauser Str. 26a, ✆ 3 00 08, Telex 531158, 🌳 – 🛗 📺 ☎ 🚗 🅿 🏛. AE ⓓ E VISA. 🚫 Rest
1.- 7. Jan. geschl. – Karte 41/72 *(Sonn- und Feiertage ab 18 Uhr geschl.)* – **26 Z : 52 B** 99/120 - 135/160 Fb.

🏨 **Bettina** garni, Augsburger Str. 68, ✆ 3 19 80, ♨ – 📺 ☎ 🅿. 🚫
11 Z : 19 B 50/60 - 90.

🏨 **Goldene Traube**, Marktplatz 22, ✆ 55 10 – AE ⓓ E VISA
Karte 23/44 *(Samstag - Sonntag geschl.)* – **33 Z : 64 B** 35/70 - 55/100.

[GÜTENBACH] 7741. Baden-Württemberg [413] H 22 – 1 450 Ew – Höhe 860 m – Luftkurort – ☎ 07723 (Furtwangen).

♦Stuttgart 149 – Donaueschingen 37 – ♦Freiburg im Breisgau 41.

Auf dem Neueck O : 3 km – Höhe 984 m :

🏨 **Neueck**, Vordertalstr. 53, ✉ 7741 Gütenbach, ✆ (07723) 20 83, Telex 792929, ≤, 🌳, Skiverleih – ☎ 🚗 🅿. AE ⓓ E VISA
15. Nov.- 15. Dez. geschl. – Karte 24/50 – **65 Z : 120 B** 45/70 - 80/150 Fb – P 80/100.

In this guide,
a symbol or a character, printed in red or ***black****, in* ***bold*** *or light type,*
does not have the same meaning.
Please read the explanatory pages carefully.

[GÜTERSLOH] 4830. Nordrhein-Westfalen [987] ⑭ – 82 000 Ew – Höhe 94 m – ☎ 05241.

⛳ Rietberg (③ : 8 km), ✆ (05244) 23 40.

ℹ Verkehrsverein, Rathaus, Berliner Str. 70, ✆ 82 27 49.

♦Düsseldorf 156 ④ – Bielefeld 17 ② – Münster (Westfalen) 57 ⑤ – Paderborn 45 ④.

Stadtplan siehe gegenüberliegende Seite.

🏨 **Parkhotel Gütersloh**, Kirchstr. 27, ✆ 87 70, Telex 933641, Fax 877400, 🌳, « Geschmackvolle, elegante Einrichtung, kleiner Park », ♨ – 🛗 ▤ Rest 📺 ♿ 🚗 🏛 (mit ▤). AE ⓓ E VISA BZ **n**
Karte 53/79 – **Braustube** Karte 37/51 – **84 Z : 170 B** 180/198 - 210/230 Fb – 5 Appart. 350/480.

🏨 **Stadt Gütersloh**, Kökerstr. 23, ✆ 17 11, Telex 933425, « Elegant-rustikale Einrichtung », ♨ – 🛗 📺 🚗 🏛. AE ⓓ E BZ **e**
Karte 34/53 *(nur Abendessen)* – **56 Z : 107 B** 98/130 - 139/230 Fb.

🏨 **Am Rathaus** garni, Friedrich-Ebert-Str. 62, ✆ 1 30 44 – 🛗 📺 ☎ 🅿. AE ⓓ E VISA. 🚫
18 Z : 26 B 75/95 - 110/138 Fb. BY **b**

🏨 **Stadt Hamburg**, Feuerbornstr. 9, ✆ 5 89 11 – 📺 ☎ 🚗 🅿. AE ⓓ E VISA AZ **r**
Karte 38/52 *(nur Abendessen, Sonntag geschl.)* – **19 Z : 37 B** 65 - 100 Fb.

🏨 **Center Hotel** garni, Kökerstr. 6, ✆ 2 80 25 – 🛗 ☎ 🚗 🅿. AE E BZ **c**
24 Z : 32 B 70/80 - 110 Fb.

🏨 Ravensberger Hof, Moltkestr. 12, ✆ 17 51 – 🛗 📺 ☎ 🅿 🏛 AY **a**
44 Z : 60 B Fb.

🏨 **Busch**, Carl-Bertelsmann-Str. 127, ✆ 18 01 – 📺 ☎ 🅿. AE ⓓ E VISA
Karte 39/66 – **18 Z : 27 B** 60/80 - 100 Fb. über Carl-Bertelsmann-Str. BZ

🏨 **Appelbaum**, Neuenkirchener Str. 59, ✆ 5 11 76 – 📺 ☎ 🅿 AZ **s**
1.- 16. Aug. geschl. – Karte 19,50/37 *(Samstag bis 18 Uhr, Sonntag und 25. Juli - 8. Aug. geschl.)* – **10 Z : 15 B** 55 - 90.

🍴🍴 Zur Deele, Kirchstr. 13, ✆ 2 83 70 AZ **v**
nur Abendessen – (Tischbestellung ratsam).

🍴🍴 **Stadthalle**, Friedrichstr. 10, ✆ 1 40 17, 🌳 – 🅿 🏛. E AZ
Samstag bis 18 Uhr und Montag geschl. – Karte 30/57.

In Gütersloh 11 - Avenwedde NO : 4 km über Carl-Bertelsmann-Straße BZ :

🍴🍴 **Landhaus Altewischer** (westfälisches Bauernhaus a.d. 18. Jh.), Avenwedder Str. 36, ✆ 7 66 11 – 🅿. AE ⓓ E VISA
nur Abendessen, Donnerstag und Juli - August 3 Wochen geschl. – Karte 43/69.

In Gütersloh 12-Isselhorst NO : 6,5 km über ② :

🏨 Zum Postillon, Zum Brinkhof 1, ✆ 64 32, ♨ – 🅿
20 Z : 32 B Fb.

GÜTERSLOH

Berliner Straße .... AZ
Kökerstraße .... BZ 19
Königstraße .... AZ
Moltkestraße .... AY 22

Barkeystraße .... AZ 2
Brockhäger Straße .... AY 3
Carl-Miele-Straße .... BY 4
Dalkestraße .... AZ 7
Daltropstraße .... AZ 8
Eickhoffstraße .... BYZ 11
Feldstraße .... AYZ 12

Feuerbornstraße .... AZ 13
Herzebrocker Straße .... AZ 15
Kahlertstraße .... BY 16
Lindenstraße .... BZ 21
Münsterstraße .... AZ 23
Schulstraße .... AY 27
Strengerstraße .... BY 28

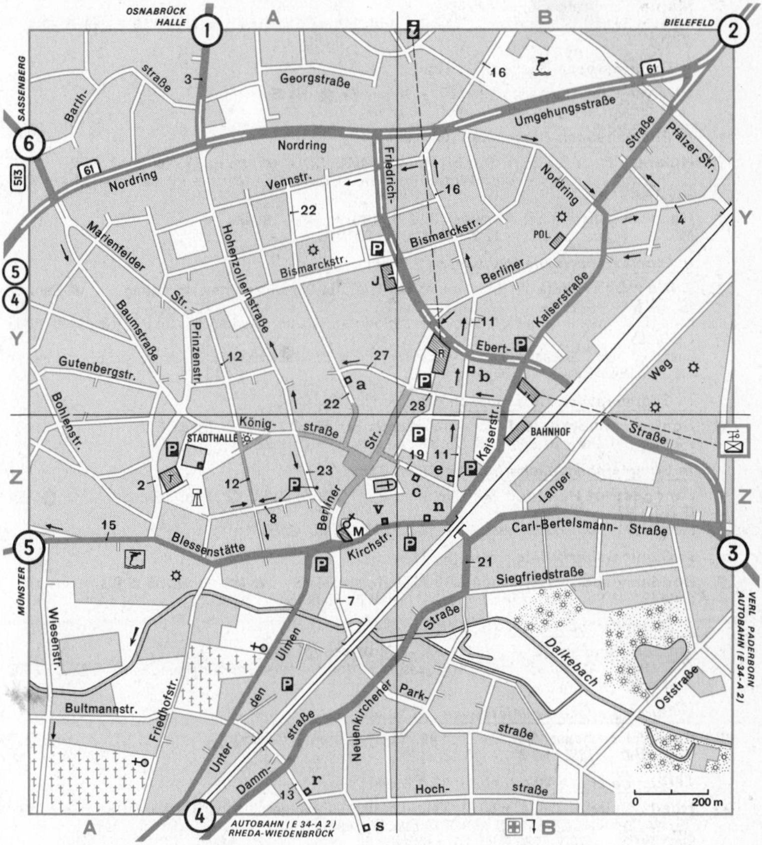

In Gütersloh 1-Spexard ③ : 2 km :

Waldklause, Spexarder Str. 205, ✆ 7 71 85 – ☎ P 🚗. AE ⓓ E VISA
Karte 22/43 *(wochentags nur Abendessen, Sonntag 15 Uhr - Montag geschl.)* – **25 Z : 45 B** 50 - 90 Fb.

In Verl **4837** SO : 11 km über ③ :

Landhaushotel - Altdeutsche Gaststätte, Sender Str. 23, ✆ (05246) 31 31, ☂, ≘s, 🏊, 🚗 – ☎ P 🚗. AE ⓓ E
Karte 28/58 – **25 Z : 35 B** 80/98 - 120/165.

GÜTTERSBACH Hessen siehe Mossautal.

GULDENTAL **6531.** Rheinland-Pfalz – **2 600** Ew – Höhe **150** m – ☎ **06707.**
Mainz **44** – ♦Koblenz **67** – Bad Kreuznach **7.**

XXX ✿✿ **Le Val d'Or**, Hauptstr. 3, ✆ 17 07 – ⓓ E
wochentags nur Abendessen, Montag, Jan. 3 Wochen und Aug. 2 Wochen geschl. – Karte 80/118 (Tischbestellung erforderlich)
Spez. Langustensalat mit Kaviar, Crépinette vom heimischen Reh, Dessert-Impressionen.

X **Weingut Kaiserhof** mit Zim, Hauptstr. 2, ✆ 87 46
Karte **27**/52 *(abends Tischbestellung ratsam)* (Dienstag geschl.) 🍷 – **7 Z : 14 B** 45 - 80.

GUMMERSBACH 5270. Nordrhein-Westfalen 987 ㉔ – 50 500 Ew – Höhe 250 m – ☎ 02261.
ADAC, Hindenburgstr. 43, ✆ 2 36 77, Notruf ✆ 1 92 11.
♦Düsseldorf 91 – ♦Köln 54 – Lüdenscheid 44 – Siegen 55.

Theile garni, Karlstr. 9, ✆ 2 25 07 – ☎ P
17 Z : 25 B 30/50 - 65/80.

Minne, Schützenstr. 6, ✆ 2 25 09
Karte 19/33 *(nur Abendessen, 11. Juli - 4. Aug. und Samstag geschl.)* – **10 Z : 15 B** 30/40 - 65/70.

In Gummersbach-Becke NO : 3 km :

Stremme, Beckestr. 55, ✆ 2 27 67 – ☎ P. E
Karte 23/50 *(Freitag geschl.)* – **18 Z : 30 B** 50/60 - 90/120.

In Gummersbach-Derschlag SO : 6 km :

Huland, Kölner Str. 26, ✆ 5 31 51, Telex 8874532, – ☎ P. E. Rest
2.- 10. Jan. und Juni - Juli 3 Wochen geschl. – Karte 28/50 *(Montag geschl.)* – **19 Z : 36 B** 35/68 - 80/125.

Haus Charlotte garni, Kirchweg 3, ✆ 5 73 18, ←, – ☎
22. Dez.- 8. Jan. geschl. – **12 Z : 20 B** 30/55 - 70/100.

In Gummersbach-Dieringhausen S : 7 km :

XXX ✿ **Die Mühlenhelle** mit Zim, Hohler Str. 1, ✆ 7 50 97, « Elegante Einrichtung » – Rest ☎ P. E
Karte 66/96 *(bemerkenswerte Weinkarte)* (Sonntag 14 Uhr - Montag geschl.) – **7 Z : 11 B** 85/95 - 140/195
Spez. Nudeln in Champagnersauce mit Gänseleberwürfeln, Lammnüßchen in Kräuterkruste mit Schalottensauce, Weißes Schokoladeneis mit Orangenbutter.

In Gummersbach-Hülsenbusch W : 7 km :

XX **Schwarzenberger Hof**, Schwarzenberger Str. 48, ✆ 2 21 75 – P. AE E
Montag, 24. Dez.- 10. Jan. und 17.- 31. Juli geschl. – Karte 28/58.

In Gummersbach-Lieberhausen NO : 10 km :

Landgasthof Reinhold , Kirchplatz 2, ✆ (02354) 52 73, , Fahrradverleih – ☎ P. E VISA
Karte 18/39 *(Donnerstag geschl.)* – **14 Z : 28 B** 30/43 - 55/80.

In Gummersbach-Rebbelroth S : 4 km :

Bodden, Rebbelrother Str. 14, ✆ 5 20 88, Telex 884769 – ☎ P. AE E VISA
Karte 19/44 *(Sonntag ab 14 Uhr geschl.)* – **18 Z : 35 B** 38/65 - 60/120.

In Gummersbach-Rospe S : 2 km :

Tabbert, Hardtstr. 28, ✆ 2 10 05, – TV ☎ P.
19. März - 2. April und 13.- 27. Aug. geschl. – (nur Abendessen für Hausgäste) – **22 Z : 28 B** 48/60 - 90/100.

In Gummersbach-Vollmerhausen S : 6 km :

Parr, Vollmerhauser Str. 8, ✆ 7 71 49, , (Gebühr) – ☎ P
Karte 26/51 – **31 Z : 60 B** 45/100 - 80/120.

In Gummersbach-Windhagen N : 1,5 km :

Heedt, an der B 256, ✆ 6 50 21, Telex 884400, « Park, gemütliche Restaurant-Stuben », , , , – TV P. AE E VISA. Rest
Karte 39/77 – **130 Z : 220 B** 93/160 - 156/260 Fb.

GUMPEN Hessen siehe Reichelsheim.

GUNDELFINGEN 7803. Baden-Württemberg 413 G 22, 242 ㉜ – 10 300 Ew – Höhe 255 m – ☎ 0761 (Freiburg im Breisgau).
♦Stuttgart 201 – ♦Freiburg im Breisgau 7 – Offenburg 59.

Stab garni, Dorfstr. 1, ✆ 5 86 33 – P
22 Z : 40 B 40/70 - 60/90.

X **Ratskeller**, Wildtalstr. 1, ✆ 58 17 18
Montag und 22. Juli - 6. Aug. geschl. – Karte 19/38.

GUNDELSHEIM 6953. Baden-Württemberg 413 K19, 987 ㉕ – 6 300 Ew – Höhe 154 m – ☎ 06269.
Ausflugsziel : Burg Guttenberg★ : Greifvogelschutzstation und Burgmuseum★ SW : 2 km.
♦Stuttgart 75 – Heidelberg 50 – Heilbronn 20.

Zum Lamm, Schloßstr. 25, ✆ 10 61 – TV P. AE
Karte 31/58 *(Donnerstag geschl.)* – **45 Z : 90 B** 40/80 - 80/130 Fb.

GUNDERATH Rheinland-Pfalz siehe Liste der Feriendörfer.

GUNZENHAUSEN 8820. Bayern 413 P 19, 987 ㉖ – 15 000 Ew – Höhe 422 m – ☎ 09831.

ℹ Städt. Verkehrsamt, Dr. Martin-Luther-Platz 4, ✆ 5 08 76.

♦München 152 – Ansbach 28 – Ingolstadt 73 – ♦Nürnberg 53.

Grauer Wolf, Marktplatz 9, ✆ 90 58 – TV ☎ P. E
Karte 18,50/37 *(Samstag geschl.)* – **15 Z : 24 B** 52/60 - 80.

Brauhaus, Marktplatz 10, ✆ 27 37 – ☎ P. AE E
Karte 18/34 *(Montag geschl.)* – **10 Z : 18 B** 38 - 66 – 2 Fewo 70/80.

Krone, Nürnberger Str. 7, ✆ 6 08, – ☎ P. AE E
7.- 27. Jan. geschl. – Karte 22/52 *(Freitag geschl.)* – **16 Z : 32 B** 45 - 75.

GUTACH IM BREISGAU 7809. Baden-Württemberg 413 G 22, 242 ㉜ – 3 600 Ew – Höhe 290 m – ☎ 07681 (Waldkirch).

Golfstraße, ✆ 2 12 43.

♦Stuttgart 208 – ♦Freiburg im Breisgau 21 – Offenburg 66.

Adler, Landstr. 6, ✆ 70 22, « Gartenterrasse mit Grill, Orchestrion a.d.19.Jh. » – TV ☎ P. AE E
Karte 31/70 *(Sonntag - Montag 17 Uhr geschl.)* – **15 Z : 29 B** 60/80 - 78/120.

In Gutach-Bleibach NO : 1 km – Erholungsort – ☎ 07685 :

Silberkönig, Am Silberwald 24, ✆ 4 91, – TV ☎ P. AE E VISA
Karte 41/62 – **38 Z : 75 B** 75/80 - 140/150.

Romantik-Hotel Stollen, Elzacher Str. 2 (B 294), ✆ 2 07, « Behagliche Einrichtung » – TV ☎ P. AE E VISA
10.- 20. Jan. geschl. – Karte 35/70 *(Dienstag geschl.)* – **12 Z : 20 B** 65/95 - 120/170 Fb.

Gasthof Rösch, Simonswälder Str. 50, ✆ 2 27 – ☎ P
15 Z : 26 B.

GUTACH (SCHWARZWALDBAHN) 7611. Baden-Württemberg 413 H 22 – 2 300 Ew – Höhe 300 m – Erholungsort – ☎ 07833 (Hornberg).

♦Stuttgart 136 – ♦Freiburg im Breisgau 48 – Offenburg 41 – Villingen-Schwenningen 39.

Linde, Ramsbachweg 234, ✆ 3 08, – P
10. Jan.- 15. Feb. geschl. – Karte 18/41 – **24 Z : 40 B** 33/48 - 55/85.

Landgasthof zum Museum - Vogtsbauernstube, an der B 33 (N : 2 km, beim Freilichtmuseum), ✆ (07831) 5 85, « Gartenterrasse » – P. AE E VISA
bis 19 Uhr geöffnet, Nov.- März geschl. – Karte 23/43.

GUTENBERG Baden-Württemberg siehe Lenningen.

GUTENZELL-HÜRBEL Baden-Württemberg siehe Ochsenhausen.

GUTTENBERG (BURG) Baden-Württemberg siehe Hassmersheim.

GYHUM Niedersachsen siehe Zeven.

HAAN 5657. Nordrhein-Westfalen – 28 000 Ew – Höhe 165 m – ☎ 02129.

♦Düsseldorf 19 – ♦Köln 40 – Wuppertal 14.

Savoy garni, Neuer Markt 23, ✆ 5 00 06, Telex 8515003, – Zim TV. AE E VISA
55 Z : 110 B 155/210 - 240/260 Fb – 5 Appart. 280/350.

Schallbruch garni, Schallbruch 15 (nahe der B 228, NO : 2 km), ✆ 30 45, – ☎ P. AE E VISA
25 Z : 29 B 79/92 - 130 Fb.

Friedrich Eugen Engels, Hermann-Löns-Weg 14, ✆ 30 10, – ☎ P. Zim
Karte 20/48 *(Donnerstag, Ende Juni - Ende Aug. und 22. Dez. - 6. Jan. geschl.)* – **20 Z : 29 B** 65/90 - 110/130.

Jakobs garni, Neustr. 11, ✆ 24 32 – ☎
14 Z : 18 B 70/85 - 95/120.

In Haan 2-Gruiten NO : 6 km :

Haus Poock, Osterholzer Str. 83, ✆ (02104) 63 81, – ☎ P
Karte 22/57 – **33 Z : 55 B** 63 - 99.

HAAR Bayern siehe München.

HABICHSTHAL Bayern siehe Frammersbach.

HABISCHRIED Bayern siehe Bischofsmais.

[HACHENBURG] 5238. Rheinland-Pfalz [987] ㉔ – 5 200 Ew – Höhe 370 m – Luftkurort – ☎ 02662.
⛳ beim Dreifelder Weiher (S : 10 km), ☎ (02662) 70 77.
ℹ Städt. Verkehrsamt, Mittelstr. 2, (Rathaus), ☎ 63 83.
Mainz 106 – •Koblenz 54 – •Köln 82 – Limburg an der Lahn 46 – Siegen 55.

🏠 **Zur Krone**, Alter Markt 3, ☎ 10 27 – [D] [E]
Karte 35/55 *(Dienstag geschl.)* – **16 Z : 34 B** 50/68 - 99/110.

🍴🍴 Friedrich mit Zim, Graf-Heinrich-Str. 2, ☎ 10 71, 🌳 – 🚗 [P] – **7 Z : 11 B.**

In Atzelgift 5239 N : 6 km :

🏠 Pension Seifer 🌙, Ringstr. 12, ☎ (02662) 77 38, 🏊, 🌲 – [TV] ☎ [P]. ✱
(Restaurant nur für Hausgäste) – **14 Z : 26 B.**

In Limbach 5239 N : 6,5 km :

🏠 **Waldesruh** 🌙, Hardtweg 5, ☎ (02662) 71 06, 🌳 – [P]. [E]
6. Jan.- 6. Feb. geschl. – Karte 25/56 *(Montag - Dienstag geschl.)* 🍷 – **18 Z : 30 B** 30/50 - 60.

In Heuzert 5239 NW : 7 km :

🏠 Zur Dorfschänke, Hohler Weg 2, ☎ (02688) 81 36, 🌲 – [P] – **10 Z : 18 B.**

[HADAMAR] 6253. Hessen [987] ㉔ – 11 000 Ew – Höhe 130 m – ☎ 06433.
•Wiesbaden 60 – •Koblenz 57 – Limburg an der Lahn 8,5.

In Hadamar 2-Niederhadamar :

🏠 **Zur Sonne**, Mainzer Landstr. 119, ☎ 42 70 – [TV] ☎ [P]. [AE] [D]
Karte 26/50 *(Mittwoch geschl.)* – **12 Z : 22 B** 45/60 - 80.

In Hadamar 3-Oberzeuzheim :

🏠 **Waldhotel Hubertus** 🌙, Waldstr. 12, ☎ 33 00, 🏊, 🏊, 🌲 – [P]. ✱
Nov.- 15. Dez. geschl. – (Restaurant nur für Hausgäste) – **21 Z : 37 B** 40 - 80.

[HÄUSERN] 7822. Baden-Württemberg [413] H 23, [427] ⑤, [216] ⑥ – 1 300 Ew – Höhe 875 m – Luftkurort – Wintersport : 850/1 200 m ⛷ 1 ⛷ 2 – ☎ 07672 (St. Blasien).
ℹ Kur- und Sporthaus, St.-Fridolin-Str. 5a, ☎ 14 62.
•Stuttgart 186 – Basel 66 – Donaueschingen 60 – •Freiburg im Breisgau 58 – Waldshut-Tiengen 22.

🏨 ✿ **Adler**, St.-Fridolin-Str. 15, ☎ 3 24, Telex 7721211, 🏊, 🏊, 🌲, 🎾, Fahrradverleih – [lift] [TV] 🚗 [P]. [AE] [D] [E] [VISA]
7. Nov.- 16. Dez. geschl. – Karte 36/79 *(Montag geschl.)* – **47 Z : 79 B** 80/130 - 120/190 Fb – 6 Appart. 200/320
Spez. Warmer Nudelsalat mit Hummer, Adlerwirts Fischplatte, Lammsattel "Adlerwirts Art" (ab 2 Pers.).

🏨 **Albtalblick**, St. Blasier Str. 9 (W : 1 km), ☎ 5 10, ← Albtal mit Albsee, 🌳, Bade- und Massageabteilung, 🏋, 🏊, 🌲 – ☎ 🚗 [P]. [AE] [D] [E]
15.- 30. Jan. geschl. – Karte 21/50 🍷 – **35 Z : 56 B** 48/70 - 90/120 Fb – 3 Appart. 140 – 10 Fewo 40/80 – P 60/75.

🏠 **Waldlust** 🌙, In der Würze 18, ☎ 5 02, 🌳, Wildgehege, 🏊, 🌲 – [lift] 🚗 [P]
15. Nov.- 15. Dez. geschl. – Karte 23/56 🍷 – **25 Z : 48 B** 26/45 - 45/85 Fb – 4 Fewo 45/55.

🏠 Schöpperle, Klemme 3, ☎ 21 61, 🌳, 🌲 – 🚗 [P] – **13 Z : 25 B.**

🍴 **Chämi-Hüsle**, St.-Fridolin-Str. 1, ☎ 3 24 (über Hotel Adler), « Modernes Schwarzwaldhaus » – [P]
wochentags nur Abendessen, Dienstag und 6. Nov.- 16. Dez. geschl. – Karte 25/45.

[HAGE] Niedersachsen siehe Norden.

[HAGEN] 5800. Nordrhein-Westfalen [987] ⑭ – 209 000 Ew – Höhe 105 m – ☎ 02331.
Siehe Ruhrgebiet (Übersichtsplan).
⛳ Hagen-Berchum (über Haldener Str.Y), ☎ (02334) 5 17 78.
🚘 ☎ 6 07 00.
ℹ Büro Hagen-Information, Pavillon Mittelstraße, ☎ 1 35 73.
ADAC, Körnerstr. 62, ☎ 2 43 16, Notruf ☎ 1 92 11.
•Düsseldorf 65 ① – •Dortmund 27 ① – •Kassel 178 ①.
Stadtplan siehe gegenüberliegende Seite.

🏨 **Crest-Hotel**, Wasserloses Tal 4, ☎ 39 10, Telex 823441, Fax 391153, 🏊, 🏊 – [lift] 🚭 Zim ▤ Rest [TV] [P] 🏋 (mit ▤). [AE] [D] [E] [VISA] Z **b**
Karte 40/64 – **148 Z : 236 B** 165/204 - 228/358 Fb.

🏠 Deutsches Haus garni, Bahnhofstr. 35, ☎ 2 10 51, Telex 823640 – [lift] ☎ – **39 Z : 50 B** Fb. Y **a**

🏠 **Central-Hotel** garni, Dahlenkampstr. 2, ☎ 1 63 02 – [lift] ☎. [AE] [D] [E] Z **n**
Juli - Aug. 3 Wochen und Weihnachten - Neujahr geschl. – **25 Z : 31 B** 80 - 118 Fb.

🏠 **Lex** garni, Elberfelder Str. 71, ☎ 3 20 30 – [lift] ☎ 🚗 Y **e**
55 Z : 65 B 49/80 - 84/112.

HAGEN

Elberfelder Straße	YZ	
Lange Straße	Z	
Märkischer Ring	YZ	
Mittelstraße	Z	15
Rembergstraße	Y	
Alexanderstraße	Y	2
Am Hauptbahnhof	Y	3
Bahnhofstraße	Y	4
Bülowstraße	Y	6
Eduard-Müller-Str.	Y	7
Eilper Straße	Z	8
Gertrudstraße	Y	12
Weidestraße	Z	20

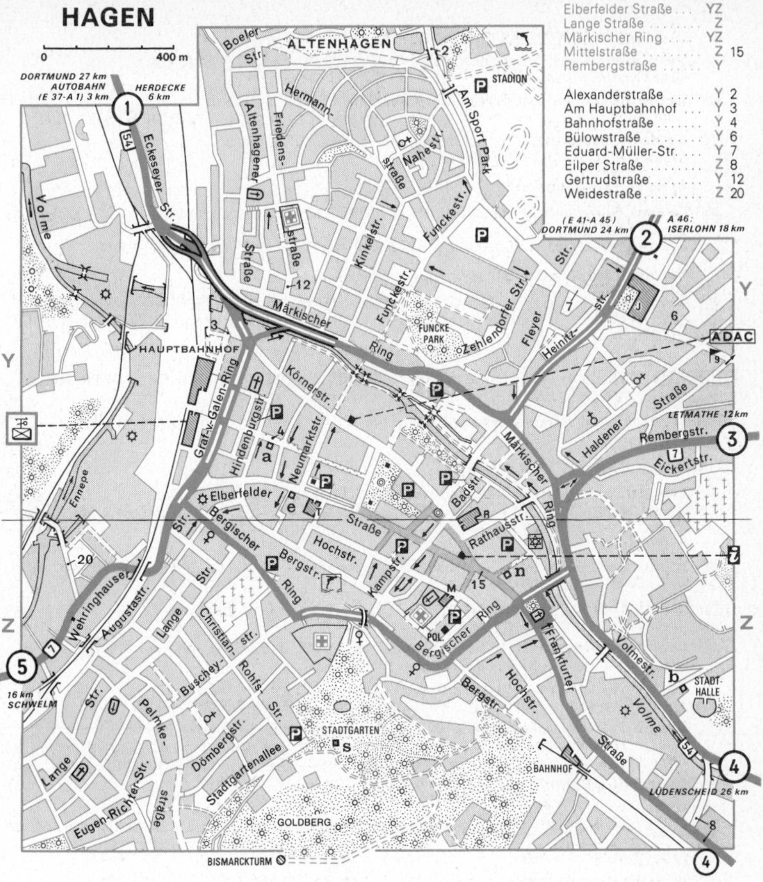

Parkhaus Hagen mit Zim, Parkhaus 1, 33 10 57, « Gartenterrasse » – Karte 20/60 *(Montag geschl.)* – **8 Z : 16 B** 50 - 100. Z s

In Hagen 1-Ambrock ④ : 6 km :

Kehrenkamp, Delsterner Str. 172 (B 54), 7 90 11 – AE E VISA
Karte 27/48 *(Samstag geschl.)* – **19 Z : 33 B** 58/65 - 90/150.

In Hagen 1-Garenfeld ② : 9 km :

Deelenkrug, Im Flassporth 1, (02304) 6 70 66, « Ehemaliger Bauernhof, rustikale Einrichtung » – AE E
Samstag bis 18 Uhr, Sonntag und Juni - Juli 2 Wochen geschl. – Karte 35/56.

In Hagen 1-Halden O : 5,5 km über Haldener Straße Y :

Landhotel Halden, Berchumer Str. 82, 5 18 69 – AE E
Karte 30/55 *(Samstag - Sonntag, 15.- 31. Juli und 22. Dez.- 14. Jan. geschl.)* – **19 Z : 35 B** 80/85 - 115/120 Fb.

In Hagen 7-Haspe ⑤ : 4 km :

Union, Kölner Str. 25, 4 90 91, Telex 823547 – TV AE E VISA
über Ostern und Weihnachten geschl. – Karte 40/61 *(nur Abendessen, Sonntag - Montag und Juli 3 Wochen geschl.)* – **40 Z : 54 B** 95/140 - 145/180 Fb.

Haus Stennert, Enneper Str. 3, 40 63 50, – AE E VISA
Samstag bis 18 Uhr und Montag geschl. – Karte 35/68.

In Hagen 5-Hohenlimburg ③ : 8 km – 02334 :

Bentheimer Hof, Stennertstr. 20, 48 26 – TV P. AE E VISA
Karte 35/68 *(Samstag geschl.)* – **30 Z : 50 B** 70/95 - 99/165 Fb.

Reher Hof, Alter Reher Weg 13 (Ortsteil Reh), 5 11 83 – P
Karte 28/56 *(Samstag bis 16 Uhr und Sonntag ab 15 Uhr geschl.)* – **15 Z : 29 B** 45/60 - 70/100.

Schloßrestaurant, Alter Schloßweg 30, 20 56, – P. E
Montag und Feb. geschl. – Karte 41/66.

In Hagen 8-Rummenohl ④ : 13 km :

Dresel, Rummenohler Str. 31 (B 54), (02337) 13 18, « Gartenterrasse » – TV P
. AE E VISA
Juli geschl. – Karte 31/70 *(Montag - Dienstag geschl.)* – **19 Z : 30 B** 48/84 - 108/133.

In Hagen 1-Selbecke SO : 4 km über Eilper Straße Z :

Schmidt, Selbecker Str. 220, 7 00 77, – TV P. AE E VISA. Zim
Karte 20/42 *(nur Abendessen, Samstag und 23. Dez.- 4. Jan. geschl.)* – **28 Z : 45 B** 65/80 - 85/98 Fb.

HAGNAU 7759. Baden-Württemberg 413 K 23, 427 ⑦, 216 ⑩ – 1 400 Ew – Höhe 409 m – Erholungsort – 07532 (Meersburg).

Sehenswert : ≤★ vom Parkplatz an der B 31.

Verkehrsverein, Seestr. 16, 68 42.

♦Stuttgart 196 – Bregenz 43 – Ravensburg 29.

Erbguth's Landhaus - Restaurant Kupferkanne (mit Gästehaus , ,), Neugartenstr. 39, 62 02, Telex 733811, ≤, , , – TV P . AE E VISA
3. Jan. - 10. März geschl. – Karte 42/80 *(Dienstag geschl.)* – **22 Z : 40 B** 75/130 - 120/320 Fb – P 108/178.

Alpina garni, Höhenweg 10, 52 38, Fahrradverleih – TV P. AE E VISA.
18 Z : 36 B 95/150 - 150/230.

Café Hansjakob , Hansjakobstr. 17, 63 66, ≤, , – TV P.
nur Saison – *(nur Abendessen)* – **21 Z : 40 B** Fb.

Landhaus Messmer garni, Meersburger Str. 12, 62 27, ≤, , – P.
März - Mitte Nov. – **14 Z : 23 B** 65/95 - 110/160.

Pauli's Kajüte, Meersburger Str. 2, 62 50, ≤, , – P
Mitte März - Okt. – Karte 28/41 *(Montag geschl.)* – **18 Z : 28 B** 50/55 - 96/100.

Der Löwen, Hansjakobstr. 2, 62 41, , , – P. Zim
9. Feb.- 17. März und Nov.- 4. Jan. geschl. – Karte 26/49 *(Mittwoch Ruhetag, außer Saison nur Abendessen und Montag - Dienstag geschl.)* – **17 Z : 29 B** 60/85 - 100/140 Fb.

Gästehaus Schmäh garni, Kapellenstr. 7, 62 10, – TV P
Ostern - Okt. – **16 Z : 32 B** 45/65 - 78/110.

Zum Weinberg garni (Mahlzeiten im Gasthof Hagnauer Hof), Hauptstr. 34 (B 31), 62 44, – TV P
17 Z : 32 B Fb.

Pension See-Perle garni, Seestr. 22, 62 40, , , , Fahrradverleih – P
März - Okt. – **21 Z : 35 B** 38/46 - 76/88.

Zur Winzerstube garni, Seestr. 1, 63 50, ≤, , – P.
April - Okt. – **10 Z : 19 B** 62/62 - 80/110.

Gästehaus Mohren garni, Sonnenbühl 4, 94 28, ≤, – P
16 Z : 31 B 35/60 - 70/80.

Scharfes Eck garni, Kirchweg 2, 62 61 – P
14 Z : 23 B 36/50 - 76/90.

Steidle mit Zim, Seestr. 17, 59 00 – TV P. AE E VISA
Ende Jan.- Mitte März geschl. – Karte 35/62 *(Tischbestellung ratsam)* (nur Abendessen, Nov.- April Dienstag geschl.) – **7 Z : 14 B** 55/65 - 110/130 Fb – 3 Fewo 80/90.

HAHNHEIM 6501. Rheinland-Pfalz 413 H 17 – 1 300 Ew – Höhe 130 m – 06737.
Mainz 22 – ♦Frankfurt am Main 62 – ♦Mannheim 55.

Rheinhessen-Stuben, Bahnhofstr. 3, 12 71, Biergarten mit Grill – P
Montag geschl. – Karte 36/61 .

HAIBACH Bayern siehe Aschaffenburg.

If you write to a hotel abroad, enclose an International Reply Coupon (available from Post Offices).

[HAIDMÜHLE] 8391. Bayern [413] Y 20, [426] ⑧ – 1 700 Ew – Höhe 831 m – Erholungsort – Wintersport : 800/1 300 m ⛷4 ⛷5 – ☎ 08556.

Ausflugsziel : Dreisessel : Hochstein ✱★ SO : 11 km.

[i] Fremdenverkehrsamt, ☎ 3 75.

♦München 241 – Freyung 25 – Passau 64.

🏨 Café Hochwald, Hauptstr. 97, ☎ 3 01, ⛱, ≘s, 🌳 – 🚗 Ⓟ
24 Z : 45 B.

🏠 **Strohmaier** 🌙, Kirchbergstr. 25, ☎ 4 90, ⛱, 🌳 – Ⓟ
◆ *Nov.- Mitte Dez. geschl.* – Karte 15/40 *(außer Saison Dienstag geschl.)* – **21 Z : 36 B** 29/33 - 50/62.

In Haidmühle-Auersbergsreut NW : 3 km – Höhe 950 m :

🏨 **Haus Auersperg** 🌙, ☎ 3 53, ⛱, ≘s, 🌳 – 🚗 Ⓟ. 🐕 Rest
Nov. geschl. – Karte 20/38 – **19 Z : 38 B** 30/35 - 49/62 – P 51/60.

In Haidmühle-Frauenberg S : 6 km – Höhe 918 m :

🏨 **Adalbert-Stifter-Haus** 🌙, ☎ 3 55, ≤, ≘s, 🌳 – 🚗 Ⓟ. E
Nov.- 20. Dez. geschl. – Karte 20/56 – **15 Z : 26 B** 50/55 - 84/90 Fb – 4 Appart. 96/100.

Siehe auch : ***Liste der Feriendörfer***

[HAIGER] 6342. Hessen – 18 600 Ew – Höhe 280 m – ☎ 02773.

♦Wiesbaden 130 – Gießen 50 – Siegen 25.

🏨 **Fuchs** garni, Bahnhofstr. 23 (B 277), ☎ 30 68 – ☎ Ⓟ. AE ⓓ E
11 Z : 15 B 60 - 94 Fb.

🏨 **Reuter**, Hauptstr. 82, ☎ 30 10 – 🚗
Karte 20/48 *(Samstag bis 18 Uhr geschl.)* – **27 Z : 40 B** 47/55 - 80/84.

🍴🍴 **La Toscana**, Bahnhofstr. 33 (B 277), ☎ 38 38, ⛱ – ▤ Ⓟ 🏔. AE ⓓ E VISA
Sonntag 18 Uhr - Montag geschl. – Karte 39/75.

In Haiger-Flammersbach SW : 3 km :

🏨 **Westerwaldstern Tannenhof** 🌙, Am Schimberg 1, ☎ 50 11, Massage, ≘s, 🏊 – ☎ Ⓟ 🏔. 🐕
Karte 32/55 – **60 Z : 118 B** 100/140 - 200/290 Fb.

In Haiger-Langenaubach S : 3,5 km :

🏨 Berghotel 🌙, ☎ 56 15, ≤, « Handgeschnitztes, asiatisches Mobiliar » – Ⓟ
20 Z : 34 B.

[HAIGERLOCH] 7452. Baden-Württemberg [413] J 21, [987] ㉟ – 9 400 Ew – Höhe 425 m – ☎ 07474.

Sehenswert : Lage★★ – Schloßkirche★ – ≤★ von der Oberstadtstraße unterhalb der Wallfahrtskirche St. Anna.

[i] Verkehrsamt, Oberstadtstraße (Rathaus), ☎ 60 61.

♦Stuttgart 70 – Freudenstadt 40 – Reutlingen 48 – Villingen-Schwenningen 59.

🏨 Römer, Oberstadtstr. 41, ☎ 10 15 – ☎
11 Z : 20 B Fb.

🏠 **Krone**, Oberstadtstr. 47, ☎ 4 11
20. Juli - 17. Aug. geschl. – Karte 23/40 – **10 Z : 18 B** 35 - 65.

🍴 Brauerei-Gaststätte Schlößle, Hechinger Str. 9, ☎ 62 35.

In Haigerloch-Bad Imnau NW : 5 km – Kurort :

🏨 **Eyachperle**, Sonnenhalde 2, ☎ 84 36, ≘s, 🌳 – 🚗 Ⓟ. 🐕
◆ *Anfang Jan.- Anfang Feb. geschl.* – Karte 19/35 *(Mittwoch ab 14 Uhr und Montag geschl.)* 🍷 – **13 Z : 20 B** 35/40 - 70/80.

[HALBLECH] 8959. Bayern [413] P 24 – 3 000 Ew – Höhe 815 m – Erholungsort – Wintersport : 800/1 500 m ⛷5 ⛷6 – ☎ 08368.

[i] Verkehrsamt, Bergstraße (Buching), ☎ 2 85 – ♦München 106 – Füssen 13 – Schongau 23.

In Halblech-Buching [426] ⑯ :

🏨 **Bannwaldsee**, Sesselbahnstr. 10, ☎ 8 51, ≤, ⛱, ≘s, 🏊, Fahrradverleih – |≑| ☎ Ⓟ. AE ⓓ E VISA
Nov.- 20. Dez. geschl. – Karte 26/54 – **50 Z : 100 B** 80/90 - 120/150.

🏨 **Geiselstein**, Füssener Str. 26 (B 17), ☎ 2 60, ⛱, ≘s, 🌳 – 🚗 Ⓟ
◆ *15. Nov.- 15. Dez. geschl.* – Karte 19,50/37 🍷 – **21 Z : 36 B** 30/60 - 70/80.

🏨 **Schäder**, Romantische Str. 16, ☎ 13 40, ⛱, 🌳 – Ⓟ. 🐕
9.- 30. Jan. geschl. – Karte 22/47 *(Nov.- April Montag geschl.)* – **12 Z : 24 B** 42/45 - 75 – P 68.

In Halblech-Trauchgau [426] ⑯

🏨 Sonnenbichl 🌙, Am Müllerbichl 1, ☎ 8 71, ≤, ⛱, ≘s, 🏊, 🌳, 🎾 (Halle) – ☎ 🚗 Ⓟ. 🐕
24 Z : 44 B Fb.

[HALDEM] Nordrhein-Westfalen siehe Stemwede.

[HALDENHOF] Baden-Württemberg. Sehenswürdigkeit siehe Bodman-Ludwigshafen und Stockach.

[HALFING] 8201. Bayern [413] T 23, [426] ⑱ – 2 000 Ew – Höhe 602 m – ☎ 08055.
♦München 68 – Landshut 78 – Rosenheim 17 – Salzburg 76 – Wasserburg am Inn 14.

- Kern, Kirchplatz 5, ☎ 2 11, 🚿 – [P]
40 Z : 75 B.
- **Schildhauer**, Chiemseestr. 3, ☎ 2 28, 🚿, 🏊, 🌳 – [P]
Nov. geschl. – Karte 16/34 *(Dienstag geschl.)* – **30 Z : 60 B** 30/38 - 60/72.

[HALLE IN WESTFALEN] 4802. Nordrhein-Westfalen [987] ⑭ – 18 500 Ew – Höhe 130 m – ☎ 05201.
♦Düsseldorf 176 – Bielefeld 17 – Münster (Westfalen) 60 – ♦Osnabrück 38.

- **St. Georg** garni, Winnebrockstr. 2, ☎ 20 59, Fahrradverleih – ☎ [P]. [AE] [E]
23. Dez.- 4. Jan. geschl. – **27 Z : 35 B** 49 - 85.
- 🍴 **Hollmann** mit Zim, Alleestr. 20, ☎ 44 20 – [TV] ☎ [P]. [E]
Karte 24/48 *(Freitag bis 17 Uhr und Montag sowie Juni - Juli 3 Wochen geschl.)* – **8 Z : 15 B** 40 - 80.

In Werther 4806 O : 6 km :

- **Kipps Krug**, Engerstr. 61, ☎ (05203) 2 66, Biergarten, 🍴 (Halle) – [TV] ☎ [P]. [O]
Karte 23/46 *(Donnerstag geschl.)* – **12 Z : 15 B** 42/65 - 75/100 Fb.

[HALLENBERG] 5789. Nordrhein-Westfalen [987] ㉕ – 2 700 Ew – Höhe 385 m – Wintersport : ⛷3 – ☎ 02984.
[i] Fremdenverkehrsverein, Kirchstr. 3, ☎ 82 03.
♦Düsseldorf 200 – ♦Kassel 86 – Korbach 32 – Marburg 45 – Siegen 85 – ♦Wiesbaden 165.

- **Diedrich**, Nuhnestr. 2, ☎ 83 70, 🚿 – [lift] [P] 🏔
Karte 26/50 *(Dienstag geschl.)* – **30 Z : 60 B** 55/65 - 86/96 – 3 Fewo 60/170.
- Sauerländer Hof, Merklinghauser Str. 27, ☎ 4 21 – [TV] [P]
15 Z : 30 B.

[HALLSTADT] Bayern siehe Bamberg.

[HALSENBACH] Rheinland-Pfalz siehe Emmelshausen.

[HALTE] Niedersachsen siehe Weener.

[HALTERN] 4358. Nordrhein-Westfalen [987] ⑭ – 33 000 Ew – Höhe 35 m – ☎ 02364.
Ausflugsziel : Prickings-Hof (NO : 6 km).
[i] Städt. Verkehrsamt, Altes Rathaus, ☎ 10 01.
♦Düsseldorf 79 – Münster (Westfalen) 46 – Recklinghausen 15.

- **Lemloh**, Mühlenstr. 3, ☎ 34 65 – [TV] ☎ 🚗 [P]. [AE] [O] [E] [VISA]
Karte 23/45 – **12 Z : 24 B** 55/75 - 85/108.

In Haltern 4-Flaesheim SO : 5,5 km :

- **Jägerhof zum Stift Flaesheim**, Flaesheimer Str. 360, ☎ 23 27 – 🚗 [P] 🏔
25. Juni - 18. Juli geschl. – Karte 30/59 *(Dienstag geschl.)* – **13 Z : 26 B** 40/45 - 80/90.

In Haltern-Lippramsdorf W : 5,5 km :

- 🍴 **Himmelmann**, Weseler Str. 566 (B 58), ☎ (02360) 15 40, 🌳 – [P]
Dienstag geschl. – Karte 24/50.

In Haltern 5-Sythen N : 5 km :

- **Pfeiffer**, Am Wehr 71, ☎ 64 45, 🌳 – [lift] ☎ [P]. [AE] [O] [E] [VISA]. 🚫 Zim
19. Juni - 7. Juli geschl. – Karte 21/42 *(Donnerstag geschl.)* – **15 Z : 25 B** 32/45 - 60/80.

[HALVER] 5884. Nordrhein-Westfalen [987] ㉔ – 15 800 Ew – Höhe 436 m – ☎ 02353.
♦Düsseldorf 65 – Hagen 32 – Lüdenscheid 12 – Remscheid 26.

- Halvara, Kölner Str. 16, ☎ 34 60 – ☎ 🚗 [P]
10 Z : 20 B.

In Halver-Carthausen NO : 4 km :

- **Frommann**, ☎ 6 11, Telex 8263658, 🌳, 🚿, 🏊, 🌳 – [TV] ☎ 🚗 [P] 🏔. [AE] [O] [E] [VISA]
Karte 30/68 – **22 Z : 38 B** 69/85 - 108/136 Fb – P 90/121.

[HAMBERGE] Schleswig-Holstein siehe Lübeck.

HAMBURG 2000. Ⓛ Stadtstaat Hamburg 987 ⑤ – 1 580 000 Ew – Höhe 10 m – ☎ 040.

Sehenswert : Jungfernstieg★ DY – Außenalster★★★ (Rundfahrt★★★) EX – Tierpark Hagenbeck★★ T – Fernsehturm★ (✱★★) BX – Kunsthalle★★ (Deutsche Malerei des 19.Jh.) EY **M1** – St. Michaelis★ (Turm ✱★) BZ – Stintfang (≤★) BZ – Hafen★★ (Rundfahrt★★) BZ.

Ausflugsziele : Norddeutsches Landesmuseum★★ AV **M** – Altonaer Balkon ≤★ AV **S.**

Hamburg-Blankenese, In de Bargen 59 (W : 17 km), ☎ 81 21 77 ; Ammersbek (15 km über die B 434 T), ☎ (040) 6 05 13 37 ; Hamburg-Wendlohe (N : 14 km über die B 432 T), ☎ 5 50 50 14 ; Wentorf, Golfstr. 2 (③ : 21 km), ☎ (040) 7 20 26 10.

Hamburg-Fuhlsbüttel (N : 15 km T), ☎ 50 80, City - Center Airport (Air Terminal im ZOB FY), Brockesstraße, ☎ 50 85 57.

☎ 39 18 65 56.

Messegelände (BX), ☎ 3 56 91, Telex 212609.

Tourist-Information, Fremdenverkehrszentrale, Hachmannplatz 1 (am Hbf), ☎ 24 87 00, Telex 2163036.

Hotelnachweis im Hbf, ☎ 24 87 02 30.

Zimmernachweis im Flughafen (Halle D), ☎ 24 87 02 40.

ADAC, Amsinckstr. 39 (H 1), ☎ 2 39 90, Notruf ☎ 1 92 11.

♦Berlin 289 ③ – ♦Bremen 120 ⑥ – ♦Hannover 151 ④.

Die Angabe (H 15) nach der Anschrift gibt den Postzustellbezirk an : Hamburg 15
L'indication (H 15) à la suite de l'adresse désigne l'arrondissement : Hamburg 15
The reference (H 15) at the end of the address is the postal district : Hamburg 15
L'indicazione (H 15) posta dopo l'indirizzo precisa il quartiere urbano : Hamburg 15

Stadtpläne : Siehe Hamburg Seiten 3-7

Beim Hauptbahnhof, in St. Georg, östlich der Außenalster Stadtplan : S. 5 und 7 :

Atlantic-Hotel Kempinski, An der Alster 72 (H 1), ☎ 2 88 80, Telex 2163297, Fax 247129, ≤ Außenalster, Massage, – Rest (mit). AE VISA Rest EX **a**
Karte 66/104 *(Samstag bis 18 Uhr geschl.)* – **282 Z : 430 B** 303/333 - 396/466 Fb – 13 Appart. 646/1246.

Holiday Inn Crowne Plaza, Graumannsweg 10 (H 76), ☎ 22 80 60, Telex 2165287, Fax 2208704, Massage, – Zim . AE VISA. Rest FX **a**
Karte 48/75 – **290 Z : 370 B** 225/270 - 295/400 Fb.

Europäischer Hof, Kirchenallee 45 (H 1), ☎ 24 81 71, Telex 2162493 – Rest (mit) FY **e**
350 Z : 620 B Fb.

Reichshof, Kirchenallee 34 (H 1), ☎ 24 83 30, Telex 2163396, Fax 24833588 – . AE VISA. Rest FY **d**
Karte 42/82 – **300 Z : 430 B** 175/205 - 250/305 Fb.

Prem - Restaurant La mer, An der Alster 9 (H 1), ☎ 24 54 54, Telex 2163115, Fax 2803851, « Garten » – . AE VISA. Rest FX **c**
Karte 74/96 *(Samstag sowie Sonn- und Feiertage bis 18 Uhr geschl.)* – **48 Z : 75 B** 180/240 - 229/299 Fb.

Berlin - Brasserie Miro, Borgfelder Str. 1 (H 26), ☎ 25 16 40, Telex 213939, Fax 25164413 – Rest (mit). AE VISA. Rest GY **a**
Karte 45/70 – **93 Z : 120 B** 115/145 - 160/190 Fb.

Ambassador, Heidenkampsweg 34 (H 1), ☎ 23 00 02, Telex 2166100, Fax 230009, – . AE VISA GY **e**
Karte 42/68 – **124 Z : 200 B** 98/160 - 185/260.

St. Raphael, Adenauer-Allee 41 (H 1), ☎ 24 82 00, Telex 2174733, Fax 24820333, – Zim . AE VISA. FY **m**
Karte 34/60 *(Samstag, Sonn- und Feiertage geschl.)* – **120 Z : 160 B** 120/150 - 150/220 Fb.

Senator garni, Lange Reihe 18 (H 1), ☎ 24 12 03, Telex 2174002, Fax 2803717 – . AE VISA FY **u**
56 Z : 120 B 136/152 - 186/192 Fb.

Fürst Bismarck garni, Kirchenallee 49 (H 1), ☎ 2 80 10 91, Telex 2162980 – . AE VISA FY **x**
59 Z : 92 B 95/125 - 145/155.

Bellevue, An der Alster 14 (H 1), ☎ 24 80 11, Telex 2162929 – . AE VISA FX **t**
Karte 36/68 *(Juli - Aug. Sonntag geschl.)* – **80 Z : 100 B** 125/160 - 176/210 Fb.

Fortsetzung →

Alsterarkaden	S. 7	DY	3
Bergstraße	S. 7	DY	
Colonnaden	S. 6	CXY	
Dammtorstraße	S. 6	CXY	
Gerhofstraße	S. 6	CY	32
Große Bleichen	S. 6	CY	
Großer Burstah	S. 6	CZ	
Jungfernstieg	S. 7	DY	
Mönckebergstraße	S. 7	EY	
Neuer Wall	S. 6	CY	
Poststraße	S. 6	CY	
Spitalerstraße	S. 7	EY	
ABC Straße	S. 6	CY	
Adenauerallee	S. 7	FY	2
Ahrensburger Straße	S. 3	T	
Alsenstraße	S. 4	AX	
Alsterarkaden	S. 7	DY	3
Alsterglacis	S. 7	DX	
Alsterkrugchaussee	S. 3	T	
Alsterufer	S. 7	EX	
Alte Landstraße	S. 3	T	
Alte Rabenstraße	S. 7	EX	
Alter Steinweg	S. 6	CY	
Alter Wall	S. 6	CY	
Altmannbrücke	S. 7	FY	
Altonaer Straße	S. 6	BX	4
Amsinckstraße	S. 7	FZ	
Anckelmannstraße	S. 5	GY	6
An der Alster	S. 7	FX	
An der Verbindungsbahn	S. 6	BCX	
Ausschläger Weg	S. 5	GY	
Bachstraße	S. 5	GV	
Bahrenfelder Chaussee	S. 3	U	7
Ballindamm	S. 7	EY	
Banksstraße	S. 7	FZ	
Barcastraße	S. 7	FX	
Barmbeker Markt	S. 5	GV	
Barmbeker Straße	S. 5	FV	
Beethovenstraße	S. 5	GV	
Behnstraße	S. 4	AV	
Bei dem Neuen Krahn	S. 6	CZ	9
Bei den Kirchhöfen	S. 6	BCX	
Bei den Mühren	S. 7	DZ	
Bei den St.-Pauli-Landungsbrücken	S. 6	BZ	10
Beim Schlump	S. 6	BX	
Beim Strohhause	S. 5	GY	12
Bergedorfer Straße	S. 3	U	13
Bergstraße	S. 7	DY	
Berner Chaussee	S. 3	T	
Bernhard-Nocht-Straße	S. 6	BZ	14
Bernstorffstraße	S. 4	AXY	
Biedermannplatz	S. 5	GV	
Billhorner Brückenstr.	S. 5	GZ	15
Billstraße	S. 5	GZ	
Böhmkenstraße	S. 6	BZ	16
Börsenbrücke	S. 7	DZ	18
Bogenstraße	S. 4	BV	
Borgfelder Straße	S. 5	GY	
Bramfelder Chaussee	S. 3	T	
Breitenfelder Straße	S. 4	BCV	
Bremer Straße	S. 3	U	
Brombeerweg	S. 3	T	
Buchtstraße	S. 7	FX	19
Budapester Straße	S. 6	BY	
Bürgerweide	S. 5	GX	
Bundesstraße	S. 6	BX	
Burchardplatz	S. 7	EY	
Burgstraße	S. 5	GX	
Buxtehuder Straße	S. 3	U	
Colonnaden	S. 6	CXY	
Cremon	S. 6	CZ	21
Dammtordamm	S. 6	CX	23
Dammtorstraße	S. 6	CXY	
Dammtorwall	S. 6	CXY	
Dehnhaide	S. 5	GV	
Deichstraße	S. 6	CZ	
Deichtorplatz	S. 7	FZ	
Ditmar-Koel-Straße	S. 6	BZ	
Domstraße	S. 7	DZ	
Doormannsweg	S. 4	AVX	
Dorotheenstraße	S. 5	EFV	
Dovenfleet	S. 7	EZ	
Edmund-Siemers-Allee	S. 6	CX	
Ehrenbergstraße	S. 4	AV	26
Eiffestraße	S. 3	U	27
Eilbektal	S. 5	GV	
Eilenau	S. 5	GX	
Eimsbütteler Chaussee	S. 4	AX	
Eimsbütteler Marktplatz	S. 4	AV	
Elbchaussee	S. 3	U	29
Eppendorfer Baum	S. 4	CV	
Eppendorfer Landstraße	S. 4	CV	
Eppendorfer Weg	S. 4	BV	
Esplanade	S. 6	CX	
Feldstraße	S. 6	BY	
Ferdinandstraße	S. 7	EY	
Fernsicht	S. 5	EV	
Fontenay	S. 7	DEX	
Friedrich-Ebert-Damm	S. 3	T	
Friedrich-Ebert-Straße	S. 3	T	
Fruchtallee	S. 4	AX	
Fuhlsbüttler Straße	S. 5	GV	
Gänsemarkt	S. 6	CY	
Gärtnerstraße	S. 4	BV	
Gellerstraße	S. 5	EV	
Georg-Wilhelm-Straße	S. 3	U	
Gerhofstraße	S. 6	CY	32
Glacischaussee	S. 6	BY	
Glockengießerwall	S. 7	EY	
Gorch-Fock-Wall	S. 6	CXY	
Graskeller	S. 6	CY	34
Graumannsweg	S. 7	FX	35
Grevenweg	S. 5	GY	
Grindelallee	S. 6	CX	
Grindelberg	S. 4	BV	
Grindelhof	S. 6	CX	
Große Bergstraße	S. 4	AV	
Große Bleichen	S. 6	CY	
Große Elbstraße	S. 4	AV	
Große Johannisstraße	S. 7	DY	36
Großer Burstah	S. 6	CZ	
Große Reichenstraße	S. 7	DZ	37
Habichtstraße	S. 3	T	38
Hachmannplatz	S. 7	FY	39
Hafenrandstraße	S. 6	BZ	
Hallerstraße	S. 4	CV	
Hamburger Straße	S. 5	GV	
Hammer Landstraße	S. 3	U	40
Hannoversche Straße	S. 3	U	41
Hansaplatz	S. 7	FY	
Harvestehuder Weg	S. 7	EX	
Hauptstraße	S. 4	AV	42
Heidenkampsweg	S. 5	GYZ	
Heilwigstraße	S. 4	DV	
Heimhuder Straße	S. 7	DX	
Helgoländer Allee	S. 6	BZ	43
Herbert-Weichmann-Str.	S. 5	FV	44
Herderstraße	S. 5	FV	
Hermannstraße	S. 7	DEY	
Heußweg	S. 4	AV	
Högerdamm	S. 7	FZ	
Hofweg	S. 5	FV	
Hohe Bleichen	S. 6	CY	
Hoheluftchaussee	S. 4	BV	
Hohe Straße	S. 3	U	45
Holsteiner Chaussee	S. 3	T	
Holstenglacis	S. 6	BX	46
Holstenstraße	S. 4	AX	
Holstenwall	S. 6	BY	
Holzdamm	S. 7	EY	
Horner Landstraße	S. 3	U	
Hütten	S. 6	BY	
Im Gehölz	S. 4	AV	
Jahnring	S. 3	T	47
Jarrestraße	S. 5	GV	
Jessenstraße	S. 4	AV	48
Johnsallee	S. 7	DX	
Jungfernstieg	S. 7	DY	
Jungiusstraße	S. 6	BX	
Kaiser-Wilhelm-Straße	S. 6	CY	
Kajen	S. 6	CZ	
Karolinenstraße	S. 6	BX	
Kennedybrücke	S. 7	EX	49
Kieler Straße	S. 3	T	
Kirchenallee	S. 7	FY	
Kleine Reichenstraße	S. 7	EZ	50
Kleiner Schäferkamp	S. 6	BX	
Klingberg	S. 7	EZ	51
Klopstockstraße	S. 4	AV	52
Klosterwall	S. 5	EFY	53
Köhlbrandbrücke	S. 3	U	
Königstraße	S. 4	AV	
Kollaustraße	S. 3	T	
Koppel	S. 7	FX	
Krayenkamp	S. 6	BCZ	54
Kreuzweg	S. 7	FY	
Krugkoppel	S. 5	EV	55
Kuhmühle	S. 5	GX	56
Kurt-Schumacher-Allee	S. 7	FY	
Lagerstraße	S. 6	BX	
Landwehr	S. 5	GX	
Langenfelder Damm	S. 3	T	57
Langenfelder Straße	S. 4	AX	
Langenhorner Chaussee	S. 3	T	
Lange Reihe	S. 7	FX	
Lerchenfeld	S. 5	GX	
Lokstedter Steindamm	S. 3	T	59
Lombardsbrücke	S. 7	EX	
Louise-Schroeder-Straße	S. 4	AY	
Lübecker Straße	S. 5	GX	
Lübecker Tordamm	S. 5	GX	61
Magdalenenstraße	S. 7	EX	
Mansteinstraße	S. 4	BV	
Maria-Louisen-Straße	S. 5	EV	
Marktstraße	S. 6	BX	
Marseiller Straße	S. 6	CX	
Martinistraße	S. 4	BV	
Max-Brauer-Allee	S. 4	AV	62
Millerntordamm	S. 6	BY	63
Millerntorplatz	S. 6	BY	
Mittelweg	S. 7	DX	
Mönckebergstraße	S. 7	EY	
Moorweidenstraße	S. 6	CX	
Mühlendamm	S. 5	GX	
Mundsburger Damm	S. 5	GX	
Neß	S. 7	DZ	
Neuer Jungfernstieg	S. 7	DY	
Neuer Kamp	S. 6	BXY	
Neuer Pferdemarkt	S. 6	BX	
Neuer Steinweg	S. 6	BY	
Neuer Wall	S. 6	CY	
Nobistor	S. 4	AY	
Norderstraße	S. 7	FY	
Nordkanalstraße	S. 7	FZ	
Oberstraße	S. 4	BCV	
Oldesloer Straße	S. 3	T	64
Osterbekstraße	S. 5	GV	
Osterfeldstraße	S. 3	T	65
Osterstraße	S. 4	AV	
Ost-West-Straße	S. 6	CZ	
Palmaille	S. 4	AV	
Parkallee	S. 4	CV	
Pilatuspool	S. 6	BY	
Pinneberger Chaussee	S. 3	T	
Pinneberger Straße	S. 3	T	
Platz der Republik	S. 4	AV	67
Poolstraße	S. 6	BY	
Poststraße	S. 6	CY	
Pumpen	S. 7	EZ	68
Rathausmarkt	S. 7	DY	
Rathausstraße	S. 7	DY	69
Reeperbahn	S. 6	BY	
Reesendamm	S. 7	DY	70
Rentzelstraße	S. 6	BX	
Rostocker Straße	S. 7	FXY	
Rothenbaumchaussee	S. 6	CX	
Saarlandstraße	S. 5	GV	
St.-Benedict-Straße	S. 4	CV	
St.-Pauli-Fischmarkt	S. 4	AZ	
Schaarmarkt	S. 6	BZ	
Schaarsteinweg	S. 6	BZ	
Schäferkampsallee	S. 6	BX	
Schanzenstraße	S. 6	BX	
Schlankreye	S. 4	BV	
Schleidenstraße	S. 5	GV	71
Schleusenbrücke	S. 7	DY	72
Schleswiger Damm	S. 3	T	73
Schmiedestraße	S. 7	EZ	74
Schöne Aussicht	S. 5	FVX	
Schröderstiftstraße	S. 6	BX	
Schulterblatt	S. 4	AX	
Schwanenwik	S. 5	FX	
Sechslingspforte	S. 7	FX	
Seewartenstraße	S. 6	BZ	76
Sierichstraße	S. 5	EV	
Sievekingdamm	S. 5	GX	
Sievekingplatz	S. 6	BY	
Sievekingsallee	S. 5	GX	
Simon-von-Utrecht-Straße	S. 4	ABY	
Spaldingstraße	S. 7	FY	
Speersort	S. 7	EY	
Spitalerstraße	S. 7	EY	
Stader Straße	S. 3	U	
Stadthausbrücke	S. 6	CY	77
Steindamm	S. 7	FY	
Steinhauerdamm	S. 5	GX	78
Steinstraße	S. 7	EY	
Steintordamm	S. 7	FY	79
Steintorplatz	S. 7	FY	80

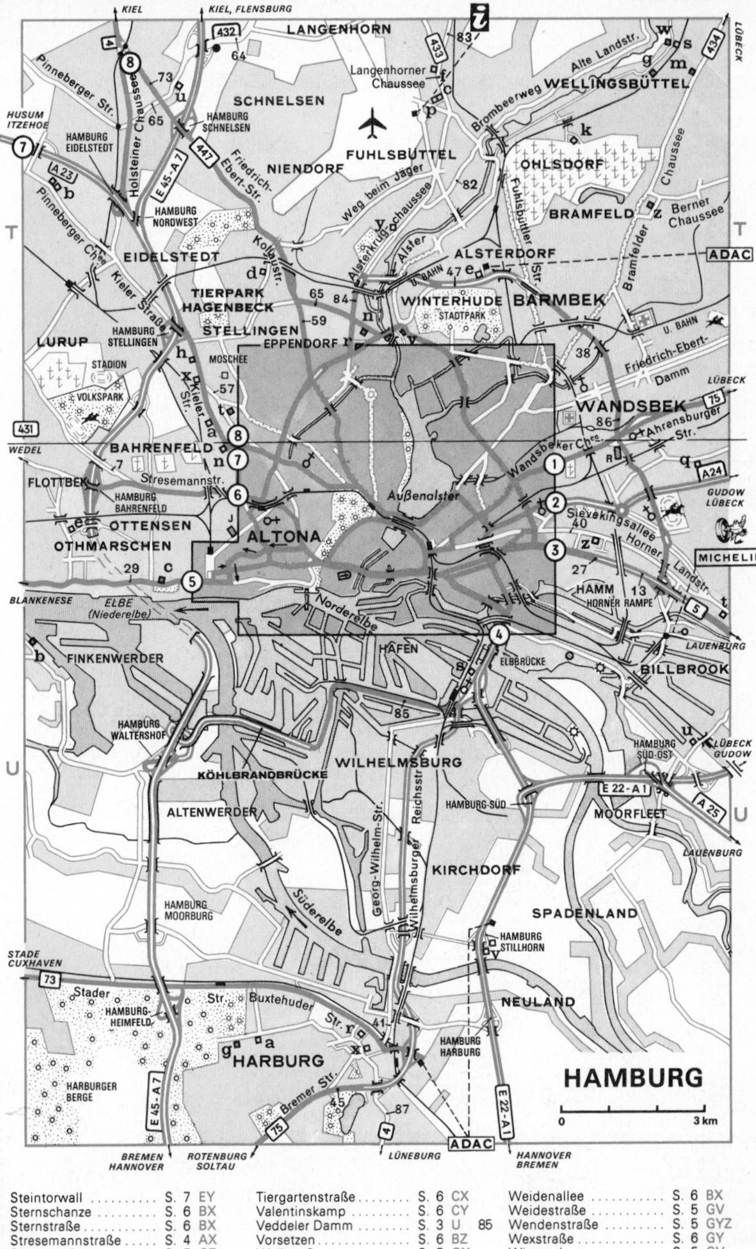
KIEL
KIEL, FLENSBURG
LANGENHORN
LÜBECK
WELLINGSBÜTTEL
SCHNELSEN
FUHLSBÜTTEL
NIENDORF
OHLSDORF
BRAMFELD
HUSUM
ITZEHOE
HAMBURG EIDELSTEDT
HAMBURG SCHNELSEN
HAMBURG NORDWEST
EIDELSTEDT
ALSTERDORF
ADAC
TIERPARK HAGENBECK
WINTERHUDE
BARMBEK
STADTPARK
STELLINGEN
EPPENDORF
LURUP
HAMBURG STELLINGEN
STADION
VOLKSPARK
MOSCHEE
WANDSBEK
WEDEL
BAHRENFELD
FLOTTBEK
HAMBURG BAHRENFELD
Außenalster
OTTENSEN
OTHMARSCHEN
ALTONA
MICHELIN
GUDOW
LÜBECK
BLANKENESE
ELBE (Niederelbe)
Norderelbe
HAMM
HORNER RAMPE
LAUENBURG
HAFEN
ELBBRÜCKE
FINKENWERDER
BILLBROOK
HAMBURG WALTERSHOF
HAMBURG SÜD-OST
WILHELMSBURG
KÖHLBRANDBRÜCKE
HAMBURG-SÜD
MOORFLEET
ALTENWERDER
KIRCHDORF
HAMBURG MOORBURG
SPADENLAND
Süderelbe
HAMBURG STILLHORN
STADE
CUXHAVEN
NEULAND
HAMBURG-HEIMFELD
HAMBURG HARBURG
HARBURG
HARBURGER BERGE
HAMBURG
0
3 km
BREMEN
HANNOVER
ROTENBURG
SOLTAU
LÜNEBURG
HANNOVER
BREMEN

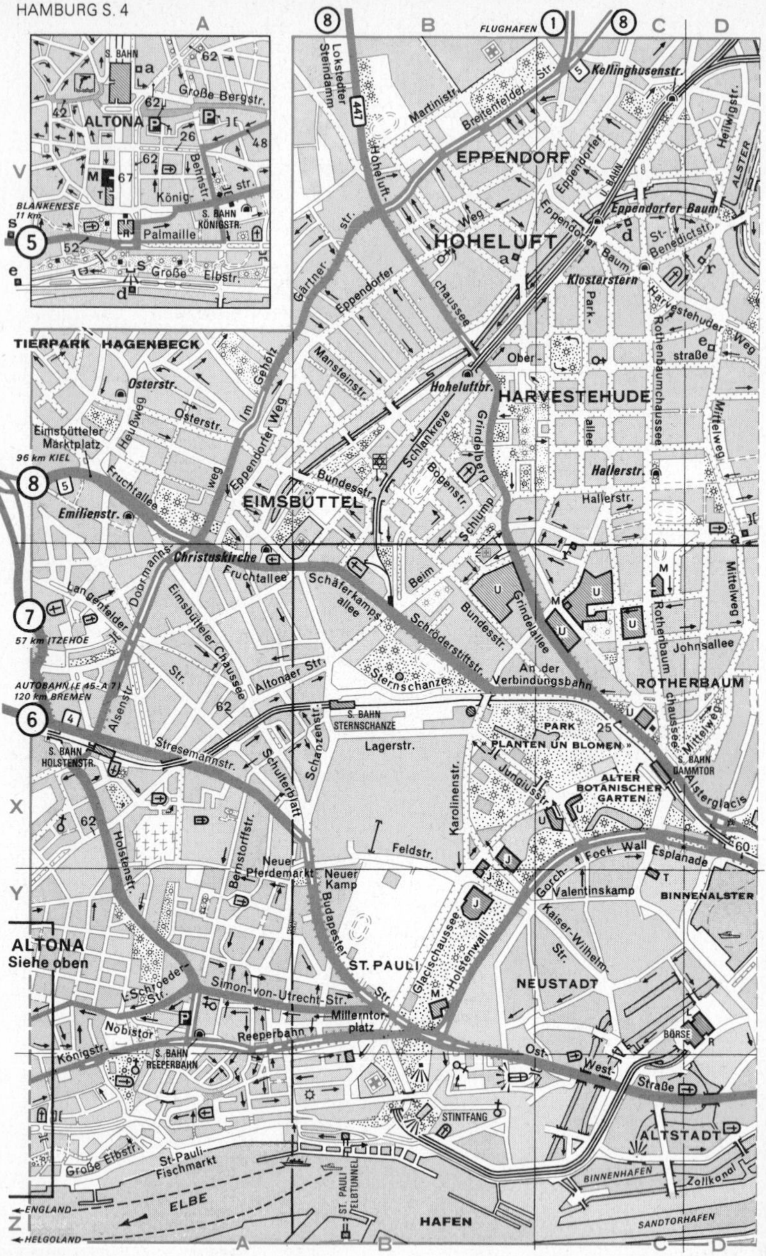

Anckelmannstraße	GY 6	Hammer Landstraße	GY 40	Klosterwall	EFY 53
Beim Strohhause	GY 12	Hauptstraße	AV 42	Krugkoppel	EV 55
Billhorner Brückenstraße	GZ 15	Herbert-Weichmann-Str.	FV 44	Kuhmühle	GX 56
Edmund-Siemers-Allee	CX 25	Jessenstraße	AV 48	Lombardsbrücke	EY 60
Ehrenbergstraße	AV 26	Kennedybrücke	EX 49	Lübecker Tordamm	GX 61
Glockengießerwall	EY 33	Klopstockstraße	AV 52	Max-Brauer-Allee	AVX 62

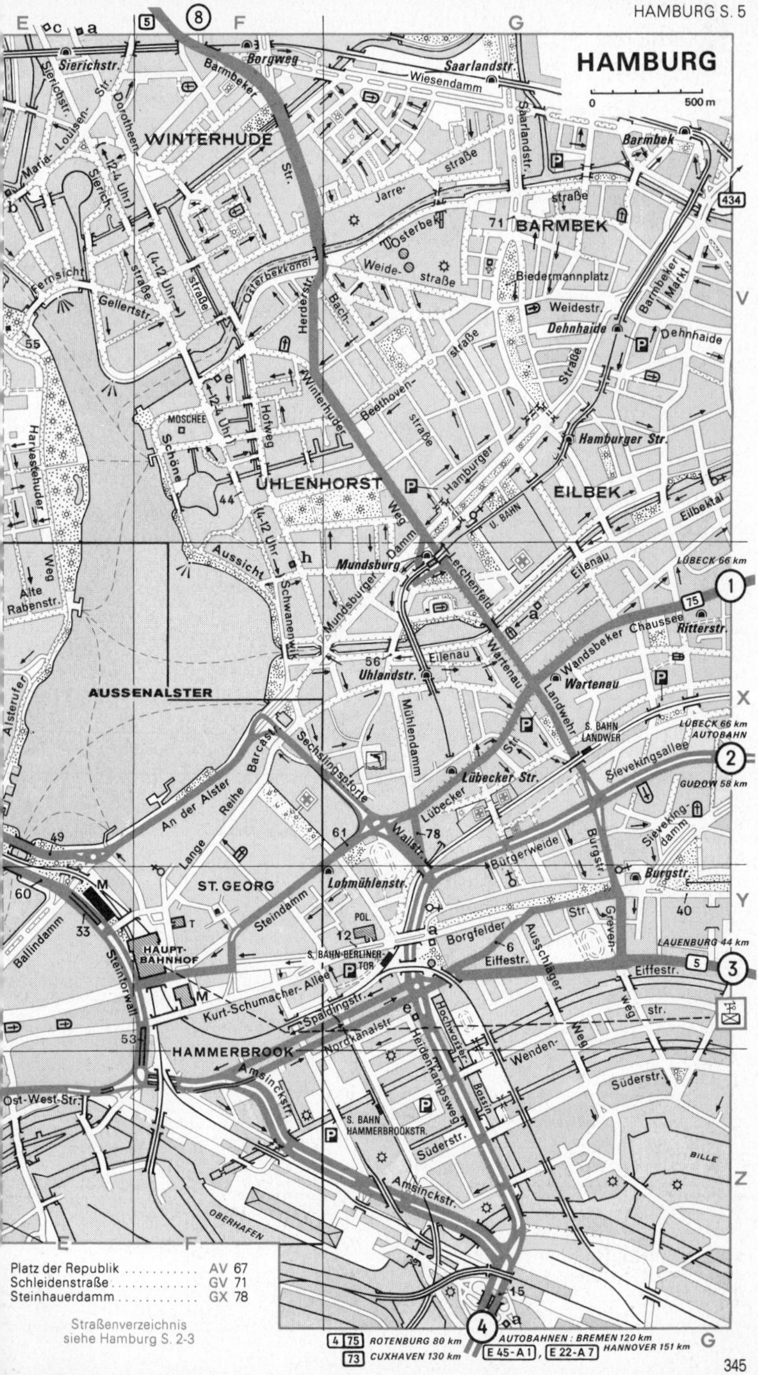

Straßenverzeichnis siehe Hamburg S. 2-3

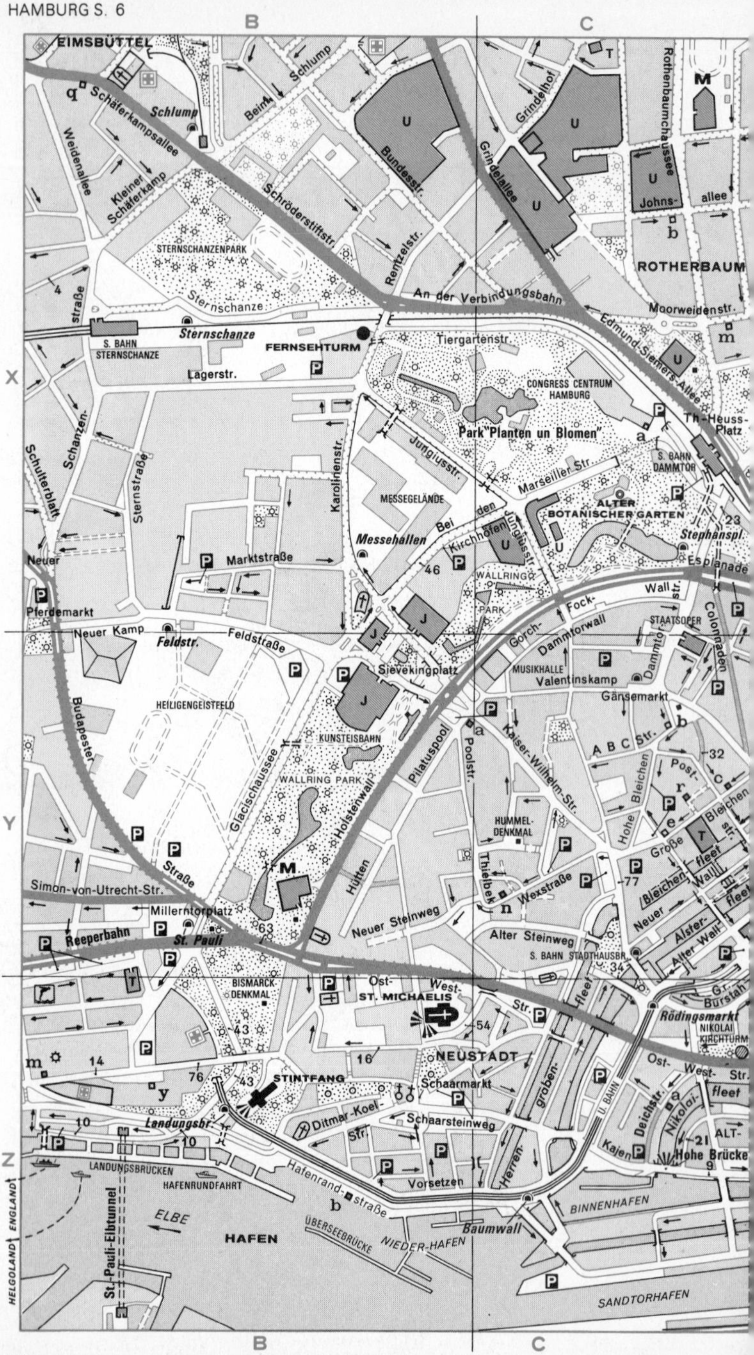
B
C
EIMSBÜTTEL
Schlump
Schäferkampsallee
Weidenallee
Kleiner Schäferkamp
Beim
Schröderstiftstr.
Bundesstr.
Grindelhof
Grindelallee
Rothenbaumchaussee
Johnsallee
ROTHERBAUM
STERNSCHANZENPARK
Sternschanze
Rentzelstr.
An der Verbindungsbahn
Moorweidenstr.
Edmund-Siemers-Allee
S. BAHN STERNSCHANZE
FERNSEHTURM
Tiergartenstr.
Lagerstr.
CONGRESS CENTRUM HAMBURG
Th.-Heuss-Platz
Park "Planten un Blomen"
S. BAHN DAMMTOR
Jungiusstr.
Marseiller Str.
Schanzenstr.
Schulterblatt
Sternstraße
Karolinenstr.
MESSEGELÄNDE
ALTER BOTANISCHER GARTEN
Stephanspl.
Bei den Kirchhöfen
Messehallen
Marktstraße
WALLRING PARK
Esplanade
Neuer Pferdemarkt
Gorch-Fock-Wall
Colonnaden
STAATSOPER
Neuer Kamp
Feldstr.
Feldstraße
Dammtorwall
Dammtorstr.
Sievekingplatz
MUSIKHALLE
Valentinskamp
Gänsemarkt
HEILIGENGEISTFELD
KUNSTEISBAHN
Budapester Str.
Glacischaussee
Holstenwall
Pilatuspool
Poolstr.
Kaiser-Wilhelm-Str.
ABC Str.
Post-Str.
Hohe Bleichen
HUMMEL-DENKMAL
Große Bleichen
Thielbek
Wexstraße
Neuer Wall
Bleichenfleet
Simon-von-Utrecht-Str.
Hütten
Millerntorplatz
Neuer Steinweg
Alter Steinweg
Reeperbahn
St. Pauli
S. BAHN STADTHAUSBR.
Alsterfleet
Alter Wall
BISMARCK-DENKMAL
Ost-West-Str.
ST. MICHAELIS
Gr. Burstah
Rödingsmarkt
NIKOLAI KIRCHTURM
NEUSTADT
STINTFANG
Schaarmarkt
Herrengrabenfleet
Ditmar-Koel-Str.
Schaarsteinweg
Deichstr.
Nikolaifleet
Landungsbr.
U. BAHN
Kajen
Hohe Brücke
LANDUNGSBRÜCKEN
HAFENRUNDFAHRT
Vorsetzen
Hafenrandstraße
BINNENHAFEN
ELBE
HAFEN
ÜBERSEEBRÜCKE
NIEDER-HAFEN
Baumwall
HELGOLAND
ENGLAND
St.-Pauli-Elbtunnel
SANDTORHAFEN
X
Y
Z

HAMBURG

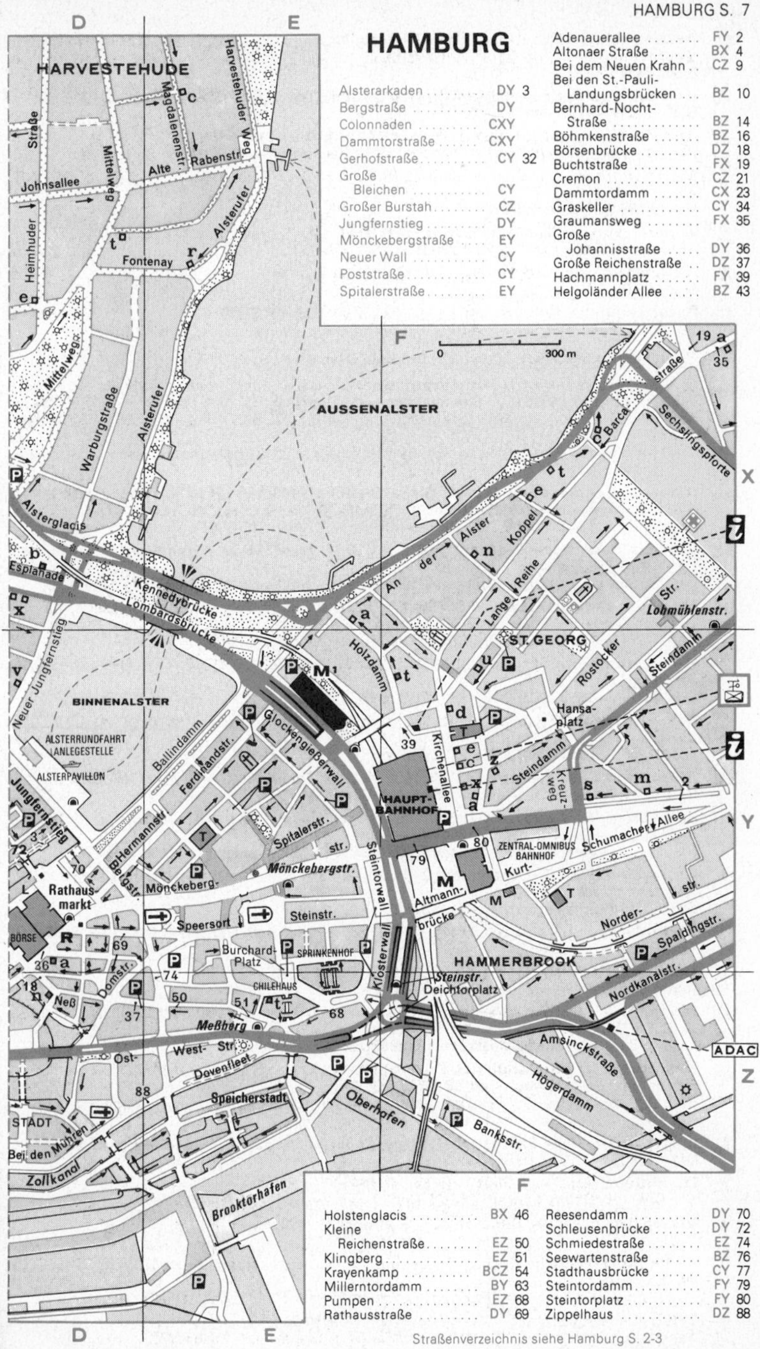

Straßenverzeichnis siehe Hamburg S. 2-3

Aussen-Alster-Hotel garni, Schmilinskystr. 11 (H 1), ☎ 24 15 57, Telex 211278, Fax 2803231, Fahrradverleih — FX e
27 Z : 54 B 140/180 - 180/230 Fb.

Kronprinz garni, Kirchenallee 46 (H 1), ☎ 24 32 58, Telex 2161005 — FY c
73 Z : 110 B 95/135 - 145/155 Fb.

Alte Wache, Adenauer-Allee 25 (H 1), ☎ 24 12 91, Telex 2162254 — FY s
24. Dez.- 2. Jan. geschl. — (nur Abendessen für Hausgäste) — **68 Z : 76 B** 105/130 - 160.

Metro Merkur garni, Bremer Reihe 12 (H 1), ☎ 24 72 66, Telex 2162683 — FY z
109 Z : 200 B 95/120 - 125/150.

Wedina garni, Gurlittstr. 23 (H 1), ☎ 24 30 11, (geheizt), — FX n
18. Dez.- 10. Feb. geschl. — **23 Z : 38 B** 60/110 - 90/125.

Alt Nürnberg garni, Steintorweg 15 (H 1), ☎ 24 60 24 — FY a
16 Z : 29 B.

Peter Lembcke, Holzdamm 49 (H 1), ☎ 24 32 90 — FY t
Sonn- und Feiertage geschl., April - Okt. Samstag nur Abendessen — Karte 47/83.

Binnenalster, Altstadt, Neustadt Stadtplan Hamburg : S. 6 und 7 :

Vier Jahreszeiten - Restaurant Haerlin, Neuer Jungfernstieg 9 (H 36), ☎ 3 49 41, Telex 211629, Fax 3494602, ≤ Binnenalster — DY v
Karte 66/120 *(Sonn- und Feiertage geschl.)* — **175 Z : 252 B** 277/332 - 419/589 — 12 Appart. 694/974
Spez. Babysteinbutt mit Kräutermousseline, Gefülltes Rinderfilet mit Gänseleber und Kalbsbries, Dessertteller "Vier Jahreszeiten".

Ramada Renaissance Hotel, Große Bleichen (H 36), ☎ 34 91 80, Telex 2162983, Fax 34918431, Massage, — Zim . Rest CY e
Karte 62/87 — **211 Z : 297 B** 292/392 - 354/444 Fb — 5 Appart. 594/1844.

Hamburg Plaza, Marseiller Str. 2 (H 36), ☎ 3 50 20, Telex 214400, ≤ Hamburg, Massage, — CX a
Restaurants : — **Englischer Grill** *(nur Abendessen)* — **Vierländerstube** — **570 Z : 1140 B** Fb.

Hamburg Marriott Hotel, ABC-Str. 52 (H 36), ☎ 3 50 50, Telex 2165871, Massage, — Zim . Rest CY b
Karte 71/94 — **276 Z : 350 B** 274/379 - 338/443 Fb — 6 Appart. 548/598.

Hafen Hamburg, Seewartenstr. 9 (H 11), ☎ 31 11 30, Telex 2161319, ≤ — Zim BZ y
Karte 45/77 — **252 Z : 420 B** 98/138 - 138/178 Fb.

Baseler Hospiz, Esplanade 11 (H 36), ☎ 35 90 60, Telex 2163707 — DX x
Karte 18/50 — **160 Z : 202 B** 95/127 - 135/145.

Alster-Hof garni, Esplanade 12 (H 36), ☎ 35 00 70, Telex 213843 — DX x
23. Dez.- 1. Jan. geschl. — **120 Z : 156 B** 115/135 - 160/210 Fb.

Zum alten Rathaus (mit Unterhaltungslokal Fleetenkieker), Börsenbrücke 10 (H 11), ☎ 36 75 70 — DZ n
Sonn- und Feiertage geschl. — Karte 47/85 (Tischbestellung ratsam).

Ratsweinkeller, Gr. Johannisstr. 2 (H 11), ☎ 36 41 53, « Hanseatisches Restaurant a.d.J. 1896 » — DY R
Sonn- und Feiertage geschl. — Karte 31/70.

Überseebrücke, Vorsetzen (H 11), ☎ 31 33 33, ≤ Hafen und Werften — BZ b
Karte 53/85.

Deichgraf, Deichstr. 23 (H 11), ☎ 36 42 08 — CZ a
Sonn- und Feiertage geschl. — Karte 47/90 (Tischbestellung ratsam).

Mövenpick - Café des Artistes, Große Bleichen 36 (Untergeschoß) (H 36), ☎ 35 16 35 — CY r
Karte 45/75 — **Mövenpick-Restaurant** Karte 29/59.

Restaurant im Finnlandhaus, Esplanade 41 (12. Etage) (H 36), ☎ 34 41 33, ≤ Hamburg, Binnen- und Außenalster — DX b
Sonntag ab 15 Uhr und Samstag geschl. — Karte 45/82 *(Sonn- und Feiertage mittags nur Buffet).*

il ristorante, Große Bleichen 16 (1. Etage) (H 36), ☎ 34 33 35 — CY c
Karte 60/80.

Dominique, Karl-Muck-Platz 11 (H 36), ☎ 34 45 11 — BCY a
Samstag bis 18 Uhr, Sonntag und 24. Dez.- 1. Jan. geschl. — Karte 40/60.

Viking (im Chilehaus), Depenau 3 (H 1), ☎ 32 71 71 — EZ t
Samstag 15 Uhr - Sonntag geschl. — Karte 40/66.

al Pincio (Italienische Küche), Schauenburger Str. 59 (1. Etage) (H 1), ☎ 36 52 55 — DY a
9.- 31. Juli sowie Sonn- und Feiertage geschl. — Karte 46/71 (Tischbestellung ratsam).

Vitell (Bistro-Restaurant), Wexstr. 38 (H 36), ☎ 34 50 30 CY n
Samstag - Sonntag, Sept. 2 Wochen und 23.- 30. Dez. geschl. — Karte 50/70.

In den Außenbezirken :

In Hamburg-Alsterdorf :

Alsterkrug-Hotel, Alsterkrugchaussee 277 (H 60), ✆ 51 30 30, Telex 2173828, Fax 51303403, , Fahrradverleih – Zim . Rest T y
Karte 38/63 – **80 Z : 160 B** 145/159 - 191/205 Fb – 4 Appart. 251.

In Hamburg-Altona :

Raphael Hotel Altona, Präsident-Krahn-Str. 13 (H 50), ✆ 38 12 39, Telex 2174733, Fax 3809009, – . Rest AV a
23. Dez.- 2. Jan. geschl. – Karte 30/43 *(nur Abendessen, Samstag - Sonntag geschl.)* – **45 Z : 80 B** 95/135 - 125/190 Fb.

XXXX ✿✿ **Landhaus Scherrer**, Elbchaussee 130 (H 50), ✆ 8 80 13 25 – . U c
Sonn- und Feiertage geschl. – Karte 72/110 (Tischbestellung erforderlich) – **Bistro-Restaurant** *(nur Mittagessen)* Karte 50/73
Spez. Gepökelter Kalbskopf mit Linsen und Sherrysauce, Gebackene Nordseefische im Reisblatt, Vierländer Ente mit Wacholdersauce.

XXX **Fischereihafen-Restaurant Hamburg** (nur Fischgerichte), Große Elbstr. 143 (H 50), ✆ 38 18 16, ← – . AV d
Karte 40/101 (Tischbestellung ratsam).

XX Hanse-Grill, Elbchaussee 94 (H 50), ✆ 39 46 11 – AV s

X **La Mouette**, Neumühlen 50 (H 50), ✆ 39 65 04 – AV e
Sonntag - Montag geschl. – Karte 50/80 (abends Tischbestellung erforderlich).

In Hamburg-Bergedorf 2050 ③ : 18 km über die B 5 U :

Sachsentor garni, Bergedorfer Schloßstr. 10 (H 80), ✆ 7 24 30 11, Telex 2165022 – .
35 Z : 80 B 95 - 125 Fb.

XX **Laxy's Restaurant**, Bergedorfer Str. 138 (H 80), ✆ 7 24 76 40 –
nur Abendessen, Sonntag geschl. – Karte 50/80.

In Hamburg-Bergstedt NO : 17 km über die B 434 T:

XX **Landhaus zum Lindenkrug** mit Zim, Bergstedter Chaussee 128 (B 434) (H 65), ✆ 6 04 80 05, – . . Zim
Karte 43/80 *(Montag geschl.)* – **6 Z : 10 B** 70 - 110.

X **Alte Mühle**, Alte Mühle 34 (H 65), ✆ 6 04 91 71, –
Mittwoch geschl. – Karte 30/56.

In Hamburg-Billbrook :

City-Inter-Hotel, Halskestr. 72 (an der A 1, Abfahrt Moorfleet) (H 74), ✆ 78 96 91, Telex 2161936, – . U u
Karte 35/65 – **175 Z : 370 B** 95/140 - 120/165 Fb.

In Hamburg-Billstedt :

Panorama garni, Billstedter Hauptstr. 44 (H 74), ✆ 73 17 01, Telex 212162, Fax 7326627, – . U t
24. Dez.- 2. Jan. geschl. – **111 Z : 162 B** 150/170 - 180/260 Fb – 7 Appart. 250/300.

In Hamburg-Blankenese W : 16 km über ⑤ und Elbchaussee U :

Strandhotel, Strandweg 13 (H 55), ✆ 86 13 44, Fax 864936, ←, , « Ehem. Villa mit eleganter Einrichtung, ständige Bilderausstellung », – .
Karte 42/74 *(Sonntag 15 Uhr - Montag geschl.)* – **16 Z : 27 B** 148/198 - 226/386 Fb.

Behrmann garni, Elbchaussee 528 (H 55), ✆ 8 66 97 20 – . .
40 Z : 68 B 98/135 - 145/235.

XXX Sagebiels Fährhaus, Blankeneser Hauptstr. 107 (H 55), ✆ 86 15 14, « Gartenterrasse mit ← » – .

XXX **Süllberg**, Süllbergsterrasse 2 (H 55), ✆ 86 16 86, « Gartenterrasse mit ← » – .
9.- 28. Jan. geschl. – Karte 43/76.

In Hamburg-Bramfeld :

XX **Don Camillo e Peppone** (Italienische Küche), Im Soll 50 (H 71), ✆ 6 42 90 21 –
nur Abendessen, Montag geschl. – Karte 54/69 (Tischbestellung ratsam). T z

In Hamburg-City Nord :

Crest-Hotel Hamburg, Mexicoring 1 (H 60), ✆ 6 30 50 51, Telex 2174155 – T e
185 Z : 270 B Fb.

In Hamburg-Duvenstedt über Alte Landstr. T :

XXX ✿ **Le Relais de France**, Poppenbütteler Chaussee 3 (H 65), ✆ 6 07 07 50 – .
nur Abendessen, Sonntag geschl. – Karte 65/86 (Tischbestellung ratsam) – **Bistro** *(auch Mittagessen)* Karte 38/65
Spez. Hummer im Orangen-Basilikum-Sud, Rinderfilet mit Chambertinsauce, Buttermilcheis mit Früchten.

In Hamburg-Eilbek :

Helbing garni, Eilenau 37 (H 76), 25 20 83 – GX **a**
17 Z : 23 B 65/75 - 108/118.

In Hamburg-Eimsbüttel :

Norge-Kon-Tiki-Grill, Schäferkampsallee 49 (H 6), 44 11 50, Telex 214942, Fax 44115577, Massage, – Rest . Rest BX **q**
22.- 29. Dez. geschl. – Karte 27/67 – **88 Z : 170 B** 121/156 - 139/186 Fb.

Martial, Langenfelder Damm 10 (H 20), 40 41 52 – T **t**
Sonntag bis 19 Uhr und Montag geschl. – Karte 53/70 – **Bistro** Karte 35/45.

In Hamburg-Eppendorf :

Le canard, Martinistr. 11 (H 20), 4 60 48 30 – . T **r**
Sonntag und Juli - Aug. 3 Wochen geschl. – Karte 88/124 *(bemerkenswerte Weinkarte)* (Tischbestellung erforderlich)
Spez. Gratin von Lachs und Avocado, Steinbutt auf Olivensauce, Kalbshirnsoufflé mit Champagnersauce und Pilzen.

Anna e Sebastiano, Lehmweg 30 (H 20), 4 22 25 95 – . BV **a**
Sonntag - Montag, 1.- 17. Jan. und Juli - Aug. 3 Wochen geschl. – Karte 58/70.

Fisch Sellmer (überwiegend Fischgerichte), Ludolfstr. 50 (H 20), 47 30 57 – . . T **n**
Karte 42/76.

In Hamburg-Finkenwerder 2103 :

Finkenwerder Elbblick, Focksweg 42 (H 95), 7 42 70 95, Elbe, – . U **b**
Karte 41/74.

In Hamburg-Fuhlsbüttel :

Airport Hotel Hamburg, Flughafenstr. 47 (H 63), 53 10 20, Telex 2166399, Fax 53102222, , , kostenloser Flughafentransfer – Zim (mit). T **p**
Karte 32/58 – **133 Z : 210 B** 169/213 - 279/339 Fb.

Hadenfeldt, Friedhofsweg 15 (H 63), 59 62 40 – . T **k**
Karte 25/45 *(Freitag - Sonntag jeweils ab 19 Uhr geschl.)* – **24 Z : 42 B** 42/60 - 80/102.

In Hamburg-Hamm :

Hamburg International, Hammer Landstr. 200 (H 26), 21 14 01, Telex 2164349 – . U **z**
Karte 43/71 – **100 Z : 214 B** 105/140 - 145/195 Fb.

In Hamburg-Harburg 2100 :

Panorama garni, Harburger Ring 8 (H 90), 76 69 50, Telex 2164824 – (mit) U **x**
98 Z : 160 B.

Süderelbe garni, Großer Schippsee 29 (H 90), 77 32 14 – . . U **r**
22. Dez.- 7. Jan. geschl. – **21 Z : 40 B** 85/90 - 120/130.

Heimfeld garni, Heimfelder Str. 91 (H 90), 7 90 56 78, – U **a**
49 Z : 80 B 80 - 110 Fb.

Haus Lindtner mit Zim, Heimfelder Str. 123 (H 90), 7 90 80 81, « Gartenterrasse » – – **14 Z : 24 B.** U **g**

In Hamburg-Harvestehude westlich der Außenalster :

Inter-Continental, Fontenay 10 (H 36), 41 41 50, Telex 211099, Fax 41415186, Hamburg und Alster, , Massage, , , Fahrradverleih – Zim . . Rest EX **r**
Restaurants : – **Fontenay-Grill** *(Samstag nur Abendessen)* Karte 63/112 – **Hulk-Brasserie** *täglich Alster-Buffet* Karte 40/60 – **300 Z : 600 B** 262/332 - 323/384 Fb – 16 Appart. 794/1244.

Smolka, Isestr. 98 (H 13), 47 50 57, Telex 215275, Fax 473008 – . . Rest CV **d**
Karte 38/67 *(Samstag ab 15 Uhr sowie Sonn- und Feiertage geschl.)* – **38 Z : 60 B** 120/190 - 190/240 Fb.

Garden Hotels Pöseldorf garni, Magdalenenstr. 60 (H 13), 44 99 58, Telex 212621, « Elegante Einrichtung », – . EX **c**
70 Z : 100 B 155/295 - 230/330.

Abtei garni, Abteistr. 14 (H 13), 44 29 05, Telex 2165645, – . . DV **r**
14 Z : 26 B 150/190 - 210/280 – 2 Fewo 180/250.

Mittelweg garni, Mittelweg 59 (H 13), 45 32 51, Telex 2165663 – DV **e**
38 Z : 51 B 104/162 - 178/208.

La vite (Italienische Küche), Heimhuder Str. 5 (H 13), 45 84 01, – . DX **e**
Sonntag und Weihnachten - Anfang Jan. geschl., Samstag und an Feiertagen nur Abendessen – Karte 48/65 (Tischbestellung ratsam).

Daitokai (Japanisches Restaurant), Milchstr. 1 (H 13), 4 10 10 61 – . . DV **a**
Sonntag geschl. – Karte 44/68 (Tischbestellung ratsam).

Osteria Martini (Italienische Küche), Badestr. 4 (H 13), 4 10 16 51 – DX **t**
Karte 43/65 (Tischbestellung ratsam).

In Hamburg-Langenhorn :

Schümann garni, Langenhorner Chaussee 157 (H 62), 5 20 10 20/ 5 31 10 20 – T f
47 Z : 75 B 100/141 - 149/168 – 3 Appart. 229.

Kock's Hotel garni, Langenhorner Chaussee 79 (H 62), 5 31 41 42 – T c
18 Z : 27 B 88 - 110.

Zum Wattkorn mit Zim, Tangstedter Landstr. 230 (H 62), 5 20 37 97, –
Karte 39/61 *(Montag geschl.)* – **14 Z : 20 B** 46/78 - 80/104.
über Tangstedter Landstraße T

In Hamburg - Lehmsahl-Mellingstedt über die B 434 T :

Ristorante Dante (Italienische Küche), An der Alsterschleife 3 (H 65), 6 02 00 43, –
nur Abendessen, Montag und Juli - Aug. 3 Wochen geschl. – Karte 42/72 (Tischbestellung ratsam).

In Hamburg-Lohbrügge **2050** ③ : 15 km über die B 5 :

Alt Lohbrügger Hof, Leuschner Str. 76 (H 80), 7 39 60 00, –
Karte 32/60 – **43 Z : 78 B** 95 - 140 Fb.

In Hamburg-Lokstedt :

Engel garni, Niendorfer Str. 59 (H 54), 58 03 15, – T d
40 Z : 59 B 91/129 - 143/168 Fb.

In Hamburg-Nienstedten ⑤ : 13 km über Elbchaussee U :

Jacob mit Zim, Elbchaussee 401 (H 52), 82 93 52, ≤, « Terrasse an der Elbe » –
Karte 55/90 – **14 Z : 26 B** 130/185 - 149/239.

Landhaus Dill, Elbchaussee 404 (H 52), 82 84 43 –
Dienstag - Freitag nur Abendessen, Montag geschl. – Karte 60/100 *(auch vegetarisches Menu)* (Tischbestellung ratsam)
Spez. Hummersalat am Tisch zubereitet (für 2 Pers.), Tortellini von Krabben in Kerbelsauce, Feines vom Fischmarkt in Basilikumschaum.

In Hamburg-Othmarschen :

Schmidt garni, Reventlowstr. 60 (H 52), 88 28 31, – U e
37 Z : 60 B 70/100 - 97/143.

In Hamburg-Poppenbüttel :

Poppenbütteler Hof, Poppenbütteler Weg 236 (H 65), 6 02 10 72, Telex 2165255 –
über Alte Landstraße T
Karte 44/65 – **31 Z : 62 B** 131/211 - 177/257 Fb.

In Hamburg-Rahlstedt über ① :

Eggers, Rahlstedter Str. 78 (B 435) (H 73), 6 77 40 11, Telex 2173678, –
Karte 28/64 *(wochentags nur Abendessen)* – **89 Z : 136 B** 70/110 - 125/160 Fb.

In Hamburg-Rothenburgsort :

Elbbrücken-Hotel garni, Billhorner Mühlenweg 28 (H 28), 78 27 47 – GZ a
31 Z : 60 B 59/78 - 95/120.

In Hamburg-Rotherbaum :

Elysee, Rothenbaumchaussee 10 (H 13), 41 41 20, Telex 212455, Fax 41412733, Massage, – CX m
Restaurants : – **Piazza Romana** Karte 43/75 – **Brasserie** Karte 30/45 – **299 Z : 593 B** 228/298 - 286/356 Fb – 3 Appart. 818.

Vorbach garni, Johnsallee 63 (H 13), 44 18 20, Telex 213054 –
106 Z : 160 B 107/145 - 140/195. CX b

L'auberge française (Französische Küche), Rutschbahn 34 (H 13), 4 10 25 32 – CVX r
20. Dez.- 5. Jan., Samstag bis 18 Uhr (Juni - Aug. Samstag ganztägig) und Sonntag geschl. – Karte 52/82 (Tischbestellung erforderlich)
Spez. Gänsestopfleber in Trüffelsauce mit Apfel, Lauwarmer Scampisalat in Knoblauchbutter, Seeteufel in Safran-Sauce.

Fernsehturm-Restaurant, Lagerstr. 2 (, Gebühr DM 4,-) (H 6), 43 80 24, Hamburg, « Rotierendes Restaurant in 132 m Höhe » – BX
Karte 43/75 (Tischbestellung ratsam).

In Hamburg-St. Pauli :

Bavaria-Blick, Bernhard-Nocht-Str. 99 (7. Etage,) (H 4), 31 48 00, ≤ Hafen – BZ m
Karte 44/80 (Tischbestellung ratsam).

In Hamburg Sasel :

Mellingburger Schleuse (250 Jahre altes niedersächsisches Bauernhaus), Mellingburgredder 1 (H 65), 6 02 40 01, – . Karte 38/69 – **28 Z : 60 B** 111 - 169 Fb. über Saseler Chaussee T

Saseler Dorfkrug, Saseler Chaussee 101 (H 65), 6 01 77 71 – . Karte 27/56. T **m**

In Hamburg-Schnelsen :

Novotel, Oldesloer Str. 166 (H 61), 5 50 20 73, Telex 212923, Fax 5592020, (geheizt), Fahrradverleih – . Karte 32/58 – **124 Z : 248 B** 153/162 - 182/187 Fb. T **u**

In Hamburg-Stellingen :

Helgoland, Kieler Str. 177 (H 54), 85 70 01 – . (nur Abendessen für Hausgäste) – **109 Z : 218 B** 111/126 - 151/166 Fb. U **n**

Falck, Kieler Str. 333 (H 54), 5 40 20 61, Telex 213664, Fax 5402011, – . Karte 39/68 – **83 Z : 150 B** 115/150 - 155/195 Fb. T **x**

Münch garni, Frühlingstr. 37 (H 54), 8 50 50 26, – . . **15 Z : 30 B** 115 - 140 Fb. T **a**

Rex garni, Kieler Str. 385 (H 54), 54 48 13 – **33 Z : 51 B** 49/73 - 85/96. T **h**

In Hamburg-Stillhorn :

Forte Hotel, Stillhorner Weg 40 (H 93), 7 52 50, Telex 217940, Fax 7525444, , – Rest (mit). . Rest U **v**
Restaurants : – **Senator** Karte 47/72 – **Moorwerder Stube** Karte 29/45 – **160 Z : 320 B** 188/228 - 246/286 Fb.

BAB Raststätte und Motel Stillhorn, an der A 1 (Ostseite) (H 93), 7 54 00 20, Telex 2161885, – . Karte 27/43 – **60 Z : 130 B** 72/112 - 105/145. U **v**

In Hamburg-Uhlenhorst :

Parkhotel Alster-Ruh garni, Am Langenzug 6 (H 76), 22 45 77 – . **24 Z : 41 B** 109/179 - 160/244 Fb. FV **e**

Ristorante Roma (Italienische Küche), Hofweg 7 (H 76), 2 20 25 54 – FX **h**
Sonntag geschl. – Karte 45/70.

In Hamburg-Veddel :

Carat-Hotel, Sieldeich 9 (H 28), 78 96 60 – . Karte 35/57 – **93 Z : 170 B** 130 - 175 Fb. U **s**

In Hamburg-Volksdorf über ① :

Ristorante Due Torri (Italienische Küche), Im alten Dorfe 40 (H 67), 6 03 40 42, –
wochentags nur Abendessen, Juli und Montag geschl. – Karte 40/58.

In Hamburg-Wandsbek :

Haus Osterkamp garni, Osterkamp 54 (Marienthal) (H 70), 6 56 00 01, – **20 Z : 30 B.** U **q**

In Hamburg-Wellingsbüttel :

Rosengarten garni, Poppenbüttler Landstr. 10b (H 65), 6 02 30 36, , – . T **s**
24. Dez.- 2. Jan. geschl. – **10 Z : 17 B** 98 - 158.

Randel, Poppenbüttler Landstr. 1 (H 65), 6 02 47 66, , « 10 ha großer Park » – . T **w**
Montag geschl. – Karte 33/69.

Landhaus, Wellingsbüttler Weg 140 (H 65), 5 36 10 69 T **g**
wochentags nur Abendessen, Montag, 1.-9. Jan. und 31. Juli - 14. Aug. geschl. – Karte 50/75.

In Hamburg-Winterhude :

Hanseatic garni, Sierichstr. 150 (H 60), 48 57 72, Telex 213165, « Elegante, wohnliche Einrichtung », – . EV **c**
14 Z : 28 B 170/217 - 200/384.

Borsalino (Italienische Küche), Barmbeker Str. 165 (H 60), 47 60 30 – Karte 45/78.

Benedikt, Dorotheenstr. 182a (H 60), 4 60 34 64 – EV **a**
Samstag bis 18 Uhr sowie Sonn- und Feiertage geschl. – Karte 54/80 (Tischbestellung ratsam).

Fra Diavolo (Italienische Küche), Hudtwalckerstr. 16 (H 60), 47 57 35 – T **v**
Samstag geschl. – Karte 42/70.

MICHELIN-REIFENWERKE KGaA. Niederlassung 2000 Hamburg 74, Billbrookdeich 183 (Hamburg S. 3 U), (040) 7 32 01 73.

[HAMELN] **3250.** Niedersachsen [987] ⑮ – 60 000 Ew – Höhe 68 m – ☎ 05151.

Sehenswert : Hochzeitshaus★.

Ausflugsziel : Hämelschenburg★ ③ : 11 km.

[i] Verkehrsverein, Deisterallee, ☎ 20 25 17.

ADAC, Ostertorwall 15 A, ☎ 33 35, Notruf ☎ 1 92 11.

♦Hannover 45 ① – Bielefeld 80 ⑤ – Hildesheim 48 ② – Paderborn 67 ④ – ♦Osnabrück 110 ⑤.

🏨 **Dorint Hotel Hameln,** 164er Ring 3, ☎ 79 20, Telex 924716, Fax 792191, 🍴, ≘s, 🏊 – 🛗 📺 ☎ 🅟 🏔. AE ⓓ E VISA
Karte 32/65 – **103 Z : 156 B** 126 - 184 Fb. **s**

🏨 **Zur Krone,** Osterstr. 30, ☎ 74 11, Telex 924733 – 🛗 ≡ Rest 📺 ☎ 🅟 🏔. AE ⓓ E VISA. ✗ Rest
Karte 40/73 – **37 Z : 71 B** 111/145 - 175/285 Fb. **v**

🏨 **Zur Börse,** Osterstr. 41a (Zufahrt über Kopmanshof), ☎ 70 80 (Hotel) 2 25 75 (Rest.) – 🛗 ☎ 🅟. AE ⓓ E
Hotel über Weihnachten und Neujahr geschl. – Karte 20/38 – **34 Z : 47 B** 53/90 - 94/98. **a**

🏨 **Bellevue** garni, Klütstr. 34, ☎ 6 10 18 – 📺 ☎ 🅟. ⓓ E über Klütstraße
19 Z : 35 B 58/85 - 98.

🏨 **Hirschmann** garni, Deisterallee 16, ☎ 75 91 – ☎ 🅟. AE VISA **z**
1.- 15. Jan. geschl. – **18 Z : 31 B** 54 - 95.

🍴 **Rattenfängerhaus,** Osterstr. 28, ☎ 38 88, « Renaissancehaus a.d.J. 1603 » – 🏔. AE ⓓ E VISA
Karte 27/51. **n**

🍴 China-Restaurant Peking, 164er Ring 5, ☎ 4 18 44 – ✗ **e**

HAMM IN WESTFALEN

Bahnhofstraße . . . . . Z 2
Gustav-Heinemann-Straße . . . . . Y 18
Luisenstraße . . . . . Z 25
Marktplatz . . . . . Y 28
Nordstraße . . . . . Y 34
Oststraße . . . . . Y
Weststraße . . . . . Y 50
Bismarckstraße . . . . . Z 4
Borbergstraße . . . . . Z 6
Brückenstraße . . . . . Z 7
Dolberger Straße . . . . . V 8
Eylertstraße . . . . . Y 9
Fährstraße . . . . . V 12
Friedrichstraße . . . . . Z 14
Grünstraße . . . . . Z 17
Heinrich-Lübke-Straße . . . . . Z 20
Lippestraße . . . . . V 23
Ludwig-Teleky-Straße . . . . . V 24
Marker Allee . . . . . V 27
Martin-Luther-Straße . . . . . Y 29
Münsterstraße . . . . . V 30
Neue Bahnhofstraße . . . . . Z 32
Nordenstiftsweg . . . . . V 33
Otto-Krafft-Platz . . . . . Z 37
Richard-Matthaei-Platz . . . . . Y 39
Richard-Wagner-Straße . . . . . X 40
Schillerplatz . . . . . Z 42
Sedanstraße . . . . . Z 43
Sternstraße . . . . . Z 44
Theodor-Heuss-Platz . . . . . Z 45
Westenwall . . . . . Y 48
Westring . . . . . Y 49
Widumstraße . . . . . Y 52

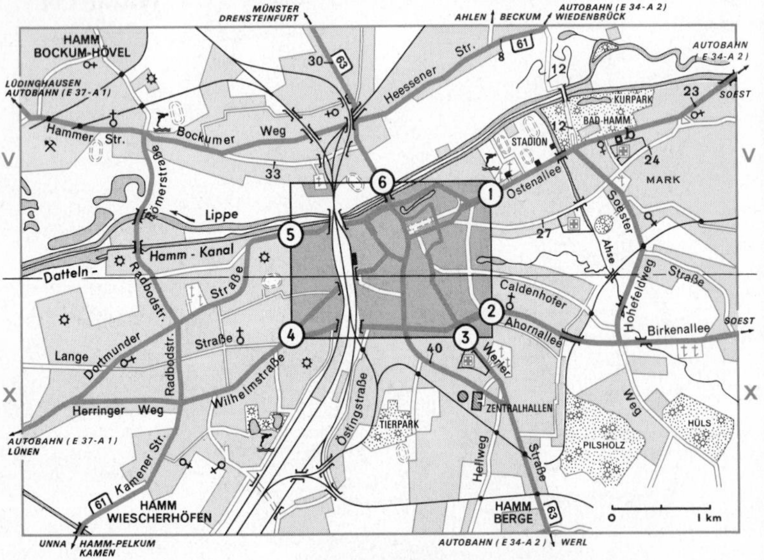

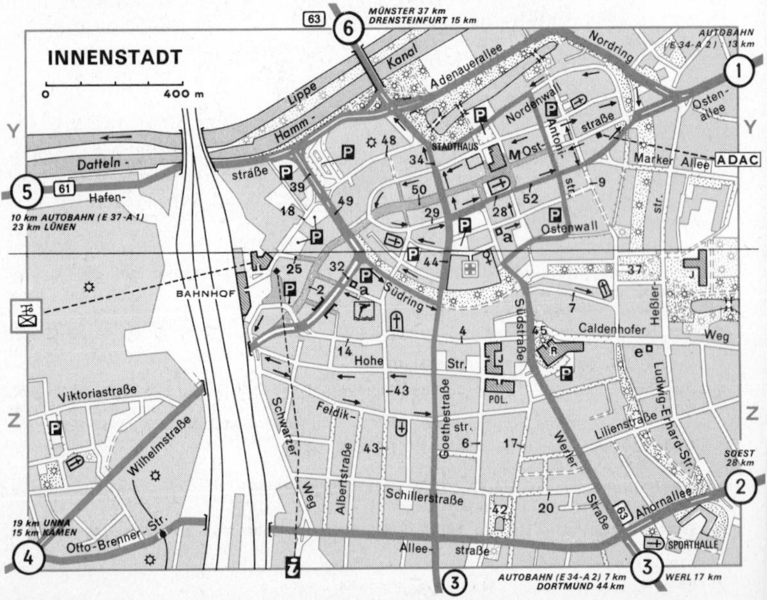

In Hameln-Klein Berkel ④ : 3 km :

Klein Berkeler Warte, an der B 1, ☎ 6 50 81, 🌳 – ☎ 🚗 Ⓟ 🏞. [AE] ⓓ [E] [VISA]
Karte 35/52 – **14 Z : 18 B** 58/75 - 100/120 Fb.

Gästehaus Ohrberg 🔇 garni, Margeritenweg 1, ☎ 6 50 55, 🏊, 🌳 – ☎ 🚗 Ⓟ. ⓓ
16 Z : 21 B 55/70 - 95/120.

Auf dem Klütberg W : 7 km über ④ :

Klütturm, ✉ 3250 Hameln, ☎ (05151) 6 16 44, ≤ Hameln, Weser und Bergland, 🌳 – Ⓟ. [AE] [E] [VISA]
Dienstag und 15. Jan.- 5. Feb. geschl. – Karte 53/80.

In Aerzen 2-Groß Berkel 3258 ④ : 7 km :

Dammköhler 🔇 garni, An der Breite 1, ☎ (05154) 21 36 – Ⓟ
15. Aug.- 4. Sept. geschl. – **9 Z : 12 B** 38 - 68.

In Aerzen 14-Multhöpen 3258 ④ : 13 km über Königsförde :

Landluft 🔇, Buschweg 7, ☎ (05154) 20 01, ≤, 🌳 – ☎ Ⓟ. ⓓ [E] [VISA]
Mitte Jan.- Mitte Feb. geschl. – Karte 27/48 *(wochentags nur Abendessen, Dienstag geschl.)* – **10 Z : 17 B** 42/50 - 82/90.

HAMFELDE IN LAUENBURG Schleswig-Holstein siehe Trittau.

HAMM IN WESTFALEN 4700. Nordrhein-Westfalen [987] ⑭ – 176 900 Ew – Höhe 63 m – ☎ 02381.

[i] Verkehrsverein, Bahnhofsvorplatz (im Kaufhaus Horten), ☎ 2 34 00.

ADAC, Oststr. 48a, ☎ 2 92 88, Notruf ☎ 1 92 11.

♦Düsseldorf 111 ③ – Bielefeld 76 ⑥ – ♦Dortmund 44 ③ – Münster (Westfalen) 37 ⑥.

Stadtplan siehe gegenüberliegende Seite.

Maritim-Hotel, Neue Bahnhofstr. 3, ☎ 1 30 60, Telex 828886, 🧖, 🏊 – 🛗 ⇔ Zim ▤ 📺 ♿ 🚗 🏞. ⓓ [E] [VISA]. ✗ Rest — Z a
Karte 40/68 – **142 Z : 263 B** 135/195 - 195/266 Fb – 7 Appart. 320/450.

Stadt Hamm, Südstr. 9, ☎ 2 90 91, Telex 828719 – 🛗 📺 ☎ 🚗. ✗ — Y a
(nur Abendessen) – **25 Z : 46 B** Fb.

Herzog garni, Caldenhofer Weg 22, ☎ 2 00 50 – ☎ 🚗 Ⓟ. [AE] ⓓ [E] [VISA] — Z e
27 Z : 40 B 65/90 - 100/125.

Breuer, Ostenallee 95, ☎ 8 40 01 – ☎ 🚗 🏞. ✗ Zim — V b
Karte 22/52 *(Freitag und Ende Juni - Anfang Juli geschl.)* – **23 Z : 30 B** 60/70 - 95.

In Hamm 3-Pelkum ④ : 5 km über die B 61 :

Selbachpark 🔇, Kamener Straße (B 61), ☎ 4 09 44 – ☎ Ⓟ 🏞
Karte 24/46 – **25 Z : 50 B** 70 - 125.

Wieland - Stuben, Wielandstr. 84, ☎ 40 12 17, 🌳, « Elegante und rustikale Einrichtung » – Ⓟ. [AE] ⓓ [E]
Samstag bis 18 Uhr geschl. – Karte 38/75.

In Hamm 1-Rhynern ③ : 7 km :

Grüner Baum mit Zim, Reginenstr. 3, ☎ (02385) 24 54, 🌳 – ☎ Ⓟ. [AE] ⓓ [E]
Karte 35/60 – **13 Z : 20 B** 47 - 90.

An der Autobahn A 2 über ③ :

Rasthaus Rhynern Süd, Im Zengerott 3, ✉ 4700 Hamm 1-Rhynern, ☎ (02385) 4 55, 🌳 – 🚗 Ⓟ
Karte 24/48 (auch Self-service) – **17 Z : 23 B** 50/70 - 99/142.

Rasthaus Rhynern-Nord, Ostendorfstr. 62, ✉ 4700 Hamm 1-Rhynern, ☎ (02385) 4 65, 🌳, 🧖 – 📺 ♿ 🚗 Ⓟ 🏞
40 Z : 56 B.

HAMM (SIEG) 5249. Rheinland-Pfalz – 11 000 Ew – Höhe 208 m – ☎ 02682.

Mainz 124 – ♦Bonn 63 – Limburg an der Lahn 64 – Siegen 48.

Romantik-Hotel Alte Vogtei, Lindenallee 3, ☎ 2 59, 🌳 – 📺 ☎ 🚗. [AE] ⓓ [E] [VISA]
Karte **28**/59 *(20. Juli - 9. Aug. und Mittwoch geschl.)* 🍷 – **15 Z : 30 B** 65 - 120.

In Hamm-Au W : 2,5 km :

Auermühle, an der B 256, ☎ 2 51, 🏊 (geheizt), 🌳 – ☎ 🚗 Ⓟ. [AE] ⓓ [E]
Karte 20/58 *(2.- 20. Jan. und Freitag geschl.)* 🍷 – **27 Z : 40 B** 45/54 - 80/92.

In Hamm-Bruchertseifen SO : 4 km :

Kroppacher Schweiz, Koblenzer Str. 2 (B 256), ☎ 16 30 – 🚗 Ⓟ
17 Z : 30 B.

In Hamm-Thalhausermühle S : 2 km :

🏨 **Thalhausermühle** 🔇, ✆ 5 11, ♨, 🏊, 🌳 – [P]. [DC]
(Restaurant nur für Hausgäste) – **20 Z : 30 B** 31/49 - 56/92 – 5 Fewo 50 – P 54/72.

In Seelbach-Marienthal **5231** S : 5 km :

🏨 **Waldhotel Imhäuser** 🔇, Hauptstr. 14, ✆ (02682) 2 71, 🌳 – 🚗 [P]
Karte 25/51 *(Montag geschl.)* – **17 Z : 29 B** 40 - 80.

HAMMELBACH Hessen siehe Grasellenbach.

HAMMELBURG **8783.** Bayern [413] M 16, [987] ㉕ – 12 500 Ew – Höhe 180 m – ☎ 09732.
[i] Städt. Verkehrsbüro, Kirchgasse 6, ✆ 8 02 49.
♦München 319 – ♦Bamberg 94 – Fulda 70 – ♦Würzburg 53.

🏨 **Kaiser**, An der Walkmühle 11, ✆ 40 38, 🌳 – ☎ 🚗 [P]. E
✈ Karte 19/39 *(wochentags nur Abendessen, Montag geschl.)* 🍷 – **11 Z : 22 B** 40 - 70.

🏨 **Engel**, Marktplatz 12, ✆ 21 29 – ☎ 🚗
20. Dez.- 16. Jan. geschl. – Karte 21/39 *(Sonntag ab 14 Uhr geschl.)* 🍷 – **16 Z : 30 B** 39/60 - 79/90.

Im Schloß Saaleck W : 3 km :

🏨 **Schloß Saaleck** 🔇, ✉ 8783 Hammelburg, ✆ (09732) 20 20, ≤ Saaletal und Hammelburg – ☎ [P]. E
20. Dez.- Jan. geschl. – Karte 27/57 *(nur Abendessen, Sonntag-Montag geschl.)* – **13 Z : 25 B** 60/90 - 110/160.

In Hammelburg-Morlesau W : 8 km über Hammelburg-Diebach :

🏨 Nöth 🔇, Morlesauer Str. 6, ✆ (09357) 4 79, 🏊 (geheizt), 🌳, Fahrradverleih – [P]
20 Z : 40 B Fb.

In Wartmannsroth-Neumühle **8781** W : 6 km über Hammelburg-Diebach :

🏨 **Neumühle** 🔇 (Fachwerkhäuser mit wertvoller antiker Einrichtung), ✆ (09732) 80 30, Telex 72559025, ♨, 🏊, 🌳, 🎾, Fahrradverleih – [TV] ☎ [P] 🏛. 🚫 Rest
8. Jan.- 2. Feb. geschl. – (Restaurant nur für Hausgäste) – **26 Z : 58 B** 140/175- 215/240.

HAMMER Bayern siehe Siegsdorf.

HAMMINKELN Nordrhein-Westfalen siehe Wesel.

HANAU AM MAIN **6450.** Hessen [413] J 16, [987] ㉕ – 86 000 Ew – Höhe 105 m – ☎ 06181.
⛳ Hanau-Wilhelmsbad (über ⑤), ✆ 8 20 71.
[i] Verkehrsamt, Am Altstädter Markt 1, ✆ 25 24 00.
ADAC, Sternstraße (Parkhaus), ✆ 2 45 11, Notruf ✆ 1 92 11.
♦Wiesbaden 59 ③ – ♦Frankfurt am Main 20 ④ – Fulda 89 ① – ♦Würzburg 104 ②.

Stadtplan siehe gegenüberliegende Seite.

🏨 **Brüder-Grimm-Hotel - Restaurant La Fontana**, Kurt-Blaum-Platz 6, ✆ 30 60 (Hotel) 3 38 38 (Rest.), Telex 4102317, Dachterrasse mit ≤, Massage – ⇅ [TV] ☎ ♿ [P] 🏛. [AE] [DC] E VISA — Z **s**
Karte 39/72 *(Sonntag geschl.)* – **95 Z : 190 B** 98/130 - 150/180 Fb.

🏨 **Royal**, Salzstr. 14, ✆ 2 41 57 – [TV] ☎ [P]. [AE] [DC] E VISA — Y **e**
Karte 26/57 *(Sonntag geschl.)* – **17 Z : 30 B** 89 - 125 Fb.

🏨 **Café Menges** garni, Hirschstr. 16, ✆ 25 60 45 – [TV] ☎. [AE] [DC] E VISA — Y **r**
28 Z : 37 B 80 - 120 Fb.

🏨 Diamant garni, Langstr. 5, ✆ 25 40 84 – ⇅ [TV] ☎ – **18 Z : 24 B** Fb. — Y **a**

XX Assmann's Restaurant, Salzstr. 21 (Passage), ✆ 25 60 16, 🌂 — Y **r**
(abends Tischbestellung ratsam).

In Hanau 6-Mittelbuchen ⑥ : 7 km :

🏨 **Sonnenhof** garni, Alte Rathausstraße 6, ✆ 7 10 99 – ☎ [P]
21. Dez.- 3. Jan. geschl. – **18 Z : 29 B** 47/56 - 92/98.

In Hanau 7-Steinheim ③ : 4 km :

🏨 **Birkenhof**, von-Eiff-Str. 37, ✆ 64 61, 🌳 – [TV] ☎ 🚗 [P]. [AE] E
(nur Abendessen für Hausgäste) – **20 Z : 30 B** 80/95 - 130/150.

🏨 **Zur Linde**, Steinheimer Vorstadt 31, ✆ 65 90 71, 🌳 – ☎ [P]. E
Karte 24/45 *(Donnerstag geschl.)* – **23 Z : 40 B** 38/85 - 76/120 Fb.

In Hanau-Wilhelmsbad über ⑤ :

XX Golf-Club - Restaurant da Enzo 🔇 mit Zim, Wilhelmsbader Allee 32, ✆ 8 32 19, ≤, 🌂, ⛳ – [TV] ☎ [P]. 🚫 – *(Italienische Küche)* – **7 Z : 14 B** Fb.

XX **Essen u. Trinken** (im Wilhelmsbader Hof), Kesselstadter Str. 80, ✆ 8 24 66, 🌂 – [P]. [AE] E
Dienstag geschl. – Karte 46/75.

HANAU AM MAIN

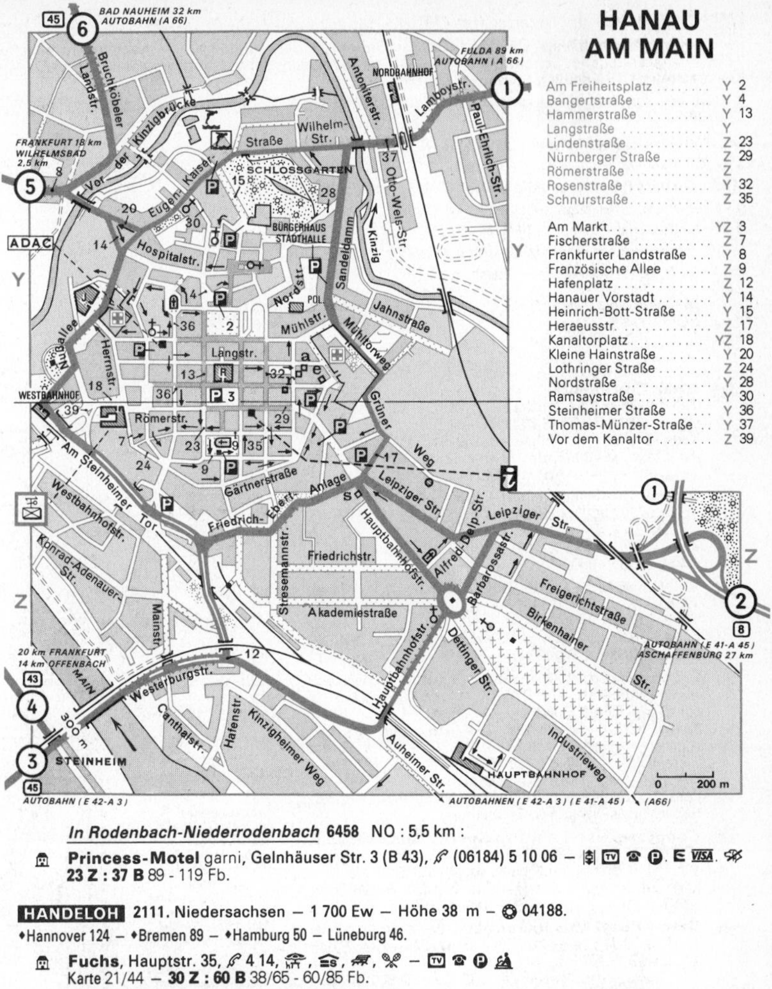

In Rodenbach-Niederrodenbach **6458** NO : 5,5 km :

Princess-Motel garni, Gelnhäuser Str. 3 (B 43), ✆ (06184) 5 10 06 – 📺 ☎ 🅿. E VISA.
23 Z : 37 B 89 - 119 Fb.

HANDELOH **2111.** Niedersachsen – **1 700 Ew** – **Höhe 38 m** – ✆ **04188.**
•Hannover 124 – •Bremen 89 – •Hamburg 50 – Lüneburg 46.

Fuchs, Hauptstr. 35, ✆ 4 14, – 📺 ☎ 🅿
Karte 21/44 – **30 Z : 60 B** 38/65 - 60/85 Fb.

Zum Lindenheim (mit Gästehaus), Hauptstr. 38, ✆ 3 24, – ☎ 🅿. VISA
Karte 20/49 – **21 Z : 43 B** 35/55 - 60/80 Fb.

✕✕ ✿ **Zur Heidekrone - Restaurant La Truffe** mit Zim, Wörmer Str. 70 (N : 1 km), ✆ 5 34, – 🅿. AE E VISA
2. Jan.- 10. Feb. und 27.- 30. Dez. geschl. – Karte 47/75 *(Dienstag - Freitag nur Abendessen, Montag geschl.)* – **7 Z : 13 B** 43 - 64/78
Spez. Fisch- und Lammgerichte.

HANKENSBÜTTEL **3122.** Niedersachsen **987** ⑯ – **3 600 Ew** – **Höhe 40 m** – **Luftkurort** – ✆ **05832** – •Hannover 83 – •Braunschweig 62 – Celle 40 – Lüneburg 65.

In Dedelstorf 1-Repke **3122** SW : 5 km :

Dierks, an der B 244, ✆ (05832) 4 46, – 🅿
Karte 24/43 – **17 Z : 27 B** 36 - 68 – P 45.

In Sprakensehl-Masel **3101** NW : 6 km :

Landhaus Adebahr, ✆ (05837) 3 77, – 📺 🅿.
Karte 22/45 *(Montag ab 15 Uhr geschl.)* – **11 Z : 21 B** 32/44 - 52/76.

HANN. MÜNDEN Niedersachsen = Münden.

[HANNOVER] 3000. [L] Niedersachsen [987] ⑮ – 510 000 Ew – Höhe 55 m – ☎ 0511.

Sehenswert: Herrenhäuser Gärten★★ (Großer Garten★★, Berggarten★) A – Kestner-Museum★ DY **M1** – Marktkirche (Schnitzaltar★★) DY **A** – Niedersächsisches Landesmuseum★ EZ **M2** – Kunstmuseum★ (Sammlung Sprengel★) EZ **M4**.

⛳18 Garbsen, Am Blauen See (⑥ : 14 km), ☎ (05137) 7 32 35 ; ⛳18 Isernhagen FB, Gut Lohne, ☎ (0511) 72 30 30.

✈ Hannover-Langenhagen (① : 11 km), ☎ 7 30 51.

🚗 ☎ 1 28 54 52.

Messegelände (über ② und die B 6), ☎ 8 91, Telex 922728.

[i] Verkehrsbüro, Ernst-August-Platz 8, ☎ 1 68 23 19.

[i] City-Air-Terminal, Raschplatz 1 PQ, ☎ 1 68 28 01.

ADAC, Hindenburgstr. 37, ☎ 8 50 00, Notruf ☎ 1 92 11.

♦Berlin 288 ② – ♦Bremen 123 ① – ♦Hamburg 151 ①.

Messe-Preise: siehe S. 17
Fairs: see p. 33
Foires et salons: voir p. 25
Fiere: vedere p. 41

Stadtplan siehe nächste Seiten.

🏨 **Inter-Continental**, Friedrichswall 11, ☎ 1 69 11, Telex 923656, Fax 325195 – 🛗 🚭 Zim ▤ Rest 📺 ♿ 🏛 (mit ▤). AE D E VISA. ✗ Rest DY **a**
Karte 54/108 – **Wilhelm-Busch-Stube** *(Sonn- und Feiertage geschl.)* Karte 27/40 – **285 Z : 560 B** 251/440 - 312/505 Fb – 14 Appart. 800/1450.

🏨 **Maritim**, Hildesheimer Str. 34, ☎ 1 65 31, Telex 9230268, Fax 884846, ♨, 🏊 – 🛗 ▤ 📺 ♿ 🅿 🏛. AE D E VISA. ✗ Rest EZ **b**
Karte 43/78 – **293 Z : 580 B** 189/313 - 266/418 Fb – 6 Appart. 350/850.

🏨 **Kastens Hotel Luisenhof**, Luisenstr. 1, ☎ 1 24 40, Telex 922325, Fax 1244807 – 🛗 📺 ♿ 🚗 🅿 🏛. AE D E VISA. ✗ Rest EX **b**
Karte 46/83 *(Juli - Aug. Sonntag geschl.)* – **160 Z : 250 B** 149/299 - 198/428 Fb – 5 Appart. 400/700.

🏨 ✿ **Schweizerhof Hannover - Schu's Restaurant**, Hinüberstr. 6, ☎ 3 49 50, Telex 923359, ♨ – 🛗 📺 🅿 🏛. AE D E VISA EX **d**
Karte 82/110 *(Samstag bis 18 Uhr geschl.)* (bemerkenswerte Weinkarte) – **Gourmet's Buffet** Karte 47/81 – **120 Z : 200 B** 228/425 - 350/495 Fb – 3 Appart. 850
Spez. Gänsestopfleberterrine, Steinbutt mit Sellerie und Trüffeln, Heidschnuckenrücken in der Zwiebelkruste.

🏨 **Congress-Hotel am Stadtpark**, Clausewitzstr. 6, ☎ 2 80 50, Telex 921263, Fax 814652, 🌳, Massage, ♨, 🏊 – 🛗 🚭 Zim 📺 🚗 🅿 🏛. AE D E VISA
Karte 34/84 *(auch Diät)* – **252 Z : 455 B** 129/281 - 228/308 Fb – 5 Appart. 650/1000. B **e**

🏨 **Grand Hotel Mussmann** garni, Ernst-August-Platz 7, ☎ 32 79 71, Telex 922859, Fax 324325 – 🛗 📺 🅿 🏛. AE D E VISA EX **v**
24. Dez.- 1. Jan. geschl. – **100 Z : 160 B** 138/308 - 188/358 Fb.

🏨 **Königshof** garni, Königstr. 12, ☎ 31 20 71, Telex 922306 – 🛗 📺 ☎ 🅿. AE D E VISA EX **c**
84 Z : 168 B 134/290 - 168/390 Fb – 5 Appart. 440.

🏨 **Quality Inn Hotel Plaza**, Fernroder Str. 9, ☎ 3 38 80, Telex 921513, Fax 3388488, 🌳 – 🛗 🚭 Zim 📺 🏛. AE D E VISA. ✗ EX **e**
Karte 36/63 – **102 Z : 159 B** 166/286 - 206/326 Fb – 6 Appart. 310/386.

🏨 **Mercure**, Am Maschpark 3, ☎ 8 00 80, ♨ – 🛗 📺 ☎ ♿ 🅿 🏛. AE D E VISA EZ **n**
Karte 40/66 – **141 Z : 200 B** 145/195 - 190/240 Fb.

🏨 **Central-Hotel Kaiserhof**, Ernst-August-Platz 4, ☎ 3 86 30, Telex 922810 – 🛗 📺 ☎ 🏛. ✗ Rest
81 Z : 120 B Fb. EX **a**

🏨 **Am Funkturm - Ristorante Milano**, Hallerstr. 34, ☎ 31 70 33 (Hotel) 33 23 09 (Rest.), Fax 312078 – 🛗 📺 ☎ ♿ 🅿. AE D E VISA EV **s**
nur Hotel: Juli - 15. Aug. geschl. – Karte 31/52 – **32 Z : 48 B** 88/198 - 148/296 Fb.

Adenauerallee	B	2
Bemeroder Straße	B	4
Clausewitzstraße	B	5
Friedrichswall	B	6
Friedrich-Ebert-Str.	B	8
Goethestraße	B	9
Gustav-Bratke-Allee	B	10
Humboldtstraße	B	13
Kirchröder Straße	B	16
Lavesallee	B	17
Leibnizufer	B	18
Otto-Brenner-Straße	B	20
Ritter-Brüning-Straße	B	21
Schloßwender Straße	B	22
Stöckener Straße	A	23
Stresemannallee	B	25

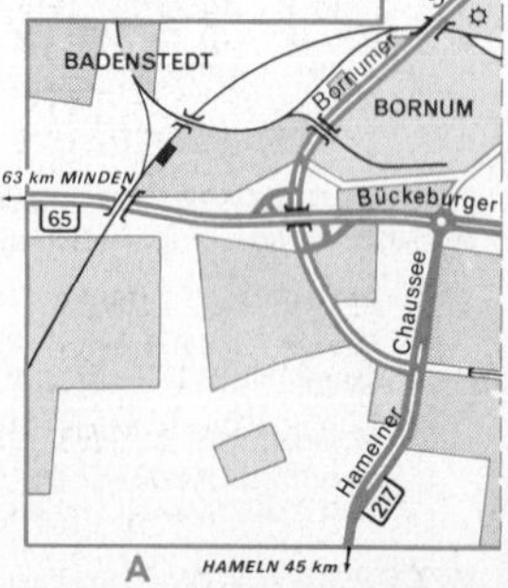

Loccumer Hof, Kurt-Schumacher-Str. 16, ✆ 32 60 51 – AE E VISA DX **s**
Karte 37/62 *(Samstag und Sonntag ab 15 Uhr geschl.)* – **70 Z : 105 B** 95/105 - 140/160 Fb.

Am Leineschloß garni, Am Markte 12, ✆ 32 71 45, Telex 922010 – Zim AE E VISA DY **z**
81 Z : 160 B 144/234 - 198/286 Fb.

Am Rathaus, Friedrichswall 21, ✆ 32 62 68, Telex 923865, – E VISA EY **y**
Karte 29/55 *(Sonntag geschl.)* – **53 Z : 80 B** 95/180 - 154/260 Fb.

Körner, Körnerstr. 24, ✆ 1 46 66, Telex 921313, – AE E VISA DX **e**
Karte 32/60 – **81 Z : 130 B** 114/134 - 148/168 Fb.

Intercity-Hotel, Ernst-August-Platz 1, ✆ 32 74 61, Telex 921171 – Rest (mit). AE E EX **r**
Karte 28/45 – **57 Z : 92 B** 90/118 - 130/200.

Tirol garni, Lange Laube 20, ✆ 13 10 66, « Einrichtung im Bauernstil » – DX **f**
15 Z : 18 B Fb.

Thüringer Hof garni, Osterstr. 37, ✆ 32 64 37 – E VISA EY **e**
23. Dez.- 2. Jan. geschl. – **55 Z : 70 B** 85/190 - 150/200.

Fortsetzung →

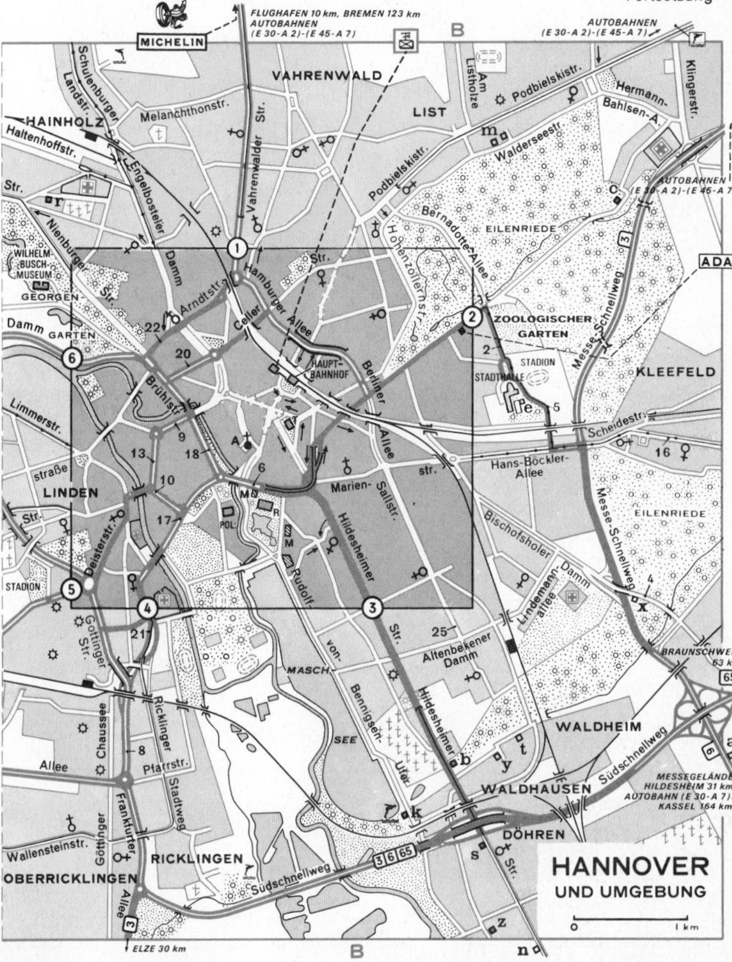

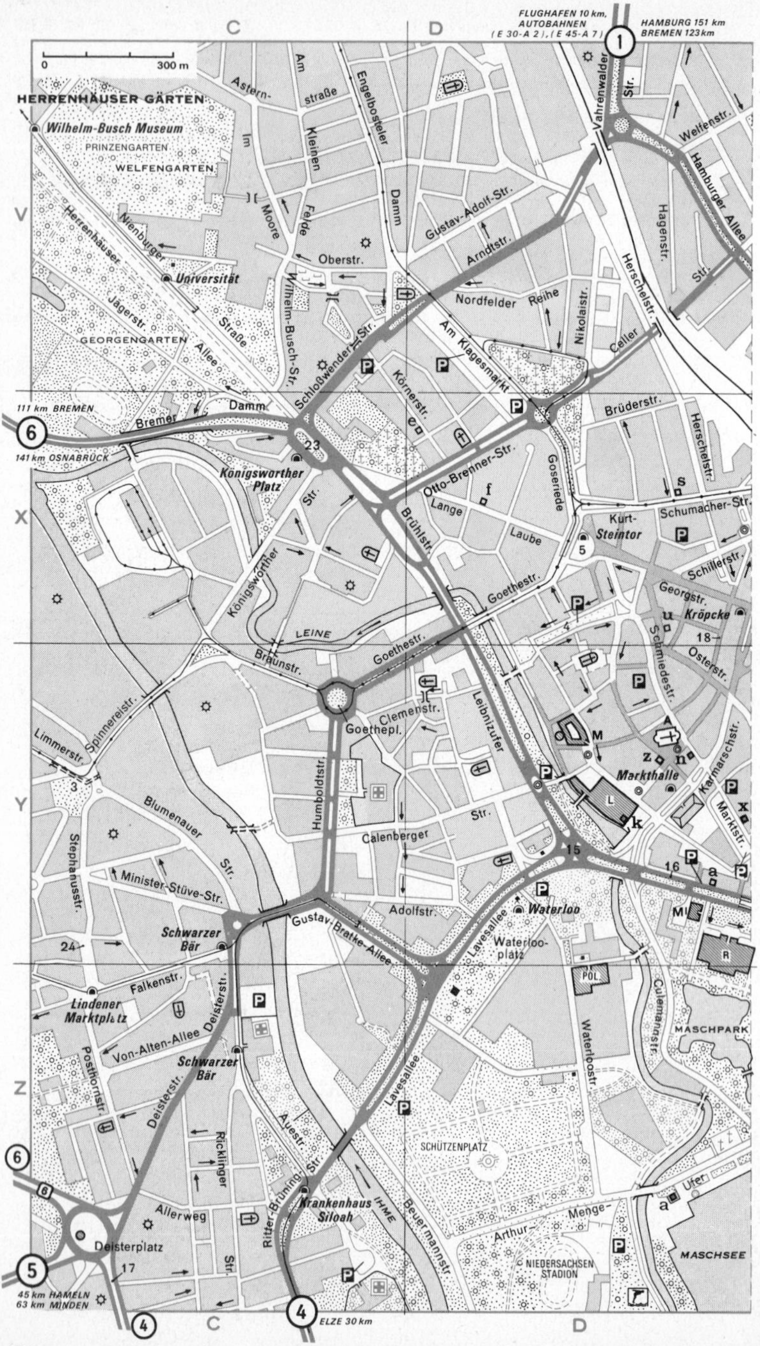

FLUGHAFEN 10 km, AUTOBAHNEN (E 30-A 2), (E 45-A 7)
HAMBURG 151 km
BREMEN 123 km
0
300 m
C
D
V
X
Y
Z
HERRENHÄUSER GÄRTEN
Wilhelm-Busch Museum
PRINZENGARTEN
WELFENGARTEN
GEORGENGARTEN
Universität
Herrenhäuser Allee
Nienburger Straße
Jägerstr.
Astern-straße
Am Kleinen Felde
Im Moore
Engelbosteler Damm
Vahrenwalder Str.
Welfenstr.
Hamburger Allee
Hagenstr.
Herschelstr.
Gustav-Adolf-Str.
Arndtstr.
Oberstr.
Wilhelm-Busch-Str.
Schloßwender Str.
Nordfelder Reihe
Nikolaistr.
Celler Str.
Am Klagesmarkt
Körnerstr.
111 km BREMEN
141 km OSNABRÜCK
Bremer Damm
Königsworther Platz
Königsworther Str.
Otto-Brenner-Str.
Brühlstr.
Lange Laube
Goseriede
Brüderstr.
Kurt-Schumacher-Str.
Steintor
Schillerstr.
Georgstr.
Kröpcke
Osterstr.
Schmiedestr.
LEINE
Goethestr.
Braunstr.
Goethepl.
Clemenstr.
Leibnizufer
Spinnereistr.
Limmerstr.
Blumenauer Str.
Humboldtstr.
Calenberger Str.
Markthalle
Karmarschstr.
Marktstr.
Stephanusstr.
Minister-Stüve-Str.
Adolfstr.
Waterloo
Lavesallee
Waterlooplatz
Gustav-Bratke-Allee
Schwarzer Bär
Falkenstr.
Lindener Marktplatz
Deisterstr.
Von-Alten-Allee
Postkornstr.
Waterloostr.
Culemannstr.
MASCHPARK
POL.
SCHÜTZENPLATZ
Rickling Str.
Auestr.
Ritter-Brüning-Str.
Krankenhaus Siloah
IHME
Beuermannstr.
Allerweg
Deisterplatz
Arthur-Menge-Ufer
NIEDERSACHSEN STADION
MASCHSEE
45 km HAMELN
63 km MINDEN
ELZE 30 km

HANNOVER

Bahnhofstraße	EX	7
Georgstraße	DEX	
Große Packhofstraße	DX	18
Karmarschstraße	DY	
Aegidientorplatz	EY	2
Am Küchengarten	CY	3
Am Marstall	DX	4
Am Steintor	DX	5
Bischofsholer Damm	FY	8
Braunschweiger Platz	FY	9
Emmichplatz	FX	12
Ernst-August-Platz	EX	13
Friederikenplatz	DY	15
Friedrichswall	DY	16
Göttinger Straße	CZ	17
Hans-Böckler-Allee	FY	19
Hartmannstraße	FZ	20
Joachimstraße	EX	21
Königsworther Platz	CX	23
Lindener Marktplatz	CY	24
Opernplatz	EY	25
Scharnhorststraße	FX	28
Thielenplatz	EX	29
Volgersweg	EX	30

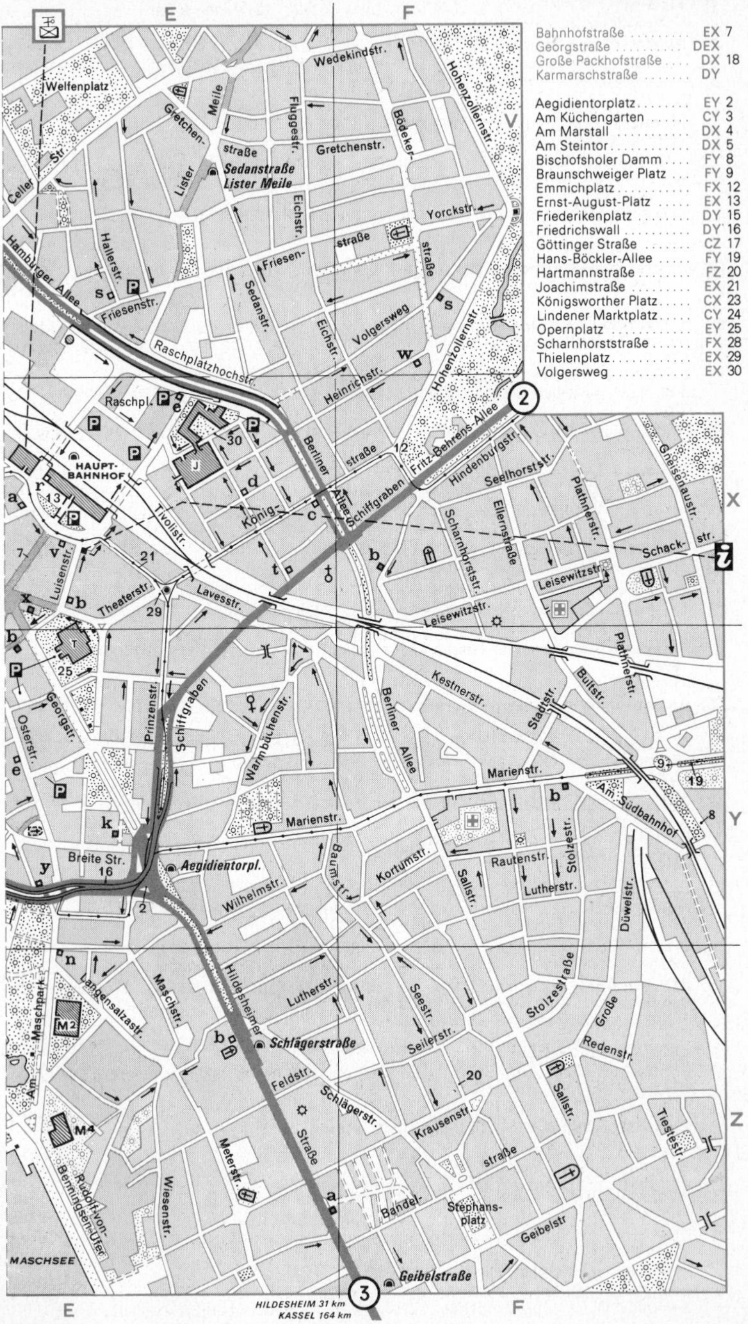

Atlanta garni, Hinüberstr. 1, ✆ 34 29 39, Telex 924603 – ☎. E VISA — EX t
38 Z : 55 B 65/130 - 125/250 Fb.

Bischofshol, Bemeroder Str. 2 (am Messeschnellweg), ✆ 51 10 82, – ☎ P — B x
29. Dez.- 14. Jan. geschl. – Karte 22/48 *(Freitag geschl.)* – **12 Z : 15 B** 65/80 - 110.

City-Hotel garni, Limburgstr. 3, ✆ 32 66 81 – ☎. AE E VISA — DX u
34 Z : 50 B 60/94 - 122/134.

Flora garni, Heinrichstr. 36, ✆ 34 23 34 — FV w
23 Z : 30 B 40/120 - 75/140.

XXXX ✿ **Landhaus Ammann** mit Zim, Hildesheimer Str. 185, ✆ 83 08 18, Telex 9230900, Fax 8437749, « Elegante Einrichtung, Innenhofterrasse », – TV ☎ P. AE E. Rest — B b
Karte 68/96 (bemerkenswerte Weinkarte) – **Nudelstubb** Karte 40/65 – **14 Z : 28 B** 185/250 - 230/320
Spez. Fischgerichte.

XXX **Bakkarat im Casino am Maschsee**, Arthur-Menge-Ufer 3 (1. Etage), ✆ 80 10 20, ←, – AE E VISA — DZ a
Karte 46/70.

XXX ✿ **Georgenhof-Stern's Restaurant** mit Zim, Herrenhäuser Kirchweg 20, ✆ 70 22 44, « Niederdeutsches Landhaus in einem kleinen Park, Gartenterrasse » – TV ☎ P. AE E VISA — B r
Karte 74/110 (bemerkenswerte Weinkarte) – **17 Z : 26 B** 105/220 - 160/260
Spez. Hummerfricassée in Champagner, Entenbrust mit Kürbispurée, Heidschnuckenrücken mit Rote-Bete-Kraut (Okt.- Dez.).

XXX **Mövenpick - Baron de la Mouette**, Georgstr. 35 (1. Etage), ✆ 32 62 85 – . AE E VISA — EX x
Karte 38/64.

XXX **Lila Kranz**, Kirchwender Str. 23, ✆ 85 89 21, – AE E VISA — FX b
Samstag und Sonntag nur Abendessen – Karte 55/75.

XX **Stern's Sternchen**, Marienstr. 104, ✆ 81 73 22 – AE E VISA — FY b
Sonntag - Montag und Juli - Aug. 3 Wochen geschl. – Karte 54/76.

XX **Ratskeller**, Köbelinger Str. 60, ✆ 1 53 63 – — DY n
Sonntag ab 15 Uhr geschl. – Karte 32/64.

XX Leineschloß, Hinrich-Wilhelm-Kopf-Platz 1, ✆ 32 66 93, – P — DY k

XX **Tai-Pai** (Chinesische Küche), Hildesheimer Str. 73, ✆ 88 52 30 — EZ a
Montag geschl. – Karte 25/46.

XX **Mandarin-Pavillon** (Chinesische Küche), Marktstr. 45 (Passage), ✆ 1 89 79/3 63 18 32 – AE E — DY x
Karte 25/55.

X **Altdeutsche Bierstube**, Lärchenstr. 4, ✆ 34 49 21, « Gemütliche Gaststuben » – AE E VISA — FV s
Samstag bis 17 Uhr und Sonntag geschl. – Karte **31**/56 (Tischbestellung erforderlich).

X **Rôtisserie Helvetia**, Georgsplatz 11, ✆ 1 48 41 – E VISA — EY k
Karte 30/55.

X Seerestaurant Panorama im Casino am Maschsee, Arthur-Menge-Ufer 3, ✆ 80 03 34, « Terrasse am See mit ← » — DZ a

X **Härke-Klause** (Brauerei-Gaststätte), Ständehausstr. 4, ✆ 32 11 75 – AE E VISA — EY b
Sonn- und Feiertage geschl. – Karte 18,50/46.

In Hannover 51-Bothfeld über Podbielskistraße B :

Halberstadt garni, Im Heidkampe 80, ✆ 64 01 18, – TV ☎ P. AE E VISA
23. Dez.- 2. Jan. geschl. – **36 Z : 50 B** 70/120 - 100/150 Fb.

XXX ✿ **Witten's Hop**, Gernsstr. 4, ✆ 64 88 44, « Rustikale Einrichtung » – P.
wochentags nur Abendessen – Karte 78/102 (bemerkenswerte Weinkarte).

XX **Steuerndieb**, Steuerndieb 1 (im Stadtpark Eilenriede), ✆ 69 50 99, Biergarten (nur Self-Service), « Grillterrasse » – P. AE — B c
Sonntag ab 18 Uhr geschl. – Karte 38/63.

In Hannover 51-Buchholz über Podbielskistraße B :

Föhrenhof, Kirchhorster Str. 22, ✆ 6 17 21, Telex 923448, Fax 867112, – TV ☎ P. AE E VISA
Karte 34/63 – **77 Z : 138 B** 125/200 - 190/400 Fb.

XX **Buchholzer Windmühle**, Pasteurallee 30, ✆ 64 91 38, – P.
Sonn- und Feiertage geschl. – Karte 33/63.

In Hannover 81-Döhren :

XXX **Wichmann**, Hildesheimer Str. 230, ✆ 83 16 71, « Innenhof » – P. AE E — B s
Karte 50/80.

XX **Die Insel - Maschseeterrassen**, Rudolf-von-Bennigsen-Ufer 81, ✆ 83 12 14, ←, – P. AE E — B k
2.- 21. Jan. und Montag geschl. – Karte 43/65.

X **Etoile**, Wiehbergstr. 98, ✆ 83 55 24 – AE E VISA — B z
Sonntag und Juli - Aug. 2 Wochen geschl. – Karte 45/75 (abends Tischbestellung ratsam).

In Hannover 42-Flughafen ① : 11 km :

Holiday Inn, Am Flughafen, ✆ 73 01 71, Telex 924030, Fax 737781, – AE ⓓ E VISA
Karte 37/68 – **145 Z : 243 B** 220 - 283 Fb.

Mövenpick-Restaurant, Abflugebene, ✆ 7 30 55 09 – AE ⓓ E VISA
Karte 25/56.

In Hannover 51 - Isernhagen Süd N : 12 km über Podbielskistraße B :

Parkhotel Welfenhof, Prüssentrift 86, ✆ 6 54 06, Telex 923138 – AE ⓓ E VISA
Karte 36/72 – **115 Z : 200 B** 95/170 - 160/260 Fb.

In Hannover 71-Kirchrode über Kirchröder Straße B :

Queens Hotel am Tiergarten, Tiergartenstr. 117, ✆ 5 10 30, Telex 922748, Fax 526924, – Zim AE ⓓ E VISA
Karte 43/67 – **108 Z : 184 B** 167/256 - 200/325 Fb.

In Hannover 71-Kleefeld über ② :

Alte Mühle, Hermann-Löns-Park 3, ✆ 55 94 80, ≤, « Niedersächsisches Bauernhaus, Gartenterrasse » – AE ⓓ
Donnerstag und Feb. geschl. – Karte 35/78.

In Hannover 1-List :

Waldersee garni, Walderseestr. 39, ✆ 69 80 63, Fahrradverleih – AE E B m
27 Z : 44 B 80/160 - 130/240.

Grünewald garni, Grünewaldstr. 28, ✆ 69 50 41, Fahrradverleih – AE E B m
26 Z : 41 B 80/160 - 130/240.

In Hannover 72-Messe :

Parkhotel Kronsberg, Messeschnellweg (am Messegelände), ✆ 86 10 86, Telex 923448, Fax 867112, – Rest (mit). AE ⓓ E VISA B a
Karte 36/72 – **145 Z : 210 B** 125/220 - 190/400 Fb.

Hannover 81-Waldhausen :

Hubertus, Adolf-Ey-Str. 11, ✆ 83 02 58, « Garten » – B t
(nur Abendessen für Hausgäste) – **19 Z : 26 B** 75/85 - 110/130.

Eden garni (ehem. Villa), Waldhausenstr. 30, ✆ 83 04 30 – ⓓ B y
23 Z : 35 B 55/80 - 85/120 Fb.

In Hannover 89-Wülfel :

Wülfeler Brauereigaststätten mit Zim, Hildesheimer Str. 380, ✆ 86 50 86, – ⓓ B n
30. Juli - 13. Aug. geschl. – Karte 36/60 – **35 Z : 45 B** 43/75 - 86/130.

In Hemmingen 1-Westerfeld **3005** ④ : 8 km :

Berlin garni, Berliner Str. 4, ✆ (0511) 42 30 14, Telex 924676, – AE ⓓ E VISA
41 Z : 58 B 98/234 - 140/286.

In Laatzen **3014** ③ : 9 km :

TTC-Hotel Britannia, Karlsruher Str. 26, ✆ (0511) 8 78 20, Telex 9230392, Fax 863466, (Halle) – (mit). AE ⓓ E VISA
Karte 36/54 – **100 Z : 200 B** 125/245 - 150/325 Fb.

Haase, Am Thie 4 (Ortsteil Grasdorf), ✆ (0511) 82 10 41 –
Karte 25/45 – **30 Z : 46 B** 75/110 - 120/180.

In Langenhagen **3012** ① : 10 km :

Grethe, Walsroder Str. 151, ✆ (0511) 73 80 11, – E
22. Juli - 14. Aug. und 22. Dez.- 2. Jan. geschl. – Karte 27/57 *(Sonntag geschl.)* – **51 Z : 96 B** 90/110 - 130/150 Fb.

In Langenhagen 6-Krähenwinkel **3012** ① : 11 km :

Jägerhof, Walsroder Str. 251, ✆ (0511) 73 40 11, Telex 9218211, – AE ⓓ E VISA
22. Dez.- 4. Jan. geschl. – Karte 37/68 *(Samstag bis 18 Uhr und Sonntag geschl.)* – **77 Z : 105 B** 90/110 - 125/155 Fb.

In Ronnenberg-Benthe **3003** ⑤ : 10 km über die B 65 :

Benther Berg, Vogelsangstr. 18, ✆ 6 40 60, Telex 922253, – Rest (mit). AE ⓓ E VISA.
Karte 46/78 *(Sonntag ab 18 Uhr geschl.)* – **64 Z : 90 B** 95/125 - 145/200 Fb.

In Isernhagen KB **3004** N : 14 km über Podbielskistraße B

Hopfenspeicher, Dorfstr. 16, ✆ (05139) 8 76 09, – ⓓ.
nur Abendessen, 1.- 15. Jan. geschl. – Karte 64/90.

In Garbsen 1-Havelse **3008** ⑥ : 12 km über die B 6 :

Wildhage, Hannoversche Str. 45, ☎ (05137) 7 50 33, – ☎ P. AE E VISA. Rest
Karte 30/53 – **25 Z : 35 B** 75/95 - 120/160 Fb.

In Garbsen 4-Berenbostel **3008** ⑥ : 13 km über die B 6 :

Landhaus Köhne am See, Seeweg, ☎ (05131) 9 10 85, ←, « Gartenterrasse », – Rest ☎ P. AE E
15. Dez.- 2. Jan. geschl. – Karte 36/67 – **26 Z : 45 B** 80/135 - 130/175 Fb.

In Garbsen 1-Alt Garbsen **3008** ⑥ : 14,5 km über die B 6 :

Waldhotel Garbsener Schweiz, Alte Ricklinger Str. 60, ☎ (05137) 7 30 33, – ☎ P. AE E VISA
Karte 26/55 – **64 Z : 90 B** 75/95 - 125/150 Fb.

An der Autobahn A 2 Richtung Köln ⑤ : 15 km :

Autobahnrasthaus-Motel Garbsen-Nord, ✉ 3008 Garbsen 1, ☎ (05137) 7 20 21, – ☎ P. VISA
Karte 24/50 (auch Self-service) – **39 Z : 78 B** 69/120 - 110/140.

An der Autobahn A 7 Kassel-Hamburg SO : 15 km über ② und die B 65 :

🍴 **Raststätte Wülferode Ost** (mit Motel), ✉ 3000 Hannover 72, ☎ (0511) 52 27 55 – ☎ P. AE E VISA
Karte 25/48 – **11 Z : 16 B** 60/85 - 90/100.

MICHELIN-REIFENWERKE KGaA. Niederlassung 3012 Langenhagen 7-Godshorn (über ①), Bayernstr. 13, ☎ (0511) 78 10 15.

HANSTEDT

2116. Niedersachsen [987] ⑮ – 4 700 Ew – Höhe 40 m – Erholungsort – ☎ 04184.
[i] Verkehrsverein, Am Steinberg 2, ☎ 5 25.
♦Hannover 118 – ♦Hamburg 41 – Lüneburg 31.

Sellhorn, Winsener Str. 23, ☎ 80 10, Telex 2189395, « Gartenterrasse », – ☎ P. AE E VISA
Karte 35/78 – **48 Z : 94 B** 91/115 - 126/166 Fb.

Landhaus Augustenhöh garni, Am Steinberg 77 (W : 1,5 km), ☎ 3 23, – P
März - Okt. – **13 Z : 18 B** 45/50 - 90/110.

In Hanstedt-Nindorf S : 2,5 km :

Zum braunen Hirsch, Rotdornstr. 15, ☎ 10 68, « Cafégarten », – ☎ P. E
Karte 26/55 *(Mittwoch ab 15 Uhr geschl.)* – **15 Z : 28 B** 53 - 93/105.

In Hanstedt-Ollsen S : 4 km :

Landgasthof Zur Eiche, Am Naturschutzpark 3, ☎ 2 16, Fahrradverleih – P. AE E VISA
15. Jan.- Feb. geschl. – Karte 28/57 *(Okt.- Juli Donnerstag geschl.)* – **9 Z : 17 B** 50/68 - 84/104 – 3 Fewo 90/150.

In Hanstedt-Quarrendorf N : 3 km :

Aben Hus garni, Dorfstr. 26, ☎ 16 06, Fahrradverleih – ☎ P
8 Z : 16 B 70/85 - 95.

HAPPURG-KAINSBACH

Bayern siehe Hersbruck.

HARBURG (SCHWABEN)

8856. Bayern [413] P 20, [987] ㊱ – 5 600 Ew – Höhe 413 m – ☎ 09003.
Sehenswert : Schloß (Sammlungen★).
♦München 111 – ♦Augsburg 53 – Ingolstadt 67 – ♦Nürnberg 102 – ♦Stuttgart 129.

Fürstliche Burgschenke, Auf Schloß Harburg, ☎ 15 04, Burghofterrasse – ☎ P. E VISA
März - Anfang Nov. – Karte 19/42 – **7 Z : 14 B** 75/95 - 95/120.

Zum Straußen, Marktplatz 2, ☎ 13 98, – P
Karte 14,50/30 – **15 Z : 27 B** 30/36 - 60.

HARDEGSEN

3414. Niedersachsen [987] ⑮ – 3 800 Ew – Höhe 173 m – ☎ 05505.
[i] Kurverwaltung, Vor dem Tore 1, ☎ 10 33.
♦Hannover 115 – ♦Braunschweig 102 – Göttingen 21.

Illemann, Lange Str. 32 (B 241), ☎ 22 69 – P
Nov. geschl. – Karte 21/39 *(Freitag geschl.)* – **16 Z : 30 B** 35/45 - 70/90.

In Hardegsen-Goseplack SW : 5 km :

Altes Forsthaus, an der B 241, ☎ 24 22, – ☎ P. AE E
16. Jan.- 16. Feb. geschl. – Karte 31/62 *(auch vegetarische Gerichte)* (Dienstag geschl.) – **19 Z : 38 B** 50/120 - 95/150.

[HARDERT] Rheinland-Pfalz siehe Rengsdorf.

[HARDHEIM] 6969. Baden-Württemberg [413] L 18, [987] ㉕ – 6 700 Ew – Höhe 271 m – Erholungsort – ☎ 06283.

♦Stuttgart 116 – Aschaffenburg 70 – Heilbronn 74 – ♦Würzburg 53.

- **Zur Wohlfahrtsmühle** (mit Gästehaus), Miltenberger Str. 25 (NW : 2 km), ✆ 3 15, ☂, 🌳 – Ⓟ
  Mitte März - Okt. – Karte 19/55 *(Montag geschl.)* – **19 Z : 33 B** 35/55 - 70/110.

In Hardheim-Schweinberg O : 4 km :

- **Landgasthof Ross**, Königheimer Str. 23, ✆ 10 51 – ⇕ ☎ Ⓟ
  Jan.- Feb. 3 Wochen geschl. – Karte 25/40 *(Sonntag 15 Uhr - Montag 17 Uhr geschl.)* ₰ – **22 Z : 40 B** 37 - 62.

[HARDT] Nordrhein-Westfalen siehe Sendenhorst.

[HARMELINGEN] Niedersachsen siehe Soltau.

[HARPSTEDT] 2833. Niedersachsen [987] ⑭ – 3 000 Ew – Höhe 20 m – Erholungsort – ☎ 04244.

♦Hannover 103 – ♦Bremen 31 – ♦Osnabrück 95.

- **Zur Wasserburg** (ehem. Wassermühle a.d.J. 1712), Amtsfreiheit 4, ✆ 10 08, ☂, 🌳, 🎾 – ☎ Ⓟ
  Karte 27/45 – **14 Z : 27 B** 45/50 - 80/85.

[HARRISLEE] Schleswig-Holstein siehe Flensburg.

[HARSEFELD] 2165. Niedersachsen [987] ⑤⑮ – 8 500 Ew – Höhe 30 m – Luftkurort – ☎ 04164.

♦Hannover 176 – ♦Bremen 82 – ♦Hamburg 55.

- **Meyers Gasthof**, Marktstr. 17, ✆ 40 51 – ☎ 🚗 Ⓟ. E
  Karte 19,50/40 – **14 Z : 26 B** 48 - 84/90 – P 77/83.

[HARSEWINKEL] 4834. Nordrhein-Westfalen – 19 000 Ew – Höhe 65 m – ☎ 05247.

♦Düsseldorf 158 – Bielefeld 29 – Münster (Westfalen) 46.

- XXX ✿ **Poppenborg** mit Zim, Brockhägerstr. 9, ✆ 22 41, « Modern-elegantes Restaurant mit Art-Deco Elementen, Gartenrestaurant », ≋ – ⇕ [TV] ☎ 🚗 Ⓟ 🏃. AE ⓓ E
  Karte 58/85 *(bemerkenswerte Weinkarte)* (Mittwoch, Jan. und Juli - Aug. jeweils 2 Wochen geschl.) – **18 Z : 24 B** 50/90 - 130/140 Fb
  Spez. Steinbutt mit Kaviarsauce, Hummer mit Basilikum, Blätterteig mit Beeren.

In Harsewinkel 3-Greffen W : 6 km :

- **Zur Brücke**, Hauptstr. 38 (B 513), ✆ (02588) 6 16, ≋, 🏊, Fahrradverleih – [TV] ☎ Ⓟ 🏃. ⓓ
  Aug.- Sept. geschl. – Karte 21/38 *(Freitag geschl.)* – **42 Z : 60 B** 50/60 - 100/120.

In Harsewinkel 2-Marienfeld SO : 4 km :

- **Klosterpforte**, Klosterhof 3, ✆ 8 04 51 – [TV] ☎ Ⓟ 🏃. ⚘ Zim
  Karte 27/59 *(wochentags nur Abendessen, Dienstag und Juni - Juli 3 Wochen geschl.)* – **64 Z : 92 B** 70 - 120.

[HARZBURG, BAD] 3388. Niedersachsen [987] ⑯ – 24 000 Ew – Höhe 300 m – Heilbad – Heilklimatischer Kurort – Wintersport : 480/800 m ⛡1 ⛷3 ⛷3 (Torfhaus) – ☎ 05322.

⛳ Am Breitenberg, ✆ 67 37.

ℹ Kurverwaltung im Haus des Kurgastes, Herzog-Wilhelm-Str. 86, ✆ 30 44.

♦Hannover 100 – ♦Braunschweig 46 – Göttingen 90 – Goslar 10.

- **Braunschweiger Hof**, Herzog-Wilhelm-Str. 54, ✆ 78 80, Telex 957821, ≋, 🏊, 🌳 – ⇕ [TV] Ⓟ 🏃. AE ⓓ E VISA
  Karte 37/78 – **78 Z : 150 B** 89/135 - 148/208 Fb – 4 Appart. 268/298 – P 128/164.
- **Seela**, Nordhäuser Str. 5 (B 4), ✆ 70 11, Telex 957629, Bade- und Massageabteilung, ♨, ≋, 🏊, Ferienfahrschule – ⇕ [TV] ☎ 🚗 Ⓟ 🏃. AE ⓓ E VISA. ⚘ Rest
  Karte 23/59 *(auch Diät)* – **Schlemmerstübchen** *(nur Abendessen, Sonntag - Montag geschl.)* Karte 38/64 – **134 Z : 280 B** 90/130 - 150/190 Fb.
- **Harz-Autel**, Nordhäuser Str. 3 (B 4), ✆ 30 11, ≋, 🏊, 🌳, 🎾 – ☎ 🚗 Ⓟ. AE ⓓ E VISA
  Karte 25/65 – **35 Z : 70 B** 60/110 - 115/160 – 2 Fewo 85/105.
- Hotel am Park 🔇, Herzog-Wilhelm-Str. 102, ✆ 20 38, 🌳 – [TV] ☎ Ⓟ. ⚘ Rest
  (Restaurant nur für Hausgäste) – **12 Z : 24 B** Fb.
- **Haus Eden** 🔇 garni, Amsbergstr. 27, ✆ 70 51, « Bemerkenswerte Dekoration » – [TV]. ⚘
  16 Z : 32 B 50/75 - 110 – 6 Fewo 95/120.
- Victoria, Herzog-Wilhelm-Str. 74, ✆ 23 70 – ⇕ Ⓟ
  40 Z : 66 B.

Fortsetzung →

🏨 **Parkblick** 🏞 garni, Am Stadtpark 6, ☎ 14 98 – 🅿. 🐕
Nov.- 20. Dez. geschl. – **15 Z : 24 B** 30/62 - 62/86.

🏨 **Marxmeier-Dingel** 🏞 garni, Am Stadtpark 41, ☎ 23 67, 🏊, 🏊 – ☎
10. Nov.- 20. Dez. geschl. – **22 Z : 37 B** 45/54 - 90/96.

🏨 **Ein schönes Plätzchen** 🏞 garni, Am Rodenberg 39a, ☎ 36 44, 🏊, 🌳 – 🅿. 🐕
15. Nov.-15. Dez. geschl. – **12 Z : 22 B** 42/65 - 83/99.

🏨 **Breitenberg-Hotel** 🏞, Am Breitenberg 54, ☎ 40 41, ←, Caféterrasse – [TV] ☎ 🚗 🅿. E
(Restaurant nur für Hausgäste) – **14 Z : 28 B** 62/65 - 88/90.

🏨 **Berliner Bär** garni, Am Kurpark 2 a, ☎ 24 17 – 🚗. 🐕
Nov.- 19. Dez. geschl. – **14 Z : 20 B** 29/39 - 58/71.

🍴🍴 **Brauner Hirsch** mit Zim, Herzog-Julius-Str. 52, ☎ 22 60 – [TV] ☎ 🅿. [AE] [D] E [VISA]
Karte 29/64 – **13 Z : 19 B** 40/60 - 65/100.

[HASEL] Baden-Württemberg siehe Wehr.

[HASELAU] **2081.** Schleswig-Holstein – 950 Ew – Höhe 2 m – ☎ 04122.
♦Kiel 96 – ♦Hamburg 34 – Itzehoe 47.

🏠 **Haselauer Landhaus** 🏞, Dorfstr. 10, ☎ 8 14 14 – ☎ 🅿. [AE] [D] E [VISA]
Karte 20/43 *(Mittwoch und 1.- 27. Okt. geschl.)* – **8 Z : 12 B** 52 - 82.

[HASELBRUNN] Bayern siehe Pottenstein.

[HASELMÜHL] Bayern siehe Kümmersbruck.

[HASELÜNNE] **4473.** Niedersachsen [987] ⑭, [408] ⑭ – 11 000 Ew – Höhe 25 m – ☎ 05961.
♦Hannover 224 – ♦Bremen 113 – Enschede 69 – ♦Osnabrück 68.

🏨 **Burg-Hotel** garni (Stadtpalais a.d. 18. Jh.), Steintorstr. 7, ☎ 15 44, Telex 981213, 🏊 – [TV]
☎ 🅿. [AE] [D] E [VISA]
21. Dez.- 10. Jan. geschl. – **17 Z : 33 B** 57/65 - 75/110 Fb.

🏨 **Haus am See** 🏞, am See 2 (im Erholungsgebiet), ☎ 55 25, ←, 🏊 – ☎ 🅿. [AE] [D] E
Karte 27/50 – **12 Z : 21 B** 45 - 85.

🍴🍴 **Jagdhaus Wiedehage**, Steintorstr. 9, ☎ 4 22 – 🅿
Montag und 2.- 15. Jan. geschl. – Karte 28/60.

In Haselünne-Eltern NO : 1,5 km :

🏨 Bartels, Löninger Str. 26 (B 213), ☎ 4 91, 🌳 – 🚗 🅿
(nur Abendessen für Hausgäste) – **13 Z : 19 B.**

In Herzlake-Aselage **4479** O : 13 km :

🏨 **Zur alten Mühle** 🏞, ☎ (05962) 6 47, 🏊, 🏊, 🌳, 🎾 (Halle), Fahrradverleih – [TV] 🅿 🏇
Karte 38/71 – **70 Z : 120 B** 85/95 - 150/270 Fb.

[HASLACH IM KINZIGTAL] **7612.** Baden-Württemberg [413] H 22, [987] ㉞, [242] ㉘ – 6 000 Ew – Höhe 222 m – Erholungsort – ☎ 07832.
Sehenswert : Schwarzwälder Trachtenmuseum.
[i] Städt. Verkehrsamt, Klosterstr. 1, ☎ 80 80.
♦Stuttgart 174 – ♦Freiburg im Breisgau 46 – Freudenstadt 50 – Offenburg 28.

🍴🍴 **Ochsen** mit Zim, Mühlenstr. 39, ☎ 24 46, 🌳 – 🅿
Ende Sept.- Mitte Okt. geschl. – Karte 29/47 *(Donnerstag ab 15 Uhr und Montag geschl.)* 🍷 – **10 Z : 15 B** 45/50 - 85/90.

[HASSELBERG] **2340.** Schleswig-Holstein – 900 Ew – Höhe 10 m – ☎ 04642.
♦Kiel 68 – Flensburg 37 – Schleswig 42.

🏠 Spieskamer 🏞, ☎ 66 83, 🌳 – 🅿. 🐕
15 Z : 30 B.

[HASSFURT] **8728.** Bayern [413] O 16, [987] ㉖ – 11 500 Ew – Höhe 225 m – ☎ 09521.
♦München 276 – ♦Bamberg 34 – Schweinfurt 20.

🏨 **Walfisch**, Obere Vorstadt 8, ☎ 84 07 – 🚗
➔ *20. Dez.- 15. Jan.und 15. Juni - 6. Juli geschl.* – Karte 17,50/38 *(Freitag geschl.)* 🍷 – **19 Z : 25 B** 30/43 - 68/80.

🏠 **Mainaussicht** 🏞, Fischerrain 8, ☎ 14 09, ← – 🚗. 🐕
➔ Karte 17/26 *(auch Diät)* 🍷 – **26 Z : 35 B** 26/32 - 52/64.

HASSLOCH 6733. Rheinland-Pfalz 413 H 18, 242 ⑧, 57 ⑩ – 19 000 Ew – Höhe 115 m – ☎ 06324.
Mainz 89 – ♦Mannheim 24 – Neustadt an der Weinstraße 9,5 – Speyer 16.

Pfalz-Hotel, Lindenstr. 50, ✆ 40 47, Telex 45464545, ⌂, ▢, Fahrradverleih – ▯ ▤ Rest TV ☎ ♿ P ⛺ (mit ▤). ① E VISA. ✕ Rest
Karte 28/54 *(nur Abendessen)* ♁ – **38 Z : 60 B** 62/76 - 100/110 Fb.

Gasthaus am Rennplatz, Rennbahnstr. 149, ✆ 25 70, ⌂ – TV ☎ 🚗 P. ✕ Zim
Okt.- Nov. 4 Wochen geschl. – Karte 17/35 *(Montag geschl.)* ♁ – **13 Z : 16 B** 34/44 - 68/88.

HASSMERSHEIM 6954. Baden-Württemberg 413 K 19 – 4 500 Ew – Höhe 152 m – ☎ 06266.
Ausflugsziel : Burg Guttenberg* : Greifvogelschutzstation und Burgmuseum* S : 5 km.
♦Stuttgart 78 – Heilbronn 27 – Mosbach 13.

Auf Burg Guttenberg S : 5 km – Höhe 279 m :

Burgschenke, ✉ 6954 Hassmersheim, ✆ (06266) 2 28, ≤ Gundelsheim und Neckartal, ⌂, eigener Weinbau – P
Montag und Mitte Nov.- Anfang März geschl. – Karte 27/48.

HATTERSHEIM 6234. Hessen 413 I 16 – 24 100 Ew – Höhe 100 m – ☎ 06190.
♦Wiesbaden 20 – ♦Frankfurt am Main 20 – Mainz 20.

Am Schwimmbad garni, Staufenstr. 35, ✆ 26 64 – TV ☎ P. ✕
Juli - Aug. 3 Wochen geschl. – **17 Z : 26 B** 55/65 - 95/100.

Terrassen-Restaurant (Italienische Küche), Ladislaus-Winterstein-Ring, ✆ 24 34, « Gartenterrasse » – P. AE ① E
27. Dez.- 19. Jan. geschl. – Karte 27/55.

HATTGENSTEIN 6589. Rheinland-Pfalz – 300 Ew – Höhe 550 m – Wintersport (am Erbeskopf) : 680/800 m ≰4 ⛷2 – ☎ 06782.
Mainz 114 – Birkenfeld 8 – Morbach 15 – ♦Trier 60.

Waldhotel Grübner ⛰, Kiefernweg 9, ✆ 56 73, ≤, ⌂ – ☎ 🚗 P
(Rest. nur für Hausgäste) – **18 Z : 30 B** 45 - 90 – P 58.

In Schwollen 6589 NO : 1 km :

Manz, Hauptstr. 48, ✆ (06787) 4 65, ⌂ – ▯ P
(Rest. nur für Hausgäste) – **12 Z : 21 B** 34 - 60.

HATTINGEN 4320. Nordrhein-Westfalen 987 ⑭ – 60 000 Ew – Höhe 80 m – ☎ 02324.

Siehe Ruhrgebiet (Übersichtsplan).

♦Düsseldorf 44 – Bochum 10 – Wuppertal 24.

Zur alten Krone ⛰ mit Zim, Steinhagen 6, ✆ 2 18 24 – ☎
4 Z : 8 B.

Zum Kühlen Grunde mit Zim, Am Büchsenschütz 15, ✆ 6 07 72 – ▯ P. AE ① E
30. Juli - 20. Aug. geschl. – Karte 36/65 *(Donnerstag geschl.)* – **6 Z : 6 B** 45.

In Hattingen 15-Bredenscheid S : 5,5 km :

Landhaus Siebe ⛰, Am Stuten 29, ✆ 2 20 22, ⌂ – ☎ P ⛺. AE ① E VISA
Karte 26/58 *(Montag geschl.)* – **18 Z : 29 B** 60 - 110.

In Hattingen 1-Niederelfringhausen S : 7 km :

Landgasthaus Huxel, Felderbachstr. 9, ✆ (02052) 64 15, ⌂, « Einrichtung mit vielen Sammelstücken » – P. AE ① E
Freitag bis 18 Uhr, Montag und Jan. geschl. – Karte 59/82.

In Hattingen-Welper :

Hüttenau, Marxstr. 70, ✆ 63 25 – ☎ 🚗. ① E
Karte 19/29 – **15 Z : 26 B** 50 - 95.

In Sprockhövel 1-Niedersprockhövel 4322 SO : 8 km :

✿ **Rôtisserie Landhaus Leick** ⛰ mit Zim, Bochumer Str. 67, ✆ (02324) 76 15, ⌂, « Kleiner Park », ⌂ – TV ☎ P. AE ① E
Karte 56/89 *(Samstag bis 18 Uhr, Montag und 1.- 20. Jan. geschl.)* – **Die Pfannenschmiede** Karte 28/50 – **12 Z : 23 B** 122/162 - 174/254
Spez. Komposition von Hummer und Kalbszunge, Gratinierter Zander auf Pimentosauce, Pochiertes Rinderfilet im Mangoldblatt mit Meerrettichsauce.

Hattingen-Oberelfringhausen siehe : *Wuppertal*

HATTORF AM HARZ 3415. Niedersachsen – 4 400 Ew – Höhe 178 m – Erholungsort – ☎ 05584.
♦Hannover 108 – ♦Braunschweig 95 – Göttingen 37.

Harzer Landhaus, Gerhart-Hauptmann-Weg, ✆ 3 41, ⌂ – ▯ ☎ ♿ P ⛺
12 Z : 23 B.

[HATTSTEDTER MARSCH] Schleswig-Holstein siehe Husum.

[HAUENSTEIN] **6746.** Rheinland-Pfalz [413] G 19, [242] ⑧⑫, [87] ① ② – 4 700 Ew – Höhe 249 m – Luftkurort – ☎ 06392.

[i] Verkehrsamt, im Rathaus, ☎ 4 02 10.

Mainz 124 – Landau in der Pfalz 26 – Pirmasens 24.

- **Felsentor**, Bahnhofstr. 88, ☎ 5 81, ☼ – [TV] ☎ [P] ♿. AE ⊙ E VISA
  2.- 16. Jan. geschl. – Karte **27**/62 *(Montag geschl.)* – **27 Z : 52 B** 40/59 - 75/110 – P 92.

In Wilgartswiesen **6741** NO : 4 km – Erholungsort :

- **Am Hirschhorn** ⑤ garni, Am Hirschhorn 12, ☎ (06392) 17 23, ≤, ☼, [⛱] (Gebühr), ⛱ – [P]. ✗
  15. März - 15. Nov. – **16 Z : 30 B** 36/50 - 76/80.

In Schwanheim **6749** SO : 7,5 km :

- 🍴 **Zum alten Nußbaum**, Wasgaustr. 17, ☎ (06392) 18 83, ☂ – [P]
  Mittwoch-Donnerstag 17 Uhr geschl. – Karte 25/36 🍷.

[HAUSACH] **7613.** Baden-Württemberg [413] H 22, [987] ㉞ – 5 000 Ew – Höhe 239 m – ☎ 07831.

•Stuttgart 132 – •Freiburg im Breisgau 54 – Freudenstadt 40 – •Karlsruhe 110 – Strasbourg 62.

- **Zur Blume**, Eisenbahnstr. 26, ☎ 2 86 – ☎ 🚗 [P]. AE ⊙ E VISA
  2.- 26. Jan. geschl. – Karte 21/49 – **17 Z : 29 B** 40/46 - 70/80.

[HAUSEN IM TAL] Baden-Württemberg siehe Beuron.

[HAUSEN-ROTH] Bayern siehe Liste der Feriendörfer.

[HAUZENBERG] **8395.** Bayern [413] X 21, [426] ⑦ – 12 000 Ew – Höhe 545 m – Erholungsort – Wintersport : 700/830 m ⛷2 ⛷1 – ☎ 08586.

[i] Verkehrsamt im Rathaus, Schulstr. 2, ☎ 30 30.

•München 195 – Passau 18.

- **Zum Stemplinger Hansl**, Am Rathaus 6, ☎ 12 16, ☼, ⛱ – ☎ [P]
  ✦ Karte 18/38 – **22 Z : 50 B** 38/40 - 72/76.
- **Koller**, Im Tränental 5, ☎ 12 61 – 🚗
  ✦ Karte 15/28 *(Montag bis 17 Uhr und Samstag ab 13 Uhr geschl.)* – **15 Z : 22 B** 23/33 - 44/58.

In Hauzenberg-Geiersberg NO : 5 km :

- Berggasthof Sonnenalm ⑤, ☎ 47 94, ≤ Donauebene und Bayerischer Wald, ☂ – [P]
  10 Z : 20 B.

In Hauzenberg-Penzenstadl NO : 5 km :

- **Landhaus Rosenberger** ⑤, Penzenstadl 31, ☎ 22 51, ≤, ☼, [⛱], ⛱, 🎾 – [TV] [P]
  ✦ *5. Nov.- 15. Dez. geschl.* – Karte 18/35 – **47 Z : 80 B** 45 - 90 Fb – 12 Fewo 40/70.

[HAVERLAH] **3324.** Niedersachsen – 1 900 Ew – Höhe 152 m – ☎ 05341.

•Hannover 62 – •Braunschweig 30 – Salzgitter-Bad 2.

- **AHS-Gästehaus** ⑤ garni, Feldstr. 1, ☎ 30 01 10, ☼, [⛱] – ☎ [P]. ✗
  9 Z : 10 B 50 - 100.

[HAVIXBECK] **4409.** Nordrhein-Westfalen [408] ⑭ – 9 700 Ew – Höhe 100 m – ☎ 02507.

•Düsseldorf 123 – Enschede 57 – Münster (Westfalen) 17.

- **Beumer**, Hauptstr. 46, ☎ 12 36, ☼, [⛱] – ☎ [P] ♿. AE ⊙ E
  22.- 30. Dez. geschl. – Karte 25/50 *(Montag geschl.)* – **18 Z : 33 B** 55/60 - 90.

In Nottuln-Baumberg **4405** SW : 4 km :

- Haus Steverberg ⑤, Baumberg 6, ☎ (02502) 60 94, ≤, ☂ – ☎ [P] – **14 Z : 28 B.**

In Nottuln-Stevern **4405** SW : 6 km :

- 🍴🍴 **Gasthaus Stevertal**, ☎ (02502) 4 14, ☂, bemerkenswerte Weinkarte – [P]
  Freitag und 20. Dez.- 17. Jan. geschl. – Karte 30/49.

[HAYINGEN] **7427.** Baden-Württemberg [413] L 22 – 2 000 Ew – Höhe 550 m – Luftkurort – ☎ 07386.

[i] Verkehrsverein, Rathaus, Marktstr. 1, ☎ 4 12.

•Stuttgart 85 – Reutlingen 40 – • Ulm (Donau) 49.

In Hayingen-Indelhausen NO : 3 km :

- **Zum Hirsch**, Wannenweg 2, ☎ 2 76, ☂, ☼, ⛱ – [$] 🚗 [P]
  ✦ *Mitte Nov.- Mitte Dez. geschl.* – Karte 18/44 *(Montag geschl.)* 🍷 – **36 Z : 60 B** 32/46 - 58/82 – P 43/55.

[HAYNA] Rheinland-Pfalz siehe Herxheim.

[HEBERTSHAUSEN] Bayern siehe Dachau.

[HECHINGEN] 7450. Baden-Württemberg [413] J 21, [987] ㉟ – 16 600 Ew – Höhe 530 m – ☎ 07471.
Ausflugsziel : Burg Hohenzollern : Lage***, ✻* S : 6 km.
⛳9 Hagelwasen, ☎ 26 00.
[i] Städt. Verkehrsamt, Rathaus, Marktplatz 1, ☎ 18 51 13.
♦Stuttgart 67 – ♦Freiburg im Breisgau 131 – ♦Konstanz 131 – ♦Ulm (Donau) 119.

- **Café Klaiber**, Obertorplatz 11, ☎ 22 57 – 🚗
  Karte 20/34 *(Samstag geschl.)* – **27 Z : 39 B** 30/55 - 60/90.
- 🍴 Schwanen, Bahnhofstr. 4, ☎ 35 14 – [P] 🚌.

In Hechingen-Stetten SO : 1,5 km :

- **Falken**, Hechinger Str. 52, ☎ 23 51, 🌳 – [P]. [O] E [VISA]
  Karte 19/47 *(auch vegetarische Gerichte)* (Mittwoch geschl.) – **15 Z : 28 B** 32/45 - 60/85.

An der B 27 S : 2,5 km :

- **Brielhof**, ✉ 7450 Hechingen, ☎ (07471) 23 24 – [TV] ☎ 🚗 [P] 🚌. [AE] E
  22.- 30. Dez. geschl. – Karte **28**/64 – **21 Z : 31 B** 52/80 - 85/140.

In Bodelshausen 7454 N : 6,5km :

- **Zur Sonne** garni, Hechinger Str. 84, ☎ (07471) 79 79, ≘s – [P]
  23. Dez.- 8. Jan. geschl. – **14 Z : 21 B** 38/54 - 64/82 Fb.

[HEGE] Bayern siehe Wasserburg am Bodensee.

[HEIDE] 2240. Schleswig-Holstein [987] ⑤ – 21 000 Ew – Höhe 14 m – ☎ 0481.
[i] Fremdenverkehrsbüro, Rathaus, Postelweg 1, ☎ 69 91 17.
♦Kiel 81 – Husum 40 – Itzehoe 51 – Rendsburg 45.

- **Berlin** garni, Österstr. 18, ☎ 30 66, 🌳 – [TV] ☎ 🚗 [P] 🚌. [AE] [O] E
  44 Z : 70 B 65/120 - 108/180 Fb – 2 Fewo 98.
- **Kotthaus**, Rüsdorfer Str. 3, ☎ 80 11 – [TV] ☎ 🚗 [P] 🚌. [AE] [O] E. 🐕 Zim
  Karte 29/62 – **13 Z : 26 B** 45/50 - 80/90 Fb.
- 🍴🍴 **Berliner Hof**, Berliner Str. 46, ☎ 55 51 – [P]. [AE] [O] E [VISA]
  Mitte Jan.- Mitte Feb. und Montag geschl. – Karte 30/61.

[HEIDELBERG] 6900. Baden-Württemberg [413] J 18, [987] ㉕ – 135 000 EW – Höhe 114 m – ☎ 06221.
Sehenswert : Schloß*** (Rondell <*, Altan <*, Deutsches Apothekenmuseum* Z M) – Schloßgarten* (Scheffelterrasse <**) – Kurpfälzisches Museum* (Windsheimer Zwölfbotenaltar**, Gemälde und Zeichnungen der Romantik**) Y M – Haus zum Ritter* Y N – Universitätsbibliothek (Buchausstellung*) Z A – Neckarufer (<*** von der Neuenheimer- und Ziegelhäuser Landstraße) – Philosophenweg* (<*) Y.
Ausflugsziel : Molkenkur <* (mit Bergbahn) Z.
⛳18 Lobbach-Lobenfeld (② : 20 km), ☎ (06226) 4 04 90.
[i] Tourist-Information, Pavillon am Hauptbahnhof, ☎ 2 13 41, Telex 461555.
ADAC, Heidelberg-Kirchheim (über ④), Carl-Diem-Str. 2, ☎ 72 09 81, Telex 461487.
♦Stuttgart 122 ④ – ♦Darmstadt 59 ④ – ♦Karlsruhe 59 ④ – ♦Mannheim 20 ⑤.

Stadtplan siehe nächste Seite.

- **Der Europäische Hof - Restaurant Kurfürstenstube**, Friedrich-Ebert-Anlage 1, ☎ 2 71 01, Telex 461840, Fax 164247, « Gartenanlage im Innenhof » – [lift] [TV] 🚗 🚌. [AE] [O] E [VISA] Z **u**
  Karte 63/90 – **150 Z : 270 B** 209/299 - 290/450 Fb – 14 Appart. 500/600.
- **Heidelberg Penta Hotel**, Vangerowstr. 16, ☎ 90 80, Telex 461363, Fax 22977, <, 🌳, Massage, ≘s, [pool], Fahrradverleih, Bootssteg – [lift] 🚭 Zim [TV] ♿ 🚗 [P] 🚌. [AE] [O] E [VISA]. 🐕 Rest V **a**
  Karte 40/72 – **251 Z : 502 B** 193/208 - 251/271 Fb – 3 Appart. 1036.
- **Prinzhotel - Ristorante Giardino**, Neuenheimer Landstr. 5, ☎ 4 03 20, Telex 461125, Fax 403230, <, « Elegante Einrichtung » – [lift] [TV] ♿ [P] 🚌. [AE] [O] E [VISA]. 🐕 V **e**
  Karte 71/85 *(Italienische Küche)* (nur Abendessen, Dienstag und Aug. geschl.) – **50 Z : 90 B** 214 - 283/428.
- **Rega-Hotel Heidelberg**, Bergheimer Str. 63, ☎ 50 80, Telex 461426 – [lift] [TV] [P] 🚌. [AE] [O] E [VISA] V **v**
  Karte 32/65 – **124 Z : 225 B** 160/180 - 190/210 Fb.

Fortsetzung →

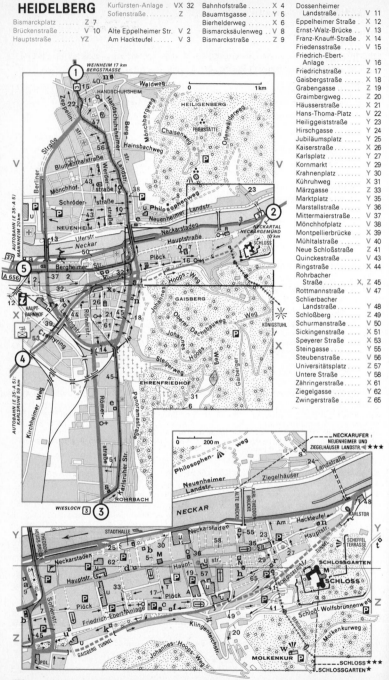

HEIDELBERG

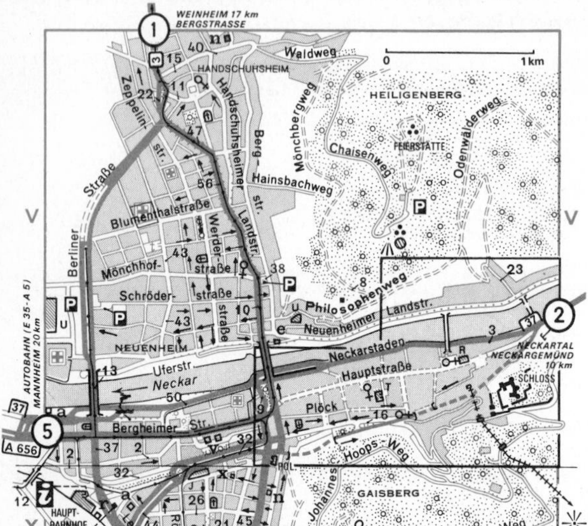

WEINHEIM 17 km BERGSTRASSE
HANDSCHUHSHEIM
HEILIGENBERG
FEIERSTÄTTE
Waldweg
Mönchbergweg
Chaisenweg
Odenwälderweg
Hainsbachweg
Philosophenweg
Neuenheimer Landstr.
Neckarstaden
Hauptstraße
Plöck
Uferstr.
Neckar
Bergheimer Str.
NEUENHEIM
Blumenthalstraße
Mönchhof-straße
Schröder-straße
Berliner Straße
Zeppelin-str.
Handschuhsheimer Landstr.
Berg-str.
Werder-straße
NECKARTAL NECKARGEMÜND 10 km
SCHLOSS
AUTOBAHN (E 35-A 5) MANNHEIM 20 km
A 656
HAUPT-BAHNHOF
Lessingstr.
Römerstr.
Czernyring
GAISBERG
Johannes-Hoops-Weg
Oberer Dachsbauweg
Steigerweg
Gaiberger Weg
KÖNIGSTUHL
EHRENFRIEDHOF
Panoramastraße
Kirchheimer Weg
AUTOBAHN (E 35-A 5) KARLSRUHE 59 km
Römer-straße
Karlsruher Str.
ROHRBACH
WIESLOCH
0 1 km

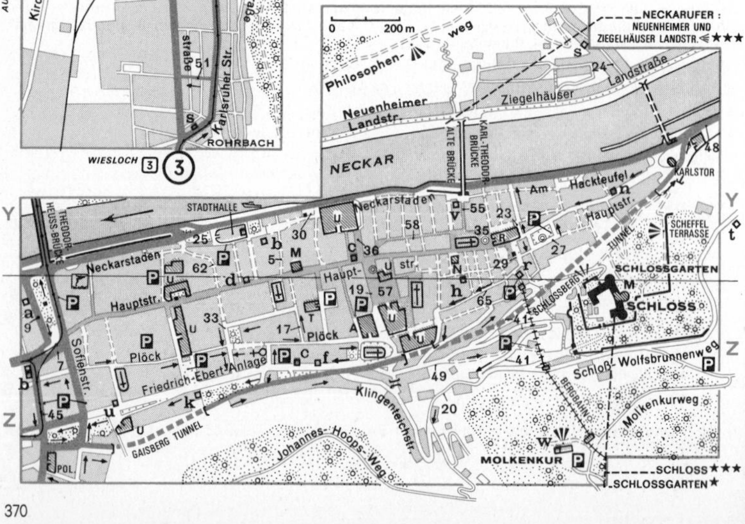

NECKARUFER : NEUENHEIMER UND ZIEGELHÄUSER LANDSTR. ★★★
0 200 m
Philosophen-weg
Neuenheimer Landstr.
Ziegelhäuser Landstraße
NECKAR
ALTE BRÜCKE
KARL-THEODOR-BRÜCKE
KARLSTOR
THEODOR-HEUSS-BRÜCKE
STADTHALLE
Neckarstaden
Hauptstr.
Hackteufel
Am
SCHEFFEL TERRASSE
SCHLOSSGARTEN
SCHLOSS
SCHLOSSBERG
TUNNEL
Plöck
Friedrich-Ebert-Anlage
Sofienstr.
Klingenteichstr.
Schloß-Wolfsbrunnenweg
Molkenkurweg
BERGBAHN
GAISBERG TUNNEL
Johannes-Hoops-Weg
MOLKENKUR
SCHLOSS ★★
SCHLOSSGARTEN ★

Hirschgasse, Hirschgasse 3, 4 99 21, Telex 461474, Fax 403230, « Historisches Gasthaus a.d.J. 1472 mit geschmackvoller Einrichtung » – AE E VISA.
23. Dez.- 7. Jan. geschl. – Karte 61/98 *(nur Abendessen, Sonn- und Feiertage geschl.)* – **20 Z : 40 B** 214 - 283/428 Fb. Y s

Alt Heidelberg - Restaurant Graimberg, Rohrbacher Str. 29, 91 50, Telex 461897, Fax 164272, – AE E VISA X n
Karte 35/60 *(Samstag bis 18 Uhr geschl.)* – **80 Z : 150 B** 125/145 - 165/235 Fb.

Zum Ritter, Hauptstr. 178, 2 42 72, Telex 461506, « Renaissancehaus a.d.J. 1592 » – AE E VISA Y N
Karte 34/73 – **32 Z : 50 B** 75/160 - 95/260 Fb.

Schönberger Hof (Haus a.d.J. 1772), Untere Neckarstr. 54, 2 26 15 – Y b
24. Dez.- 6. Jan. geschl. – Karte 42/66 *(nur Abendessen, Samstag - Sonntag und Juli - Aug. 3 Wochen geschl.)* – **15 Z : 24 B** 80/110 - 140/160.

Holländer Hof, Neckarstaden 66, 1 20 91, Telex 461882, ← – Y v
40 Z : 72 B Fb.

Parkhotel Atlantic garni, Schloß-Wolfsbrunnenweg 23, 2 45 45, Telex 461825, ←, « Kleiner Park » – Y t
23 Z : 40 B Fb.

Acor garni, Friedrich-Ebert-Anlage 55, 2 20 44, Telex 461897 – AE E VISA
18 Z : 32 B 125/140 - 165/210 Fb. Z f

Intercity-Hotel Arcade, Lessingstr. 3 (am Hbf.), 91 30, Telex 461466 – AE E VISA X r
Karte 24/46 *(nur Abendessen)* – **99 Z : 210 B** 95 - 126 Fb.

Perkeo garni (siehe auch Restaurant Perkeo), Hauptstr. 75, 2 22 55 – AE E VISA
25 Z : 48 B 110/130 - 145/180. YZ d

Kurfürst garni, Poststr. 46, 2 47 41, Telex 461566 – AE V v
61 Z : 92 B 98 - 165.

Am Schloss garni, Zwingerstr. 20 (Parkhaus Kornmarkt), 16 00 11 – AE E VISA Y r
18. Dez.- 6. Jan. geschl. – **21 Z : 40 B** 125/140 - 155/180.

Bayrischer Hof garni, Rohrbacher Str. 2, 1 40 45, Telex 461417 – E VISA
45 Z : 70 B 68/110 - 95/160 Fb. Z b

Neckar-Hotel garni, Bismarckstr. 19, 1 08 14 – AE E VISA Z a
Weihnachten - Anfang Jan. geschl. – **34 Z : 65 B** 95/130 - 130/170.

Diana garni, Rohrbacher Str. 152, 31 42 43, Telex 461658, « Kleiner Garten » –
45 Z : 90 B Fb. X e

Central garni, Kaiserstr. 75, 2 06 72 – AE X a
51 Z : 80 B 70/80 - 128.

Kohler garni, Goethestr. 2, 2 43 60 – E VISA X x
Mitte Dez.- Mitte Jan. geschl. – **43 Z : 70 B** 52/88 - 76/136.

Anlage Hotel, Friedrich-Ebert-Anlage 32, 2 64 25 – AE E VISA Z k
(nur Abendessen für Hausgäste) – **20 Z : 35 B** 75/85 - 99/130.

XXX **Zur Herrenmühle** (Haus a.d. 14. Jh.), Hauptstr. 239, 1 29 09, « Innenhofterrasse » – AE E VISA Y n
nur Abendessen – Karte 69/95 (Tischbestellung ratsam).

XX ❀ **Simplicissimus**, Ingrimstr. 16, 1 33 36, « Elegante Einrichtung » – AE VISA. YZ h
nur Abendessen, Dienstag und Aug. 2 Wochen geschl. – Karte 58/81 (Tischbestellung ratsam)
Spez. Gefüllter Seeteufel in Champagner, Taubenbrust mit Gänseleberসauce, Gratin von Früchten.

XX **Molkenkur** mit Zim, Klingenteichstr. 31, 1 08 94, « Terrasse mit ← Schloß und Neckartal » – AE E VISA Z w
Karte 34/54 *(Jan.- März geschl.)* – **17 Z : 32 B** 75 - 100 Fb.

XX Kurpfälzisches Museum, Hauptstr. 97, 2 40 50, – Y M

XX **Merian Stuben**, Neckarstaden 24 (im Kongresshaus Stadthalle), 2 73 81, – AE E VISA Y
Jan. und Montag geschl., Okt.- April Sonntag nur Mittagessen – Karte 26/50.

XX **Scheffeleck**, Friedrich-Ebert-Anlage 51, 2 61 72 – AE VISA Z c
nur Abendessen, Sonntag geschl. – Karte 32/60.

X **Kupferkanne**, Hauptstr. 127 (1. Etage), 2 17 90 Y c
nur Abendessen, Sonntag und 26. Juni - 17. Juli geschl. – Karte 34/52.

X **Da Mario** (Italienische Küche), Rohrbacher Str. 2, 1 35 91 – AE E VISA Z b
Karte 31/55.

X **Perkeo** (Altdeutsche Gaststätte a.d. J. 1891), Hauptstr. 75, 16 06 13, – AE E VISA
Karte 26/52. YZ d

In Heidelberg-Handschuhsheim :

XX **Zum Zapfenberg**, Große Löbingsgasse 13, 4 52 60 – AE E V n
nur Abendessen, Sonntag und Juli - Aug. 3 Wochen geschl. – Karte 60/80 (Tischbestellung ratsam).

In Heidelberg-Kirchheim ④ : 3 km :

Queens Hotel, Pleikartsförsterstr. 101, ☎ 7 10 21, Telex 461650, Fax 720531, Fahrradverleih – Zim Rest ☎ ♿ [P] (mit). [AE] [D] [E] [VISA]
Karte 36/60 – **112 Z : 174 B** 165/170 - 205/220 Fb.

Sonne garni, Schmitthennerstr. 1 (Ecke Pleikartsförsterstr.), ☎ 7 21 62
17 Z : 36 B 30- 42/47.

In Heidelberg-Pfaffengrund W : 3,5 km über Eppelheimer Straße X :

Kranich-Hotel garni, Kranichweg 37a, ☎ 77 60 06 – [TV] ☎. [AE] [D] [E] [VISA]
28 Z : 40 B 68/80 - 98/110 Fb.

In Heidelberg - Pleikartsförsterhof ④ : 3 km :

Pleikartsförsterhof, ☎ 7 59 71 – [P]
Sept. und Dienstag geschl. – Karte 35/48 .

In Heidelberg-Rohrbach :

Ristorante Italia, Karlsruher Str. 82, ☎ 31 48 61 – [AE] [E] X s
3.- 26. Juli geschl. und Mittwoch geschl. – Karte 38/70.

In Heidelberg-Schlierbach ② : 4 km :

Zum Wolfsbrunnen (historisches Jagdhaus a.d. 16. Jh.), Wolfsbrunnensteige 15, ☎ 80 37 58, – [P].

In Heidelberg-Ziegelhausen O : 5 km über Neuenheimer Landstraße V :

Schwarzer Adler, Kleingemünder Str. 6, ☎ 8 05 81, – ☎ [P]
18 Z : 32 B Fb.

Zum Goldenen Ochsen, Brahmsstr. 6, ☎ 80 13 08.

In Eppelheim **6904** W : 4 km über Eppelheimer Str. X :

Rhein-Neckar-Hotel, Seestr. 75, ☎ (06221) 76 20 01 – [TV] ☎ [P]
24 Z : 32 B.

HEIDEN Nordrhein-Westfalen siehe Borken.

HEIDENAU **2111.** Niedersachsen – 1 500 Ew – Höhe 35 m – ☎ 04182.
♦Hannover 126 – ♦Bremen 76 – ♦Hamburg 50.

Heidenauer Hof (mit Gästehaus,), Hauptstr. 23, ☎ 41 44, , – [P]. [AE] [E]
Karte 24/56 *(Dienstag geschl.)* – **16 Z : 32 B** 39/60 - 76/110.

HEIDENHEIM AN DER BRENZ **7920.** Baden-Württemberg [413] N 20,21, [987] ㊱ – 47 900 Ew – Höhe 491 m – ☎ 07321.

[i] Städt. Verkehrsamt, Grabenstr. 15, ☎ 32 73 40.

♦Stuttgart 87 – ♦Nürnberg 132 – ♦Ulm (Donau) 46 – ♦Würzburg 177.

Schweizer Hof, Steinheimer Str. 8, ☎ 4 40 61 – [TV] ☎ [P]
(nur Abendessen) – **20 Z : 40 B.**

Ottilienhof, Schnaitheimer Str. 19, ☎ 4 10 77 – ☎ [P]. [D] [E] [VISA].
Karte 30/58 *(Sonntag ab 15 Uhr geschl.)* – **17 Z : 24 B** 62 - 90.

Haus Hellenstein, Seestr. 16, ☎ 2 20 71 – [TV] ☎. [AE] [D] [E] [VISA]
Karte 21/34 *(Freitag geschl.)* – **15 Z : 33 B** 50/60 - 85/100.

Linde, St.-Pöltener-Str. 53, ☎ 5 20 41 – ☎ [P]. [D] [E] [VISA]
24. Dez.- 6. Jan. geschl. – Karte 19,50/41 *(Samstag geschl.)* – **36 Z : 47 B** 48/75 - 85/110 Fb.

Raben, Erchenstr. 1, ☎ 2 18 39 – ☎ [P]
20 Z : 28 B.

Gästehaus Traber garni, Ziegelstr. 39, ☎ 4 40 01 – [P]. [E]
13 Z : 17 B 49/64 - 103/140.

Haus Hubertus, Giengener Str. 82, ☎ 5 18 00 – ☎ [P]. [AE] [D] [E]
Karte 24/45 *(Samstag bis 17 Uhr geschl.)* – **8 Z : 12 B** 35/40 - 60/70.

Haus Friedrich mit Zim, Wilhelmstr. 80, ☎ 4 56 62 – [TV] ☎ [P]
Aug. geschl. – Karte 25/55 *(Samstag bis 18 Uhr sowie Sonn- und Feiertage geschl.)* – **3 Z : 5 B** 58/60 - 120.

Schloßgaststätte-Panoramastuben, Schloßhaustr. 55, ☎ 4 10 66, ≤, – [P] . [AE] [D] [E]
Montag geschl. – Karte 22/45 .

Weinstube zum Pfauen, Schloßstr. 26, ☎ 4 52 95
Sonntag und 6.- 22. Jan. geschl. – Karte 30/66 (abends Tischbestellung ratsam).

In Heidenheim 9-Mergelstetten S : 2 km über die B 19 :

Hirsch garni, Buchhofsteige 3, ☎ 5 10 30 – [TV] ☎ P. AE ⓓ E VISA
22. Dez.- 6. Jan. geschl. – **41 Z : 55 B** 75/80 - 100/120 Fb.

Lamm mit Zim, Carl-Schwenk-Str. 40 (B 19), ☎ 5 11 41, – ☎ P. AE E
Karte 17,50/43 *(Montag geschl.)* – **12 Z : 18 B** 32/37 - 54/64.

In Heidenheim 5-Mittelrain NW : 2 km :

Rembrandt-Stuben, Rembrandtweg 9, ☎ 6 54 34, – P. ⓓ E
2.- 11. Jan., Juli und Montag 14 Uhr - Dienstag geschl. – Karte **31**/65.

An der Straße nach Giengen SO : 7 km :

Landgasthof Oggenhausener Bierkeller, ✉ 7920 HDH-Oggenhausen, ☎ (07321) 5 22 30, – P. AE ⓓ E
Dienstag 14 Uhr - Mittwoch und Juli - Aug. 3 Wochen geschl. – Karte 37/65 (abends Tischbestellung ratsam).

In Steinheim am Albuch 7924 W : 6 km :

Zum Kreuz, Hauptstr. 26, ☎ (07329) 60 07, – [TV] ☎ P. AE E VISA
Karte 31/60 *(Sonntag 15 Uhr - Montag 18 Uhr geschl.)* – **7 Z : 11 B** 60/80 - 90/140 (Anbau mit 23 Z ab Frühjahr 1989).

Pension Croonen, Obere Ziegelhütte 5, ☎ (07329) 2 10, (Halle) – P
20. Dez.- 10. Jan. geschl. – Karte 17/25 *(nur kleine Gerichte)* – **11 Z : 19 B** 35 - 55.

In Steinheim-Sontheim i. St. 7924 W : 7 km :

Sontheimer Wirtshäusle (mit Gästehaus), an der B 466, ☎ (07329) 2 85 – P
23. Dez.- 20. Jan. geschl. – Karte **25**/56 *(Samstag geschl.)* – **5 Z : 8 B** 37/45 - 64/90.

HEIGENBRÜCKEN 8751. Bayern [413] KL 16 – 2 300 Ew – Höhe 300 m – Luftkurort – ☎ 06020.
[i] Kur- und Verkehrsamt, Rathaus, ☎ 3 81.
♦München 350 – Aschaffenburg 26 – ♦Würzburg 74.

Wildpark, Lindenallee 39, ☎ 4 94, – ☎ P (mit). ⓓ
7.- 30. Jan. geschl. – Karte 24/52 – **40 Z : 80 B** 60 - 95.

Zur frischen Quelle, Hauptstr. 1, ☎ 4 62 – P
Ende Okt.- Mitte Nov. geschl. – Karte 23/32 *(Okt.- April Donnerstag geschl.)* – **16 Z : 29 B** 23/30 - 46/58.

HEILBRONN 7100. Baden-Württemberg [413] K 19, [987] ㉕ – 111 000 Ew – Höhe 158 m – ☎ 07131.
Sehenswert : St.-Kilian-Kirche (Turm★).
[i] Städtisches Verkehrsamt, Rathaus, ☎ 56 22 70.
ADAC, Innsbrucker Str. 26, ☎ 8 39 16, Telex 728590, Notruf ☎ 1 92 11.
♦Stuttgart 53 ③ – Heidelberg 68 ① – ♦Karlsruhe 94 ① – ♦Würzburg 105 ①.

Stadtplan siehe nächste Seite.

Insel-Hotel, Friedrich-Ebert-Brücke, ☎ 63 00, Telex 728777, – [TV] P. AE ⓓ E VISA Y r
Restaurants: – **Royal** *(Freitag 14 Uhr - Sonntag geschl.)* Karte 45/75 – **Schwäbisches Restaurant** Karte 35/65 – **120 Z : 180 B** 138/188 - 188/248 Fb – 4 Appart. 380/440.

Götz, Moltkestr. 52, ☎ 15 50, Telex 728926, Fax 155881 – [TV] . AE ⓓ E VISA
Karte 37/62 – **86 Z : 153 B** 118/138 - 158/188 Fb. Z a

Burkhardt, Lohtorstr. 7, ☎ 6 22 40, Telex 728480 – [TV] ☎ P – **55 Z : 65 B** Fb. Y b

Park-Villa garni, Gutenbergstr. 30, ☎ 7 20 28, « Geschmackvolle Einrichtung, Park » – [TV] ☎. AE ⓓ E Z p
13 Z : 23 B 90/120 - 140/175 Fb.

Urbanus, Urbanstr. 13, ☎ 8 13 44 – ☎ P Z c
Karte 24/48 *(Samstag bis 17 Uhr und Sonntag geschl.)* – **31 Z : 55 B** 65 - 98/140 Fb.

City-Hotel garni, Allee 40 (14. Etage), ☎ 8 39 58, ← – [TV] ☎ . AE ⓓ E VISA Y e
20. Dez.- 7. Jan. geschl. – **18 Z : 40 B** 75/95 - 125/150 Fb.

Wirtshaus am Götzenturm, Allerheiligenstr. 1, ☎ 8 05 34, , bemerkenswertes Weinangebot, « Sammlung Hohenloher Bauernantiquitäten » Z s
nur Abendessen, Sonn- und Feiertage geschl. – Karte 53/71.

Ratskeller, Marktplatz 7, ☎ 8 46 28, – Y R
Sonntag ab 15 Uhr geschl. – Karte 32/58.

Stöber, Wartbergstr. 46, ☎ 16 09 29 – AE E Y n
Samstag geschl. – Karte **28**/56.

Münch's Beichtstuhl, Fischergasse 9, ☎ 8 95 86 – *nur Abendessen.* Z e

Haus des Handwerks, Allee 76, ☎ 8 44 68 – . AE ⓓ E VISA Y u
Karte 23/58 .

Harmonie-Gaststätte, Allee 28, ☎ 8 68 90, – P . E YZ f
Karte 24/49.

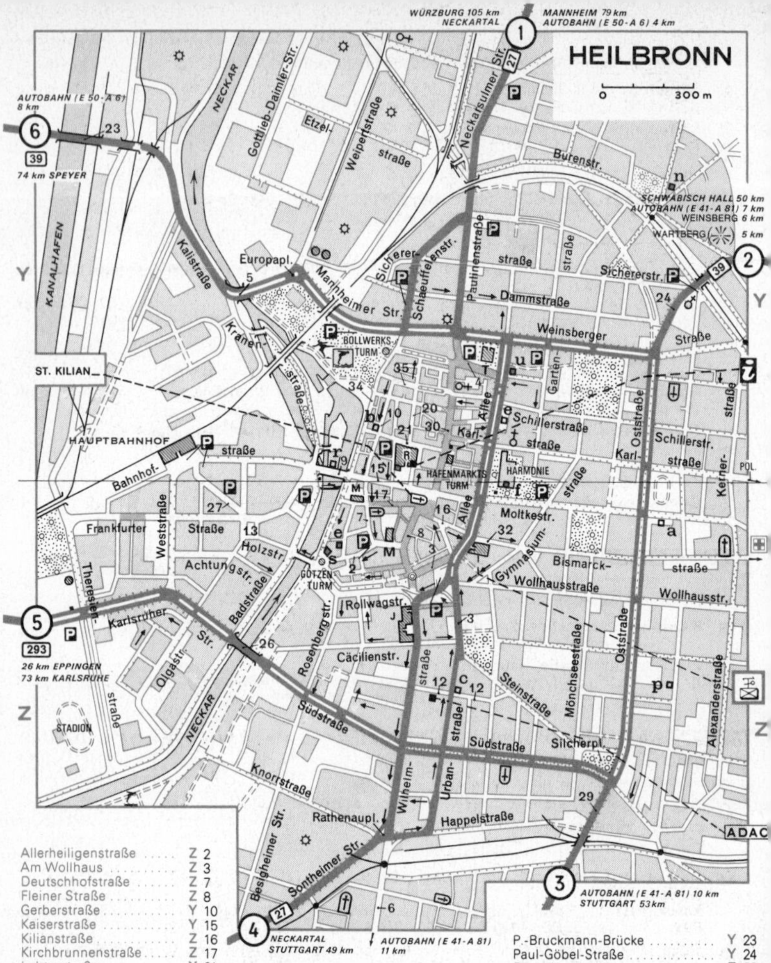

Allerheiligenstraße	Z 2
Am Wollhaus	Z 3
Deutschhofstraße	Z 7
Fleiner Straße	Z 8
Gerberstraße	Y 10
Kaiserstraße	Y 15
Kilianstraße	Z 16
Kirchbrunnenstraße	Z 17
Lohtorstraße	Y 21
Sülmerstraße	Y 30
Berliner Platz	Y 4
Bleichinselbrücke	Y 5
Charlottenstraße	Z 6
Friedrich-Ebert-Brücke	Y 9
Innsbrucker Straße	Z 12
Kaiser-Friedrich-Platz	Z 13
Lammgasse	Y 20
P.-Bruckmann-Brücke	Y 23
Paul-Göbel-Straße	Y 24
Rosenbergbrücke	Z 26
Roßkampfstraße	Z 27
Stuttgarter Straße	Z 29
Titotstraße	Z 32
Untere Neckarstraße	Y 34
Zehentgasse	Y 35

__In Heilbronn-Böckingen__ ⑤ : 4 km :

Gästehaus Dokkenwadel garni, Großgartacher Str. 176/2 (B 293), ✆ 4 64 70, – Ⓟ.
18 Z : 21 B 39/55 - 66/80.

__Im Jägerhauswald__ O : 4 km, Zufahrt über Bismarckstraße Z :

X **Waldgaststätte Jägerhaus,** ✉ 7100 Heilbronn, ✆ (07131) 7 52 25, – Ⓟ. E
5. Jan.- 5. Feb. und Montag geschl. – Karte 28/55.

__Auf dem Wartberg__ ② : 5 km – Höhe 303 m:

XX **Höhenrestaurant Wartberg,** ✉ 7100 Heilbronn, ✆ (07131) 7 32 74, ≤ Heilbronn und Weinberge, – ♿ Ⓟ. AE E
4. Jan.- 16. Feb. und Dienstag geschl. – Karte 39/67.

__In Flein__ **7101** S : 5,5 km über Charlottenstr. Z :

Wo der Hahn kräht, Altenbergweg 11, ✆ (07131) 5 30 71, ≤, , Weinprobe, Weinlehrpfad, – Ⓟ
Karte 28/58 – **27 Z : 58 B** 75 - 110.

HEILBRUNN, BAD 8173. Bayern [413] R 23, [426] ⑰ – 2 900 Ew – Höhe 682 m – Heilbad – ☎ 08046.

[i] Kur- und Verkehrsamt, Haus des Gastes, ☎ 3 23.

♦München 63 – Mittenwald 48 – Bad Tölz 8.

🏨 **Gästehaus Oberland** 🔇, Wörnerweg 45, ☎ 2 38, 🏞, 🚿, 🌳 – 🅿
Mitte Dez.- Mitte Jan. geschl. – Karte 22/32 *(Mittwoch geschl.)* – **21 Z : 33 B** 29/52 - 60/84 – P 55/68.

HEILIGENBERG 7799. Baden-Württemberg [413] K 23, [987] ㉟, [427] ⑦ – 2 700 Ew – Höhe 726 m – Luftkurort – ☎ 07554.

Sehenswert : Schloßterrasse ≤★.

[i] Kurverwaltung, Rathaus, ☎ 2 46.

♦Stuttgart 139 – Bregenz 70 – Sigmaringen 38.

🏨 **Berghotel Baader**, Salemer Str. 5, ☎ 3 03, 🚿, 🏊, 🌳 – ☎ 🚗 🅿. [AE]. 🐕
Karte 45/67 – **20 Z : 36 B** 53/58 - 98/108 - (Wiedereröffnung nach Umbau April 1989).

🏨 Post 🔇, Postplatz 3, ☎ 2 08, ≤ Linzgau und Bodensee, 🏞 – ☎ 🚗 🅿. 🐕
12 Z : 20 B.

In Heiligenberg-Steigen :

🏠 **Hack** 🔇, Am Bühl 11, ☎ 86 86, ≤, 🏞, 🌳 – 🅿
Nov. geschl. – Karte 28/40 *(Montag geschl.)* 🍷 – **11 Z : 19 B** 32/38 - 60/80.

HEILIGENHAFEN 2447. Schleswig-Holstein [987] ⑥ – 9 000 Ew – Höhe 3 m – Ostseeheilbad – ☎ 04362.

[i] Kurverwaltung, Rathaus am Markt, ☎ 5 00 89.

♦Kiel 67 – ♦Lübeck 67 – Puttgarden 24.

🏨 **Deutsches Haus** (mit Gästehaus), Bergstr. 3, ☎ 22 38, 🏞, 🌳 – 🅿. [AE] [D] [E] [VISA]
Karte 20/49 – **46 Z : 90 B** 58/80 - 90/150 Fb.

🍴 **Zum alten Salzspeicher**, Hafenstr. 2, ☎ 28 28, « Haus a.d. 16. Jh. » – [AE] [D] [E] [VISA]
Dienstag und 15. Jan.- Feb. geschl. – Karte 30/62.

🍴🍴 **Hanseatic**, Strandpromenade, ☎ (04367) 2 84, ≤ – 🅿
5. Jan.- März und Nov.- 24. Dez. geschl., außer Saison Donnerstag Ruhetag – Karte 28/56.

HEILIGENHAUS 5628. Nordrhein-Westfalen – 28 900 Ew – Höhe 174 m – ☎ 02056.

Siehe Ruhrgebiet (Übersichtsplan).

♦Düsseldorf 22 – ♦Essen 22 – Wuppertal 25.

🏨 Parkhaus 🔇, Parkstr. 38, ☎ 50 05, 🏞 – ☎ 🅿 🏔
23 Z : 34 B Fb.

🍴🍴 **Kuhs - Deutscher Hof**, Velberter Str.146, ☎ 65 28 – 🅿. [E]
Montag - Dienstag und Juni - Juli 4 Wochen geschl. – Karte 35/55.

HEILIGENRODE Niedersachsen siehe Stuhr.

HEILIGENSTADT 8551. Bayern [413] Q 17 – 3 700 Ew – Höhe 367 m – ☎ 09198.

♦München 231 – ♦Bamberg 24 – Bayreuth 36 – ♦Nürnberg 60.

In Heiligenstadt-Veilbronn SO : 3 km – Erholungsort :

🏠 **Sponsel-Regus** 🔇, ☎ 2 22, 🏞 – 🚗 🅿
10. Jan.- 15. Feb. geschl. – Karte 18/34 *(Nov.- März Dienstag geschl.)* – **40 Z : 65 B** 28/37 - 65/68 Fb.

HEILIGKREUZSTEINACH 6901. Baden-Württemberg [413] J 18 – 2 900 Ew – Höhe 280 m – Erholungsort – ☎ 06220.

♦Stuttgart 119 – Heidelberg 21 – ♦Mannheim 31.

🏠 **Goldner Hirsch**, Weinheimer Str. 10, ☎ 2 27, 🚿, 🏊, 🌳 – 🅿
Karte 16/36 *(Dienstag und Feb. 2 Wochen geschl.)* 🍷 – **16 Z : 30 B** 28/35 - 56/64.

🏠 **Roter Löwe**, Weinheimer Str. 2, ☎ 2 24, 🚿, 🏊, 🌳 – 🅿
Nov. geschl. – Karte 19,50/38 *(Mittwoch geschl.)* 🍷 – **18 Z : 30 B** 27/42 - 54/80.

In Heiligkreuzsteinach - Eiterbach N : 3 km :

🍴🍴 ✿ **Goldener Pflug**, Ortsstr. 40, ☎ 85 09 – 🅿
Montag - Dienstag geschl., Mittwoch - Freitag nur Abendessen – Karte 59/80
Spez. Pasteten und Terrinen, Fischgerichte, Taubenbrust in Blätterteig.

HEILSBRONN 8807. Bayern 413 P 18, 987 ㉖ – 7 400 Ew – Höhe 410 m – ☎ 09872.
Sehenswert : Ehemalige Klosterkirche (Nothelfer-Altar★).
♦München 189 – Ansbach 17 – ♦Nürnberg 25.

Goldener Stern, Ansbacher Str. 3, ℘ 12 62, – P. AE E. Rest
16.- 25. Mai, 28. Aug.- 10. Sept. und 26. Dez.- 4. Jan. geschl. – Karte 19,50/35 *(Samstag geschl.)* – **23 Z : 34 B** 30/40 - 55/65.

HEIMBACH 5169. Nordrhein-Westfalen – 4 500 Ew – Höhe 241 m – Luftkurort – ☎ 02446.
Verkehrsamt, Seerandweg, ℘ 5 27.
♦Düsseldorf 91 – ♦Aachen 58 – Düren 26 – Euskirchen 26.

Meiser, Hengebachstr. 99, ℘ 2 27
Karte 21/41 *(Dienstag geschl.)* – **10 Z : 20 B** 40 - 72.

Eifelhaus, Mariawalder Str. 3, ℘ 6 22
März - Okt. – Karte 16/32 *(Montag geschl.)* – **12 Z : 22 B** 30/35 - 60/70.

Eifeler Hof, Hengebachstr. 43, ℘ 4 42,
Mitte Feb.- Mitte März sowie Montag und Dienstag jeweils ab 14 Uhr geschl. – Karte 24/49.

In Heimbach 2-Hasenfeld W : 1,5 km :

Haus Diefenbach, Brementhaler Str. 44, ℘ 31 00, ≤, – P. Rest
5.- 27. Dez. geschl. – (nur Abendessen für Hausgäste) – **14 Z : 25 B** 42/59 - 78/98.

Weber, Schwammenaueler Str. 8, ℘ 2 22, – P
Karte 36/64 *(Dienstag - Mittwoch geschl.)* – **9 Z : 18 B** 38 - 70 – P 55/58.

Schade, Brementhaler Str. 11, ℘ 33 85, – P
12 Z : 20 B.

In Heimbach 3-Hergarten SO : 6 km :

Lavreysen, Kermeterstr. 54, ℘ 35 25, – P. E
23. Feb.- 20. März geschl. – Karte 17,50/38 *(Montag geschl.)* – **13 Z : 30 B** 37/40 - 74.

HEIMBORN 5239. Rheinland-Pfalz – 300 Ew – Höhe 220 m – ☎ 02688 (Kroppach).
Mainz 117 – Limburg an der Lahn 55 – Siegen 49.

In Heimborn-Ehrlich NW : 2 km :

Sollmann-Schürg, Kragweg 2, ℘ 80 77, – P. E. Rest
(Restaurant nur für Hausgäste) – **33 Z : 60 B** 50/70 - 100/140.

HEIMBUCHENTHAL 8751. Bayern 413 KL 17 – 2 100 Ew – Höhe 171 m – Erholungsort – ☎ 06092.
♦München 346 – Aschaffenburg 19 – ♦Würzburg 70.

Zum Lamm, St.-Martinus-Str. 1, ℘ 70 31, Fax 7944, – TV P. Zim
Karte 27/57 – **44 Z : 80 B** 53/58 - 100/110 Fb.

Zum Wiesengrund, Elsavastr. 9, ℘ 13 64, – P.
24 Z : 44 B.

Heimbuchenthaler Hof, Am Eichenberg 1, ℘ 70 58, ≤, – P. E.
Karte 25/44 – **35 Z : 51 B** 57/60 - 105 Fb – P 72/81.

Zur Linde, Hauptstr. 37, ℘ 3 10 – P. Rest
28 Z : 52 B – 4 Fewo.

Elsava, Hauptstr. 82, ℘ 2 19, – P.
18 Z : 34 B Fb.

HEININGEN 3344. Niedersachsen – 800 Ew – Höhe 85 m – ☎ 05334 (Börsum).
♦Hannover 80 – ♦Braunschweig 23 – Goslar 20.

Zum Landsknecht, Hauptstr. 6 (B 4), ℘ 68 88, – P
Karte 19,50/44 *(Donnerstag geschl.)* – **15 Z : 25 B** 35/40 - 56/70.

HEINSBERG 5138. Nordrhein-Westfalen 987 ㉓, 212 ② – 38 000 Ew – Höhe 45 m – ☎ 02452.
♦Düsseldorf 63 – ♦Aachen 36 – Mönchengladbach 33 – Roermond 20.

In Heinsberg-Unterbruch NO : 3 km :

Altes Brauhaus, Wurmstr. 4, ℘ 6 10 35, « Täfelung a.d. 16. Jh. »
Sonntag 15 Uhr - Dienstag 17 Uhr und Juni - Juli 4 Wochen geschl. – Karte 35/55.

Einige Hotels in größeren Städten
bieten preisgünstige **Wochenendpauschalen** an.

HEITERSHEIM 7843. Baden-Württemberg [413] FG 23, [427] ④, [242] ㊱ – 4 600 Ew – Höhe 254 m – ✆ 07634 – ♦Stuttgart 223 – Basel 48 – ♦Freiburg im Breisgau 22.

🏨 **Krone**, Hauptstr. 7, ✆ 28 11, ⛱, 🌳 – [TV] ☎ 🚗 [P]. 🚫🐕 Zim
Karte **31**/68 *(Dienstag - Mittwoch 17 Uhr sowie Juli und Nov. jeweils 2 Wochen geschl.)* 🍷 – **12 Z : 20 B** 48/65 - 86/110.

🏨 **Ochsen**, Eisenbahnstr. 9, ✆ 22 18 – [TV] ☎ 🚗 [P]
22. Dez.- 23. Jan. geschl. – Karte 27/59 *(Montag bis 17 Uhr und Freitag geschl.)* 🍷 – **30 Z : 50 B** 55/100 - 85/130.

🏨 **Löwen**, Hauptstr. 58, ✆ 22 84 – ☎ ♿ 🚗 [P]. AE ⓓ E
9. Feb.- 6. März und 23. Okt.- 6. Nov. geschl. – Karte 23/51 *(Sonntag 14 Uhr - Montag geschl.)* 🍷 – **28 Z : 50 B** 44/50 - 60/90.

In Buggingen 7845 SW : 5 km :

🍴 **Landgasthof Krone** mit Zim, Hauptstr. 34, ✆ (07631) 25 47, ⛱ – [P]
Karte 29/49 *(11.- 25. Juli, 2.- 23. Nov. und Montag geschl.)* 🍷 – **9 Z : 13 B** 29/38 - 66/78 Fb.

HELGOLAND (Insel) 2192. Schleswig-Holstein [987] ④ – 2 000 Ew – Höhe 5 m – Seebad, 60 km vor Cuxhaven. Bademöglichkeit auf der vorgelagerten Düne. – Zollfreies Gebiet, Autos auf der Insel nicht zugelassen – ✆ 04725.

Sehenswert : Felseninsel★★ aus rotem Sandstein in der Nordsee.

⛴ von Cuxhaven, Bremerhaven, Wilhelmshaven, Bensersiel, Büsum und Ausflugsfahrten von den Ost- und Nordfriesischen Inseln.

Flugverbindung (nach vorheriger Anmeldung) zwischen dem Festland und Helgoland und zwischen den Ost- bzw. Nordfriesischen Inseln und Helgoland.

[i] Kurverwaltung, Rathaus, Lung Wai 28, ✆ 8 08 60.

Auskünfte über Schiffs- und Flugverbindungen, ✆ 8 08 65.

Auf dem Unterland :

🏨 **Hanseat** ⚘ garni, Am Südstrand 21, ✆ 6 63, < – [TV]. 🚫🐕
März - Okt. – **22 Z : 38 B** 70/80 - 110/140.

🏨 **Helgoland** ⚘ garni, Am Südstrand 16, ✆ 2 20, < – ☎
14 Z : 24 B 65/80 - 130/160.

🏨 **Schwan** ⚘, Am Südstrand 17, ✆ 77 51, < – [TV] ☎. 🚫🐕
(Restaurant nur für Pensionsgäste) – **19 Z : 31 B** 45/90 - 130/150.

🏨 **Haus Hilligenlei** ⚘ garni, Kurpromenade 36, ✆ 77 33, < – 🚫🐕
30 Z : 43 B 54/90 - 118/130.

🏨 **Haus Nickels** ⚘, Kurpromenade 33, ✆ 5 54, < – ☎
Nov. geschl. – (nur Abendessen für Hausgäste) – **12 Z : 19 B** 39/53 - 77/105.

🍴 **Wedding's Fischerstube**, Friesenstr. 61, ✆ 72 35 – 🚫🐕
Okt.- März Mittwoch geschl. – Karte 31/55.

Auf dem Oberland :

🏨 **Mailänder** ⚘, Am Falm 313, ✆ 5 66, Telex 232113, < Nordsee mit Düne und Reede – ☎. AE E. 🚫🐕
Nov.- 15. Dez. geschl. – (Restaurant nur für Pensionsgäste) – **28 Z : 41 B** 41/90 - 82/132.

🍴🍴 Zum Hamburger ⚘ mit Zim, Am Falm 304, ✆ 4 09, < Nordsee mit Düne und Reede, ⛱
nur Saison – **4 Z : 8 B.**

HELLENDORF Niedersachsen siehe Wedemark.

HELLENTHAL 5374. Nordrhein-Westfalen – 8 400 Ew – Höhe 420 m – ✆ 02482.

[i] Verkehrsamt, Rathausstr. 2, ✆ 8 51 15.

♦Düsseldorf 109 – ♦Aachen 56 – Düren 44 – Euskirchen 36.

🏨 Haus Lichtenhardt ⚘, An der Lichtenhardt 26, ✆ 6 14, <, ♨, [🏊], 🌳 – ☎ [P] 🎳
20 Z : 33 B.

🏨 **Pension Haus Berghof** ⚘, Bauesfeld 16, ✆ 71 54, <, 🌳 – [P]. 🚫🐕
(Restaurant nur für Pensionsgäste) – **12 Z : 20 B** 28/38 - 66/68 – P 41/42.

In Hellenthal-Blumenthal NO : 1,5 km :

🏨 Zum alten Amt, Schleidener Str. 37 (B 265), ✆ 21 77, ♨, [🏊], 🌳 – ☎ [P] – **24 Z : 54 B** Fb.

In Hellenthal-Hollerath SW : 5,5 km – Wintersport : 600/690 m ⛷1 ⛷1 :

🏨 **Hollerather Hof**, Luxemburger Str. 44 (B 265), ✆ 71 17, <, ♨, [🏊], 🌳, Fahrradverleih – ☎ 🚗 [P]. ⓓ E VISA
Nov. 2 Wochen geschl. – Karte 22/42 – **14 Z : 25 B** 31/45 - 55/85 – P 53/70.

🏨 **St. Georg**, Luxemburger Str. 46 (B 265), ✆ 3 17, < – [P]
Karte 21/36 *(Dienstag geschl.)* – **18 Z : 32 B** 36 - 68.

In Hellenthal-Udenbreth SW : 13 km – Wintersport : 600/690 m ⛷1 ⛷1 :

🏨 **Bergfriede** ⚘, Zum Wilsamtal 31, ✆ (02448) 4 02 – [P]
(Restaurant für Hausgäste) – **10 Z : 20 B** 29 - 54/58 – P 39.

[HELMBRECHTS] 8662. Bayern [413] S 16, [987] ㉗ – 10 800 Ew – Höhe 615 m – Wintersport : 620/725 m ⛷4 – ☎ 09252.
♦München 277 – Bayreuth 43 – Hof 18.

🏨 Zeitler, Kulmbacher Str. 13, ✆ 10 11 – ☎ 🚗 [P]
25 Z : 36 B.

[HELMSTEDT] 3330. Niedersachsen [987] ⑯ – 27 000 Ew – Höhe 110 m – ☎ 05351.
[i] Amt für Information und Fremdenverkehr, Rathaus, Markt 1, ✆ 1 73 33.
♦Hannover 96 – ♦Berlin 192 – ♦Braunschweig 41 – Magdeburg 53 – Wolfsburg 30.

🏨 **Petzold**, Schöninger Str. 1, ✆ 60 01 – ☎ 🚗 [P]. [E]
Karte 28/56 *(nur Abendessen)* – **28 Z : 40 B** 42/75 - 89/98.

🏨 Park-Hotel, Albrechtstr. 1, ✆ 3 40 94 – ☎ 🚗 [P]
(nur Abendessen) – **17 Z : 34 B.**

[HEMAU] 8416. Bayern [413] S 19 – 6 800 Ew – Höhe 514 m – ☎ 09491.
♦München 125 – ♦Nürnberg 83 – ♦Regensburg 27.

🏨 **Brauerei-Gasthof Donhauser**, Unterer Stadtplatz 4, ✆ 4 31 – 🚗 [P]
◆ Karte 13/25 *(Donnerstag geschl.)* – **9 Z : 18 B** 24/30 - 48/55.

[HEMDINGEN] 2081. Schleswig-Holstein – 1 300 Ew – Höhe 5 m – ☎ 04123 (Barmstedt).
♦Kiel 73 – ♦Hamburg 28 – ♦Hannover 197.

🏨 Hemdinger Hof, Barmstedter Str. 8, ✆ 20 58 – [TV] ☎ [P] 🏃
(wochentags nur Abendessen) – **28 Z : 44 B.**

[HEMER] 5870. Nordrhein-Westfalen [987] ⑭ – 33 800 Ew – Höhe 240 m – ☎ 02372.
♦Düsseldorf 86 – Arnsberg 35 – Hagen 23 – Soest 40.

🍴 Fontana di Trevi (Italienische Küche), Hauptstr. 244, ✆ 1 07 81.

In Hemer-Becke NO : 3 km über die B 7 :

🍴🍴 **Zum Bären - Jagdhaus Keune Urbecke** 🌿 mit Zim, ✆ 1 07 65, « Gartenterrasse » – ☎ 🚗 [P]. [D] [E]
27. Dez.- 8. Jan. geschl. – Karte 34/64 *(Montag geschl.)* – **4 Z : 6 B** 55/60 - 85/90.

In Hemer-Stephanopel S : 3,5 km :

🍴🍴🍴 **Haus Winterhof**, ✆ 89 81, « Gartenterrasse » – [P] 🏃. [AE] [D] [E]
Dienstag geschl. – Karte 25/56.

In Hemer-Sundwig :

🏨 **Meise**, Hönnetalstr. 75, ✆ 67 37 – [P]
◆ *Juni - Juli 3 Wochen geschl.* – Karte 18,50/36 *(Samstag geschl.)* – **24 Z : 36 B** 30/45 - 60/70.

In Hemer-Westig :

🏨 **Haus von der Heyde** 🌿, Lohstr. 6, ✆ 23 15 – ☎ [P]. 🚫
Juli 2 Wochen geschl. – Karte 21/45 *(Samstag und 23.- 31. Dez. geschl.)* – **10 Z : 20 B** 45/80 - 65/90.

[HEMMENHOFEN] Baden-Württemberg siehe Gaienhofen.

[HEMMINGEN] Niedersachsen siehe Hannover.

[HEMSBACH] 6944. Baden-Württemberg [413] I 18 – 13 000 Ew – Höhe 100 m – ☎ 06201.
♦Stuttgart 141 – ♦Darmstadt 40 – Heidelberg 25 – ♦Mannheim 21.

🏨 **See-Hotel**, Seeweg 2, ✆ 76 51 – [lift] [P] 🏃. [D]
Jan. geschl. – Karte 22/39 *(nur Abendessen)* – **82 Z : 160 B** 50/70 - 80/90.

In Hemsbach-Balzenbach O : 3 km :

🏨 **Watzenhof** 🌿, ✆ (06201) 77 67, ⛱, 🌳 – [TV] ☎ 🚗 [P] 🏃. [AE]. 🚫
Karte 44/68 – **16 Z : 31 B** 90/130 - 130/170.

[HENNEF (SIEG)] 5202. Nordrhein-Westfalen [987] ㉔ – 30 000 Ew – Höhe 70 m – ☎ 02242.
⛳18 Haus Dürresbach, ✆ 30 47.
♦Düsseldorf 75 – ♦Bonn 18 – Limburg an der Lahn 89 – Siegen 75.

🏨 **Marktterrassen** garni, Frankfurter Str. 98, ✆ 50 48 – [lift] [TV] ☎ [P]. [AE] [D] [E] [VISA]
15 Z : 23 B 69/110 - 110/135 Fb.

🍴🍴 **Rôtisserie Christine** mit Zim, Frankfurter Str. 55, ✆ 29 07 – [TV] ☎. [AE] [D]. 🚫
Karte 38/67 *(Sonntag geschl.)* – **6 Z : 9 B** 65/85 - 95/125.

🍴🍴 **Haus Steinen**, Hanftalstr. 96, ✆ 32 16 – [P]. [E]
nur Abendessen, 2.- 18. Jan. und Montag geschl. – Karte 46/72.

In Hennef 1-Stadt Blankenberg O : 7 km :

🏨 **Haus Sonnenschein,** Mechtildisstr. 16, ☎ (02248) 23 58 – ☎ [P] 🚗. [AE] [D]
Karte 23/52 – **15 Z : 29 B** 48/55 - 78/85.

An der Straße nach Winterscheid NO : 9 km :

🏨 **Winterscheider Mühle** ⑤, ✉ 5207 Ruppichteroth 4, ☎ (02247) 30 40, Telex 889683, Fax 304100, « Wildgehege », ≘s, 🏊, 🌳 – |\$| [TV] 🚗 [P] 🚗. [AE] [D] [E] [VISA]
22.- 25. Dez. geschl. – Karte 35/64 – **90 Z : 150 B** 76/108 - 150/175 Fb.

HENNESEE Nordrhein-Westfalen siehe Meschede.

HENNSTEDT KREIS STEINBURG 2211. Schleswig-Holstein – 300 Ew – Höhe 30 m – ☎ 04877.
♦ Kiel 51 – ♦Hamburg 71 – Itzehoe 19.

🏨 **Seelust** ⑤, Seelust 6, ☎ 6 77, ≤, 🌳 – [P]
Karte 25/50 *(Dienstag geschl.)* – **13 Z : 22 B** 45/65 - 75/95.

HENSTEDT-ULZBURG 2359. Schleswig-Holstein [987] ⑤ – 20 000 Ew – Höhe 38 m – ☎ 04193.
⛳ Alveslohe (W : 6 km), ☎ (04193) 14 20.
♦Kiel 68 – ♦Hamburg 31 – ♦Hannover 187 – ♦Lübeck 56.

Im Stadtteil Henstedt :

🏨 **Scheelke,** Kisdorfer Str. 11, ☎ 22 00 – [TV] ☎ [P] 🚗
2.- 16. Jan. und 20. Juli - 21. Aug. geschl. – Karte 20/46 *(Mittwoch geschl.)* – **11 Z : 18 B** 44/50 - 77/85.

Im Stadtteil Ulzburg :

🏨 **Wiking** garni, Hamburger Str. 81 (B 433), ☎ 50 81, ≘s – |\$| [TV] ☎ [P] 🚗. [AE] [D] [E]
51 Z : 90 B 65 - 105 Fb.

HEPPENHEIM AN DER BERGSTRASSE 6148. Hessen [413] I 18, [987] ㉕ – 25 000 Ew – Höhe 101 m – Luftkurort – ☎ 06252.
Sehenswert : Marktplatz★.
ℹ Verkehrsbüro, Großer Markt 3, ☎ 1 31 71.
ADAC, Wilhelmstr. 12, ☎ 39 93, Telex 468366.
♦Wiesbaden 69 – ♦Darmstadt 33 – Heidelberg 32 – Mainz 62 – ♦Mannheim 29.

🏨 **Hotel am Bruchsee** ⑤, Am Bruchsee 1, ☎ 7 30 56, 🌳 – |\$| [TV] ☎ 🚗 [P] 🚗. [AE] [D] [E] [VISA]
Karte 34/65 – **37 Z : 74 B** 95/130 - 140/160 Fb – (Anbau mit 34 Z für Frühjahr 1989 geplant).

🏨 **Halber Mond,** Ludwigstr. 5, ☎ 50 21 – [TV] ☎ [P] 🚗. [D] [E]
Karte 24/64 🍷 – **11 Z : 19 B** 60/80 - 95 Fb.

🏨 **Starkenburger Hof,** Kalterer Str. 7, ☎ 60 61, 🏊 – |\$| ☎ [P]. [AE] [D] [E] [VISA]. 🚫
15. Dez.- 15. Jan. geschl. – Karte 21/31 *(wochentags nur Abendessen, Sonntag nur Mittagessen)* 🍷 – **37 Z : 64 B** 47/58 - 74/80.

🏨 **Sickinger Hof,** Darmstädter Str. 18, ☎ 7 66 02, 🌳 – [P]
20. Dez.- 15. Jan. geschl. – Karte 17/34 *(wochentags nur Abendessen, Dienstag und 15.- 30. Juli geschl.)* 🍷 – **13 Z : 23 B** 38/49 - 63/80.

🏨 **Goldener Engel,** Großer Markt 2, ☎ 25 63 – 🚗
Karte 18/40 *(Nov.- März Samstag geschl.)* 🍷 – **36 Z : 60 B** 36/87 - 58/95.

🏨 Schloßberg, Kalterer Str. 1, ☎ 22 97 – 🚗
(nur Abendessen) – **17 Z : 31 B.**

🍴 Winzerkeller (ehem. kurfürstlicher Amtshof), Amtsgasse 5, ☎ 23 26 – [P] 🚗.

In Heppenheim-Kirschhausen O : 4 km :

🏨 Haus Lulay ⑤, Siegfriedstr. 394, ☎ 23 03, 🌳, 🌳 – [P]. 🚫 Zim
28 Z : 52 B.

HEPPINGEN Rheinland-Pfalz siehe Neuenahr-Ahrweiler, Bad.

HERBERN Nordrhein-Westfalen siehe Ascheberg.

HERBORN IM DILLKREIS 6348. Hessen [987] ㉔ – 21 600 Ew – Höhe 210 m – ☎ 02772.
ℹ Verkehrsamt, Rathaus, ☎ 50 22 23.
♦Wiesbaden 118 – Gießen 38 – Limburg an der Lahn 49 – Siegen 39.

🏨 **Schloß-Hotel,** Schloßstr. 4, ☎ 70 60, Telex 873493 – |\$| [TV] ☎ [P] 🚗. [AE] [D] [E] [VISA]
Karte 40/68 *(Sonntag ab 15 Uhr geschl.)* – **69 Z : 103 B** 70/114 - 108/208 Fb.

🏨 Garni, Friedrich-Ebert-Str. 25, ☎ 22 72 – ☎ [P]
11 Z : 16 B.

Fortsetzung →

🍴🍴 **Das Landhaus**, Döringweg 1 (nahe BAB-Ausfahrt Herborn West), ☎ 31 31 – [P]
nur Abendessen, Dienstag und Aug. 3 Wochen geschl. – Karte 69/98 *(nur Menu)* (Tischbestellung ratsam).

🍴🍴 Hohe Schule mit Zim, Schulhofstr. 5, ☎ 30 19, « Innenhofterrasse » – [TV] ☎ [P]
10 Z : 14 B.

In Herborn 2-Burg N : 2 km :

🏨 **Garni Engelbert**, Hauptstr. 50, ☎ 35 62, ≘s – 🚗 [P]. E
15 Z : 24 B 40 - 72.

HERBRECHTINGEN 7922. Baden-Württemberg 413 N 21, 987 ㊱ – 11 500 Ew – Höhe 470 m – ☎ 07324.

♦Stuttgart 113 – Heidenheim an der Brenz 8 – ♦Ulm (Donau) 28.

🏨 **Grüner Baum**, Lange Str. 46, ☎ 30 83, 🌳 – ☎ 🚗 [P] 🏛. AE ① E VISA
Karte 19,50/48 *(Mittwoch geschl.)* – **40 Z : 55 B** 35/60 - 80/100 Fb.

🏨 **Bleidt** garni, Ostpreußenstr. 1, ☎ 20 40, Massage, ≘s, 🏊, 🌳 – ☎ 🚗 [P]. AE ① E
20 Z : 30 B 55 - 84 Fb.

HERDECKE 5804. Nordrhein-Westfalen – 25 400 Ew – Höhe 98 m – ☎ 02330.

Siehe Ruhrgebiet (Übersichtsplan).

♦Düsseldorf 62 – ♦Dortmund 16 – Hagen 6.

🏨 **Zweibrücker Hof**, Zweibrücker-Hof-Str. 4, ☎ 40 21, Telex 8239419, <, 🌳, ≘s, 🏊, Fahrradverleih – 🛗 [TV] [P] 🏛. AE ① E
Karte 32/55 – **70 Z : 97 B** 93/99 - 124/160 Fb.

🏨 **Landhotel Bonsmanns Hof**, Wittbräucker Str. 38 (B 54/234, NO : 4 km), ☎ 7 07 62, 🌳 – ☎ [P]. AE ① E
Karte 25/66 – **11 Z : 14 B** 59/66 - 88/98.

🍴🍴 **Terrine**, Wittener Landstr. 39 (NW : 4 km), ☎ 7 18 56 – [P]. AE ① E
Samstag bis 18 Uhr sowie Sonn- und Feiertage geschl. – Karte 52/75 (abends Tischbestellung ratsam).

HERDORF 5243. Rheinland-Pfalz – 8 000 Ew – Höhe 240 m – ☎ 02744.

Mainz 119 – Limburg an der Lahn 58 – Siegen 20.

🍴 **Haus Schneider** mit Zim, Hauptstr. 84, ☎ 61 15, ≘s – [P]
Ende Juli - 15. Aug. geschl. – Karte 21/51 *(Mittwoch geschl.)* – **7 Z : 13 B** 38 - 72.

HERFORD 4900. Nordrhein-Westfalen 987 ⑭⑮ – 64 000 Ew – Höhe 70 m – ☎ 05221.

Sehenswert : Johanniskirche (Geschnitzte Zunftemporen★).

⛳ Finnebachstr. 31 (östlich der A 2), ☎ (05228) 74 53.

[i] Städtisches Verkehrsamt, Fürstenaustr. 7, ☎ 5 14 15.

ADAC, Lübberstr. 30, ☎ 5 80 20, Telex 934629.

♦Düsseldorf 192 ④ – Bielefeld 16 ⑤ – ♦Hannover 91 ③ – ♦Osnabrück 59 ①.

Stadtplan siehe gegenüberliegende Seite.

🏨 **Dohm-Hotel**, Löhrstr. 4, ☎ 5 33 45, Telex 934639 – 🛗 [TV] ☎ 🚗 [P] 🏛. AE ① E. ✗ Rest
Karte 38/66 – **36 Z : 70 B** 105 - 150/160 Fb. Y **e**

🏨 **Stadt Berlin**, Bahnhofplatz 6, ☎ 5 60 53, 🌳, Biergarten – ☎ 🚗 [P] 🏛. AE ① E. ✗ Rest
Karte 28/51 – **50 Z : 80 B** 50/80 - 85/130 Fb. Y **q**

🏨 **Café Hansa** garni, Brüderstr. 40, ☎ 5 61 24 – 🛗 ☎. AE. ✗ Z **a**
3.- 30. Juli geschl. – **21 Z : 30 B** 35/65 - 78/95.

🍴🍴 **Die Alte Schule**, Holland 39, ☎ 5 40 09, 🌳, « Restauriertes Fachwerkhaus a.d. 17. Jh., modern eingerichtet, wechselnde Gemäldeausstellungen » – AE Y **a**
Samstag bis 18 Uhr und Montag geschl. – Karte 39/68.

🍴 **Waldrestaurant Steinmeyer**, Wüstener Weg 47, ☎ 8 10 04, < Herford, 🌳 – [P]. ① E VISA X **b**
3. Jan.- 1. Feb. und Montag geschl. – Karte 28/48.

In Herford-Eickum W : 4,5 km :

🍴🍴 **Tönsings Kohlenkrug**, Diebrocker Str. 316, ☎ 3 28 36 – [P]. AE ① E X **u**
Samstag bis 18 Uhr, Dienstag und Juli 3 Wochen geschl. – Karte 32/75.

In Herford-Schwarzenmoor :

🏨 **Waldesrand**, Zum Forst 4, ☎ 2 60 26, 🌳 – [TV] ☎ [P]. AE ① E X **n**
Karte 23/54 *(Montag bis 18 Uhr geschl.)* – **22 Z : 30 B** 60/70 - 90/120.

🏨 Schinkenkrug, Paracelsusstr. 14, ☎ 20 08 – ☎ [P] 🏛. ✗ Zim X **c**
21 Z : 35 B.

HERFORD

Alter Markt .... Z 4
Bäckerstraße .... Z
Gehrenberg .... Z 16
Hämelinger Straße .... Y 18
Höckerstraße .... Y 20
Lübberstraße .... Y 21
Neuer Markt .... Y 29
Radewiger Straße .... Z 32

Abteistraße .... Y 2
Ahmser Straße .... Z 3
Auf der Freiheit .... Y 6
Bahnhofstraße .... Y 8
Bergertorstraße .... Z 9
Bielefelder Straße .... X 10
Bismarckstraße .... X 12
Deichtorwall .... YZ 13
Diebrocker Straße .... X 14
Gänsemarkt .... Y 15
Goebenstraße .... X 17
Herforder Straße .... X 19
Mausefalle .... Z 26
Münsterkirchplatz .... Y 28
Schillerstraße .... Y 33
Schleife .... Y 34
Schützenstraße .... Z 36
Steintorwall .... Y 37
Stephansplatz .... Y 38

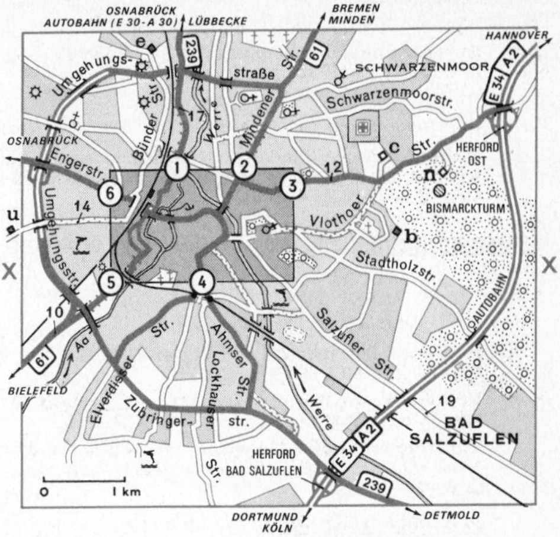

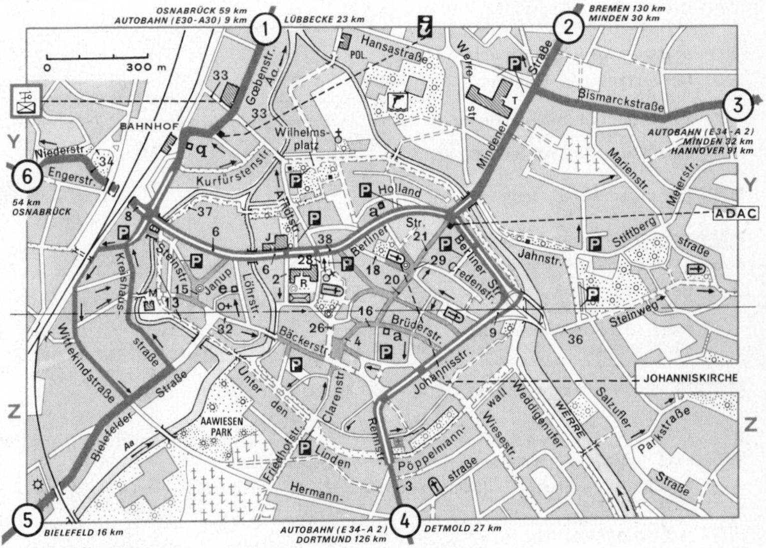

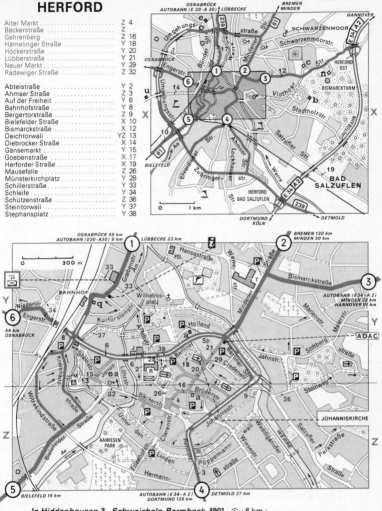

In Hiddenhausen 3 - Schweicheln-Bermbeck **4901** ① : 6 km :

Freihof, Herforder Str. 118 (B 239), ✆ (05221) 6 12 75, – . ☎ . **P**. AE ⓓ E
1.- 6. Jan. geschl. – (nur Abendessen für Hausgäste) – **13 Z : 25 B** 45/60 - 80/90.

In Hiddenhausen 6-Sundern **4901** N : 2 km :

Am Felsenkeller, Bünder Str. 38, ✆ (05221) 6 22 24 – **P**. E X e
Mittwoch geschl. – Karte 38/62.

HERGENSWEILER Bayern siehe Lindau im Bodensee.

HERINGHAUSEN Hessen siehe Diemelsee.

Benutzen Sie immer die neuesten Ausgaben der **Michelin-Straßenkarten** und **-Reiseführer.**

[HERLESHAUSEN] **3443.** Hessen [987] ㉕㉖ – 3 400 Ew – Höhe 225 m – ☎ 05654.
♦Wiesbaden 212 – Erfurt 78 – Bad Hersfeld 49 – ♦Kassel 73.

🏨 **Gutsschänke,** Burgbergweg 2, ℘ 13 75, 🌳, 🌿 – [P]. [E]
Mitte Jan.- Mitte Feb. geschl. – Karte 17/29 *(im Winter Samstag geschl.)* – **10 Z : 20 B** 40/55 - 60/70.

In Herleshausen 7-Holzhausen NW : 8 km über Nesselröden :

🏨 **Hohenhaus** 🌙 (Moderner Hotelbau in einem Gutshof), ℘ 6 81, Telex 993196, ≤, 🌳, « Park », 🏊, 🏊, 🌿, 🎾 – |‡| [TV] ♿ 🚗 [P] 🏛. [AE] [O] [E]. ✂ Rest
Karte 48/82 – **26 Z : 44 B** 130/160 - 230/280 Fb.

[HERMANNSBURG] **3102.** Niedersachsen [987] ⑮ – 8 000 Ew – Höhe 50 m – Erholungsort – ☎ 05052.
[i] Verkehrsbüro, Harmsstr. 3a, ℘ 80 55.
♦Hannover 75 – Celle 32 – Lüneburg 79.

🏨 **Heidehof,** Billingstr. 29, ℘ 80 81, Fax 3332, 🏊, 🏊 – |‡| [TV] ☎ 🚗 [P] 🏛. [AE] [O] [E]. ✂ Rest
Karte 28/55 – **50 Z : 90 B** 90 - 140 Fb.

🏨 **Völkers Hotel,** Billingstr. 7, ℘ 33 63 – [TV] 🚗 [P]. [AE] [O] [E] [VISA]
Karte 26/51 – **16 Z : 28 B** 36/55 - 80/98 – P 68/85.

🏨 **Zur Heidschnucke,** Misselhorn 1 (O : 1,5 km), ℘ 80 01, 🏊, 🏊, 🌿 – ☎ [P]
Mitte Feb.- 10. März geschl. – Karte 23/47 *(außer Aug.- Sept. Montag geschl.)* – **21 Z : 38 B** 51/60 - 82.

In Hermannsburg-Baven N : 1,5 km :

🏨 **Drei Linden,** Billingstr. 102, ℘ 80 71 – ☎ ♿ [P]
Karte 26/53 *(Okt.- April Dienstag geschl.)* – **13 Z : 25 B** 56 - 88.

In Hermannsburg-Oldendorf S : 4 km :

🏨 **Im Oertzetal** 🌙, Escheder Str. 2, ℘ 4 48, 🌿 – ♿ [P]
Feb. geschl. – Karte 26/41 *(nur Abendessen, Montag geschl.)* – **18 Z : 34 B** 44/60 - 88/98.

🍴 **Zur Alten Fuhrmanns-Schänke** 🌙 mit Zim, Dehningshof 1 (O : 2,5 km), ℘ (05054) 10 65, 🌳, « Einrichtung im Bauernstil », 🌿 – [TV] ☎ [P]
Karte 25/40 – **13 Z : 26 B** 65/70 - 100/120 – 4 Fewo 80/90.

[HERMES] Bayern siehe Marktleugast.

[HERMESKEIL] **5508.** Rheinland-Pfalz – 6 500 Ew – Höhe 613 m – ☎ 06503.
Mainz 135 – ♦Bonn 160 – ♦Saarbrücken 57 – ♦Trier 38.

🏨 **Beyer,** Saarstr. 95, ℘ 72 27, 🌳, 🌿 – |‡| ☎ 🚗 [P]. [AE] [O] [E] [VISA]
Karte 24/47 – **12 Z : 24 B** 40/70 - 70/120.

🏨 **Pension Jakobs,** Saarstr. 25, ℘ 10 38, 🏊, 🌿 – ☎ [P]. [AE]
(nur Abendessen für Hausgäste) – **34 Z : 74 B** 36/44 - 60/64 Fb – 4 Fewo 64/120.

[HERNE] **4690.** Nordrhein-Westfalen [987] ⑭ – 178 000 Ew – Höhe 59 m – ☎ 02323.

Siehe Ruhrgebiet (Übersichtsplan).

[i] Verkehrsverein, Kulturzentrum, Berliner Platz 11, ℘ 16 28 44.
♦Düsseldorf 51 – Bochum 6 – ♦Dortmund 25 – ♦Essen 21 – Recklinghausen 12.

🏨 **Parkhaus-Parkhotel** 🌙, Schaeferstr.109, ℘ 5 20 47 (Hotel) 5 50 71 (Rest.), ≤, 🌳, 🏊 – [TV] ☎ 🚗 [P] 🏛. [AE] [O] [E]
Karte 28/65 *(Tischbestellung ratsam)* (1.- 9. Jan., 19. Juni - 17. Juli und Montag geschl.) – **28 Z : 47 B** 75/80 - 120/130 Fb.

🏨 **Zur Post** garni, Poststr. 9, ℘ 5 20 54 – ☎
22 Z : 31 B 70/90 - 120/150.

🏨 **Sicking-Feldkämper** 🌙 garni, Bahnhofstr. 26, ℘ 5 03 18 – 🚗 [P]
23 Z : 37 B 45/58 - 95/110.

🍴 **Kulturzentrum,** Berliner Platz 11, ℘ 5 01 70 – [AE] [O] [E]
23. Juli - 20. Aug. und Sonntag geschl. – Karte 23/47.

[HEROLDSBERG] **8501.** Bayern [413] Q 18, [987] ㉖ – 6 700 Ew – Höhe 351 m – ☎ 0911 (Nürnberg).
♦München 177 – Bayreuth 82 – ♦Nürnberg 12.

🏨 **Landgasthof Gelber Löwe,** Hauptstr. 42 (B 2), ℘ 56 00 65, 🏊, 🏊 – |‡| ☎ 🚗 [P] 🏛. [AE] [O] [E] [VISA]. ✂
23. Dez.- 8. Jan. geschl. – Karte 31/55 *(Sonn- und Feiertage geschl.)* – **42 Z : 50 B** 83/90 - 95/120 Fb.

🏨 **Rotes Ross,** Hauptstr. 10 (B 2), ℘ 56 00 03, 🌳 – ☎ 🚗 [P]. [AE] [O] [E] [VISA]
1.- 22. Aug. und 24. Dez.- 6. Jan. geschl. – Karte 21/51 *(Freitag geschl.)* – **46 Z : 70 B** 40/70 - 70/110 Fb.

HERRENALB, BAD 7506. Baden-Württemberg [413] I 20, [987] [35] – 6 000 Ew – Höhe 365 m – Heilbad – Heilklimatischer Kurort – Wintersport : 400/700 m ⛷1 – ☎ 07083.

⛳9 Bernbacher Straße, ☎ 88 98.

[i] Städt. Kurverwaltung, Rathaus, ☎ 79 33.

♦Stuttgart 80 – Baden-Baden 22 – ♦Karlsruhe 28 – Pforzheim 30.

🏨 ✿ **Mönchs Posthotel - Restaurant Klosterschänke**, Dobler Str. 2, ☎ 74 40, Telex 7245123, « Park », Massage, 🏊 (geheizt), 🌳 – 🛗 [TV] [P] 🏋. [AE] [D]. 🚫🐕 Zim
Karte 49/92 *(Tischbestellung ratsam)* – **50 Z : 70 B** 120/188 - 200/305 – P 150/210
Spez. Wachtel mit Gänseleber gefüllt, Pot au feu von Edelfischen, Rehrücken "Baden-Baden" (2 Pers.).

🏨 **Lacher am Park**, Rehteichweg 2, ☎ 40 91, Bade- und Massageabteilung, ♨, 🏊, 🌳 – 🛗 📞 [P]. [AE] E [VISA]. 🚫🐕
(Restaurant nur für Hausgäste) – **64 Z : 95 B** 65/87 - 118/136 Fb.

🏨 **Parkhotel Adrion** 🔕, Oswald-Zobel-Str. 11, ☎ 30 41, <, ⛱, Bade- und Massageabteilung, 🏋, ♨, 🏊, 🌳 – 🛗 📞 🚗 [P]. 🚫🐕
10. Nov.- 15. Dez. geschl. – Karte 23/54 – **70 Z : 126 B** 73/94 - 104/146 Fb – 20 Fewo 63/111 – P 87/128.

🏨 **Harzer**, Kurpromenade 1, ☎ 30 21 (Hotel) 31 09 (Rest.), ⛱, Massage, ♨, 🏊 – 🛗 📞 🚗. [AE] E. 🚫🐕 Rest
Karte 28/57 *(Mitte Nov.- 20. Dez. und Dienstag geschl.)* – **26 Z : 47 B** 75/120 - 120/140 – P 90/120.

🏨 **Landhaus Marion - Haus auf der Bleiche** 🔕, Bleichweg 31, ☎ 80 25, 🌳 – 🛗 [TV] 📞 [P] 🏋. E
(Restaurant nur für Hausgäste) – **30 Z : 40 B** 50/120 - 84/150 Fb – 20 Fewo 58/126.

🏨 Haus Felsenblick garni, Ettlinger Str. 36, ☎ 24 46, 🌳 – 🛗 [P]
18 Z : 26 B Fb.

🏨 **Landhaus Floride** 🔕 garni, Graf-Berthold-Str. 20, ☎ 16 57, « Garten », ♨, 🏊, 🌳 – 🛗 📞 🚗
3.- 30. Nov. geschl. – **29 Z : 50 B** 38/52 - 80/104.

🏨 **Sonnenhof** 🔕 garni, Bleichweg 9, ☎ 23 12, ♨, 🏊, 🌳 – 🛗 [TV] 📞 [P]
Anfang Nov.- Mitte Dez. geschl. – **25 Z : 40 B** 39/88 - 98/115 Fb.

🏨 **Thoma**, Gaistalstr. 46, ☎ 40 41, ♨, 🌳 – 🛗 📞 [P]. 🚫🐕
15. Nov.-15. Dez. geschl. – (Restaurant nur für Hausgäste) – **21 Z : 33 B** 48/62 - 96 Fb.

🏨 **Landhaus Jäger** 🔕, Birkenwaldstr. 7, ☎ 16 66, 🏊, 🌳 – 📞 🚗 [P]. [D] E. 🚫🐕
(Restaurant nur für Hausgäste) – **15 Z : 24 B** 37/65 - 94/140 Fb.

🏨 **Montana**, Gaistalstr. 57, ☎ 18 11, ♨, 🌳 – 📞 [P]. 🚫🐕
Nov.- 20. Dez. geschl. – (Restaurant nur für Hausgäste) – **16 Z : 30 B** 47/50 - 86/98 Fb.

🏨 **Kühler Brunnen**, Ettlinger Str. 22, ☎ 23 02, 🌳 – [P]. E
8. Nov.- 19. Dez. geschl. – Karte 20/40 *(Dienstag geschl.)* – **30 Z : 48 B** 30/46 - 60/90.

In Bad Herrenalb 3-Althof NW : 6 km :

🏨 Zur Linde 🔕, Lindenstr. 8, ☎ 23 01, ⛱, 🏊, 🌳 – 🛗 📞 🚗 [P]
33 Z : 50 B Fb.

In Bad Herrenalb-Gaistal S : 2 km :

🏨 **Haus Hafner** 🔕, Im Wiesengrund 21, ☎ 30 16, <, Massage, 🏊, 🌳 – 📞 [P]. 🚫🐕
⟵ *Nov.- 15. Dez. geschl.* – Karte 18/45 – **21 Z : 40 B** (½ P) 68/84 - 136/150 Fb – P 75/90.

🏨 **Sonnenblick** 🔕 garni, Im Wiesengrund 4, ☎ 27 49, <, 🌳 – 🚗 [P]. 🚫🐕
20. Okt.- 20. Dez. geschl. – **25 Z : 40 B** 32/50 - 68/100.

🏨 **Café Waldschlößchen** 🔕, Im Wiesengrund 7, ☎ 23 96, <, ⛱, 🌳 – 🛗 🚗 [P]. 🚫🐕 Zim
⟵ Karte 19,50/43 *(Nov.- März Dienstag geschl.)* – **17 Z : 26 B** 32/45 - 64/90.

🏠 **Schwarzwaldgasthof Linde** 🔕, Gaistalstr. 128, ☎ 88 32, ⛱, 🌳 – [P]
Karte 25/57 – **17 Z : 32 B** 40 - 80.

In Bad Herrenalb - Kullenmühle N : 1 km :

🏨 **Schöne Aussicht** 🔕, Kirchenweg 2, ☎ 38 44, <, « Caféterrasse », 🌳 – 🛗 📞 🚗 [P]. 🚫🐕
Mitte Nov.- Mitte Dez. geschl. – (Restaurant nur für Hausgäste) – **30 Z : 40 B** 41/52 - 82/94.

In Bad Herrenalb 5-Neusatz NO : 6,5 km :

🏨 **Waldcafé Schumacher** 🔕, Calwer Str. 27, ☎ 28 86, <, ⛱, 🏊, 🌳 – [P]
Mitte Dez.- Jan. geschl. – Karte 24/40 – **19 Z : 30 B** 40/50 - 66/84 Fb.

In Bad Herrenalb 4-Rotensol NO : 5 km :

🏨 **Lamm**, Mönchstr. 31, ☎ 23 80 – 🚗 [P]
Jan. 2 Wochen geschl. – Karte 24/52 *(Montag geschl.)* 🍷 – **16 Z : 25 B** 45 - 80.

HERRENBERG 7033. Baden-Württemberg [413] J 21, [987] ㉟ – 25 500 Ew – Höhe 460 m – ☎ 07032.

[i] Rathaus, Marktplatz, ☎ 1 42 24 – ♦Stuttgart 38 – Freudenstadt 53 – ♦Karlsruhe 96 – Reutlingen 33.

- **Hasen**, Hasenplatz 6, ☎ 20 40, Telex 7265344, 🍽, ♨ – 🛗 [TV] ☎ ♿ 🚗 🅿 🏛. [AE] ⓓ [E] [VISA]
  Karte 32/50 – **80 Z : 150 B** 93/155 - 145/190 Fb – 3 Appart. 204.
- **Schönbuch**, Beethovenstr. 54, ☎ 40 60 – ☎ 🚗 🅿. [AE] ⓓ [E] [VISA]
  Mitte Juli - Mitte Aug. geschl. – Karte 22/46 *(Donnerstag bis 17 Uhr und Sonntag ab 15 Uhr geschl.)* – **29 Z : 48 B** 58/78 - 95/99 Fb.
- **Café Neumann**, Reinhold-Schick-Platz 2, ☎ 51 39 – 🛗 ☎ 🅿
  Karte 22/35 *(Montag geschl.)* – **9 Z : 13 B** 60 - 85.
- 🍴 **Auf der Höh**, Hildrizhauser Str. 83 (O : 1,5 km), ☎ 51 53, < Schwäbische Alb, « Gartenterrasse » – 🅿
  Montag 14 Uhr - Dienstag und Juli - Aug. 3 Wochen geschl. – Karte 30/69.
- 🍴 **Zum goldenen Ochsen**, Stuttgarter Str. 42, ☎ 52 31, 🍽
  ♦ *Montag und Juli - Aug. 3 Wochen geschl.* – Karte 19,50/40.

In Herrenberg-Affstätt :

- 🍴🍴 **Linde**, Kuppinger Str. 14, ☎ 3 16 70, 🍽 – 🚭 🅿. ⓓ [E]
  Dienstag 14 Uhr - Mittwoch geschl. – Karte 28/68.

In Herrenberg-Mönchberg SO : 4 km über die B 28 :

- **Gasthof Kaiser** 🌿, Kirchstr. 10, ☎ 7 17 72, ♨ – [TV] ☎ 🅿. [E]
  20. Dez.- 15. Jan. geschl. – Karte 32/54 *(Freitag - Samstag geschl.)* 🍷 – **28 Z : 44 B** 85 - 115 Fb.

HERRENSCHWAND Baden-Württemberg siehe Todtnau.

HERRIEDEN 8808. Bayern [413] O 19, [987] ㉖ – 6 100 Ew – Höhe 420 m – ☎ 09825.

♦München 212 – Aalen 72 – Ansbach 11 – Schwäbisch Hall 73.

- **Zur Sonne**, Ringstr. 5, ☎ 2 46 – 🚗 🅿
  ♦ *Jan. 2 Wochen geschl.* – Karte 17/30 *(Freitag geschl.)* 🍷 – **9 Z : 14 B** 30 - 60.

HERRISCHRIED 7881. Baden-Württemberg [413] GH 23, 24, [427] ⑤, [216] ⑤ – 2 700 Ew – Höhe 874 m – Luftkurort – Wintersport : 874/1 000 m ⛷4 ⛷3 – ☎ 07764.

[i] Verkehrsamt, Rathaus, ☎ 61 91 – ♦Stuttgart 210 – Basel 51 – Bad Säckingen 20 – Todtmoos 11.

- Zum Ochsen, Hauptstr. 14, ☎ 2 10, 🌳 – 🚗 🅿 – **30 Z : 60 B** – 8 Fewo.

In Herrischried-Wehrhalden SW : 6 km :

- **Pension Waldheim**, ☎ 2 42, 🌳 – 🚗 🅿
  (Restaurant nur für Hausgäste) – **16 Z : 27 B** 40/47 - 80/104 – 2 Fewo 45/90 – P 58/65.

HERRSCHING AM AMMERSEE 8036. Bayern [413] Q 22,23, [987] ㊱㊲, [426] ⑯ – 9 300 Ew – Höhe 568 m – Erholungsort – ☎ 08152.

Sehenswert : Ammersee★.

Ausflugsziel : Klosterkirche Andechs★★ S : 6 km.

[i] Verkehrsbüro, Bahnhofsplatz 2, ☎ 52 27 – ♦München 39 – Garmisch-Partenkirchen 65 – Landsberg am Lech 35.

- **Alba Seehotel**, Seepromenade, ☎ 20 11, Telex 527732, Fax 5374, <, 🍽, ♨, ⛵ – 🛗 [TV] ☎ 🅿 🏛. [AE] ⓓ [E]
  2.- 12. Jan. geschl. – Karte 36/62 – **40 Z : 77 B** 100/145 - 180/200 Fb.
- **Piushof** 🌿, Schönbichlstr. 18, ☎ 10 07, Telex 526463, 🍽, 🌳, 🎾, Fahrradverleih – [TV] ☎ 🚗 🅿 🏛. [AE] ⓓ [E] [VISA]
  Karte 45/72 *(Sonntag 18 Uhr - Montag 18 Uhr geschl.)* – **23 Z : 40 B** 109/130 - 150/160 Fb.
- Sonnenhof garni, Summerstr. 23, ☎ 20 19, ♨ – ☎ 🅿 – **10 Z : 22 B** Fb.

HERSBRUCK 8562. Bayern [413] R 18, [987] ㉖㉗ – 11 300 Ew – Höhe 345 m – ☎ 09151.

[i] Verkehrsbüro, Lohweg 29 (ab Frühjahr 1989: Schloßplatz), ☎ 47 55.

♦München 181 – Amberg 36 – Bayreuth 70 – ♦Nürnberg 35.

- **Schwarzer Adler**, Martin-Luther-Str. 26, ☎ 22 31 – 🚗. ⓓ [E]
  ♦ Karte 16/38 *(Mittwoch ab 15 Uhr, Freitag und Ende Mai - Anfang Juni geschl.)* 🍷 – **17 Z : 30 B** 30/45 - 60/78.
- **Buchenhof** 🌿 garni, Am Buch 15, ☎ 30 51, 🌳 – 🅿
  1.- 15. Jan. geschl. – **11 Z : 22 B** 31/45 - 56/60.
- 🍴 **Café Bauer** mit Zim, Martin-Luther-Str. 16, ☎ 28 16 – ⓓ
  9.- 18. Jan. und 17. Okt.- 1. Nov. geschl. – Karte 22/44 *(Mittwoch geschl.)* 🍷 – **6 Z : 14 B** 38 - 70.

In Happurg-Kainsbach **8569** SO : 5,5 km – Luftkurort:

- **Mühle** 🌿, ☎ (09151) 40 17, « Gartenterrasse », Massage, ♨, 🏊, 🌳, 🎾 – [TV] 🚗 🅿 🏛. ⓓ [E]
  Karte 29/63 – **34 Z : 68 B** 85/120 - 148/168 Fb.

In Kirchensittenbach NW : 11,5 km – Höhe 550 m – Wintersport : 550/620 m ⛷2 ⛷2 :

🍴 **Hohensteiner Hof** mit Zim, ☎ (09152) 5 33, ⛱, 🌳 – 📺 🚗 🅿
↔ *Ende März - Anfang April und Ende Okt.- Anfang Nov. geschl.* – Karte 19,50/38 *(Montag geschl.)* – **9 Z : 19 B** 38/43 - 76/86.

In Kirchensittenbach - Kleedorf **8565** N : 7 km :

🏨 **Zum Alten Schloß** 🔇, ☎ (09151) 60 25, ⛱, 🏊, 🌳 – 🛗 📺 ☎ 🚗 🅿 🏔. (D) E
↔ Karte 18,50/39 *(Montag geschl.)* – **30 Z : 60 B** 48/55 - 95/110 Fb – P 65/73.

In Pommelsbrunn-Hubmersberg **8561** NO : 7,5 km :

🏨 **Lindenhof** 🔇, ☎ (09154) 10 21, Telex 624181, ⛱, 🏊, 🏊 – 🛗 📺 🚗 🅿 🏔. (D) E VISA
Karte 25/60 *(Montag geschl.)* – **30 Z : 60 B** 65/89 - 120/166 Fb – 5 Appart. 170/260.

[HERSCHEID] **5974.** Nordrhein-Westfalen – 6 800 Ew – Höhe 450 m – Erholungsort – ☎ 02357.
♦Düsseldorf 105 – Lüdenscheid 11 – Plettenberg 12.

🏨 **Zum Adler,** Marktplatz 1, ☎ 22 39 – 🚗 🅿
Karte 23/46 – **11 Z : 18 B** 26/30 - 52/60.

In Herscheid-Wellin N : 5 km :

🏨 **Waldhotel Schröder** 🔇, ☎ 41 88, 🌳 – ☎ 🚗 🅿. (D) E VISA
Karte 24/49 – **16 Z : 28 B** 52/55 - 92/96 Fb – P 67/70.

An der Straße nach Werdohl NW : 4,5 km über Lüdenscheider Straße :

🏨 **Herscheider Mühle** 🔇, ✉ 5974 Herscheid, ☎ (02357) 23 25, ⛱ – ☎ 🚗 🅿
Karte 22/50 *(Freitag und Ende Juni - Mitte Juli geschl.)* – **11 Z : 17 B** 33/50 - 65/85 – P 55/70.

[HERSFELD, BAD] **6430.** Hessen [987] ㉕ – 31 000 Ew – Höhe 209 m – Heilbad – ☎ 06621.
Sehenswert : Ruine der Abteikirche ★ – Rathaus ≤★.
[i] Verkehrsamt, am Markt 1, ☎ 20 12 74.
[i] Verkehrsbüro, Wandelhalle, ☎ 17 31 99.
ADAC, Benno-Schilde-Str. 11, ☎ 7 67 77.
♦Wiesbaden 167 – Erfurt 126 – Fulda 46 – Gießen 88 – ♦Kassel 69.

🏨 **Hotel am Kurpark** 🔇, Am Kurpark 19, ☎ 16 40, Telex 493169, Caféterrasse, 🏊, 🏊 – 🛗 📺 ♿ 🅿 🏔. AE (D) E. ⛔ Rest
Restaurants : – **Lukullus** Karte 48/67 – **Klosterkrug** Karte 21/43 – **93 Z : 180 B** 94/119 - 165/250 Fb.

🏨 **Parkhotel Rose,** Am Kurpark 9, ☎ 1 56 56, ⛱ – 🛗 📺 ☎ 🚗 🅿. AE (D) E VISA
Karte 47/88 – **20 Z : 36 B** 85 - 135/145 Fb – P 130.

🏨 **Romantik-Hotel Zum Stern** (historisches Gebäude a.d. 15. Jh.), Linggplatz 11, ☎ 7 20 07, 🏊 – 🛗 📺 ☎ 🅿 🏔. AE (D) E VISA. ⛔ Zim
Karte 39/64 *(1.- 20. Jan. und Freitag bis 18 Uhr geschl.)* – **39 Z : 79 B** 78/105 - 135/205 Fb.

🏨 **Wenzel,** Nachtigallenstr.3, ☎ 7 20 17, ⛱ – 🛗 📺 ☎ 🚗 🅿 🏔. AE. ⛔
Karte 26/53 🍷 – **32 Z : 50 B** 60/75 - 95/150 Fb.

🏨 **Haus Deutschland** 🔇, Dr.-Ronge-Weg 2 (am Kurpark), ☎ 6 30 88, 🌳 – ☎ 🅿. (D) E
Karte 23/62 – **21 Z : 29 B** 47/92 - 72/104.

🏨 **Schönewolf** 🔇, Brückenmüllerstr. 5, ☎ 7 20 28 – 📺 ☎ 🚗. (D) E VISA
1.- 10. Jan. geschl. – Karte 28/52 *(Sonntag 14 Uhr - Montag 17 Uhr und 20. März - 14. April geschl.)* – **20 Z : 30 B** 66/75 - 90/130 Fb.

🏨 **Sander,** Am Bahnhof, ☎ 1 48 02 – 🛗 🅿
↔ *23. Dez.- 15. Jan. geschl.* – Karte 18/30 – **56 Z : 90 B** 35/50 - 65/100.

🍴 Formosa (Chinesische Küche), Klaustorplatz 1 (im Stadthaus), ☎ 7 61 04.

Nahe der B 324 NW : 4 km :

🏨 **Waldhotel Glimmesmühle** 🔇, ✉ 6430 Bad Hersfeld, ☎ (06621) 30 81, 🌳 – ☎ 🚗 🅿. (D) E VISA
Karte 20/45 – **22 Z : 34 B** 40/63 - 76/98.

[HERTEN] **4352.** Nordrhein-Westfalen [987] ⑭ – 72 000 Ew – Höhe 60 m – ☎ 02366.

Siehe Ruhrgebiet (Übersichtsplan).

♦Düsseldorf 65 – Gelsenkirchen 12 – Recklinghausen 6.

🏨 **Hotel am Schloßpark,** Resser Weg 36, ☎ 8 00 50, Telex 829922, ⛱ – 🚭 Zim 📺 ☎ ♿ 🅿. AE (D) E VISA. ⛔ Rest
Karte 32/52 – **47 Z : 59 B** 90/98 - 120/150 Fb.

🏨 **Lauer** garni, Gartenstr. 59, ☎ 3 54 14 – 📺 ☎ 🚗 🅿. AE (D) E VISA
19 Z : 21 B 60/90 - 110/120.

🏨 **Vestischer Hof,** Ewaldstr. 132, ☎ 3 30 38 – ☎ 🅿. AE (D) E
↔ Karte 17/36 *(Donnerstag geschl.)* – **21 Z : 33 B** 45 - 80.

HERTINGEN Baden-Württemberg siehe Bellingen, Bad.

HERXHEIM 6742. Rheinland-Pfalz 413 H 19, 242 ⑫ – 8 900 Ew – Höhe 120 m – ☎ 07276.
Mainz 125 – ♦Karlsruhe 28 – Landau in der Pfalz 10 – Speyer 31.

In Herxheim-Hayna SW : 2,5 km :

Krone - Kronenrestaurant, Hauptstr. 62, ☎ 70 01, Fahrradverleih – TV ☎ P
Karte 51/82 *(Tischbestellung ratsam)* (Montag 15 Uhr - Dienstag, Feb.- März und Juli - Aug. je 2 Wochen geschl.) – **Pfälzer Stube** *(nur Dienstag und Feb.- März 2 Wochen geschl.)* Karte 30/56 – **38 Z : 67 B** 68/75 - 98/125 Fb
Spez. Terrine von Lachs und Zander, Täubchen im Blätterteigmantel, Kirschsoufflé mit Traminerschaum (für 2 Pers.).

HERZBERG AM HARZ 3420. Niedersachsen 987 ⑯ – 17 700 Ew – Höhe 233 m – ☎ 05521.
Städt. Verkehrsamt, Marktplatz 30, ☎ 8 52 56.
♦Hannover 105 – ♦Braunschweig 92 – Göttingen 38.

Englischer Hof, Vorstadt 10 (an der B 243), ☎ 50 32, – ☎ P. AE ① E VISA
Karte 19/46 *(20. Sept.- 16. Okt. geschl.)* – **27 Z : 43 B** 38/55 - 70/98.

Nahe der B 243 NW : 3 km :

Waldhotel Aschenhütte, ✉ 3420 Herzberg am Harz, ☎ (05521) 20 01, Wildgehege, – TV ☎ P. ① E VISA
Karte 27/69 – **35 Z : 65 B** 48/55 - 80/100 Fb.

An der Straße nach Sieber NO : 4,5 km :

Zum Paradies, Siebertal 2, ✉ 3420 Herzberg, ☎ (05521) 24 83, – P
Mitte Nov.- Mitte Dez. geschl. – Karte 20/45 *(Okt.- April Mittwoch geschl.)* – **10 Z : 17 B** 28/45 - 57/70 – P 52/57.

In Herzberg 4-Scharzfeld SO : 4 km – Erholungsort :

Harzer Hof, Harzstr. 79, ☎ 50 96, – ☎ P
Karte 21/42 *(Montag bis 17 Uhr geschl.)* – **9 Z : 17 B** 35/40 - 70/75 – P 55/60.

In Herzberg 3-Sieber NO : 8 km – Luftkurort :

Zur Krone, An der Sieber 102, ☎ (05585) 3 36 – ☎ P
10. Nov.- 15. Dez. geschl. – Karte 22/51 *(Nov.- Mai Dienstag geschl.)* – **30 Z : 55 B** 45/55 - 78/85 – 7 Fewo 55 – P 65/72.

Haus Iris garni, An der Sieber 102 b, ☎ (05585) 3 55, – P
18 Z : 30 B 33/45 - 62/72.

HERZLAKE Niedersachsen siehe Haselünne.

HERZOGENAURACH 8522. Bayern 413 P 18, 987 ㉖ – 19 000 Ew – Höhe 295 m – ☎ 09132.
Herzo-Base, ☎ 8 36 28.
♦München 195 – ♦Bamberg 52 – ♦Nürnberg 24 – ♦Würzburg 95.

Sporthotel adidas, Beethovenstr. 6, ☎ 80 81, Telex 625211, – TV P
32 Z : 65 B Fb.

Krone, Hauptstr. 37, ☎ 80 55 – ☎ P
22 Z : 38 B.

Auracher Hof, Welkenbacher Kirchweg 2, ☎ 20 80 – ☎ P. AE ① E VISA
Aug. geschl. – Karte 21/46 *(Freitag 15 Uhr - Samstag geschl.)* – **15 Z : 22 B** 38/60 - 60/80.

Gasthaus Glass (mit Gästehaus), Marktplatz 10, ☎ 32 72, – TV ☎. AE ①
Karte 32/52 *(Samstag bis 18 Uhr, Montag und 1.- 23. Aug. geschl.)* – **9 Z : 16 B** 62/73 - 108/113.

HERZOGENRATH 5120. Nordrhein-Westfalen 409 ⑯, 408 ㉖ – 43 000 Ew – Höhe 112 m – ☎ 02406.
♦Düsseldorf 77 – ♦Aachen 12 – Düren 37 – Geilenkirchen 13.

Stadthotel, Rathausplatz 5, ☎ 30 91 – TV ☎
Karte 22/60 – **8 Z : 16 B** 59 - 98 Fb.

XXX **Gut Rode**, Kleikstr. 97, ☎ 76 63 – E
Montag geschl. – Karte 53/67.

In Herzogenrath-Kohlscheid SW : 4 km :

XXX **Parkrestaurant Laurweg**, Kaiserstr. 101, ☎ (02407) 35 71, « Park » – P. AE E VISA
Sonn- und Feiertage ab 15 Uhr sowie Montag geschl. – Karte 37/70.

HERZOGSTAND Bayern. Sehenswürdigkeit siehe Kochel am See.

HERZOGSWEILER Baden-Württemberg siehe Pfalzgrafenweiler.

[HESEL] 2954. Niedersachsen [987] ⑭ – 3 100 Ew – Höhe 10 m – ☎ 04950.
♦Hannover 220 – ♦Bremen 98 – Groningen 84 – Wilhelmshaven 52.

Jagdhaus Kloster Barthe, Stiekelkamper Str. 21, ☎ 26 33 – ☎ 🚗 [P] 🏃. [AE] [D] [E]
Karte 23/56 – **29 Z : 54 B** 45 - 85.

Alte Posthalterei, Leeraner Str. 4, ☎ 22 15, ♨, 🖼, 🌳 – ☎ [P]. [AE] [D] [E] [VISA]
Karte 18,50/39 *(Okt.- März Samstag geschl.)* – **15 Z : 23 B** 48 - 90.

In Holtland 2954 SW : 2,5 km :

Preydt (mit Gästehaus), Leeraner Str. 15, ☎ (04950) 22 11 – [TV] 🚗 [P] 🏃. [AE] [D] [E]
Karte 28/51 – **25 Z : 40 B** 32/50 - 55/100.

[HESSENTHAL] Bayern siehe Mespelbrunn.

[HESSISCH OLDENDORF] 3253. Niedersachsen [987] ⑮ – 17 500 Ew – Höhe 62 m – ☎ 05152.
[i] Verkehrsamt, Kirchplatz 4, ☎ 78 21 64.
♦Hannover 54 – Hameln 12 – ♦Osnabrück 98.

Lichtsinn, Bahnhofsallee 2, ☎ 24 62, Grillgarten – 🚗. 🚫
Karte 22/45 *(Sonn- und Feiertage geschl.)* – **12 Z : 16 B** 30/38 - 60/70.

In Hessisch Oldendorf 2-Fischbeck SO : 7,5 km :

Weißes Haus 🌿, ☎ 85 22, « Park-Terrasse », 🌳 – ☎ [P]
Feb. geschl. – Karte 30/62 *(Montag geschl.)* – **12 Z : 24 B** 45/70 - 80/95.

In Hessisch Oldendorf 18-Fuhlen S : 1,5 km :

Weser - Terrasse, Brüggenanger 14, ☎ 20 68 – ☎ 🚗 [P]
Karte 21/39 *(Mittwoch geschl.)* – **17 Z : 26 B** 55/65 - 85/115.

Erfahrungsgemäß werden bei größeren Veranstaltungen, Messen und Ausstellungen in vielen Städten und deren Umgebung erhöhte Preise verlangt.

[HEUBACH] 7072. Baden-Württemberg [413] M 20 – 8 550 Ew – Höhe 466 m – ☎ 07173.
♦Stuttgart 66 – Aalen 14 – Schwäbisch Gmünd 13 – ♦Ulm (Donau) 66.

Rössle, Hauptstr. 51, ☎ 67 37
Juli - Aug. 2 Wochen geschl. – Karte 16/36 *(Montag - Dienstag 17 Uhr geschl.)* 🍷 – **7 Z : 10 B** 25/35 - 55.

🍴🍴 **Jägerhaus** mit Zim, Bartholomäer Str. 41, ☎ 69 07, 🌳 – ☎ 🚗 [P]
Karte **26**/60 *(Sonntag 15 Uhr - Montag geschl.)* – **5 Z : 7 B** 42/48 - 60.

🍴 **Stadthalle**, Hauptstr. 5, ☎ 62 59 – [P]
Montag und Aug. geschl. – Karte 21/40 🍷.

[HEUCHELHEIM-KLINGEN] Rheinland-Pfalz siehe Billigheim - Ingenheim.

[HEUSENSTAMM] 6056. Hessen [413] J 16 – 18 000 Ew – Höhe 119 m – ☎ 06104.
♦Wiesbaden 46 – Aschaffenburg 31 – ♦Frankfurt am Main 13.

Schloßhotel - Restaurant Il Galeone, Frankfurter Str. 9, ☎ 31 31 – |$| ☎ 🚗 [P]. [AE] [D] [E] [VISA]. 🚫 Zim
Karte 27/51 *(Italienische Küche, Samstag bis 18 Uhr geschl.)* – **32 Z : 44 B** 68/78 - 106/116 Fb.

Birkeneck 🌿, Ernst-Leitz-Str. 16 (Industriegebiet), ☎ 6 80 20 – [TV] ☎ [P]. [AE] [D] [E]
Karte 36/54 *(nur Abendessen, 22. Juni - 10. Juli und außerhalb der Messezeiten Freitag - Sonntag geschl.)* – **53 Z : 73 B** 75/125 - 95/145 Fb.

🍴🍴 **Ratsstuben**, Im Herrengarten 1 (Schloß), ☎ 52 52 – [P]. [AE]
Karte 37/60.

[HEUSWEILER] 6601. Saarland [242] ⑦, [57] ⑥, [87] ⑪ – 19 200 Ew – Höhe 233 m – ☎ 06806.
♦Saarbrücken 14 – Saarlouis 14 – St. Wendel 33.

In Heusweiler-Eiweiler N : 2 km :

🍴🍴 Gästehaus Gengenbach, Lebacher Str. 73, ☎ 68 44, « Villa mit privat-wohnlicher Atmosphäre, Garten » – [P]
(Tischbestellung erforderlich).

[HEUWEILER] Baden-Württemberg siehe Glottertal.

[HEUZERT] Rheinland-Pfalz siehe Hachenburg.

[HIDDENHAUSEN] Nordrhein-Westfalen siehe Herford.

HILCHENBACH 5912. Nordrhein-Westfalen 987 ㉔ – 16 000 Ew – Höhe 350 m – Wintersport (in Hilchenbach-Lützel) : 500/680 m ⛷2 – ☎ 02733.

Reise- u. Verkehrsbüro, Dammstr. 5, ✆ 70 44.

♦Düsseldorf 130 – Olpe 28 – Siegen 21.

Haus am Sonnenhang, Wilhelm-Münker-Str. 21, ✆ 42 60, ←, ... – ... AE ⓓ E. Rest
Karte 25/41 *(10.- 31. Jan. und Freitag geschl.)* – **20 Z : 35 B** 60/85 - 100/140.

In Hilchenbach-Lützel SO : 10 km :

Ginsberger Heide, Hof Ginsberg 2, ✆ 32 24, ←, ... – Ⓟ – **19 Z : 44 B**.

In Hilchenbach-Müsen W : 7 km :

Stahlberg, Hauptstr. 85, ✆ 62 97, ... – ... Ⓟ. AE ⓓ E
15.- 30. Jan. geschl. – Karte 26/52 *(Montag geschl.)* – **12 Z : 20 B** 53 - 88 Fb.

In Hilchenbach-Vormwald SO : 2 km :

✿ **Landhotel Siebelnhof - Restaurant Chesa**, Siebelnhofstr. 47, ✆ 70 07, Biergarten, Bade- und Massageabteilung, ... – TV ... Ⓟ. AE ⓓ E
Karte 52/93 *(nur Abendessen)* – **Ginsburg-Stuben** *(auch Mittagessen, Samstag bis 17 Uhr geschl.)* Karte 30/55 – **30 Z : 40 B** 65/105 - 105/145 Fb
Spez. Seezunge und Lachs in Rotweinbutter, Lammgerichte, Topfengratin mit Früchten.

HILDEN 4010. Nordrhein-Westfalen 987 ㉓ – 53 400 Ew – Höhe 46 m – ☎ 02103.

♦Düsseldorf 14 – ♦Köln 40 – Solingen 12 – Wuppertal 26.

Forstbacher Hof, Forstbachstr. 47, ✆ 6 26 14 – ... Ⓟ.
Juli geschl. – Karte 26/37 *(Samstag - Sonntag geschl.)* – **22 Z : 34 B** 60/70 - 85/95.

XX **Kaminzimmer**, Mittelstr. 53 (Passage), ✆ 5 36 36 – AE E
nur Abendessen, Montag sowie über Karneval und Juli jeweils 2 Wochen geschl. – Karte 40/68 (Tischbestellung ratsam).

HILDERS 6414. Hessen 413 N 15, 987 ㉕ ㉖ – 5 000 Ew – Höhe 460 m – Luftkurort – Wintersport : 500/700 m ⛷1 ⛷3 – ☎ 06681.

Verkehrsamt im Rathaus, Kirchstr. 2, ✆ 6 51.

♦Wiesbaden 200 – Fulda 29 – Bad Hersfeld 54.

Engel, Marktstr. 12, ✆ 71 04 – ... AE ⓓ E VISA
Karte 21/56 *(Nov.- März Sonntag ab 15 Uhr geschl.)* – **28 Z : 52 B** 31/48 - 58/96 – P 56/73.

Hohmann, Obertor 2, ✆ 2 96, ...
15. Nov.- 15. Dez. geschl. – Karte 18/35 – **16 Z : 28 B** 42 - 74.

Deutsches Haus, Marktstr. 21, ✆ 3 55 – AE ⓓ VISA
20. Nov.- 20. Dez. geschl. – Karte 17/36 *(Okt.- April Mittwoch geschl.)* – **29 Z : 50 B** 28/42 - 56/72 – P 40/50.

Rhön-Hotel garni, Battensteinstr. 17, ✆ 13 88, ←, ... – TV Ⓟ. E
6.- 30. Nov. geschl. – **10 Z : 24 B** 30/36 - 60/70.

HILDESHEIM 3200. Niedersachsen 987 ⑮ – 100 000 Ew – Höhe 89 m – ☎ 05121.

Sehenswert : Dom★ (Kunstwerke★, Kreuzgang★) – St. Michaelis-Kirche★ Y A – Römer-Pelizaeus-Museum★ Z M – St. Andreas-Kirche (Fassade★) Y B – Antoniuskapelle (Lettner★) Z C.

Verkehrsverein, Am Ratsbauhof 1c, ✆ 1 59 95.

ADAC, Zingel 39, ✆ 1 20 43, Notruf ✆ 1 92 11.

♦Hannover 31 ⑤ – ♦Braunschweig 51 ② – Göttingen 91 ②.

Stadtplan siehe nächste Seite.

Forte Hotel, Am Markt 5, ✆ 30 00, Telex 927269, ..., ..., ... – ... Zim ... Rest TV ... Ⓟ ... (mit ...). AE ⓓ E VISA. ... Y **e**
Karte 28/60 – **113 Z : 213 B** 140/196 - 203/329 Fb.

Schweizer Hof garni, Hindenburgplatz 6, ✆ 3 90 81, Telex 927426 – ... TV ... AE ⓓ E VISA
52 Z : 97 B 110/120 - 150/160 Fb. Z **a**

Gollart's-Hotel Deutsches Haus, Carl-Peters-Str. 5, ✆ 1 59 71, Telex 927409, ..., ... – ... TV ... Ⓟ ... (mit ...). AE E Y **f**
Karte 29/59 *(Sonntag geschl.)* – **45 Z : 90 B** 80/115 - 120/130 Fb – 3 Appart. 170.

Bürgermeisterkapelle, Rathausstr. 8, ✆ 1 40 21 – ... TV ... AE ⓓ E VISA Y **v**
Karte 25/45 – **41 Z : 63 B** 60/90 - 120/140 Fb.

Gästehaus Klocke garni, Humboldtstr. 11, ✆ 3 70 61 – TV ... Ⓟ. AE E Z **t**
16 Z : 24 B 53/58 - 95/107.

XX **Ratskeller**, Markt 2, ✆ 1 44 41 – ... AE E Y **R**
Karte **29**/59.

X **Schlegels Weinstuben** (Fachwerkhaus a.d. 15. Jh. mit Brunnentisch), Am Steine 4, ✆ 3 31 33, ... Z **b**
nur Abendessen, Samstag - Sonntag und Juli - Aug. 4 Wochen geschl. – Karte 25/48 (Tischbestellung ratsam).

HILDESHEIM

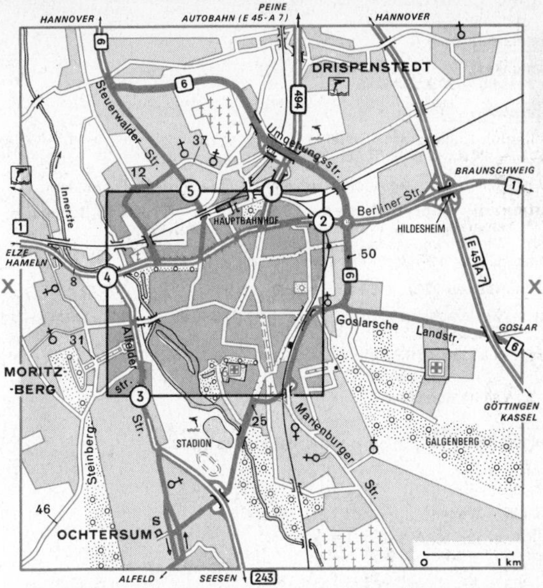

Almsstraße	Y
Bahnhofsallee	Y
Bernwardstraße	Y
Hoher Weg	Y 24
Osterstraße	Y 43
Scheelenstraße	Y 47
Schuhstraße	Z 48
Zingel	YZ
Bückebergstraße	X 8
Carl-Peters-Straße	Y 10
Cheruskerring	X 12
Domhof	Z 13
Eckemekerstraße	Y 15
Gelber Stern	Z 17
Godehardsplatz	Z 19
Hannoversche Straße	Y 23
Hohnsen	X 25
Jakobistraße	Y 26
Judenstraße	Y 27
Kardinal-Bertram-Straße	Y 28
Kläperhagen	Z 29
Königstraße	X 31
Laubaner Straße	Z 33
Martin-Luther-Straße	X 37
Mittelallee	Z 38
Mühlenstraße	Z 39
Neue Straße	Z 41
Pfaffenstieg	Z 44
Rathausstraße	Y 45
Robert-Bosch-Straße	X 46
Senator-Braun-Allee	X 50
Theaterstraße	Y 53

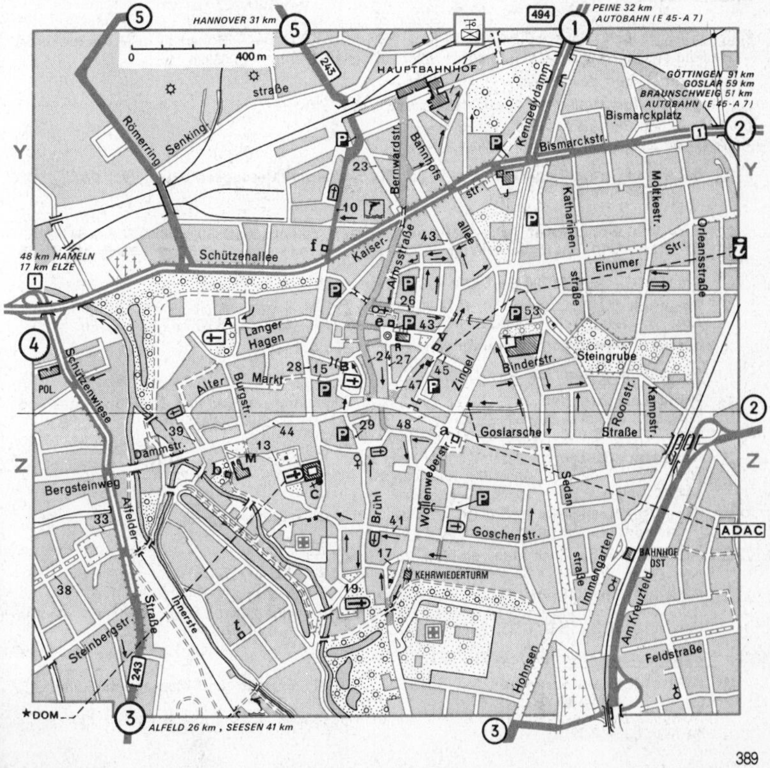

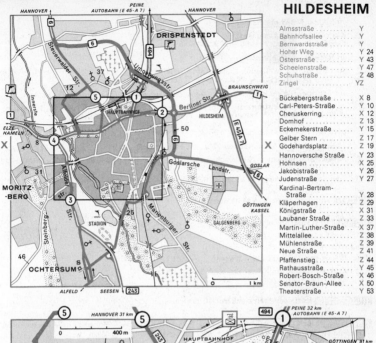

In Hildesheim-Himmelsthür über ④ :

🏨 **Zum Osterberg**, Linnenkamp 4, ☎ 4 24 61 – [P]
Karte 17/26 *(nur Abendessen)* – **30 Z : 58 B** 45 - 80.

In Hildesheim-Ochtersum :

🏨 **Am Steinberg** garni, Adolf-Kolping-Str. 6, ☎ 26 11 42 – [TV] ☎ [P] X s
15. Dez.- 14. Jan. geschl. – **24 Z : 47 B** 49/65 - 80/98.

Im Steinberg-Wald ③ : 5 km, Richtung Alfeld, 1 km hinter Ochtersum rechts abbiegen :

🍴🍴🍴 ✿ **Romantik-Restaurant Kupferschmiede**, Steinberg 6, ✉ 3200 HI-Ochtersum, ☎ (05121) 26 30 25, ⛱, bemerkenswerte Weinkarte – [P] . [AE] [O] [E] [VISA]
Sonntag (außer Ostern, Pfingsten und Weihnachten) geschl. – Karte 48/83
Spez. Tatar vom Loup de mer, Hummer in 2 Gängen, Lammrücken mit Schalotten.

In Schellerten 1 - Wendhausen 3209 ② : 7 km über die B 6 X :

🏨 **Altes Forsthaus** garni, Goslarsche Landstr. 1 (B 6), ☎ (05121) 3 10 88, ⛱, 🌳 – 🚗 [P]. 🐕
Dez.- 15. Jan. geschl. – **18 Z : 28 B** 56/85 - 95/160.

🍴🍴 Zum Rotdorn, Goslarsche Landstr. 4 (B 6), ☎ (05121) 3 83 36 – [P].

HILGEN Nordrhein-Westfalen siehe Burscheid.

HILLESHEIM 5533. Rheinland-Pfalz – 2 200 Ew – Höhe 450 m – ☎ 06593.

⛳ Kölner Straße, ☎ 12 41.

[i] Verkehrsamt, im Rathaus, ☎ 8 01 15.

Mainz 175 – Gerolstein 10 – ♦Köln 99 – Mayen 49.

🏠 **Zum Amtsrichter**, Kölner Str. 10, ☎ 3 80 – 🚗 [P]
Karte 17/42 *(Montag geschl.)* – **14 Z : 26 B** 36 - 64.

HILLSCHEID Rheinland-Pfalz siehe Höhr-Grenzhausen.

HINDELANG 8973. Bayern [413] O 24, [987] ㊱, [426] ⑮ – 5 000 Ew – Höhe 850 m – Kneippkurort – Heilklimatischer Kurort – Wintersport : 825/1 690 m ⛷14 ⛷10 – ☎ 08324.

Sehenswert : Lage★ des Ortes.

Ausflugsziel : Jochstraße★★ : Aussichtskanzel ≤★, NO : 8 km.

[i] Kurverwaltung, Rathaus, Marktstr. 9, ☎ 89 20.

♦München 161 – Kempten (Allgäu) 35 – Oberstdorf 22.

🏨 Bad-Hotel Sonne, Marktstr. 15, ☎ 20 26, ⛱, Bade- und Massageabteilung, 🏋, ♨, 🏊, 🌳 – [lift] [TV] ☎ 🚗 [P]. 🐕 Rest
60 Z : 115 B Fb.

🏨 **Kur- und Sporthotel** 🌙 (Appartement - Hotel), Zillenbachstr. 50, ☎ 8 40, Telex 54492, ≤, ⛱, Bade- und Massageabteilung, 🏋, ♨, 🏊, Fahrradverleih – [lift] [TV] ☎ 🚗 [P] . [AE] [O] [E] [VISA]. 🐕 Rest
Karte 27/58 – **101 Z : 200 B** 80/120 - 120/180 Fb – P 86/111.

🏨 **Sonneck** 🌙, Rosengasse 10, ☎ 22 78, ≤, ⛱, 🏊, 🌳, Fahrradverleih – 🚗 [P]. 🐕 Rest
Nov.- 20. Dez. geschl. – Karte 27/45 *(Montag geschl.)* – **29 Z : 45 B** 50/65 - 100/130 Fb.

🍴 Kurhaus - Restaurant, Unterer Buigenweg 2, ☎ 24 90, ≤, ⛱ – .

In Hindelang-Bad Oberdorf O : 1 km :

🏨 **Prinz-Luitpold-Bad** 🌙, ☎ 20 11, Fax 2335, ≤ Allgäuer Alpen und Bad Oberdorf, Bade- und Massageabteilung, 🏋, ♨, ⛱ (geheizt), 🏊, 🌳, 🎾 – [lift] [TV] 🚗 [P]. 🐕 Rest
Karte 24/57 – **115 Z : 190 B** 85/150 - 134/254 Fb – P 105/158.

🏨 **Café Haus Helgard** 🌙 garni, Luitpoldstr. 20, ☎ 20 64, ≤, 🌳 – ☎ 🚗 [P]
Mitte April - Anfang Mai und Ende Okt.- 20. Dez. geschl. – **15 Z : 22 B** 48/75 - 90/106 – 3 Fewo 100/110.

🏨 Bären 🌙, Bärengasse 1, ☎ 20 01, ≤, Bade- und Massageabteilung, ♨, 🌳 – [lift] ☎ [P]
(Restaurant nur für Hausgäste) – **30 Z : 47 B** Fb.

🏨 **Alte Schmiede**, Schmittenweg 14, ☎ 25 52 – [P]
Nov. geschl. – Karte 22/42 *(Mittwoch geschl.)* – **16 Z : 27 B** 40 - 75/85.

🍴🍴 **Alpengasthof Hirsch** mit Zim, Kurze Gasse 18, ☎ 3 08 – [P]
April 2 Wochen und Ende Okt.- Mitte Dez. geschl. – Karte 21/48 *(Sonntag 14 Uhr - Montag geschl.)* – **10 Z : 16 B** 30/35 - 60/70.

In Hindelang 4-Hinterstein SO : 5 km :

🏨 **Kurhotel Waidmannsheil** 🌙, Talstr. 35, ☎ 81 01, ≤, Bade- und Massageabteilung, 🏋, 🏊, 🌳 – ☎ 🚗 [P]. 🐕
Nov.- 20. Dez. geschl. – (Restaurant nur für Hausgäste) – **24 Z : 42 B** 47/72 - 120/130 – 5 Fewo 100 – P 79/97.

In Hindelang-Oberjoch NO : 7 km – Höhe 1 130 m :

🏨 **Lanig** 🌳, Ornachstr. 11, ℘ 77 12, ≤ Allgäuer Alpen, ⛱, 🧖, 🏊, 🏊, 🌲, 🎾, Fahrradverleih, Skischule – 🛗 ☎ Ⓟ
Ostern - Pfingsten geschl. – Karte 39/85 *(nur Menu)* – **34 Z : 70 B** (nur ½ P) 135/155 - 220/320 Fb.

🏨 **Pension Sepp Heckelmiller** 🌳 garni, Ornachstr. 8, ℘ 71 37, ≤ Allgäuer Alpen, 🧖, 🌲, Skischule – ☎ Ⓟ
Mitte April - Mai und Mitte Okt.- Mitte Dez. geschl. – **17 Z : 32 B** 42/60 - 84/108 – 5 Fewo 80/120.

🏨 **Alpengasthof Löwen**, Paßstr. 17, ℘ 77 03, ⛱ – ☎ 🚗 Ⓟ
10.- 29. April und 2. Nov.- 21. Dez. geschl. – Karte 24/50 *(Mai - Okt. Montag geschl.)* 🍷 – **25 Z : 44 B** 44/80 - 78/116 Fb.

🏨 **Café Schweiger** 🌳, Ornachstr. 19, ℘ 77 42, ≤ Allgäuer Alpen, 🧖, 🌲 – ☎ 🚗 Ⓟ
Mitte April - Mitte Mai und 28. Nov.- 20. Dez. geschl. – (nur Abendessen für Hausgäste) – **20 Z : 35 B** 47/49 - 94/98 (im Winter nur ½ P 66/68).

🏨 **Haus Schönblick**, Iselerstr. 2, ℘ 77 44, ≤, 🧖, 🌲
April und Nov. jeweils 3 Wochen geschl. – (Restaurant nur für Hausgäste) – **21 Z : 39 B** 40 - 80 – 3 Fewo 85/135.

In Hindelang-Unterjoch NO : 11 km :

🏨 **Alpengasthof Krone** 🌳, Sorgschrofenstr. 2, ℘ 76 04, ⛱, 🌲 – 🛗 ♿ 🚗 Ⓟ
✈ *2.- 28. April und 2. Nov.- 20. Dez. geschl.* – Karte 17,50/45 *(Donnerstag geschl.)* 🍷 – **35 Z : 65 B** 40/50 - 84/90.

🍴🍴 **Am Buchl** mit Zim, Obergschwend 10, ℘ 71 66, ≤, ⛱, 🌲 – ☎ 🚗 Ⓟ
Nov.- 15. Dez. geschl. – Karte 22/45 *(Montag geschl.)* – **6 Z : 12 B** 45 - 90.

Der Rote MICHELIN-Hotelführer : Main Cities EUROPE für Geschäftsreisende und Touristen.

HINRICHSFEHN Niedersachsen siehe Wiesmoor.

HINTERHEUBRONN Baden-Württemberg siehe Neuenweg.

HINTERLANGENBACH Baden-Württemberg siehe Baiersbronn.

HINTERSEE Bayern siehe Ramsau.

HINTERWEIDENTHAL 6787. Rheinland-Pfalz [413] G 19, [987] ㉔, [242] ⑧ – 1 800 Ew – Höhe 240 m – Erholungsort – ☎ 06396.

Mainz 136 – Landau in der Pfalz 33 – Pirmasens 15 – Wissembourg 31.

🏨 **Café Zürn** garni, Waldstr. 21, ℘ 2 34 – Ⓟ. 🐕
14 Z : 28 B 35/40 - 70/90.

🍴🍴 **Zum Patron**, Hauptstr. 73 (B 427), ℘ 3 20 – 🐕
Samstag bis 18 Uhr, Mittwoch sowie Jan.- Feb. und Juli - Aug. 2 Wochen geschl. – Karte 36/64 🍷.

HINTERZARTEN 7824. Baden-Württemberg [413] H 23, [427] ⑤ – 2 200 Ew – Höhe 885 m – Heilklimatischer Kurort – Wintersport : 900/1 230 m ⛷3 ⛷10 – ☎ 07652.

Ausflugsziel : Titisee★ O : 5 km.

[B] Kurverwaltung, Freiburger Straße, ℘ 15 01.

♦Stuttgart 161 – Donaueschingen 38 – ♦Freiburg im Breisgau 26.

🏨 **Park-Hotel Adler** 🌳, Adlerplatz 3, ℘ 12 70, Telex 772692, Fax 127717, ⛱, « Park mit Wildgehege », Massage, 🧖, 🏊, 🌲, 🎾 (Halle), Fahrradverleih – 🛗 📺 🚗 Ⓟ 🏛 (mit 🍽). AE ⓓ E VISA. 🐕 Rest
Karte 46/100 – **76 Z : 145 B** 130/310 - 260/535 Fb – 8 Appart. 660/910.

🏨 **Reppert** 🌳, Adlerweg 21, ℘ 1 20 80, 🧖, 🏊, 🌲 – 🛗 📺 ☎ Ⓟ. AE ⓓ E VISA. 🐕 Rest
9.- 21 April und Mitte Nov.- Mitte Dez. geschl. – (nur Abendessen für Hausgäste) – **34 Z : 53 B** 90/178 - 166/274 Fb.

🏨 **Kesslermühle** 🌳, Erlenbrucker Str. 45, ℘ 12 90, ≤, 🧖, 🏊, 🌲 – 🛗 🚭 Rest 📺 ☎ Ⓟ. 🐕
5. Nov.- 18. Dez. geschl. – (Restaurant nur für Hausgäste) – **31 Z : 56 B** 89/144 - 164/198 Fb.

🏨 **Thomahof**, Erlenbrucker Str. 16, ℘ 12 30, ⛱, Massage, 🧖, 🏊, 🌲 – 🛗 📺 ☎ Ⓟ. ⓓ VISA
Karte 25/60 – **40 Z : 70 B** 70/90 - 130/216 Fb – P 108/146.

🏨 **Sassenhof** 🌳 garni, Adlerweg 17, ℘ 15 15, 🧖, 🏊, 🌲 – 🛗 ☎ Ⓟ
1.- 15. Dez. geschl. – **24 Z : 32 B** 62/126 - 136/168.

🏨 **Gästehaus Sonne** garni (siehe auch Hotel Schwarzwaldhof), Rathausstr. 5, ℘ 16 16, 🧖 – 🛗 ☎ 🚗 Ⓟ. AE E
Mitte Nov.- Mitte Dez. geschl. – **18 Z : 30 B** 65/73 - 98/116 Fb.

Schwarzwaldhof, Freiburger Str. 2, ✆ 3 10 – |♦| ☎ ⇔ Ⓟ. AE E. Zim
Mitte Nov.- Mitte Dez. geschl. – Karte 26/57 *(Dienstag geschl.)* – **22 Z : 42 B** 67 - 96/110 Fb – P 81/100.

Waldhaus Tannenhain, Erlenbrucker Str. 28, ✆ 16 56, ≤, « Gemütliche, individuelle Einrichtung, Gartenterrasse » – TV ☎ Ⓟ
20. Nov.- 20. Dez. geschl. – (Restaurant nur für Hausgäste) – **26 Z : 48 B** 54/66 - 108/132.

Café Imbery, Rathausstr. 14, ✆ 3 18, – ⇔ Ⓟ
3.- 30. April geschl. – Karte 26/46 *(Donnerstag geschl.)* – **15 Z : 24 B** 28/52 - 72/96 – P 58/82.

In Hinterzarten-Alpersbach W : 5 km :

Esche, Alpersbach 9, ✆ 2 11, ≤, – ⇔ Ⓟ
April 2 Wochen und 2. Nov.- 20. Dez. geschl. – Karte 20/41 *(Mittwoch geschl.)* – **18 Z : 32 B** 33/65 - 60/110 Fb – P 56/87.

In Hinterzarten-Bruderhalde, am Titisee, SO : 4 km :

Alemannenhof, Bruderhalde 21, ✆ 7 45, ≤ Titisee, Badesteg, Schiffstransfer gratis – |♦| TV ☎ Ⓟ. AE ⓓ E VISA
Karte 43/67 – **22 Z : 44 B** 121/127 - 192/204 Fb – P 151/182.

Heizmannshof, Bruderhalde 35, ✆ 14 36, ≤, – ☎ Ⓟ. AE ⓓ E VISA
6.- 20. April und Mitte Nov.- Mitte Dez. geschl. – Karte 19,50/47 *(Dienstag geschl.)* – **21 Z : 45 B** 35/60 - 64/106 Fb – P 65/83.

Siehe auch : ***Breitnau***

HIRSCHAID

8606. Bayern 413 PQ 17 – 8 700 Ew – Höhe 250 m – ✆ 09543.
♦München 218 – ♦Bamberg 13 – ♦Nürnberg 47.

Göller, Nürnberger Str. 96, ✆ 91 38, – |♦| TV ⇔ Ⓟ. AE ⓓ E
Karte 19/41 – **68 Z : 110 B** 49/65 - 80/95.

Brauerei-Gasthof Kraus, Luitpoldstr. 11, ✆ 91 82, Biergarten – ☎ Ⓟ – **15 Z : 30 B.**

HIRSCHAU

8452. Bayern 413 S 18, 987 ㉗ – 6 400 Ew – Höhe 412 m – ✆ 09622.
♦München 70 – Amberg 18 – ♦Regensburg 80 – Weiden 22.

Schloß-Hotel, Hauptstr. 1, ✆ 10 52, Biergarten – TV ☎ Ⓟ. E
Karte 24/46 – **12 Z : 21 B** 55/70 - 110/140.

Josefshaus, Kolpingstr. 8, ✆ 16 86, – TV ☎ ⇔ Ⓟ – **12 Z : 24 B.**

HIRSCHBACH

Bayern siehe Königstein.

HIRSCHBERG

6945. Baden-Württemberg 413 IJ 18 – 9 600 Ew – Höhe 110 m – ✆ 06201.
♦Stuttgart 131 – ♦Darmstadt 50 – Heidelberg 15 – ♦Mannheim 17.

In Hirschberg-Großsachsen :

Krone, Bergstr. 9 (B 3), ✆ 50 50, Telex 465550, – |♦| ☎ Ⓟ. AE ⓓ E VISA
Karte 40/71 – **95 Z : 190 B** 69/95 - 99/130 Fb.

Haas'sche Mühle, Talstr. 10, ✆ 5 10 41, – |♦| ☎ Ⓟ – **20 Z : 36 B** Fb.

In Hirschberg-Leutershausen :

Hirschberg, Goethestr. 2 (B 3), ✆ 5 10 15 – TV ☎ ⇔ Ⓟ. AE ⓓ E VISA
20. Dez.- 15. Jan. geschl. – Karte 27/50 *(nur Abendessen, Nov.- März Sonntag geschl.)* – **32 Z : 59 B** 55/95 - 85/120 Fb.

HIRSCHEGG

Österreich siehe Kleinwalsertal.

HIRSCHHORN AM NECKAR

6932. Hessen 413 J 18 – 4 100 Ew – Höhe 131 m – Luftkurort – ✆ 06272.
Sehenswert : Burg (Hotelterrasse ≤★).
Verkehrsamt, Haus des Gastes, Alleeweg 2, ✆ 17 42.
♦Wiesbaden 120 – Heidelberg 23 – Heilbronn 63.

Schloß-Hotel, Auf Burg Hirschhorn, ✆ 13 73, ≤ Neckartal, – |♦| ☎ Ⓟ
20. Dez.- Jan. geschl. – Karte 24/55 *(Nov.- März Montag geschl.)* – **34 Z : 54 B** 80/95 - 120/175 Fb.

Zum Naturalisten, Hauptstr. 17, ✆ 25 50, – |♦| ☎ ⇔. AE ⓓ E VISA
Karte 30/55 – **24 Z : 48 B** 45/55 - 80/100 Fb.

Forelle, Langenthaler Str. 2, ✆ 22 72 – Ⓟ
Karte 19/38 *(Donnerstag ab 14 Uhr geschl.)* – **15 Z : 30 B** 30/35 - 60/70.

Haus Burgblick garni, Zur schönen Aussicht 3 (Hirschhorn-Ost), ✆ 14 20, ≤ – Ⓟ. E.
15. Nov.- Dez. geschl. – **8 Z : 16 B** 45 - 70/80 Fb.

In Hirschhorn-Langenthal NW : 5 km :

🏠 **Zur Linde**, Waldmichelbacher Str. 12, ☎ 13 66, ☂, 🌳 – 🅿
Nov. geschl. – Karte 20/34 *(Dez.- März Dienstag geschl.)* 🍷 – **24 Z : 48 B** 32/38 - 58/74 – P 49.

🏠 **Zur Krone**, Waldmichelbacher Str. 29, ☎ 25 10 – 🅿
◆ Karte 15/33 *(Montag geschl.)* 🍷 – **12 Z : 25 B** 32 - 60.

In Eberbach-Brombach **6930** NW : 6 km :

🍴🍴 **Talblick** 🐦 mit Zim (Fachwerkhaus a.d.J. 1832, Einrichtung in altbäuerlichem Stil), Gaisbergweg 5, ☎ (06272) 14 51 – 🅿. [D]. 🚭 Zim
9.- 27. Jan. und 10.- 27. Juli geschl. – Karte **32**/65 *(Tischbestellung ratsam)* (Donnerstag - Freitag 18 Uhr geschl.) – **5 Z : 10 B** 65 - 130.

Siehe auch : ***Rothenberg (Odenwaldkreis)***

[HIRZENHAIN] 6476. Hessen [413] K 15 – 3 000 Ew – Höhe 240 m – Erholungsort – ☎ 06045.

[i] Verkehrsamt, Rathaus, ☎ 3 77.

◆Wiesbaden 107 – ◆Frankfurt am Main 67 – Lauterbach 44.

🏠 **Augustiner Kloster** 🐦, An der Klostermauer 8, ☎ 45 01 – 🅿 🏛. [AE] [E]
◆ *Nov. geschl.* – Karte 17/40 *(Donnerstag geschl.)* 🍷 – **15 Z : 29 B** 30 - 56.

🏠 **Stolberger Hof**, Nidderstr. 14, ☎ 13 09, ♨, 🏊 – 🅿
◆ Karte 17/30 *(Montag geschl.)* – **11 Z : 25 B** 26/39 - 52/72 – P 39/48.

In Hirzenhain-Merkenfritz NO : 2 km :

🍴 **Henkelsmühle** mit Zim, nahe der B 275, ☎ 72 05, ☂ – 🅿. [AE] [E]
Feb. geschl. – Karte 25/48 *(Dienstag geschl.)* – **10 Z : 16 B** 35 - 60.

🍴 **Hofreite** mit Zim, Gederner Str. 21 (B 275), ☎ 77 73 – 🅿. [AE] [E] [VISA]
◆ Karte 17,50/42 *(Montag geschl.)* – **5 Z : 8 B** 35 - 70.

Siehe auch : ***Liste der Feriendörfer***

[HITTFELD] Niedersachsen siehe Seevetal.

[HITZACKER] 3139. Niedersachsen [987] ⑯ – 4 900 Ew – Höhe 25 m – Luftkurort – ☎ 05862.

[i] Kurverwaltung, Weinbergsweg 2, ☎ 80 22.

◆Hannover 142 – ◆Braunschweig 129 – Lüneburg 48.

🏠 **Parkhotel** 🐦, Am Kurpark 3, ☎ 80 81, ☂, ♨, 🏊, 🌳 – ☎ 🅿 🏛. [D]
4.- 15. Jan. geschl. – Karte 29/53 – **53 Z : 90 B** 59/74 - 110/138 Fb.

🏠 **Scholz** 🐦, Prof.-Borchling-Str. 2, ☎ 79 72, ☂, ♨, Fahrradverleih – 🛗 📺 ☎ ♿ 🅿 🏛
Karte 25/51 – **32 Z : 64 B** 62/100 - 100/116.

🏠 **Zur Linde**, Drawehnertorstr. 22, ☎ 3 47 – 🚗 🅿
Jan. 3 Wochen geschl. – Karte 27/50 *(Donnerstag geschl.)* – **11 Z : 20 B** 35/45 - 70/79.

In Göhrde **3139** W : 13 km :

🏠 **Zur Göhrde**, Kaiser-Wilhelm-Allee 1 (B 216), ☎ (05855) 4 23, ☂, 🌳 – 🚗 🅿 🏛
Feb. geschl. – Karte 22/46 *(Okt.- März Dienstag geschl.)* – **17 Z : 28 B** 30/40 - 60/80.

[HOBBACH] Bayern siehe Eschau.

[HOCHHEIM AM MAIN] 6203. Hessen [413] I 16 – 17 000 Ew – Höhe 129 m – ☎ 06146.

◆Wiesbaden 12 – ◆Darmstadt 32 – ◆Frankfurt am Main 33 – Mainz 7.

🏠 **Rheingauer Tor** 🐦 garni, Taunusstr. 9, ☎ 40 07 – 🛗 📺 ☎ 🅿. [AE] [D] [E] [VISA]
24. Dez.- 6. Jan. geschl. – **25 Z : 33 B** 78/98 - 112 Fb.

🍴🍴 Hochheimer Hof, Mainzer Str. 22, ☎ 20 89 – 🏛.

🍴🍴 **Frankfurter Hof** mit Zim, Frankfurter Str. 20, ☎ 22 52, ☂
Jan. geschl. – Karte 28/55 *(Donnerstag geschl.)* – **12 Z : 20 B** 50/70 - 80/95.

🍴 **Hochheimer Riesling-Stuben** (alte Weinstube), Wintergasse 4, ☎ 79 25 – [AE] [E]
ab 16 Uhr geöffnet – Karte 41/62 (Tischbestellung ratsam).

[HOCHSPEYER] 6755. Rheinland-Pfalz [413] G 18, [987] ㉔, [242] ④ – 4 300 Ew – Höhe 266 m – ☎ 06305.

Mainz 83 – Kaiserslautern 9 – ◆Mannheim 58 – Neustadt an der Weinstraße 27.

🏠 **Pfälzer Wald**, Trippstadter Str. 27, ☎ 2 17 – 🅿
◆ *Ende März - Anfang April und Sept. 2 Wochen geschl.* – Karte 17/32 *(wochentags nur Abendessen, Dienstag geschl.)* 🍷 – **14 Z : 20 B** 37/42 - 70.

Auch Ihr Nachbar möchte gern ruhig schlafen. Denken Sie bitte daran.

HOCKENHEIM 6832. Baden-Württemberg [413] I 19, [987] ㉕ – 17 000 Ew – Höhe 101 m – ✆ 06205.

♦Stuttgart 113 – Heidelberg 23 – ♦Karlsruhe 50 – ♦Mannheim 24 – Speyer 12.

🏨 **Motodrom**, Hockenheimring, ✆ 40 61, Telex 465984, ⛱, 🏊 – 🛗 ▤ [TV] ☎ 🚗 [P] 👥. [AE] [D] [E] [VISA]
Karte 33/65 – **60 Z : 100 B** 98/158 - 138/250 Fb.

🏨 **Kanne**, Karlsruher Str. 3, ✆ 50 71 – 🛗 ☎ [P]. [AE] [D] [E] [VISA]
22. Dez.- 6. Jan. geschl. – Karte 25/51 *(nur Abendessen, Samstag - Sonntag geschl.)* 🍷 – **28 Z : 47 B** 59 - 118.

HODENHAGEN 3035. Niedersachsen [987] ⑮ – 2 000 Ew – Höhe 26 m – ✆ 05164.

♦Hannover 55 – Braunschweig 99 – ♦Bremen 70 – ♦Hamburg 106.

🏨 **Hudemühle**, Hudemühlenburg 18, ✆ 5 01, Fax 80999, ⛱, 🏊, 🏊, 🌳 – [TV] ☎ [P] 👥. [AE] [D] [E] [VISA]
Karte 37/64 – **51 Z : 106 B** 92/122 - 122/158 Fb.

HÖCHBERG Bayern siehe Würzburg.

HÖCHENSCHWAND 7821. Baden-Württemberg [413] H 23, [427] ⑤, [216] ⑥ – 2 100 Ew – Höhe 1 008 m – Heilklimatischer Kurort – Wintersport : 920/1 015 m 🚡 1 ⛷ 3 – ✆ 07672 (St. Blasien).

[i] Kurverwaltung, Haus des Gastes, ✆ 25 47.

♦Stuttgart 186 – Donaueschingen 63 – ♦Freiburg im Breisgau 61 – Waldshut-Tiengen 19.

🏨 **Porten-Hotel Kurhaus Höchenschwand**, Kurhausplatz 1, ✆ 41 10, Telex 7721212, ⛱, « Garten », Bade- und Massageabteilung, ♨, 🏊, 🏊, 🌳 – 🛗 [TV] 🚗 [P]. [AE] [D] [E] [VISA].
🚫🐕 Rest
Mitte Nov.- Mitte Dez. geschl. – Restaurants: – **Hubertus-Stuben** Karte 40/63 – **Jägerstüble** Karte 22/47 – **70 Z : 100 B** 81/108 - 154/216 Fb – 13 Fewo 60/100 – P 121/158.

🏨 **Alpenblick**, St.-Georg-Str. 9, ✆ 20 55, ⛱, 🌳 – ☎ 🚗 [P]. [AE] [E]
Mitte Nov.- Mitte Dez. geschl. – Karte 30/60 *(auch Diät und vegetarische Gerichte)* (Dienstag geschl.) – **32 Z : 47 B** 34/67 - 80/120 Fb.

🏨 **Berghotel Steffi** 🕊, Panoramastr. 22, ✆ 8 55, <, ⛱, 🌳 – ☎ [P]
(Restaurant nur für Hausgäste) – **16 Z : 26 B** 45 - 90 – P 75.

🏨 **Fernblick** 🕊, Im Grün 15, ✆ 7 66, <, ⛱ – 🛗 ☎ [P]. [AE] [D] [E] [VISA]
15. Nov.- 15. Dez. geschl. – Karte 22/34 *(Mittwoch bis 18 Uhr geschl.)* – **35 Z : 55 B** 35/54 - 60/96 Fb.

HÖCHST IM ODENWALD 6128. Hessen [413] JK 17, [987] ㉕ – 8 500 Ew – Höhe 175 m – Erholungsort – ✆ 06163.

[i] Verkehrsamt im Rathaus, Montmelianer Platz 4, ✆ 30 41.

♦Wiesbaden 78 – Aschaffenburg 37 – ♦Darmstadt 33 – Heidelberg 72.

🏨 **Burg Breuberg**, Aschaffenburger Str. 4, ✆ 51 33, Biergarten – ☎ [P] 👥. [AE] [E]
15. Aug.- 2. Sept. geschl. – Karte 26/55 🍷 – **20 Z : 35 B** 55/69 - 104/125 Fb – P 90/100.

🏨 **Lust**, Bahnhofstr. 60, ✆ 22 08, Telex 4191958, <, 🏊 – [P] 👥. [AE] [D] [E] [VISA]
➡ Karte 19/55 *(Sonntag ab 14 Uhr geschl.)* 🍷 – **47 Z : 98 B** 48/60 - 96/108.

HÖCHSTADT AN DER AISCH 8552. Bayern [413] P 17, [987] ㉖ – 11 300 Ew – Höhe 272 m – ✆ 09193.

♦München 210 – ♦Bamberg 31 – ♦Nürnberg 39 – ♦Würzburg 71.

🏨 **Alte Schranne**, Hauptstr. 3, ✆ 34 41 – [P]. 🚫🐕
(nur Abendessen für Hausgäste) – **20 Z : 37 B** 55/60 - 60/90.

In Gremsdorf **8551** O : 3 km :

🏨 **Scheubel**, Hauptstr. 1 (B 470), ✆ (09193) 34 44, ⛱ – 🚗 [P]
➡ Karte 16/30 *(Montag geschl.)* 🍷 – **33 Z : 65 B** 25/35 - 50/70.

In Adelsdorf **8555** O : 8 km über die B 470 :

🏨 **Drei Kronen**, Hauptstr. 8, ✆ (09195) 9 51, Biergarten, 🏊, 🏊 – 🛗 [TV] ☎ [P] 👥. [D]
➡ *15.- 30. Nov. geschl.* – Karte 18/31 *(Mittwoch geschl.)* – **53 Z : 100 B** 48/65 - 65/95 Fb.

An der Autobahn A 3 NW : 12 km :

🏨 **Rasthaus-Motel Steigerwald**, Autobahn-Südseite, ✉ 8602 Wachenroth, ✆ (09548) 4 33, Telex 662476, ⛱ – 🛗 ☎ [P]
Karte 24/50 *(auch Self-Service)* – **48 Z : 110 B** 80 - 111/121.

HÖCHSTÄDT AN DER DONAU 8884. Bayern [413] O 21, [987] ㊱ – 5 000 Ew – Höhe 417 m – ✆ 09074.

♦München 102 – ♦Augsburg 44 – ♦Nürnberg 127 – ♦Ulm (Donau) 60.

🏨 **Gasthof Berg**, Dillinger Str. 17, ✆ 20 44, ⛱, 🏊, 🌳 – ☎ [P] 👥. [E]
➡ *25. Dez.- 5. Jan. geschl.* – Karte 18,50/33 *(Samstag geschl.)* 🍷 – **30 Z : 50 B** 32/50 - 54/80 Fb.

[HÖFEN AN DER ENZ] **7545.** Baden-Württemberg [413] I 20 – 1 550 Ew – Höhe 366 m – Luftkurort – ☎ 07081 (Wildbad).

[i] Verkehrsbüro, Rathaus, ☎ 52 22.

♦Stuttgart 68 – Baden-Baden 38 – Freudenstadt 48 – Pforzheim 18.

- **Schwarzwaldhotel Hirsch**, Alte Str. 40, ☎ 50 25 – [TV] ☎ 🚗 [P] 🅰. [AE] [O] [E]
  Jan. geschl. – Karte 24/58 *(auch vegetarische Gerichte)* – **20 Z : 40 B** 68/72 - 104/112 Fb.
- **Ochsen**, Bahnhofstr. 2, ☎ 50 21, ⛱, ≘s, [🏊], 🌳 – [TV] ☎ 🚗 [P] 🅰. [AE] [O] [E]
  Karte 24/56 – **60 Z : 95 B** 43/70 - 86/140 Fb – P 75/92.
- Bussard garni, Bahnhofstr. 24, ☎ 52 68, Massage, 🌳 – 🚗 [P] – **22 Z : 40 B.**
- **Café Blaich** garni, Hindenburgstr. 55, ☎ 52 38 – [TV] ☎ 🚗 [P]
  15. Jan.- 15. Feb. geschl. – **7 Z : 15 B** 40/45 - 70/75 – 2 Fewo 70/95.

An der Straße nach Bad Herrenalb N : 2 km :

- Eyachbrücke, ✉ 7540 Neuenbürg, ☎ (07082) 88 58, ⛱, [🏊] – 🚗 [P] – **17 Z : 30 B.**

[HÖGEL] Bayern siehe Piding.

[HÖGERSDORF] Schleswig-Holstein siehe Segeberg, Bad.

[HÖHR-GRENZHAUSEN] **5410.** Rheinland-Pfalz – 9 100 Ew – Höhe 260 m – ☎ 02624.

Mainz 94 – ♦Koblenz 19 – Limburg an der Lahn 35.

- **Heinz** 🐦, Bergstr. 77, ☎ 30 33, ⛱, Bade- und Massageabteilung, ≘s, [🏊], 🌳, 🎾, 🐎 – ☎ ♿ 🚗 [P] 🅰. [AE] [O] [E] [VISA]. ✗ Rest
  über Weihnachten geschl. – Karte 28/55 – **60 Z : 100 B** 59/115 - 110/210 Fb.

Im Stadtteil Grenzau N : 1,5 km :

- **Sporthotel Zugbrücke** 🐦, im Brexbachtal, ☎ 10 50, Telex 869505, Fax 105462, ≘s, [🏊], 🌳, 🎾 (Halle), Tischtennisschule – [TV] ☎ ♿ [P] 🅰. [AE] [O] [E] [VISA]
  Karte 32/60 – **119 Z : 240 B** 55/95 - 90/150 Fb.

In Hillscheid **5416** SO : 6,5 km ab Grenzhausen :

- 🍴 Zum Euler 🐦 mit Zim, Im Küllbach, ☎ (02624) 28 11, ⛱, 🌳 – [P] – **6 Z : 11 B.**

[HÖLLE] Bayern siehe Naila.

[HÖNNINGEN, BAD] **5462.** Rheinland-Pfalz [987] ㉔ – 6 100 Ew – Höhe 60 m – Heilbad – ☎ 02635.

[i] Verkehrsamt, Neustr. 2a, ☎ 22 73.

Mainz 125 – ♦Bonn 34 – ♦Koblenz 37.

- **Kurpark-Hotel** 🐦, am Thermalbad, ☎ 49 41, <, ⛱ – [TV] ☎ ♿ [P] 🅰. [AE] [O] [E] [VISA]. ✗ Zim
  Feb. und 7.- 21. Dez. geschl. – Karte 29/52 – **14 Z : 30 B** 75/95 - 130/160 – P 105/125.
- **St. Pierre** garni, Hauptstr. 142, ☎ 20 91 – ☎ [P]. [AE] [O] [E]
  19 Z : 45 B 75 - 140.
- **Rhein-Hotel** 🐦, Rheinallee 4, ☎ 25 26, <, ⛱ – ☎. [AE] [O] [E] [VISA]
  20. Nov.- 10. Dez. geschl. – Karte 29/55 *(Donnerstag geschl.)* – **16 Z : 28 B** 38/70 - 76/116 Fb – P 66/80.

[HÖPFINGEN] **6969.** Baden-Württemberg [413] L 18 – 2 800 Ew – Höhe 390 m – ☎ 06283.

♦Stuttgart 119 – Aschaffenburg 73 – Heilbronn 77 – ♦Würzburg 56.

- 🍴 **Engel** 🐦 mit Zim, Engelgasse 6, ☎ 16 15 – [P]
  15. Feb.- 15. März und 15.- 29. Okt. geschl. – Karte 14,50/29 *(Donnerstag geschl.)* – **6 Z : 11 B** 35 - 70.

[HÖRBRANZ] Österreich siehe Bregenz.

[HÖRNUM] Schleswig-Holstein siehe Sylt (Insel).

[HÖRSTEL] **4446.** Nordrhein-Westfalen – 15 700 Ew – Höhe 45 m – ☎ 05459.

♦Düsseldorf 178 – Münster (Westfalen) 44 – ♦Osnabrück 46 – Rheine 10.

In Hörstel-Grafenhorst O : 3 km :

- **Gravenhorster Hof**, Friedrich-Wilhelm-Str. 42, ☎ 14 00 – [P]
  Karte 26/49 – **10 Z : 19 B** 45/68 - 78/118.

In Hörstel-Riesenbeck SO : 6 km :

- **Schloßhotel Surenburg** 🐦, Surenburg 13 (SW : 1,5 km), ☎ (05454) 70 92, Telex 94586, ⛱, ≘s, [🏊], Fahrradverleih – [TV] ☎ [P] 🅰. [O] [E]. ✗
  9.- 22. Jan. geschl. – Karte 34/65 – **23 Z : 42 B** 83/94 - 139/160 Fb.
- **Stratmann**, Sünte-Rendel-Str. 5, ☎ (05454) 70 83, [🏊] – ☎ 🚗 [P]
  Karte 22/46 – **24 Z : 48 B** 40/45 - 70.

HÖRSTGEN Nordrhein-Westfalen siehe Kamp-Lintfort.

HÖSBACH Bayern siehe Aschaffenburg.

HÖVELHOF 4794. Nordrhein-Westfalen – 12 000 Ew – Höhe 100 m – ☎ 05257.
♦Düsseldorf 189 – Detmold 30 – ♦Hannover 129 – Paderborn 14.

🍴🍴 ✿ **Gasthof Brink** mit Zim, Allee 38, ☎ 32 23 – ☎ 🚗 [P]. ✗
1.- 16. Jan. und 3.- 31. Juli geschl. – Karte 42/68 *(nur Abendessen, Tischbestellung erforderlich)* (Montag geschl.) – **9 Z : 16 B** 55/90 - 98/140
Spez. Pasteten und Terrinen, Krebsschwänze in weißer Buttersauce, Dessert-Teller.

HÖXTER 3470. Nordrhein-Westfalen [987] ⑮ – 35 000 Ew – Höhe 90 m – ☎ 05271.
Sehenswert : Dechanei★ – Westerbachstraße : Fachwerkhäuser★ – Kilianskirche (Kanzel★★).
Ausflugsziel : Wesertal★ (von Höxter bis Münden).
[i] Verkehrsamt, Am Rathaus 7, ☎ 6 32 44.
♦Düsseldorf 225 – ♦Hannover 101 – ♦Kassel 70 – Paderborn 55.

🏨 **Niedersachsen**, Möllinger Str. 4, ☎ 68 80, Telex 931770, ♨, 🏊 – |♦| [TV] ☎ 🚗 [P] 🏋. [AE] [DC]. ✗ Rest
Karte 37/65 – **70 Z : 120 B** 60/87 - 106/145 Fb.

🏨 **Weserberghof**, Godelheimer Str. 16, ☎ 75 56, 🌳 – [TV] ☎ [P] 🏋. [E]. ✗ Rest
Karte 27/68 *(Montag geschl.)* – **26 Z : 40 B** 32/65 - 75/100 Fb.

🏨 **Corveyer Hof**, Westerbachstr. 29, ☎ 22 72 – ☎ [P]
◆ *1.- 20. Aug. geschl.* – Karte 17/40 *(Mittwoch geschl.)* – **13 Z : 22 B** 40/42 - 70/72.

In Höxter 1-Bödexen NW : 9 km :

🏨 **Obermühle** 🔇, Joh.-Todt-Str. 2, ☎ (05277) 2 07, ≤, ♨, 🏊, 🌳 – |♦| ☎ [P] 🏋. [AE] [E]
Karte 22/45 – **28 Z : 52 B** 50/54 - 100/108 Fb.

In Höxter-Corvey O : 2 km :

🍴🍴 **Schloßrestaurant**, im Schloß, ☎ 83 23, « Gartenterrasse » – [AE] [DC]
Feb. geschl. – Karte 26/56.

In Höxter 1-Ovenhausen W : 7 km – Erholungsort :

🏠 **Haus Venken**, Hauptstr. 11, ☎ (05278) 2 79 – 🚗 [P]
Feb. geschl. – Karte 21/45 *(Dienstag geschl.)* 🍷 – **21 Z : 38 B** 34 - 68 – P 45.

In Höxter 1-Stahle NO : 9 km :

🏨 **Kiekenstein**, Heinser Str. 74 (B 83), ☎ (05531) 40 08, 🌳 – 🚗 [P]. [AE] [DC] [E] [VISA]
Karte 21/44 – **13 Z : 22 B** 41 - 71.

HOF 8670. Bayern [413] S 16, [987] ㉗ – 52 000 Ew – Höhe 495 m – ☎ 09281.
⛳ Gattendorf-Haidt (über die B 173 Y), ☎ (09281) 4 37 49.
[i] Amt für Öffentlichkeitsarbeit, Rathaus, ☎ 81 52 33.
♦München 283 ② – Bayreuth 55 ② – ♦Nürnberg 133 ②.

Stadtplan siehe gegenüberliegende Seite.

🏨 **Central**, Kulmbacher Str. 4, ☎ 68 84, Telex 643932, ♨ – |♦| [TV] ☎ [P] 🏋. [DC] [E] [VISA] Y **h**
Restaurants : – **Hofer Stuben** *(Sonntag 18 Uhr - Montag und Aug. geschl.)* Karte 26/53 – **Kastaniengarten** (nur Abendessen, Donnerstag geschl.) Karte 44/68 – **50 Z : 100 B** 89 - 139 Fb.

🏨 **Strauß**, Bismarckstr. 31, ☎ 20 66, Biergarten – |♦| ☎ 🚗 [P] 🏋. [E] Z **u**
Karte 28/58 – **56 Z : 86 B** 38/74 - 68/96.

🏨 **Am Maxplatz** 🔇 garni, Maxplatz 7, ☎ 17 39 – [TV] ☎ 🚗. [E] Y **r**
18 Z : 28 B 62/70 - 98.

🏨 **Deutsches Haus** garni, Marienstr. 33, ☎ 10 48, ♨ – |♦| [TV] ☎ ♿ 🚗. [E] Z **n**
24. Dez.- 10. Jan. geschl. – **10 Z : 16 B** 60/80 - 90/100.

🏨 **Weißenburger Hof**, Weißenburgstr. 6, ☎ 28 66 – [E] Z **s**
Karte 25/50 *(Sonntag geschl.)* – **14 Z : 30 B** 45/49 - 70/90.

🏨 **Am Kuhbogen**, Marienstr. 88, ☎ 17 08, ♨ – |♦| [TV] ☎ 🚗 Z **k**
◆ *24. Dez.- 6. Jan. geschl.* – Karte 18/36 *(Freitag geschl.)* – **45 Z : 75 B** 40/58 - 75/94.

🏨 **Burger** garni, Theresienstr. 15, ☎ 22 32 – 🚗 [P] Z **a**
25 Z : 36 B 29/45 - 58/72.

🏨 Künzel, Kornhausacker 5, ☎ 68 64 – [P] Y **e**
86 Z : 145 B.

🍴 **Bürgergesellschaft**, Poststr. 6, ☎ 36 89 – [E] Y **c**
◆ *Sonntag 14 Uhr - Montag geschl.* – Karte 18,50/37.

In Hof-Krötenbruck ① : 4 km, Abfahrt Flughafen :

🏨 **Munzert**, Eppenreuther Str. 100, ☎ 99 91 – ☎ 🚗 [P]. [AE] [DC] [E]
◆ Karte 19,50/40 *(Samstag, 24. Dez.- 6. Jan. und 1.- 23. Aug. geschl.)* – **41 Z : 55 B** 33/50 - 65/85.

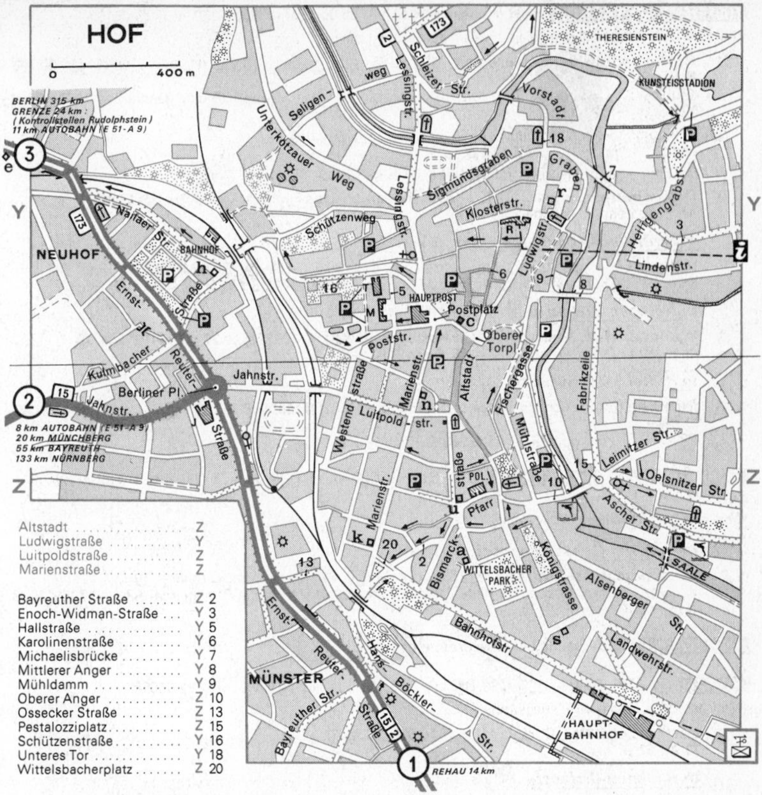

Altstadt . . . . Z
Ludwigstraße . . . . Y
Luitpoldstraße . . . . Z
Marienstraße . . . . Z

Bayreuther Straße . . . . . . Z 2
Enoch-Widman-Straße . . . Y 3
Hallstraße . . . . Y 5
Karolinenstraße . . . . Y 6
Michaelisbrücke . . . . Y 7
Mittlerer Anger . . . . Y 8
Mühldamm . . . . Y 9
Oberer Anger . . . . Z 10
Ossecker Straße . . . . Z 13
Pestalozziplatz . . . . Z 15
Schützenstraße . . . . Y 16
Unteres Tor . . . . Y 18
Wittelsbacherplatz . . . . . . Z 20

In Hof-Unterkotzau ③ : 3 km Richtung Hirschberg :

🏠 **Brauerei Falter**, Hirschberger Str. 6, ☎ 68 44, Biergarten – ☎ 🚗 [P]. [AE]
27. Dez.- 9. Jan. geschl. – Karte 19,50/30 *(Freitag geschl.)* – **30 Z : 35 B** 27/40 - 68/84 Fb.

[HOF] Österreich siehe Salzburg.

[HOFBIEBER] Hessen siehe Liste der Feriendörfer.

[HOFFNUNGSTHAL] Nordrhein-Westfalen siehe Rösrath.

[HOFGEISMAR] **3520. Hessen [987] ⑮ – 14 400 Ew – Höhe 150 m – ☎ 05671.**

[i] Stadtverwaltung, Markt 1, ☎ 88 80.

♦Wiesbaden 245 – ♦Kassel 23 – Paderborn 63.

🏨 **Zum Alten Brauhaus** 🐴, Marktstr. 12, ☎ 30 81 – 🛗 ☎ 🚗 [P] 🏔
27. Dez.- 10. Jan. geschl. – Karte 20/34 *(Sonntag ab 18 Uhr und Dienstag geschl.)* – **21 Z : 33 B** 40/45 - 73/80 Fb.

🏨 Haus Hubertus, Bahnhofstr. 42, ☎ 13 33, 🚿 – ☎ [P] – **10 Z : 17 B.**

🏠 **Müller**, Vor dem Schöneberger Tor 12, ☎ 7 75 – ☎ [P]. [D]
Karte 17,50/33 *(Sonntag ab 14 Uhr geschl.)* – **34 Z : 70 B** 38/40 - 70/76.

In Hofgeismar-Sababurg NO : 14 km :

🏨 **Burghotel Sababurg** 🐴 (Burganlage a.d. 14. Jh. mit Trauzimmer und Standesamt), ☎ (05678) 10 52, ≤, Tierpark mit Jagdmuseum, « Burgterrasse », 🚿 – [TV] ☎ [P] 🏔. [AE] [D] [E] [VISA]
2. Jan.- 23. Feb. geschl. – Karte 38/64 – **19 Z : 36 B** 80/150 - 140/215 Fb.

In Hofgeismar-Schöneberg NO : 4 km :

🍴 **Reitz** mit Zim, Bremer Str. 17 (B 83), ☎ 55 91 – [P]
Karte 20/41 *(Montag geschl.)* – **4 Z : 8 B** 33 - 60.

HOFHEIM AM TAUNUS 6238. Hessen 413 I 16 – 36 000 Ew – Höhe 150 m – 06192.
•Wiesbaden 20 – •Frankfurt am Main 21 – Limburg an der Lahn 54 – Mainz 20.

Burkartsmühle, Kurhausstr. 71, 2 50 88, (geheizt), (Halle) – AE E VISA
Karte 58/87 *(Tischbestellung ratsam)* (Sonntag 15 Uhr - Montag 18 Uhr geschl.) – **12 Z : 25 B** 125/300 - 165/450 Fb.

Dreispitz, In der Dreispitz 6, 50 99, –
(nur Abendessen) – **24 Z : 34 B** Fb.

Da Lauda (Italienische Küche), Oskar-Meyrer-Str. 3, 2 40 47 – .

Die Scheuer, Burgstr. 12, 2 77 74, « Restauriertes Fachwerkhaus » – AE E VISA
Montag geschl. – Karte 25/70.

In Hofheim-Diedenbergen SW : 3 km :

Völker's Hotel mit Zim, Marxheimer Str. 4, 30 65 – . AE E VISA. Rest
Karte 49/78 *(Samstag ab 18 Uhr und Mittwoch geschl.)* – **12 Z : 17 B** 75/100 - 100/135.

In Hofheim-Wallau SW : 5 km :

Wallauer Hof, Nassaustr. 8 (Gewerbegebiet Ost), (06122) 40 21, –
Karte 19/43 *(Montag geschl.)* – **40 Z : 64 B** 60/80 - 100/120.

In Kriftel 6239 SO : 2 km :

Mirabell garni, Richard-Wagner-Str. 33, (06192) 80 88/4 20 88, – . AE E VISA
22. Dez.- 5. Jan. geschl. – **45 Z : 60 B** 90/100 - 130/145 Fb.

HOFHEIM IN UNTERFRANKEN 8729. Bayern 413 O 16, 987 ㉖ – 5 000 Ew – Höhe 265 m – 09523.
•München 284 – •Bamberg 49 – Coburg 47.

In Hofheim-Gossmannsdorf O : 3,5 km :

Landhaus Sulzenmühle, 64 12, Fahrradverleih –
22. Dez.- 9. Jan. geschl. – Karte 24/46 *(Donnerstag und Jan.- Feb. geschl.)* – **17 Z : 30 B** 44/67 - 80/110 – P 63/78.

HOHEGEISS Niedersachsen siehe Braunlage.

HOHENAU 8351. Bayern 413 X 20, 426 ⑦ – 3 100 Ew – Höhe 806 m – 08558.
•München 198 – Passau 41 – •Regensburg 135.

Gasthof Schreiner, Dorfplatz 17, 10 62, –
31 Z : 62 B.

In Hohenau-Bierhütte SO : 3 km :

Romantik-Hotel Bierhütte, 3 15, Telex 57446, « Terrasse mit < », – . AE E
Karte 30/60 – **43 Z : 90 B** 72/95 - 104/195.

In Hohenau-Glashütte NO : 6 km :

Sporthotel, Glashütte 19, 21 11, –
15. Nov.- 15. Dez. geschl. – Karte 18/35 *(Montag bis 18 Uhr geschl.)* – **21 Z : 47 B** 43/46 - 86.

HOHENRODA 6431. Hessen – 4 000 Ew – Höhe 311 m – Wintersport : 3 – 06676.
•Wiesbaden 185 – Fulda 39 – Bad Hersfeld 26.

In Hohenroda-Oberbreitzbach :

Hessen-Hotelpark Hohenroda, Schwarzengrund (W : 1 km), 5 11, Telex 493340, Fax 1487, <, (Halle und Parcours), Fahrradverleih – . AE E VISA
Karte 28/55 – **138 Z : 260 B** 69/74 - 118/128 Fb – 50 Fewo 60/98 – P 111/116.

Siehe auch : *Liste der Feriendörfer*

HOHENSTEIN 7425. Baden-Württemberg 413 KL 21 – 3 000 Ew – Höhe 740 m – 07387.
•Stuttgart 63 – Pforzheim 115 – • Ulm (Donau) 64.

In Hohenstein - Ödenwaldstetten :

Brauerei-Gasthof Lamm, Im Dorf 5, 2 75, – – **8 Z : 16 B.**

HOHENSTEIN Hessen siehe Schwalbach, Bad.

HOHENTWIEL Baden-Württemberg. Sehenswürdigkeit siehe Singen (Hohentwiel).

HOHENZOLLERN (Burg) Baden-Württemberg. Sehenswürdigkeit siehe Hechingen.

HOHWACHT 2322. Schleswig-Holstein – 1 200 Ew – Höhe 15 m – Seeheilbad – ☎ 04381.

[i] Kurverwaltung, Berliner Platz 1, ℘ 70 85.

♦Kiel 41 – Oldenburg in Holstein 21 – Plön 27.

🏨 Hohwachter Hof 🐦, Strandstr. 6, ℘ 70 31, ⛱, 🌳 – [TV] ☎ [P]
17 Z : 32 B Fb.

🏨 **Schulz** 🐦 garni, Strandstr. 8, ℘ 4 10 – [TV] ☎ [P]
Mai - Sept., Fewo ganzjährig geöffnet – **14 Z : 30 B** 50/65 - 90/120 Fb – 7 Fewo 90/140.

🏨 **Strandhotel** 🐦, Strandstr. 10, ℘ 17 04, ⛱, ♨ – ☎ [P] 🐕. E
Ende März - 8. Okt. – Karte 16,50/43 – **43 Z : 80 B** 45/70 - 80/130 – 6 Fewo 70/150.

XX **Genueser Schiff**, Seestr. 18, ℘ 75 33, ≤ Ostsee, Caféterrasse – [P]
Mai - Okt. – Karte 42/61 *(auch vegetarische Gerichte)* (Montag geschl.) – auch 11 Fewo 105/250.

XX **Haus am Meer** 🐦 mit Zim, Dünenweg 1, ℘ 75 03, ≤, « Terrasse am Strand », ♨, 🌳 – [TV] ☎ [P]
9. Jan.- 3. Feb. und Nov. - 20 Dez. geschl. – Karte 26/48 *(Okt.- April Donnerstag geschl.)* – **5 Z : 13 B** 90/110 - 120/148 Fb – P 97/105.

HOLDORF 2841. Niedersachsen [987] ⑭ – 5 000 Ew – Höhe 37 m – ☎ 05494.

♦Hannover 129 – ♦Bremen 85 – ♦Oldenburg 65 – ♦Osnabrück 40.

🏨 **Zur Post**, Große Str. 11, ℘ 2 34 – [P]. [AE] [O] E [VISA]. ⚔ Zim
23. Dez.- 4. Jan. geschl. – Karte 17,50/43 – **11 Z : 21 B** 35/40 - 65/70.

In Holdorf-Grandorf S : 8 km :

XX **Jagdhaus Flockme's Hein** 🐦 mit Zim, Grandorf 14, ℘ 3 80, « Terrasse mit ≤ Wildgehege », Fahrradverleih – 🚗 [P]. [AE] E
15. Feb.- 2. März und 17. Juli - 2. Aug. geschl. – Karte 25/60 *(Dienstag geschl.)* – **5 Z : 10 B** 55 - 98.

HOLLE 3201. Niedersachsen – 6 600 Ew – Höhe 108 m – ☎ 05062.

♦Hannover 51 – ♦Braunschweig 38 – Hildesheim 20.

In Holle 1-Grasdorf N : 3 km :

🏨 **Motel Hilpert** garni, Ohebergstr. 120a, ℘ 18 94 – 🚗 [P]. [AE] [O] E
11 Z : 22 B 43 - 68.

HOLLENSTEDT 2114. Niedersachsen [987] ⑮ – 1 700 Ew – Höhe 25 m – ☎ 04165.

♦Hannover 150 – ♦Bremen 78 – ♦Hamburg 43.

🏨 **Hollenstedter Hof**, Am Markt 1, ℘ 83 35 – [TV] ☎ 🚗 [P] 🐕. [AE] [O] E [VISA]
Karte 29/60 *(Montag bis 18 Uhr geschl.)* – **24 Z : 48 B** 55/60 - 92/96.

🏨 **Eulennest-Haus Hubertus**, Moisburger Str. 12, ℘ 8 00 55, Fax 80054, ⛱ – ☎ [P]. [AE] [O] E [VISA]
Karte 28/59 – **29 Z : 50 B** 60 - 110.

HOLLERATH Nordrhein-Westfalen siehe Hellenthal.

HOLLFELD 8607. Bayern [413] QR 17, [987] ㉖ – 5 500 Ew – Höhe 402 m – Erholungsort – ☎ 09274.

Ausflugsziel : Felsengarten Sanspareil★ N : 7 km.

♦München 254 – ♦Bamberg 38 – Bayreuth 23.

🏨 **Bettina** 🐦, Treppendorf 22 (SO : 1 km), ℘ 3 28, ⛱, 🌳, 🎾 – [TV] 🚗 [P] 🐕. [AE] E
Karte 33/57 *(Montag geschl.)* – **12 Z : 24 B** 42/50 - 75/95 – P 77/85.

HOLLWEGE Niedersachsen siehe Westerstede.

HOLM Schleswig-Holstein siehe Wedel.

HOLTLAND Niedersachsen siehe Hesel.

HOLZAPPEL 5409. Rheinland-Pfalz [987] ㉔ – 1 100 Ew – Höhe 270 m – ☎ 06439.

Mainz 77 – ♦Koblenz 42 – Limburg an der Lahn 16.

XXX **Herrenhaus zum Bären-Goethehaus** mit Zim (Historische Fachwerkhäuser), Hauptstr. 15, ℘ 70 14, ⛱ – [lift] [TV] ☎. [AE] [O] E [VISA]
Jan. geschl. – Karte 49/80 – **22 Z : 40 B** 90/125 - 150/250.

In Laurenburg 5409 S : 3 km :

🏠 **Zum Schiff**, Hauptstr. 9, ℘ (06439) 3 56, ≤ – 🚗 [P]
4.- 18. Jan. geschl. – Karte 20/37 *(Dienstag geschl.)* 🍷 – **17 Z : 30 B** 37/49 - 66/84.

HOLZERATH
5501. Rheinland-Pfalz – 380 Ew – Höhe 450 m – ☏ 06588.

Mainz 147 – ◆Saarbrücken 72 – ◆Trier 20.

🏨 **Berghotel** 🔇, Römerstr. 34, ✆ 71 46, ‹, 🧖, 🌳 – 🚗 [P]. [AE]
⇔ *3. Jan.- 15. Feb. geschl.* – Karte 18/44 🍷 – **14 Z : 28 B** 32/35 - 64/70.

HOLZHAUSEN
Bayern siehe Bergen bzw. Teisendorf bzw. Utting a.A..

HOLZHAUSEN
Hessen siehe Herleshausen.

HOLZKIRCHEN
8150. Bayern [413] S 23, [987] (37), [426] (17) – 11 500 Ew – Höhe 667 m – ☏ 08024.

◆München 34 – Rosenheim 41 – Bad Tölz 19.

🏨 Alte Post, Marktplatz 10a, ✆ 60 35 – ⇅ [TV] ☎ 🚗 [P] 🎤
42 Z : 100 B Fb.

HOLZMINDEN
3450. Niedersachsen [987] (15) – 22 000 Ew – Höhe 83 m – ☏ 05531.

[i] Verkehrsamt, Obere Str. 30, ✆ 20 88.

[i] Kurverwaltung (Neuhaus im Solling), Lindenstr. 8 (Haus des Gastes), ✆ (05536) 10 11.

◆Hannover 95 – Hameln 50 – ◆Kassel 80 – Paderborn 65.

🏨 **Parkhotel Interopa** 🔇 garni, Altendorfer Str. 19, ✆ 20 01, 🌳 – [TV] ☎ ♿ [P]. [AE] [D] [E]
43 Z : 80 B 47/80 - 83/140 (Fb im Restaurant Hellers Krug).

🏨 **Buntrock**, Karlstr. 23, ✆ 20 77 – ⇅ [TV] ☎ [P]. [AE] [D] [E] [VISA]
Karte 27/45 *(Samstag geschl.)* – **24 Z : 30 B** 49/59 - 85/98 Fb.

🏨 **Schleifmühle** 🔇, An der Schleifmühle 3, ✆ 50 98, 🧖, 🏊, 🌳 – [TV] ☎ 🚗 [P]. 🚫 Zim
Karte 22/36 *(nur Abendessen, Sonntag, 1.- 21. Aug. und 24. Dez.- 2. Jan. geschl.)* – **17 Z : 30 B** 54/59 - 85 Fb.

XX ✱ **Hellers Krug** mit Zim, Altendorfer Str. 19, ✆ 21 15 – [P]. [AE] [D] [E] [VISA]
Karte 40/69 *(Sonn- und Feiertage geschl.)* – **10 Z : 15 B** 35 - 65 Fb
Spez. Lasagne von Lachs und Steinbutt, Lamm mit Basilikumsauce, Ingwer-Limonenparfait mit 2 Saucen.

In Holzminden 2-Neuhaus im Solling SO : 12 km – Höhe 365 m – Heilklimatischer Kurort – ☏ 05536 :

🏨 **Park-Hotel Düsterdiek** 🔇, Am Wildenkiel 19, ✆ 10 22, Telex 965399, ‹, « Garten », 🧖,
⇔ 🏊, 🌳 – ⇅ ☎ [P] 🎤
13. Nov.- 16. Dez. geschl. – Karte 19/55 – **44 Z : 68 B** 67/80 - 122/140 Fb – P 86/98.

🏨 **Schatte-Haus Enzian** 🔇, Am Wildenkiel 15, ✆ 10 55, Massage, 🧖, 🏊, 🌳 – ⇅ ☎ [P]. [AE]
Mitte Nov.- Mitte Dez. geschl. – Karte 20/51 – **52 Z : 84 B** 42/78 - 82/138 Fb – P 68/102.

🏨 **Brauner Hirsch**, Am Langenberg 5, ✆ 10 33, « Terrasse mit ‹ » – ⇅ [TV] ☎ 🚗 [P]. [AE] [D] [E] [VISA]
7. Jan.- 15. Feb. geschl. – Karte 26/55 – **27 Z : 49 B** 36/50 - 72/99 – P 61/73.

🏨 **Langenberg**, Am Langenberg 30, ✆ 10 44, ‹, ⛱, 🏊 – ⇅ ☎ [P] 🎤. 🚫
⇔ Karte 19/43 – **27 Z : 43 B** 60/65 - 100/120 – P 78/88.

🏨 **Am Wildenkiel**, Am Wildenkiel 18, ✆ 10 47 – ☎ 🚗 [P]
⇔ *20. Nov.- 20. Dez. geschl.* – Karte 18/37 – **23 Z : 35 B** 48/52 - 80/90 Fb – P 68/74.

🏨 Zur Linde, Lindenstr. 4, ✆ 10 66, « Gartenterrasse », 🧖 – ☎ 🚗 [P] 🎤
18 Z : 38 B Fb.

🏨 **Schwalbenhof** 🔇 garni, Wiesengrund 11, ✆ 5 65, 🌳 – [TV] ☎ 🚗 [P]. 🚫
26 Z : 40 B 48/55 - 90/120.

In Holzminden 2-Silberborn SO : 12 km – Luftkurort :

🏨 **Sollingshöhe**, Dasseler Str. 15, ✆ (05536) 10 02, ⛱, 🧖, 🏊, 🌳 – ☎ [P]
2. Nov.- 24. Dez. geschl. – Karte 24/40 *(Dienstag geschl.)* – **30 Z : 47 B** 52/55 - 95/104 Fb – P 71/80.

HOLZWALD
Baden-Württemberg siehe Rippoldsau-Schapbach, Bad.

HOLZWICKEDE
4755. Nordrhein-Westfalen – 16 000 Ew – Höhe 90 m – ☏ 02301.

◆ Düsseldorf 87 – ◆Dortmund 14 – Hamm in Westfalen 32.

🏨 **Lohenstein** garni, Hauptstr. 21, ✆ 86 17 – ☎ 🚗. [D]
16 Z : 21 B 40/50 - 60/72.

HOMBERG (Efze)
3588. Hessen [987] (25) – 14 400 Ew – Höhe 270 m – ☏ 05681.

[i] Verkehrsamt, Rathaus, Obertorstr. 4, ✆ 7 72 50.

◆Wiesbaden 185 – Fulda 72 – Bad Hersfeld 32 – ◆Kassel 51 – Marburg 62.

🏨 **Stadt Cassel**, Westheimer Str. 25, ✆ 70 61, Fax 7064 – [TV] ☎ 🚗. [AE] [D] [E] [VISA]
1.- 25. Jan. geschl. – Karte 27/58 *(Samstag bis 18 Uhr geschl.)* – **13 Z : 22 B** 48/70 - 85/130.

🏨 Felsenkeller, Kasseler Str. 18, ✆ 25 38, 🌳 – [P]. 🚫
13 Z : 25 B.

HOMBURG/SAAR 6650. Saarland 413 F 19, 987 ㉔, 242 ⑦ – 44 000 Ew – Höhe 233 m – ☎ 06841.

Kultur- und Verkehrsamt, Am Forum, ☎ 20 66.

♦Saarbrücken 35 – Kaiserslautern 42 – Neunkirchen/Saar 15 – Zweibrücken 11.

City-Park-Hotel, Am Steinhübel 8, ☎ 69 90, Telex 44660, Massage, [sauna], [pool] – [lift] [TV] [garage] [P] [conference]. AE ① E VISA. [no dogs] Rest
Karte 57/81 – **127 Z : 175 B** 119/129 - 168 Fb.

Schweizerstuben, Kaiserstr. 72, ☎ 14 11, Telex 447116, Fahrradverleih – [TV] [garage] [P] [conference]. E
Karte 52/72 *(bemerkenswerte Weinkarte)* (Sonntag, Samstag bis 19 Uhr und Juli - Aug. 3 Wochen geschl.) – **18 Z : 33 B** 75/105 - 140/180 Fb.

Stadt Homburg, Ringstr. 80, ☎ 13 31, Telex 44683, [sauna], [pool] – [lift] [TV] [P] [conference]. AE ① E VISA
Karte 43/68 – **42 Z : 75 B** 92 - 140 Fb – 3 Appart. 180.

Euler, Talstr. 40, ☎ 6 00 76 – [phone] [garage]
51 Z : 96 B.

Bürgerhof garni, Eisenbahnstr. 60, ☎ 45 11 – [phone] [P]
30 Z : 44 B.

In Homburg-Erbach N : 2 km :

Ruble, Dürerstr. 164, ☎ 7 50 51, [terrace], [sauna] – [phone] [P]. AE ① E VISA
Karte 30/55 – **17 Z : 29 B** 50/58 - 80/85 Fb.

Landhaus Roth, Steinbachstr. 92, ☎ 76 14 – [lift] [phone] [P]
Karte 20/33 – **36 Z : 50 B** 30/42 - 54/70 Fb.

MICHELIN-REIFENWERKE KGaA. Berliner Straße, ☎ 70 41, Telex 44624, Postfach 230.

If you intend staying in a resort or hotel off the beaten track, telephone in advance, especially during the season.

HOMBURG VOR DER HÖHE, BAD 6380. Hessen 413 I 16, 987 ㉕ – 52 000 Ew – Höhe 197 m – Heilbad – ☎ 06172.

Sehenswert : Kurpark★.

Ausflugsziel : Saalburg (Rekonstruktion eines Römerkastells)★ 6 km über ④.

[golf] Saalburgchaussee 2a (über ④ und die B 456 Y), ☎ 3 88 08.

Verkehrsamt im Kurhaus, Louisenstr. 58, ☎ 12 13 10.

ADAC, Louisenstr. 23, ☎ 2 10 93.

♦Wiesbaden 45 ② – ♦Frankfurt am Main 17 ② – Gießen 48 ① – Limburg an der Lahn 54 ③.

Stadtplan siehe nächste Seite.

Maritim Kurhaus - Hotel, Ludwigstraße, ☎ 2 80 51, Telex 415357, [terrace], [sauna], [pool] – [lift] [diet] Rest [TV] [P] [conference] (mit [diet]). [no dogs] Rest — Y m
148 Z : 221 B Fb.

Parkhotel [quiet] garni, Kaiser-Friedrich-Promenade 53a, ☎ 80 10, Fax 801801, [sauna] – [lift] [non-smoking] Zim [TV] [phone] [P] [conference]. AE ① E VISA — Y s
100 Z : 160 B 148/208 - 198/258 Fb – 9 Appart. 260/340.

Hardtwald [quiet], Philosophenweg 31, ☎ 2 50 16/8 10 26, Telex 410594, « Gartenterrasse » – [TV] [phone] [garage] [P]. AE ① E VISA. [no dogs] — Y z
Karte 39/65 *(Freitag und 19. Dez.- 13. Jan. geschl.)* – **39 Z : 63 B** 95/125 - 135/195 Fb.

Haus Daheim garni, Elisabethenstr. 42, ☎ 2 00 98, Telex 4185081 – [phone] [garage]. AE ① E VISA — Y d
18 Z : 32 B 85/125 - 115/165.

Villa Kisseleff garni, Kisseleffstr. 19, ☎ 2 15 40 – [P]. [no dogs] — Y b
13 Z : 18 B.

Oberle's, Obergasse 1, ☎ 2 46 62, bemerkenswerte Weinkarte — Y e

Schildkröte, Mußbachstr. 19, ☎ 2 33 07 – AE E — Y a
nur Abendessen, Dienstag geschl. – Karte 57/72.

La mama (Italienische Küche), Dorotheenstr. 18, ☎ 2 47 28 – E — Y u
Montag geschl. – Karte 45/58.

Yuen's China-Restaurant, Kisseleffstr. 15, ☎ 2 47 40, [terrace] — Y b

In Bad Homburg-Dornholzhausen über ④ und die B 456 :

Sonne, Landwehrweg 3, ☎ 3 10 23 – [phone] [P]. AE E
Karte 29/57 – **20 Z : 30 B** 60/95 - 105/125.

Hirschgarten (Böhmische Küche), Tannenwaldweg (W : 2,5 km), ☎ 3 35 25, ≤, [terrace] – [P]. [no dogs].

In Bad Homburg-Gonzenheim über Frankfurter Landstr. Z :

Darmstädter Hof, Frankfurter Landstr. 77, ☎ 4 13 47, [terrace] – [P]. AE ① E VISA
Sonntag geschl. – Karte 36/59.

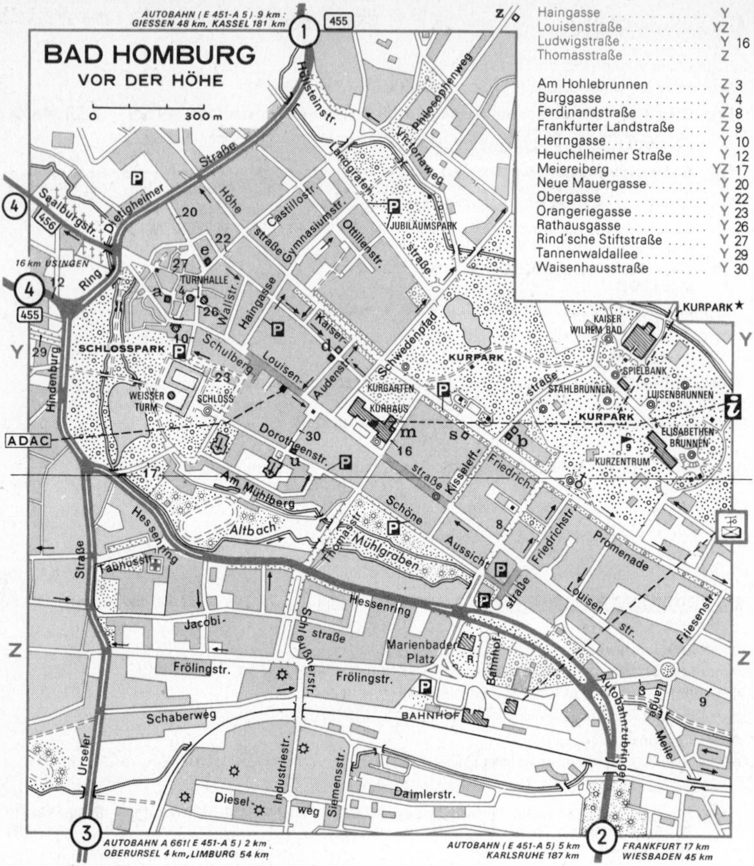

In Bad Homburg-Obererlenbach über Frankfurter Landstraße Z :

🍴 **Bierbrunnen**, Ahlweg 2, ☎ 4 65 60 – AE E
Montag geschl. – Karte 36/59.

Bei der Saalburg ④ : 6 km über die B 456 :

🍴🍴 Saalburg-Restaurant, Am Römerkastell 2 (nahe der B 456), ✉ 6380 Bad Homburg v.d.H., ☎ (06175) 10 07 – [P].

[HONAU] Baden-Württemberg siehe Lichtenstein.

[HONNEF, BAD] **5340.** Nordrhein-Westfalen [987] ㉔ – 22 000 Ew – Höhe 72 m – ☎ 02224.

⛳ Windhagen-Rederscheid (SO : 10 km), ☎ (02645) 1 56 21.

[i] Verkehrsamt, Hauptstr. 28, ☎ 18 41 70 – ♦Düsseldorf 86 – ♦Bonn 17 – ♦Koblenz 51.

🏨 **Seminaris**, Alexander-von-Humboldt-Str. 20, ☎ 77 10, Telex 885617, Fax 771555, kleiner Park, ♨, 🏊 – 🛗 [TV] 🚗 [P] 🏛 (mit ▤). AE ⓓ E. 🚫 Rest
Karte 32/61 – **213 Z : 270 B** 125/151 - 207/224 Fb – 9 Appart. 305.

🏨 Kur- und Gästehaus Ditscheid 🌿, Luisenstr. 27, ☎ 30 61, 🌳 – 🚭 Zim ☎ [P] 🏛. 🚫
(Restaurant nur für Hausgäste) – **40 Z : 50 B.**

🏨 **Gästehaus in der Au** 🌿 garni, Alexander-von-Humboldt-Str. 33, ☎ 52 19, 🌳 – 🚫
Dez.- Jan. geschl. – **12 Z : 20 B** 37/40 - 74/80.

🍴🍴 Franco mit Zim, Markt 3, ☎ 38 48 – [TV] ☎
(Italienische Küche) – **8 Z : 15 B.**

🍴 **Kurhaus-Restaurant**, Hauptstr. 28a, ☎ 28 37, ☂ – 🏛. AE ⓓ E VISA
Karte 22/52.

An der Straße nach Asbach O : 2,5 km :

🍴🍴 **Jagdhaus im Schmelztal**, Schmelztalstr. 50, ✉ 5340 Bad Honnef, ☎ 26 26, ☂ – [P] 🏞
Montag und 1.- 20. Jan. geschl. – Karte 30/55.

In Bad Honnef 6 - Aegidienberg-Rottbitze O : 8 km :

🍴🍴 **Zwitscherstuben** mit Zim, Rottbitzer Str. 17, ☎ 85 00, ☂ – [TV] ☎ [P] 🏞. [O]
Karte 24/47 – **6 Z : 11 B** 68/78 - 120.

In Bad Honnef-Rhöndorf N : 1,5 km :

🏨 **Bellevue - Die Rheinterrassen**, Karl-Broel-Str. 43, ☎ 30 11, Telex 8869551, <, ☂ – [lift] [TV] ☎ [P] 🏞. [AE]
Karte 36/75 – **85 Z : 150 B** 129/245 - 160/340 Fb – 10 Appart. 490/590.

In Windhagen-Rederscheid **5469** SO : 10 km :

🏨 **Dorint Sporthotel Waldbrunnen** 🌳, Brunnenstr. 7, ☎ (02645) 1 50, Telex 863020, Fax 15548, ☂, Massage, ♨, 🏊 (geheizt), 🏊, 🎾 (Halle), ⛳, 🐎 (Halle) – [lift] ▤ Rest [TV] ♿ [P] 🏞. [AE] [O] [E] [VISA]
Karte 50/60 – **118 Z : 204 B** 170/195 - 230/260 Fb – 4 Appart. 320/410.

HONRATH Nordrhein-Westfalen siehe Lohmar.

HOOKSIEL Niedersachsen siehe Wangerland.

HOPSTEN **4447.** Nordrhein-Westfalen – 6 400 Ew – Höhe 43 m – ☎ 05458.
♦Düsseldorf 197 – Lingen 26 – ♦Osnabrück 39 – Rheine 16.

🏠 **Kiepenkerl**, Ibbenbürener Str. 2, ☎ 2 34 – 🚗 [P]
✦ Karte 17/32 *(Dienstag geschl.)* – **11 Z : 17 B** 25/30 - 50/60.

🍴 **Kerssen-Brons** mit Zim, Marktplatz 1, ☎ 70 06 – 🚗 [P]
✦ *Nov. 2 Wochen geschl.* – Karte 19,50/44 *(Donnerstag 14 Uhr - Freitag geschl.)* – **10 Z : 14 B** 28/33 - 60/66.

HORB **7240.** Baden-Württemberg [413] J 21, [987] ㉟ – 20 000 Ew – Höhe 423 m – ☎ 07451.
[i] Verkehrsbüro, Rathaus, Marktplatz 8, ☎ 36 11.
♦Stuttgart 63 – Freudenstadt 24 – Tübingen 36.

🏨 **Lindenhof**, Bahnhofsplatz 8, ☎ 23 10 – ☎ 🚗. [AE] [O]
20. Dez.- 20. Jan. geschl. – Karte 29/50 *(Nov.- April Freitag geschl.)* 🍷 – **40 Z : 70 B** 35/70 - 60/90.

🍴🍴 **Schillerstuben**, Schillerstr. 19, ☎ 82 22, ☂ – [AE] [O] [E] [VISA]
Sonntag ab 17 Uhr und Samstag geschl. – Karte 34/55.

In Horb-Dettingen SW : 6 km :

🏠 **Adler**, Alte Str. 3, ☎ (07482) 2 30 – [P]
1.- 21. Okt. geschl. – Karte 20/35 *(Dienstag geschl.)* 🍷 – **14 Z : 24 B** 30/40 - 52/62 – P 53.

In Horb-Hohenberg N : 1 km :

🏠 **Steiglehof** (ehemaliger Gutshof), Steigle 35, ☎ 24 18 – [P]
✦ *19. Dez.- 12. Jan. geschl.* – Karte 18/30 *(Samstag 14 Uhr - Sonntag geschl.)* 🍷 – **13 Z : 20 B** 45 - 76/80.

In Horb-Isenburg S : 3 km :

🏨 **Waldeck** 🌳, Mühlsteige 33, ☎ 38 80 – [lift] 🚗 [P]. [O] [E] [VISA]
✦ Karte 19/36 *(Montag geschl.)* 🍷 – **23 Z : 45 B** 35/55 - 58/85 Fb.

Schloß Weitenburg siehe unter : *Starzach*

HORBEN **7801.** Baden-Württemberg [413] G 23, [87] ⑧, [242] ㊱ – 850 Ew – Höhe 600 m – ☎ 0761 (Freiburg im Breisgau).
♦Stuttgart 216 – ♦Freiburg im Breisgau 10.

In Horben-Langackern :

🏨 **Luisenhöhe** 🌳, ☎ 2 91 61, Telex 7721843, < Schauinsland und Schwarzwald, ☂, ♨, 🏊, 🌲, 🎾, Fahrradverleih – [lift] [TV] ☎ ♿ 🚗 [P] 🏞. [AE] [O] [E] [VISA]
Karte 36/60 – **47 Z : 65 B** 85/120 - 135/160 Fb – 3 Appart. 190.

🏨 **Engel** 🌳, ☎ 2 91 11, Fax 290627, <, « Gartenterrasse », 🌲 – ☎ 🚗 [P]. [AE] [O] [E] [VISA]
Karte 28/62 🍷 – **24 Z : 38 B** 40/65 - 80/110 Fb – P 85/110.

HORBRUCH Rheinland-Pfalz siehe Morbach.

HORGAU Bayern siehe Adelsried.

HORHAUSEN 5453. Rheinland-Pfalz – 1 400 Ew – Höhe 365 m – ☏ 02687.

[i] Verkehrsverein, Rheinstraße (Raiffeisenbank), ✆ 14 27.

Mainz 111 – •Bonn 52 – •Köln 68 – •Koblenz 37 – Limburg an der Lahn 52.

🏨 **Grenzbachmühle** 🐦, Grenzbachstr. 17 (O : 2 km), ✆ 10 83, 🌳, Damwildgehege, 🛏 – 🚗 [P]
Mitte Nov.- Mitte Dez. geschl. – Karte 44/60 *(Dienstag geschl.)* – **15 Z : 28 B** 40 - 80.

HORN-BAD MEINBERG 4934. Nordrhein-Westfalen [987] ⑮ – 17 000 Ew – Höhe 220 m – ☏ 05234.

Ausflugsziel : Externsteine★ SW : 2 km.

[i] Städt. Verkehrsamt in Horn, Rathausplatz 2, ✆ 20 12 62.

[i] Verkehrsbüro in Bad Meinberg, Parkstraße, ✆ 9 89 03.

•Düsseldorf 197 – Detmold 10 – •Hannover 85 – Paderborn 27.

Im Stadtteil Horn :

🏨 **Garre**, Bahnhofstr. 55 (B 1), ✆ 33 38 – [P]
2.- 20. Juli und 22. Dez.- 7. Jan. geschl. – Karte 24/45 *(Sonntag geschl.)* – **8 Z : 13 B** 45/50 - 80/90.

Im Stadtteil Bad Meinberg – Heilbad :

🏨 **Kurhaus zum Stern** 🐦, Parkstr. 15, ✆ 90 50, Telex 935685, direkter Zugang zum Kurmittelhaus, ≋ – [lift] [TV] ☎ ♿ [P] 🏛. [AE] ⓓ E
Karte 27/63 – **128 Z : 205 B** 55/120 - 95/230 Fb.

🏨 Teutonia, Allee 19, ✆ 9 88 66, ≋ – [lift] [TV] ☎
18 Z : 27 B Fb.

🏨 **Gästehaus Mönnich** garni, Brunnenstr. 55, ✆ 9 88 45, « Private Fotogalerie, Garten », 🛏 – 🚗 [P]. 🚫
13 Z : 16 B 54/60 - 115.

🏨 **Schauinsland**, Pyrmonter Str. 51 (B 239), ✆ 97 22, ≤, « Gartenterrasse », ≋ – [P]
◆ Karte 18/41 *(Freitag ab 18 Uhr geschl.)* – **18 Z : 25 B** 37/45 - 70/80 – P 60/65.

🏨 Lindenhof, Allee 16, ✆ 9 88 11 – [P]
18 Z : 22 B.

🏨 **Stille's Gästehaus** 🐦 garni, Am Ehrenmal 2, ✆ 9 89 82
15 Z : 21 B 40/44 - 80/88.

Im Stadtteil Billerbeck :

🏨 **Zur Linde**, Steinheimer Str. 219, ✆ (05233) 52 89, ≋, [🏊], 🛏 – [lift] ☎ [P] 🏛
8.- 25. Jan. geschl. – Karte 25/43 *(Dienstag geschl.)* – **45 Z : 88 B** 50 - 95 Fb – P 80.

Im Stadtteil Holzhausen-Externsteine – Luftkurort :

🏨 **Kurhotel Bärenstein** 🐦, Am Bärenstein 44, ✆ 20 90, Bade- und Massageabteilung, 🏋, ≋, [🏊], 🛏, 🎾 – [lift] [TV] ☎ [P]. 🚫 Zim
25. Nov.- 26. Dez. geschl. – Karte 27/38 *(Montag geschl.)* – **76 Z : 98 B** 52/79 - 108/128 Fb.

🏨 Lindenhof, Stemberg 2, ✆ 23 47, 🛏 – ☎ 🚗 [P] 🏛
16 Z : 26 B.

Im Stadtteil Leopoldstal :

🏨 **Feriengut Rothensiek** 🐦, Rothensieker Weg 50, ✆ 2 00 70, Caféterrasse, 🛏, Fahrradverleih – [TV] ☎ [P] 🏛. 🚫
(Restaurant nur für Hausgäste) – **14 Z : 28 B** 65/70 - 110/156 – 13 Fewo 68/113 – P 88/103.

🏨 **Waldhotel Silbermühle** 🐦, Neuer Teich 57, ✆ 22 22, ≤, 🌳, 🛏 – [P]
◆ *Nov.- 15. Dez. geschl.* – Karte 17/35 *(Jan.- Feb. Montag geschl.)* – **10 Z : 20 B** 40 - 80 – P 60.

HORNBERG (Schwarzwaldbahn) 7746. Baden-Württemberg [413] H 22, [987] ㉟ – 4 700 Ew – Höhe 400 m – Erholungsort – ☏ 07833.

[i] Städt. Verkehrsamt, Bahnhofstr. 3, ✆ 60 72.

•Stuttgart 132 – •Freiburg im Breisgau 50 – Offenburg 45 – Villingen-Schwenningen 34.

🏨 **Adler**, Hauptstr. 66, ✆ 3 67 – [lift] ☎. [AE] ⓓ E [VISA]
8.- 31. Jan. geschl. – Karte 24/58 *(Freitag geschl.)* 🍷 – **25 Z : 44 B** 34/42 - 60/78 – P 54/74.

🏨 **Schloß Hornberg** 🐦, Auf dem Schloßberg 1, ✆ 68 41, ≤ Hornberg und Gutachtal, 🌳 – ☎ [P] 🏛. [AE] ⓓ E [VISA]
19. Dez.- Jan. geschl. – Karte 35/49 *(Montag geschl.)* – **43 Z : 105 B** 65/85 - 90/120 Fb – P 80/120.

Am Karlstein SW : 9 km, über Niederwasser – Höhe 969 m :

🏨 **Zur schönen Aussicht** 🐦, ✉ 7746 Hornberg 2, ✆ (07833) 2 90, ≤, 🌳, 🛏, Skiverleih, ⛷ – [P]. [AE] ⓓ E
April 2 Wochen und 1.- 20. Dez. geschl. – Karte 27/48 – **21 Z : 42 B** 48/58 - 96/110 – P 80/88.

HORRENBERG Baden-Württemberg siehe Dielheim.

HORSTMAR 4435. Nordrhein-Westfalen [987] [14] – 6 400 Ew – Höhe 88 m – ☎ 02558.
•Düsseldorf 123 – Enschede 42 – Münster (Westfalen) 28 – •Osnabrück 77.

In Horstmar-Leer N: 5 km:

🏨 **Horstmann**, Dorfstr. 9, ☎ (02551) 51 26 – [P]
🍴 Karte 16/37 – **10 Z : 12 B** 25/29 - 50/60.

HORUMERSIEL Niedersachsen siehe Wangerland.

HOYERSWEGE Niedersachsen siehe Ganderkesee.

HUDE 2872. Niedersachsen [987] [14] – 12 400 Ew – Höhe 15 m – Erholungsort – ☎ 04408.
•Hannover 152 – •Bremen 36 – •Oldenburg 20.

🏨 **Burgdorf's Gaststätte**, Hohe Str. 21, ☎ 18 37, 🌳 – [P]
🍴 Karte 19,50/37 – **10 Z : 20 B** 38 - 68.

HÜCKESWAGEN 5609. Nordrhein-Westfalen [987] [24] – 15 000 Ew – Höhe 258 m – ☎ 02192.
[i] Verkehrsbüro (Reisebüro Schmidt), Islandstr. 22, ☎ 27 64.
•Düsseldorf 61 – •Köln 44 – Lüdenscheid 27 – Remscheid 14.

XX Rats-Stuben, Marktstr. 4, ☎ 73 81 – 🚫.

In Hückeswagen-Kleineichen SO : 1 km :

XX **Kleineichen**, Bevertalstr. 44, ☎ 43 75, 🌳 – [P]
März und Montag geschl. – Karte 24/53.

Benachrichtigen Sie sofort das Hotel,
wenn Sie ein bestelltes Zimmer nicht belegen können.

HÜFINGEN 7713. Baden-Württemberg [413] I 23, [987] [35], [427] [6] – 6 200 Ew – Höhe 686 m – ☎ 0771 (Donaueschingen).
•Stuttgart 126 – Donaueschingen 3 – •Freiburg im Breisgau 59 – Schaffhausen 38.

🏠 Frank, Bahnhofstr. 3, ☎ 6 12 81 – ☎ 🚗 [P]
10 Z : 17 B.

In Hüfingen 3 - Behla SO : 5 km :

🏨 **Landgasthof Kranz**, Römerstr. 18 (B 27), ☎ 6 10 66 – ☎ [P]. E
🍴 *12.- 28. April geschl.* – Karte 19/39 *(Freitag geschl.)* 🍷 – **10 Z : 20 B** 35 - 70 Fb.

In Hüfingen 3-Fürstenberg SO : 9,5 km :

🏨 **Rössle**, Zähringer Str. 12, ☎ 6 19 22 – [P]
🍴 *1.- 25. Jan. geschl.* – Karte 18,50/33 *(Mittwoch geschl.)* 🍷 – **5 Z : 10 B** 30 - 50.

HÜGELSHEIM 7571. Baden-Württemberg [413] H 20, [242] [16], [87] [3] – 1 600 Ew – Höhe 121 m – ☎ 07229.
•Stuttgart 108 – Baden-Baden 14 – Rastatt 10 – Strasbourg 43.

🏠 **Hirsch**, Hauptstr. 28 (B 36), ☎ 22 55 (Hotel) 42 55 (Rest.), 🏊, 🌳 – 🛗 [P]. E
1.- 22. Feb. geschl. – Karte 29/53 *(Okt.- April Mittwoch geschl.)* – **28 Z : 50 B** 48/68 - 96/126.

🏠 **Zum Schwan**, Hauptstr. 45 (B 36), ☎ 22 07, 🌳 – ☎ 🚗 [P]. [D]
Karte 33/58 *(Montag geschl.)* – **21 Z : 40 B** 46/52 - 70/78.

HÜLPERODE Niedersachsen siehe Braunschweig.

HÜLZWEILER Saarland siehe Schwalbach.

HÜNFELD 6418. Hessen [987] [25] – 14 300 Ew – Höhe 279 m – ☎ 06652.
•Wiesbaden 179 – Fulda 19 – Bad Hersfeld 27 – •Kassel 102.

🏨 **Jägerhof**, Niedertor 9 (B 84), ☎ 22 37 – 🚗 [P]
🍴 *24. Dez.- Anfang Jan. und März - April 3 Wochen geschl.* – Karte 17/35 *(Samstag - Sonntag geschl., Juni - Okt. Samstag auch Abendessen)* – **27 Z : 49 B** 30/37 - 70/47.

🏨 Zum Lamm, Hauptstr. 11 (beim Rathaus), ☎ 23 49 – 🚗
16 Z : 30 B.

HÜNSTETTEN 6274. Hessen [413] H 16 – 8 350 Ew – Höhe 301 m – ☎ 06126 (Idstein).
•Wiesbaden 29 – Limburg an der Lahn 20.

In Hünstetten-Bechtheim :

XX Rosis Restaurant, Am Birnbusch 17, ☎ (06438) 21 26, 🌳 – [P].

HÜRTGENWALD 5165. Nordrhein-Westfalen – 7 500 Ew – Höhe 325 m – ☎ 02429.
♦Düsseldorf 88 – ♦Aachen 41 – ♦Bonn 70 – Düren 8,5 – Monschau 35.

In Hürtgenwald-Simonskall :

Haus Kallbach, ☎ 12 74, – P. E VISA
Karte 27/59 – **28 Z : 50 B** 65/75 - 110/130 Fb – P 85/105.

Wiesengrund, Hauptstr. 12, ☎ 21 13, – P.
Karte 22/48 – **19 Z : 32 B** 50 - 96.

In Hürtgenwald-Vossenack :

Zum alten Forsthaus, Germeter Str. 49, ☎ 78 22, – P. E
Karte 29/56 – **26 Z : 48 B** 66/70 - 112/114 Fb.

HÜTTENFELD Hessen siehe Lampertheim.

HÜTTERSDORF Saarland siehe Schmelz.

HÜTZEL Niedersachsen siehe Bispingen.

HUMMELFELD Schleswig-Holstein siehe Fleckeby.

HUNDSBACH Baden-Württemberg siehe Forbach.

HUNGEN 6303. Hessen 413 J 15 – 11 800 Ew – Höhe 145 m – ☎ 06402.
♦Wiesbaden 82 – ♦Frankfurt am Main 53 – Gießen 21.

Quellenhof, Gießener Str. 37 (B 457), ☎ 70 11, (Gebühr) – P. AE E VISA
Karte 24/51 – **32 Z : 60 B** 65/75 - 100/120 Fb.

HUSSENHOFEN Baden-Württemberg siehe Schwäbisch Gmünd.

HUSUM 2250. Schleswig-Holstein 987 ⑤ – 24 000 Ew – Höhe 5 m – ☎ 04841.
Sehenswert : Nordfriesisches Museum★ – **Ausflugsziel** : Die Halligen★ (per Schiff).
Touristinformation, Großstr. 25, ☎ 66 61 33.
♦Kiel 84 – Flensburg 42 – Heide 40 – Schleswig 34.

Nordseehotel Husum, Am Seedeich, ☎ 50 22, ← Wattenmeer und Schiffahrt, Fahrradverleih – P. AE E VISA
Karte 30/61 – **21 Z : 35 B** 79/120 - 110/170 Fb.

Hotel am Schloßpark garni, Hinter der Neustadt 76, ☎ 20 22, – P. AE E
36 Z : 61 B 68 - 98/110 Fb.

Obsen's Hotel, Hafenstr. 3, ☎ 20 41 – P. AE E VISA
Karte 26/48 – **17 Z : 40 B** 80/100 - 120/160.

Hinrichsen garni, Süderstr. 35, ☎ 50 51, – P. AE E VISA
44 Z : 85 B Fb – 3 Fewo.

Thomas-Hotel, Am Zingel 9, ☎ 60 87 – P. AE E VISA
Karte 22/51 – **41 Z : 68 B** 69/120 - 120/150 Fb.

Rosenburg, Schleswiger Chaussee 65 (B 201), ☎ 7 23 08, – P – **16 Z : 32 B**.

Zur grauen Stadt am Meer, Schiffbrücke 9, ☎ 22 36, Fahrradverleih – AE E
15. Jan.- 15. Feb. geschl. – Karte 25/56 – **23 Z : 35 B** 40/80 - 80/135 Fb.

Osterkrug, Osterende 56, ☎ 28 85, – P. AE E VISA
Karte 23/52 – **27 Z : 51 B** 30/35 - 60/70.

Wohlert garni, Markt 30, ☎ 22 29 –
13 Z : 25 B 40/55 - 75/110.

Ratskeller, Großstr. 27, ☎ 50 71.

In Simonsberger Koog 2251 SW : 7 km :

Lundenbergsand, Lundenbergweg 3, ☎ (04841) 43 57, – P. AE
Karte 31/52 *(Nov.- Mai Montag und 6. Jan.- 6. Feb. geschl.)* – **17 Z : 33 B** 60/90 - 110/140 Fb.

In Witzwort-Adolfskoog 2251 SW : 10 km, über die B 5 :

Roter Haubarg, ☎ (04864) 8 45, « Renovierter nordfriesischer Bauernhof a.d. 18. Jh. » – P. AE
Mitte Jan.- Mitte Feb. geschl. – Karte 23/50.

In Hattstedter Marsch 2251 NW : 12 km - 9 km über die B 5, dann rechts ab :

Arlauschleuse (Urlaubshotel in Marschlandschaft und Vogelschutzgebiet), ☎ (04846) 3 66, – P
Nov. geschl. – Karte 27/62 *(Dez.- März Dienstag geschl.)* – **29 Z : 60 B** 48/60 - 80/85 – P 67/89.

[HUZENBACH] Baden-Württemberg siehe Baiersbronn.

[IBACH] **7822.** Baden-Württemberg [413] H 23, [216] ⑥ – 360 Ew – Höhe 1 000 m – Erholungsort – Wintersport : 1 000/1 100 m ⛷1 ⛷2 – ☎ 07672 (St. Blasien).

◆Stuttgart 195 – Basel 59 – ◆Freiburg im Breisgau 56 – Zürich 79.

In Ibach-Lindau SW : 5 km :

🏠 **Schwarzwaldgasthof Adler** 🌿, ☎ (07674) 3 58, ≤, 🌲, 🌳 – 🚗 Ⓟ. [D]
7. Nov.- 15. Dez. geschl. – Karte 21/51 *(Dienstag geschl.)* – **14 Z : 36 B** 42/48 - 76/80 – 3 Fewo 60/90.

In Ibach-Mutterslehen N : 6 km :

🏠 **Schwarzwaldgasthof Hirschen**, Hauptstraße, ☎ 8 66, ≤, 🌲, 🏊, 🌳 – [TV] ☎ Ⓟ
Karte 25/55 *(Nov.- Mai Dienstag geschl.)* – **15 Z : 30 B** 55/57 - 90/94.

[IBBENBÜREN] **4530.** Nordrhein-Westfalen [987] ⑭ – 44 800 Ew – Höhe 79 m – ☎ 05451.

[i] Tourist-Information, Pavillon am Bahnhof, ☎ 5 32 09.

◆Düsseldorf 173 – ◆Bremen 143 – ◆Osnabrück 30 – Rheine 22.

🏠 **Leischulte**, Rheiner Str. 10 (B 65), ☎ 40 88, 🏊, 🏊 – [lift] [TV] ☎ 🚗 Ⓟ 🏛. [AE] [D] [E] [VISA]
Karte 28/55 – **41 Z : 60 B** 47/70 - 105/125 Fb.

🏠 **Hubertushof**, Münsterstr. 222 (B 219, S : 2,5 km), ☎ 34 10, 🏊 – [TV] ☎ 🚗 Ⓟ. [D]
20. Dez.- 20. Jan. geschl. – Karte 24/56 *(Dienstag geschl.)* – **17 Z : 27 B** 48/60 - 84/92.

🏠 Brügge, Münsterstr. 201 (B 219), ☎ 1 30 98, 🌲 – Ⓟ – **16 Z : 23 B.**

[IBURG, BAD] **4505.** Niedersachsen [987] ⑭ – 9 700 Ew – Höhe 140 m – Kneippheilbad – ☎ 05403 – [i] Kurverwaltung, Philipp-Sigismund-Allee 4, ☎ 40 16 12.

◆Hannover 147 – Bielefeld 43 – Münster (Westfalen) 43 – ◆Osnabrück 16.

🏠 **Hotel im Kurpark** 🌿, Philipp-Sigismund-Allee 4, ☎ 40 11, « Gartenterrasse », direkter Zugang zum Kurmittelhaus – [lift] ☎ Ⓟ 🏛. [D] [E]. ✂
Karte 32/54 – **48 Z : 74 B** 75/124 - 120/154 Fb – P 105/159.

🏠 **Waldhotel Felsenkeller**, Charlottenburger Ring 46 (B 51), ☎ 8 25, « Gartenterrasse, Wildgehege » – [lift] ☎ 🚗 Ⓟ 🏛. [AE] [D] [E]
15. Jan.- 15. Feb. geschl. – Karte 23/48 *(Okt.-April Freitag geschl.)* – **32 Z : 56 B** 40/65 - 80/100.

🏠 **Altes Gasthaus Fischer-Eymann**, Schloßstr. 1, ☎ 3 11, 🌳 – 🚗 Ⓟ
◆ Karte 18/41 *(Nov.- März Mittwoch geschl.)* – **14 Z : 24 B** 35/40 - 70/74.

[IDAR-OBERSTEIN] **6580.** Rheinland-Pfalz [987] ㉔ – 36 000 Ew – Höhe 260 m – ☎ 06781.

Sehenswert : Edelsteinmuseum★★ – Lage★ – ≤★ von der Wasenstraße (in Oberstein).

Ausflugsziel : Felsenkirche★ 10 min zu Fuß (ab Marktplatz Oberstein).

[i] Städt. Verkehrsamt, Bahnhofstr. 13 (Nahe-Center), ☎ 2 70 25, Telex 426211.

ADAC, Mainzer Str. 79, ☎ 4 39 22.

Mainz 92 – Bad Kreuznach 49 – ◆Saarbrücken 79 – ◆Trier 75.

Im Stadtteil Idar :

🏠 **Merian-Hotel** garni, Mainzer Str. 34, ☎ 40 10, Telex 426262, ≤ – [lift] [TV] ☎ ♿ 🏛. [AE] [D] [E] [VISA]
106 Z : 212 B 89 - 124/155 Fb.

🏠 **Zum Schwan**, Hauptstr. 25, ☎ 4 30 81 – ☎ 🚗. [AE] [D] [E] [VISA]
Karte 27/59 *(Freitag geschl.)* – **18 Z : 22 B** 30/60 - 65/110 Fb.

Im Stadtteil Oberstein :

🏠 **City-Hotel** garni, Otto-Decker-Str. 15, ☎ 2 20 62 – ☎ Ⓟ. [AE] [D] [E] [VISA]
20. Dez.- 4. Jan. geschl. – **14 Z : 24 B** 70/75 - 110/120.

🏠 Edelstein-Hotel garni, Hauptstr. 302, ☎ 2 30 58, Massage, 🏊, 🏊 – Ⓟ – **16 Z : 34 B.**

In Idar-Oberstein 3-Tiefenstein NW : 3,5 km ab Idar :

🏠 **Handelshof**, Tiefensteiner Str. 235 (B 422), ☎ 3 10 11, 🌲 – [TV] ☎ 🚗 Ⓟ. [AE] [D] [E] [VISA]
Karte 21/66 – **18 Z : 26 B** 50/60 - 90/120 Fb.

In Idar-Oberstein 25 - Weierbach NO : 8,5 km :

🏠 **Hosser**, Weierbacher Str. 70, ☎ (06784) 2 21, 🏊 – 🚗 Ⓟ
Karte 22/39 *(Freitag geschl.)* – **15 Z : 29 B** 30/45 - 60/80.

🏠 **Rieth**, Weierbacher Str. 13, ☎ (06784) 3 96 – Ⓟ
◆ Karte 19/31 *(Sonntag bis 17 Uhr geschl.)* – **10 Z : 14 B** 26/30 - 52/60.

In Kirschweiler **6580** NW : 7 km ab Idar :

🏠 Waldhotel 🌿, Mühlwiesenstr. 12, ☎ (06781) 3 38 62, 🌲 – ☎ 🚗 Ⓟ – **22 Z : 33 B.**

In Allenbach **6581** NW : 13 km ab Idar :

🏠 **Steuer**, Hauptstr. 10, ☎ (06786) 20 89, 🏊, 🌳, Edelsteinschleiferei – Ⓟ. [D] [E]
◆ Karte 18,50/43 – **17 Z : 36 B** 30/40 - 50/70.

IDSTEIN 6270. Hessen [413] H 16, [987] ㉔ – 21 000 Ew – Höhe 266 m – ☏ 06126.

[i] Fremdenverkehrsamt, König-Adolf-Platz (Killingerhaus), ℰ 7 82 15.

♦Wiesbaden 21 – ♦Frankfurt am Main 50 – Limburg an der Lahn 28.

🏨 **Felsenkeller**, Schulgasse 1, ℰ 33 51 – 🚗. [AE] [E]
↔ *20. März - 9. April und 24.- 31. Dez. geschl.* – Karte 16,50/28 *(Freitag geschl.)* 🍷 – **16 Z : 25 B** 35/55 - 60/90.

IGEL Rheinland-Pfalz siehe Trier.

IHRINGEN 7817. Baden-Württemberg [413] F 22, [242] ㉜, [87] ⑦ – 4 600 Ew – Höhe 225 m – ☏ 07668.

♦Stuttgart 204 – Colmar 29 – ♦Freiburg im Breisgau 21.

🏨 **Bräutigam's Weinstuben**, Bahnhofstr. 1, ℰ 2 10, « Gartenterrasse » – ☎ Ⓟ 🚸. [AE] [D] [E] [VISA]
Karte 25/55 *(Mittwoch geschl.)* 🍷 – **23 Z : 37 B** 55/70 - 90/110 Fb.

🏨 **Goldener Engel** (mit 🏨 Gästehaus), Bachenstr. 27, ℰ 50 28 – Ⓟ
Karte 20/39 *(Montag geschl.)* 🍷 – **26 Z : 52 B** 35/60 - 65/90.

✕✕ Winzerstube, Wasenweiler Str. 36, ℰ 50 51, ⛱ – Ⓟ.

ILLERTISSEN 7918. Bayern [413] N 22, [987] ㊱, [426] ⑮ – 13 100 Ew – Höhe 513 m – ☏ 07303.

♦München 151 – Bregenz 106 – Kempten 66 – ♦Ulm (Donau) 27.

🏨 **Am Schloß** 🌙, Lindenweg 6, ℰ 30 40, ⛱, 🏊, 🌳 – [TV] ☎ 🚗 Ⓟ. [E]
23. Dez.- 6. Jan. geschl. – Karte 27/45 *(nur Abendessen, Samstag geschl.)* – **17 Z : 34 B** 68/88 - 98/120.

🏨 **Bahnhof-Hotel Vogt**, Bahnhofstr. 11, ℰ 60 01 – [TV] ☎ 🚗 Ⓟ. [E]
↔ Karte 19/46 *(Samstag und 20. Aug.- 10. Sept. geschl.)* 🍷 – **28 Z : 50 B** 50 - 90.

✕✕ **Krone**, Auf der Spöck 2, ℰ 34 01 – Ⓟ
Mittwoch und Aug.- Sept. 2 Wochen geschl. – Karte **27**/66.

In Illertissen-Dornweiler :

✕ **Dornweiler Hof**, Dietenheimer Str. 91, ℰ 27 81, ⛱ – Ⓟ. [AE] [E]
Dienstag und 6.- 24. Jan. geschl. – Karte **25**/57.

ILLINGEN 7132. Baden-Württemberg [413] J 20, [987] ㉕ – 6 550 Ew – Höhe 235 m – ☏ 07042 (Vaihingen a.d.E.).

♦Stuttgart 34 – Heilbronn 59 – ♦Karlsruhe 53 – Pforzheim 18.

🏨 Lamm, Vaihinger Str. 19, ℰ 29 38 – Ⓟ
36 Z : 60 B.

ILLSCHWANG 8451. [413] S 18 – 1 500 Ew – Höhe 500 m – ☏ 09666.

♦München 202 – Amberg 16 – ♦Nürnberg 49.

🏨 **Weißes Roß** 🌙, Am Kirchberg 1, ℰ 2 23, 🌳 – |‡| ☎ Ⓟ 🚸
↔ Karte 18,50/45 *(Montag geschl.)* – **29 Z : 55 B** 38/45 - 60/90.

ILSEDE Niedersachsen siehe Peine.

ILSFELD 7129. Baden-Württemberg [413] K 19, [987] ㉕ – 6 500 Ew – Höhe 252 m – ☏ 07062 (Beilstein).

♦Stuttgart 40 – Heilbronn 12 – Schwäbisch Hall 45.

🏨 **Garni** 🌙, Fischerstr. 30, ℰ 6 19 84 – 🚗 Ⓟ
26. Dez.- 10. Jan. geschl. – **9 Z : 16 B** 36 - 60.

ILSHOFEN 7174. Baden-Württemberg [413] M 19 – 4 300 Ew – Höhe 441 m – ☏ 07904.

♦Stuttgart 87 – Crailsheim 13 – Schwäbisch Hall 19.

🏨 **Post**, Hauptstr. 5, ℰ 10 12 – ☎ 🚗 Ⓟ 🚸. [D]
↔ *Juli - Aug. 2 Wochen geschl.* – Karte 18/43 🍷 – **17 Z : 30 B** 30/45 - 55/75 Fb.

IMMEKEPPEL Nordrhein-Westfalen siehe Overath.

IMMENDINGEN 7717. Baden-Württemberg [413] J 23, [427] ⑥ – 5 900 Ew – Höhe 658 m – ☏ 07462.

♦Stuttgart 130 – Donaueschingen 20 – Singen (Hohentwiel) 32.

🏨 **Kreuz**, Donaustr. 1, ℰ 62 75, 🏊 – ☎ 🚗 Ⓟ
↔ *Ende Sept.- Mitte Okt. geschl.* – Karte 18,50/31 *(Montag bis 18 Uhr geschl.)* 🍷 – **19 Z : 35 B** 38 - 70.

IMMENSTAAD AM BODENSEE 7997. Baden-Württemberg [413] KL 23, 24, [987] ㉟, [427] ⑦ – 5 900 Ew – Höhe 407 m – Erholungsort – ☎ 07545.

[i] Verkehrsamt, Rathaus, Dr.-Zimmermann-Str. 1, ☎ 20 11 10.

♦Stuttgart 199 – Bregenz 39 – ♦Freiburg im Breisgau 152 – Ravensburg 29.

Seehof ⛰, Bachstr. 15, ☎ 7 84 (Hotel) 21 79 (Rest.), ≤, 🍴, 🏖, 🌳 – [TV] ☎ [P]
Karte 27/62 *(Mitte Jan.- Ende Feb. und Montag geschl.)* – **34 Z : 55 B** 65/80 - 100/120 – 3 Fewo 90/120.

Strandcafé Heinzler ⛰, Strandbadstr. 10, ☎ 7 68, ≤, Bootssteg, « Gartenterrasse », 🏊 – [TV] ☎ [P]
Jan. geschl. – Karte 24/54 – **16 Z : 32 B** 60 - 100 Fb – 3 Fewo 120.

Hirschen, Bachstr. 1, ☎ 62 38 – 🚗
Mitte Nov.- Mitte Jan. geschl. – Karte 21/50 *(Montag geschl.)* – **15 Z : 25 B** 45 - 80.

Adler, Dr.-Zimmermann-Str. 2, ☎ 14 70 – [P]
40 Z : 68 B.

Krone ⛰, Wattgraben 3, ☎ 62 39, 🌳 – [P]. ✗ Zim
März - Nov. – Karte 19/35 *(Donnerstag geschl.)* – **18 Z : 35 B** 35/50 - 65/85.

In Immenstaad-Schloß Kirchberg W : 2 km :

Schloß Kirchberg mit Zim, an der B 31, ☎ 62 46, 🍴 – [P] 🏛
März - Okt. – Karte 28/61 *(Dienstag geschl.)* – **3 Z : 7 B** 50 - 75/85.

Siehe auch : *Liste der Feriendörfer*

IMMENSTADT IM ALLGÄU 8970. Bayern [413] N 24, [987] ㊱, [426] ⑮ – 14 000 Ew – Höhe 732 m – Erholungsort – Wintersport : 750/1 450 m ⛷10 ⛷12 – ☎ 08323.

[i] Verkehrsamt, Marienplatz 3, ☎ 8 04 81.

[i] Verkehrsamt, Seestr. 5, (Bühl am Alpsee), ☎ 8 04 83.

♦München 148 – Kempten (Allgäu) 23 – Oberstdorf 20.

Hirsch, Hirschstr. 11, ☎ 62 18 – [lift] [TV] 🚗 [P] 🏛
Karte 21/45 🍷 – **30 Z : 50 B** 38/52 - 70/98 – P 65/85.

Lamm, Kirchplatz 2, ☎ 61 92 – [P]. ✗
(nur Abendessen für Hausgäste) – **26 Z : 40 B** 38/45 - 72/80.

Deutsches Haus, Färberstr. 10, ☎ 89 94 – [P]. [AE] [D] [E]
15.- 30. Juni und Mittwoch geschl. – Karte 20/50 🍷.

In Immenstadt - Bühl am Alpsee NW : 3 km – Luftkurort :

Terrassenhotel Rothenfels, Missener Str. 60, ☎ 40 87, ≤, 🍴, 🏊, 🏊, 🌳 – [lift] ☎ 🚗 [P] 🏛. [AE] [D] [E]
Mitte Nov.- Mitte Dez.geschl. – Karte 21/55 *(Okt.- Mai Freitag geschl.)* – **34 Z : 70 B** 60/85 - 106/160 Fb – 3 Appart. 192 – P 79/91.

Alpengasthof Bühler Höh, Lindauer Str. 25, ☎ 5 41, 🍴 – ☎ 🚗 [P]
Nov.- 20. Dez. geschl. – Karte 20/55 *(Dez.- Mai Montag geschl.)* 🍷 – **19 Z : 36 B** 43/50 - 74/90.

In Immenstadt-Knottenried NW : 7 km :

Bergstätter Hof ⛰, ☎ (08320) 2 87, ≤, 🍴, 🏊, 🏊, 🌳 – [P]
Nov. geschl. – Karte 25/51 *(außerhalb der Saison Montag geschl.)* – **22 Z : 42 B** 37/68 - 70/108 – P 63/82.

In Immenstadt-Stein N : 3 km :

Krone (Gasthof mit 🏨 Anbau), an der B 19, ☎ 88 54, 🍴, 🏊, 🌳 – [TV] ☎ 🚗 [P]
20 Z : 38 B Fb.

Eß ⛰ garni, ☎ 81 04, ≤, 🌳 – [P]. ✗
12 Z : 20 B 40/52 - 72/82.

In Immenstadt-Thanners NO : 7 km :

Zur Tanne, an der B 19, ☎ (08379) 8 29, 🍴, 🐎 – ☎ [P]
17 Z : 26 B – 8 Fewo.

INGELFINGEN 7118. Baden-Württemberg [413] LM 19 – 5 400 Ew – Höhe 218 m – ☎ 07940 (Künzelsau).

[i] Verkehrsamt, Rathaus, Schloßstr. 9, ☎ 40 41.

♦Stuttgart 98 – Heilbronn 56 – Schwäbisch Hall 27 – ♦Würzburg 84.

Schloßhotel, Schloßstr. 14, ☎ 60 77, 🍴 – [TV] ☎ [P] 🏛. [AE] [D] [E]
Karte 26/60 🍷 – **25 Z : 50 B** 79/98 - 144/152 Fb.

Haus Nicklass, Mariannenstr. 47, ☎ 35 73, 🏊 – 🚗 [P]. [E]
20. Dez.- 15. Jan. geschl. – Karte 18/37 *(Freitag ab 14 Uhr geschl.)* 🍷 – **18 Z : 30 B** 30/42 - 60/75 – 2 Fewo 55/95.

[INGELHEIM AM RHEIN] 6507. Rheinland-Pfalz – 23 000 Ew – Höhe 120 m – ☎ 06132.
Mainz 18 – Bingen 13 – Bad Kreuznach 25 – ♦Wiesbaden 23.

🏨 **Multatuli**, Mainzer Str. 255 (O : 1,5 km), ☎ 71 83, ≼ – [TV] ☎ [P] 🏞
Karte 28/63 🍷 – **18 Z : 36 B** 75 - 120.

🍴🍴 **Winzerkeller**, Binger Str. 16, ☎ 25 23, ⛱ – [P].

[INGOLSTADT] 8070. Bayern [413] R 20, [987] ㊱㊲ – 93 000 Ew – Höhe 365 m – ☎ 0841.
Sehenswert : Maria-de-Victoria-Kirche★ AA – Liebfrauenmünster (Hochaltar★) AB.
[9] Gerolfinger Str. (über ④), ☎ 8 57 78.
[i] Städtisches Verkehrsamt, Hallstr. 5, ☎ 30 54 15.
ADAC, Theresienstr. 32, ☎ 3 56 35, Telex 55831.
♦München 80 ① – ♦Augsburg 86 ① – ♦Nürnberg 91 ① – ♦Regensburg 76 ①.

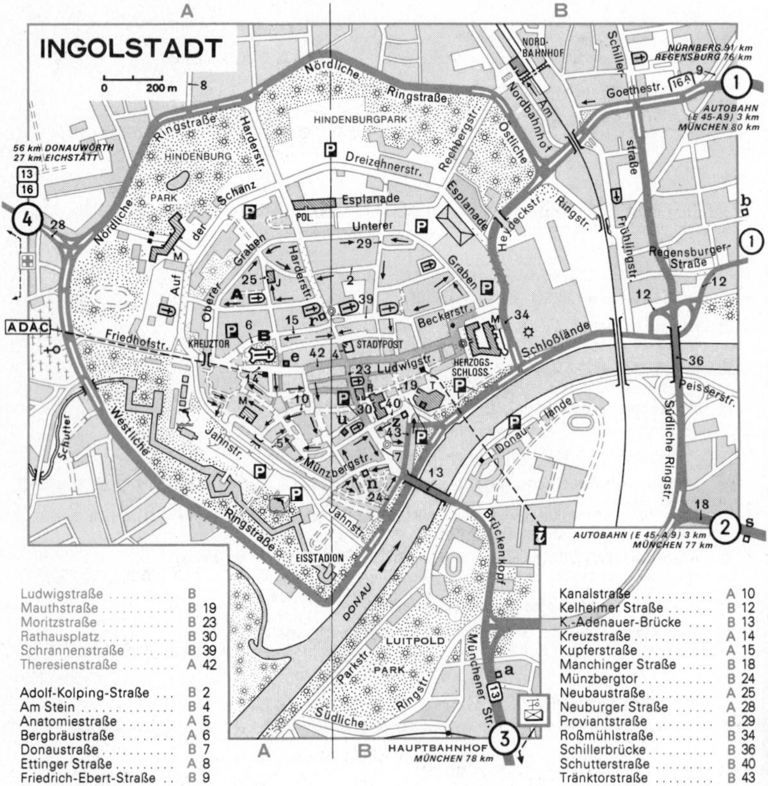

Ludwigstraße .... B
Mauthstraße .... B 19
Moritzstraße .... B 23
Rathausplatz .... B 30
Schrannenstraße .... B 39
Theresienstraße .... A 42

Adolf-Kolping-Straße ... B 2
Am Stein .... B 4
Anatomiestraße .... A 5
Bergbräustraße .... A 6
Donaustraße .... B 7
Ettinger Straße .... A 8
Friedrich-Ebert-Straße .. B 9

Kanalstraße .... A 10
Kelheimer Straße .... B 12
K.-Adenauer-Brücke .... B 13
Kreuzstraße .... A 14
Kupferstraße .... A 15
Manchinger Straße .... B 18
Münzbergtor .... B 24
Neubaustraße .... A 25
Neuburger Straße .... A 28
Proviantstraße .... B 29
Roßmühlstraße .... B 34
Schillerbrücke .... B 36
Schutterstraße .... B 40
Tränktorstraße .... B 43

🏨 **Ambassador**, Goethestr. 153, ☎ 50 30, Telex 55710, ⛱, 🏊, 🏋 – [lift] ▤ [TV] ♿ [P] 🏞. [AE] [E] [VISA] über ①
Karte 22/28 – **123 Z : 200 B** 154 - 199 Fb.

🏨 **Rappensberger**, Harderstr. 3, ☎ 31 40, Telex 55834, ⛱, 🏊 – [lift] ☎ 🚗 🏞. [AE] [D] [E] [VISA]
24. Dez.- 4. Jan. geschl. – Karte 26/55 *(Sonntag ab 15 Uhr, Samstag und Aug. 2 Wochen geschl.)* – **85 Z : 114 B** 85/115 - 140/170 Fb. A r

🏨 **Bavaria** 🐴, Feldkirchener Str. 67, ☎ 5 60 01, Telex 55791, 🏊, 🏋, 🌳 – [lift] [TV] ☎ 🚗 [P] 🏞. [E] B b
Karte 24/51 *(nur Abendessen, Sonntag und 25. Dez.- 7. Jan. geschl.)* – **58 Z : 80 B** 65/80 - 85/105 Fb.

🏨 **Bayerischer Hof**, Münzbergstr. 12, ☎ 14 03 – [TV] [P]. [E] B n
⇆ Karte 17/40 *(Samstag 14 Uhr - Sonntag geschl.)* 🍷 – **37 Z : 57 B** 38/63 - 71/95 Fb.

🏨 **Pfeffermühle**, Manchinger Str. 68, ☎ 6 70 30, ⛱ – ☎ [P]. [AE] [E] B s
Karte 25/40 *(Donnerstag sowie Aug. und Dez. jeweils 2 Wochen geschl.)* – **17 Z : 30 B** 55/70 - 85 Fb.

🏨 **Donau-Hotel**, Münchner Str. 10, ☎ 6 20 55 – 🛗 [TV] ☎ [P] 🏛. [VISA] B a
27. Dez.- 7. Jan. geschl. – Karte 27/55 *(Sonntag ab 15 Uhr, Samstag und 4.- 19. Aug. geschl.)* – **60 Z : 90 B** 55/70 - 95/100 Fb.

🏨 **Ammerland** garni, Ziegeleistr. 64, ☎ 5 60 54 – ☎ [P]. [D] [E]
20. Dez.- 10. Jan. geschl. – **19 Z : 35 B** 55/60 - 80/85 Fb. über Friedrich-Ebert-Straße B

🏠 **Anker**, Tränktorstr. 1, ☎ 3 20 91 – [P] B z
Karte 21/40 – **31 Z : 55 B** 35/45 - 60/70.

🍴🍴 **Tafelmeier**, Theresienstr. 31, ☎ 3 36 60, ⛱ – [E] A e
Montag geschl. – Karte 25/60.

🍴🍴 **Im Stadttheater**, Schloßlände 1, ☎ 13 41, ⛱ – ▤ 🏛. [AE] [D] [E] [VISA] B T
15.- 30. Aug. und Montag geschl. – Karte 35/65.

🍴 **et cetera**, Josef-Ponschab-Str. 8, ☎ 3 22 55 – [AE] [D] [E] B u
1.- 16. Aug. geschl. – Karte 30/57.

In Ingolstadt-Friedrichshofen über ④ : 3 km :

🍴🍴 Tiroler Stuben, Levelingstr. 86, ☎ 8 10 77, ⛱ – [P] – *wochentags nur Abendessen.*

In Ingolstadt-Hagau SW : 9 km über Südliche Ringstr. AB :

🏨 **Motel Meier** 🔇, Weiherstr. 13, ☎ (08450) 80 31, 🌳 – [TV] ☎ [P]. 🐕
(nur Abendessen für Hausgäste) – **10 Z : 20 B** 42 - 70/75.

An der B 13 ④ : 4 km :

🏨 **Heidehof**, Ingolstädter Str. 121, ✉ 8074 Gaimersheim, ☎ (08458) 6 40, Telex 55688, ⛱, Bade- und Massageabteilung, ♨, 🏊, 🌳 – 🛗 🚭 Zim [TV] ♿ 🚗 [P] 🏛. [AE] [D] [E] [VISA]
Karte 28/72 *(Ostern, Weihnachten und Neujahr geschl.)* – **76 Z : 118 B** 85/127 - 128/176 Fb.

In Wettstetten 8071 N : 7 km :

🍴🍴 **Provinz-Restaurant im Raffelwirt**, Kirchplatz 9 (1. Etage), ☎ (0841) 3 81 73 – 🐕
nur Abendessen, Sonntag - Montag und 22. Dez.- 10. Jan. geschl. – Karte 42/60.

INNERSTETALSPERRE Niedersachsen siehe Langelsheim.

INNING 8084. Bayern [413] Q 22, [987] ㊱㊲, [426] ⑯ – 2 800 Ew – Höhe 553 m – ☎ 08143.
♦München 37 – Garmisch-Partenkirchen 77 – Landsberg am Lech 23.

In Inning-Stegen :

🏨 **Wieser** garni, Landsberger Str. 82 (nahe der B 12), ☎ 87 81 – 🚗 [P]. 🐕
20. Dez.- 20. Jan. geschl. – **15 Z : 22 B** 50/70 - 75/90.

INZELL 8221. Bayern [413] V 23, [987] ㊳, [426] ⑲ – 3 700 Ew – Höhe 693 m – Luftkurort – Wintersport : 700/1 670 m ⛷6 ⛸5 – ☎ 08665.
[i] Verkehrsverein im Haus des Gastes, Rathausplatz 5, ☎ 8 62.
♦München 118 – Bad Reichenhall 15 – Traunstein 18.

🏨 **Zur Post**, Reichenhaller Str. 2, ☎ 60 11, ⛱, ♨, 🏊 – 🛗 ▤ Rest 🏃 🚗 [P] 🏛 (mit ▤). [D] [E] [VISA]
15. Nov.- 16. Dez. geschl. – Karte 25/55 – **48 Z : 79 B** 70/90 - 140/160 Fb – 15 Fewo 70/150 – P 100/115.

🏨 **Dorint-Hotel**, Lärchenstr. 5, ☎ 67 00, Fax 67070, ⛱, ♨, 🏊 – 🛗 [TV] ☎ 🏃 [P] 🏛. [AE] [D] [E] [VISA]. 🐕 Rest
Karte 27/56 – **88 Z : 138 B** 75/90 - 120/150 Fb – 129 Fewo 75/195 – P 109/124.

🏨 **Bayerischer Hof** 🔇, Kreuzfeldstr. 55, ☎ 67 70, Telex 56581, ⛱, ♨, 🏊, Skiverleih – 🛗 [TV] ☎ ♿ 🏃 🚗 [P] 🏛. [AE] [D] [E] [VISA]
Karte 30/47 – **33 Z : 66 B** 80/95 - 120/190 Fb – 61 Fewo 66/140.

🏨 Falkenstein, Kreuzfeldstr. 2, ☎ 2 50, ⛱ – 🛗 [P] – **32 Z : 64 B** Fb.

🏨 **Birkenhof** garni, Birkenweg 20, ☎ 5 80, 🏊, 🌳 – [P]
10 Z : 20 B 45/50 - 90.

In Inzell-Schmelz SW : 2,5 km :

🏨 **Gasthof Schmelz**, Schmelzer Str. 132, ☎ 8 34, ⛱, ♨, 🏊, 🌳 – [P]
15. Nov.- 15. Dez. geschl. – Karte 20/46 *(Montag geschl.)* – **40 Z : 73 B** 60/70 - 110/130 Fb – 4 Fewo 80/140.

An der B 306 NW : 2 km :

🏨 **Schwarzberg**, Traunsteiner Str. 95, ✉ 8221 Inzell, ☎ (08665) 75 65, ≤, ⛱, 🌳 – 🚗 [P]
Nov.- 25. Dez. geschl. – Karte 19/40 *(Dienstag geschl.)* – **30 Z : 54 B** 38/43 - 70.

In Schneizlreuth-Weißbach a.d. Alpenstraße 8230 SO : 4 km :

🏠 **Alpenhotel Weißbach**, Berchtesgadener Str. 17, ☎ (08665) 74 85, ⛱, 🌳 – [P]
Nov.- 15. Dez. geschl. – Karte 21/40 *(außer Saison Donnerstag geschl.)* 🍷 – **25 Z : 45 B** 35/39 - 64.

INZLINGEN Baden-Württemberg siehe Lörrach.

IPHOFEN 8715. Bayern 413 N 17, 987 ㉖ – 4 000 Ew – Höhe 252 m – ✆ 09323.
♦München 248 – Ansbach 67 – ♦Nürnberg 72 – ♦Würzburg 29.

Romantik-Hotel Zehntkeller, Bahnhofstr. 12, ✆ 30 62, eigener Weinbau, – AE E
9.- 27. Jan. geschl. – Karte 40/75 *(Tischbestellung ratsam)* – **43 Z : 68 B** 80/95 - 105/160 Fb.

Goldene Krone, Marktplatz 2, ✆ 33 30, eigener Weinbau –
24. Dez.- 10. Jan. geschl. – Karte 22/45 *(Dienstag geschl.)* – **29 Z : 50 B** 30/45 - 54/84.

Gästehaus Huhn garni, Mainbernheimer Str. 11, ✆ 12 46, Fahrradverleih – TV
6 Z : 12 B.

Zur Iphöfer Kammer (Einrichtung im fränkischen Biedermeier-Stil), Marktplatz 24, ✆ 19 07
Montag - Dienstag 18 Uhr sowie Feb. und Aug. jeweils 2 Wochen geschl. – Karte 35/45 *(nur regionale Weine)* (abends Tischbestellung ratsam) – 2 Fewo 40/60
Spez. Terrine von Lachs und Zander, Rinderlende in Rotweinsauce, Mangoparfait mit Mandelmousse.

Wirtshaus zum Kronsberg mit Zim, Schwanbergweg 14, ✆ 35 40, – AE E
Jan. geschl. – Karte 24/50 *(Montag geschl.)* – **5 Z : 10 B** 39/46 - 68/82.

In Mainbernheim 8717 NW : 3 km :

Zum Falken, Herrenstr. 27, ✆ (09323) 2 23 –
1.- 15. März und 1.- 15. Sept. geschl. – Karte 21/37 *(Dienstag geschl.)* – **13 Z : 24 B** 30/55 - 55/85.

In Rödelsee 8711 NW : 3,5 km :

Gasthof und Gästehaus Stegner, Mainbernheimer Str. 26, ✆ (09323) 34 15,
20. Dez.- 25. Jan. geschl. – Karte 18/35 *(Dienstag geschl.)* – **18 Z : 30 B** 39 - 68.

Winzerstube, Wiesenbronner Str. 2, ✆ (09323) 52 22
wochentags nur Abendessen, Mittwoch, über Fasching 1 Woche und Juli 3 Wochen geschl. – Karte 18/40.

IRL Bayern siehe Regensburg.

IRREL 5527. Rheinland-Pfalz 214 ⑳, 409 ㉗ – 1 400 Ew – Höhe 178 m – Luftkurort – ✆ 06525.
Mainz 179 – Bitburg 15 – ♦Trier 25.

Koch-Schilt, Prümzurlayer Str. 1, ✆ 8 60, –
10.- 30. Jan. geschl. – Karte 19/45 – **40 Z : 80 B** 40/60 - 70/90 – P 51/61.

Irreler Mühle, Talstr. 17, ✆ 8 26, – E VISA
8. Jan.- 4. März geschl. – Karte 20/41 *(Dienstag geschl.)* – **11 Z : 20 B** 35/37 - 66/70 – 2 Fewo 55 – P 55.

Im Deutsch-Luxemburgischen Naturpark W : 7 km, am Ortsanfang von Ernzen links ab :

Haus Hubertus mit Zim, ✉ 5521 Ernzen, ✆ (06525) 8 28, Wildgehege –
8 Z : 15 B Fb.

In Prümzurlay 5521 NW : 4 km :

Haller, Michelstr. 10, ✆ (06523) 6 56, Telex 4729647, – AE E VISA. Zim
Mitte Jan.- Mitte Feb. geschl. – Karte 25/51 *(Nov.- Mitte Mai Montag geschl.)* – **25 Z : 47 B** 48/60 - 92/100 – P 64/69.

IRSCHENBERG 8167. Bayern 413 S 23, 987 ㊲, 426 ⑱ – 2 600 Ew – Höhe 730 m – ✆ 08062 (Bruckmühl).
♦München 48 – Miesbach 8 – Rosenheim 23.

Kramerwirt, Wendelsteinstr. 1, ✆ 15 31, –
22 Z : 45 B.

An der Autobahn A 8 Richtung Salzburg SW : 1,5 km :

Autobahn-Rasthaus Irschenberg, ✉ 8167 Irschenberg, ✆ (08025) 20 71, Alpen, –
Karte 22/40 – **18 Z : 30 B** 45/60 - 75/95.

IRSEE Bayern siehe Kaufbeuren.

ISENBURG Rheinland-Pfalz siehe Dierdorf.

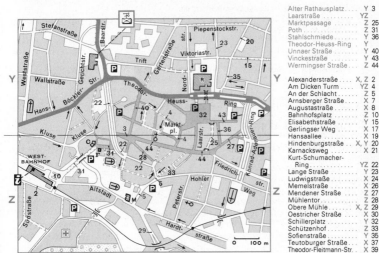

[ISERLOHN] 5860. Nordrhein-Westfalen [987] ⑭ – 90 000 Ew – Höhe 247 m – ☎ 02371.

Siehe Ruhrgebiet (Übersichtsplan).

[i] Verkehrsbüro, Bahnhofsplatz, ☎ 2 17 22 58.

♦Düsseldorf 81 ④ – ♦Dortmund 26 ⑤ – Hagen 18 ④ – Lüdenscheid 30 ③.

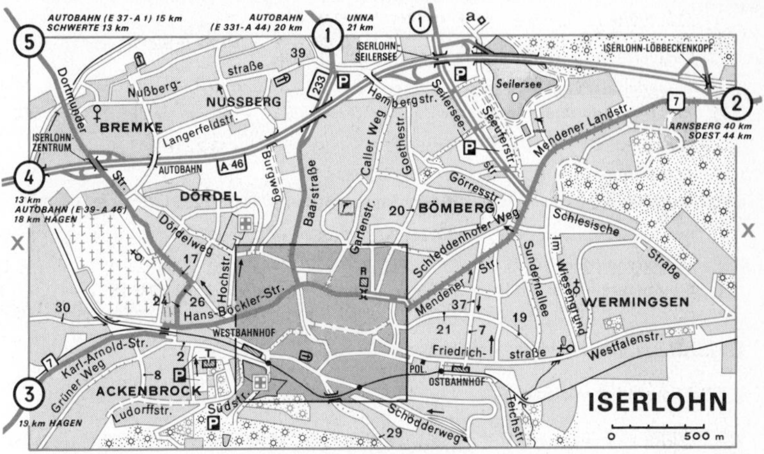
AUTOBAHN (E 37-A 1) 15 km
SCHWERTE 13 km
AUTOBAHN
(E 331-A 44) 20 km
UNNA
21 km
ISERLOHN-SEILERSEE
ISERLOHN-LÖBBECKENKOPF
Seilersee
ARNSBERG 40 km
SOEST 44 km
ISERLOHN-ZENTRUM
13 km
AUTOBAHN (E 39-A 45)
18 km HAGEN
19 km HAGEN
Dortmunder Str.
Nußberg-straße
NUSSBERG
BREMKE
Langerfeldstr.
AUTOBAHN
A 46
DÖRDEL
Dördelweg
Burgweg
Baarstraße
Caller Weg
Goethestr.
Gartenstr.
Hembergstr.
Seilersee-Str.
Seeuferstr.
Mendener Landstr.
Görresstr.
BÖMBERG
Schleddenhofer Weg
Schlesische Straße
Mendener Str.
Sunderallee
Im Wiesengrund
WERMINGSEN
Hochstr.
Hans-Böckler-Str.
WESTBAHNHOF
Karl-Arnold-Str.
Grüner Weg
ACKENBROCK
Ludorffstr.
Südstr.
Friedrich-straße
Westfalenstr.
OSTBAHNHOF
Teichstr.
Schödderweg
ISERLOHN
500 m
X

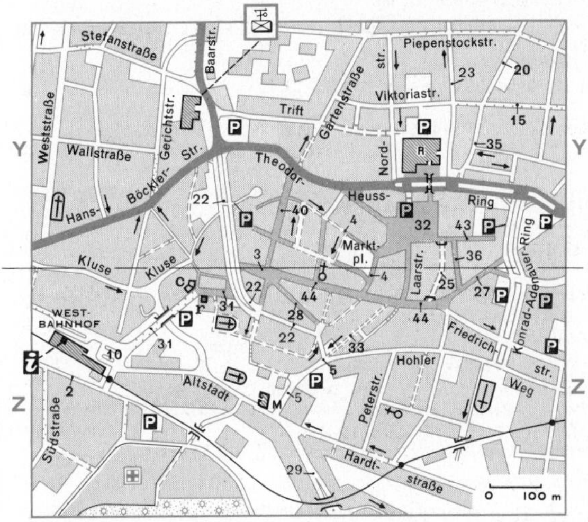
Stefanstraße
Baarstr.
Piepenstockstr.
Viktoriastr.
Gartenstraße
Trift
Weststraße
Wallstraße
Gerichtstr.
Hans-Böckler-Str.
Theodor-Heuss-Ring
Nord-str.
Kluse
Markt-pl.
Laarstr.
Konrad-Adenauer-Ring
WEST-BAHNHOF
Friedrich-str.
Weg
Hohler
Altstadt
Peterstr.
Südstraße
Hardt-straße
100 m
Y
Z

Alter Rathausplatz . . . . Y 3
Laarstraße . . . . YZ
Marktpassage . . . . Z 25
Poth . . . . Z 31
Stahlschmiede . . . . Y 36
Theodor-Heuss-Ring . . Y
Unnaer Straße . . . . Y 40
Vinckestraße . . . . Y 43
Wermingser Straße . . . Z 44

Alexanderstraße . . . . X, Z 2
Am Dicken Turm . . . . YZ 4
An der Schlacht . . . . . . Z 5
Arnsberger Straße . . . . X 7
Augustastraße . . . . X 8
Bahnhofsplatz . . . . Z 10
Elisabethstraße . . . . . . Y 15
Gerlinger Weg . . . . X 17
Hansaallee . . . . X 19
Hindenburgstraße . . X, Y 20
Karnacksweg . . . . X 21
Kurt-Schumacher-Ring . . . . YZ 22
Lange Straße . . . . Y 23
Ludwigstraße . . . . X 24
Memelstraße . . . . X 26
Mendener Straße . . . . . Z 27
Mühlentor . . . . Z 28
Obere Mühle . . . . . . X, Z 29
Oestricher Straße . . . . X 30
Schillerplatz . . . . Y 32
Schützenhof . . . . Z 33
Sofienstraße . . . . Y 35
Teutoburger Straße . . . X 37
Theodor-Fleitmann-Str. . . X 39

🏨 **Waldhotel Horn** 🐴, Seilerwaldstr. 10, ☎ 48 71, Telex 827974, ☂, 🏊, 🏞 – |♦| 📺 ♿ 🅟 🏃. ⓓ E VISA — X **a**
Karte 44/75 *(Jan. 2 Wochen geschl.)* – **48 Z : 84 B** 65/140 - 155/180 Fb.

🏨 **Engelbert** garni, Poth 4, ☎ 1 23 45, 🏊 – |♦| 📺 ☎ 🏃. AE ⓓ E VISA — Z **c**
24.- 31. Dez. geschl. – **24 Z : 43 B** 90/95 - 140/160 Fb.

🏨 **Korth**, In der Calle 4, ☎ 5 05 65, ☂, Biergarten, 🏊, 🏞 – 📺 ☎ 🚗 🅟 🏃. AE ⓓ E VISA — über ①
Karte 29/56 *(Freitag geschl.)* – **18 Z : 30 B** 90 - 130 Fb.

🏨 **Franzosenhohl** 🐴, Danzweg 25, ☎ 2 00 07, Telex 827987, ☂, 🏊, 🎾 – |♦| ☎ 🅟. AE ⓓ E VISA — über Obere Mühle X
Karte 30/45 – **23 Z : 46 B** 80 - 120 Fb.

🏨 **Café Spetsmann** garni, Poth 6, ☎ 1 40 49 – ☎. 🐕 — Z **c**
11 Z : 16 B 39/58 - 98.

🍴🍴 **Waldhaus Graumann**, Danzweg 29, ☎ 2 36 05, 🌳 – 🅿 über Obere Mühle X
Donnerstag geschl. – Karte 30/62.

🍴🍴 **Zum Grafen Engelbert**, Poth 1, ☎ 2 37 22 – [AE] ⓓ [E] [VISA] Z r
Sonntag und Juli geschl. – Karte 31/57.

In Iserlohn 7-Dröschede W : 4 km über Oestricher Str. X :

🏠 **Peiler**, Oestricher Str. 145, ☎ (02374) 7 14 72, ≤, 🌳 – ☎ 🅿. [AE] ⓓ [E] [VISA]. ⊗ Zim
Karte 26/52 *(Freitag geschl.)* – **15 Z : 25 B** 42/48 - 80/86 Fb.

In Iserlohn-Grüne ③ : 5 km :

🏠 **Zur Dechenhöhle**, Untergrüner Str. 8, ☎ (02374) 73 34 – ☎ 🚗 🅿 🏛. [AE] ⓓ [E] [VISA].
⊗ Zim
Juli - Aug. 2 Wochen geschl. – Karte 30/67 *(Sonntag geschl.)* – **10 Z : 18 B** 45/58 - 90/110.

In Iserlohn-Kesbern S : 8 km über Obere Mühle X :

🏠 **Zur Mühle** 🌙, Grüner Talstr. 400 (Richtung Letmathe), ☎ (02352) 29 63, 🌳 – ☎ 🚗 🅿. [AE]
ⓓ [E]
Karte 27/52 *(Montag geschl.)* – **13 Z : 21 B** 58/65 - 88/118.

In Iserlohn-Lössel ③ : 6 km :

🏠 **Neuhaus**, Lösseler Str. 149, ☎ (02374) 7 14 74, ≘s – [TV] ☎ 🚗 🅿. [AE] ⓓ [E] [VISA]
Karte 30/60 *(wochentags nur Abendessen, Dienstag geschl.)* – **15 Z : 25 B** 60/90 - 96/190.

[ISERNHAGEN] Niedersachsen siehe Hannover.

[ISING] Bayern siehe Chieming.

[ISMANING] 8045. Bayern [413] S 22, [987] ㊲, [426] ⑰ – 13 000 Ew – Höhe 490 m – ☎ 089 (München).

♦München 14 – Ingolstadt 69 – Landshut 58 – ♦Nürnberg 157.

🏠 **Zur Mühle** (modern-rustikales Hotel), Kirchplatz 5, ☎ 96 09 30, Telex 529537, Biergarten, ≘s – [$] [TV] ☎ 🅿 🏛. [AE] ⓓ [E] [VISA]
Karte 25/51 – **98 Z : 155 B** 95/115 - 115/165 Fb.

🏠 **Frey** garni, Hauptstr. 15, ☎ 96 30 33, ≘s – ☎ 🅿. [AE] [E]
20 Z : 40 B 90 - 120 Fb.

🏠 **Fischerwirt** 🌙, Schloßstr. 17, ☎ 96 48 53, 🌲, Fahrradverleih – [$] ☎ 🅿. [AE] [E]. ⊗
22. Dez.- 6. Jan. geschl. – Karte 25/53 *(nur Abendessen, Samstag geschl.)* – **44 Z : 58 B** 50/95 - 74/145 Fb.

🏠 **Neuwirt**, Schloßstr. 7, ☎ 96 48 61, Biergarten – ☎ 🚗 🅿
24.- 31. Dez. geschl. – Karte 20/43 – **41 Z : 50 B** 55/90 - 90/120 Fb.

🏠 **Zur Post**, Hauptstr. 7, ☎ 9 62 01 – [$] ♿ 🅿
◆ Karte 17/38 – **35 Z : 65 B** 44/80 - 70/115.

[ISNY] 7972. Baden-Württemberg [413] N 23, [987] ㊱, [426] ⑭ ⑮ – 12 700 Ew – Höhe 704 m – Heilklimatischer Kurort – Wintersport : 700/1 120 m ⛷9 ⛷13 – ☎ 07562.

[i] Kur- und Gästeamt, im Rathaus, ☎ 7 01 10.

♦Stuttgart 189 – Bregenz 42 – Kempten (Allgäu) 25 – Ravensburg 41.

🏠 **Hohe Linde**, Lindauer Str. 75, ☎ 20 66, 🏊, 🌲 – ☎ 🚗 🅿. [AE] ⓓ [E] [VISA]
Karte 29/50 *(wochentags nur Abendessen, Freitag geschl.)* – **28 Z : 43 B** 52 - 96 Fb.

🍴 **Krone** mit Zim, Bahnhofstr. 13, ☎ 24 42 – 🚗. ⓓ [E]
20. Juli - 10. Aug. geschl. – Karte 25/50 *(Donnerstag geschl.)* 🌙 – **6 Z : 12 B** 40/45 - 75/80.

In Isny-Großholzleute O : 4 km an der B 12 :

🏠 **Adler** (Haus a.d. 15. Jh., mit Gästehaus), ☎ 20 41, « Gaststuben im Bauernstil », Massage,
◆ ≘s, 🌲 – ☎ 🚗 🅿 🏛. [AE] ⓓ [VISA]
Karte 17/52 *(auch vegetarische Gerichte)* – **22 Z : 40 B** 50/60 - 90.

In Isny-Neutrauchburg :

🏠 **Terrassenhotel Isnyland** 🌙, Dengeltshofer Hang 290, ☎ 20 45, ≤, 🌳, ≘s – [TV] ☎ 🏃
🚗 🅿 🏛. [AE] ⓓ [E] [VISA]
Karte 30/58 *(auch vegetarische Gerichte)* (wochentags nur Abendessen, Freitag und Mitte Okt.- Mitte Nov. geschl.) – **25 Z : 44 B** 67 - 114/122 Fb.

🍴🍴 Schloßgasthof Sonne mit Zim, Schloßstr. 7, ☎ 32 73, 🌳 – 🅿
6 Z : 10 B.

An der Straße nach Maierhöfen S : 2 km :

🏠 **Gasthof zur Grenze**, Schanz 103, ✉ 8999 Maierhöfen, ☎ (07562) 36 45, ≤, 🌳, « Rustikale Einrichtung », ≘s, 🌲 – ☎ 🚗 🅿
Mitte Nov.- Mitte Dez. geschl. – Karte 28/52 *(Dienstag geschl.)* – **14 Z : 26 B** 50/65 - 110.

Außerhalb NW : 6,5 km über Neutrauchburg :

Berghotel Jägerhof ⛰, ✉ 7972 Isny, ☎ (07562) 7 70, Telex 7321511, Fax 77252, ≤ Allgäuer Alpen, 🍴, Massage, ≘s, 🏊, 🌳, 🎾, ⛷ – |♦| 📺 [P] 🚌. [AE] [O] [E] [VISA]
Karte 35/68 – **64 Z : 120 B** 95/170 - 160/240 Fb.

Siehe auch : *Argenbühl*

ISSELBURG **4294.** Nordrhein-Westfalen [408] ⑳ – 9 500 Ew – Höhe 23 m – ☎ 02874.

⛳18 Isselburg-Anholt, Am Schloß 3, ☎ 34 44.

♦Düsseldorf 87 – Arnhem 46 – Bocholt 13.

In Isselburg 2-Anholt NW : 3,5 km :

Parkhotel Wasserburg Anholt ⛰, Klever Straße, ☎ 20 44, ≤, 🍴, Schloßmuseum, « Wasserschloß a.d. 17. Jh., Park », Fahrradverleih – |♦| 🚗 [P] 🚌. [O] [E] [VISA]. ⚘ Rest
Restaurants : – **Grillroom** Karte 55/85 – **Treppchen** *(Montag geschl.)* Karte 35/60 – **28 Z : 49 B** 110/220 - 150/320 Fb.

Legeland, Gendringer Str. 1, ☎ 8 37 – [P]
1.- 28. März geschl. – Karte 26/48 *(Montag - Dienstag 17 Uhr geschl.)* – **9 Z : 14 B** 30/40 - 55/70.

ITTLINGEN **6921.** Baden-Württemberg [413] J 19 – 1 800 Ew – Höhe 154 m – ☎ 07266.

♦Stuttgart 83 – Heilbronn 32 – ♦Karlsruhe 56 – ♦Mannheim 57.

🍴🍴 Hammberger Hof, Reihener Str. 60 (in der Reithalle), ☎ 86 36, 🍴 – [P].

ITZEHOE **2210.** Schleswig-Holstein [987] ⑤ – 32 000 Ew – Höhe 7 m – ☎ 04821.

♦Kiel 69 – ♦Bremerhaven 97 – ♦Hamburg 57 – ♦Lübeck 87 – Rendsburg 44.

Gästehaus Hinsch ⛰ garni, Schillerstr. 27, ☎ 7 40 51, 🌳 – ☎ [P]. [E]
22. Dez.- 8. Jan. geschl. – **16 Z : 24 B** 65/85 - 85/110.

Zum Nesselblatt, Sandberg 56, ☎ 31 54 – ☎
Karte 23/59 *(nur Abendessen, Samstag, 15. Feb.- 1. März und 15. Sept. - 1. Okt. geschl.)* – **6 Z : 10 B** 55/70 - 90.

An der Straße nach Lägerdorf SO : 3 km :

🍴🍴 **Jagdhaus Amönenhöhe**, Breitenburger Weg, ✉ 2210 Itzehoe-Breitenburg, ☎ (04821) 98 68, 🍴 – [P]. [AE] [O] [E] [VISA]
Karte 32/80.

In Oelixdorf 2210 O : 3,5 km :

Auerhahn ⛰, Horststr. 31a, ☎ (04821) 9 10 61 – 📺 ☎ [P]
Karte 23/47 – **14 Z : 23 B** 60 - 90.

ITZELBERG Baden-Württemberg siehe Königsbronn.

JAGDHAUS Nordrhein-Westfalen siehe Schmallenberg.

JAGSTHAUSEN **7109.** Baden-Württemberg [413] L 19, [987] ㉕ – 1 400 Ew – Höhe 212 m – Erholungsort – ☎ 07943 (Schöntal).

Ausflugsziel : Ehemalige Abtei Schöntal : Kirche★ (Alabasteraltäre★★), Ordenssaal★ NO : 6 km.

[i] Verkehrsverein, Schloßstr. 12, ☎ 22 95.

♦Stuttgart 82 – Heilbronn 40 – ♦Würzburg 80.

Burghotel Götzenburg ⛰, ☎ 22 22, Fahrradverleih – [P] 🚌
nur Saison – **15 Z : 29 B** Fb.

Zur Krone, Brückenstr. 1, ☎ 23 97 – 🚗 [P]. ⚘ Zim – **11 Z : 18 B.**

JESTEBURG **2112.** Niedersachsen – 8 000 Ew – Höhe 25 m – Luftkurort – ☎ 04183.

♦Hannover 126 – ♦Hamburg 34 – Lüneburg 39.

Niedersachsen, Hauptstr. 60, ☎ 20 43, Telex 2189783, ≘s, 🏊, 🌳 – |♦| 📺 ☎ [P] 🚌. [AE] [O] [E] [VISA]
20.- 24. Dez. geschl. – Karte 26/62 – **38 Z : 70 B** 53/95 - 96/168 Fb – P 79/119.

Parkhotel Jesteburg ⛰, Am alten Moor 2, ☎ 20 51, Telex 2189703, ≘s, 🌳 – 📺 ☎ [P] 🚌. [AE] [O] [E] [VISA]
Karte 33/60 – **27 Z : 48 B** 94 - 140 Fb.

Jesteburger Hof, Kleckerwaldweg 1, ☎ 20 08 – ☎ [P]. [AE] [E] [VISA]
Karte 23/45 – **16 Z : 30 B** 33/48 - 65/81 – P 48/63.

In Asendorf 2116 SO : 4,5 km :

Zur Heidschnucke ⛰, Im Auetal 14, ☎ (04183) 20 94, Telex 2189781, 🍴, ≘s, 🏊, 🌳 – |♦| 📺 ♿ [P] 🚌. [AE] [O] [E] [VISA]
Karte 32/76 – **50 Z : 100 B** 93/109 - 162/210 Fb.

[JESTETTEN] 7893. Baden-Württemberg [413] I 24, [427] ⑥, [216] ⑦ – 4 200 Ew – Höhe 438 m – Erholungsort – ☎ 07745.

♦Stuttgart 174 – Schaffhausen 8 – Waldshut-Tiengen 34 – Zürich 42.

Zum Löwen (Gasthof a.d. 18. Jh.), Hauptstr. 22, ✆ 73 01 – 🚗 [P]
Feb. geschl. – Karte 21/47 *(Freitag geschl.)* – **10 Z : 20 B** 32/42 - 56.

[JEVER] 2942. Niedersachsen [987] ④ – 12 600 Ew – Höhe 10 m – ☎ 04461.

[i] Verkehrsbüro, Alter Markt, ✆ 75 75 34.

♦Hannover 229 – Emden 59 – ♦Oldenburg 59 – Wilhelmshaven 18.

Friesen-Hotel garni, Harlinger Weg 1, ✆ 25 00 – ☎ 🚗 [P]. 🐕
34 Z : 50 B.

Stöber garni, Hohnholzstr. 10, ✆ 55 80, 🌳 – [P]. 🐕
12 Z : 20 B 32/55 - 64/84.

Pellmühle garni, Mühlenstr. 55 (B 210), ✆ 28 00 – [P]
19 Z : 36 B Fb.

🍴 **Haus der Getreuen**, Schlachtstr. 1, ✆ 30 10 – [P]. [AE] [D] [E] [VISA]
Karte 27/58.

[JOHANNESBERG] Bayern siehe Aschaffenburg.

[JORK] Niedersachsen siehe Buxtehude.

[JÜLICH] 5170. Nordrhein-Westfalen [987] ㉓ – 30 100 Ew – Höhe 78 m – ☎ 02461.

♦Düsseldorf 55 – ♦Aachen 26 – ♦Köln 53.

Kaiserhof, Bahnhofstr. 5, ✆ 40 66 – [TV] ☎ 🚗 [P] 🏛. [AE] [D] [E] [VISA]
Karte 42/67 *(Montag geschl.)* – **26 Z : 36 B** 75/110 - 130/155 Fb.

Stadthotel garni, Kölnstr. 5, ✆ 24 08
26 Z : 42 B 50/85 - 85/120.

[JUHÖHE] Hessen siehe Mörlenbach.

[JUIST (Insel)] 2983. Niedersachsen [987] ③ – 1 600 Ew - Insel der ostfriesischen Inselgruppe, Autos nicht zugelassen – Seeheilbad – ☎ 04935.

⛴ von Norddeich (ca. 1 h 15 min), ✆ 18 02 24.

[i] Kurverwaltung, Rathaus, ✆ 4 91.

♦Hannover 272 – Aurich/Ostfriesland 31 – Emden 35.

Achterdiek, Wilhelmstr. 36, ✆ 10 25, ⛱, ♨, 🌳 – 🏛. 🐕 Rest
10. Jan.- 15. März und Nov.- 20. Dez. geschl. – Karte 47/80 – **34 Z : 65 B** 95/125 - 190/240 Fb – P 155/175.

Pabst, Strandstr. 15, ✆ 10 14, Telex 27229, Massage, ♨, 🌳 – [lift] [TV] ☎. [AE] [E]. 🐕 Rest
1.- 20. Dez. geschl. – Karte 32/62 – **50 Z : 100 B** 98/140 - 196/250 Fb – 3 Appart. 376 – P 133/175.

Nordsee Hotel Freese - Hubertus Klause, Wilhelmstr. 60, ✆ 10 81, Telex 27222, ♨, 🏊, 🌳, Windsurfingschule – ☎. 🐕 Rest
10. Jan.- 15. März und 15. Nov.- 25. Dez. geschl. – Karte 21/50 – **90 Z : 180 B** 101/230 - 186/288 Fb – 10 Appart. 250/370 – 5 Fewo 125/220 – P 140/189.

Friesenhof, Strandstr. 21, ✆ 10 87 – [lift] ☎. 🐕
20. März - 15. Okt. – Karte 31/65 *(auch vegetarische Gerichte)* – **84 Z : 137 B** 73/143 - 126/206 – P 88/148.

Westfalenhof, Friesenstr. 24, ✆ 10 09 – [TV] ☎. 🐕 Rest
(Restaurant nur für Pensionsgäste) – **30 Z : 50 B.**

[JULIERS] = Jülich.

[JUNGHOLZ IN TIROL] 8965. (über Wertach). [413] O 24, [426] ⑮ – Österreichisches Hoheitsgebiet, wirtschaftlich der Bundesrepublik Deutschland angeschlossen. Deutsche Währung – 280 Ew – Höhe 1 058 m – Wintersport : 1 150/1 600 m ⛷6 ⛷3 – ☎ 08365 (Wertach).

[i] Fremdenverkehrsverband, Rathaus, ✆ 81 20.

Füssen 31 – Kempten (Allgäu) 31 – Immenstadt im Allgäu 25.

Kur- und Sporthotel Tirol, ✆ 81 05, ≤ Sorgschrofen und Allgäuer Berge, ⛱, Bade- und Massageabteilung, ⛹, ♨, 🏊 – [lift] [TV] ♿ 🚗 [P] 🏛. 🐕 Rest
Nov.- 15. Dez. geschl. – Karte 31/56 – **96 Z : 170 B** 96/141 - 178/236 Fb.

Sporthotel Waldhorn, ✆ 81 35, ≤, ⛱, Massage, ♨, 🏊, 🌳, 🎾 – [TV] ☎ 🚗 [P]. [D]
Nov.-15. Dez. geschl. – Karte 22/50 – **33 Z : 62 B** 63/100 - 126/146 Fb – P 97/105.

🏨 **Sportshotel Adler** 🐦, ☎ 81 02, ←, 🌳, [Sauna], [Pool], ☀ – [Lift] ☎ [P]
Nov.- 15. Dez. geschl. – Karte 24/52 – **49 Z : 95 B** 29/95 - 60/136 Fb – P 58/97.

🏨 **Alpenhof** 🐦, ☎ 81 14, ←, 🌳, [Sauna], ☀ – [TV] ☎ [P]
2. April - 6. Mai und 29. Okt.- 10. Dez. geschl. – Karte 22/54 – **30 Z : 70 B** 50/70 - 100/110 Fb – 14 Appart. 130/150 – P 75/95.

🏨 Sorgschrofen 🐦, ☎ 81 04, ←, 🌳 – [P]
12 Z : 25 B Fb.

KAARST Nordrhein-Westfalen siehe Neuss.

KÄLBERBRONN Baden-Württemberg siehe Pfalzgrafenweiler.

KÄMPFELBACH **7539.** Baden-Württemberg [413] I J 20 – 5 500 Ew – Höhe 196 m – ☎ 07232 (Königsbach-Stein).
♦Stuttgart 63 – ♦Karlsruhe 25 – Pforzheim 10.

In Kämpfelbach-Bilfingen :

🏨 **Langer** 🐦, Talstr. 9, ☎ 24 77, 🌳 – [TV] ☎ ♿ 🚗 [P]. [AE] [D] [E] [VISA]
Karte 25/60 🍷 – **24 Z : 45 B** 35/85 - 60/180 Fb.

KAHL AM MAIN **8756.** Bayern [413] K 16 – 7 600 Ew – Höhe 107 m – ☎ 06188.
♦München 369 – Aschaffenburg 16 – ♦Frankfurt am Main 33.

🏨 **Zeller**, Aschaffenburger Str. 2 (B 8), ☎ 8 12 22, Fax 71221, [Sauna], ☀ – [TV] ☎ [P] 🎤. [AE] [E]
Karte 31/53 *(Samstag bis 18 Uhr, Sonntag und 26. Dez.- 6. Jan. geschl.)* – **56 Z : 81 B** 80 - 126 Fb.

🏨 Mainlust garni, Aschaffenburger Str. 12 (B 8), ☎ 20 07 – ☎
13 Z : 22 B.

KAISERSBACH **7061.** Baden-Württemberg [413] L 20 – 2 100 Ew – Höhe 565 m – Erholungsort – ☎ 07184.
♦Stuttgart 48 – Heilbronn 53 – Schwäbisch Gmünd 50.

🏠 Rössle, Hauptstr. 19, ☎ 20 12, [Sauna] – 🚗 [P]
25 Z : 42 B.

In Kaisersbach-Ebni SW : 3 km :

🏨 **Landhotel Hirsch** 🐦, am Ebnisee, ☎ 29 20, Telex 7246726, 🌳, Gallus-Therme mit Kneipp- und Massageabteilung, [Sauna], [Pool], ☀, 🎾, Fahrradverleih – [Lift] [TV] [P] 🎤. ✗ Rest
Restaurants : – **Hirschstube und Flößerstube** *(Sonntag 15 Uhr - Montag 18 Uhr und 9. Jan.- 23. Feb. geschl.)* Karte 44/101 – **53 Z : 90 B** (½ P) 155/210 - 250/400 Fb – 3 Appart. 520 (½ P).

KAISERSESCH **5443.** Rheinland-Pfalz – 2 500 Ew – Höhe 455 m – ☎ 02653.
Mainz 134 – Cochem 14 – ♦Koblenz 43 – Mayen 18.

🏠 **Zur Post**, Balduinstr. 1, ☎ 35 54 – 🚗. ✗ Zim
◆ Karte 16/32 *(Montag geschl.)* 🍷 – **15 Z : 23 B** 26/35 - 52/70.

KAISERSLAUTERN **6750.** Rheinland-Pfalz [413] G 18, [987] ㉔, [242] ④ – 104 000 Ew – Höhe 234 m – ☎ 0631.
[i] Verkehrs- und Informationsamt, Rathaus, ☎ 85 23 16.
ADAC, Altstadt-Parkhaus, Salzstraße, ☎ 6 30 81, Telex 45849.
Mainz 90 ① – ♦Karlsruhe 92 ② – ♦Mannheim 61 ① – ♦Saarbrücken 70 ③ – ♦Trier 115 ③.

Stadtplan siehe nächste Seiten.

🏨 **Dorint-Hotel Kaiserslautern**, St.-Quentin-Ring 1, ☎ 2 01 50, Telex 45614, Fax 27640, 🌳, Massage, [Sauna], [Pool], ☀ – [Lift] [TV] 🚗 [P] 🎤 (mit [Bildschirm]). [AE] [D] [E]. ✗ Rest über Kantstr. D
Karte 36/68 – **150 Z : 220 B** 138 - 188 Fb.

🏨 **City-Hotel** garni, Rosenstr. 28, ☎ 1 30 25, [Sauna], [Pool] – [Lift] ☎ C **t**
18 Z : 33 B 79 - 109.

🏨 Blechhammer 🐦, Am Hammerweiher 1, ☎ 7 00 71, 🌳 – ☎ [P] 🎤
27 Z : 50 B Fb. über Blechhammerweg A

🏨 **Schweizer Stuben**, Königstr. 9, ☎ 1 30 88 – ☎ 🚗. ✗ Zim C **s**
Juli 3 Wochen geschl. – Karte 24/59 *(Sonntag ab 15 Uhr geschl.)* – **11 Z : 16 B** 64/75 - 98.

🏨 Altstadt-Hotel garni, Steinstr. 51, ☎ 6 30 84, [Sauna] – ☎ CD **r**
12 Z : 21 B.

🏨 **Zepp** garni, Pariser Str. 4, ☎ 7 36 60 – [P]. [AE] [D] [E] [VISA] C **x**
20. Dez.- 6. Jan. geschl. – **55 Z : 80 B** 37/60 - 68/88.

Fortsetzung →

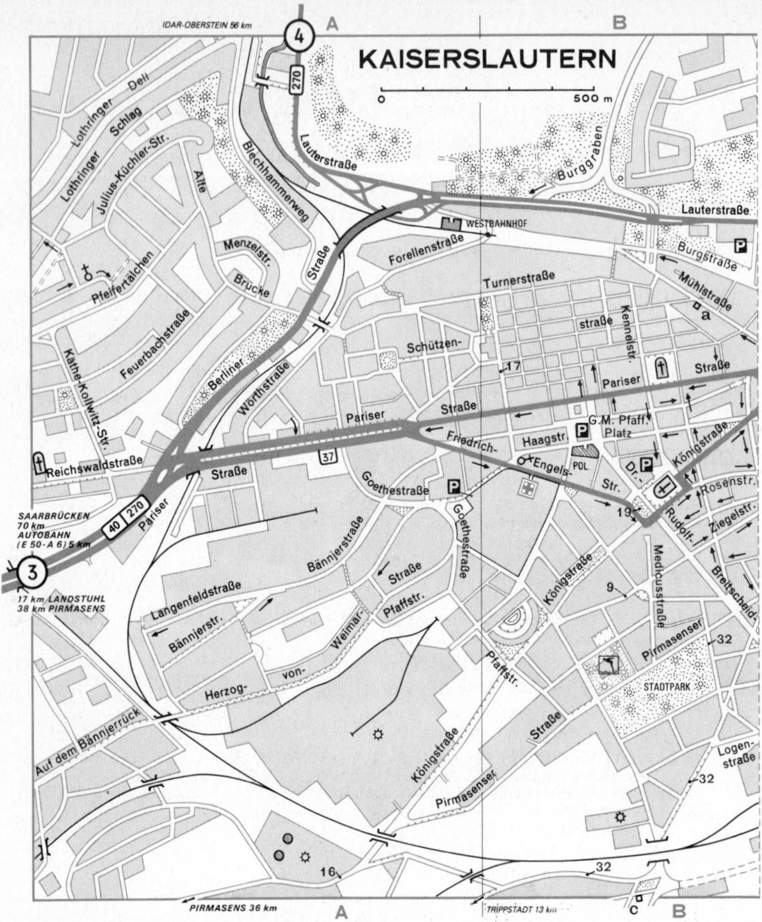

🏨 **Altes Zollamt**, Buchenlochstr. 1, ✆ 1 60 16 – ☎ B **e**
Karte 20/42 *(Samstag sowie Sonn- und Feiertage geschl.)* 🐕 – **12 Z : 22 B** 75/82 - 98/108.

🏨 **Lautertalerhof** garni, Mühlstr. 31, ✆ 7 30 31 – TV ☎. AE ⊕ B **a**
24 Z : 30 B 61 - 104.

🏨 **Pommerscher Hof** 🐕 garni, Stahlstr. 12, ✆ 4 01 80 – 🚗. AE E D **z**
16 Z : 23 B 34/64 - 68/82 Fb.

🏨 **Bonk** garni, Riesenstr. 13, ✆ 6 50 23 – 🛗 ☎ Ⓟ C **c**
18. Dez.- 12. Jan. geschl. – **29 Z : 37 B** 53/75 - 83/105.

✕✕ **Haus Hexenbäcker**, Mühlstr. 1 (1. Etage), ✆ 7 29 20 – E C **x**
Sonn- und Feiertage geschl. – Karte 32/57.

✕✕ **La Pergola** (Italienische Küche), Steinstr. 26 (1. Etage), ✆ 6 82 60 – AE ⊕ E VISA C **u**
Karte 25/47.

✕✕ ✿ **Uwe's Tomate** (modernes Restaurant im Bistro-Stil), Schillerplatz 4, ✆ 9 34 06, 🍽 – E
Sonntag geschl. – Karte 47/73 C **a**
Spez. Piccata vom Seeteufel, Kalbsbries mit zwei Saucen, Gefüllte Biskuitkugel mit Früchten.

✕ Rathaus-Restaurant, im Rathaus (21. Etage, 🛗), ✆ 6 89 71, ≤ C **R**

Benachrichtigen Sie sofort das Hotel,
wenn Sie ein bestelltes Zimmer nicht belegen können.

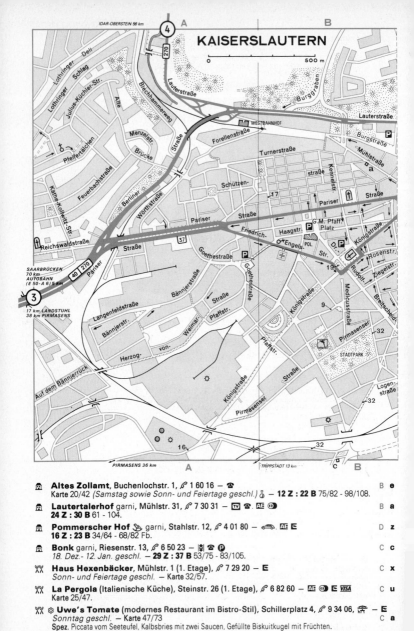

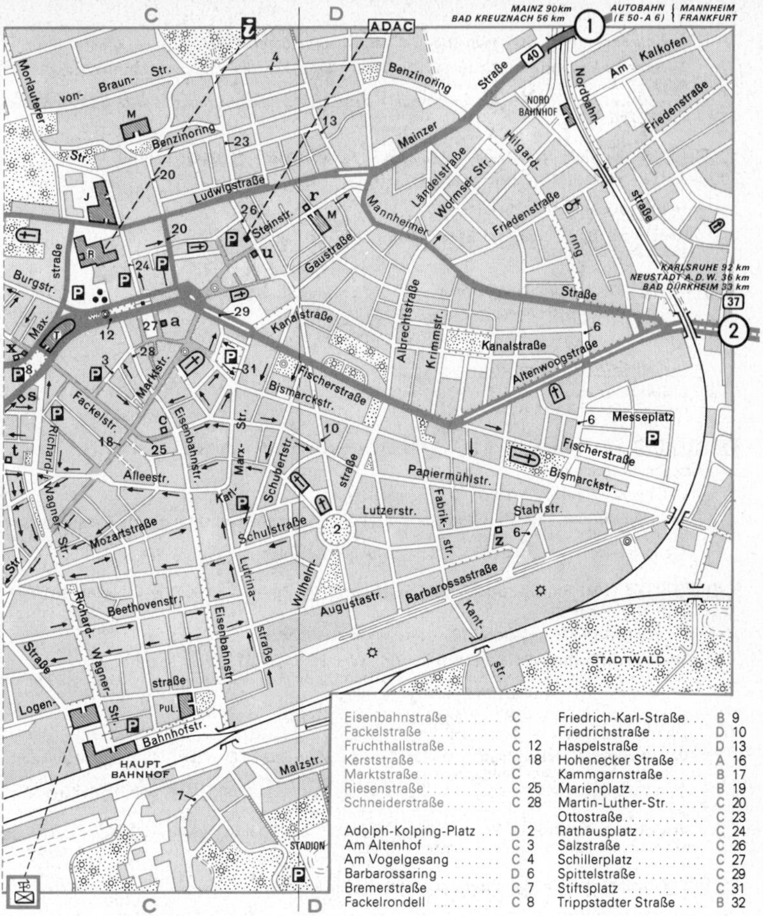

Eisenbahnstraße	C		Friedrich-Karl-Straße	B	9
Fackelstraße	C		Friedrichstraße	D	10
Fruchthallstraße	C	12	Haspelstraße	D	13
Kerststraße	C	18	Hohenecker Straße	A	16
Marktstraße	C		Kammgarnstraße	B	17
Riesenstraße	C	25	Marienplatz	B	19
Schneiderstraße	C	28	Martin-Luther-Str.	C	20
			Ottostraße	C	23
Adolph-Kolping-Platz	D	2	Rathausplatz	C	24
Am Altenhof	C	3	Salzstraße	C	26
Am Vogelgesang	C	4	Schillerplatz	C	27
Barbarossaring	D	6	Spittelstraße	C	29
Bremerstraße	C	7	Stiftsplatz	C	31
Fackelrondell	C	8	Trippstadter Straße	B	32

In Kaiserslautern 31 - Dansenberg SW : 6 km über Hohenecker Str. A :

XX **Landhaus Woll** mit Zim, Dansenberger Str. 64, ✆ 5 16 02, « Elegant-rustikale Einrichtung » – Ⓟ. AE ⓓ E. ✻
Karte 32/69 *(Dienstag geschl.)* ♨ – **8 Z : 16 B** 36/40 - 72/80.

In Kaiserslautern 27-Morlautern N : 3,5 km über Morlauterer Str. C :

⌂ **Zum Hasselberg**, Otterbacher Str. 11, ✆ 7 27 84 – Ⓟ. AE
Karte 24/45 *(nur Abendessen, 1.- 9. Jan. geschl.)* ♨ – **26 Z : 47 B** 42/48 - 76/85 Fb.

KALBACH Hessen siehe Neuhof.

KALKAR 4192. Nordrhein-Westfalen 987 ⑬ – 11 300 Ew – Höhe 18 m – ☎ 02824.
Sehenswert : Nikolaikirche (Ausstattung★★).
♦Düsseldorf 83 – Nijmegen 35 – Wesel 35.

⌂ **Siekmann**, Kesselstr. 32, ✆ 23 05, ≘s, ▣, Fahrradverleih – ☎ ⇔. E
Karte 18/40 *(Mittwoch geschl.)* – **20 Z : 28 B** 40/45 - 80/90.

⌂ **Marktklause**, Am Markt 6, ✆ 22 52
Karte 17/42 *(Donnerstag geschl.)* – **16 Z : 28 B** 40/45 - 70.

XXX **Ratskeller**, Markt 20, ✆ 24 60, « Ziegelgewölbe a. d. 15. Jh. »
Sonntag 15 Uhr - Montag geschl. – Karte 40/66.

In Kalkar-Kehrum SO : 6 km über Gocher Str. und Römerstraße :

🏨 **Landhaus Beckmann**, Uedemer Str. 104, ℘ 20 88, Fax 2392, 🌳, 🏞, Fahrradverleih – ☎ ♿ [P] 🏔. [AE] [D] [E] [VISA]
23.- 30. Dez. und 19. Juni - 4. Juli geschl. – Karte 22/44 *(Dienstag geschl.)* – **22 Z : 31 B** 66/75 - 102/120 Fb.

[KALL] 5370. Nordrhein-Westfalen – 9 800 Ew – Höhe 377 m – ☎ 02441.
♦Düsseldorf 92 – ♦Aachen 62 – Euskirchen 23 – ♦Köln 54.

In Kall-Sistig SW : 8 km :

🏨 Haus West, Schleidener Str. 24, ℘ (02445) 72 45, 🌳, 🏞 – [P]
15 Z : 30 B.

[KALLETAL] 4925. Nordrhein-Westfalen – 16 000 Ew – Höhe 200 m – ☎ 05264.
[i] Verkehrsbüro, Rintelner Str. 8 (Hohenhausen), ℘ 2 50.
♦Düsseldorf 209 – ♦Hannover 77 – ♦Osnabrück 87 – Paderborn 50.

In Kalletal-Hohenhausen :

🍴 **Lippischer Hof** mit Zim, Rintelner Str. 2 (B 238), ℘ 91 27 – [P]
Karte 23/38 – **8 Z : 16 B** 35/45 - 70/90.

[KALLMÜNZ] 8411. Bayern [413] S 19 – 2 600 Ew – Höhe 344 m – ☎ 09473.
Sehenswert : Burgruine : ≤★.
♦München 151 – Amberg 37 – ♦ Nürnberg 80 – ♦ Regensburg 28.

🍴 **Zum Goldenen Löwen** (Gasthaus a.d. 17. Jh., originelle Einrichtung), Alte Regensburger Str. 18, ℘ 3 80, « Hofterrasse » – 🚫
Montag geschl. – Karte **29**/43 (Tischbestellung erforderlich).

[KALLSTADT] 6701. Rheinland-Pfalz [413] H 18, [242] ④, [57] ⑩ – 1 000 Ew – Höhe 196 m – ☎ 06322 (Bad Dürkheim).
Mainz 69 – Kaiserslautern 37 – ♦Mannheim 26 – Neustadt an der Weinstraße 18.

🍴🍴 **Weincastell zum Weißen Roß** mit Zim, Weinstr. 80, ℘ 50 33, nur Eigenbauweine – ☎
Jan.- Feb. 4 Wochen und Juli - Aug. 1 Woche geschl. – Karte 47/76 *(Donnerstag - Freitag 18 Uhr geschl.)* 🍷 – **14 Z : 28 B** 60/75 - 100/160.

🍴🍴 **Breivogel**, Neugasse 59 (1. Etage), ℘ 6 11 08 – [P]. [AE]
Donnerstag geschl. – Karte 27/58 🍷.

🍴🍴 **Gutsschänke Henninger**, Weinstr. 101, ℘ 34 69/6 34 69, 🌳, nur Eigenbauweine, « Restaurant in einem Gewölbekeller »
Montag - Freitag nur Abendessen, Dienstag und Mitte Jan.- Mitte Feb. geschl. – Karte 29/51 🍷.

🍴 **Weinhaus Henninger**, Weinstr. 93, ℘ 22 77, 🌳, nur Eigenbauweine – [P]
Montag und 20. Dez.- 7. Jan. geschl. – Karte 27/53.

[KALMIT] Rheinland-Pfalz. Sehenswürdigkeit siehe Maikammer.

[KALTENBORN] Rheinland-Pfalz siehe Adenau.

[KALTENKIRCHEN] 2358. Schleswig-Holstein [987] ⑤ – 11 300 Ew – Höhe 30 m – ☎ 04191.
⛳18 Kisdorferwohld (O : 13 km), ℘ (04194) 3 83.
♦Kiel 61 – ♦Hamburg 39 – Itzehoe 40 – ♦Lübeck 63.

🏨 **Kaltenkirchener Hof**, Alvesloher Str. 2, ℘ 78 61, Telex 2180296 – [TV] ☎ 🚗 [P] 🏔. [AE] [D] [E] [VISA]
15. Dez.- 15. Jan. geschl. – Karte 27/50 *(nur Abendessen, Samstag - Sonntag geschl.)* – **26 Z : 52 B** 57/60 - 94/100.

🍴 **Kleiner Markt** mit Zim, Königstr. 7, ℘ 21 05, Biergarten – ☎ [P]. 🚫 Zim
Karte 24/44 *(Samstag und Jan. 3 Wochen geschl.)* – **7 Z : 14 B** 55 - 85.

[KAMEN] 4708. Nordrhein-Westfalen [987] ⑭ – 46 000 Ew – Höhe 62 m – ☎ 02307.
Siehe Ruhrgebiet (Übersichtsplan).
[i] Heimat- und Verkehrsverein, Markt 1, ℘ 14 84 59.
♦Düsseldorf 91 – ♦Dortmund 25 – Hamm in Westfalen 15 – Münster (Westfalen) 48.

🏨 Stadt Kamen, Markt 11, ℘ 77 02, « Elegantes Restaurant » – ▤ Rest [TV] ☎
14 Z : 23 B Fb.

🏨 **Gambrinus**, Ängelholmer Str. 16, ℘ 1 04 46, 🏊 – [TV] 🚗 [P]
Karte 26/40 *(wochentags nur Abendessen, Sonn- und Feiertage nur Mittagessen, Mittwoch und Juni - Juli 3 Wochen geschl.)* – **12 Z : 24 B** 33/55 - 60/110.

KAMP-BORNHOFEN 5424. Rheinland-Pfalz [987] ㉔ – 2 000 Ew – Höhe 80 m – ✆ 06773.
Ausflugsziel : "Feindliche Brüder" Burg Sterrenberg und Burg Liebenstein <**.
[i] Verkehrsamt, Rheinuferstr. 34, ✆ 3 60.
Mainz 76 – ♦Koblenz 24 – Lorch 28.

🏠 **Rheinpavillon**, Rheinuferstr. 65b (B 42), ✆ 3 37, <, 🍴 – [P]. [AE] [D] [E] [VISA]
Nov.- März nur an Wochenenden geöffnet – Karte 22/39 🍷 – **9 Z : 16 B** 45/70 - 80 Fb.

KAMPEN Schleswig-Holstein siehe Sylt (Insel).

KAMP-LINTFORT 4132. Nordrhein-Westfalen [987] ⑬ – 39 400 Ew – Höhe 28 m – ✆ 02842.
Siehe Ruhrgebiet (Übersichtsplan).
♦Düsseldorf 44 – ♦Duisburg 24 – Krefeld 24.

🏠 **Niederrhein**, Neuendickstr. 96, ✆ 21 04, Telex 812406, « Gartenterrasse an einem Teich », ♨, 🏊 (geheizt), 🏊, 🌳, 🎾 – [lift] [TV] 🚗 [P] 🏛. [AE] [D] [E] [VISA]. 🚫
Karte 36/82 – **42 Z : 74 B** 98/185 - 175/230 Fb.

In Kamp-Lintfort 13 - Hörstgen W : 6 km :

🏠 **Zur Post**, Dorfstr. 29, ✆ 46 96, Fahrradverleih – [TV] ☎ [P]. [AE] [D] [E] [VISA]
Karte 41/82 – **17 Z : 31 B** 75 - 125 Fb.

KANDEL Baden-Württemberg siehe Waldkirch.

KANDEL 6744. Rheinland-Pfalz [418] H 19, [987] ㉔, [242] ⑫ – 7 800 Ew – Höhe 128 m – ✆ 07275.
Mainz 140 – ♦Karlsruhe 20 – Landau in der Pfalz 15 – Speyer 36 – Wissembourg 22.

🏠 **Zur Pfalz**, Marktstr. 57, ✆ 50 21 – [lift] [TV] ☎ ♿ [P] 🏛. [AE] [D] [E] [VISA]
Karte 31/55 *(Montag bis 17 Uhr geschl.)* 🍷 – **44 Z : 76 B** 59/65 - 96/110 Fb.

🏠 **Zum Rössel** (restauriertes Fachwerkhaus a.d.J. 1761), Bahnhofstr. 9a, ✆ 50 01, Biergarten – [TV] ☎
28. Dez.- 10. Jan. geschl. – Karte 30/50 *(Donnerstag geschl.)* 🍷 – **11 Z : 20 B** 52 - 88.

KANDERN 7842. Baden-Württemberg [413] FG 23, [987] ㉞, [427] ④ – 6 500 Ew – Höhe 352 m – ✆ 07626.
⛳ Am Siedlungshof, ✆ 86 90 – [i] Städt. Verkehrsamt, Hauptstr. 18, ✆ 70 29.
♦Stuttgart 252 – Basel 21 – ♦Freiburg im Breisgau 56 – Müllheim 15.

🏠 **Zur Weserei**, Hauptstr. 70, ✆ 4 45, ♨, 🌳 – [lift] [TV] ☎ [P]. [AE]
Karte 32/64 *(Montag, Feb. 2 Wochen, Juni 1 Woche und Nov. 3 Wochen geschl.)* 🍷 – **25 Z : 40 B** 48/90 - 86/146.

In Malsburg-Marzell 7841 NO : 4 km :

🍴🍴 **Uli's Landgasthof**, Hauptstr. 49 (Malsburg), ✆ (07626) 84 24 – [P]
Montag 14 Uhr - Dienstag geschl. – Karte **26**/66 🍷.

KAPFENHARDT Baden-Württemberg siehe Unterreichenbach.

KAPPEL Baden-Württemberg siehe Lenzkirch.

KAPPEL (Wallfahrtskirche) Bayern. Sehenswürdigkeit siehe Waldsassen.

KAPPELN 2340. Schleswig-Holstein [987] ⑤ – 12 100 Ew – Höhe 15 m – ✆ 04642.
♦Kiel 58 – Flensburg 48 – Schleswig 32.

🏠 Thomsen's Motel garni, Theodor-Storm-Str. 5, ✆ 10 52 – [TV] [P] – **23 Z : 50 B**.

KAPPELRODECK 7594. Baden-Württemberg [418] H 21, [87] ④, [242] ⑳ – 5 500 Ew – Höhe 219 m – Erholungsort – ✆ 07842.
[i] Verkehrsamt, Hauptstraße (Rathaus), ✆ 20 25.
♦Stuttgart 132 – Baden-Baden 38 – Freudenstadt 40 – Offenburg 31.

🏠 **Zum Prinzen**, Hauptstr. 86, ✆ 20 88 – [lift] ☎ [P] 🏛. [AE] [D] [E] [VISA]
9.- 25. Jan. geschl. – Karte **29**/51 *(Montag und Juni - Juli 3 Wochen geschl.)* 🍷 – **14 Z : 26 B** 55/62 - 86/90 Fb – P 75/92.

🏠 **Hirsch**, Kriegerstr. 24, ✆ 21 90 – ☎ 🚗 [P]. 🚫 Zim
Mitte Nov.- Mitte Dez. geschl. – Karte 22/39 *(Montag geschl.)* 🍷 – **18 Z : 30 B** 36/45 - 72/90 – P 54/63.

🍴 **Zur Linde**, Marktplatz 112, ✆ 22 61 – [P]
15. Nov.- 15. Dez. geschl. – Karte 21/40.

In Kappelrodeck-Waldulm SW : 2,5 km :

🍴 **Zum Rebstock** mit Zim, Kutzendorf 1, ✆ 36 85, 🍴, eigener Weinbau – [P]
28. Nov.- 25. Dez. geschl. – Karte **25**/42 *(Montag geschl.)* 🍷 – **6 Z : 12 B** 30 - 60 – P 44.

KARBEN 6367. Hessen 413 J 16 – 20 000 Ew – Höhe 160 m – ☎ 06039.
♦Wiesbaden 54 – ♦Frankfurt am Main 20 – Gießen 47.

In Karben 1-Groß Karben :

Quellenhof ⅀, Brunnenstr. 7 (beim Bahnhof Kloppenheim), ✆ 33 04, Telex 4102006, 🏞, ≘s, ⚲ (Halle) – |$| TV ☎ P 🅰
19 Z : 34 B Fb.

X **Zuem Strissel** (Elsässische Küche), Bahnhofstr. 10, ✆ 39 17 – P. AE ⓘ E VISA
Samstag bis 18 Uhr, Montag, 7.- 20. Feb. und 8.- 29. Aug. geschl. – Karte 28/55 (Tischbestellung ratsam).

KARLSBAD 7516. Baden-Württemberg 413 I 20 – 13 500 Ew – Höhe 245 m – ☎ 07202.
♦Stuttgart 69 – ♦Karlsruhe 17 – Pforzheim 19.

In Karlsbad-Auerbach :

Hirsch, Hailerstr. 4, ✆ 89 54 – ☎ P
29 Z : 55 B.

In Karlsbad-Spielberg :

X Turmfalke ⅀ mit Zim, Im Obern Berg 3 (am Wasserturm), ✆ 64 66, ≤, 🏞 – P
5 Z : 7 B.

KARLSDORF-NEUTHARD Baden-Württemberg siehe Bruchsal.

KARLSFELD 8047. Bayern 413 R 22 – 14 500 Ew – Höhe 490 m – ☎ 08131.
♦ München 14 – ♦ Augsburg 58.

In Karlsfeld-Rotschwaige NW : 2 km .

Hubertus, Münchner Str. 7, ✆ 9 80 01, Telex 526659, 🏞, ≘s, 🏊, 🌲 – |$| ☎ P 🅰. AE ⓘ E VISA
Karte 27/54 – **76 Z : 140 B** 85/95 - 125/140.

KARLSHAFEN, BAD 3522. Hessen 987 ⑮ – 4 300 Ew – Höhe 96 m – Soleheilbad – ☎ 05672.
Sehenswert : Hugenottenturm ≤★.
ℹ Kurverwaltung, Rathaus, ✆ 10 22.
♦Wiesbaden 276 – Göttingen 65 – Hameln 79 – ♦Kassel 47.

Zum Schwan ⅀ (Jagdschloß, um 1765 erbaut), Conradistr. 3, ✆ 10 44, 🏞, « Blumengarten, Rokoko-Zimmer » – |$| TV ☎ 🚗 🅰. AE ⓘ E VISA. ⚲ Rest
Jan.- 15. Feb. geschl. – Karte 30/56 – **32 Z : 55 B** 75/100 - 130/170 – P 100/135.

Parkhotel Haus Schöneck ⅀, C.-D.-Stunzweg 10, ✆ 20 66, 🏞, « Park », 🏊, 🌲 – |$| TV ☎ ♿ P 🅰
Karte 28/48 – **30 Z : 60 B** 70 - 124 Fb – P 95/103.

Am Kurpark, Brückenstr. 1, ✆ 18 50, ≤, 🏞 – ☎ P – **38 Z : 68 B** Fb.

Weserdampfschiff, Weserstr. 25, ✆ 24 25, ≤, 🏞 – 🚗 P
März - Okt. – Karte 20/44 ♨ – **15 Z : 22 B** 28/38 - 56/72.

KARLSRUHE 7500. Baden-Württemberg 413 HI 19, 20, 987 ㉕ – 267 000 Ew – Höhe 116 m – ☎ 0721.
Sehenswert : Staatliche Kunsthalle (Gemälde★★ altdeutscher Meister, Hans-Thoma-Gemäldesammlung★) EX **M1** – Schloß (Badisches Landesmuseum★: Türkenbeute★★) EX – Botanischer Garten (Gewächshäuser★) EX.
🚗 ✆ 4 10 37.
Karlsruher Kongreß- und Ausstellungs-GmbH (EY), Festplatz 3 (Ettlinger Straße/Hermann-Billing-Straße), ✆ 3 72 00.
ℹ Verkehrsverein, Bahnhofplatz 6, ✆ 3 55 30.
ℹ Stadt - Information, Karl-Friedrich-Str. 14, ✆ 1 33 34 55.
ADAC, Steinhäuserstr. 22, ✆ 8 10 40, Notruf ✆ 1 92 11.
♦Stuttgart 88 ④ – ♦Mannheim 71 ② – ♦Saarbrücken 143 ⑦ – Strasbourg 82 ⑤.

Stadtplan siehe nächste Seiten.

Ramada Renaissance Hotel, Mendelssohnplatz, ✆ 3 71 70, Telex 7825699, Fax 377156, ≘s – |$| ⇔ Zim ▤ TV ♿ P 🅰. AE ⓘ E VISA EY **a**
Restaurants: – **Zum Markgrafen** Karte 50/78 – **Zum Brigande** Karte 39/55 – **215 Z : 375 B** 205/255 - 275/335 Fb.

Schloßhotel, Bahnhofplatz 2, ✆ 35 40, Telex 7826746, Fax 354413 – |$| ⇔ Zim TV ♿ P 🅰. AE ⓘ E VISA EZ **a**
Restaurants: – **La Résidence** Karte 45/68 – **Schwarzwaldstube** Karte 31/53 – **96 Z : 130 B** 145/180 - 195/260 Fb.

Mövenpick-Hotel, Ettlinger Str. 23, ✆ 3 72 70, Telex 7825443, 🏞 – |$| ⇔ Zim ▤ Rest TV P 🅰 EY **t**
147 Z : 193 B Fb.

KARLSRUHE

Straße	Planquadrat	Nr.
Adenauerring	AT	
Allmendstraße	AV	5
Am Sportpark	BT	6
Am Wald	AT	9
Belchenstraße	AV	19
Breslauer Straße	BT	20
Daxlander Straße	AU	22
Durlacher Allee	BU	23
Durmersheimer Straße	AU	25
Eckenerstraße	AU	26
Erzbergerstraße	AT	
Ettlinger Allee	AV	31
Gerwigstraße	BU	35
Haid-und-Neu-Straße	BTU	40
Hardtstraße	AU	41
Herrenalber Straße	AV	
Hertzstraße	AT	
Hirtenweg	BT	
Honsellstraße	AU	47
Kapellenstraße	BU	53
Karl-Wilhelm-Straße	BU	55
Killisfeldstraße	BU	56
Kriegsstraße	BU	
Lameystraße	AU	58
Lange Straße	AV	59
Linkenheimer Landstraße	AT	
Mitteltorstraße	AT	73
Neureuter Hauptstraße	AT	77
Neureuter Querallee	AT	79
Neureuter Straße	AT	
Nürnberger Straße	AV	82
Ostring	BU	83
Ottostraße	BU	
Pulverhausstraße	AU	
Rastatter Straße	AV	87
Rheinbrückenstraße	AT	90
Rheinhafenstraße	AU	92
Rheinstraße	AT	93
Rintheimer Querallee	BT	94
Schlachthausstraße	BU	97
Siemensallee	AT	100
Starckstraße	AU	101
Steinkreuzstraße	BV	103
Stuttgarter Straße	BU	106
Sudetenstraße	AT	
Theodor-Heuss-Allee	BT	
Tullastraße	BU	107
Vogesenstraße	AU	109
Welschneureuter Straße	AT	115
Wolfartsweierer Straße	BU	122
Zeppelinstraße	AU	124

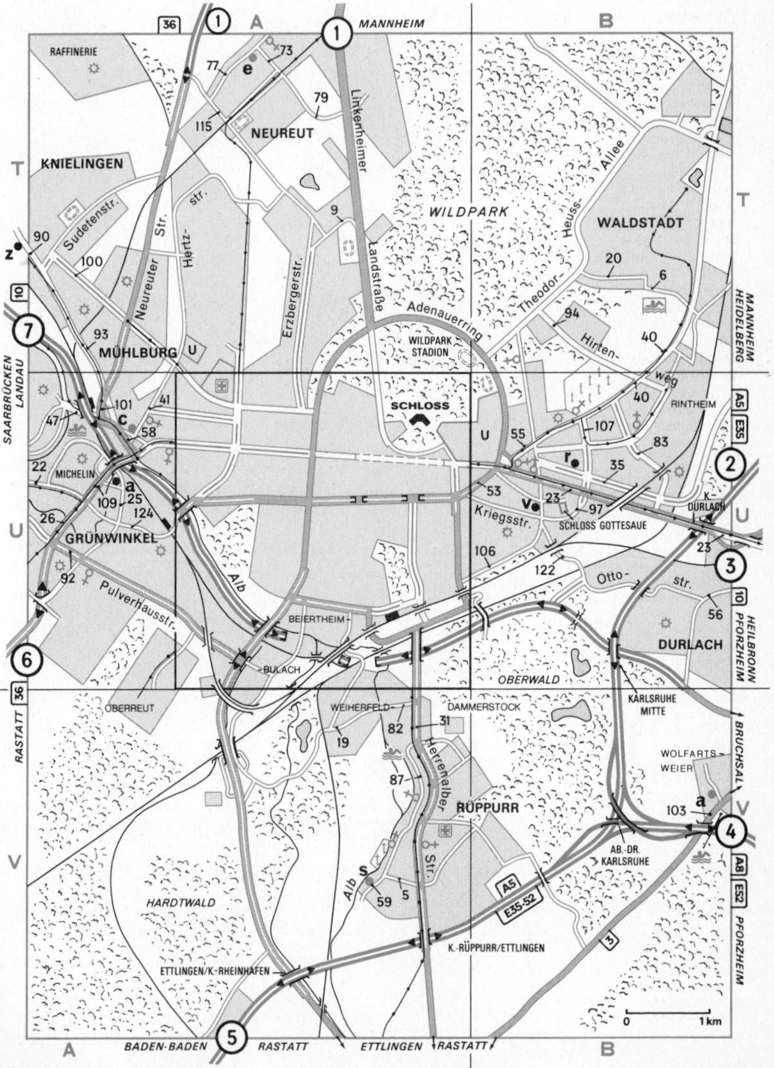

KARLSRUHE

Kaiserstraße .... DEX 50
Karlstraße .... DYZ
Rheinstraße .... CX 90
Werderplatz .... EY 116

Adenauerring .... DX 2
Akademiestraße .... DX 3
Am Stadtgarten .... EZ 8
Amalienstraße .... DX 12
Bahnhofplatz .... EZ 13
Bahnhofstraße .... EZ 14
Bannwaldallee .... CZ
Baumeisterstraße ...... EY 16
Beiertheimer Allee ..... DYZ 17
Bismarckstraße .... DX
Blücherstraße CX
Brauerstraße .... DY
Breite Straße .... DZ
Bulacher Straße .... DZ 21
Ebertstraße .... DZ
Eisenlohrstraße .... CY
Erbprinzenstraße .... DX 29
Ettlinger Allee .... EZ 31
Ettlinger Straße .... EYZ 32
Europaplatz .... DX
Fautenbruchstraße ..... EZ
Fritz-Erler-Straße ...... EY 34
Gartenstraße .... CDY
Grünwinkler Straße ..... CZ 37
Hans-Thoma-Straße .... EX 40
Hermann-Billing-Str. .... EY 44
Herrenstraße .... DY 46
Hirschstraße .... DYZ
Jollystraße .... DY
Kaiserallee CX
Kaiserplatz .... DX 49
Karl-Friedrich-Str. ...... EY 52
Kriegsstraße .... CEY
Linkenheimer Landstr. ... DX
Litzenhardtstraße .... CZ
Ludwig-Marum-Str. CX
Luisenstraße .... EY 64
Marie-Alexandra-Str. .... DZ 65
Marienstraße .... EY
Markgrafenstraße ..... EXY 67
Marktplatz .... EX 68
Mathystraße .... DY 70
Mittelbruchstraße ...... EZ 71
Moltkestraße .... CDX
Nebeniusstraße .... EZ 74
Neckarstraße .... DZ
Neue-Anlage-Str. .... CZ 76
Nördliche Hildapromenade ..... CX 80
Otto-Wels-Straße .... CZ
Poststraße .... EZ 86
Pulverhausstraße .... CZ
Reinhold-Frank-Str. ..... DX 89
Ritterstraße .... DY
Rüppurrer Straße .... EY
Scheffelstraße .... CXY
Schillerstraße .... CXY
Schloßplatz .... EX 95
Schwarzwaldstraße ..... EZ 98
Seldeneckstraße CX
Sophienstraße .... CDY
Steinhäuserstraße ...... CY
Stephanienstraße ...... DX 104
Südendstraße .... DZ
Waldhornstraße .... EX 110
Waldstraße .... DX 112
Weiherfeldstraße .... DZ 113
Wilhelm-Baur-Str. ...... CY 119
Wilhelmstraße .... EY 121
Yorckstraße .... CXY
Zeppelinstraße .... CY 124
Zirkel .... EX 125

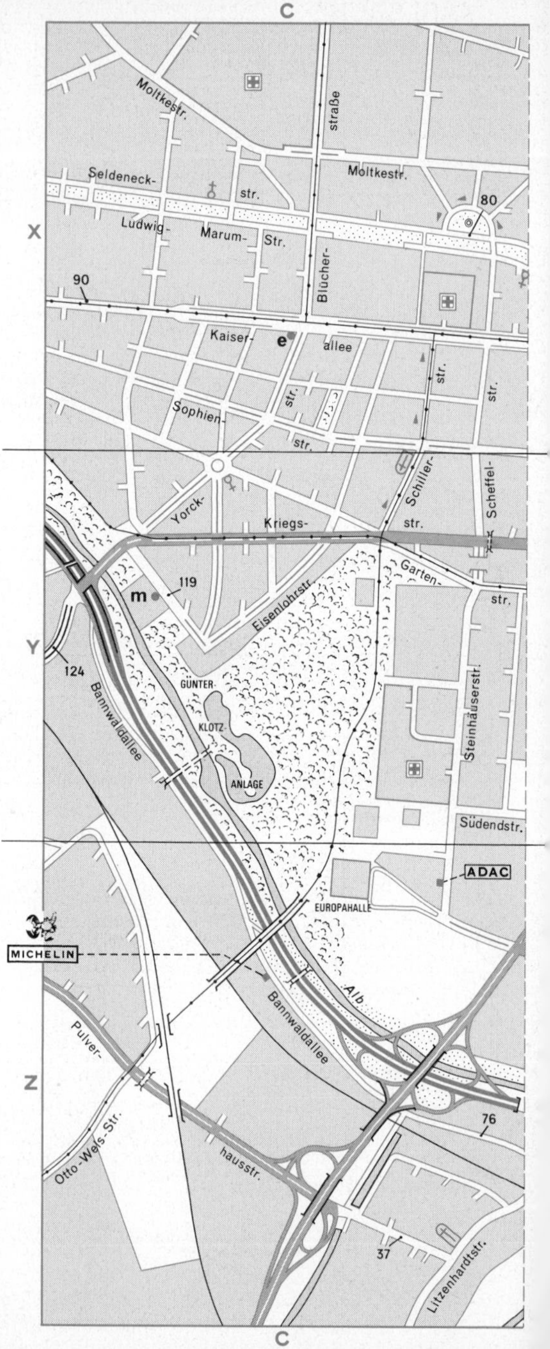

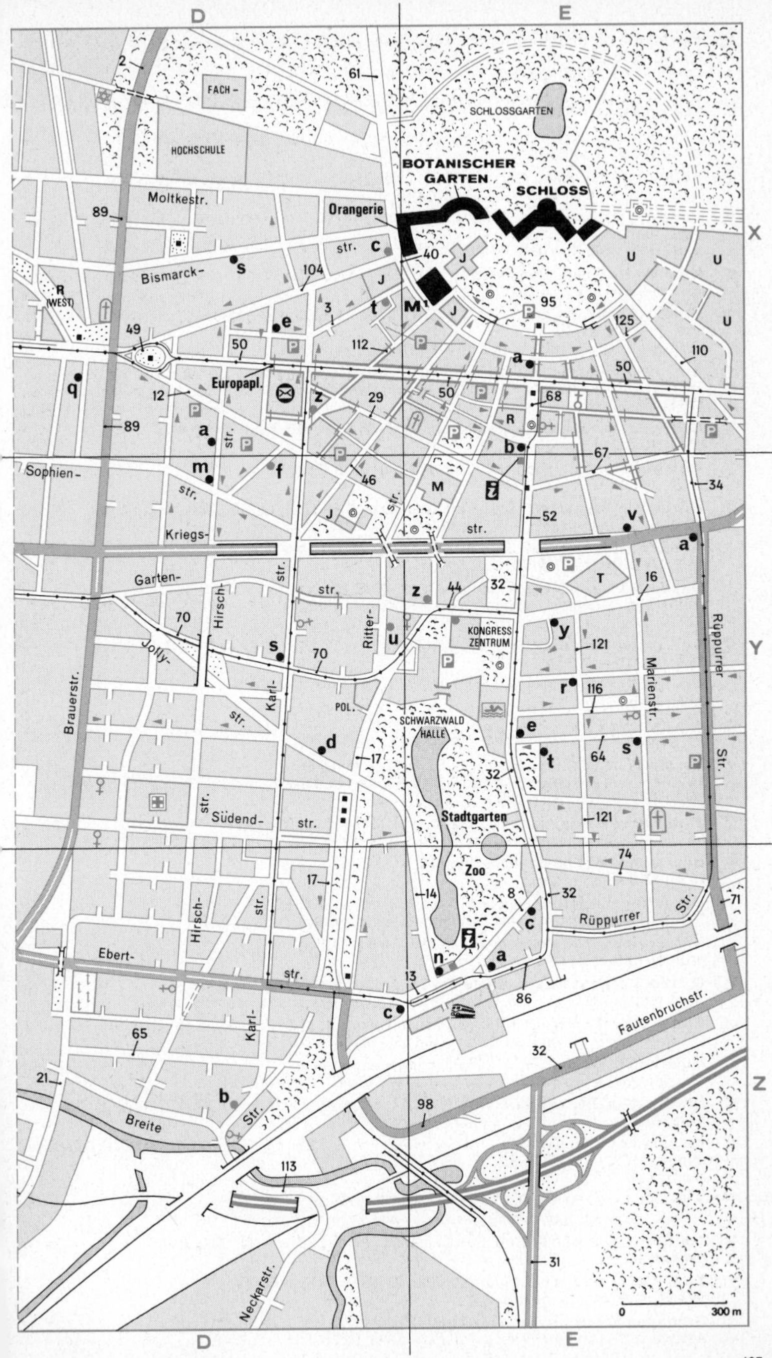

D
E
X
Y
Z
FACH-
HOCHSCHULE
SCHLOSSGARTEN
BOTANISCHER GARTEN
SCHLOSS
Orangerie
Moltkestr.
Bismarck-
str.
R (WEST)
Europapl.
Sophien-
str.
Kriegs-
str.
Garten-
str.
Jolly-
str.
Hirsch-
Karl-
str.
Ritter-
KONGRESS ZENTRUM
POL.
SCHWARZWALD HALLE
Stadtgarten
Zoo
Brauerstr.
Südend-
str.
Marienstr.
Rüppurrer Str.
Rüppurrer Str.
Ebert-
str.
Fautenbruchstr.
Breite Str.
Neckarstr.
0
300 m

Residenz, Bahnhofplatz 14, ✆ 3 71 50, Telex 7826389, – Rest (mit). AE E VISA DZ c
Karte 45/65 – **110 Z : 200 B** 95/160 - 180/225 Fb.

Kübler garni, Bismarckstr. 39, ✆ 2 26 11, Fax 22639, – DX s
97 Z : 150 B 53/118 - 110/180 Fb.

Ambassador garni, Hirschstr. 34, ✆ 1 80 20, Telex 7826360 – DX a
60 Z : 120 B 130 - 160 Fb.

Kaiserhof, Am Marktplatz, ✆ 2 66 16, Telex 7825600 – . AE E VISA EX b
Karte 25/61 – **40 Z : 55 B** 105/120 - 160/165 Fb.

Eden-Hotel, Bahnhofstr. 17, ✆ 2 87 18, Telex 7826415, « Gartenterrasse » – . AE E VISA DY d
Karte 36/59 – **68 Z : 110 B** 98/118 - 140/170 Fb.

Berliner Hof garni, Douglasstr. 7, ✆ 2 39 81, Telex 7825889, – . AE E VISA
55 Z : 70 B 90/105 - 135/140 Fb. DX e

National garni, Kriegsstr. 90, ✆ 6 09 50, Telex 7826320, Fax 609560, – Zim . AE E VISA EY v
24. Dez.- 7. Jan. geschl. – **36 Z : 64 B** 108/140 - 174/240 Fb.

Rio, Hans-Sachs-Str. 2, ✆ 84 50 61, Telex 7826426 – . AE E VISA. Rest
24. Dez.- 10. Jan. geschl. – Karte 31/44 *(nur Abendessen, Freitag - Samstag geschl.)* – **89 Z : 128 B** 101 - 136 Fb. DX q

Bahnpost garni, Am Stadtgarten 5, ✆ 3 49 77, Telex 7826360 – EZ c
26 Z : 40 B 95/110 - 130/150 Fb.

Alte Münze garni, Sophienstr. 24, ✆ 2 49 81 – DXY m
20 Z : 30 B 95/110 - 130/150 Fb.

Hotel Am Tiergarten garni, Bahnhofplatz 6, ✆ 38 61 51, Caféterrasse – EZ n
22. Dez.- 10. Jan. geschl. – **16 Z : 32 B** 90/100 - 135/150 Fb.

Astoria garni, Mathystr. 22, ✆ 81 60 71 – . AE E VISA DY s
16 Z : 27 B 85/125 - 125/225 Fb.

Hasen, Gerwigstr. 47, ✆ 61 50 76 – . AE E VISA BU r
Karte 43/85 *(Sonntag - Montag und Mitte Juli - Mitte Aug. geschl.)* – **37 Z : 45 B** 60/80 - 120 Fb.

Am Gottesauer Schloß garni, Gottesauer Str. 32, ✆ 37 60 57 – BU v
26 Z : 52 B 89 - 128 Fb.

Am Markt garni, Kaiserstr. 76, ✆ 2 09 21 – . AE E VISA EX a
32 Z : 50 B 65/98 - 110/140.

Am Tullabad garni, Ettlinger Str. 21, ✆ 60 66 78 – Zim . AE E VISA EY e
22. Dez.- 6. Jan. geschl. – **24 Z : 32 B** 58/65 - 105 Fb.

Barbarossa, Luisenstr. 38, ✆ 3 72 50 – . AE E EY s
20. Dez.- 15. Jan. geschl. – Karte 22/46 *(Freitag - Samstag und Juli 3 Wochen geschl.)* – **60 Z : 75 B** 48/100 - 80/130 Fb.

Zum Winzerhaus, Nowackanlage 1, ✆ 6 03 15 – . E VISA EY y
22. Juli - 12. Aug. geschl. – Karte 27/48 *(Freitag geschl.)* – **18 Z : 30 B** 49/70 - 85/105.

Bayrischer Hof garni, Wilhelmstr. 22, ✆ 37 61 57 EY r
20 Z : 32 B 45/65 - 75/95.

Unter den Linden, Kaiserallee 71, ✆ 84 91 85 – E VISA CX e
Samstag bis 18 Uhr und über Fasching 2 Wochen geschl. – Karte **33**/80.

Kühler Krug, Wilhelm-Baur-Str. 3, ✆ 85 54 86 – CY m
Montag geschl. – Karte 31/67.

O'Henry's Restaurant, Breite Str. 24, ✆ 38 55 51 – . AE E VISA DZ b
Samstag bis 18 Uhr und Sonntag geschl. – Karte 37/66 (Tischbestellung ratsam).

Santa Lucia (Italienische Küche), Badenwerkstr. 1, ✆ 2 78 62, – AE E VISA EY z
Dienstag und Juli - Aug. 3 Wochen geschl. – Karte 35/66.

Dudelsack, Waldstr. 79, ✆ 2 21 66, « Innenhofterrasse » DY f
Samstag bis 18 Uhr und Sonntag geschl. – Karte 47/74 (abends Tischbestellung ratsam).

Stadthallen-Restaurant, Festplatz 4 (im Kongreß- Zentrum), ✆ 37 77 77 – . AE
Karte 36/63. EY

Oberländer Weinstube, Akademiestr. 7, ✆ 2 50 66, bemerkenswerte Weinkarte, « Innenhof » – AE E VISA DX t
Samstag bis 18 Uhr und Sonntag geschl. – Karte 41/74 (Tischbestellung ratsam).

Adria (Italienische Küche), Ritterstr. 19, ✆ 2 06 65, – DY u
15. Juli - 15. Aug. und Montag geschl. – Karte 37/55.

Tai Hu (Chinesische Küche), Stephanienstr. 2a, ✆ 2 22 69 – . AE E VISA DX c
Karte 25/45.

Zum Ritter (Haus a.d.J. 1778), Hardtstr. 25, ✆ 55 14 55 – AE AU c
Montag geschl. – Karte 28/52 .

Goldenes Kreuz (Brauerei-Gaststätte), Karlstr. 21a, ✆ 2 20 54, DX z
Mittwoch 15 Uhr - Donnerstag geschl. – Karte 19,50/43 .

In Karlsruhe 21-Daxlanden W : 5 km über Daxlander Straße AU :

🍴🍴 ✻ **Künstlerkneipe Zur Krone**, Pfarrstr. 18, ☎ 57 22 47, « Altbadische Weinstube, Bilder Karlsruher Künstler um 1900 »
Sonntag - Montag geschl. – Karte 46/71 (Tischbestellung ratsam)
Spez. Gänseleberterrine, Lachsschnitte in Zitronenbutter, Lammrücken vom Rost (ab 3 Pers.).

In Karlsruhe 41-Durlach O : 7 km über Durlacher Allee BU :

🏠 Maison Suisse 🌿, Hildebrandstr. 24, ☎ 40 60 48 – [TV] ☎ 🚗
(nur Abendessen, Tischbestellung ratsam) – **15 Z : 22 B.**

🏠 **Große Linde**, Killisfeldstr. 18, ☎ 4 22 95
Karte 22/50 *(Sonn- und Feiertage geschl.)* – **25 Z : 40 B** 48/70 - 75/98.

🍴🍴 **Zum Ochsen**, Pfinzstr. 64, ☎ 4 23 73, bemerkenswerte Weinkarte – [AE] [D] [E]
Mittwoch geschl. – Karte 39/86.

🍴 Burghof, Reichardtstr. 22 (auf dem Turmberg), ☎ 4 14 59, ≤ Karlsruhe und Rheinebene, ⛱ – [P].

🍴 Schützenhaus, Jean-Ritzert-Str. 8 (auf dem Turmberg), ☎ 49 13 68, Biergarten – [P].

In Karlsruhe 21-Grünwinkel :

🏠 Beim Schupi (Volkstheater im Hause), Durmersheimer Str. 6, ☎ 55 12 20, Biergarten – [TV] ☎ [P]. ✗ Zim AU **a**
10 Z : 14 B.

In Karlsruhe 21-Knielingen :

🏠 **Burgau**, Neufeldstr. 10, ☎ 56 30 34 – [TV] ☎ [P]. [D] [E] AT **z**
Karte 27/51 *(Samstag - Sonntag 17 Uhr geschl.)* ♨ – **17 Z : 29 B** 98/125 - 130/150 Fb.

In Karlsruhe 21-Maxau ⑦ : 9 km :

🍴 **Hofgut Maxau**, ☎ 56 30 33, ⛱ – [P]. [AE] [D] [E] [VISA]
Montag 15 Uhr - Dienstag und Jan. 3 Wochen geschl. – Karte 38/60.

In Karlsruhe 31-Neureut :

🍴🍴 **Nagel's Kranz**, Neureuter Hauptstr. 210, ☎ 70 57 42, ⛱ – [P] AT **e**
Samstag bis 17 Uhr sowie Sonn- und Feiertage geschl. – Karte 53/77.

In Karlsruhe 51-Rüppurr :

🍴 Zum Strauß, Lange Str. 94, ☎ 3 17 38, Biergarten – [P] AV **s**

In Karlsruhe 41-Stupferich ④ : 11,5 km :

🏡 **Landgasthof Sonne**, Kleinsteinbacher Str. 2, ☎ 47 22 39 – ☎. ✗ Zim
22. Dez.- 14. Jan. geschl. – Karte 24/41 *(Sonntag 15 Uhr - Montag geschl.)* ♨ – **15 Z : 25 B** 38/45 - 66/75 Fb.

In Karlsruhe 41-Wolfartsweier :

🍴 **Schloßberg-Stuben**, Wettersteinstr. 5, ☎ 49 48 53 – [AE] [D] [E] [VISA] BV **a**
Montag - Dienstag 17 Uhr geschl. – Karte 37/67 (abends Tischbestellung ratsam).

In Pfinztal-Berghausen 7507 ③ : 13 km :

🍴🍴 **Zur Linde** mit Zim, An der Bahn 1 (an der B 293), ☎ (0721) 4 61 18 – [TV] ☎. [D] [E]. ✗ Zim
Karte 29/59 – **4 Z : 7 B** 80 - 140.

MICHELIN-REIFENWERKE KGaA. 7500 Karlsruhe 21
Werk : Vogesenstr. 4 AU, ☎ (0721) 5 96 01, Telex 7825911
Bereich Vertrieb : Bannwaldallee 60 CZ, ☎ (0721) 8 60 00, Telex 7825868.

KARLSTADT 8782. Bayern [413] M 17, [987] ㉕ – 14 000 Ew – Höhe 163 m – ☎ 09353.
♦München 304 – Aschaffenburg 52 – Bad Kissingen 45 – ♦Würzburg 24.

🏨 **Alte Brauerei**, Hauptstr. 58, ☎ 5 69, « Geschmackvolle, gemütliche Einrichtung » – [lift] [TV] ☎. [AE] [D] [E]
1.- 10. Jan. geschl. – Karte 33/54 *(Samstag geschl.)* – **20 Z : 38 B** 70/80 - 110/130 Fb.

🏡 **Weißes Lamm**, Alte Bahnhofstr. 20, ☎ 23 31 – 🚗
26. Dez.- 6. Jan. geschl. – Karte 19/33 *(Dienstag ab 14 Uhr geschl.)* ♨ – **15 Z : 30 B** 36/38 - 68/72.

KARTHAUS Rheinland-Pfalz siehe Konz.

KARWENDEL Bayern. Sehenswürdigkeit siehe Mittenwald.

KASENDORF 8658. Bayern [413] R 16 – 2 400 Ew – Höhe 367 m – Wintersport : 400/500 m ⛷1 ⛷3 (in Zultenberg) – ☎ 09228 (Thurnau).
♦München 260 – ♦Bamberg 43 – Bayreuth 25 – Kulmbach 11.

🏠 **Goldener Anker**, Marktplatz 9, ☎ 6 22, ≘, [pool] – ☎ 🚗 [P]
Karte 17/32 – **53 Z : 80 B** 33/45 - 65/80.

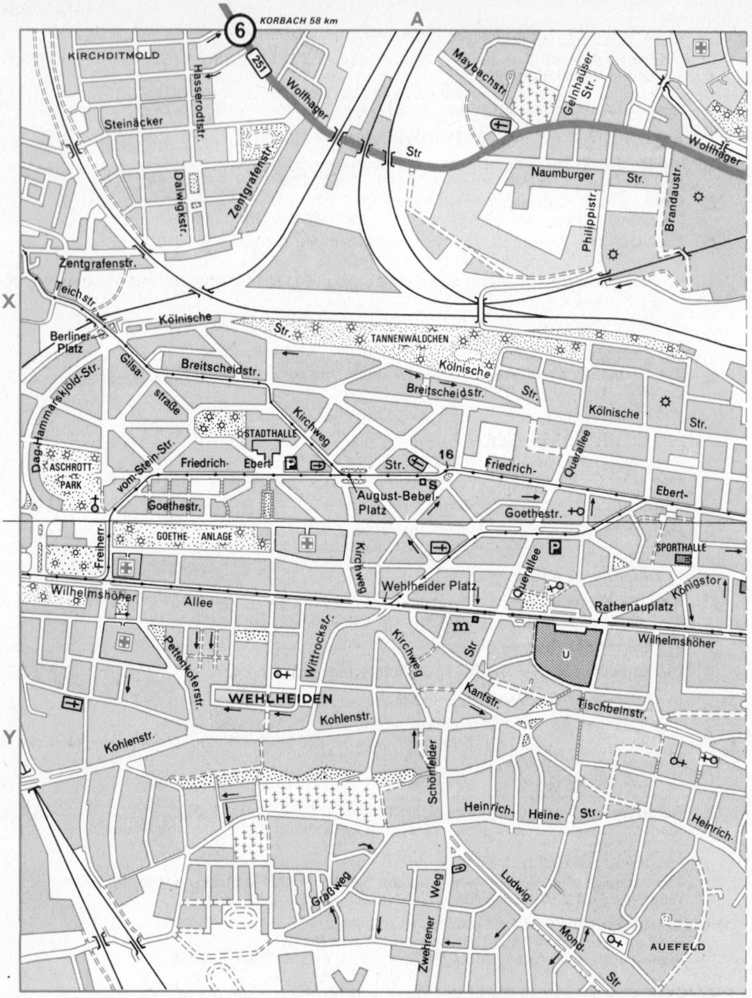
KORBACH 58 km
KIRCHDITMOLD
Steinäcker
Hasserodtstr.
Dalwigkstr.
Zentgrafenstr.
Wolfhager Str
Maybachstr.
Gelnhauser Str.
Naumburger Str.
Philippistr.
Brandaustr.
Wolfhager
Zentgrafenstr.
Teichstr.
Kölnische Str.
TANNENWALDCHEN
Berliner-Platz
Breitscheidstr.
Gilsastraße
Dag-Hammarskjöld-Str.
STADTHALLE
Kirchweg
Kölnische Str.
Breitscheidstr.
ASCHROTT-PARK
vom-Stein-Str.
Friedrich-Ebert-Str.
16
Friedrich-Ebert-
Queralle
August-Bebel-Platz
Goethestr.
Goethestr.
GOETHE-ANLAGE
Freiherr-
SPORTHALLE
Kirchweg
Wehlheider Platz
Queralle
Königstor
Wilhelmshöher Allee
Rathenauplatz
Wilhelmshöher
Pettenkoferstr.
Wittrockstr.
Kirchweg
Str
U
WEHLHEIDEN
Kantstr.
Tischbeinstr.
Kohlenstr.
Kohlenstr.
Schönfelder
Heinrich-Heine-Str.
Heinrich-
Graßweg
Zwehrener Weg
Ludwig-
Mond-Str
AUEFELD
A
X
Y

SCHLOSS WILHELMSTAL
KORBACH
DORTMUND PADERBORN
GÖTTINGEN HANN-MÜNDEN
★★ WILHELMSHÖHE
★★ SCHLOSSPARK
KIRCHDITMOLD
Schanzenstr.
15
33
Wolfhager Str.
251
13
Rasenallee
WAHLERSHAUSEN
Weserstr.
HANNOVER AUTOBAHN (E 45-A 7)
HERKULES
SCHLOSS
14
10
Breitscheidstr.
Kölnische Str.
Wilhelmshöher Allee
LÖWENBURG
MULANG
35
19
KURHESSEN-THERME
WEHLHEIDEN
31
AUEFELD
Kohlenstr.
Frankfurter Str.
28
MICHELIN
25
Leipziger Str.
KARLS-AUE
FULDA
Im Druseltal
Druseltalstr.
Ludwig-Mond-Str.
HABICHTS-WALD
Heinrich-Schütz-Allee
BOTANISCHER GARTEN
PARK SCHÖNFELD
SÜSTERFELD
FULDA-AUE
WALDKAPPEL EISENACH
Adenauer-Str.
Konrad-
0 1 km
AUTOBAHN (E 331-A 44)
A
AUTOBAHN (A 49) MARBURG, FRITZLAR
AUTOBAHN (E 331-A 44) KORBACH
AUTOBAHN (E45-A 7) FRANKFURT
Z

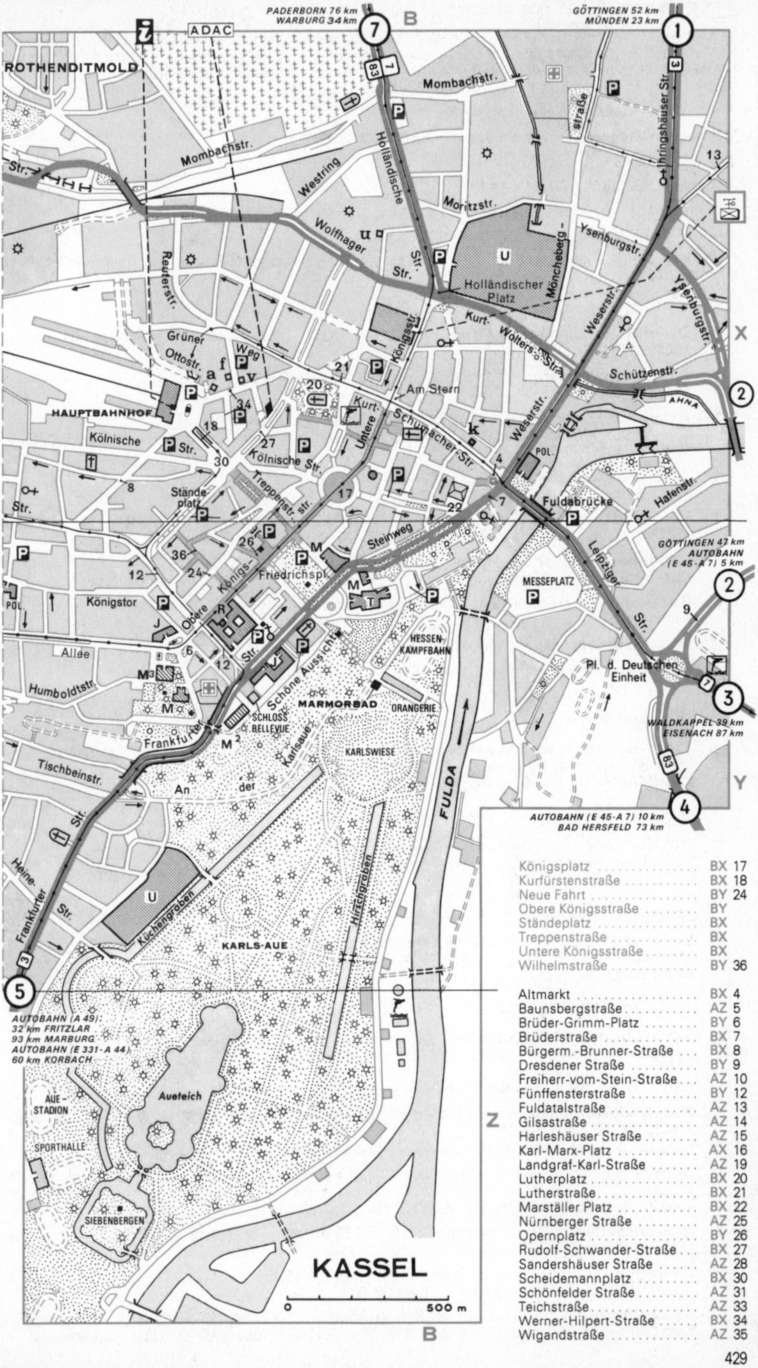

Königsplatz	BX	17
Kurfürstenstraße	BX	18
Neue Fahrt	BY	24
Obere Königsstraße	BY	
Ständeplatz	BX	
Treppenstraße	BX	
Untere Königsstraße	BX	
Wilhelmstraße	BY	36
Altmarkt	BX	4
Baunsbergstraße	AZ	5
Brüder-Grimm-Platz	BY	6
Brüderstraße	BX	7
Bürgerm.-Brunner-Straße	BX	8
Dresdener Straße	BY	9
Freiherr-vom-Stein-Straße	AZ	10
Fünffensterstraße	BY	12
Fuldatalstraße	AZ	13
Gilsastraße	AZ	14
Harleshäuser Straße	AZ	15
Karl-Marx-Platz	AX	16
Landgraf-Karl-Straße	AZ	19
Lutherplatz	BX	20
Lutherstraße	BX	21
Marställer Platz	BX	22
Nürnberger Straße	AZ	25
Opernplatz	BY	26
Rudolf-Schwander-Straße	BX	27
Sandershäuser Straße	AZ	28
Scheidemannplatz	BX	30
Schönfelder Straße	AZ	31
Teichstraße	AZ	33
Werner-Hilpert-Straße	BX	34
Wigandstraße	AZ	35

KASSEL 3500. Hessen [987] ⑮ – 197 000 Ew – Höhe 163 m – ☎ 0561.

Sehenswert : Wilhelmshöhe** (Schloßpark** : Wasserkünste*, Herkules**, ≤**) – Schloß Wilhelmshöhe (Gemäldegalerie***, Antikensammlung*) AZ **M1** – Neue Galerie* BY **M2** – Karlsaue* (Marmorbad : Inneres**) BY – Hessisches Landesmuseum* (Deutsches Tapetenmuseum**, Astronomisch-Physikalisches Kabinett**) BY **M3.**

Ausflugsziel : Schloß Wilhelmsthal* N : 12 km.

⛳18 Kassel-Wilhelmshöhe, Am Ehlener Kreuz (AZ), ☎ 3 35 09.

🚘 ☎ 7 86 55 88.

Ausstellungsgelände (BY), ☎ 1 49 23.

[i] Tourist-Information im Hauptbahnhof, ☎ 1 34 43 und Königsplatz, ☎ 1 71 59.

ADAC, Rudolf-Schwander-Str. 17, ☎ 10 34 64, Telex 99737.

♦Wiesbaden 215 ④ – ♦Dortmund 167 ⑤ – Erfurt 150 ③ – ♦Frankfurt am Main 187 ② – ♦Hannover 164 ② – ♦Nürnberg 309 ④.

Stadtplan siehe vorhergehende Seiten.

🏨 Dorint-Hotel Reiss, Werner-Hilpert-Str. 24, ☎ 7 88 30, Telex 99740 – |$| [TV] 🚗 [P] 👥 BX **a**
102 Z : 127 B Fb.

🏨 Domus, Erzbergerstr. 1, ☎ 10 23 85, Telex 992542 – |$| [TV] [P] BX **f**
51 Z : 73 B Fb.

🏨 **Excelsior**, Erzbergerstr. 2, ☎ 10 29 84 – |$| [TV] ☎ 👥. [AE] ◑ E [VISA] BX **v**
23.- 27. Dez. geschl. – Karte 20/32 *(nur Abendessen, Samstag - Sonntag geschl.)* – **56 Z : 85 B** 69/85 - 105/119 Fb.

🏨 Royal garni, Giessbergstr. 53, ☎ 8 50 18 – |$| ☎ [P] BX **u**
45 Z : 74 B.

🏨 **Westend** garni, Friedrich-Ebert-Str. 135, ☎ 10 38 21 – |$| [TV] ☎. [AE] ◑ E [VISA] AX **s**
23. Dez.- 5. Jan. geschl. – **43 Z : 80 B** 68/108 - 98/138 Fb.

XX **Landhaus Meister**, Fuldatalstr. 140, ☎ 87 50 50, ⛱ – [P] 👥. [AE] ◑
Karte 30/60 – **Silberdistel** Karte 52/92. über Fuldatalstr. AZ

XX **Ratskeller**, Obere Königsstr. 8 (Rathaus), ☎ 1 59 28 – 🚭 👥. [AE] ◑ E [VISA] BY **R**
Karte 27/54.

X China-Restaurant Moon Palace, Kurt-Schumacher-Str. 29, ☎ 1 83 44 BX **k**

X **Weinhaus Boos**, Wilhelmshöher Allee 97, ☎ 2 22 09, ⛱ AY **m**
nur Abendessen, Mai - Aug. Montag geschl. – Karte 30/51.

In Kassel-Bettenhausen ② : 4 km, nahe BAB-Anschluß Kassel-Ost :

🏨 **Moat House Hotel Kassel**, Heiligenröder Str. 61, ☎ 5 20 50, Telex 99814, Fax 527400, 🏊, 🏋 – |$| 🚭 Zim ▤ [TV] ♿ [P] 👥. [AE] ◑ E [VISA]
Karte 34/64 – **141 Z : 267 B** 145/175 - 200/225 Fb.

In Kassel-Harleshausen NW : 7 km über Rasenallee AZ :

🏨 **Am Sonnenhang** 🤚, Aspenstr. 6, ☎ 6 20 70, ⛱ – |$| [TV] ☎ ♿ [P] 👥
Karte 26/46 *(wochentags nur Abendessen, 26. Dez.- 17. Jan. und Freitag geschl.)* – **25 Z : 50 B** 55/65 - 101/122 Fb.

In Kassel-Niederzwehren ⑤ : 3,5 km :

🏨 Gude - Restaurant Pfeffermühle, Frankfurter Str. 299, ☎ 4 80 50, Telex 99515, Bade- und Massageabteilung, 🏊, 🏋 – |$| [TV] 🚗 [P] 👥
65 Z : 110 B Fb.

In Kassel-Wilhelmshöhe :

🏨 **Schloßhotel Wilhelmshöhe** 🤚, Schloßpark 2, ☎ 3 08 80, Telex 99699, « Gartenterrasse mit ≤ Kassel », Bade- und Massageabteilung, 🏊, 🏋 – |$| [TV] 🚗 [P] 👥. [AE] ◑ E [VISA] AZ **b**
Karte 37/60 – **105 Z : 185 B** 135 - 190 Fb – 3 Appart. 270.

🏨 **Kurparkhotel**, Wilhelmshöher Allee 336, ☎ 3 09 72, Telex 99812, ⛱ – |$| 🚭 Zim [TV] ☎ ♿ 🚗 [P] 👥. [AE] ◑ E. 🐕 Zim AZ **u**
Karte 28/53 *(Sonntag ab 18 Uhr geschl.)* – **63 Z : 110 B** 110/140 - 170/180 Fb.

🏨 **Schweizer Hof**, Wilhelmshöher Allee 288, ☎ 3 40 48, Telex 992416 – |$| [TV] ☎ [P] 👥. [AE] ◑ E [VISA] AZ **r**
Karte 27/46 – **49 Z : 98 B** 85/110 - 130/180 Fb.

🏨 Im Rosengarten 🤚 garni, Burgfeldstr. 16, ☎ 3 60 94, ⛱ – ☎ 🚗 [P] AZ **e**
13 Z : 30 B.

XX **Calvados**, Im Druseltal 12, ☎ 30 44 20, ⛱ – [P]. [AE] ◑ E AZ **z**
Sonntag 18 Uhr - Montag geschl. – Karte 28/66.

XX **Haus Rothstein** mit Zim, Heinrich-Schütz-Allee 56, ☎ 3 37 84, ⛱ – [TV] ☎ [P]. E
Karte 29/54 *(Montag geschl.)* – **5 Z : 9 B** 65/70 - 105/130. über Heinrich-Schütz-Allee AZ

In Ahnatal 1-Weimar **3501** ⑥ : 12 km – Erholungsort :

Bühlklause, Dörnbergstr. 55, ☎ (05609) 97 35 – ☎ [P]
10 Z : 20 B.

In Calden **3527** NW : 14 km über ⑦ oder über Rasenallee AZ :

Schloßhotel Wilhelmsthal ⛰, Beim Schloß Wilhelmsthal (SW : 2 km), ☎ (05674) 8 48, « Gartenterrasse mit Grill » – ☎ 🚗 [P] 🏛. [D] [E]
Karte 29/54 – **18 Z : 31 B** 70/90 - 110/150.

In Espenau-Schäferberg **3501** ⑦ : 10 km :

Waldhotel Schäferberg, Wilhelmsthaler Str. 14 (B 7), ☎ (05673) 79 71, Telex 991814, 🍴, ≘s – $ [TV] ☎ [P] 🏛. [AE] [D] [E] [VISA]
Karte 25/58 – **95 Z : 180 B** 69/95 - 120/180 Fb.

In Fuldatal 2-Simmershausen **3501** ① : 7 km :

Haus Schönewald, Wilhelmstr. 17, ☎ (0561) 81 17 08, 🌳 – [P]. ✻
8.- 30. Aug. geschl. – Karte 18/33 *(nur Abendessen, Mittwoch geschl.)* – **26 Z : 47 B** 35/39 - 65/69.

In Niestetal-Heiligenrode **3501** ② : 6 km, nahe BAB-Anschluß Kassel-Ost :

Althans ⛰ garni, Friedrich-Ebert-Str. 65, ☎ (0561) 52 27 09 – ☎ [P]. ✻
21. Dez.- 6. Jan. geschl. – **21 Z : 27 B** 38/52 - 65/80.

An der Autobahn A 7 Nähe Kasseler Kreuz ① : 7 km :

Autobahn-Rasthaus Kassel, ✉ 3503 Lohfelden, ☎ (0561) 58 30 31, Telex 99642, ≤, 🍴 – $ [TV] 🚗 [P] 🏛. [AE] [D] [E] [VISA]
Karte 27/52 – **90 Z : 190 B** 39/86 - 74/133 Fb.

MICHELIN-REIFENWERKE KGaA. Niederlassung 3500 Kassel 1, Osterholzstr. 50 (AZ), ☎ (0561) 57 20 76.

The overnight or full board prices may in some cases be increased by the addition of a local bed tax or a charge for central heating. Before making your reservation confirm with the hotelier the exact price that will be charged.

KASTELLAUN 5448. Rheinland-Pfalz [987] ㉔ – 3 700 Ew – Höhe 435 m – ☎ 06762.
[i] Verkehrsamt, Rathaus, Kirchstr. 1, ☎ 40 30.
Mainz 80 – ♦Koblenz 44 – ♦Trier 96.

Zum Rehberg ⛰ garni, Mühlenweg 1, ☎ 13 32, ≘s, 🌳 – 🚗 [P] 🏛
19 Z : 39 B 38/55 - 76/100.

Zur Post, Bahnhofstr. 22, ☎ 73 29, ≘s – 🚗 [P]
Mitte - Ende Juli geschl. – Karte 22/42 *(Samstag geschl.)* 🍷 – **19 Z : 30 B** 38 - 70.

KATTENES Rheinland-Pfalz siehe Löf.

KATZENBACH Rheinland-Pfalz siehe Kirchen (Sieg).

KATZENELNBOGEN 5429. Rheinland-Pfalz – 1 700 Ew – Höhe 300 m – ☎ 06486.
Mainz 51 – ♦Koblenz 50 – Limburg an der Lahn 21 – ♦Wiesbaden 46.

In Berghausen **5429** SO : 2,5 km :

Berghof, Bergstr. 3, ☎ (06486) 83 44 – ♿ [P]
Karte 17,50/37 🍷 – **33 Z : 70 B** 30/37 - 56/64 Fb – 2 Fewo 35.

In Klingelbach **5429** NW : 1,5 km :

Sonnenhof ⛰, Kirchstr. 31, ☎ (06486) 70 86, ≤, ≘s, 🌳, 🎾 – ☎ 🚗 [P]. [D] [E]
Jan. 3 Wochen geschl. – Karte 21/44 *(Dienstag geschl.)* 🍷 – **24 Z : 40 B** 42/54 - 80/92 Fb.

KAUB 5425. Rheinland-Pfalz [987] ㉔ – 1 500 Ew – Höhe 87 m – ☎ 06774.
[i] Verkehrsamt, im Rathaus, Metzgergasse 26, ☎ 2 22.
Mainz 54 – ♦Koblenz 45 – ♦Wiesbaden 51.

🍴 **Deutsches Haus** mit Zim, Schulstr. 1, ☎ 2 66
Jan. geschl. – Karte 19,50/48 *(Montag geschl.)* 🍷 – **11 Z : 19 B** 30/35 - 55/65.

[KAUFBEUREN] 8950. Bayern [413] O 23, [987] ㊱, [426] ⑮ – 41 000 Ew – Höhe 680 m – Wintersport : 707/849 m ⛷8 – ☎ 08341.

ℹ Verkehrsverein, Innere-Buchleuthen-Str. 13, ✆ 4 04 05.

ADAC, Kaiser-Max-Str. 3, ✆ 24 07, Telex 54693.

•München 87 – Kempten (Allgäu) 35 – Landsberg am Lech 30 – Schongau 26.

🏨 **Goldener Hirsch**, Kaiser-Max-Str. 39, ✆ 28 38, 🏊 – [TV] ☎ [P] 🏛. [AE] ⓓ E [VISA]
Karte 24/50 – **34 Z : 60 B** 58/120 - 95/165 Fb.

🏨 **Hasen**, Ganghoferstr. 7, ✆ 89 41 – $ ☎ 🚗 [P]. [AE] ⓓ E [VISA]
Karte 22/41 – **70 Z : 120 B** 30/80 - 60/120.

🏨 **Leitner**, Neugablonzer Str. 68, ✆ 33 44 – [P]
◆ Karte 18,50/33 *(Freitag 14 Uhr - Samstag, 23. Dez.- 1. Jan. und Aug. 3 Wochen geschl.)* – **22 Z : 33 B** 29/40 - 44/70.

🏨 **Hofbräuhaus** garni, Josef-Landes-Str. 1, ✆ 26 54 – 🚗 [P]
29 Z : 45 B 28/45 - 52/75.

In Kaufbeuren-Oberbeuren SW : 2 km :

🏨 **Engel**, Hauptstr. 10, ✆ 21 24 – 🚗 [P]
◆ Karte 16,50/26 *(Mittwoch und Jan. 3 Wochen geschl.)* 🍷 – **17 Z : 31 B** 28/40 - 48/62.

In Biessenhofen **8954** S : 6,5 km :

🏨 **Neue Post**, Füssener Str. 17 (B 16), ✆ (08341) 85 25, 🌳, 🌲 – [TV] ☎ [P]. [AE] ⓓ E [VISA]
Karte 52/90 – **20 Z : 30 B** 70/90 - 120/150.

In Irsee **8951** NW : 7 km :

🏨 **Klosterbräustüble** 🔇, Klosterring 1, ✆ (08341) 43 22 00, 🌳, Brauereimuseum – ☎ [P] 🏛
9.- 15. Jan. geschl. – Karte 25/42 – **39 Z : 60 B** 70/80 - 112/128.

In Pforzen-Hammerschmiede **8951** N : 6,5 km :

🍴🍴 Landgasthof Hammerschmiede, an der B 16, ✆ (08346) 2 71, Biergarten – [P].

[KAUFERING] Bayern siehe Landsberg am Lech.

[KAYHUDE] 2061. Schleswig-Holstein – 800 Ew – Höhe 25 m – ☎ 040 (Hamburg).

•Kiel 82 – •Hamburg 30 – •Lübeck 50 – Bad Segeberg 26.

🍴🍴 **Alter Heidkrug**, Segeberger Str. 10 (B 432), ✆ 6 07 02 52, 🌳 – [P] 🏛. [AE] ⓓ E [VISA]
Donnerstag und Juli - Aug. 3 Wochen geschl. – Karte 31/60.

[KEHL] 7640. Baden-Württemberg [413] G 21, [987] ㉞, [242] ㉔ – 30 000 Ew – Höhe 139 m – ☎ 07851.

ℹ Verkehrsamt, Am Marktplatz, ✆ 8 82 26.

ADAC, Grenzbüro, Europabrücke, ✆ 21 88.

•Stuttgart 149 – Baden-Baden 55 – •Freiburg im Breisgau 81 – •Karlsruhe 76 – Strasbourg 6.

🏨 **Europa-Hotel**, Straßburger Str. 9, ✆ 29 01 – $ [TV] ☎ [P] 🏛. [AE] ⓓ E [VISA]
Karte 32/57 *(Samstag - Sonntag geschl.)* – **54 Z : 100 B** 89/114 - 129/149.

🏨 Grand Hotel, Straßburger Str. 18, ✆ 7 30 21, Telex 753600 – $ [TV] ☎
(nur Abendessen für Hausgäste) – **69 Z : 138 B** Fb.

🏨 **Astoria**, Bahnhofstr. 4, ✆ 30 66 – $ ☎ 🚗 [P]. [AE] ⓓ E [VISA]
Karte 35/69 *(Sonntag - Montag geschl.)* – **30 Z : 64 B** 60/120 - 95/170.

In Kehl-Kork :

🏨 **Schwanen**, Landstr. 3, ✆ 33 38 – ☎ [P]
◆ Karte 19/46 *(Montag und Mitte Juli - Mitte Aug. geschl.)* 🍷 – **34 Z : 65 B** 30/50 - 50/75.

🏨 **Hirsch**, Gerbereistr. 20, ✆ 36 00 – [P]
◆ *Mitte Dez.- Anfang Feb. geschl.* – Karte 18,50/50 *(nur Abendessen, Sonntag geschl.)* 🍷 – **53 Z : 100 B** 30/50 - 60/75.

In Kehl-Marlen S : 7 km :

🍴 **Wilder Mann**, Schlossergasse 28, ✆ (07854) 2 14 – [P]
Mittwoch - Donnerstag 17 Uhr sowie über Fasching und Juli jeweils 1 Woche geschl. – Karte 28/63.

In Rheinau-Linx **7597** NO : 11 km :

🍴 **Grüner Baum** mit Zim, Tullastr. 30, ✆ (07853) 3 58 – [P]
30. Jan. - 12. Feb. geschl. – Karte 34/62 *(April - Sept. Montag, Okt.- März Sonntag 18 Uhr - Montag geschl.)* – **6 Z : 13 B** 35 - 70.

[KEHLSTEIN] Bayern. Sehenswürdigkeit siehe Berchtesgaden.

[KEITUM] Schleswig-Holstein siehe Sylt (Insel).

[KELBERG] **5489.** Rheinland-Pfalz [987] ㉓㉔ – 17 000 Ew – Höhe 490 m – Luftkurort – ☎ 02692.

ℹ Rathaus, Dauner Str. 22, ℘ 8 72 18.

Mainz 157 – ♦Aachen 115 – ♦Bonn 65 – ♦Koblenz 66 – ♦Trier 78.

🏠 Eifeler Hof, Am Markt, ℘ 3 20, 🌳 – 🅿
13 Z : 25 B.

[KELHEIM] **8420.** Bayern [413] S 20, [987] ㉗ – 15 000 Ew – Höhe 354 m – ☎ 09441.

Ausflugsziele : Befreiungshalle★ W : 3 km – Weltenburg : Klosterkirche★ SW : 7 km – Schloß Prunn : Lage★, W : 11 km.

♦München 106 – Ingolstadt 56 – ♦Nürnberg 108 – ♦Regensburg 24.

🏨 **Ehrnthaller**, Donaustr. 22, ℘ 33 33, Telex 944186 – ⇅ 📺 ☎ 🅿 🏢. [AE] [D] [E] [VISA]
✦ *über Weihnachten geschl.* – Karte 19/46 🍷 – **69 Z : 109 B** 47/63 - 76/100 Fb.

🏨 **Stockhammer**, Am oberen Zweck 2, ℘ 32 54 – 🚗 🅿. [AE] [E]
8.- 27. Aug. geschl. – Karte 21/55 *(Montag geschl.)* – **11 Z : 20 B** 35/50 - 65/80.

🏨 **Aukofer**, Alleestr. 27, ℘ 14 60, Biergarten – ⇅ 🅿 🏢
✦ *20. Dez.- 10. Jan. geschl.* – Karte 15/33 – **77 Z : 120 B** 33/42 - 62/78.

🏨 **Klosterbrauerei Seitz** 🔇, Klosterstr. 5, ℘ 35 48, ☂ – ⇅ 🚗 🅿
✦ *22. Dez.- 10. Jan. geschl.* – Karte 16/35 *(Nov.- April Dienstag - Mittwoch geschl.)* – **38 Z : 65 B** 29/46 - 52/80.

🏠 **Weißes Lamm**, Ludwigstr. 12, ℘ 98 25 – ⇅ 🚗
✦ *20. März - 1. April geschl.* – Karte 16/30 *(Nov.-April Samstag geschl.)* – **35 Z : 70 B** 29/38 - 52/68.

In Essing **8421** W : 8 km :

🏨 **Weihermühle**, ℘ (09447) 3 55, Biergarten, ≘s, 🏊 (geheizt), 🌳 – ⇅ ☎ ♿ 🅿. [AE] [D] [E]
2.- 28. Jan. und Mitte Nov.- Mitte Dez. geschl. – Karte 22/39 *(Nov.- April Dienstag geschl.)* – **23 Z : 44 B** 45/60 - 72/90.

🍴 **Brauerei-Gasthof Schneider** mit Zim, Altmühlgasse 10, ℘ (09447) 3 54, ☂ – 🚗 🅿
✦ Karte 18,50/48 *(Montag geschl.)* – **13 Z : 23 B** 26/32 - 52/60.

[KELKHEIM] **6233.** Hessen [413] I 16 – 27 000 Ew – Höhe 202 m – ☎ 06195.

ℹ Verkehrsamt, Frankfurter Str. 55, ℘ 20 02.

♦Wiesbaden 27 – ♦Frankfurt am Main 19 – Limburg an der Lahn 47.

🏨 **Post**, Breslauer Str. 42, ℘ 20 58 – ⇅ 📺 ☎ 🚗 🏢. [AE] [D] [E] [VISA]
Karte 45/73 *(Samstag bis 18 Uhr geschl.)* – **18 Z : 36 B** 75/135 - 120/180.

🏨 **Kelkheimer Hof** garni, Hauptstr. 8a, ℘ 40 28 – 📺 ☎ 🅿. [AE] [D] [E]
20 Z : 30 B 80/96 - 130/150 Fb.

🏨 Becker's Waldhotel 🔇 garni, Unter den Birken 19, ℘ 20 97, ≘s – 📺 ☎ 🅿
13 Z : 18 B Fb.

In Kelkheim-Hornau :

🏨 **Hessischer Hof**, Luisenstr. 5, ℘ 69 94 – 📺 ☎ 🅿. [AE] [D] [E]
Karte 23/48 *(nur Abendessen, Samstag geschl.)* – **11 Z : 18 B** 60/90 - 100/130.

🍴🍴 **Le Corse** mit Zim, Hornauer Str. 148, ℘ 6 28 47, « Innenhofterrasse » – 📺 ☎ 🅿. [AE] [D] [E] [VISA]
1.- 7. Jan. und Juli - Aug. 2 Wochen geschl. – Karte 58/84 *(Französische Küche, Tischbestellung ratsam)* (nur Abendessen, Sonntag geschl.) – **7 Z : 12 B** 85/120 - 130/150.

In Kelkheim-Münster :

🏠 **Zum goldenen Löwen**, Königsteiner Str. 1, ℘ 40 91 – 📺 ☎ 🅿. [E]
1.- 21. Aug. und 24. Dez.- 2. Jan. geschl. – Karte 21/42 *(Donnerstag geschl.)* – **26 Z : 48 B** 63/69 - 96/105.

Außerhalb NW : 5 km über Fischbach und die B 455 Richtung Königstein :

🏨 **Schloßhotel Rettershof** 🔇 (Schlößchen mit modernem Hotelanbau), ✉ 6233 Kelkheim, ℘ (06174) 2 90 90, Telex 4175039, ☂, Park, ≘s, 🎾 – 📺 🅿 🏢. [AE] [E]
Karte 52/73 – **35 Z : 58 B** 110/130 - 175/195 Fb.

[KELL AM SEE] **5509.** Rheinland-Pfalz – 1 900 Ew – Höhe 441 m – Luftkurort – ☎ 06589.

ℹ Tourist-Information, Hochwaldstr. 4, ℘ 10 44.

Mainz 148 – Saarburg 27 – ♦Trier 37.

🏨 **St. Michael**, Kirchstr. 3, ℘ 10 68, ≘s, 🌳, Fahrradverleih – ⇅ ☎ ♿ 🅿 🏢. [D]. 🚫🐕 Zim
Karte 21/45 *(Nov.- Mai Montag geschl.)* – **35 Z : 70 B** 54/84 - 108/148.

🏨 **Haus Doris** 🔇, Nagelstr. 8, ℘ 71 10, ≘s – 🅿. 🚫🐕 Rest
✦ Karte 19,50/35 *(Mittwoch geschl.)* – **16 Z : 37 B** 35/40 - 60/80.

🏨 **Zur Post**, Hochwaldstr. 2, ℘ 2 00, 🌳 – 🚗 🅿
✦ Karte 18/37 *(Freitag geschl.)* – **17 Z : 30 B** 28/36 - 56/72 – P 41/46.

[KELLENHUSEN] **2436.** Schleswig-Holstein – 1 500 Ew – Höhe 10 m – Ostseeheilbad – ✆ 04364 (Dahme).

[i] Kurverwaltung, Strandpromenade, ☎ 10 81 – •Kiel 83 – Grömitz 11 – Heiligenhafen 25.

🏨 **Vier Linden** 🌳, Lindenstr. 4, ☎ 10 50, ≋ – ⇅ ♿ [P]. ✗
Mitte März - Mitte Okt. – Karte 22/43 – **50 Z : 100 B** 35/56 - 70/180.

🏨 Erholung, Am Ring 35, ☎ 2 36 – ⇅ [P] – *nur Saison* – **34 Z : 65 B**.

Siehe auch : ***Liste der Feriendörfer***

[KELSTERBACH] **6092.** Hessen [413] I 16 – 14 300 Ew – Höhe 107 m – ✆ 06107.

•Wiesbaden 26 – •Darmstadt 33 – •Frankfurt am Main 16 – Mainz 26.

🏨 **Novotel Frankfurt Rhein-Main** 🌳, Am Weiher 20, ☎ 7 50 50, Telex 4170101, Fax 8060, ≤, ☂, ≋, [≋] – ⇅ ⊭ Zim ▤ [TV] ☎ ♿ [P] 🏛. [AE] [O] [E] [VISA]
Karte 33/65 – **151 Z : 302 B** 165/195 - 201/221 Fb.

🏨 **Tanne**, Tannenstr. 2, ☎ 30 81, Telex 417794 – ☎ [P]. [E] [VISA]
Karte 26/46 *(nur Abendessen, Freitag - Sonntag geschl.)* – **36 Z : 56 B** 87/99 - 138/168.

🏨 **Zeltinger Hof** garni, Waldstr. 73, ☎ 21 26 – [TV] ☎ [P]. [AE] [O] [E] [VISA]
21. Dez.- 5. Jan. geschl. – **29 Z : 40 B** 49/67 - 104/115.

XX **Alte Oberförsterei**, Staufenstr. 16 (beim Bürgerhaus), ☎ 6 16 73, ☂ – [P]. [AE] [O] [E]
Samstag bis 18 Uhr und Montag geschl. – Karte 43/62 (Tischbestellung ratsam).

[KELTERN] **7538.** Baden-Württemberg [413] I 20 – 7 850 Ew – Höhe 190 m – ✆ 07236.

•Stuttgart 61 – •Karlsruhe 24 – Pforzheim 11.

In Keltern 2-Ellmendingen :

🏨 **Goldener Ochsen**, Durlacher Str. 8, ☎ 81 42 – ☎ 🚗 [P]
Karte 33/69 *(Sonntag 16 Uhr - Montag geschl.)* – **12 Z : 21 B** 45/60 - 80/100.

🏨 **Zum Löwen**, Durlacher Str. 10, ☎ 81 31 – [P] 🏛
◆ *Anfang - Mitte Jan. und Juni geschl.* – Karte 19/41 *(Montag geschl.)* – **11 Z : 20 B** 30/50 - 60/90.

[KEMMENAU] Rheinland-Pfalz siehe Ems, Bad.

[KEMPEN] **4152.** Nordrhein-Westfalen [987] ⑬ – 32 500 Ew – Höhe 35 m – ✆ 02152.

•Düsseldorf 37 – Geldern 21 – Krefeld 13 – Venlo 22.

XX **et kemp'sche huus** (restauriertes Fachwerkhaus a.d.J. 1725), Neustr. 31, ☎ 5 44 65 – [P]. [AE] [O] [E] [VISA]. ✗
Montag geschl. – Karte 48/67 (Tischbestellung ratsam).

[KEMPENICH] **5446.** Rheinland-Pfalz [987] ㉔ – 1 500 Ew – Höhe 455 m – Erholungsort – ✆ 02655 (Weibern).

Mainz 144 – •Bonn 55 – •Koblenz 53 – •Trier 106.

🏨 **Eifelkrone**, Hardt 1 (nahe der B 412), ☎ 13 01, ☂, ⛱ – 🚗 [P]
◆ *Nov.- 15. Dez. geschl.* – Karte 19,50/35 – **16 Z : 32 B** 38/42 - 72/76.

[KEMPFELD] **6581.** Rheinland-Pfalz – 950 Ew – Höhe 530 m – Erholungsort – ✆ 06786.

Mainz 111 – Bernkastel-Kues 23 – Idar-Oberstein 15 – •Trier 66.

🏨 **Ferienfreude**, Hauptstr. 43, ☎ 13 08, ⛱ – 🚗 [P]
◆ *1.- 21. Nov. geschl.* – Karte 18/36 *(Freitag geschl.)* – **10 Z : 20 B** 35/38 - 56/64.

In Bruchweiler **6581** NW : 1 km – Erholungsort :

X Hochwaldhof mit Zim, Idarwaldstr. 13, ☎ (06786) 4 95 – [P] – **6 Z : 12 B.**

[KEMPTEN (ALLGÄU)] **8960.** Bayern [413] N 23, [987] ㊱, [426] ⑮ – 58 000 Ew – Höhe 677 m – ✆ 0831.

[i] Verkehrsamt, Rathausplatz 14, ☎ 2 52 52 37 – ADAC, Bahnhofstr. 55, ☎ 2 90 31.

•München 127 ② – •Augsburg 102 ② – Bregenz 73 ⑤ – •Konstanz 135 ⑤ – •Ulm (Donau) 89 ①.

Stadtplan siehe gegenüberliegende Seite.

🏨 **Fürstenhof**, Rathausplatz 8, ☎ 2 53 60, Telex 541535 – ⇅ [TV] 🚗 🏛. [AE] [O] [E] [VISA] AY **v**
Karte 46/71 – **Ratskeller** *(nur Abendessen, Samstag - Sonntag geschl.)* Karte 31/46 – **74 Z : 144 B** 95/140 - 150/220 Fb – 4 Appart. 350.

🏨 **Bayerischer Hof - Restaurant Cambodunum**, Füssener Str. 96, ☎ 7 34 20 (Hotel) 7 84 81 (Rest.), ≋ – ☎ 🚗 [P]. [AE] [O] [E] [VISA] AY **s**
Karte 24/50 – **41 Z : 72 B** 85/90 - 130/145 Fb.

🏨 **Peterhof**, Salzstr. 1, ☎ 2 55 25, Telex 541535 – ⇅ [TV] ☎ 🚗 🏛. [AE] [O] [E] [VISA] AY **c**
Karte 31/51 – **51 Z : 102 B** 79/85 - 124/140 Fb.

🏨 **Auf'm Lotterberg** 🌳 garni, Königsberger Str. 31, ☎ 9 77 53, ≤ – ☎ 🚗 [P]. [AE] [O] [E]
10. Dez.- 10. Jan. geschl. – **26 Z : 33 B** 52 - 86 Fb. über Lotterbergstr. BY

KEMPTEN (ALLGÄU)

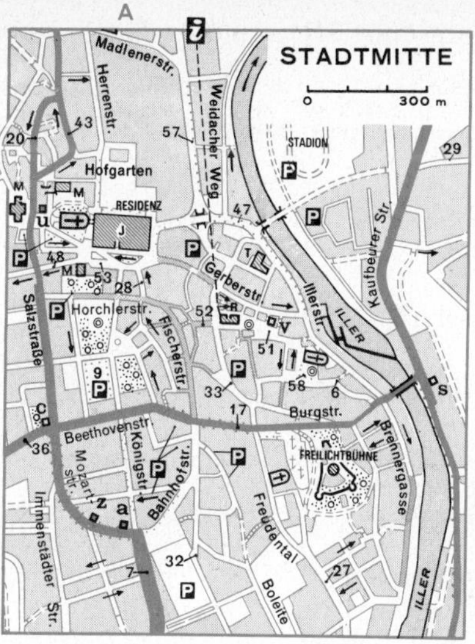

Bäckerstraße	AY	6
Bahnhofstraße	AY	7
Fischerstraße	AY	
Gerberstraße	AY	
Klostersteige	AY	28
Rathausplatz	AY	51
Rathausstraße	AY	52
Residenzplatz	AY	53
Äußere Rottach	BY	2
Am Göhlenbach	AZ	3
Aybühlweg	AZ	4
Berliner Platz	BY	8
Bodmanstraße	ABY	9
Dornierstraße	BZ	10
Duracher Str.	BZ	12
Eicher Straße	BZ	13
Ellharter Str.	BZ	14
Freudenberg	AY	17
Füssener Str.	BZ	18
General-Dietl-Straße	AY	20
Haubenschloßstraße	BZ	23
Immenstädter Straße	BZ	25
Keselstraße	ABY	27
Knussertstr.	BY	29
Kotterner Str.	ABY	32
Kronenstr.	AY	33
Lenzfrieder Str.	BY	34
Lindauer Str.	ABZ	36

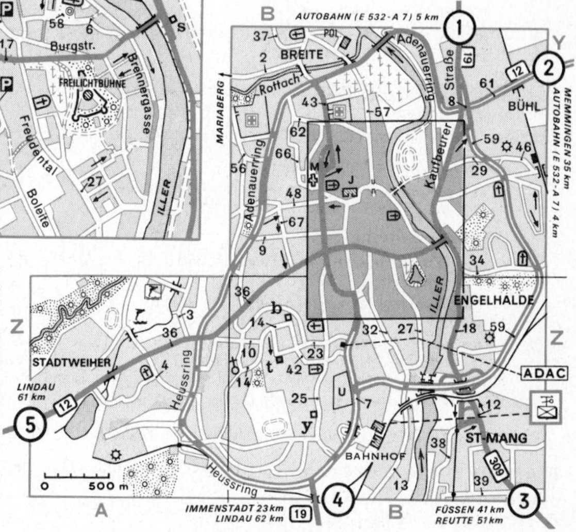

Lotterbergstraße	BY	37
Ludwigstraße	BZ	38
Magnusstraße	BZ	39
Maler-Lochbihler-Straße	BZ	42
Memminger Straße	ABY	43
Ostbahnhofstraße	BY	46
Pfeilergraben	AY	47
Poststraße	ABY	48
Robert-Weixler-Str.	BY	56
Rottachstraße	ABY	57
Sankt-Mang-Platz	AY	58
Schumacherring	BYZ	59
Stephanstraße	BY	61
Stiftskellerweg	BY	62
Weiherstraße	BY	66
Westendstraße	BY	67

Haslacher Hof, Immenstädter Str. 74, ✆ 2 40 26 – ☎ P. AE ⓓ E VISA — BZ y
Karte 21/30 *(nur Abendessen, Freitag geschl.)* – **31 Z : 52 B** 42/47 - 80/85.

Bei den Birken, garni, Goethestr. 25, ✆ 2 80 08, – ☎ P. ⓓ — BZ b
20 Z : 25 B 35/48 - 55/80.

Sonnenhang, Mariaberger Str. 78, ✆ 9 37 56, ←, – ☎ P. E
8. Feb.- 1. März und 15.- 30. Mai geschl. – Karte 25/42 *(Donnerstag geschl.)* – **17 Z : 30 B** 48/52 - 78/85 Fb. — über Äußere Rottach BY

Bahnhof-Hotel, Mozartstr. 2, ✆ 2 20 73 – . AE ⓓ E VISA — AY a
Karte 18,50/36 *(nur Abendessen, Sonntag geschl.)* – **40 Z : 70 B** 42/44 - 78/80.

Le Tzigane, Mozartstr. 8, ✆ 2 63 69 – ⓓ E — AY z
Samstag bis 18 Uhr und Montag geschl. – Karte 31/52 (Tischbestellung ratsam).

Haubenschloß, Haubenschloßstr. 37, ✆ 2 35 10, – P. AE E — BZ t
Montag geschl. – Karte 28/53.

Zum Stift (Brauerei-Gaststätte), Stiftsplatz 1, ✆ 2 23 88, Biergarten — AY u

In Kempten-Lenzfried O : 2 km über Lenzfrieder Str. BYZ :

Berg-Café, Höhenweg 6, ✆ 7 32 96, ←, – P. ⓓ
Karte 18/28 *(nur Abendessen, 28. Aug.- 19. Sept. und Freitag - Sonntag geschl.)* – **30 Z : 47 B** 29/38 - 54/70.

In Durach **8968** ③ : 4 km :

Zum Schwanen, Füssener Str. 26, ✆ (0831) 6 32 35 – P
6.- 24. Nov. geschl. – Karte 17/36 *(Mittwoch geschl.)* – **11 Z : 18 B** 35/38 - 65/70.

In Sulzberg **8961** S : 7 km über Ludwigstraße BZ :

Sulzberger Hof, Sonthofener Str. 17, ✆ (08376) 3 01, ←, – P. AE ⓓ. Zim
Ende Okt.- Anfang Dez. geschl. – Karte 25/49 *(Dienstag geschl.)* – **15 Z : 27 B** 45/55 - 90/110 Fb.

Siehe auch : ***Buchenberg, Waltenhofen und Wiggensbach***

KENZINGEN 7832. Baden-Württemberg 413 G 22, 987 ㉞, 242 ㉘ ㉜ – 7 200 Ew – Höhe 179 m – ✆ 07644.

♦Stuttgart 182 – ♦Freiburg im Breisgau 28 – Offenburg 40.

Gasthaus Schieble, Offenburger Str. 6 (B 3), ✆ 84 13, – P. AE ① E VISA
20. Okt.- 14. Nov. geschl. – Karte 24/42 *(Donnerstag geschl.)* – **22 Z : 44 B** 38/50 - 66/85.

Beller, Hauptstr. 41, ✆ 5 26 – P
8 Z : 15 B.

KERKEN 4173. Nordrhein-Westfalen 987 ⑬ – 11 100 Ew – Höhe 35 m – ✆ 02833.

♦Düsseldorf 51 – ♦Duisburg 31 – Krefeld 17 – Venlo 22.

In Kerken-Aldekerk :

XX Haus Thoeren mit Zim, Marktstr. 14, ✆ 44 31 – P
14 Z : 26 B.

In Kerken-Nieukerk :

Wolters, Sevelener Str. 15, ✆ 22 06 – TV P. AE ① E VISA
Karte 24/46 – **17 Z : 30 B** 38 - 70.

KERNEN IM REMSTAL 7053. Baden-Württemberg 413 L 20 – 14 000 Ew – Höhe 265 m – ✆ 07151 (Waiblingen).

♦Stuttgart 19 – Esslingen am Neckar 9 – Schwäbisch Gmünd 43.

In Kernen 1-Rommelshausen :

Traube, Hauptstr. 37, ✆ 4 10 66 – P. AE ① E
Karte 23/52 *(Samstag geschl.)* – **40 Z : 60 B** 41/64 - 72/98.

In Kernen 2-Stetten :

Gästehaus Schlegel garni, Tannenäckerstr. 13, ✆ 4 20 16 – TV P. AE ① E
28 Z : 47 B 65/90 - 110/140 Fb.

Hirsch, Hirschstr. 2, ✆ 4 42 40, – P
16 Z : 20 B.

XX ✿ **Romantik-Restaurant Zum Ochsen**, Kirchstr. 15, ✆ 4 20 15 – P. AE ① E
Mittwoch und 1.- 22. Feb. geschl. – Karte 37/73
Spez. Aalterrine, Lammrücken in Kräuterbutterschaum (für 2 Pers.), Variation von Früchten mit Zimt-Cassis-Parfait.

XX **Weinstube Idler - Zur Linde** mit Zim, Dinkelstr. 1, ✆ 4 20 18, – TV P. AE ① E
Karte 36/78 *(Montag und 2.-23. Jan. geschl.)* – **15 Z : 23 B** 55/60 - 85/105.

KERPEN 5014. Nordrhein-Westfalen 987 ㉓ – 56 000 Ew – Höhe 75 m – ✆ 02237.

♦Düsseldorf 60 – Düren 17 – ♦Köln 26.

X Zur Glocke, Stiftsstr. 39, ✆ 25 71
(Tischbestellung ratsam).

In Kerpen-Horrem N : 6 km :

Rosenhof, Hauptstr. 119, ✆ (02273) 45 81 – P.
(nur Abendessen) – **15 Z : 20 B**.

In Kerpen-Sindorf NW : 4 km :

Park-Hotel garni, Kerpener Str. 183, ✆ (02273) 50 94 – P. AE E
25 Z : 37 B 65/85 - 95/125 Fb.

KESTERT 5421. Rheinland-Pfalz – 900 Ew – Höhe 74 m – ✆ 06773.

Mainz 68 – ♦Koblenz 30 – Lorch 21.

Goldener Stern, Rheinstr. 38 (B 42), ✆ 71 02, ≤, – E VISA
Jan.- Feb. 2 Wochen geschl. – Karte 19/42 *(Nov.- April Montag geschl.)* – **13 Z : 22 B** 30/40 - 52/76.

KETSCH Baden-Württemberg siehe Schwetzingen.

KEVELAER 4178. Nordrhein-Westfalen 987 ⑬, 408 ⑲ – 23 100 Ew – Höhe 21 m – Wallfahrtsort – ✆ 02832.

Verkehrsverein, im neuen Rathaus, ✆ 12 21 52.

♦Düsseldorf 74 – Krefeld 41 – Nijmegen 42.

Am Bühnenhaus garni, Burg-St.-Edmund-Str. 13, ✆ 44 67 – P.
17 Z : 35 B 58 - 95 Fb.

Goldener Apfel, Kapellenplatz 13, ✆ 55 07 (Hotel) 72 57 (Rest.) –
Hotel : 15. Dez.- Jan. geschl. – Karte 24/45 *(Freitag und Jan.- 15. Feb. geschl.)* – **32 Z : 55 B** 45/90 - 75/110.

Zur Brücke, Bahnstr. 44, ✆ 23 89, – TV P. AE ① E VISA. Zim
Karte 31/44 – **10 Z : 20 B** 40/68 - 70/128.

Zum weißen Kreuz, Kapellenplatz 21, ✆ 54 09, Fahrradverleih
24. Jan.- 24. Feb. geschl. – Karte 22/44 *(Montag geschl.)* – **15 Z : 24 B** 29/53 - 58/86.

Zu den goldenen und silbernen Schlüsseln, Kapellenplatz 19, ✆ 54 19
16 Z : 35 B.

In Kevelaer 3-Schravelen N : 1,5 km :

Sporthotel Schravelsche Heide, Grotendonker Str. 54, ✆ 8 05 51, (Halle), (Halle) – AE VISA
Karte 32/65 – **33 Z : 64 B** 61/76 - 116/132 Fb.

KIEDRICH 6229. Hessen – 3 500 Ew – Höhe 180 m – Erholungsort – 06123.

Sehenswert : Pfarrkirche (Ausstattung**, Kirchengestühl**, Madonna*).

Ausflugsziele : Ehem. Kloster Eberbach : Mönchsdormitorium* – Keller (Keltern**) W : 4 km.

♦Wiesbaden 17 – Mainz 20.

Nassauer Hof, Bingerpfortenstr. 17, ✆ 24 76, eigener Weinbau – AE E VISA
Jan. geschl. – Karte 25/56 *(Montag geschl.)* – **28 Z : 51 B** 50/55 - 80/98 Fb.

KIEFERSFELDEN 8205. Bayern 413 T 24, 987 ㊲, 426 ⑱ – 6 000 Ew – Höhe 506 m – Luftkurort – Wintersport : 500/800 m 2 3 – 08033.

Verkehrsamt, Rathausplatz 3, ✆ 84 90.

ADAC, Grenzbüro, an der Autobahn, ✆ 83 20, Telex 525516.

♦München 86 – Innsbruck 78 – Rosenheim 31.

Zur Post, Bahnhofstr. 26, ✆ 70 51, Biergarten
39 Z : 80 B Fb.

Gruberhof, König-Otto-Str. 2, ✆ 70 40, AE E VISA
Mitte Nov.- Mitte Dez. geschl. – Karte 22/47 – **34 Z : 65 B** 55/59 - 90/98 Fb – 2 Fewo 80/98.

Schaupenwirt, Kaiser-Franz-Josef-Allee 26, ✆ 82 15, Biergarten
11 Z : 21 B.

Siehe auch : *Kufstein* (Österreich)

KIEL 2300. L Schleswig-Holstein 987 ⑤ – 245 000 Ew – Höhe 5 m – 0431.

Sehenswert : Hindenburgufer ** (<**) – Rathaus (Turm <*).

Ausflugsziele : Freilichtmuseum** ③ : 7,5 km – Kieler Förde** und Prinz-Heinrich-Brücke (<*) N : 5 km R.

Heikendorf-Kitzeberg (① : 10 km), ✆ (0431) 2 34 04.

Ausstellungsgelände Ostseehalle (Y), ✆ 9 01 23 05, Telex 292511.

Touristinformation, Sophienblatt 30, ✆ 6 22 30.

ADAC, Saarbrückenstr. 54, ✆ 6 60 20, Notruf ✆ 1 92 11.

Flensburg 88 ⑥ – ♦Hamburg 96 ⑤ – ♦Lübeck 92 ⑤.

Stadtpläne siehe vorhergehende Seiten.

Conti-Hansa, Schloßgarten 7, ✆ 5 11 50, Telex 292813, Fax 5115444, E VISA. Rest — X e
Restaurants : – **Fayence** *(nur Abendessen, Sonntag geschl.)* Karte 53/80 – **Hansa-Pavillon** Karte 37/68 – **167 Z : 338 B** 165/210 - 255/285 Fb.

Maritim-Bellevue, Bismarckallee 2, ✆ 3 50 50, Telex 292444, Fax 338490, < Kieler Förde, E VISA. Rest — R e
Karte 30/70 – **89 Z : 180 B** 129/249 - 198/368 Fb – 10 Appart. 380/650.

Kieler Kaufmann, Niemannsweg 102, ✆ 8 50 11, Telex 292446, AE E VISA. Rest — R k
Karte 36/70 – **48 Z : 65 B** 105/135 - 160/190 Fb.

Kieler Yacht-Club, Hindenburgufer 70, ✆ 8 50 55, Telex 292869, < Kieler Förde, AE E VISA — R m
Karte 40/72 – **60 Z : 100 B** 110/145 - 160/195 Fb.

Berliner Hof garni, Ringstr. 6, ✆ 6 20 50 – AE E VISA — Z d
22. Dez.- 2. Jan. geschl. – **82 Z : 150 B** 75/110 - 115/135.

Astor, Holstenplatz 1, ✆ 9 30 17, Telex 292720, < – AE E VISA — Y a
Karte 28/65 *(Sonntag geschl.)* – **59 Z : 87 B** 65/100 - 130/150 Fb.

Wiking - Restaurant Normandie, Schützenwall 1, ✆ 67 30 51 (Hotel) 67 34 24 (Rest.), AE E VISA — Y s
Karte 42/63 – **41 Z : 71 B** 72/90 - 110/140.

Consul, Walkerdamm 11, ✆ 6 30 15 — Y k
35 Z : 65 B Fb.

Fortsetzung →

KIEL
UND UMGEBUNG

Brunswiker Straße	X	
Holstenstraße	Y	51
Holtenauer Straße	R	
Sophienblatt	Z	
Adalbertstraße	R	2
Alte Lübecker Chaussee	S	3
Andreas-Gayk-Straße	Y	6
Arkonastraße	R	7
Arndtplatz	X	8
Asmusstraße	Z	9
Auguste-Viktoria-Straße	Y	10
Bartelsallee	R	12
Boelckestraße	R	13
Chemnitzstraße	Y	16
Dänische Straße	XY	17
Dreiecksplatz	X	19
Dresdener Straße	R	20
Düppelstraße	R	21
Düsternbrooker Weg	RS	23
Eckernförder Straße	XY	25
Elchhofstraße	S	28
Exerzierplatz	Y	29
Finkelberg	T	31
Friedrich-Voß-Ufer	R	32
Gablenzstraße	S	33
Gartenstraße	X	35
Großer Kuhberg	Y	36
Gutenbergstraße	S	37
Hafenstraße	Y	39
Hansastraße	S	40
Hasseldieksdammer Weg	Y	41
Hebbelstraße	X	42
Heckenrosenweg	T	43
Hegewischstraße	X	44
Helmholtzstraße	Z	45
Hermann-Weigmann-Str.	Y	47
Herthastraße	R	48
Holstenbrücke	Y	49
Hornheimer Weg	T	52
Hummelwiese	Z	53
Karolinenweg	X	56
Kehdenstraße	Y	57
Kleiner Kuhberg	Y	59
Knooper Weg	RS	60
Königsweg	YZ	61
Koesterallee	R	62
Konrad-Adenauer-Damm	T	63
Kronshagener Weg	S	64
Krusenrotter Weg	T	65
Küterstraße	Y	67
Lehmberg	X	68
Lessingplatz	X	69
Lindenallee	R	70
Markt	Y	73
Martensdamm	XY	74
Mecklenburger Straße	R	75
Moltkestraße	R	76
Niebuhrstraße	R	77
Olshausenstraße	X	80
Paul-Fuß-Straße	R	81
Petersburger Weg	T	83
Poppenbrügger Weg	T	84
Prinzengarten	X	85
Prinz-Heinrich-Straße	R	86
Raiffeisenstraße	YZ	87
Rendsburger Landstraße	S	88
Richthofenstraße	R	89
Saarbrückenstraße	Z	91
Sachaustraße	Z	92
Saldernstraße	X	93
Schevenbrücke	Y	95
Schlieffenallee	R	96
Schloßgarten	X	97
Schülperbaum	Y	100
Schützenwall	S	101
Schuhmacherstraße	Y	102
Sternstraße	XY	104
Stresemannplatz	Y	105
Theodor-Heuss-Ring	S	106
Tiessenkai	R	107
Walkerdamm	Y	108
Wall	Y	109
Warnemünder Straße	R	110
Weimarer Straße	R	111
Westring	RS	112
Wilhelminenstraße	X	113
Winterbeker Weg	Z	116
Wulfsbrook	S	117
Ziegelteich	Y	118

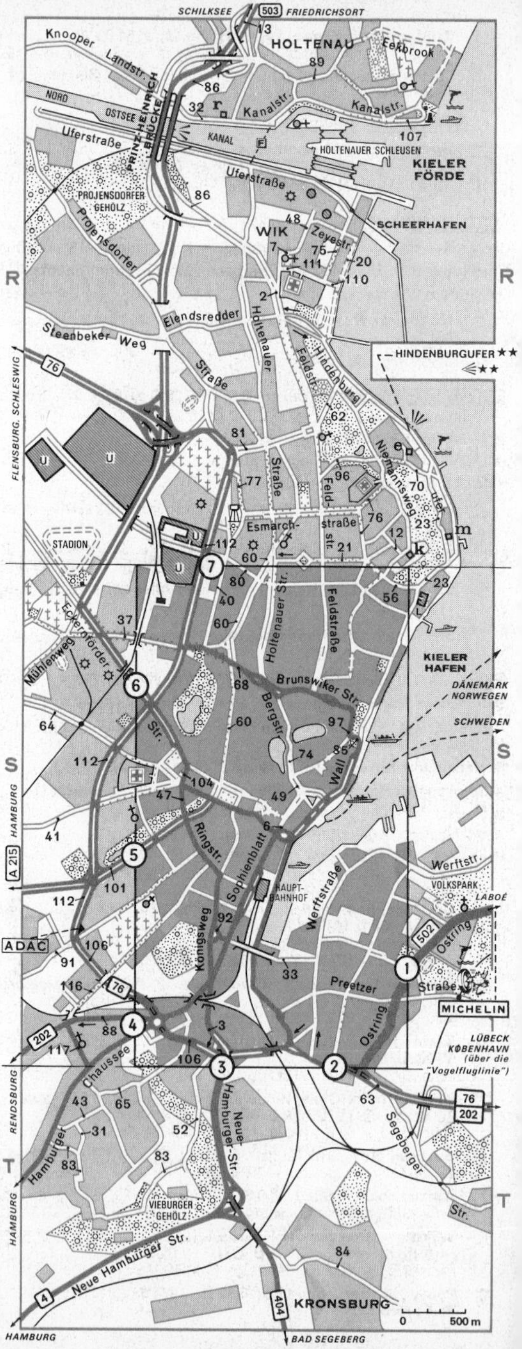

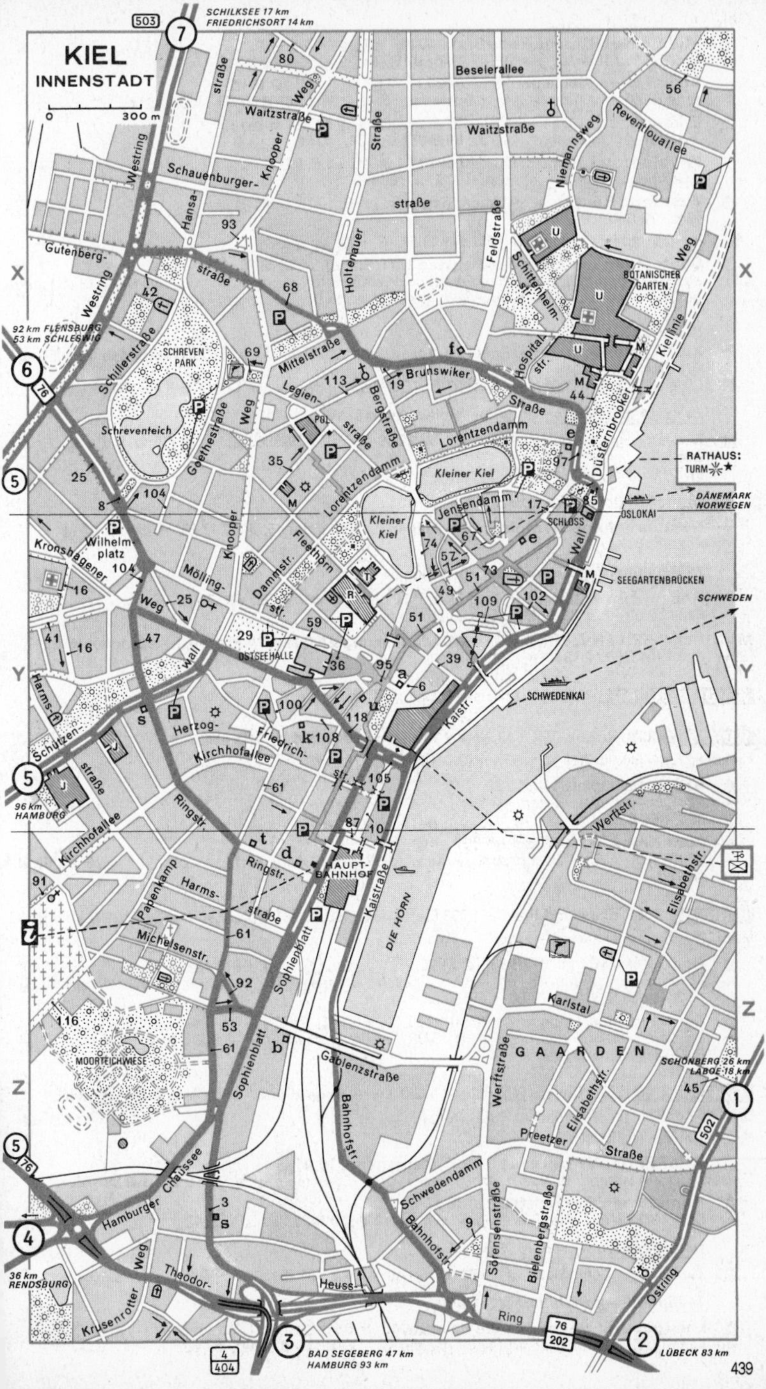

KIEL
INNENSTADT
0
300 m
SCHILKSEE 17 km
FRIEDRICHSORT 14 km
503
Beseleralle
Waitzstraße
Reventlouallee
Niemannsweg
Knooper Weg
Westring
Schauenburgerstraße
Holtenauer Straße
Hansastraße
Feldstraße
Gutenbergstraße
BOTANISCHER GARTEN
Schittenhelmstr.
Hospitalstr.
Kiellinie
Düsternbrooker Weg
92 km FLENSBURG
53 km SCHLESWIG
Schillerstraße
SCHREVENPARK
Schreventeich
Goethestraße
Mittelstraße
Brunswiker Straße
Legienstraße
Bergstraße
Lorentzendamm
Kleiner Kiel
RATHAUS: TURM
DÄNEMARK NORWEGEN
OSLOKAI
Jensendamm
SCHLOSS
Wall
SEEGARTENBRÜCKEN
SCHWEDEN
Kronshagener Weg
Wilhelmplatz
Möllingstr.
Dammstr.
Fleethörn
Ostseehalle
Herzog-Friedrich-str.
Kirchhofallee
Harmsstr.
Schützenwall
Schützenstraße
96 km HAMBURG
Kaistr.
SCHWEDENKAI
Werftstr.
Elisabethstr.
Ringstr.
HAUPTBAHNHOF
Kaistraße
DIE HÖRN
Papenkamp
Harmsstraße
Michelsenstr.
Sophienblatt
Karlstal
MOORTEICHWIESE
Gablenzstraße
GAARDEN
SCHÖNBERG 26 km
LABOE 18 km
Bahnhofstr.
Werftstraße
Preetzer Straße
Hamburger Chaussee
Schwedendamm
Sörensenstraße
Bielenbergstraße
36 km RENDSBURG
Theodor-Heuss-Ring
Krusenrotter Weg
Ostring
BAD SEGEBERG 47 km
HAMBURG 93 km
LÜBECK 83 km
76
202
4
404
502

Muhl's Hotel, Lange Reihe 5, ℘ 9 30 01 – TV ☎. AE E VISA — Y u
Karte 26/56 *(Sonntag geschl.)* – **41 Z : 67 B** 69/120 - 110/150 Fb.

An der Hörn, Gablenzstr. 8, ℘ 67 20 71 – TV ☎ P. AE E VISA — Z b
Karte 28/46 *(nur Abendessen, Samstag geschl.)* – **34 Z : 61 B** 60/88 - 100/160 Fb.

Erkenhof garni, Dänische Str. 12, ℘ 9 50 08 – ☎. E VISA — Y e
19. Dez.- 4. Jan. geschl. – **28 Z : 50 B** 85/90 - 124/140 Fb.

Rabe's Hotel, Ringstr. 30, ℘ 67 60 91 – ☎. AE E VISA — Z t
(nur Abendessen für Hausgäste) – **27 Z : 50 B** 60/95 - 95/140.

Zum Fritz Reuter garni, Langer Segen 5a, ℘ 56 10 16 – ☎ P — X f
40 Z : 70 B 49/60 - 78/89.

XXX Restaurant im Schloß, Wall 80, ℘ 9 11 58, ← – — XY

X **September**, Alte Lübecker Chaussee 27 (1. Etage), ℘ 68 06 10, – E. — Z s
ab 19 Uhr geöffnet, Sonn- und Feiertage, Weihnachten- Anfang Jan. und Juli - Aug. 3 Wochen geschl. – Karte 42/60 – **Bistro** *(kein Ruhetag, keine Betriebsferien)* Karte 32/56.

In Kiel 17-Holtenau :

Zur Waffenschmiede, Friedrich-Voss-Ufer 4, ℘ 36 28 74, ←, « Gartenterrasse » – TV ☎ P — R r
20. Dez.- 10. Jan. geschl. – Karte 27/51 *(Donnerstag geschl.)* – **12 Z : 20 B** 45/100 - 95/150.

In Kiel 1-Mettenhof über Hasseldieksdammer Weg Y :

Birke garni, Martenshofweg 8, ℘ 52 40 11, Telex 292396, – TV ☎ P. AE E VISA
57 Z : 85 B 68/130 - 99/190 Fb.

In Kiel 17-Schilksee ⑦ : 17 km :

X **Restaurant am Olympiahafen**, Fliegender Holländer 45, ℘ 37 17 17, ←, – P. E
Karte 27/60.

In Raisdorf-Vogelsang 2313 ② : 10 km :

Rosenheim, Preetzer Str. 1, ℘ (04307) 50 11 – ☎ P. AE E VISA
Karte 25/50 – **26 Z : 32 B** 40/58 - 68/85.

MICHELIN-REIFENWERKE KGaA. Niederlassung 2300 Kiel 14-Ellerbek, Klausdorfer Weg 171 (über ①), ℘ (0431) 72 20 94.

KINDERBEUERN

Rheinland-Pfalz siehe Ürzig.

KINDING

8079. Bayern 413 R 19,20 – 2 100 Ew – Höhe 374 m – ☎ 08467.
♦München 107 – Ingolstadt 34 – ♦Nürnberg 62 – ♦Regensburg 61.

Krone, Marktplatz 14, ℘ 2 68 – P
23. Okt.- 15. Nov. geschl. – Karte 15/32 *(Dienstag geschl., Juli - Sept. nur Abendessen)* – **30 Z : 55 B** 39 - 64.

Zum Krebs, Marktplatz 1, ℘ 3 39 – P
Mitte Nov.- Mitte Dez. geschl. – Karte 16/32 *(Nov.- April Mittwoch geschl.)* – **28 Z : 65 B** 40 - 66.

KINHEIM

5561. Rheinland-Pfalz – 1 000 Ew – Höhe 105 m – Erholungsort – ☎ 06532 (Zeltingen).
Mainz 127 – Bernkastel-Kues 14 – ♦Trier 52 – Wittlich 15.

Pohl, Moselweinstr. 37 (B 53), ℘ 21 96, ←, – P. E VISA
15. Jan.- 1. Feb. und 15. Feb. - 1. März geschl. – Karte 17/40 *(Nov.- Mai Donnerstag geschl.)* – **30 Z : 55 B** 36/40 - 70/80 – P 52/58.

Zur Burg, Moselweinstr. 49 (B 53), ℘ 22 50, ← – P. E VISA. Rest
15. Jan.- 15. Feb. geschl. – Karte 16/38 *(Dienstag geschl.)* – **8 Z : 18 B** 28/35 - 50/66 – P 40/45.

KIPFENBERG

8079. Bayern 413 R 20 – 4 800 Ew – Höhe 400 m – Erholungsort – ☎ 08465.
Fremdenverkehrsbüro, Marktplatz 2, ℘ 1 74 30.
♦München 102 – Ingolstadt 28 – ♦Nürnberg 69.

Alter Peter, Marktplatz 16, ℘ 2 97, Biergarten – ☎
März 2 Wochen und Nov. geschl. – Karte 20/45 *(Dienstag geschl.)* – **16 Z : 31 B** 38 - 65.

Hannemann, Marktplatz 22, ℘ 16 87
Karte 16/37 *(Nov.- Mai Dienstag geschl.)* – **12 Z : 20 B** 23/32 - 56 – P 42.

In Kipfenberg-Arnsberg SW : 6 km :

Zum Raben, Schloßleite, ℘ 13 00, – P – **15 Z : 34 B.**

In Kipfenberg-Pfahldorf W : 6 km :

Landgasthof Geyer, Alte Hauptstr. 10, ℘ 5 01, , , Fahrradverleih – P
Karte 17/30 *(Donnerstag ab 14 Uhr geschl.)* – **27 Z : 56 B** 35/40 - 58/62.

KIRCHBERG IM WALD 8371. Bayern [413] W 20 – 4 300 Ew – Höhe 736 m – Erholungsort – Wintersport :750/800 m ⛷1 ⛷2 – ☎ 09927.

[i] Verkehrsamt, Rathaus, Ferd.-Neumaier-Str. 14, ☎ 10 15.

♦München 165 – Passau 52 – Regen 8 – ♦ Regensburg 100.

- Zum Amthof, Amthofplatz 5, ☎ 2 72, ≘s, [⛱], 🌳 – ☎ [P]
  27 Z : 54 B.

KIRCHEN (SIEG) 5242. Rheinland-Pfalz – 10 600 Ew – Höhe 250 m – Luftkurort – ☎ 02741 (Betzdorf).

Mainz 123 – Limburg an der Lahn 68 – Siegen 20.

- **Panorama-Hotel Druidenschlößchen**, Auf der Sohle 1 (SO : 2 km), ☎ 6 21 11, ≤, ⛱, 🎾 – [P] 🍴. [AE] [D] [E]
  Karte 27/53 *(Mittwoch geschl.)* – **12 Z : 19 B** 30/35 - 65 – P 60/65.

  In Kirchen-Katzenbach O : 2,5 km :

- **Zum weißen Stein** 🌿, ☎ 6 20 85, ≤, 🌳 – ☎ [P]. [AE] [D] [E]
  Karte 28/49 – **31 Z : 58 B** 55/62 - 109/124.

KIRCHENSITTENBACH Bayern siehe Hersbruck.

KIRCHHAIN 3575. Hessen [987] ㉕ – 16 000 Ew – Höhe 208 m – ☎ 06422.

♦Wiesbaden 128 – Gießen 38 – Bad Hersfeld 67 – ♦Kassel 82 – Marburg 14.

- **Mosebach** (Haus a.d.J. 1699), Am Markt 4, ☎ 20 49 – 🚗. [D] [E]
  17. Juli - 12. Aug. geschl. – Karte 21/36 *(nur Abendessen)* – **18 Z : 24 B** 35/45 - 60/85.

KIRCHHAM 8399. Bayern [413] W 21, [426] ⑦ – 2 200 Ew – Höhe 354 m – ☎ 08533.

[i] Verkehrsamt, Rathaus, Kirchplatz 3, ☎ 3 24.

♦ München 145 – Passau 34 – Salzburg 107.

- **Haslinger Hof** 🌿, Ed 31 (NO : 1,5 km), ☎ (08531) 2 20 15, ⛱, Biergarten, « Rustikale Einrichtung », Massage, ≘s, 🌳, Fahrradverleih – ☎ 🚗 [P]
  Karte 16/32 – **28 Z : 50 B** 40/45 - 69/88 – 32 Fewo 54/79.
- **Dorint Kur- und Sporthotel Jagdhof** 🌿, Heideweg 1 (NO : 1,5 km), ☎ (08531) 22 71, Telex 57614, Fax 29720, Biergarten, Bade- und Massageabteilung, ≘s, [⛱], 🌳, 🎾, Fahrradverleih – [TV] ☎ 🚗 [P] 🍴. [AE] [D] [E] [VISA]
  Karte 23/52 – **200 Z : 400 B** 90/100 - 150/170 Fb.

KIRCHHEIM 6437. Hessen [987] ㉕ – 4 000 Ew – Höhe 245 m – Luftkurort – ☎ 06625.

♦Wiesbaden 156 – Fulda 42 – Gießen 76 – ♦Kassel 67.

- **Eydt**, Hauptstr. 19, ☎ 70 01, Telex 493124 – [$] [TV] ☎ ♿ [P] 🍴. [AE] [E]
  Karte 22/55 – **56 Z : 106 B** 58/64 - 98/109.

  An der Autobahnausfahrt S : 1,5 km :

- **Motel-Center Kirchheim** 🌿, ✉ 6437 Kirchheim, ☎ (06625) 10 80, Telex 493337, Fax 8656, ≤, ⛱, ≘s, ⛱, [⛱], 🌳 – 🚭 Zim ▤ Rest [TV] ☎ [P] 🍴 (mit ▤). [AE] [D] [E] [VISA]
  Karte 30/51 – **Nord-Süd-Grill** Karte 32/60 – **140 Z : 254 B** 78/98 - 120/135.

  Auf dem Eisenberg NW : 10 km – Höhe 636 m :

- **Berggasthof Eisenberg** 🌿, ✉ 6437 Kirchheim, ☎ (06677) 7 33, ≤, ⛱ – ♿ [P] 🍴. [D] [E]
  Karte 21/44 – **30 Z : 50 B** 49 - 90.

  Siehe auch : *Liste der Feriendörfer*

KIRCHHEIM UNTER TECK 7312. Baden-Württemberg [413] L 21, [987] ㉟ – 33 000 Ew – Höhe 311 m – ☎ 07021.

♦Stuttgart 35 – Göppingen 19 – Reutlingen 30 – ♦Ulm (Donau) 59.

- **Zum Fuchsen**, Schlierbacher Str. 28, ☎ 57 80, Telex 7267524, ≘s – [$] [TV] [P] 🍴. [AE] [D] [E] [VISA]
  Karte 28/69 *(Sonntag geschl.)* – **80 Z : 110 B** 88/140 - 140/180 Fb.
- **Schwarzer Adler**, Alleenstr. 108, ☎ 4 63 53 – [$] ☎ 🚗 [P]. [AE] [E]. 🚭 Zim
  Karte 30/60 *(Samstag geschl.)* – **33 Z : 60 B** 75/85 - 90/120.

  In Kirchheim-Nabern SO : 6 km :

- **Rössle**, Weilheimer Str. 1, ☎ 5 59 25, ≘s, [⛱] – [$] ☎ [P]
  23. Dez.- 6. Jan. geschl. – Karte 27/56 *(Freitag - Samstag 17 Uhr geschl.)* – **26 Z : 38 B** 55/65 - 95.

  In Kirchheim-Ötlingen W : 2 km :

- **Ratstube**, Stuttgarter Str. 196, ☎ 31 15 – [P]
  Juli - Aug. 3 Wochen geschl. – Karte 18/43 *(Mittwoch geschl.)* – **8 Z : 12 B** 40 - 70.

KIRCHHEIMBOLANDEN 6719. Rheinland-Pfalz [987] ㉔ – 5 900 Ew – Höhe 285 m – Erholungsort – ✆ 06352.

[i] Reise- und Verkehrsbüro, Uhlandstr. 2, ℰ 17 12.

Mainz 50 – Kaiserslautern 36 – Bad Kreuznach 42 – Worms 33.

🏠 **Braun** garni, Uhlandstr. 1, ℰ 23 43 – ⇅ [TV] ☎ 🚗 [P] 🏛. AE (D) E VISA
36 Z : 72 B 49/64 - 78/88 Fb.

🏠 **Schillerhain** 🔕, Schillerhain 1, ℰ 41 41, ⛱, « Park », 🌳 – ☎ 🚗 [P] 🏛
9.- 29. Jan. geschl. – Karte 24/49 🍷 – **28 Z : 40 B** 38/45 - 76/80 Fb – P 70/80.

In Dannenfels-Bastenhaus **6765** SW : 9 km – Erholungsort :

🍴 **Bastenhaus** mit Zim, ℰ (06357) 71 28, <, ⛱, 🧖, 🌳 – ☎ 🚗 [P]
➡ *Feb. geschl.* – Karte 17/47 *(Dienstag geschl.)* 🍷 – **8 Z : 13 B** 35/50 - 65.

KIRCHHOFEN Baden-Württemberg siehe Ehrenkirchen.

KIRCHHUNDEM 5942. Nordrhein-Westfalen [987] ㉔ – 12 700 Ew – Höhe 308 m – ✆ 02723.

[i] Verkehrsamt, Gemeindeverwaltung, ℰ 40 90.

◆Düsseldorf 136 – Meschede 51 – Olpe 22 – Siegen 35.

🏠 Zum Amtsgericht, Hundemstr. 57, ℰ 23 55 – ⇅ [P]
22 Z : 38 B.

In Kirchhundem 5 - Heinsberg S : 8 km :

🏠 Schwermer 🔕, Talstr. 60, ℰ 76 38, 🌳 – 🚗 [P]
13 Z : 24 B Fb.

In Kirchhundem 3-Selbecke O : 4 km :

🏡 **Zur Post** 🔕, Selbecke 21, ℰ 7 27 44, 🌳 – 🚗 [P]
➡ *Nov. geschl.* – Karte 19/35 *(Donnerstag geschl.)* – **9 Z : 18 B** 25/30 - 50/60.

Am Panorama-Park Sauerland SO : 12 km, Richtung Erndtebrück :

🏠 **Waldhaus Hirschgehege** 🔕, ✉ 5942 Kirchhundem 3, ℰ (02723) 76 58, <, 🌳 – ☎ [P]
Ende Okt.- Mitte Dez. geschl. – Karte 24/58 – **18 Z : 30 B** 41/70 - 76/92.

KIRCHLINTELN 2816. Niedersachsen – 8 000 Ew – Höhe 40 m – ✆ 04237.

◆Hannover 87 – ◆Bremen 40 – Rotenburg (Wümme) 28.

In Kirchlinteln-Schafwinkel NO : 10 km :

🏘 **Landhaus Badenhoop** 🔕, Zum Keenmoor 13, ℰ 8 88, 🧖, [🏊], 🌳 – ⇅ [TV] ☎ [P] 🏛. AE
Karte 21/47 – **18 Z : 36 B** 60/65 - 92/96 Fb.

KIRCHZARTEN 7815. Baden-Württemberg [413] G 23, [427] ⑤, [242] ㊱ – 8 300 Ew – Höhe 392 m – Luftkurort – ✆ 07661.

Ausflugsziel : Hirschsprung★ SO : 10 km (im Höllental).

⛳ Krüttweg, ℰ 55 69.

[i] Verkehrsamt, Hauptstr. 24, ℰ 39 39.

◆Stuttgart 177 – Donaueschingen 54 – ◆Freiburg im Breisgau 9,5.

🏠 Fortuna, Hauptstr. 7, ℰ 8 78, ⛱ – ⇅ ☎ [P] 🏛
34 Z : 64 B Fb.

🏠 **Zur Krone,** Hauptstr. 44, ℰ 42 15, 🧖 – ☎ [P] 🏛. (D). 🚫🐕 Zim
➡ *Ende Feb. - Anfang März geschl.* – Karte 17/45 *(Nov.- Mai Dienstag 14 Uhr - Mittwoch geschl.)* 🍷 – **11 Z : 19 B** 45/65 - 76/84 Fb.

🏠 **Haus Hubertus** 🔕 garni, Dr.-Gremmelsbacher-Str. 10, ℰ 41 01, 🧖 – ☎ [P]. 🚫🐕
16 Z : 28 B 35/39 - 68/75.

🏠 Föhrenbacher garni, Hauptstr. 18, ℰ 54 16 – ☎ [P]
18 Z : 36 B.

🏠 **Zur Sonne,** Hauptstr. 28, ℰ 8 15, ⛱ – [P]. AE (D) E
➡ *18.- 25. Feb. und 26. Okt.- 8. Nov. geschl.* – Karte 19/42 *(Freitag - Samstag 17 Uhr geschl.)* 🍷 – **26 Z : 42 B** 40/50 - 80/90 Fb – P 65/70.

🍴🍴 **Landgasthof Zum Rössle** 🔕 mit Zim, Dietenbach 1 (S : 1 km), ℰ 22 40, ⛱ – ☎ [P]. AE (D) E
7.- 20. Jan. geschl. – Karte 31/56 *(Mittwoch geschl.)* 🍷 – **6 Z : 12 B** 45/50 - 65/85.

In Buchenbach **7801** O : 3,5 km :

🏠 **Gasthaus Zum Himmelreich,** Himmelreich 37 (B 31), ℰ (07661) 41 25, ⛱ – 🚗 [P]
Karte 26/44 *(Montag geschl.)* – **11 Z : 18 B** 55 - 100 Fb.

In Stegen-Eschbach **7801** N : 4 km :

🍴🍴 **Landgasthof Reckenberg** 🔕 mit Zim, Reckenbergstr. 2, ℰ (07661) 6 11 12 – 🚗 [P] 🏛
Karte 41/66 *(Dienstag und 15. Jan.- Feb. geschl.)* 🍷 – **6 Z : 12 B** 40 - 70.

[KIRKEL] 6654. Saarland – 9 100 Ew – Höhe 240 m – ☎ 06849.
♦Saarbrücken 25 – Homburg/Saar 10 – Kaiserslautern 48.

In Kirkel 2-Neuhäusel :

🍴🍴 **Alt Kirkel** mit Zim, Kaiserstr. 87, ✆ 2 72 – [P]. [AE] [D] [E] [VISA]
Karte 43/65 *(Dienstag geschl.)* – **5 Z : 7 B** 35 - 70.

[KIRN] 6570. Rheinland-Pfalz [987] ㉔ – 9 500 Ew – Höhe 200 m – ☎ 06752.
Mainz 76 – Idar-Oberstein 16 – Bad Kreuznach 33.

🏨 **Parkhotel,** Kallenfelser Str. 40, ✆ 36 66, ⛱, 🌳 – ☎ 🚗 [P] 👥. 🚫🐕 Rest
15. Jan.- 5. Feb. geschl. – Karte 31/62 🍷 – **18 Z : 32 B** 30/50 - 55/80 Fb.

🏨 **Nahe-Hotel Spielmann,** an der B 41 (S : 2 km), ✆ 30 01, ⛱, 🌳 – ☎ 🚗 [P]. [AE] [D] [E]
20. Dez.- 10. Jan. geschl. – Karte 19,50/43 *(Nov.- März Freitag geschl.)* – **22 Z : 30 B** 35/50 - 60/80.

🍴🍴 **Kyrburg,** bei der Burgruine, ✆ 65 44, « Gartenterrasse mit ≤ Kirn und Nahetal » – [P]. [AE] [D] [E] [VISA]
Okt.- April Montag geschl. – Karte 41/70.

In Kirn-Kirnsulzbach SW : 5 km :

🏨 **Zur Quelle,** Oldenburger Str. 4, ✆ 81 48 – [P]
15. Jan.- 20. Feb. geschl. – Karte 20/35 *(Dienstag geschl.)* 🍷 – **14 Z : 26 B** 40 - 80.

In Bruschied - Rudolfshaus 6570 NW : 9 km :

🏨 **Forellenhof Reinhartsmühle** 🪑, ✆ (06544) 3 73, « Terrasse am Teich », 🌳 – ☎ [P]. [D] [E]. 🚫🐕
5. Jan.- 15. März geschl. – Karte 27/61 🍷 – **30 Z : 60 B** 60/70 - 100/120 Fb – P 92/105.

[KIRRWEILER] Rheinland-Pfalz siehe Maikammer.

[KIRSCHWEILER] Rheinland-Pfalz siehe Idar-Oberstein.

[KISSING] 8901. Bayern [413] PQ 22 – 8 300 Ew – Höhe 523 m – ☎ 08233.
♦München 60 – ♦Augsburg 18.

🍴🍴 Gunzenlee mit Zim, Münchner Str. 14, ✆ 61 39, ⛱ – [P] 👥
9 Z : 14 B.

[KISSINGEN, BAD] 8730. Bayern [413] N 16, [987] ㉖ – 23 200 Ew – Höhe 201 m – Heilbad – ☎ 0971.

Ausflugsziel : Schloß Aschach : Graf-Luxburg-Museum★ 7 km über ① (Mai - Okt. Fahrten mit hist. Postkutsche).

⛳ Euerdorfer Str. 11 (über ④), ✆ 36 08.

ℹ Staatl. Kurverwaltung, Am Kurgarten 1, ✆ 80 48 34.

♦München 329 ④ – ♦Bamberg 81 ③ – Fulda 62 ⑤ – ♦Würzburg 61 ④.

Stadtplan siehe nächste Seite.

🏨 **Steigenberger Kurhaushotel** 🪑, Am Kurgarten 3, ✆ 8 04 10, Telex 672808, Fax 8041597, ⛱, 🧖, 🏊, 🌳 – ⇅ [TV] ♿ 🚗 👥. [AE] [D] [E] [VISA]. 🚫🐕 Rest **a**
Karte 35/67 – **100 Z : 140 B** 109/260 - 198/308 Fb.

🏨 **Kur-Center,** Frühlingstr. 9, ✆ 8 11, Telex 672837, Bade- und Massageabteilung, 🏋, 🧖, 🏊, 🌳 – ⇅ [TV] ☎ 🚗 👥. [AE] [E]. 🚫🐕 Rest **r**
Karte 30/60 *(auch Diät)* – **300 Z : 450 B** 76/124 - 126/174 Fb – 3 Appart. 340 – 104 Fewo 69/102 – P 115/176.

🏨 **Kurhaus Tanneck** 🪑, Altenbergweg 6, ✆ 40 36, Bade- und Massageabteilung, 🧖, 🏊, 🌳 – ⇅ [TV] ☎ [P]. 🚫🐕 **m**
19. Feb.- 4. Nov. – (Restaurant nur für Hausgäste) – **48 Z : 67 B** 90/150 - 110/200 – P 95/140.

🏨 **Kurhotel Das Ballinghaus,** Martin-Luther-Str. 3, ✆ 12 34, « Kleiner Park », Bade- und Massageabteilung, 🏊, 🌳 – ⇅ ☎ [P]. [E] [VISA]. 🚫🐕 Rest **d**
Mitte März - Okt. – (Restaurant nur für Hausgäste) – **70 Z : 100 B** 80/105 - 172/188 Fb.

🏨 **Diana** 🪑, Bismarckstr. 40, ✆ 40 61, Telex 672832, Bade- und Massageabteilung, 🧖, 🏊, 🌳 – ⇅ ☎ [P]. [AE] [D]. 🚫🐕 Rest **z**
Mitte Dez.- Mitte Feb. geschl. – (Restaurant nur für Hausgäste) – **75 Z : 100 B** 79/130 - 152/264 Fb.

🏨 **Kurhotel Bristol** 🪑, Bismarckstr. 8, ✆ 40 31, Bade- und Massageabteilung, 🏋, 🧖, 🏊, 🌳 – ⇅ ☎ ♿ [P]. 🚫🐕 Rest **h**
März - Okt. – Karte 25/47 *(auch Diät)* – **104 Z : 150 B** 98/105 - 176/190 Fb – P 123/130.

🏨 **Erika** 🪑, Prinzregentenstr. 23, ✆ 40 01, Bade- und Massageabteilung, 🏋, 🧖, 🌳 – ⇅ 🚭 Rest [TV] ☎ **y**
Dez.- Jan. geschl. – (Restaurant nur für Hausgäste) – **30 Z : 42 B** 63/85 - 120/170 Fb.

Fortsetzung →

BAD KISSINGEN

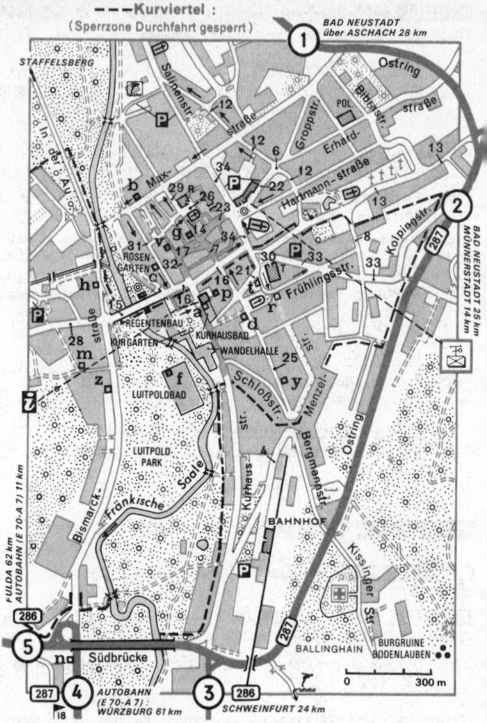

Astoria, Martin-Luther-Str. 1, ☎ 8 04 30, – – **32 Z : 48 B.** **t**

Humboldt garni, Theresienstr. 24, ☎ 50 97 – ☎.
15 Z : 26 B 49/75 - 98/106. **c**

Motel Fürst Bismarck, Euerdorfer Str. 4, ☎ 12 77, , Bade- und Massageabteilung, ,
Fahrradverleih – ☎ . E VISA. Rest **n**
Dez.- Jan. geschl. – Karte 19/35 *(auch Diät)* (15. Okt.- Feb. und Dienstag ab 14 Uhr geschl.) –
34 Z : 45 B 41/100 - 78/150 – P 68/113.

Bayerischer Hof, Maxstr. 9, ☎ 52 70 – . E **b**
Donnerstag und Nov.- 7. Dez. geschl. – Karte 21/44 *(auch Diät).*

Werner-Bräu mit Zim, Marktplatz, ☎ 23 72, **v**
15. Dez.- 20. Jan. geschl. – Karte 23/44 *(Sonntag 14 Uhr - Montag geschl.)* – **7 Z : 10 B** 39/59 - 65/85.

Casino-Restaurant "le jeton", im Luitpold-Park, ☎ 40 81 – **f**
nur Abendessen, Dienstag und Jan.- Mitte Feb. geschl. – Karte 25/52.

Weinstuben Schubert, Kirchgasse 2, ☎ 26 24, « Hübsche rustikale Einrichtung » **g**

Kissinger Stüble, Am Kurgarten 1, ☎ 8 04 15 40, – AE E VISA **p**
Nov.- März Donnerstag geschl. – Karte 27/51.

Ratskeller, Spitalgasse 1, ☎ 25 50 **R**
Sonntag geschl. – Karte 26/53.

In Bad Kissingen - Reiterswiesen SO : 1 km über Bergmannstraße :

Sonnenhügel, Burgstr. 15, ☎ 8 31, Telex 672893, <, , , , (Halle) – ☎
. AE E
Karte 25/46 – **184 Z : 368 B** 89 - 138 Fb – 224 Fewo 76/99 – P 131.

Am Ballinghain garni, Kissinger Str. 129, ☎ 27 63 – ☎ . E
15. Nov.- 15. Dez. geschl. – **13 Z : 23 B** 45/52 - 80/84.

In Bad Kissingen-Winkels ② : 1 km :

Arkadenhof, Von-Humboldt-Str. 9, ☎ 6 11 11, , – ☎
(Restaurant nur für Hausgäste) – **20 Z : 36 B** 65/70 - 130/140 Fb.

Zollergarten, Winkelser Str. 41, ☎ 6 50 30
Samstag bis 17 Uhr, Dienstag und Feb. 2 Wochen gechl. – Karte 30/56.

KISSLEGG 7964. Baden-Württemberg [413] M 23, [987] ㊱, [427] ⑧ – 7 300 Ew – Höhe 650 m – Luftkurort – ☎ 07563.

[i] Gästeamt im Rathaus, Schloßstr. 5, ✆ 1 81 31.

♦Stuttgart 185 – Bregenz 42 – Kempten (Allgäu) 46 – ♦Ulm (Donau) 93.

🏠 Gasthof Ochsen, Herrenstr. 21, ✆ 10 77 – 📺 ☎ 🚗 🅿
16 Z : 30 B.

KITZINGEN 8710. Bayern [413] N 17, [987] ㉖ – 22 000 Ew – Höhe 187 m – ☎ 09321.

[i] Verkehrsbüro, Marktstr. 28, ✆ 2 02 05.

♦München 263 – ♦Bamberg 80 – ♦Nürnberg 92 – ♦Würzburg 20.

🏠 **Esbach-Hof**, Repperndorfer Str. 3 (B 8), ✆ 80 55, 🌳, Biergarten – 🛗 📺 ☎ 🅿. AE ⓓ E VISA
21.- 25. Dez. und 6.- 18. Jan. geschl. – Karte 19/49 🍷 – **32 Z : 56 B** 73 - 107 Fb.

🏠 Bayerischer Hof, Herrnstr. 2, ✆ 61 47, 🏊 – 📺 ☎ 🚗. 🐕 Zim
31 Z : 60 B Fb.

🏠 Deutsches Haus, Bismarckstr. 10, ✆ 45 19 – ☎ 🚗 🅿 🎳
40 Z : 70 B Fb.

KLAIS Bayern siehe Krün.

KLEF Nordrhein-Westfalen siehe Overath.

KLEINBLITTERSDORF Saarland siehe Saarbrücken.

KLEINWALSERTAL [413] N 24,25, [987] ㊱, [426] ⑮㉙ – Österreichisches Hoheitsgebiet, wirtschaftlich der Bundesrepublik Deutschland angeschlossen. Deutsche Währung, Grenzübertritt mit Personalausweis – Wintersport : 1 100/2 000 m 🚡2 ⛷33 ⛷6 – ☎ 08329 (Riezlern).

Sehenswert : Tal★.

Hotels und Restaurants : Außerhalb der Saison variable Schließungszeiten.

[i] Verkehrsamt, Hirschegg, im Walserhaus, ✆ 5 11 40.

[i] Verkehrsamt, Mittelberg, Walserstr. 89, ✆ 5 11 40.

[i] Verkehrsamt, Riezlern, Walserstr. 54, ✆ 5 11 40.

In Riezlern 8984 – Höhe 1 100 m :

🏠 **Almhof Rupp** 🔇, Walserstr. 83, ✆ 50 04, ≤, 🏊, 🏊 – 🛗 ☎ 🅿. 🐕 Rest
10. April - 10. Mai und 2. Nov.- 20. Dez. geschl. – Karte 30/67 *(Montag geschl., außerhalb der Saison nur Abendessen)* (Tischbestellung ratsam) – **30 Z : 57 B** 78/116 - 116/138 Fb.

🏠 **Jagdhof**, Walserstr. 27, ✆ 56 03, Fax 56034, 🏊 – 🛗 📺 ☎ 🚗 🅿
20. April - 20. Mai und Mitte Nov.- Mitte Dez. geschl. – Karte 26/50 – **25 Z : 49 B** 80/100 - 160/190 Fb – P 110/125.

🏠 **Haus Böhringer** 🔇 garni, Westeggweg 6, ✆ 53 38, ≤, 🏊, 🏊 – 📺 ☎ 🚗 🅿. 🐕
Mitte April - Mitte Mai und Mitte Okt.- Mitte Dez. geschl. – **18 Z : 30 B** 65/72 - 124/144.

🏠 Stern, Walserstr. 61, ✆ 52 08, 🏊, 🏊 (geheizt) – 🛗 📺 ☎ 🅿. 🐕 Rest
nur Saison – **41 Z : 70 B** Fb.

🏠 Traube, Walserstr. 56, ✆ 52 07 – 🛗 📺 ☎ 🅿
23 Z : 43 B.

🏠 **Wagner**, Walserstr. 1, ✆ 52 48, ≤, 🏊, 🏊, 🌳, 🎾 – 📺 ☎ 🅿. 🐕 Rest
Mitte April - Mitte Mai und Nov. geschl. – (nur Abendessen für Hausgäste) – **20 Z : 30 B** (½ P) 70/85 - 140/170 Fb – 9 Fewo 85/145.

🏠 **Post**, Walserstr. 48, ✆ 5 21 50, 🌳 – 📺 ☎ 🚗 🅿. AE ⓓ E VISA
6. Nov.- 18. Dez. geschl. – Karte 22/56 – **30 Z : 65 B** 88/108 - 136/176.

🍴 Casino-Restaurant Joker, Walserstr. 31, ✆ 50 67 – 🅿
nur Abendessen.

🍴 **Alpenhof Kirsch** 🔇 mit Zim, Zwerwaldstr. 28, ✆ 52 76, 🌳, 🌳 – ☎ 🅿. AE ⓓ E VISA
2. April - 13. Mai und 16. Okt.- 20. Dez. geschl. – Karte 29/66 *(Mittwoch geschl.)* (abends Tischbestellung ratsam) – **10 Z : 15 B** (½ P) 60/85 - 120/166 Fb.

In Riezlern-Egg 8984 W : 1 km :

🏠 **Erlebach** 🔇, Eggstr. 21, ✆ 53 69, ≤, 🌳, 🏊, 🏊 – 🛗 ☎ 🚗 🅿. 🐕 Rest
Mitte April - Ende Mai und Ende Okt.- 20. Dez. geschl. – Karte 26/59 – **45 Z : 100 B** 85/120 - 144/200 Fb – P 102/128.

In Riezlern-Schwende 8984 NW : 2 km :

🏠 **Bellevue** 🔇, Außerschwende 4, ✆ 56 20, ≤, 🌳, 🏊, 🌳 – 🅿. AE ⓓ E VISA
Nov.- 15. Dez. geschl. – Karte 23/41 🍷 – **34 Z : 60 B** 48/60 - 80/100 Fb – 4 Fewo 80/140 – P 69/87.

In Hirschegg **8985** – Höhe 1 125 m :

Ifen-Hotel, Oberseitestr. 6, ℘ 50 71, Telex 59650, ≤ Kleinwalsertal, , Bade- und Massageabteilung, , , , Fitness-Center – . Rest
Mitte April - Anfang Mai und Mitte Okt.- Mitte Dez. geschl. – Karte 42/80 *(Montag geschl.)* – **69 Z : 120 B** (½ P) 129/204 - 258/408 Fb.

Walserhof, Walserstr. 11, ℘ 56 84, ≤, , , , , –
April 2 Wochen und Mitte Okt.- Mitte Dez. geschl. – Karte 27/54 – **38 Z : 70 B** (½ P) 106/142 - 196/284 Fb – 5 Fewo 100/170.

Gemma, Schwarzwassertalstr. 21, ℘ 53 60, ≤, , , – . Rest
10. April - 20. Mai und Nov.- 15. Dez. geschl. – (nur Abendessen für Hausgäste) – **22 Z : 43 B** (½ P) 99/104 - 198/208 Fb.

Haus Tanneneck, Walserstr. 25, ℘ 57 67, ≤, , – .
10. April - 10. Mai und Nov.- Mitte Dez. geschl. – (nur Abendessen für Hausgäste) – **15 Z : 30 B** (½ P) 80/100 - 160/220.

Adler, Walserstr. 51, ℘ 54 24, ≤, , –
20. April - 15. Mai und 25. Okt.- 18. Dez. geschl. – Karte 26/50 *(Mittwoch geschl.)* – **23 Z : 40 B** 63/115 - 90/158 Fb.

Pension Sonnenberg (450 J. altes Bauernhaus), Am Berg 26, ℘ 54 33, ≤ Kleinwalsertal, « Behagliche Atmosphäre, Gartenanlage », , , – . Rest
Mitte April - Mitte Mai und Ende Okt.- Mitte Dez. geschl. – (nur Abendessen für Hausgäste) – **16 Z : 30 B** (½ P) 66/110 - 132/211 Fb – 3 Fewo 80/140.

Restaurant im Walserhaus (Italienische Küche), Walserstr. 64 (1. Etage), ℘ 64 80 –
April und 30. Okt.- 20. Nov. geschl., im Sommer Freitag, im Winter Dienstag Ruhetag – Karte 27/46.

In Mittelberg **8986** – Höhe 1 220 m :

Reinhard Leitner, Walserstr. 55, ℘ 57 88, ≤, , , – . Rest
9. April - 11. Mai und 4. Nov.- 20. Dez. geschl. – (nur Abendessen für Hausgäste) – **25 Z : 50 B** (½ P) 96/100 - 168/196 Fb – 7 Fewo 105/170.

Steinbock, Bödmerstr. 46, ℘ 50 33, , , – .
29. Mai - 18. Juni und Nov.- 15. Dez. geschl. – Karte 24/54 *(im Sommer Mittwoch geschl.)* – **25 Z : 50 B** 62/114 - 124/200 Fb.

Rosenhof, An der Halde 15, ℘ 51 94, ≤, Massage, , , , – . Rest
(nur Abendessen für Hausgäste) – **18 Z : 36 B** (½ P) 75/167 - 100/234 Fb – 7 Fewo 100/140.

Neue Krone, Walserstr. 84, ℘ 55 07 – .
Mitte April - Mitte Mai und Mitte Okt.- Mitte Dez. geschl. – Karte 23/43 *(Mai - Okt. Mittwoch geschl.)* – **30 Z : 55 B** 50/85 - 90/150 Fb – 8 Fewo 70/160.

Schwendle, Schwendlestr. 5, ℘ 59 88, ≤ Kleinwalsertal, –
10. April - 12. Mai, 23. Okt.- 20. Dez. und Montag geschl. – Karte 18/35 .

In Mittelberg-Höfle **8986** S : 2 km, Zufahrt über die Straße nach Baad :

IFA-Hotel Alpenhof Wildental, Höfle 8, ℘ 6 54 40, Telex 59597, Fax 3143, ≤, , , , – .
Mitte April - Mitte Mai und Ende Okt.- Mitte Dez. geschl. – Karte 26/66 – **57 Z : 109 B** (½ P) 117/140 - 210/280 Fb.

Berghof Alpinum, Wildentalstr. 34, ℘ 51 93, ≤, , , , –
(im Sommer nur Abendessen für Hausgäste) – **25 Z : 50 B** Fb.

In Mittelberg-Baad **8986** SW : 4 km – Höhe 1 250 m :

Alpengasthof Pühringer, ℘ 51 74, ≤, , , –
33 Z : 55 B.

Haus Hoeft garni, Starzelstr. 18, ℘ 50 36, ≤, , , – .
15. Okt.- 15. Dez. geschl. – **19 Z : 35 B** 45 - 90.

Siehe auch : ***Liste der Feriendörfer***

KLETTGAU 7895. Baden-Württemberg 413 I 24, 216 ⑦ – 6 500 Ew – Höhe 345 m – ☎ 07742.
♦Stuttgart 179 – Donaueschingen 56 – Schaffhausen 24 – Waldshut-Tiengen 19 – Zürich 39.

In Klettgau-Griessen :

Linde, Schaffhauser Str. 2, ✆ 55 03 – 🚗 Ⓟ
Mitte Dez.- Mitte Jan. und Juni 2 Wochen geschl. – Karte 20/48 *(Freitag geschl.)* – **15 Z : 25 B** 28/37 - 48/62.

XX **Landgasthof Mange**, Kirchstr. 2, ✆ 54 17 – Ⓟ. AE ⓓ E
Dienstag - Mittwoch und Juli - Aug. 3 Wochen geschl. – Karte **30**/54.

KLEVE 4190. Nordrhein-Westfalen 987 ⑬, 408 ⑲ – 46 000 Ew – Höhe 46 m – ☎ 02821.
♦Düsseldorf 95 – Emmerich 11 – Nijmegen 23 – Wesel 43.

Parkhotel Schweizerhaus, Materborner Allee 3, ✆ 80 70, Fahrradverleih – |\$| TV ☎ Ⓟ. AE ⓓ E VISA
Karte 20/47 – **110 Z : 222 B** 65/75 - 110/115.

Braam, Emmericher Str. 159 (B 220), ✆ 90 90, (Halle) – ☎ Ⓟ. AE ⓓ E VISA
22.- 29. Dez. geschl. – Karte 33/53 *(auch vegetarische Gerichte)* – **41 Z : 86 B** 65/95 - 95/120 Fb.

Heek garni, Lindenallee 37, ✆ 2 50 84, – |\$| TV ☎ Ⓟ
20 Z : 32 B 63 - 100.

XX Cordes (Restaurant in einer Villa aus der Zeit der Jahrhundertwende), Tiergartenstr. 50 (Ecke Klever Ring), ✆ 1 76 40 –
(Tischbestellung ratsam).

XX **Altes Landhaus Zur Münze**, Tiergartenstr. 68 (B 9), ✆ 1 71 47, – Ⓟ. AE ⓓ E VISA
Montag, 2.- 20. Jan. und 24.- 31. Okt. geschl. – Karte 22/56.

X Alte Wache, Große Straße 14, ✆ 2 83 13.

In Bedburg-Hau 4194 S : 5 km :

Jagdhaus Klobasa, Peter-Eich-Str. 6, ✆ (02821) 64 99 – 🚗 Ⓟ
Juli - Aug. 3 Wochen geschl. – Karte 19/42 *(Dienstag geschl.)* – **10 Z : 13 B** 29 - 58.

X **Landhaus Perlitz**, Gocher Landstr. 100, ✆ (02821) 4 02 20, – Ⓟ. AE ⓓ E
Karte 34/60.

KLEVE KREIS STEINBURG 2213. Schleswig-Holstein – 600 Ew – Höhe 20 m – ☎ 04823.
♦Kiel 96 – ♦Hamburg 66 – Itzehoe 11.

Gut Kleve, Hauptstr. 34 (B 431), ✆ 86 85, « Park », (geheizt), – Ⓟ
Jan. 3 Wochen geschl. – Karte 44/63 *(Dienstag geschl.)* – **11 Z : 23 B** 35 - 70.

KLINGELBACH Rheinland-Pfalz siehe Katzenelnbogen.

KLINGENBERG AM MAIN 8763. Bayern 413 K 17 – 6 400 Ew – Höhe 141 m – ☎ 09372.
♦München 354 – Amorbach 18 – Aschaffenburg 29 – ♦Würzburg 78.

Am linken Mainufer :

Schöne Aussicht, Bahnhofstr. 18, ✆ 25 27, – |\$| 🚗 Ⓟ. E. Zim
22. Dez.- 20. Jan. geschl. – Karte **25**/54 *(Montag geschl.)* – **25 Z : 40 B** 35/65 - 68/95 - 3 Fewo 55/88.

In Klingenberg-Röllfeld S : 2 km :

Paradeismühle, Paradeismühle 1 (O : 2 km), ✆ 25 87, , Wildgehege, , , – ☎ 🚗 Ⓟ. AE ⓓ E
Feb. geschl. – Karte 22/66 – **36 Z : 78 B** 38/68 - 60/120 Fb.

KLINGENBRUNN Bayern siehe Spiegelau.

KLOSTERREICHENBACH Baden-Württemberg siehe Baiersbronn.

KNIEBIS Baden-Württemberg siehe Schwarzwaldhochstraße.

KNITTLINGEN 7134. Baden-Württemberg 413 J 19 – 6 500 Ew – Höhe 195 m – ☎ 07043.
Sehenswert : Faust-Museum.
♦Stuttgart 49 – Heilbronn 50 – ♦Karlsruhe 32 – Pforzheim 23.

In Knittlingen-Freudenstein O : 5 km :

XX **Linde**, Diefenbacher Str. 42, ✆ 20 36, – Ⓟ. AE ⓓ E VISA
Dienstag geschl. – Karte 25/60.

KNOPFMACHERFELSEN Baden-Württemberg siehe Fridingen an der Donau.

KNOTTENRIED Bayern siehe Immenstadt im Allgäu.

KOBERN-GONDORF 5401. Rheinland-Pfalz 987 ㉔ – 3 300 Ew – Höhe 70 m – ☎ 02607.
ℹ Verkehrsverein, Kirchstraße, ☎ 10 55.
Mainz 100 – Cochem 33 – ♦Koblenz 16.

Simonis, Marktplatz 4 (Kobern), ☎ 2 03, – TV ☎
1.- 20. Jan. geschl. – Karte 23/60 *(Montag und 9.- 21. Juli geschl.)* – **18 Z : 36 B** 55/90 - 110/210 Fb.

KOBLENZ 5400. Rheinland-Pfalz 987 ㉔ – 110 000 Ew – Höhe 65 m – ☎ 0261.
Sehenswert : Deutsches Eck★ (<★).
Ausflugsziele : Festung Ehrenbreitstein★ : Aussichtskanzel <★★, Terrasse <★ O : 4 km – Rheintal★★★ (von Koblenz bis Bingen) – Moseltal★★ (von Koblenz bis Trier).
ℹ Fremdenverkehrsamt, Pavillon gegenüber dem Hauptbahnhof, ☎ 3 13 04.
ADAC, Hohenzollernstr. 34, ☎ 1 30 30.
Mainz 100 ⑤ – ♦Bonn 63 ① – ♦Wiesbaden 102 ⑤.

Stadtplan siehe gegenüberliegende Seite.

Scandic Crown Hotel, Julius-Wegeler-Str. 6, ☎ 13 60, Telex 862338, Fax 136199, <, – Zim TV P. AE E VISA — Y c
Restaurants: – **Le Gourmet** Karte 46/72 – **Rhapsody** Karte 31/65 – **167 Z : 340 B** 180 - 250 Fb.

Brenner garni, Rizzastr. 20, ☎ 3 20 60, « Stilmöbel, kleiner Garten » – TV. AE E VISA — Y d
Mitte Dez.- Anfang Jan. geschl. – **25 Z : 45 B** 100/140 - 170/230.

Kleiner Riesen garni, Kaiserin-Augusta-Anlagen 18, ☎ 3 20 77, Telex 862442, < – ☎. AE E VISA — Y a
27 Z : 50 B 80/100 - 150 Fb.

Hohenstaufen garni, Emil-Schüller-Str. 41, ☎ 3 70 81, Telex 862329 – TV ☎. AE E VISA — Y s
50 Z : 80 B 95/125 - 165/198 Fb.

Höhmann garni, Bahnhofsplatz 5, ☎ 3 50 11 – TV ☎ P — Y e
39 Z : 70 B Fb.

Continental-Pfälzer Hof garni, Bahnhofsplatz 1, ☎ 3 30 73 – TV ☎. AE E VISA — Y n
20. Dez.- 20. Jan. geschl. – **38 Z : 70 B** 65/120 - 110/230 Fb.

Hamm garni, St.-Josef-Str. 32, ☎ 3 45 46, Telex 862357 – TV ☎. AE E VISA — Y u
15. Dez.- 15. Jan. geschl. – **30 Z : 56 B** 70/85 - 120/140 Fb.

Victoria garni, Stegemannstr. 25, ☎ 3 30 27, Telex 862370 – ☎. AE E VISA — Y k
27 Z : 50 B 65/85 - 120/160 Fb.

Scholz, Moselweißer Str. 121, ☎ 40 80 21, Telex 862648 – TV ☎ P. AE E VISA. — X c
20. Dez.- 7. Jan. geschl. – Karte 20/40 *(Samstag bis 17 Uhr und Sonntag geschl.)* – **62 Z : 120 B** 60/65 - 100/110.

Union garni, Altlöhrtor 16, ☎ 3 30 03, Telex 862455 – ☎. AE E — XY b
23. Dez.- 10. Jan. geschl. – **43 Z : 70 B** 75/90 - 120/150 Fb.

Reinhard garni, Bahnhofstr. 60, ☎ 3 48 35 – . — Y n
15. Jan.- 4. Feb. geschl. – **21 Z : 34 B** 60 - 95/105.

Kornpforte, Kornpfortstr. 11, ☎ 3 11 74 — X s
22. Dez.- 5. Jan. geschl. – (nur Abendessen für Hausgäste) – **18 Z : 32 B** 40/60 - 80/100.

XX Stresemann, Rheinzollstr. 8, ☎ 1 54 64, <, — X t

X **Ratsstuben**, Am Plan 9, ☎ 3 88 34, – AE — X r
Nov.- März Samstag geschl. – Karte 32/54.

In Koblenz-Ehrenbreitstein :

Diehls Hotel, an der B 42, ☎ 7 20 10, Telex 862663, < Rhein, – TV P. AE E VISA — Y z
Karte 32/67 – **72 Z : 123 B** 90/138 - 130/190 Fb – 5 Appart. 220/380.

Hoegg Ehrenbreitstein, Hofstr. 282 (B 42), ☎ 7 36 29 – . AE E — X e
Karte 29/59 – **31 Z : 54 B** 49/75 - 82/100.

In Koblenz-Güls über ⑧ :

Weinhaus Kreuter, Stauseestr. 31, ☎ 4 40 88, – TV ☎ P. E
Karte 21/35 *(Freitag und 22. Dez.- 20. Jan. geschl.)* – **40 Z : 70 B** 35/55 - 65/100.

Weinhaus Grebel, Planstr. 7, ☎ 4 25 30 – P
Karte 16/35 *(Freitag und 24. Dez.- 17. Jan. geschl.)* – **33 Z : 54 B** 32/72 - 64/96.

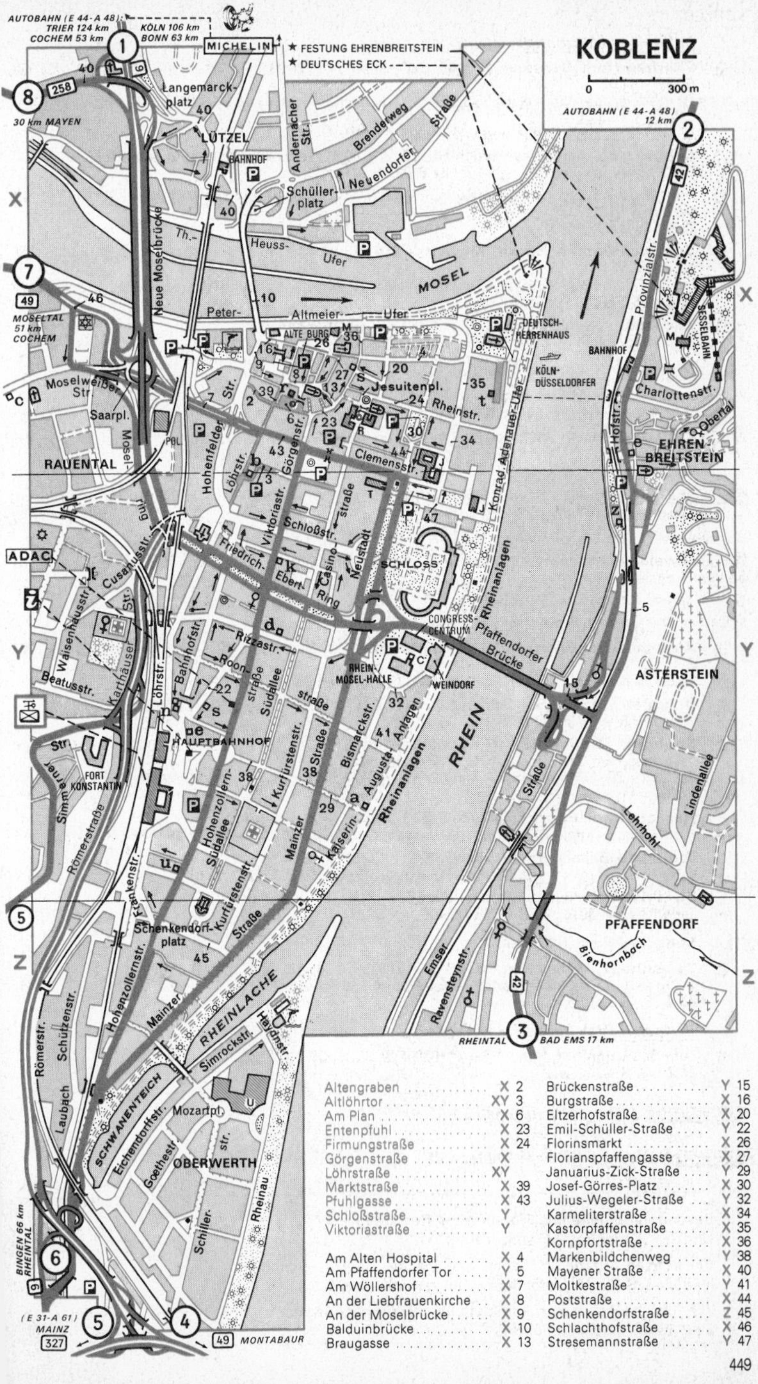

Altengraben	X	2
Altlöhrtor	XY	3
Am Plan	X	6
Entenpfuhl	X	23
Firmungstraße	X	24
Görgenstraße	X	
Löhrstraße	XY	
Marktstraße	X	39
Pfuhlgasse	X	43
Schloßstraße	Y	
Viktoriastraße	Y	
Am Alten Hospital	X	4
Am Pfaffendorfer Tor	Y	5
Am Wöllershof	X	7
An der Liebfrauenkirche	X	8
An der Moselbrücke	X	9
Balduinbrücke	X	10
Braugasse	X	13
Brückenstraße	Y	15
Burgstraße	X	16
Eltzerhofstraße	X	20
Emil-Schüller-Straße	Y	22
Florinsmarkt	X	26
Florianspfaffengasse	X	27
Januarius-Zick-Straße	Y	29
Josef-Görres-Platz	X	30
Julius-Wegeler-Straße	Y	32
Karmeliterstraße	X	34
Kastorpfaffenstraße	X	35
Kornpfortstraße	X	36
Markenbildchenweg	Y	38
Mayener Straße	X	40
Moltkestraße	Y	41
Poststraße	X	44
Schenkendorfstraße	Z	45
Schlachthofstraße	X	46
Stresemannstraße	Y	47

In Koblenz-Metternich über ⑧ :

Fährhaus am Stausee ⛯, An der Fähre 3, ✆ 20 93, ≤, – AE E VISA
22.- 30. Dez. geschl. – Karte 26/55 *(Montag geschl.)* – **28 Z : 46 B** 35/80 - 65/120 Fb.

In Koblenz-Moselweiß über Moselweißer Str. X :

Oronto garni, Ferd.-Sauerbruch-Str. 27, ✆ 4 80 81, Telex 862722 – AE E
21. Dez.- 14. Jan. geschl. – **41 Z : 81 B** 70/80 - 110/125 Fb.

Haus Bastian ⛯, Maigesetzweg 12, ✆ 5 10 11 (Hotel) 5 14 75 (Rest.), ≤, – Zim
26 Z : 56 B.

Zum schwarzen Bären, Koblenzer Str. 35, ✆ 4 40 74, – AE E VISA Zim
3.- 17. Feb. und 24. Juli - 7. Aug. geschl. – Karte **26**/63 *(Sonntag 14 Uhr - Montag geschl.)* – **13 Z : 24 B** 60/70 - 95/100.

XX **Zur Traube**, Koblenzer Str. 24, ✆ 4 28 02 – AE E
Dienstag geschl. – Karte 30/55.

In Koblenz-Rübenach über ⑧ :

Haus Simonis, Mauritiusstr. 1, ✆ 2 26 80 –
(nur Abendessen) – **55 Z : 100 B**.

MICHELIN-REIFENWERKE KGaA. Niederlassung 5403 Mülheim-Kärlich 1, Industriestr. 15, ✆ (0261) 2 30 85.

KOCHEL AM SEE 8113. Bayern 413 R 24, 987 ㊲, 426 ⑰ – 4 500 Ew – Höhe 610 m – Luftkurort – Wintersport: 610/1 760 m 5 3 – 08851.

Sehenswert : Franz-Marc-Museum.

Ausflugsziele : Walchensee★ (S : 9 km) – Herzogstand Gipfel ★★ (SW : 13,5 km, mit Sessellift ab Walchensee).

Verkehrsamt, Kalmbachstr. 11, ✆ 3 38.

♦München 70 – Garmisch-Partenkirchen 36 – Bad Tölz 23.

Alpenhof-Postillion garni, Kalmbachstr. 1, ✆ 8 85, – AE E
34 Z : 70 B 62/75 - 126/148 Fb – P 88/96 (Mahlzeiten im Hotel Zur Post).

Schmied von Kochel, Schlehdorfer Str. 6, ✆ 2 16, – E VISA
Karte 24/58 – **34 Z : 60 B** 75/140 - 120/160.

Seehotel Grauer Bär, Mittenwalder Str. 82 (B 11, SW : 2 km), ✆ 8 61, ≤ Kochelsee, « Terrasse am See », – AE E
15. Jan.- 20. Feb. geschl. – Karte 24/50 *(Mittwoch geschl.)* – **25 Z : 44 B** 44/50 - 86/98 – P 78/84.

Herzogstand, Herzogstandweg 3, ✆ 3 24, –
April - Okt. – Karte 18/30 *(nur Abendessen, Dienstag geschl.)* – **14 Z : 25 B** 36/50 - 70/92.

Waltraud, Bahnhofstr. 20, ✆ 3 33, – AE E
Karte 18,50/38 *(Nov.- Mai Dienstag geschl.)* – **29 Z : 65 B** 40/65 - 76/130.

Zur Post, Schmied-von-Kochel-Platz 6, ✆ 2 09, – AE E
Karte 19/46 – **30 Z : 55 B** 43/48 - 86/96 – P 62/67.

In Kochel-Ried NO : 5 km :

Rabenkopf, Kocheler Str. 23 (B 11), ✆ (08857) 2 08, – AE E VISA
Mitte Feb.- Mitte März geschl. – Karte 24/44 *(Böhmische Küche, Donnerstag geschl.)* – **14 Z : 30 B** 35/43 - 70/86.

In Kochel-Walchensee SW : 13,5 km :

Zum Schwaigerhof, Seestr. 42, ✆ (08858) 2 32, ≤, –
24 Z : 44 B – 4 Fewo.

KÖFERING Bayern siehe Regensburg.

KÖLAU Niedersachsen siehe Suhlendorf.

Besonders angenehme Hotels oder Restaurants sind im Führer rot gekennzeichnet.
Sie können uns helfen, wenn Sie uns die Häuser angeben, in denen Sie sich besonders wohl gefühlt haben.
Jährlich erscheint eine komplett überarbeitete Ausgabe aller Roten Michelin-Führer.

XXXXX ... X

[KÖLN] 5000. Nordrhein-Westfalen [987] ㉓㉔ – 965 000 Ew – Höhe 65 m – ☎ 0221.

Sehenswert: Dom★★★ (Dreikönigsschrein★★★) DV – Römisch-Germanisches Museum★★★ (Dionysosmosaik) DV **M1** – Wallraf-Richartz-Museum (Gemälde von Meistern der Kölner Schule des 14.- 16. Jh.) und Museum Ludwig★★★ DV **M3** – Schnütgen-Museum★★ (Kölner Madonnen) DX **M4** – St. Kolumba★ DX **V** – Neu St. Alban★ BU **Z** – St. Maria im Kapitol (Holztüren★★) DX **D** – St. Aposteln (Chorabschluß★) CX **N** – St. Severin (Inneres★) DY **K** – Rheinpark★ EU.

⛳[9] Köln-Marienburg, Schillingsrotter Weg (S), ☎ 5 40 21 01 ; ⛳[18] Bergisch Gladbach-Refrath (③ : 17 km), ☎ (02204) 6 31 14.

U-Bahn z. Zt. im Bau. Umleitungen und provisorische Einbahnstraßen.
Métro en construction. Déviations et sens uniques provisoires.
Underground under construction : temporary traffic diversions and one-way system.
Metropolitana in costruzione. Deviazioni e sensi unici provvisori..

✈ Köln-Bonn in Wahn (④ : 17 km), ☎ (02203) 4 01.

🚗 ☎ 1 41 56 66.

Messe- und Ausstellungsgelände (EUV), ☎ 82 11, Telex 8873426.

[i] Verkehrsamt, Am Dom, ☎ 2 21 33 40, Telex 8883421.

ADAC, Köln 51-Bayenthal, Alteburger Str. 375, ☎ 37 99 37, Notruf ☎ 1 92 11.

♦Düsseldorf 40 ① – ♦Aachen 69 ⑨ – ♦Bonn 28 ⑤ – ♦Essen 68 ②.

> Die Angabe (K 15) nach der Anschrift gibt den Postzustellbezirk an : Köln 15
> L'indication (K 15) à la suite de l'adresse désigne l'arrondissement : Köln 15
> The reference (K 15) at the end of the address is the postal district : Köln 15
> L'indicazione (K 15) posta dopo l'indirizzo precisa il quartiere urbano : Köln 15

Messe-Preise : siehe S. 17 — **Foires et salons :** voir p. 25
Fairs : see p. 33 — **Fiere :** vedere p. 41
Stadtpläne : siehe Köln Seiten 3-7

Hotels und Restaurants : Wenn nichts anderes angegeben, siehe Plan Köln Seiten 6 und 7

🏨🏨🏨🏨🏨 **Excelsior Hotel Ernst - Restaurant Hanse Stube**, Trankgasse 1 (K 1), ☎ 27 01, Telex 8882645, Fax 135150 – 🛗 ▤ Rest 📺 👥 (mit ▤). AE ⓓ E. 🐕 Rest — DV **a**
Karte 68/91 – **175 Z : 260 B** 225/340 - 360/495 – 17 Appart. 850/1150.

🏨🏨🏨🏨🏨 **Dom-Hotel** 🌿, Domkloster 2a (K 1), ☎ 2 02 40, Telex 8882919, Fax 2024260, « Terrasse mit ≤ » – 🛗 📺 ♿ 👥. AE ⓓ E VISA. 🐕 Rest — DV **d**
Karte 50/95 – **126 Z : 182 B** 289/339 - 388/503 Fb.

🏨🏨🏨🏨 **Inter-Continental**, Helenenstr. 14 (K 1), ☎ 22 80, Telex 8882162, Fax 2281301, Massage, ♨, 🏊 – 🛗 ▤ 📺 ♿ 🅿 👥. AE ⓓ E VISA. 🐕 Rest — CV **p**
Karte 55/87 – **290 Z : 580 B** 264/394 - 333/498 Fb.

🏨🏨🏨🏨 **Maritim**, Heumarkt 20, ☎ 2 02 70, Telex 8886667, Fax 2027826, Massage, ♨, 🏊 – 🛗 🚭 Zim ▤ 📺 ♿ 🚗 👥. AE ⓓ E — DX **m**
Karte 39/90 – **450 Z : 700 B** 189/339 - 228/418 Fb – 38 Appart. 450.

🏨🏨🏨 **Ramada Renaissance Hotel**, Magnusstr. 20 (K 1), ☎ 2 03 40, Telex 8882221, Fax 2034777, Massage, ♨, 🏊 – 🛗 🚭 Zim ▤ 📺 ♿ 🅿 👥. AE ⓓ E VISA. 🐕 Rest — CV **s**
Restaurants: – **Raffael** Karte 47/84 – **Valentino** Karte 30/55 – **240 Z : 296 B** 232/367 - 299/464 Fb – 9 Appart. 594/1244.

🏨🏨🏨 **Holiday Inn Crowne Plaza**, Habsburger Ring 9 (K 1), ☎ 2 09 50, Telex 8886618, Fax 251206, Massage, ♨, 🏊 – 🛗 🚭 Zim ▤ 📺 ♿ 🅿 👥. AE ⓓ E VISA — BX **r**
Karte 50/66 – **300 Z : 415 B** 238/388 - 311/471 Fb – 3 Appart. 794.

🏨🏨🏨 **Consul**, Belfortstr. 9 (K 1), ☎ 7 72 10, Telex 8885242, Massage, ♨, 🏊 – 🛗 🚭 Zim ▤ 📺 ♿ 🚗 🅿 👥. AE ⓓ E VISA. 🐕 Rest — DU **v**
Restaurants : – **Quirinal** Karte 50/73 – **Consülchen Pub** Karte 35/66 – **125 Z : 235 B** 157/280 - 207/280 Fb – 6 Appart. 300/370.

🏨🏨🏨 **Pullman - Hotel Mondial**, Kurt-Hackenberg-Platz 1 (K 1), ☎ 2 06 30, Telex 8881932, Fax 2063522 – 🛗 📺 🚗 👥. AE ⓓ E VISA. 🐕 Rest — DV **f**
Karte 43/65 – **204 Z : 350 B** 166/214 - 194/244 Fb.

🏨🏨🏨 **Senats Hotel**, Unter Goldschmied 9 (K 1), ☎ 2 06 20, Telex 8881765 – 🛗 📺 👥. AE ⓓ E VISA. 🐕 Rest — DX **b**
Karte 44/68 – **60 Z : 120 B** 140/230 - 170/320 Fb.

🏨🏨 **Haus Lyskirchen**, Filzengraben 28 (K 1), ☎ 23 48 91, Telex 8885449, ♨, 🏊 – 🛗 📺 ☎ 🚗 👥 (mit ▤). AE ⓓ E VISA — DY **u**
23. Dez.- 2. Jan. geschl. – Karte 38/61 *(Samstag bis 18 Uhr sowie Sonn- und Feiertage geschl.)* – **95 Z : 130 B** 125/161 - 176/210 Fb.

🏨🏨 **Savoy** garni, Turiner Str. 9 (K 1), ☎ 12 04 66, Telex 8886360, ♨ – 🛗 📺 ☎. AE E VISA — DU **s**
69 Z : 112 B 135/205 - 185/300 Fb.

🏨🏨 **Bristol** garni, Kaiser-Wilhelm-Ring 48 (K 1), ☎ 12 01 95, Telex 8881146, « Antike Zimmereinrichtung » – 🛗 📺 ☎. AE ⓓ E VISA — CU **m**
44 Z : 60 B 99/175 - 165/235.

Straße	Seite	Planfeld	Nr.
Breite Straße	S. 7	DX	
Ehrenstraße	S. 6	CX	
Eigelstein	S. 6	DU	
Gürzenichstraße	S. 7	DX	55
Habsburgerring	S. 6	CX	57
Hahnenstraße	S. 6	CX	
Hohenstaufenring	S. 6	CY	
Hohenzollernring	S. 6	CV	
Hohe Straße	S. 7	DVX	
Mittelstraße	S. 6	CX	
Neumarkt	S. 6	CX	
Richmodstraße	S. 6	CX	102
Schildergasse	S. 7	DX	
Severinstraße	S. 6	DY	
Zeppelinstraße	S. 6	CX	118
Aachener Straße	S. 4	AX	
Agrippinaufer	S. 5	EYZ	
Albertusstraße	S. 6	CVX	
Alter Markt	S. 7	DX	
Am Bayenturm	S. 6	DY	2
Am Hof	S. 7	DV	
Am Leystapel	S. 7	DX	4
Am Malzbüchel	S. 7	DX	5
Am Vorgebirgswall	S. 4	CZ	6
Amsterdamer Straße	S. 5	DT	7
An den Dominikanern	S. 7	DV	8
An der Malzmühle	S. 6	DY	9
An der Rechtschule	S. 7	DV	
An der Schanz	S. 3	R	12
Annostraße	S. 6	DY	
An St. Agatha	S. 7	DX	
Apostelnstraße	S. 6	CX	15
Auenweg	S. 5	ETU	
Auf dem Berlich	S. 6	CX	16
Augustinerstraße	S. 7	DX	19
Bachemer Straße	S. 4	BY	
Bahnhofstraße	S. 7	DV	20
Barbarossaplatz	S. 6	CY	21
Bayenstraße	S. 6	DY	
Bechergasse	S. 7	DX	22
Bergischer Ring	S. 3	S	23
Bergisch-Gladbacher-Straße	S. 3	R	24
Berliner Straße	S. 3	R	25
Berrenrather Straße	S. 4	AZ	
Bischofsgartenstraße	S. 7	DV	26
Bismarckstraße	S. 4	BV	27
Blaubach	S. 6	DY	28
Boltensternstraße	S. 3	R	29
Bonner Straße	S. 5	DZ	
Bonner Wall	S. 5	DZ	
Bremerhavener Straße	S. 3	R	30
Brückenstraße	S. 7	DX	32
Brühler Straße	S. 3	S	
Cäcilienstraße	S. 7	DX	
Christophstraße	S. 6	CV	
Clevischer Ring	S. 3	R	35
Deutzer Brücke	S. 5	DX	
Deutzer Freiheit	S. 5	EX	37
Deutzer Ring	S. 5	EY	
Deutz-Kalker-Straße	S. 5	EX	
Deutz-Mülheimer-Str.	S. 5	EUV	
Domstraße	S. 6	DU	
Dompropst-Ketzer-Str.	S. 7	DV	38
Drususgasse	S. 7	DV	39
Dürener Straße	S. 4	AY	
Ebertplatz	S. 6	DU	
Ehrenfeldgürtel	S. 4	ATU	
Eifelstraße	S. 6	CY	
Eintrachtstraße	S. 6	DU	
Elsa-Brändström-Str.	S. 5	ET	43
Erftstraße	S. 6	CU	
Filzengraben	S. 6	DY	
Follerstraße	S. 6	DY	
Frankfurter Straße	S. 3	S	
Frohngasse	S. 5	ET	46
Gereonstraße	S. 6	CV	
Gladbacher Straße	S. 6	CU	48
Gleueler Straße	S. 4	AY	
Glockengasse	S. 7	DX	50
Goldgasse	S. 7	DV	
Gotenring	S. 5	EY	
Gottesweg	S. 4	BCZ	
Große Budengasse	S. 7	DX	52
Große Neugasse	S. 7	DV	54
Gustav-Heinemann-Ufer	S. 3	S	56
Hansaring	S. 6	CU	
Hauptstraße	S. 3	S	
Heinrich-Boli-Platz	S. 7	DV	58
Helmholtzstraße	S. 4	AT	
Herzogstraße	S. 7	DX	
Heumarkt	S. 7	DX	
Höninger Weg	S. 4	CZ	
Hohenzollernbrücke	S. 6	DV	
Holzmarkt	S. 6	DY	
Im Hasental	S. 5	EY	
Im Sionstal	S. 6	DY	
Industriestraße	S. 3	R	59
Innere Kanalstraße	S. 4	BU	
Jahnstraße	S. 6	CY	
Justinianstraße	S. 5	EX	61
Kaiser-Wilhelm-Ring	S. 6	CV	62
Kalker Hauptstraße	S. 3	S	63
Kapellenstraße	S. 3	S	64
Kardinal-Frings-Straße	S. 6	CV	65
Karolingerring	S. 6	DY	66
Kattenbug	S. 6	CV	67
Kennedy-Ufer	S. 5	EVX	
Kerpener Straße	S. 4	AY	
Kleine Budengasse	S. 7	DX	68
Kleine Witschgasse	S. 6	DY	69
Klettenberggürtel	S. 4	BZ	
Klosterstraße	S. 4	AXY	
Koblenzer Straße	S. 5	DZ	
Kölner Straße	S. 3	S	
Komödienstraße	S. 7	DV	71
Konrad-Adenauer-Ufer	S. 7	DV	
Krefelder Straße	S. 6	DU	
Kurt-Hackenberg-Platz	S. 7	DV	72
Kyotostraße	S. 6	CU	
Liebigstraße	S. 4	BT	
Lindenthalgürtel	S. 4	AY	
Luxemburger Straße	S. 6	CY	
Machabäerstraße	S. 6	DU	
Martinstraße	S. 7	DX	
Marzellenstraße	S. 7	DV	
Mathiasstraße	S. 6	DY	74
Mauenheimer Gürtel	S. 3	R	75
Mauritiussteinweg	S. 6	CUY	
Maybachstraße	S. 6	CU	
Mechtildisstraße	S. 6	DY	76
Melatengürtel	S. 4	AX	
Mercatorstraße	S. 3	R	77
Merheimer Straße	S. 4	CT	
Messeplatz	S. 5	EV	
Militärringstraße	S. 3	RS	
Mindener Straße	S. 5	EX	78
Minoritenstraße	S. 7	DX	79
Mohrenstraße	S. 6	CV	
Moltkestraße	S. 4	BX	82
Mommsenstraße	S. 4	AY	
Mühlenbach	S. 6	DY	
Mühlengasse	S. 7	DX	
Mülheimer Brücke	S. 3	R	85
Mülheimer Straße	S. 3	R	
Neue Weyerstraße	S. 6	CY	
Neusser Landstraße	S. 3	R	
Neusser Straße	S. 5	DT	
Niederländer Ufer	S. 5	ET	87
Niehler Damm	S. 3	R	88
Nord-Süd-Fahrt	S. 7	DX	
Nußbaumer Straße	S. 4	AT	
Obenmarspforten	S. 7	DX	
Östliche Zubringerstraße	S. 5	EXY	
Offenbach-Platz	S. 7	DX	90
Olpener Straße	S. 3	S	
Opladener Straße	S. 5	EV	91
Oskar-Jäger-Straße	S. 4	AUV	
Ostheimer Straße	S. 3	S	92
Ottoplatz	S. 5	EVX	
Parkgürtel	S. 3	R	93
Perlengraben	S. 6	DY	
Pfälzer Straße	S. 6	CY	96
Pfälzischer Ring	S. 5	EU	
Pipinstraße	S. 7	DX	
Pohligstraße	S. 4	CZ	
Poller Kirchweg	S. 5	EYZ	
Poststraße	S. 6	CY	
Quatermarkt	S. 7	DX	99
Richard-Wagner-Str.	S. 4	BX	100
Riehler Straße	S. 5	DT	
Rösrather Straße	S. 3	S	103
Roonstraße	S. 6	CY	104
Rothgerberbach	S. 6	CY	
Rudolfplatz	S. 6	CX	
Sachsenring	S. 6	CDY	
Salierring	S. 6	CY	
Sankt-Apern-Straße	S. 6	CX	108
Severinswall	S. 6	DY	
Siegburger Straße	S. 5	EY	
Stadtautobahn	S. 3	R	109
Stadtwaldgürtel	S. 4	AY	
Stolkgasse	S. 7	DV	
Subbelrather Straße	S. 4	ABU	
Sülzburgstraße	S. 4	ABZ	
Sülzgürtel	S. 4	AZ	
Tempelstraße	S. 5	EX	112
Theodor-Heuss-Ring	S. 6	DU	
Trierer Straße	S. 6	CY	
Tunisstraße	S. 7	DV	
Turiner Straße	S. 6	DU	
Ubierring	S. 6	DY	
Ulrichgasse	S. 6	DY	
Universitätsstraße	S. 4	BY	
Unter Goldschmied	S. 7	DX	114
Unter Sachsenhausen	S. 7	DV	115
Venloer Straße	S. 4	BV	
Victoriastraße	S. 6	DU	117
Vogelsanger Straße	S. 4	AU	
Volksgartenstraße	S. 6	CY	
Vorgebirgstraße	S. 6	DY	
Waisenhausgasse	S. 6	CY	
Weidengasse	S. 6	DU	
Weinsbergstraße	S. 4	AV	
Weißhausstraße	S. 4	BY	
Zeughausstraße	S. 6	CV	122
Zülpicher Straße	S. 4	AZ	124

Ascot-Hotel, Hohenzollernring 95 (K 1), ✆ 52 10 76, Telex 8883018, – AE E VISA. CV **a**
Karte 46/64 – **Bistro** Karte 26/41 – **52 Z : 100 B** 98/198 - 168/468 Fb.

Königshof garni, Richartzstr.14 (K 1), ✆ 23 45 83, Telex 8881318, Fax 238642 – AE E VISA DV **n**
85 Z : 140 B 105/295 - 165/395 Fb.

Kolpinghaus International, St.-Apern-Str. 32 (K 1), ✆ 2 09 30, Fax 246518 – AE CVX **q**
Karte 26/63 – **48 Z : 85 B** 85/100 - 125/135 Fb.

Kommerzhotel garni, Breslauer Platz (K 1), ✆ 12 40 86, – AE E VISA DV **r**
77 Z : 95 B 130/190 - 180/220 Fb.

Europa Hotel am Dom, Am Hof 38 (K 1), ✆ 2 05 80, Telex 8881728, Fax 211021 – AE E VISA DV **z**
Karte 38/64 *(Samstag - Sonntag, Juli und 20. Dez.- 15. Jan. geschl.)* – **90 Z : 130 B** 169/269 - 229/349 Fb.

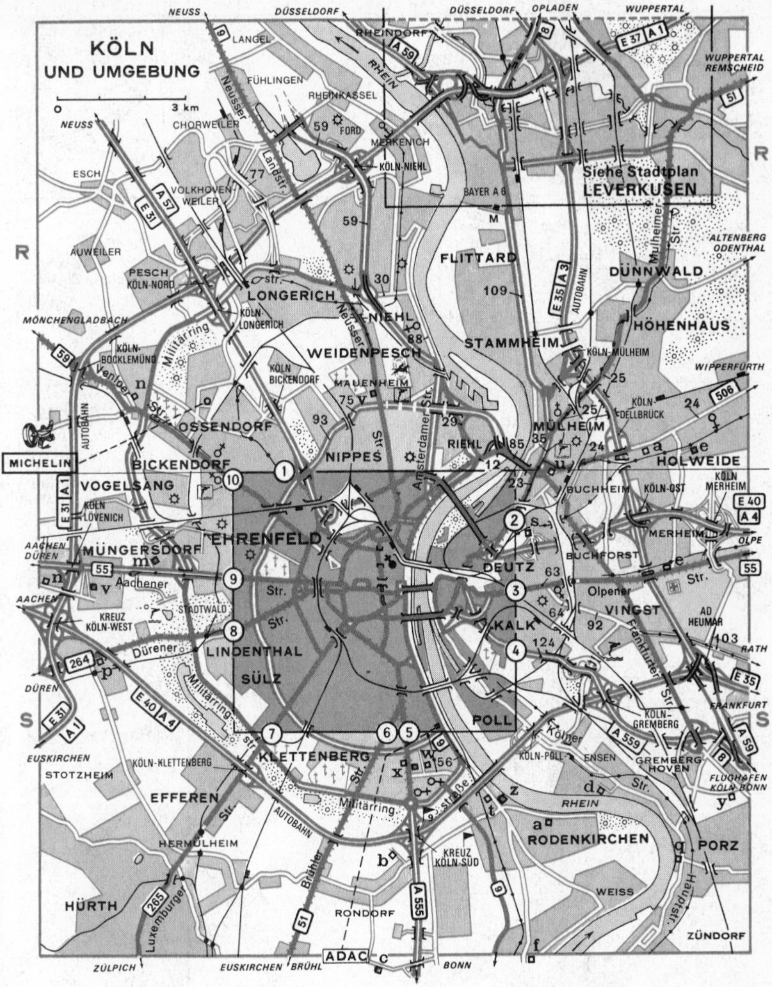

Altea-Hotel Baseler Hof, Breslauer Platz 2 (K 1), ☎ 1 65 40, Telex 8886982, Fax 134852 – AE E VISA DV **e**
Karte 40/70 *(nur Abendessen, außerhalb der Messezeiten Samstag, Sonn- und Feiertage geschl.)* – **108 Z : 160 B** 139/184 - 178/240 Fb.

Am Augustinerplatz garni, Hohe Str. 30 (K 1), ☎ 23 67 17, Telex 8882923, Fax 217533 – AE E VISA DX **a**
56 Z : 105 B 105/225 - 150/275 Fb – 9 Appart. 250/350.

Eden-Hotel garni, Am Hof 18 (K 1), ☎ 23 61 23, Telex 8882889 – AE E VISA DV **w**
24.- 31. Dez. geschl. – **33 Z : 60 B** 169/242 - 199/256 Fb.

Conti garni, Brüsseler Str. 40 (K 1), ☎ 25 20 62, Telex 8881644 – AE E VISA BX **n**
43 Z : 78 B 88/140 - 135/210 Fb.

Lasthaus am Ring - Restaurant Charrue d'or, Hohenzollernring 20 (K 1), ☎ 21 04 85, Telex 8882856 – AE E VISA CX **r**
Karte 42/75 *(nur Abendessen, Dienstag geschl.)* – **55 Z : 80 B** 98/175 - 165/260 Fb.

Fortsetzung →

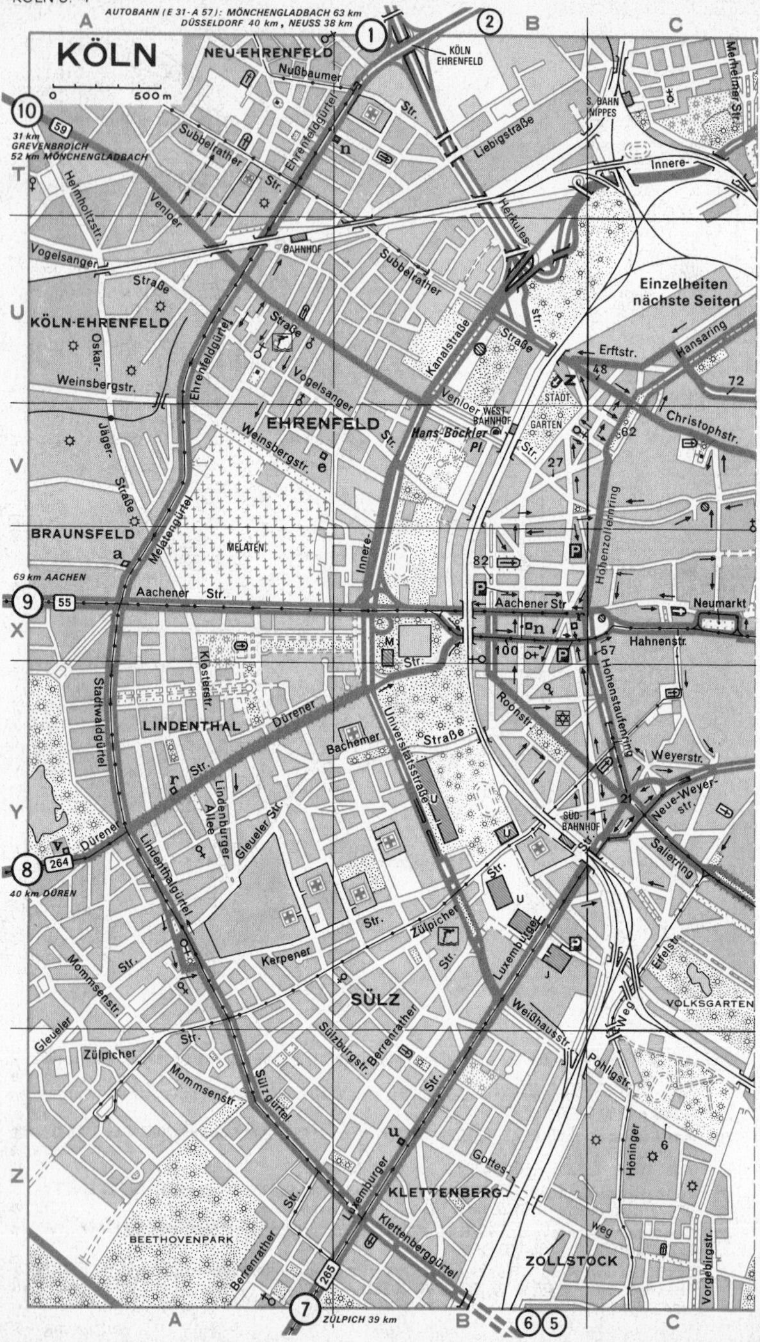

AUTOBAHN (E 31-A 57): MÖNCHENGLADBACH 63 km
DÜSSELDORF 40 km, NEUSS 38 km
KÖLN
0
500 m
NEU-EHRENFELD
KÖLN EHRENFELD
S. BAHN NIPPES
31 km GREVENBROICH
52 km MÖNCHENGLADBACH
Nußbaumer
Str.
Subbelrather
Str.
Ehrenfeldgürtel
Liebigstraße
Innere-
Helmholtzstr.
Venloer
Herkules
Vogelsanger
BAHNHOF
Subbelrather
Straße
Einzelheiten nächste Seiten
KÖLN-EHRENFELD
Straße
Kanalstraße
str.
Straße
Erftstr.
Hansaring
Oskar-
Weinsbergstr.
Vogelsanger
STADT-GARTEN
WEST-BAHNHOF
Christophstr.
Hans-Böckler Pl.
EHRENFELD
Str.
Venloer
Jäger-
Straße
Weinsbergstr.
Str.
BRAUNSFELD
Melatengürtel
MELATEN
Innere-
Hohenzollernring
69 km AACHEN
Aachener
Str.
Aachener Str
Neumarkt
Hahnenstr.
Klosterstr.
Str.
Stadtwaldgürtel
Dürener
Roonstr.
Universitätsstraße
LINDENTHAL
Bachemer
Straße
Hohenstaufenring
Weyerstr.
Str.
Lindenburger Allee
Neue-Weyer-str.
Gleueler Str.
SÜD-BAHNHOF
Dürener
Str.
Salierring
40 km DÜREN
Lindenthalgürtel
Str.
Zülpicher
Str.
Luxemburger
Str.
Eifelstr.
Kerpener
Mommsenstr.
SÜLZ
VOLKSGARTEN
Weißhausstr.
Weg
Gleueler
Str.
Zülpicher
Sülzburgstr.
Berrenrather
Pohligstr.
Mommsenstr.
Sülzgürtel
Str.
Höninger
Gottes-
Luxemburger
KLETTENBERG
Weg
Kleltenberggürtel
BEETHOVENPARK
ZOLLSTOCK
Berrenrather
Vorgebirgstr.
ZÜLPICH 39 km
A
B
C
T
U
V
X
Y
Z

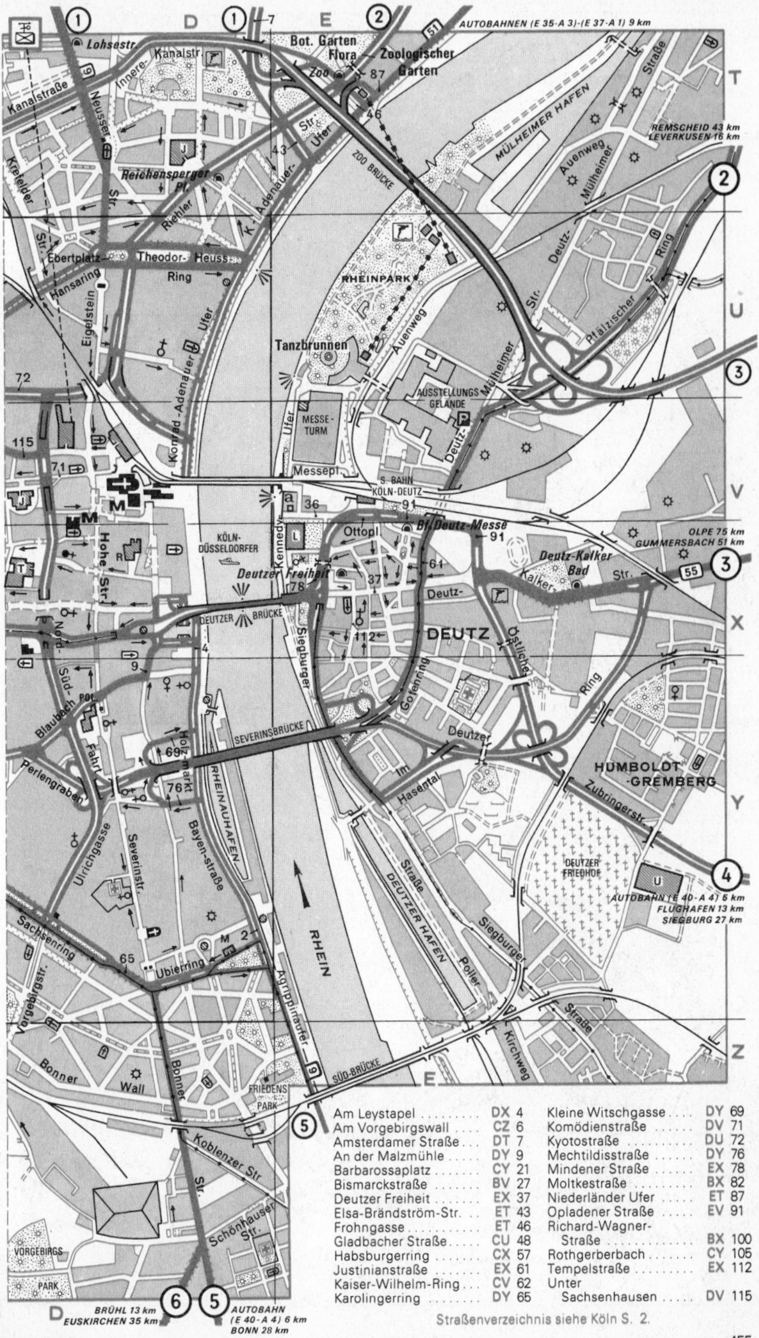

Am Leystapel	DX	4	Kleine Witschgasse	DY	69
Am Vorgebirgswall	CZ	6	Komödienstraße	DV	71
Amsterdamer Straße	DT	7	Kyotostraße	DU	72
An der Malzmühle	DY	9	Mechtildisstraße	DY	76
Barbarossaplatz	CY	21	Mindener Straße	EX	78
Bismarckstraße	BV	27	Moltkestraße	BX	82
Deutzer Freiheit	EX	37	Niederländer Ufer	ET	87
Elsa-Brändström-Str.	ET	43	Opladener Straße	EV	91
Frohngasse	ET	46	Richard-Wagner-Straße	BX	100
Gladbacher Straße	CU	48	Rothgerberbach	CY	105
Habsburgerring	CX	57	Tempelstraße	EX	112
Justinianstraße	EX	61	Unter Sachsenhausen	DV	115
Kaiser-Wilhelm-Ring	CV	62			
Karolingerring	DY	65			

Straßenverzeichnis siehe Köln S. 2.

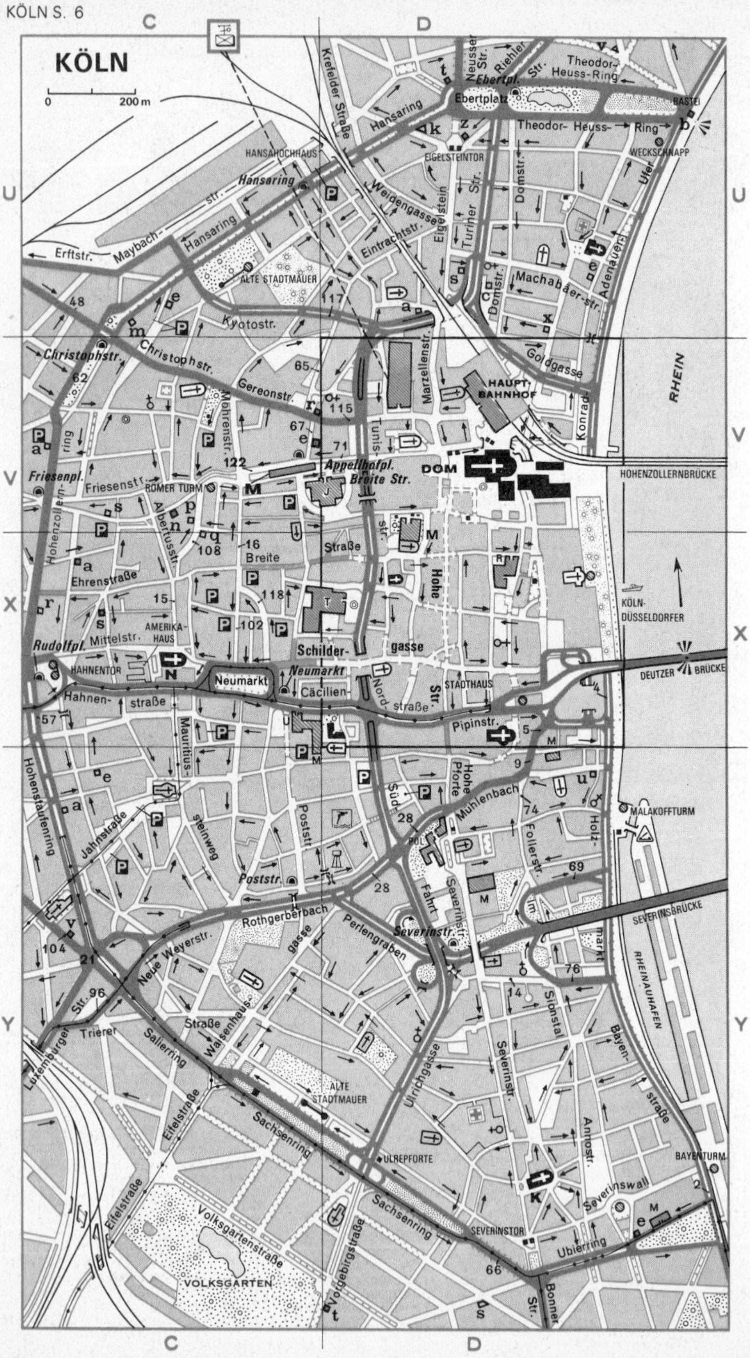
KÖLN
0
200 m
C
D
U
V
X
Y
Krefelder Straße
Neusser Str.
Riehler Str.
Ebertpl.
Ebertplatz
Theodor-Heuss-Ring
BASTEI
Hansaring
EIGELSTEINTOR
HANSAHOCHHAUS
WECKSCHNAPP
Weidengasse
Eigelstein
Turiner Str.
Domstr.
Ufer
Adenauer-
Maybach-str.
Erftstr.
Eintrachtstr.
ALTE STADTMAUER
Machabäer-str.
Kyotostr.
Christophstr.
Gereonstr.
Marzellenstr.
Goldgasse
HAUPT-BAHNHOF
RHEIN
Konrad-
Friesenpl.
Friesenstr.
RÖMER TURM
Appellhofpl.
Breite Str.
DOM
HOHENZOLLERNBRÜCKE
Hohenzollernring
Albertusstr.
Breite Straße
Tunis-str.
Hohe Str.
Ehrenstraße
KÖLN-DÜSSELDORFER
Rudolfpl.
Mittelstr.
AMERIKA-HAUS
Schildergasse
HAHNENTOR
Neumarkt
Hahnenstraße
Cäcilienstraße
Nord-süd
STADTHAUS
DEUTZER BRÜCKE
Pipinstr.
Mauritius-steinweg
Hohe Pforte
Mühlenbach
Hohenstaufenring
Jahnstraße
Poststr.
Süd
MALAKOFFTURM
Follerstr.
Holz-markt
Fahrt
Severinstr.
Rothgerberbach
Perlengraben
SEVERINSBRÜCKE
RHEINAUHAFEN
Neue Weyerstr.
Im ... markt
Sionstal
Luxemburger Str.
Trierer Straße
Waisenhausgasse
Salierring
Ulrichgasse
Bayenstraße
Eifelstraße
ALTE STADTMAUER
Annostr.
Sachsenring
ULREPFORTE
BAYENTURM
Severinswall
Volksgartenstraße
Vorgebirgstraße
SEVERINSTOR
Ubierring
VOLKSGARTEN
Bonner Str.

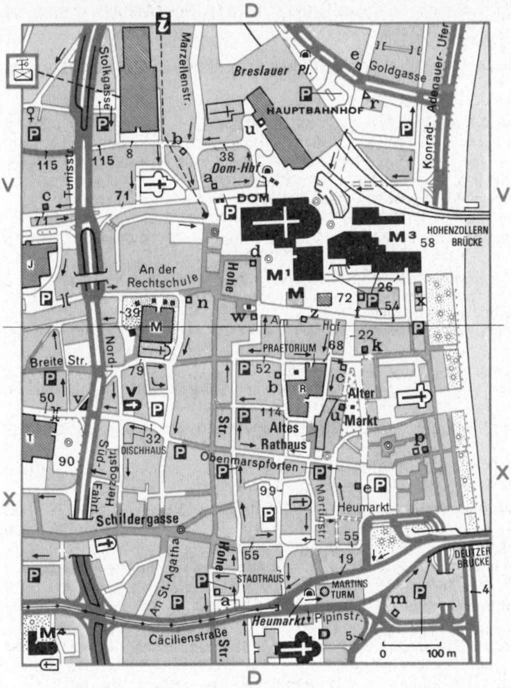

Am Bayenturm	DY	2
Am Leystapel	DX	4
Am Malzbüchel	DX	5
An den Dominikanern	DV	8
An der Malzmühle	DY	9
Apostelnstraße	CX	15
Auf dem Berlich	CX	16
Augustinerstraße	DX	19
Barbarossaplatz	CY	21
Bechergasse	DX	22
Bischofsgartenstraße	DV	26
Blaubach	DY	28
Brückenstraße	DX	32
Dompropst-Ketzer-Str.	DV	38
Drususgasse	DV	39
Gladbacher Straße	CU	48
Glockengasse	DX	50
Große Budengasse	DX	52
Große Neugasse	DV	54
Gürzenichstraße	DX	55
Habsburgerring	CX	57
Heinrich-Böll-Platz	DV	58
Kaiser-Wilhelm-Ring	CV	62
Kardinal-Frings-Str.	CV	65
Karolingerring	DY	66
Kattenbug	CV	67
Kleine Budengasse	DX	68
Kleine Witschgasse	DY	69
Komödienstraße	DV	71
Kurt-Hackenberg-Platz	DV	72
Mathiasstraße	DY	74
Mechtildisstraße	DY	76
Minoritenstraße	DX	79
Offenbach-Platz	DX	90
Pfälzer Straße	CY	96
Quatermarkt	DX	99
Richmodstraße	CX	102
Roonstraße	CY	104
Sankt-Apern-Straße	CX	108
Unter Goldschmied	DX	114
Unter Sachsenhausen	DV	115
Victoriastraße	DU	117
Zeppelinstraße	CX	118
Zeughausstraße	CV	122

Straßenverzeichnis siehe Köln S. 2.

Leonet garni, Rubensstr. 33 (K 1), ☎ 23 60 16, Telex 8883506, ≘s, ▣ – |‡| TV ☎ P. AE ⓓ E VISA — CY **e**
20. Dez.- 5. Jan. geschl. – **78 Z : 150 B** 105/190 - 140/230 Fb.

Esplanade garni, Hohenstaufenring 56 (K 1), ☎ 21 03 11, Telex 8881029, Fax 238642 – |‡| TV ☎. AE ⓓ E VISA — CY **a**
10.- 31. Dez. geschl. – **33 Z : 55 B** 105/205 - 145/255 Fb.

Central Hotel garni, An den Dominikanern 3 (K 1), ☎ 13 50 88, Telex 8881807 – |‡| TV ☎. AE ⓓ E VISA — DV **b**
22. Dez.- 6. Jan. geschl. – **43 Z : 80 B** 105/170 - 160/230 Fb.

Residence garni, Alter Markt 55 (K 1), ☎ 23 57 81, Telex 8885344 – |‡| ⇹ Zim TV ☎. AE ⓓ E VISA — DX **c**
60 Z : 140 B 98/220 - 180/260 Fb – 3 Appart. 350.

Windsor garni, Von-Werth-Str. 36 (K 1), ☎ 13 40 31 – |‡| ☎. AE ⓓ E VISA — CU **e**
37 Z : 55 B 90/130 - 195/210.

Ludwig garni, Brandenburger Str. 24 (K 1), ☎ 12 30 31, Telex 8885326, Fax 137935 – |‡| TV ☎ 🚗. AE ⓓ E VISA — DU **x**
23. Dez.-1. Jan. geschl. – **61 Z : 100 B** 98/175 - 155/255 Fb.

Coellner Hof, Hansaring 100 (K 1), ☎ 12 20 75, Telex 8885264 – |‡| TV ☎ 🚗 🏛. AE ⓓ E — DU **k**
Karte 34/58 *(Freitag 15 Uhr - Samstag geschl.)* – **70 Z : 110 B** 85/170 - 125/240 Fb.

Merian-Hotel garni, Allerheiligenstr. 1 (K 1), ☎ 12 10 25, Telex 8883305 – |‡| TV ☎ 🚗. AE ⓓ E VISA — DU **c**
22. Dez. - 4. Jan. geschl. – **28 Z : 48 B** 88/125 - 135/350 Fb.

Buchholz garni, Kunibertsgasse 5 (K 1), ☎ 12 18 24 – |‡| TV ☎. AE ⓓ E VISA — DU **e**
20. Dez.- 3. Jan. geschl. – **17 Z : 27 B** 95 - 150.

Altstadt Hotel garni, Salzgasse 7 (K 1), ☎ 23 41 87, ≘s – |‡| ☎. AE ⓓ E VISA. ✻ — DX **p**
20. Dez.- 6. Jan. geschl. – **28 Z : 46 B** 80/95 - 130/150 Fb.

Hotel am Chlodwigplatz garni, Merowinger Str. 33 (K 1), ☎ 31 40 31 – ☎ 🚗. AE ⓓ E VISA — DY **s**
20. Dez.- 8. Jan. geschl. – **23 Z : 43 B** 76/110 - 120/170.

Fortsetzung →

Intercity Hotel Ibis garni, Bahnhofsvorplatz (K 1), ℰ 13 20 51, Telex 8881002 – |‡| ☎. AE ⓓ E VISA DV **u**
66 Z : 120 B 97/119 - 138/160 Fb.

Weinhaus Lenz, Ursulaplatz 9 (K 1), ℰ 12 00 55 (Hotel) 13 37 09 (Rest.), Telex 8882335 – |‡| TV ☎. AE ⓓ E VISA DU **a**
Karte 36/65 – **109 Z : 190 B** 96/178 - 136/220.

XXXX ✿ **Chez Alex**, Mühlengasse 1 (K 1), ℰ 23 05 60 – ▤. AE ⓓ E VISA DX **k**
Samstag nur Abendessen, Sonn- und Feiertage geschl. – Karte 77/135 (Tischbestellung ratsam)
Spez. Lasagne de homard au sabayon de truffes, Foie gras chaud aux pommes, Poularde de Bresse truffée au sel.

XXX ✿ **Rino Casati**, Ebertplatz 3 (K 1), ℰ 72 11 08 – AE ⓓ E VISA. ✂ DU **t**
außerhalb der Messezeiten Sonntag geschl. – Karte 50/90 (Tischbestellung ratsam)
Spez. Hausgemachte Nudelgerichte, Babysteinbutt mit Champagnersauce, Ente mit Pflaumensauce.

XXX **Die Bastei**, Konrad-Adenauer-Ufer 80 (K 1), ℰ 12 28 25, ≤ Rhein – AE ⓓ E. ✂ DU **b**
Samstag bis 19 Uhr geschl. – Karte 63/95.

XXX ✿ **Restaurant Bado - La poêle d'or**, Komödienstr. 52 (K 1), ℰ 13 41 00 – AE ⓓ E DV **c**
Sonntag - Montag 18 Uhr, an Feiertagen sowie Juni - Juli 3 Wochen und Weihnachten - Neujahr geschl. – Karte 80/99 – **Bistro** Karte 30/47
Spez. Saumon fumé chaud sauce raifort, Rouelles de St. Pierre à la mousseline de pistou (2 Pers.), Noisettes d'agneau au persil et truffes.

XX **Ristorante Alfredo**, Tunisstr. 3 (K 1), ℰ 24 43 01 – AE DX **v**
Samstag 15 Uhr - Sonntag und Juni - Juli 3 Wochen geschl. – Karte 60/84 (Tischbestellung ratsam).

XX **Ratskeller**, Rathausplatz 1 (Eingang Alter Markt) (K 1), ℰ 21 83 01, 余 – ▤ ♿ 🏛. AE ⓓ E VISA – Karte 35/70. DX **u**

XX **St. Georg**, Magnusstr. 3 (K 1), ℰ 21 84 18, 余 – AE ⓓ E VISA CV **n**
Samstag bis 18 Uhr sowie Sonn- und Feiertage geschl. – Karte 63/98.

XX **Weinhaus im Walfisch** (Fachwerkhaus a.d. 17. Jh.), Salzgasse 13 (K 1), ℰ 21 95 75 – AE ⓓ E VISA DX **p**
Samstag bis 18 Uhr sowie Sonn- und Feiertage geschl. – Karte 59/89.

XX **Em Krützche**, Am Frankenturm 1 (K 1), ℰ 21 14 32, « Straßenterrasse mit ≤ » – ⓓ E
Montag geschl. – Karte 48/64 (Tischbestellung ratsam). DV **x**

XX Börsen-Restaurant, Unter Sachsenhausen 10 (K 1), ℰ 13 56 26 – ▤ 🏛. ✂ CV **r**

XX **Restaurant Wack**, Benesisstr. 57 (K 1), ℰ 21 42 78 – Ⓟ. ⓓ VISA. ✂ CX **s**
außerhalb der Messezeiten Samstag bis 18 Uhr und Sonntag geschl. – Karte 56/86 (Tischbestellung ratsam) – **D'r Wackes** Karte 34/55.

XX **Daitokai** (Japanisches Rest.), Kattenbug 2 (K 1), ℰ 12 00 48 – ▤. AE ⓓ E VISA. ✂ CV **e**
Sonntag geschl. – Karte 39/76.

XX **Le Gaulois**, Roonstr. 8 (K 1), ℰ 24 62 39 – ⓓ E CY **v**
Samstag bis 18 Uhr und Sonntag geschl. – Karte 58/77.

XX L'Osteria (Italienische Küche), Eigelstein 122 (Eingang Greesbergstraße) (K 1), ℰ 12 33 73 DU **z**

X **Ristorante Pan e vin**, Heumarkt 75 (K 1), ℰ 24 84 10 – AE E. ✂ DX **e**
Montag geschl. – Karte 46/68.

X **Ballarin** (Restaurant im Bistro-Stil), Ubierring 35 (K 1), ℰ 32 61 33 – ⓓ DY **e**
Samstag bis 19 Uhr und Sonntag geschl. – Karte 49/65.

X **La Baurie** (Französische Küche), Vorgebirgstr. 35 (K 1), ℰ 38 61 49 – AE E VISA DY **t**
Samstag bis 18 Uhr und Montag geschl. – Karte 59/82.

X **Gasthaus Adler**, Friesenwall 74 (K 1), ℰ 21 71 93 – ⓓ E VISA CX **a**
Sonntag bis 18 Uhr und Montag geschl. – Karte 34/52.

In Köln 30-Bocklemünd :

Garni Bocklemünd, Grevenbroicher Str. 16, ℰ 50 84 61 – TV ☎ (Köln S. 3) R **n**
18 Z : 33 B 55 - 85.

In Köln 41-Braunsfeld :

Regent, Melatengürtel 15, ℰ 5 49 90, Telex 8881824, Fax 5499998 – |‡| ⇔ Zim ▤ Rest TV Ⓟ 🏛. AE ⓓ E VISA. ✂ (Köln S. 4) AX **a**
Karte 45/67 *(Samstag bis 18 Uhr und Sonntag geschl.)* – **165 Z : 270 B** 127/268 - 185/386 Fb – 3 Appart. 526/826.

In Köln 91-Brück über ③ und die B 55 :

Silencium garni, Olpener Str. 1031, ℰ 89 90 40, Telex 887107, Fahrradverleih – |‡| TV ☎ Ⓟ 🏛. ⓓ E VISA. ✂ – **66 Z : 130 B** 115/220 - 150/280 Fb.

In Köln 80-Buchforst :

Kosmos, Waldecker Str. 11, ℰ 6 70 90, Telex 887706, Fax 6709321, ≘s, ⊡ – |‡| TV ☎ Ⓟ 🏛. AE ⓓ E VISA (Köln S. 3) S **s**
Karte 37/60 *(nur Abendessen, Mitte Juli - Mitte Aug. geschl.)* – **100 Z : 200 B** 112/230 - 163/280 Fb.

In Köln 21-Deutz :

Hyatt Regency, Kennedy-Ufer 2a, ☎ 8 28 12 34, Fax 8281370, ≤, Biergarten, ≘s, ⊠ – |♦| ⇔ Zim ▤ TV ♿ Ⓟ 🏛. AE ⓞ E VISA (Köln S. 5) EV a
Restaurants : – **Graugans** *(Samstag bis 18 Uhr und Sonntag 15 Uhr - Montag geschl.)* Karte 59/79 – **Glashaus** Karte 37/52 – **307 Z : 614 B** 315/405 - 360/495 Fb – 18 Appart. 680/1990.

XX Restaurant im Messeturm, Kennedy-Ufer (18. Etage, |♦|), ☎ 88 10 08, ≤ Köln – ▤. ✻ . (Köln S. 5) EV

In Köln 30-Ehrenfeld :

Imperial, Barthelstr. 93, ☎ 51 70 57, Telex 8883452, ≘s – |♦| TV ☎ ⇐ Ⓟ. AE ⓞ E
Karte 26/51 *(nur Abendessen)* – **36 Z : 60 B** 125/170 - 200/270 Fb. (Köln S. 4) AV e

XXX **Zum offenen Kamin**, Eichendorffstr. 25, ☎ 55 68 78 – AE ⓞ E (Köln S. 4) ABT n
Samstag bis 18 Uhr sowie Sonn- und Feiertage geschl. – Karte 65/78.

In Köln 80-Holweide :

Bergischer Hof garni, Bergisch-Gladbacher-Str. 406 (B 506), ☎ 63 90 81, Telex 8873746 – |♦| ☎ ⇐ Ⓟ. AE ⓞ E VISA (Köln S.3) R a
33 Z : 64 B 95/190 - 140/240 Fb.

XXX **Isenburg**, Johann-Bensberg-Str. 49, ☎ 69 59 09, 🏠 – Ⓟ. ⓞ E (Köln S. 3) R e
Samstag bis 18 Uhr, Dienstag und Mitte Juli - Mitte Aug. geschl. – Karte 46/71 (Tischbestellung ratsam).

In Köln 50-Immendorf :

XX **Weinstuben Bitzerhof** mit Zim (Gutshof a.d.J. 1821), Immendorfer Hauptstr. 21, ☎ (02236) 6 19 21, 🏠, « Rustikale Einrichtung » – TV ☎ ⇐. ✻ Zim (Köln S. 3) S c
Karte 49/71 – **3 Z : 6 B** 90/110 - 130/145.

In Köln 40-Junkersdorf :

XX **Vogelsanger Stübchen**, Vogelsanger Weg 28, ☎ 48 14 78 (Köln S. 3) S v
Sonntag - Montag, über Karneval 1 Woche und 20. Aug.- 5. Sept. geschl. – Karte 48/72 (Tischbestellung ratsam).

In Köln 41-Klettenberg :

X Haus Unkelbach, Luxemburger Str. 260, ☎ 41 24 18 – Ⓟ (Köln S. 4) BZ u

In Köln 41-Lindenthal :

Crest-Hotel Köln, Dürener Str. 287, ☎ 46 30 01, Telex 8882516, Fax 433765, « Gartenterrasse » – |♦| ⇔ Zim ▤ Rest TV ♿ ⇐ Ⓟ 🏛 (mit ▤). AE ⓞ E VISA. ✻ Rest
Karte 40/79 – **152 Z : 200 B** 188/284 - 238/328 Fb. (Köln S. 4) AY v

Bremer, Dürener Str. 225, ☎ 40 50 13, Telex 8882063, ≘s, ⊠ – |♦| ▤ Rest TV ☎ ⇐. AE ⓞ E VISA. ✻ Rest (Köln S. 4) AY r
23. Dez.- 3. Jan. geschl. – Karte 55/81 *(Tischbestellung ratsam)* – **König-Pub** Karte 36/59 – **75 Z : 90 B** 115/145 - 165/220 Fb.

In Köln 40 - Lövenich über ⑨ : 8 km :

Landhaus Gut Keuchhof - Restaurant Zur Scheune ⛰, Braugasse 14, ☎ (02234) 7 60 33 (Hotel) 4 72 02 (Rest.), 🏠 – TV ☎ Ⓟ. AE E. ✻
nur Hotel : 20. Dez. - 6. Jan. geschl. – Karte 26/62 – **43 Z : 65 B** 85/110 - 130/160.

In Köln 51-Marienburg :

Marienburger Bonotel, Bonner Str. 478, ☎ 3 70 20, Telex 8881515, Fax 3702132, ≘s – |♦| TV ⇐ Ⓟ 🏛. AE ⓞ E VISA. ✻ Rest (Köln S. 3) S x
Karte 37/74 – **91 Z : 182 B** 155/265 - 185/295 Fb.

Haus Marienburg ⛰ garni, Robert-Heuser-Str. 3, ☎ 38 84 97 – TV ☎ ⇐. ✻
13 Z : 21 B 85/120 - 110/180 Fb. (Köln S. 3) S w

XX **Marienburger Eule**, Bonner Str. 471, ☎ 38 15 78 – AE ⓞ E VISA (Köln S. 3) S x
Sonntag geschl. – Karte 59/86.

In Köln 40-Marsdorf :

Novotel Köln-West, Horbeller Str. 1, ☎ (02234) 51 40, Telex 8886355, Fax 514106, 🏠, ≘s, ⛱ (geheizt), ⊠, 🌳 – |♦| ⇔ Zim ▤ Rest TV ☎ ♿ Ⓟ 🏛 (mit ▤). AE ⓞ E VISA
Karte 38/65 – **199 Z : 396 B** 174/184 - 219 Fb. (Köln S. 3) S p

In Köln 91-Merheim :

XXXX ✿✿ **Goldener Pflug**, Olpener Str. 421 (B 55), ☎ 89 55 09 – Ⓟ (Köln S. 3) S e
Samstag bis 18 Uhr, Sonn- und Feiertage sowie Juni - Juli 3 Wochen geschl. – Karte 138/205
Spez. Hummerroulade mit grünen Linsen, Wolfsbarsch mit Trüffel und Sellerie, Ragout von Kalbsbries und Kalbsnieren mit Gemüsenudeln.

In Köln 80-Mülheim :

Kaiser garni, Genovevastr. 10, ☎ 62 30 57, Telex 8873546 – |♦| TV ☎ Ⓟ 🏛. AE ⓞ E VISA
46 Z : 90 B 95/195 - 125/245 Fb. (Köln S. 3) RS u

In Köln 41-Müngersdorf :

XX **Remise**, Wendelinstr. 48, ✆ 49 18 81, « Historisches Gutsgebäude » – Ⓟ. Ⓓ E
über Karneval, Mitte Juli - Mitte Aug., Samstag bis 18 Uhr und Sonntag geschl. – Karte 56/84 (Tischbestellung ratsam). (Köln S. 3) S m

In Köln 90 - Porz :

Rheinhotel, Hauptstr. 369, ✆ (02203) 5 50 36, Telex 8878447, – Zim. Zim (Köln S. 3) S q
50 Z : 97 B.

Terminal garni, Theodor-Heuss-Str. 78 (Porz-Eil), ✆ (02203) 30 00 21, Telex 8873288, – Zim. AE Ⓓ E VISA (Köln S. 3) S y
61 Z : 120 B 124/224 - 144/244 Fb.

In Köln 90 - Porz-Grengel ④ : 15 km über die A 59 :

Spiegel, Hermann-Löns-Str. 122, ✆ (02203) 6 10 46, « Gartenterrasse » – Ⓟ. E
Mitte Juli - Anfang Aug. geschl. – Karte 37/80 *(Freitag - Samstag 18 Uhr geschl.)* – **19 Z : 24 B** 80/110 - 130/180 Fb.

In Köln 90 - Porz-Langel S : 17 km über Hauptstr. S :

XX **Zur Tant**, Rheinbergstr. 49, ✆ (02203) 8 18 83, ≤, – Ⓟ. AE Ⓓ E
Donnerstag und Ende Jan.- Anfang Feb. geschl. – Karte 55/88 – **Hütter's Piccolo** Karte 30/42.

In Köln 90 - Porz-Wahn ④ : 17 km über die A 59 :

Geisler garni, Frankfurter Str. 172, ✆ (02203) 6 10 20 – Ⓟ. AE Ⓓ E VISA
52 Z : 89 B 80/120 - 150 Fb.

In Köln 90 - Porz-Wahnheide ④ : 17 km über die A 59 – ☎ 02203 :

Holiday Inn, Waldstr. 255, ✆ 56 10, Telex 8874665, – Zim Ⓟ. AE Ⓓ E VISA
Karte 35/64 – **113 Z : 160 B** 191/269 - 233/288 Fb.

Quelle garni, Heidestr. 246, ✆ 60 81 – Zim Ⓟ
95 Z : 170 B.

Karsten garni, Linder Weg 4 (Zufahrt über Gunterstraße), ✆ 6 20 82 – Ⓟ. AE E
24 Z : 36 B 65/140 - 95/180 Fb.

Stamac garni, Artilleriestr. 34, ✆ 6 30 23, – Ⓟ
23 Z : 40 B.

In Köln 90 - Porz-Westhoven :

Ambiente garni, Oberstr. 53, ✆ (02203) 1 40 97 – Ⓟ. AE Ⓓ E VISA.
24. Dez.- 2. Jan. geschl. – **27 Z : 40 B** 95/135 - 120/180 Fb. (Köln S. 3) S d

In Köln 50 -Rodenkirchen :

Atrium-Rheinhotel, Karlstr. 4, ✆ 39 30 45, Telex 889919, Fax 394054, – . AE Ⓓ E VISA (Köln S. 3) S t
Karte 47/71 *(Sonn- und Feiertage sowie 20. Juli - 15. Aug. geschl.)* – **50 Z : 90 B** 98/198 - 148/298 Fb – 3 Appart. 498.

Rheinblick garni, Uferstr. 20, ✆ 39 12 82, ≤, – (Köln S. 3) S a
24 Z : 40 B 80/130 - 100/140 Fb.

An der Tennishalle Schmitte, Großrotter Weg 1 (Hochkirchen), ✆ (02233) 2 27 77, (Halle) – Ⓟ. AE Ⓓ E VISA (Köln S. 3) S b
Karte 20/49 – **18 Z : 26 B** 85/96 - 120/138.

XX **St. Maternus** mit Zim, Karlstr. 9, ✆ 39 36 33, « Terrasse mit ≤ » – . AE Ⓓ E VISA
Karte 34/65 *(Montag geschl.)* – **10 Z : 18 B** 85 - 165. (Köln S. 3) S z

In Köln 50-Sürth :

Falderhof garni, Falderstr. 29, ✆ (02236) 6 42 44 – . AE Ⓓ E (Köln S. 3) S f
19 Z : 27 B 125/240 - 190/290 Fb.

In Köln 40-Weiden :

Garten-Hotel garni, Königsberger Str. 5, ✆ (02234) 7 60 06, – . AE E
23.- 31. Dez. geschl. – **33 Z : 53 B** 80/85 - 120/140 Fb. (Köln S. 3) S n

In Köln 60 -Weidenpesch :

X **Alte Post** (Balkan-Spezialitäten), Neusser Str. 621, ✆ 74 84 86 – Ⓟ. AE Ⓓ E VISA
Karte 30/52. (Köln S. 3) R v

In Köln 71-Worringen N : 18 km über die B 9 R :

Matheisen, In der Lohn 45, ✆ 78 10 61 – Ⓟ. AE. Zim
Karte 29/53 *(Freitag geschl.)* – **9 Z : 16 B** 60/84 - 100/120.

MICHELIN-REIFENWERKE KGaA. Niederlassung Köln 30-Ossendorf, Bleriotstr. 9 (Köln S. 3 R), ✆ 59 20 11.

KÖNGEN 7316. Baden-Württemberg 413 KL 20 – 8 200 Ew – Höhe 280 m – ☎ 07024.

♦Stuttgart 26 – Reutlingen 28 – ♦Ulm (Donau) 67.

Schwanen, Schwanenstr. 1, ☎ 88 64, – ☎ P. E.
24. Dez.- 10. Jan. geschl. – Karte 33/60 *(Sonntag 15 Uhr - Montag geschl.)* – **49 Z : 75 B** 68/95 - 98/135 Fb.

Römerkastell, Altenberg 1, ☎ 89 21, – ☎ P. AE E
22. Dez.- 10. Jan. und 12.- 27. Aug. geschl. – Karte 30/60 *(Samstag bis 18 Uhr geschl.)* – **42 Z : 84 B** 96 - 144 Fb.

KÖNIG, BAD 6123. Hessen 413 K 17, 987 ㉕ – 8 400 Ew – Höhe 183 m – Heilbad – ☎ 06063.

Verkehrsbüro, Elisabethenstr. 13, ☎ 15 65.

♦Wiesbaden 85 – Aschaffenburg 44 – ♦Darmstadt 40 – Heidelberg 65.

Forst-Hotel Carnier, Kimbacher Str. 218, ☎ 20 51, Telex 4191662, Fax 5302, « Terrasse mit ‹ », – P. AE E VISA. Rest
Karte 45/75 *(Juli - Aug. 4 Wochen und Sonntag 14 Uhr - Montag 18 Uhr geschl.)* – **44 Z : 73 B** 86/140 - 148/195 Fb – 3 Appart. 295 – P 116/185.

Büchner - Haus Ursula, Frankfurter Str. 6, ☎ 7 29 (Hotel) 6 05 (Rest.), – P. Zim
20. Nov.- 20. Dez. geschl. – Karte 23/53 *(Dienstag und 3.- 24. Jan. geschl.)* – **32 Z : 48 B** 53/60 - 90/98.

Königsruhe, Forststr. 26, ☎ 22 45, ‹, – P – **20 Z : 33 B.**

Haus Stefan garni, Friedr.-Ebert-Str. 4, ☎ 25 04, – P
15. Dez.- 20. Jan. geschl. – **11 Z : 16 B** 30/45 - 60/74.

Brunnen-Pension garni, Frankfurter Str. 22a, ☎ 22 33, – P
4. Jan.- 10. Feb. geschl. – **10 Z : 16 B** 33 - 66.

Haus Waldfrieden garni, Weyprechtstr. 55, ☎ 15 41, – P.
15. Feb.- 15. Nov. – **14 Z : 21 B** 29/38 - 64/72.

In Bad König-Zell S : 2 km :

Zur Krone, Königer Str. 1, ☎ 18 13, – P
Mitte Feb.- Mitte März geschl., – Karte 16,50/34 – **29 Z : 50 B** 29/37 - 54/69 – P 48/57.

KÖNIGHEIM Baden-Württemberg siehe Tauberbischofsheim.

KÖNIGSBACH-STEIN 7535. Baden-Württemberg 413 I 20 – 8 200 Ew – Höhe 192 m – ☎ 07232.

♦Stuttgart 65 – ♦Karlsruhe 23 – Pforzheim 16.

Im Ortsteil Königsbach :

Europäischer Hof, Steiner Str. 100, ☎ 10 05 – ☎ P. AE E
Jan. 2 Wochen und Juli - Aug. 3 Wochen geschl. – Karte 51/67 *(abends Tischbestellung ratsam)* (Samstag bis 18 Uhr und Montag geschl.) – **21 Z : 38 B** 78/100 - 140/160.

Zum Ochsen, Marktstr. 11, ☎ 52 25 – VISA
Dienstag und 15.- 30. Juni geschl. – Karte 28/60.

Im Ortsteil Stein :

Zum goldenen Lamm, Marktplatz 2, ☎ 17 76 – P
Dienstag und Ende Aug.- Anfang Sept. geschl. – Karte 29/50 (Tischbestellung ratsam).

Krone, Königsbacher Str. 2, ☎ 91 22 – E VISA
Montag und 15. Juli - 9. Aug. geschl. – Karte 28/60.

KÖNIGSBERG Hessen siehe Biebertal.

KÖNIGSBERG IN BAYERN 8729. Bayern 413 O 16 – 4 300 Ew – Höhe 276 m – ☎ 09525.

♦München 279 – ♦Bamberg 34 – Hofheim 8,5 – Schweinfurt 27.

Herrenschenke, Marienstr. 3, ☎ 3 71, – ☎
1.- 21. Nov. geschl. – Karte 14/27 *(Montag geschl.)* – **9 Z : 18 B** 30 - 56.

Goldener Stern, Markt 6, ☎ 2 08 –
15. Dez.- 15. Feb. geschl. – (nur Abendessen für Hausgäste) – **12 Z : 28 B** 20/26 - 40/52.

KÖNIGSBRONN 7923. Baden-Württemberg 413 N 20 – 7 800 Ew – Höhe 500 m – Erholungsort – Wintersport : 1 – ☎ 07328.

♦Stuttgart 89 – Aalen 14 – Heidenheim an der Brenz 9.

Brauereigasthof Weißes Rößle, Zanger Str. 1, ☎ 62 82, Biergarten – P. E
Karte 21/41 *(Montag geschl.)* – **19 Z : 30 B** 40 - 75.

In Königsbronn-Itzelberg SO : 2,5 km :

Alte Schmiede, an der B 19, ☎ 54 11 – P – **28 Z : 35 B.**

In Königsbronn-Zang SW : 6 km :

Löwen, Struthstr. 17, ☎ 62 92, – ☎ P
Karte 35/52 *(Dienstag - Mittwoch 17 Uhr geschl.)* – **10 Z : 17 B** 40 - 75.

[KÖNIGSBRUNN] 8901. Bayern [413] P 22, [987] ㊱ – 20 550 Ew – Höhe 520 m – ☎ 08231.
⛳ Föllstr. 32a, ☎ 3 26 37 ; ⛳ Pappelstr. 11, ☎ 3 11 53.
♦München 66 – ♦ Augsburg 12 – ♦ Ulm 94.

🏨 **Zeller**, Hauptstr. 78, ☎ 40 24, Fax 32545 – [TV] ☎ [P] . [AE] [E] [VISA]
Karte 26/58 – **79 Z : 130 B** 74/88 - 112/132 Fb.

🏨 **Königsbrunner Hof** garni, Haunstetter Str. 2, ☎ 50 88 – [TV] ☎ [P]. [AE] [E] [VISA]
23. Dez.- 9. Jan. geschl. – **15 Z : 25 B** 65/75 - 95/100 Fb.

🏨 **Krone**, Hauptstr. 44, ☎ 8 60 60 – [P]
Karte 14/33 *(Montag geschl.)* – **8 Z : 16 B** 41 - 62/64.

[KÖNIGSDORF] 8197. Bayern [413] R 23, [426] ⑰ – 2 100 Ew – Höhe 625 m – ☎ 08179.
♦München 45 – Bad Tölz 11 – Weilheim 29.

🏨 **Posthotel Hofherr**, Hauptstr. 31 (B 11), ☎ 7 11, Biergarten, – [TV] ☎ [P] . [AE] [E]. Zim
Karte 26/48 *(2.- 13. Jan., 23. Juni - 7. Juli und Montag geschl.)* – **63 Z : 120 B** 50/72 - 80/116 Fb.

[KÖNIGSFELD IM SCHWARZWALD] 7744. Baden-Württemberg [413] I 22, [987] ㉟ – 5 400 Ew – Höhe 761 m – Heilklimatischer Kurort – Kneippkurort – Wintersport : 5 – ☎ 07725.
[i] Kurverwaltung, Friedrichstr. 11, ☎ 4 66.
♦Stuttgart 126 – Schramberg 12 – Triberg 19 – Villingen-Schwenningen 13.

🏨 Schwarzwald-Hotel , Hermann-Voland-Str. 10, ☎ 70 91, , Bade- und Massageabteilung, , , , – Rest ☎ [P]
56 Z : 85 B Fb.

🏨 **Kurpension Gebauer-Trumpf** , Bismarckstr. 10, ☎ 76 07, Bade- und Massageabteilung, , , – ☎ [P]. Rest
5. Nov.- Mitte Dez. geschl. – (Restaurant nur für Hausgäste) – **22 Z : 30 B** 58/90 - 120/150.

🏨 **Zur Post**, Mönchweiler Str. 10, ☎ 74 48 – [P]
20. Okt.- 15. Nov. geschl. – Karte 20/36 *(Montag geschl.)* – **12 Z : 16 B** 38/45 - 90 – P 66.

[KÖNIGSHOFEN, BAD] 8742. Bayern [413] O 16, [987] ㉖ – 5 300 Ew – Höhe 277 m – Heilbad – ☎ 09761.
[i] Kurverwaltung, im Kurzentrum, ☎ 8 27.
♦München 296 – ♦Bamberg 61 – Coburg 49 – Fulda 82.

🏨 **Kurpark Hotel**, Martin-Reinhard-Str. 30, ☎ 7 91, Bade- und Massageabteilung, , , , Fahrradverleih – ☎ [P] . [AE] [E]. Rest
Karte 29/40 – **92 Z : 148 B** 68 - 116 Fb – P 83/93.

🏨 **Vier Jahreszeiten** , Bamberger Str. 18, ☎ 7 22, – ☎ [P]
Karte 17/38 – **24 Z : 50 B** 36/60 - 70/96 Fb – P 60/84.

🏨 **Zur Linde**, Hindenburgstr. 36, ☎ 15 09, Biergarten – [P]
Karte 19,50/32 – **12 Z : 20 B** 32 - 58 – 4 Fewo 50.

🍴🍴 **Bayerischer Hof** mit Zim, Hindenburgstr. 19, ☎ 12 84 – [E]
Karte 24/45 *(Mittwoch geschl.)* – **3 Z : 6 B** 30/40 - 50/70.

🍴🍴 **Schlundhaus** mit Zim (Historisches Gasthaus a.d. 17. Jh.), Marktplatz 25, ☎ 15 62 – [TV] ☎
Ende Aug.- Mitte Sept. geschl. – Karte 19,50/45 *(Dienstag geschl.)* – **4 Z : 6 B** 50 - 90.

[KÖNIGSLUTTER AM ELM] 3308. Niedersachsen [987] ⑯ – 16 500 Ew – Höhe 125 m – ☎ 05353.
Sehenswert : Ehemalige Abteikirche★ (Plastik der Hauptapsis★★, Nördlicher Kreuzgangflügel★).
[i] Verkehrsbüro, Rathaus, ☎ 50 11 29.
♦Hannover 85 – ♦Braunschweig 22 – Magdeburg 67 – Wolfsburg 23.

🏨 **Königshof**, Braunschweiger Str. 21a (B 1), ☎ 50 30, , , (Halle) – ☎ [P] . [E]
Karte 28/54 – **160 Z : 314 B** 75/95 - 135/145 Fb – 14 Appart. 160.

🏨 Altes Brauhaus garni, Westernstr. 24, ☎ 80 61 – ☎ [P]
10 Z : 12 B.

🏨 **Parkhotel** garni, Am Zollplatz 1, ☎ 84 30 – ☎ [P]
17 Z : 25 B 47/57 - 82.

In Königslutter 2-Bornum W : 5 km über die B 1 :

🏨 **Lindenhof**, Im Winkel 23, ☎ 10 01, Fahrradverleih – ☎ [P]. [AE] [E]
Juli - Aug. 3 Wochen geschl. – Karte 17,50/36 *(Montag bis 17 Uhr geschl.)* – **19 Z : 30 B** 42/47 - 82/90 Fb.

[KÖNIGSSEE] Bayern siehe Schönau am Königssee.

Benutzen Sie für weite Fahrten in Europa die ***Michelin-Länderkarten*** *:*
[920] Europa, [980] Griechenland, [984] Deutschland, [985] Skandinavien-Finnland, [986] Großbritannien-Irland, [987] Deutschland-Österreich-Benelux, [988] Italien, [989] Frankreich, [990] Spanien-Portugal, [991] Jugoslawien.

[KÖNIGSTEIN] 8459. Bayern [413] R 18 – 1 550 Ew – Höhe 500 m – Erholungsort – ☎ 09665.

♦München 202 – Amberg 29 – Bayreuth 52 – ♦Nürnberg 56.

🏨 **Reif**, Oberer Markt 5, ℘ 2 52, 🏊, 🌳, 🎾 – [TV] 🚗
◆ *10. Nov.- 15. Dez. geschl.* – Karte 17,50/36 🍷 – **19 Z : 40 B** 32/35 - 58/60 – P 41/43.

🏨 **Wilder Mann**, Oberer Markt 1, ℘ 2 37, 🏊, 🌳 – 🛗 [TV] ☎ 🚗
◆ Karte 15/30 *(6.- 14. Dez. geschl.)* 🍷 – **28 Z : 46 B** 34/42 - 62/76 – P 40/48.

🏨 **Königsteiner Hof**, Marktplatz 10, ℘ 7 42, 🏊 – 🛗 [P]
◆ *15. Nov.- 15. Dez. geschl.* – Karte 13/30 🍷 – **24 Z : 45 B** 28/40 - 62/80.

🏨 **Post**, Marktplatz 2, ℘ 7 41, ⛱
◆ *Jan. 3 Wochen geschl.* – Karte 12,50/30 🍷 – **15 Z : 30 B** 22/30 - 44/60.

In Edelsfeld 8459 SO : 7,5 km :

🏨 **Goldener Greif**, Sulzbacher Str. 5, ℘ (09665) 2 83, 🏊, 🏊 – 🛗 [TV] ☎ [P]. [AE] [D] [E] [VISA]
◆ *18.- 25. Dez. geschl.* – Karte 16/43 *(Dienstag geschl.)* – **24 Z : 40 B** 35/55 - 65/85.

In Hirschbach 8459 SW : 10 km :

🏨 **Goldener Hirsch**, Dorfplatz 12, ℘ (09152) 85 07, ⛱, Fahrradverleih – [TV] 🚗 [P]. [D]
◆ *30. Jan.- 24. Feb. geschl.* – Karte 13/25 *(Montag geschl.)* 🍷 – **11 Z : 18 B** 18/28 - 40/56 – 2 Fewo 45/60 – P 30/37.

[KÖNIGSTEIN IM TAUNUS] 6240. Hessen [413] I 16, [987] ㉔ ㉕ – 16 500 Ew – Höhe 362 m – Heilklimatischer Kurort – ☎ 06174.

Sehenswert : Burgruine★.

[i] Kurbüro, Hauptstr. 21, ℘ 20 22 51.

♦Wiesbaden 27 – ♦Frankfurt am Main 23 – Bad Homburg vor der Höhe 14 – Limburg an der Lahn 40.

🏨 **Sonnenhof** 🌙, Falkensteiner Str. 9, ℘ 2 90 80, Telex 410636, ←, ⛱, 🏊, 🏊, 🌳, 🎾 – [TV] [P] 🏛. 🚫 Zim
Karte 48/77 (bemerkenswerte Weinkarte) – **44 Z : 69 B** 100/135 - 142/220 Fb – P 138/192.

🏨 **Königshof**, Wiesbadener Str. 30, ℘ 2 90 70, Fax 290752, 🏊 – [TV] ☎ [P] 🏛. [AE] [E] [VISA]
23. Dez.- 3. Jan. geschl. – Karte 37/42 *(nur Abendessen, Freitag - Sonntag geschl.)* – **26 Z : 36 B** 93/147 - 165 Fb.

🏨 **Augusta** garni, Altkönigstr. 8, ℘ 10 53 – ☎ [P]
20 Z : 35 B 60/80 - 100/120 Fb.

🏨 **Zum Hirsch** 🌙 garni, Burgweg 2, ℘ 50 34 – ☎
30 Z : 40 B 40/120 - 80/160.

🍴🍴 **Weinstube Leimeister**, Hauptstr. 27, ℘ 2 18 37
Sonntag 15 Uhr - Montag, Feb. 2 Wochen und Juli - Aug. 3 Wochen geschl. – Karte 36/65.

🍴🍴 **Ristorante Atelier**, Limburger Str. 36 (B 8), ℘ 36 09 – [AE] [E]
Montag geschl. – Karte 38/75.

🍴🍴 **Rats-Stuben**, Hauptstr. 44, ℘ 52 50 – [AE] [D] [E] [VISA]
Dienstag - Mittwoch 19 Uhr und Mitte Juli - Mitte Aug. geschl. – Karte 41/79.

[KÖNIGSWINTER] 5330. Nordrhein-Westfalen [987] ㉔ – 36 800 Ew – Höhe 60 m – ☎ 02223.

Ausflugsziel : Siebengebirge★ : Burgruine Drachenfels★ (nur zu Fuß, mit Zahnradbahn oder Kutsche erreichbar) ✻ ★★.

[i] Städtisches Verkehrsamt, Drachenfelsstr. 7, ℘ 2 10 48.

♦Düsseldorf 83 – ♦Bonn 11 – ♦Koblenz 57 – Siegburg 20.

🏨 **Maritim**, Rheinallee 3, ℘ 70 70, Telex 886432, 🏊, 🏊 – 🛗 🚭 Zim ▤ [TV] ♿ 🚗 [P] 🏛. [D] [E] [VISA]. 🚫 Rest
Karte 40/77 – **250 Z : 500 B** 155/295 - 208/388 Fb – 24 Appart. 450/650.

🏨 **Rheinhotel Königswinter**, Rheinallee 9, ℘ 2 40 51, Telex 885264, ←, ⛱, 🏊, 🏊 – 🛗 [TV]
◆ ☎ 🚗 🏛. [AE] [D] [E] [VISA]
Karte 17/53 – **50 Z : 110 B** 110/200 - 150/260 Fb.

🏨 **Loreley**, Rheinallee 12, ℘ 2 30 13, Telex 8869458, ← – 🛗 ☎ 🚗. [AE] [D] [E] [VISA]
Karte 20/51 – **47 Z : 97 B** 130 - 180/250 Fb.

🏨 **Rheingold**, Drachenfelsstr. 36, ℘ 2 30 48 – 🛗 ☎. [AE] [D] [E] [VISA]
1.- 30. Dez. geschl., im Jan. garni – Karte 25/51 – **39 Z : 80 B** 45/70 - 100/135.

🏨 Krone, Hauptstr. 374, ℘ 2 24 00 – 🚗
17 Z : 30 B.

🏨 **Im Treppchen**, Drachenfelsstr. 20, ℘ 2 18 58 – 🚫 Zim
Jan.- Feb. geschl. – Karte 24/35 *(Donnerstag geschl.)* – **11 Z : 21 B** 40/50 - 65/85.

In Königswinter 41-Ittenbach O : 6 km :

🍴 Margarethenhof mit Zim, Königswinterer Straße, ℘ (02223) 41 51, ⛱ – [P]
4 Z : 8 B.

In Königswinter 41-Margarethenhöhe O : 5 km :

🍴🍴 **Berghof** 🌙 mit Zim, Löwenburger Str. 23, ℘ 2 30 70, ← Siebengebirge, ⛱, 🌳 – ☎ [P] 🏛. [AE] [D] [E] [VISA]
7.- 31. Jan. geschl. – Karte 28/61 – **8 Z : 15 B** 70/80 - 140.

In Königswinter 1-Oberdollendorf N : 2,5 km :

XX **Weinhaus zur Mühle**, Lindenstr. 7, ✆ 2 18 13, ⛱, « Gemütliche Einrichtung » – Ⓟ. ⓓ E
Mittwoch geschl. – Karte 38/58 ♨.

XX **Bauernschenke**, Heisterbacher Str. 123, ✆ 2 12 82 – ⓓ E
Karte 29/53.

In Königswinter 21-Stieldorf N : 8 km :

XX **Sutorius**, Oelinghovener Str. 7, ✆ (02244) 47 49 – 🏛. AE E
Jan. 2 Wochen, Ende Juni - Mitte Juli und Montag - Dienstag 18 Uhr geschl. – Karte 60/75.

KÖRBECKE Nordrhein-Westfalen siehe Möhnesee.

KÖSSEN A-6345. Österreich 413 U 23, 426 ⑱ – 3 250 Ew – Höhe 600 m – Wintersport : 600/1 700 m ⛷7 ⛷10 – ✪ 05375 (innerhalb Österreich).

ℹ Fremdenverkehrsverband, Dorf 15, ✆ 62 87.

Wien 358 – Kitzbühel 29 – ♦München 111.

Die Preise sind in der Landeswährung (Ö.S.) angegeben

Auf dem Moserberg O : 6 km, Richtung Reit im Winkl, dann links ab :

🏨 **Peternhof** ⛰, ✉ A-6345 Kössen, ✆ (05375) 62 85, Telex 51546, ≤ Reit im Winkl, Kaisergebirge und Unterberg, ⛱, Massage, ≘s, 🏊, 🌳, 🎾, 🏇 – 🛗 Ⓟ
2. Nov.- Mitte Dez. geschl. – Karte 140/320 – **78 Z : 150 B** 406/460 - 770/880 Fb – P 455/525.

In Kössen-Kranzach W : 6 km :

🏨 **Seehof und Panorama**, ✉ A-6344 Walchsee, ✆ (05374) 56 61, Telex 51429, ≤, ⛱, Massage, ≘s, 🏊 (geheizt), 🏊, 🌳, 🎾 (Halle) – 🛗 ☎ Ⓟ. ✻ Rest
Nov.- 15. Dez. geschl. – Karte 200/390 – **142 Z : 260 B** (½ P) 560/645 - 1050/1220 Fb – P 620/705.

In Walchsee A-6344 W : 7 km :

🏨 Schick, Dorf 32, ✆ (05374) 53 31, ≘s, 🏊 – 🛗 TV ☎ Ⓟ 🏛
90 Z : 150 B Fb.

🏨 **Seehotel Brunner**, Kranzach 50, ✆ (05374) 53 20, ≤, ⛱, ≘s, ⛵, 🌳 – 🛗 TV ☎ Ⓟ
30. Okt.- 20. Dez. geschl. – Karte 200/380 – **50 Z : 95 B** 460/540 - 780/940 Fb – P 570/650.

KÖTZTING 8493. Bayern 413 V 19, 987 ㉗ – 6 800 Ew – Höhe 408 m – Luftkurort – ✪ 09941.

ℹ Verkehrsamt, Herrenstr. 10, ✆ 60 21 50.

♦München 189 – Cham 23 – Deggendorf 46.

🏨 **Zur Post**, Herrenstr. 10, ✆ 66 28 – Ⓟ 🏛. AE
März 2 Wochen, Nov. 3 Wochen geschl. – Karte 19/36 *(Sonntag 15 Uhr - Montag 17 Uhr geschl.)* – **13 Z : 28 B** 42 - 75 – P 60/65.

🏨 **Amberger Hof**, Torstr. 2, ✆ 13 09, 🌳 – ☎ 🚗 Ⓟ
16.- 26. Dez. geschl. – Karte 16/30 *(Freitag geschl.)* ♨ – **24 Z : 41 B** 30/41 - 50/76.

In Kötzting-Liebenstein N : 6 km :

🏨 Bayerwald Hof ⛰, ✆ 13 97, ≤, ⛱, ≘s, 🏊, 🌳 – 🚗 Ⓟ
25 Z : 45 B.

In Kötzting-Steinbach :

🏨 **Am Steinbachtal**, ✆ 16 94, ⛱ – 🛗 Ⓟ
Nov.- 20. Dez. geschl. – Karte 25/45 *(wochentags nur Abendessen)* – **55 Z : 110 B** 38/45 - 70/80 – P 55.

In Blaibach 8491 SW : 4 km :

🏨 **Blaibacher Hof** ⛰, Kammleiten 6b, ✆ (09941) 85 88, ≤, ⛱, Damwildgehege, ≘s, 🌳 – Ⓟ
Nov.- 20. Dez. geschl. – Karte 16,50/40 *(Montag bis 18 Uhr geschl.)* – **17 Z : 34 B** 35 - 70 – P 45.

KOHLBERG Baden-Württemberg siehe Metzingen.

KOHLGRUB, BAD 8112. Bayern 413 Q 23, 426 ⑯ – 2 100 Ew – Höhe 815 m – Moorheilbad – Wintersport : 820/1 406 m ⛷4 ⛷ – ✪ 08845.

ℹ Kurverwaltung im Haus der Kurgäste, ✆ 90 21.

♦München 83 – Garmisch-Partenkirchen 31 – Landsberg am Lech 51.

🏨 **Kurhotel Der Schillingshof** ⛰, Fallerstr. 11, ✆ 10 01, Telex 59425, ≤, ⛱, Bade- und Massageabteilung, ≘s, 🏊, 🌳, Fahrrad- und Skiverleih – 🛗 ▤ Rest TV 🚗 Ⓟ 🏛 (mit ▤). AE ⓓ E VISA. ✻ Rest
Karte 31/56 – **131 Z : 248 B** 111/118 - 166/178 Fb – P 110/144.

🏠 Pfeffermühle 🔇, Trillerweg 10, ☎ 6 68 – ☎ 🅿. 🐕 Zim
nur Saison – **9 Z : 14 B**.

🏠 **Zur Post**, St.-Martin-Str. 2, ☎ 90 41 – ☎ 🅿
6. Okt.- 3. Jan. geschl. – Karte 22/43 *(Jan.- April Freitag - Samstag, Mai - Okt. Dienstag geschl.)* – **26 Z : 40 B** 55 - 98 Fb – P 63/80.

🏠 Sonnbichlhof 🔇, Sonnen 93b (SW : 2 km), ☎ 3 15, ≤, 🌳 – ☎ 🅿
14 Z : 21 B.

[KOLBERMOOR] **8208.** Bayern [413] T 23, [987] ㊲, [426] ⑱ – 13 900 Ew – Höhe 465 m – ☎ 08031 (Rosenheim).

♦München 63 – Rosenheim 5.

🏠 **Heider**, Rosenheimer Str. 35, ☎ 9 14 10 – 🛗 🚗 🅿. E. 🐕 Zim
◆ Karte 18/28 *(nur Abendessen)* 🍷 – **39 Z : 70 B** 43/55 - 85/90.

[KOLLNBURG] **8371.** Bayern [413] V 19 – 2 700 Ew – Höhe 670 m – Erholungsort – Wintersport : 600/1 000 m ⛷2 ⛷2 – ☎ 09942.

[i] Verkehrsamt, Gemeindeverwaltung, ☎ 86 91.

♦München 177 – Cham 30 – Deggendorf 34.

🏠 **Burggasthof**, Burgstr. 11, ☎ 86 86, ≤, 🌳, ≘s – 🅿
◆ *April und Okt. jeweils 1 Woche geschl.* – Karte 14/28 *(Dienstag ab 14 Uhr geschl.)* 🍷 – **20 Z : 43 B** 26/30 - 52/62 – P 42/48.

🏠 **Gästehaus Schlecht**, Viechtacher Str. 6, ☎ 50 71, ≘s – 🅿. 🐕 Zim
◆ *Nov. geschl.* – Karte 13,50/32 – **33 Z : 66 B** 25/30 - 48/54 – P 40 (Mahlzeiten im Gasthof Schlecht).

[KOLMBERG] Bayern siehe St. Englmar.

[KONKEN] Rheinland-Pfalz siehe Kusel.

[KONSTANZ] **7750.** Baden-Württemberg [413] K 23, 24, [987] ㉟, [427] ⑦ – 70 000 Ew – Höhe 407 m – ☎ 07531.

Sehenswert : Lage★ – Seeufer★ – Münster★ (Türflügel★) A.

Ausflugsziel : Insel Mainau★★ 9 km über ②.

⛳ Allensbach-Langenrain (NW : 15 km), ☎ (07533) 51 24.

[i] Tourist-Information, Bahnhofplatz 13, ☎ 28 43 76.

ADAC, Wollmatinger Str. 6, ☎ 5 46 60.

♦Stuttgart 180 ① – Bregenz 62 ③ – ♦Ulm (Donau) 146 ① – Zürich 76 ④.

Stadtplan siehe nächste Seite.

🏨 **Steigenberger Insel-Hotel**, Auf der Insel 1, ☎ 2 50 11, Telex 733276, Fax 26402, ≤ Bodensee, « Kreuzgang des ehem. Klosters, Gartenterrasse am See », ⛵, 🌳 – 🛗 📺 ♿ 🅿 🏛. AE ⓓ E VISA. 🐕 Rest **h**
Restaurants : – **Seerestaurant** Karte 48/73 – **Dominikaner Stube** (regionale Küche) Karte 35/51 – **100 Z : 160 B** 130/225 - 225/290 Fb – 5 Appart. 330/410 – P 156/238.

🏨 **Parkhotel am See** 🔇, Seestr. 25, ☎ 5 10 77, Telex 733379, ≤, 🌳, ≘s – 🛗 📺 ♿ 🚗 🏛. AE ⓓ E VISA. 🐕 Rest über ②
Karte 34/65 – **36 Z : 70 B** 130/220 - 170/230 Fb – 5 Appart. 245/300 – P 135/240.

🏨 **Seeblick** 🔇, Neuhauser Str. 14, ☎ 5 40 18, 🏊, 🌳, 🎾 – 🛗 📺 ☎ 🚗 🅿 🏛. AE ⓓ E VISA. 🐕 Rest über ②
Karte 35/66 – **85 Z : 120 B** 93/120 - 162 Fb.

🏨 **Mago-Hotel** garni, Bahnhofplatz 4, ☎ 2 70 01 – 🛗 📺 ☎ 🚗 🅿 **c**
31 Z : 55 B 90/120 - 130/180 Fb.

🏨 **Stadthotel** garni, Bruderturmgasse 2, ☎ 2 40 72 – 🛗 📺 ☎. AE ⓓ E VISA **u**
20. Dez.- 15. Jan. geschl. – **24 Z : 44 B** 75/110 - 125/165 Fb.

🏨 **Bayrischer Hof** garni, Rosgartenstr. 30, ☎ 2 20 75 – 🛗 📺 ☎ 🅿. AE ⓓ E VISA **x**
24. Dez.- 3. Jan. geschl. – **25 Z : 40 B** 90/100 - 150/170 Fb.

🏨 **Buchner Hof** garni, Buchnerstr.6, ☎ 5 10 35, ≘s – 📺 ☎ 🚗. AE ⓓ **b**
20. Dez.- 10. Jan. geschl. – **13 Z : 25 B** 85/110 - 110/170 Fb.

🏨 **Eden** garni, Bahnhofstr. 4, ☎ 2 30 93 – 📺 ☎. AE ⓓ E VISA **n**
18 Z : 32 B 68/100 - 130/150 Fb.

🏠 **Deutsches Haus** garni, Marktstätte 15, ☎ 2 70 65 – 🛗 ☎ 🚗. AE ⓓ E VISA **e**
42 Z : 55 B 49/80 - 80/140 Fb.

🏠 Goldener Sternen, Bodanplatz 1, ☎ 2 52 28 – 🚗 **r**
20 Z : 32 B Fb.

🏠 **Balm** garni, Wollmatinger Str. 126 (B 33), ☎ 5 22 72 – ☎ 🅿. 🐕 über Zähringerplatz
10 Z : 18 B 55 - 85/90.

KONSTANZ

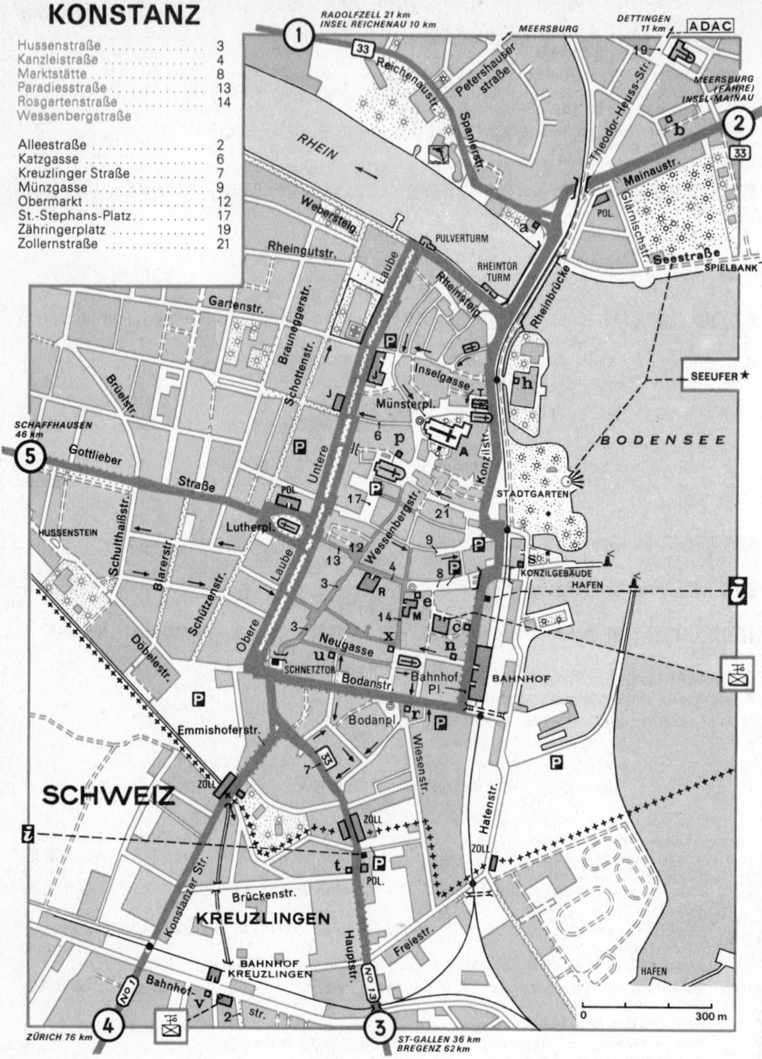

XXXX ✻ **Seehotel Siber** mit Zim, Seestr. 25, ✆ 6 30 44, ←, « Modernisierte Jugendstilvilla, elegante Einrichtung, Terrasse » – TV ☎ 🚗 P. AE ⓓ über ②
Feb. 3 Wochen geschl. – Karte 66/105 *(Nov.- Feb. Montag - Dienstag 18 Uhr geschl.)* – **11 Z : 22 B** 150/190 - 220/280
Spez. Gänseleberterrine auf Sauternes-Gelee, Filet vom Bodensee-Zander in Kräuterkruste, Barbarie-Ente in zwei Gängen serviert.

XXX **Casino-Restaurant**, Seestr. 21, ✆ 6 36 15, Terrasse mit ← – P. AE ⓓ über ②
nur Abendessen, 24. März, 25. Mai, 17. Juni, 1. Nov., 22. Nov. und 24.- 25. Dez. geschl. – Karte 48/73 (Tischbestellung ratsam).

XX **Zum Nicolai-Torkel** mit Zim, Eichhornstr. 83, ✆ 6 48 02, 🍴 – TV ☎ über ②
Mitte Feb.- Anfang März und Ende Okt.- Anfang Nov. geschl. – Karte 36/67 *(Tischbestellung ratsam)* (Sonntag 18 Uhr - Dienstag 18 Uhr geschl.) – **5 Z : 9 B** 75 - 110/120.

XX **Neptun**, Spanierstr. 1, ✆ 5 32 33, 🍴 – P. AE ⓓ E VISA a
21. Dez.- 17. Jan. und Donnerstag 15 Uhr - Samstag 18 Uhr geschl. – Karte 40/66.

XX **St. Stephanskeller**, St.-Stephans-Platz 43, ☎ 2 35 66, « Historische Weinstube, rustikale Einrichtung » – AE ⓓ E p
nur Abendessen, Jan. und Montag geschl. – Karte 36/68 (Tischbestellung ratsam).

X **Konzil-Gaststätten**, Hafenstr. 2, ☎ 2 12 21, Terrasse mit ≤ Bodensee und Hafen – s
Nov.- März Montag 18 Uhr - Dienstag und 20. Dez.- 19. Jan. geschl. – Karte 28/59.

In Konstanz-Allmannsdorf ② : 4 km :

Mainauer Hof garni, Mainaustr. 172a, ☎ 3 10 25 – ☎ P
34 Z : 50 B 45/80 - 80/120 Fb.

In Konstanz 19-Dettingen NW : 10 km über ① :

Landhotel Traube garni, Kapitän-Romer-Str. 9b, ☎ (07533) 30 33 – ☎ P. AE ⓓ E VISA
Weihnachten - Anfang Jan. geschl. – **20 Z : 40 B** 50/60 - 100/120 Fb.

In Konstanz-Staad ② : 4 km :

Schiff, William-Graf-Platz 2, ☎ 3 10 41, ≤, – TV ☎ P. AE ⓓ E VISA
Karte 35/58 *(Montag geschl.)* – **30 Z : 50 B** 78/105 - 98/106 – 3 Appart. 250.

Schönblick garni, Schiffstr. 12, ☎ 3 25 70 – P
23 Z : 44 B 50/60 - 85/110.

XX **Staader Fährhaus**, Fischerstr. 30, ☎ 3 31 18, – AE ⓓ E VISA
Dienstag - Mittwoch 18 Uhr geschl. – Karte 41/68.

In Konstanz-Wollmatingen NW : 5 km über ① :

Goldener Adler-Tweer, Fürstenbergstr. 70, ☎ 7 71 28 – P. Zim – **30 Z : 60 B.**

Bodan garni, Fürstenbergstr. 2, ☎ 7 80 02 – P – **25 Z : 50 B** 38/56 - 68/92.

In Kreuzlingen CH-8280 – ☎ 072.

Verkehrsbüro, Hauptstr. 1a, ☎ 72 38 40.

Preise in Schweizer Franken (sfr)

Bahnhof Post, Nationalstr. 2, ☎ 72 79 72, – TV ☎ P. AE ⓓ E VISA v
Karte 21/40 – **35 Z : 65 B** 40/60 - 80/95 Fb.

Quellenhof garni, Alleeweg 12, ☎ 72 77 22 – TV ☎ P. AE ⓓ E VISA.
24. Dez.- 2. Jan. geschl. – **26 Z : 55 B** 53 - 90. über Alleestraße

Schweizerhof garni, Hauptstr. 6, ☎ 72 17 17 – ☎ t
24 Z : 42 B Fb.

In Gottlieben CH-8274 ⑤ : 4 km :

Drachenburg und Waaghaus, Am Schloßpark, ☎ (072) 69 14 14, ≤, – TV P
60 Z : 100 B.

✿ **Romantik-Hotel Krone**, Seestr. 11, ☎ (072)69 23 23, Fax 692456, ≤, « Stilvolle Einrichtung, Terrasse am See » – TV ☎ P. AE ⓓ E VISA
8. Jan.- 22. Feb. geschl. – Karte 59/80 – **22 Z : 40 B** 70/105 - 110/220 Fb
Spez. Terrine vom Rauchaal, Rheinfelchenfilet mit Hechtfarce, Medaillon vom Rehrückenfilet mit Hagebuttensauce.

In Ermatingen CH-8272 ⑤ : 10 km :

XX **Adler** (Historischer Gasthof a.d. 16. Jh.), Fruthwiler Str. 2, ☎ (072) 64 11 33, – P. AE ⓓ E VISA
Mitte Jan.- Mitte Feb. und Montag 15 Uhr - Dienstag geschl. – Karte 30/53.

KONZ 5503. Rheinland-Pfalz 987 ㉓, 409 ㉗ – 15 700 Ew – Höhe 137 m – ☎ 06501.

Fremdenverkehrsgemeinschaft, Obermosel-Saar, Am Marktplatz 11 (Rathaus), ☎ 77 90.

Mainz 171 – Luxembourg 42 – Merzig 40 – ♦Trier 9.

Alt Conz, Gartenstr. 8, ☎ 30 12 – P.
Karte 26/50 *(Montag geschl.)* – **21 Z : 35 B** 30/45 - 80/95.

Parkhotel Mühlenthaler, Granastr. 26, ☎ 21 57, Biergarten – P. E
24. Dez.- 15. Jan. geschl. – Karte 21/37 *(Freitag geschl.)* – **24 Z : 43 B** 28/40 - 62/71.

Römerstube, Wiltinger Str. 25, ☎ 20 75 – ☎ P – **13 Z : 22 B.**

X **Ratskeller**, Am Markt 11, ☎ 22 58, – AE E
Dienstag und 8.- 25. Feb. geschl. – Karte 23/52.

In Konz-Karthaus :

Schons, Merzlicher Str. 8, ☎ 20 41, – P
24.- 31. Dez. geschl. – Karte 16/38 *(Sonntag 14 Uhr - Montag 16 Uhr geschl.)* – **42 Z : 74 B** 36/45 - 70/85.

In Wasserliesch 5505 W : 2,5 km :

✿ **Scheid**, Reinigerstr. 48, ☎ (06501) 1 39 58 – P. ⓓ E.
5.- 16. Feb. geschl. – Karte 60/82 *(bemerkenswerte Weinkarte)* (April-Okt. Montag, Nov.- März Montag - Dienstag 18 Uhr geschl.) – **15 Z : 26 B** 50/60 - 85/100
Spez. Gänseleber mariniert in Eiswein, Rotbarbe in Olivenölvinaigrette, Gefüllte Taube mit Kalbsbries.

KORB Baden-Württemberg siehe Waiblingen.

KORBACH 3540. Hessen 987 ⑮ – 23 300 Ew – Höhe 364 m – ☎ 05631.
Verkehrsamt, Rathaus, ✆ 5 32 31.
♦Wiesbaden 187 – ♦Kassel 60 – Marburg 67 – Paderborn 73.

Touric, Medebacher Landstr. 10, ✆ 80 61, direkter Zugang zum städt. – ☎ P. E
Karte 25/48 – **40 Z : 80 B** 51 - 86 Fb.

Zum Rathaus, Stechbahn 8, ✆ 5 00 90, Fax 500959 – ☎ P. E
1.- 8. Jan. geschl. – Karte 25/49 *(Sonntag geschl.)* – **30 Z : 52 B** 45/60 - 80/120 Fb – 2 Fewo 100.

In Korbach 62-Meineringhausen SO : 6 km :

Kalhöfer, Sachsenhäuser Str. 35 (an der B 251), ✆ 34 25 – P.
Karte 16/30 *(Freitag bis 17 Uhr geschl.)* – **13 Z : 20 B** 25/30 - 50/60.

KORDEL 5501. Rheinland-Pfalz 409 ㉗ – 2 500 Ew – Höhe 145 m – ☎ 06505.
Mainz 167 – Bitburg 21 – ♦Trier 15 – Wittlich 39.

Raach, Am Kreuzfeld 1, ✆ 5 99 – ☎ P. AE
Jan. geschl. – Karte 23/52 *(Donnerstag geschl.)* – **17 Z : 30 B** 40 - 80.

In Zemmer-Daufenbach 5506 N : 5 km :

XX ✿ **Landhaus Mühlenberg**, Am Mühlenberg 2, ✆ (06505) 87 79, ←, – P.
wochentags nur Abendessen, 1.- 20. Jan., 3.- 18. Juli und Montag - Dienstag geschl. – Karte 50/67 (Tischbestellung erforderlich)
Spez. Edelfische an Lauchsalat, Barbarie-Entenbrust auf Honigessigsauce, Gefüllte Datteln mit Moccaparfait.

KORNTAL-MÜNCHINGEN Baden-Württemberg siehe Stuttgart.

KORNWESTHEIM 7014. Baden-Württemberg 413 K 20, 987 ㉟ – 28 000 Ew – Höhe 297 m – ☎ 07154.
✆ 2 80 47.
♦Stuttgart 11 – Heilbronn 41 – Ludwigsburg 5 – Pforzheim 47.

Hasen, Christofstr. 22, ✆ 63 06 – ☎ P
20. Juli - 10. Aug. geschl. – Karte 27/46 *(Montag geschl.)* – **16 Z : 28 B** 45/50 - 76/85.

Altes Rathaus, Lange Str. 47, ✆ 63 66 – ☎ P
Karte 30/61 *(Dienstag und 15. Aug.- 4. Sept. geschl.)* – **16 Z : 23 B** 40/50 - 70/90.

Bäuerle, Bahnhofstr. 80, ✆ 61 15 – ☎. E
Sept. geschl. – Karte 30/43 *(nur Abendessen, Montag geschl.)* – **35 Z : 58 B** 38/75 - 65/120.

Stuttgarter Hof, Stuttgarter Str. 130, ✆ 31 01, – P – **23 Z : 31 B.**

X Parkrestaurant, Stuttgarter Str. 65 (im Kulturhaus), ✆ 69 92, – P.

KORSCHENBROICH Nordrhein-Westfalen siehe Mönchengladbach.

KRÄHBERG Hessen siehe Beerfelden.

KRANZEGG Bayern siehe Rettenberg.

KRAUCHENWIES 7482. Baden-Württemberg 413 K 22, 987 ㉟ – 4 200 Ew – Höhe 583 m – ☎ 07576.
♦Stuttgart 123 – ♦Freiburg im Breisgau 131 – Ravensburg 46 – ♦Ulm (Donau) 78.

In Krauchenwies 3 - Göggingen W : 4,5 km :

Löwen, Mengener Str. 5, ✆ 8 12 – ☎ P
Karte 24/50 – **8 Z : 13 B** 39 - 68.

KRAUTHEIM 7109. Baden-Württemberg 413 L 18, 987 ㉕ – 4 000 Ew – Höhe 298 m – Erholungsort – ☎ 06294.
♦Stuttgart 99 – Heilbronn 59 – ♦Nürnberg 162 – ♦Würzburg 67.

X **Krone** mit Zim, König-Albrecht-Str. 3, ✆ 3 62, – ☎
Karte 21/45 *(auch Diät und vegetarische Gerichte)* (Dienstag geschl.) – **7 Z : 14 B** 39 - 78.

KREFELD 4150. Nordrhein-Westfalen 987 ⑬ – 225 000 Ew – Höhe 40 m – ☎ 02151.

Siehe Ruhrgebiet (Übersichtsplan).

18 Krefeld-Linn (Y), ✆ 57 00 71 ; 9 Krefeld-Bockum, Stadtwald (Y), ✆ 59 02 43.
Verkehrsverein, im Seidenweberhaus, ✆ 2 92 90.
ADAC, Friedrichsplatz 14, ✆ 2 91 19, Notruf ✆ 1 92 11.
♦Düsseldorf 25 ② – Eindhoven 86 ⑤ – ♦Essen 38 ①.

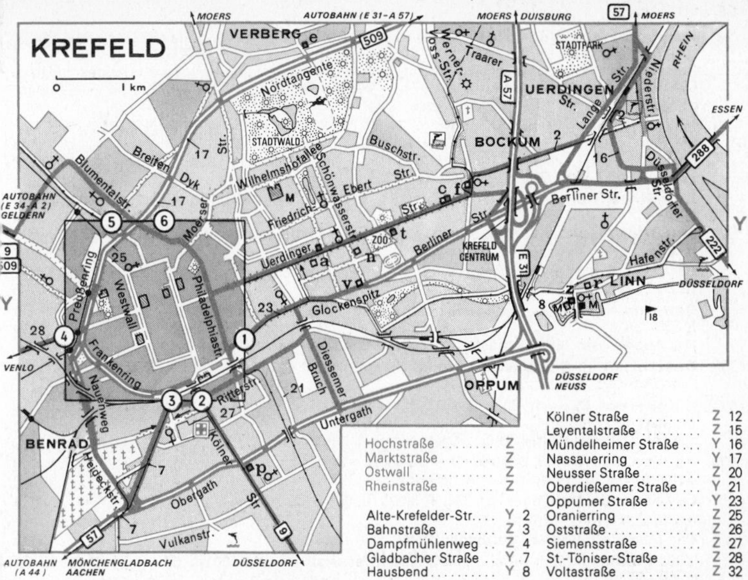

Hochstraße	Z		
Marktstraße	Z		
Ostwall	Z		
Rheinstraße	Z		
Alte-Krefelder-Str.	Y	2	
Bahnstraße	Z	3	
Dampfmühlenweg	Z	4	
Gladbacher Straße	Y	7	
Hausbend	Y	8	
Kölner Straße	Z	12	
Leyentalstraße	Z	15	
Mündelheimer Straße	Y	16	
Nassauerring	Y	17	
Neusser Straße	Z	20	
Oberdießemer Straße	Y	21	
Oppumer Straße	Y	23	
Oranierring	Z	25	
Oststraße	Z	26	
Siemensstraße	Z	27	
St.-Töniser-Straße	Z	28	
Voltastraße	Z	32	

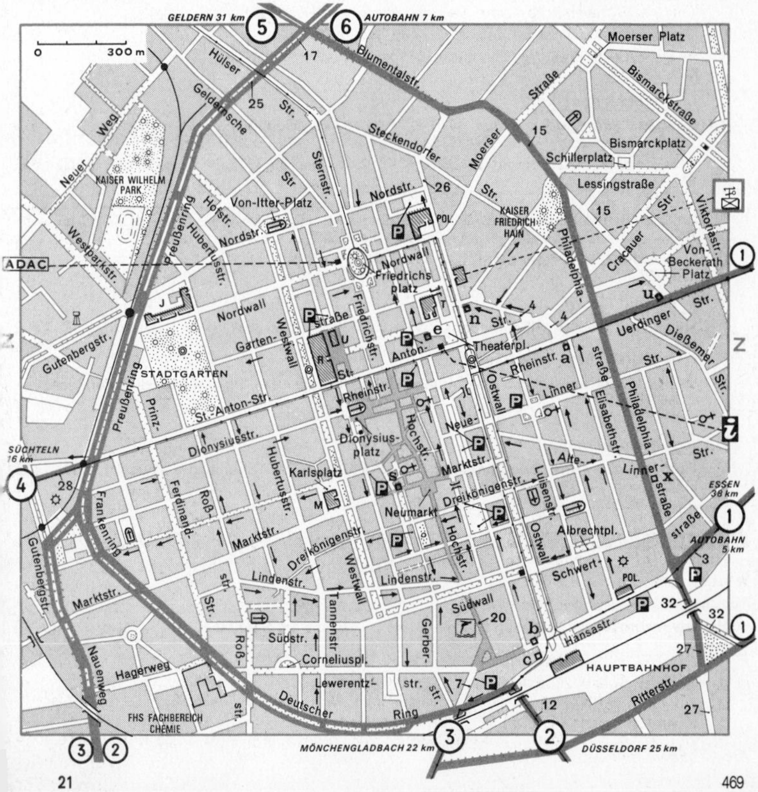

🏨🏨🏨🏨 **Parkhotel Krefelder Hof** 🔇, Uerdinger Str. 245, ☎ 58 40, Telex 853748, Fax 58435, « Gartenterrassen, Park », ♨, 🏊 – 🛗 [TV] [P] 🎤 (mit ▤). AE [D] E VISA Y a
Restaurants : – **L'escargot** *(Juli, Montag bis 18 Uhr sowie Sonn- und Feiertage geschl.)* Karte 59/76 – **Rôtisserie im Park** Karte 46/74 – **145 Z : 169 B** 160/227 - 210/252 Fb – 8 Appart. 310/425.

🏨🏨🏨 **Hansa Hotel**, Am Hauptbahnhof 1, ☎ 82 90, Fax 829150, ♨ – 🛗 [TV] ♿ [P] 🎤. AE [D] E VISA. 🚫🐕 Rest Z c
Restaurants : – **Hansa-Restaurant** *(Sonntag - Montag geschl.)* Karte 44/62 – **Galeria** Karte 27/55 – **105 Z : 210 B** 139/189 - 195/265 Fb.

🏨🏨 **City-Hotel Dahmen**, Philadelphiastr. 63, ☎ 6 09 51, Telex 8531131 – 🛗 [TV] 📞 🚗. AE [D] E VISA Z x
Karte 32/58 *(nur Abendessen, Samstag, Sonn- und Feiertage geschl.)* – **72 Z : 130 B** 115/160 - 160/230 Fb.

🏨 **Bayrischer Hof** garni, Hansastr. 105, ☎ 3 70 67, Telex 853383 – 🛗 [TV] 📞. AE [D] E VISA
16 Z : 21 B 79/85 - 117 Fb. Z b

🏨 **Comfort-Inn-Hotel**, Schönwasserstr. 12a, ☎ 59 02 96, Telex 8589146 – 🛗 [TV] 📞 [P]. AE [D] E VISA Y v
(nur Abendessen für Hausgäste) – **52 Z : 70 B** 90/180 - 130/200 Fb.

XXX **Restaurant im Seidenweberhaus**, Theaterplatz 1, ☎ 18 16 – 🎤. AE [D] E VISA Z e
Karte 38/64.

XXX ✿ **Koperpot**, Rheinstr. 30, ☎ 6 48 14, ⛱ – AE E Z a
Montag und März 2 Wochen geschl. – Karte 54/74
Spez. Alt Salzburger Knoblauchsuppe, Kalbsfilet mit Lachs und Mozzarella, Topfenknödel mit Himbeeren.

XXX **Aquilon**, Ostwall 199, ☎ 80 02 07 – AE [D] E Z n
Samstag bis 18 Uhr geschl. – Karte 45/81.

XX **Le Crocodile**, Uerdinger Str. 336, ☎ 50 01 10, ⛱ – AE Y a
Montag geschl. – Karte 40/57.

XX Von-Beckerath-Stuben, Uerdinger Str. 42, ☎ 6 47 16 Z u

XX **Villa Medici** mit Zim (ehem. Villa), Schönwasserstr. 73, ☎ 50 00 04, ⛱ – [TV] 📞 [P]. AE [D] E VISA. 🚫🐕 Y n
Karte 38/67 *(Italienische Küche, Samstag geschl.)* – **9 Z : 15 B** 80/100 - 120/130.

XX Gasthof Korff, Kölner Str. 256, ☎ 31 17 89, ⛱ – [P] Y p

X **Et Bröckske** (Brauerei-Gaststätte), Marktstr. 41, ☎ 2 97 40, ⛱ Z s
Karte 22/50.

In Krefeld 2-Bockum :

🏨 **Benger**, Uerdinger Str. 620, ☎ 59 01 41 – 📞 🚗 [P]. AE [D] E VISA Y f
24.- 31. Dez. geschl. – Karte 29/56 *(Samstag geschl.)* – **19 Z : 30 B** 75/80 - 105/110.

🏨 **Alte Post** garni, Uerdinger Str. 550a, ☎ 59 03 11, Telex 8531613, 🌳 – 🛗 📞 🚗 [P]. AE [D] E VISA Y c
22. Dez.- 2. Jan. geschl. – **29 Z : 46 B** 84 - 116 Fb.

XX **La Capannina** (Italienische Küche), Uerdinger Str. 552, ☎ 59 14 61, ⛱ – [P]. AE [D] E
Samstag bis 18 Uhr und Sonntag geschl. – Karte 55/72. Y c

XX **Sonnenhof**, Uerdinger Str. 421, ☎ 59 35 40, ⛱ Y t
Karte 42/70.

In Krefeld 12-Linn :

🏨 **Haus Dahmen** 🔇, Rheinbabenstr. 122, ☎ 57 30 51, Telex 8531131 – 🛗 📞 🚗 🎤. AE [D] E VISA Y r
Karte 31/60 – **24 Z : 34 B** 80 - 120 Fb.

XX **Winkmannshof** (ehem. Bauernhaus), Albert-Steeger-Str. 19, ☎ 57 14 66, « Terrasse » – AE [D] E VISA Y z
Karte 42/76.

In Krefeld-Verberg :

X **Gut Heyenbaum**, Zwingenbergstr. 2, ☎ 5 67 66, ⛱, « Ehemaliger Gutshof, bäuerliche Einrichtung » – [P]. AE [D] Y e
nur Abendessen, Samstag geschl. – Karte 37/63.

KRESSBRONN AM BODENSEE 7993. Baden-Württemberg [413] L 24, [427] [8], [426] [14] – 6 500 Ew – Höhe 410 m – Erholungsort – ☎ 07543.

ℹ Verkehrsamt, Seestr. 20, ☎ 6 02 92.

♦Stuttgart 170 – Bregenz 19 – Ravensburg 23.

🏨🏨 **Strandhotel** 🔇, Uferweg 5, ☎ 68 41, <, « Terrasse am Seeufer », 🏖 – 🛗 📞 🚗 [P]. AE E
15. Jan.- Feb. geschl. – Karte 31/62 – **28 Z : 54 B** 78/85 - 100/125.

🏨 **Seehof**, Seestr. 25, ☎ 64 80, 🌳 – [P]. 🚫🐕
Feb.- Okt. – (nur Abendessen für Hausgäste) – **15 Z : 30 B** 50/75 - 83/93.

🏨 **Krone**, Hauptstr. 41, ☎ 64 20, 🏊, 🌳 – 🚗 [P]. [D]
20. Okt.- 5. Nov. geschl. – Karte 21/38 *(Mittwoch geschl.)* 🍷 – **20 Z : 38 B** 27/35 - 56/70 – 3 Fewo 75/95.

Engel, Lindauer Str. 2, ☎ 65 42 – [P]
20. Dez.- 20. Jan. geschl. – Karte 18/29 *(Montag geschl.)* – **18 Z : 34 B** 25/31 - 50/65.

Weinstuben zur Kapelle, Hauptstr. 15, ☎ 62 71, « Rustikale Einrichtung » – [P]. AE ⓘ E
Montag - Dienstag, 22.- 31. Dez. und Mitte Jan.- Mitte März geschl. – Karte 23/50.

In Kressbronn-Gohren S : 2,5 km :

Bürgerstüble, ☎ 86 45, – [P]
12. Okt.- 20. Nov. geschl. – Karte 23/30 *(Dienstag geschl.)* – **15 Z : 26 B** 36 - 68.

KREUTH 8185. Bayern 413 S 24, 987 ㊲, 426 ⑰ – 3 800 Ew – Höhe 786 m – Heilklimatischer Kurort – Wintersport : 800/1 600 m 8 5 – ☎ 08029.

[i] Kurverwaltung, Nördl. Hauptstr. 3, ☎ 18 19.

♦München 63 – Miesbach 28 – Bad Tölz 29.

Zur Post, Nördl. Hauptstr. 5, ☎ 10 21, Telex 526175, , Biergarten, – Zim ☎ [P] (mit). AE ⓘ E VISA
Karte 27/60 *(auch vegetarische Gerichte)* – **57 Z : 93 B** 98/110 - 140/150 Fb – P 110/150.

In Kreuth-Weißach N : 6 km – ✉ 8183 Rottach-Weißach – ☎ 08022 :

Bachmair Weißach, Tegernseer Str. 103, ☎ 27 10, Telex 526900, ≤, , Massage, , , , (Halle) – [TV] [P] . AE ⓘ E VISA.
Karte 27/57 *(Jan. geschl.)* – **Bachmair-Restaurant** *(Jan. geschl.)* Karte 44/74 – **54 Z : 85 B** 80/140 - 160/225 Fb.

Gästehaus Hagn garni, Ringbergweg 2, ☎ 2 40 30, , , Fahrradverleih – [TV] ☎ [P].
10 Z : 18 B – 2 Fewo.

Landhaus Winters, Am Ringsee 103, ✉ 8182 Bad Wiessee, ☎ (08022) 88 88, – ☎ [P]
(nur Abendessen) – **10 Z : 19 B** Fb.

KREUZAU Nordrhein-Westfalen siehe Düren.

KREUZLINGEN Schweiz siehe Konstanz.

KREUZNACH, BAD 6550. Rheinland-Pfalz 987 ㉔ – 39 800 Ew – Höhe 105 m – Heilbad – ☎ 0671.

[i] Kurverwaltung, Kurhausstr. 23 (Bäderkolonnade), ☎ 9 23 25.

ADAC, Kreuzstr. 15, ☎ 3 22 67, Notruf ☎ 1 92 11.

Mainz 45 ② – Idar-Oberstein 50 ⑤ – Kaiserslautern 56 ④ – ♦Koblenz 81 ② – Worms 55 ②.

Stadtplan siehe nächste Seite.

Steigenberger Hotel Kurhaus, Kurhausstr. 28, ☎ 20 61, Telex 42752, Fax 35477, , , direkter Zugang zum Thermal-Sole-Bad – Zim [TV] . AE ⓘ E VISA. Rest
Restaurants : – **La Casserole** Karte 49/75 – **Kurhauskeller** *(Sonn- und Feiertage geschl.)* Karte 28/50 – **108 Z : 200 B** 119/170 - 310/270 Fb – 6 Appart. 340/420 – P 169/234. Z

Landhotel Kauzenburg, Auf dem Kauzenberg, ☎ 2 54 61, Telex 426800, Fax 25465, , – [TV] ☎ [P] . AE ⓘ E VISA Y **t**
Karte : siehe Restaurant Die Kauzenburg – **45 Z : 72 B** 102/109 - 143/168 Fb – P 132/169.

Caravelle, im Oranienpark, ☎ 24 95, Telex 42888, , – ☎ [P] . AE ⓘ E VISA Z **b**
Karte 33/66 – **110 Z : 160 B** 93/103 - 145/160 Fb – P 118/146.

Der Quellenhof, Nachtigallenweg 2, ☎ 21 91, ≤, , Bade- und Massageabteilung, , – ☎ [P] . Zim Z **e**
Karte 29/60 – **45 Z : 65 B** 70/120 - 130/200 Fb.

Michel Mort garni, Am Eiermarkt 9, ☎ 23 89 – [TV] ☎ . AE ⓘ E VISA Y **s**
17 Z : 36 B 69 - 116/128 Fb.

Engel im Salinental, Heinrich-Held-Str. 10, ☎ 21 02 – ☎ [P] . AE ⓘ E. über ④
Karte 21/40 – **22 Z : 40 B** 78/90 - 130/150 Fb.

Oranienhof, Priegerpromenade 5, ☎ 3 00 71, – ☎ Z **n**
Karte 24/42 – **24 Z : 34 B** 51/70 - 95/130 Fb – P 83/100.

Viktoria, Kaiser-Wilhelm-Str. 16, ☎ 20 37, , Bade- und Massageabteilung – ☎. AE E VISA Z **r**
Dez.- Jan. geschl. – Karte 21/37 – **30 Z : 43 B** 55/67 - 102 – P 79/91.

Haus Hoffmann garni, Salinenstr. 141, ☎ 3 27 39 Z **u**
Dez.- Jan. geschl. – **17 Z : 27 B** 32/45 - 72/78.

Mannheimer Tor, Mannheimer Str. 211, ☎ 6 80 30 – VISA Z **m**
Karte 20/44 *(Samstag bis 17 Uhr geschl.)* – **10 Z : 16 B** 38/40 - 79.

Die Kauzenburg (modernes Restaurant in einer Burgruine), Auf dem Kauzenberg, ☎ 2 54 61, Telex 426800, Fax 25465, ≤ Bad Kreuznach, « Rittersaal in einem 800 J. alten Gewölbe, Aussichtsterrassen » – [P]. AE ⓘ E VISA Y **u**
Karte 33/62 (auf Vorbestellung: Essen wie im Mittelalter).

La Cuisine, Mannheimer Str. 270, ☎ 7 26 66 – E Z **a**
Jan. 1 Woche, Juli - Aug. 3 Wochen, Samstag bis 19 Uhr und Donnerstag geschl. – Karte 39/69.

BAD KREUZNACH

Hochstraße	Y	Gerbergasse	Y 5
Kreuzstraße	Y 10	Holzmarkt	Y 7
Mannheimer Str.	YZ	Hospitalgasse	Y 8
Römerstraße	Y 14	Kornmarkt	Y 9
Salinenstraße	YZ	Nahestraße	Y 12
Wilhelmstraße	Y	Poststraße	Y 13
		Stromberger Straße	Y 16
Am Römerkastell	Y 2	Wilhelmsbrücke	Y 17
Baumstraße	Z 3	Wormser Str.	Y 18
Eiermarkt	Y 4		

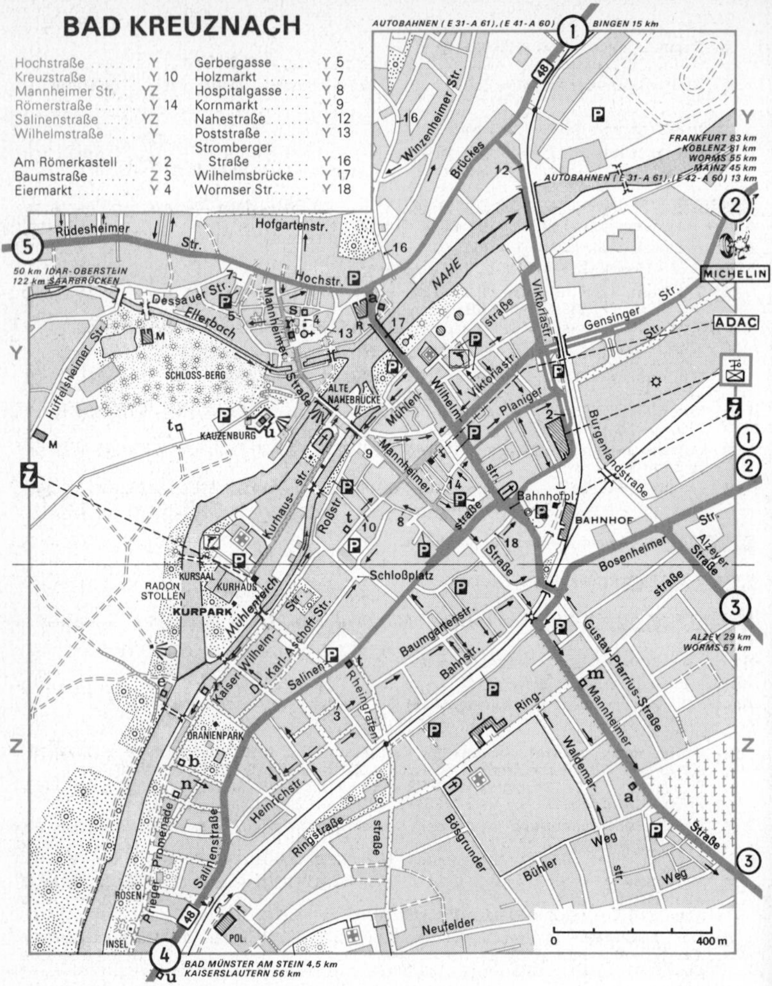

XX **Krone**, Mannheimer Str. 33, ✆ 24 20 – AE ⓓ E VISA — Y **r**
nur Abendessen – Karte 29/50.

X **Marco Polo** (Restaurant in einem Gewölbekeller), Salinenstr. 53, ✆ 3 45 45 – Ⓟ. AE ⓓ E VISA. — Z **t**
15. Juni - 10. Juli geschl. – Karte 36/52 *(Italienische Küche)*.

X **Im Kleinen Klapdohr**, Kreuzstr. 72, ✆ 3 23 60 — Y **t**
Sonntag 15 Uhr - Montag, Mitte Juli - Mitte Aug. und Mitte Dez.- Mitte Jan . geschl. – Karte 22/45.

X **Historisches Dr.-Faust-Haus** (Fachwerkhaus a.d.J. 1492), Magister-Faust-Gasse 47, ✆ 2 87 58, bemerkenswertes Weinangebot – Ⓟ — Y **a**
wochentags nur Abendessen, Dienstag geschl. – Karte 19/47.

MICHELIN-REIFENWERKE KGaA. 6550 Bad Kreuznach, Michelinstraße (über ②), ✆ (0671) 60 71, Telex 42733.

Erfahrungsgemäß werden bei größeren Veranstaltungen, Messen und Ausstellungen in vielen Städten und deren Umgebung erhöhte Preise verlangt.

KREUZTAL 5910. Nordrhein-Westfalen [987] ㉔ – 30 100 Ew – Höhe 310 m – ☎ 02732.
♦Düsseldorf 120 – Hagen 78 – ♦Köln 83 – Siegen 11.

Keller, Siegener Str. 33 (B 54), ☎ 40 05, Biergarten, – ☎ 🚗 [P]. [AE] ⓓ E VISA
Karte 37/60 *(Samstag bis 15 Uhr geschl.)* – **14 Z : 20 B** 58/85 - 98/130.

In Kreuztal-Ferndorf O : 2 km :

Finke, Marburger Str. 168 (B 508), ☎ 23 02, « Fachwerkhaus a.d.J. 1780 » – ☎ 🚗 [P]
Karte 25/47 *(Samstag bis 18 Uhr geschl.)* – **11 Z : 14 B** 35/49 - 70/98.

In Kreuztal 7-Krombach NW : 5 km :

Hambloch, Olper Str. 2 (B 54), ☎ 8 02 32 – [P] . [AE] ⓓ E.
Karte 24/52 *(Dienstag geschl.)* – **11 Z : 15 B** 30/45 - 60/85.

KREUZWERTHEIM Bayern siehe Wertheim.

KRIFTEL Hessen siehe Hofheim am Taunus.

KRÖV 5563. Rheinland-Pfalz – 2 700 Ew – Höhe 105 m – Erholungsort – ☎ 06541 (Traben-Trarbach).
[i] Verkehrsbüro, Robert-Schumann-Str. 63, ☎ 94 86.
Mainz 131 – Bernkastel-Kues 18 – ♦Trier 56 – Wittlich 19.

Ratskeller (mit Gästehaus), Robert-Schuman-Str. 49, ☎ 99 97 – [P]. E
10. Jan.- 10. Feb. geschl. – Karte 23/48 *(Nov.- März Dienstag geschl.)* – **29 Z : 60 B** 35/65 - 75/130 – P 60/90.

Haus Sonnenlay, Im Flurgarten 19 (an der B 53), ☎ 96 60, ≤ – [P]. E
März - Mitte Nov. – (nur Abendessen für Hausgäste) – **17 Z : 32 B** 30/35 - 56/66.

KRONACH 8640. Bayern [413] QR 16, [987] ㉖ – 17 900 Ew – Höhe 325 m – ☎ 09261.
Sehenswert : Veste Rosenberg (Fränkische Galerie).
[i] Städt. Verkehrsamt, Rathaus, Marktplatz 5, ☎ 9 72 36.
♦München 279 – ♦Bamberg 58 – Bayreuth 44 – Coburg 32.

Bauer, Kulmbacher Str. 7, ☎ 9 40 58 – [TV] ☎ [P]. [AE] ⓓ E
4.- 17. Jan. geschl. – Karte 25/54 *(Sonntag ab 14 Uhr und 15.- 27. Aug. geschl.)* – **18 Z : 28 B** 65/70 - 90/98.

Sonne, Bahnhofstr. 2, ☎ 34 34 – ☎
32 Z : 50 B.

Försterhof , Paul-Keller-Str. 3, ☎ 10 41 – ☎ [P]. [AE] ⓓ E VISA
20. Dez.- 20. Jan. geschl. – Karte 24/44 *(nur Abendessen, Sonntag geschl.)* – **30 Z : 60 B** 46 - 80 Fb.

Frankenwald, Ziegelanger 6 (B 85/303), ☎ 21 63 – 🚗 [P]
Karte 17,50/30 *(Freitag ab 14 Uhr geschl.)* – **20 Z : 37 B** 26/36 - 50/65.

🍴 Katholisches Vereinshaus, Adolf-Kolping-Str. 14, ☎ 31 84.

KRONBERG IM TAUNUS 6242. Hessen [413] I 16 – 18 000 Ew – Höhe 257 m – Luftkurort – ☎ 06173.
Schloß Friedrichshof, ☎ 14 26.
[i] Verkehrsverein, Rathaus, Katharinenstr. 7, ☎ 70 32 23.
♦Wiesbaden 28 – ♦Frankfurt am Main 17 – Bad Homburg vor der Höhe 13 – Limburg an der Lahn 43.

Schloß-Hotel , Hainstr. 25, ☎ 7 01 01, Telex 415424, Fax 701267, ≤ Schloßpark, , « Einrichtung mit wertvollen Antiquitäten », – [TV] [P] . [AE] ⓓ E VISA. Rest
Karte 70/105 – **57 Z : 88 B** 232/477 - 364/549 – 5 Appart. 644/1344.

Viktoria , Viktoriastr. 7, ☎ 40 74, , – ☎ 🚗 [P]. [AE] ⓓ E VISA
Karte 31/49 *(Freitag - Samstag und Juli - Aug. 4 Wochen geschl.)* – **40 Z : 60 B** 84/90 - 125/180.

Taunushof garni, Frankfurter Str. 13a, ☎ 40 01 – ☎ [P]
50 Z : 65 B.

Frankfurter Hof, Frankfurter Str. 1, ☎ 7 95 96 – 🚗 [P]. E
Juli - Aug. 3 Wochen geschl. – Karte 22/54 *(wochentags nur Abendessen, Freitag geschl.)* – **11 Z : 15 B** 55/70 - 110/140.

Schützenhof, Friedrich-Ebert-Str. 1, ☎ 49 68,
Jan. 2 Wochen geschl. – Karte 19,50/39 *(Donnerstag geschl.)* – **11 Z : 16 B** 45/70 - 90/140.

🍴🍴 **Kronberger Hof** mit Zim, Bleichstr. 12, ☎ 7 90 71, – ☎ [P]. [AE] E
März - April und Okt.- Nov. jeweils 2 Wochen geschl. – Karte 23/51 *(wochentags nur Abendessen, Mittwoch geschl.)* – **12 Z : 18 B** 50/80 - 120/140 Fb.

🍴🍴 **Zum Feldberg**, Grabenstr. 5, ☎ 7 91 19
Sonntag - Montag geschl. – Karte 42/64.

KRONENBURG Nordrhein-Westfalen siehe Dahlem.

KROZINGEN, BAD 7812. Baden-Württemberg 413 G 23, 987 ㉞, 427 ④ – 12 000 Ew – Höhe 233 m – Heilbad – ✆ 07633.

ℹ Kurverwaltung, Herbert-Hellmann-Allee 12, ✆ 20 02.

♦Stuttgart 217 – Basel 53 – ♦Freiburg im Breisgau 15.

- **Litschgi-Haus** (Patrizierhaus a.d.J. 1564), Basler Str. 10 (B 3), ✆ 1 40 33 (Hotel) 1 58 78 (Rest.), Telex 7721754, ≘s – |‡| ☎ Ⓟ 🏛. AE E
  Karte 38/69 *(Montag geschl.)* – **26 Z : 48 B** 75/100 - 120/185 Fb.
- **Appartement-Hotel Amselhof** ⓢ, Kemsstr. 21, ✆ 20 77, 🏛, Massage, ⬚, Fahrradverleih – |‡| TV ☎ ⇔ Ⓟ 🏛. AE ⓓ E
  Karte 27/61 *(Samstag bis 18 Uhr und Dienstag geschl.)* – **30 Z : 50 B** 65/118 - 125/155 Fb – P 105/128.
- **Biedermeier** ⓢ garni, In den Mühlenmatten 12, ✆ 32 01 – ☎ Ⓟ
  24 Z : 36 B 45/70 - 86/100.
- **Bären** ⓢ, In den Mühlenmatten 3, ✆ 41 01 – TV ☎ ⇔ Ⓟ
  Anfang - Mitte März und Anfang - Mitte Nov. geschl. – Karte 25/51 *(Mittwoch geschl.)* ♨ – **20 Z : 32 B** 46/59 - 85/93 – P 71/82.
- **Gästehaus Hofmann** ⓢ garni, Litschgistr. 6, ✆ 31 40, 🌳 – ⇔ Ⓟ. ⓓ E. ✱
  24 Z : 35 B 34/70 - 66/99.
- Quellenhof garni, Schlatter Str. 17, ✆ 41 76, 🌳 – |‡| ☎ Ⓟ. ✱ – **21 Z : 32 B** Fb.
- XX **Batzenberger Hof** mit Zim, Freiburger Str. 2 (B 3), ✆ 41 50 – ☎ Ⓟ. AE ⓓ E VISA
  Karte **30**/54 *(Sonntag 15 Uhr - Montag, Anfang - Mitte Jan. und Mitte - Ende Juli geschl.)* ♨ – **6 Z : 12 B** 50/70 - 80/98.
- XX **Kurhaus Restaurant**, Kurhausstraße, ✆ 31 82, ≤, 🏛 – Ⓟ 🏛. AE ⓓ E. ✱
  Karte 27/44 *(auch Diät und vegetarische Gerichte).*

Im Kurgebiet :

- **Haus Pallotti**, Thürachstr. 3, ✆ 1 40 41, 🏛, 🌳 – |‡| ☎ Ⓟ 🏛. AE ⓓ E. ✱
  15.- 31. Dez. geschl. – Karte 25/40 *(Sonntag 15 Uhr - Montag und Dez.- Jan. geschl.)* ♨ – **63 Z : 83 B** 45/69 - 70/118 Fb.
- **Ascona** ⓢ, Thürachstr. 11, ✆ 1 40 23, 🌳, Fahrradverleih – ☎ Ⓟ. ✱
  20. Feb.- Okt. – (Restaurant nur für Hausgäste) – **27 Z : 32 B** 52 - 103 Fb – P 80.
- **Vier Jahreszeiten** ⓢ, Herbert-Hellmann-Allee 24, ✆ 31 86, 🌳 – ☎ ⇔ Ⓟ
  Dez.- 25. Jan. geschl. – Karte 23/34 *(nur Mittagessen, Donnerstag geschl.)* – **17 Z : 24 B** 58/80 - 100/140.

In Bad Krozingen 2-Biengen NW : 4 km :

- **Gästehaus Hellstern** garni, Hauptstr. 34, ✆ 38 14, 🌳 – ☎ ⇔ Ⓟ. ✱
  24. Dez.- Jan. geschl. – **16 Z : 28 B** 29/49 - 46/60.

In Bad Krozingen 5-Schmidhofen S : 3,5 km :

- X **Storchen**, Felix-Nabor-Str. 2, ✆ 53 29 – Ⓟ
  Montag - Dienstag 17 Uhr und Jan. 2 Wochen geschl. – Karte 27/48 ♨.

KRÜN 8108. Bayern 413 Q 24, 987 ㊲, 426 ⑰ – 2 000 Ew – Höhe 875 m – Erholungsort – Wintersport : 900/1 200 m ≴2 ⛷4 – ✆ 08825.

ℹ Verkehrsamt, Schöttlkarspitzstr. 15, ✆ 10 94.

♦München 96 – Garmisch-Partenkirchen 16 – Mittenwald 8.

- **Alpenhof** ⓢ, Edelweißstr. 11, ✆ 10 14, ≤ Karwendel- und Wettersteinmassiv, ≘s, ⬚, 🌳 – ☎ Ⓟ. ✱
  April - 5. Mai und 21. Okt.- 17. Dez. geschl. – (Restaurant nur für Hausgäste) – **39 Z : 70 B** 51/70 - 102/122 Fb – P 71/76.
- **Schönblick** ⓢ garni, Soiernstr. 1, ✆ 20 08, ≤ Karwendel- und Wettersteinmassiv, 🌳, Fahrradverleih – ⇔ Ⓟ. ✱
  April- 5. Mai und 25. Okt.- 15. Dez. geschl. – **29 Z : 45 B** 39/41 - 68/76 – 2 Fewo 75.
- **Schöttlkarspitz**, Karwendelstr. 10 (B 11), ✆ 20 05 – ⇔ Ⓟ
  22. Okt.- 22. Dez. geschl. – Karte 17,50/39 *(Montag geschl.)* ♨ – **22 Z : 47 B** 35 - 70 – 5 Fewo 65/70 – P 58.

In Krün-Barmsee W : 2 km :

- **Alpengasthof Barmsee** ⓢ, Am Barmsee 4, ✆ 12 14/20 34, ≤ Karwendel- und Wettersteinmassiv, 🏛, ≘s, 🏖, 🌳, ≴ – ☎ ⇔ Ⓟ
  5.- 28. April und 25. Okt.- 16. Dez. geschl. – Karte 21/46 *(Mittwoch geschl.)* – **25 Z : 50 B** 34/61 - 58/104 Fb – P 55/78.

In Klais 8101 SW : 4 km :

- **Post**, Bahnhofstr. 7, ✆ (08823) 22 19, 🏛 – ⇔ Ⓟ. AE ⓓ E VISA
  3.- 28. April und 6. Nov.- 22. Dez. geschl. – Karte 23/47 *(Montag geschl.)* – **13 Z : 24 B** 38/55 - 70/100 – P 65/85.
- **Gästehaus Ingeborg** garni, An der Kirchleiten 7, ✆ (08823) 81 68, ≤, 🌳 – Ⓟ. ✱
  Nov.- Mitte Dez. geschl. – **11 Z : 21 B** 28/31 - 56/60.

KRUMBACH Baden-Württemberg siehe Limbach.

KRUMBACH 8908. Bayern 413 O 22, 987 ⑯, 426 ② – 11 600 Ew – Höhe 512 m – ☎ 08282.
♦München 124 – ♦Augsburg 48 – Memmingen 38 – ♦Ulm (Donau) 41.

Traubenbräu, Marktplatz 14, ☎ 20 93 – ☎ ⇔ Ⓟ 🏔. AE ⓓ E
7.- 22. Aug. geschl. – Karte 18/39 *(Samstag und 7.- 22. Aug. geschl.)* – **20 Z : 36 B** 27/48 - 46/85.

Diem, Kirchenstr. 5, ☎ 30 60, ≘s – ☎ Ⓟ. E
Karte 18/37 – **28 Z : 48 B** 38/50 - 70/82.

Brauerei-Gasthof Munding, Augsburger Str. 40, ☎ 44 62, Biergarten – ⇔ Ⓟ 🏔
Sept. 2 Wochen geschl. – Karte 17,50/32 ♨ – **26 Z : 48 B** 26/36 - 52/72 Fb.

KRUMMHÖRN 2974. Niedersachsen – 12 300 Ew – Höhe 5 m – ☎ 04923.
♦Hannover 265 – Emden 14 – Groningen 112.

In Krummhörn - Greetsiel :

XX **Witthus** ⛰ mit Zim, Katrepel 7, ☎ (04926) 5 40, « Ständige Kunstausstellungen, Gartenterrasse » – ⇔ TV. E VISA. ✽
Karte 30/50 – **8 Z : 16 B** 75 - 110/130 Fb.

KÜMMERSBRUCK 8457. Bayern 413 S 18 – 7 900 Ew – Höhe 370 m – ☎ 09621.
♦ München 186 – Bayreuth 82 – ♦Nürnberg 68 – ♦Regensburg 62.

Gasthof Biehler ⛰, Dahlienweg 1, ☎ 8 25 53, ⛱ – ☎ Ⓟ. E
Karte 18/35 *(Dienstag geschl.)* – **33 Z : 73 B** 31/35 - 60/70 Fb.

In Kümmersbruck-Haselmühl :

Zur Post, Vilstalstr. 82, ☎ 8 17 82, Biergarten, ✽ – TV ☎ ⇔ Ⓟ. AE E
20. Dez.- 3. Jan. geschl. – Karte 17/44 *(Mittwoch geschl.)* ♨ – **27 Z : 47 B** 35/50 - 70/80 Fb.

Sonnenhof garni, Sandstr. 1, ☎ 8 21 29 – ☎ Ⓟ. AE ⓓ E
22. Dez.- 7. Jan. geschl. – **23 Z : 45 B** 35/49 - 70/85 Fb.

Zur blauen Traube, Kirchensteig 2, ☎ 8 21 85, ⛱ – ☎ ⇔ Ⓟ. AE ⓓ E
Karte 20/35 *(Samstag geschl.)* – **20 Z : 30 B** 36 - 65.

In Kümmersbruck-Theuern :

Pension zur Schmiede ⛰ garni, Michelsbergstr. 12, ☎ (09624) 8 18, 🌳 – Ⓟ – **8 Z : 16 B**.

KÜNZELSAU 7118. Baden-Württemberg 413 LM 19, 987 ㉕ ㉖ – 11 600 Ew – Höhe 218 m – ☎ 07940 – ♦Stuttgart 94 – Heilbronn 52 – Schwäbisch Hall 23 – ♦Würzburg 84.

Frankenbach, Bahnhofstr. 10, ☎ 23 33 – Ⓟ
Juli - Aug. 3. Wochen geschl. – Karte 23/40 *(Sonn- und Feiertage ab 14 Uhr sowie Dienstag geschl.)* ♨ – **12 Z : 17 B** 30/40 - 60/70.

Comburgstuben, Komburgstr. 12, ☎ 35 70 – ⇔
Juli - Aug. 3 Wochen geschl. – Karte 18/35 *(Samstag geschl.)* ♨ – **14 Z : 22 B** 38/45 - 75/82.

XX **Ausonia** (Italienische Küche), Gaisbacher Str. 2, ☎ 5 33 34 – AE ⓓ E VISA
Montag geschl. – Karte 27/63.

KÜPS 8643. Bayern 413 Q 16 – 7 120 Ew – Höhe 291 m – ☎ 09264.
♦München 278 – ♦ Bamberg 52 – Bayreuth 50 – Hof 59.

In Küps-Oberlangenstadt :

Hubertus ⛰, Hubertusstr. 7, ☎ 5 68, ≤, ≘s, 🏊, 🌳 – Ⓟ 🏔. ⓓ E
2.- 10. Jan. geschl. – Karte 27/51 – **29 Z : 46 B** 49 - 90 Fb.

KÜRNBACH 7519. Baden-Württemberg 413 J 19 – 2 600 Ew – Höhe 192 m – ☎ 07258.
♦Stuttgart 67 – Heilbronn 37 – ♦Karlsruhe 42.

Lamm, Lammgasse 5, ☎ 65 88 – Ⓟ. ✽ Zim
Juli - Aug. 3 Wochen geschl. – Karte 17,50/33 *(Mittwoch geschl.)* ♨ – **10 Z : 16 B** 35 - 70.

X **Weiss**, Austr. 63, ☎ 65 60 – ✽
Dienstag sowie Jan. und Juli - Aug. jeweils 2 Wochen geschl. – Karte 25/43 (Tischbestellung ratsam) ♨.

KÜRTEN 5067. Nordrhein-Westfalen – 17 000 Ew – Höhe 250 m – Luftkurort – ☎ 02268.
♦Düsseldorf 66 – ♦Köln 32 – Wipperfürth 14.

In Kürten-Waldmühle S : 1 km :

Café Tritz garni, Wipperfürther Str. 341, ☎ 4 74 – Ⓟ – **7 Z : 12 B** 35 - 60.

KUFSTEIN A-6330. Österreich 413 T 24, 987 ㊲, 426 ⑱ – 14 200 Ew – Höhe 500 m – Wintersport : 515/1 600 m ≴9 ⛷4 – ☎ 05372 (innerhalb Österreich).
Sehenswert : Festung : Lage★, ≤★, Kaiserturm★.
Ausflugsziel : Ursprungpaß-Straße★ (von Kufstein nach Bayrischzell).
ℹ Fremdenverkehrsverband, Münchner Str. 2, ☎ 22 07, Telex 51684.
Wien 401 – Innsbruck 72 – ♦München 90 – Salzburg 106.

Die Preise sind in der Landeswährung (ö. S.) angegeben.

Andreas Hofer, Georg-Pirmoser-Str. 8, ✆ 32 82, Telex 51686 – AE E VISA
Restaurants : – **Kamin-Restaurant** Karte 180/370 – **Stube** Karte 130/260 – **110 Z : 200 B** 450/550 - 810/1000 Fb.

Alpenrose, Weißachstr. 47, ✆ 21 22,
Karte **205**/430 *(10.- 30. Jan. geschl.)* – **19 Z : 35 B** 390/540 - 700/890.

Goldener Löwe, Oberer Stadtplatz 14, ✆ 21 81 – AE E VISA
17. Okt.- 6. Nov. geschl. – Karte 135/260 – **37 Z : 70 B** 400/480 - 660 Fb.

Weinhaus Auracher Löchl, Römerhofgasse 3, ✆ 21 38, « **Tiroler Weinstuben, Terrasse am Inn** » –
Karte 140/285 *(15. Nov.- 15. Dez. geschl.)* – **35 Z : 60 B** 370 - 640 Fb.

Tourotel-Kufsteiner Hof, Franz-Josef-Platz 1, ✆ 48 84, Telex 51561 – AE E VISA
Karte 130/210 *(Wienerwald-Gaststätte)* – **40 Z : 90 B** 520 - 860 Fb.

Bären, Salurner Str. 36, ✆ 22 29 –
Nov.- 8. Dez. geschl. – Karte 130/270 *(Mittwoch geschl.)* – **25 Z : 50 B** 310/400 - 510/600.

Tiroler Hof, Am Rain 16, ✆ 23 31, – E VISA
10.- 25. April und 2.- 20. Nov. geschl. – Karte 135/280 *(Montag geschl.)* – **11 Z : 21 B** 300/450 - 600/650.

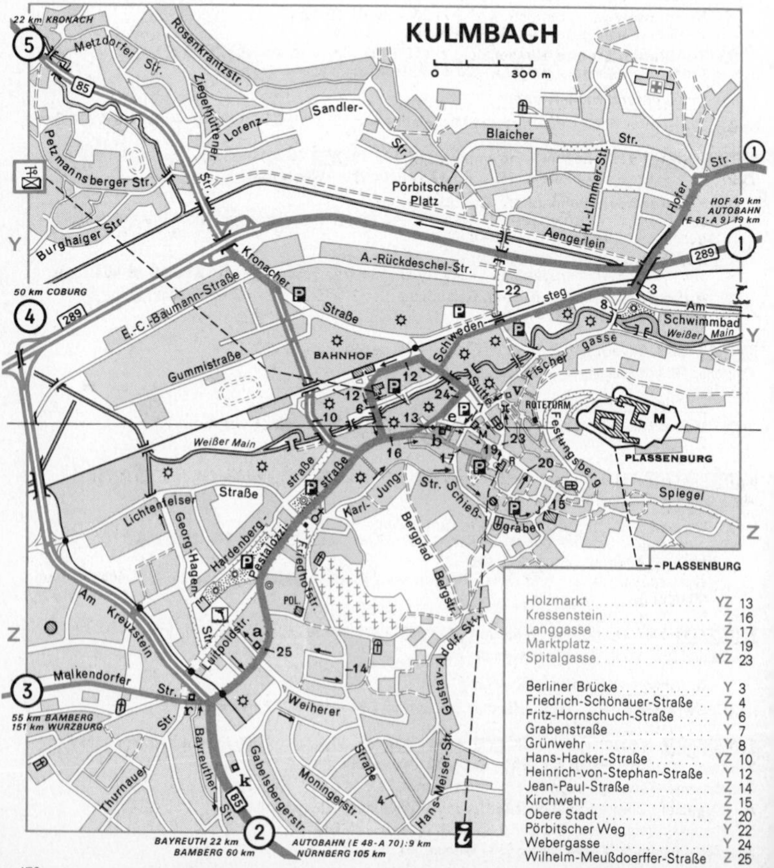

Holzmarkt	YZ	13
Kressenstein	Z	16
Langgasse	Z	17
Marktplatz	Z	19
Spitalgasse	YZ	23
Berliner Brücke	Y	3
Friedrich-Schönauer-Straße	Z	4
Fritz-Hornschuch-Straße	Y	6
Grabenstraße	Y	7
Grünwehr	Y	8
Hans-Hacker-Straße	YZ	10
Heinrich-von-Stephan-Straße	Y	12
Jean-Paul-Straße	Z	14
Kirchwehr	Z	15
Obere Stadt	Z	20
Pörbitscher Weg	Y	22
Webergasse	Y	24
Wilhelm-Meußdoerffer-Straße	Z	25

[KULMBACH] 8650. Bayern [413] R 16, [987] ㉖ – 28 700 Ew – Höhe 306 m – ☎ 09221.

Sehenswert : Plassenburg (Schöner Hof**, Zinnfigurenmuseum*).

[i] Städtisches Verkehrsamt, Rathaus, ☎ 80 22 16.

♦München 257 ② – ♦Bamberg 60 ② – Bayreuth 22 ② – Coburg 50 ④ – Hof 49 ①.

Stadtplan siehe gegenüberliegende Seite.

🏨 **Hansa-Hotel Hönsch**, Weltrichstr. 2a, ☎ 79 95 – 🛗 [TV] ☎ 🚗. [AE] [O] [E] [VISA] Z **a**
(nur Abendessen für Hausgäste) – **29 Z : 44 B** 50/65 - 90/110 Fb.

🏨 **Christl**, Bayreuther Str. 7 (B 85), ☎ 79 55 – [TV] ☎ 🚗 [P]. [AE] [E] Z **k**
(nur Abendessen für Hausgäste) – **28 Z : 40 B** 40/55 - 75/90.

🏨 **Purucker**, Melkendorfer Str.4, ☎ 77 57, ♨ – [TV] ☎ 🚗 [P]. [AE] [O] [E] Z **r**
Aug. 3 Wochen geschl. – Karte 26/41 – **26 Z : 50 B** 48/59 - 78/92 Fb.

🏨 Kronprinz garni, Fischergasse 4, ☎ 51 51 – [P] Y **v**
20 Z : 30 B.

🍴 **Stadtschänke** (Brauerei-Gaststätte), Holzmarkt 3, ☎ 45 07 – [AE] [E] Z **b**
Mittwoch und 5. Jan.- 5. Feb. geschl. – Karte 26/57.

🍴 **EKU-Inn** (Brauerei-Gaststätte), Klostergasse 7, ☎ 57 88 – [AE] [O] [E] [VISA] YZ **e**
6. Aug.- 2. Sept. geschl. – Karte 24/48.

In Kulmbach-Burghaig ④ : 3 km :

🏨 Zum Adler 🔇, Dorfberg 7, ☎ 14 76 – 🚗 [P]
(nur Abendessen für Hausgäste) – **16 Z : 22 B.**

In Kulmbach-Höferänger ⑤ : 4 km :

🏨 **Dobrachtal** 🔇, Höferänger 10, ☎ 20 85, Massage, ♨, 🏊, 🌳 – 🛗 ☎ [P]. [AE] [E]
21. Dez.- 5. Jan. geschl. – Karte 19,50/42 *(Freitag geschl.)* – **58 Z : 87 B** 52/74 - 94/122 Fb – P 71/76.

In Kulmbach-Ziegelhütten NW : 2 km über Ziegelhüttener Straße Y :

🏨 **Brauereigasthof Schweizerhof**, Ziegelhüttener Str. 38, ☎ 39 85, Biergarten – ☎ [P]
Karte 28/50 – **8 Z : 16 B** 53 - 96.

[KUNREUTH-REGENSBERG] Bayern siehe Forchheim.

[KUPFERZELL] 7115. Baden-Württemberg [413] M 19, [987] ㉕ – 4 100 Ew – Höhe 345 m – ☎ 07944.

♦ Stuttgart 86 – Heilbronn 46 – Schwäbisch Hall 17 – ♦Würzburg 91.

🏨 Zum Scharfen Eck, Schloßstr. 2, ☎ 3 09 – [P]. ⚔ Zim
11 Z : 15 B.

In Kupferzell-Beltersrot S : 8 km :

🏨 **Landgasthof Beck**, Hauptstr. 69, ✉ 7177 Untermünkheim, ☎ (07944) 3 18 – [P]
Ende Jan.- Mitte Feb. geschl. – Karte 17,50/43 🍷 – **13 Z : 20 B** 27/35 - 54/70.

In Kupferzell-Eschental SO : 6 km :

🏨 **Landgasthof Krone**, Hauptstr. 40, ☎ 20 96, 🌳 – ☎ [P]
Ende Jan.- Mitte Feb. geschl. – Karte 21/40 *(Dienstag geschl.)* 🍷 – **13 Z : 21 B** 38 - 75.

🏨 Günzburg, Hauptstr. 1, ☎ 3 38 – [P]. ⚔ Zim
7 Z : 14 B.

[KUPPENHEIM] 7554. Baden-Württemberg [413] H 20 – 6 200 Ew – Höhe 126 m – ☎ 07222 (Rastatt).

♦Stuttgart 98 – Baden-Baden 12 – ♦Karlsruhe 24 – Rastatt 5,5.

🍴🍴 **Ochsen** mit Zim, Friedrichstr. 53, ☎ 4 15 30 – 🚗 [P]. [O] [E]. ⚔ Zim
8.- 21. Feb. und 18. Juli - 8. Aug. geschl. – Karte 25/48 *(Sonntag - Montag geschl.)* – **5 Z : 9 B** 45 - 80.

In Kuppenheim 2-Oberndorf SO : 2 km :

🍴🍴🍴 ✿ **Raub's Restaurant** (modern-elegantes Restaurant), Hauptstr. 41, ☎ (07225) 7 56 23 – [P]
Sonntag 14 Uhr - Montag sowie Feb. und Aug. jeweils 2 Wochen geschl. – Karte 66/86 –
Kreuz-Stübl (badische Küche) Karte **28**/48
Spez. Steinbutt im Nudelblatt, Rinderlende in Marksauce, Soufflé von weißer Schokolade.

[KUSEL] 6798. Rheinland-Pfalz [987] ㉔, [242] ③, [57] ⑦ – 6 100 Ew – Höhe 240 m – ☎ 06381.

Mainz 107 – Kaiserslautern 40 – ♦Saarbrücken 50.

🏨 **Rosengarten**, Bahnhofstr. 38, ☎ 29 33 – 🚗 [P]
Karte 22/43 – **27 Z : 50 B** 30/35 - 60/100.

In Blaubach 6799 NO : 2 km :

🏨 **Reweschnier** 🔇, Kuseler Str. 5, ☎ (06381) 50 46, 🌳, ♨, 🌳 – [TV] 🚗 [P] 🏌
Karte 22/48 *(Montag bis 17 Uhr geschl.)* 🍷 – **26 Z : 52 B** 49/59 - 88/98 – 2 Fewo 50/65.

In Thallichtenberg **6799** NW : 5 km :

Burgblick ⛰, Ringstr. 6, ☎ (06381) 15 26, ≤ – ☎ [P]
Karte 23/35 *(Montag geschl.)* – **17 Z : 29 B** 38/45 - 70/75 Fb.

In Konken **6799** SW : 6 km [413] F 18 :

Haus Gerlach, Hauptstr. 39 (B 420), ☎ (06384) 3 27 – [P]
Karte 15/35 *(Montag geschl.)* – **10 Z : 17 B** 32/35 - 65/70 – P 48/55.

KYLLBURG **5524.** Rheinland-Pfalz [987] ㉓, [409] ㉗ – 1 200 Ew – Höhe 300 m – Luftkurort – Kneippkurort – ☎ 06563.
[i] Kurverwaltung, Haus des Gastes, Hochstr. 19, ☎ 20 07.
Mainz 157 – ♦Koblenz 103 – ♦Trier 48 – Wittlich 28.

Kurhotel Eifeler Hof, Hochstr. 2, ☎ 20 01, Fax 2004, « Gartenterrasse », Bade- und Massageabteilung, ♨, ≘s, [▢] – |⧉| ☎ ♿ [P]. ⓓ E VISA
15. Nov.-15. Dez. geschl. – Karte 22/42 – **65 Z : 100 B** 55/70 - 95/120 Fb – P 52/81.

Pension Müller, Mühlengasse 3, ☎ 85 85 – 🚗
(Restaurant nur für Hausgäste) – **19 Z : 34 B** 33 - 66 – P 53.

In Malberg-Mohrweiler **5524** N : 4,5 km :

Berghotel Rink ⛰, Höhenstr. 14, ☎ (06563) 24 44, ≘s, [▢], 🌳, 🎾 (Halle) – [TV] 🚗 [P]. E.
✂ Rest
Karte 33/66 *(nur Abendessen)* – **15 Z : 34 B** 45/65 - 80/120.

LAABER **8411.** Bayern [413] S 19 – 4 500 Ew – Höhe 438 m – ☎ 09498.
♦München 138 – ♦Nürnberg 83 – ♦Regensburg 22.

In Frauenberg **8411** NO : 2 km :

Frauenberg, Marienplatz 7, ☎ (09498) 87 49, 🍴, [▢], 🌳 – [P] 🏊
1.- 22. Aug. und 22. Dez.- 6. Jan. geschl. – Karte 15,50/41 *(Freitag geschl.)* – **20 Z : 40 B** 40 - 70 – P 60.

LAASPHE, BAD **5928.** Nordrhein-Westfalen [987] ㉔ – 16 000 Ew – Höhe 335 m – Kneippheilbad – ☎ 02752.
[i] Kurverwaltung, Haus des Gastes, ☎ 8 98, Telex 875219.
♦Düsseldorf 174 – ♦Kassel 108 – Marburg 43 – Siegen 44.

Bad-Hotel Am Park ⛰ (dirkter Zugang zur Kurklinik), Gartenstr. 7, ☎ 10 00, Massage, ≘s, 🌳 – |⧉| [TV] ♿ [P]. E. ✂
(Restaurant nur für Hausgäste) – **35 Z : 70 B** 110 - 158/170 Fb – P 94/125.

Kur- und Sporthotel der Rothaar Treff ⛰, Höhenweg 1, ☎ 10 50, Telex 875226, Bade- und Massageabteilung, ♨, ≘s, [▢], Fahrradverleih – |⧉| ☎ 🏃 🚗 [P] 🏊. ✂ Rest
84 Z : 168 B Fb.

Wittgensteiner Hof, Wilhelmsplatz 1 (B 62), ☎ 15 14, ♨ – 🚗 [P]
Karte 22/51 – **33 Z : 47 B** 36/44 - 72/88 – P 52/60.

In Bad Laasphe - Feudingen W : 9 km – ☎ 02754 :

Doerr, Sieg-Lahn-Str. 8, ☎ 12 81, ≘s, [▢] – ☎ [P] 🏊. ⓓ E VISA. ✂
Karte 27/60 – **37 Z : 65 B** 68/108 - 135/215 Fb.

Lahntal-Hotel, Sieg-Lahn-Str. 23, ☎ 2 67, ≘s – |⧉| [TV] ☎ [P] 🏊. ✂ Zim
Karte 26/47 *(Dienstag geschl.)* – **25 Z : 48 B** 70/75 - 139/150 – P 70/90.

Gästehaus im Auerbachtal ⛰, Wiesenweg 5, ☎ 5 88, ≘s, [▢], 🌳 – [P]. ✂
Dez.- Jan. geschl. – (Restaurant nur für Hausgäste) – **16 Z : 26 B** 48 - 84 – P 62.

In Bad Laasphe-Glashütte W : 14 km über Bad Laasphe-Volkholz :

Jagdhof Glashütte ⛰, Glashütter Str. 20, ☎ (02754) 88 14, « Einrichtung im alpenländischen Stil », ≘s, [▢], 🌳, 🎾 – |⧉| [TV] [P] 🏊
28 Z : 51 B Fb.

LAATZEN Niedersachsen siehe Hannover.

LABOE **2304.** Schleswig-Holstein [987] ⑤ – 4 300 Ew – Höhe 5 m – Seebad – ☎ 04343.
Sehenswert : Marine-Ehrenmal* (Turm ≤** auf Kieler Förde**, Museum*).
[i] Kurverwaltung, im Meerwasserbad, ☎ 73 53.
♦Kiel 18 – Schönberg 13.

Seeterrassen ⛰, Strandstr. 86, ☎ 81 50, ≤, 🍴 – ☎ [P]. ✂
Dez. - Jan. geschl. – Karte 22/42 – **29 Z : 50 B** 31/50 - 62/94.

In Stein **2304** NO : 4 km :

Bruhn's Deichhotel ⛰, Dorfring 36, ☎ (04343) 90 07, ≤ Kieler Förde, 🍴 – ☎ [P]. AE ⓓ
VISA. ✂ Zim
Dez.- Jan. geschl. – Karte 32/70 – **12 Z : 24 B** 55/85 - 110/150.

[LACHENDORF] 3101. Niedersachsen – 4 400 Ew – Höhe 45 m – ☏ 05145.
♦Hannover 55 – ♦Braunschweig 54 – Celle 12 – Lüneburg 84.

In Lachendorf-Gockenholz NW : 3 km :

🍴 Birkenhof, Garßener Str. 26, ✆ 5 29, ☂ – [P].

In Beedenbostel 3101 N : 4 km :

⌂ **Schulz**, Ahnsbecker Str. 6, ✆ (05145) 82 12 – 🚗 [P]. ✗ Zim
Juli geschl. – Karte 22/35 *(wochentags nur Abendessen, Montag geschl.)* – **7 Z : 11 B** 45 - 78.

[LACKENHÄUSER] Bayern siehe Neureichenau.

[LADBERGEN] 4544. Nordrhein-Westfalen [987] ⑭ – 6 450 Ew – Höhe 50 m – ☏ 05485.
♦Düsseldorf 149 – Enschede 66 – Münster (Westfalen) 28 – ♦Osnabrück 33.

⌂ Zur Post (350 J. alter Gasthof), Dorfstr. 11, ✆ 17 89, ☂ – [TV] ☎ 🚗 [P]
18 Z : 50 B.

🍴🍴 **Rolinck's Alte Mühle**, Mühlenstr. 17, ✆ 14 84, « Rustikale Einrichtung » – [P]. [D] [E] [VISA]
Samstag bis 18 Uhr und Dienstag geschl. – Karte 49/76.

[LADENBURG] 6802. Baden-Württemberg [413] I 18 – 11 200 Ew – Höhe 98 m – ☏ 06203.
♦Stuttgart 130 – Heidelberg 13 – Mainz 82 – ♦Mannheim 13.

⌂ **Altes Kloster** 🐦 garni, Zehntstr. 2, ✆ 20 01 – ☎ [P]
Juli - Aug. 4 Wochen geschl. – **26 Z : 41 B** 69/95 - 117/157 Fb.

⌂ **Im Lustgarten**, Kirchenstr. 6, ✆ 59 74, Gartencafé – ☎ [P]. [D] [E]. ✗
Jan. 2 Wochen und Juli - Aug. 3 Wochen geschl. – Karte 26/45 *(nur Abendessen, Freitag sowie Sonn- und Feiertage geschl.)* – **19 Z : 30 B** 50/70 - 72/100 Fb.

🍴 **Zur Sackpfeife**, Kirchenstr. 45, ✆ 31 45, « Fachwerkhaus a.d.J. 1598, historische Weinstube, Innenhof »
21. Dez.- 10. Jan. sowie Sonn- und Feiertage geschl. – Karte 37/63 (Tischbestellung ratsam).

[LAER, BAD] 4518. Niedersachsen – 6 300 Ew – Höhe 79 m – Heilbad – ☏ 05424.
[i] Kurverwaltung, Remseder Str. 1, ✆ 92 97.
♦Hannover 141 – Bielefeld 37 – Münster (Westfalen) 39 – Bad Rothenfelde 5,5.

⌂ **Storck**, Paulbrink 4, ✆ 90 08, ♨, 🏊 – 🛗 [TV] ☎ [P]. ✗ Zim
Karte 26/54 *(Freitag geschl.)* – **14 Z : 26 B** 59/62 - 96/124 – P 67/81.

In Bad Laer-Winkelsetten :

⌂ **Lindenhof** 🐦, Winkelsettener Ring 9, ✆ 91 07, ☂, ♨, ☂, 🎾, Fahrradverleih – 🛗 ⇆ ☎ 🚗 [P] 🏛. [AE] [D] [E]. ✗
9. Jan.- 8. Feb. geschl. – Karte 20/47 *(Dienstag geschl.)* – **22 Z : 33 B** 50/65 - 100/130 Fb – P 75/90.

[LAGE (LIPPE)] 4937. Nordrhein-Westfalen [987] ⑮ – 33 500 Ew – Höhe 103 m – ☏ 05232.
⛳ Ottenhauser Str. 100, ✆ 6 68 29.
[i] Verkehrsamt in Lage-Hörste, Freibadstr. 3, ✆ 81 93.
♦Düsseldorf 189 – Bielefeld 20 – Detmold 9 – ♦Hannover 106.

⌂ Zur Krone, Heidensche Str. 38, ✆ 23 44 – [TV] ☎ – **12 Z : 16 B.**

⌂ Haus Schröder, Bahnhofstr. 1, ✆ 44 03 – ♿ – **14 Z : 25 B.**

🍴🍴 Brinkmann'sches Haus, Heidensche Str. 1, ✆ 6 64 80.

In Lage-Heßloh O : 4,5 km :

⌂ **Jägerhof**, Heßloher Str. 139, ✆ 39 95, ☂ – [P]. [AE] [D] [E] [VISA]
◆ *Feb.- März 3 Wochen geschl.* – Karte 19/47 *(Montag - Freitag nur Abendessen, Mittwoch geschl.)* – **11 Z : 22 B** 45/55 - 65/85.

In Lage-Hörste SW : 6 km – Luftkurort :

⌂ **Haus Berkenkamp** 🐦, Im Heßkamp 50 (über Billinghauser Straße), ✆ 7 11 78, « Garten », ♨ – ♿ [P]. ✗
Nov. geschl. – (Restaurant nur für Hausgäste) – **17 Z : 28 B** 38/40 - 68/76 – P 46/54.

[LAHNAU] Hessen siehe Wetzlar.

[LAHNSTEIN] 5420. Rheinland-Pfalz [987] ㉔ – 18 600 Ew – Höhe 70 m – ☏ 02621.
[i] Städt. Verkehrsamt, Stadthalle (Passage), ✆ 17 52 41.
Mainz 102 – Bad Ems 13 – ♦Koblenz 8.

⌂ **Dorint Hotel Rhein Lahn** 🐦, im Kurzentrum (SO : 4,5 km), ✆ 1 51, Telex 869827, Fax 15052, Panorama-Café und Abend-Restaurant (15. Etage) mit ≤ Rhein und Lahntal, Bade- und Massageabteilung, ♨, 🏊 (geheizt), 🏊, ☂, 🎾 (Halle) – 🛗 [TV] ♿ 🚗 [P] 🏛. ✗ Rest
Karte 30/65 – **200 Z : 320 B** 96/160 - 180/300 Fb – 4 Appart. 350.

Hotel **Kaiserhof**, Hochstr. 9, ☎ 24 13
20.- 29. Dez. geschl. – Karte 18/38 *(Freitag geschl.)* – **18 Z : 36 B** 37/47 - 74.

Hotel **Altes Haus**, Hochstr. 81, ☎ 27 43 – E
Karte 19,50/51 *(Montag und 1.- 20. Juni geschl.)* – **14 Z : 26 B** 45/53 - 90.

Hotel **Straßburger Hof**, Koblenzer Str. 2, ☎ 70 70 – ☎ [P]
20. Dez.- 10. Jan. geschl. – Karte 19/45 *(Samstag geschl.)* – **28 Z : 50 B** 40/48 - 80/88.

XXX ✿ **Hist. Wirtshaus an der Lahn**, Lahnstr. 8, ☎ 72 70 – [P]. [AE] E
nur Abendessen, Donnerstag, über Fasching 1 Woche und August 2 Wochen geschl. – Karte 55/78 (Tischbestellung ratsam)
Spez. Tomatenessenz mit Basilikumnocken, Roulade vom Perlhuhn mit Gänselebermousse, Orangensülze mit Lebkuchenschaum.

LAHR/SCHWARZWALD 7630. Baden-Württemberg [413] G 21, [987] ㉞, [87] ⑥ – 36 100 Ew – Höhe 168 m – ☎ 07821 – ⛳ Lahr-Reichenbach (O : 4 km), ☎ 7 72 17.
[i] Städt. Verkehrsbüro, Neues Rathaus, Rathausplatz 4, ☎ 28 22 16.
♦Stuttgart 168 – ♦Freiburg im Breisgau 54 – Offenburg 26.

Hotel **Schulz**, Alte Bahnhofstr. 6, ☎ 2 60 97, – [TV] ☎ ♿ [P]. [AE] E [VISA]
Karte 30/66 *(Samstag bis 18 Uhr und Sonntag geschl.)* – **37 Z : 64 B** 40/125 - 68/150 Fb.

Hotel **Am Westend**, Schwarzwaldstr. 97, ☎ 4 30 86, Telex 754864 – [TV] ☎ ♿ [P]. E [VISA]
20. Dez.- 6. Jan. geschl. – Karte 29/43 *(nur Abendessen, Samstag, Sonn- und Feiertage geschl.)* – **36 Z : 60 B** 69/95 - 95/120 Fb.

Hotel **Zum Löwen** (Fachwerkhaus a.d. 18. Jh.), Obertorstr. 5, ☎ 2 30 22 – [TV] ☎ . [AE] E [VISA]
24. Dez.- 6. Jan. geschl. – Karte 23/54 *(Sonntag geschl.)* – **30 Z : 47 B** 60/80 - 100/110.

Hotel **Schwanen**, Gärtnerstr. 1, ☎ 2 10 74 – ☎ [P]. E [VISA]
Karte 29/52 *(Sonntag geschl.)* – **60 Z : 110 B** 55/85 - 85/120 Fb.

In Lahr-Reichenbach O : 3,5 km – Erholungsort :

Hotel **Adler**, Reichenbacher Hauptstr. 18, ☎ 70 35 – [TV] ☎ [P]. E
Karte 30/63 *(Dienstag und 2 Wochen ab Aschermittwoch geschl.)* – **21 Z : 40 B** 35/60 - 68/102 – P 60/80.

An der Straße nach Sulz S : 2 km :

Hotel **Dammenmühle**, ✉ 7630 Lahr-Sulz, ☎ (07821) 2 22 90, « Gartenterrasse », (geheizt), – [P]. E
24. Dez.- 15. Jan. und 15.- 31. Aug. geschl. – Karte 25/50 *(auch vegetarische Gerichte)* (Montag geschl.) – **20 Z : 34 B** 30/49 - 60/98.

LAICHINGEN 7903. Baden-Württemberg [413] LM 21, [987] ㉟ – 8 700 Ew – Höhe 756 m – ☎ 07333.
♦Stuttgart 75 – Reutlingen 46 – ♦Ulm (Donau) 33.

Hotel **Krehl zur Ratstube**, Radstr. 7, ☎ 40 21 – ☎ [P] . E
Karte 22/46 *(Montag 14 Uhr - Dienstag und Juli - Aug. 3 Wochen geschl.)* – **28 Z : 50 B** 52/60 - 82/125 Fb.

Gasthof **Rad**, Marktplatz 7, ☎ 70 07 – [P]. [AE]
Mitte Nov.- Mitte Dez. geschl. – Karte 18,50/37 *(Mittwoch geschl.)* – **24 Z : 45 B** 35 - 65.

LAIMNAU Baden-Württemberg siehe Tettnang.

LALLING 8351. Bayern [413] W 20 – 1 300 Ew – Höhe 446 m – Wintersport : 5 – ☎ 09904.
♦München 167 – Deggendorf 24 – Passau 51.

Im Lallinger Winkel N : 2,5 km Richtung Zell :

Gasthof **Thula Sporthotel**, ✉ 8351 Lalling, ☎ (09904) 3 23, Donauebene, , , , , – [P]. Rest
Nov.- 20. Dez. geschl. – Karte 19/31 – **16 Z : 28 B** 37/43 - 70/86.

LAM 8496. Bayern [413] W 19, [987] ㉘ – 3 000 Ew – Höhe 576 m – Luftkurort – Wintersport : 520/620 m 1 2 – ☎ 09943.
[i] Verkehrsamt, Marktplatz 1, ☎ 10 81.
♦München 196 – Cham 39 – Deggendorf 53.

Hotel **Steigenberger-Hotel Sonnenhof**, Himmelreich 13, ☎ 7 91, Telex 69932, , , Bade- und Massageabteilung, , , , (Halle), Skiverleih – [TV] [P] . [AE] E. Rest
Karte 31/56 – **140 Z : 250 B** 79/97 - 132/180 Fb – 4 Appart. 190/220 – 18 Fewo 132/200 – P 120/144.

Hotel **Ferienhotel Bayerwald**, Arberstr. 73, ☎ 7 12, , , , – ☎ [P]. [AE] E
Mitte Nov.- Mitte Dez. geschl. – Karte 21/40 *(Sonntag ab 14 Uhr geschl.)* – **60 Z : 115 B** 34/48 - 72/90 Fb – P 60/74.

Hotel **Sonnbichl**, Lambacher Str. 31, ☎ 7 33, , , , , Skischule – ☎ [P]
3. Nov.- 19. Dez. geschl. – Karte 17,50/36 *(Montag geschl.)* – **43 Z : 83 B** 40 - 70 Fb – P 55/58.

Huber, Arberstr. 39, ✆ 12 50 – TV P
(Restaurant nur für Hausgäste) – **11 Z : 20 B** 31/33 - 58/64 – P 51/55.

Café Wendl, Marktplatz 16, ✆ 5 12, – P
15. Nov.- 15. Dez. geschl. – (Restaurant nur für Pensionsgäste) – **21 Z : 43 B** 38/43 - 68 – P 52/58.

Post, Marktplatz 6, ✆ 12 15, – P
2.- 16. Nov. geschl. – Karte 14,50/29 *(Okt.- Mai Freitag geschl.)* – **20 Z : 40 B** 29/36 - 54/68 – P 47/52.

In Silbersbach **8496** SO : 4 km :

Osserhotel, ✆ (09943) 7 41, ≤, Wildgehege, « Restaurant mit Ziegelgewölbe », – P. Rest
20.- 30. Nov. geschl. – Karte 18/42 – **45 Z : 90 B** 40/55 - 68/86 – P 58/85.

LAMBACH Bayern siehe Seeon-Seebruck.

LAMBRECHT **6734.** Rheinland-Pfalz 413 H 18, 987 ㉔, 242 ⑧ – 4 300 Ew – Höhe 176 m – 06325.

Mainz 101 – Kaiserslautern 30 – Neustadt an der Weinstraße 6,5.

Kuckert, Hauptstr. 51, ✆ 81 33 – – **19 Z : 34 B.**

In Lindenberg **6731** NO : 3 km – Erholungsort :

Hirsch, Hauptstr. 84, ✆ (06325) 24 69, , –
1.- 23. Aug. und 20. Dez.- 3. Jan. geschl. – Karte 18/37 *(Montag geschl.)* – **17 Z : 30 B** 32/35 - 64/70 – P 54.

LAMMERSDORF Nordrhein-Westfalen siehe Simmerath.

LAMPERTHEIM **6840.** Hessen 413 I 18, 987 ㉔ ㉕ – 30 500 Ew – Höhe 96 m – 06206.

♦Wiesbaden 78 – ♦Darmstadt 42 – ♦Mannheim 16 – Worms 11.

Deutsches Haus, Kaiserstr. 47, ✆ 20 22, Telex 466902, « Gartenterrasse » – TV P. AE E VISA
23. Dez. - 7. Jan. geschl. – Karte 28/50 *(Freitag - Samstag 17 Uhr geschl.)* – **30 Z : 37 B** 59/75 - 96/110 Fb.

Gästehaus Rupp garni, Friedrichstr. 6, ✆ 26 62 – **19 Z : 24 B.**

Kaiserhof, Bürstädter Str. 2, ✆ 26 93 – TV – **10 Z : 12 B.**

XXX ✿ **Waldschlöss'l**, Neuschloßstr. 12 1/2, ✆ 5 12 21 – P. AE E VISA.
Samstag bis 19 Uhr, Montag sowie Feb. 2 Wochen und Juli - Aug. 3 Wochen geschl. – Karte 62/91 (Tischbestellung ratsam)
Spez. Variation von Gänsestopfleber, Steinbutt im Nudelblatt, Barbarie-Ente aus dem Ofen.

In Lampertheim-Hofheim NW : 11 km :

Adler, Lindenstr. 16, ✆ (06241) 8 01 95 – P – *(nur Abendessen)* – **13 Z : 15 B.**

In Lampertheim-Hüttenfeld O : 9,5 km :

Kurpfalz, Lampertheimer Str. 26, ✆ (06256) 3 42, Biergarten – TV P
Karte 23/50 *(Dienstag geschl.)* – **9 Z : 14 B** 40 - 75.

LANDAU AN DER ISAR **8380.** Bayern 413 V 21, 987 ㉗㊲ – 11 500 Ew – Höhe 390 m – 09951.

♦München 115 – Deggendorf 31 – Landshut 46 – Straubing 28.

Gästehaus Numberger garni (ehemalige Villa), Dr.-Aicher-Str. 2, ✆ 80 38, – P
18 Z : 24 B 39/43 - 65/73 Fb.

Zur Post, Hauptstr. 86, ✆ 4 41 – P.
4. Aug.- 2. Sept. geschl. – Karte 21/42 *(Montag und 25. Juli - Aug. geschl.)* – **18 Z : 24 B** 24/30 - 44/50.

LANDAU IN DER PFALZ **6740.** Rheinland-Pfalz 413 H 19, 987 ㉔, 242 ⑧ – 39 400 Ew – Höhe 188 m – 06341.

Städtisches Verkehrsamt, Neues Rathaus, Marktstr. 50, ✆ 1 33 01.

ADAC, Waffenstr. 14, ✆ 8 44 01.

Mainz 109 – ♦Karlsruhe 35 – ♦Mannheim 50 – Pirmasens 45 – Wissembourg 25.

Körber, Reiterstr. 11, ✆ 40 50 – . AE E. Zim
Jan. geschl. – Karte 25/53 *(Freitag geschl.)* – **40 Z : 60 B** 50/70 - 100/130.

Kurpfalz, Horstschanze 8, ✆ 45 23 –
(nur Abendessen für Hausgäste) – **17 Z : 28 B** 39/55 - 68/105.

Brenner, Linienstr. 16, ✆ 2 00 39 – P. E
Karte 21/36 *(Freitag 15 Uhr - Samstag 17 Uhr und 10.- 30. Juli geschl.)* – **25 Z : 40 B** 45/60 - 90/110.

XX **Augustiner**, Königstr. 26, ☏ 44 05 – [D]
Mittwoch, Feb. und Juli je 2 Wochen geschl. – Karte 25/48 🍷.

X **Meindl**, Nußbaumgasse 8, ☏ 8 71 07 – E
Montag - Dienstag 18 Uhr, 23. Dez.- 6. Jan. und Juli 2 Wochen geschl. – Karte 27/48 🍷.

In Landau 16-Dammheim NO : 3 km :

🏨 Zum Schwanen, Speyerer Str. 26 (B 272), ☏ 5 30 78, eigener Weinbau, Biergarten – ☎ Ⓟ
(nur Abendessen) – **17 Z : 28 B.**

In Landau 14-Godramstein W : 4 km :

XX **Keller**, Bahnhofstr. 28, ☏ 6 03 33 – Ⓟ. ✂
Juli - Aug. 3 Wochen, 20. Dez.- 8. Jan. und Mittwoch 14 Uhr - Donnerstag geschl. – Karte **27**/50 🍷.

In Landau 15-Nußdorf NW : 3 km :

X **Zur Pfalz** mit Zim, Geisselgasse 15, ☏ 6 04 51 – 🚗 Ⓟ
17.- 27. Jan. geschl. – Karte 21/39 *(Montag geschl.)* 🍷 – **7 Z : 12 B** 35/40 - 70/80.

In Landau 18-Queichheim :

🏠 **Hubertusstuben**, Hauptstr. 136, ☏ 5 05 57 – Ⓟ. AE E
→ Karte 18/45 🍷 – **7 Z : 14 B** 30/60 - 60/80.

In Bornheim **6741** NO : 5,5 km :

🏨 **Zur Weinlaube** 🌙 garni, Wiesenstr. 31, ☏ (06348) 15 84, eigener Weinbau, ♨, 🌳 – Ⓟ
13 Z : 24 B 38/45 - 70/75.

In Offenbach **6745** O : 6 km :

🏨 **Krone**, Hauptstr. 4, ☏ (06348) 70 64, ♨, 🏊 – Ⓟ 🏛
→ *1.- 9. Jan. und 29. Juni - 20. Juli geschl.* – Karte 15/45 *(Sonntag 14 Uhr - Montag geschl.)* 🍷 – **45 Z : 82 B** 42/57 - 78/82.

In Birkweiler **6741** W : 7 km :

🏨 **St. Laurentius Hof** 🌙 (moderner Gasthof mit rustikaler Einrichtung), Hauptstr. 21, ☏ (06345) 89 45, « Innenhofterrasse » – 📺 ☎ Ⓟ. E
Karte 25/45 *(Montag - Dienstag 17 Uhr geschl.)* 🍷 – **11 Z : 21 B** 60/70 - 70/120.

LANDKIRCHEN Schleswig-Holstein siehe Fehmarn (Insel).

LANDSBERG AM LECH 8910. Bayern [413] P 22, [987] ㊱, [426] ⑯ – 20 000 Ew – Höhe 580 m – ☎ 08191.

Sehenswert : Lage★ – Marktplatz★.

ℹ Verkehrsamt, Rathaus, Hauptplatz, ☏ 12 82 46.

♦München 57 – ♦Augsburg 38 – Garmisch-Partenkirchen 78 – Kempten (Allgäu) 67.

🏨 **Goggl**, Herkomer Str. 19, ☏ 20 81, Telex 527273 – 🛗 📺 ☎ 🚗. AE D E VISA
Karte 28/59 – **54 Z : 104 B** 35/70 - 55/120 Fb.

🏨 **Landsberger Hof**, Weilheimer Str. 5, ☏ 20 78, 🌳 – ☎ 🚗 Ⓟ. AE E VISA
Karte 22/41 – **35 Z : 70 B** 35/70 - 65/110 Fb.

🏠 **Zederbräu**, Hauptplatz 155, ☏ 22 41 – 🚗
25. Okt.- 15. Nov. geschl. – Karte 22/41 – **18 Z : 36 B** 32 - 64.

XX **Schmalzbuckl**, Neue Bergstr. 7 (B 12), ☏ 4 77 73, « Einrichtung im bäuerlichen Stil » – AE E
Karte 29/55.

XX **Alt Landtsperg**, Alte Bergstr. 435, ☏ 58 38 – AE E
Samstag bis 18 Uhr und Mittwoch sowie Feb. und Aug. jeweils 2 Wochen geschl. – Karte 29/56.

In Kaufering-West **8912** N : 7 km :

🏠 Rid, Bahnhofstr. 10, ☏ (08191) 71 16, ♨ – 🛗 📺 🚗 Ⓟ
46 Z : 74 B.

LANDSCHEID 5565. Rheinland-Pfalz – 2 300 Ew – Höhe 250 m – ☎ 06575.

Mainz 141 – Bitburg 24 – ♦Trier 35 – Wittlich 12.

In Landscheid-Burg NO : 3 km :

🏨 **Waldhotel Viktoria** 🌙, Burger Mühle, ☏ 6 41, Damwildgehege, ♨, 🏊, 🌳 – 📺 ☎ 🚗 Ⓟ 🏛. AE D E VISA. ✂ Rest
8.- 26. Jan. geschl. – Karte 26/58 🍷 – **50 Z : 100 B** 49/66 - 90/130.

In Landscheid-Niederkail SW : 2 km :

🏨 **Lamberty** 🌙, Brückenstr. 8, ☏ 42 86, 🌳, 🌳 – ☎ Ⓟ. AE. ✂
28. Feb.- 21. März geschl. – Karte 24/50 *(Montag geschl.)* – **21 Z : 40 B** 38/45 - 70/90 – P 55/60.

LANDSHUT **8300.** Bayern 413 T 21, 987 ㉗ – 62 000 Ew – Höhe 393 m – ☎ 0871.

Sehenswert : St. Martinskirche★ (Turm★★) – "Altstadt"★.

ℹ Verkehrsverein, Altstadt 315, ☎ 2 30 31.

ADAC, Kirchgasse 250, ☎ 2 68 36.

♦München 72 ⑤ – Ingolstadt 83 ① – ♦Regensburg 60 ② – Salzburg 128 ③.

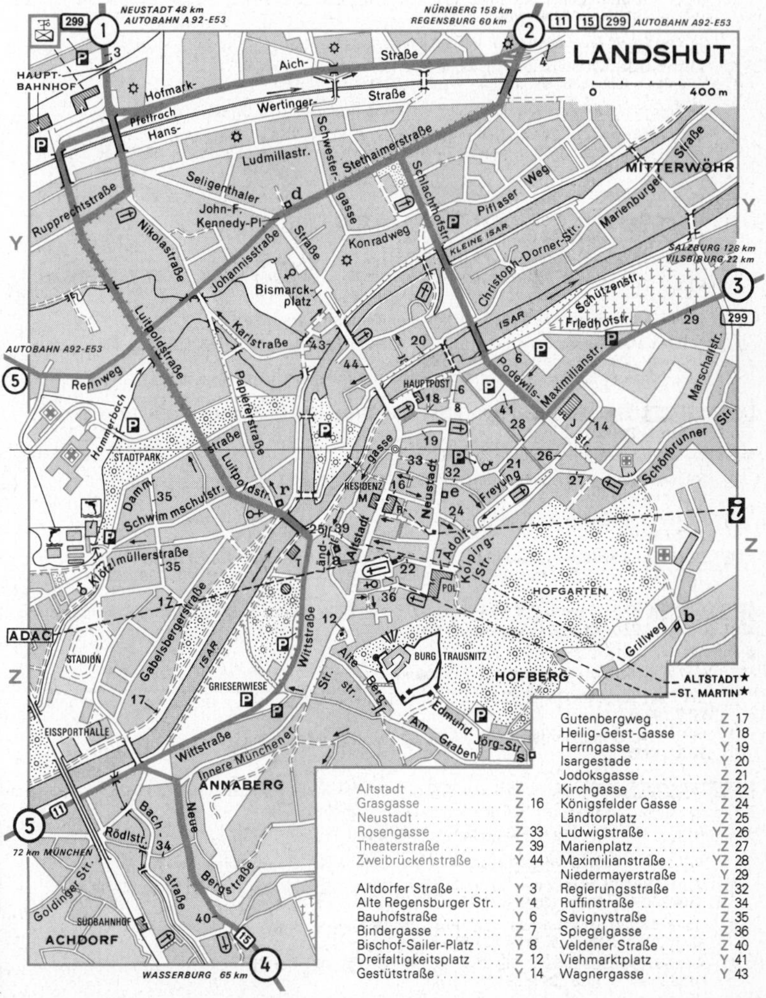

Altstadt	Z	
Grasgasse	Z	16
Neustadt	Z	
Rosengasse	Z	33
Theaterstraße	Z	39
Zweibrückenstraße	Y	44
Altdorfer Straße	Y	3
Alte Regensburger Str.	Y	4
Bauhofstraße	Y	6
Bindergasse	Z	7
Bischof-Sailer-Platz	Y	8
Dreifaltigkeitsplatz	Z	12
Gestütstraße	Y	14
Gutenbergweg	Z	17
Heilig-Geist-Gasse	Y	18
Herrngasse	Y	19
Isargestade	Y	20
Jodoksgasse	Z	21
Kirchgasse	Z	22
Königsfelder Gasse	Z	24
Ländtorplatz	Z	25
Ludwigstraße	YZ	26
Marienplatz	Z	27
Maximilianstraße	YZ	28
Niedermayerstraße	Y	29
Regierungsstraße	Z	32
Ruffinstraße	Z	34
Savignystraße	Z	35
Spiegelgasse	Z	36
Veldener Straße	Z	40
Viehmarktplatz	Y	41
Wagnergasse	Y	43

Kaiserhof, Papiererstr. 2, ☎ 68 70, Telex 58440, Fax 687403, – 🛗 TV 🚗 . AE ⓓ E VISA Z **r**
Karte 42/71 – **144 Z : 276 B** 115/200 - 160/280 Fb – 3 Appart. 400.

Romantik-Hotel Fürstenhof, Stethaimer Str. 3, ☎ 8 20 25, , « Restaurants Herzogstüberl und Fürstenzimmer », – TV 🚗 ℗. AE ⓓ E VISA Y **d**
Karte 38/70 *(2.- 6. Jan. und Sonntag geschl.)* – **22 Z : 42 B** 95/120 - 130/150 Fb.

Goldene Sonne, Neustadt 520, ☎ 2 30 87, Biergarten – 🛗 TV ☎ ℗. AE ⓓ E VISA Z **e**
Karte 27/50 *(Freitag ab 15 Uhr und 2.- 8. Jan. geschl.)* – **54 Z : 78 B** 72/75 - 102/108 Fb.

Fortsetzung →

🏨 **Zum Ochsenwirt**, Kalcherstr. 30, ☎ 2 34 39, Biergarten – [TV] ☏ [P] Z **s**
15. Aug.- 10. Sept. und 28. Dez.- 10. Jan. geschl. – Karte 20/37 *(Dienstag geschl.)* 🍷 – **9 Z : 18 B** 45/55 - 85/98.

🏨 Bergterrasse 🔇 garni, Gerhart-Hauptmann-Str. 1a (Nähe Kinderkrankenhaus), ☎ 8 91 90, « Blumengarten » – 🚗 Z **b**
15 Z : 28 B.

XX Beim Vitztumb (gotisches Gewölbe a. d. 15. Jh.), Ländgasse 51, ☎ 2 21 96 Z **a**
wochentags nur Abendessen.

In Landshut-Löschenbrand W : 2,5 km über Rennweg Y :

🏠 **Flutmulde**, Löschenbrandstr. 23, ☎ 6 93 13 – 🚗 [P]
(nur Abendessen für Hausgäste) – **20 Z : 23 B** 30/38 - 58/64.

In Ergolding-Piflas 8300 NO : 2 km über Alte Regensburger Straße Y :

🏠 **Ulrich Meyer** 🔇, Dekan-Simbürger-Str. 22, ☎ (0871) 7 34 07, Biergarten – 🚗 [P]
Mitte Aug.- Anfang Sept. geschl. – (nur Abendessen für Hausgäste) – **32 Z : 46 B** 27/42 - 55/80.

In Altdorf 8300 ① : 5 km :

🏨 **Hahn**, Querstr. 6, ☎ (0871) 3 20 88, ⛱ – [TV] ☏ [P]
Karte 23/34 – **30 Z : 48 B** 40/45 - 80/90 Fb.

🏨 **Wadenspanner**, Kirchgasse 2 (B 299), ☎ 3 18 21 – [TV] ☏ [P] 🎠
3.- 10. Jan. und 14.- 31. Aug. geschl. – Karte 22/48 *(Montag geschl.)* – **17 Z : 28 B** 50/60 - 90/100 Fb.

In Niederaichbach 8301 NO : 15 km über Niedermayerstraße Y :

XXX ✿ **Krausler**, Georg-Baumeister-Str. 25, ☎ (08702) 22 85, <, ⛱ – [P]. [AE] [D] [E]. 🐕
Montag - Dienstag geschl. – Karte 63/78
Spez. Terrine von Räucherfischen, Taube in Mangold auf Graupenrisotto, Pistazienpudding.

LANDSTUHL 6790. Rheinland-Pfalz [413] F 18, [987] ㉔, [57] ⑧ – 9 000 Ew – Höhe 248 m – Erholungsort – ☎ 06371.

Mainz 100 – Kaiserslautern 17 – ♦Saarbrücken 56.

🏨 Rosenhof, Am Köhlerwäldchen 6, ☎ 20 28, ⛱ – [TV] ☏ [P] 🎠
27 Z : 50 B.

🏨 Christine, Kaiserstr. 3, ☎ 30 44 – [TV] ☏ [P]
25 Z : 45 B.

🏨 **Zum Zuckerbäcker**, Hauptstr. 1, ☎ 1 25 55, ⛱ – ↕ [TV] ☏ [P]. [AE] [D] [E] [VISA]
1.- 14. Jan. geschl. – Karte 28/45 *(Mittwoch geschl.)* 🍷 – **21 Z : 38 B** 55/65 - 90/130 Fb.

LANGDORF 8371. Bayern [413] W 19 – 1 800 Ew – Höhe 675 m – Erholungsort – Wintersport : 650/700 m 🎿1 ⛷5 – ☎ 09921 (Regen).

[i] Verkehrsamt, Rathaus, ☎ 46 41.

♦München 175 – Cham 55 – Deggendorf 32 – Passau 66.

🏨 Zur Post, Regener Str. 2, ☎ 30 43, Damwildgehege, ♨, 🏊, 🌳 – [P]
22 Z : 45 B.

🏨 Wenzl 🔇, Degenbergstr. 18, ☎ 23 91, ⛱, ♨, 🏊, 🌳 – 🚗 [P]
26 Z : 48 B.

LANGELSHEIM 3394. Niedersachsen [987] ⑯ – 14 500 Ew – Höhe 212 m – ☎ 05326.

[i] Kurverwaltung, in Wolfshagen, Heinrich-Steinweg-Str. 8, ☎ 40 88.

♦Hannover 80 – ♦Braunschweig 41 – Göttingen 71 – Goslar 9.

In Langelsheim 3-Wolfshagen S : 4 km – Höhe 300 m – Erholungsort :

🏨 **Wolfshof** 🔇, Kreuzallee 22, ☎ 40 33, <, ⛱, ♨, 🏊, 🌳, 🐎 – ↕ [TV] ☏ [P]. [AE] [D] [E]
Karte 35/61 – **50 Z : 120 B** 90/110 - 120/160 Fb – P 90/140.

🏨 **Berg-Hotel**, Heimbergstr. 1, ☎ 40 62, ⛱, ♨, 🌳 – ☏ [P]
Karte 25/53 – **35 Z : 66 B** 44/55 - 84/98 Fb – P 67/74.

🏨 **Graber** 🔇, Spanntalstr. 15, ☎ 41 40, ⛱, ♨, 🏊, 🌳 – ☏ [P]
Karte 21/47 – **19 Z : 36 B** 39/45 - 74/78.

An der Innerstetalsperre SW : 6 km :

🏨 **Berghof Innerstetalsperre** 🔇, ✉ 3394 Langelsheim 1, ☎ (05326) 10 47, <, ⛱, ♨, Bootsverleih – [P]
Karte 26/39 *(Dienstag geschl.)* – **15 Z : 29 B** 32/46 - 58/86.

A l'occasion de certaines manifestations commerciales ou touristiques, les prix demandés par les hôteliers risquent d'être sensiblement majorés dans certaines villes et leurs alentours même éloignés.

[LANGEN] 6070. Hessen [413] I 17, [987] ㉕ – 30 000 Ew – Höhe 142 m – ☎ 06103.

[i] Städt. Information, Südliche Ringstr. 80, ☎ 20 31 45.

♦Wiesbaden 42 – ♦Darmstadt 14 – ♦Frankfurt am Main 16 – Mainz 36.

- Langener Hof, Robert-Bosch-Str. 26 (Industriegebiet), ☎ 77 01, Telex 413794, 🍴 – [lift] [minibar] Rest [TV] ☎ 🚗 [P] 🏃 (mit [minibar])
  60 Z : 100 B Fb.
- **Dreieich**, Frankfurter Str. 49 (B 3), ☎ 2 10 01 – [TV] [P]. [AE] [E] [VISA]
  Karte 26/35 *(nur Abendessen, Samstag - Sonntag geschl.)* – **50 Z : 100 B** 40/85 - 60/130 Fb.
- **Deutsches Haus**, Darmstädter Str. 23 (B 3), ☎ 2 20 51 – [lift] ☎ 🚗 [P] 🏃. [AE] [DC] [E] [VISA]. 🚫🐕 Rest
  27. Dez.- 13. Jan. geschl. – Karte 33/56 *(wochentags nur Abendessen, Samstag geschl.)* – **60 Z : 80 B** 45/90 - 90/140.
- **Scherer**, Mörfelder Landstr. 55 (B 486), ☎ 7 13 66 – 🚗 [P]
  (nur Abendessen für Hausgäste) – **32 Z : 45 B** 55/85 - 80/130.

[LANGENARGEN] 7994. Baden-Württemberg [413] L 24, [987] ㉟, [427] ⑦ – 5 600 Ew – Höhe 398 m – Erholungsort – ☎ 07543.

[i] Verkehrsamt, Obere Seestr. 2/2, ☎ 3 02 92.

♦Stuttgart 175 – Bregenz 24 – Ravensburg 27 – ♦Ulm (Donau) 116.

- **Löwen**, Obere Seestr. 4, ☎ 30 10 (Hotel) 3 01 30 (Rest.), ≤, 🍴, Biergarten, Fahrradverleih – [lift] [TV] ☎ 🚗 [P]. [AE] [DC] [E] [VISA]
  Mitte März - Nov. – Karte 40/75 *(Sept.- Juni Dienstag geschl.)* – **27 Z : 84 B** 95/135 - 130/180.
- **Schiff**, Marktplatz 1, ☎ 24 07, ≤, « Terrasse und Rebengarten am See » – [lift] [TV] ☎. 🚫🐕
  April - Okt. – Karte 26/47 – **42 Z : 70 B** 65/90 - 98/160 Fb – P 71/112.
- **Engel**, Marktplatz 3, ☎ 24 36, ≤, « Gartenterrasse », 🏖, 🌳 – [lift] 🚗 [P]. [DC]. 🚫🐕
  2. Jan.- 15. März geschl. – Karte 23/46 *(Mittwoch geschl.)* – **32 Z : 60 B** 70/85 - 96/160 – 5 Fewo 80.
- **Seeterrasse** 🔇, Obere Seestr. 52, ☎ 23 50, ≤, « Caféterrasse am See », 🏊 (geheizt), 🌳 – [lift] ☎ [P]. 🚫🐕 Rest
  Mitte April - Mitte Okt. – (Restaurant nur für Hausgäste) – **53 Z : 80 B** 70/110 - 160/180.
- **Strand-Café** 🔇 garni (mit Gästehaus Charlotte), Obere Seestr. 32, ☎ 24 34, ≤, « Caféterrasse », 🌳 – [TV] 🚗 [P]. [DC] [VISA]
  Jan. geschl. – **16 Z : 27 B** 60/65 - 96/130 Fb.
- **Litz** garni, Obere Seestr. 11, ☎ 22 12, ≤ – [lift] [TV] ☎ 🚗 [P]. [E]. 🚫🐕
  Mitte März - Okt. – **36 Z : 57 B** 65/90 - 84/130 Fb.
- **Adler**, Oberdorfer Str. 11, ☎ 24 41 – 🚗 [P]
  20. Okt.- 1. Dez. geschl. – Karte 23/44 *(Nov.- April Donnerstag geschl.)* – **16 Z : 32 B** 48/75 - 84/120.

In Langenargen-Oberdorf NO : 3 km :

- **Hirsch** 🔇, Ortsstr. 1, ☎ 22 17, 🍴, 🌳 – ☎ [P]. [DC] [VISA]. 🚫🐕
  22. Dez.- Jan. geschl. – Karte 23/44 *(Freitag geschl.)* 🍷 – **25 Z : 48 B** 48/55 - 78/96 Fb.

In Langenargen-Schwedi NW : 2 km :

- **Schwedi** 🔇, ☎ 21 42, ≤, « Gartenterrasse », 🏊 (geheizt), 🌳 – [TV] ☎ [P]
  Nov.- Jan. geschl. – Karte 25/50 *(Dienstag geschl.)* – **24 Z : 41 B** 50/80 - 90/130 Fb.

[LANGENAU] 7907. Baden-Württemberg [413] N 21, [987] ㊱ – 11 600 Ew – Höhe 467 m – ☎ 07345.

♦Stuttgart 99 – ♦Augsburg 69 – Heidenheim an der Brenz 32 – ♦Ulm (Donau) 18.

- Weißes Roß, Hindenburgstr. 29, ☎ 80 10, Telex 712807, 🧖, 🏊 – [lift] [TV] ☎ [P] 🏃. 🚫🐕
  (Restaurant nur für Hausgäste) – **72 Z : 108 B** Fb.
- Pflug garni, Hindenburgstr.56, ☎ 70 71 – [lift] ☎ [P]
  29 Z : 47 B Fb.

In Rammingen 7901 NO : 4 km :

- **Romantik-Hotel Landgasthof Adler** 🔇, Riegestr. 15, ☎ (07345) 70 41 – [TV] ☎ 🚗 [P]. [AE] [DC] [E]
  10.- 27. Jan. und 15. Aug.- 5. Sept. geschl. – Karte 42/62 *(Montag - Dienstag 18 Uhr geschl.)* – **12 Z : 17 B** 70/75 - 120/130.

[LANGENBERG] 4831. Nordrhein-Westfalen – 6 700 Ew – Höhe 74 m – ☎ 05248.

♦Düsseldorf 155 – Lippstadt 12 – Rheda-Wiedenbrück 7.

- **Otterpohl**, Hauptstr. 1, ☎ 2 66 – 🚗 [P]
  5.- 20. Sept. geschl. – Karte 42/38 *(Sonntag ab 13 Uhr geschl.)* – **12 Z : 17 B** 33/45 - 60/90.

[LANGENBRAND] Baden-Württemberg siehe Schömberg (Kreis Calw).

[LANGENBRÜCKEN] Baden-Württemberg siehe Schönborn, Bad.

LANGENBURG 7183. Baden-Württemberg [413] M 19, [987] ㉕ ㉖ – 1 900 Ew – Höhe 439 m – Luftkurort – ✆ 07905 – **Sehenswert :** Schloß (Innenhof★, Automuseum).

[i] Verkehrsamt, Rathaus, Hauptstr. 15, ☎ 10 11.

♦Stuttgart 105 – Heilbronn 65 – ♦Nürnberg 136 – Schwäbisch Hall 25 – ♦Würzburg 99.

🏨 **Post**, Hauptstr. 55, ☎ 3 52 – 🚗 [P]
Mitte Jan.- Mitte Feb. geschl. – Karte 22/40 *(Montag geschl.)* 🍷 – **14 Z : 27 B** 35/42 - 64/75.

🏠 **Krone**, Hauptstr. 24, ☎ 2 39 – [P]
10. Jan.- 25. Feb. geschl. – Karte 18,50/38 *(Dienstag geschl.)* 🍷 – **13 Z : 20 B** 29/32 - 58/64.

LANGENFELD 4018. Nordrhein-Westfalen [987] ㉓㉔ – 48 200 Ew – Höhe 45 m – ✆ 02173.

♦Düsseldorf 23 – ♦Köln 26 – Solingen 13.

🏨 Mondial garni, Solinger Str. 188 (B 229), ☎ 2 30 33, Telex 8515657, ≘s, [🏊] – [lift] [TV] ☎ [P]
36 Z : 48 B.

🏨 Stadt Langenfeld, Hauptstr. 125, ☎ 14 90 01 – [TV] ☎ [P] – **22 Z : 30 B** Fb.

🏨 **Kutscheid** 🔇 garni, Schulstr. 44, ☎ 1 30 36 – [TV] ☎ [P]. [AE] (O) E VISA
15 Z : 25 B 60/65 - 105/110.

🏨 **Olympia**, Düsseldorfer Str. 18 a (B 8), ☎ 1 76 62 – ☎ [P]. (O) E. 🚫🐕
Karte 23/51 *(Montag geschl.)* – **16 Z : 22 B** 66/120 - 120/180.

An der B 229 NO : 4 km :

🏨 **Lohmann's Hotel Gravenberg**, Elberfelder Str. 45, ✉ 4018 Langenfeld, ☎ (02173) 2 30 61, ⛱, Damwildgehege, ≘s, [🏊], 🌳 – [TV] ☎ 🚗 [P] 🎯. [AE] (O) E
22. Dez.- 8. Jan. geschl. – Karte 33/68 *(Sonntag 15 Uhr - Montag und Anfang Juli - Anfang August geschl.)* – **41 Z : 62 B** 95/135 - 145/185 Fb.

In Langenfeld-Reusrath :

XX **Haus Hagelkreuz** mit Zim, Opladener Str. 19 (B 8), ☎ 1 70 33, « Gemütlich-rustikale Einrichtung » – [TV] ☎ [P]. [AE] (O) E VISA
Juli - Aug. 3 Wochen geschl. – Karte 29/61 – **7 Z : 12 B** 70/90 - 120/130.

LANGENFELD 5441. Rheinland-Pfalz – 750 Ew – Höhe 510 m – ✆ 02655.

Mainz 157 – ♦Bonn 67 – ♦Koblenz 65 – ♦Trier 101.

🏨 **Zum Anker**, Mayener Str. 20, ☎ 6 04, 🌳 – [P]. 🚫🐕 Rest
Anfang - Mitte Nov. geschl. – Karte 18/38 – **10 Z : 18 B** 25/27 - 50/54.

LANGENHAGEN Niedersachsen siehe Hannover.

LANGEOOG (Insel) 2941. Niedersachsen [987] ④ – 3 100 Ew – Seeheilbad – Insel der ostfriesischen Inselgruppe. Autos nicht zugelassen – ✆ 04972.

⛴ von Bensersiel (ca. 45 min), ☎ (04972) 5 55.

[i] Kurverwaltung, Hauptstr. 28, ☎ 69 30.

♦Hannover 266 – Aurich/Ostfriesland 28 – Wilhelmshaven 54.

🏨 **Flörke** 🔇, Hauptstr. 17, ☎ 60 97, 🌳 – [lift] ☎. 🚫🐕
nur Saison – (Restaurant nur für Hausgäste) – **50 Z : 90 B** 75/90 - 130/160 Fb – P 90/110 (Wiedereröffnung nach Umbau Mai 1989).

🏨 **Strandeck** 🔇, Kavalierspad 2, ☎ 7 55, ≘s, [🏊], 🌳 – [lift] ☎. (O) E VISA. 🚫🐕 Rest
Ende März - Mitte Okt. – Karte 42/115 *(Tischbestellung erforderlich)* (abends nur Menu, Donnerstag geschl.) – **42 Z : 72 B** (nur ½ P) 108/130 - 212/260 Fb.

🏨 **Upstalsboom** 🔇, Hauptstr. 38, ☎ 60 66, ⛱, ≘s, 🌳, Fahrradverleih – [TV] ☎. [AE] (O) E VISA
Karte 31/68 *(Nov.- Mitte März garni)* – **37 Z : 68 B** 79/99 - 158 Fb – 15 Fewo 164.

🏨 **Kolb** 🔇, Barkhausenstr. 32, ☎ 4 04 – 🚫🐕
15. März - Okt. – (nur Abendessen für Hausgäste) – **20 Z : 42 B** (nur ½ P) 88 - 156/166 Fb.

🏨 **Haus Westfalen** 🔇, Abke-Jansen-Weg 6, ☎ 2 65 – 🚫🐕
10. Jan.- Feb. und Nov.- 25. Dez. geschl. – Karte 29/51 – **33 Z : 60 B** 66/85 - 132/175 Fb – P 113/130.

Siehe auch : ***Liste der Feriendörfer***

LANGERRINGEN Bayern siehe Schwabmünchen.

LANG - GÖNS Hessen siehe Butzbach.

LANGMÜHLE Rheinland-Pfalz siehe Lemberg.

LATHEN 4474. Niedersachsen [987] ⑭ – 3 800 Ew – Höhe 30 m – ✆ 05933.

♦Hannover 235 – Cloppenburg 57 – Groningen 86 – Lingen 37.

🏨 **Pingel Anton** (modernes Gästehaus), Sögeler Str. 2, ☎ 3 27, 🌳, Fahrradverleih – [TV] ☎ 🚗 [P]. [AE] (O) E VISA
27. Dez.- 12. Jan. und 1.- 14. Juli geschl. – Karte 27/61 *(Montag geschl.)* – **32 Z : 60 B** 58 - 115 Fb – 7 Fewo 380/400 (pro Woche).

LATROP Nordrhein-Westfalen siehe Schmallenberg.

LAUBACH 6312. Hessen 413 JK 15 – 10 300 Ew – Höhe 250 m – Luftkurort – ☎ 06405.

Kurverwaltung, Friedrichstr. 11, ✆ 2 81.

♦Wiesbaden 101 – ♦Frankfurt am Main 73 – Gießen 28.

Waldhaus, An der Ringelshöhe (B 276 - O : 2 km), ✆ 2 52. – ☎ Ⓟ . AE
Karte 27/53 – **34 Z : 60 B** 46/68 - 84/116 Fb – P 62/90.

Café Göbel, Friedrichstr. 2, ✆ 13 80, – Ⓟ – **13 Z : 20 B**.

In Laubach-Gonterskirchen SO : 4 km :

Tannenhof mit Zim, ✆ 17 32, ≤, – TV ☎ Ⓟ – **9 Z : 16 B**.

LAUBACH-LEIENKAUL 5443. Rheinland-Pfalz – 1 000 Ew – Höhe 467 m – ☎ 02653 (Kaisersesch) – Mainz 139 – Cochem 18 – ♦Koblenz 49 – ♦Trier 80.

Eifelperle, Eifelstr. 34 (Laubach), ✆ 34 25, – Ⓟ – **13 Z : 27 B**.

LAUBENHEIM Rheinland-Pfalz siehe Bingen.

LAUCHRINGEN Baden-Württemberg siehe Waldshut-Tiengen.

LAUDA-KÖNIGSHOFEN 6970. Baden-Württemberg 413 M 18 – 14 900 Ew – Höhe 192 m – ☎ 09343 – ♦Stuttgart 120 – Bad Mergentheim 12 – ♦Würzburg 40.

Ratskeller, Josef-Schmitt-Str. 17 (Lauda), ✆ 9 57 – TV ☎ Ⓟ. AE E.
Karte **27**/53 *(Montag bis 17 Uhr geschl.)* – **11 Z : 20 B** 45/50 - 80/90.

Zur alten Schmiede, Maierstr. 1 (Lauda), ✆ 9 74 – TV ☎ Ⓟ – **12 Z : 21 B**.

Gemmrig's Landhaus mit Zim, Hauptstr. 68 (Königshofen), ✆ 80 84 – ☎ Ⓟ
1.- 7. Jan. und 17.- 28. Juli geschl. – Karte 15/39 *(Montag geschl.)* – **5 Z : 9 B** 40 - 70.

In Lauda-Königshofen - Beckstein SW : 2 km ab Königshofen :

Adler, Weinstr. 24, ✆ 20 71, – ☎ Ⓟ. E
Karte 20/41 – **26 Z : 52 B** 40/50 - 76/96.

Gästehaus Birgit garni (siehe auch Weinstuben Beckstein), Am Nonnenberg 12, ✆ 9 98, ≤, – ☎ Ⓟ
16 Z : 32 B 45/60 - 70/100.

Weinstuben Beckstein, Weinstr. 32, ✆ 82 00, – Ⓟ
Jan. und Mittwoch geschl. – Karte 18/46.

LAUDENBACH 8761. Bayern 413 K 17 – 1 200 Ew – Höhe 129 m – ☎ 09372.

♦München 358 – Amorbach 14 – Aschaffenburg 32 – ♦Würzburg 82.

Zur Krone mit Zim (Gasthof a.d.J. 1726), Obernburger Str. 4, ✆ 24 82, « Hübsches bäuerliches Restaurant » – ☎
März geschl. – Karte 30/67 *(Donnerstag - Freitag 17 Uhr geschl.)* – **8 Z : 14 B** 55/95 - 85/150.

LAUENBURG AN DER ELBE 2058. Schleswig-Holstein 987 ⑤ ⑥ – 11 000 Ew – Höhe 45 m – ☎ 04153.

Fremdenverkehrsamt, im Schloß, ✆ 59 09 81.

♦Kiel 121 – ♦Hannover 149 – ♦Hamburg 44 – Lüneburg 25.

Möller, Elbstr. 48 (Unterstadt), ✆ 20 11, ≤, – TV ☎ . AE ⓓ E VISA
Karte 25/55 – **34 Z : 72 B** 36/85 - 62/130 Fb.

Bellevue, Blumenstr. 29, ✆ 23 18, ≤, – Ⓟ
Karte 25/53 – **12 Z : 22 B** 34/48 - 68/88.

LAUENSTEIN Niedersachsen siehe Salzhemmendorf.

LAUF AN DER PEGNITZ 8560. Bayern 413 Q 18, 987 ㉖ – 23 000 Ew – Höhe 310 m – ☎ 09123.

♦München 173 – Bayreuth 62 – ♦Nürnberg 17.

Gasthof Wilder Mann, Marktplatz 21, ✆ 50 05, « Altfränkische Hofanlage » – ☎ Ⓟ
22. Dez.- 6. Jan. geschl. – Karte 18/40 *(nur Abendessen, Sonn- und Feiertage geschl.)* – **24 Z : 34 B** 35/65 - 62/92.

Schwarzer Bär, Marktplatz 6, ✆ 27 89
März und Nov. jeweils 3 Wochen geschl. – Karte 19/35 *(Dienstag geschl.)* – **13 Z : 26 B** 30/45 - 50/70.

Altes Rathaus, Marktplatz 1, ✆ 27 00.

An der Straße nach Altdorf S : 2,5 km :

Waldgasthof Am Letten, Letten 13, ✉ 8560 Lauf an der Pegnitz, ✆ (09123) 20 61, Telex 626887, – ☎ Ⓟ
Ende Dez.- Mitte Jan. geschl. – Karte 28/55 *(Montag geschl.)* – **50 Z : 72 B** 64/75 - 105/125 Fb.

LAUFEN 8229. Bayern 413 V 23, 987 ㊳, 426 ⑲ – 5 600 Ew – Höhe 401 m – Erholungsort – 08682.

Verkehrsverband, Laufen-Leobendorf, 18 10.

♦München 151 – Burghausen 38 – Salzburg 20.

Am Abtsdorfer See SW : 4 km :

Seebad, 8229 Laufen-Abtsee, (08682) 2 58, ≤, –
15. Nov.- 15. Feb. geschl. – Karte 19/37 *(Freitag geschl.)* – **27 Z : 48 B** 27/40 - 49/74 – P 48/60.

LAUFENBURG (BADEN) 7887. Baden-Württemberg 413 H 24, 987 ㉞㉟, 426 ⑲ – 7 500 Ew – Höhe 337 m – 07763.

♦Stuttgart 195 – Basel 39 – Waldshut-Tiengen 15.

Alte Post, Andelsbachstr. 6a, 78 36, Terrasse am Rhein, – . AE
Karte 19/42 *(Montag geschl.)* – **15 Z : 25 B** 38/45 - 65/90.

In Laufenburg-Luttingen O : 2,5 km :

Kranz, Luttinger Str. 22 (B 34), 38 33 –
1.- 15. Feb. und 15.- 30. Sept. geschl. – Karte 25/44 *(Mittwoch geschl.)* – **13 Z : 18 B** 30/35 - 60/70.

LAUFFEN AM NECKAR 7128. Baden-Württemberg 413 K 19, 987 ㉕ – 9 000 Ew – Höhe 172 m – 07133.

♦Stuttgart 49 – Heilbronn 10 – Ludwigsburg 33.

Elefanten, Bahnhofstr. 12, 51 23 – . AE E
1.- 20. Jan. geschl. – Karte **32**/56 *(Freitag geschl.)* – **13 Z : 22 B** 68/75 - 110/125.

Gästehaus Schick garni, Lange Str. 69, 86 17
10 Z : 14 B.

LAUINGEN AN DER DONAU 8882. Bayern 413 O 21, 987 ㊱ – 9 300 Ew – Höhe 439 m – 09072.

♦München 113 – ♦Augsburg 55 – Donauwörth 31 – ♦Ulm (Donau) 48.

Reiser, Bahnhofstr. 4, 30 96 – . E. Rest
Mitte Aug.- Anfang Sept. geschl. – Karte 19,50/43 *(Sonn- und Feiertage ab 14 Uhr und Montag geschl.)* – **30 Z : 50 B** 43/55 - 65/84.

Drei Mohren, Imhofstr. 6, 40 71 –
Karte 23/59 *(Freitag 15 Uhr - Samstag geschl.)* – **13 Z : 18 B** 62 - 110.

LAUPHEIM 7958. Baden-Württemberg 413 M 22, 987 ㊱, 426 ① ⑭ – 15 000 Ew – Höhe 515 m – 07392.

♦Stuttgart 118 – Ravensburg 62 – ♦Ulm (Donau) 26.

Laupheimer Hof, Rabenstr. 13, 30 23, – . AE E
Karte 27/56 – **28 Z : 40 B** 59/67 - 119 Fb.

Zum Wyse, Kapellenstr. 10, 30 91 –
20 Z : 24 B Fb.

Post, Ulmer Str. 2, 60 27 – . Zim
11 Z : 18 B.

LAURENBURG Rheinland-Pfalz siehe Holzappel.

LAUTENBACH (ORTENAUKREIS) 7606. Baden-Württemberg 413 H 21, 242 ㉔, 87 ⑤ – 1 900 Ew – Höhe 210 m – Luftkurort – 07802 (Oberkirch).

Verkehrsamt, Hauptstr. 48, 22 26.

♦Stuttgart 143 – Freudenstadt 39 – Offenburg 19 – Strasbourg 33.

Sternen, Hauptstr. 47 (B 28), 35 38 –
Mitte Nov.- Mitte Dez. geschl. – Karte 26/49 *(Montag geschl.)* – **43 Z : 70 B** 35/49 - 70/98 – P 54/66.

Sonne - Gästehaus Sonnenhof, Hauptstr. 51 (B 28), 40 61, – . AE E
Karte 21/54 *(Mittwoch und Nov.- 3. Dez. geschl.)* – **30 Z : 56 B** 50/60 - 80/100 Fb – P 64/90.

Zum Kreuz, Hauptstr. 66 (B 28), 45 60, –
15. Nov.- 15. Dez. geschl. – Karte 19/40 *(Dienstag geschl.)* – **28 Z : 45 B** 28/36 - 56/72 – P 46/54.

Dorfschänke garni, Hauptstr. 59 (B 28), 44 47 –
12 Z : 22 B.

Auf dem Sohlberg NO : 6 km – Höhe 780 m :

Berggasthaus Wandersruh, Sohlbergstr. 34, 7606 Lautenbach, (07802) 24 73, ≤ Schwarzwald und Rheinebene, –
Feb.- 15. März geschl. – Karte 17,50/34 *(Dienstag geschl.)* – **25 Z : 50 B** 34/38 - 58/72 – 3 Fewo 46.

[LAUTERBACH] 7233. Baden-Württemberg [413] I 22 – 3 500 Ew – Höhe 575 m – Luftkurort – Wintersport : 800/900 m ⛷1 ⛷2 – ☎ 07422 (Schramberg).

[i] Verkehrsbüro, Rathaus, ☎ 43 70 (ab Mai 1989 : Schramberger Str. 5).

♦Stuttgart 122 – ♦Freiburg im Breisgau 60 – Freudenstadt 41 – Offenburg 55 – Schramberg 4.

🏨 Tannenhof, Schramberger Str. 61, ☎ 30 81, ♨, 🌳 – |$| ☎ 🚗 [P] 🏃. 🚫 Zim
41 Z : 79 B Fb.

🏨 **Kurpension Schwarzwaldblick** 🌙 garni, Imbrand 5 (NW : 2 km), ☎ 2 01 90, ←, Badeabteilung, ♨, 🏊, 🌳
15. Mai - 15. Okt. – **12 Z : 24 B** 35/46 - 70/92 Fb.

🏨 **Holzschuh**, Siebenlinden 2, ☎ 44 40, 🏊 (geheizt), 🌳 – 🚗 [P]. [E] [VISA]
20. Okt.- 20. Nov. geschl. – Karte 25/40 🍷 – **9 Z : 18 B** 38/45 - 76/90.

In Lauterbach-Fohrenbühl 7231 W : 4 km :

🏨 **Pension Lauble** 🌙 garni, Fohrenbühl 65, ☎ (07833) 66 09, 🌳 – [P]
Nov. geschl. – **22 Z : 35 B** 30 - 62.

[LAUTERBACH] 6420. Hessen [987] ㉕ – 15 000 Ew – Höhe 296 m – Luftkurort – ☎ 06641.

[i] Verkehrsverein, Rathaus, Marktplatz 14, ☎ 1 84 12.

♦Wiesbaden 151 – Fulda 25 – Gießen 68 – ♦Kassel 110.

🏨 **Schubert** (mit Weinstube Entennest, ab 19.30 Uhr geöffnet), Kanalstr. 12, ☎ 30 75, Telex 49276 – [TV] ☎ 🏃. [AE] [D] [E] [VISA]. 🚫 Rest
Karte 24/57 *(Sonntag 15 Uhr - Montag und Juli - Aug. 2 Wochen geschl.)* – **29 Z : 48 B** 56/96 - 96/145 Fb – P 86/111.

[LAUTERBAD] Baden-Württemberg siehe Freudenstadt.

[LAUTERBERG, BAD] 3422. Niedersachsen [987] ⑯ – 14 000 Ew – Höhe 300 m – Kneippheilbad und Schrothkurort – ☎ 05524.

[i] Städtische Kur- und Badeverwaltung, im Haus des Kurgastes, ☎ 40 21.

♦Hannover 116 – ♦Braunschweig 87 – Göttingen 49.

🏨 Revita, Promenade 56 (Am Kurpark), ☎ 8 31, Telex 96245, 🍴, Bade- und Massageabteilung, 🏃, ♨, 🏊, 🎾 (Halle), Ferienfahrschule – |$| 🚫 Rest [TV] ♿ 🚗 [P] 🏃. 🚫 Rest
283 Z : 564 B Fb.

🏨 **Kneipp-Sanatorium Mühl**, Ritscherstr. 1, ☎ 40 66, Bade- und Massageabteilung, 🏃, ♨, 🏊, 🌳 – |$| [TV] [P]. [D]. 🚫
Dez.- 15. Jan. geschl. – (Restaurant nur für Hausgäste) – **73 Z : 90 B** 60/130 - 120/190 Fb – P 90/115.

🏨 **Kneipp-Kurhotel Wiesenbeker Teich** 🌙, Wiesenbek 75 (O: 3 km), ☎ 29 94, ←, « Gartenterrasse », Bade- und Massageabteilung, 🏃, ♨, 🏊, 🌳 – |$| ☎ 🚗 [P]. [AE] [D] [E]
Karte 32/67 – **Le Gourmet** *(nur Abendessen, Dienstag geschl.)* Karte 46/84 – **39 Z : 66 B** 60/85 - 110/160 – P 100/120.

🏨 **Kurhotel Riemann**, Promenade 1, ☎ 30 95, 🍴, 🌳 – |$| [TV] ☎ 🚗 [P]. [AE] [D] [E]
Karte 23/50 – **36 Z : 63 B** 32/58 - 60/90 – P 60/88.

🏨 ✦ **Kneipp-Kurhotel St. Hubertusklause** 🌙, Wiesenbek 16, ☎ 29 55, Caféterrasse, Bade- und Massageabteilung, 🏃, ♨, 🌳 – |$| ☎ 🚗 [P]. 🚫 Zim
Karte 16/40 – **31 Z : 38 B** 50/70 - 100/140 – P 80/100.

🏨 **Alexander**, Promenade 4, ☎ 29 23, 🍴, ♨ – [TV] ☎ 🚗 [P]. [AE] [D] [E]
Karte 24/46 – **14 Z : 27 B** 50/70 - 90 – P 75.

[LAUTERECKEN] 6758. Rheinland-Pfalz [987] ㉔ – 2 300 Ew – Höhe 165 m – ☎ 06382.

Mainz 83 – Bad Kreuznach 38 – Kaiserslautern 32 – ♦Saarbrücken 85.

🏨 ✦ **Pfälzer Hof**, Hauptstr. 12, ☎ 3 38, ♨ – ☎ 🚗 [P]. [AE] [D] [E] [VISA]. 🚫
5.- 26. Juli und 27. Dez.- 8. Jan. geschl. – Karte 18/36 *(Freitag geschl.)* 🍷 – **15 Z : 30 B** 37/45 - 66/84.

[LAUTERSEE] Bayern siehe Mittenwald.

[LEBACH] 6610. Saarland [987] ㉔, [242] ⑥ ⑦, [57] ⑥ – 21 200 Ew – Höhe 275 m – ☎ 06881.

♦Saarbrücken 24 – Saarlouis 20 – St. Wendel 24.

🏨 **Klein**, Marktstr. 2, ☎ 23 05 – 🚗 [P]
(nur Abendessen für Hausgäste) – **14 Z : 20 B** 32/38 - 58/68.

[LECHBRUCK] 8923. Bayern [413] P 23, [426] ⑯ – 2 200 Ew – Höhe 730 m – Erholungsort – ☎ 08862 – **Ausflugsziel** : Wies : Kirche** SO : 10 km.

[i] Verkehrsverein im Rathaus, Flößerstr. 1, ☎ 85 21.

♦München 103 – Füssen 20 – Landsberg am Lech 47 – Marktoberdorf 20.

🏨 **Königshof** 🌙, Hochbergle 1a, ☎ 71 71, Telex 59755, ←, 🍴, Bade- und Massageabteilung, 🏃, ♨, 🌳, Fahrrad- und Skiverleih – |$| [P] 🏃. [AE] [D] [E] [VISA]
Karte 27/50 – **57 Z : 114 B** 75/85 - 130/150 Fb – P 115/135.

⌂ Hirsch 🐦, Brandach 20, ✆ 82 63, ←, 🌳 – [P]
25 Z : 43 B.

⌂ **Pension Keller** 🐦 garni, Am Bichl 12, ✆ 82 29, 🌲 – 🚗 [P]
Nov.- Mitte Dez. geschl. – **12 Z : 22 B** 25 - 40/50.

Siehe auch : ***Liste der Feriendörfer***

[LECK] **2262.** Schleswig-Holstein [987] ④⑤ – 7 700 Ew – Höhe 6 m – ☎ 04662.
♦Kiel 110 – Flensburg 33 – Husum 36 – Niebüll 11.

🏨 **Thorsten** garni, Hauptstr. 31, ✆ 9 63 – [TV] ☎ [P]. [AE] [E]
18 Z : 30 B 56 - 96.

In Stedesand **2263** SW : 6 km :

🏨 Deichgraf, an der B 5, ✆ (04662) 27 50 – ☎ [P]. 🚫🐕
7 Z : 10 B.

[LEER] **2950.** Niedersachsen [987] ⑭ – 30 000 Ew – Höhe 7 m – ☎ 0491.
[i] Verkehrsbüro, Mühlenstraße (am Denkmal), ✆ 6 10 71, Telex 27603.
♦Hannover 234 – Emden 31 – Groningen 69 – ♦Oldenburg 63 – Wilhelmshaven 66.

🏨 **Ostfriesen Hof**, Groninger Str. 109, ✆ 6 30 66 – ☎ ♿ [P] 🏛. [AE] [D] [E] [VISA]
Karte 22/49 – **30 Z : 64 B** 50/55 - 90/98 Fb.

🏨 **Central-Hotel**, Pferdemarktstr. 47, ✆ 23 71 – [TV] ☎ 🚗 [P]
Karte 28/53 – **20 Z : 35 B** 55 - 88/110.

🏨 Oberledinger Hof, Bremer Str. 33, ✆ 1 20 72, ♨ – [TV] ☎ [P]
40 Z : 70 B.

XX **Zur Waage und Börse**, Neue Str. 1, ✆ 6 22 44, 🌳 – [P] 🏛. [AE] [D] [E]
Karte 35/69 (Tischbestellung ratsam).

Nahe der B 70, Richtung Papenburg SO : 4,5 km :

🏨 **Lange**, Zum Schöpfwerk 1, ✉ 2950 Leer-Nettelburg, ✆ (0491) 1 20 11, ←, 🌳, ♨, 🏊, 🌲 –
[TV] ☎ 🚗 [P]. [AE] [E]
Karte 28/54 *(Sonntag geschl.)* – **45 Z : 72 B** 60/70 - 110 Fb.

Nahe der B 75, Richtung Hesel NO : 5 km :

🏨 **Park-Hotel Waldkur** 🐦, Zoostr. 14, ✉ 2950 Leer-Logabirum, ✆ (0491) 7 10 88 – [TV] ☎ [P]
🏛. [AE] [D] [E] [VISA]
Karte 25/55 *(im nahegelegenen Park-Restaurant)* – **40 Z : 80 B** 50/65 - 90/115 Fb.

[LEEZEN] Schleswig-Holstein siehe Segeberg, Bad.

[LEGAU] **8945.** Bayern [413] N 23, [426] ⑮ – 2 900 Ew – Höhe 670 m – ☎ 08330.
♦München 133 – Kempten (Allgäu) 27 – Leutkirch 12 – Memmingen 19.

🏨 **Löwen**, Marktplatz 3, ✆ 2 23 – [TV] 🚗 [P]
✦ Karte 15,50/33 *(Samstag geschl.)* 🍷 – **27 Z : 60 B** 35 - 60.

[LEHRTE] **3160.** Niedersachsen [987] ⑮ – 40 400 Ew – Höhe 66 m – ☎ 05132.
♦Hannover 20 – ♦Braunschweig 47 – Celle 33.

🏨 **Alte Post**, Poststr. 8, ✆ 40 01, ♨ – ☎ [P] 🏛. [D] [VISA]
Karte 25/54 *(Sonntag geschl.)* – **40 Z : 58 B** 90/98 - 148/175 Fb.

In Lehrte-Ahlten SW : 4 km :

🏨 **Zum Dorfkrug**, Hannoversche Str. 29, ✆ 60 03, ♨, 🏊 (Gebühr), 🌲 – ☎ [P]. [AE] [E]
20. Dez.- 5. Jan. geschl. – Karte 28/47 *(nur Abendessen)* – **29 Z : 52 B** 70/130 - 120/170.

In Lehrte-Steinwedel NO : 6 km über die B 443 :

⌂ **Steinwedeler Dorfkrug**, Dorfstr. 10, ✆ (05136) 33 52 – [P]
✦ *Juli geschl.* – Karte 19/42 *(wochentags nur Abendessen, Montag geschl.)* – **14 Z : 20 B** 35/40 - 70/90.

[LEICHLINGEN] **5653.** Nordrhein-Westfalen – 24 600 Ew – Höhe 60 m – ☎ 02175.
♦Düsseldorf 29 – ♦Köln 23 – Solingen 11.

🏨 **Am Stadtpark**, Am Büscherhof 1a, ✆ 10 18, 🌳, ♨ – [lift] ☎ 🏛 (mit 🍽). [AE] [D] [E] [VISA]
Karte 31/68 – **35 Z : 65 B** 80/110 - 120/190 Fb.

X **Bier- und Speisegasthaus**, Bahnhofstr. 11 B, ✆ 39 43 – [P]. [AE] [D] [E]
Samstag bis 17 Uhr, über Karneval und 15. Juni - 10. Juli geschl. – Karte 26/58.

In Leichlingen-Witzhelden O : 8,5 km :

XX **Landhaus Lorenzet**, Neuenhof 1, ✆ (02174) 3 86 86, 🌳 – [P]. [AE] [D] [E]
2.- 26. Jan. geschl. – Karte 38/74.

LEIDERSBACH 8751. Bayern [413] K 17 – 2 500 Ew – Höhe 196 m – ☎ 06092.
♦München 351 – Aschaffenburg 14 – ♦ Frankfurt am Main 51 – ♦Würzburg 75.

In Leidersbach 4-Volkersbrunn SO : 3 km :

Zur Rose, Volkersbrunner Str. 11, ☎ 2 02, ☂, ≋, 🌳 – [P]
8. Feb.- 2. März und 1.- 23. Nov. geschl. – Karte 22/40 *(Donnerstag geschl.)* 🍷 – **11 Z : 21 B** 20/32 - 40/60 – P 40/52.

LEIMEN 6906. Baden-Württemberg [413] J 18 – 18 000 Ew – Höhe 120 m – ☎ 06224 (Sandhausen).
♦Stuttgart 109 – Bruchsal 28 – Heidelberg 7.

Seipel garni, Am Sportpark, ☎ 7 10 89 – |♦| [TV] ☎ [P]
22. Dez.- 8. Jan. geschl. – **24 Z : 35 B** 75/82 - 108/128.

Zum Bären, Rathausstr. 20, ☎ 7 15 04, Gartenwirtschaft – |♦| [TV] ☎ [P]. [AE] [E] [VISA]
Karte 22/43 *(Montag geschl.)* 🍷 – **29 Z : 40 B** 45/80 - 75/120 Fb.

Traube, St.-Ilgener-Str. 9, ☎ 7 17 27 – ☎. [E]
Juli - Aug. 3 Wochen geschl. – Karte 48/65 *(Sonntag geschl.)* 🍷 – **24 Z : 40 B** 50/75 - 85/135 Fb.

🍴 **Seeger's Weinstube**, J.-Reidel-Str. 2, ☎ 7 14 96 – [D] [E] [VISA]
Dienstag geschl. – Karte 29/51.

In Leimen-Gauangelloch SO : 8 km :

🍴🍴 **Zum Schwanen** mit Zim, Hauptstr. 38, ☎ (06226) 32 19, ☂, « Geschmackvolle Einrichtung », 🌳 – [TV] ☎ [P]. [AE] [D] [E] [VISA]. ✻
Karte 45/68 *(auch vegetarische Gerichte)* (Montag geschl.) – **5 Z : 10 B** 95/110 - 140/160.

In Leimen 2-Lingental O : 3 km :

🍴 **Lingentaler Hof** mit Zim, Kastanienweg 2, ☎ 7 19 12, ☂ – ☎ [P]
Juli geschl. – Karte 31/52 *(Sonntag 18 Uhr - Montag geschl.)* – **7 Z : 14 B** 48/58 - 88/98.

In Nußloch 6907 S : 3 km :

Felderbock, Hauptstr. 26, ☎ (06224) 1 20 07, ☂ – ☎ [P]. [AE] [E] [VISA]
Karte 33/67 *(Italienische Küche)* – **18 Z : 30 B** 69/98 - 118/134 Fb.

LEIMERSHEIM 6729. Rheinland-Pfalz [413] I 19 – 2 300 Ew – Höhe 110 m – ☎ 07272.
Mainz 126 – ♦Karlsruhe 26 – Landau 26 – ♦Mannheim 55.

🍴 Palmengarten, Untere Hauptstr. 43, ☎ 84 96.

LEINFELDEN-ECHTERDINGEN Baden-Württemberg siehe Stuttgart.

LEINSWEILER 6741. Rheinland-Pfalz [413] GH 19, [242] ⑧, [87] ① – 450 Ew – Höhe 260 m – ☎ 06345 – Mainz 122 – Landau in der Pfalz 9 – Pirmasens 46 – Wissembourg 20.

Leinsweiler Hof ⛰, An der Straße nach Eschbach (S : 1 km), ☎ 36 40, ≤ Weinberge und Rheinebene, « Gartenterrasse » – [TV] ☎ [P] ⛺. [E]. ✻ Rest
23. Jan.- 24. Feb. geschl. – Karte 26/50 *(Montag geschl.)* 🍷 – **21 Z : 45 B** 55/85 - 100/110.

Rebmann, Weinstr. 8, ☎ 25 30, ☂
Mitte Feb.- Mitte März geschl. – Karte 23/53 *(Dienstag geschl.)* 🍷 – **11 Z : 20 B** 42/76 - 80/100.

LEIPHEIM 8874. Bayern [413] N 21, [987] ㊱ – 5 800 Ew – Höhe 470 m – ☎ 08221 (Günzburg).
♦München 117 – ♦Augsburg 59 – Günzburg 5 – ♦Ulm (Donau) 24.

An der Autobahn A 8 Richtung Augsburg :

Rasthaus und Motel Leipheim, ✉ 8874 Leipheim, ☎ (08221) 7 20 37, ☂ – [P]
Karte 19,50/44 (auch Self-service) – **27 Z : 54 B** 43/53 - 71/89.

LEIWEN 5559. Rheinland-Pfalz – 1 700 Ew – Höhe 114 m – ☎ 06507 (Neumagen-Dhron).
Mainz 142 – Bernkastel-Kues 29 – ♦Trier 33.

Weinhaus Weis, Römerstr. 10, ☎ 30 48, ≋, 🏊, 🌳 – |♦| [TV] ☎ [P]. [AE] [E]
4. Jan.- Feb. geschl. – Karte 18/39 *(Mittwoch geschl.)* 🍷 – **19 Z : 34 B** 47/60 - 79/87 Fb.

Außerhalb 0 : 2,5 km :

Zummethof ⛰, Panoramaweg 1, ✉ 5559 Leiwen, ☎ (06507) 30 44, ≤ Trittenheim und Moselschleife, « Terrasse », ≋ – ☎ 🚗 [P] ⛺
9.- 29. Jan. geschl. – Karte 21/47 🍷 – **24 Z : 52 B** 50/55 - 80/96.

LEMBERG 6786. Rheinland-Pfalz [413] FG 19, [242] ⑫, [87] ② – 4 000 Ew – Höhe 320 m – Erholungsort – ☎ 06331 (Pirmasens) – Mainz 129 – Landau in der Pfalz 42 – Pirmasens 5,5.

🍴 **Gasthaus Neupert**, Hauptstr. 2, ☎ 4 92 36 – [P]
Mittwoch geschl. – Karte 23/43 🍷.

In Lemberg-Langmühle SO : 2,5 km :

Zum Grafenfels ⛰, Salzbachstr. 33, ☎ 4 92 41, ☂ – [P]
Dez.- Feb. geschl. – Karte 14/32 🍷 – **18 Z : 32 B** 25/32 - 46/60 – P 40/45.

[LEMBRUCH] 2841. Niedersachsen – 900 Ew – Höhe 40 m – Erholungsort – ☎ 05447.
♦Hannover 119 – ♦Bremen 77 – ♦Osnabrück 42.

- **Seeblick** ⛰, Birkenallee 44, ☎ 2 13, 🌳, ≘s, 🏊 – ☎ 🚗 [P] 🎪. [O] [E]
Karte 31/58 *(Nov.- März Freitag geschl.)* – **24 Z : 42 B** 58/78 - 98/138.
- **Seeschlößchen**, Große Str. 154, ☎ 12 12, 🌳, ≘s – [TV] ☎ ♿ [P] 🎪. [AE] [O] [E] [VISA]
Karte 27/66 – **20 Z : 40 B** 68/76 - 98/118 Fb – 2 Fewo 80.
- **Strandlust** ⛰, Seestr. 1, ☎ 2 51, <, 🌳, 🌲 – [TV] ☎ [P]. ✂ Zim
Mitte Dez.-Mitte Jan. geschl. – Karte 29/47 *(Okt.- April Dienstag geschl.)* – **12 Z : 21 B** 48/75 - 85/110.
- 🍴🍴🍴 **Landhaus Götker**, Tiemanns Hof 1, ☎ 12 57 – [P]. [AE] [O] [E] [VISA]
Montag und 2.- 17. Jan. geschl. – Karte 48/98 (Tischbestellung ratsam).
- 🍴 **Fischrestaurant Rauchfang Ternäben** (nur Fischgerichte), Große Str. 140, ☎ 4 40 – [P]. [AE] [O] [E]
Dienstag und Jan.- Mitte Feb. geschl. – Karte 30/53.

[LEMFÖRDE] 2844. Niedersachsen [987] ⑭ – 2 100 Ew – Höhe 44 m – ☎ 05443.
♦Hannover 126 – ♦Bremen 84 – ♦Osnabrück 36.

In Lemförde-Stemshorn SW : 2,5 km :

- **Tiemanns-Hotel**, Vor der Brücke 26, ☎ 5 38, « Kleiner Garten, Terrasse » – [TV] ☎ 🚗 [P] 🎪. [AE] [O] [E] [VISA]. ✂
20.- 28. März geschl. – Karte 32/52 – **28 Z : 48 B** 60/75 - 90/110 Fb.

[LEMGO] 4920. Nordrhein-Westfalen [987] ⑮ – 39 600 Ew – Höhe 98 m – ☎ 05261.
Sehenswert : Marktplatz (Rathaus**, Steingiebelhäuser).
[i] Verkehrsamt, Kramerstraße (Haus Wippermann), ☎ 21 33 47.
♦Düsseldorf 198 – Bielefeld 29 – Detmold 12 – ♦Hannover 88.

- **Stadtpalais**, Papenstr. 24, ☎ 1 04 81, « Adelshof a. d. 16. Jh., wertvolle antike Einrichtung » – [TV] ☎ 🚗 [P]. [O] [E] [VISA]. ✂
24. Dez.- 15. Jan. geschl. – **18 Z : 29 B** 65/75 - 115/125 Fb.
- Lemgoer Hof, Detmolder Weg 14 (B 238), ☎ 7 11 97 – ☎ 🚗 [P]
12 Z : 24 B Fb.

In Lemgo 2-Kirchheide N : 8 km :

- **Im Borke**, Salzufler Str. 132, ☎ (05266) 18 85, ≘s, 🌲, Fahrradverleih – [TV] ☎ 🚗 [P]. ✂ Zim
Karte 24/51 *(Mittwoch und 5. Juli - 2. Aug. geschl.)* – **13 Z : 25 B** 30/60 - 60/110.

In Lemgo 2-Matorf N : 5,5 km :

- **Gasthof Hartmann - Hotel An der Ilse**, Vlothoer Str. 77, ☎ (05266) 16 61, ≘s, 🏊, 🌲 – [TV] ☎ 🚗 [P] 🎪. [E]
Karte 24/44 *(Dienstag geschl.)* – **25 Z : 39 B** 35/49 - 72/80 Fb – 4 Fewo 90/100.

[LENGERICH] 4540. Nordrhein-Westfalen [987] ⑭ – 21 600 Ew – Höhe 80 m – ☎ 05481.
[i] Städt. Verkehrsamt, Rathausplatz 1, ☎ 3 74 71.
♦Düsseldorf 173 – Bielefeld 57 – Münster (Westfalen) 39 – ♦Osnabrück 17.

- **Heckmann**, Lienener Str. 35, ☎ 34 41 – ☎ 🚗 [P] 🎪
15. Juli - 6. Aug. geschl. – Karte 22/41 *(Sonntag geschl.)* – **10 Z : 15 B** 38/46 - 71/83.
- **Haus Werlemann**, Altstadt 8, ☎ 10 55 – 🚗 [P]. [AE] [O] [E] [VISA]
Karte 20/44 *(Sonntag ab 15 Uhr und Freitag geschl.)* – **17 Z : 26 B** 35/50 - 68/84.
- 🍴🍴 **Römer**, Rathausplatz 4 (1. Etage), ☎ 3 78 50 – [E]
Samstag geschl. – Karte 29/57.

In Lengerich-Ringel S : 6,5 km :

- **Waldhotel Hilgemann** ⛰, Ringeler Str. 197, ☎ (05484) 10 92, 🌳, 🌲 – [P]
Juli 3 Wochen geschl. – Karte 22/41 *(nur Abendessen, Montag geschl.)* – **10 Z : 22 B** 40 - 80.

[LENGGRIES] 8172. Bayern [413] R 23, [987] ㊲, [426] ⑰ – 8 200 Ew – Höhe 679 m – Luftkurort – Wintersport : 680/1 700 m 🚡1 ⛷20 ⛷3 – ☎ 08042.
[i] Verkehrsamt, Rathausplatz 1, ☎ 29 77.
♦München 60 – Bad Tölz 9 – Innsbruck 88.

- **Brauneck-Hotel**, Münchner Str. 25, ☎ 20 21, Telex 526247, Fax 4224, <, Biergarten, ≘s – 🛗 [TV] ☎ 🚗 [P] 🎪. [AE] [O] [E] [VISA]. ✂ Rest
Karte 29/53 – **107 Z : 198 B** 95/99 - 135/179 Fb – P 149.
- **Alpenrose** garni, Brauneckstr. 1, ☎ 80 61, ≘s, 🌲 – ☎ [P]. [O] [E]
21 Z : 38 B 55/59 - 90/95.
- **Altwirt**, Marktstr. 13, ☎ 80 85, 🌳, ≘s – ☎ 🚗 [P]
17. Nov.- 18. Dez. geschl. – Karte 23/43 *(Montag geschl.)* 🍷 – **21 Z : 35 B** 42/48 - 64/74 Fb.
- Zur Post, Marktstr. 3, ☎ 24 54, 🌳 – 🚗 [P]. ✂ Zim
24 Z : 44 B.

🏠 Lenggrieser Hof, Münchner Str. 3, ℘ 87 74, ☂ – ☎ 🚗 [P]
13 Z : 25 B.

🏠 **Gästehaus Seemüller** 🌀 garni, Oberreiterweg 3, ℘ 27 81, [≋s], [⛱], 🌲 – [TV] ☎ 🚗 [P]
13 Z : 23 B 50/75 - 90/100 Fb.

🏠 **Haus Geierstein** 🌀 garni, Bachmairstr. 18, ℘ 25 20, 🌲 – 🚗 [P]
Nov.- 20. Dez. geschl. – **16 Z : 24 B** 30 - 50/70.

In Lenggries-Fleck S : 3 km :

🏠 **Alpengasthof Papyrer**, Fleck 5, ℘ 24 67, ☂, 🌲 – [TV] ☎ [P]. [AE] [E]
Karte 21/60 *(Montag geschl.)* – **18 Z : 36 B** 30/45 - 60/90 Fb – P 80.

[LENNESTADT] **5940.** Nordrhein-Westfalen [987] ㉔ – 27 000 Ew – Höhe 285 m – ☎ 02723.

[i] Verkehrsamt, Rathaus, Helmut-Kumpf-Str. 25 (Altenhundem), ℘ 60 88 01.

♦Düsseldorf 130 – Meschede 48 – Olpe 19.

In Lennestadt 1-Altenhundem :

🏠 **Im Schlamm** garni, Gartenstr. 9, ℘ 50 75 – [lift] [P]. [O] [E]
12 Z : 22 B 40 - 78.

In Lennestadt 16-Bilstein SW : 6 km ab Altenhundem :

🏨 **Faerber-Luig**, Freiheit 42, ℘ (02721) 8 00 09, [≋s], [⛱] – [lift] [TV] [P] 🏛. [O]
Karte 32/67 – **64 Z : 110 B** 69/99 - 130/190 Fb.

In Lennestadt 11-Bonzel W : 9 km ab Altenhundem :

🏠 **Haus Kramer**, Bonzeler Str. 7, ℘ (02721) 85 23, [≋s], [⛱] – [P]
✈ Karte 19/35 *(Montag geschl.)* – **25 Z : 38 B** 43/48 - 68/92.

In Lennestadt 1-Gleierbrück O : 6 km ab Altenhundem :

🏠 **Pieper**, Gleierstr. 2, ℘ 82 11, [≋s], [⛱], 🌲 – [lift] [P]. [O] [E] [VISA]
Karte 23/48 – **24 Z : 46 B** 43/52 - 72/90.

In Lennestadt-Kirchveischede SW : 7 km ab Altenhundem :

🏠 **Landgasthof Laarmann**, Westfälische Str. 52, ℘ (02721) 86 30 – [TV] ☎ 🚗 [P] 🏛. [AE] [O] [E]
Jan.- Feb. 3 Wochen geschl. – Karte 34/68 – **20 Z : 37 B** 48/60 - 96/120 Fb.

In Lennestadt 11-Oberelspe NO : 9 km ab Altenhundem :

🏠 Hanfland 🌀, Burbecker Str. 14, ℘ (02721) 30 02, [≋s], [⛱], 🌲 – [lift] ☎ [P]. 🚫
(Restaurant nur für Hausgäste) – **25 Z : 50 B.**

In Lennestadt-Oedingen NO : 11 km ab Altenhundem :

🏠 **Haus Buckmann**, Rosenweg 10, ℘ (02725) 2 51, ☂, [≋s], 🌲 – 🚗 [P]
Karte 28/60 *(Mittwoch geschl.)* – **12 Z : 21 B** 38 - 72 Fb.

In Lennestadt 1-Saalhausen O : 8 km ab Altenhundem – Luftkurort :

🏨 **Haus Hilmeke** 🌀, (O : 1 km), ℘ 81 71, ≤, « Gartenterrasse », [≋s], [⛱], 🌲 – [lift] ☎ 🚗 [P].
🚫 Zim
12. Nov.- 25. Dez. geschl. – Karte 22/49 – **26 Z : 45 B** 56/75 - 92/120 – P 65/83.

🏨 **Voss**, Winterberger Str. 36, ℘ 81 14, [≋s], [⛱], 🌲 – [lift] ☎ 🚗 [P]. 🚫
27. Nov.- 17. Dez. geschl. – Karte 25/52 *(Mittwoch ab 14 Uhr geschl.)* – **19 Z : 33 B** 58/68 - 115/135 – P 88/98.

🏠 **Haus Rameil**, Winterberger Str. 49 (B 236), ℘ 81 09, [≋s], 🌲 – [lift] [P]. [O] [E]
Nov.- Dez. 3 Wochen geschl. – Karte 22/41 *(Montag geschl.)* – **17 Z : 28 B** 45/53 - 80/105.

🏠 **Gastreich**, Winterberger Str. 40 (B 236), ℘ 85 26, 🌲 – 🚫 Rest [P]. 🚫
16. Nov.- 25. Dez. geschl. – (Restaurant nur für Hausgäste) – **22 Z : 38 B** 36/40 - 68/76.

[LENNINGEN] **7318.** Baden-Württemberg [413] L 21 – 8 000 Ew – Höhe 530 m – Wintersport : 700/870 m ⛷3 – ☎ 07026.

♦Stuttgart 44 – Reutlingen 27 – ♦Ulm (Donau) 66.

In Lenningen 4-Gutenberg :

🏠 **Löwen** 🌀 garni, Höllsternstr. 6, ℘ 78 10 – [P]
15.- 31. Dez. geschl. – **25 Z : 42 B** 30/48 - 60/95.

In Lenningen 3-Schopfloch :

🍴 **Sommerberg**, Kreislerstr. 2, ℘ 21 07, ≤, ☂ – [P]
Dienstag und 1.- 25. Dez. geschl. – Karte 30/49.

In Lenningen 2-Unterlenningen :

🍴 **Lindenhof**, Kirchheimer Str. 29, ℘ 29 30 – [P]
Montag 14 Uhr - Dienstag sowie Feb. und Sept. jeweils 2 Wochen geschl. – Karte 30/52.

[LENZFRIED] Bayern siehe Kempten (Allgäu).

[LENZKIRCH] **7825.** Baden-Württemberg [413] H 23, [987] ㉟, [427] ⑤ – 4 800 Ew – Höhe 810 m – Heilklimatischer Kurort – Wintersport : 800/1 100 m 🚡4 ⛷8 – ☎ 07653.

ℹ Kurverwaltung, Kurhaus am Kurpark, ✆ 6 84 39, in Saig : Rathaus, ✆ 7 86, in Kappel : Rathaus, ✆ 3 09.

♦Stuttgart 158 – Donaueschingen 35 – ♦Freiburg im Breisgau 40 – Schaffhausen 50.

🏨 **Schwarzwaldhotel und Ferienpark Ruhbühl** 🔇 (O : 3 km, Richtung Bonndorf), ✆ 8 21, Telex 7722360, <, ⛱, ♨, 🏊, 🌳, 🎾 – 🛗 [TV] ☎ ♿ [P]. [AE] E [VISA]
Karte 32/58 – **37 Z : 74 B** 83/118 - 140/196 Fb – 34 Fewo und 41 Bungalows – P 115/163.

🏨 **Ursee** 🔇, Grabenstr. 18, ✆ 7 81, <, ⛱, ♨, 🌳 – 🛗 ☎ ♿ [P] 🏋. [AE] ⦿ E [VISA]
Anfang Nov.- Mitte Dez. geschl. – Karte 30/60 *(Montag geschl.)* 🧒 – **49 Z : 82 B** 57/89 - 98/138 Fb – P 81/101.

🏨 Vogt 🔇, Am Kurpark 7, ✆ 7 06, 🌳 – ☎ 🚗 [P]
19 Z : 30 B.

In Lenzkirch-Kappel NO : 3 km – Luftkurort :

🏨 **Zum Pfauen**, Mühlhaldenweg 1, ✆ 7 88, <, ⛱, ♨, 🌳 – 🛗 [P]. ⦿ E
15. Nov. - 15. Dez. geschl. – Karte 24/46 *(Montag geschl.)* 🧒 – **25 Z : 50 B** 40/44 - 74/86 Fb – P 64/68.

🏨 **Straub** 🔇, Neustädter Str. 3, ✆ 2 22, <, ♨, 🌳, Fahrradverleih – ♿ 🚗 [P]. E
✈ *15. Nov.- 18. Dez. geschl.* – Karte 18,50/45 *(Samstag geschl.)* 🧒 – **35 Z : 57 B** 42/76 - 76/99 Fb – 15 Fewo 40/132 – P 62/80.

In Lenzkirch-Raitenbuch W : 4 km :

🏨 **Grüner Baum** 🔇, Raitenbucher Str. 17, ✆ 2 63, <, 🌳 – 🚗 [P]. E
Nov.- Mitte Dez. geschl. – Karte 23/40 *(Montag geschl.)* 🧒 – **20 Z : 40 B** 31/43 - 58/80 Fb – P 52/67.

In Lenzkirch-Saig NW : 7 km – Heilklimatischer Kurort :

🏨 **Kur- und Sporthotel Saigerhöh** 🔇, ✆ 68 50, Telex 7722314, <, ⛱, Bade- und Massageabteilung, 🏃, ♨, 🏊, 🌳, 🎾 (Halle), Fahrrad- und Skiverleih – 🛗 [TV] ♿ 🚸 🚗 [P] 🏋. 🚫🐕 Rest
Karte 40/65 – **103 Z : 150 B** 55/103 - 136/186 Fb – 24 Appart. 230/256.

🏨 **Ochsen** (Schwarzwaldgasthof a.d. 17. Jh.), Dorfplatz 1, ✆ 7 35, ♨, 🏊, 🌳, 🎾 – 🛗 ☎ 🚗 [P]. E
Anfang - Mitte April und Anfang - Mitte Dez. geschl. – Karte 24/50 *(Dienstag geschl.)* – **35 Z : 65 B** 69/74 - 96/146 Fb – P 79/104.

🏨 **Hochfirst**, Dorfplatz 5, ✆ 7 51, « Gartenterrasse », ♨, 🏊, 🌳 – ☎ 🚗 [P]. [AE] ⦿ E [VISA]
3.- 30. April und Nov.- 19. Dez. geschl. – Karte 23/49 *(Donnerstag geschl.)* 🧒 – **25 Z : 45 B** 36/65 - 78/150 Fb – P 68/104.

🏨 **Café Alpenblick** 🔇, Titiseestr. 17, ✆ 7 30, <, ⛱, 🌳 – 🚗 [P]
Karte 21/30 – **16 Z : 25 B** 38/42 - 76/80 – 4 Fewo 85/100.

🏨 **Sporthotel Sonnhalde** 🔇, Hochfirstweg 24, ✆ 8 08, <, ⛱, ♨, 🏊, 🌳 – ☎ [P] 🏋. 🚫🐕 Rest
10. Nov.- 20. Dez. geschl. – Karte 21/42 *(Montag geschl.)* 🧒 – **35 Z : 70 B** 36/71 - 56/126 Fb – P 51/96.

🏨 **Haus am Hang** 🔇, Hochfirstweg 12, ✆ 8 60, <, ♨, 🌳 – ☎ 🚗 [P]. [AE] ⦿ E [VISA]. 🚫🐕 Rest
7. Nov.- 17. Dez. geschl. – (Restaurant nur für Hausgäste) – **22 Z : 36 B** 36/47 - 72/94 Fb – P 65/76.

[LEONBERG] **7250.** Baden-Württemberg [413] JK 20, [987] ㉟ – 40 200 Ew – Höhe 385 m – ☎ 07152.

♦Stuttgart 20 – Heilbronn 55 – Pforzheim 33 – Tübingen 43.

🏨 **City-Hotel**, Römerstr. 102, ✆ 7 10 53, Telex 7266764, Fax 71050 – 🛗 [TV] ☎ 🚗 [P]. [AE] ⦿ E [VISA]
Karte 39/65 *(nur Abendessen, Samstag geschl.)* – **153 Z : 306 B** 130/150 - 150/170 Fb.

🏨 **Sonne und Gästehaus** garni, Stuttgarter Str.1, ✆ 2 76 26 – [TV] 🚗 [P]
23. Dez.- 8. Jan. geschl. – **44 Z : 70 B** 50/95 - 80/150 Fb.

🍴 Schwarzer Adler, Graf-Ulrich-Str. 5, ✆ 2 64 90.

In Leonberg-Eltingen :

🏨 **Hirsch**, Hindenburgstr. 1, ✆ 4 30 71, Telex 7245714, « Weinstube mit Innenhof », ♨ – 🛗 [TV] ☎ [P] 🏋. [AE] ⦿ E
Karte 32/63 – **69 Z : 100 B** 50/110 - 80/160 Fb.

🏨 **Kirchner**, Leonberger Str. 14, ✆ 4 30 45 – [TV] ☎ [P]. [AE]
Karte 25/57 *(15. Sept.- 4. Okt. und Samstag geschl.)* – **15 Z : 20 B** 50/72 - 90/105 Fb.

In Leonberg-Höfingen N : 4 km :

🍴🍴 ✿ **Schloß Höfingen** mit Zim (Schloß a.d. 11.Jh.), Am Schloßberg 17, ✆ 2 10 49 – [TV] ☎ [P]. [AE] ⦿ E
Juli 3 Wochen und 22.- 30. Dez. geschl. – Karte 60/90 *(Samstag bis 18 Uhr und Dienstag geschl.)* – **10 Z : 15 B** 85 - 132 Fb
Spez. Warm geräucherter Steinbutt auf Safransauce, Ravioli vom Hummer, Orangen-Crêpes mit Topfen-Sorbet.

In Leonberg-Ramtel :

Eiss, Neue Ramtelstr. 28, ☎ 2 00 41, Telex 724141, Fax 42134, 🌳, 🏊 – 🛗 [TV] 🚗 [P] 🏛. [AE] [D] [E] [VISA]
2.- 10. Jan. geschl. – Karte 30/71 – **86 Z : 120 B** 112/190 - 160/260 Fb – 3 Appart. 400.

In Leonberg-Warmbronn SW : 6 km, über die B 295 :

🍴 **Grüner Baum**, Büsnauer Str. 2, ☎ 4 31 36 – [P]
Mittwoch - Donnerstag 17 Uhr und 26. Juni - 13. Juli geschl. – Karte 19,50/56.

Im Glemstal SO : 4 km :

Glemseck, ✉ 7250 Leonberg-Eltingen, ☎ (07152) 4 31 34, 🌳, Biergarten – ☎ 🚗 [P] 🏛. [AE] [D] [E] [VISA]
Karte 27/50 *(Montag geschl.)* – **16 Z : 22 B** 48/62 - 78/98.

LEONI Bayern siehe Berg.

LEUN 6337. Hessen [413] I 15 – 4 900 Ew – Höhe 140 m – ☎ 06473.
♦ Wiesbaden 80 – ♦ Frankfurt am Main 83 – Gießen 27.

Leuner Hof 🌿, Vogelsang 4, ☎ 4 22, 🌳 – 🚗 [P]. ✂ Zim
15. Juli - 5. Aug. geschl. – Karte 16/32 *(Freitag geschl.)* – **11 Z : 15 B** 28/33 - 56/66.

LEUTERSHAUSEN Baden-Württemberg siehe Hirschberg.

LEUTESDORF 5458. Rheinland-Pfalz – 2 300 Ew – Höhe 65 m – ☎ 02631 (Neuwied).
Mainz 119 – ♦Bonn 45 – ♦Koblenz 27 – Neuwied 9.

Im Frontal garni, Im Frontal 18, ☎ 7 17 68, 🏊, 🏊 – [TV] 🚗 [P]. [AE]
17 Z : 31 B 40 - 75.

Leyscher Hof, August-Bungert-Allee 9, ☎ 7 31 31, <, « Rheinterrasse », 🌳 – 🚗 [P]
14 Z : 26 B.

LEUTKIRCH 7970. Baden-Württemberg [413] N 23, [987] ㊱, [426] ⑭ ⑮ – 20 000 Ew – Höhe 655 m – ☎ 07561.
[i] Verkehrsbüro, Rathaus, Gänsbühl, ☎ 8 71 54.
♦Stuttgart 171 – Bregenz 50 – Kempten (Allgäu) 31 – ♦Ulm (Donau) 79.

Zum Rad, Obere Vorstadtstr. 5, ☎ 20 66 – ☎ 🚗 [P]
Karte 23/47 *(Freitag geschl.)* – **30 Z : 45 B** 42/60 - 80/120.

Mohren, Wangener Str. 1, ☎ 24 00, 🌳 – 🚗 [P]
Nov. 2 Wochen geschl. – Karte 20/35 *(Dienstag geschl.)* – **10 Z : 18 B** 38/45 - 65/80.

In Leutkirch 1-Adrazhofen SO : 2,5 km :

🍴🍴 **Schneiders Adler**, Rathausstr. 29, ☎ 36 00, 🌳 – [P] 🏛. [AE] [E] [VISA]
Samstag bis 17 Uhr, Montag und 1.- 15. Juli geschl. – Karte **29**/55 (auch vegetarische Gerichte).

LEVERKUSEN 5090. Nordrhein-Westfalen [987] ㉔ – 157 000 Ew – Höhe 45 m – ☎ 0214.
Sehenswert : Agfa-Gevaert-Fotohistorama★ AY **M.**
[i] Presse- und Verkehrsamt, Stadthaus, Friedrich-Ebert-Platz 3, ☎ 3 52 83 16.
ADAC, Dönhoffstr. 40, ☎ 4 50 89, Notruf ☎ 1 92 11.
♦Düsseldorf 33 ① – ♦Köln 16 ⑥ – Wuppertal 41 ①.

Stadtplan siehe nächste Seite.

Ramada, Am Büchelter Hof 11, ☎ 38 30, Telex 8510238, Fax 383800, 🌳, 🏊, 🏊 – 🛗 ⇆ Zim ▤ [TV] [P] 🏛. [AE] [D] [E] [VISA]. ✂ Rest — AZ **h**
Karte 43/84 – **202 Z : 404 B** 200/240 - 260/430 Fb.

City Hotel garni, Wiesdorfer Platz 8, ☎ 4 20 46, Telex 8510244 – 🛗 [TV] ☎. [AE] [D] [E] [VISA]
71 Z : 140 B 140/195 - 185/295 Fb. — AZ **e**

🍴🍴 **La Concorde**, Hardenbergstr. 91, ☎ 6 39 38 – [D] [E] — AY **s**
Samstag bis 19 Uhr, Sonntag und Aug. 3 Wochen geschl. – Karte 41/66.

In Leverkusen-Fettehenne über ④ :

Fettehenne garni, Berliner Str. 40 (B 51), ☎ 9 10 43, 🏊, 🌳 – ☎ [P]. [E]. ✂
35 Z : 45 B 40/68 - 85/98.

In Leverkusen-Küppersteg :

Haus Janes garni, Bismarckstr. 71, ☎ 6 40 43 – ☎ [P] — AY **a**
49 Z : 74 B 41/89 - 75/115.

In Leverkusen-Manfort :

Fück, Kalkstr. 127, ☎ 7 63 94 – ☎ 🚗 [P]. [E] — BY **u**
Karte 22/48 *(nur Abendessen, Sonntag geschl.)* – **20 Z : 30 B** 50/90 - 90/140 Fb.

LEVERKUSEN

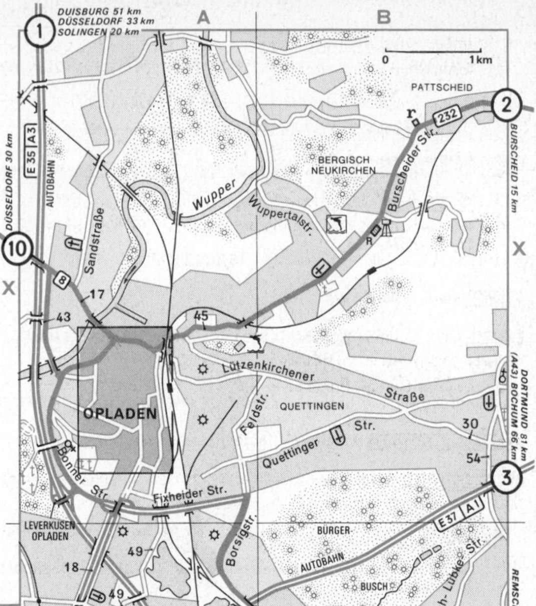

DUISBURG 51 km
DÜSSELDORF 33 km
SOLINGEN 20 km
PATTSCHEID
BERGISCH NEUKIRCHEN
Burscheider Str.
BURSCHEID 15 km
Wupper
Wuppertalstr.
Sandstraße
AUTOBAHN
DÜSSELDORF 30 km
Lützenkirchener Straße
QUETTINGEN
Quettinger Str.
OPLADEN
Bonner Str.
Fixheider Str.
Feldstr.
DORTMUND 81 km (A43) BOCHUM 66 km
LEVERKUSEN-OPLADEN
BÜRGER
Borsigstr.
BUSCH
REMSCHEID 29 km

KREUZ LEVERKUSEN-WEST
Westring
KÜPPERSTEG
KREUZ LEVERKUSEN
SPORTHALLE
STADION
Dhünn
Opladener
Heinrich-Lübke-Str.
SCHLOSS-MORSBROICH
SCHLEBUSCH
LEVERKUSEN-ZENTRUM
DÜSSELDORF 33 km
RHEIN
INNENSTADT WIESDORF
Rathenaustr.
Konrad-Adenauer-Pl.
Kalkstr.
Östring
Bensberger Str.
WALDSIEDLUNG
Südring
MANFORT
Manforter Str.
LEVERKUSEN
MERKENICH
Emder Str.
BAYER A.G.
Mülheimer Str.
Saarstr.
AACHEN 80 km AUTOBAHN (E 40-A4)
KÖLN 15 km
KÖLN 16 km, BONN 45 km
KÖLN 17 km

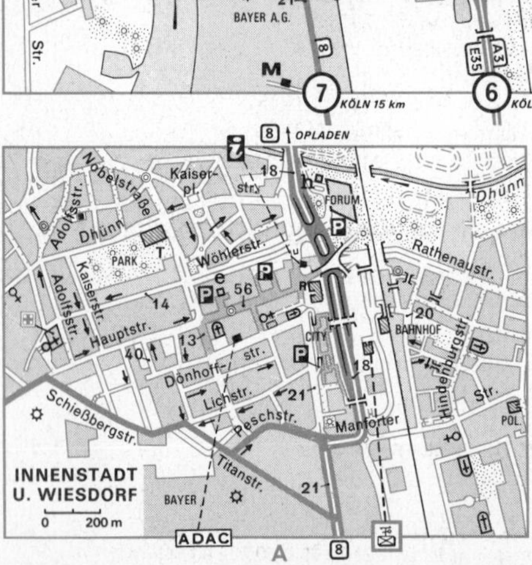

OPLADEN
Nobelstraße
Kaiser-pl.
Adolfsstr.
Dhünn
PARK
Wöhlerstr.
FORUM
Rathenaustr.
Kaiserstr.
Hauptstr.
CITY
BAHNHOF
Hindenburgstr.
Dönhoff-str.
Lichstr.
Peschstr.
Manforter
Schießbergstr.
Titanstr.
BAYER
POL.
INNENSTADT U. WIESDORF
0 200 m
ADAC

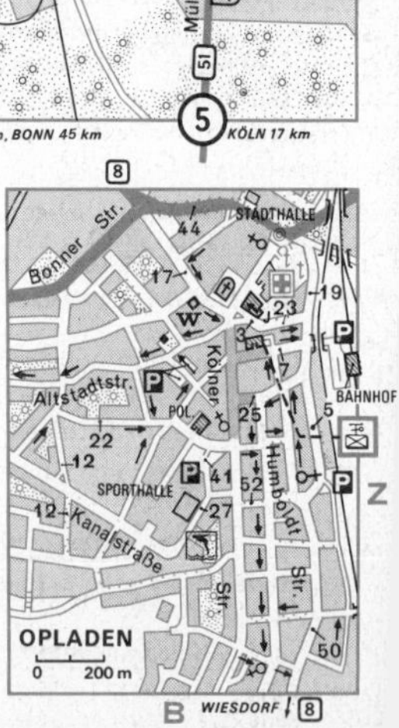

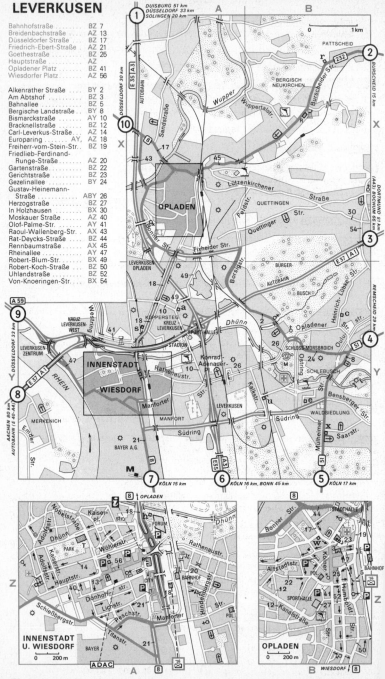

Bonner Str.
STADTHALLE
Altstadtstr.
Kölner
POL.
BAHNHOF
SPORTHALLE
Kanalstraße
Humboldt Str.
OPLADEN
0 200 m
WIESDORF

In Leverkusen 3-Opladen :

🏨 **Hohns** garni, Düsseldorfer Str. 33, ☎ (02171) 12 81 – [lift] ☎ 🚗 BZ **w**
15 Z : 23 B 90/110 - 125/175.

In Leverkusen 3-Pattscheid :

🏨 **May-Hof**, Burscheider Str. 285 (B 232), ☎ (02171) 3 09 39 – [TV] ☎ [P]. [D] [E]. ✗ Zim BX **r**
10.- 30. Juli und 23. Dez.- 5. Jan. geschl. – Karte 24/42 *(Montag geschl.)* – **15 Z : 21 B** 55/60 - 110/120.

In Leverkusen-Schlebusch :

🏨 **Atrium-Hotel** garni (Restaurant im Hause), Heinrich-Lübke-Str. 40, ☎ 5 60 10, Telex 8520168, ♨ – [TV] ☎ [P] 🏛. [AE] [D] [E] [VISA] BY **c**
55 Z : 102 B 100/220 - 145/240 Fb.

🏨 **Kürten**, Saarstr. 1, ☎ 5 50 51, ♨, [pool] – ☎ [P]. [E] BY **x**
Karte 26/52 *(Samstag geschl.)* – **37 Z : 66 B** 48/70 - 95/115.

🏨 **Alscher** 🔕 garni, Bogenstr. 1, ☎ 5 59 11 – [P]. ✗ BY **e**
23 Z : 26 B 44/50 - 80.

[LICH] 6302. Hessen [413] J 15, [987] ㉕ – 11 200 Ew – Höhe 170 m – Erholungsort – ☎ 06404.
Ausflugsziel : Ehemaliges Kloster Arnsburg★ : Ruine der Kirche★ SW : 4 km.
♦Wiesbaden 87 – ♦Frankfurt am Main 59 – Gießen 13 – Bad Hersfeld 90.

🏨 **Holländischer Hof**, Braugasse 8, ☎ 23 76 – 🚗 [P]
Karte 25/55 *(Freitag geschl.)* – **20 Z : 30 B** 44 - 80 Fb.

🏨 **Pension Bergfried** 🔕 garni, Kreuzweg 25, ☎ 20 41, ♨ – [P]. [AE] [D] [E] [VISA]
20 Z : 38 B 46 - 75.

In Lich-Arnsburg SW : 4 km :

🏨 **Alte Klostermühle** 🔕, ☎ 20 29, Fax 4867, ⛱, 🌳 – [TV] ☎ [P] 🏛. [E]. ✗ Rest
Karte 24/62 *(auch vegetarische Gerichte)* (Okt.- April Mittwoch geschl.) – **Altes Brauhaus** *(nur Abendessen, Montag - Mittwoch geschl.)* Karte 29/74 – **25 Z : 40 B** 60/78 - 110/140 Fb – P 85/107.

In Lich 2-Eberstadt SW : 6 km :

🏨 **Zum Pfaffenhof**, Butzbacher Str. 25, ☎ (06004) 6 29 – [P]
Karte 22/47 🍷 – **17 Z : 27 B** 30/45 - 58/85 – P 55/72.

[LICHTENAU] 7585. Baden-Württemberg [413] G 20, [242] ⑳ – 4 900 Ew – Höhe 129 m – ☎ 07227.
♦ Stuttgart 122 – Baden-Baden 28 – Strasbourg 31.

In Lichtenau-Scherzheim S : 2,5 km :

🏨 **Zum Rössel**, Rösselstr. 6, ☎ 34 82 – [lift] ☎ [P]. [E]
Anfang - Mitte Aug. geschl. – Karte 26/49 *(Dienstag geschl.)* – **11 Z : 20 B** 38/45 - 76/90 Fb.

🏨 **Gasthaus Blume**, Landstr. 18 (B 36), ☎ 23 42 – 🚗 [P]
✦ Karte 19,50/42 *(Mittwoch geschl.)* 🍷 – **16 Z : 30 B** 35/45 - 60/70.

[LICHTENAU] 4791. Nordrhein-Westfalen – 9 600 Ew – Höhe 308 m – ☎ 05295.
♦ Düsseldorf 186 – ♦Kassel 70 – Marburg 118 – Paderborn 17.

In Lichtenau-Atteln SW : 9 km :

🏠 **Birkenhof**, Zum Sauertal 36 (NO : 1 km), ☎ (05292) 5 70, 🌳 – [P]
✦ Karte 18/40 – **10 Z : 18 B** 28/30 - 56/60 – P 40.

In Lichtenau 5 - Herbram-Wald NO : 9 km :

🏨 **Hubertushof** 🔕, Hubertusweg 5, ☎ (05259) 4 27, ⛱, ♨, [pool], 🌳 – ☎ [P] 🏛. [AE] [D] [E] [VISA]. ✗ Rest
Karte 25/48 – **52 Z : 97 B** 57/69 - 94/108 Fb.

🏨 Waldpension Küchmeister 🔕, Eggering 10, ☎ (05259) 2 31, 🌳 – ♿ [P]
(Restaurant nur für Hausgäste) – **18 Z : 33 B**.

In Lichtenau-Kleinenberg SO : 7 km :

🍴 **Landgasthof zur Niedermühle** 🔕 mit Zim, Niedermühlenweg 7, ☎ (05647) 2 52, ⛱ – [P]. [AE] [E] – *Mitte - Ende Jan. geschl.* – Karte 25/57 *(Dienstag geschl.)* – **4 Z : 7 B** 49 - 65.

[LICHTENBERG] Hessen siehe Fischbachtal.

[LICHTENFELS] 8620. Bayern [413] Q 16, [987] ㉖ – 21 000 Ew – Höhe 272 m – ☎ 09571.
Ausflugsziel : Wallfahrtskirche Vierzehnheiligen★★ (Nothelfer-Altar★★) S : 5 km.
[i] Städt. Verkehrsamt, Marktplatz 1, ☎ 79 52 21.
♦München 268 – ♦Bamberg 33 – Bayreuth 53 – Coburg 19.

🏨 **Preussischer Hof**, Bamberger Str. 30, ☎ 50 15 – [lift] ☎ [P]
✦ *Juli 3 Wochen und 24.- 31. Dez. geschl.* – Karte 18,50/37 *(Freitag ab 15 Uhr geschl.)* – **27 Z : 44 B** 30/40 - 58/70 Fb.

In Lichtenfels-Reundorf SW : 5 km :

Müller 🔇, Kloster-Banz-Str. 4, ✆ 60 21, ♨, 🌳 – ⊬ Zim ☎ [P]. ✗ Zim
Mitte Okt.- Mitte Nov. geschl. – Karte 17,50/28 *(Mittwoch geschl.)* – **40 Z : 65 B** 35 - 64 Fb – 9 Fewo 55/60.

In Michelau **8626** NO : 5 km :

Spitzenpfeil 🔇, Alte Post 4 (beim Hallenbad), ✆ (09571) 81 17 – 🚗 [P]
14 Z : 21 B.

In Marktzeuln **8621** O : 9 km :

Mainblick 🔇, Schwürbitzer Str. 25, ✆ (09574) 30 33, <, 🌂, ♨, 🌳 – ☎ [P]
Karte 21/47 *(Montag - Donnerstag nur Abendessen)* – **20 Z : 38 B** 29/43 - 54/80.

LICHTENFELS **3559.** Hessen – 4 400 Ew – Höhe 420 m – Erholungsort – ☏ 05636.
♦Wiesbaden 175 – ♦Kassel 76 – Marburg 55.

In Lichtenfels 4-Fürstenberg :

Zur Igelstadt, Mittelstr. 2, ✆ 12 76, ♨, 🏊 – 🚗 [P]
19 Z : 35 B.

Zum Deutschen Haus, Violinenstr. 4, ✆ 12 27 – 🚗 [P]
Karte 17/28 *(Mittwoch geschl.)* – **16 Z : 28 B** 28/30 - 56/60 – P 38/43.

LICHTENSTEIN **7414.** Baden-Württemberg [413] K 21 – 8 200 Ew – Höhe 565 m – Wintersport : 700/820 m ⛷4 ⛷3 – ☏ 07129.
♦Stuttgart 57 – Reutlingen 16 – Sigmaringen 48.

In Lichtenstein-Honau :

Adler (mit Gästehaus Herzog Ulrich |⇕|), Heerstr. 26 (B 312), ✆ 40 41, 🌂, ♨ – ☎ [P] 🏔. [D] E
Karte 25/55 – **50 Z : 90 B** 55/100 - 100/180.

XX **Forellenhof Rössle** mit Zim, Heerstr. 20 (B 312), ✆ 40 01, 🌂 – ☎ 🚗 [P]
Karte 21/49 – **12 Z : 20 B** 45/55 - 75/85.

LIEBENZELL, BAD **7263.** Baden-Württemberg [413] IJ 20, [987] ㉟ – 7 200 EW – Höhe 321 m – Heilbad und Luftkurort – ☏ 07052.
[i] Kurverwaltung, Kurhausdamm 4, ✆ 40 81 00.
♦Stuttgart 46 – Calw 7,5 – Pforzheim 19.

Kronen-Hotel - Haus Tanneck 🔇, Badweg 7, ✆ 20 81, 🌂, ♨, 🏊, 🌳, 🎾 – |⇕| [TV] [P] 🏔. ✗
Karte 39/73 – **60 Z : 100 B** 80/108 - 130/195 Fb – P 120/148.

Ochsen, Karlstr. 12, ✆ 20 74, 🌂, ♨, 🏊, 🌳 – |⇕| ☎ [P] 🏔. E
Karte 25/67 *(auch Diät)* – **48 Z : 73 B** 85/95 - 140/170 Fb – P 124/134.

Waldhotel 🔇, Hölderlinstr. 1, ✆ 20 95, <, ♨, 🏊, 🌳 – |⇕| [TV] ☎ 🚗. ✗
(Restaurant nur für Hausgäste) – **28 Z : 42 B** Fb.

Thermen-Hotel garni (Fachwerkhaus a.d.J. 1415), am Kurpark, ✆ 40 83 00, Caféterrasse, Bade- und Massageabteilung, 🌳 – |⇕| [TV] ☎ [P] 🏔. [AE] [D] [VISA]
22 Z : 42 B 80/95 - 150/170 Fb – 3 Appart. 190.

Schwarzwaldhotel Emendörfer garni, Neuer Schulweg 4, ✆ 23 23, ♨, 🏊, 🌳 – |⇕| ☎ [P]
20 Z : 30 B 60 - 120.

Am Bad-Wald 🔇 garni, Reuchlinweg 19, ✆ 30 11, <, ♨, 🏊 – |⇕| ☎ 🚗. E
32 Z : 48 B 38/46 - 80/92 – 4 Fewo 64.

Weisse, Unterhaugstetter Str. 13, ✆ 22 53, <, 🌳 – |⇕| [P]. ✗
Jan. geschl. – (Restaurant nur für Hausgäste) – **30 Z : 42 B** 50/60 - 100/112 – P 80/88.

Haus Hubertus 🔇 garni, Eichendorffstr. 2, ✆ 14 43, <, 🌳
16 Z : 28 B 34/56 - 58/80 Fb.

Litz, Wilhelmstr. 28, ✆ 20 08 – [TV] [P]. [D] E. ✗ Rest
Jan.- Feb. geschl. – Karte 24/47 *(Abendessen nur für Hausgäste)* – **45 Z : 60 B** 50/61 - 94/108 – P 72/86.

Gästehaus Koch garni, Sonnenweg 3, ✆ 13 06, ♨, 🌳 – 🚗 [P]. ✗
17 Z : 28 B 26/45 - 52/82.

Löwen, Baumstr. 1, ✆ 14 68, 🌂
Mitte Nov.- Mitte Dez. geschl. – Karte 19/43 *(Dienstag geschl.)* – **11 Z : 14 B** 25/35 - 50/70 – P 42/54.

In Bad Liebenzell-Monakam NO : 4,5 km – Höhe 536 m :

Waldblick 🔇, Monbachstr. 25, ✆ 8 35, <, 🌳 – ☎ [P]
20. Jan.- 10. Feb. und 5. Nov.- 15. Dez. geschl. – Karte 25/40 *(Dienstag geschl.)* – **17 Z : 27 B** 35/50 - 70/93 Fb – P 56/65.

Siehe auch : ***Liste der Feriendörfer***

[LIENEN] **4543.** Nordrhein-Westfalen – 7 800 Ew – Höhe 94 m – Erholungsort – ☎ 05483.

[i] Tourist-Information im Haus des Gastes, Diekesdamm 1, ✆ 80 80.

♦Düsseldorf 179 – Bielefeld 47 – Münster (Westfalen) 48 – ♦Osnabrück 22.

🍴 **Küppers** mit Zim, Lengericher Str. 11, ✆ 7 78 – [P]
Juni - Juli 3 Wochen geschl. – Karte 34/68 *(Tischbestellung ratsam)* (Sonn- und Feiertage geschl.) – **6 Z : 12 B** 55 - 110.

[LIESER] **5550.** Rheinland-Pfalz – 1 400 Ew – Höhe 107 m – ☎ 06531 (Bernkastel-Kues).

Mainz 117 – Bernkastel-Kues 4 – ♦Trier 40 – Wittlich 14.

🏠 **Mehn zum Niederberg,** Moselstr. 2, ✆ 60 19, ☂, ♨ – ☎ [P]. [E] [VISA]
Mitte Dez.- Mitte Jan. geschl. – Karte 21/48 🍷 – **25 Z : 45 B** 34/65 - 76/100 Fb – 9 Fewo 50/80.

In Maring-Noviand **5554** NW : 2 km :

🏠 **Weinhaus Liesertal,** Moselstr. 39 (Maring), ✆ (06535) 8 48, ♨, 🌳 – ☎ [P]. [AE] [D] [VISA]
9. Feb.- 2. März geschl. – Karte 23/52 *(Nov.- Mai Montag - Dienstag geschl.)* 🍷 – **26 Z : 52 B** 60/75 - 90/120.

[LILIENTHAL] Niedersachsen siehe Bremen.

[LIMBACH] **6958.** Baden-Württemberg [413] K 18 – 4 400 Ew – Höhe 385 m – Luftkurort – ☎ 06287.

♦Stuttgart 101 – Amorbach 22 – Heidelberg 57 – Heilbronn 47.

🏠 **Volk** 🌙, Baumgarten 3, ✆ 18 11, ♨, 🏊, 🌳 – [P] 🏃
↔ Karte 18/50 – **24 Z : 45 B** 47/50 - 83/88 Fb – P 61/65.

🏡 **Limbacher Mühle** 🌙, Heidersbacher Str. 18 (O : 1 km), ✆ 10 20, ☂, 🌳 – [P]. [E]
↔ *15. Nov.- 15. Dez. geschl.* – Karte 17/36 *(Montag bis 18 Uhr geschl.)* – **7 Z : 12 B** 28 - 56 – P 36.

In Limbach-Krumbach SW : 2 km :

🏡 **Engel-Restaurant Zur alten Scheune,** Engelstr. 19, ✆ 2 62, ☂, ♨, 🏊, 🌳 – 🚗 [P]
↔ *20. Nov.- 25. Dez. geschl.* – Karte 19,50/43 *(wochentags nur Abendessen, Montag geschl.)* 🍷 – **20 Z : 39 B** 44/47 - 82/88 Fb.

[LIMBACH] Rheinland-Pfalz siehe Hachenburg.

[LIMBURG AN DER LAHN] **6250.** Hessen [987] ㉔ – 29 000 Ew – Höhe 118 m – ☎ 06431.

Sehenswert : Dom★ (Lage★★) – Friedhofterrasse ≤★ – Diözesanmuseum★ A M1.

Ausflugsziel : Burg Runkel★ (Lage★★) O : 7 km.

[i] Städt. Verkehrsamt, Hospitalstr. 2, ✆ 20 32 22.

♦Wiesbaden 52 ② – ♦Frankfurt am Main 74 ② – Gießen 56 ① – ♦Koblenz 50 ① – Siegen 70 ①.

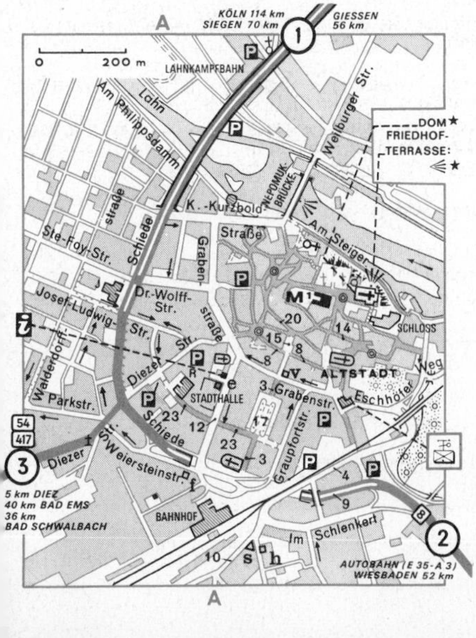

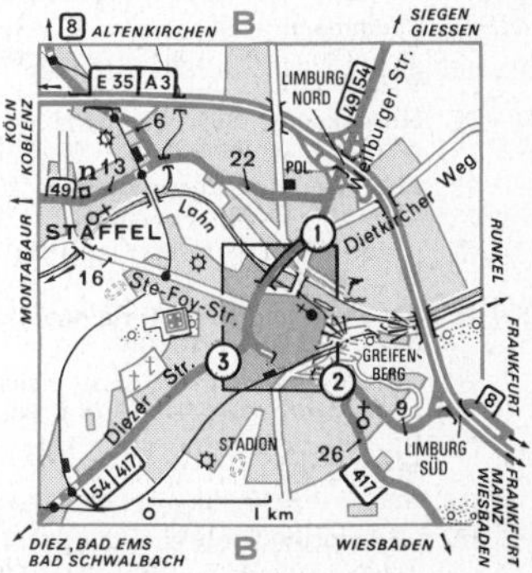

LIMBURG AN DER LAHN

Bahnhofstraße	A	3	Holzheimer Str.	A	10
Diezer Straße	A		Hospitalstraße	A	12
Fleischgasse	A	8	Koblenzer Str.	B	13
Frankfurter Str.	B	9	Kolpingstraße	A	14
Grabenstraße	A		Kornmarkt	A	15
Neumarkt	A		Limburger Weg	B	16
Salzgasse	A	20	Neumarkt	A	17
Schiede	A		Verbindungsstr.	B	22
Eisenbahnstr.	A	4	Werner-Senger-Straße	A	23
Elzer Straße	B	6	Wiesbadener-Str.	B	26

Romantik-Hotel Zimmermann, Blumenröder Str. 1, ✆ 46 11, Fax 41314 – TV ☎ P. AE D E VISA. ✻ Rest (nur Abendessen für Hausgäste) – **30 Z : 55 B** 75/125 - 98/220. A h

Dom-Hotel, Grabenstr. 57, ✆ 2 40 77 – |♦| ☎ P. AE D E VISA A v
Weihnachten - Anfang Jan. geschl. – Karte 26/53 – **59 Z : 105 B** 45/124 - 85/147 Fb.

Martin, Holzheimer Str. 2, ✆ 4 10 01 – |♦| ☎ ⇔ P. D VISA A s
Karte 24/48 *(wochentags nur Abendessen, Sonn- und Feiertage nur Mittagessen, Mittwoch und Aug. 2 Wochen geschl.)* – **30 Z : 55 B** 65/88 - 96/108 Fb.

Huss - China-Restaurant Lotos, Bahnhofsplatz 3, ✆ 2 50 87 (Hotel) 63 00 (Rest.) – |♦| P. AE D E VISA A f
Karte 26/45 – **38 Z : 60 B** 43/74 - 78/126 Fb.

XX **St. Georgsstube**, Hospitalstr. 4 (Stadthalle), ✆ 2 60 27 – ♿ 🏔. AE D E VISA A e
Karte 23/53.

In Limburg 3-Staffel NW : 3 km :

Alt-Staffel, Koblenzer Str. 56, ✆ 37 65 – ☎ P 🏔. AE D E B n
Karte 20/40 *(Sonntag ab 14 Uhr geschl.)* 🍷 – **16 Z : 32 B** 45 - 82.

LIMBURGERHOF 6703. Rheinland-Pfalz 413 I 18 – 9 500 Ew – Höhe 98 m – ☎ 06236 (Neuhofen).
Mainz 86 – ♦Mannheim 9,5 – Neustadt an der Weinstraße 24 – Speyer 13.

Rechner, Brunckstr. 2 (Ecke Speyerer Straße), ✆ 82 39 – ⇔ P. ✻ Zim
16 Z : 24 B.

In Waldsee 6701 SO : 6 km :

Oberst, Neuhofener Str. 54, ✆ (06236) 5 30 31 – |♦| ⇔ P
32 Z : 50 B.

LINDAU IM BODENSEE 8990. Bayern 413 LM 24, 987 ⑤ ㊱, 427 ⑧ – 24 000 Ew – Höhe 400 m – ☎ 08382.
Sehenswert : Hafen mit Römerschanze ≤★ – Stadtgarten ≤★ – Altstadt.
Ausflugsziel : Deutsche Alpenstraße★★★ (von Lindau bis Berchtesgaden).
⛳18 Kemptener Str. 125 (über ①), ✆ 7 80 90 ; ⛳18 Weißensberg (N : 4 km über ①), ✆ (08382) 66 24.
🚗 ✆ 40 00.
ℹ Tourist-Information, am Hauptbahnhof, ✆ 50 22.
♦München 180 ① – Bregenz 10 ② – Ravensburg 33 ③ – ♦Ulm (Donau) 123 ①.

Stadtplan siehe gegenüberliegende Seite.

Auf der Insel :

Bayerischer Hof, Seepromenade, ✆ 50 55, Telex 54340, 🏊 (geheizt), 🌳 – |♦| TV ♿ P 🏔. ✻ Rest – *nur Saison* – **95 Z : 172 B** Fb. Z b

Reutemann - Seegarten 🐚, Seepromenade, ✆ 50 55, Telex 54340, « Terrasse mit ≤ », 🏊 (geheizt), 🌳 – |♦| TV P 🏔. ✻ Rest Z k
66 Z : 118 B Fb.

Helvetia 🐚, Seepromenade, ✆ 40 02, « Terrasse mit ≤ », ≘s, 🏊 – |♦| TV ☎. AE D E VISA Z x
März - Okt. – Karte 31/70 – **50 Z : 100 B** 95/160 - 160/240 Fb.

Lindauer Hof, Seepromenade, ✆ 40 64, Telex 541813, ≤, 🌂, ≘s, 🏊 – |♦| TV ☎. AE E VISA Z y
15. März - 20. Nov. – Karte 25/51 – **23 Z : 45 B** 75/165 - 135/210 Fb.

Insel-Hotel garni, Maximilianstr. 42, ✆ 50 17 – |♦| TV ☎ ⇔. AE D E VISA Z a
28 Z : 44 B 76/95 - 127 Fb.

Brugger garni, Bei der Heidenmauer 11, ✆ 60 86, ≘s – ☎. AE D E VISA. ✻ Y r
20 Z : 40 B 60/75 - 104/130 Fb.

Café Peterhof garni, Schafgasse 10, ✆ 57 00 – |♦|. AE E VISA Y n
Ende März - Mitte Nov. – **29 Z : 49 B** 45/78 - 78/114.

XXX **Spielbank-Restaurant**, Oskar-Groll-Anlage 2, ✆ 52 00, ≤ Bodensee und Alpen, 🌂 – P. AE D E VISA Y
Nov.- März Dienstag geschl. – Karte 37/75.

XX ✿ **Bistro Beaujolais**, Ludwigstr. 7, ✆ 64 49 – D Z s
Montag und März 3 Wochen geschl. – Karte 48/75
Spez. Terrinen und Pasteten, Lachs in weißer Morchelrahmsauce, Duo von Mousse au Chocolat mit Karameleis.

X **Weinstube Frey**, Maximilianstr. 15 (1. Etage), ✆ 52 78, « Altdeutsche Stube » – E Z c
Sonntag geschl. – Karte 29/55.

X **Zum Sünfzen**, Maximilianstr. 1, ✆ 58 65, 🌂 – AE D E VISA. ✻ Z v
9. Feb.- 9. März geschl. – Karte 23/47 🍷.

In Lindau-Aeschach :

Am Holdereggenpark, Giebelbachstr. 1, ✆ 60 66 – ☎ ⇔ P. E X a
März - Okt. – Karte 27/47 *(nur Abendessen, Sonntag geschl.)* – **26 Z : 40 B** 68/85 - 110/120 Fb.

Toscana garni, Am Aeschacher Ufer 14, ✆ 31 31, 🌳 – ☎ ⇔ P. ✻ X m
20 Z : 25 B.

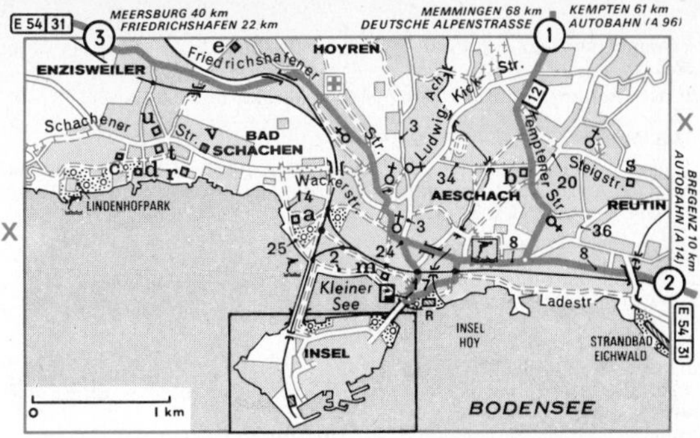

LINDAU IM BODENSEE

Bahnhofplatz Z 5
Bindergasse Z 7
Cramergasse Y 9
In der Grub Y
Maximilianstraße YZ 27

Aeschacher Ufer X 2
Anheggerstraße X 3
Bäckergässele Y 4
Bei der Heidenmauer Y 6
Bregenzer Straße X 8
Brettermarkt Z 10
Dammgasse Z 12
Fischergasse Z 13
Giebelbachstraße X 14
Hafenplatz Z 15
Inselgraben Z 16
Karl-Bever-Platz X 17
Kirchplatz Y 19

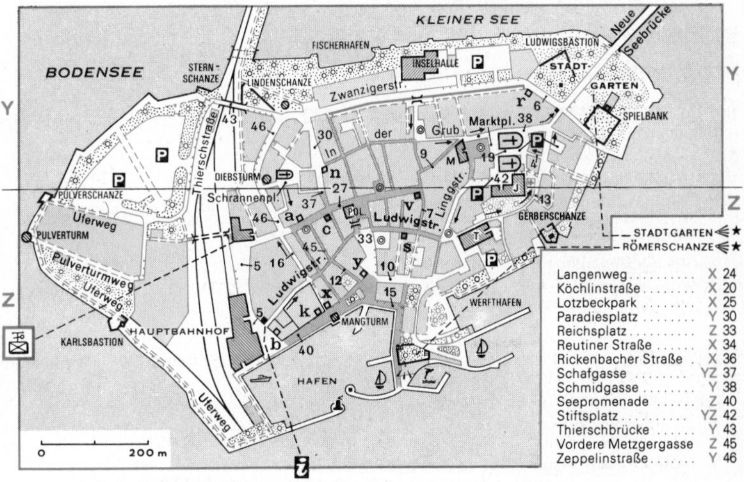

Langenweg X 24
Köchlinstraße X 20
Lotzbeckpark X 25
Paradiesplatz Y 30
Reichsplatz Z 33
Reutiner Straße X 34
Rickenbacher Straße X 36
Schafgasse YZ 37
Schmidgasse Y 38
Seepromenade Z 40
Stiftsplatz YZ 42
Thierschbrücke Y 43
Vordere Metzgergasse Z 45
Zeppelinstraße Y 46

In Lindau - Hoyren :

XXX ✿ **Hoyerberg Schlössle**, Hoyerbergstr. 64 (auf dem Hoyerberg), ☎ 2 52 95, « Terrasse mit ⋖ Bodensee und Alpen » – Ⓟ. AE ⓓ E VISA X **e**
Montag und Feb. 3 Wochen geschl. – Karte 58/87 (Tischbestellung ratsam)
Spez. Salat "Gourmet", Bodensee-Zander mit Champagnerkraut gefüllt, Rehrücken mit Pilzen (2 Pers.).

In Lindau-Reutin :

Reulein garni, Steigstr. 28, ☎ 7 90 99, ⋖, – ⧉ TV ☎ ♿ Ⓟ. AE ⓓ E X **s**
26 Z : 52 B 75/120 - 110/160 Fb.

Köchlin (ehemaliges Zollhaus), Kemptener Str. 41, ☎ 7 90 37, Biergarten – TV ☎ Ⓟ. AE ⓓ E VISA X **b**
2.- 23. Nov. geschl. – Karte 24/44 *(Montag geschl.)* – **22 Z : 34 B** 58/65 - 110/116.

In Lindau-Bad Schachen :

Bad Schachen, Bad Schachen 1, ☎ 50 11, Telex 54396, ⋖ Bodensee, Lindau und Alpen, « Park », Bade- und Massageabteilung, (geheizt), – ⧉ TV ♿ Ⓟ. AE VISA. Rest X **d**
Mitte April - Mitte Okt. – Karte 50/75 – **130 Z : 200 B** 127/201 - 214/310 Fb – 18 Appart. 320/420.

Strand-Hotel Tannhof, Oeschländer Weg 24, ☎ 60 44, ⋖, « Park », (geheizt), – ⧉ TV Ⓟ. Rest X **r**
Mitte März- Ende Okt. – Karte 38/57 – **29 Z : 55 B** 79/135 - 146/259 Fb.

Parkhotel Eden, Schachener Str. 143, ☎ 58 16, – ⧉ ☎ ♿ Ⓟ X **t**
nur Saison – *(nur Abendessen)* – **26 Z : 45 B** Fb.

Fortsetzung →

🏨 **Lindenhof** 🐦 garni, Dennenmoosstr. 3, ℰ 67 47, 🏊, 🌳 – 🚗 [P]. [AE] E — X c
April - Okt. – **20 Z : 32 B** 68/78 - 110/130 Fb.

🏨 **Appartement-Haus Schachen-Schlößle** garni, Enzisweiler Str. 5, ℰ 50 69, ≘s, 🏊, 🌳 – 🐕 Zim ☎ [P]. [AE] [D] E VISA — X u
März - Okt. – **22 Z : 33 B** 71/122 - 122/138 – 19 Fewo 90/178.

XX **Schachener Hof** 🐦 mit Zim, Schachener Str. 76, ℰ 31 16, 🍽 – [TV] [P]. E. 🐕 Zim — X v
15. Jan.- 20. Feb. geschl. – Karte 34/62 *(Dienstag - Mittwoch 16 Uhr geschl., Nov.- Ostern wochentags nur Abendessen)* – **6 Z : 12 B** 80 - 120.

In Weißensberg-Rehlings **8995** N : 4 km über ①:

🏨 **Bayerischer Hof** garni, Lindauer Str. 85 (Rehlings), ℰ (08389) 14 31, 🌳 – ☎ 🚗 [P]. E
Jan. und Okt. jeweils 2 Wochen geschl. – **13 Z : 26 B** 50/60 - 90/100 Fb – 3 Fewo 80/120.

In Hergensweiler - Stockenweiler **8997** NO : 10 km über ①:

XX ✿ **Stockenweiler**, an der B 12, ℰ (08388) 2 43 – [P]. [D] E
nur Abendessen, Donnerstag sowie 15.- 31. Jan. und 16.- 30. Juni geschl. – Karte 55/86 (Tischbestellung ratsam)
Spez. Grashecht mit Gartenkräutern gebraten, Rehbock mit frischen Waldpilzen, Dessertvariation.

Siehe auch : *Bregenz* (Österreich)

LINDBERG Bayern siehe Zwiesel.

LINDENBERG Rheinland-Pfalz siehe Lambrecht.

LINDENBERG IM ALLGÄU 8998. Bayern [413] M 24, [987] ㊱, [427] ⑧ – 11 000 Ew – Höhe 800 m – Höhenluftkurort – ☎ 08381.

[i] Städt. Verkehrsamt, im Rathaus, Rathausstr. 1, ℰ 8 03 24

♦München 174 – Bregenz 24 – Kempten (Allgäu) 56 – Ravensburg 36.

X **Weinstube Bode** 🐦 mit Zim, Nadenberg 7, ℰ 28 28, ←, 🍽 – [TV] [P]. E
Aug. 3 Wochen geschl. – Karte 27/53 *(Sonntag 17 Uhr - Montag geschl.)* – **7 Z : 11 B** 40/45 - 80/90.

An der Deutschen Alpenstraße O : 2 km :

🏨 **Alpengasthof Bavaria**, Manzen 8, ✉ 8998 Lindenberg, ℰ (08381) 13 26, ← Allgäuer Berge, 🍽, 🏊 (geheizt), 🌳 – 🚗 [P]
6. Jan.- 3. Feb. geschl. – Karte 24/50 🍷 – **18 Z : 34 B** 45/50 - 70/80.

LINDENFELS 6145. Hessen [413] J 17 – 4 700 Ew – Höhe 364 m – Heilklimatischer Kurort – ☎ 06255 – [i] Kurverwaltung im Rathaus, Burgstraße, ℰ 24 25.

♦Wiesbaden 86 – ♦Darmstadt 46 – ♦Mannheim 42.

🏨 **Waldschlösschen**, Nibelungenstr. 102, ℰ 24 60, 🍽 – ☎ 🚗 [P]
Nov. geschl. – Karte 26/58 *(Montag geschl.)* 🍷 – **13 Z : 21 B** 48 - 86 – P 57.

🏠 **Altes Rauch'sches Haus** 🐦, Burgstr. 31, ℰ 5 21, 🍽 – 🚗
10. Jan.- 19. Feb. geschl. – Karte 22/41 *(Dienstag geschl.)* 🍷 – **14 Z : 22 B** 32/38 - 60/72.

In Lindenfels-Kolmbach NW : 4 km :

🏨 **Buchenhof**, Winterkastener Weg 10, ℰ (06254) 8 33, ← – ☎ [P]
15. Jan.- 15. Feb. geschl. – Karte **30**/65 *(Montag geschl.)* – **14 Z : 25 B** 44 - 80 – P 58/65.

In Lindenfels 2-Winkel NW : 3 km :

🏨 **Zum Wiesengrund** 🐦, Talstr. 3, ℰ 20 71, 🍽, ≘s, 🏊, 🌳 – ☎ 🚗 [P] 🏔
✈ *Mitte Jan.- Mitte Feb. geschl.* – Karte 19/49 *(Montag geschl.)* 🍷 – **39 Z : 70 B** 38/49 - 70/84 Fb – P 54/59.

In Lindenfels 3-Winterkasten N : 6 km :

🏨 **Landhaus Sonne** 🐦 garni, Bismarckturmstr. 26, ℰ 25 23, ←, 🏊, 🌳 – [P]
Mitte Jan.- Mitte März geschl. – **9 Z : 15 B** 45/70 - 85/90 Fb.

LINDERHOF (Schloß) Bayern. Sehenswürdigkeit siehe Ettal.

LINDLAR 5253. Nordrhein-Westfalen – 18 700 Ew – Höhe 246 m – ☎ 02266.

⛳ Schloß Georghausen (SW : 8 km), ℰ (02207) 49 38.

[i] Verkehrsamt, Borromäusstr. 1, ℰ 96 67.

♦Düsseldorf 78 – Gummersbach 25 – ♦Köln 41 – Wipperfürth 13.

🏨 **Zum Holländer**, Kölner Str. 6, ℰ 66 05 – [TV] ☎ 🏔. [D] E
Karte 27/54 – **12 Z : 16 B** 60 - 90 Fb.

🏨 **Lintlo** garni, Hauptstr. 5, ℰ 62 40 – ☎ 🚗 [P]. 🐕
15 Z : 30 B 50/60 - 70/80 Fb.

XX **Schlemmer-Ecke**, Kölner Str. 2, ℰ 63 55
Dienstag geschl. – Karte 24/48.

In Lindlar-Frielingsdorf NO : 6 km :

🏨 **Montanushof**, Montanusstr. 8, ☎ 80 85 – [P]. [E]. 🐕 Zim
Karte 23/40 *(Dienstag geschl.)* – **8 Z : 16 B** 55 - 80.

In Lindlar-Georghausen SW : 8 km :

🏨 **Schloß Georgshausen** 🌙, im Sülztal, ☎ (02207) 25 61, 🌳, ⛳18 – [P] 🏃. [AE] [O] [E] [VISA]
Karte 48/70 *(Montag - Dienstag geschl.)* – **12 Z : 24 B** 80/100 - 125/155 Fb.

In Lindlar 3-Kapellensüng N : 5 km :

🏨 **Zur Dorfschänke** 🌙, Anton-Esser-Str. 42, ☎ 65 65, 🏊, 🌳 – [P]. 🐕 Zim
Ende Juli - Mitte Aug. geschl. – Karte 22/37 *(Montag geschl.)* – **11 Z : 22 B** 30/40 - 60/80.

LINGEN 4450. Niedersachsen [987] ⑭, [408] ⑭ – 49 600 Ew – Höhe 33 m – ☎ 0591.

⛳9 Altenlingen, Gut Beversundern, ☎ (0591) 6 38 37.

[i] Städt. Verkehrsbüro, Rathaus, Elisabethstr. 14, ☎ 8 23 35.

♦Hannover 204 – ♦Bremen 135 – Enschede 47 – ♦Osnabrück 65.

🏨 **B 70**, An der Kapelle 2 - Ecke Rheiner Str. (S : 3 km), ☎ 42 63 – ☎ [P] 🏃. [AE] [E]
20. Dez.- 6. Jan. geschl. – Karte 28/57 *(Samstag bis 18 Uhr geschl.)* – **22 Z : 40 B** 62 - 80.

🏨 **Ewald** garni, Waldstr. 90, ☎ 6 23 42 – ☎ [P]
14 Z : 20 B 40 - 70.

🍴🍴🍴 ✿ **Altes Forsthaus Beck**, Georgstr. 22, ☎ 37 98, « Ständige Kunstausstellung » – [P]. [AE] [E] [VISA]. 🐕
Samstag bis 18 Uhr und Montag geschl. – Karte 49/80
Spez. Zwei Süppchen "Lothar Beck", Baby-Steinbutt mit Gänsestopflebersauce, Kalbsroulade mit Steinpilzen gefüllt.

In Lingen-Brögbern NO : 6 km :

🏨 **Kampmann**, Bremer Str. 23 (B 213), ☎ 7 50 91, Telex 98802 – [$] [TV] ☎ ♿ [P] 🏃. [AE] [O] [E] [VISA]. 🐕 Zim
Karte 36/70 – **33 Z : 52 B** 70/120 - 120/160 Fb.

In Lingen-Darme NW : 4,5 km :

🏨 Am Wasserfall 🌙, Hanekenfähr, ☎ 40 99, ≤, ☂, Fahrradverleih – [TV] ☎ 🚗 [P] 🏃
39 Z : 54 B Fb.

In Lingen-Schepsdorf SW : 3 km :

🏨 **Waldhotel Neerschulte**, Lohner Str. 1 (B 213), ☎ 30 60, ☂, ♨, 🏊, 🌳 – ☎ ♿ 🚗 [P]. [O] [E]. 🐕 Rest
Karte 19/38 *(Samstag bis 17 Uhr geschl.)* – **30 Z : 50 B** 40/55 - 75/85.

🏨 **Hubertushof**, Nordhorner Str. 18 (B 213), ☎ 35 14, ☂ – ☎ 🚗 [P]
Karte 25/62 – **32 Z : 50 B** 45/60 - 75/90.

LINSENGERICHT Hessen siehe Gelnhausen.

LINTIG Niedersachsen siehe Bederkesa.

LINZ AM RHEIN 5460. Rheinland-Pfalz [987] ㉔ – 6 000 Ew – Höhe 60 m – ☎ 02644.

[i] Verkehrsamt, Rathaus, Marktplatz, ☎ 25 26

Mainz 131 – ♦Bonn 28 – ♦Koblenz 40.

🏨 **Café Weiß** garni, Mittelstr. 7, ☎ 70 81 – [$] ☎
8 Z : 14 B 60/65 - 110/130.

🏨 **Gut Frühscheid** 🌙, Am Roniger Weg (O : 2 km), ☎ 14 41/70 15, ☂, ♨, 🏊 – ☎ [P]. 🐕 Zim
Weihnachten - Mitte Jan. geschl. – Karte 18/42 *(Dienstag geschl.)* – **9 Z : 18 B** 50/60 - 96/120.

🏨 **Weinstock**, Linzhausenstr. 38 (B 42), ☎ 24 59, « Gartenterrasse », 🌳 – 🚗 [P]. [AE] [O] [E] [VISA] – *Mai - Okt.* – Karte 27/65 *(Montag geschl.)* – **26 Z : 48 B** 38/70 - 76/150.

LIPBURG Baden-Württemberg siehe Badenweiler.

LIPPOLDSBERG Hessen siehe Wahlsburg.

LIPPSPRINGE, BAD 4792. Nordrhein-Westfalen [987] ⑮ – 13 000 Ew – Höhe 123 m – Heilbad – Heilklimatischer Kurort – ☎ 05252.

[i] Verkehrsbüro, Friedrich-Wilhelm-Weber-Platz 33, ☎ 5 03 03.

♦Düsseldorf 179 – Detmold 18 – ♦Hannover 103 – Paderborn 9.

🏨 **Kurhaus-Hotel** 🌙, Birkenallee 4, ☎ 20 10, Telex 936933, Fax 201111, Caféterrasse, ♨, 🏊 – [$] [TV] ♿ [P] 🏃. [AE] [O] [E] [VISA]. 🐕 Rest
Karte 29/57 – **72 Z : 130 B** 141/172 - 191/222 Fb – P 148/229.

🏨 **Gästehaus Scherf** 🌙 garni, Arminiusstr. 23, ☎ 10 01, ♨, 🏊, 🌳 – [$] [TV] ☎ [P]
28 Z : 36 B 55/90 - 95/130 Fb – 6 Fewo 90/100.

🏨 **Zimmermann** garni, Detmolder Str. 180, ☎ 5 00 61, 🌳 – [$] ☎ 🚗 [P]
22. Dez.- 10. Jan. geschl. – **23 Z : 40 B** 48/60 - 85/100 Fb.

[LIPPSTADT] 4780. Nordrhein-Westfalen [987] ⑭ – 63 000 Ew – Höhe 77 m – ☎ 02941.
[i] Städt. Verkehrsverein, Lange Str. 14, ℘ 5 85 15.
[i] Kurverwaltung, Bad Waldliesborn, Quellenstr. 60, ℘ 80 00.
♦Düsseldorf 142 – Bielefeld 52 – Meschede 43 – Paderborn 31.

🏨 ✿ **Drei Kronen**, Marktstr. 2, ℘ 31 18 – [TV] ☎ 🚗. [D] E. 🚫
Karte 25/82 *(Montag geschl.)* – **8 Z : 12 B** 75/85 - 105/135
Spez. Salmsuppe mit Sauerampfer, St. Pierre in Limonenbutter, Lammrücken mit Kräutern überbacken.

🏨 **City-Hotel** garni, Lange Str. 1, ℘ 50 33, [≋] – ⇅ [TV] ☎ [P]. [AE] [D] E [VISA]
25 Z : 45 B 60/100 - 110/170 Fb.

🏨 **Altes Brauhaus** (Fachwerkhaus a.d.J. 1657), Rathausstr. 12, ℘ 45 31 – ☎ [P] 👥. [AE] E
Karte 31/53 – **21 Z : 27 B** 55/91 - 92/130 Fb.

XXX ✿ **Grand Cru** (ehem. Villa), Wiedenbrücker Str. 34, ℘ 6 42 42 – [P]. [AE] [D] E. 🚫
nur Abendessen, Sonn- und Feiertage sowie Juni - Juli 3 Wochen geschl. – Karte 68/98 (Tischbestellung ratsam) – **Heise's Bistro** *(auch Mittagessen und vegetarische Gerichte)* Karte 30/53
Spez. Gänseleber - Parfait, Gefüllter Steinbutt in Champagner, Lamm-Medaillons in Trüffeljus.

In Lippstadt 4-Bad Waldliesborn N : 5 km :

🏨 Jonathan, Parkstr. 13, ℘ 86 43 – ☎ [P] – **28 Z : 35 B** Fb.

🏨 **Parkhotel Ortkemper** 🔕, Im Kreuzkamp 10, ℘ 88 20 – ⇅ ☎ ♿ [P] 👥
Karte 24/47 – **41 Z : 75 B** 48/60 - 96/110 Fb – P 65/70.

🏨 **Hubertushof**, Holzstr. 8, ℘ 85 40 – 🚗 [P]. 🚫 Zim
20. Dez.- 15. Jan. geschl. – Karte 23/42 *(Montag geschl.)* – **16 Z : 25 B** 48 - 96.

[LIST] Schleswig-Holstein siehe Sylt (Insel).

[LOCHAU] Österreich siehe Bregenz.

[LÖCHERBERG] Baden-Württemberg siehe Oppenau.

[LÖF] 5401. Rheinland-Pfalz – 2 100 Ew – Höhe 85 m – ☎ 02605.
Mainz 94 – Cochem 26 – ♦Koblenz 23.

🏨 **Krähennest**, Auf der Kräh 26, ℘ 30 03, Telex 862366, <, ☂, 🌳, 🎾 – [TV] ☎ [P] 👥. [AE] E
Karte 28/52 – **74 Z : 141 B** 70 - 100/110.

In Löf-Kattenes :

🏨 **Langen**, Oberdorfstr. 6, ℘ 45 75, 🌳 – [P]. [AE] [D] E [VISA]. 🚫 Zim
➜ *15. Dez.- Jan. geschl.* – Karte 18/41 *(Dienstag geschl.)* 🍷 – **30 Z : 64 B** 30/45 - 50/80 – P 40/60.

[LÖFFINGEN] 7827. Baden-Württemberg [413] HI 23, [987] ㉟, [427] ⑤ ⑥ – 6 000 Ew – Höhe 802 m – Erholungsort – ☎ 07654 – [i] Kurverwaltung, Rathaus, ℘ 4 00.
♦Stuttgart 139 – Donaueschingen 16 – ♦Freiburg im Breisgau 46 – Schaffhausen 51.

🏨 **Pilgerhof** 🔕, Maienlandstr. 24, ℘ 3 58, [≋], 🌳 – ☎ 🚗 [P] 👥
Karte 22/43 *(Montag geschl.)* 🍷 – **26 Z : 50 B** 45/55 - 90/104 Fb – P 60/65.

🏨 **Wildpark** 🔕, am Wildpark (NW : 2 km), ℘ 2 39, ☂, [≋], 🌳, 🎾 – ☎ 🚗 [P] 👥
20. Nov.- 20. Dez. geschl. – Karte 22/56 *(Dienstag geschl.)* – **25 Z : 50 B** 47 - 86/138.

In Löffingen 5-Dittishausen NO : 3 km – Luftkurort :

🏨 **Zum Rössle** 🔕, Fliederstr. 3, ℘ 2 16, 🌳 – [P]
➜ *Mitte Nov.- Mitte Dez. geschl.* – Karte 18,50/44 *(Montag geschl.)* 🍷 – **7 Z : 13 B** 28/31 - 52/60.

In Löffingen 6-Reiselfingen S : 3,5 km :

🏨 **Sternen** 🔕, Mühlezielstr. 5, ℘ 3 41, 🌳 – 🚗 [P]
(Restaurant nur für Hausgäste) – **13 Z : 25 B** 40 - 77 – P 48/50.

🏨 **Krone**, Dietfurtstr. 14, ℘ 5 07, 🌳 – 🚗 [P]
➜ *Nov. geschl.* – Karte 15/28 *(Montag geschl.)* 🍷 – **10 Z : 19 B** 28 - 56 – P 42.

[LÖHNE] 4972. Nordrhein-Westfalen [987] ⑮ – 36 500 Ew – Höhe 60 m – ☎ 05732.
♦Düsseldorf 208 – ♦Hannover 85 – Herford 12 – ♦Osnabrück 53.

In Löhne 1-Ort :

🏨 **Schewe** 🔕, Dickendorner Weg 48, ℘ 8 10 28 – [TV] ☎ 🚗 [P]. E [VISA]. 🚫
Karte 23/46 *(nur Abendessen, Freitag geschl.)* – **30 Z : 42 B** 45/55 - 75/95 Fb.

In Löhne 3-Gohfeld :

XX **Kramer**, Koblenzer Str. 183, ℘ (05731) 8 38 38, ☂ – [P]. E
Montag geschl. – Karte 34/65.

In Löhne 1-Wittel :

XX **Landhotel Witteler Krug** mit Zim, Koblenzer Str. 305 (B 61), ℘ 31 31 – 🚗 [P]
6.- 20. Jan. und 25. Juli - 7. Aug. geschl. – Karte 24/52 *(Freitag geschl.)* – **8 Z : 12 B** 50 - 90.

[LÖHNHORST] Niedersachsen siehe Schwanewede.

[LÖNINGEN] 4573. Niedersachsen [987] ⑭ – 11 600 Ew – Höhe 35 m – ☎ 05432.
•Hannover 202 – •Bremen 91 – Enschede 91 – •Osnabrück 69.

Deutsches Haus, Langenstr. 14, ☎ 24 22, Bade- und Massageabteilung, – [P] [AE]
20. Dez.- 4. Jan. geschl. – Karte 25/48 *(Samstag bis 18 Uhr geschl.)* – **22 Z : 36 B** 37/58 - 70/105.

[LÖRRACH] 7850. Baden-Württemberg [413] G 24, [987] ㉞, [427] ④ – 42 000 Ew – Höhe 294 m – ☎ 07621 – **Ausflugsziel** : Burg Rötteln★ N : 3 km – ☎ 80 26.
[i] Verkehrsbüro, Bahnhofsplatz, ☎ 41 56 20.
ADAC, Brombacher Str. 76, ☎ 1 06 27 und Grenzbüro, Lörrach-Stetten, ☎ 17 22 50.
•Stuttgart 265 – Basel 9 – Donaueschingen 96 – •Freiburg im Breisgau 69 – Zürich 83.

Villa Elben garni, Hünerbergweg 26, ☎ 20 66, ‹, « Park », – [TV] ☎ [P]
34 Z : 44 B 80 - 110 Fb.

City-Hotel garni, Weinbrennerstr. 2a, ☎ 83 40 – [TV] ☎ [P]. [AE] [E] [VISA]
28 Z : 56 B 78/95 - 105/145 Fb.

Binoth am Markt garni, Basler Str. 169, ☎ 26 73 – ☎. [AE] [E] [VISA]
22 Z : 39 B 55/85 - 90/110.

Bijou garni, Basler Str. 7e, ☎ 8 90 77 – ☎ [P]. [AE] [E] [VISA]. Zim
20 Z : 36 B 54/68 - 84/98 Fb.

Zum Kranz mit Zim, Basler Str. 90, ☎ 8 90 83 – [TV] ☎ [P]
(Tischbestellung ratsam) – **9 Z : 17 B.**

In Lörrach-Haagen NO : 3,5 km :

Henke garni, Markgrafenstr. 48, ☎ 5 15 10 – ☎ [P]
20 Z : 36 B 30/50 - 60/75.

Burgschenke Rötteln, Auf Burg Rötteln (NW : 2 km), ☎ 5 21 41, ‹, – [P]
Sonntag 18 Uhr-Montag, Jan. 3 Wochen und Aug. 1 Woche geschl. – Karte 27/53.

Markgrafen-Stuben, Hauinger Str. 34, ☎ 5 23 65 – [AE] [E] [VISA]
Montag - Dienstag und über Fastnacht 1 Woche geschl. – Karte 24/55.

An der B 316 SO : 4 km :

Landgasthaus Waidhof, ✉ 7854 Inzlingen, ☎ (07621) 26 29 – [P]
Sonntag 17 Uhr - Montag, Feb. und Juli geschl. – Karte 42/74.

In Inzlingen 7854 SO : 6 km :

✿ **Inzlinger Wasserschloß** (Wasserschloß a.d.15.Jh.), Riehenstr. 5, ☎ (07621) 4 70 57 – [P]. [AE] [E]
Ende Juli - Anfang Aug. und Dienstag - Mittwoch 18 Uhr geschl. – Karte 65/94 (Tischbestellung ratsam)
Spez. Blanquette von Steinbutt und Lachs in Champagnersauce, Junge Bresse-Taube in eigener Sauce, Milchlamm-Carré "provençale".

[LÖSCHENBRAND] Bayern siehe Landshut.

[LÖWENSTEIN] 7101. Baden-Württemberg [413] L 19 – 2 500 Ew – Höhe 384 m – ☎ 07130.
•Stuttgart 49 – Heilbronn 18 – Schwäbisch Hall 30.

Zum Lamm mit Zim, Maybachstr. 43, ☎ 13 23 – [P] – **6 Z : 9 B.**

In Löwenstein-Hösslinsülz NW : 3,5 km :

Roger, Heiligenfeldstr. 56 (nahe der B 39), ☎ 67 36, – [TV] ☎ [P]
Karte 24/39 – **39 Z : 70 B** 48/75 - 85/105.

[LOFFENAU] Baden-Württemberg siehe Gernsbach.

[LOHBERG] 8491. Bayern [413] W 19, [987] ㉘ – 2 000 Ew – Höhe 650 m – Erholungsort – Wintersport : 550/850 1 6 – ☎ 09943 (Lam).
[i] Verkehrsamt, Haus des Gastes, Rathausweg 1, ☎ 34 60.
•München 205 – Cham 44 – Deggendorf 62 – Passau 90.

Landhaus Baumann, Ringstr. 7, ☎ 6 47, ‹, – [P].
(nur Abendessen für Hausgäste) – **12 Z : 21 B.**

In Lohberg-Altlohberghütte O : 3 km – Höhe 850 m :

Bergpension Kapitän Goltz, ☎ 13 87, ‹, – ☎ [P]. [AE] [E]
Mitte Nov.- Anfang Dez. geschl. – Karte 23/41 – **12 Z : 22 B** 30 - 58 Fb.

In Lohberg-Sommerau SW : 2,5 km über Lohberghütte :

Pension Grüne Wiese, Sommerauer Str. 10, ☎ 12 08, Wildgehege, – [P]. [E]
Nov.- 15. Dez. geschl. – (nur Abendessen für Hausgäste) – **26 Z : 46 B** 37/42 - 64/68.

[LOHMAR] 5204. Nordrhein-Westfalen – 26 600 Ew – Höhe 75 m – ☎ 02246.
♦Düsseldorf 63 – ♦Köln 23 – Siegburg 5.

🍴 **Jägerhof**, Hauptstr. 35, ☎ 42 79 – [P]
↔ *wochentags nur Abendessen* – Karte 14,50/46.

In Lohmar 1-Donrath :

🍴🍴 **Meigermühle**, an der Straße nach Rösrath (NW : 2 km), ☎ 50 00, ☂ – [P]. [AE] [D] [E] [VISA]
Dienstag ab 15 Uhr geschl. – Karte 28/58 ♁.

In Lohmar 21-Honrath N : 9 km :

🏨 **Haus am Berg** ⛰, Zum Kammerberg 22, ☎ (02206) 22 38, ←, « Gartenterrasse » – [P] 🏔. ✗
Aug. 2 Wochen geschl. – Karte 47/73 *(Freitag geschl.)* – **16 Z : 28 B** 45/75 - 80/130.

In Lohmar 21-Wahlscheid NO : 4 km – ☎ 02206 :

🏨 **Schloß Auel**, an der B 484 (NO : 1 km), ☎ 20 41, Telex 887510, Fax 2316, ☂, « Antike Einrichtung, Park, Schloßkapelle », ≋, 🏊, 🌳, 🎾 – [TV] ☎ [P] 🏔. [AE] [D] [E] [VISA]
Karte 41/67 – **23 Z : 44 B** 105/170 - 155/200 Fb.

🏨 **Landhotel Naafs - Häuschen**, an der B 484 (NO : 3 km), ☎ 8 00 81 (Hotel) 16 65 (Rest.), Telex 2206402, Fax 82165, ☂, ≋ – [TV] ☎ [P] 🏔. [AE] [D] [E]
Karte 34/63 *(Donnerstag geschl.)* – **44 Z : 72 B** 137 - 170 Fb.

🏨 **Aggertal-Hotel Zur alten Linde** ⛰, Bartholomäusstr. 8, ☎ 16 99, ☂ – ☎ 🚗 [P] 🏔. [D] [E]
15. Juli - 5. Aug. und 24.- 30. Dez. geschl. – Karte 33/61 *(Dienstag geschl.)* – **18 Z : 25 B** 70/90 - 110/150 Fb.

🏨 **Haus Säemann** ⛰, Am alten Rathaus 17, ☎ 77 87 – 🚗 [P]. [D] [E]
Karte 27/50 *(wochentags nur Abendessen, Montag geschl.)* – **10 Z : 14 B** 48/65 - 80/90 Fb.

🍴🍴 **Haus Stolzenbach**, an der B 484 (SW : 1 km), ☎ (02246) 43 67, ☂ – [P]
Montag geschl. – Karte 30/58.

[LOHNE] 2842. Niedersachsen [987] ⑭ – 19 600 Ew – Höhe 34 m – ☎ 04442.
♦Hannover 123 – ♦Bremen 81 – ♦Oldenburg 61 – ♦Osnabrück 50.

🏨 **Waldhotel** ⛰, Burgweg 16, ☎ 32 60, ☂ – ☎ 🚗 [P]. [AE] [D] [E] [VISA]
Karte 25/50 – **14 Z : 20 B** 49 - 85 Fb.

🏠 **Deutsches Haus**, Brinkstr. 18, ☎ 15 44 – 🚗 [P]. [D] [E]
Karte 21/35 *(Samstag geschl.)* – **10 Z : 16 B** 30/40 - 70.

[LOHR AM MAIN] 8770. Bayern [413] L 16, 17, [987] ㉕ – 17 000 Ew – Höhe 162 m – ☎ 09352.
[i] Städt. Verkehrsamt, Rathaus, Hauptstraße, ☎ 50 02 82 – [i] Verkehrsverein, Am Stadtbahnhof, ☎ 51 52.
♦München 321 – Aschaffenburg 35 – Bad Kissingen 51 – ♦Würzburg 41.

🏨 **Bundschuh**, Am Kaibach 7, ☎ 25 06 – 🛗 ☎ 🚗 [P]. [AE] [D] [E]. ✗
14.- 20. Aug. und 22. Dez.- 12. Jan. geschl. – (nur Abendessen für Hausgäste) – **26 Z : 42 B** 55/98 - 86/130 – 3 Appart. 180.

🏨 **Beck's Hotel** ⛰ garni, Lindenstr. 2, ☎ 20 93, 🌳 – 🚗 [P]
20 Z : 26 B 45/60 - 80/95.

🏠 **Engel**, Vorstadtstr. 7, ☎ 25 30 – ☎ 🚗 [P]. [AE] [D] [E] [VISA]
↔ *15.- 30. Aug. geschl.* – Karte 19/39 *(Montag geschl.)* ♁ – **11 Z : 18 B** 36/54 - 64/88.

🍴 Mopperstuben, Jahnstr. 8 (Stadthalle), ☎ 12 93, ☂ – [P] 🏔.

🍴 Postkeller, Hauptstr. 51, ☎ 25 40 – *nur Abendessen.*

In Lohr-Sendelbach SO : 1 km :

🏨 **Postillion-Zur alten Post**, Steinfelder Str. 1, ☎ 27 65, Biergarten – ☎ [P]. [E]
↔ *27. Juli - 10. Aug. und 27. Dez.- 8. Jan. geschl.* – Karte 18/33 *(Mittwoch geschl.)* ♁ – **11 Z : 19 B** 42/45 - 75/80.

In Lohr-Steinbach NO : 3 km :

🏨 **Adler**, Steinbacher Str. 14, ☎ 20 74, 🌳 – ☎ [P]. [E]
↔ *9. Feb.- 9. März geschl.* – Karte 17,50/32 *(Donnerstag geschl.)* – **17 Z : 27 B** 32/50 - 62/95.

Bei Maria Buchen SO : 5,5 km über Lohr-Steinbach :

🏨 **Buchenmühle** ⛰ (Sandsteinbau a.d. 18. Jh.), Buchentalstr. 23, ✉ 8771 Lohr-Land, ☎ (09352) 34 24, « Terrasse mit ← », 🌳 – [TV] ☎ 🚗 [P]. [AE] [D] [E] [VISA]. ✗
Karte 22/51 *(Feb. geschl.)* – **15 Z : 26 B** 54/65 - 72/100.

[LOICHING] Bayern siehe Dingolfing.

[LONGUICH] 5559. Rheinland-Pfalz – 1 180 Ew – Höhe 150 m – ☎ 06502.
Mainz 151 – Bernkastel-Kues 38 – ♦Trier 13 – Wittlich 26.

🏨 **Zur Linde**, Cerisierstr. 10, ☎ 55 82, ☂, ≋ – 🚗 [P] 🏔
Karte 22/43 *(Montag geschl.)* ♁ – **15 Z : 26 B** 45/55 - 75/90 – P 55/60.

🍴🍴 **Auf der Festung**, Maximinstr. 30, ☎ 49 20, bemerkenswerte Weinkarte – [P]
9. Juli - 2. Aug., 24.- 30. Dez. und Sonntag 14 Uhr - Montag geschl. – Karte **31**/64.

[LORCH] 7073. Baden-Württemberg [413] M 20, [987] ㉟ – 9 200 Ew – Höhe 288 m – ☎ 07172.
♦Stuttgart 45 – Göppingen 18 – Schwäbisch Gmünd 8.

Zum Bahnhof, Gmünder Str. 11, ✆ 74 47 – Zim
Karte 17,50/33 *(Mittwoch ab 13 Uhr geschl.)* – **22 Z : 30 B** 32/38 - 64/76.

[LORCH AM RHEIN] 6223. Hessen [987] ㉔ – 5 000 Ew – Höhe 83 m – ☎ 06726.
Sehenswert: Pfarrkirche (Kruzifix★).
[i] Verkehrsbüro, Marktstr. 5, ✆ 3 17.
♦Wiesbaden 45 – ♦Koblenz 51 – Limburg an der Lahn 68 – Mainz 48.

Arnsteiner Hof, Schwalbacher Str. 8, ✆ 93 71 – [P]. [AE] [E]
Karte 20/38 *(Montag bis 16 Uhr geschl.)* – **12 Z : 24 B** 40/50 - 80/95.

An der Straße nach Bad Schwalbach, im Wispertal :

🍴🍴 **Alte Villa**, (NO : 9 km), ✉ 6223 Lorch, ✆ (06726) 12 62, – [P]
Dienstag und 27. Dez.- Mitte März geschl. – Karte 37/64.

🍴 **Laukenmühle**, (NO : 13 km), ✉ 6223 Lorch 4, ✆ (06775) 3 55, « Gartenterrasse » – ♿ [P]
Montag und 27. Dez.- 24. Feb. geschl. – Karte 19,50/50.

🍴 **Kammerburg**, (NO : 9 km), ✉ 6223 Lorch, ✆ (06726) 94 15, « Gartenterrasse » – [P]
Montag und Dez.- Jan. geschl. – Karte 22/53.

In Lorch 4-Espenschied NO : 15 km – Höhe 404 m – Luftkurort :

Sonnenhang, Borngasse 1, ✆ (06775) 3 14, ≤, – ♿ [P].
März - Okt. – Karte 29/47 – **16 Z : 27 B** 44/56 - 88/104 – P 60/65.

In Lorch 3-Ransel N : 9 km – Höhe 450 m :

Rheingauer Berghof, Taunusstr. 1, ✆ 6 29, ≤, – [P]
März-Okt. – (Restaurant nur für Hausgäste) – **7 Z : 14 B** 52 - 85 – P 65.

[LORELEY] Rheinland-Pfalz .Sehenswürdigkeit siehe St. Goarshausen.

[LORSCH] 6143. Hessen [413] I 18 – 10 900 Ew – Höhe 100 m – ☎ 06251 (Bensheim).
Sehenswert: Königshalle★.
[i] Kultur- u. Verkehrsamt, Marktplatz 1, ✆ 50 41.
♦Wiesbaden 65 – ♦Darmstadt 29 – Heidelberg 34 – ♦Mannheim 26 – Worms 15.

Sandhas, Kriemhildenstr. 6, ✆ 50 18, Telex 468291, « Restaurant Alte Abtei », – [TV] ☎ [P]. [AE] [E] [VISA]
24. Dez.- 1. Jan. geschl. – Karte 39/64 *(Samstag bis 18 Uhr und Sonntag geschl.)* – **104 Z : 150 B** 69/84 - 89/150 Fb.

Schillereck, Schillerstr. 27, ✆ 5 23 01 – Rest
Aug. 3 Wochen geschl. – Karte 18,50/35 *(nur Abendessen, Freitag - Sonntag geschl.)* – **11 Z : 16 B** 28/38 - 55.

Kaplan, Heinrichstr. 21, ✆ 5 22 49 – [P]
Karte 18,50/45 *(Freitag - Samstag 18 Uhr geschl.)* – **13 Z : 20 B** 30 - 54/56.

🍴🍴 **Zum Schwanen**, Nibelungenstr. 52, ✆ 5 22 53 – [AE]
nur Abendessen, über Ostern, Juli - August 3 Wochen und 23. Dez.- 8. Jan. sowie Samstag geschl. – Karte 48/67 *(Tischbestellung erforderlich)*.

[LOSSBURG] 7298. Baden-Württemberg [413] I 21, [987] ㉟ – 5 500 Ew – Höhe 666 m – Luftkurort – Wintersport : 650/800 m 1 6 – ☎ 07446.
[i] Kurverwaltung, Hauptstr. 34, ✆ 1 83 45.
♦Stuttgart 100 – Freudenstadt 8,5 – Villingen-Schwenningen 60.

Hirsch, Hauptstr. 5, ✆ 20 20 – ☎ [P] – **46 Z : 80 B** Fb.

Traube, Gartenweg 3, ✆ 15 14, – [P]. Rest
Nov. geschl. – Karte 20/35 *(Montag geschl.)* – **34 Z : 57 B** 45/50 - 84/95 Fb.

Landhaus Hohenrodt, Obere Schulstr. 20, ✆ 7 24, – ☎
(Restaurant nur für Pensionsgäste) – **25 Z : 38 B** Fb.

Ochsen garni, Buchenweg 12, ✆ 15 06, – [P].
20. Okt.- 5. Nov. geschl. – **12 Z : 23 B** 45 - 80/90.

Zum Bären, Hauptstr. 4, ✆ 13 52, – [P]
Karte 18/42 *(Donnerstag geschl.)* – **22 Z : 40 B** 32/40 - 56/70.

In Lossburg-Oedenwald W : 3 km :

Adrionshof, ✆ 20 41, – ☎ [P]. Rest
16. Okt.- Nov. geschl. – Karte 22/39 – **22 Z : 38 B** 45/55 - 80/100 Fb – P 65/80.

In Lossburg-Rodt :

Café Schröder, Pflegersäcker 5, ✆ 5 74, – ☎ [P]. [AE] [E] [VISA]
15. Nov.- 15. Dez. geschl. – Karte 21/38 – **35 Z : 54 B** 55/75 - 80/108 Fb.

Panorama-Hotel, Breuninger Weg 30, ✆ 20 91, – Rest [P]
Nov.- 15. Dez. geschl. – Karte 22/35 *(Montag geschl.)* – **36 Z : 69 B** 48/54 - 80/90.

In Lossburg-Schömberg SW : 6 km :

🏠 **Waldhufen**, Ortsstr. 8, ☎ 17 46 – Zim [P]
Anfang Nov.- Mitte Dez. geschl. – Karte 22/32 *(Montag geschl.)* – **9 Z : 17 B** 40 - 80 Fb.

LOXSTEDT **2854.** Niedersachsen – 14 500 Ew – Höhe 3 m – ☎ 04744.
♦Hannover 178 – ♦Bremen 54 – ♦Bremerhaven 12.

In Loxstedt-Dedesdorf SW : 13 km :

🍴 Zum alten Dorfkrug mit Zim, Fährstr. 14, ☎ (04740) 3 06 – ☎ [P] – **7 Z : 14 B.**

LUBECCA = Lübeck.

LUDWIGSBURG **7140.** Baden-Württemberg [413] K 20, [987] ㉕㉟ – 76 000 Ew – Höhe 292 m – ☎ 07141 – **Sehenswert :** Blühendes Barock : Schloß★- Park★ (Märchengarten★★).
[i] Fremdenverkehrsamt, Wilhelmstr. 12, ☎ 91 02 52.
ADAC, Neckarstr. 102, ☎ 5 10 15, Telex 7264670.
♦Stuttgart 16 ④ – Heilbronn 36 ① – ♦Karlsruhe 86 ⑤.

Stadtplan siehe gegenüberliegende Seite.

🏠 **Favorit** garni, Gartenstr. 18, ☎ 9 00 51, Telex 7264699 – [TV] ☎ ♿ 🚗. [AE] [D] [E] [VISA]
50 Z : 57 B 88/95 - 155/160. Y r

🏠 **Schiller-Hospiz**, Gartenstr. 17, ☎ 2 34 63 – ☎ [P] . [AE] [E]. Y a
Karte 29/61 *(Samstag - Sonntag geschl.)* – **52 Z : 68 B** 52/95 - 88/160.

🏠 **Alte Sonne**, Bei der kath. Kirche 3, ☎ 2 52 31 – ☎. [AE] [D] [E] [VISA] Y n
Juli - Aug. 3 Wochen geschl. – Karte 31/68 *(bemerkenswerte Weinkarte, Tischbestellung ratsam)* (Samstag - Sonntag geschl.) – **14 Z : 20 B** 50/95 - 125/135 Fb.

🏠 **Heim** garni, Schillerstr. 19, ☎ 2 61 44, Telex 7264461 – ☎. [AE] [D] [E] [VISA] Z c
42 Z : 55 B 49/80 - 95/145.

🏠 **Westend**, Friedrich-List-Str. 26, ☎ 4 23 12 – [AE]. Zim Z d
27. Dez.- 8. Jan. und 29. Juli - 20. Aug. geschl. – Karte 30/55 *(Freitag 14 Uhr - Samstag geschl.)* – **12 Z : 18 B** 42/75 - 68/140.

🍴🍴 **Post-Cantz**, Eberhardstr. 6, ☎ 2 35 63 – [AE] [D] [E] [VISA] Y e
über Fasching 1 Woche, Juni - Juli 3 Wochen und Mittwoch - Donnerstag geschl. – Karte **30**/57.

🍴🍴 **Württemberger Hof**, Bismarckstr. 24, ☎ 90 16 02, – . [AE] [E] Y s
Dienstag, 6.- 15. Jan. und Mitte Juli - Mitte Aug. geschl. – Karte 23/54 *(auch vegetarische Gerichte)* – **Zunftstube** *(nur Abendessen, Sonntag geschl.)* Karte 18/33.

🍴🍴 **Rhapsody**, Stuttgarter Str. 33 (Forum am Schloßpark), ☎ 2 57 61, – [P] . [AE] [D] [E] [VISA]
Karte 32/62. Z

🍴🍴 **Ratskeller**, Wilhelmstr. 13, ☎ 2 67 19, – [P] . [AE] [D] [E] [VISA] Y u
Karte 32/62.

🍴 **Zum Justinus**, Marktplatz 9, ☎ 2 48 28, – [AE] [D] [E] [VISA] Y v
Sonntag und Jan. 3 Wochen geschl. – Karte 35/51 (Tischbestellung ratsam).

In Ludwigsburg-Hoheneck :

🏠 **Hoheneck** , Uferstraße (beim Heilbad), ☎ 5 11 33, – ☎ [P] V s
20. Dez.- 7. Jan. geschl. – Karte 26/50 *(Sonn- und Feiertage geschl.)* – **15 Z : 20 B** 48/68 - 86/120.

In Ludwigsburg-Oßweil W : 2 km über Schorndorfer Straße Y :

🏠 Kamin , Neckarweihinger Str. 52, ☎ 8 67 67 (Hotel) 86 25 86 (Rest.) – [TV] ☎ [P]
(nur Abendessen) **17 Z : 22 B.**

In Ludwigsburg 9-Pflugfelden :

🏠 **Stahl - Restaurant Zum goldenen Pflug**, Dorfstr. 4, ☎ 4 07 40, Telex 7264374 – [TV] ☎ 🚗. [AE] [D] [E] X e
Karte 37/71 *(Juli - Aug. 3 Wochen geschl.)* – **24 Z : 43 B** 75/95 - 145/155 Fb.

Beim Schloß Monrepos :

🏠 **Schloßhotel Monrepos** , ☎ 30 20, Telex 7264720, Fax 302200, « Gartenterrasse », , , – [TV] [P] (mit). [AE] [D] [E] [VISA] V r
24. Dez.- 7. Jan. geschl. – Restaurants : – **Bugatti** (, Italienische Küche) *(nur Abendessen, Sonn- und Feiertage geschl.)* Karte 52/84 – **Gutsschenke** Karte 34/65 – **82 Z : 122 B** 135/165 - 190/350 Fb.

In Freiberg 7149 N : 4 km – ☎ 07141 :

🏠 **Gästehaus Baumann** garni, Ruitstr. 67 (Gewerbegebiet Ried), ☎ 7 30 57 – ☎ [P]
18 Z : 22 B 52 - 94.

🍴🍴 **Schwabenstuben**, Marktplatz 5, ☎ 7 50 37, – [P]. [AE] [D] [E] [VISA]
Samstag bis 17 Uhr, Montag, 30. Jan.- 9. Feb. und 21. Aug.- 17. Sept. geschl. – Karte 29/69.

🍴🍴 **Spitznagel**, Ludwigsburger Str. 58 (Beihingen), ☎ 7 25 80, – [P]
Montag und 18. Juli - 7. Aug. geschl – Karte 38/58.

LUDWIGSBURG

Arsenalstraße . . . . Y 7
Kirchstraße . . . . Y 44
Marktplatz . . . . Y 58
Myliusstraße . . . . Z 65
Schillerstraße . . . . Z 80
Seestraße . . . . YZ

Alleenstraße . . . . Z 4
Bahnhofstraße . . . . Z 8
Beihinger Straße . . . . V 9
Belschnerstraße . . . . Z 12
Bietigheimer Straße . . . . Y 13
Bogenstraße . . . . Y 14
Bottwartalstraße . . . . V 17
Eberhardstraße . . . . Y 18
Eglosheimer Straße . . . . X 19
Erlachhofstraße . . . . Y 22
Friedenstraße . . . . Z 24
Friedrich Ebert-Straße . . . . Z 27
Friesenstraße . . . . X 28
Gänsfußallee . . . . XZ 29
Gartenstraße . . . . Y 31
Hauptstraße . . . . V 32
Heinrich-Schweitzer Straße . . . . Y 33
Hindenburgstraße . . . . Z 34
Hohenzollernstraße . . . . XZ 35
Holzmarkt . . . . Y 37
Hospitalstraße . . . . Y 38
Imbröderstraße . . . . Y 39
Kaffeeberg . . . . Y 42
Kaiserstraße . . . . Y 43
Königsallee . . . . Z 48
Körnerstraße . . . . Y 49
Leonberger Straße . . . . Z 50
Ludwigsburger Straße . . . . X 53
Marienstraße . . . . Y 55
Möglinger Straße . . . . X 59
Mömpelgardstraße . . . . Y 60
Mörikestraße . . . . Y 63
Monrepostraße . . . . V 64
Neckarstraße . . . . X 68
Pflugfelder Straße . . . . Z 69
Planckstraße . . . . Y 70
Porschestraße . . . . V 73
Richard-Wagner Straße . . . . Z 74
Schillerplatz . . . . Y 79
Schlachthofstraße . . . . Y 83
Schlieffenstraße . . . . X 84
Schützenstraße . . . . Y 85
Solitudeallee . . . . XZ 88
Südliche-Alleen-straße . . . . X 89
Talallee . . . . X 90
Uferstraße . . . . V 94
Untere-Reithaus-straße . . . . Y 96
Vischerstraße . . . . Y 98
Wilhelm-Keil-Straße . . . . Y 99

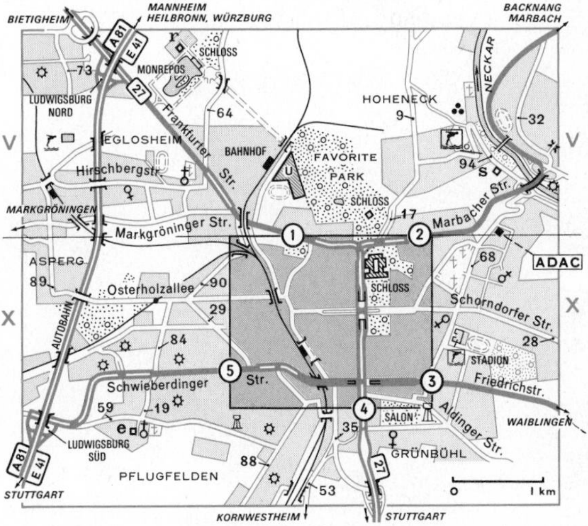

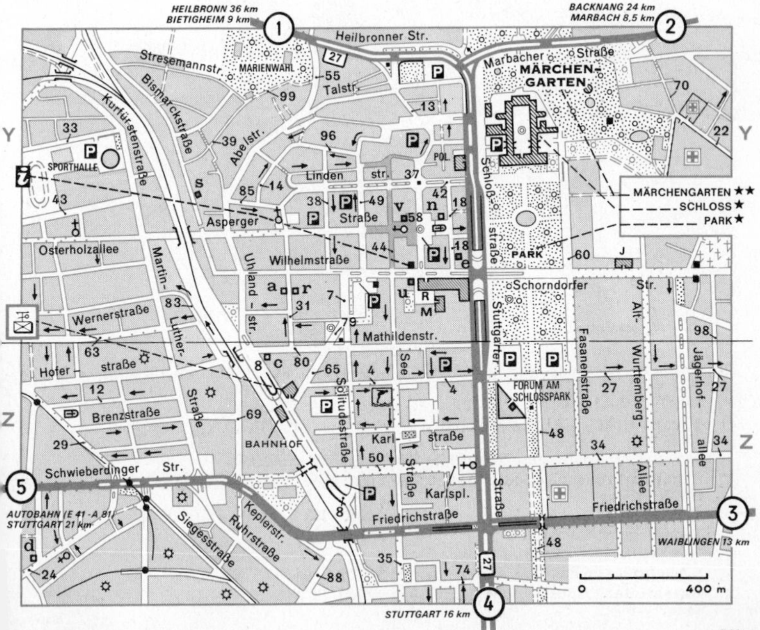

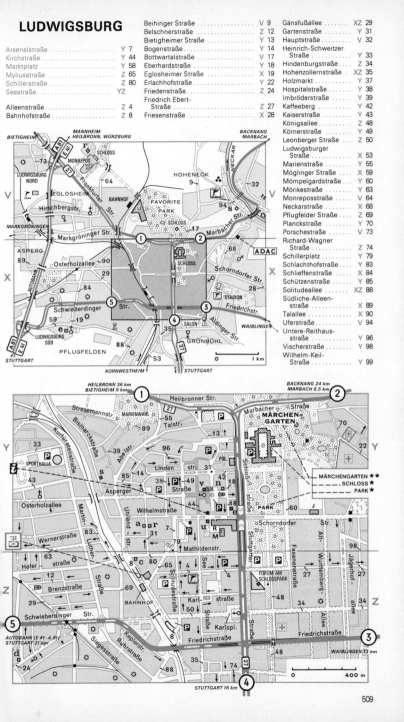

LUDWIGSHAFEN AM RHEIN 6700. Rheinland-Pfalz [413] I 18, [987] ㉔ ㉕ – 162 000 Ew – Höhe 95 m – ☎ 0621.

Siehe auch Mannheim-Ludwigshafen (Übersichtsplan).

[i] Verkehrsverein, Informationspavillon am Hauptbahnhof, ☎ 51 20 35.
ADAC, Theaterplatz 10, ☎ 51 93 61, Telex 464770.
Mainz 82 ② – Kaiserslautern 55 ② – ♦Mannheim 3 ④ – Speyer 22 ③.

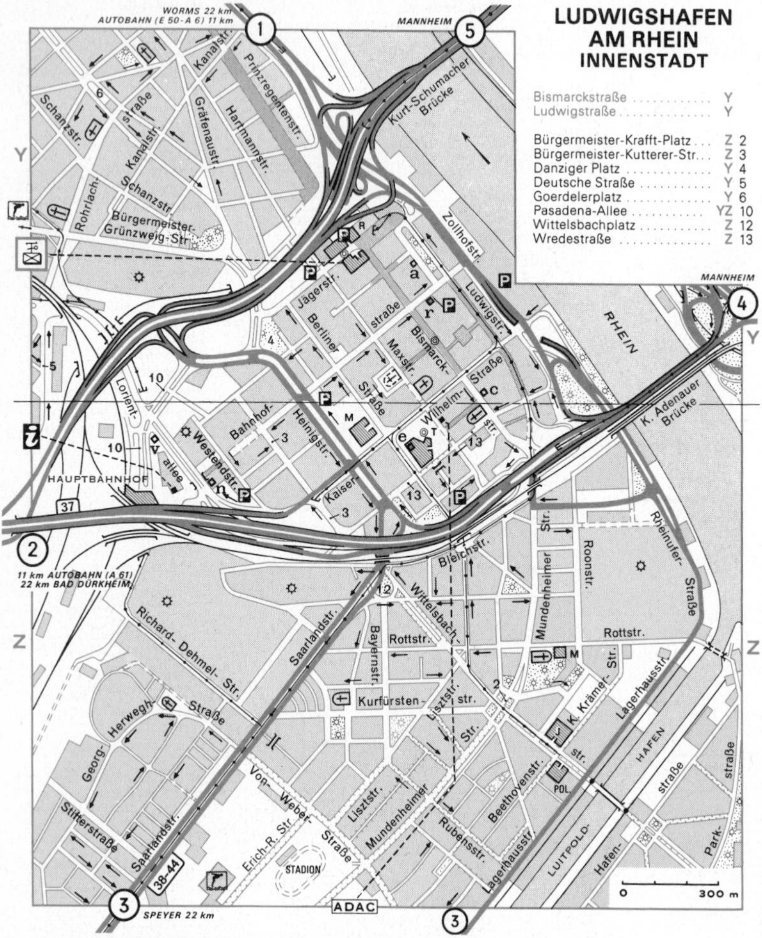

Ramada, Pasadena-Allee 4, ☎ 51 93 01, Telex 464545, Fax 511913, [≘s], [⛱] – [♦] [⇆] Zim [▤] [TV] [🚗] [P] [⚓]. [AE] [⦿] [E] — Z v
Karte 45/81 – **198 Z : 400 B** 188/208 - 246/276 Fb – 3 Appart. 396.

Europa Hotel, Am Ludwigsplatz 5, ☎ 51 90 11, Telex 464701, [≘s], [⛱] – [♦] [TV] ☎ [🚗] [⚓]. [AE] [⦿] [E] [VISA] — Y a
Karte 35/61 *(Samstag geschl.)* – **90 Z : 180 B** 148/158 - 188/230 Fb.

Excelsior, Lorientallee 16, ☎ 5 98 50, Telex 464540, ≤, [≘s], [⛱] – [♦] [TV] ☎ [🚗] [P] [⚓]. [AE] [⦿] [E] [VISA]. ⊗ Rest — Z n
Karte 38/56 *(Sonn- und Feiertage geschl.)* – **160 Z : 250 B** 145/158 - 170/200 Fb.

Regina garni, Bismarckstr. 40, ☎ 51 90 26 – [♦] ☎ — Y c
34 Z : 58 B 60/68 - 85/98.

🍴🍴 Kleines Haus im Pfalzbau, Kaiser-Wilhelm-Str. 39, ☎ 51 91 65, [⛱] — Z e

🍴 **Ratsstuben** (Jugoslawische Küche), Bahnhofstr. 13, ☎ 51 63 99 – [AE] [⦿] [E] [VISA]. ⊗ — Y r
Karte 30/49 [♨].

Folgende Häuser finden Sie auf dem Stadtplan Mannheim-Ludwigshafen :

In Ludwigshafen-Friesenheim :

Karpp, Rheinfeldstr. 56, ✆ 69 10 78, kleiner Innenhofgarten – 🛗 ☎. 🚫 Rest BV **e**
19. Dez.- 4. Jan. geschl. – Karte 24/39 *(nur Abendessen, Samstag - Sonntag geschl.)* – **20 Z : 32 B** 48/75 - 75/110.

Parkpension garni, Luitpoldstr. 150, ✆ 69 45 21 AV **v**
22 Z : 30 B 38/45 - 66/75.

In Ludwigshafen-Gartenstadt :

Gartenstadt, Maudacher Str. 188, ✆ 55 10 51, ≘s, 🏊, 🎾 (Halle) – 🛗 TV ☎ P. AE ⓓ E VISA. 🚫 Rest BV **h**
(nur Abendessen für Hausgäste) – **48 Z : 74 B** 75/85 - 116/140 Fb.

In Ludwigshafen-Oppau :

Oppenauer Stubb, Fritz-Winkler-Str. 20, ✆ 65 38 74 – P BU **e**
12 Z : 19 B.

In Altrip **6701** SO : 10 km über Rheingönheim und Hoher Weg BCV :

Strandhotel Darstein 🐦, Zum Strandhotel 10, ✆ (06236) 20 73, ≤, 🍽 – TV ☎ P 🏛. AE ⓓ E VISA
Karte 20/55 *(Montag bis 18 Uhr und 2.- 24. Jan. geschl.)* 🍷 – **17 Z : 29 B** 50/90 - 94/150 Fb.

LUDWIGSSTADT 8642. Bayern 413 QR 15, 987 ㉖ – 4 000 Ew – Höhe 444 m – Erholungsort – Wintersport : 500/700 m ⛷3 ⛷6 – ☎ 09263.

♦München 310 – ♦Bamberg 89 – Bayreuth 75 – Coburg 58.

In Ludwigsstadt-Lauenstein N : 3 km :

Posthotel Lauenstein, Orlamünder Str. 2, ✆ 5 05, ≤, 🍽, Bade- und Massageabteilung, ≘s, 🏊 – 🛗 ☎ P 🏛. 🚫 Rest
26 Z : 52 B.

Burghotel Lauenstein 🐦, Burgstr. 4, ✆ 2 56, ≤, 🍽 – 🚗 P 🏛. ⓓ E
Karte 19,50/42 – **22 Z : 38 B** 29/46 - 56/86 – P 53/71.

Siehe auch : ***Steinbach am Wald***

LÜBBECKE 4990. Nordrhein-Westfalen 987 ⑭ – 23 200 Ew – Höhe 91 m – ☎ 05741.

♦Düsseldorf 215 – ♦Bremen 105 – ♦Hannover 95 – ♦Osnabrück 45.

Quellenhof 🐦, Obernfelder Allee 1, ✆ 70 13, « Gartenterrasse » – 🛗 TV ☎ P 🏛. ⓓ E. 🚫
2.- 9. Jan. geschl. – Karte 25/52 *(Freitag - Samstag 15 Uhr geschl.)* – **24 Z : 39 B** 62/100 - 105/180 Fb.

Stadthallen-Restaurant, Rahdener Str.1, ✆ 74 77, 🍽 – P.

LÜBECK 2400. Schleswig-Holstein 987 ⑥ – 207 000 Ew – Höhe 10 m – ☎ 0451.

Sehenswert : Altstadt★★★ – Holstentor★★ – Marienkirche★★ – Haus der Schiffergesellschaft★ (Innenausstattung★★) – Rathaus★ – Heiligen-Geist-Hospital★ – St.-Annen-Museum★ BYZ **M** – Burgtor★ BX **D** – Füchtingshof★ – Jakobikirche (Orgel★★) BX **B** – Katharinenkirche (Figurenreihe★ von Barlach).

⛳ Lübeck-Travemünde (über Kaiserallee C), ✆ (04502) 7 40 18.

ℹ Touristbüro, Markt, ✆ 1 22 81 06, Telex 26894.

ℹ Touristbüro, Beckergrube 95, ✆ 1 22 81 09.

ℹ Auskunftspavillon im Hauptbahnhof, ✆ 1 22 81 07.

ADAC, Katharinenstr. 37, ✆ 4 39 39, Telex 26213.

♦Kiel 92 ⑤ – ♦Hamburg 66 ⑥ – Neumünster 58 ⑤.

Stadtpläne siehe nächste Seiten.

Mövenpick Hotel Lysia, Auf der Wallhalbinsel 3, ✆ 1 50 40, Telex 26707, Fax 1504111, 🍽 – 🛗 🚭 Zim TV 🚗 P 🏛. AE ⓓ E VISA AY **s**
Karte 33/56 – **197 Z : 318 B** 145/175 - 190/220 Fb – 9 Appart. 250.

Kaiserhof garni (mit 2 Gästehäusern), Kronsforder Allee 13, ✆ 79 10 11, Telex 26603, « Restaurierte Patrizierhäuser mit geschmackvoller Einrichtung », ≘s, 🏊 – 🛗 TV ☎ P 🏛. AE ⓓ E VISA. 🚫 BZ **f**
70 Z : 140 B 98/150 - 130/180 Fb – 5 Appart. 220/290.

Jensen, Obertrave 4, ✆ 7 16 46, Telex 26360 – 🛗 TV ☎. AE ⓓ E VISA BY **k**
Karte 30/58 – **46 Z : 94 B** 85/120 - 130/170 Fb.

Excelsior, Hansestr. 3, ✆ 8 26 26, Telex 26595 – 🛗 ☎ P 🏛. AE ⓓ E VISA AY **w**
(nur Abendessen für Hausgäste) – **54 Z : 100 B** 70/130 - 95/220 Fb.

Lindenhof garni, Lindenstr. 1a, ✆ 8 40 15 – 🛗 ☎ 🚗. ⓓ E VISA AY **b**
54 Z : 90 B 50/85 - 90/135.

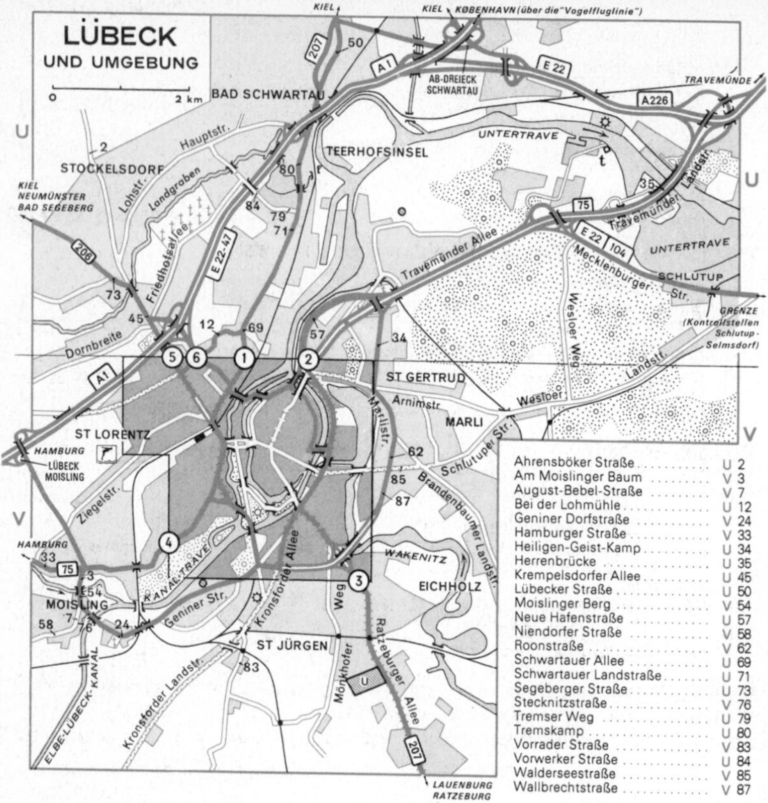

Wakenitzblick, Augustenstr. 30, ✆ 79 12 96, ≤, – AE ⊕ E VISA — BZ **n**
Karte 25/46 – **18 Z : 32 B** 50/85 - 95/135.

Motel Zur Lohmühle, Bei der Lohmühle 54, ✆ 47 33 81, Telex 26494, – ♿ P . AE ⊕ E VISA — AX **t**
24. Dez.- 1. Jan. geschl. – Karte 26/47 – **32 Z : 64 B** 65/80 - 110/130.

Altstadt-Hotel garni, Fischergrube 52, ✆ 7 20 83 – **25 Z : 45 B.** — BX **n**

XXX **Das Schabbelhaus**, Mengstr. 48, ✆ 7 50 51, « Altes Lübecker Kaufmannshaus, antikes Mobiliar » – AE ⊕ E VISA — BY
Sonntag ab 15 Uhr geschl. – Karte 48/85 (Tischbestellung ratsam).

XXX **Wullenwever** (Patrizierhaus a.d. 16. Jh.), Beckergrube 71, ✆ 70 43 33, – AE ⊕ E
Samstag - Sonntag nur Abendessen, Montag und 1.- 20. Jan. geschl. – Karte 53/75 (Tischbestellung ratsam). — BY **s**

XX **Stadtrestaurant**, Am Bahnhof 2, ✆ 8 40 44 – . AE ⊕ E VISA — AY
Karte 28/63.

XX **L'Etoile**, Große Petersgrube 8, ✆ 7 64 40 – AE ⊕ E VISA — BY **r**
Karte 48/73.

XX **Schiffergesellschaft**, Breite Str. 2, ✆ 7 67 76, « Historische Gaststätte a.d.J. 1535 mit zahlreichen Andenken an Lübecker Seefahrer » – — BX **x**
Montag geschl. – Karte 39/67 (abends Tischbestellung ratsam).

XX **Die Gemeinnützige**, Königstr. 5, ✆ 7 38 12, « Stilvolle Festsäle, Terrassengarten » – . E — BX **e**
Sonntag geschl. – Karte 23/46.

XX **Lübecker Hanse**, Kolk 3, ✆ 7 80 54 – AE ⊕ E VISA — BY **a**
Sonn- und Feiertage sowie 1.- 8. Jan. geschl. – Karte 37/64 (Tischbestellung ratsam).

X **Ratskeller**, Markt 13 (im Rathaus), ✆ 7 20 44, – AE ⊕ E VISA — BY **R**
Karte 27/63 *(auch vegetarische Gerichte).*

X Shanghai (Chinesische Küche), Königstr. 129, ✆ 7 76 66 — BY **d**

In Lübeck 1-Absalonshorst ③ : 9 km :

X **Absalonshorst** mit Zim, Absalonshorster Weg 100, ☎ (04509) 10 40, – P
Jan. geschl. – Karte 24/51 *(Montag geschl.)* – **6 Z : 11 B** 45 - 85.

In Lübeck 1-Gothmund :

XX **Fischerklause** mit Zim, Fischerweg 21, ☎ 39 32 83, – TV ☎ P. AE ① E U **t**
Karte 36/59 *(Montag geschl.)* – **6 Z : 12 B** 75 - 120.

LÜBECK-TRAVEMÜNDE

Die Hotelbesitzer sind gegenüber den Lesern dieses Führers Verpflichtungen eingegangen.
Zeigen Sie deshalb dem Hotelier Ihren Michelin-Führer des laufenden Jahres.

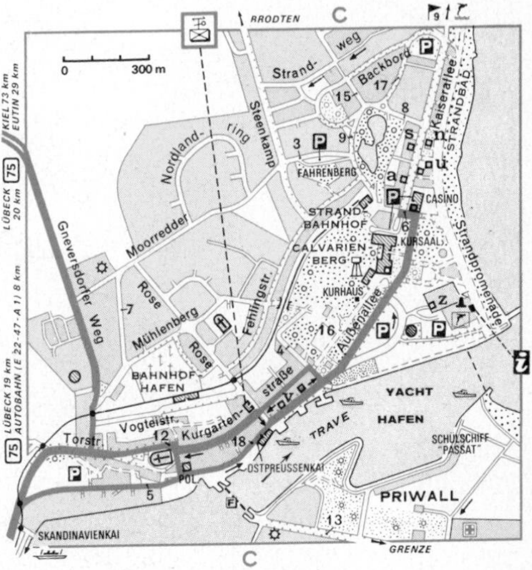

In Lübeck-Travemünde ② : 19 km – Seeheilbad – ☎ 04502.
ℹ Kurverwaltung, Strandpromenade 1b, ☎ 8 04 31.

Maritim, Trelleborgallee 2, ☎ 7 50 01, Telex 261432, Fax 74439, ≤ Lübecker Bucht und Travemündung, Massage, direkter Zugang zum Strandbad-Zentrum, – Rest TV P. AE ① E VISA. Rest C **z**
Karte 41/80 – **240 Z : 435 B** 159/219 - 229/298 Fb – 10 Appart. 450.

Kurhaus-Hotel, Außenallee 10, ☎ 8 11, Telex 261414, Fax 74437, – TV ☎ P. AE ① E VISA. Rest C
Karte 36/74 – **104 Z : 170 B** 133/213 - 218/298 Fb – 4 Appart. – P 179/259.

Deutscher Kaiser, Vorderreihe 52, ☎ 50 28, Telex 261443, ≤, (geheizt) – ☎. AE ① E VISA C **v**
Karte 32/54 – **47 Z : 95 B** 75/130 - 110/195.

Strandperle, Kaiserallee 10, ☎ 7 42 49, – TV ☎. AE ① E VISA C **n**
Karte 31/60 *(Nov.- Feb. Dienstag geschl.)* – **10 Z : 20 B** 80/100 - 130/160 Fb.

Sonnenklause garni, Kaiserallee 21, ☎ 7 33 30, Yachtcharter – TV ☎ P. C **s**
April - Okt. – **25 Z : 38 B** 63/110 - 118/170.

Seegarten garni, Kaiserallee 11, ☎ 7 27 77, – TV P C **a**
23 Z : 30 B 50/100 - 95/160.

Strandhaus Becker, Strandpromenade 7, ☎ 7 50 35, ≤, – ☎ P. AE ① E VISA C **u**
Karte 29/55 – **34 Z : 50 B** 55/155 - 110/190 Fb.

Atlantic garni, Kaiserallee 2a, ☎ 7 41 36 – ☎ P. AE ① E VISA C **u**
30 Z : 54 B 55/119 - 110/180.

XXX **Casino - Restaurant**, Strandpromenade, ☎ 8 20, ≤, – P. E VISA. C
wochentags nur Abendessen – Karte 50/80.

XX **Jeeger's Lord Nelson** (Restaurant im Pub-Stil, überwiegend Fischgerichte), Vorderreihe 56 (Passage), ☎ 63 69 – AE E C **v**
Okt.- April Dienstag geschl. – Karte 30/67 (Tischbestellung ratsam).

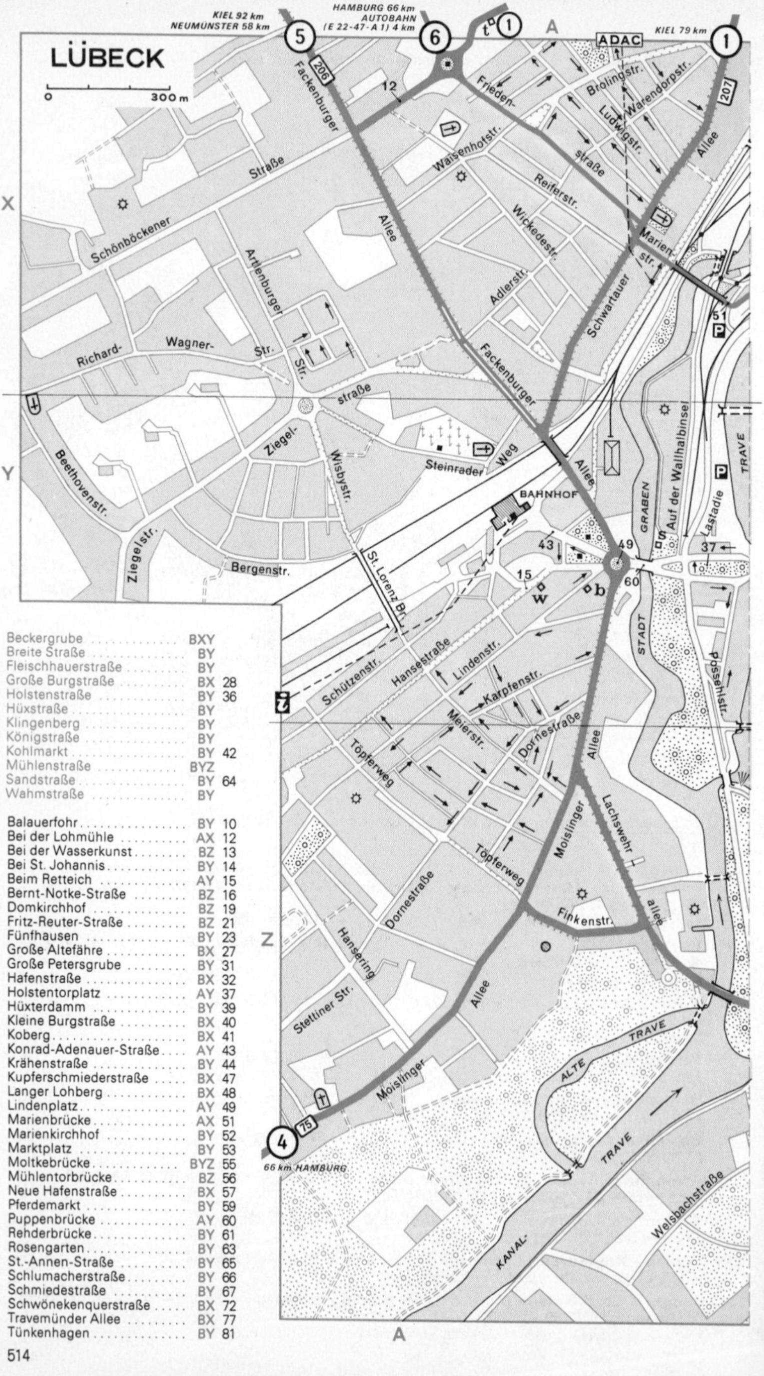

Beckergrube	BXY	
Breite Straße	BY	
Fleischhauerstraße	BY	
Große Burgstraße	BX	28
Holstenstraße	BY	36
Hüxstraße	BY	
Klingenberg	BY	
Königstraße	BY	
Kohlmarkt	BY	42
Mühlenstraße	BYZ	
Sandstraße	BY	64
Wahmstraße	BY	
Balauerfohr	BY	10
Bei der Lohmühle	AX	12
Bei der Wasserkunst	BZ	13
Bei St. Johannis	BY	14
Beim Retteich	AY	15
Bernt-Notke-Straße	BZ	16
Domkirchhof	BZ	19
Fritz-Reuter-Straße	BZ	21
Fünfhausen	BY	23
Große Altefähre	BX	27
Große Petersgrube	BY	31
Hafenstraße	BX	32
Holstentorplatz	AY	37
Hüxterdamm	BY	39
Kleine Burgstraße	BX	40
Koberg	BX	41
Konrad-Adenauer-Straße	AY	43
Krähenstraße	BY	44
Kupferschmiederstraße	BX	47
Langer Lohberg	BX	48
Lindenplatz	AY	49
Marienbrücke	AX	51
Marienkirchhof	BY	52
Marktplatz	BY	53
Moltkebrücke	BYZ	55
Mühlentorbrücke	BZ	56
Neue Hafenstraße	BX	57
Pferdemarkt	BY	59
Puppenbrücke	AY	60
Rehderbrücke	BY	61
Rosengarten	BY	63
St.-Annen-Straße	BY	65
Schlumacherstraße	BY	66
Schmiedestraße	BY	67
Schwönekenquerstraße	BX	72
Travemünder Allee	BX	77
Tünkenhagen	BY	81

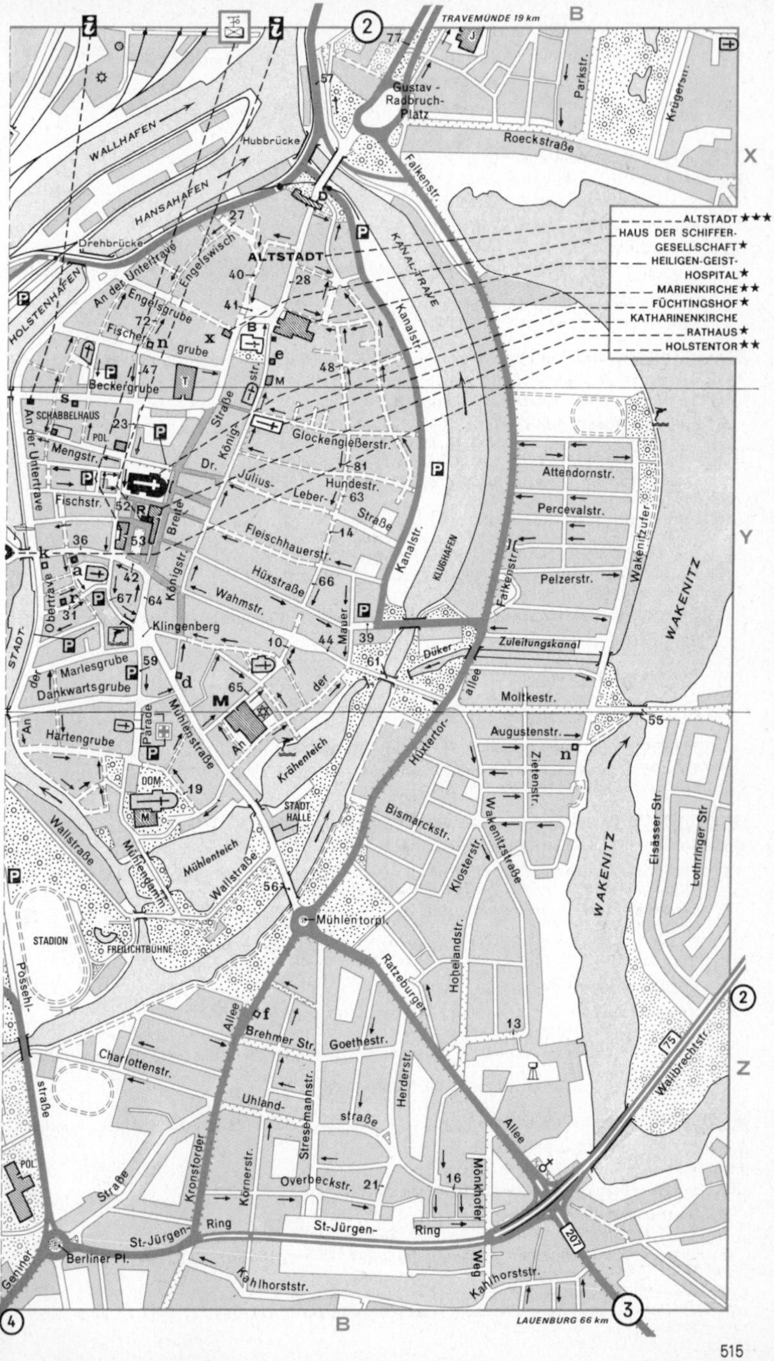
TRAVEMÜNDE 19 km
B
X
Y
Z
Gustav-Radbruch-Platz
Parkstr.
Krügerstr.
Roeckstraße
WALLHAFEN
HANSAHAFEN
Hubbrücke
Drehbrücke
HOLSTENHAFEN
Falkenstr.
KANAL-TRAVE
Kanalstr.
ALTSTADT
An der Untertrave
Engelswisch
Engelsgrube
Fischergrube
Beckergrube
SCHABBELHAUS
POL.
Mengstr.
Fischstr.
Breite
Dr. Julius-Leber-Straße
König-straße
Glockengießerstr.
Hundestr.
Fleischhauerstr.
Hüxstraße
Wahmstr.
Königstr.
Klingenberg
Mauer
der
Obertrave
STADT-
Marlesgrube
Dankwartsgrube
Hartengrube
Parade
Mühlenstraße
An
Krähenteich
DOM
Mühlenteich
Wallstraße
Mühlendamm
STADT-HALLE
Mühlentorpl.
STADION
FREILICHTBÜHNE
Possehl-straße
KLUGHAFEN
Attendornstr.
Percevalstr.
Pelzerstr.
Falkenstr.
Wakenitzufer
WAKENITZ
Düker
Zuleitungskanal
Moltkestr.
Augustenstr.
Zietenstr.
Hüxtertor-allee
Bismarckstr.
Wakenitzstraße
Klosterstr.
Hohelandstr.
Ratzeburger Allee
Elsässer Str.
Lothringer Str.
Wallbrechtstr.
Brehmer Str.
Goethestr.
Charlottenstr.
Uhland-straße
Stresemannstr.
Herderstr.
Kronsforder Allee
Körnerstr.
Overbeckstr.
Mönkhofer Weg
St.-Jürgen-Ring
Berliner Pl.
Gehner
Kahlhorststr.
Straße
75
207
LAUENBURG 66 km
ALTSTADT ★★★
HAUS DER SCHIFFER-GESELLSCHAFT ★
HEILIGEN-GEIST-HOSPITAL ★
MARIENKIRCHE ★★
FÜCHTINGSHOF ★
KATHARINENKIRCHE
RATHAUS ★
HOLSTENTOR ★★

In Groß-Grönau 2401 ③ : 6 km :

🏨 Forsthaus St. Hubertus, an der B 207, ☎ (04509) 20 26 – [TV] ☎ [P] – **19 Z : 38 B** Fb.

In Hamberge 2401 ④ : 7 km über die B 75 :

🏨 **Oymanns Hotel** garni, Stormarnstr. 12, ☎ (0451) 89 13 51 – ☎ [P]. [AE] [O] [E] [VISA]
21 Z : 29 B 52 - 79.

[LÜCHOW] 3130. Niedersachsen [987] ⑯ – 9 600 Ew – Höhe 18 m – ☎ 05841.
[i] Gästeinformation, Theodor-Körner-Str. 14, ☎ 1 26 49.
♦Hannover 138 – ♦Braunschweig 125 – Lüneburg 66.

🏨 Altstadt garni, Lange Str. 53, ☎ 22 40 – [TV] ☎ – **7 Z : 12 B** Fb.

🏨 **Jahn**, Burgstr. 2, ☎ 22 15 – 🚗
20. Dez.- 4. Jan. geschl. – Karte 19/46 *(Freitag und Sonntag jeweils ab 14 Uhr geschl.)* – **21 Z : 35 B** 30/45 - 55/85 Fb.

🏨 **Ratskeller**, Lange Str. 56, ☎ 55 10 – [P] 🎉
Karte 23/50 *(Samstag geschl.)* – **11 Z : 18 B** 29/39 - 55/69.

[LÜDENSCHEID] 5880. Nordrhein-Westfalen [987] ㉔ – 74 000 Ew – Höhe 420 m – ☎ 02351.
ADAC, Knapper Str. 26, ☎ 2 66 87, Notruf ☎ 1 92 11.
♦Düsseldorf 97 – Hagen 30 – ♦Dortmund 47 – Siegen 59.

🏨 **Queens Hotel Lüdenscheid**, Parkstr. 66, ☎ 15 60, Telex 826644, Fax 39157, ☀, ♨, 🏊 – 🛗 🚭 Zim ▤ Rest [TV] ☎ 🚗 [P] 🎉. [AE] [O] [E] [VISA]
Karte 37/62 – **187 Z : 330 B** 163 - 223 Fb – 3 Appart. 318.

🏨 Haus Sissi garni, Honseler Str. 7, ☎ 88 57 – 🛗 [P]
14 Z : 22 B.

🍴🍴 ✻ **Petersilie**, Loher Str. 19, ☎ 2 16 52 – [AE] [E]. 🐕
1.- 12. Jan., Juli - Aug. 3 Wochen sowie Samstag bis 18 Uhr und Montag geschl. – Karte 50/73
Spez. Sülze von Edelfischen, Lammgerichte, Dessertteller "Petersilie".

🍴🍴 **Heerwiese**, Heedfelder Str. 136, ☎ 69 04 – [P]. [AE] [O] [E]
Dienstag geschl. – Karte 29/54.

🍴 **Stadtgarten-Restaurant**, Freiherr-vom-Stein-Str. 9 (Kulturhaus), ☎ 2 74 30, ☀ – ▤ [P] 🎉
Montag geschl. – Karte 26/55.

In Lüdenscheid-Brügge W : 5 km über die B 229 :

🏨 **Passmann**, Volmestr. 83, ☎ 7 90 96, Telex 826777 – [TV] ☎ 🚗 [P] 🎉. [AE] [O] [E] [VISA]
Karte 30/65 – **28 Z : 50 B** 78/100 - 120/130 Fb.

In Lüdenscheid-Oberrahmede N : 4 km Richtung Altena :

🏨 **Zum Markgrafen**, Altenaer Str. 209, ☎ 59 04 – ☎ [P]. [AE] [O] [E]
Karte 32/70 – **10 Z : 15 B** 60 - 90/120 Fb.

[LÜDINGHAUSEN] 4710. Nordrhein-Westfalen [987] ⑭ – 19 700 Ew – Höhe 60 m – ☎ 02591.
♦Düsseldorf 97 – ♦Dortmund 37 – Münster (Westfalen) 28.

🏨 **Zur Post**, Wolfsberger Str. 11, ☎ 40 41, Fahrradverleih – 🛗 [TV] ☎ [P] 🎉. [AE] [O] [E] [VISA]
Karte 32/50 *(Montag geschl.)* – **33 Z : 50 B** 49/64 - 82/95 Fb.

🏨 **Westfalenhof**, Münsterstr. 17, ☎ 38 20, « Restaurant mit altdeutscher Einrichtung » – [TV] ☎ [P]. [AE] [O] [E]
Ende März - Anfang April geschl. – Karte 24/49 *(Samstag bis 18 Uhr und Sonntag - Montag 18 Uhr geschl.)* – **7 Z : 14 B** 50 - 95.

In Lüdinghausen-Seppenrade W : 4 km :

🍴🍴 **Schulzenhof** mit Zim, Alter Berg 2, ☎ 81 61 – [TV] ☎ [P]
Karte 32/63 *(Montag geschl.)* – **8 Z : 16 B** 47 - 94.

🍴🍴 **Zur Linde** mit Zim, Alter Berg 6, ☎ 81 49, ☀, « Fachwerkhaus mit rustikaler Einrichtung » – [TV] ☎ 🚗 [P]. [E]
Karte 22/50 *(Donnerstag geschl.)* – **6 Z : 10 B** 50 - 95.

[LÜGDE] 4927. Nordrhein-Westfalen [987] ⑮ – 11 700 Ew – Höhe 106 m – ☎ 05281 (Bad Pyrmont).
⛳ Auf dem Winzenberg 2, ☎ 81 96.
[i] Verkehrsamt im Rathaus, Am Markt, ☎ 70 11.
♦Düsseldorf 219 – Detmold 32 – ♦Hannover 68 – Paderborn 49.

🏨 **Sonnenhof**, Zum Golfplatz 2, ☎ 74 71, ≤, ☀, 🌳 – 🚗 [P]
3.- 13. Jan. geschl. – Karte 20/35 – **14 Z : 26 B** 38/40 - 65/70.

🏨 Berggasthaus Kempenhof 🐚, Am Golfplatz (W : 1,5 km), ☎ 86 47, ≤, ♨, 🌳 – [TV] ☎ [P]
17 Z : 32 B.

🏨 **Westfälischer Hof**, Bahnhofstr. 25, ☎ 72 34 – 🚗 [P]
25. Dez.- 19. Jan. geschl. – Karte 17/34 *(Samstag bis 16 Uhr geschl.)* – **12 Z : 22 B** 38/32 - 50/60.

In Lügde-Hummersen SO : 16 km :

🏨 **Lippische Rose,** Detmolder Str. 35, ☎ (05283) 2 28, Telex 931609, ... Fahrradverleih – ... VISA
Karte 23/53 *(Okt.- April Dienstag geschl.)* – **60 Z : 100 B** 55/65 - 100/120 Fb.

[LÜNEBURG] **2120.** Niedersachsen [987] ⑮ – 60 000 Ew – Höhe 17 m – Heilbad – ☎ 04131.

Sehenswert : Rathaus★★ (Große Ratsstube★★) – "Am Sande"★ (Stadtplatz) – "Wasserviertel" (ehemaliges Brauhaus★) X B – ⛳ Lüdersburg (NO : 16 km über ①), ☎ (04153) 67 15 ; ⛳ St. Dionys (N : 11 km über ①), ☎ (04133) 62 77.

[i] Verkehrsverein, Rathaus, Marktplatz, ☎ 3 22 00.

ADAC, Egersdorffstr. 1, ☎ 3 20 20.

♦Hannover 124 ③ – ♦Braunschweig 116 ② – ♦Bremen 132 ① – ♦Hamburg 55 ①.

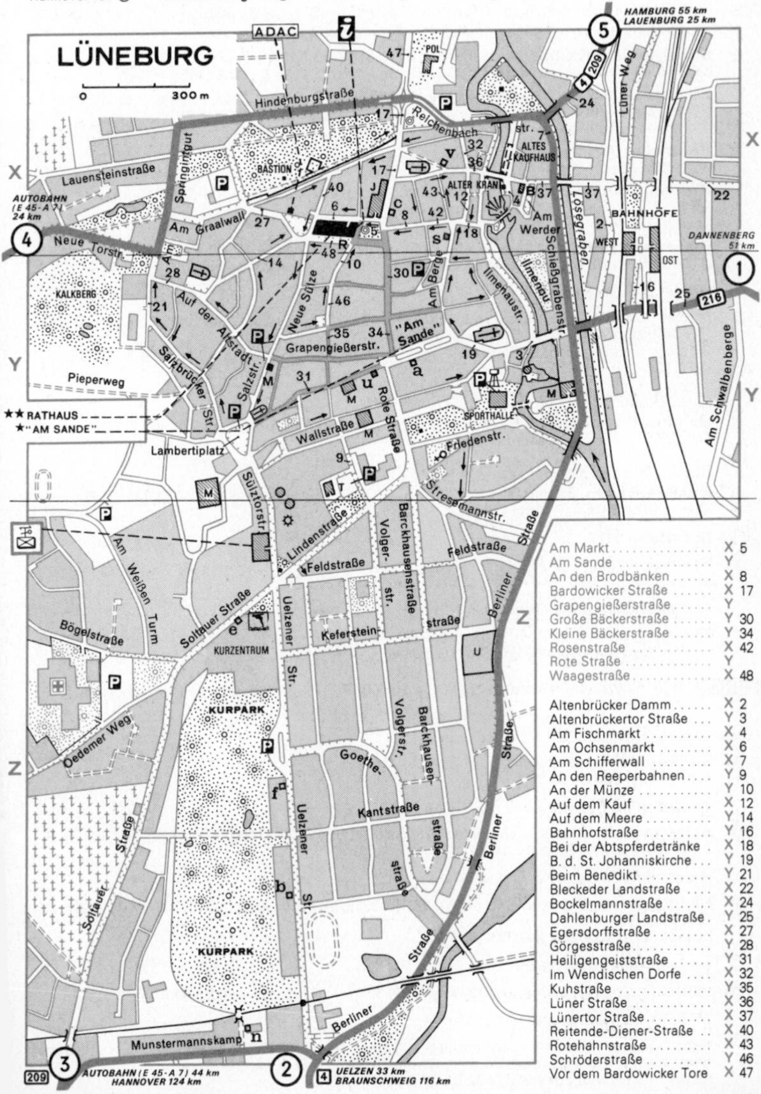

Am Markt . . . . . X 5
Am Sande . . . . . Y
An den Brodbänken . . . . . X 8
Bardowicker Straße . . . . . X 17
Grapengießerstraße . . . . . Y
Große Bäckerstraße . . . . . Y 30
Kleine Bäckerstraße . . . . . Y 34
Rosenstraße . . . . . X 42
Rote Straße . . . . . Y
Waagestraße . . . . . X 48

Altenbrücker Damm . . . . . X 2
Altenbrückertor Straße . . . Y 3
Am Fischmarkt . . . . . X 4
Am Ochsenmarkt . . . . . X 6
Am Schifferwall . . . . . X 7
An den Reeperbahnen . . . . Y 9
An der Münze . . . . . Y 10
Auf dem Kauf . . . . . X 12
Auf dem Meere . . . . . Y 14
Bahnhofstraße . . . . . Y 16
Bei der Abtspferdetränke . X 18
B. d. St. Johanniskirche . . . Y 19
Beim Benedikt . . . . . Y 21
Bleckeder Landstraße . . . . X 22
Bockelmannstraße . . . . . X 24
Dahlenburger Landstraße . Y 25
Egersdorffstraße . . . . . X 27
Görgesstraße . . . . . Y 28
Heiligengeiststraße . . . . . Y 31
Im Wendischen Dorfe . . . . X 32
Kuhstraße . . . . . Y 35
Lüner Straße . . . . . X 36
Lünertor Straße . . . . . X 37
Reitende-Diener-Straße . . X 40
Rotehahnstraße . . . . . X 43
Schröderstraße . . . . . Y 46
Vor dem Bardowicker Tore X 47

🏨 **Seminaris**, Soltauer Str. 3, ✆ 71 31, Telex 2182161, Fax 713727, 🌳, direkter Zugang zum Kurzentrum, Fahrradverleih – [lift] ⊁ Zim [▤] Rest [TV] ☎ [P] 🚶 (mit [▤]). [AE] [D] [E]. ✂ Z e
Karte 29/63 *(auch vegetarische Gerichte)* – **165 Z : 208 B** 92/112 - 127/154 Fb – 7 Appart. 257.

🏨 **Residenz**, Münstermannskamp 10, ✆ 4 50 47, Telex 2182213, Caféterrasse – [lift] [TV] ☎ 🚗 [P]. [AE] [D] [E] [VISA] Z n
Karte 41/72 – **35 Z : 60 B** 85/95 - 150 Fb.

🏨 **Wellenkamp's Hotel**, Am Sande 9, ✆ 4 30 26 – [TV] ☎ 🚶. [AE] [D] [E] [VISA] Y a
Karte 42/88 *(Sonntag ab 15 Uhr geschl.)* – **45 Z : 70 B** 51/79 - 89/145 Fb.

🏨 **Bremer Hof** 🌙, Lüner Str. 13, ✆ 3 60 77 – [TV] ☎ [P]. [AE] [D] [E] [VISA] X v
Karte 23/44 *(Sonn- und Feiertage ab 15 Uhr geschl.)* – **41 Z : 78 B** 53/61 - 65/110 Fb.

🏨 **Heiderose**, Uelzener Str. 29, ✆ 4 44 10 – ☎ [P] Z f
Karte 19/44 *(Samstag geschl.)* – **22 Z : 32 B** 46/52 - 72/87.

🏨 Zum Bierstein, Vor dem Neuen Tore 12, ✆ 6 21 93 – [P] – **19 Z : 36 B**. über ④

🏨 Am Kurpark, Uelzener Str. 41, ✆ 4 47 92 – 🚗 [P] – **43 Z : 66 B**. Z b

🏨 **Scheffler** (altes Patrizierhaus), Bardowicker Str. 7, ✆ 3 18 41 – 🚗 X c
Karte 24/48 *(Sonntag ab 15 Uhr und 1.- 15. Feb. geschl.)* – **18 Z : 30 B** 34/55 - 68/88.

XX **Zum Heidkrug** mit Zim, Am Berge 5, ✆ 3 12 49, « Gotischer Backsteinbau a.d. 15. Jh. » – [TV] ☎ 🚗. [AE] [D] [E] X s
4.- 16. Jan. geschl. – Karte 44/68 – **7 Z : 13 B** 85/95 - 140.

XX **Ratskeller**, Am Markt 1, ✆ 3 17 57 X R
Mittwoch geschl. – Karte 24/54.

X **Kronen-Brauhaus** (Brauerei-Gaststätte), Heiligengeiststr. 39, ✆ 71 32 00, Biergarten – [AE] [D] [E] Y u
Karte 26/58.

X **Ristorante Italia**, Auf dem Schmaarkamp 2, ✆ 3 71 73 – [P]. [AE] [D] [E] [VISA]
nur Abendessen, Dienstag geschl. – Karte 32/59. über Vor dem Bardowicker Tore X

An der B 4 ⑤ : 5 km :

🏨 **Motel Landwehr**, Hamburger Str. 15, ✉ 2120 Lüneburg, ✆ (04131) 12 10 24, 🌳, 🏊 (geheizt), 🌲 – [TV] ☎ ♿ 🚗 [P]. [D] [E] [VISA]. ✂
23. Dez.- 5. Feb. geschl. – Karte 26/45 *(nur Abendessen, Sonntag geschl.)* – **34 Z : 70 B** 50/120 - 110/200.

In Brietlingen 2121 ⑤ : 10 km über die B 209 :

🏨 **Gasthof Franck**, an der B 209, ✆ (04133) 31 11, ♨, 🏊, 🌲 – ☎ 🚗 [P]. [D] [E] [VISA]
Karte 28/51 *(Montag geschl.)* – **32 Z : 60 B** 45/70 - 90/120 Fb.

In Deutsch-Evern 2121 ② : 7 km :

XX **Niedersachsen**, Bahnhofstr. 1, ✆ (04131) 7 93 74, « Gartenterrasse » – [P] 🚶. [D] [E]
Donnerstag geschl. – Karte 13,50/52.

In Embsen 2121 ③ : 10 km :

🏠 **Stumpf**, Ringstr.6, ✆ (04134) 2 15, 🌳, « Historische Sammlungen », ♨ – 🚗 [P]. ✂ Zim
Karte 21/36 *(Montag bis 17 Uhr geschl.)* – **6 Z : 10 B** 32 - 64.

In Südergellersen-Heiligenthal 2121 ③ : 6 km, in Rettmer rechts ab :

X **Wassermühle**, ✆ (04135) 71 57 – [P]. [D]
wochentags nur Abendessen, Dienstag geschl. – Karte 25/46.

LÜNEN 4670. Nordrhein-Westfalen [987] ⑭ – 86 500 Ew – Höhe 45 m – ☎ 02306.

Siehe Ruhrgebiet (Übersichtsplan).

♦Düsseldorf 94 – ♦Dortmund 15 – Münster (Westfalen) 50.

🏨 **Zur Persiluhr**, Münsterstr. 25, ✆ 6 19 31 – [lift] 🚗. ✂
Karte 28/51 – **20 Z : 38 B** 60 - 98.

Beim Schloß Schwansbell SO : 2 km über die B 61

XX **Schwansbell**, Schwansbeller Weg 32, ✉ 4670 Lünen, ✆ (02306) 28 10, 🌳 – [P]. [AE] [D] [E]
Montag geschl. – Karte 48/70.

An der Straße nach Bork NW : 4 km :

🏨 **Siebenpfennigsknapp**, Borker Str. 281 (B 236), ✉ 4670 Lünen, ✆ (02306) 58 68 – ☎ 🚗 [P] 🚶
Karte 21/48 – **23 Z : 39 B** 40/60 - 90/105.

In Selm 4714 NW : 12 km :

🏨 Haus Knipping 🌙, Ludgeristr. 32, ✆ (02592) 30 09 – [TV] ☎ [P] – **20 Z : 30 B** Fb.

In Selm-Cappenberg 4714 N : 5 km :

XX **Kreutzkamp** mit Zim, Cappenberger Damm 3, ✆ (02306) 5 88 90, 🌳, « Historisches Restaurant in altdeutschem Stil » – ☎ 🚗 [P] 🚶. [AE] [D] [E]. ✂ Zim
Karte 23/69 *(Montag geschl.)* – **12 Z : 22 B** 55/75 - 90/120.

LÜTJENBURG 2322. Schleswig-Holstein 987 ⑤ ⑥ – 5 400 Ew – Höhe 25 m – Luftkurort – ☎ 04381.

ℹ Verkehrsamt, Markt 12, ✆ 91 49.

♦Kiel 34 – ♦Lübeck 75 – Neumünster 56 – Oldenburg in Holstein 21.

- **Brüchmann**, Markt 20, ✆ 70 01, Telex 292474, – TV ☎ P. AE ① E VISA
  Feb. geschl. – Karte 35/50 *(Sonntag und Montag jeweils ab 14 Uhr geschl.)* – **28 Z : 48 B** 49/69 - 84/116 Fb.
- **Ostseeblick** garni, Am Bismarckturm, ✆ 66 88, ←, – ☎ P. AE ① E VISA
  3.- 31. Jan. geschl. – **24 Z : 48 B** 74 - 120.
- **Bismarckturm**, Vogelberg 3, ✆ 79 21, ←, – P. AE ① E
  Okt.- März Montag und 4.- 31. Jan. geschl. – Karte 28/53.

In Panker 2322 N : 4,5 km :

- **Ole Liese** mit Zim, ✆ (04381) 3 74, « Historischer Gasthof a.d.J. 1797 » – P
  23. Dez.- Feb. geschl. – Karte 28/54 – **5 Z : 9 B** 58 - 102/122.
- ✿ **Forsthaus Hessenstein**, beim Hessenstein (W : 3 km), ✆ (04381) 4 16 – P
  wochentags nur Abendessen, Montag, Okt.- Juni auch Dienstag sowie 5. Jan.- 15. Feb. und 15.- 31. Okt. geschl. – Karte 56/77 (Tischbestellung erforderlich) – **Bistro** Karte 27/44
  Spez. Lammleberauflauf mit Tomatenbutter, Steinbutt mit Hummersauce, Holsteinischer Ziegenquark mit Honig.

LÜTJENSEE 2073. Schleswig-Holstein – 2 500 Ew – Höhe 50 m – ☎ 04154 (Trittau).

Hoisdorf-Hof Bornbek (W : 2 km), ✆ (04107) 78 31 ; Großensee (S : 5 km), ✆ (04154) 62 61.

♦Kiel 85 – ♦Hamburg 30 – ♦Lübeck 43.

- **Fischerklause**, Am See 1, ✆ 71 65, ← Lütjensee, « Terrasse am See » – TV ☎ P. ① E
  2.- 19. Jan. geschl. – Karte 36/68 *(Donnerstag geschl.)* – **13 Z : 19 B** 65/80 - 110/130.
- **Forsthaus Seebergen** (mit Gästehäusern), ✆ 71 82, ←, « Terrasse am See » – TV ☎ P. AE ① E VISA
  Karte 41/89 *(bemerkenswerte Weinkarte)* (Montag geschl.) – **9 Z : 18 B** 60/80 - 100/130.
- Seehof, Seeredder 22, ✆ 71 00, ← Lütjensee, « Terrasse am See » – P.

LÜTZELBACH Hessen siehe Modautal.

LÜTZENHARDT Baden-Württemberg siehe Waldachtal.

LUHDEN Niedersachsen siehe Bückeburg.

LUISENBURG Bayern. Sehenswürdigkeit siehe Wunsiedel.

LUTTER AM BARENBERGE 3372. Niedersachsen – 2 800 Ew – Höhe 165 m – ☎ 05383.

♦Hannover 70 – ♦Braunschweig 40 – Goslar 21.

- Kammerkrug mit Zim, Frankfurter Str. 1, ✆ 2 51 – P – **7 Z : 11 B.**

An der Straße nach Othfresen O : 6 km :

- **Der Harhof**, ✉ 3384 Liebenburg 1, ✆ (05383) 3 66, « Gartenterrasse », – P
  Karte 18/40 *(Montag geschl.)* – **10 Z : 16 B** 33/38 - 60/70.

MAASHOLM 2341. Schleswig-Holstein – 750 Ew – Höhe 5 m – ☎ 04642.

♦Kiel 71 – Flensburg 36 – Schleswig 68.

- **Martensen - Maasholm**, Hauptstr. 38, ✆ 60 42 – TV ☎ P. AE E
  3. Jan.- 15. Feb. geschl. – Karte 20/52 *(Nov.- Ostern Montag geschl.)* – **16 Z : 35 B** 55 - 66/82.
- Schleihalle, Westerstr. 113, ✆ 62 62, ← – P – **10 Z : 20 B.**

MAGONZA = Mainz.

MAHLBERG 7631. Baden-Württemberg 413 G 22, 242 ㉘, 87 ⑥ – 3 300 Ew – Höhe 170 m – ☎ 07825 (Kippenheim).

♦ Stuttgart 173 – ♦Freiburg im Breisgau 40 – ♦Karlsruhe 98 – Strasbourg 51.

- **Löwen**, Karl-Kromer-Str. 8, ✆ 10 06, Telex 782510, – ☎ P. AE ① E VISA. Zim
  Karte 32/70 – **26 Z : 50 B** 65/80 - 110/140 Fb.

MAIBRUNN Bayern siehe St. Englmar.

MAIKAMMER 6735. Rheinland-Pfalz 413 H 19, 242 ⑧, 87 ① – 3 700 Ew – Höhe 180 m – Erholungsort – ☎ 06321 (Neustadt a.d. Weinstraße).

Ausflugsziel : Kalmit ✻** NW : 6 km.

ℹ Verkehrsamt, Immengartenstr. 24, ✆ 5 80 31.

Mainz 101 – Landau in der Pfalz 15 – Neustadt an der Weinstraße 6.

Waldhaus Wilhelm, Kalmithöhenstr. 6 (W : 2,5 km), 5 80 44, –
Karte 25/61 (Montag geschl.) – **30 Z : 50 B** 45/58 - 85/100 Fb.

Apart-Hotel Immenhof, Immengartenstr. 26, 5 80 01, – Karte 23/49 *(Donnerstag geschl.)* – **34 Z : 68 B** 53/80 - 93/103 Fb.

Motel am Immengarten garni, Marktstr. 71, 55 18, –
24. Dez.- 6. Jan. geschl. – **13 Z : 26 B** 55 - 88.

Goldener Ochsen, Marktstr. 4, 5 81 01 –
20. Dez.- 30. Jan. geschl. – Karte 23/47 *(Donnerstag - Freitag 17 Uhr geschl.)* – **24 Z : 43 B** 48/60 - 85/120 – P 63/65.

Gästehaus Mandelhöhe garni, Maxburgstr. 9, 5 99 82 –
April - Nov. – **10 Z : 17 B** 36 - 64 – 2 Fewo 65.

Gutsschänke Weingut Straub, Bahnhofstr. 20, 51 43 –
nur Abendessen, Montag, Donnerstag, 17. Juli - 17. Aug. und 18. Dez.- 19. Jan. geschl. – Karte 18,50/41 (Tischbestellung ratsam).

In Kirrweiler **6731** O : 2,5 km :

Gästehaus Sebastian garni, Hauptstr. 77, (06321) 5 99 76, eigener Weinbau, (geheizt) – – **13 Z : 26 B** 42/44 - 80/88.

MAINAU (Insel) 7750. Baden-Württemberg 413 K 23, 427 ⑦, 216 ⑩ – Insel im Bodensee (tagsüber für PKW gesperrt, Eintrittspreis bis 19 Uhr 6 DM, ab 19 Uhr Zufahrt mit PKW gegen Gebühr möglich) – Höhe 426 m – 07531 (Konstanz) – **Sehenswert** : "Blumeninsel"★★.

♦Stuttgart 191 – ♦Konstanz 7 – Singen (Hohentwiel) 34.

Schwedenschenke, 30 31 66.

MAINBERNHEIM Bayern siehe Iphofen.

MAINBURG 8302. Bayern 413 S 21, 987 ㊲ – 11 100 Ew – Höhe 456 m – 08751.

Rudelzhausen-Weihern (S : 8 km), (08756) 15 61.

♦München 69 – Ingolstadt 44 – Landshut 34 – ♦Regensburg 53.

Post-Maderholz garni, Mittertorstr. 4, 15 17 – – **26 Z : 40 B.**

Espert-Klause, Espertstr. 7, 13 42 –
Aug. und Montag geschl. – Karte 24/38.

MAINHARDT 7173. Baden-Württemberg 413 L 19 – 4 200 Ew – Höhe 500 m – Luftkurort – 07903 – Rathaus, Hauptstraße, 20 21.

♦Stuttgart 53 – Heilbronn 35 – Schwäbisch Hall 16.

In Mainhardt-Ammertsweiler NW : 4 km :

Zum Ochsen, Löwensteiner Str. 15 (B 39), 23 91, –
Mitte Feb.- Mitte März geschl. – Karte 18,50/44 *(Montag geschl.)* – **24 Z : 43 B** 35/50 - 70/100 – P 51/60.

In Mainhardt-Stock O : 2,5 km :

Löwen, an der B 14, 10 91, –
Karte 21/44 – **40 Z : 75 B** 40/48 - 80/86.

MAINTAL 6457. Hessen 413 J 16 – 38 000 Ew – Höhe 95 m – 06109.

♦Wiesbaden 53 – ♦Frankfurt am Main 13.

In Maintal 2-Bischofsheim :

Hübsch, Griesterweg 12, 6 40 06, Telex 4185938, Fax 65265 – Zim
24. Dez.- 2. Jan. geschl. – Karte 46/70 *(Samstag geschl.)* – **80 Z : 100 B** 86/140 - 112/164 Fb.

Ratsstuben, Dörnigheimer Weg 21 (Bürgerhaus), 6 36 84, –
Sonntag 18 Uhr - Montag, Jan. 2 Wochen und Juli - Aug. 3 Wochen geschl. – Karte 25/56.

Ristorante Lario, Fechenheimer Weg 45, 6 57 67 –
1.- 26. Jan. geschl. – Karte 38/59.

In Maintal 1-Dörnigheim :

Zum Schiffchen, Untergasse 21, (06181) 49 13 32, – – **25 Z : 40 B** Fb.

❀ **Hessler**, Am Bootshafen 4, (06181) 49 29 51, bemerkenswerte Weinkarte –
nur Abendessen, Sonntag - Montag und Juli 3 Wochen geschl. – Karte 80/109 (Tischbestellung erforderlich) – **Bistro Junior** *(wochentags auch Mittagessen, Montag und Juli 3 Wochen geschl.)* Karte 54/70
Spez. Lasagne von Meeresfrüchten in Kaviarschaum, Galantine vom Kaninchenrücken in Sherrysauce, Rehrücken im Nußmantel mit Meerrettich-Preiselbeersauce.

Al Boschetto (Italienische Küche), Eschenweg 3, (06181) 4 56 67 –
Montag, 27. Dez.- 9. Jan. und 1.- 21. Aug. geschl. – Karte 39/66.

[MAINZ] 6500. [L] Rheinland-Pfalz [413] H 16, 17, [987] ㉔ – 190 000 Ew – Höhe 82 m – ☎ 06131.

Sehenswert: Gutenberg-Museum*** – Leichhof ≤** – Dom* (Grabstätte der Erzbischöfe*, Kreuzgang*) – Mittelrheinisches Landesmuseum* BX **M** – Kurfürstliches Schloß (Römisch-Germanisches Zentralmuseum*) CX **M1** – Ignazkirche (Kreuzigungsgruppe*) CY **A** – Stefanskirche (Chagall-Fenster) CY.

Ausstellungsgelände Volkspark (DZ), ☎ 8 10 44.

[i] Verkehrsverein, Bahnhofstr. 15, ☎ 23 37 41, Telex 4187725.

ADAC, Große Bleiche 47, ☎ 23 46 01.

♦Frankfurt am Main 42 ② – ♦Mannheim 82 ⑤ – ♦Wiesbaden 13 ⑧.

Stadtpläne siehe nächste Seiten.

Hilton International (mit Rheingoldhalle), Rheinstr. 68, ☎ 24 50, Telex 4187570, ≤, Massage, ≘s – |‡| ⇔ Zim ▤ [TV] ♿ 🚗 [P] 🏛. ⚘ Rest CXY **k**
Restaurants : – **Rheingrill** – **Römische Weinstube** – **435 Z : 844 B** Fb.

Europahotel, Kaiserstr. 7, ☎ 63 50, Telex 4187702 – |‡| ⇔ Zim ▤ Rest [TV] ☎ 🏛 (mit ▤) BX **r**
93 Z : 145 B Fb.

Favorite Parkhotel, Karl-Weiser-Str. 1, ☎ 8 20 91, Telex 4187266, ≤, « Gartenterrasse » – |‡| [TV] ☎ 🚗 [P] 🏛. [AE] ⓓ E [VISA] DZ **a**
Karte 40/67 *(Samstag geschl.)* 🍷 – **46 Z : 90 B** 165 - 220/340 Fb.

Hammer ✈ garni, Bahnhofsplatz 6, ☎ 61 10 61, Telex 4187739, ≘s – |‡| [TV] ☎. [AE] ⓓ E [VISA] BY **z**
40 Z : 60 B 98/120 - 150/165.

Central-Hotel Eden - Restaurant L'échalote, Bahnhofsplatz 8, ☎ 67 40 01 (Hotel) 61 43 31 (Rest.), Telex 4187794 – |‡| [TV] ☎. [AE] ⓓ E [VISA] BY **h**
Karte 46/73 *(Sonntag geschl.)* – **64 Z : 91 B** 90/113 - 140/210.

City-Hotel Neubrunnenhof garni, Große Bleiche 26, ☎ 23 22 37, Telex 4187320 – |‡| ☎ [P] 🏛. [AE] ⓓ E [VISA] BY **q**
42 Z : 66 B 85/105 - 130/160 Fb.

Am Römerwall garni, Römerwall 53, ☎ 23 21 35, « Garten » – |‡| ☎ [P] BY **r**
50 Z : 67 B 60/120 - 90/140.

Moguntia ✈ garni, Nackstr. 48, ☎ 67 10 41 – |‡| ☎ 🚗. [AE] E [VISA] AX **a**
18 Z : 39 B 93 - 115 Fb.

Stadt Mainz garni, Frauenlobstr. 14, ☎ 67 40 84, Telex 4187312, ≘s – |‡| [TV] ☎ 🏛. [AE] ⓓ E [VISA] BX **e**
45 Z : 90 B 105 - 160 Fb.

Stiftswingert garni, Am Stiftswingert 4, ☎ 8 24 41, Telex 4187370 – [TV] ☎ [P]. [AE] ⓓ E [VISA] CDZ **w**
30 Z : 42 B 79/110 - 120/130 Fb.

Schottenhof garni, Schottstr. 6, ☎ 23 29 68, Telex 4187664 – |‡| [TV] ☎. [AE] ⓓ E [VISA] BY **s**
38 Z : 55 B 89/98 - 120/155.

🍴🍴🍴 **Drei Lilien**, Ballplatz 2, ☎ 22 50 68 – [AE] ⓓ E [VISA] CY **r**
Sonntag, Feb. 1 Woche und Juli - Aug. 2 Wochen geschl. – Karte 63/93.

🍴🍴 **Walderdorff**, Karmeliterplatz 4, ☎ 22 25 15 – [AE] ⓓ E [VISA] CY **v**
Sonn- und Feiertage sowie Juli - Aug. 3 Wochen geschl. – Karte 35/59.

🍴🍴 **Rats- und Zunftstuben Heilig Geist**, Rentengasse 2, ☎ 22 57 57, « Kreuzrippengewölbe a.d. 13. Jh. » – [AE] ⓓ E CY **x**
Sonntag ab 15 Uhr sowie Juli - Aug. auch Montag geschl. – Karte 27/65 🍷.

🍴🍴 **Haus des deutschen Weines**, Gutenbergplatz 3, ☎ 22 86 76 – 🏛. [AE] ⓓ E [VISA] CY **e**
Sonn- und Feiertage geschl. – Karte 36/68 (bemerkenswerte Weinkarte) 🍷.

🍴🍴 **Geberts Weinstuben**, Frauenlobstr. 94, ☎ 61 16 19 – [AE] E BV **e**
Samstag - Sonntag 18 Uhr und Juli 3 Wochen geschl. – Karte 39/63 🍷.

🍴🍴 Bei Mama Gina (Italienische Küche), Holzstr. 34, ☎ 23 41 23 CY **a**

🍴🍴 **Man-Wah** (Chinesische Küche), Am Brand 42, ☎ 23 16 69, ☂ – [AE] ⓓ E [VISA] CY **p**
Karte 25/50.

🍴 **Weinhaus Schreiner**, Rheinstr. 38, ☎ 22 57 20 – [AE] E CY **t**
Dienstag - Freitag nur Abendessen, 8.- 20. Feb., 28. Aug.- 25. Sept. und Montag geschl. – Karte 17,50/36 🍷.

🍴 **Zum Salvator** (Brauerei-Gaststätte), Große Langgasse 4, ☎ 22 06 44, ☂ – [AE] ⓓ E [VISA] CY **m**
Karte 25/52.

In Mainz-Bretzenheim ⑥ : 3 km

Novotel Mainz-Süd, Essenheimer Str. 200, ☎ 36 10 54, Telex 4187236, Fax 366755, ☂, 🏊 (geheizt), 🌳 – |‡| ▤ Rest [TV] ☎ ♿ [P] 🏛 (mit ▤). [AE] ⓓ E [VISA]
Karte 30/57 – **121 Z : 242 B** 140/155 - 170/185 Fb.

Römerstein garni, Draiser Str. 136 f, ☎ 36 40 36, Telex 4187779, ≘s – [TV] ☎ [P]. [AE] ⓓ E [VISA]
15 Z : 28 B 70/119 - 100/149.

In Mainz-Finthen ⑦ : 7 km :

Kurmainz, Flugplatzstr. 44, ☎ 49 10, Telex 4187001, « Behaglich eingerichtetes Hotel », ≘s, 🏊, 🌳, 🎾, Fahrradverleih – |‡| [TV] ☎ 🚗 [P] 🏛. [AE] ⓓ E [VISA]. ⚘
21. Dez.- 1. Jan. geschl. – Karte 34/66 *(nur Abendessen)* 🍷 – **81 Z : 150 B** 120/180 - 150/250 Fb.

MAINZ

Augustinerstraße .. CY	Flachsmarktstraße CX	Abtsgasse .... DZ 2	Am Linsenberg ..... AY 7
Bahnhofstraße .... BY 15	Große Bleiche .... BXY	Admiral-Scheer-Straße .... DX 3	Am Römerlager ..... BY 8
Fischtorstraße ..... CY 25	Ludwigsstraße .... CY	Alte Universitätsstr. .. CY 4	Am Stiftswingert .... DZ 9
	Markt .... CY	Am Fort Joseph ..... AY 5	Am Wildgraben ... AZ 10
	Schillerstraße .... BY	Am Gautor .... BY 6	An der Bastei ...... BY 12
	Schusterstraße .... CY		An der Favorite .... DZ 13

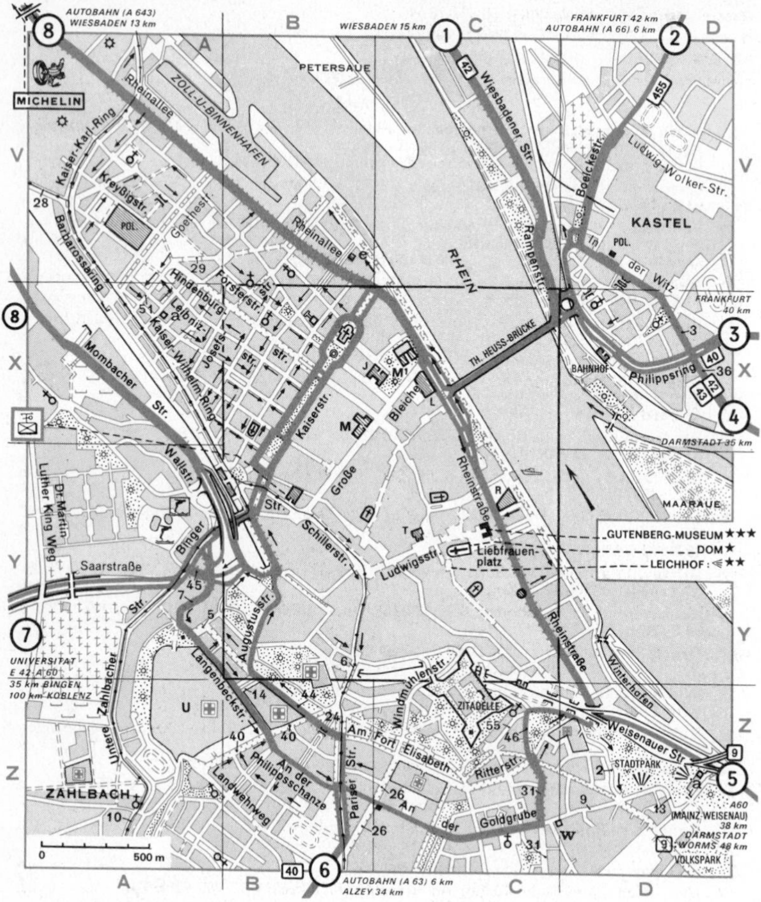

In Mainz-Gonsenheim ⑦ : 5 km :

XX **Zum Löwen**, Mainzer Str. 2, ✆ 4 36 05 – ⓓ E
Sonntag 15 Uhr - Montag und Juli - Aug. 2 Wochen geschl. – Karte 66/87 (abends Tischbestellung ratsam).

In Mainz-Hechtsheim S : 5 km über Hechtsheimer Straße CZ :

Hechtsheimer Hof garni, Alte Mainzer Str. 31, ✆ 50 90 16 – TV ☎ P. AE ⓓ E
24 Z : 47 B 86/120 - 105/150.

Am Hechenberg garni, Am Schinnergraben 82, ✆ 50 70 01, ≘s – TV ☎ ⇔ P
44 Z : 75 B.

In Mainz-Lerchenberg ⑦ : 6 km :

Am Lerchenberg, Hindemithstr. 5, ✆ 7 30 01, ☂, ≘s – ▯ TV ☎ ♿ P ⛰. AE ⓓ E VISA
Karte 37/57 *(Sonntag ab 15 Uhr geschl.)* ⅄ – **53 Z : 80 B** 82/95 - 120/130.

In Mainz-Mombach ⑧ : 3 km :

Zum goldenen Engel, Kreuzstr. 72, ✆ 68 10 26 – ☎
15 Z : 22 B.

Augustusplatz BZ 14
Ballplatz CY 16
Bilhildisstraße BY 17
Binger Straße BY 18
Bischofsplatz CY 19
Bonifaziusstraße BY 20
Christofsstraße CY 21
Emmerich-Josef-Straße BY 22
Ernst-Ludwig-Straße BX 23
Fichteplatz BZ 24
Freiligrathstraße BCZ 26
Gutenbergplatz CY 27
Hattenbergstraße AV 28
Heinrich-Heine-Str. AV 29
Hechtsheimer Str. CZ 31
Holzhofstraße CY 32
Hopfengarten CY 33
Kaiser-Friedrich-Str. BX 34
Karmeliterstraße CY 35
Kostheimer Landstr. DX 36
Leichhofstraße CY 37
Mathildenstraße BY 38
Mitternacht CX 39
Obere Zahlbacher Straße BZ 40
Peter-Altmeier-Allee CX 41
Pfaffengasse CY 42
Quintinsstraße CY 43
Robert-Koch-Straße BZ 44
Römerwall AY 45
Salvatorstraße CZ 46
Schöfferstraße CY 47
Steingasse BY 48
Stresemann-Ufer CY 49
Uhlandstraße AX 51
Weihergartenstraße CY 52
Weintorstraße CY 53
Weißliliengasse CY 54
Wilhelmiterstraße CZ 55
Willigisstraße CY 56
Windmühlenstraße CY 57
Zeughausgasse CX 58

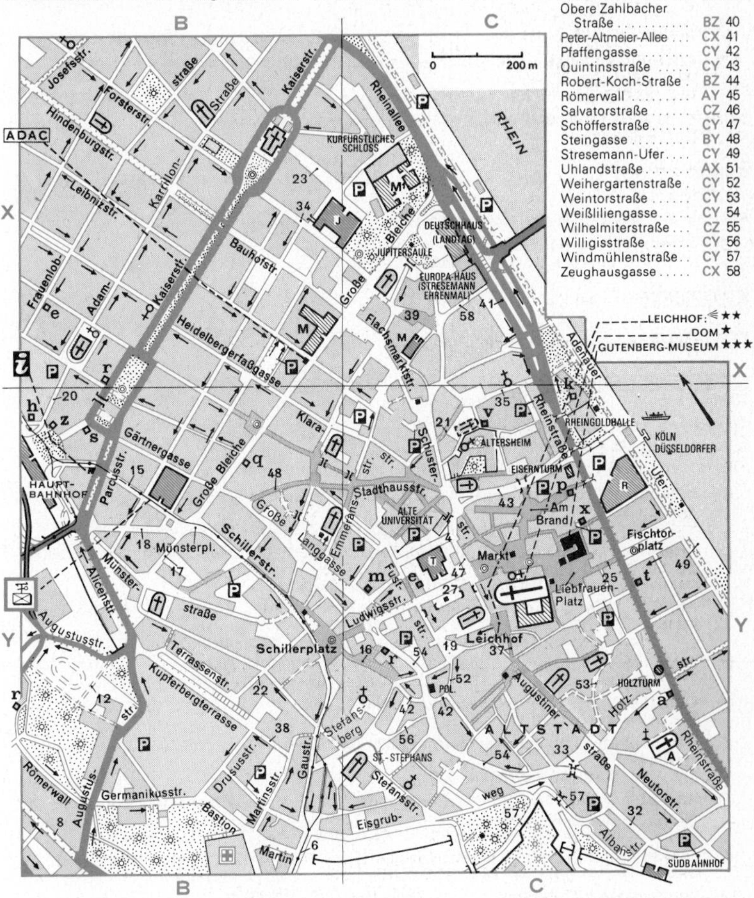

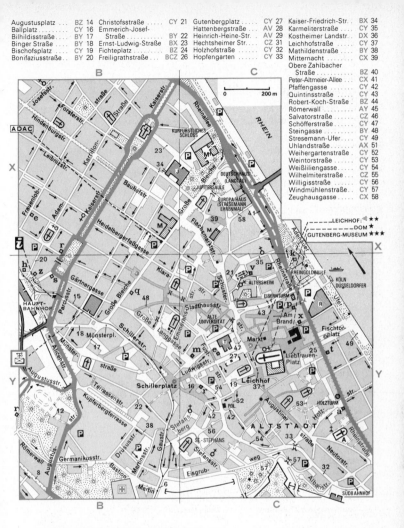

Im Mainz-Weisenau über Hechtsheimer Str. CZ :

Bristol Hotel Mainz, Friedrich-Ebert-Str. 20, ✆ 80 60, Telex 4187136, – Rest (mit). AE VISA. Rest
Karte 30/60 – **72 Z : 150 B** 160/180 - 200/240 Fb.

In Ginsheim-Gustavsburg **6095** ④ : 9 km :

Rheinischer Hof, Hauptstr. 51 (Ginsheim), ✆ (06144) 21 48 –
Feb. geschl. – Karte 26/49 *(Montag geschl.)* – **25 Z : 40 B** 80/90 - 100/120 Fb.

Alte Post garni, Dr.-Hermann-Str. 28 (Gustavsburg), ✆ (06134) 5 20 41, –
E.
23. Dez.- 1. Jan. geschl. – **52 Z : 70 B** 55/110 - 90/130.

In Gau-Bischofsheim **6501** S : 10 km über Freiligrathstraße BCZ :

XXX **Weingut Nack** (ehem. Weinguts-Haus mit Restaurants auf 3 Etagen), Pfarrstr. 13, ✆ (06135) 23 27, « Elegante Einrichtung; 3. Etage mit Stil-Möbeln und Antiquitäten » – . AE E
nur Abendessen – Karte 69/92.

In Nieder-Olm **6501** ⑥ : 10 km :

Dietrich garni, Maler-Metten-Weg 20, ☎ (06136) 50 85, Telex 4187239, ≘s, [≋], Fahrradverleih – |♦| [TV] ☎ [P] 🏃. [AE] [D] [E] [VISA]. ✗
29 Z : 53 B 120/140 - 140/180 Fb.

In Stadecken-Elsheim **6501** ⑥ : 17 km, über die Autobahn, Abfahrt Nieder-Olm :

Gästehaus Christian ⛵, garni, Christian-Reichert-Str. 3 (Stadecken), ☎ (06136) 36 11, [≋], 🌳 – [TV] ☎ 🚗. [E]. ✗
12 Z : 23 B 60/95 - 98/125.

MICHELIN-REIFENWERKE KGaA. Niederlassung 6500 Mainz-Mombach, Rheinallee 205 (über ⑧). ☎ (06131) 68 20 28.

MAISACH 8031. Bayern [413] Q 22, [987] ㊱ ㊲, [426] ⑯⑰ – 10 000 Ew – Höhe 516 m – ☎ 08141 (Fürstenfeldbruck).
♦München 29 – ♦Augsburg 46 – Landsberg am Lech 44.

Strobel garni, Josef-Sedlmayr-Str. 6, ☎ 9 05 31 – [P]
20. Dez.- 9. Jan. geschl. – **22 Z : 35 B** 35/65 - 60/75.

MALBERG Rheinland-Pfalz siehe Kyllburg.

MALCHEN Hessen siehe Seeheim-Jugenheim.

MALENTE-GREMSMÜHLEN 2427. Schleswig-Holstein [987] ⑤⑥ – 11 500 Ew – Höhe 35 m – Kneippheilbad – Luftkurort – ☎ 04523.
Sehenswert : Lage★.
[i] Verkehrsverein, Pavillon am Bahnhof, ☎ 30 96.
♦Kiel 41 – ♦Lübeck 47 – Oldenburg in Holstein 36.

Dieksee ⛵, Diekseepromenade 13, ☎ 30 65, ≤, « Terrasse am See », 🌳 – |♦| [TV] 🚗 [P] 🏃
9. Jan.- 7. März geschl. – Karte 31/60 – **66 Z : 115 B** 79/92 - 127/147 Fb – P 108/121.

Intermar, Hindenburgallee 2, ☎ 40 40, Telex 261367, ≤, 🏊, Bade- und Massageabteilung, 🏃, ≘s, [≋] – |♦| [TV] 🚗 [P] 🏃. [AE] [D] [E] [VISA]. ✗ Rest
Karte 30/69 – **175 Z : 355 B** 95/135 - 160/180 – P 138/163.

Admiralsholm ⛵, Schweizer Str. 60 (NO : 2,5 km), ☎ 30 51, ≤, 🏊, « Lage am See, Park », Massage, ≘s, [≋], ⛵, 🌳, Bootssteg – ☎ [P]. ✗
Feb. geschl. – Karte 33/62 *(Nov.- April Montag geschl.)* – **25 Z : 40 B** 52/95 - 148/180.

Weißer Hof, Voßstr. 45, ☎ 39 62, 🏊, ≘s, [≋], 🌳 – |♦| [TV] ☎ [P]. [AE]
2.- 27. Jan. geschl. – Karte 42/66 – **18 Z : 40 B** 95/110 - 120/150 Fb – P 130/145.

Dieksee Holm ⛵ garni, Diekseepromenade 25, ☎ 30 88, ≤ – |♦| [TV] ☎ [P]. [AE] [D] [E]
36 Z : 72 B 90/140 - 120/170 Fb.

Diekseehöh garni, Diekseepromenade 17, ☎ 36 18, ≤, « Geschmackvolle Einrichtung » – [TV] [P]. ✗
Feb.- Okt. – **9 Z : 18 B** 60/80 - 96/130.

Kurhotel Godenblick ⛵, Godenbergredder 7, ☎ 26 44, Bade- und Massageabteilung, 🏃, ≘s, [≋], 🌳 – [P]. ✗
April - Okt. – (Rest. nur für Hausgäste) – **46 Z : 80 B** 61 - 96/132 – P 86/102.

Diekseequell ⛵ garni, Diekseepromenade 21, ☎ 17 10, ≤, ≘s, [≋], 🌳 – ☎ 🚗 [P]. [AE] [D]
20. Jan.- 20. Feb. geschl. – **22 Z : 44 B** 58/78 - 96/116.

Landhaus am Kellersee ⛵ garni, Kellerseestr. 26, ☎ 29 66, ≤, ⛵, 🌳, Bootssteg – [P]
27 Z : 48 B 52/76 - 88/169 – 16 Fewo 84/172.

Raven ⛵, Janusallee 16, ☎ 33 56, Caféterrasse, 🌳 – 🚗 [P]. ✗
16. Jan.- 12. Feb. geschl. – (nur Abendessen für Hausgäste) – **23 Z : 34 B** 40/57 - 70/90.

Deutsches Haus, Bahnhofstr. 71, ☎ 14 05, 🌳 – [P] 🏃
Karte 26/50 – **28 Z : 50 B** 48/63 - 85/110 Fb.

Godenberghorst ⛵, Godenbergredder 15, ☎ 36 66, 🌳 – [P]. ✗
15. März - Okt. – (nur Abendessen für Hausgäste) – **17 Z : 24 B** 60 - 90.

In Malente-Gremsmühlen - Neversfelde N : 2 km :

Landhaus am Holzberg ⛵, Grebiner Weg 2, ☎ 40 90, « Park, Gartenterrasse », Bade- und Massageabteilung, 🏃, ≘s, [≋], 🌳, 🎾 – |♦| [TV] ☎ 🚗 [P]. [D]. ✗ Rest
15. Nov.- 15. Dez. geschl. – Karte 37/53 *(auch Diät)* – **40 Z : 60 B** 75/120 - 136/200 Fb – P 104/136.

MALGARTEN Niedersachsen siehe Bramsche.

Die Preise — Einzelheiten über die in diesem Führer angegebenen Preise finden Sie in der Einleitung.

MALLERSDORF-PFAFFENBERG 8304. Bayern [413] T 20, [987] ㉗ – 4 900 Ew – Höhe 411 m – ☎ 08772.

♦München 100 – Landshut 31 – ♦Regensburg 38 – Straubing 28.

Im Ortsteil Steinrain :

🏠 **Steinrain**, ☎ 3 66, ⛱, 🌳 – 🚗 Ⓟ
28. Dez.- 6. Jan. und 5.- 20. Aug. geschl. – Karte 14/30 *(Samstag geschl.)* 🍷 – **12 Z : 20 B** 24/29 - 48/58.

MALSBURG-MARZELL Baden-Württemberg siehe Kandern.

MALSCH 7502. Baden-Württemberg [413] HI 20 – 12 000 Ew – Höhe 147 m – ☎ 07246.

♦Stuttgart 90 – ♦Karlsruhe 18 – Rastatt 13.

🍴 Eintracht mit Zim, Waldprechtsstr. 22, ☎ 12 22 – Ⓟ
12 Z : 20 B.

In Malsch 4 - Waldprechtsweier-Tal S : 3 km :

🏠 **Waldhotel Standke** 🌙, Talstr. 45, ☎ 10 88, Fax 5272, ⛱, ♨, 🏊, 🌳 – 🚗 Ⓟ 🏛. [D] [E]
Karte 26/51 *(Dienstag geschl.)* – **30 Z : 50 B** 59/80 - 98/125.

MALTERDINGEN Baden-Württemberg siehe Riegel.

MANDERSCHEID 5562. Rheinland-Pfalz [987] ㉓ – 1 400 Ew – Höhe 388 m – Heilklimatischer Kurort – ☎ 06572.

Sehenswert : Kaisertempel ≤★★ – Lage der Burgen★ – Niederburg★.

[i] Kurverwaltung, im Kurhaus, Grafenstraße, ☎ 23 77.

Mainz 168 – ♦Bonn 98 – ♦Koblenz 78 – ♦Trier 57.

🏠 **Zens**, Kurfürstenstr. 35, ☎ 7 69, ⛱, « Garten », ♨, 🏊 – 🛗 ☏ 🚗 Ⓟ. ✗ Rest
10. Jan.- 5. Feb. und 7. Nov.- 20. Dez. geschl. – Karte 19,50/56 – **46 Z : 72 B** 49/82 - 108/140 Fb – P 79/105.

🏠 **Fischerheid**, Kurfürstenstr. 31, ☎ 7 01, « Garten » – ☏ Ⓟ. [AE] [D] [E]
7. Nov.- 10. Dez. geschl. – Karte 23/47 – **20 Z : 35 B** 40/50 - 68/86.

🏠 **Heidsmühle** 🌙, Mosenbergstr. 22 (W : 1,5 km), ☎ 7 47, « Gartenterrasse » – Ⓟ
Mitte März - Mitte Nov. – Karte 21/44 *(Dienstag geschl.)* 🍷 – **11 Z : 18 B** 35/54 - 79/84 – P 56/65.

🏠 **Haus Burgblick** 🌙, Klosterstr. 18, ☎ 7 84, ≤, 🌳 – Ⓟ. ✗ Rest
Mitte März - Okt. – (Restaurant nur für Hausgäste) – **21 Z : 35 B** 24/35 - 56/59 – P 44/50.

🏠 **Café Bleeck** garni, Dauner Str. 10, ☎ 44 31, ♨, 🏊 – Ⓟ. ✗
16 Z : 26 B 39/42 - 77/79.

MANNHEIM 6800. Baden-Württemberg [413] I 18, [987] ㉕ – 305 000 Ew – Höhe 95 m – ☎ 0621.

Sehenswert : Städtische Kunsthalle★★ FY **B** – Quadratischer Grundriß der Innenstadt★ EFY – Städtisches Reiß-Museum★ EY **M** im Zeughaus – Hafen★ FY.

⛳ Viernheim, Alte Mannheimer Str. 3 (DU), ☎ (06204) 7 13 07.

Ausstellungsgelände (CV), ☎ 40 80 17, Telex 462594.

[i] Verkehrsverein, Bahnhofsplatz 1, ☎ 10 10 11.

ADAC, Am Friedensplatz 1, ☎ 41 60 11, Notruf 1 92 11.

♦Stuttgart 133 ② – ♦Frankfurt am Main 79 ① – Strasbourg 145 ②.

Stadtpläne siehe nächste Seiten.

🏠 **Maritim Parkhotel**, Friedrichsplatz 2, ☎ 4 50 71, Telex 463418, Fax 152424, ♨, 🏊 – 🛗 ▤ [TV] 🚗 🏛. [D] [E] [VISA]. ✗ Rest — FY **y**
Karte 45/81 – **187 Z : 284 B** 169/249 - 222/332 Fb – 3 Appart. 580.

🏠 **Holiday Inn**, N 6, ☎ 1 07 10, Telex 462264, Fax 1071167, ⛱, ♨, 🏊 – 🛗 ▤ [TV] ♿ Ⓟ 🏛. [AE] [D] [E] [VISA] — EY **p**
Karte 40/70 – **146 Z : 212 B** 176/219 - 212/275 Fb.

🏠 **Steigenberger Hotel Mannheimer Hof**, Augusta-Anlage 4, ☎ 4 50 21, Telex 462245, Fax 408995, « Atriumgarten » – 🛗 [TV] Ⓟ 🏛. [AE] [D] [E] [VISA]. ✗ Rest — FY **a**
Karte 45/74 – **165 Z : 200 B** 165/205 - 220/260 Fb – 12 Appart. 350/450.

🏠 **Augusta-Hotel**, Augusta-Anlage 43, ☎ 41 80 01, Telex 462395 – 🛗 [TV] 🏛. [AE] [D] [E] [VISA]
Restaurants (Samstag bis 18 Uhr sowie Sonn- und Feiertage geschl.) : – **Le Petit Restaurant** Karte 61/83 – **Mannemer Stubb** Karte 35/62 – **105 Z : 150 B** 152/165 - 190/220 Fb. — FZ **c**

🏠 **Wartburg**, F 4, 4 - 11, ☎ 2 89 91, Telex 463571 – 🛗 [TV] ☏ 🚗 🏛. [AE] [D] [E] [VISA] — EY **k**
Karte 25/64 – **150 Z : 250 B** 125/135 - 180 Fb.

🏠 **Novotel**, Auf dem Friedensplatz, ☎ 41 70 01, Telex 463694, Fax 417343, ⛱, 🏊 (geheizt) – 🛗 ▤ [TV] ☏ ♿ Ⓟ 🏛. [AE] [D] [E] [VISA] — CV **t**
Karte 24/60 – **180 Z : 360 B** 142 - 177 Fb.

🏠 **Intercity-Hotel**, im Hauptbahnhof, ☎ 2 29 25, Telex 463604 – 🛗 [TV] ☏ 🏛. [AE] [D] [E] [VISA] — EFZ
Karte 22/48 – **47 Z : 87 B** 92/98 - 130/138 Fb.

MANNHEIM
LUDWIGSHAFEN
FRANKENTHAL

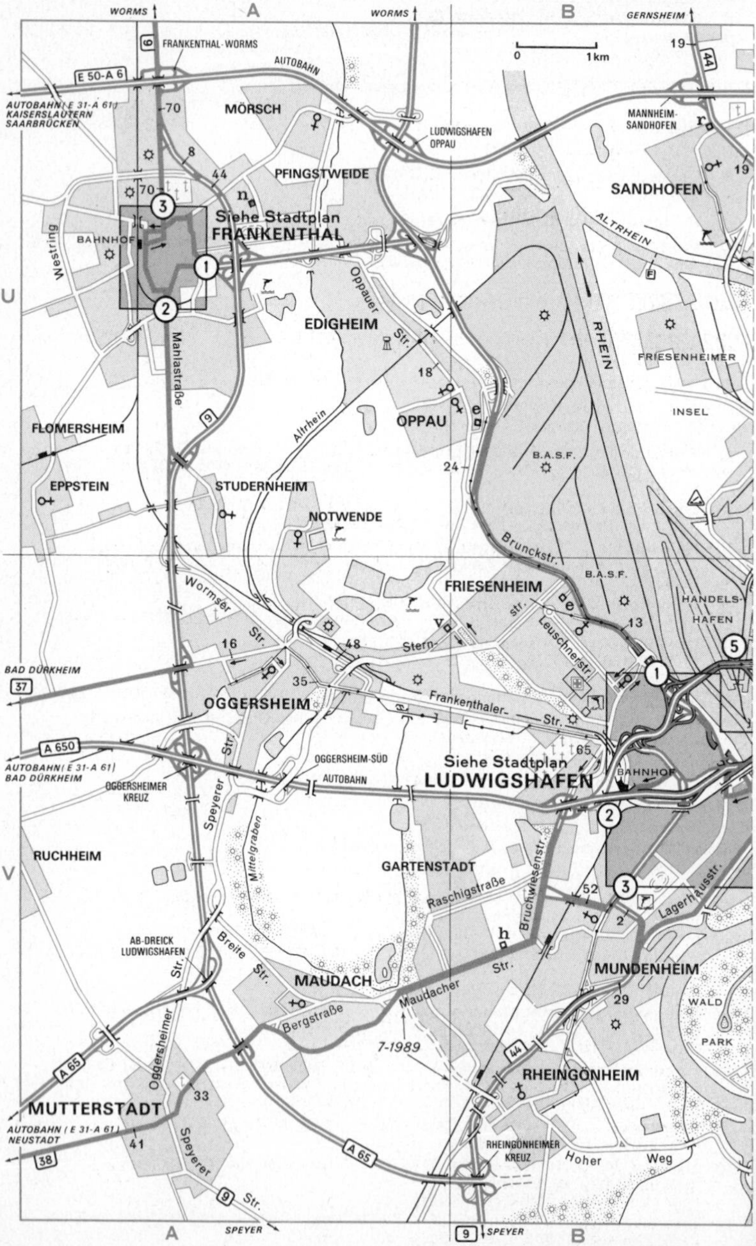

Ludwigshafener Str.	AV	33
Luzenbergstraße	CU	34
Mannheimer Str.	AV	35
Möhlstraße	CV	37
Morchfeldstraße	CV	40
Neustadter Straße	AV	41
Ostring	AU	44
Prälat-Caire-Straße	AV	48
Röntgenstraße	CV	50
Rollbühlstraße	CU	51
Schänzeldamm	BV	52
Schienenstraße	CU	54
Schubertstraße	CV	57
Schwabenstraße	DV	58
Seckenheimer Hauptstraße	DV	60
Theodor-Heuss Anlage	CV	62
Untermühlaustraße	CU	64
Valentin-Bauer-Straße	BV	65
Waldhofstraße	CU	66
Wingertsbuckel	DV	68
Wormser Straße	AU	70

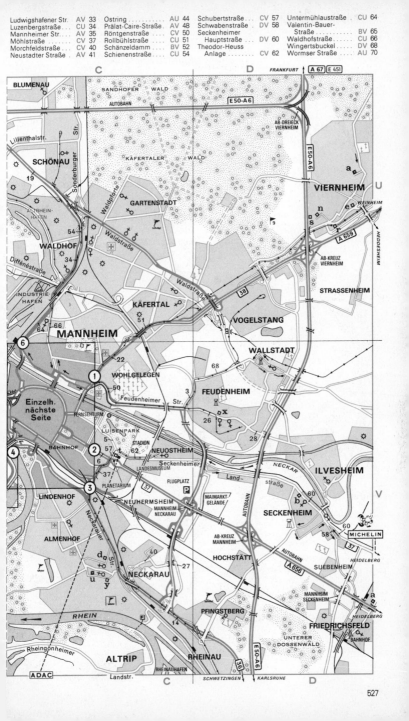

MANNHEIM

Heidelberger Straße	FY
Kaiserring	FY
Kunststraße	EY
Kurpfalzstraße	EY
Planken	EY
Bismarckplatz	FZ 10
Brückenstraße	FX 12
Dalbergstraße	EY 15
Freherstraße	EX 20
Friedrichsplatz	FY 23
Goethestraße	FY 25
Konrad-Adenauer-Brücke	EYZ 30
Ludwig-Jolly-Straße	EX 32
Marktplatz	EY 36
Moltkestraße	FYZ 38
Otto-Beck-Straße	FYZ 45
Reichskanzler-Müller-Straße	FZ 49
Schanzestraße	EXY 53
Seilerstraße	EY 61
Windeckstraße	FZ 67

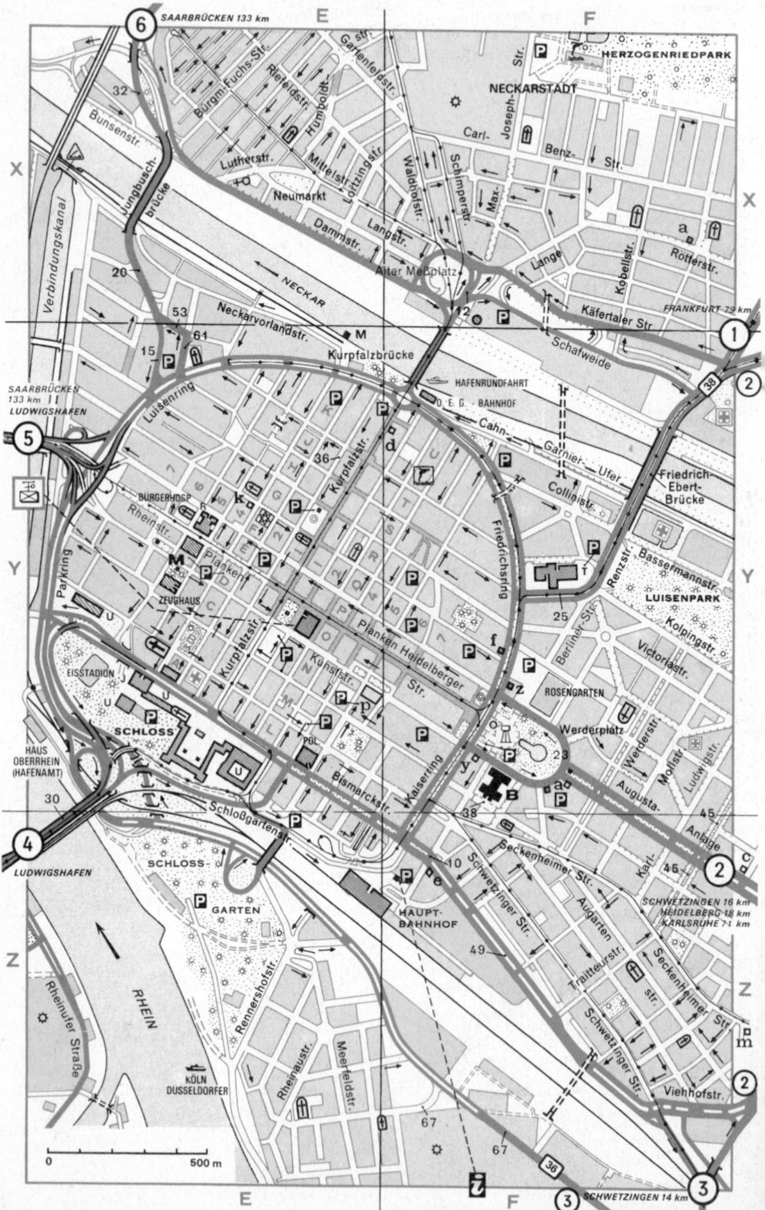

🏨 **Wegener** garni, Tattersallstr. 16, ☎ 44 40 71 – ⇅ [TV] ☏. [AE] FZ **e**
24. Dez.- 7. Jan. geschl. – **54 Z : 74 B** 48/80 - 80/105 Fb.

🏨 **Holländer Hof** garni, U 1,11, ☎ 1 60 95 – ⇅ [TV] ☏ 🚗. [AE] [O] [E] [VISA] FY **d**
22. Dez.- 6. Jan. geschl. – **37 Z : 74 B** 79/85 - 120 Fb.

🏨 **Seitz** garni, Seckenheimer Str. 132, ☎ 40 30 15 – ⇅ ☏ [P] FZ **m**
24. Dez.- 4. Jan. geschl. – **35 Z : 48 B** 42/65 - 80/110.

🍴🍴🍴 ✿ **Blass (moderne, elegante Einrichtung), Friedrichsplatz 12, ☎ 44 80 04 – [AE] [E]** FY **a**
Samstag bis 18.30 Uhr und Sonntag geschl. – Karte 59/86
Spez. Gänseleber in Sauternes-Gelee, Lachsrouladen mit Senfkeimlingen, Lammcarré mit Kräutern überbacken.

🍴🍴🍴 ✿ **Da Gianni (elegantes italienisches Restaurant), R 7,34, ☎ 2 03 26 – [AE] [E]** FY **f**
Montag und Juli 3 Wochen geschl. – Karte 59/87 (Tischbestellung ratsam)
Spez. "Unsere hausgemachten Eiernudeln", Fischgerichte, Taube auf Artischocken.

🍴🍴 ✿ **Kopenhagen**, Friedrichsring 2a, ☎ 1 48 70 – ▤. [AE] [O] [E] [VISA] FY **z**
Sonn- und Feiertage geschl. – Karte 55/96 (Tischbestellung ratsam)
Spez. Schalen- und Krustentiere, Meeresfrüchteterrine, Steinbutt in Champagnersenfsauce.

🍴🍴 **Martin**, Lange Rötterstr. 53, ☎ 33 38 14, ⛱ – [AE] [O] [E] [VISA]. 🚫🐕 FX **a**
Mittwoch und 6. Juli - 19. Aug. geschl. – Karte 34/61 *(auch vegetarische Gerichte)* 🍷.

In Mannheim 51-Feudenheim :

🍴 **Zum Ochsen** mit Zim, Hauptstr. 70, ☎ 79 20 65, ⛱ – [P]. [AE] DV **x**
1.- 7. Feb. und Mitte Aug.- Anfang Sept. geschl. – Karte 24/68 *(Montag geschl.)* 🍷 – **14 Z : 20 B** 35/42 - 70/85.

In Mannheim 71-Friedrichsfeld :

🏨 **Stattmüller**, Neckarhauser Str. 60, ☎ 47 30 11, ⛱ – ☏ [P] DV **a**
Karte 24/45 *(Freitag - Samstag geschl.)* – **13 Z : 19 B** 44/50 - 74/84.

In Mannheim 24-Neckarau :

🏨 **Alt-Nürnberg**, Friedrichstr. 19, ☎ 85 30 58 – ⇅ ☏ [P] CV **y**
Karte 28/62 *(Mittwoch und Juli - Aug. 4 Wochen geschl.)* 🍷 – **24 Z : 42 B** 48 - 75.

🏨 **Axt**, Adlerstr. 23, ☎ 85 14 77 CV **d**
Juli geschl. – Karte 23/45 *(nur Abendessen, Freitag geschl.)* 🍷 – **14 Z : 19 B** 45 - 65.

🍴🍴 **Jägerlust**, Friedrichstr. 90, ☎ 85 22 35 – [AE] [O] [E]. 🚫🐕 CV **u**
Sonntag - Montag und Ende Aug.- Mitte Sept. geschl. – Karte 50/67 (Tischbestellung ratsam).

In Mannheim 31-Sandhofen :

🏨🏨🏨 **Weber Hotel** garni (siehe auch Rest. Schwarzwaldstube), Frankenthaler Str. 85 (B 44), ☎ 7 70 10, Telex 463537 – ⇅ [TV] [P] 🌳. [AE] [O] [E] [VISA] BU **r**
100 Z : 140 B 80/148 - 127/196 Fb.

🍴🍴 **Schwarzwaldstube im Weber Hotel**, Frankenthaler Str. 85 (B 44), ☎ 77 22 00 – [P]. [AE] [O] [E] BU **r**
20. Dez.- 12. Jan. geschl. – Karte 38/53.

In Mannheim 61-Seckenheim :

🏨🏨 **Löwen**, Hauptstr. 159(B 37), ☎ 47 30 34 (Hotel) 47 20 35 (Rest.), Telex 463788, ⛱ – ⇅ [TV] ☏ ♿ [P] 🌳. [AE] [E] DV **b**
23. Dez.- 7. Jan. geschl. – Karte 38/71 *(Mitte Juli - Mitte Aug., Samstag bis 17 Uhr sowie Sonn- und Feiertage geschl.)* – **57 Z : 99 B** 84/99 - 114/139 Fb.

In Edingen-Neckarhausen 6803 SO : 14 km :

🏨 **Krone**, Hauptstr. 347 (Neckarhausen), ☎ (06203) 30 18 – ☏ [P]. 🚫🐕
◆ Karte 19,50/40 *(nur Abendessen)* – **12 Z : 15 B** 50/60 - 89/99.

Siehe auch : ***Ludwigshafen am Rhein*** (auf der linken Rheinseite)

MICHELIN-REIFENWERKE KGaA. Niederlassung 6803 Edingen-Neckarhausen 1, Mannheimer Str. 58 (über die B 37 DV), ☎ (06203) 86 01.

MARBACH AM NECKAR 7142. Baden-Württemberg [413] K 20, [987] ㉕ – 13 000 Ew – Höhe 229 m – ☎ 07144.

Sehenswert : Schiller-Nationalmuseum★.

[i] Stadtverwaltung, Steinerstr. 15, ☎ 10 20.

◆Stuttgart 32 – Heilbronn 32 – Ludwigsburg 8,5.

🍴 **Goldener Löwe**, Niklastorstr. 39, ☎ 66 63
wochentags nur Abendessen, Sonntag nur Mittagessen, Montag und Juli - Aug. 3 Wochen geschl. – Karte 30/51.

🍴 **Stadthalle**, Schillerhöhe 12, ☎ 54 68, « Terrasse mit ≤ » – [P] 🌳
Dienstag und Juli - Aug. 3 Wochen geschl. – Karte 22/54.

In Benningen 7141 NW : 2 km :

🏨 **Mühle** 🦢 garni, Ostlandstr. 2, ☎ (07144) 50 21 – [TV] ☏ [P]
18 Z : 31 B 62/67 - 105 Fb.

[MARBACH] Hessen siehe Petersberg.

[MARBURG] **3550. Hessen [987] ㉕ – 79 000 Ew – Höhe 180 m – ☎ 06421.**

Sehenswert : Elisabethkirche★★ (Kunstwerke★★★ : Elisabethschrein★★) – Marktplatz★ – Schloß★ – Universitätsmuseum für Kunst und Kulturgeschichte★ BY **M.**

Ausflugsziel : Spiegelslustturm ←★, O : 9 km.

⛳ Cölbe-Bernsdorf (① : 8 km), ☎ (06427) 85 58.

ℹ Verkehrsamt, Neue Kasseler Str. 1 (am Hauptbahnhof), ☎ 20 12 49.

ADAC, Bahnhofstr. 6b, ☎ 6 70 67.

♦Wiesbaden 121 ② – Gießen 30 ② – ♦Kassel 93 ① – Paderborn 140 ① – Siegen 81 ②.

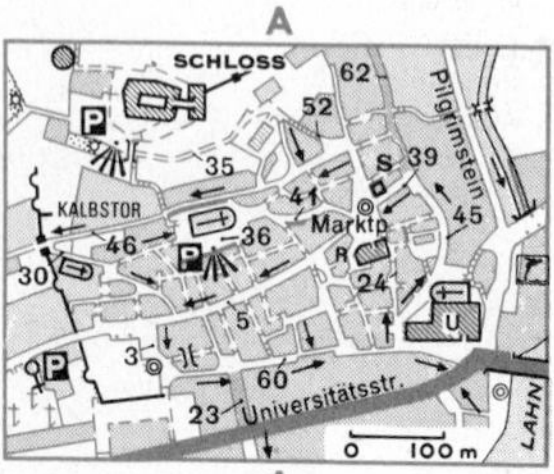

MARBURG

Bahnhofstraße	BY	
Barfüßerstraße	AY	5
Elisabethstraße	BY	12
Marktgasse	AY	39
Neustadt	BY	40
Steinweg	BY	56
Universitätsstraße	AY	
Wettergasse	AY	62
Am Plan	AY	3
Barfüßertor	BYZ	6
Bismarckstraße	BZ	7
Bunsenstraße	BY	9
Deutschhausstraße	BY	10
Erlenring	BY	13
Firmaneistraße	BY	14
Friedrich-Naumann-Straße	BZ	17
Friedrichstraße	BZ	19
Gutenbergstraße	BYZ	23
Hirschberg	AY	24
Jägerstraße	BZ	25
Ketzerbach	BY	28
Konrad-Adenauer-Brücke	BZ	29
Kugelgasse	AY	30
Kurt-Schumacher-Brücke	BYZ	34
Landgraf-Philipp-Straße	AY	35
Lutherischer Kirchhof	AY	36
Nicolaistraße	AY	41
Reitgasse	AY	45
Ritterstraße	AY	46
Robert-Koch-Straße	BY	49
Rotenberg	BZ	50
Rudolf-Bultmann-Str.	BY	51
Schloßtreppe	AY	52
Schückingstraße	BZ	54
Schulstraße	BZ	55
Uferstraße	BY	59
Untergasse	AY	60
Wilhelm-Röpke-Straße	BYZ	63

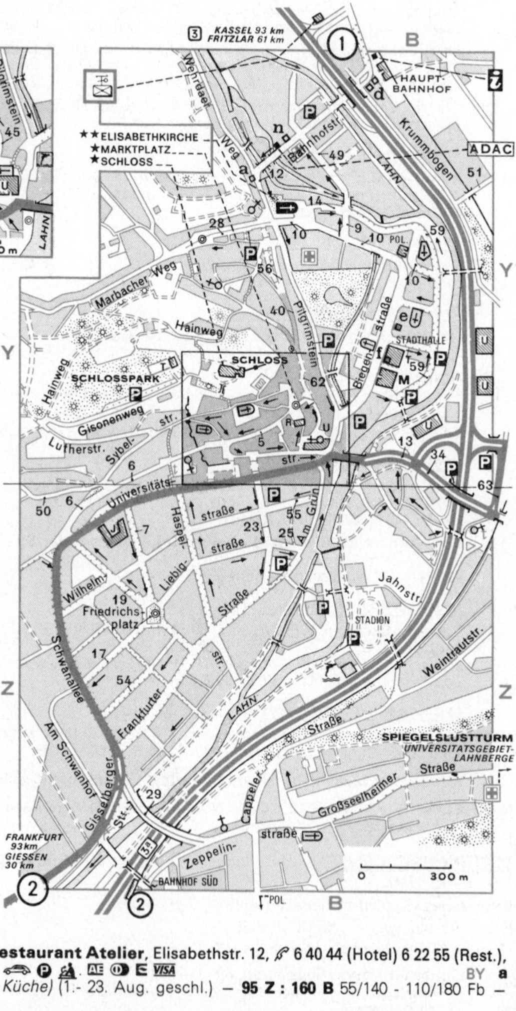

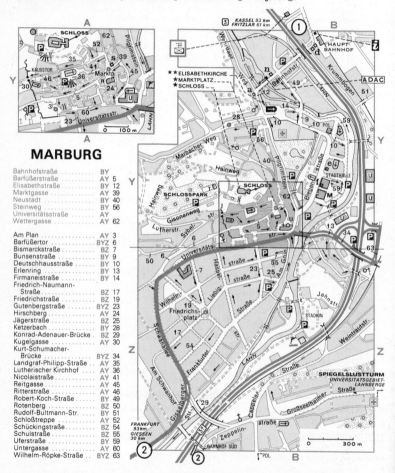

🏨 **Europäischer Hof - Restaurant Atelier**, Elisabethstr. 12, ☎ 6 40 44 (Hotel) 6 22 55 (Rest.), Telex 482636 – 🛗 📺 ☎ 🚗 🅿 🏋. AE ⓓ E VISA BY **a**
Karte 30/64 *(Italienische Küche)* (1.- 23. Aug. geschl.) – **95 Z : 160 B** 55/140 - 110/180 Fb – 3 Appart. 300.

🏨 **Waldecker Hof**, Bahnhofstr. 23, ☎ 6 00 90, 🏊, 🌞 – 🛗 📺 ☎ 🚗. AE ⓓ E VISA BY **d**
Karte 26/41 *(nur Abendessen)* – **41 Z : 60 B** 88/110 - 120/180 Fb.

🏨 **Hansenhaus Rechts**, Sonnenblickallee 9, ☎ 2 30 46 – 📺 ☎ 🅿. 🐕
Karte 26/56 *(Montag geschl.)* – **20 Z : 36 B** 97/110 - 125/145. über Großseelheimer Str. BZ

🏨 Garni, Bahnhofstr. 14, ☎ 6 56 44 BY **n**
20 Z : 30 B.

Bahnhofshotel Rump garni, Bahnhofstr. 29, ✆ 6 54 00 – 🚗 🅿. E — BY d
Ende Juli - Mitte Aug. geschl. – **20 Z : 30 B** 38/60 - 76/100.

Zur Sonne (Fachwerkhaus a. d. 16. Jh.), Markt 14, ✆ 2 60 36 – 🚗 — AY s
Karte 25/49 *(Montag geschl.)* – **11 Z : 17 B** 40/75 - 80/110.

Milano (Italienische Küche), Biegenstr. 19, ✆ 2 24 88 – AE ① E VISA — BY e
Dienstag und Juli - Aug. 4 Wochen geschl. – Karte 34/62.

Stadthallen-Restaurant, Biegenstr. 15, ✆ 2 46 66 – 🅿 — BY f
15.Juli - 8. Aug. geschl. – Karte 19,50/43.

In Marburg 18-Gisselberg ② : 5 km :

Fasanerie 🐦, Zur Fasanerie 13, ✆ 70 39, ←, – TV ☎ 🚗 🅿. AE ① E VISA
20. Dez.- 10. Jan. geschl. – Karte 19,50/47 *(wochentags nur Abendessen, Freitag geschl.)* – **35 Z : 50 B** 45/75 - 105/150.

In Marburg 9-Michelbach NW : 7 km über Marbacher Weg BY :

Stümpelstal 🐦, Stümpelstal 2, ✆ (06420) 5 15, (geheizt), – ☎ 🚗 🅿
22. Dez.- 15. Jan. geschl. – Karte 24/49 *(Donnerstag geschl.)* – **53 Z : 100 B** 40/65 - 80/120.

In Marburg-Schröck SO : 5 km über Großseelheimer Str. BZ :

Elisabethbrunnen, Zum Elisabethbrunnen 104, ✆ 2 60 66, – TV ☎ 🅿. E
Karte 30/57 *(Dienstag geschl.)* – **11 Z : 18 B** 68 - 98.

In Marburg 1-Wehrshausen-Dammühle W : 5 km über Rotenberg BZ :

Dammühle 🐦, Dammühlenstr. 1, ✆ 3 10 07, Fax 4177, Fahrradverleih – TV ☎ 🚗 🅿. ① E
23. Dez.- 1. Jan. geschl. – Karte 21/52 *(Freitag geschl.)* – **21 Z : 40 B** 58/75 - 98/120.

In Cölbe **3553** ① : 7 km :

Orthwein, Kasseler Str. 48, ✆ (06421) 8 20 11 – ☎ 🚗 🅿
Karte 15/34 *(Freitag geschl.)* – **23 Z : 33 B** 30/35 - 60/70.

In Ebsdorfergrund 9-Frauenberg **3557** SO : 8 km über Cappeler Straße BZ :

Zur Burgruine 🐦, Cappeler Str. 10, ✆ (06424) 13 79, Biergarten, – 🅿
Mitte Jan.- Mitte Feb. geschl. – Karte 31/54 *(Montag geschl.)* – **18 Z : 27 B** 45/60 - 90/100.

In Weimar-Wolfshausen **3556** ② : 10 km :

Bellevue, Hauptstr. 35 (an der B 3), ✆ 7 90 90, ←, – TV ☎ ♿ 🅿. AE ① E VISA
Karte 23/57 – **32 Z : 48 B** 45/100 - 91/168 Fb.

MARCH 7806. Baden-Württemberg 413 G 22, 242 ㉜, 87 ⑦ – 8 200 Ew – Höhe 190 m – ☎ 07665.
♦Stuttgart 198 – ♦Freiburg im Breisgau 11 – Offenburg 56.

In March 4-Holzhausen :

Zum Löwen, Vörstetter Str. 11, ✆ 13 28, – 🚗 🅿
Mitte Aug.- Anfang Sept. geschl. – Karte 23/40 *(Montag geschl.)* – **12 Z : 24 B** 27/38 - 54/70.

In March 3-Neuershausen :

Gästehaus Löwen 🐦 garni, Hofackerstr. 5, ✆ 22 06, – 🚗 🅿 – **20 Z : 30 B.**

MARIA BUCHEN Bayern siehe Lohr am Main.

MARIA LAACH 5471. Rheinland-Pfalz – Höhe 285 m – Benediktiner-Abtei – ☎ 02652 (Mendig).
Sehenswert : Abteikirche★.
Mainz 121 – ♦Bonn 55 – ♦Koblenz 31 – Mayen 13.

Seehotel Maria Laach 🐦, ✆ 58 40, ←, – ☎ 🚗 🅿. AE E
Karte 25/60 – **66 Z : 90 B** 46/65 - 90/120 – P 82/102.

MARIA RAIN Bayern siehe Oy-Mittelberg.

MARIENBERG, BAD 5439. Rheinland-Pfalz – 5 400 Ew – Höhe 500 m – Kneippheilbad – Luftkurort – Wintersport : 500/572 m ≰1 ⛷2 – ☎ 02661.
ℹ Kurverwaltung, Wilhelmstr. 10, ✆ 70 31.
Mainz 102 – Limburg an der Lahn 43 – Siegen 43.

Kneipp-Kurhotel Wildbad 🐦, Kurallee (am Wildpark, W : 1 km), ✆ 62 20, ←, Bade- und Massageabteilung, – ☎ 🚗 🅿 – **51 Z : 70 B** Fb.

Café Kristall 🐦, Goethestr. 21, ✆ 6 30 99, ←, – ☎ 🚗 🅿. Rest
Nov. geschl. – Karte 23/50 *(Dienstag geschl.)* – **20 Z : 31 B** 56 - 105 Fb – P 67.

Westerwälder Hof, Wilhelmstr. 21, ✆ 12 23, – ☎ 🅿. AE ① E VISA
Karte 28/57 – **17 Z : 30 B** 49/74 - 84/138 Fb.

🏨 Feger, Wilhelmstr. 11, ☎ 51 21 – 🚗 [P]
12 Z : 18 B.

🏨 **Landhaus Kogge** 🌿, Rauscheidstr. 2, ☎ 51 32, 🌳 – [P]. [E]
Karte 20/36 *(Dienstag geschl.)* – **10 Z : 15 B** 39/44 - 72 – P 51/54.

In Salzburg **5439** NO : 7 km – Wintersport : 600/654 m ⛷1 ⛷2 :

🏨 **Salzburger Kopf** 🌿, Waldstr. 3, ☎ (02667) 2 68, 🌳 – 🚗 [P]
Karte 19,50/36 *(Montag geschl.)* – **11 Z : 20 B** 32/45 - 64/76 – P 38/45.

MARIENBERGHAUSEN Nordrhein-Westfalen siehe Nümbrecht.

MARIENBURG Rheinland-Pfalz. Sehenswürdigkeit siehe Alf.

MARIENFELD Nordrhein-Westfalen siehe Harsewinkel.

MARIENHEIDE **5277.** Nordrhein-Westfalen – 13 400 Ew – Höhe 317 m – ☎ 02264.

[i] Verkehrsamt, Hauptstr. 20, ☎ 22 40.

[i] Reise- und Verkehrsbüro, Landwehrstr. 2, ☎ 70 21.

♦Düsseldorf 80 – Gummersbach 10 – Lüdenscheid 31 – Wipperfürth 12.

In Marienheide-Rodt SO : 3 km :

🏨 **Landhaus Wirth - Restaurant Im Krug** 🌿, Friesenstr.8, ☎ 60 67, Telex 884198, ♨, 🏊, 🌳 – [TV] ☎ [P] 🏛. [AE] [O] [E] [VISA]. 🚫 Zim
24.- 28. Dez. geschl. – Karte 31/64 *(Sonn- und Feiertage geschl.)* – **32 Z : 54 B** 76/85 - 120/130 Fb - (Anbau mit 18 Z ab Frühjahr 1989).

MARIENTHAL, KLOSTER Hessen siehe Geisenheim.

MARING-NOVIAND Rheinland-Pfalz siehe Lieser.

MARKDORF **7778.** Baden-Württemberg [413] L 23, [987] ㉟, [427] ⑦ – 10 500 Ew – Höhe 453 m – ☎ 07544.

[i] Fremdenverkehrsverein, Marktstr. 1, ☎ 50 02 90.

♦Stuttgart 167 – Bregenz 45 – ♦Freiburg im Breisgau 154 – Ravensburg 20.

🏨 Bischofsschloß, Schloßweg 6, ☎ 81 41, ☂ – 🛗 [TV] [P] 🏛
43 Z : 80 B Fb.

🏨 **Landhaus Traube**, Steibensteg 7 (B 33, O : 1 km), ☎ 81 33, ☂, 🌳 – [TV] ☎ 🚗 [P]. [AE] [O] [E]. 🚫 Zim
22. Dez.- 11. Feb. geschl. – Karte **28**/56 *(Freitag - Samstag 17 Uhr geschl.)* – **13 Z : 21 B** 55/70 - 85/120 Fb.

In Bermatingen **7775** NW : 3,5 km :

🍴🍴 **Eichenhof**, Markdorfer Str. 9, ☎ (07544) 7 12 60, ☂, bemerkenswerte Weinkarte, « Original Bodensee-Fachwerkhof » – 🚫
wochentags nur Abendessen, Montag, 9. Jan.- 7. Feb. und 26. Juni - 10. Juli geschl. – Karte 42/66.

MARKGRÖNINGEN **7145.** Baden-Württemberg [413] K 20, [987] ㉟ – 12 350 Ew – Höhe 286 m – ☎ 07145.

Sehenswert : Rathaus★.

♦Stuttgart 19 – Heilbronn 42 – Pforzheim 34.

🏨 **Goldener Becher** 🌿 garni, Schloßgasse 4, ☎ 80 54 – [TV] ☎
24. Dez.- 16. Jan. geschl. – **7 Z : 13 B** 52/62 - 76/98.

🍴 Ratsstüble 🌿 mit Zim (Haus a.d. 16. Jh.), Marktplatz 2, ☎ 53 83 – [P]
6 Z : 8 B.

MARKSBURG Rheinland-Pfalz. Sehenswürdigkeit siehe Braubach.

MARKT BIBART **8536.** Bayern [413] O 18 – 1 900 Ew – Höhe 312 m – ☎ 09162 (Scheinfeld).

♦München 234 – ♦Bamberg 70 – ♦Nürnberg 58 – ♦Würzburg 50.

🏨 **Zum Hirschen**, Nürnberger Str. 13 (B 8), ☎ 82 78 – 🚗 [P]
Karte 16/38 *(Montag geschl.)* 🍷 – **28 Z : 56 B** 34/36 - 60/68.

MARKTBREIT **8713.** Bayern [413] N 17, 18, [987] ㉖ – 4 000 Ew – Höhe 191 m – ☎ 09332.

Sehenswert : Maintor und Rathaus★.

♦München 272 – Ansbach 58 – ♦Bamberg 89 – ♦Würzburg 25.

🏨 **Löwen**, Marktstr. 8, ☎ 30 85, « Gasthof a. d. J. 1450 » – 🚗. [AE] [O] [E]. 🚫 Rest
7. Jan.- 10. Feb. geschl. – Karte 25/46 🍷 – **50 Z : 80 B** 30/55 - 55/110 Fb.

MARKTHEIDENFELD 8772. Bayern [413] LM 17, [987] ㉕ – 9 700 Ew – Höhe 153 m – ☎ 09391.

ℹ Fremdenverkehrsverein, Fränkisches Haus, ☎ 50 04 41.

♦München 322 – Aschaffenburg 46 – ♦Würzburg 29.

🏨 **Anker** garni (siehe auch Weinhaus Anker), Obertorstr. 6, ☎ 40 41, Telex 689608, Weinproben im alten Faßkeller – 🛗 ☎ ♿ 🚗 [P] 🏛. [AE] [E]
36 Z : 65 B 80/100 - 130/230.

🏨 Zum Löwen, Marktplatz 3, ☎ 15 71
41 Z : 80 B.

🏨 **Schöne Aussicht**, Brückenstr. 8, ☎ 34 55 – 🛗 🚗 [P] 🏛
Karte 17,50/45 – **48 Z : 100 B** 46/60 - 76/120.

🏨 **Baumhof-Tenne** 🌙, Baumhofstr. 147, ☎ 35 49, ☂, 🌳, 🍴 – ☎ [P]. [O] [E] [VISA]. 🚫 Zim
1.- 15. Aug. geschl. – Karte 18/39 *(nur Abendessen, Montag geschl.)* 🍷 – **18 Z : 30 B** 35/45 - 70/80.

🏨 Mainblick, Mainkai 11, ☎ 23 73 – 🚗
16 Z : 30 B.

🍴🍴🍴 ✿ **Weinhaus Anker**, Obertorstr. 13, ☎ 17 36, bemerkenswerte Weinkarte – [O] [E]
10.- 24. Dez. und Montag - Dienstag 18 Uhr geschl. – Karte 55/90 (Tischbestellung ratsam)
Spez. Zander mit Kräutersauce (ab 2 Pers.), Gefülltes Rehfilet (Juni - Feb., ab 2 Pers.), Lamm in Buttermilch mit Basilikum.

In Esselbach 1-Kredenbach 8771 W : 6 km über die B 8 :

🏨 **Spessartblick** 🌙, Spessartstr. 34, ☎ (09394) 4 54, ≤, ☂, 🏊, 🏊, 🌳 – [P]. [AE]
Karte 16,50/35 *(Mittwoch geschl.)* 🍷 – **25 Z : 52 B** 38 - 84.

MARKTLEUGAST 8654. Bayern [413] R 16 – 4 100 Ew – Höhe 555 m – ☎ 09255.

♦München 261 – Bayreuth 33 – Hof 32 – Kulmbach 19.

In Marktleugast-Hermes SW : 4 km :

🏨 Landgasthof Haueis 🌙, Hermes 1, ☎ 2 45, ☂, 🌳 – 🚗 [P]
36 Z : 60 B.

MARKTOBERDORF 8952. Bayern [413] O 23, [987] ㊱, [426] ⑮⑯ – 15 500 Ew – Höhe 758 m – Erholungsort – ☎ 08342.

♦München 99 – Füssen 29 – Kaufbeuren 13 – Kempten (Allgäu) 28.

🏨 **Sepp**, Bahnhofstr. 13, ☎ 20 48, ☂ – [TV] ☎ 🚗 [P] 🏛. [O] [E]
Karte 23/50 *(Samstag geschl.)* – **54 Z : 94 B** 55/70 - 95/140 Fb.

In Wald 8952 SW : 9 km :

🏨 **Berg- und Jagdhof** 🌙, Nesselwanger Str. 32, ☎ (08302) 2 00 – [P]
10. Nov.- 20. Dez. geschl. – Karte 20/44 *(Montag geschl.)* – **30 Z : 65 B** 32/40 - 54/80.

MARKTREDWITZ 8590. Bayern [413] S 16,17, [987] ㉗ – 19 000 Ew – Höhe 539 m – ☎ 09231.

ℹ Städt. Fremdenverkehsbüro, historisches Rathaus, Markt, ☎ 50 11 26.

♦ München 288 – Bayreuth 54 – Hof 48.

🏨 **Park-Hotel**, Martin-Luther-Str. 5, ☎ 6 20 22 – 🛗 ☎ 🚗 [P]
Karte 18/48 – **24 Z : 48 B** 45/50 - 85.

🍴🍴 **Stadtpark - Am Kamin** mit Zim, Klingerstr. 18, ☎ 24 89 – [TV] 🚗 [P]
Karte 23/48 – **8 Z : 12 B** 40/50 - 63/72.

MARKTSCHELLENBERG 8246. Bayern [413] W 23 – 1 800 Ew – Höhe 480 m – Heilklimatischer Kurort – Wintersport : 800/1 000 m ⛷1 ⛷1 – ☎ 08650.

ℹ Verkehrsamt, Rathaus, ☎ 3 52.

♦München 144 – Berchtesgaden 10 – Salzburg 13.

🏨 **Landgasthof Forelle**, Marktplatz 13, ☎ 2 66, ☂ – 🚫 Rest
25. Nov.- 18. Dez. geschl. – Karte 20/36 *(Nov.- April Mittwoch - Donnerstag geschl.)* – **18 Z : 36 B** 40/45 - 70 Fb.

Am Eingang der Almbachklamm S : 3 km über die B 305 :

🍴 **Zur Kugelmühle** 🌙 mit Zim, ✉ 8246 Marktschellenberg, ☎ (08650) 4 61, ≤, « Gartenterrasse, Sammlung von Versteinerungen » – [P]. 🚫 Zim
10. Jan.- 10. Feb. und 26. Okt.- 25. Dez. geschl. – Karte 17/35 *(Jan.- April Samstag geschl.)* – **8 Z : 16 B** 40 - 70.

MARKTZEULN Bayern siehe Lichtenfels.

Les prix de chambre et de pension
peuvent parfois être majorés de la taxe de séjour et d'un supplément de chauffage.
Lors de votre réservation à l'hôtel,
faites-vous bien préciser le prix définitif qui vous sera facturé.

[MARL] 4370. Nordrhein-Westfalen [987] ⑭ – 90 000 Ew – Höhe 62 m – ✆ 02365.

Siehe Ruhrgebiet (Übersichtsplan).

Sehenswert : Skulpturenmuseum Glaskasten.

[i] Informationsamt, Rathaus, Creiler Platz, ☎ 10 57 03.

♦Düsseldorf 66 – Gelsenkirchen 17 – Gladbeck 12 – Münster (Westfalen) 62 – Recklinghausen 10.

🏨 **Novotel** 🌿, Eduard-Weitsch-Weg 2, ☎ 10 20, Telex 829916, Fax 14454, ⛱, 🧖, 🏊 (geheizt), Fahrradverleih – 🛗 🚭 Zim 📺 ☎ ♿ 🅿 🏛 (mit 🍽). [AE] [D] [E] [VISA]
Karte 30/56 – **93 Z : 186 B** 120/155 - 155/185 Fb.

🏨 **Haus Müller** garni, Breddenkampstr. 126, ☎ 4 30 85 – ☎. [E]. 🚫🐕
11 Z : 12 B 55/75 - 110.

🍴🍴 **Jägerhof-Tränke**, Recklinghäuser Str. 188 (SO : 4 km, B 225), ☎ 1 40 71 – 🅿. 🚫🐕
Karte 25/52.

In Marl-Hüls :

🏨 **Loemühle** 🌿, Loemühlenweg 221, ☎ 4 40 15, « Park, Gartenterrasse », Massage, 🧖, 🏊 (geheizt), 🏊, ⛱, Fahrradverleih – 📺 ☎ ♿ 🅿 🏛. [AE] [D] [E] [VISA]
Karte 37/69 – **55 Z : 90 B** 65/130 - 135/175 Fb.

[MARLOFFSTEIN] Bayern siehe Erlangen.

[MARQUARTSTEIN] 8215. Bayern [413] U 23, [987] ㊲, [426] ⑲ – 3 000 Ew – Höhe 545 m – Luftkurort – Wintersport : 600/1 200 m ⛷3 ⛷2 – ✆ 08641 (Grassau).

[i] Verkehrsamt, Bahnhofstr. 3, ☎ 82 36.

♦München 96 – Rosenheim 37 – Salzburg 55 – Traunstein 23.

🏨 Alpenrose (mit Gästehaus, 🌿, 🧖 🏊 (geheizt) ⛱), Staudacher Str. 3 (B 305), ☎ 82 29, ⛱ – 🚗 🅿 – **22 Z : 36 B.**

🏨 **Prinzregent**, Loitshauser Str. 5, ☎ 82 56, ⛱ – 🚗 🅿
◆ Karte 16/36 *(Montag - Dienstag nur Mittagessen)* 🍷 – **14 Z : 30 B** 27/35 - 50/62 – P 48/56.

In Marquartstein-Pettendorf N : 2 km :

🏨 **Weßnerhof**, Pettendorfer Str. 55, ☎ 89 23, ⛱, ⛱ – 🛗 ☎ 🅿
◆ *10. Nov.- 10. Dez. geschl.* – Karte 15/41 *(Mittwoch geschl.)* – **34 Z : 59 B** 32/35 - 60/68 – P 50/54.

[MARSBERG] 3538. Nordrhein-Westfalen [987] ⑮ – 21 600 Ew – Höhe 255 m – ✆ 02992.

[i] Verkehrsbüro, Bülbergstr. 2, ☎ 33 88.

♦Düsseldorf 185 – Brilon 22 – ♦Kassel 67 – Paderborn 44.

🏨 **Kurhaus Karp**, Schildstr. 4, ☎ 7 39, Bade- und Massageabteilung, 🏋, 🧖, 🏊 – ☎ 🅿
Karte 22/40 *(Mittwoch geschl.)* – **16 Z : 25 B** 50/60 - 75 – P 60/70.

🏨 Marsberger Hof, Dr.-Rentzing-Str. 4, ☎ 82 83 – 🅿
7 Z : 14 B.

🏨 **Haus Wegener** 🌿, Stobkeweg 8 (NO : 2 km), ☎ 26 29, ⛱, ⛱ – 🚗 🅿
20. Nov.- 15. Dez. geschl. – Karte 22/37 *(Montag geschl.)* – **7 Z : 13 B** 40/45 - 70/80.

In Marsberg-Bredelar SW : 7 km :

🏨 **Haus Nolte**, Mester-Evers-Weg 1, ☎ (02991) 3 29, ⛱ – ☎ 🅿. 🚫🐕 Rest
Karte 24/49 *(Montag geschl.)* – **9 Z : 18 B** 40/45 - 80/90.

[MARTINSZELL] Bayern siehe Waltenhofen.

[MASCHEN] Niedersachsen siehe Seevetal.

[MAULBRONN] 7133. Baden-Württemberg [413] J 19, 20, [987] ㉕ – 5 900 Ew – Höhe 250 m – ✆ 07043.

Sehenswert : Ehemaliges Zisterzienserkloster★★ (Kreuzgang★★ mit Brunnen - Kapelle★★, Klosterräume★★, Klosterkirche★).

♦Stuttgart 45 – Heilbronn 55 – ♦Karlsruhe 37 – Pforzheim 20.

🏨 **Birkenhof**, Bahnhofstr. 1, ☎ 67 63, ⛱ – 🚗 🅿
Feb. 2 Wochen geschl. – Karte 27/52 *(Dienstag geschl.)* 🍷 – **18 Z : 32 B** 35/60 - 70/120.

🍴🍴 **Klosterkeller**, Klosterhof 32, ☎ 65 39, ⛱ – 🅿. [AE] [D] [E] [VISA]
15. Dez.- Jan. und Montag geschl. – Karte 24/68 🍷.

🍴 **Zur Klosterkatz** (Italienische Küche), Klosterhof 21, ☎ 87 38, ⛱ – 🅿. [AE] [D] [E] [VISA]
24. Juli - 6. Aug., Samstag bis 17 Uhr und Dienstag geschl. – Karte 31/49.

[MAULBURG] Baden-Württemberg siehe Schopfheim.

[MAURACH] Baden-Württemberg siehe Uhldingen-Mühlhofen.

[MAUSBACH] Nordrhein-Westfalen siehe Stolberg/Rhld.

[MAUTH] 8391. Bayern [413] X 20, [426] ⑦ – 2 800 Ew – Höhe 820 m – Erholungsort – Wintersport : 820/1 341 m ⛷3 ⛷8 – ☎ 08557.

♦München 211 – Grafenau 21 – Passau 43.

- Gasthof Fuchs, Am Goldenen Steig 16, ☎ 2 70, ≘s – 🚗 🅿
  12 Z : 24 B.

In Mauth-Finsterau N : 7 km – Höhe 998 m :

- **Bärnriegel** 🌙, ☎ 7 01, ≘s – 🅿. ✗
  7. Nov.- 4. Dez. geschl. – Karte **26**/44 *(April - Juni Montag geschl.)* 🍷 – **13 Z : 26 B** 30 - 56.

[MAXIMILIANSAU] Rheinland-Pfalz siehe Wörth am Rhein.

[MAYEN] 5440. Rheinland-Pfalz [987] ㉔ – 19 000 Ew – Höhe 240 m – ☎ 02651.

Ausflugsziel : Schloß Bürresheim★ NW : 5 km.

[i] Städtisches Verkehrsamt, im alten Rathaus, Markt, ☎ 8 82 60.

Mainz 126 – ♦Bonn 63 – ♦Koblenz 35 – ♦Trier 99.

- **Neutor**, Am Neutor 2, ☎ 7 30 95 – |$| [TV] ☎ 🚗 🅿. [AE] E [VISA]
  21. Juli - 11. Aug. geschl. – Karte 21/45 *(Donnerstag 14 Uhr - Freitag 17 Uhr geschl.)* 🍷 – **20 Z : 30 B** 45/50 - 80/90 Fb.
- **Katzenberg**, Koblenzer Str. 174, ☎ 4 35 85, 🌳 – ☎ 🚗 🅿
  Karte 22/44 *(Freitag geschl.)* – **26 Z : 50 B** 55/70 - 85.
- **Keupen**, Marktplatz 23, ☎ 7 30 77 – ☎. [AE] E
  Karte 19/32 *(1.- 20. Juni sowie Sonn- und Feiertage geschl.)* – **21 Z : 34 B** 38/40 - 68/72.
- **Zur Traube** 🌙 garni, Bäckerstr. 6, ☎ 30 18 – [TV] 🚗. [AE]
  25 Z : 40 B 32/40 - 60/75.
- **Maifelder Hof**, Polcher Str. 74, ☎ 7 30 66, Biergarten – 🚗 🅿. [DC] E [VISA]
  Karte 23/44 *(Samstag geschl.)* – **10 Z : 20 B** 50/55 - 85/90.
- **Jägerhof**, Ostbahnhofstr. 33, ☎ 4 32 93 – 🚗. [AE] [DC] E [VISA]
  Karte 18/40 *(Donnerstag geschl.)* 🍷 – **20 Z : 32 B** 32/35 - 64/74.
- **Zum Alten Fritz**, Koblenzer Str. 56, ☎ 4 32 72 – 🚗 🅿. [AE] [DC] E
  Karte **26**/43 *(30. Juni - 18. Juli und Dienstag geschl.)* 🍷 – **19 Z : 36 B** 25/40 - 50/80.
- 🍴🍴🍴 ✲ **Gourmet-Restaurant Wagner**, Markt 10, ☎ 28 61 – [DC]
  Montag - Dienstag 18 Uhr sowie Feb. und Juli je 2 Wochen geschl. – Karte 64/94 *(Tischbestellung ratsam)* (bemerkenswerte Weinkarte)
  Spez. Rehleber-Parfait, Saint-Pierre mit Elblingsauce, Roulade von Bresse-Taube mit Gänseleberauce.
- 🍴 **Im Römer**, Marktstr. 46, ☎ 23 15
  12.- 27. April, 15.- 30. Nov. und Mittwoch - Donnerstag geschl. – Karte 21/43 🍷.

Im Nettetal NW : 7 km :

- **Schloß-Hotel** 🌙, ✉ 5440 Mayen, ☎ (02651) 50 01, « Gartenterrasse », 🌳, 🐎 – [TV] 🚗 🅿 🏔. [AE] [DC] E [VISA]. ✗ Rest
  5.- 30. Jan. geschl. – Karte 38/78 – **22 Z : 42 B** 85/180 - 135/270.

In Riedener Mühlen 5441 NW : 11 km, im Nettetal :

- Haus Hubertus 🌙, ☎ (02655) 14 84, « Garten mit Wasserspielen », ≘s, [🏊], 🌳, 🎾 – |$| [TV] ☎ 🚗 🅿 🏔 – **40 Z : 70 B** Fb.

[MAYENCE] = Mainz.

[MAYSCHOSS] 5481. Rheinland-Pfalz – 1 000 Ew – Höhe 141 m – ☎ 02643 (Altenahr).

Mainz 158 – Adenau 22 – ♦Bonn 34.

- Zur Saffenburg, Hauptstr. 43 (B 267), ☎ 83 92, ⋖, 🌳 – 🚗 🅿. ✗ Zim
  21 Z : 40 B.

In Mayschoß-Laach :

- **Lochmühle**, an der B 267, ☎ 13 45, Telex 861766, ⋖, 🌳, eigener Weinbau, ≘s, [🏊] – |$| [TV] 🚗 🅿 🏔. [AE] [DC] E [VISA]
  Karte 28/78 – **64 Z : 106 B** 88/123 - 154/186 Fb – P 132/178.

[MECHERNICH] 5353. Nordrhein-Westfalen – 22 300 Ew – Höhe 298 m – ☎ 02443.

♦Düsseldorf 94 – ♦Bonn 43 – Düren 33 – ♦Köln 52.

In Mechernich-Kommern NW : 4 km :

- **Sporthotel Kommern am See**, an der B 266/477, ☎ 50 95, Telex 833312, ≘s, [🏊], 🌳, 🎾 (Halle) – [TV] ☎ 🅿 🏔. [AE] [DC] E [VISA]
  Karte 29/67 – **37 Z : 74 B** 75/95 - 110/145 Fb.
- Waldhotel Mühlental - Ristorante La Fattoria 🌙, nahe der B 266/477, ☎ 39 16 (Hotel) 36 68 (Rest.), 🌳, ≘s, 🐎(Halle) – ☎ 🅿 – **17 Z : 38 B** Fb.
- 🍴🍴 Senftöpfchen, Kölner Str. 25, ☎ 66 00 – 🅿
  wochentags nur Abendessen.

MECKENBEUREN **7996.** Baden-Württemberg [413] L 23, [987] ㉟, [216] ⑪ – 9 900 Ew – Höhe 417 m – ☎ 07542 (Tettnang).

♦Stuttgart 158 – Bregenz 32 – Ravensburg 11.

In Meckenbeuren-Reute SW : 2 km :

🏠 **Haus Martha** garni, Hügelstr. 21, ☎ 26 66, ≘s – 🚗 🅿
20. Dez.- 10. Jan. geschl. – **14 Z : 30 B** 39 - 68.

MEDEBACH **5789.** Nordrhein-Westfalen [987] ⑮㉕ – 7 400 Ew – Höhe 411 m – ☎ **02982.**

♦Düsseldorf 195 – ♦Kassel 76 – Marburg 61 – Paderborn 89 – Siegen 101.

🏠 **Café Trippel**, Oberstr. 6, ☎ 85 70 – |♦| 🅿
7.- 27. Nov. geschl. – Karte 18/37 – **8 Z : 16 B** 35/38 - 70/72.

In Medebach 6-Küstelberg NW : 8,5 km :

🏠 **Schloßberghotel** 🌿, Im Siepen 1, ☎ (02981) 26 61, ≤, ≘s, 🏊 – |♦| 🅿
15. Nov.- 15. Dez. geschl. – Karte 22/49 *(Mittwoch geschl.)* – **17 Z : 30 B** 53/55 - 105.

MEERBUSCH Nordrhein-Westfalen siehe Düsseldorf.

MEERSBURG **7758.** Baden-Württemberg [413] K 23, [987] ㉟, [216] ⑩ – 5 300 Ew – Höhe 450 m – Erholungsort – ☎ 07532 – **Sehenswert :** Oberstadt★ (Marktplatz★ B, Steigstraße★ A) – Neues Schloß (Terrasse≤★) AB – Känzele (Belvedere≤★★) B.

[i] Kur- und Verkehrsamt, Kirchstr. 4, ☎ 8 23 83.

♦Stuttgart 191 ② – Bregenz 48 ① – ♦Freiburg im Breisgau 143 ② – Ravensburg 31 ①.

MEERSBURG

Kirchstraße .... B 8
Marktplatz .... B 9
Seepromenade .... A 13
Steigstraße .... A
Unterstadtstraße .... A

Bismarckplatz .... A 2
Bleicheplatz .... B 3
Burgweg .... A 5
Daisendorfer Straße .... A 6
Kirchplatz .... A 7
Schloßplatz .... B 12
Seminarstraße .... B 14
Spitalgasse .... A 15
Uhldinger Straße .... A 16
Vorburggasse .... B 18

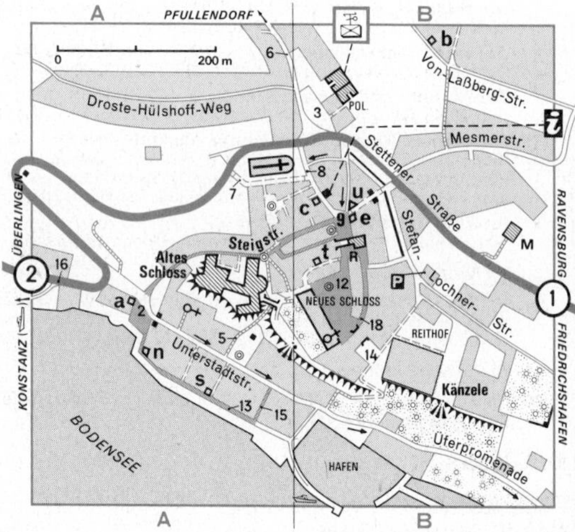

🏨 **Wilder Mann**, Bismarckplatz 2, ☎ 90 11, ≤, « Gartenterrasse, Rosengarten », 🏖, 🌳 – 📺 ☎ 🚗 A **a**
März- Nov. – Karte 30/60 – **33 Z : 55 B** 105/130 - 140/250 Fb.

🏨 **Terrassenhotel Weißhaar** 🌿, Stefan-Lochner-Str. 24, ☎ 90 06, ≤ Bodensee, « Gartenterrasse » – ☎ 🚗 🅿 über Stefan-Lochner-Str. B
15. März- Nov. – Karte 33/55 – **26 Z : 48 B** 55/90 - 130/180.

🏨 **Villa Bellevue** 🌿 garni, Am Rosenhag 5, ☎ 97 70, ≤, 🌳 – 📺 ☎ 🚗. [AE] [D] [E]
März - Okt. – **10 Z : 20 B** 78/90 - 145/190. über Stefan-Lochner-Str. B

🏨 Becher 🌿 garni, Menizhofer Weg 4, ☎ 97 45, ≤, 🌳 – ☎ 🚗 🅿
14 Z : 23 B. über Stefan-Lochner-Str. B

🏨 **Löwen**, Marktplatz 2, ☎ 60 13 – ☎ 🅿. [AE] [D] B **e**
15. Nov.- 10 Dez. geschl. – Karte 39/67 – **20 Z : 36 B** 85/90 - 140/150 Fb.

🏠 **Bad-Hotel** 🌿, von-Laßberg-Str. 23, ☎ 61 33, ≤, ≘s, 🏊, Fahrradverleih – 📺 ☎ 🚗 🅿. [AE] [D] [E] [VISA] B **b**
10. Jan.- 15. Feb. geschl. – (nur Abendessen für Hausgäste) – **18 Z : 41 B** 79/120 - 125/190 Fb.

🏠 **Bären** (Historischer Gasthof a. d. 17. Jh.), Marktplatz 11, ☎ 60 44 – 🚗 B **u**
15. Nov.- 15. März garni – Karte 26/47 *(Montag und außer Saison auch Dienstag geschl.)* – **16 Z : 29 B** 50/70 - 96/105.

🏨 **3 Stuben** (Schönes Fachwerkhaus a.d. 16. Jh.), Winzergasse 1, ✆ 60 19 – 📺 ☎ 🚗
Jan. geschl. – Karte 27/58 *(Donnerstag und 5. Nov.- 15. März geschl.)* – **20 Z : 37 B** 75/85 - 108/150 – P 94/110. B c

🏨 **Seehotel zur Münz** 🔇, Seestr. 7, ✆ 90 90 (Hotel) 77 28 (Rest.), <, ⛱ – 🛗 ☎ 🚗 A s
März - 20. Nov. – Karte 25/49 – **14 Z : 28 B** 68/85 - 90/144.

🏨 **Zum Schiff**, Bismarckplatz 5, ✆ 60 25, <, ⛱ – [P] A n
Ostern - Mitte Okt. – Karte 25/49 – **35 Z : 70 B** 35/70 - 70/130 – P 75/110.

🏨 **Pension Off** 🔇, Uferpromenade 51, ✆ 3 33, <, ⛱, Fahrradverleih – 📺 🚗
15. März - 15. Nov. – Karte 25/42 – **16 Z : 27 B** 70/85 - 115/130. über Uferpromenade B

🏨 **Gästehaus Seegarten** 🔇 garni, Uferpromenade 47, ✆ 64 00, < – 📺 🚗 [P]
März - Okt. – **18 Z : 35 B** 70/90 - 120/150 Fb. über Uferpromenade B

🍴🍴 **Winzerstube zum Becher**, Höllgasse 4, ✆ 90 09 B t
Montag - Dienstag 17 Uhr und Mitte Dez.- Mitte Jan. geschl. – Karte **33**/65 (Tischbestellung ratsam).

MEHRING 5559. Rheinland-Pfalz – 2 000 Ew – Höhe 122 m – 📞 06502 (Schweich).

⛳ Ensch-Birkenheck (N : 7 km), ✆ (06507) 43 74.

Mainz 153 – Bernkastel-Kues 40 – ♦Trier 19.

🏨 **Weinhaus Molitor** 🔇 garni, Maximinstr. 9, ✆ 27 88, 🌳 – 🚗 [P]. E
10 Z : 20 B 37/42 - 70/75.

🏨 Zum Fährturm, Peter-Schroeder-Platz 2 (B 53), ✆ 24 03, <, ⛱, eigener Weinbau – 🚗 [P]. 🚫🐕
9 Z : 18 B.

In Pölich 5559 O : 3 km :

⌂ **Pölicher Held**, Hauptstr. 5 (B 53), ✆ (06507) 33 17, <, ⛱, eigener Weinbau – 🚗 [P]
↔ Karte 15/35 *(Nov.- Mai Donnerstag geschl.)* 🍷 – **10 Z : 24 B** 27/33 - 50/60.

MEHRSTETTEN Baden-Württemberg siehe Münsingen.

MEINERZHAGEN 5882. Nordrhein-Westfalen [987] ㉔ – 19 800 Ew – Höhe 385 m – Wintersport : 400/500 m 🚡5 ⛷2 – 📞 02354.

⛳ Kierspe-Varmert, an der B 237 (W : 9 km), ✆ (02269) 72 99.

[i] Verkehrsamt, Bahnhofstr. 11, ✆ 7 71 32.

♦Düsseldorf 86 – Lüdenscheid 19 – Olpe 21 – Siegen 47.

🏨 **Wirth**, Hauptstr. 19, ✆ 22 26 – 🛗 ☎ 🚗 [P]. [AE] ⓞ E VISA
(nur Abendessen für Hausgäste) – **19 Z : 35 B** 38/80 - 75/135.

🍴 Am Schnüffel mit Zim, Heerstr.10, ✆ 25 80 – ☎ [P]
6 Z : 11 B.

In Meinerzhagen - Willertshagen O : 4 km :

🏨 Bauer, ✆ 29 06, 🌳 – [P] 👥. 🚫🐕
24 Z : 36 B.

In Meinerzhagen-Windebruch, an der Listertalsperre O : 16 km :

⌂ **Fischerheim**, ✆ (02358) 2 70, <, ⛱, 🌳 – 🚗 [P]. 🚫🐕 Zim
Dez.- Jan. geschl. – Karte 22/50 *(Donnerstag geschl.)* – **14 Z : 22 B** 29/32 - 58/64 – P 42/44.

MEITINGEN 8901. Bayern [413] P 21, [987] ㊱ – 9 000 Ew – Höhe 432 m – 📞 08271.

♦München 79 – ♦Augsburg 21 – Donauwörth 21 – ♦Ulm (Donau) 90.

⌂ **Zur Alten Post**, Römerstr. 2 (B 2), ✆ 23 45, ⛱ – [P]
Karte 24/39 *(Samstag geschl.)* 🍷 – **17 Z : 30 B** 28/45 - 54/69.

MELDORF 2223. Schleswig-Holstein [987] ⑤ – 7 200 Ew – Höhe 6 m – 📞 04832.

[i] Fremdenverkehrsverein, Nordermarkt 10, ✆ 70 45.

♦Kiel 93 – Flensburg 94 – ♦Hamburg 95 – Neumünster 72.

🏨 **Zur Linde**, Südermarkt 1, ✆ 70 33 – 📺 ☎
Karte 25/48 – **17 Z : 35 B** 46/50 - 78/90.

🏨 **Stadt Hamburg**, Nordermarkt 2, ✆ 14 61 – 📺 ☎ [P] 👥. [AE] ⓞ E VISA
↔ Karte 18/42 – **12 Z : 24 B** 60 - 100.

Verwechseln Sie nicht :

Komfort der Hotels	: 🏨🏨🏨🏨🏨 ... 🏨, ⌂
Komfort der Restaurants	: 🍴🍴🍴🍴🍴 ... 🍴
Gute Küche	: ✿✿✿, ✿✿, ✿, Karte

[MELLE] 4520. Niedersachsen [987] ⑭ – 43 000 Ew – Höhe 80 m – Kurort (Solbad) – ☏ 05422.
[i] Kurverwaltung, Rathaus, am Markt, ℰ 10 33 12.
♦Hannover 115 – Bielefeld 36 – Münster (Westfalen) 80 – ♦Osnabrück 26.

🏨 **Berghotel Menzel** 🐚, Walter-Sudfeldt-Weg 6, ℰ 50 05, « Terrasse mit ≤ », ♨ – [lift] ☎ [P] 🏋. [AE] [D] [E] [VISA]
Karte 29/54 – **35 Z : 55 B** 53/64 - 100/120 Fb.

🏨 **Bayerischer Hof**, Bahnhofstr. 14, ℰ 55 66 – [TV] ☎ [P]
Karte 20/43 *(Montag bis 17 Uhr geschl.)* – **18 Z : 38 B** 40/45 - 80/85 – P 65/70.

🏨 **Lumme**, Haferstr. 7, ℰ 33 64, 🌳 – ☎ 🚗 [P]. 🐕 Zim
24. Dez.- 3. Jan. geschl. – Karte 23/41 *(Montag und Juli geschl.)* – **13 Z : 20 B** 35/48 - 60/85.

🍴🍴 **Heimathof**, Friedr.-Ludwig-Jahn-Str. 10 (im Erholungszentrum Am Grönenberg), ℰ 55 61, 🌳, « Fachwerkhaus a.d. J. 1620 » – [P]. [AE] [D] [E]
Freitag - Samstag 17 Uhr geschl. – Karte 37/65.

🍴 **Menzel** mit Zim, Markt 1, ℰ 21 11 – ☎ [P] 🏋
Karte 25/45 *(Sonntag ab 15 Uhr geschl.)* – **5 Z : 7 B** 45 - 75.

In Melle 7-Riemsloh SO : 7 km :

🏨 **Alt Riemsloh**, Alt-Riemsloh 51, ℰ (05226) 55 44 – ☎ 🚗 [P]. 🐕 Zim
Karte 21/36 *(Samstag geschl.)* – **11 Z : 20 B** 42 - 72.

[MELLENDORF] Niedersachsen siehe Wedemark.

[MELLINGHAUSEN] Niedersachsen siehe Sulingen.

[MELLRICHSTADT] 8744. Bayern [413] NO 15, [987] ㉖ – 6 300 Ew – Höhe 270 m – ☏ 09776.
[i] Fremdenverkehrsbüro, Rathaus, Marktplatz 2, ℰ 92 41.
♦München 359 – ♦Bamberg 89 – Fulda 72 – ♦Würzburg 91.

🏨 **Sturm**, Ignaz-Reder-Str. 3, ℰ 4 70, ♨, 🌿 – [lift] ☎ ♿ [P] 🏋. [D] [E]
Jan. und Nov. jeweils 3 Wochen geschl. – Karte 28/48 *(Sonntag ab 14 Uhr geschl.)* 🍷 – **44 Z : 77 B** 48/50 - 78/83.

[MELSUNGEN] 3508. Hessen [987] ㉕ – 14 300 Ew – Höhe 182 m – Luftkurort – ☏ 05661.
Sehenswert : Rathaus★ – Fachwerkhäuser★.
[i] Verkehrsbüro, Kasseler Str. 42 (Pavillon), ℰ 23 48.
♦Wiesbaden 198 – Bad Hersfeld 45 – ♦Kassel 34.

🏨 **Sonnenhof**, Franz-Gleim-Str. 11, ℰ 60 51 – [lift] ☎ [P]. [AE] [D] [VISA]
Karte 34/72 *(30. Juli - 13. Aug. und Sonntag geschl.)* – **23 Z : 38 B** 65/100 - 95/135 – P 75/130.

🏨 **Hessischer Hof** 🐚, Rotenburger Str. 22, ℰ 60 94, 🌿 – ☎ 🚗 🏋. [AE] [D]
20. Dez.- 20. Jan. geschl. – Karte 28/50 *(Montag geschl.)* – **26 Z : 50 B** 50/72 - 76/114 – P 63/93.

Auf dem Heiligenberg W : 7 km, über die B 253, nach der Autobahn rechts ab :

🏨 **Burg Heiligenberg** 🐚, ✉ 3582 Felsberg-Gensungen, ℰ (05662) 8 31, ≤ Edertal, 🌳, 🌿 – ☎ 🚗 [P]. [E]. 🐕
28. Dez.- 28. Jan. geschl. – Karte 21/58 – **30 Z : 50 B** 32/75 - 64/110.

[MEMMELSDORF] 8608. Bayern [413] PQ 17 – 8 100 Ew – Höhe 285 m – ☏ 0951 (Bamberg).
♦München 240 – ♦Bamberg 7 – Coburg 45.

🏨 **Brauerei-Gasthof Drei Kronen**, Hauptstr. 19 (B 22), ℰ 4 30 01 – ☎ [P]. [E]
Karte 21/41 *(1.- 14. Aug. und Freitag geschl.)* – **31 Z : 54 B** 35/49 - 62/79.

[MEMMINGEN] 8940. Bayern [413] N 23, [987] ㊱, [426] ⑮ – 38 000 Ew – Höhe 595 m – ☏ 08331.
Sehenswert : Pfarrkirche St. Martin (Chorgestühl★).
[i] Städt. Verkehrsamt, Ulmer Str. 9 (Parishaus), ℰ 85 01 72.
ADAC, Sankt-Josefs-Kirchplatz 8, ℰ 7 13 03.
♦München 114 ② – Bregenz 74 ④ – Kempten (Allgäu) 35 ③ – ♦Ulm (Donau) 55 ⑤.

Stadtplan siehe gegenüberliegende Seite.

🏨 **Park-Hotel an der Stadthalle - Restaurant Schwarzer Ochsen**, Ulmer Str. 7, ℰ 8 70 41, Telex 541038, Biergarten, ♨ – [lift] [TV] ☎ [P] 🏋. [AE] [D] [E] [VISA] Y **r**
Karte 33/68 – **85 Z : 110 B** 75/125 - 115/155 Fb.

🏨 **Adler**, Maximilianstr. 3, ℰ 8 70 15 – [lift] [TV] ☎ 🚗 🏋. [AE] [D] [E] [VISA] Z **a**
✦ Karte 19,50/55 – **48 Z : 80 B** 35/60 - 70/105 Fb.

🏨 **Weißes Ross**, Kalchstr. 16, ℰ 20 20, Telex 54561 – ☎ 🚗. [E]. 🐕 Rest Y **e**
Karte 23/50 – **36 Z : 66 B** 50/65 - 100/120 Fb.

🏨 **Garni am Südring**, Pulvermühlstr. 1, ℰ 31 37 – [lift] ☎ 🚗 [P]. [AE] [D] Z **n**
24. Dez.- 6. Jan. geschl. – **40 Z : 50 B** 32/55 - 54/89.

🍴 **Weinhaus Knöringer**, Weinmarkt 6, ℰ 27 15 Z **t**
Freitag und Juli - Aug. 3 Wochen geschl. – Karte 27/49 *(auch vegetarische Gerichte).*

MEMMINGEN

Kalchstraße .... Y
Kramerstraße .... Z 23
Maximilianstraße .... Z 30
Weinmarkt .... Z 50

Am Kuhberg .... Y 2
Am Luginsland .... Y 3
An der Hohen Wacht .... Z 5
An der Kaserne .... Z 6
An der Mauer .... Z 7
Augsburger Straße .... Y 8
Baumstraße .... Z 10
Benninger Straße .... Y 12
Buxacher Straße .... Y 14
Donaustraße .... Y 15
Frauenkirchplatz .... Z 16
Hallhof .... YZ 17
Herrenstraße .... Z 18
Hindenburgring .... Z 19
Hirschgasse .... Z 20
Königsgraben .... YZ 21
Kohlschanzstraße .... Y 22
Kreuzstraße .... Z 24
Kuttelgasse .... Z 25
Lindauer Straße .... Z 26
Lindentorstraße .... Z 27
Marktplatz .... Y 28
Martin-Luther-Platz .... Z 29
Münchner Straße .... Y 33
Ratzengraben .... Y 34
Roßmarkt .... Z 35
Salzstraße .... Y 36
St.-Josefs-Kirchplatz .... Z 37
Schießstattstraße .... Z 38
Schleiferplatz .... Z 39
Schrannenplatz .... Z 41
Schweizerberg .... Z 42
Steinbogenstraße .... Z 43
Tiroler Ring .... Z 46
Weberstraße .... Z 49
Westertorplatz .... Z 51
Zangmeisterstraße .... Y 52
Zellerbachstraße .... Z 53

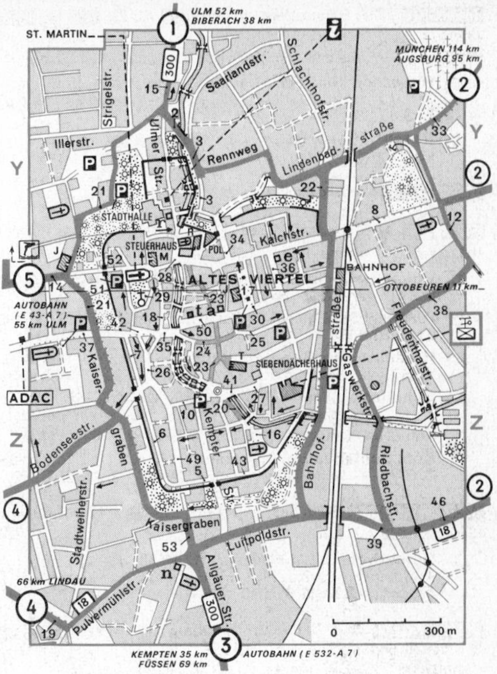

In Memmingen-Amendingen ① : 2 km :

🏨 Hiemer, Obere Str. 24, ✆ 8 79 51 – |$| ☎ 🚗 [P] 🏃
32 Z : 56 B Fb.

In Buxheim **8941** ⑤ : 4,5 km :

🏨 **Weiherhaus** 🌿, Am Weiherhaus 13, ✆ (08331) 7 21 23, ☂ – ☎ [P]. 🐕 Zim
Karte 23/42 – **8 Z : 15 B** 49 - 88.

[MENDEN] **5750.** Nordrhein-Westfalen [987] ⑭ – 56 900 Ew – Höhe 145 m – ☎ 02373.
♦Düsseldorf 92 – ♦Dortmund 34 – Iserlohn 12.

🏨 **Central** garni, Unnaer Str. 33, ✆ 50 45 – |$| [TV] ☎ ♿. [AE] [D] [E] [VISA]
23. Dez.- 6. Jan. geschl. – **16 Z : 20 B** 68/75 - 98 Fb.

🏨 **Haus Slamic**, Unnaer Landstr. 2 (an der B 515, SO : 1,5 km), ✆ 6 30 91, Telex 8202894 – ☎ [P]. [AE] [D] [E]
Karte 28/45 *(Montag geschl.)* – **12 Z : 18 B** 55/75 - 95/120 Fb.

[MENDIG] **5442.** Rheinland-Pfalz – 7 900 Ew – Höhe 200 m – ☎ 02652.
Mainz 120 – ♦Bonn 56 – ♦Koblenz 29 – Mayen 8.

Im Ortsteil Niedermendig :

🏨 **Felsenkeller**, Bahnstr. 35, ✆ 12 72 – 🚗 [P]. [AE] [D] [E]
Karte 24/59 *(Juli - Aug. 3 Wochen geschl.)* – **28 Z : 51 B** 30/58 - 60/105 Fb.

🏨 **Hansa**, Laacher-See-Str. 11, ✆ 44 10, Fax 2316, ☂ – ♿ 🚗 [P]. [AE] [D] [E]. 🐕 Zim
✈ *20. Dez.- Mitte Feb. geschl.* – Karte 16/45 *(Donnerstag geschl.)* – **20 Z : 42 B** 32/42 - 52/78.

In Bell **5441** NW : 4 km :

🏠 **Eifelperle**, Hauptstr. 62, ✆ (02652) 44 18 – 🚗. 🐕
(Restaurant nur für Hausgäste) – **19 Z : 36 B** 22/35 - 44/56.

Siehe auch : ***Maria Laach***

If you write to a hotel abroad, enclose an International Reply Coupon (available from Post Offices).

[MENGEN] 7947. Baden-Württemberg [413] KL 22, [987] ㉟, [427] ⑦ – 9 500 Ew – Höhe 560 m – ☎ 07572.

♦Stuttgart 116 – Bregenz 89 – ♦Freiburg im Breisgau 138 – ♦Ulm (Donau) 72.

- **Rebstock**, Hauptstr. 93, ☎ 34 11 – ☎ 🚗 [P]. [AE] [E]
  Jan. 1 Woche, Juli 2 Wochen geschl. – Karte **29**/53 *(Freitag - Samstag 17 Uhr geschl.)* – **15 Z : 22 B** 60 - 100 Fb.
- **Roter Ochsen**, Hauptstr. 92, ☎ 56 60 – 🚗 [P]
  Karte 25/48 *(Montag geschl.)* – **20 Z : 32 B** 35/52 - 70/96.

[MENSLAGE] Niedersachsen siehe Quakenbrück.

[MEPPEN] 4470. Niedersachsen [987] ⑭, [408] ⑭ – 31 200 Ew – Höhe 20 m – ☎ 05931.

♦Hannover 240 – ♦Bremen 129 – Groningen 96 – ♦Osnabrück 85.

- **Pöker**, Herzog-Arenbergstr. 15a, ☎ 30 63 – [lift] [TV] ☎ [P] 🏛. [AE]
  Karte 21/45 – **45 Z : 66 B** 40/80 - 85/110 Fb.
- Parkhotel 🌿, Lilienstr. 21 (nahe der Freilichtbühne), ☎ 1 80 11, ☀ – [lift] ☎ [P]
  23 Z : 35 B Fb.
- **Hülsmann am Bahnhof**, Hüttenstr. 2, ☎ 22 21 – [lift] ☎ [P]. [AE] [E]
  ✈ Karte 19/42 *(Samstag bis 18 Uhr geschl.)* – **20 Z : 28 B** 52/54 - 95/105 Fb.
- **Schmidt** 🌿, Markt 17, ☎ 1 22 80 – ☎ 🚗. [AE] [E]
  1.- 15. Juli geschl. – Karte 20/48 *(Freitag ab 14 Uhr geschl.)* – **23 Z : 30 B** 44/50 - 80 Fb.
- Von Euch, Kuhstr. 21, ☎ 1 25 28 – 🚗 🏛 – **12 Z : 17 B.**
- **Zum Schlagbaum**, Dürenkämpe 1 (B 402, O : 2 km), ☎ 66 83 – [P]. [AE] [E] [VISA]
  23. Dez.- 7. Jan. geschl. – Karte 26/37 – **21 Z : 28 B** 45 - 85.

[MERCHWEILER] 6689. Saarland [242] ⑦, [57] ⑥ – 12 500 Ew – Höhe 359 m – ☎ 06825.

♦Saarbrücken 18 – Homburg (Saar) 28 – Saarlouis 25.

- 🍴🍴 **Römerhof** mit Zim, Hauptstr. 112, ☎ 53 73 – [P]
  4.- 10. Jan. und 25. Juli - 15. Aug. geschl. – Karte 42/60 *(Samstag bis 18 Uhr und Dienstag geschl.)* – **8 Z : 11 B** 35/40 - 70.

[MERDINGEN] 7801. Baden-Württemberg [413] FG 22, [242] ㉜, [62] ⑳ – 2 300 Ew – Höhe 260 m – ☎ 07668 (Ihringen).

♦Stuttgart 210 – Breisach am Rhein 12 – ♦Freiburg im Breisgau 16.

- Gasthof Keller 🌿, Kabisgarten 1, ☎ 72 33 – ☎ [P]
  26 Z : 45 B.
- 🍴 Gasthaus zum Pfauen mit Zim, Langgasse 10, ☎ 2 67, ☀ – ☎ [P]
  7 Z : 12 B.

[MERGENTHEIM, BAD] 6990. Baden-Württemberg [413] M 18, [987] ㉕ – 19 800 Ew – Höhe 210 m – Heilbad – ☎ 07931.

Sehenswert : Deutschordensschloß.

Ausflugsziel : Stuppach : Pfarrkirche (Stuppacher Madonna** von Grünewald) S : 6 km.

⛳ Erlenbachtal, ☎ 75 79.

[i] Kultur- und Verkehrsamt, Marktplatz 3, ☎ 5 71 35.

♦Stuttgart 117 – Ansbach 78 – Heilbronn 75 – ♦Würzburg 53.

- Maritim Parkhotel 🌿, Lothar-Daiker-Str. 6 (im Kurpark), ☎ 5 61 00, Telex 74222, ☀, Bade- und Massageabteilung, ♨, 🏊, ☀, Fahrradverleih – [lift] ⇔ Zim [TV] ♿ [P] 🏛. ✗ Rest
  116 Z : 158 B Fb.
- **Victoria**, Poststr. 2, ☎ 59 30, Telex 74224, « Gartenterrasse », Bade- und Massageabteilung, ♨, 🏊, Fahrradverleih – [lift] [TV] [P] 🏛. [AE] [DC] [E] [VISA]
  2. Jan.- 5. Feb. geschl. – Karte **29**/53 (bemerkenswerte Weinkarte) – **Zirbelstuben** *(Sonntag 15 Uhr - Dienstag 18 Uhr geschl.)* Karte 43/74 – **75 Z : 125 B** 85/125 - 150/180 Fb – P 125/160.
- **Bundschu**, Cronbergstr. 15, ☎ 30 43, ☀, Fahrradverleih – [TV] ☎ [P] 🏛. [AE] [DC] [E]
  Mitte Jan.- Mitte Feb. geschl. – Karte **31**/54 *(Montag geschl.)* – **50 Z : 70 B** 65/80 - 130/150 Fb – P 95/120.
- **Kurhotel Stefanie** 🌿, Erlenbachweg 11, ☎ 70 55, Bade- und Massageabteilung, ♨, ☀ – [lift] ☎ [P]. ✗
  Dez.- Jan. geschl. – (Restaurant nur für Hausgäste) – **30 Z : 43 B** 60/80 - 120/160 Fb – P 85/140.
- **Deutschmeister**, Ochsengasse 7, ☎ 70 58 – [lift] ☎ [P] 🏛. [AE] [DC] [E] [VISA]. ✗ Rest
  ✈ Karte 16/50 🍷 – **54 Z : 110 B** 55/60 - 98 Fb – P 72/83.
- **Steinmeyer**, Wolfgangstr. 2, ☎ 72 20, Bade- und Massageabteilung – ☎. [AE] [DC] [E] [VISA]
  ✈ *20. Dez.- 20. Jan. geschl.* – Karte 19,50/41 *(Freitag geschl.)* – **15 Z : 25 B** 50/65 - 100 – P 70/75.
- **Garni am Markt**, Hans-Heinrich-Ehler-Platz 40, ☎ 61 01 – [lift] ☎ 🚗. [DC] [E] [VISA]
  15. Dez.- Jan. geschl. – **30 Z : 40 B** 50/60 - 90/96 Fb.
- **Zum wilden Mann** 🌿, Reichengässle 6, ☎ 76 38 – [P]
  22. Dez.- 15. Jan. geschl. – Karte 21/41 – **16 Z : 21 B** 28/43 - 58/84 – P 53/68.

In Bad Mergentheim - Löffelstelzen NO : 4 km :

🏨 **Hirschen**, Alte Würzburger Str. 29, ✆ 74 94 – 🚗 🅿. ✗
20. Dez.- 20. Jan. geschl. – Karte 15/33 *(Donnerstag geschl.)* 🍷 – **14 Z : 18 B** 28 - 56.

In Bad Mergentheim - Markelsheim SO : 6 km :

🏨 Weinstube Lochner, Hauptstr. 39, ✆ 20 81, 🏊, 🏊 – 📺 ☎ 🅿 🏋
50 Z : 95 B Fb.

In Bad Mergentheim - Neunkirchen S : 2 km :

🏨 **Gasthof Rummler**, Althäuser Str. 18, ✆ 26 93, Biergarten, 🌳 – 📺 ☎ 🚗 🅿. ✗ Zim
Sept. 1 Woche und 22. Dez.- 16. Jan. geschl. – Karte 18,50/36 *(Montag geschl.)* 🍷 – **14 Z : 25 B** 25/50 - 50/90 – P 45/70.

[MERING] **8905.** Bayern [413] PQ 22, [987] ㊱, [426] ③ – 9 100 Ew – Höhe 526 m – ✆ 08233.
♦München 53 – ♦Augsburg 15 – Landsberg am Lech 29.

🏨 **Schlosserwirt**, Münchner Str. 29 (B 2), ✆ 95 04 – 🅿
Juni - Juli 3 Wochen geschl. – Karte 18/37 *(Samstag - Sonntag geschl.)* 🍷 – **20 Z : 27 B** 33/50 - 60/92.

[MERKENFRITZ] Hessen siehe Hirzenhain.

[MERKLINGEN] **7901.** Baden-Württemberg [413] M 21 – 1 500 Ew – Höhe 699 m – ✆ 07337.
♦Stuttgart 68 – Reutlingen 53 – ♦Ulm (Donau) 26.

🏨 **Ochsen**, Hauptstr. 12, ✆ 2 83 – 📺 🚗 🅿. E. ✗ Rest
15.- 31. Mai und 15.- 30. Nov. geschl. – Karte 19/40 *(nur Abendessen, Sonntag geschl.)* – **19 Z : 40 B** 40/68 - 68/98.

[MERTESDORF] Rheinland-Pfalz siehe Trier.

[MERZHAUSEN] Baden-Württemberg siehe Freiburg im Breisgau.

[MERZIG] **6640.** Saarland [987] ㉓, [242] ②, [409] ㉗ – 29 700 Ew – Höhe 174 m – ✆ 06861.
[i] Kultur- und Verkehrsamt, Zur Stadthalle 4, ✆ 28 77.
♦Saarbrücken 46 – Luxembourg 56 – Saarlouis 21 – ♦Trier 49.

🏨 **Zum Römer**, Schankstr. 2, ✆ 26 45, 🌳 – 🚗 🅿
2.- 21. Juli geschl. – Karte 18,50/42 *(Samstag geschl.)* – **13 Z : 18 B** 28/32 - 50/54.

🍴🍴 **Merll-Rieff** mit Zim, Schankstr. 27, ✆ 25 65 – ☎ 🅿. AE ① E. ✗ Zim
Karte 21/48 *(Mittwoch geschl.)* – **8 Z : 15 B** 45 - 80.

🍴🍴 **Stadt Merzig**, Zur Stadthalle 4, ✆ 28 88, 🌳 – 🅿. ① E VISA
Samstag bis 18 Uhr und Montag geschl. – Karte 22/50.

In Beckingen 4-Honzrath **6645** SO : 7 km :

🏨 **Sporthotel Honzrath**, beim Sportzentrum Hellwies, ✆ (06835) 40 41, 🌳, 🎾 – 📺 🅿. AE
Karte 25/48 *(Mittwoch geschl.)* – **14 Z : 22 B** 35/50 - 70/80.

[MESCHEDE] **5778.** Nordrhein-Westfalen [987] ⑭ – 31 300 Ew – Höhe 262 m – ✆ 0291.
[i] Städt. Verkehrsamt, Rathaus, Ruhrstr. 25, ✆ 20 52 77.
♦Düsseldorf 150 – Brilon 22 – Lippstadt 43 – Siegen 97.

🏨 **Von Korff**, Le-Puy-Str. 19, ✆ 5 10 90 – 📺 ☎ 🚗 🅿. AE ① E VISA
Karte **32**/59 – **Bistro-Café** Karte 22/45 – **12 Z : 19 B** 69/74 - 106/114 Fb.

🏨 **Gercken** garni, Zeughausstr. 7, ✆ 71 66 – 🚗. ✗
22 Z : 28 B 40/50 - 80/100.

Am Hennesee SW : 1,5 km :

🏨 **Hennesee-Hotel** 🔇, ✉ 5778 Meschede, ✆ (0291) 71 02, ←, 🌳, 🏊, 🏖, 🌳 – ☎ 🚗 🅿 🏋. ✗ Rest
Jan.- Feb. geschl. – Karte 27/52 – **27 Z : 39 B** 35/45 - 65/80.

In Meschede 3-Freienohl W : 10 km :

🏨 **Haus Luckai** 🔇, Christine-Koch-Str. 11, ✆ (02903) 77 52, 🌳 – 🚗 🅿. ✗ Rest
Karte 22/44 – **15 Z : 25 B** 40/45 - 60/75.

🍴 Hellmann mit Zim, Breiter Weg 5, ✆ (02903) 3 70, Biergarten – 🅿 – **10 Z : 16 B.**

In Meschede 12-Grevenstein SW : 13,5 km – Wintersport : 450/600 m ⛷1 – ✆ 02934 :

🏨 Holländer Hof, Ohlstr. 4, ✆ 2 60 – 🚗 🅿
15 Z : 28 B.

🏨 Gasthof Becker, Burgstr. 9, ✆ 3 66, 🏊 – ☎ 🅿 🏋
11 Z : 20 B.

🏨 Landhaus Rossel, Ostfeld 25, ✆ 3 26, 🌳, 🌳 – 🚗 🅿
15 Z : 30 B.

In Meschede-Olpe W : 9 km :

🏨 **Haus Hütter**, Freienohler Str. 31, ☎ (02903) 76 64, 🌳 – 🚗 [P]
Karte 26/45 – **12 Z : 20 B** 40 - 76.

In Meschede-Wehrstapel O : 4 km :

🍴🍴 Schulte - St. Wendelin, Wehrstapeler Str. 18, ☎ 66 96, ☂ – [P].

MESPELBRUNN **8751.** Bayern [413] K 17, [987] ㉕ – 2 200 Ew – Höhe 269 m – Erholungsort – ☎ 06092 (Heimbuchenthal).
[i] Verkehrsverein, Hauptstr. 173, ☎ 3 19.
♦München 342 – Aschaffenburg 16 – ♦Würzburg 66.

🏨 **Schloß-Hotel** 🔇, Schloßallee 25, ☎ 2 56, ☂, ≘ – ☎ [P]
3. Jan.- Feb. und 1.- 26. Dez. geschl. – Karte 21/40 🍷 – **38 Z : 65 B** 50/95 - 80/125.

🏨 **Engel**, Hauptstr. 268, ☎ 3 13, ☂, « Zirbelstube », 🌳 – 🚗 [P]
15. Nov.- 23. Dez. geschl. – Karte 18,50/41 *(Jan.- April Montag und Dienstag geschl.)* 🍷 – **22 Z : 35 B** 30/50 - 55/78.

🏨 **Elsavatal**, Schloßallee 2, ☎ 2 89, 🌳 – [P]
20. Dez.- 15. Feb. geschl. – Karte 15,50/43 *(Nov.- Mai Montag geschl.)* 🍷 – **18 Z : 30 B** 27/37 - 54/70 – P 43/46.

🏨 **Haus Sonnenhang** garni, Schloßallee 21, ☎ 2 98, 🌳 – [P]
März - Okt. – **19 Z : 35 B** 35 - 65.

In Mespelbrunn 2-Hessenthal N : 4 km :

🏨 **Hobelspan**, Hauptstr. 49, ☎ 2 62, 🏊 (geheizt), 🌳 – 🛗 [P]
6.- 31. Jan. geschl. – Karte 16,50/39 *(Dienstag geschl.)* 🍷 – **25 Z : 42 B** 38/70 - 66/90 – P 46/65.

🏨 **Spessart**, Würzburger Str. 4, ☎ 2 75, 🏊, 🌳 – 🚗 [P]. [AE]
Karte 17/40 *(Nov.- März Mittwoch geschl.)* 🍷 – **17 Z : 32 B** 26/40 - 52/66 – P 47/54.

🏨 Gästehaus Rosenberger 🔇, Neuer Weg 2, ☎ 70 51, 🌳 – 🛗 [P]. ✗ Rest
25 Z : 40 B – 5 Fewo.

MESSKIRCH **7790.** Baden-Württemberg [413] K 23, [427] ⑦ – 7 000 Ew – Höhe 605 m – ☎ 07575.
[i] Städt. Verkehrsamt, Schloßstr. 1, ☎ 30 31.
♦Stuttgart 118 – ♦Freiburg im Breisgau 119 – ♦Konstanz 59 – ♦Ulm (Donau) 91.

🏨 **Adler - Alte Post**, Adlerplatz 5, ☎ 8 22 – [P] 🏛
Karte 25/50 *(Donnerstag geschl.)* – **21 Z : 42 B** 50 - 90.

In Messkirch-Menningen NO : 5 km :

🍴🍴 **Zum Adler Leitishofen** mit Zim, Hauptstr. 7, ☎ 31 57 – ☎ [P]. E
Ende Jan.- Mitte Feb. geschl. – Karte **17**/45 *(Dienstag geschl.)* 🍷 – **9 Z : 16 B** 41 - 74.

MESSTETTEN Baden-Württemberg siehe Albstadt.

METELEN **4439.** Nordrhein-Westfalen [408] ⑭ – 5 800 Ew – Höhe 58 m – ☎ 02556.
♦Düsseldorf 136 – Enschede 30 – Münster (Westfalen) 42 – ♦Osnabrück 69.

🏨 **Haus Herdering-Hülso** garni, Neutor 13, ☎ 70 48, ≘ – [P]
8 Z : 16 B 42 - 65/72.

METTINGEN **4532.** Nordrhein-Westfalen [987] ⑭ – 10 000 Ew – Höhe 90 m – ☎ 05452.
♦Düsseldorf 185 – ♦Bremen 132 – Enschede 75 – ♦Osnabrück 21.

🏨 **Telsemeyer**, Markt 6, ☎ 30 11, Telex 944118, ☂, « Wintergarten, Tüöttenmuseum », 🏊, Fahrradverleih – 🛗 [TV] 🚗 [P] 🏛. ✗
Karte 35/64 *(auch vegetarische Gerichte)* – **55 Z : 100 B** 60/95 - 100/140 Fb.

METTLACH **6642.** Saarland [987] ㉓, [242] ②, [409] ㉗ – 12 400 Ew – Höhe 165 m – ☎ 06864.
Ausflugsziel : Cloef ≤★★, W : 7 km.
♦Saarbrücken 54 – Saarlouis 29 – ♦Trier 41.

🏨 **Zur Post**, Heinertstr. 17, ☎ 5 57 – ☎ 🚗 [P]. E
Karte 21/48 *(Samstag geschl.)* – **10 Z : 18 B** 40/45 - 70/80.

🏨 **Haus Schons** garni, von-Boch-Liebig-Str. 1, ☎ 12 14 – ☎ [P]
7 Z : 12 B 42 - 65.

In Mettlach 5-Orscholz NW : 6 km :

🏨 **Zur Saarschleife**, Cloefstr. 44, ☎ (06865) 7 11, ☂, ≘, 🏊, 🌳, 🎾 – 🛗 [TV] ☎ ♿ [P] 🏛. [AE] [D] E
10.- 24. Jan. geschl. – Karte 34/53 – **47 Z : 96 B** 65/95 - 95/140 Fb – P 83/120.

🏨 **Zum Orkelsfels**, Cloefstr. 97, ☎ (06865) 3 17 – [P]. ✗ Zim
Feb.- März 2 Wochen geschl. – Karte 17,50/35 *(Donnerstag geschl.)* 🍷 – **10 Z : 19 B** 35/45 - 55/65 – P 50/58.

[METTMANN] 4020. Nordrhein-Westfalen [987] ㉔ – 35 700 Ew – Höhe 131 m – ☎ 02104.
♦Düsseldorf 16 – ♦Essen 33 – Wuppertal 16.

In Mettmann-Metzkausen NW : 3 km :

Luisenhof - Restaurant Chez Alfred et Laurence, Florastr. 82, ☎ 5 30 31 (Hotel) 5 40 50 (Rest.), Telex 8581254, ♨ – ☎ [P] ♿. [AE] [D] [E] [VISA]. 🚫 Rest
Karte 49/72 *(nur Abendessen, Montag, 15. Juli - 5. Aug. und 23. Dez.- 3. Jan. geschl.)* – **35 Z : 60 B** 100/166 - 150/200 Fb.

An der B 7 W : 3 km :

Gut Höhne 🔇, Düsseldorfer Str. 253, ✉ 4020 Mettmann, ☎ (02104) 7 50 06, Telex 8581297, ☂, « Rustikale Einrichtung », ♨, ⛱ (geheizt), ⛱, 🌳, 🎾, Fußballplatz – [TV] [P] ♿. [E] [VISA]
Karte 33/79 – **58 Z : 105 B** 135/175 - 255/295 Fb – 5 Appart. 450/490.

[METTNAU (Halbinsel)] Baden-Württemberg siehe Radolfzell.

[METZINGEN] 7430. Baden-Württemberg [413] K 21, [987] ㉟ – 19 400 Ew – Höhe 350 m – ☎ 07123.
♦Stuttgart 35 – Reutlingen 8 – ♦Ulm (Donau) 79.

Schwanen, Bei der Martinskirche 10, ☎ 13 16, ☂, ♨ – ☎ ♿. [AE] [D] [E]
Karte 27/58 *(Montag und Juli - Aug. 3 Wochen geschl.)* – **28 Z : 50 B** 60/90 - 95/130 Fb.

Kuhn garni, Bohlstr. 8, ☎ 26 32 – ☎ 🚗 [P]
21 Z : 26 B 32/45 - 60/80.

In Metzingen 4-Glems S : 4 km :

Stausee-Hotel 🔇, Unterer Hof 3 (am Stausee, W : 1,5 km), ☎ 49 16, ≤ Stausee und Schwäbische Alb – ☎ [P] ♿. [AE] [D] [E] [VISA]
Feb. 2 Wochen geschl. – Karte 35/55 *(Sonntag 18 Uhr - Montag geschl.)* – **17 Z : 25 B** 55/65 - 85.

In Riederich 7419 N : 3 km :

Kirsammer garni, Mühlstr. 29, ☎ (07123) 3 25 59 – [TV] – **8 Z : 12 B.**

In Kohlberg 7441 NO : 5 km :

🍴🍴 **Beim Schultes**, Neuffener Str. 1, ☎ (07025) 24 27, « Ehem. Rathaus a.d.J. 1665, Galerie verkäuflicher Bilder »
nur Abendessen, Sonntag, 1.- 16. Jan. und Juli 2 Wochen geschl. – Karte 50/74 (Tischbestellung ratsam).

[MICHELAU] Bayern siehe Lichtenfels.

[MICHELBACH] Rheinland-Pfalz siehe Simmern.

[MICHELSTADT] 6120. Hessen [413] K 17, [987] ㉕ – 16 100 Ew – Höhe 208 m – ☎ 06061.
Sehenswert : Marktplatz★ – Rathaus★ – **Ausflugsziel :** Jagdschloß Eulbach : Park★ O : 9 km.
[i] Verkehrsamt, Marktplatz 1, ☎ 7 41 46.
♦Wiesbaden 92 – Aschaffenburg 51 – ♦Darmstadt 47 – ♦Mannheim 62 – ♦Würzburg 99.

Drei Hasen (Sandsteinbau a.d.J. 1813), Braunstr. 5, ☎ 6 14, Biergarten – [TV] ☎ [P] ♿. [D] [E] [VISA]. 🚫 Zim
2.- 23. Jan. und 24.- 31. Juli geschl. – Karte 24/44 *(Montag geschl.)* 🍷 – **18 Z : 34 B** 40/85 - 70/120.

Zum Wilden Mann, Erbacher Str. 10, ☎ 50 23 – ☎ 🚗. [D]
24. Dez.- 20. Jan. geschl. – Karte 16/37 *(nur Abendessen, Samstag geschl.)* 🍷 – **31 Z : 51 B** 32/48 - 64/88.

🍴🍴 **Grüner Baum** (Fachwerkhaus a.d.J. 1685), Große Gasse 17, ☎ 24 09, ☂ – [AE] [D] [E] [VISA]
Karte 18/49.

🍴 **Ratsschänke** mit Zim, Neutorstr. 2, ☎ 6 52 – ☎. [D] [E]
Karte 20/42 *(Dienstag geschl.)* 🍷 – **10 Z : 16 B** 29/50 - 68/84.

In Michelstadt-Vielbrunn NO : 13,5 km – Luftkurort – ☎ 06066 :

Weyrich, Waldstr. 5, ☎ 2 71, ♨, ⛱, 🌳 – [P]. 🚫 Zim
Karte 22/34 – **29 Z : 52 B** 49/60 - 100/120 – P 54/60.

Haus Friedel 🔇, Untere Hardt 14, ☎ 3 88 – [P]
Nov.- 20. Dez. geschl. – (nur Abendessen für Hausgäste) – **10 Z : 20 B** 46 - 78.

Haus Talblick garni, Hauptstr. 61, ☎ 2 15, 🌳 – [P]. 🚫
13 Z : 21 B 25/35 - 50/70.

In Michelstadt - Weiten-Gesäß NO : 6 km – Luftkurort :

Berghof 🔇, Hauptstr. 9, ☎ 37 01, ≤, 🌳 – 🚗 [P] ♿. [D] [E]
Mitte Feb. - Mitte März und 20.- 24. Dez. geschl. – Karte 24/58 – **20 Z : 40 B** 54 - 98.

Krone 🔇, Schulstr. 6, ☎ 22 89, ♨, ⛱, 🌳 – 🚗 [P]
Nov. geschl. – Karte 17,50/32 *(Dez.- Feb. Donnerstag geschl.)* 🍷 – **30 Z : 46 B** 35 - 64 – P 47.

Siehe auch : ***Liste der Feriendörfer***

[MIESBACH] 8160. Bayern [413] S 23, [987] ㊲, [426] ⑰ – 9 400 Ew – Höhe 686 m – ☎ 08025.
♦München 54 – Rosenheim 29 – Salzburg 101 – Bad Tölz 23.

🏨 **Gästehaus Wendelstein** garni, Bayrischzeller Str. 19 (B 307), ☎ 78 02, 🌳 – 🚗 [P]
3. Okt.- 2. Nov. geschl. – **12 Z : 20 B** 40/60 - 80.

Auf dem Harzberg :

🏨 **Sonnenhof** 🔇, Heckenweg 8, ✉ 8160 Miesbach, ☎ (08025) 42 48, ≤, 🍽, 🌳 – 🚗 [P]. [E]
♦ *14. Nov.- 17. Dez. geschl.* – Karte 19/37 – **25 Z : 50 B** 38/55 - 60/90.

[MILTENBERG] 8760. Bayern [413] K 17, [987] ㉕ – 9 500 Ew – Höhe 127 m – ☎ 09371.
Sehenswert : Marktplatz★ – Hauptstraße mit Fachwerkhäusern★.
[i] Tourist Information, Rathaus, ☎ 40 01 19.
♦München 347 – Aschaffenburg 44 – Heidelberg 78 – Heilbronn 84 – ♦Würzburg 71.

🏨 **Jagd-Hotel Rose** (Haus a. d. 17. Jh.), Hauptstr. 280, ☎ 4 00 60, Telex 689297, 🍽, Fahrradverleih – [TV] ☎ [P] 🏛. [AE] [O] [E] [VISA]
Karte 36/58 – **27 Z : 50 B** 65/79 - 115/129 Fb.

🏨 **Riesen** garni, Hauptstr. 97, ☎ 36 44, « Fachwerkhaus a.d.J. 1590 » – [lift] ☎ 🚗. [O] [E]
Mitte März - Mitte Nov. – **14 Z : 24 B** 68/98 - 108/178.

🏨 **Brauerei Keller**, Hauptstr. 66, ☎ 30 77 – [TV] ☎ 🚗 🏛. [AE] [O] [E] [VISA]
2.- 16. Jan. geschl. – Karte 25/50 *(Montag geschl.)* 🍷 – **32 Z : 50 B** 46/56 - 88/108 Fb.

🏨 **Altes Bannhaus**, Hauptstr. 211, ☎ 30 61, Fahrradverleih – [lift] [TV] ☎. [AE] [O] [E]
3.- 22. Jan. geschl. – Karte 35/68 *(Donnerstag geschl.)* – **10 Z : 16 B** 52/85 - 112/128.

🏨 **Weinhaus am Alten Markt** 🔇 garni (Fachwerkhaus a.d.J. 1594), Marktplatz 185, ☎ 55 00, (Weinstube ab 17 Uhr geöffnet) – [TV] ☎. [E]. 🚫
Feb. geschl. – **9 Z : 14 B** 45/65 - 77/115.

🏨 **Hopfengarten**, Ankergasse 16, ☎ 31 31, 🍽 – [TV] ☎. [O] [E]
♦ *14. Feb.- 17. März geschl.* – Karte 19/34 *(Dienstag geschl.)* 🍷 – **13 Z : 23 B** 45 - 90.

🍴 **Fränkische Weinstube** mit Zim, Hauptstr. 111, ☎ 21 66 – [O] [E] [VISA]
♦ *9. Jan.- 1. Feb. geschl.* – Karte 18,50/36 *(Mittwoch geschl.)* 🍷 – **8 Z : 12 B** 40/45 - 75.

In Miltenberg-Breitendiel SW : 4 km :

🍴 **Troll** 🔇 mit Zim, Odenwaldstr. 21, ☎ 72 83, ≤, 🍽 – 🚗 [P]
Karte 24/42 *(Dienstag geschl.)* 🍷 – **4 Z : 7 B** 25/35 - 58/62.

[MINDELHEIM] 8948. Bayern [413] O 22, [987] ㊱, [426] ⑮ – 12 200 Ew – Höhe 600 m – ☎ 08261.
♦München 86 – ♦Augsburg 55 – Memmingen 28 – ♦Ulm (Donau) 66.

🏨 **Stern**, Frundsbergstr. 17, ☎ 15 17, 🍽 – 🚗 [P] 🏛
♦ *Aug. geschl.* – Karte 18/36 – **46 Z : 70 B** 45 - 85.

🍴🍴 **Weberhaus**, Mühlgasse 1 (1. Etage), ☎ 36 35, 🍽 – [E]
Mittwoch Ruhetag, April und Sept. jeweils 2 Wochen geschl. – Karte 35/56 (Tischbestellung ratsam).

An der Straße nach Bad Wörishofen SO : 5 km :

🏨 **Jägersruh**, ✉ 8948 Mindelheim-Mindelau, ☎ (08261) 17 86, 🍽 – [P]
Karte 21/41 *(Montag geschl.)* – **16 Z : 28 B** 36 - 68.

[MINDEN] 4950. Nordrhein-Westfalen [987] ⑮ – 78 000 Ew – Höhe 46 m – ☎ 0571.
Sehenswert : Dom★★ (Romanisches Kreuz★★) – Schachtschleuse★★ – Kanalbrücke★.
[i] Verkehrs- und Werbeamt, Großer Domhof 3, ☎ 8 93 85.
ADAC, Königstr. 105, ☎ 2 31 56, Notruf ☎ 1 92 11.
♦Düsseldorf 220 ③ – ♦Bremen 100 ① – ♦Hannover 72 ② – ♦Osnabrück 81 ④.

Stadtplan siehe gegenüberliegende Seite.

🏨 **Kruses Park-Hotel**, Marienstr. 108, ☎ 4 60 33, Telex 97986 – [TV] ☎ ♿ [P] 🏛. [AE] [O] [E] [VISA]
Karte 26/45 – **39 Z : 67 B** 55/95 - 92/146 Fb. Y **n**

🏨 **Bad Minden**, Portastr. 36, ☎ 5 10 49, Telex 97993, Fax 58953, Bade- und Massageabteilung, 🏊 – [TV] ☎ [P] 🏛. [AE] [O] [E] [VISA]. 🚫 Z **m**
Karte 29/54 – **33 Z : 62 B** 80/160 - 115/198 Fb.

🏨 **Exquisit** garni, In den Bärenkämpen 2a, ☎ 4 30 55, Telex 97994, 🏊, 🏊 – [lift] [TV] ☎ 🚗 [P] 🏛. [AE] [O] [E] [VISA] über Hahler Straße und Sandtrift Y
45 Z : 85 B 70/93 - 105/135 Fb.

🏨 **Silke** 🔇 garni, Fischerglacis 21, ☎ 2 37 36, 🏊, 🌳 – [TV] ☎ 🚗 [P] Y **u**
21 Z : 34 B 94 - 149/170.

🏨 **Altes Gasthaus Grotehof**, Wettinerallee 14, ☎ 5 40 18, 🏊, 🌳 – ☎ [P]. [E]. 🚫 Rest
Juli 3 Wochen geschl. – Karte 24/56 *(nur Abendessen, Sonntag geschl.)* – **20 Z : 30 B** 42/79 - 72/128 Fb. über Königstraße YZ

🍴🍴 **Ratskeller**, Markt 1, ☎ 2 58 00 Y **R**
Karte 28/48.

🍴🍴 **Laterne**, Hahler Str. 38, ☎ 2 22 08 – [AE] [O] [E] [VISA] Y **b**
Dienstag und Samstag nur Abendessen – Karte 29/50.

🍴 **Domschänke**, Kleiner Domhof 14, ☎ 2 78 53 Y **e**
Mittwoch geschl. – Karte 27/43.

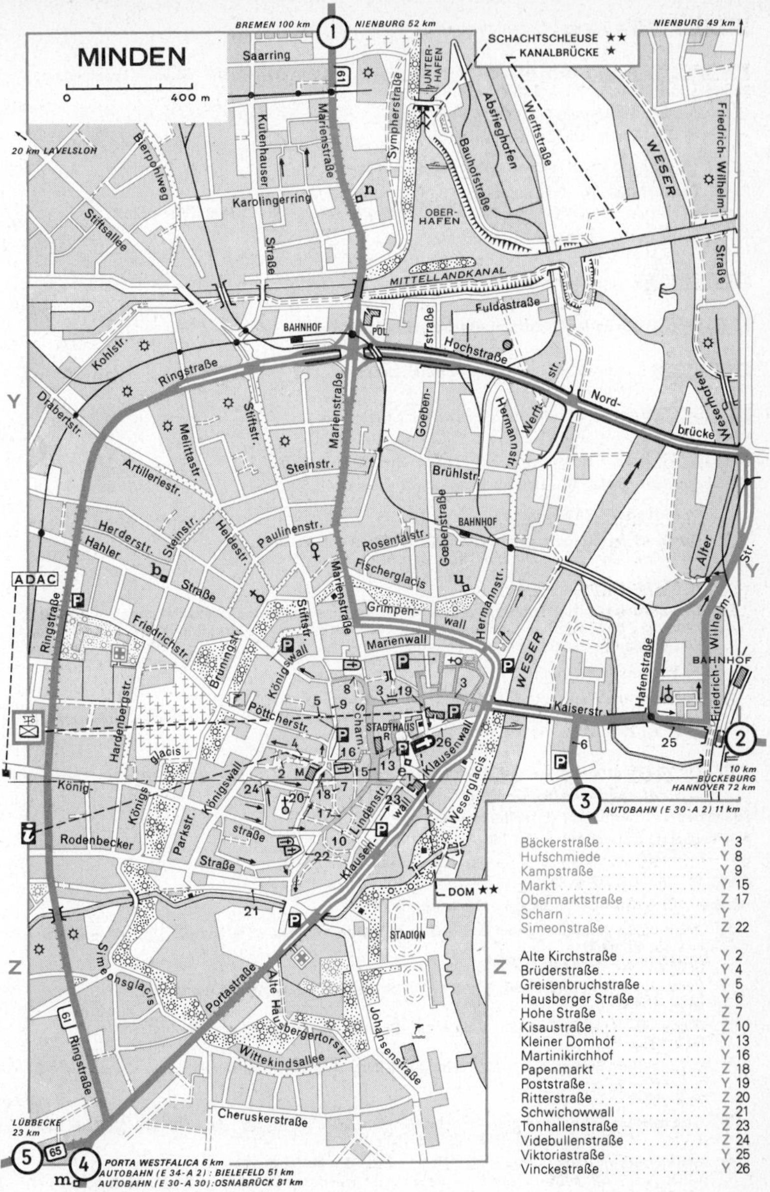

Bäckerstraße	Y	3
Hufschmiede	Y	8
Kampstraße	Y	9
Markt	Y	15
Obermarktstraße	Z	17
Scharn	Y	
Simeonstraße	Z	22
Alte Kirchstraße	Y	2
Brüderstraße	Y	4
Greisenbruchstraße	Y	5
Hausberger Straße	Y	6
Hohe Straße	Z	7
Kisaustraße	Z	10
Kleiner Domhof	Y	13
Martinikirchhof	Y	16
Papenmarkt	Z	18
Poststraße	Y	19
Ritterstraße	Z	20
Schwichowwall	Z	21
Tonhallenstraße	Z	23
Videbullenstraße	Z	24
Viktoriastraße	Y	25
Vinckestraße	Y	26

Les hôtels ou restaurants agréables
sont indiqués dans le guide par un signe rouge.
Aidez-nous en nous signalant les maisons où,
par expérience, vous savez qu'il fait bon vivre.
Votre guide Michelin sera encore meilleur.

[MINGOLSHEIM] Baden-Württemberg siehe Schönborn, Bad.

[MISSEN-WILHAMS] 8979. Bayern [413] N 24, [426] ⑮ – 1 200 Ew – Höhe 854 m – Erholungsort – Wintersport : 790/1 000 m ⛷5 ⛷4 – ☎ 08320.

[i] Verkehrsbüro, im Haus des Gastes, ☎ 4 56.

♦München 155 – Immenstadt 12 – Kempten (Allgäu) 31.

Im Ortsteil Wiederhofen W : 4,5 km ab Missen :

🏠 **Thalerhöhe** 🐦, Zur Thaler Höhe 9, ☎ 5 84, ≤, ☂, 🌳 – 🅿. 🚫 Zim
➡ *2. Nov.- 5. Dez. geschl.* – Karte 19/38 *(Montag geschl.)* – **17 Z : 34 B** 33/37 - 62/66.

Siehe auch : ***Liste der Feriendörfer***

[MITTELBERG] Österreich siehe Kleinwalsertal.

[MITTELBRONN] Baden-Württemberg siehe Gschwend.

[MITTELTAL] Baden-Württemberg siehe Baiersbronn.

[MITTELZELL] Baden-Württemberg siehe Reichenau (Insel).

[MITTENAAR] 6349. Hessen – 5 000 Ew – Höhe 230 m – ☎ 02772.

♦Wiesbaden 126 – Gießen 47 – Limburg an der Lahn 58 – Siegen 41.

In Mittenaar-Ballersbach :

🏠 **Berghof** 🐦, Bergstr. 4, ☎ 6 20 55, ≘s – [TV] ☎ 🚗 🅿. [AE] E
Karte 20/47 *(13.- 27. Feb. und Montag geschl.)* – **17 Z : 23 B** 45 - 90.

In Mittenaar 4-Bellersdorf :

🍴🍴 **Chez Bernard**, Herrenhof, ☎ (06444) 17 66, wechselnde Gemäldeausstellungen – 🅿. [D] E
Montag, Feb. 2 Wochen und Juli - Aug. 2 Wochen geschl. – Karte 58/87 (Mittagessen nur auf Vorbestellung, Tischbestellung erforderlich).

In Mittenaar-Bicken :

🏠 **Thielmann**, Wiesenstr. 5, ☎ 6 20 11, ☂ – ☎ 🚗 🅿 🏋. [AE] [D] E [VISA]
1.-15. Jan. und Juli - Aug. 2 Wochen geschl. – Karte 23/58 *(Freitag - Samstag 18 Uhr geschl.)* – **19 Z : 25 B** 38/55 - 94/130 Fb – P 61/75.

[MITTENWALD] 8102. Bayern [413] Q 24, [987] ㊲, [426] ⑯⑰ – 8 300 Ew – Höhe 920 m – Luftkurort – Wintersport : 920/2 244 m 🚡1 ⛷7 ⛷1 – ☎ 08823.

Sehenswert : Obermarkt★ (bemalte Häuser★★).

Ausflugsziel : Karwendel, Höhe 2 244 m, 10 Min. mit 🚡, ≤ ★★.

[i] Kurverwaltung und Verkehrsamt, Dammkarstr. 3, ☎ 10 51, Telex 59682.

ADAC, Am Brunnstein 2, ☎ 59 50.

♦München 103 – Garmisch-Partenkirchen 18 – Innsbruck 37.

🏨 **Alpenrose** (mit Gästehaus Bichlerhof 🐦), Obermarkt 1, ☎ 50 55, ≘s, 🏊, 🌳 – [TV] ☎ ♿ 🚗 🅿. [AE] [D] E
Karte 23/56 – **44 Z : 85 B** 74/90 - 120/164 Fb – 2 Fewo.

🏨 Post, Obermarkt 9, ☎ 10 94, ☂, ≘s, 🏊, 🌳 – 🛗 [TV] ☎ 🅿 🏋. 🚫 Rest
95 Z : 165 B Fb.

🏨 Rieger, Dekan-Karl-Platz 28, ☎ 50 71, ≤, ☂, ≘s, 🏊, 🌳 – ☎ 🚗. 🚫 Rest
50 Z : 80 B Fb.

🏨 Berggasthof Gröblalm 🐦, Gröblalm (N : 2 km), ☎ 50 33, ≤ Mittenwald und Karwendel, ☂, ≘s, 🌳 – 🛗 ☎ 🚗 🅿
34 Z : 70 B.

🏠 **Gästehaus Franziska** garni, Innsbrucker Str. 24, ☎ 50 51, ≘s, 🌳 – ☎ 🚗 🅿. [AE] E [VISA]
5. Nov.- 16. Dez. geschl. – **19 Z : 36 B** 45/80 - 85/125 Fb.

🏠 **Mühlhauser**, Partenkirchner Str. 53, ☎ 15 90, ☂, 🌳 – 🛗 🅿
Mitte Nov.- Mitte Dez. geschl. – Karte 23/37 *(Dienstag geschl.)* – **20 Z : 45 B** 50/55 - 80/120 Fb.

🏠 **Alpenhotel Erdt**, Albert-Schott-Str. 7, ☎ 20 01, 🌳 – 🅿. [AE] [D] E [VISA]
28. März - 8. Mai und 9. Okt.- 19. Dez. geschl. – (Restaurant nur für Hausgäste) – **25 Z : 63 B** 60/95 - 96/126 Fb.

🏠 **Gästehaus Sonnenbichl** 🐦 garni, Klausnerweg 32, ☎ 50 41, ≤ Mittenwald und Karwendel, ≘s, 🌳 – 🛗 [TV] ☎ 🅿. 🚫
5.- 30. April und 4. Nov.- 15. Dez. geschl. – **20 Z : 40 B** 55/80 - 86/112.

🏠 **Gästehaus Zerhoch** 🐦 garni, Hermann-Barth-Weg 7, ☎ 15 08, 🌳 – 🚗
Nov.- 20. Dez. geschl. – **14 Z : 26 B** 45 - 80 – 4 Fewo.

🏨 **Pension Hofmann** garni, Partenkirchner Str. 25, ☎ 13 18 – 🚗 [P]. 🚫
20. Okt.- 20. Dez. geschl. – **26 Z : 45 B** 42/60 - 66/90.

🏨 **Jagdhaus Drachenburg** 🌙, Elmauer Weg 20 (Zufahrtsbedingungen wie zum Lautersee), ☎ 12 49, ≤ Mittenwald und Karwendel, 🛋, 🌳 – [P]. [AE] [O] [E]
Nov.- 18. Dez. geschl. – (nur Abendessen für Hausgäste) – **13 Z : 24 B** 34/48 - 82/100.

🏨 **Wipfelder** garni, Riedkopfstr. 2, ☎ 10 57 – ☎ 🚗 [P]
ab Ostern 3 Wochen und 20. Okt.- 20. Dez. geschl. – **11 Z : 22 B** 55/85 - 70/150 Fb.

🍴🍴 **Arnspitze,** Innsbrucker Str. 68, ☎ 24 25 – [P]
ab Ostern 3 Wochen, 25. Okt.- 19. Dez. und Dienstag - Mittwoch 18 Uhr geschl. – Karte **25**/60.

🍴 **Postkeller** (Brauerei-Gaststätte), Innsbrucker Str. 13, ☎ 17 29 – [P]
6. Nov.- 6. Dez. und Montag geschl. – Karte 19/47.

Am Lautersee SW : 3 km – Höhe 1 060 m (Zufahrt nur für Hotelgäste mit schriftlicher Zimmerzusage oder entsprechender Bestätigung der Kurverwaltung).

🍴 **Lautersee** 🌙 mit Zim, ✉ 8102 Mittenwald, ☎ (08823) 10 17, ≤ See und Karwendel, « Gartenterrasse am See », 🏖, 🌳 – ☎ [P]
15.- 30. April und Nov.- 20. Dez. geschl. – Karte 26/42 – **6 Z : 12 B** 70/90 - 120/130 Fb.

Außerhalb N : 4 km, Richtung Klais bis zum Schmalensee, dann rechts ab – Höhe 1 007 m :

🏨 **Tonihof** 🌙, Brunnenthal 3, ✉ 8102 Mittenwald, ☎ (08823) 50 31, ≤ Karwendel und Wettersteinmassiv, 🍽, 🛋, 🏔, 🌳 – [TV] ☎ 🚗 [P]
Ende März - Ende April und Mitte Okt.- Mitte Dez. geschl. – Karte 21/47 – **31 Z : 40 B** 35/80 - 70/140.

MITTERFELS Bayern siehe Liste der Feriendörfer.

MITTERFIRMIANSREUTH Bayern siehe Freyung.

MITWITZ 8621. Bayern [413] Q 16 – 3 040 Ew – Höhe 313 m – ☎ 09266.
♦München 285 – ♦ Bamberg 57 – Bayreuth 47 – Coburg 23 – Hof 65.

In Mitwitz-Bächlein :

🏨 **Waldgasthof Bächlein** 🌙, ☎ 5 35, 🍽, Grillplatz, 🛋, 🌳 – [P]
8. Jan.- 24. Feb. geschl. – Karte 18/36 *(Montag geschl.)* 🍷 – **56 Z : 97 B** 39/45 - 66/75 Fb.

MODAUTAL 6101. Hessen [413] J 17 – 4 400 Ew – Höhe 405 m – ☎ 06254 (Gadernheim).
♦Wiesbaden 62 – ♦Darmstadt 13 – ♦Mannheim 60.

In Modautal 3-Lützelbach :

🏨 **Zur Neunkircher Höhe,** Brandauer Str. 3, ☎ 8 51, 🍽, 🌳 – ☎ 🚗 [P]
15. Nov.- 15. Dez. geschl. – Karte 19/30 *(Dienstag - Mittwoch geschl.)* 🍷 – **11 Z : 18 B** 35/38 - 70/76.

MÖCKMÜHL 7108. Baden-Württemberg [413] KL 19, [987] ㉕ – 6 000 Ew – Höhe 181 m – ☎ 06298.
♦Stuttgart 77 – Heilbronn 35 – ♦Würzburg 86.

🏨 **Württemberger Hof,** Bahnhofstr. 11, ☎ 12 02 – 🚗 [P] 🏔. 🚫 Rest
21. Dez.- 15. Jan. geschl. – Karte 21/43 *(Okt.-April Samstag geschl.)* 🍷 – **16 Z : 26 B** 31/43 - 62/80.

🏨 **Alte Stadtmühle** garni, Mühlgasse 11, ☎ 12 26 – ☎ 🚗 [P]. [AE] [E] [VISA]
12 Z : 18 B 30/50 - 56/74.

In Möckmühl-Korb NO : 6 km :

🏨 **Krone,** Widderner Str. 66, ☎ 16 35 – ☎ [P]
Karte 21/36 *(Dienstag geschl.)* – **11 Z : 22 B** 32/35 - 58.

MÖGLINGEN 7141. Baden-Württemberg [413] K 20 – 10 400 Ew – Höhe 270 m – ☎ 07141.
♦ Stuttgart 17 – Heilbronn 38 – ♦Karlsruhe 70 – Pforzheim 38.

🏨 **Zur Traube** 🌙, Rathausplatz 5, ☎ 4 80 50 – [$] [TV] ☎ 🚗. [AE] [O] [E] [VISA]
Karte 34/56 *(nur Abendessen, Samstag - Sonntag geschl.)* – **18 Z : 26 B** 85 - 140.

Gerenommeerde keukens

Fijnproevers
voor U hebben wij bepaalde
restaurants aangeduid met Karte , ✽, ✽✽, ✽✽✽.

MÖHNESEE 4773. Nordrhein-Westfalen – 9 200 Ew – Höhe 244 m – ☎ 02924.

Sehenswert : 10 km langer Stausee* zwischen Haarstrang und Arnsberger Wald.

Verkehrsamt, in Möhnesee-Körbecke, Brückenstr. 2, ☎ 4 97.

♦Düsseldorf 122 – Arnsberg 13 – Soest 10.

In Möhnesee-Delecke :

Haus Delecke, Linkstr. 12, ☎ 80 90, ≤, « Park », Fahrradverleih – AE E VISA
2. Jan.- 3. Feb. geschl. – Karte 59/87 – **35 Z : 60 B** 120/180 - 180/280.

Haus Kleis, Linkstr. 32, ☎ 18 74, – P.
Karte 22/54 *(Nov.- April Dienstag geschl.)* – **15 Z : 30 B** 28/50 - 60/110.

XX **Torhaus** mit Zim, Arnsberger Str. 4 (S : 3 km), ☎ 6 81, – P. AE E
Karte 38/67 – **9 Z : 16 B** 65 - 120 Fb – P 95/100.

In Möhnesee-Günne :

XX **Der Seehof**, Möhnestr. 10, ☎ 3 76, ≤, – P.
Karte 35/67.

In Möhnesee-Körbecke :

Haus Griese, Seestr. 5 (am Freizeitpark), ☎ 18 40, ≤, – P
22. Dez.- 5. Jan. geschl. – Karte 21/40 – **28 Z : 52 B** 39/64 - 80/110 Fb – P 72/94.

In Möhnesee-Wamel :

Parkhotel (mit Appartementhaus,), Seestr. 8 (B 516), ☎ 6 38, ≤, – P.
E. Rest
Karte 36/66 – **26 Z : 41 B** 66/75 - 108/120 Fb – 15 Fewo 108/114 – P 79/98.

MÖLLN 2410. Schleswig-Holstein 987 ⑥ – 15 700 Ew – Höhe 19 m – Kneippkurort – ☎ 04542.

Sehenswert : Seenlandschaft* (Schmalsee*).

Grambek, Schloßstr. 21 (S : 7 km), ☎ (04542) 46 27.

Städt. Kurverwaltung, im Kurzentrum, ☎ 70 90.

♦Kiel 112 – ♦Hamburg 55 – ♦Lübeck 29.

Park-Hotel, Am Kurgarten, ☎ 39 30, « Gartenterrasse », – P. AE
E VISA.
Karte 28/60 – **35 Z : 64 B** 65/90 - 110/140 – P 93/128.

Schwanenhof, am Schulsee, ☎ 50 15, ≤, – P. AE E VISA
Karte 32/58 – **28 Z : 56 B** 80 - 124 Fb.

Haus Hubertus garni, Villenstr. 15, ☎ 35 93, – P
38 Z : 56 B 49/56 - 83/97 – 3 Fewo 80/120.

Kurhotel Waldlust, Lindenweg 1, ☎ 28 37, – P. Rest
April - Okt. – (Restaurant nur für Pensionsgäste) – **24 Z : 35 B** 40/45 - 80/90 – P 60/70.

Seeschlößchen garni (ehemalige Villa), Auf den Dämmen 11, ☎ 37 37, –
10 Z : 18 B 55/60 - 86/96.

X **Paradies am See**, Doktorhofweg 16, ☎ 41 80, ≤, « Terrasse am See » – P
27. Dez.- 15. Jan. geschl. – Karte 22/49.

X **Forsthaus am Wildpark**, Villenstr. 13a, ☎ 46 40, – P. E
Dienstag und Ende Jan.- Ende Feb. geschl. – Karte 27/53.

X **Seeblick**, Seestr. 52, ☎ 28 26, ≤, « Terrasse am See » – P
Feb. geschl. – Karte 21/46 – auch 2 Fewo 50/60.

Über die Straße nach Sterley O : 2,5 km :

Waldhof, auf Herrenland, ✉ 2410 Mölln, ☎ (04542) 21 15, « Park », – P.
Karte 22/43 – **18 Z : 32 B** 40/60 - 80/110 – P 68/80.

MÖMBRIS 8752. Bayern 413 K 16 – 10 800 Ew – Höhe 175 m – ☎ 06029.

♦ München 356 – Aschaffenburg 12 – ♦Frankfurt am Main 46.

Ölmühle, Markthof 2, ☎ 80 01, – AE E
30. Juli - 13. Aug. geschl. – Karte 40/67 *(Sonntag geschl.)* – **24 Z : 42 B** 60/75 - 100/140.

MÖNCHBERG 8761. Bayern 413 K 17 – 2 200 Ew – Höhe 252 m – Luftkurort – ☎ 09374 (Eschau).

♦München 351 – Aschaffenburg 32 – Miltenberg 13 – ♦Würzburg 75.

Schmitt, Urbanusstr. 12, ☎ 3 83, ≤, großer Garten mit Teich, –
P. Zim
Karte 23/45 – **38 Z : 68 B** 48/54 - 86/98 Fb – P 62/68.

Krone, Mühlweg 7, ☎ 5 39, – P. Zim
März geschl. – Karte 18/32 *(Okt.- Mai Donnerstag geschl.)* – **28 Z : 52 B** 28/32 - 52/64 – P 41/43.

MÖNCHENGLADBACH 4050. Nordrhein-Westfalen 987 ㉓ – 260 000 Ew – Höhe 50 m – ☎ 02161.

⛳18 Korschenbroich, Schloß Myllendonk (③ : 5 km), ☎ (02161) 64 10 49.

ℹ Verkehrsverein, Bismarckstr. 23-27, ☎ 2 20 01.

ADAC, Bismarckstr. 17, ☎ 2 03 76, Notruf ☎ 1 92 11.

♦Düsseldorf 31 ① – ♦Aachen 64 ⑥ – ♦Duisburg 50 ① – Eindhoven 88 ① – ♦Köln 63 ① – Maastricht 81 ⑨.

MÖNCHEN-GLADBACH

Aachener Straße ...... X 2
Dohler Straße .... X 20
Gingterstraße .... X 26
Grevenbroicher Str. ..... X 30
Großheide .... X 31
Hardterbroicher Straße .... X 32
Konstantinstraße ...... X 36
Korschenbroicher Straße .... X 37
Künkelstraße .... X 38
Metzenweg .... X 46
Monschauer Straße .... X 47
Neußer Straße .... X 50
Nordring .... X 52
Reststrauch .... X 58
Stapper Weg .... X 68
Stationsweg .... X 70
Waldnieler Straße ..... X 82
Wickrather Straße ..... X 83
Willicher Damm .... X 87
Zeppelinstraße .... X 88

Benachrichtigen Sie sofort das Hotel, wenn Sie ein bestelltes Zimmer nicht belegen können

Prévenez immédiatement l'hôtelier si vous ne pouvez pas occuper la chambre que vous avez retenue.

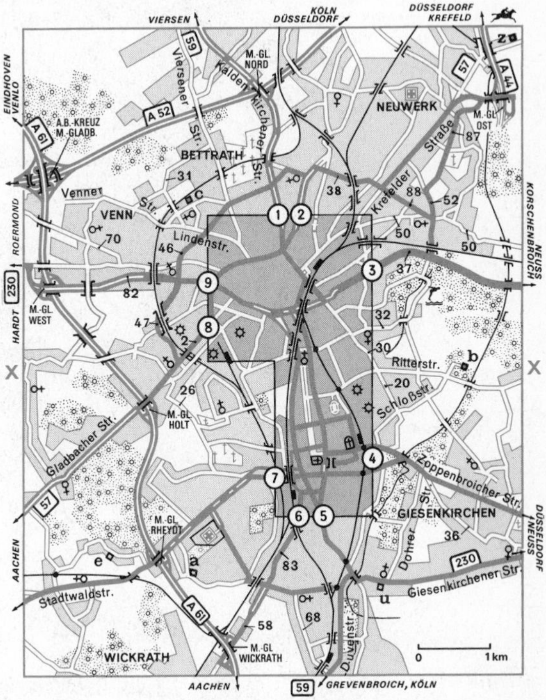

🏨 **Dorint-Hotel**, Hohenzollernstr. 5, ☎ 8 60 60, Telex 852656, Fax 87231, ⛆, 🗖 – 🛗 📺 🔬 (mit 🗏). AE ⓓ E VISA — Y a
Restaurants : – **Park-Restaurant** Karte 32/60 – **Bierstube** Karte 26/45 – **102 Z : 172 B** 148/165 - 196/215 Fb – 8 Appart. 225/290.

🏨 **Ambassador**, Am Geroplatz, ☎ 30 70, Telex 852363, ⛆, 🗖 – 🛗 🗏 📺 ♿ Ⓟ 🔬. AE ⓓ E VISA. ⚘ Rest — Y b
Karte 31/64 – **128 Z : 193 B** 176/188 - 222 Fb.

🏨 **Quality Inn Hotel Dahmen**, Aachener Str. 120, ☎ 30 60, Telex 8529269, Fax 306140 – 🛗 📺 🚗 🔬. AE ⓓ E VISA — Y h
Aug. geschl. – Karte 40/57 *(Samstag - Sonntag geschl.)* – **98 Z : 142 B** 115/210 - 160/290 Fb.

🏨 abc-Hotel, Waldhausener Str. 126, ☎ 3 70 98, ⛆ – 🛗 📺 ☎ 🚶 Ⓟ 🔬 — Y c
(nur Abendessen für Hausgäste) – **65 Z : 136 B** Fb.

🏨 **Burgund**, Kaiserstr. 85, ☎ 2 01 55 – 🛗 📺 ☎. AE ⓓ E VISA — Y e
Ende Juli - Mitte Aug. geschl. – Karte 33/58 *(nur Abendessen, Sonntag geschl.)* – **12 Z : 18 B** 75/85 - 100/105.

XX Flughafen-Restaurant, Krefelder Str. 820, ☎ 66 20 13, 🏖 – Ⓟ — X z

XX **Kaiser-Friedrich-Halle**, Hohenzollernstr. 15, ☎ 1 70 10, ≤, 🏖 – Ⓟ 🔬 — Y u
Montag geschl. – Karte 32/74.

XX **tho Penningshof** (Historisches Fachwerkhaus a.d. 16. Jh.), Eickener Str. 163, ☎ 18 10 00, 🏖 – AE ⓓ E — Y t
Karte 37/58.

XX Haus Baues, Bleichgrabenstr. 23, ☎ 8 73 73 – Ⓟ 🔬 — X c

In Mönchengladbach 5-Genhülsen :

🏨 **Haus Heinen** 🐌, Genhülsen 112, ☎ 58 10 31, ⛆, 🗖 – ☎ Ⓟ 🔬. AE ⓓ E — X e
Karte 21/50 *(Dienstag geschl.)* – **28 Z : 50 B** 80 - 130.

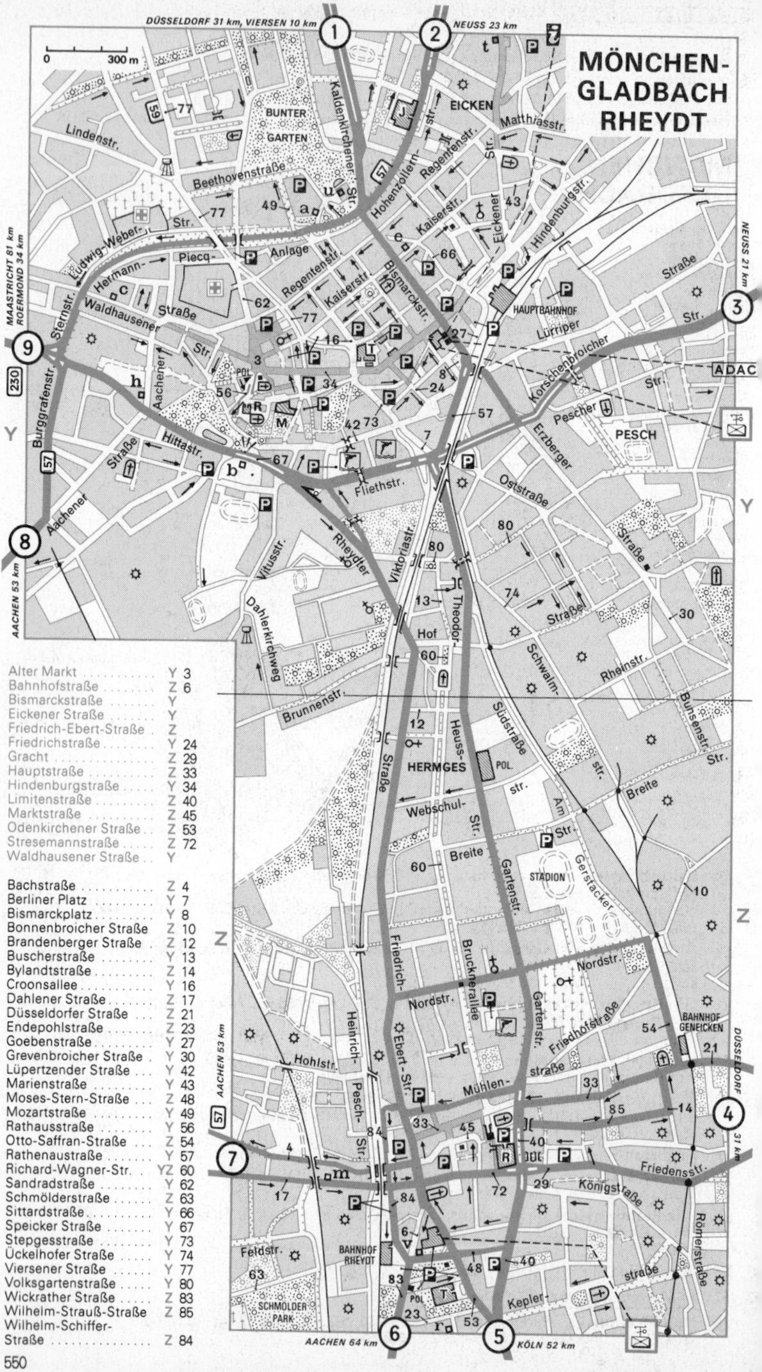

- Alter Markt . . . . Y 3
- Bahnhofstraße . . . . Z 6
- Bismarckstraße . . . . . . Y
- Eickener Straße . . . . . . Y
- Friedrich-Ebert-Straße . . Z
- Friedrichstraße . . . . Y 24
- Gracht . . . . Z 29
- Hauptstraße . . . . Z 33
- Hindenburgstraße . . . . . Y 34
- Limitenstraße . . . . Z 40
- Marktstraße . . . . Z 45
- Odenkirchener Straße . . Z 53
- Stresemannstraße . . . . . Z 72
- Waldhausener Straße . . Y

- Bachstraße . . . . Z 4
- Berliner Platz . . . . Y 7
- Bismarckplatz . . . . Y 8
- Bonnenbroicher Straße . . Z 10
- Brandenberger Straße . . Z 12
- Buscherstraße . . . . Y 13
- Bylandtstraße . . . . Z 14
- Croonsallee . . . . Y 16
- Dahlener Straße . . . . Z 17
- Düsseldorfer Straße . . . . Z 21
- Endepohlstraße . . . . Z 23
- Goebenstraße . . . . Y 27
- Grevenbroicher Straße . . Y 30
- Lüpertzender Straße . . . . Y 42
- Marienstraße . . . . Y 43
- Moses-Stern-Straße . . . . Z 48
- Mozartstraße . . . . Y 49
- Rathausstraße . . . . Y 56
- Otto-Saffran-Straße . . . . Z 54
- Rathenaustraße . . . . Y 57
- Richard-Wagner-Str. . . YZ 60
- Sandradstraße . . . . Y 62
- Schmölderstraße . . . . . . Z 63
- Sittardstraße . . . . Y 66
- Speicker Straße . . . . Y 67
- Stepgesstraße . . . . Y 73
- Ückelhofer Straße . . . . . Y 74
- Viersener Straße . . . . . . Y 77
- Volksgartenstraße . . . . . Y 80
- Wickrather Straße . . . . . Z 83
- Wilhelm-Strauß-Straße . . Z 85
- Wilhelm-Schiffer-Straße . . . . Z 84

In Mönchengladbach 6-Hardt über ⑨ :

Lindenhof, Vorster Str. 535 (B 230), 55 93 40 – . Zim
Karte 23/45 *(Donnerstag 15 Uhr - Freitag geschl.)* – **10 Z : 17 B** 45/55 - 75/90.

Haus Herrentann mit Zim, Ungermannsweg 19 (Richtung Rheindahlen), 55 93 36, « Park, Gartenterrasse » – – **7 Z : 10 B**.

In Mönchengladbach 2-Rheydt – 02166 :

Besch-Parkhotel Rheydt, Hugo-Junkers-Str. 2, 4 40 11, Telex 8529143 – Zim . AE E VISA Z **r**
Karte 48/76 *(Samstag bis 18 Uhr und Sonntag geschl.)* – **35 Z : 70 B** 104/120 - 180 Fb.

Coenen, Giesenkirchener Str. 41 (B 230), 1 00 88, Telex 8529237, « Kleiner Garten » – . AE E VISA X **u**
Weihnachten - Neujahr geschl. – Karte 36/61 *(wochentags nur Abendessen, Mittwoch geschl.)* – **50 Z : 80 B** 80/120 - 140/190 Fb.

Spickhofen, Dahlener Str. 88, 4 30 71, Telex 852245, – . AE E VISA
Karte 21/52 – **33 Z : 66 B** 70/120 - 119/140 Fb. Z **m**

Zur Post, Bahnhofstr. 41, 4 70 23 – – **24 Z : 36 B** Fb. Z **v**

Elisenhof, Klusenstr. 97, 36 41, – . AE E VISA X **a**
Juli geschl. – Karte 19/47 *(Montag geschl.)* – **28 Z : 40 B** 70 - 100 Fb.

Schloß Rheydt (Wasserschloß a. d. 16. Jh.), Schloßstr. 508, 2 01 02, « Park, Gartenterrasse » – X **b**

In Korschenbroich 4052 ③ : 5 km :

St. Andreas garni, Gustav-Heinemann-Str. 1, (02161) 6 47 64 – . AE E VISA
19 Z : 30 B 80 - 120.

In Korschenbroich 1-Herrenshoff 4052 ③ : 5 km :

Alt Herrenshoff, Schaffenbergstr. 13, (02161) 64 10 80, « Innenhofterrasse » – .

In Korschenbroich 2-Kleinenbroich 4052 ③ : 7 km :

Gästehaus im Kamp garni, Im Kamp 5, (02161) 6 74 79 – .
15.- 28. Juli geschl. – **16 Z : 25 B** 55/80 - 95.

Zur Traube, Haus-Randerath-Str. 15, (02161) 67 04 04, Biergarten – . AE E
Mittwoch und 2.- 20. Jan. geschl. – Karte 27/61.

MÖRFELDEN-WALLDORF 6082. Hessen 413 I 16, 17 – 29 800 Ew – Höhe 95 m – 06105.

♦Wiesbaden 35 – ♦Darmstadt 19 – ♦Frankfurt am Main 17.

Im Stadtteil Walldorf :

Walldorf garni, Nordenstr. 42, 50 31 – . E
58 Z : 72 B 75/95 - 110/130 Fb.

La Fattoria (Italienische Küche), Jourdanallee 4, 7 41 01, – . AE E
Montag geschl. – Karte 35/68.

MÖRLENBACH 6942. Hessen 413 J 17 – 9 200 Ew – Höhe 170 m – Erholungsort – 06209.

♦Wiesbaden 81 – ♦Darmstadt 45 – Heidelberg 28 – ♦Mannheim 25.

Zur Krone, Weinheimer Str. 5, 42 89 – . AE E VISA
Dienstag und Mitte Juni - Mitte Juli geschl. – Karte 24/46.

In Mörlenbach-Juhöhe NW : 5 km :

Waldschenke Fuhr, Kreiswaldweg 25, (06252) 49 67, <, , –
März geschl. – Karte 17/35 *(Dienstag geschl.)* – **8 Z : 15 B** 32/36 - 64 – P 42/50.

Haus Höfle, (06252) 22 74, « Terrasse mit < »
Montag ab 14 Uhr, Donnerstag, 9. Jan.- 10. Feb. und 19.- 29. Juni geschl. – Karte 16/38.

MÖRNSHEIM 8831. Bayern 413 Q 20 – 1 700 Ew – Höhe 420 m – 09145.

♦München 127 – Ingolstadt 47 – ♦Nürnberg 86.

Zum Brunnen, Brunnenplatz 1, 71 27
Karte 16/30 *(Mittwoch geschl.)* – **7 Z : 14 B** 30 - 56.

Lindenhof, Marktstr. 25, 71 22.

MOERS 4130. Nordrhein-Westfalen 987 ⑬ – 101 000 Ew – Höhe 29 m – 02841.

Siehe Ruhrgebiet (Übersichtsplan).

Stadtinformation, Unterwallstr. 9, 2 22 21.

♦Düsseldorf 40 – ♦Duisburg 12 – Krefeld 17.

Kurlbaum, Burgstr. 7 (1. Etage), 2 72 00 – AE E VISA
nur Abendessen, Dienstag geschl. – Karte 55/65 (Tischbestellung ratsam).

Zur Trotzburg, Rheinberger Str. 1, 2 27 54
8. Aug.- 2. Sept., Montag ab 14 Uhr und Samstag geschl. – Karte 24/57.

In Moers 3-Repelen N : 3,5 km :

Zur Linde, An der Linde 2, ✆ 7 30 61, Biergarten, – AE E VISA. Zim
Karte 31/65 – **30 Z : 62 B** 85/105 - 110/150 Fb.

In Moers 1-Schwafheim S : 3,5 km :

Schwarzer Adler, Düsseldorfer Str. 309 (B 57), ✆ 38 21 –
40 Z : 60 B Fb.

Nahe der Autobahn A 2 - Ausfahrt Moers-West SW : 2 km :

Motel Moers, Krefelder Str. 169, ✉ 4130 Moers, ✆ (02841) 14 60, Telex 8121335, Fax 146239, – AE E
Karte 27/54 – **127 Z : 254 B** 84 - 102 Fb.

MÖSSINGEN 7406. Baden-Württemberg 413 K 21 – 15 500 Ew – Höhe 475 m – ☎ 07473.
Reise- und Verkehrsbüro, Rathaus, Freiherr-vom-Stein-Str. 20, ✆ 40 88.
♦Stuttgart 60 – Tübingen 14 – ♦Ulm (Donau) 112 – Villingen-Schwenningen 65.

Brauhaus Mössingen garni, Auf der Lehr 30, ✆ 60 23 –
30 Z : 50 B 39/54 - 76/79.

Lamm, Lange Str. 1, ✆ 62 63 – .

Ochsen, Falltorstr. 73, ✆ 62 48 –
2.- 14. Jan., 15. Juli - 10. Aug. und Dienstag 14 Uhr - Mittwoch geschl. – Karte 24/52 .

Ratskeller, Freiherr-vom-Stein-Str. 18, ✆ 34 50 – .

MOGENDORF 5431. Rheinland-Pfalz – 1 100 Ew – Höhe 300 m – ☎ 02623 (Ransbach).
Mainz 91 – ♦Bonn 70 – ♦Koblenz 30 – Limburg an der Lahn 30.

An der Straße nach Oberhaid NW : 2 km :

Pension Mausmühle , ✉ 5419 Oberhaid, ✆ (02626) 4 11, – . Rest
Nov. geschl. – Karte 16/28 *(abends nur kalte Speisen, Okt. - März Donnerstag geschl.)* – **10 Z : 16 B** 29/37 - 56/66 – P 39/45.

MOLBERGEN 4599. Niedersachsen – 4 700 Ew – Höhe 32 m – ☎ 04475.
♦ Hannover 189 – ♦ Bremen 76 – ♦ Osnabrück 87.

Thole Vorwerk, Cloppenburger Str. 4, ✆ 3 31
Karte 21/48 *(bemerkenswerte Weinkarte)* (Montag und Samstag jeweils bis 18 Uhr sowie Aug. 2 Wochen geschl.) – **11 Z : 16 B** 26/30 - 48/56.

MOMMENHEIM Rheinland-Pfalz siehe Nierstein.

MONACO (DI BAVIERA) = München.

MONDSEE Österreich siehe Salzburg.

MONHEIM 4019. Nordrhein-Westfalen – 41 800 Ew – Höhe 40 m – ☎ 02173.
♦Düsseldorf 25 – ♦Köln 28 – Solingen 19.

Climat, An der alten Ziegelei 4, ✆ 5 80 11 –
Karte 27/55 – **45 Z : 61 B** 100/132 - 132/162 Fb.

In Monheim-Baumberg N : 3 km :

Lehmann garni, Thomasstr. 24, ✆ 6 37 50, , –
24 Z : 34 B 39/69 - 99.

MONREPOS (Schloß) Baden-Württemberg siehe Ludwigsburg.

MONSCHAU 5108. Nordrhein-Westfalen 987 ㉓, 409 ⑯ – 12 000 Ew – Höhe 405 m – ☎ 02472.
Sehenswert : Fachwerkhäuser★★ – Rotes Haus (Innenausstattung★) – Friedhofkapelle ≤★.
Ausflugsziel : ≤★★ vom oberen Aussichtsplatz an der B 258, NW : 2 km.
Tourist-Information, Stadtstr. 1, ✆ 33 00.
♦Düsseldorf 110 – ♦Aachen 34 – Düren 43 – Euskirchen 53.

Horchem, Rurstr. 14, ✆ 4 90, – . AE E VISA
13. Feb.- 18. März geschl. – Karte 28/53 *(Montag geschl.)* – **13 Z : 30 B** 45/55 - 85/100.

Royal garni, Stadtstr. 6, ✆ 20 33 –
7. Jan.- 7. Feb. und Nov.- 25. Dez. geschl. – **15 Z : 30 B** 50/55 - 90.

Burgau garni, St. Vither Str. 16, ✆ 21 20, – . AE E
13 Z : 25 B 33/48 - 65/90.

Lindenhof, Laufenstr. 77, ✆ 6 86, – . AE E VISA
4. Nov.- 15. Dez. geschl. – Karte 21/40 – **12 Z : 22 B** 45/60 - 70/90.

XX **Alte Herrlichkeit**, Stadtstr. 7, ☎ 22 84 – AE E
9. Jan.- 3. Feb. und Dienstag geschl. – Karte 34/72.

X **Hubertusklause** mit Zim, Bergstr. 45, ☎ 50 36, ≤, – TV P
Karte 20/50 *(Mittwoch geschl.)* – **7 Z : 13 B** 28/34 - 56/68.

In Monschau-Höfen S : 4 km – Wintersport : 3 :

Aquarium, Heidgen 34, ☎ 6 93, (geheizt), – TV ☎ P. E
(nur Abendessen für Hausgäste) – **10 Z : 20 B** 50/62 - 92/98 – 2 Fewo 100/160.

MONTABAUR 5430. Rheinland-Pfalz 987 ㉔ – 10 800 Ew – Höhe 230 m – ☎ 02602.

Tourist-Information, Kirchstr. 48a, ☎ 30 01.

Mainz 71 – •Bonn 80 – •Koblenz 32 – Limburg an der Lahn 22.

Zur Post, Bahnhofstr. 30, ☎ 33 61 – |. AE E
24. Juli - 2. Aug. geschl. – Karte 19/51 – **24 Z : 36 B** 37/47 - 68/80.

Schlemmer - Zur Goldenen Krone (Gasthof seit 1673), Kirchstr. 18, ☎ 50 22 –
22. Dez.- 5. Jan. geschl. – Karte 18/42 *(Freitag geschl.)* – **25 Z : 45 B** 40/50 - 70/120.

Im Gelbachtal SO : 3,5 km :

XX **Stock** mit Zim, ✉ 5430 Montabaur, ☎ (02602) 35 10 – P. E
Karte 34/65 – **13 Z : 23 B** 37/47 - 74/90.

An der Autobahn A 3 NO : 4,5 km, Richtung Frankfurt :

Hotel Heiligenroth, ✉ 5431 Heiligenroth, ☎ (02602) 50 44, Telex 869675, – | TV ☎
P. AE E VISA
Karte 24/53 – **28 Z : 63 B** 70/98 - 100/112.

In Wirges 5432 NW : 5 km :

Paffhausen, Bahnhofstr. 100, ☎ (02602) 7 00 62, – ☎ P. E
Karte 28/56 *(Sonntag ab 15 Uhr geschl.)* – **41 Z : 76 B** 40/90 - 70/135.

MONTJOIE = Monschau.

MOOS KREIS DEGGENDORF Bayern siehe Plattling.

MOOS Baden-Württemberg siehe Radolfzell.

MOOSBRONN Baden-Württemberg siehe Gaggenau.

MOOSBURG 8052. Bayern 413 S 21, 987 ㊲ – 13 500 Ew – Höhe 421 m – ☎ 08761.

•München 53 – Landshut 19 – •Nürnberg 161.

Bauer, Münchener Str. 54, ☎ 3 41, Telex 58740 – | TV ☎ P. AE
Aug. geschl. – Karte 19/41 – **30 Z : 45 B** 37/70 - 70/130 Fb.

MORBACH/Hunsrück 5552. Rheinland-Pfalz 987 ㉔ – 10 000 Ew – Höhe 450 m – Luftkurort – ☎ 06533.

Verkehrsamt, Bahnhofstr. 23, ☎ 71 50.

Mainz 107 – Bernkastel-Kues 17 – Birkenfeld 21 – •Trier 63.

St. Michael, Bernkasteler Str. 3, ☎ 30 25, – | ☎ . AE E VISA
Karte 19/50 – **41 Z : 80 B** 42/48 - 72/84 Fb – P 64/70.

Hochwaldcafé garni, Unterer Markt 4, ☎ 33 78 –
15 Z : 27 B 40 - 75.

In Morbach-Bischofsdhron NO : 2 km :

X Landgasthof Alte Post mit Zim, Paulinusstr. 25, ☎ 34 85
(im Winter nur Abendessen) – **8 Z : 14 B**.

In Horbruch 6541 NO : 12 km über die B 327 :

Historische Bergmühle (ehem. gräfliche Schloßmühle), ☎ (06543) 40 41, , – ☎
P. E VISA.
Karte 37/66 *(Montag geschl.)* – **11 Z : 21 B** 70/95 - 130/190 Fb.

X **Alter Posthof** mit Zim, Oberdorf 2, ☎ (06543) 40 60, Fahrradverleih – TV P. AE E.
Zim
Karte 26/55 *(Dienstag geschl.)* – **4 Z : 10 B** 50/60 - 90/110.

Pour voyager rapidement, utilisez les **cartes Michelin "Grandes Routes"** *:*
920 *Europe,* 980 *Grèce,* 984 *Allemagne,* 985 *Scandinavie-Finlande*
986 *Grande-Bretagne-Irlande,* 987 *Allemagne-Autriche-Benelux,* 988 *Italie,*
989 *France,* 990 *Espagne-Portugal,* 991 *Yougoslavie.*

MORINGEN 3413. Niedersachsen – 7 600 Ew – Höhe 179 m – ☎ 05554.
♦Hannover 106 – ♦Braunschweig 91 – Göttingen 27 – Hardegsen 8,5.

An der Straße nach Einbeck N : 2 km :

🏨 **Stennebergsmühle** 🔇, ✉ 3413 Moringen, ☎ (05554) 80 02, Telex 965576, [Terrasse], [Sauna] – ☏ 🚗 Ⓟ [Bankett]. [AE] [DC] [E]
Karte 34/50 – **30 Z : 60 B** 70 - 120 Fb.

In Moringen 3-Fredelsloh NW : 8 km :

🍴🍴 Pfeffermühle im Jägerhof mit Zim, Schafanger 1, ☎ (05555) 4 10, [Terrasse] – [TV] ☏ Ⓟ – **3 Z : 5 B.**

MORSBACH 5222. Nordrhein-Westfalen [987] ㉔ – 10 500 Ew – Höhe 250 m – ☎ 02294.
Ausflugsziel : Wasserschloß Crottorf★ NO : 10 km.
[i] Verkehrsamt, Waldbröler Straße (Provinzialhaus), ☎16 16.
♦Düsseldorf 107 – ♦Köln 70 – Siegen 33.

🏨 **Goldener Acker** 🔇, Zum goldenen Acker 44, ☎ 80 24, [Sauna], [Garten] – ☏ 🚗 Ⓟ [Bankett]
Anfang - Mitte Jan. geschl. – Karte 30/57 *(Sonntag 14 Uhr - Montag geschl.)* – **30 Z : 60 B** 50/62 - 90/120.

An der Straße nach Waldbröl NW : 5,5 km :

🏠 **Potsdam**, Hülstert 2, ✉ 5222 Morsbach, ☎ (02294) 87 32, <, [Terrasse], [Garten] – 🚗 Ⓟ
Karte 22/38 – **21 Z : 37 B** 40/43 - 75 – P 55.

MORSUM Schleswig-Holstein siehe Sylt (Insel).

MOSBACH 6950. Baden-Württemberg [413] K 18, [987] ㉕ – 25 000 Ew – Höhe 151 m – ☎ 06261.
[i] Städtisches Verkehrsamt, Am Marktplatz, ☎ 8 22 36.
♦Stuttgart 87 – Heidelberg 45 – Heilbronn 33.

🏨 **Lamm** (Fachwerkhaus a.d. 18. Jh.), Hauptstr. 59, ☎ 8 90 20 – [Lift] [TV] ☏. [AE] [DC] [E] [VISA]
✦ Karte 18/41 🍷 – **55 Z : 90 B** 48/55 - 86/99.

🍴 **Gasthaus zum Amtsstüble** mit Zim, Lohrtalweg 1, ☎ 23 06 – Ⓟ
Juli - Aug. 3 Wochen geschl. – Karte 20/40 *(Montag geschl.)* 🍷 – **4 Z : 8 B** 35/40 - 70.

In Mosbach-Neckarelz SW : 4 km :

🏨 **Lindenhof**, Martin-Luther-Str. 3, ☎ 71 48 – 🚗 Ⓟ. [E]
20. Juli - 5. Aug. geschl. – Karte 21/42 *(Mittwoch bis 18 Uhr geschl.)* 🍷 – **22 Z : 30 B** 42 - 74.

In Elztal-Dallau 6957 NO : 5,5 km :

🏠 **Zur Pfalz**, Hauptstr. 5 (B 27), ☎ (06261) 22 93, [Terrasse] – 🚗 Ⓟ. [AE]
✦ *13.- 27. Feb. geschl.* – Karte 18/44 *(Montag geschl.)* 🍷 – **13 Z : 21 B** 26/35 - 52/70.

MOSELKERN 5401. Rheinland-Pfalz – 600 Ew – Höhe 83 m – ☎ 02672 (Treis-Karden).
Ausflugsziel : Burg Eltz★★, Lage★★ NW : 1 km und 30 min zu Fuß.
Mainz 106 – Cochem 17 – ♦Koblenz 32.

🏨 **Anker-Pitt**, Moselstr. 42, ☎ 13 03, <, [Sauna] – [Lift] Ⓟ [Bankett]. [Hunde] Zim
✦ *24. Dez.- 23. Jan. geschl.* – Karte 19/44 *(Montag geschl.)* 🍷 – **25 Z : 50 B** 40/50 - 70/90.

MOSELTAL Rheinland-Pfalz [987] ㉓㉔
Sehenswert : Tal★★ von Trier bis Koblenz (Details siehe unter den erwähnten Mosel-Orten).

MOSSAUTAL 6121. Hessen [413] J 18 – 2 500 Ew – Höhe 390 m – Erholungsort – ☎ 06062 (Erbach).
♦Wiesbaden 99 – Beerfelden 12 – ♦Darmstadt 59 – ♦Mannheim 50.

In Mossautal 1-Güttersbach :

🏨 **Zentlinde** 🔇, Hüttenthaler Str. 37, ☎ 20 80, [Sauna], [Hallenbad] – Ⓟ [Bankett]. [Hunde] Zim
9.- 24. Jan. geschl. – Karte 21/37 *(Montag geschl.)* 🍷 – **40 Z : 75 B** 54 - 100 Fb – P 68/72.

🏨 **Haus Schönblick** 🔇, Hüttenthaler Str. 30, ☎ 53 80, [Terrasse], [Garten] – Ⓟ
✦ *10. Jan.- 10. Feb. geschl.* – Karte 18/32 *(Dienstag geschl.)* – **24 Z : 36 B** 35 - 70.

In Mossautal-Obermossau :

🏨 **Brauerei-Gasthof Schmucker**, Hauptstr. 91, ☎ (06061) 7 10 01, Biergarten, [Freibad] (geheizt), [Garten], [Tennis] – ☏ Ⓟ [Bankett]
Karte 22/43 – **25 Z : 50 B** 51/54 - 98/104.

MOTTEN 8781. Bayern [413] M 15 – 1 700 Ew – Höhe 450 m – ☎ 09748.
♦München 358 – Fulda 20 – ♦Würzburg 93.

In Motten-Speicherz S : 7 km :

🏨 **Zum Biber**, Hauptstr. 15 (B 27), ☎ 2 14, [Garten] – 🚗 Ⓟ. [E] [VISA]
✦ *10. Nov.- 3. Dez. geschl.* – Karte 17/34 🍷 – **39 Z : 70 B** 32/38 - 62/66.

[MUCH] **5203.** Nordrhein-Westfalen – 11 400 Ew – Höhe 195 m – ☎ 02245.

⛳18 Burg Overbach, ✆ (02245) 55 50.

♦Düsseldorf 77 – ♦Bonn 33 – ♦Köln 40.

🏠 Lindenhof, Lindenstr. 3, ✆ 38 72 – [P]
8 Z : 16 B.

In Much-Sommerhausen SW : 3 km :

🍴🍴🍴 **Landhaus Salzmann** 🐎 mit Zim, Sommerhausener Str. 93, ✆ 14 26, ≤, 🌳 – [TV] ☎ [P]. [AE] [O]
Karte 32/64 – **2 Z : 4 B** 75 - 195.

[MUDAU] **6933.** Baden-Württemberg [413] K 18, [987] ㉕ – 4 800 Ew – Höhe 450 m – ☎ 06284.

♦Stuttgart 113 – Aschaffenburg 61 – Heidelberg 59 – ♦Würzburg 80.

🍴 **Engel** mit Zim, Hauptstr. 26, ✆ 3 39
⬌ Karte 18/35 *(Mittwoch geschl.)* 🍷 – **8 Z : 15 B** 25 - 50.

[MÜCKE] **6315.** Hessen – 7 500 Ew – Höhe 300 m – ☎ 06400.

♦Wiesbaden 107 – Alsfeld 31 – Gießen 28.

In Mücke-Atzenhain :

🏠 **Zur Linde,** Lehnheimer Str. 2, ✆ (06401) 64 65, ≘s, 🌳 – 🚗 [P]
⬌ Karte 15/24 – **23 Z : 36 B** 30/45 - 65/70.

In Mücke-Flensungen :

🏠 **Landhotel Finkernagel,** Bahnhofstr. 116, ✆ 81 91 – 🚗 [P]. [AE]
⬌ Karte 17/34 *(Montag ab 14 Uhr geschl.)* – **14 Z : 22 B** 22/28 - 45/56.

[MÜDEN] Niedersachsen siehe Faßberg.

[MÜHLACKER] **7130.** Baden-Württemberg [413] J 20, [987] ㉕ ㉟ – 23 800 Ew – Höhe 225 m – ☎ 07041.

♦Stuttgart 39 – Heilbronn 65 – ♦Karlsruhe 47 – Pforzheim 12.

🏨 **Scharfes Eck,** Bahnhofstr. 1, ✆ 60 27 – [$] ☎ [P] 🏋. [AE] [O] [E] [VISA]
⬌ Karte 19/39 *(Mittwoch bis 17 Uhr geschl.)* 🍷 – **29 Z : 45 B** 35/55 - 60/85 Fb.

In Ötisheim **7136** NW : 4 km :

🏨 **Zur Krone,** Maulbronner Str. 11, ✆ (07041) 60 79 – [P]. 🐕 Zim
⬌ *Jan.- Feb. 2 Wochen und Juli - Aug. 3 Wochen geschl.* – Karte 18/37 *(Montag geschl.)* 🍷 – **17 Z : 25 B** 40 - 70.

[MÜHLDORF AM INN] **8260.** Bayern [413] U 22, [987] ㊲, [426] ⑥ – 14 400 Ew – Höhe 383 m – ☎ 08631.

♦München 80 – Landshut 57 – Passau 95 – Salzburg 77.

🏨 **Altöttinger Tor,** Stadtplatz 87, ✆ 40 88 – [$] [TV] ☎. [AE] [O] [E]
15. Aug.- 10. Sept. geschl. – Karte 23/48 – **10 Z : 20 B** 55 - 79.

🏨 **Wetzel** garni, Stadtplatz 36, ✆ 73 36 – [$] ☎ 🚗. [O] [E]
22 Z : 35 B 28/55 - 75/85.

🏨 Rappensberger garni, Pflanzenau 31 (nahe der B 12), ✆ 70 54 – 🚗 [P]
20 Z : 25 B.

🍴🍴 **Jägerhof,** Stadtplatz 3, ✆ 40 03 – [P]. [AE] [O] [E] [VISA]
27. Dez.- 6. Jan. und Freitag 15 Uhr - Samstag geschl. – Karte 23/48.

[MÜHLENBACH] **7611.** Baden-Württemberg [413] H 22 – 1 500 Ew – Höhe 260 m – Erholungsort – ☎ 07832 (Haslach).

♦Stuttgart 178 – ♦Freiburg im Breisgau 42 – Freudenstadt 54 – Offenburg 32.

🏠 **Kaiserhof,** an der B 294 (S : 2,5 km), ✆ 23 93, 🌳, ≘s, 🏊, 🌳 – 🚗 [P]
4.- 18. Nov. geschl. – Karte 20/34 🍷 – **11 Z : 20 B** 40 - 70 – P 48.

[MÜHLHAUSEN] Baden Württemberg siehe Tiefenbronn.

[MÜHLHAUSEN IM TÄLE] Baden-Württemberg siehe Wiesensteig.

[MÜHLHEIM AM MAIN] **6052.** Hessen [413] J 16 – 25 200 Ew – Höhe 105 m – ☎ 06108.

♦Wiesbaden 51 – ♦Frankfurt am Main 14 – Hanau am Main 8.

🏨 Adam garni, Albertstr. 7, ✆ 6 09 11 – [TV] ☎ [P]
21 Z : 27 B.

🏨 **Café Kinnel,** Gerhart-Hauptmann-Str. 54, ✆ 7 60 52 – [P]
Karte 25/39 *(Freitag geschl.)* – **41 Z : 57 B** 56/93 - 108/138 Fb.

In Mühlheim 3-Lämmerspiel SO : 5 km :

Landhaus Waitz, Bischof-Ketteler-Str. 26, ☎ 60 60, Fax 6108913, – [TV] [P] [AE] [D] [E]
27. Dez.- 8. Jan. geschl. – Karte 38/69 *(Samstag bis 18 Uhr, Sonntag ab 14 Uhr geschl.)* – **73 Z : 104 B** 110/130 - 170/180 Fb – 5 Appart. 380.

In Mühlheim-Markwald S : 2 km :

Seerose garni, Forsthausstr. 38, ☎ 7 10 51, – [P]
10 Z : 16 B Fb.

MÜHLTAL Hessen siehe Darmstadt.

MÜLHEIM AN DER RUHR 4330. Nordrhein-Westfalen [987] ⑬⑭ – 170 000 Ew – Höhe 40 m – ☎ 0208.

Siehe Ruhrgebiet (Übersichtsplan).

[i] Verkehrsverein, Rathaus (Nordflügel), Ruhrstr., ☎ 4 55 90 16.

ADAC, Löhstr. 3, ☎ 47 00 77, Notruf ☎ 1 92 11.

♦Düsseldorf 26 ③ – ♦Duisburg 9 ④ – ♦Essen 10 ② – Oberhausen 5,5 ⑤.

Stadtplan siehe gegenüberliegende Seite.

Noy, Schloßstr. 28, ☎ 4 50 50, Caféterrasse – [TV] ☎ [AE] [D] [E] [VISA] — Y a
Karte 39/68 *(Sonntag geschl.)* – **60 Z : 80 B** 111/175 - 191/225 Fb.

Friederike garni (ehemalige Villa), Friedrichstr. 32, ☎ 38 13 74, « Garten » – [TV] ☎ [AE] [E] — Z f
26 Z : 35 B 75/98 - 95/125.

Hopfen-Sack, Kalkstr. 23, ☎ 38 36 36 – [TV] ☎ [AE] [D] [E] [VISA] — Y d
Karte 28/49 – **17 Z : 34 B** 80/100 - 120/140.

Kastanienhof - Restaurant Haus Dimbeck, Dimbeck 27, ☎ 3 21 39 (Hotel) 3 67 79 (Rest.), « Garten », – ☎ [P] [AE] [D] [E] [VISA] — Z s
Karte 28/50 *(wochentags nur Abendessen)* – **28 Z : 50 B** 70/90 - 105/120.

Hotel Am Schloß Broich garni, Am Schloß Broich 27, ☎ 42 20 38, – [TV] ☎ [AE] [D] [E] — Y v
22 Z : 36 B 95 - 135.

✲ **Fuente**, Gracht 209 (B 1), ☎ 43 18 53 – [P] [AE] [D] [E] — X m
Samstag bis 18 Uhr sowie Sonn- und Feiertage geschl. – Karte 73/100 (abends Tischbestellung ratsam)
Spez. Gänsestopfleber auf Meeresalgen (Juni - Sept.), Steinbutt auf Lauch, Lammfilets in Blätterteig (für 2 Pers.).

Becker-Eichbaum, Obere Saarlandstr. 5 (B 1), ☎ 3 40 93 – [P] — Z n
Karte 38/65.

Am Kamin (Fachwerkhaus a.d.J. 1732), Striepensweg 62, ☎ 76 00 36, « Gartenterrasse mit offenem Kamin » – [P] [AE] [D] [E] [VISA] — X s
Juli - Aug. 3 Wochen geschl. – Karte 40/79.

Stadthallen-Restaurant, Am Schloß Broich 2, ☎ 42 20 31 – [P] — Y e
26. Juni - 5. Aug. geschl. – Karte 29/58.

Im Rhein-Ruhr-Zentrum über ② und die B 1 :

Mövenpick, Humboldtring 13, ☎ 4 99 48 – [P] [AE] [D] [E] [VISA] siehe Stadtplan Essen — R b
Karte 28/55 – **Baron de la Mouette** Karte 46/80.

In Mülheim-Dümpten :

Kuhn, Mellinghofer Str. 277, ☎ 79 00 10, Telex 856068, – [TV] ☎ [P] [AE] [D] [E] [VISA] — X z
Karte 24/49 *(nur Abendessen, Aug. und Sonntag geschl.)* – **70 Z : 120 B** 75/87 - 120/140 Fb.

In Mülheim-Holthausen :

Haus Grobe, Zeppelinstr. 60, ☎ 37 52 67 – [P] — X n

In Mülheim-Menden :

Müller-Menden, Mendener Str. 109, ☎ 37 40 15, – [P] [AE] [D] [E] [VISA] — X v
Montag geschl. – Karte 28/62.

In Mülheim-Mintard über Mendener Brücke X :

Mintarder Wasserbahnhof, August-Thyssen-Str. 129, ☎ (02054) 72 72, « Terrasse mit ‹ » – [TV] ☎ [P] [AE] [D] [E] [VISA]
Jan. geschl. – Karte 34/58 *(Freitag geschl.)* – **33 Z : 42 B** 54/79 - 105/140.

In Mülheim-Saarn über Mendener Brücke X :

Dicken am Damm, Mintarder Str. 139, ☎ 48 01 15, Biergarten, « Terrasse mit ‹ » – [P]
Karte 27/55.

MÜLHEIM AN DER RUHR

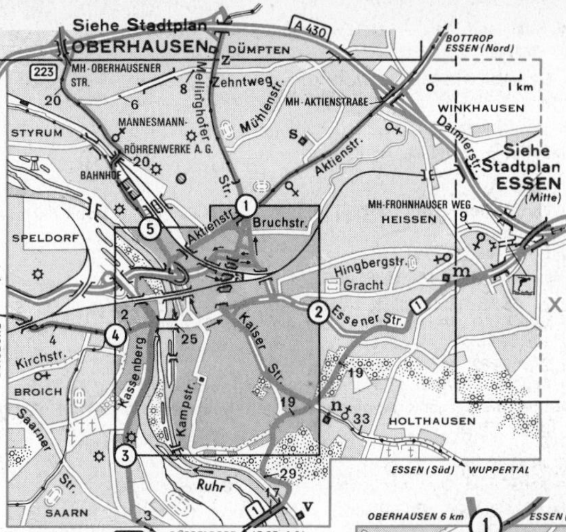

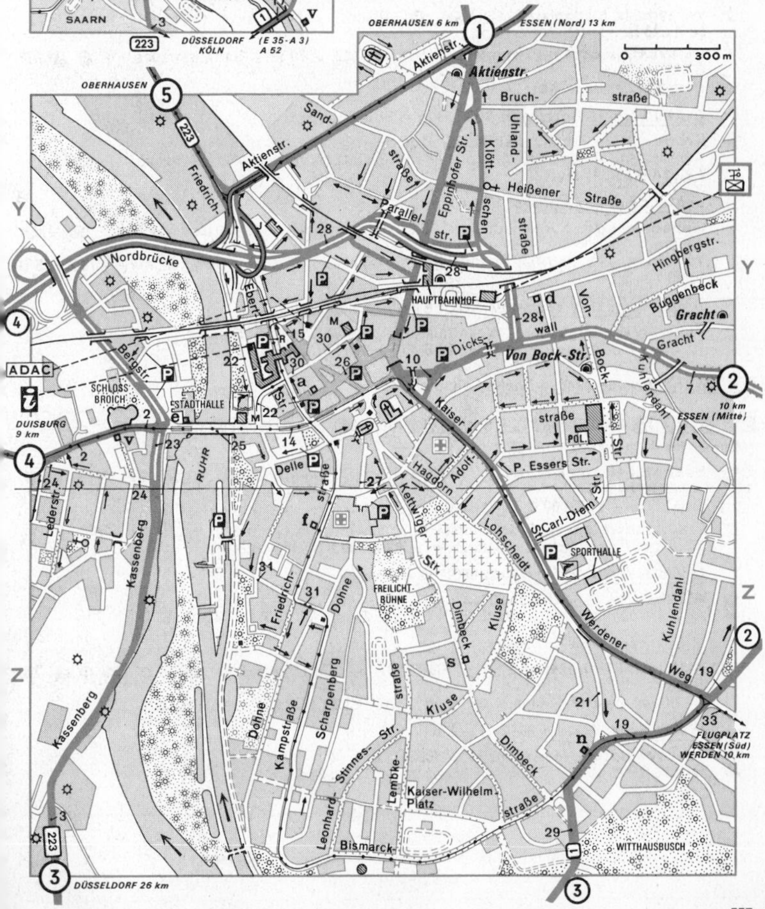

MÜLHEIM (MOSEL) 5556. Rheinland-Pfalz – 1 000 Ew – Höhe 110 m – 06534.
Mainz 119 – Bernkastel-Kues 6 – •Trier 40 – Wittlich 14.

Moselhaus Selzer, Moselstr. 7 (B 53), 7 07, – .
15. Dez.- 3. März geschl. – Karte 21/40 – **14 Z : 26 B** 40/50 - 65/95.

In Brauneberg 5551 W : 1,5 km :

Wolff mit Zim, Dusemonderstr. 3, (06534) 6 55 –
6 Z : 10 B.

MÜLLHEIM 7840. Baden-Württemberg 413 F 23, 987 ㉞, 427 ④ – 14 000 Ew – Höhe 230 m – 07631.
Städtisches Verkehrsamt, Werderstr. 48, 40 70.
•Stuttgart 238 – Basel 41 – •Freiburg im Breisgau 42 – Mulhouse 26.

Alte Post, an der B 3, 55 22, Telex 772916, « Gartenterrasse » – . AE E
9.- 29. Jan. geschl. – Karte 43/71 *(Dienstag bis 18 Uhr, Nov.- Feb. Dienstag ganztägig geschl.)* – **50 Z : 80 B** 40/90 - 110/150 Fb.

Bauer, Eisenbahnstr. 2, 24 62, –
Mitte Dez.- Mitte Jan. geschl. – Karte 22/47 *(Sonntag geschl.)* – **60 Z : 90 B** 30/60 - 75/98.

Gästehaus im Weingarten garni (Appartementhotel), Kochmatt 8, 1 41 46, , Fahrradverleih –
8 Z : 16 B 50/80 - 80/140.

Zum Bad, Badstr. 40, 38 85, –
10.- 28. Feb. geschl. – Karte 19/57 *(Dienstag geschl.)* – **9 Z : 17 B** 40/60 - 80/90.

Winzerhaus, Marktplatz 4, 27 52 – . Zim
14 Z : 20 B.

Parkrestaurant im Bürgerhaus, Hauptstr. 122, 60 39, « Gartenterrasse » – . E
Dienstag geschl. – Karte 24/50 .

In Müllheim 16-Britzingen NO : 5 km – Erholungsort :

Krone mit Zim, Markgräfler Str. 32, 20 46 –
Anfang Jan.- Anfang Feb. geschl. – Karte 13,50/42 *(Mittwoch 14 Uhr - Donnerstag geschl.)* – **7 Z : 14 B** 35/38 - 58/60.

In Müllheim 14-Feldberg SO : 6 km:

Ochsen mit Zim, Bürgelnstr. 32, 35 03, eigener Weinbau, « Gartenwirtschaft », – . Zim
10. Jan.- 12. Feb. und Juli 1 Woche geschl. – Karte 26/60 *(Donnerstag geschl.)* – **8 Z : 15 B** 45/50 - 84/96.

In Müllheim 11-Niederweiler O : 1,5 km – Erholungsort :

Pension Weilertal garni, Weilertalstr. 15, 57 94, – . E
15. Nov.- 15. Dez. geschl. – **10 Z : 18 B** 45/70 - 90/135.

MÜLLINGEN Niedersachsen siehe Sehnde.

MÜNCHBERG 8660. Bayern 413 S 16, 987 ㉗ – 11 800 Ew – Höhe 553 m – 09251.
•München 266 – Bayreuth 37 – Hof 20.

Seehotel Hintere Höhe, Hintere Höhe (S : 2 km), 30 01, , , , – . AE E
Karte 37/55 – **15 Z : 30 B** 65/70 - 110 Fb.

Braunschweiger Hof, Bahnhofstr. 13, 50 47 – . AE E
30. Jan.- 11. Feb. geschl. – Karte 23/48 – **27 Z : 40 B** 30/45 - 58/80 Fb.

In Weissdorf-Wulmersreuth 8661 O : 2,5 km :

Walther, (09251) 13 62, , –
Aug. 2 Wochen geschl. – Karte 18/34 *(Freitag geschl.)* – **10 Z : 17 B** 30 - 56.

In Sparneck 8663 SO : 6 km:

Waldhotel Heimatliebe, (09251) 81 13, « Gartenterrasse », – . E VISA
7.- 27. Jan. geschl. – Karte 31/65 *(auch Diät)* – **23 Z : 46 B** 69/75 - 95/105 Fb.

In Zell am Waldstein 8665 S : 7 km :

Zum Waldstein, Marktplatz 16, (09257) 2 61, –
Karte 14,50/26 *(Mittwoch ab 14 Uhr geschl.)* – **17 Z : 28 B** 24/31 - 45/56.

Dans les grandes villes,
certains hôtels proposent des **« forfaits week-end »**
à des prix intéressants.

MÜNCHEN 8000. L Bayern 413 R 22, 987 ㊲, 426 ⑰ – 1 291 000 Ew – Höhe 520 m – ☎ 089.

Sehenswert: Marienplatz* KLY – Frauenkirche** (Turm ※*) KY – Alte Pinakothek*** KY – Deutsches Museum** LZ **M1** – Residenz* (Schatzkammer**, Altes Residenztheater*) LY – Asamkirche* KZ **A** – Bayerisches Nationalmuseum** HV – Neue Pinakothek* GU – Münchner Stadtmuseum* (Moriskentänzer**) KZ **M2** – Städt. Galerie im Lenbachhaus (Porträts Lenbachs*) KY **M5** – Staatliche Antikensammlungen* (Etruskischer Schmuck*) KY **M6** – Glyptothek* KY **M7** – Deutsches Jagdmuseum * KY **M8** – Olympia-Park (Olympia-Turm ※***) CR – Neues Rathaus* LY **R** – Theatinerkirche* (Chor und Kuppel*) LY **D** – Englischer Garten (Blick vom Monopteros*) HU.

Ausflugsziel: Nymphenburg** (Schloß*, Park*, Amalienburg**, Botanischer Garten **) BS.

18 Straßlach, Tölzer Straße (S : 17 km), ☎ (08170) 4 50 ; 9 München-Thalkirchen, Zentralländstr. 40 (CT), ☎ 7 23 13 04.

✈ München-Riem (③ :11 km), ☎ 92 11 21 27 – 🚗 ☎ 12 88 44 25.

Messegelände (EX), ☎ 5 10 71, Telex 5212086.

i Verkehrsamt im Hauptbahnhof (gegenüber Gleis 11), ☎ 2 39 12 56.

i Tourist-Information, Rathaus, ☎ 2 39 12 72.

i Verkehrsamt im Flughafen München-Riem, ☎ 2 39 12 66.

ADAC, Sendlinger-Tor-Platz 9, ☎ 59 39 79, Notruf ☎ 1 92 11.

DTC, Amalienburgstr. 23 BS, ☎ 8 11 10 48, Telex 524508.

Innsbruck 162 ④ – •Nürnberg 165 ② – Salzburg 140 ④ – •Stuttgart 222 ⑦.

Die Angabe (M 15) nach der Anschrift gibt den Postzustellbezirk an : München 15
L'indication (M 15) à la suite de l'adresse désigne l'arrondissement : München 15
The reference (M 15) at the end of the address is the postal district : München 15
L'indicazione (M 15) posta dopo l'indirizzo, precisa il quartiere urbano : München 15

Messe-Preise: siehe S. 17
Foires et salons : voir p. 25
Fairs : see p. 33
Fiere : vedere p. 41

Stadtpläne : Siehe München Seiten 2-7.

❀ **Vier Jahreszeiten Kempinski** 🐎, Maximilianstr. 17 (M 22), ☎ 23 03 90, Telex 523859, Fax 23039693, Massage, ≘s, 🏊 – 🛗 ▤ TV 🚗 🏃. AE ⓓ E VISA. ✂ Rest LY **a**
Karte 74/115 *(Montag und Samstag jeweils bis 18 Uhr sowie Aug. geschl.)* – **Jahreszeiten-Eck** *(Sonntag geschl.)* Karte 45/70 – **344 Z : 630 B** 277/297 - 417/547 Fb – 38 Appart. 950/2245
Spez. Eierkuchen mit Räucherlachs, Kalbsfilet mit Gänseleber und Trüffelsauce, Himbeeren "Vier Jahreszeiten".

❀ **Königshof**, Karlsplatz 25 (M 2), ☎ 55 13 60, Telex 523616, Fax 55136113 – 🛗 ▤ TV P 🏃. AE ⓓ E VISA. ✂ Rest KY **s**
Karte 63/105 *(bemerkenswerte Weinkarte)* (Tischbestellung ratsam) – **106 Z : 181 B** 209/269 - 308/376 Fb – 9 Appart. 488/938
Spez. Gänseleber in Brioche mit Muskateller-Gelee, Babysteinbutt und Hummer mit 2 Paprikasaucen, Crépinette von Kaninchenrücken in Senfrahmsauce.

Bayerischer Hof-Palais Montgelas, Promenadeplatz 6 (M 2), ☎ 2 12 00, Telex 523409, Fax 2120906, 🍽, Massage, ≘s, 🏊 – 🛗 ▤ Rest TV 🚗 🏃. AE ⓓ E VISA KY **y**
Restaurants : – **Trader Vic's** *(nur Abendessen)* Karte 42/84 – **Grill** Karte 38/75 – **Palais Keller** Karte 25/48 – **442 Z : 762 B** 209/377 - 317/487 – 45 Appart. 567/1137.

Hilton, Am Tucherpark 7 (M 22), ☎ 3 84 50, Telex 5215740, Fax 38451845, 🍽, Biergarten, Massage, ≘s, 🏊 – 🛗 ⚡ Zim ▤ TV ♿ P 🏃. AE ⓓ E VISA HU **n**
Restaurants : – **Hilton-Grill** Karte 63/88 – **Isar-Terrassen** (auch vegetarische Gerichte) Karte 37/59 – **485 Z : 900 B** 224/396 - 321/438.

Continental, Max-Joseph-Str. 5 (M 2), ☎ 55 15 70, Telex 522603, Fax 55157500, 🍽 – 🛗 TV 🚗 🏃. AE ⓓ E VISA. ✂ Rest KY **f**
Karte 48/87 – **157 Z : 250 B** 223/318 - 306/446 Fb – 15 Appart. 526/946 - (Eingeschränkter Hotelbetrieb wegen Umbau von Jan.- Aug.).

Excelsior, Schützenstr. 11 (M 2), ☎ 55 13 70, Telex 522419, Fax 55137121 – 🛗 ▤ Rest TV 🏃. AE ⓓ E VISA. ✂ Rest JY **z**
Karte 48/70 – **118 Z : 170 B** 178/228 - 236/306 Fb – 4 Appart. 336.

Regent Hotel, Seidlstr. 2 (M 2), ☎ 55 15 90, Telex 523787, ≘s – 🛗 ▤ Rest TV ♿ 🚗 🏃 (mit ▤). AE JY **d**
Karte 28/68 – **183 Z : 330 B** 184 - 244 Fb.

Eden-Hotel-Wolff, Arnulfstr. 4 (M 2), ☎ 55 11 50, Telex 523564, Fax 55115555 – 🛗 TV 🚗 🏃. AE ⓓ E VISA JY **p**
Karte 28/66 – **214 Z : 320 B** 150/280 - 200/350 Fb – 4 Appart. 600.

Arabella-Westpark-Hotel, Garmischer Str. 2 (M 2), ☎ 5 19 60, Telex 523680, Fax 5196649, ≘s, 🏊 – 🛗 ▤ Rest TV ♿ P 🏃 (mit ▤). AE ⓓ E VISA CS **t**
Karte 34/63 – **258 Z : 516 B** 180/250 - 230/330 Fb.

King's Hotel garni, Dachauer Str. 13 (M 2), ☎ 55 18 70 – 🛗 ⚡ Zim TV 🚗 🏃. AE ⓓ E VISA JY **f**
76 Z : 140 B 140 - 180 Fb – 4 Appart. 480.

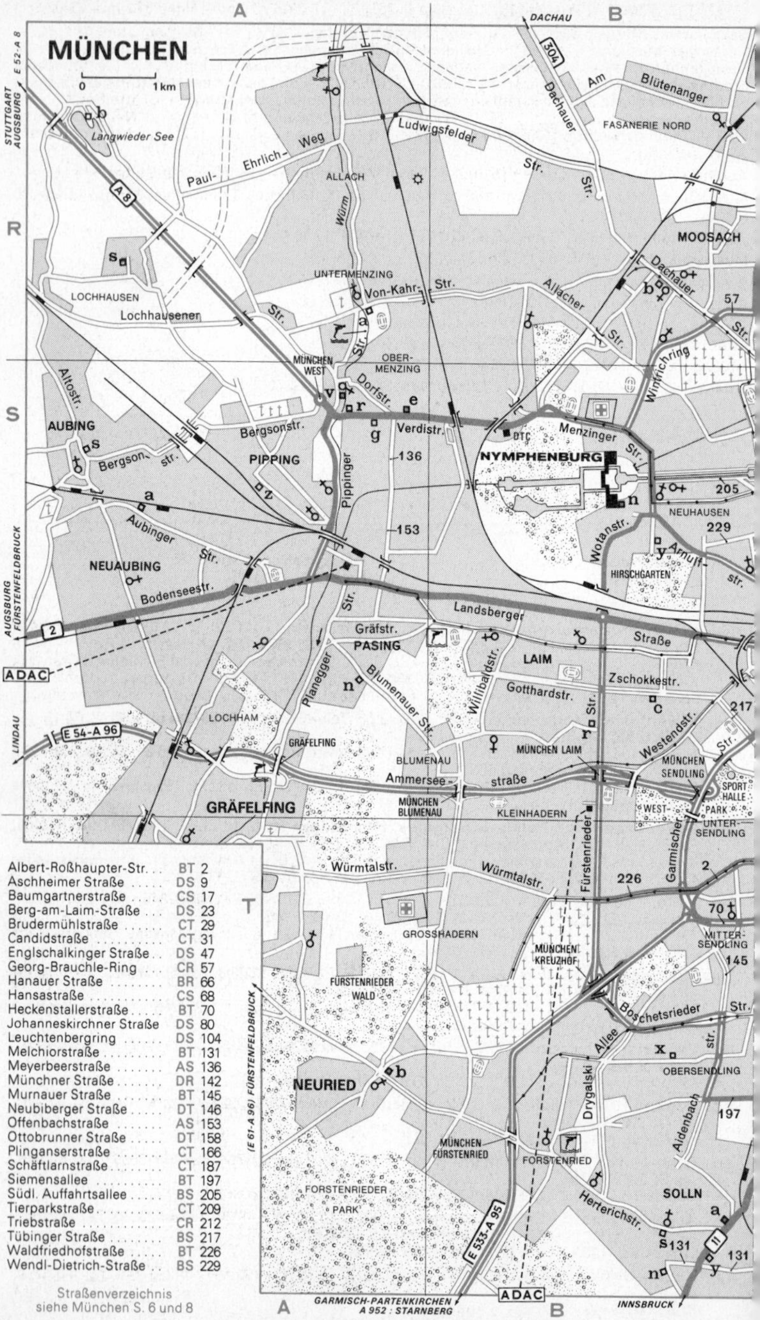

Albert-Roßhaupter-Str. . .	BT	2
Aschheimer Straße	DS	9
Baumgartnerstraße	CS	17
Berg-am-Laim-Straße . . .	DS	23
Brudermühlstraße	CT	29
Candidstraße	CT	31
Englschalkinger Straße . .	DS	47
Georg-Brauchle-Ring . . .	CR	57
Hanauer Straße	BR	66
Hansastraße	CS	68
Heckenstallerstraße	BT	70
Johanneskirchner Straße	DS	80
Leuchtenbergring	DS	104
Melchiorstraße	BT	131
Meyerbeerstraße	AS	136
Münchner Straße	DR	142
Murnauer Straße	BT	145
Neubiberger Straße	DT	146
Offenbachstraße	AS	153
Ottobrunner Straße	DT	158
Plinganserstraße	CT	166
Schäftlarnstraße	CT	187
Siemensallee	BT	197
Südl. Auffahrtsallee	BS	205
Tierparkstraße	CT	209
Triebstraße	CR	212
Tübinger Straße	BS	217
Waldfriedhofstraße	BT	226
Wendl-Dietrich-Straße . .	BS	229

Straßenverzeichnis siehe München S. 6 und 8

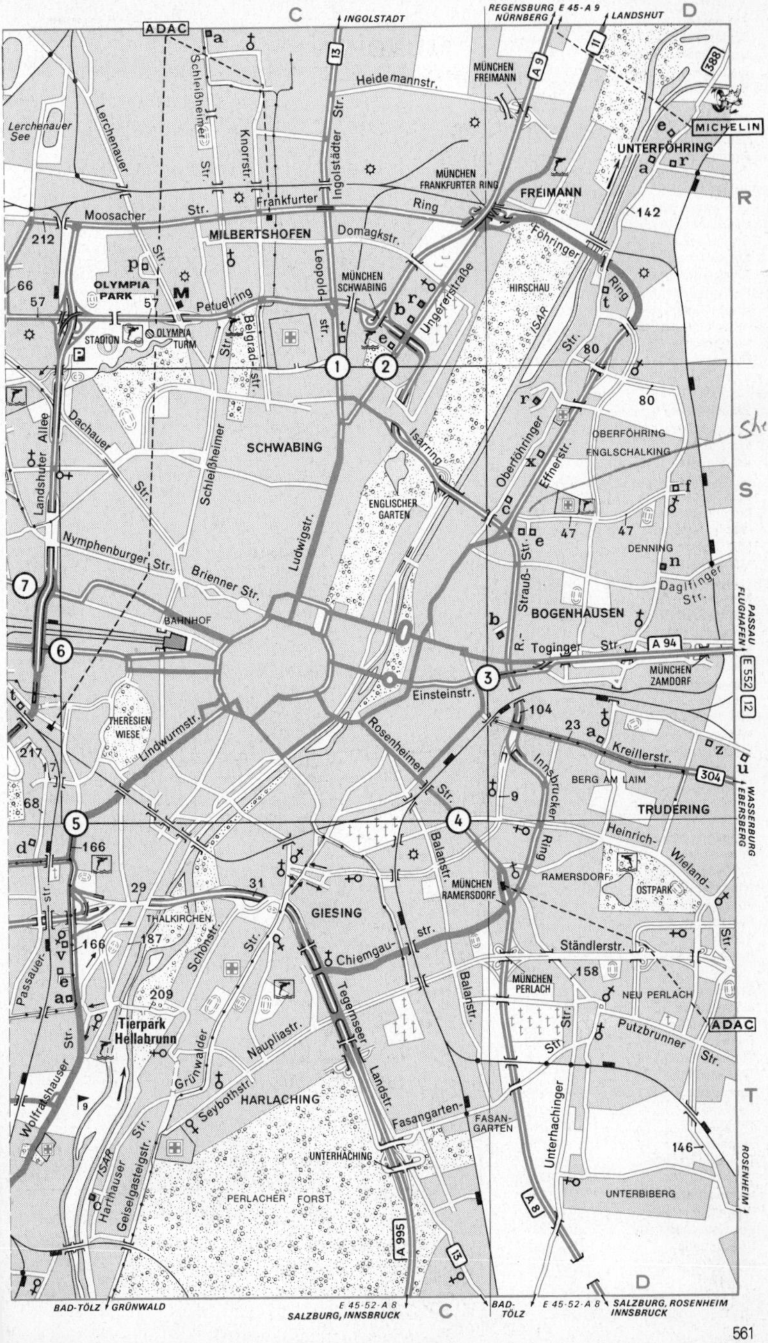
C
D
R
S
T
INGOLSTADT
REGENSBURG E 45-A 9
NÜRNBERG
LANDSHUT
ADAC
MICHELIN
Lerchenauer See
Lerchenauer
Schleißheimer Str.
Knorrstr.
Ingolstädter Str.
Heidemannstr.
MÜNCHEN FREIMANN
UNTERFÖHRING
MÜNCHEN FRANKFURTER RING
FREIMANN
Moosacher Str.
Frankfurter Ring
MILBERTSHOFEN
Domagkstr.
Föhringer Ring
OLYMPIA PARK
Petuelring
Leopoldstr.
MÜNCHEN SCHWABING
Ungererstraße
HIRSCHAU
ISAR
STADION
OLYMPIA TURM
Belgradstr.
SCHWABING
Isarring
Oberföhringer Str.
Effnerstr.
OBERFÖHRING
ENGLSCHALKING
Landshuter Allee
Dachauer Str.
Schleißheimer Str.
ENGLISCHER GARTEN
Ludwigstr.
DENNING
Nymphenburger Str.
Brienner Str.
Daglfinger Str.
BAHNHOF
BOGENHAUSEN
R.-Strauß-Str.
Toginger Str.
A 94
PASSAU FLUGHAFEN
MÜNCHEN ZAMDORF
E 552
Einsteinstr.
THERESIEN WIESE
Lindwurmstr.
Rosenheimer Str.
Kreillerstr.
304
Innsbrucker Ring
BERG AM LAIM
TRUDERING
WASSERBURG EBERSBERG
Balanstr.
Heinrich-Wieland-Str.
MÜNCHEN RAMERSDORF
RAMERSDORF
OSTPARK
GIESING
THALKIRCHEN
Schönstr.
Chiemgaustr.
Ständlerstr.
MÜNCHEN PERLACH
NEU PERLACH
Passauer Str.
Tegernseer Landstr.
Putzbrunner Str.
Tierpark Hellabrunn
Naupliastr.
Grünwalder Str.
Wolfratshauser Str.
HARLACHING
Seybothstr.
Fasangartenstr.
FASANGARTEN
Unterhachinger Str.
UNTERHACHING
UNTERBIBERG
ROSENHEIM
Harthauser Str.
Geiselgasteigstr.
PERLACHER FORST
A 995
A 8
BAD-TÖLZ
GRÜNWALD
E 45-52-A 8
SALZBURG, INNSBRUCK
BAD-TÖLZ
SALZBURG, ROSENHEIM
INNSBRUCK

Am Gasteig	HX	4
Baldeplatz	GX	14
Baumgartnerstraße	EX	17
Biedersteiner Straße	HU	25
Bonner Straße	GU	26
Denninger Straße	HU	34
Elsässer Straße	HX	42
Emil-Riedel-Straße	HV	45
Flurstraße	HX	49
Friedrichstraße	GU	52
Galileiplatz	HV	53
Gebsattelstraße	HX	55
Georgenstraße	GU	59
Giselastraße	GU	60
Gohrenstraße	HU	61
Grasserstraße	EV	63
Hackerbrücke	EV	65
Herkomerplatz	HU	71
Hiltenspergerstraße	GU	74
Hompeschstraße	HV	76
Humboldtstraße	GX	77
Innere Wiener Straße	HX	79
Johann-Fichte-Straße	HU	82
Josephsplatz	FU	83
Kaiserstraße	GU	86
Kißkaltplatz	GU	94
Kölner Platz	GU	95
Kunigundenstraße	HU	97
Kurfürstenplatz	GU	99
Lerchenfeldstraße	HV	102
Maillingerstraße	EV	109
Maria-Theresia-Straße	HV	111
Marschallstraße	HU	112
Martin-Greif-Straße	EV	115
Martiusstraße	GU	116
Maßmannstraße	FU	118
Maximiliansbrücke	HV	119
Max-Josephs-Brücke	HV	124
Max-Planck-Straße	HV	129
Messeplatz	EX	133
Metzgerstraße	HX	134
Möhlstraße	HV	137
Mozartstraße	EX	138
Münchener Freiheit	HU	140
Oettingenstraße	HV	151
Pappenheimstraße	EV	163
Potsdamer Straße	HU	167
Prinzregentenbrücke	HV	169
Prinzregentenstraße	HV	170
Radlkoferstraße	EX	174
Regerplatz	HX	175
Rosenheimer Platz	HX	181
Sandstraße	FU	186
Schießstättstraße	EV	189
Stengelstraße	HU	201
Sternstraße	HV	202
Sternwartstraße	HV	204
Theresienhöhe	EX	207
Thiemestraße	HU	208
Tivolistraße	HU	211
Triftstraße	HV	214
Trogerstraße	HV	215
Tumblingerstraße	FX	218
Veterinärstraße	GU	221
Viktoriastraße	GU	223
Wagmüllerstraße	HV	224
Wittelsbacherstraße	GX	231
Wredestraße	EV	232
Zirkus-Krone-Straße	EV	236

Straßenverzeichnis
siehe München S. 6 und 8

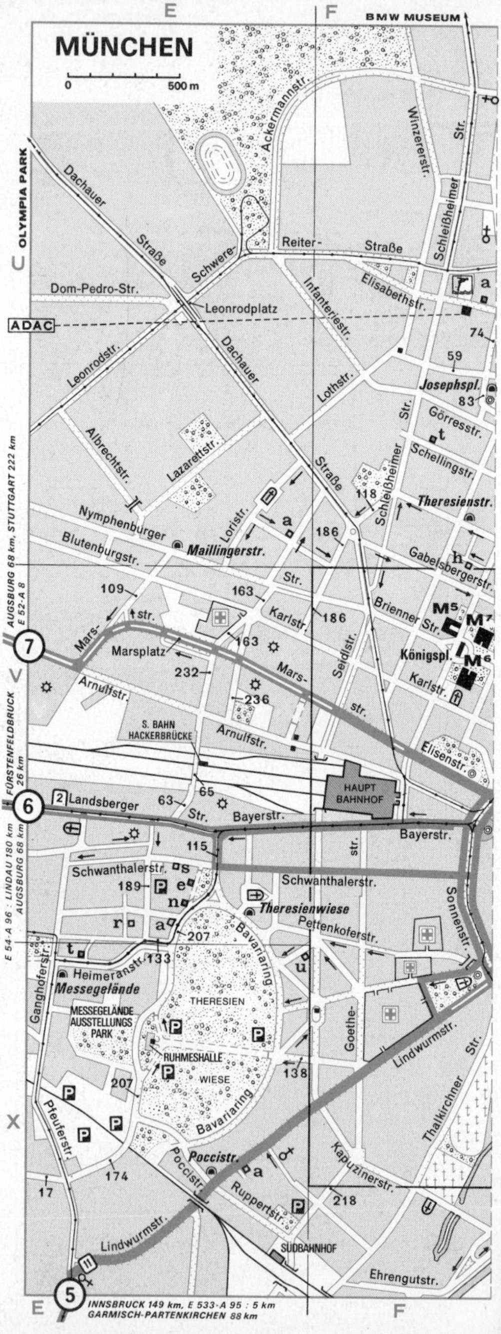

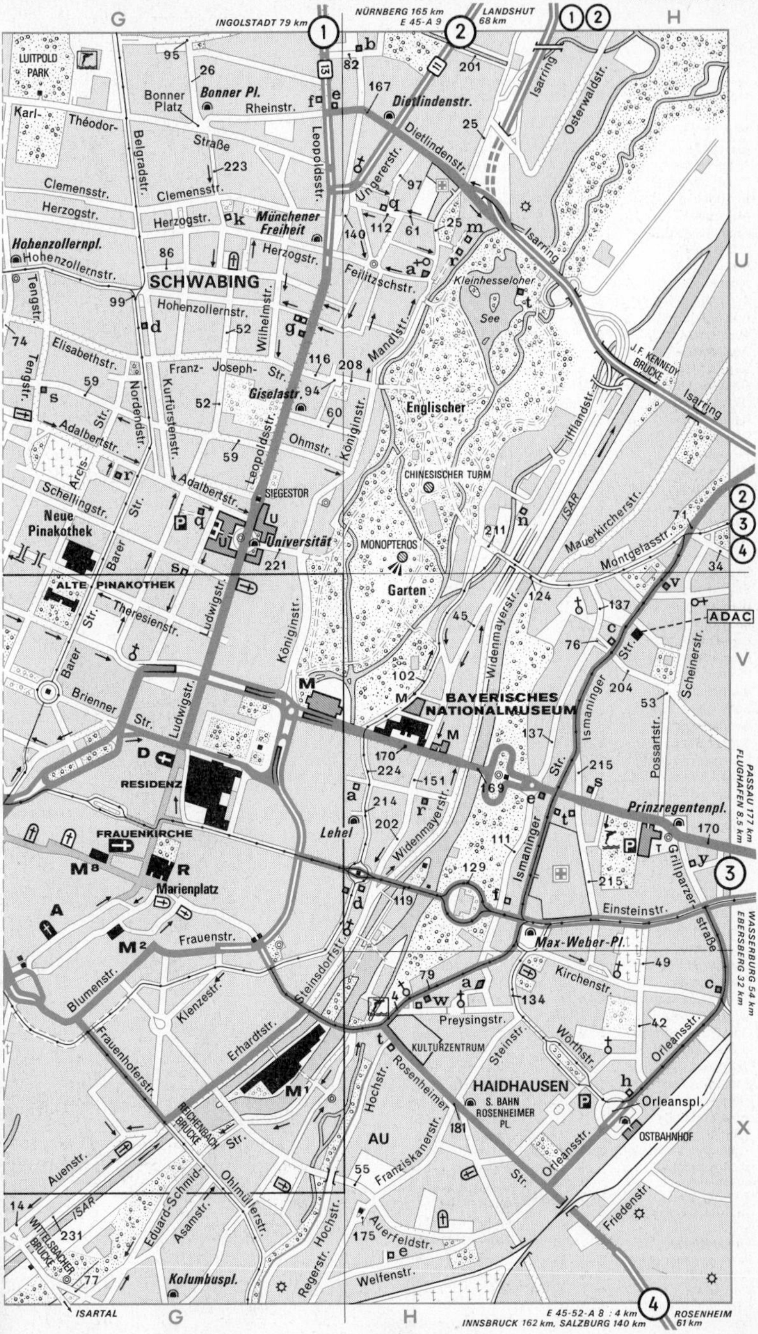
G
H
INGOLSTADT 79 km
NÜRNBERG 165 km
E 45-A 9
LANDSHUT
68 km
LUITPOLD PARK
Bonner Pl.
Bonner Platz
Rheinstr.
Dietlindenstr.
Karl-Théodor-Straße
Belgradstr.
Leopoldsstr.
Clemensstr.
Herzogstr.
Münchener Freiheit
Ungererstr.
Isarring
Osterwaldstr.
Hohenzollernpl.
Hohenzollernstr.
SCHWABING
Feilitzschstr.
Kleinhesseloher See
Tengstr.
Elisabethstr.
Wilhelmstr.
Mandlstr.
Franz-Joseph-Str.
Giselastr.
J.F. KENNEDY BRÜCKE
Ifflandstr.
Nordendstr.
Kurfürstenstr.
Adalbertstr.
Ohmstr.
Königinstr.
Englischer Garten
Arcisstr.
Schellingstr.
SIEGESTOR
CHINESISCHER TURM
ISAR
Mauerkircherstr.
Neue Pinakothek
Universität
MONOPTEROS
Montgelasstr.
Barer Str.
ALTE PINAKOTHEK
Theresienstr.
Ludwigstr.
Widenmayerstr.
ADAC
Scheinerstr.
Brienner Str.
BAYERISCHES NATIONALMUSEUM
Ismaninger Str.
Possartstr.
RESIDENZ
Prinzregentenpl.
FRAUENKIRCHE
Lehel
Grillparzerstraße
PASSAU 177 km
FLUGHAFEN 8,5 km
Marienplatz
Einsteinstr.
Max-Weber-Pl.
Frauenstr.
Steinsdorfstr.
Kirchenstr.
WASSERBURG 54 km
EBERSBERG 32 km
Blumenstr.
Klenzestr.
Preysingstr.
Erhardtstr.
KULTURZENTRUM
Steinstr.
Wörthstr.
Orleansstr.
Frauenhoferstr.
Hochstr.
Rosenheimer Str.
HAIDHAUSEN
S. BAHN ROSENHEIMER PL.
Orleanspl.
REICHENBACH BRÜCKE
AU
OSTBAHNHOF
Auenstr.
Ohlmüllerstr.
Franziskanerstr.
Eduard-Schmid-Str.
Asamstr.
Friedenstr.
WITTELSBACHER BRÜCKE
Auerfeldstr.
Regerstr.
Welfenstr.
Kolumbuspl.
U
V
X
ISARTAL
E 45-52-A 8 : 4 km
INNSBRUCK 162 km, SALZBURG 140 km
ROSENHEIM 61 km

STRASSENVERZEICHNIS

Ackermannstraße	S. 4	EU	
Adalbertstraße	S. 5	GU	
Aidenbachstraße	S. 2	BT	
Albert-Roßhaupter-Straße	S. 2	BT	2
Albrechtstraße	S. 4	EU	
Allacher Straße	S. 2	BR	
Altostraße	S. 2	AS	
Amalienstraße	S. 7	LY	
Am Blütenanger	S. 2	BR	
Am Gasteig	S. 5	HX	4
Amiraplatz	S. 7	LY	6
Ammerseestraße	S. 2	AS	
Arcisstraße	S. 7	KY	
Arnulfstraße	S. 4	EV	
Asamstraße	S. 5	GX	
Aschheimer Straße	S. 3	DS	9
Aubinger Straße	S. 2	AS	
Auenstraße	S. 7	KZ	
Auerfeldstraße	S. 5	HX	
Augustenstraße	S. 6	JY	
Aventinstraße	S. 7	LZ	
Baaderstraße	S. 7	LZ	
Bahnhofplatz	S. 6	JY	
Balanstraße	S. 5	HX	
Baldeplatz	S. 5	GX	14
Barer Straße	S. 7	KY	
Baumgartnerstraße	S. 3	CS	17
Baumstraße	S. 7	KZ	
Bavariaring	S. 4	EX	
Bayerstraße	S. 6	JY	
Beethovenplatz	S. 6	JZ	
Beethovenstraße	S. 6	JZ	20
Belgradstraße	S. 5	GU	
Berg-am-Laim Str.	S. 3	DS	23
Bergsonstraße	S. 2	AS	
Biedersteiner Straße	S. 5	HU	25
Blumenauer Straße	S. 2	AS	
Blumenstraße	S. 7	KZ	
Blutenburgstraße	S. 4	EU	
Bodenseestraße	S. 2	AS	
Bonner Platz	S. 5	GU	
Bonner Straße	S. 5	GU	26
Boschetsrieder Str.	S. 2	BT	
Brienner Straße	S. 6	KY	
Brudermühlstraße	S. 3	CT	29
Burgstraße	S. 7	LY	30
Candidstraße	S. 3	CT	31
Chiemgaustraße	S. 3	CT	
Clemensstraße	S. 5	GU	
Corneliusbrücke	S. 7	LZ	
Corneliusstraße	S. 7	LZ	
Dachauer Straße	S. 6	JY	
Daglfinger Straße	S. 3	DS	
Damenstiftstraße	S. 7	KZ	32
Denninger Straße	S. 5	HU	34
Dienerstraße	S. 7	LY	36
Dietlindenstraße	S. 5	HU	
Domagkstraße	S. 3	CR	
Dom-Pedro-Straße	S. 4	EU	
Dorfstraße	S. 2	AS	
Drygalski-Allee	S. 2	BT	
Eduard-Schmid-Str.	S. 7	LZ	
Effnerstraße	S. 3	DS	
Ehrengutstraße	S. 4	FX	
Einsteinstraße	S. 5	HV	
Eisenmannstraße	S. 7	KY	39
Elisabethstraße	S. 4	FU	
Elisenstraße	S. 7	KY	
Elsässer Straße	S. 5	HX	42
Emil-Riedel-Straße	S. 5	HV	45
Englschalkinger Str.	S. 3	DS	47
Erhardtstraße	S. 7	LZ	
Fasangartenstraße	S. 3	CT	
Feilitzschstraße	S. 5	HU	
Flurstraße	S. 5	HX	49
Föhringer Ring	S. 3	DR	
Frankfurter Ring	S. 3	CR	
Franziskanerstraße	S. 5	HX	
Franz-Joseph-Straße	S. 5	GU	
Frauenstraße	S. 7	LZ	
Fraunhoferstraße	S. 7	KZ	
Friedenstraße	S. 5	HX	
Friedrichstraße	S. 5	GU	52
Fürstenrieder Straße	S. 2	BST	
Gabelsbergerstraße	S. 7	KY	
Gärtnerplatz	S. 7	LZ	
Galeriestraße	S. 7	LY	
Galileiplatz	S. 5	HV	53
Ganghoferstraße	S. 4	EX	
Garmischer Straße	S. 2	BST	
Gebsattelstraße	S. 5	HX	55
Geiselgasteigstraße	S. 3	CT	
Georg-Brauchle-Ring	S. 3	CR	57
Georgenstraße	S. 5	GU	59
Giselastraße	S. 5	GU	60
Görresstraße	S. 4	FU	
Goetheplatz	S. 6	JZ	
Goethestraße	S. 6	JZ	
Gohrenstraße	S. 5	HU	61
Gotthardstraße	S. 2	BS	
Gräfstraße	S. 2	AS	
Grasserstraße	S. 4	EV	63
Grillparzerstraße	S. 5	HV	
Grünwalder Straße	S. 3	CT	
Hackerbrücke	S. 4	EV	65
Häberlstraße	S. 6	JZ	
Hanauer Straße	S. 2	BR	66
Hansastraße	S. 3	CS	68
Hans-Sachs-Straße	S. 7	KZ	
Harthauser Straße	S. 3	CT	
Haydnstraße	S. 6	JZ	
Heckenstallerstraße	S. 2	BT	70
Heidemannstraße	S. 3	CR	
Heimeranstraße	S. 4	EX	
Heinrich-Wieland-Str.	S. 3	DT	
Herkomerplatz	S. 5	HU	71
Herrnstraße	S. 7	LZ	
Herterichstraße	S. 2	BT	
Herzog-Heinrich-Str.	S. 6	JZ	
Herzogstraße	S. 5	GU	
Herzog-Wilhelm-Str.	S. 7	KYZ	
Hiltenspergerstraße	S. 5	GU	74
Hirtenstraße	S. 6	JY	
Hochstraße	S. 5	GHX	
Hofgartenstraße	S. 7	LY	
Hofgraben	S. 7	LY	75
Hohenzollernstraße	S. 5	GU	
Holzstraße	S. 7	KZ	
Hompeschstraße	S. 5	HV	76
Humboldtstraße	S. 5	GX	77
Ickstattstraße	S. 7	KZ	
Ifflandstraße	S. 5	HU	
Implerstraße	S. 4	EX	
Infanteriestraße	S. 4	FU	
Ingolstädter Straße	S. 3	CR	
Innere Wiener Straße	S. 5	HX	79
Innsbrucker Ring	S. 3	DS	
Isarring	S. 5	HU	
Ismaninger Straße	S. 5	HV	
Jahnstraße	S. 7	KZ	
Johanneskirchner Str.	S. 3	DS	80
Johann-Fichte-Str.	S. 5	HU	82
John-F.-Kennedy-Brücke	S. 5	HU	
Josephsplatz	S. 4	FU	83
Kaiser-Ludwigs-Platz	S. 6	JZ	
Kaiserstraße	S. 5	GU	86
Kapuzinerplatz	S. 6	JZ	
Kapuzinerstraße	S. 6	JZ	
Kardinal-Faulhaber-Straße	S. 7	KY	88
Karl-Scharnagl-Ring	S. 7	LY	

Fortsetzung siehe München S. 8

Brienner Straße	KY	
Dienerstraße	LY	36
Karlsplatz (Stachus)	KY	91
Kaufingerstraße	KY	
Marienplatz	KLY	
Maximilianstraße	LY	
Neuhauser Straße	KY	147
Residenzstraße	LY	177
Sendlinger Straße	KZ	

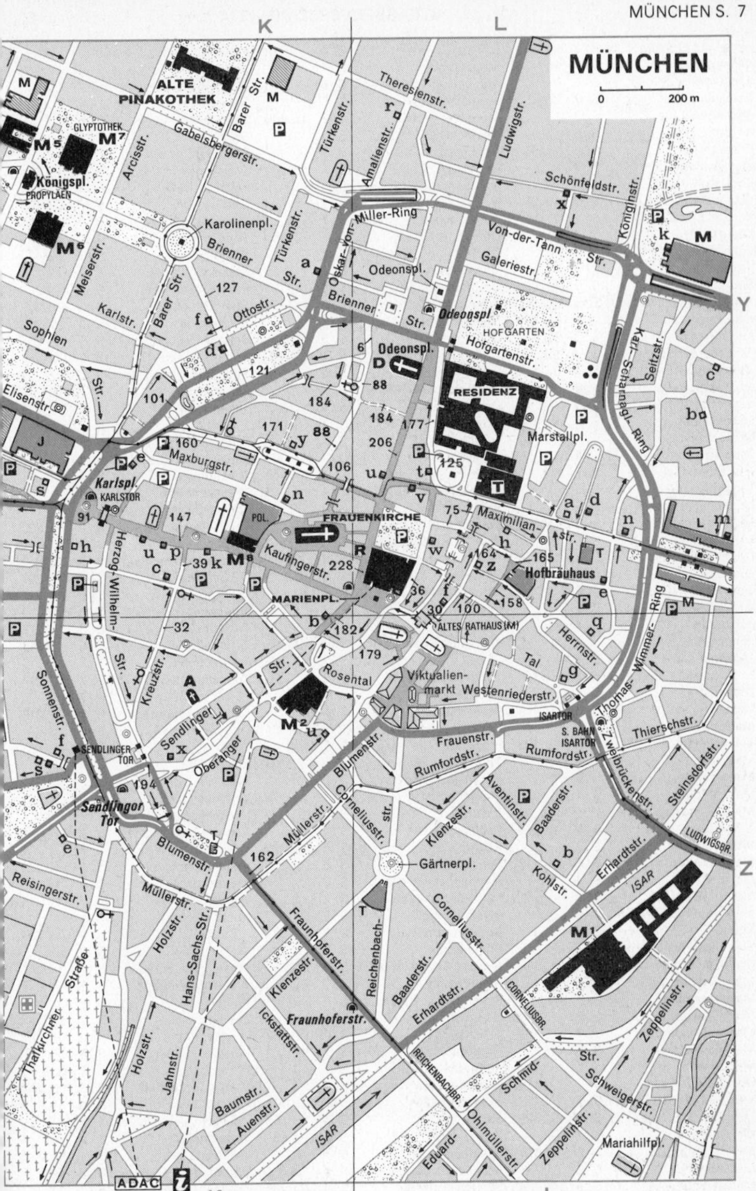

Sonnenstraße	KZ	
Theatinerstraße	LY	206
Weinstraße	KY	228
Amiraplatz	LY	6
Beethovenstraße	JZ	20
Burgstraße	LY	30
Damenstiftstraße	KZ	32
Eisenmannstraße	KY	39
Hofgraben	LY	75
Kardinal-Faulhaber-Straße	KY	88
Ledererstraße	LY	100
Lenbachplatz	KY	101
Maffeistraße	KY	106
Maximiliansplatz	KY	121
Max-Joseph-Platz	LY	125
Max-Joseph-Straße	KY	127
Orlandostraße	LY	158
Papa-Schmid-Straße	KZ	162
Pacellistraße	KY	160
Pfisterstraße	LY	164
Platzl	LY	165
Promenadeplatz	KY	171
Rindermarkt	LZ	179
Rosenstraße	KZ	182
Salvatorstraße	KY	184
Sendlinger-Tor-Platz	KZ	194

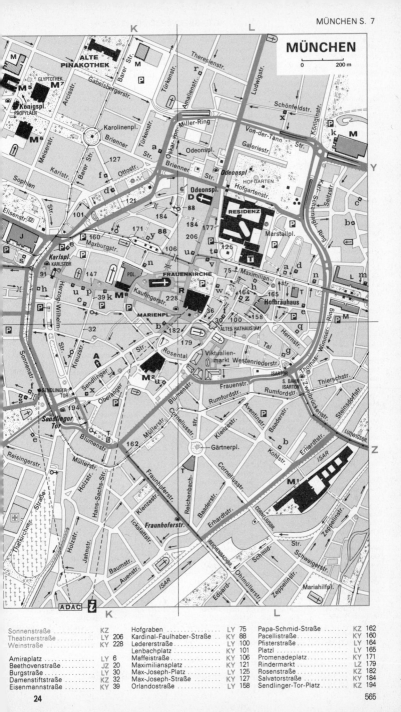

STRASSENVERZEICHNIS (Anfang siehe München S. 6)

Drei Löwen, Schillerstr. 8 (M 2), ✆ 55 10 40, Telex 523867, Fax 55104905 – |♯| TV P. AE O E VISA JY e
Karte 33/52 – **130 Z : 200 B** 134/155 - 188/218 Fb.

Trustee Parkhotel, Parkstr. 31 (Zufahrt Gollierstraße) (M 2), ✆ 51 99 50, Telex 5218296, Fax 51995420 – |♯| Zim TV. AE O E VISA EV r
24. Dez.- 2. Jan. geschl. – (nur Abendessen für Hausgäste) – **36 Z : 79 B** 183/238 - 240/315 Fb – 8 Appart. 300/385.

Krone garni, Theresienhöhe 8 (M 2), ✆ 50 40 52, Telex 5213870 – |♯| TV ☎. AE O E VISA
30 Z : 60 B 165/195 - 195/250 Fb. EV a

Exquisit garni, Pettenkoferstr. 3 (M 2), ✆ 5 51 99 00, Telex 529863, Fax 55199499 – |♯| TV ☎ P. AE O E VISA KZ s
49 Z : 100 B 160 - 220 Fb – 4 Appart. 280.

Platzl-Hotel, Platzl 1 (M 2), ✆ 23 70 30, Telex 522910, Fax 23703800, – |♯| TV ☎ ♿ P. AE E VISA LY z
(Restaurant in der Platzl-Bühne) – **167 Z : 310 B** 140/170 - 190/240 Fb.

Arabella-Central-Hotel garni, Schwanthalerstr. 111 (M 2), ✆ 51 08 30, Telex 5216031, Fax 51083249, – |♯| TV ☎. AE O E VISA EV s
103 Z : 210 B 165/190 - 210/245 Fb.

Erzgießerei - Europe, Erzgießereistr. 15 (M 2), ✆ 18 60 55, Telex 5214977, Fax 1236198 – |♯| TV ☎. AE O E VISA EU a
Karte 37/62 – **106 Z : 212 B** 150/200 - 180/240 Fb.

Mercure garni, Senefelder Str. 7 (M 2), ✆ 55 13 20, Telex 5218428 – |♯| TV ☎ ♿. AE O E VISA JY r
167 Z : 335 B 155/185 - 210/290 Fb.

Hungaria, Paul-Heyse-Str. 24 (M 2), ✆ 51 49 00, Telex 522395, Fax 51490701 – |♯| Zim TV ☎. AE O E VISA. Zim JY y
Karte 31/45 – **182 Z : 360 B** 160/206 - 190/218 Fb.

Budapest, Schwanthalerstr. 36 (M 2), ✆ 55 11 10, Telex 529213, Fax 55111992 – |♯| Rest TV ☎ P. AE O E VISA JY h
Karte 31/55 – **100 Z : 182 B** 160/202 - 190/240 Fb.

Germania, Schwanthalerstr. 28 (M 2), ✆ 5 16 80, Telex 523790, Fax 598491, – |♯| TV ☎. AE O E VISA JY a
Karte 27/65 *(überwiegend Steak-Gerichte)* – **100 Z : 150 B** 168/218 - 218/258 Fb.

Metropol, Bayerstr. 43, (Eingang Goethestr.) (M 2), ✆ 53 07 64, Telex 522816 – |♯| ☎. AE O E JY k
Karte 25/60 – **275 B : 371 B** 62/168 - 96/177.

Concorde garni, Herrnstr. 38 (M 22), ✆ 22 45 15, Telex 522002 – |♯| TV ☎. AE O E VISA
73 Z : 115 B 143/200 - 190/300 Fb. LZ q

Domus garni, St.-Anna-Str. 31 (M 22), ✆ 22 17 04, Telex 529835 – |♯| TV ☎. AE O E VISA
22.- 26. Dez. geschl. – **45 Z : 82 B** 150/180 - 200/250 Fb. LY b

Austrotel München, Arnulfstr. 2 (M 2), ✆ 5 38 60, Telex 522650, Fax 53862255, Restaurant in der 15. Etage mit ≤ München – |♯| TV ☎. AE O E VISA JY s
Karte 35/60 – **174 Z : 300 B** 185/195 - 270/360 Fb.

Intercity-Hotel, Bahnhofplatz 2 (M 2), ✆ 55 85 71, Telex 523174 – |♯| TV ☎. O E VISA
Karte 32/58 – **209 Z : 365 B** 139/149 - 189/203 Fb. JY u

Admiral garni, Kohlstr. 9 (M 5), ✆ 22 66 41, Telex 529111 – |♯| TV ☎. AE O E VISA
33 Z : 55 B 160/220 - 200/240 Fb. LZ b

Torbräu, Tal 37 (M 2), ✆ 22 50 16, Telex 522212 – |♯| TV ☎ P. AE E VISA LZ g
23. Dez.- 7. Jan. geschl. – Karte 26/62 – **92 Z : 152 B** 160/200 - 200/240 – 3 Appart. 280.

Atrium garni, Landwehrstr. 59 (M 2), ✆ 51 41 90, Telex 5212162, Fax 598491, – |♯| TV ☎. AE O E VISA JZ d
163 Z : 320 B 168/218 - 208/258 Fb.

Bristol garni, Pettenkoferstr. 2 (M 2), ✆ 59 51 51, Telex 524767 – |♯| TV ☎ KZ f
57 Z : 90 B Fb.

Apollo garni, Mittererstr. 7 (M 2), ✆ 53 95 31, Telex 5212981 – |♯| TV ☎. AE O E
23. Dez.- 7. Jan. geschl. – **74 Z : 150 B** 160 - 235 Fb. JY w

Europäischer Hof garni, Bayerstr. 31 (M 2), ✆ 55 15 10, Telex 522642, Fax 55151222 – |♯| TV ☎ P. AE O E VISA JY b
160 Z : 230 B 70/150 - 98/240 Fb.

Splendid garni, Maximilianstr. 54 (M 22), ✆ 29 66 06, Telex 522427 – |♯| TV ☎. AE E VISA
40 Z : 60 B 92/237 - 174/289 Fb – 4 Appart. 350. HV d

Ariston garni, Unsöldstr. 10 (M 22), ✆ 22 26 91, Telex 522437 – |♯| TV ☎ P. AE O E VISA LY c
23.- 31. Dez. geschl. – **61 Z : 112 B** 115/152 - 130/195 Fb.

An der Oper garni (Restaurant Bouillabaisse im Hause), Falkenturmstr. 10 (M 2), ✆ 22 87 11, Telex 522588 – |♯| ☎. AE O E LY h
55 Z : 100 B 110/125 - 170/190.

Königswache - Restaurant Seoul, Steinheilstr. 7 (M 2), ✆ 52 20 01, Telex 529161 – |♯| TV ☎. Rest – **48 Z : 76 B** Fb. FU h

Reinbold garni, Adolf-Kolping-Str. 11 (M 2), 59 79 45, Telex 522539 – AE E VISA JY **t**
56 Z : 84 B 84/182 - 144/192.

Kraft garni, Schillerstr. 49 (M 2), 59 48 23, Telex 5213466 – AE E VISA JZ **y**
39 Z : 60 B 95/160 - 130/180.

Ambassador - Restaurant Alfredo, Mozartstr. 4 (M 2), 53 08 40 (Hotel) 53 17 97 (Rest.), Telex 522445, – AE E VISA JZ **a**
Karte 28/46 *(Samstag geschl.)* – **62 Z : 100 B** 100/160 - 190/250 Fb.

Brack garni, Lindwurmstr. 153 (M 2), 77 10 52, Telex 524416, Fax 7250615 – AE E VISA EX **a**
50 Z : 80 B 110/140 - 150/160 Fb.

Mark garni, Senefelderstr. 12 (M 2), 59 28 01, Telex 522721 – AE E VISA JY **v**
91 Z : 140 B 110/118 - 150/170.

Adria garni, Liebigstr. 8 a (M 22), 29 30 81 – AE E VISA HV **a**
23. Dez.- 7. Jan. geschl. – **47 Z : 71 B** 80/165 - 125/180.

Andi garni, Landwehrstr. 33 (M 2), 59 60 67 – AE E VISA JZ **u**
24. Dez.- 6. Jan. geschl. – **30 Z : 69 B** 95/160 - 115/220 Fb.

Müller garni, Fliegenstr. 4 (M 2), 26 60 63 – E VISA KZ **e**
23.- 31. Dez. geschl. – **44 Z : 70 B** 85/125 - 120/160.

Bosch garni, Amalienstr. 25 (M 2), 28 10 61, Telex 5214939 – AE E VISA LY **r**
22. Dez.- 10. Jan. geschl. – **75 Z : 120 B** 110/170 - 145/200 Fb.

Luitpold garni, Schützenstr. 14 (Eingang Luitpoldstr.) (M 2), 59 44 61 – AE VISA JY **x**
48 Z : 76 B 98/130 - 140/180.

Alfa garni, Hirtenstr. 22 (M 2), 59 84 61, Telex 5212461 – AE E VISA JY **n**
80 Z : 130 B 65/195 - 125/210.

Herzog garni, Häberlstr. 9 (M 2), 53 04 95, Telex 5214864 – JZ **e**
69 Z : 160 B Fb.

Uhland garni, Uhlandstr. 1 (M 2), 53 92 77, Telex 528368 – AE E VISA EX **u**
8.- 22. Jan. geschl. – **25 Z : 50 B** 85/130 - 120/180.

Meier garni, Schützenstr. 12 (M 2), 59 56 23, Telex 529126 – AE E VISA JY **x**
59 Z : 120 B 118/166 - 185/240 Fb.

Amba garni, Arnulfstr. 20 (M 2), 59 29 21, Telex 523389 – JY **d**
86 Z : 150 B.

Altano garni, Arnulfstr. 12 (M 2), 55 18 80, Telex 529975, Fax 598491 – AE E VISA JY **m**
Jan.- Mitte Feb. geschl. – **136 Z : 202 B** 138/188 - 178/228.

Stachus garni, Bayerstr. 7 (M 2), 59 28 81, Telex 523696 – AE E VISA JY **g**
65 Z : 110 B 65/140 - 95/180.

Daniel garni, Sonnenstr. 5 (M 2), 55 49 45, Telex 523863 – AE E VISA KY **h**
76 Z : 120 B 97/146 - 145/190 Fb.

Blauer Bock garni, Sebastiansplatz 9 (M 2), 2 60 80 43 – KZ **u**
76 Z : 120 B 50/95 - 80/135.

XXXX ✿✿✿ **Aubergine**, Maximiliansplatz 5 (M 2), 59 81 71 – E KY **d**
Aug. 2 Wochen, 23. Dez.- 6. Jan., Sonntag, Montag und Feiertage geschl. – Karte 84/124 (Tischbestellung erforderlich)
Spez. Briesparfait mit Gänseleber, Bretonischer Hummer in Rotweinsauce, Grießauflauf mit Orangenfilets.

XXX ✿ **Le Gourmet**, Ligsalzstr. 46 (M 2), 50 35 97, « Kleines elegantes Restaurant » – AE E VISA EX **t**
nur Abendessen, 1.- 10. Jan. und Sonntag geschl. – Karte 79/110 (Tischbestellung erforderlich)
Spez. Falsche Prinzregententorte mit Trüffelsauce, Weißwurst von Meeres-Früchten, Taube auf schwarzen Linsen in Specksauce.

XXX ✿ **Sabitzer**, Reitmorstr. 21 (M 22), 29 85 84 – AE E HV **r**
Samstag und Sonntag nur Abendessen, Juli - Aug. Samstag und Sonntag geschl. – Karte 81/109 (Tischbestellung ratsam)
Spez. Wildlachs auf Gänsestopflebercrème, Lamm- und Wildgerichte, Topfenmousse auf Himbeermark.

XXX **Weinhaus Schwarzwälder** (altes Münchener Weinrestaurant), Hartmannstr. 8 (M 2), 22 72 16 – AE E VISA KY **n**
Karte 42/79.

XXX Villa Borghese (Italienische Küche), Thierschstr. 35 (M 2), 2 28 54 61, HV **d**

XXX El Toula, Sparkassenstr. 5 (M 2), 29 28 69 LY **f**
(abends Tischbestellung ratsam).

XX ✿ **Boettner** (kleines Alt-Münchener Restaurant), Theatinerstr. 8 (M 2), 22 12 10 – AE E VISA LY **u**
Samstag ab 15 Uhr sowie Sonn- und Feiertage geschl. – Karte 71/112 (Tischbestellung ratsam)
Spez. Hechtsoufflé mit Sauce Nantua, Hummereintopf "Hartung", Rote Grütze.

XX **Weinhaus Neuner** (Weinhaus a.d.J. 1852), Herzogspitalstr. 8 (M 2), 2 60 39 54 – AE E VISA KY **c**
Montag bis 18 Uhr sowie Sonn- und Feiertage geschl. – Karte 43/68.

XX **Gasthaus Glockenbach** (ehemalige altbayerische Bierstube), Kapuzinerstr. 29 (M 2), ☎ 53 40 43 – E JZ **s**
23. Dez.- 2. Jan., 1.- 15. Juli, Sonntag, Montag und Feiertage geschl. – Karte 51/82 (Tischbestellung erforderlich).

XX **Zum Bürgerhaus**, Pettenkoferstr. 1 (M 2), ☎ 59 79 09, « Bäuerliche Einrichtung, Innenhofterrasse » – VISA KZ **s**
Samstag bis 18 Uhr sowie Sonn- und Feiertage geschl. – Karte 46/72 (Tischbestellung erforderlich).

XX **Halali**, Schönfeldstr. 22 (M 22), ☎ 28 59 09 LY **x**
Samstag bis 18 Uhr, Sonn- und Feiertage sowie Mai 2 Wochen geschl. – Karte 42/67 (Tischbestellung ratsam).

XX **La Belle Epoque**, Maximilianstr. 29 (M 22), ☎ 29 33 11, – AE E LY **n**
Samstag bis 18 Uhr, Montag und Aug. 3 Wochen geschl. – Karte 50/69 (abends Tischbestellung ratsam).

XX **Chesa Rüegg**, Wurzerstr. 18 (M 22), ☎ 29 71 14, « Rustikale Einrichtung » – . AE E VISA LY **d**
Samstag, Sonn- und Feiertage geschl. – Karte 39/72 (Tischbestellung ratsam).

XX **Austernkeller**, Stollbergstr. 11 (M 22), ☎ 29 87 87 – AE E VISA LY **e**
nur Abendessen, Montag geschl. – Karte 39/70 (Tischbestellung erforderlich).

XX **La Piazzetta**, Oskar-v.-Miller-Ring 3 (M 2), ☎ 28 29 90, , Biergarten – AE E KY **a**
Samstag bis 18.30 Uhr geschl. – Karte 46/71 (Tischbestellung ratsam) – **Rosticceria** Karte 30/50.

XX Mövenpick im Künstlerhaus, Lenbachplatz 8 (M 2), ☎ 55 78 65, – (mit) KY **e**

XX **Csarda Piroschka** (Ungarisches Restaurant mit Zigeunermusik), Prinzregentenstr. 1 (Haus der Kunst) (M 22), ☎ 29 54 25 – P. AE E VISA LY **k**
ab 18 Uhr geöffnet, Sonntag geschl. – Karte 35/65 (Tischbestellung ratsam).

XX **Dallmayr**, Dienerstr. 14 (1. Etage) (M 2), ☎ 2 13 51 00, Fax 2135167 – AE E LY **w**
Samstag 15 Uhr - Sonntag geschl., Aug. nur Mittagessen – Karte 39/74.

X **Zum Klösterl**, St.-Anna-Str. 2 (M 22), ☎ 22 50 86 LY **m**
nur Abendessen, Samstag geschl. – Karte 27/58 (Tischbestellung erforderlich).

X **Goldene Stadt** (Böhmische Spezialitäten), Oberanger 44 (M 2), ☎ 26 43 82 – AE E VISA KZ **x**
Sonntag geschl. – Karte 24/57 (abends Tischbestellung ratsam).

X **Ratskeller**, Marienplatz 8 (M 2), ☎ 22 03 13 – AE E VISA LY **R**
Karte 26/50.

Brauerei-Gaststätten :

X **Spatenhaus-Bräustuben**, Residenzstr. 12 (M 2), ☎ 22 78 41, , « Einrichtung im alpenländischen Stil » – AE E VISA LY **t**
Karte 29/69.

X **Augustiner Gaststätten**, Neuhauser Str. 16 (M 2), ☎ 5 51 99 01, « Biergarten » – AE E VISA KY **p**
Karte 22/56.

X **Zum Pschorrbräu** (mit Weinkeller St. Michael), Neuhauser Str. 11 (M 2), ☎ 2 60 30 01, – AE E VISA KY **k**
Karte 24/46.

X **Zum Spöckmeier**, Rosenstr. 9 (M 2), ☎ 26 80 88, – AE E VISA KYZ **b**
Juli - Aug. Sonntag geschl. – Karte 24/53.

X **Franziskaner Fuchs'n Stuben**, Perusastr. 5 (M 2), ☎ 23 18 12 10, – AE LY **v**
Karte 24/51.

X **Spatenhofkeller**, Neuhauser Str. 26 (M 2), ☎ 26 40 10, – AE E KY **u**
Karte 18/37.

X **Löwenbräukeller**, Nymphenburger Str. 2 (M 2), ☎ 52 60 21, Biergarten JY **c**
Karte 24/40.

X Hackerkeller und Schäfflerstuben, Theresienhöhe 4 (M 2), ☎ 50 70 04, Biergarten EV **e**

X Pschorrkeller, Theresienhöhe 7 (M 2), ☎ 50 10 88, Biergarten – EV **n**

In München 90-Au :

Aurbacher garni, Aurbacher Str. 5, ☎ 4 80 90 90, Telex 528439 – . AE E HX **e**
Weihnachten - Anfang Jan. geschl. – **60 Z : 65 B** 135/170 - 170/220 Fb.

In München 60-Aubing :

Pollinger, Aubingerstr. 162, ☎ 8 71 40 44, , – . AE E VISA
Karte 38/55 *(nur Abendessen, Freitag geschl.)* – **50 Z : 72 B** 95/140 - 140/180 Fb. AS **a**

Grünwald garni, Altostr. 38, ☎ 87 52 26 – P. AS **s**
22. Dez.- 9. Jan. und 4.- 21. Aug. geschl. – **37 Z : 60 B** 55/75 - 98/115 Fb.

In München 80-Berg am Laim :

Eisenreich garni, Baumkirchner Str. 17, ☎ 43 40 21 – . AE E VISA. DS **a**
23. Dez.- 8. Jan. geschl. – **36 Z : 48 B** 75/79 - 116.

In München-Bogenhausen :

Sheraton, Arabellastr. 6 (M 81), ✆ 9 26 40, Telex 522391, Fax 916877, ≤ München, Biergarten, Massage, ≘s, ▢, – ▯ ▤ TV ♿ ⇔ ⅄. AE ⦿ E VISA. Rest — DS e
Restaurants : – **Atrium** Karte 45/73 – **Alt Bayern Stube** *(nur Abendessen)* Karte 37/66 – **650 Z : 1 300 B** 241/351 - 302/412 Fb – 16 Appart.

Palace, Trogerstr. 21 (M 80), ✆ 4 70 50 91, Telex 528256, Fax 4705090, « Elegante Einrichtung mit Stilmöbeln », ≘s – ▯ TV ⇔ ⅄. AE ⦿ E VISA — HV t
Karte 46/67 – **73 Z : 110 B** 195/375 - 295/495 Fb – 6 Appart. 395/750.

Arabella-Hotel, Arabellastr. 5 (M 81), ✆ 9 23 21, Telex 529987, Fax 92324449, ≤ München, Massage, ≘s, ▢ – ▯ ▤ Rest TV ♿ ⇔ ⅄ (mit ▤). AE ⦿ E VISA — DS e
Karte 35/69 *(Aug. sowie Sonn- und Feiertage geschl.)* – **478 Z : 780 B** 210/270 - 260/320 Fb – 25 Appart. 400/1400.

Prinzregent garni, Ismaninger Str. 42 (M 80), ✆ 4 70 20 81, Telex 524403, Fax 4702392, ≘s – ▯ TV ⇔. AE ⦿ E VISA — HV t
Weihnachten - 6. Jan. geschl. – **68 Z : 100 B** 180/260 - 240/340 Fb.

Crest-Hotel, Effnerstr. 99 (M 81), ✆ 98 25 41, Telex 524757, Fax 983813 – ▯ ⇸ Zim ▤ TV ☎ P ⅄. AE ⦿ E VISA — DS x
Karte 39/70 – **155 Z : 285 B** 188/251 - 253/270 Fb.

da Pippo (Italienische Küche), Mühlbaurstr. 36 (M 80), ✆ 4 70 48 48, ☂ – ⦿ E. — DS b
Samstag - Sonntag 18 Uhr und Aug. 3 Wochen geschl. – Karte 46/75.

Käfer Schänke, Schumannstr. 1 (M 80), ✆ 47 63 00, ☂, « Mehrere Stuben mit rustikaler und Stil-Einrichtung » – AE ⦿ E. — HV s
Sonn- und Feiertage geschl. – Karte 58/93 (Tischbestellung erforderlich).

Bogenhauser Hof (ehemaliges Jagdhaus a.d.J. 1825), Ismaninger Str. 85 (M 80), ✆ 98 55 86, « Gartenterrasse » — HV c
24. Dez.- 7. Jan. sowie Sonn- und Feiertage geschl. – Karte 43/87 (Tischbestellung erforderlich).

Prielhof, Oberföhringer Str. 44 (M 81), ✆ 98 53 53, ☂ — DS c
Sonn- und Feiertage sowie Mai 2 Wochen geschl. – Karte 44/65 (Tischbestellung ratsam).

Tai Tung (China-Restaurant), Prinzregentenstr. 60 (Villa Stuck) (M 80), ✆ 47 11 00 – AE ⦿ E VISA — HV e
Montag geschl. – Karte 31/55.

Mifune (Japanisches Restaurant), Ismaninger Str. 136 (M 80), ✆ 98 75 72 – AE ⦿ E. — HV v
1.- 7. Juli und Sonntag geschl. – Karte 28/67.

Zum Klösterl, Schneckenburger Str. 31 (M 80), ✆ 47 61 98 – E — HV y
Samstag geschl. – Karte 29/60.

In München 81-Denning :

Casale (Italienische Küche), Ostpreußenstr. 42, ✆ 93 62 68, ☂ – ⦿ E — DS n
Dienstag geschl. – Karte 36/58.

In München 81-Englschalking :

Kent garni, Englschalkinger Str. 245, ✆ 93 50 73, Telex 5216716, ≘s – ▯ TV ☎ ⇔ ⅄. AE ⦿ E VISA — DS f
49 Z : 90 B 115/175 - 195/220 Fb.

In München 80-Haidhausen :

Preysing, Preysingstr. 1, ✆ 48 10 11, Telex 529044, ≘s, ▢ – ▯ ▤ TV ⇔ — HX w
Karte : siehe Restaurant Preysing-Keller – **76 Z : 92 B** 148/237 - 270 – 5 Appart. 336/495.

München Penta Hotel, Hochstr. 3, ✆ 4 48 55 55, Telex 529046, Fax 4488277, Massage, ≘s, ▢ – ▯ ▤ TV P ⅄. AE ⦿ E VISA — HX t
Karte 39/74 – **583 Z : 1130 B** 240/275 - 305/330 Fb – 12 Appart. 440/540.

Habis, Maria-Theresia-Str. 2a, ✆ 4 70 50 71 – TV ☎. AE E — HV f
Karte 34/56 *(nur Abendessen)* – **25 Z : 44 B** 110 - 140 Fb.

Stadt Rosenheim garni, Orleansplatz 6a, ✆ 4 48 24 24 – ▯ ☎. AE ⦿ E VISA — HX h
58 Z : 98 B 59/109 - 98/174.

✲ **Preysing-Keller**, Innere-Wiener-Str. 6, ✆ 48 10 15, « Gewölbe mit rustikaler Einrichtung » – ▤ — HX w
nur Abendessen, 23. Dez.- 6. Jan. sowie Sonn- und Feiertage geschl. – Karte 53/76 *(bemerkenswerte Weinkarte)* (Tischbestellung ratsam)
Spez. Waldpilzsülze mit Gänseleber, Crepinette vom Rehrücken in Wachholdersauce, Mohn-Mousse mit eingelegten Kirschen.

Balance, Grillparzerstr. 1, ✆ 4 70 54 72, ☂ – AE ⦿ E — HX c
Sonn- und Feiertage geschl. – Karte 42/63.

Rue Des Halles (Restaurant im Bistro-Stil), Steinstr. 18, ✆ 48 56 75 – E — HX a
nur Abendessen – Karte 43/63 (Tischbestellung ratsam).

In München 90-Harlaching :

Gutshof Menterschwaige, Menterschwaigstr. 4, ✆ 64 07 32, ☂, Biergarten – P — CT c

In München 45-Harthof :

Zur Gärtnerei, Schleißheimer Str. 456, ✆ 3 13 13 73 — CR a
Mittwoch geschl. – Karte **31**/53.

In München 21-Laim :

Transmar-Park-Hotel, Zschokkestr. 55, ✆ 57 93 60, Telex 5218609, Fax 57936100 – TV. AE E VISA BS **c**
Karte 30/50 *(nur Abendessen)* – **71 Z : 125 B** 150/190 - 180/260 Fb.

Petri garni, Aindorferstr. 82, ✆ 58 10 99, – TV BS **r**
45 Z : 70 B 99/143 - 130/170 Fb.

In München 60-Langwied :

Das kleine Restaurant im Gasthof Böswirth mit Zim, Waidachanger 9, ✆ 8 11 97 63 – . AE E AR **s**
Mai 1 Woche und Dez.- Jan. 4 Wochen geschl. – Karte 57/87 *(nur Abendessen, Sonntag - Montag geschl.)* – **12 Z : 19 B** 60/75 - 98
Spez. Terrine vom Saibling, Gepökelte Spanferkelkeule in Majoran, Topfenmousse mit Beeren.

In München 50-Moosach :

Mayerhof garni, Dachauer Str. 421, ✆ 1 41 30 41, Telex 524675 – TV. AE E VISA BR **b**
71 Z : 150 B 89/139 - 114/169 Fb.

In München 83-Neu Perlach :

Orbis Hotel, Karl-Marx-Ring 87, ✆ 6 32 70, Telex 5213357, Fax 6327407, Biergarten, – Rest TV (mit). AE E VISA über Ständlerstr. DT
Restaurants : – **Perlacher Bürgerstuben** Karte 35/65 – **Hubertuskeller** *(nur Abendessen)* Karte 27/43 – **Sakura** *(nur Abendessen, Montag geschl.)* Karte 30/54 – **185 Z : 328 B** 145/180 - 175/215 Fb – 4 Appart. 315.

In München 19-Nymphenburg :

Kriemhild garni, Guntherstr. 16, ✆ 17 00 77 – . E VISA BS **y**
18 Z : 32 B 58/118 - 90/148 Fb.

Schloßwirtschaft zur Schwaige, Schloß Nymphenburg Eingang 30, ✆ 17 44 21, Biergarten – . E BS **n**
Karte 25/54.

In München 81-Oberföhring :

Wirtshaus im Grün Tal, Grüntal 15, ✆ 98 09 84, , Biergarten – DS **r**

In München 60-Obermenzing :

Blutenburg garni, Verdistr. 130, ✆ 8 11 20 35, Fax 8111925 – TV AS **r**
19 Z : 38 B 85/120 - 130/160 Fb.

Verdi garni, Verdistr. 123, ✆ 8 11 14 84 – . AS **g**
20. Dez.- 11. Jan. und 14.- 31. Juli geschl. – **15 Z : 20 B** 48/73 - 77/102.

Weichandhof, Betzenweg 81, ✆ 8 11 16 21, « Hübscher bayr. Landgasthof, Gartenterrasse » – . E AS **v**
Aug. und Samstag geschl. – Karte 28/65 (Tischbestellung ratsam).

La Bambola, Verdistr. 92, ✆ 8 11 27 16 AS **e**
nur Abendessen – Karte 32/56.

In München 60-Pasing :

Stadt Pasing garni, Blumenauer Str. 151, ✆ 8 34 40 66 – TV . E AS **n**
21. Dez.- 10. Jan. geschl. – **18 Z : 35 B** 82/122 - 112/152 Fb.

Petra garni, Marschnerstr. 73, ✆ 83 20 41, – . AS **z**
22. Dez.- 10. Jan. geschl. – **18 Z : 26 B** 66/80 - 95/105.

In München 40-Schwabing :

Ramada Parkhotel, Theodor-Dombart-Str. 4 (Ecke Berliner Straße), ✆ 36 09 90, Telex 5218720, Fax 36099684, , – Zim Rest TV . AE E VISA CR **e**
Restaurants : – **Bibliothek** Karte 45/66 – **Parkrestaurant** Karte 37/52 – **Brasserie** Karte 24/46 – **260 Z : 520 B** 212/282 - 274/344 Fb – 70 Appart. 384/534.

Holiday Inn, Leopoldstr. 194, ✆ 34 09 71, Telex 5215439, Fax 3617119, Massage, , – Zim TV . AE E VISA CR **t**
Karte 31/71 – **363 Z : 726 B** 212/282 - 328/364 Fb – 4 Appart. 594/1044.

Residence, Artur-Kutscher-Platz 4, ✆ 38 17 80, Telex 529788, Fax 38178951, , – TV . AE E VISA HU **q**
Karte 44/68 – **150 Z : 300 B** 178/250 - 248/320.

König Ludwig garni, Hohenzollernstr. 3, ✆ 33 59 95, Telex 5216607 – TV . AE E VISA GU **g**
46 Z : 87 B 155/185 - 185/250 Fb.

Arabella - Olympiapark-Hotel, Helene-Mayer-Ring 12, ✆ 3 51 60 71, Telex 5215231, Fax 3543730, , freier Zugang zum in den Thermen – TV . AE E VISA. Rest CR **p**
24. Dez.- 5. Jan. geschl. – Karte 27/52 – **105 Z : 200 B** 155/195 - 195/215 Fb.

Weinfurtners Garden-Hotel garni, Leopoldstr. 132, ✆ 36 80 04, Telex 5214315 – TV GU **e**
180 Z : 340 B Fb.

Consul garni, Viktoriastr. 10, ☎ 33 40 35 – 27 Z : 47 B 70/110 - 100/160 Fb. GU k

Leopold, Leopoldstr. 119, ☎ 36 70 61, Telex 5215160 – Karte 22/56 *(Samstag geschl.)* – 78 Z : 116 B 105/135 - 145/175 Fb. GU f

Ibis-Hotel, Ungerer Str. 139, ☎ 36 08 30, Telex 5215080 – Karte 24/48 – 138 Z : 203 B 126 - 167 Fb. CR b

International garni, Hohenzollernstr. 5, ☎ 33 30 43 – 70 Z : 149 B. GU g

Biederstein garni, Keferstr. 18, ☎ 39 50 72, – 31 Z : 39 B 102/130 - 125/150. HU m

Gästehaus Englischer Garten garni, Liebergesellstr. 8, ☎ 39 20 34, – 14 Z : 22 B 85/116 - 112/152. HU r

Lettl garni, Amalienstr. 53, ☎ 28 30 26 – *23. Dez.- 6. Jan. geschl.* – 27 Z : 55 B 84/135 - 130/165 Fb. GU s

XXXX ✲✲✲ Tantris (moderner Restaurantbau), Johann-Fichte-Str. 7, ☎ 36 20 61, – HU b
1.- 19. Jan., 14.- 29. Mai sowie Sonn- und Feiertage geschl., Montag und Samstag nur Abendessen – Karte 90/145 (Tischbestellung ratsam)
Spez. Hummermedaillons in Château Chalon, Lachsschnitte mit Kaviar, Rehrücken im Salzteig.

XXX ✲ La mer, Schraudolphstr. 24, ☎ 2 72 24 39, « Bemerkenswerte Dekoration » – *nur Abendessen, Ende Juli - Ende Aug. und Montag geschl.* – Karte 71/95 (Tischbestellung ratsam). GU r

XXX Savarin, Schellingstr. 122, ☎ 52 53 11 – *Sonntag geschl.* – Karte 50/74. FU t

XX Romagna Antica (Italienische Küche), Elisabethstr. 52, ☎ 2 71 63 55, – *Sonn- und Feiertage sowie 15. Aug.- 3. Sept. geschl.* – Karte 45/62 (Tischbestellung ratsam). FU a

XX Seehaus, Kleinhesselohe 3, ☎ 39 70 72, ≤, « Terrasse am See » – Karte 29/65. HU t

XX Walliser Stuben, Leopoldstr. 33, ☎ 34 80 00, Biergarten *nur Abendessen.* GU g

XX Daitokai (Japanisches Restaurant), Nordendstr. 64 (Eingang Kurfürstenstr.), ☎ 2 71 14 21 – *Sonntag geschl.* – Karte 44/76 (Tischbestellung ratsam). GU d

XX Bistro Terrine, Amalienstr. 89 (Amalien-Passage), ☎ 28 17 80, – *Sonn- und Feiertage, 1.- 8. Jan. sowie Juli - Aug. 3 Wochen geschl., Montag und Samstag nur Abendessen* – Karte 41/71 (Tischbestellung ratsam). GU q

XX Restaurant 33, Feilitzschstr. 33, ☎ 34 25 28, – *nur Abendessen* – Karte 36/62 (Tischbestellung ratsam). HU a

XX Savoy (Italienische Küche), Tengstr. 20, ☎ 2 71 14 45 – *Sonntag geschl.* – Karte 37/55. GU s

X Ristorante Bei Grazia (Italienische Küche), Ungererstr. 161, ☎ 36 69 31 – *Freitag 15 Uhr - Samstag geschl.* – Karte 29/51 (Tischbestellung ratsam). CR r

In München 70-Sendling :

Holiday Inn München-Süd, Kistlerhofstr. 142, ☎ 78 00 20, Telex 5218645, Fax 78002672, Biergarten, – Zim Rest Karte 33/63 – 320 Z : 600 B 174/229 - 238/308 Fb – 8 Appart. 369/569. BT x

Avella garni, Steinerstr. 20, ☎ 7 23 70 91, Telex 5218116 – *23. Dez.- 6. Jan. geschl.* – 34 Z : 53 B 95/110 - 160/170 Fb. CT e

Parkhotel Neuhofen, Plinganserstr. 102, ☎ 7 23 10 86, Biergarten – 30 Z : 60 B Fb. CT v

Galleria garni, Plinganserstr. 142, ☎ 7 23 30 01, Telex 5213122 – 19 Z : 35 B 95/150 - 120/180. CT a

In München 71-Solln :

Hotel und Gasthof Sollner Hof, Herterichstr. 63, ☎ 79 20 90, Telex 5218264, Biergarten – *23. Dez.- 5. Jan. geschl.* – Karte 20/42 *(Dienstag, Samstag und 2.- 23. Aug. geschl.)* – 46 Z : 78 B 65/110 - 110/144 Fb. BT s

Zum Süden garni, Wolfratshauser Str. 211, ☎ 79 71 96 – 24 Z : 40 B. BT y

Villa Solln garni, Wilh.-Leibl-Str. 16, ☎ 79 20 91, – *24. Dez.- 4. Jan. geschl.* – 24 Z : 35 B 85/95 - 120/130 Fb. BT n

XX Al Pino (Italienische Küche), Franz-Hals-Str. 3, ☎ 79 98 85, – *Samstag bis 18 Uhr geschl.* – Karte 44/64. BT a

In München 82-Trudering über die B 304 DS :

Am Moosfeld, Am Moosfeld 35, 42 91 90, – AE E VISA. Rest
22. Dez.- 1. Jan. geschl. – Karte 29/53 *(nur Abendessen, Freitag - Samstag geschl.)* – **75 Z : 140 B** 108/118 - 144/160 Fb.

Am Schatzbogen garni, Truderinger Str. 198, 42 92 79 – AE E VISA
24. Dez.- 2. Jan. geschl. – **20 Z : 34 B** 105/150 - 130/190 Fb. DS **z**

Obermaier garni, Truderinger Str. 304b, 42 90 21 – AE E VISA DS **u**
30 Z : 50 B 75/120 - 105/170 Fb.

Passatore (Italienische Küche), Wasserburger Landstr. 212 (B 304), 4 30 30 00, – AE E VISA
Karte 46/70 (abends Tischbestellung ratsam).

In München 50-Untermenzing :

Romantik-Hotel Insel Mühle, Von-Kahr-Str. 87, 8 10 10, Telex 5218292, Biergarten, « Restaurierte Mühle a.d. 16. Jh. » – AE E VISA AR **a**
Karte 47/71 *(Sonn- und Feiertage geschl.)* – **37 Z : 80 B** 130/190 - 220/300.

In München 70-Untersendling :

Carmen, Hansastr. 146 (Einfahrt Haus Nr. 148), 7 60 10 99 (Hotel) 7 60 48 52 (Rest.), Telex 5213121 – CT **d**
63 Z : 108 B Fb.

In Neuried 8027 :

Neurieder Hof, Münchner Str. 2, (089) 7 55 82 72 – AE E VISA AT **b**
Montag 15 Uhr - Dienstag geschl. – Karte 29/60 (abends Tischbestellung ratsam).

In Unterföhring 8043 – 089 (München) :

Quality Inn, Feringastr. 4, 95 71 60, Telex 5218885, Fax 95716111, Massage, – AE E VISA DR **t**
Karte 30/58 – **104 Z : 220 B** 135/175 - 175/340 Fb.

Lechnerhof garni, Eichenweg 4, 9 50 61 41, Telex 529724 – AE E VISA DR **e**
40 Z : 75 B 105/125 - 155/165 Fb.

Tele-Hotel, Bahnhofstr. 15, 95 01 46, – AE E VISA DR **r**
Karte 19,50/51 *(Samstag geschl.)* – **59 Z : 120 B** 85/102 - 120/150 Fb.

Zum Gockl (Bayer. Landgasthof mit Gästehaus), Münchner Str. 73, 95 02 95, Telex 5214799, Biergarten – DR **a**
75 Z : 130 B Fb.

In Feldkirchen 8016 ③ : 10 km :

Bauer, Münchner Str. 6, (089) 9 09 80, Telex 529637, – AE E VISA
Karte 28/56 – **103 Z : 160 B** 105/125 - 145/180 Fb.

In Unterhaching 8025 S : 10 km über Tegernseer Landstr. CT – 089 (München) :

Huber - Restaurant Huber Klausn, Kirchfeldstr. 8, 61 90 51 (Hotel) 6 11 16 18 (Rest.), – AE E VISA.
23. Dez.- 10. Jan. geschl. – Karte 24/51 *(29. Juli - 16. Aug. sowie Sonn- und Feiertage geschl., Samstag nur Abendessen)* – **65 Z : 93 B** 108 - 150 Fb.

Kölbl - Restaurant Pfeffermühle, Münchner Str. 107, 6 11 43 65 (Hotel) 6 11 19 71 (Rest.) – Zim
Karte 41/64 *(Sonntag und 1.- 14. Aug. geschl.)* – **17 Z : 27 B** 80/110 - 140 Fb.

Arlecchino, Südstr. 8, 6 11 16 21, – AE E VISA
Karte 36/57.

Schrenkhof, Leonhardsweg 2, (089) 6 11 62 36, – AE E
Karte 33/58.

In Haar 8013 SO : 12 km über ③ – 089 (München) :

Motel Heberger garni, Jagdfeldring 95, 46 45 74, ständige Bilder-Galerie – AE E VISA
24 Z : 35 B 98/125 - 145/155 Fb.

Wiesbacher, Waldluststr. 25, 46 40 40, Zugang zum öffentlichen – AE E VISA
Karte 25/48 – **32 Z : 52 B** 100/120 - 145/165 Fb.

Kreitmair (bayerischer Landgasthof), Keferloh 2 (S : 1 km), 8011 Keferloh, 46 92 48, Biergarten – E
4.- 22. Jan. und Montag geschl. – Karte 32/62 (Tischbestellung ratsam).

In Neubiberg 8014 SO : 12 km über Neubiberger Str. DT :

Rheingoldhof garni, Rheingoldstr. 4, (089) 6 01 30 77 –
23. Dez.- 15. Jan. und 20. Aug.- 11. Sept. geschl. – **20 Z : 35 B** 55 - 86.

In Ottobrunn 8012 SO : 12 km über Neubiberger Str. DT – ☎ 089 (München) :

Aigner garni, Rosenheimer Landstr. 118, ☎ 60 81 70, Telex 528210 – [AE] [D] [E] [VISA]
70 Z : 110 B 130/180 - 180/240 Fb.

Gästehaus Heidi garni, Bürgermeister-Wild-Str. 23, ☎ 6 09 72 77 – [TV] ☎ [P]. [D] [E]
20. Dez.- 10. Jan. geschl. – **18 Z : 27 B** 68 - 85.

XX **Bistro Cassolette**, Nauplia - Allee 6 (Eingang Margreider Platz), ☎ 6 09 86 83 – [E]
Samstag bis 18.30 Uhr sowie Sonn- und Feiertage geschl. – Karte 40/61 (abends Tischbestellung ratsam).

In Aschheim 8011 ③ : 13 km über Riem :

Schreiberhof, Erdinger Str. 2, ☎ (089) 90 00 60, Fax 90006459, « Elegante Einrichtung » – [TV] [P]. [AE] [D] [E].
Karte 32/59 – **86 Z : 167 B** 135 - 175 Fb.

Zur Post, Ismaninger Str. 11 (B 471), ☎ (089) 9 03 20 27, – ☎ [P]
Karte 19,50/45 – **55 Z : 80 B** 48/95 - 73/145 Fb.

In Grünwald 8022 S : 13 km über Geiselgasteigstr. CT – ☎ 089 (München) :

Tannenhof garni, Marktplatz 3, ☎ 64 10 74, Fax 6415608, « Modernisiertes Jugendstil-Haus, elegante Einrichtung » – [TV] ☎ [P]. [AE] [D] [E] [VISA]
21 Z : 40 B 115/145 - 130/170 Fb.

Forsthaus Wörnbrunn, im Grünwalder Forst, ☎ 64 18 85, Biergarten, « Gemütlich-rustikale Einrichtung » – [TV] ☎ [P]. [AE] [E]
Karte 25/65 – **17 Z : 30 B** 90/130 - 150 Fb.

Alter Wirt, Marktplatz 1, ☎ 6 41 78 55, Telex 524640, « Bayrischer Landgasthof mit gemütlicher Atmosphäre » – [TV] ☎ [P]. [AE] [D] [E]
Karte 32/60 – **49 Z : 75 B** 85/140 - 120/180 Fb.

Schloß-Hotel Grünwald, Zeillerstr. 1, ☎ 64 19 35, Telex 5218817, <, « Gartenterrasse » – [TV] ☎ [P]. [AE] [D] [E]
28. Dez.- 13. Jan. geschl. – Karte 31/63 – **16 Z : 27 B** 105/195 - 160/240 Fb.

In Grünwald-Geiselgasteig 8022 S : 12 km über Geiselgasteigstr. CT :

Ritterhof garni, Nördliche Münchner Str. 6, ☎ (089) 6 49 32 41, – [TV] ☎ [P]. [AE] [E]
11 Z : 22 B 98/110 - 140/170.

XX **Zur Einkehr** (bayerischer Landgasthof), Nördliche Münchner Str. 2, ☎ (089) 6 49 23 04, Biergarten – [P]. [AE] [D] [E]
Karte 34/70.

In Oberhaching 8024 S : 14 km über die A 995 CT :

Hachinger Hof, Pfarrer-Socher-Str. 39, ☎ (089) 6 13 50 91, – [TV] ☎ [P]. [AE] [D] [E] [VISA]
24. Dez.- 12. Jan. geschl. – Karte 23/43 *(nur Abendessen, Samstag - Sonntag geschl.)* – **47 Z : 62 B** 95 - 120/160 Fb.

An der Autobahn A 8 Richtung Augsburg (W : 5 km ab Autobahneinfahrt Obermenzing) :

Rasthaus Langwieder See, Kreuzkapellenstr. 68, ✉ 8000 München 60, ☎ (089) 8 14 10 54, <, – ☎ [P]. [AE] [D] [E] [VISA] AR **b**
Karte 25/51 – **94 Z : 173 B** 55/85 - 100/130.

MICHELIN-REIFENWERKE KGaA. Niederlassung 8046 Garching, Gutenbergstr. 4, ☎ (089) 3 20 20 41 (über ② und Autobahn Nürnberg) (München S. 3 DR).

MÜNCHWEILER AN DER RODALB 6785. Rheinland-Pfalz [413] FG 19, [242] ⑧, [87] ① – 3 100 Ew – Höhe 272 m – ☎ 06395.
Mainz 131 – Landau in der Pfalz 39 – Pirmasens 9.

XXX ✲ **Krone** mit Zim, Hauptstr. 1, ☎ 16 81, bemerkenswerte Weinkarte – [P]. [AE] [D]
Juli - Aug. 3 Wochen geschl. – Karte 62/87 *(Tischbestellung ratsam)* (Samstag bis 18 Uhr und Montag - Dienstag 18 Uhr geschl.) – **14 Z : 16 B** 35/60 - 65/120
Spez. Geräucherte Trüffelwürstchen auf Sauerkraut (Jan.- März), Lasagne vom Steinbutt, Früchtestrudel mit Rahmeis.

MÜNDEN 3510. Niedersachsen [987] ⑮ – 28 000 Ew – Höhe 125 m – Erholungsort – ☎ 05541.
Sehenswert : Fachwerkhäuser★★ – Rathaus★.
Ausflugsziel : Wesertal★ (von Münden bis Höxter).
[i] Städtisches Verkehrsbüro, Rathaus, ☎ 7 53 13.
♦Hannover 151 ① – ♦Braunschweig 138 ① – Göttingen 34 ① – ♦Kassel 23 ②.

Stadtplan siehe gegenüberliegende Seite.

Berghotel Eberburg, Tillyschanzenweg 14, ☎ 50 88, < Münden, – [TV] ☎ [P]. [AE] [D] [E] [VISA] Z **u**
Karte 28/46 *(nur Abendessen, Jan.- März und Sonntag geschl.)* – **27 Z : 51 B** 39/69 - 75/110 Fb.

MÜNDEN

Burgstraße .... YZ 6
Lange Straße .... YZ
Marktstraße .... Y 15
Rosenstraße .... Z 20

Bremer Schlagd .... Y 5
Friedrich-Ludwig-Jahn-Straße .... Y 7
Fuldabrückenstraße .... Z 9
Gartenstraße .... Y 10
Kasseler Schlagd .... Y 12
Kattenbühlstraße .... Z 13
Markt .... Y 14
Tanzwerderstraße .... Y 25
Wanfrieder Schlagd .... Y 29
Wilhelmshäuser Straße .... Z 30
Ziegelstraße .... Z 32

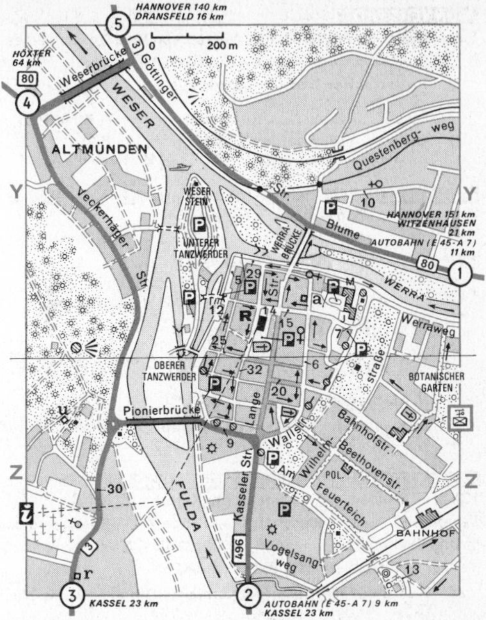

HANNOVER 140 km
DRANSFELD 16 km
HÖXTER 64 km
200 m
Weserbrücke
Göttinger
WESER
ALTMÜNDEN
Questenberg- weg
Str.
Veckerhäger Str.
WESER STEIN
UNTERER TANZWERDER
WERRA-BRÜCKE
Blume
HANNOVER 151 km
WITZENHAUSEN 21 km
AUTOBAHN (E 45-A 7) 11 km
WERRA
Werraweg
OBERER TANZWERDER
BOTANISCHER GARTEN
Pionierbrücke
Lange
Wallstr.
Bahnhofstr.
Beethovenstr.
Am Wilhelm.
POL.
Feuerteich
FULDA
Kasseler Str.
BAHNHOF
Vogelsang- weg
KASSEL 23 km
AUTOBAHN (E 45-A 7) 9 km
KASSEL 23 km

Si vous écrivez à un hôtel à l'étranger joignez à votre lettre un coupon réponse international (disponible dans les bureaux de poste).

🏨 **Schmucker Jäger**, Wilhelmshäuser Str. 45 (B 3), ✆ 50 49 – ☎ [P] 👥. [AE] [D] [E] [VISA] Z r
✈ *2.- 12. Jan. geschl.* – Karte 19/45 *(Sonntag 15 Uhr - Montag 17 Uhr geschl.)* – **32 Z : 64 B** 38/66 - 70/108.

🏨 **Jagdhaus Heede** 🦢, Hermannshäger Str. 81, ✆ 23 95, ⛱, 🌳 – [P]. 🚫🐕 Zim über ①
✈ *Nov. geschl.* – Karte 19,50/38 *(Montag geschl.)* – **20 Z : 34 B** 45/60 - 80 – P 55/58.

🏨 **Hainbuchenbrunnen** 🦢, Hainbuchenbrunnen 4, ✆ 3 31 66, <, ⛱, ♨, 🏊, 🌳, 🎾 – [P] 👥. [D] [E] [VISA]. 🚫🐕 über Vogelsangweg Z
15. Jan.- 15. Feb. geschl. – Karte 20/43 *(nur Abendessen, Okt.- März Donnerstag geschl.)* – **24 Z : 45 B** 43/65 - 79/110 Fb.

🏨 Schloßschänke, vor der Burg 3, ✆ 40 32, ⛱ – 🚗 – **16 Z : 29 B** Fb. Y **a**

🍴🍴 **Ratskeller** (im Rathaus a.d.J. 1605), Am Markt 3, ✆ 10 00 – [AE] [D] [E] [VISA] Y **R**
2.- 20. Jan. und Montag geschl. – Karte 30/55.

In Münden-Bursfelde ⑤ : 17 km :

🍴 **Klostermühle** mit Zim, Klosterhof 24, ✆ (05544) 72 49, < – [P]
Jan. geschl. – Karte 22/37 *(Montag geschl.)* – **6 Z : 11 B** 40/50 - 80.

In Münden 18-Laubach ① : 6 km :

🏨 **Werrastrand**, Buschweg 41, ✆ 3 32 58, ⛱, ♨ – ☎ 🚗 [P] 👥. [D] [E] [VISA]. 🚫🐕 Zim
Nov. geschl. – Karte 20/52 *(Dienstag geschl.)* – **16 Z : 29 B** 42/58 - 68/84 – P 52/64.

MÜNDER AM DEISTER, BAD 3252. Niedersachsen [987] ⑮ – 20 000 Ew – Höhe 120 m – Heilbad – ✆ 05042 – [i] Kurverwaltung, im Haus des Kurgastes, ✆ 6 04 54.
♦Hannover 33 – Hameln 16 – Hildesheim 38.

🏨 **Kastanienhof** 🦢, Am Stadtbahnhof 11 (am Süntel), ✆ 30 63, 🌳 – [TV] ☎ 🚗 [P]
Karte 29/57 *(Montag geschl.)* – **17 Z : 30 B** 75 - 116/160 Fb.

🏨 **Wiesengrund**, Lange Str. 70, ✆ 20 22, 🌳 – ⇅ ☎ [P]
Nov.- 15. Dez. geschl. – Karte 22/51 *(Freitag - Samstag geschl.)* – **25 Z : 30 B** 60/170 - 110/200 Fb.

🏨 **Terrassen-Café** 🦢, Querlandweg 2, ✆ 30 45, ⛱, ♨ – ⇅ [TV] ☎ [P]. [AE] [D] [E] [VISA]
Karte 23/40 – **23 Z : 37 B** 65/80 - 120/130 Fb.

🏨 **Goldenes M** 🦢 garni, Lange Str. 70a, ✆ 27 17, 🌳 – [P]
12 Z : 18 B 40/60 - 96/130 – P 60/80.

In Bad Münder 1-Klein Süntel SW : 9 km :

🏨 **Landhaus Zur schönen Aussicht** 🦢, Klein-Sünteler-Str. 6, ✆ 5 19 55, <, « Gartenterrasse », 🌳 – [P]. 🚫🐕 Zim
Nov. geschl. – Karte 25/46 *(Dienstag geschl.)* – **17 Z : 24 B** 50/60 - 98/115 Fb – P 62/68.

[MÜNNERSTADT] 8732. Bayern [413] N 16, [987] ㉖ – 8 100 Ew – Höhe 234 m – ☏ 09733.
Sehenswert : Stadtpfarrkirche (Werke★ von Veit Stoss und Riemenschneider).
[i] Tourist-Information, Marktplatz 1, ☎ 90 31 – ♦München 331 – ♦Bamberg 86 – Fulda 76 – Schweinfurt 29.

🏨 **Bayerischer Hof** (Fachwerkhaus a.d. 17. Jh.), Marktplatz 9, ☎ 2 25, 🌳, 🏊 – [TV] ☎ 🚗. [D] [E] [VISA]
Karte 36/59 *(bemerkenswerte Weinkarte)* – **21 Z : 44 B** 54 - 98 Fb – P 89.

🏨 **Café Winkelmann** garni, Marktplatz 13, ☎ 94 41
24. Sept.- 15. Okt. geschl. – **12 Z : 24 B** 24/36 - 48/70.

[MÜNSINGEN] 7420. Baden-Württemberg [413] L 21, [987] ㉟ – 11 200 Ew – Höhe 707 m – Wintersport : 700/850 m ⛷4 ⛷7 – ☏ 07381.
[i] Fremdenverkehrsamt, Rathaus, Bachwiesenstr. 7, ☎ 18 21 45.
♦Stuttgart 61 – Reutlingen 32 – ♦Ulm (Donau) 51.

🏨 **Herrmann**, Ernst-Bezler-Str. 1, ☎ 22 02, 🏊 – [lift] [P]
22. Dez.- 5. Jan. geschl. – Karte 18/33 *(Freitag geschl.)* 🍷 – **35 Z : 60 B** 35/55 - 62/85.

In Münsingen 1-Gundelfingen S : 13 km:

🏨 **Wittstaig**, Wittstaig 10, ☎ (07383) 12 72, 🌳, 🏊, [🏊], 🌲 – [lift] [P]
9. Jan.- 4. Feb. geschl. – Karte 18/37 *(Dienstag geschl.)* 🍷 – **28 Z : 55 B** 37/50 - 64/84.

In Mehrstetten 7421 SO : 9 km :

🏨 **Zum Hirsch - Gästehaus Mandel** 🔇, Bahnhofstr. 7, ☎ (07381) 24 79, ≤, 🌲 – [P]
15.- 30. Juli geschl. – Karte 19/36 *(Mittwoch geschl.)* 🍷 – **11 Z : 22 B** 45 - 75.

[MÜNSTER AM STEIN - EBERNBURG, BAD] 6552. Rheinland-Pfalz [987] ㉔ – 4 100 Ew – Höhe 120 m – Heilbad – Heilklimatischer Kurort – ☏ 06708.
Sehenswert : Felsenlandschaft★★ – Kurpark★ – Rheingrafenstein ≤★.
⛳18 Drei Buchen (SW : 2 km), ☎ (06708) 21 45 – [i] Verkehrsverein, Berliner Str. 56, ☎ 15 00.
Mainz 51 – Kaiserslautern 52 – Bad Kreuznach 4,5.

🏨 **Hotel am Kurpark** 🔇, Kurhausstr.10, ☎ 12 92, ≤, Massage, 🏊, 🌲, Fahrradverleih – ☎ [P]. 🚫🐕
6. Jan.- Feb. und Nov.- 22. Dez. geschl. – (nur Abendessen für Hausgäste) – **32 Z : 40 B** 59/80 - 122/132 Fb.

🏨 **Parkhotel Plehn** 🔇, Kurhausstr. 8, ☎ 8 30, Massage – [lift] ☎ [P] 🎪
Mitte Nov.- Mitte Dez. geschl. – Karte 26/54 – **73 Z : 125 B** 75/100 - 120/140 Fb – 4 Appart. 160/200.

🏨 **Kurhotel Krone**, Berliner Str. 73, ☎ 8 40, Telex 42813, 🏊, [🏊] – [lift] ☎ [P] 🎪. [AE] [D] [E]
Karte 28/64 🍷 – **58 Z : 94 B** 70/110 - 123/149 Fb – 4 Appart. 183/240 – P 102/150.

🏨 **Haus Lorenz** 🔇, Kapitän-Lorenz-Ufer 18, ☎ 18 41, ≤, 🌳, 🌲 – 🚗
15. Nov.- 12. Jan. geschl. – Karte 21/46 *(Jan.- März Freitag, April - Nov. Montag geschl.)* 🍷 – **19 Z : 30 B** 51 - 91 – P 73/78.

🏨 **Weinhotel Schneider** 🔇, Gartenweg 2a, ☎ 20 43 – ☎ [P]
Karte 20/32 *(nur Abendessen, Dienstag geschl.)* 🍷 – **9 Z : 18 B** 47/57 - 82/92.

🏨 **Post**, Berliner Str. 33, ☎ 30 26, 🌳, 🏊 – [lift] ☎ [P] 🎪. [E]. 🚫🐕
Karte 25/53 🍷 – **28 Z : 38 B** 63/85 - 113/120 Fb – P 94/102.

🏨 **Kaiserhof**, Berliner Str. 35, ☎ 39 50 – 🚗 [P]. [D]
Feb. und 15. Nov.- 15. Dez. geschl. – (Restaurant nur für Hausgäste) – **30 Z : 44 B** 48/52 - 86/92 – P 78/82.

🏨 **Gästehaus Weingut Rapp** 🔇 garni, Schloßgartenstraße (Ebernburg), ☎ 23 12, 🌲 – ☎ [P]
10 Z : 16 B 48/53 - 70/80 – 4 Fewo 62/75.

🏨 **Haus in der Sonne** 🔇, Bismarckstr. 24, ☎ 15 36, ≤ – ☎ [P]. 🚫🐕
März - Okt. – (Restaurant nur für Hausgäste) – **13 Z : 24 B** 48/70 - 96 – P 70/76.

[MÜNSTER] Hessen siehe Selters (Taunus).

[MÜNSTER (WESTFALEN)] 4400. Nordrhein-Westfalen [987] ⑭ – 272 000 Ew – Höhe 62 m – ☏ 0251.
Sehenswert : Prinzipalmarkt★ – Dom★ (Domkammer★★ BY **M2**, astronomische Uhr★, Sakramentskapelle★) – Rathaus (Friedenssaal★) – Residenz-Schloß★ AY – Landesmuseum für Kunst und Kulturgeschichte (Altarbilder★★) BY **M1** – Lambertikirche (Turm★) BY **A**.
Ausflugsziel : Straße der Wasserburgen★ (Vornholz★, Hülshoff★, Lembeck★, Vischering★) (über Albert-Schweitzer-Straße E) – ⛳18 Steinfurter Str. 448 (E), ☎ 21 12 01.
🚆 ☎ 69 13 26.
Ausstellungsgelände Halle Münsterland (DZ), ☎ 6 60 00, Telex 892681.
[i] Verkehrsverein, Berliner Platz 22, ☎ 51 01 80 – ADAC, Ludgeriplatz 11, ☎ 4 28 79, Notruf ☎ 1 92 11.
♦Düsseldorf 124 ④ – Bielefeld 87 ① – ♦Dortmund 70 ④ – Enschede 64 ⑤ – ♦Essen 86 ④.

Stadtplan siehe nächste Seiten.

Mövenpick Hotel am Aasee, Kardinal-von-Galen-Ring 65, ☎ 8 90 20, Fax 8902616, Fahrradverleih – Zim AE E VISA — E a
Restaurants : – **Rössli** Karte 45/79 – **Mövenpick** Karte 32/60 – **120 Z : 168 B** 172/182 - 219/229 Fb – 4 Appart. 314.

Schloß Wilkinghege (Wasserschloß a.d. 16. Jh. mit Gästehaus in ländlicher Parklandschaft), Steinfurter Str. 374 (B 54), ☎ 21 30 45, « Restauranträume mit stilvoller Einrichtung, Schloßkeller », – AE E VISA. Rest — E r
Karte 58/79 – **38 Z : 70 B** 115/160 - 165/180 Fb – 4 Appart. 280.

Kaiserhof garni, Bahnhofstr. 14, ☎ 4 00 59, Telex 892141, Fax 511412 – AE E VISA — CZ b
109 Z : 141 B 109/135 - 160/204 Fb.

Am Schloßpark garni, Schmale Str. 2, ☎ 2 05 41 – AE E. — AX d
28 Z : 53 B 95/120 - 130/165 Fb.

Central, Aegidiistr. 1, ☎ 4 03 55, Fahrradverleih – AE E VISA. — BY n
24. Dez.- 7. Jan. und 23. Juli - 13. Aug. geschl. – Karte **29**/59 *(Samstag 14 Uhr - Sonntag geschl.)* – **25 Z : 40 B** 95/125 - 150/185.

Steinburg, Mecklenbecker Str. 80, ☎ 7 71 79, ←, – AE E VISA. Zim — E u
23. Dez.- 6. Jan. geschl. – Karte 39/54 *(Montag geschl.)* – **17 Z : 31 B** 89 - 144.

Feldmann, Klemensstr. 24, ☎ 4 33 09 – AE E — CY m
Juli 3 Wochen geschl. – Karte 30/60 *(Sonn- und Feiertage geschl.)* – **30 Z : 45 B** 55/90 - 98/145.

Überwasserhof, Überwasserstr. 3, ☎ 4 06 30 – AE E — AY k
24. Dez.- 6. Jan. geschl. – Karte 26/50 *(6.- 15. Jan. und Dienstag geschl.)* – **50 Z : 80 B** 77/95 - 130/150.

City-Hotel garni, Friedrich-Ebert-Str. 55, ☎ 7 72 44 – AE E VISA — CZ a
32 Z : 55 B 73/85 - 125/140.

Windsor garni, Warendorfer Str. 177, ☎ 3 03 28, Telex 892604, Fax 391474 – AE E VISA — E d
29 Z : 45 B 85/105 - 115/145 Fb.

Martinihof, Hörster Str. 25, ☎ 4 00 73 (Hotel) 4 66 43 (Rest.) – E — CY z
Juli - Aug. 2 Wochen geschl. – Karte 25/45 *(Sonntag geschl.)* – **52 Z : 70 B** 42/75 - 80/115 Fb.

Conti garni, Berliner Platz 2a, ☎ 4 04 44, Telex 892113 – AE E VISA — CZ r
60 Z : 120 B 50/105 - 90/175 Fb.

Lindenhof garni, Kastellstr. 1, ☎ 4 70 87 – — AY a
29 Z : 46 B.

Horstmann garni, Windthorststr. 12, ☎ 4 70 77 – — CZ s
24 Z : 32 B 60/68 - 120/128 Fb.

Mauritzhof garni, Eisenbahnstr. 17, ☎ 4 23 66 – AE E VISA — CY s
24. Dez.- 1. Jan. geschl. – **22 Z : 40 B** 75/95 - 98/130 Fb.

Hansa-Haus garni, Albersloher Weg 1, ☎ 6 43 24, – AE E VISA — CZ y
22. Dez.- 8. Jan. geschl. – **13 Z : 19 B** 45/75 - 95/125.

Kleines Restaurant im Oerschen Hof (Französische Küche), Königsstr. 42, ☎ 4 20 61, bemerkenswerte Weinkarte — BZ e
Sonntag - Montag 18 Uhr und Juli - Aug. 3 Wochen geschl. – Karte 76/120 (Tischbestellung ratsam)
Spez. La terrine de foie gras, Le filet de bar au fenouil, Bavarois à l'orange.

Tannenhof mit Zim, Prozessionsweg 402, ☎ 3 13 73, – — E v
30. Jan.- 14. Feb. geschl. – Karte 31/67 *(Montag geschl.)* – **6 Z : 10 B** 48 - 86.

Ratskeller, Prinzipalmarkt 8, ☎ 4 42 26 – AE E VISA — BY R
Karte 26/65.

Altes Brauhaus Kiepenkerl, Spiekerhof 45, ☎ 4 03 35, – AE E VISA — BY a
Weihnachten und Dienstag geschl. – Karte 30/50.

Wienburg mit Zim, Kanalstr. 237, ☎ 29 33 54, , « Gartenterrasse » – AE E — E n
Karte 25/67 *(Montag geschl.)* – **7 Z : 13 B** 70 - 130.

Shanghai (China-Restaurant), Verspoel 22, ☎ 5 64 77 – E VISA — BZ d
Karte 21/38.

Brauerei-Gaststätten :

Restaurant Wielers - Kleiner Kiepenkerl, Spiekerhof 47, ☎ 4 34 16, – AE E VISA — BY a
Montag geschl. – Karte 23/53.

Pinkus Müller (Altbier-Küche, traditionelles Studentenlokal), Kreuzstr. 4, ☎ 4 51 51 — BY p
Sonn- und Feiertage geschl. – Karte 28/53 (westfälische und münstersche Spezialitäten).

Altes Gasthaus Leve, Alter Steinweg 37, ☎ 4 55 95 – — CY u
Montag geschl. – Karte 18/38.

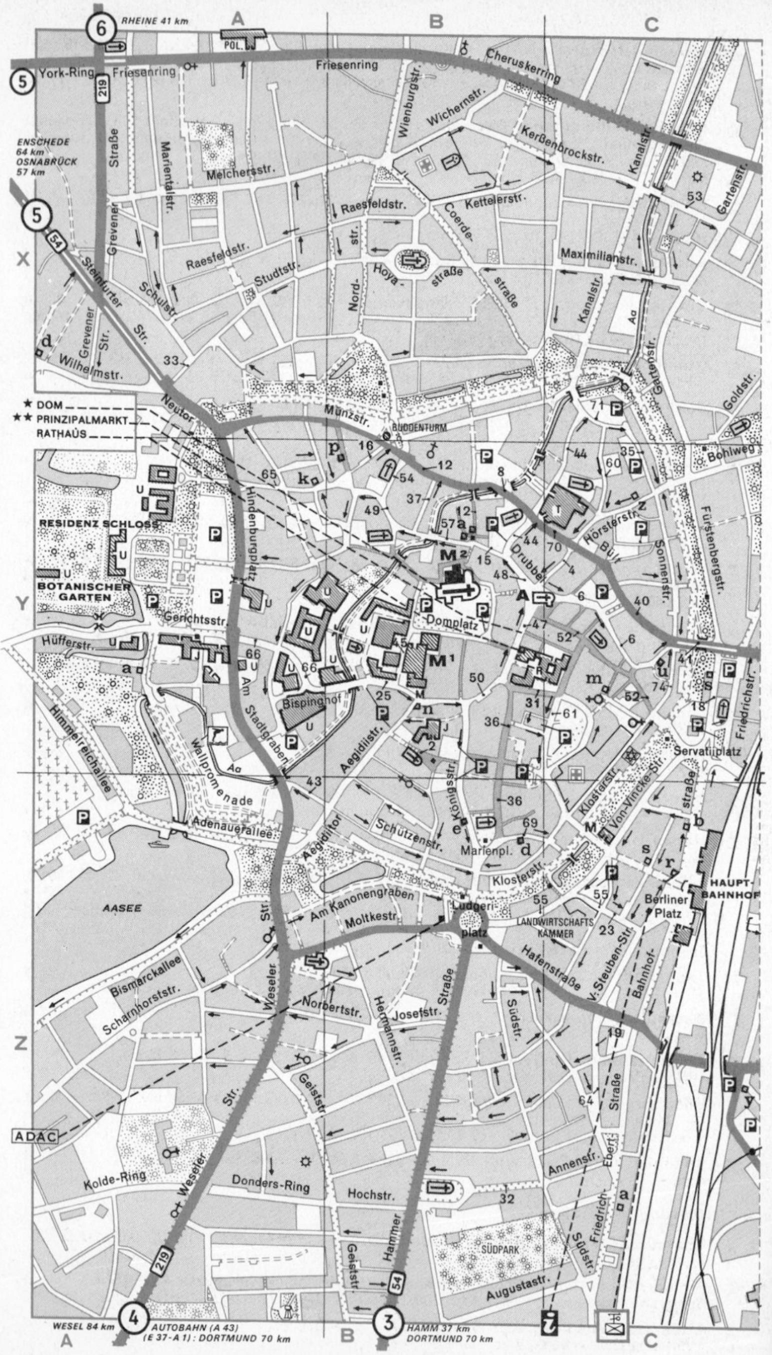
RHEINE 41 km
A
B
C
POL.
York-Ring
Friesenring
Cheruskerring
Wienburgstr.
Wichernstr.
Kerßenbrockstr.
Kanalstr.
Gartenstr.
ENSCHEDE 64 km
OSNABRÜCK 57 km
Grevener Straße
Marientalstr.
Melchersstr.
Raesfeldstr.
Kettelerstr.
Coerdestraße
Hoyastraße
Nordstr.
Studtstr.
Schulstr.
Steinfurter Str.
Maximilianstr.
Grevener Str.
Wilhelmstr.
Goldstr.
X
Y
Z
DOM
PRINZIPALMARKT
RATHAUS
Neutor
Münzstr.
BUDDENTURM
Bohlweg
Hindenburgplatz
RESIDENZ SCHLOSS
BOTANISCHER GARTEN
Gerichtsstr.
Hüfferstr.
Hörsterstr.
Bült
Drubbel
Domplatz
Sonnenstr.
Fürstenbergstr.
Friedrichstr.
Am Stadtgraben
Bispinghof
Aegidiistr.
Königsstr.
Servatiiplatz
Klosterstr.
Von-Vincke-Str.
Himmelreichallee
Wallpromenade
Adenauerallee
Aegidiitor
Schützenstr.
Marienpl.
HAUPT-BAHNHOF
Berliner Platz
AASEE
Am Kanonengraben
Moltkestr.
Ludgeriplatz
LANDWIRTSCHAFTSKAMMER
Hafenstraße
V.-Steuben-Str.
Bahnhofstr.
Bismarckallee
Scharnhorststr.
Weseler Str.
Norbertstr.
Hermannstr.
Josefstr.
Südstr.
Geiststr.
Ebertstraße
Annenstr.
ADAC
Kolde-Ring
Donders-Ring
Hochstr.
Hammer Str.
Friedrich-Ebert-Str.
SÜDPARK
Augustastr.
WESEL 84 km
AUTOBAHN (A 43)
(E 37 - A 1) : DORTMUND 70 km
HAMM 37 km
DORTMUND 70 km

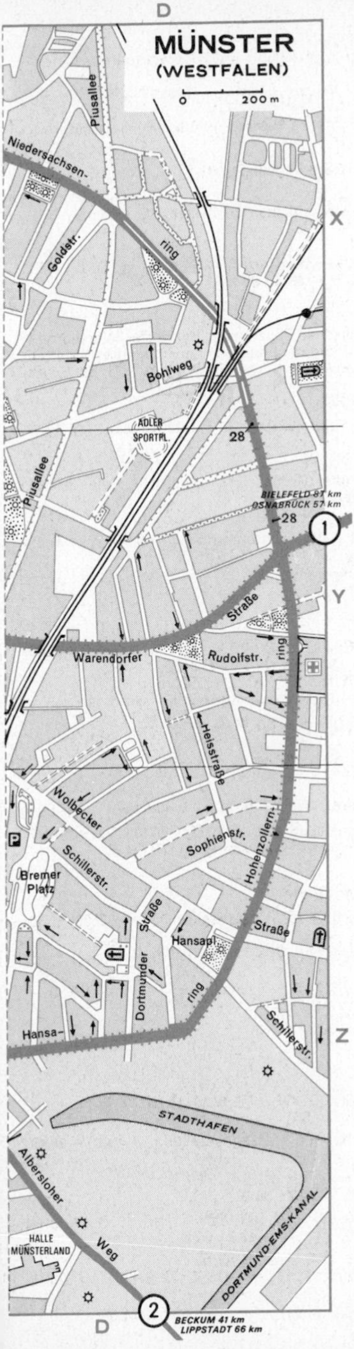

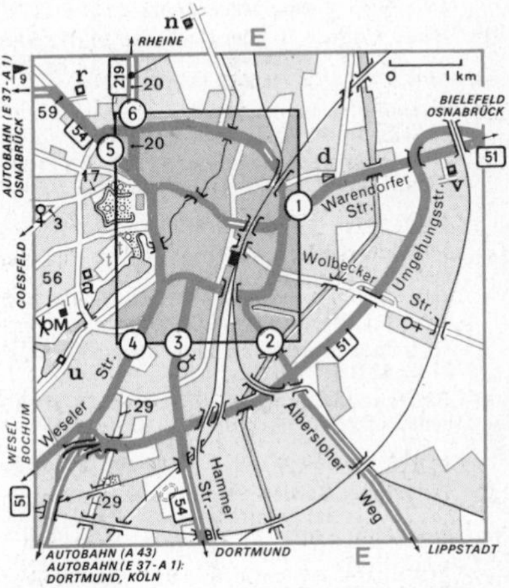

Bahnhofstraße	CZ		Klemensstraße	BY	31
Bogenstraße	BY	15	Kronprinzenstraße	BZ	32
Drubbel	BY		Lazarettstraße	AX	33
Hammer Straße	BZ		Lotharingerstraße	CY	35
Ludgeristraße	BY	36	Magdalenenstraße	BY	37
Prinzipalmarkt	BY	47	Mauritzstraße	CY	40
Rothenburg	BY	50	Mauritztor	CY	41
Salzstraße	CY	52	Mühlenstraße	AZ	43
Warendorfer Straße	DY		Neubrückenstraße	BCY	44
Wolbecker Straße	DZ		Pferdegasse	BY	45
			Roggenmarkt	BY	48
Aegidiikirchplatz	BY	2	Rosenstraße	BY	49
Albert-Schweitzer-Str.	E	3	Schlachthausstraße	CX	53
Alter Fischmarkt	CY	4	Schlaunstraße	BY	54
Alter Steinweg	CY	6	Schorlemerstraße	BCZ	55
An der Apostelkirche	BY	8	Sentruper Straße	E	56
Bergstraße	BY	12	Spiekerhof	BY	57
Buddenstraße	BY	16	Steinfurter Straße	E	59
Einsteinstraße	E	17	Stiftsherrenstraße	CY	60
Eisenbahnstraße	CY	18	Stubengasse	CY	61
Frie-Vendt-Straße	CZ	19	Theißingstraße	CZ	64
Grevener Straße	E	20	Überwasserstraße	AY	65
Herwarthstraße	CZ	23	Universitätsstraße	AY	66
Johannisstraße	BY	25	Verspoel	BZ	69
Kaiser - Wilhelm - Ring	DY	28	Voßgasse	CY	70
Kappenberger Damm	E	29	Wasserstraße	CX	71
			Winkelstraße	CY	74

In Münster-Amelsbüren ③ : 11 km :

XXX ⊛ **Davert Jagdhaus** mit Zim, Wiemannstr. 4, ✆ (02501) 5 80 58, « Gartenterrasse » – ☎ Ⓟ. AE ⓓ E
Anfang Juli - Anfang Aug. und Weihnachten - Neujahr geschl. – Karte 49/72 *(Donnerstag geschl.)* – **4 Z : 8 B** 50 - 90
Spez. Salat von Wachteln mit Waldpilzen, Cassoulet von Lotte und Hummer, Rehrücken im Wirsingnest (Juni - Dez.).

In Münster-Gievenbeck W : 4,5 km über Albert-Schweitzer-Straße E :

XX **Bakenhof**, Roxeler Str. 376, ✆ 86 15 06, ☂ – Ⓟ. E
25. Juli - 16. Aug. und Dienstag geschl. – Karte 37/67 (abends Tischbestellung ratsam).

In Münster-Gremmendorf ② : 4 km :

Münnich, Heeremansweg 11, ✆ 62 40 81, ☂, Fahrradverleih – TV ☎ Ⓟ. AE E
Weihnachten - Anfang Jan. geschl. – Karte 18,50/38 – **46 Z : 90 B** 59 - 89 Fb.

In Münster-Handorf ① : 7 km :

Romantik-Hotel Hof zur Linde (westfälischer Bauernhof), Handorfer Werseufer 1, ✆ 32 50 02, Telex 891500, « Geschmackvoll eingerichtete Zimmer in verschiedenen Stilarten, Bauernstuben mit offenem Herdfeuer », Fahrradverleih – TV ☎ Ⓟ. AE ⓓ E VISA. Zim
Karte 49/70 *(auch vegetarische Gerichte)* – **30 Z : 54 B** 95/125 - 152/180 Fb.

Deutscher Vater, Petronillaplatz 9, ✆ 3 20 33, Telex 892756, Fahrradverleih – TV ☎ Ⓟ. AE ⓓ E VISA. Zim
Karte 39/65 *(Freitag geschl.)* – **25 Z : 36 B** 45/75 - 85/130.

Haus Eggert, Zur Haskenau 81 (N : 5 km über Dorbaumstr.), ✆ 3 20 83, Telex 891487, ☂, Fahrradverleih – TV ☎ Ⓟ. AE ⓓ E VISA
Karte 30/57 – **30 Z : 60 B** 89/95 - 110/144 Fb.

Parkhotel Vennemann, Vennemannstr. 6, ✆ 3 21 01, « Gartenterrasse », Fahrradverleih – TV ☎ Ⓟ – **23 Z : 40 B** Fb.

Handorfer Hof, Handorfer Str. 22, ✆ 3 21 62 – ☎ Ⓟ. E VISA
Karte 28/45 *(Montag geschl.)* – **15 Z : 22 B** 58 - 98 Fb.

In Münster-Hiltrup ③ : 6 km – ✆ 02501 :

⊛ **Waldhotel Krautkrämer**, Am Hiltruper See 173 (SO : 2,5 km), ✆ 80 50, Telex 892140, Fax 805104, ≤, ☂, Fahrradverleih – TV Ⓟ. AE ⓓ E VISA. Rest
Karte 62/99 *(bemerkenswerte Weinkarte)* – **76 Z : 120 B** 175/230 - 250/290 Fb
Spez. Pot au feu vom Hummer, Geschmorte Ente in Pomeranzensauce, Lammrücken in der Kräuterkruste.

Hiltruper Gästehaus garni, Marktallee 44, ✆ 40 16 – TV ☎ Ⓟ. AE ⓓ E
21 Z : 42 B 85 - 125 Fb.

Gästehaus Landgraf, Thierstr. 26, ✆ 12 36, ☂ – TV ☎ Ⓟ
Karte 39/63 *(Montag geschl.)* – **10 Z : 19 B** 65 - 120.

In Münster-Roxel W : 6,5 km über Einsteinstraße E, vor der Autobahn links ab :

Parkhotel Schloß Hohenfeld, Dingbänger Weg 400, ✆ (02534) 70 31, Telex 891447, Fax 7114, « Gartenterrasse », Fahrradverleih – TV ☎ Ⓟ. AE ⓓ E
Karte 36/61 – **51 Z : 83 B** 115/125 - 150/165 Fb.

In Münster-Wolbeck SO : 9 km über Wolbecker Straße E :

Thier-Hülsmann (westfälisches Bauernhaus a. d. J. 1676), Münsterstr. 33, ✆ (02506) 20 66, – TV ☎ Ⓟ. AE ⓓ E VISA
Karte 37/73 *(Dienstag und Juni - Juli 2 Wochen geschl.)* – **31 Z : 55 B** 70/105 - 105/160.

MÜNSTEREIFEL, BAD 5358. Nordrhein-Westfalen 987 ㉓ – 17 000 Ew – Höhe 290 m – Kneippheilbad – ✆ 02253.

Sehenswert : Ehemalige Stadtbefestigung★ – Windeckhaus★.

Kurverwaltung im Rathaus, Marktstraße, ✆ 50 51 82.

♦Düsseldorf 91 – ♦Bonn 39 – Düren 43 – ♦Köln 50.

Park-Hotel, Im Schleidtal 4, ✆ 31 40, ☂, – TV ☎ Ⓟ. AE ⓓ E
Karte 32/29 – **50 Z : 110 B** 79/120 - 108/160 Fb – P 92/158.

Jungmühle garni, Unnaustr. 14, ✆ 51 55, Bade- und Massageabteilung, – ☎ Ⓟ.
15.- 25. Dez. geschl. – **18 Z : 30 B** 50/60 - 80.

Witten, Werther Str. 5, ✆ 64 55, – Zim – **20 Z : 38 B.**

Städt. Kneipp-Kurhaus, Nöthener Str. 10, ✆ 60 21, ≤, ☂, « Park », Bade- und Massageabteilung, – ☎ Ⓟ. – **43 Z : 55 B** Fb.

Grunwald's-Hotel, Kettengasse 4, ✆ 81 50, – ☎. AE ⓓ E
15. Jan.- 15. Feb. geschl. – (Restaurant nur für Pensionsgäste) – **13 Z : 22 B** 42/61 - 74/82 – P 54/65.

X **Weinhaus an der Rauschen** mit Zim, Heisterbacher Str. 1, ✆ 73 37, ☂ – ⓓ E
Karte 35/55 *(Montag geschl.)* – **8 Z : 13 B** 34 - 68.

In Bad Münstereifel - Eicherscheid S : 3 km :

🏨 **Café Oberfollmühle,** Ahrweiler Str. 41, ☎ 79 04, 🌳 – 🚗 [P]. 🚫🐕 Rest
1.-26. Dez. geschl. – Karte 16/35 – **13 Z : 25 B** 33/50 - 66/100 – P 45/57.

In Bad Münstereifel - Iversheim N : 3,5 km :

🏨 **Zur hohen Ley,** Euskirchener Str. 120 (B 51), ☎ 42 14, ⛱, 🌳 – 🚗 [P]. [AE] [D] [E]
Karte 31/56 – **20 Z : 34 B** 50/80 - 90/160.

MÜNSTER-SARMSHEIM Rheinland-Pfalz siehe Bingen.

MÜNSTERSCHWARZACH Bayern siehe Schwarzach.

MÜNSTERTAL 7816. Baden-Württemberg [413] G 23, [987] ㉞, [427] ⑤ – 4 600 Ew – Höhe 400 m – Luftkurort – Wintersport : 800/1 300 m 🚡 ⛷5 – ☎ 07636.

Ausflugsziel : Belchen ✲*** S : 18 km.

[i] Kurverwaltung, Untermünstertal, ☎ 7 07 30.

♦Stuttgart 229 – Basel 65 – ♦Freiburg im Breisgau 27.

In Untermünstertal :

🏨 **Adler-Stube,** Münster 59, ☎ 2 34, Telex 772909, ⛱, ♨, 🌳 – ☎ [P]. [AE] [E]. 🚫🐕 Rest
Mitte Nov.- Mitte Dez. geschl. – Karte 24/62 *(Dienstag 14 Uhr - Mittwoch geschl.)* 🍷 – **19 Z : 35 B** 61/87 - 98/150 Fb – P 90/129.

🏨 **Münstertäler Hof,** Hofstr. 49, ☎ 2 28 – [P]
15. Jan.- 15. Feb. geschl. – Karte 23/48 *(Mittwoch 14 Uhr - Donnerstag geschl.)* – **8 Z : 15 B** 35/45 - 70.

🍴🍴 **Schmidt's Gasthof zum Löwen,** Wasen 54, ☎ 5 42, « Gartenterrasse » – [P]
Nov.- April Montag 15 Uhr - Dienstag und 10. Jan.- 16. Feb. geschl. – Karte 40/70.

🍴 Neumühle Zur Krone mit Zim, Rotenbuck 17, ☎ 3 12, ⛱, 🌳 – [P]
10 Z : 20 B.

In Obermünstertal :

🏨 ✿ **Romantik-Hotel Spielweg** 🔇, Spielweg 61, ☎ 6 18, ⛱, ♨, 🏊 (geheizt), 🏊, 🌳, 🎾, Fahrradverleih – [TV] ☎ 🚗 [P]. [AE] [D] [E] [VISA]
Karte 45/76 *(Montag - Dienstag 15 Uhr geschl.)* – **33 Z : 60 B** 98/110 - 158/220 Fb – P 120/138
Spez. Schwarzwaldforelle in Riesling, Lammfilet in Strudelteig, Schokoladen-Eisguglhupf.

🏨 **Landgasthaus zu Linde** (historischer Gasthof a.d. 17. Jh.), Krumlinden 13, ☎ 4 47, ⛱ – [TV] ☎ [P]
9. Jan.- 1. Feb. geschl. – Karte 26/52 *(Montag geschl.)* 🍷 – **10 Z : 20 B** 46/65 - 92/110.

In Münstertal-Stohren NO : 6,5 km ab Spielweg – Höhe 1 070 m :

🍴 **Zähringer Hof** 🔇 mit Zim, Stohren 10, ☎ (07602) 2 56, ⛱ – [P]
20. Nov.- 13. Dez. geschl. – Karte 22/54 *(Montag 14 Uhr - Dienstag geschl.)* 🍷 – **6 Z : 12 B** 28/33 - 56/66.

MUGGENDORF Bayern siehe Wiesenttal.

MULARTSHÜTTE Nordrhein-Westfalen siehe Roetgen.

MUMMENROTH Hessen siehe Brensbach.

MUNICH = München.

MUNSTER 3042. Niedersachsen [987] ⑮ – 18 000 Ew – Höhe 73 m – ☎ 05192.

♦Hannover 92 – ♦Bremen 106 – ♦Hamburg 82 – Lüneburg 48.

🏨 **Kaiserhof,** Breloher Str. 50, ☎ 50 22 – [TV] ☎ 🚗 [P] 🏛. [AE] [D] [E] [VISA]
Karte 25/44 *(Montag geschl.)* – **13 Z : 22 B** 40/60 - 80/110.

🏨 Lüneburger Hof, Fr.-Heinrich-Platz 32, ☎ 31 23 – ☎ 🚗 [P]
21 Z : 35 B.

In Munster-Oerrel SO : 9 km :

🏨 **Kaminhof** (niedersächsisches Bauernhaus), Salzwedeler Str. 5, ☎ 28 42, 🌳 – ☎ 🚗 [P]. 🚫🐕 Rest
Feb. geschl. – Karte 26/43 – **14 Z : 28 B** 50/60 - 84/90.

MURG 7886. Baden-Württemberg [413] H 24, [427] ⑤, [216] ⑤⑥ – 6 500 Ew – Höhe 312 m – ☎ 07763.

♦Stuttgart 215 – Basel 37 – Zürich 70.

🍴🍴 **Fischerhaus** mit Zim, Fährstr. 15 (im Gewerbegebiet), ☎ 60 74, ⛱ – [TV] ☎ 🚗 [P]. [D] [E]
Karte 26/46 *(15. Jan.- 15. Feb. und Sonntag 15 Uhr - Montag geschl.)* 🍷 – **5 Z : 9 B** 50/60 - 100.

MURNAU 8110. Bayern [413] Q 23, [987] [37], [426] [16] – 11 000 Ew – Höhe 700 m – Luftkurort – 📞 08841.

[i] Verkehrsamt, Kohlgruber Str. 1, ℘ 20 74.

♦München 70 – Garmisch-Partenkirchen 24 – Weilheim 20.

🏨 **Alpenhof Murnau** 🐦, Ramsachstr. 8, ℘ 10 45, ≤ Ammergauer Alpen und Estergebirge, « Gartenterrasse », 🏊 (geheizt), 🌳 – 🛗 [TV] [P] 👥. 🚫🐕 Rest
Karte 47/84 – **48 Z : 90 B** 115/230 - 165/325 Fb.

🏨 **Regina Hotel Seidlpark** 🐦, Seidlpark 2, ℘ 20 11, Telex 59530, ≤, ♨, [🏊], 🌳 – 🛗 [TV] ☎ [P] 👥. [AE] [D] [E]
Karte 32/56 – **60 Z : 120 B** 110/180 - 185/210 Fb – P 141/178.

🏨 **Klausenhof**, Burggraben 10, ℘ 50 41, ⛱ – 🛗 [TV] 🚗 [P]. [E]. 🚫🐕 Zim
Karte 26/41 – **18 Z : 33 B** 65/90 - 90/150 Fb.

🏨 **Post** garni, Obermarkt 1, ℘ 18 61 – 🚗. [E] [VISA]
6. Nov.- 6. Dez. geschl. – **20 Z : 30 B** 40/52 - 88/99.

🏠 **Griesbräu**, Obermarkt 37, ℘ 14 22 – 🛗 ☎ [P]
⇐ *15. Jan.- 15. Feb. geschl.* – Karte 16,50/34 *(Donnerstag geschl.)* – **15 Z : 25 B** 40/55 - 70/80 – P 70/80.

In Riegsee 8110 NO : 5 km :

🏨 **Alpspitz** 🐦 garni, Seestr. 14, ℘ (08841) 4 00 01, ♨, 🏖, 🌳 – [TV] ☎ [P]. [E]. 🚫🐕
Jan. und Nov. geschl. – **8 Z : 18 B** 50/75 - 95/130 Fb.

In Riegsee-Aidling 8110 NO : 6 km :

🏠 **Post** 🐦, Dorfstr. 26, ℘ (08847) 62 25, ≤ Wettersteingebirge, ⛱ – [P]
⇐ Karte 19/35 *(Nov.- April Mittwoch geschl.)* – **11 Z : 22 B** 36/42 - 68/78 – P 60.

MURRHARDT 7157. Baden-Württemberg [413] L 20, [987] [25] – 13 000 Ew – Höhe 291 m – Erholungsort – 📞 07192.

Sehenswert : Stadtkirche (Walterichskapelle★).

[i] Verkehrsamt, Marktplatz 10, ℘ 21 31 24.

♦Stuttgart 48 – Heilbronn 41 – Schwäbisch Gmünd 34 – Schwäbisch Hall 34.

🏨 **Sonne - Post** garni, Walterichsweg 1, ℘ 80 83, Telex 7245929, Fax 1550, ♨, [🏊], 🌳 – 🛗 [TV] ☎ 🚗 [P] 👥. [AE] [D] [E] [VISA]
37 Z : 70 B 97/127 - 162 Fb.

XX **Sonne-Post**, Karlstr. 6, ℘ 80 81 – ♿ [P] 👥. [AE] [D] [VISA]
Jan. 3 Wochen geschl. – Karte **32**/72 *(auch vegetarisches Menu)* (Tischbestellung ratsam).

MUTLANGEN Baden-Württemberg siehe Schwäbisch Gmünd.

MUTTERSTADT 6704. Rheinland-Pfalz [413] I 18, [987] [24] [25] – 12 500 Ew – Höhe 95 m – 📞 06234.

Mainz 77 – Kaiserslautern 58 – ♦Mannheim 12 – Speyer 22.

🏨 **Jägerhof**, An der Fohlenweide 29 (Gewerbegebiet-Süd), ℘ 10 31 – ☎ 🚗 [P]. 🚫🐕 Zim
Karte 26/44 *(nur Abendessen, Freitag und Ende Juli - Anfang Aug. geschl.)* 🍷 – **20 Z : 28 B** 50/55 - 90/100.

🏨 **Ebnet**, Neustadter Str. 53, ℘ 17 31 – ☎ [P]
22. Dez.- 6. Jan. geschl. – Karte 22/40 *(nur Abendessen, Samstag - Sonntag geschl.)* 🍷 – **22 Z : 42 B** 45/65 - 75/85.

🏠 **Pension Ruth** 🐦 garni, Friedensstr. 8, ℘ 40 96 – [P]
22. Dez.- 4. Jan. geschl. – **10 Z : 20 B** 40/50 - 65.

NABBURG 8470. Bayern [413] T 18, [987] [27] – 6 500 Ew – Höhe 385 m – 📞 09433.

♦München 184 – ♦Nürnberg 92 – ♦Regensburg 62 – Weiden in der Oberpfalz 29.

🏨 **Pension Ruhland** garni, Am Kastanienbaum 1, ℘ 5 34, ≤, 🌳 – ☎ [P]
15 Z : 28 B 29/35 - 52/62.

🏨 **Post**, Regensburger Str. 2 (B 15), ℘ 61 05 – 🚗 [P]. [D]
⇐ *20. Dez.- 15. Jan. geschl.* – Karte 16/29 *(nur Abendessen, Samstag - Sonntag geschl.)* – **28 Z : 37 B** 30/35 - 60/70.

NAGEL 8591. Bayern [413] S 17 – 2 000 Ew – Höhe 585 m – Erholungsort – 📞 09236.

♦München 268 – Bayreuth 38 – Hof 56 – Weiden in der Oberpfalz 47.

In Nagel-Grünlas SO : 1,5 km :

🏠 **Grenzhaus** 🐦, Grünlas 16, ℘ 2 52, ♨, 🌳 – [P]
⇐ *20. Jan.- 15. März und 25. Okt.- 15. Dez. geschl.* – Karte 16/29 – **13 Z : 26 B** 22/35 - 40/66 – P 35/45.

In Nagel-Wurmloh NO : 2 km :

🏨 **Hohe Matzen**, Wunsiedler Str. 41, ℘ 2 41, ⛱, 🌳 – 🚗 [P]
⇐ *Nov. geschl.* – Karte 16,50/40 *(Donnerstag geschl.)* 🍷 – **24 Z : 42 B** 26/38 - 52/64 – P 44/50.

[NAGOLD] **7270.** Baden-Württemberg [418] J 21, [987] ㉟ – 20 500 Ew – Höhe 411 m – ✆ 07452.
[i] Rathaus, Marktstr. 27, ✆ 68 10.
♦Stuttgart 52 – Freudenstadt 39 – Tübingen 34.

🏨 **Gästehaus Post** garni, Bahnhofstr. 3, ✆ 40 48 – 🛗 [TV] ☎ [P]. [AE] ⦿ E VISA
24 Z : 34 B 90/102 - 140/170.

🏨 **Schiff**, Unterm Wehr 19, ✆ 26 05, ⛱ – 🛗 🚗 [P]. ⦿ E VISA. 🚫 Rest
Mitte Nov.- Anfang Dez. geschl. – Karte 23/55 *(Samstag geschl.)* – **26 Z : 44 B** 60/80 - 90/110.

🏠 **Köhlerei**, Marktstr. 46, ✆ 20 07 – 🚗 [P]
⬅ *19. Dez.- 13. Jan. geschl.* – Karte 19,50/44 *(Freitag geschl.)* 🕯 – **20 Z : 28 B** 35/54 - 70/98.

🍴🍴🍴 **Romantik-Restaurant Alte Post**, Bahnhofstr. 2, ✆ 42 21, « Fachwerkhaus a.d.J. 1697 »
– [P]. [AE] ⦿ E VISA
Samstag bis 18 Uhr und Jan. 2 Wochen geschl. – Karte 33/76 *(bemerkenswerte Weinkarte)*.

🍴 **Zur Burg**, Burgstr. 2, ✆ 37 35 – [P]
Dienstag und Aug. 3 Wochen geschl. – Karte 28/52.

In Nagold 4-Pfrondorf N : 4,5 km :

🏨 **Pfrondorfer Mühle** (Gasthof mit modernem Gästehaus), an der B 463, ✆ 6 60 44, ⛱, 🌳, 🎾 – [TV] ☎ 🚗 [P]. [AE] ⦿ E
Juli - Aug. 3 Wochen geschl. – Karte 29/60 🕯 – **16 Z : 23 B** 69 - 110 Fb.

In Rohrdorf **7271** NW : 4 km :

🍴 Hubers Lokäle Vater und Sohn, Talstr. 30 (B 28), ✆ (07452) 21 56 – [P].

[NAILA] **8674.** Bayern [418] S 16, [987] ㉗ – 9 000 Ew – Höhe 511 m – Wintersport : 500/600 m ⛷1 ⛷1 – ✆ 09282.
[i] Fremdenverkehrsamt, Peunthgasse 5, ✆ 87 46.
♦München 288 – Bayreuth 59 – Hof 18.

🏠 **Grüner Baum**, Marktplatz 5, ✆ 4 05
⬅ *17. Aug.- 10. Sept. geschl.* – Karte 15,50/32 *(Donnerstag geschl.)* – **14 Z : 17 B** 24/34 - 44/63.

In Naila-Culmitz SW : 5 km :

🏠 **Zur Mühle** 🐌, ✆ 63 61, 🌳 – 🚗 [P]
(Restaurant nur für Hausgäste) – **16 Z : 24 B** 26/32 - 51/64 – P 39/45.

In Naila-Hölle N : 6 km – Luftkurort :

🏨 **König David**, Humboldtstr. 27, ✆ (09288) 10 08, ⛱ – ☎ 🚗 [P]. [AE] ⦿ E
⬅ *6. Nov.- 1. Dez. geschl.* – Karte 19,50/44 *(Dienstag geschl.)* 🕯 – **33 Z : 56 B** 39/45 - 60/75 – 3 Fewo 45.

[NASSAU] **5408.** Rheinland-Pfalz [987] ㉔ – 5 100 Ew – Höhe 80 m – Luftkurort – ✆ 02604.
[i] Verkehrsamt, Rathaus, ✆ 7 02 30.
Mainz 57 – ♦Koblenz 26 – Limburg an der Lahn 49 – ♦Wiesbaden 52.

🏨 **Fischbach's Goldene Krone** (Historisches Fachwerkhaus), Bezirksstr. 20 (B 260), ✆ 44 10, ≤, ⛱ – [P]. [AE] ⦿ E
Jan.- Feb. geschl. – Karte 32/71 *(Montag geschl.)* – **11 Z : 21 B** 48 - 85.

🏨 **Rüttgers** garni, Dr.-Haupt-Weg 4, ✆ 41 22 – [P]
14 Z : 24 B 45 - 84.

In Weinähr **5409** NO : 6 km :

🏨 **Weinhaus Treis**, Hauptstr. 1, ✆ (02604) 50 15, ⛱, eigener Weinbau, ♨, 🏊 (geheizt), 🌳, 🎾, Fahrradverleih – [TV] ☎ [P] 🧑‍🏫. [AE] E
Karte 23/51 – **45 Z : 80 B** 43/70 - 80/110 – P 70/90.

[NASTÄTTEN] **5428.** Rheinland-Pfalz – 3 300 Ew – Höhe 250 m – ✆ 06772.
Mainz 46 – ♦Koblenz 45 – Limburg an der Lahn 34 – ♦Wiesbaden 41.

🏨 **Oranien** 🐌, Oranienstr. 10, ✆ 15 42, 🌳, 🎾 – 🚗 [P]. 🚫 Zim
⬅ Karte 16,50/40 *(Freitag geschl.)* 🕯 – **21 Z : 37 B** 28/48 - 56/90.

[NAUHEIM, BAD] **6350.** Hessen [418] J 15, [987] ㉕ – 28 000 Ew – Höhe 145 m – Heilbad – ✆ 06032.
Ausflugsziel : Münzenberg (Burgruine★) N: 13 km – ⛳9 Am Golfplatz, ✆ 21 53.
[i] Verkehrsverein, Pavillon in der Parkstraße, ✆ 21 20.
♦Wiesbaden 64 – ♦Frankfurt am Main 36 – Gießen 31.

🏨 **Parkhotel am Kurhaus** 🐌, Nördlicher Park 16, ✆ 30 30, Telex 415514, Fax 303419, ≤, ⛱, ♨, 🏊 – 🛗 [TV] ♿ 🚗 [P] 🧑‍🏫. [AE] ⦿ E VISA
Karte 42/68 – **99 Z : 166 B** 120/160 - 190/270 Fb – 9 Appart. 370 – P 151/216.

🏨 **Rosenau**, Steinfurther Str. 1, ✆ 8 60 61, ♨, 🏊 – 🛗 [TV] 🚗 [P] 🧑‍🏫. [AE] ⦿ E VISA. 🚫
Karte 50/68 – **Bistro** *(nur Abendessen)* Karte 25/40 – **54 Z : 100 B** 125/175 - 165/205 Fb.

🏨 **Am Hochwald** 🐌, Carl-Oelemann-Weg 9, ✆ 34 80, Telex 415518, ⛱, Massage, ♨, 🏊 – 🛗 ▤ Rest 🚗 [P] 🧑‍🏫 (mit ▤). [AE] ⦿ E
Karte 34/64 – **124 Z : 210 B** 110/150 - 136/180 Fb – 3 Appart. 300 – P 116/198.

[🏨] **Brunnenhof** 🔇 garni, Ludwigstr. 13, ☎ 20 17 – 🛗 ☎ 🅿
23. Dez.- 4. Jan. und Juli 2 Wochen geschl. – **28 Z : 52 B** 80 - 130 Fb.

🏨 **Intereuropa**, Bahnhofsallee 13, ☎ 20 36, Telex 4102053 – 🛗 [TV] ☎. [AE] [D] [E] [VISA]
Karte 24/45 – **35 Z : 65 B** 90/121 - 140/160 Fb – P 126/156.

🏨 **Rex**, Reinhardstr. 2, ☎ 20 47 – 🛗 ☎ 🚗. [AE] [D] [E] [VISA]
(nur Abendessen für Hausgäste) – **24 Z : 44 B** 73/84 - 118/130 Fb.

🏨 **Blumes Hotel am Kurhaus** 🔇 garni, Auguste-Viktoria-Str. 3, ☎ 20 72 – 🛗 ☎ 🚗 🅿. [E]
Dez.- Jan. geschl. – **19 Z : 28 B** 45/95 - 95/120.

🏨 **Haus Grunewald** garni (ehem. Villa), Terrassenstr. 10, ☎ 22 30 – 🚫 ☎ 🅿
22. Dez.- 5. Jan. geschl. – **11 Z : 15 B** 74/106 - 130/158.

🍴 **Gaudesberger** mit Zim, Hauptstr. 6, ☎ 25 08 – [AE] [D] [E] [VISA]
Nov. geschl. – Karte 24/50 *(Mittwoch geschl.)* – **8 Z : 12 B** 35/41 - 64/74.

[NAUMBURG] **3501. Hessen – 5 000 Ew – Höhe 280 m – Luftkurort – ☎ 05625.**
Sehenswert : ≤★ von der Netzer Straße.
[i] Verkehrsamt, Rathaus, Burgstraße, ☎ 8 97.
♦Wiesbaden 218 – ♦Kassel 36 – Korbach 27 – Fritzlar 17.

🏨 **Haus Weinrich**, Bahnhofstr. 7, ☎ 2 23, 🌳 – 🚗 🅿. [D] [E]
14. Okt.- 19. Nov. geschl. – Karte 19,50/34 – **17 Z : 27 B** 38 - 76 – P 53.

In Naumburg 4-Heimarshausen SO : 9 km :

🏨 **Ferienhof Schneider** 🔇, Kirschhäuserstr. 7, ☎ (05622) 17 98, 🌳, 🐎(Reitplatz) – 🅿.
🚫 Rest
5. Jan.- 1. März geschl. – Karte 19/28 – **27 Z : 54 B** 36/41 - 66/76 – P 52/57.

[NEBEL] Schleswig-Holstein siehe Amrum (Insel).

[NEBELHORN] Bayern. Sehenswürdigkeit siehe Oberstdorf.

[NECKARGEMÜND] **6903. Baden-Württemberg [413] J 18, [987] ㉕ – 15 000 Ew – Höhe 124 m – ☎ 06223.**
Ausflugsziel : Dilsberg : Burg (Turm ※★) NO : 5 km.
[i] Verkehrsamt, Hauptstr. 25, ☎ 35 53.
♦Stuttgart 107 – Heidelberg 10 – Heilbronn 53.

🏨 Zum Ritter (Haus a. d. 16. Jh.), Neckarstr. 40, ☎ 70 35, Telex 461837, ≤ – ☎ 🏔
41 Z : 82 B Fb.

🍴 Zum letzen Heller, Brückengasse 10, ☎ 35 65
nur Abendessen.

🍴 Griechische Weinstube Stadt Athen (historisches Studentenlokal), Neckarstr. 38, ☎ 22 85, ☂
wochentags nur Abendessen.

In Neckargemünd 2-Dilsberg NO : 4,5 km :

🍴🍴 **Sonne**, Obere Str. 14, ☎ 22 10 – [AE] [D] [E] [VISA]
Donnerstag, 2.- 9. Feb. und 20. Juli - 3. Aug. geschl. – Karte **32**/65.

In Neckargemünd-Kleingemünd N : 1 km :

🏨 Landgasthof Zum Schwanen 🔇, Uferstr. 16, ☎ 70 70, Biergarten – [TV] ☎ 🅿
13 Z : 26 B.

In Neckargemünd-Rainbach O : 2 km :

🍴 **Waibel's Gasthaus Neckartal**, Ortsstr. 9, ☎ 24 55, « Gartenterrasse »
Montag - Dienstag, 2.- 31. Jan. und 25. Sept.- 2. Okt. geschl. – Karte 24/49.

In Neckargemünd - Waldhilsbach SW : 5 km :

🍴🍴 **Zum Rössl** mit Zim, Heidelberger Str. 15, ☎ 26 65, ☂ – 🚗 🅿
Jan.- Feb. und Juli - Aug. jeweils 2 Wochen geschl. – Karte **28**/52 *(Montag und Donnerstag geschl.)* 🍷 – **13 Z : 20 B** 40/50 - 70/80.

[NECKARSTEINACH] **6918. Hessen [413] J 18, [987] ㉕ – 3 900 Ew – Höhe 127 m – ☎ 06229.**
♦Wiesbaden 111 – Heidelberg 14 – Heilbronn 57.

🏨 Schiff, Neckargemünder Str. 2 (B 37), ☎ 3 24, ≤, ☂ – 🛗 ♿ 🅿 🏔
22 Z : 40 B.

🏨 **Vierburgeneck**, Heiterswiesenweg 11 (B 37), ☎ 5 42, ≤, ☂, 🌳 – 🅿. 🚫
15. Dez.- 15. Feb. und 20. Aug.- 5. Sept. geschl. – Karte 20/40 *(nur Abendessen, Dienstag geschl.)* – **15 Z : 31 B** 45/55 - 82/88 Fb.

🏨 **Neckarblick** garni, Bahnhofstr. 27a, ☎ 12 24 – 🅿. [E] [VISA]
1.- 10. Jan. geschl. – **13 Z : 26 B** 37/45 - 68/80 Fb.

[NECKARSULM] **7107.** Baden-Württemberg [413] K 19, [987] ㉕ – 22 000 Ew – Höhe 150 m – ☎ 07132.

♦Stuttgart 58 – Heilbronn 5,5 – ♦Mannheim 78 – ♦Würzburg 106.

- **Linde,** Stuttgarter Str. 11, ✆ 8 11 17, 🌳 – [TV] ☎ [P]. ⓓ E
  Karte 33/54 *(regionale Küche, Sonntag ab 15 Uhr und Samstag geschl.)* 🍷 – **29 Z : 44 B** 50/75 - 90/115.
- **Post,** Neckarstr. 8, ✆ 50 81 – ☎ 🏛. ⓓ
  20. Dez.- 10. Jan. geschl. – Karte 23/45 *(Samstag geschl.)* 🍷 – **30 Z : 40 B** 70 - 100/110.
- Sulmana 🌙 garni, Ganzhornstr. 21, ✆ 50 24 – 🛗 ☎ [P]. ✗ – **29 Z : 44 B.**
- **Ballei,** Deutschordensplatz, ✆ 60 11 – [P] 🏛. E
  Montag und Juli - Aug. 3 Wochen geschl. – Karte 26/52 🍷.

[NECKARTENZLINGEN] **7449.** Baden-Württemberg [413] K 21 – 5 000 Ew – Höhe 292 m – ☎ 07127.

♦Stuttgart 32 – Reutlingen 15 – Tübingen 18 – ♦ Ulm (Donau) 80.

- **Krone-Knöll** mit Zim, Marktplatz 1, ✆ 3 14 07 – [TV] ☎ [P]. E [VISA]. ✗
  Karte 34/65 *(Samstag bis 18 Uhr, Donnerstag, 2.- 11. Feb. und Juli - Aug. 3 Wochen geschl.)* – **7 Z : 16 B** 80/100 - 140/180.

[NECKARWESTHEIM] **7129.** Baden-Württemberg [413] K 19 – 2 350 Ew – Höhe 266 m – ☎ 07133 (Lauffen).

⛳18 Schloß Liebenstein, ✆ 1 60 19.

♦Stuttgart 41 – Heilbronn 13 – Ludwigsburg 25.

- **Schloßhotel Liebenstein** 🌙 (Renaissancekapelle a.d.J. 1600), S : 2 km, ✆ 60 41, Telex 720976, Fax 6045, ≤, ⛳18 – 🛗 [TV] ☎ [P] 🏛. [AE] ⓓ E [VISA]. ✗ Rest
  2.- 31. Jan. geschl. – Karte 55/80 *(nur Abendessen, Montag geschl.)* – **24 Z : 33 B** 135/185 - 190/300 Fb.
- **Pension Hofmann** garni, Hauptstr. 12, ✆ 78 76 – ☎ [P]
  23. Dez.- 6. Jan. geschl. – **17 Z : 26 B** 42/50 - 60/80.

[NECKARZIMMERN] **6951.** Baden-Württemberg [413] K 19 – 1 650 Ew – Höhe 151 m – ☎ 06261 (Mosbach).

♦Stuttgart 80 – Heilbronn 25 – Mosbach 8.

- **Burg Hornberg** 🌙 (Burg Götz von Berlichingens), ✆ 40 64, Telex 466169, ≤ Neckartal, eigener Weinbau – ☎ [P] 🏛. [VISA]
  März - Nov. – Karte 37/68 *(auf Vorbestellung: Essen wie im Mittelalter)* – **27 Z : 50 B** 85/110 - 135/170 Fb.

[NEETZE] Niedersachsen siehe Bleckede.

[NEHREN] **5594.** Rheinland-Pfalz – 100 Ew – Höhe 90 m – ☎ 02673.

Mainz 120 – Koblenz 63 – ♦Trier 74.

- **Quartier Andre,** Moselstr. 2, ✆ 40 15, 🌳, eigener Weinbau, 🌲 – ☎ 🚗 [P]. [AE] ⓓ E [VISA]. ✗ Rest
  6. Jan.- Feb. geschl – Karte 20/44 *(Dienstag geschl.)* 🍷 – **13 Z : 30 B** 55 - 87/100.

[NELLINGEN] **7901.** Baden-Württemberg [413] M 21 – 1 500 Ew – Höhe 680 m – ☎ 07337.

♦Stuttgart 72 – Göppingen 41 – ♦Ulm 28.

- **Landgasthof Zur Krone,** Aicher Str. 7, ✆ 62 00 – [TV] ☎ [P] 🏛
  Karte 18/36 *(23. Dez.- 12. Jan. sowie Sonn- und Feiertage geschl.)* – **45 Z : 90 B** 35/55 - 55/75.

[NENNDORF, BAD] **3052.** Niedersachsen [987] ⑮ – 8 800 Ew – Höhe 70 m – Heilbad – ☎ 05723.

[i] Kur- und Verkehrsverein, Hauptstr. 11, ✆ 34 49.

♦Hannover 32 – Bielefeld 85 – ♦Osnabrück 115.

- **Residenz-Hotel,** Kurhausstr. 1, ✆ 60 11, Telex 972279, Fax 5069, ≘s – 🛗 [TV] ☎ 🚗 [P] 🏛. [AE] ⓓ E [VISA]
  Karte 28/55 – **90 Z : 146 B** 100/112 - 140/160 Fb.
- Kurhotel Hannover 🌙, Hauptstr. 12a, ✆ 20 77, 🌳, Massage, ≘s, 🏊 – 🛗 ☎ [P] 🏛
  58 Z : 72 B Fb.
- **Kurpension Harms** 🌙, Gartenstr. 5, ✆ 70 31, Massage, ≘s, 🌲, Fahrradverleih – 🛗 [TV] ☎ [P]
  20. Dez.- 5. Jan. geschl. – (Rest. nur für Hausgäste) – **45 Z : 56 B** 55/63 - 86/120 Fb – P 70/80.
- **Schaumburg-Diana,** Rodenberger Allee 28, ✆ 50 94, 🌲 – [TV] ☎ [P]. [AE] ⓓ E [VISA]. ✗ Rest
  (Rest. nur für Hausgäste) – **32 Z : 48 B** 55/90 - 95/130 Fb.
- **Villa Kramer** 🌙 (ehem. Kaufherren- und Botschaftshaus), Kramerstr. 4, ✆ 20 15, 🌲 – 🛗 ☎ 🚗. E. ✗
  6. Jan.- 6. Feb. geschl., Nov.- März garni – Karte 18/39 *(auch Diät, Abendessen nur für Hausgäste)* – **15 Z : 19 B** 50/55 - 99/198.

In Bad Nenndorf 2 - Riepen NW : 4,5 km über die B 65 :

🍴🍴 ✿ **Schmiedegasthaus - Restaurant La forge** 🌿 mit Zim, Riepener Str. 21, ☎ (05725) 50 55, Fahrradverleih – [TV] ☎ 🚗 [P] ♿. [AE] [D] [E] [VISA]
Juli - Aug. und Jan. je 2 Wochen geschl. – Karte 47/75 *(nur Abendessen, Gasthaus auch Mittagessen, Montag - Dienstag geschl.)* – **Gasthaus** Karte **29**/46 *(nur Montag geschl.)* – **11 Z : 16 B** 45/80 - 85/130
Spez. Gugelhupf vom Lachs, Wildgerichte, Rumfrüchte mit Blätterteig.

In Bad Nenndorf 3-Waltringhausen NO : 1,5 km :

🏠 Deisterblick garni, Finkenweg 1, ☎ 30 36 – [TV] ☎ 🚗 [P] – **16 Z : 22 B.**

Außerhalb SO : 3,5 km, von der B 65 vor der Autobahnauffahrt rechts abbiegen :

🍴 **Waldgasthof Mooshütte** 🌿 mit Zim, ✉ 3052 Bad Nenndorf, ☎ (05723) 36 10, ☂ – [TV] 🚗 [P]
20. Dez.- 10. Jan. geschl. – Karte 23/31 *(Donnerstag geschl.)* – **5 Z : 7 B** 35/42 - 84 – P 60/65.

NENTERSHAUSEN Hessen siehe Sontra.

NERESHEIM **7086.** Baden-Württemberg [413] NO 20, [987] ㊱ – 6 700 Ew – Höhe 500 m – ☎ 07326.
Sehenswert : Klosterkirche★ – ⛳ Hofgut Hochstadt (S : 3 km), ☎ (07326) 79 79.
♦Stuttgart 101 – Aalen 26 – Heidenheim an der Brenz 21 – ♦Nürnberg 111.

In Neresheim - Ohmenheim N : 3 km :

🏠 **Zur Kanne**, Brühlstr. 2, ☎ 67 21, Fax 6343, 🏊, ✂ – [TV] ☎ 🚗 [P] ♿. [AE] [D] [E]
◆ Karte 18/37 *(Anfang - Mitte Jan. und Freitag bis 19 Uhr geschl.)* 🍷 – **34 Z : 62 B** 39/42 - 60/74.

NERSINGEN **7916.** Bayern [413] N 21 – 8 000 Ew – Höhe 475 m – ☎ 07308.
♦ München 124 – ♦Augsburg 66 – ♦Stuttgart 106 – ♦Ulm 10.

🍴 **Brauerei-Gasthof Seybold**, Ulmer Str. 31, ☎ 23 87, ☂ – [P]
Samstag geschl. – Karte 25/50.

NESSELWANG **8964.** Bayern [413] O 24, [987] ㊱, [426] ⑮ – 3 100 Ew – Höhe 865 m – Luftkurort – Wintersport : 900/1 600 m ⛷7 ⛷3 – ☎ 08361.
[i] Verkehrsamt, Rathaus, Hauptstr. 18, ☎ 7 50.
♦München 120 – Füssen 17 – Kempten (Allgäu) 24.

🏠 Post, Hauptstr. 25, ☎ 2 38, Brauereimuseum, Bierseminare – ☎ 🚗 [P] – **23 Z : 38 B** Fb.

🏠 **Bergcafé**, Sudetenweg 2, ☎ 2 23, ≤, ☂, Bade- und Massageabteilung, ⛹, 🏊, 🏊, 🌳, Fahrrad- und Skiverleih – [lift] ☎ [P]. [VISA]
Nov.- 10. Dez. geschl. – Karte 25/44 – **40 Z : 75 B** 54/80 - 104/144 Fb – 3 Fewo 52/82 – P 96/124.

🏠 Pension Gisela 🌿, Falkensteinstr. 9, ☎ 2 17, ☂, 🏊, 🌳 – ☎ [P]. ✗ – **18 Z : 30 B.**

🏠 **Marianne**, Römerstr. 11, ☎ 32 18, ≤, ☂, 🌳 – [P]. ✗
Nov.- 15. Dez. geschl. – Karte 21/46 – **30 Z : 55 B** 33/59 - 88/98.

🏠 **Sportcafé Martin** 🌿, An der Riese 18, ☎ 14 24, 🏊 – [P]
◆ *3.- 24. Nov. geschl.* – Karte 19,50/35 – **28 Z : 50 B** 45/61 - 80/90 – P 65.

An der Bergstation der Alpspitzbahn Berg- und Talfahrt 8 DM – Höhe 1 500 m :

🏠 **Berggasthof Sportheim Böck** 🌿, ✉ 8964 Nesselwang, ☎ (08361) 31 11, ≤ Alpen, 🏊,
◆ 🌳 – [P] (an der Talstation)
2.- 30. April und 6. Nov.- 15. Dez. geschl. – Karte 19/32 *(im Mai, Juni, Okt. und Nov. jeweils Montag geschl.)* – **20 Z : 30 B** 28 - 56.

In Nesselwang-Lachen NO : 2 km :

🏠 **Löwen**, an der Straße nach Marktoberdorf, ☎ 6 40, ☂, 🏊, 🏊, 🌳 – [lift] [P]
Anfang Nov.- Anfang Dez. geschl. – Karte 21/37 🍷 – **27 Z : 58 B** 40/50 - 74/90 – P 58/64.

Siehe auch : *Liste der Feriendörfer*

NETPHEN **5902.** Nordrhein-Westfalen – 22 700 Ew – Höhe 250 m – ☎ 02738.
[i] Verkehrsverein, Amtsstr. 6 (Rathaus), ☎ 60 30.
♦Düsseldorf 138 – Siegen 8.

In Netphen 1-Sohlbach NO : 8 km :

🏠 **Waldhaus** 🌿, Vorm Breitenberg 27, ☎ 12 84, ≤, 🏊, 🏊, 🌳 – ☎ [P]. [AE] [D] [E]
Jan. und Nov. jeweils 2 Wochen geschl. – Karte 22/45 *(Mittwoch geschl.)* – **10 Z : 19 B** 42/50 - 62/90.

Bei der Lahnquelle SO : 17,5 km über Netphen-Deuz – Höhe 610 m :

🏠 Forsthaus Lahnhof 🌿, ✉ 5902 Netphen 3, ☎ (02737) 34 03, ≤, ☂, 🌳 – 🚗 [P]
14 Z : 21 B.

NETTETAL 4054. Nordrhein-Westfalen 987 ⑬ ㉓ – 37 000 Ew – Höhe 46 m – ☎ 02153.

Verkehrsamt, Haus Erlenbruch, Hochstr. 2, ✆ 12 16 01.

♦Düsseldorf 47 – Krefeld 24 – Mönchengladbach 24 – Venlo 15.

In Nettetal 1-Breyell :

Hoege, Lindenallee 2, ✆ 7 04 22 – Ⓟ.

In Nettetal 1-Hinsbeck :

Haus Josten, Wankumer Str. 3, ✆ 20 36 – TV ☎ Ⓟ. AE E
18. Juni - 7. Juli geschl. – Karte 28/45 *(Mittwoch geschl.)* – **10 Z : 18 B** 45/55 - 76.

Zum Mühlenberg garni, Büschen 14, ✆ 40 11 – TV ☎ Ⓟ
17 Z : 30 B.

Berghof mit Zim, Panoramaweg 19, ✆ 37 04, – ☎ Ⓟ. AE E VISA
Karte 35/59 *(Montag geschl.)* – **8 Z : 13 B** 39/45 - 78.

In Nettetal 1-Lobberich :

Haus am Rieth, Reinersstr. 5, ✆ 8 01 80, – TV ☎ Ⓟ
22 Z : 34 B Fb.

Rütten, Hochstr. 1, ✆ 10 33 – ☎ . AE E
Karte 20/49 *(Freitag - Samstag 17 Uhr und Juli geschl.)* – **14 Z : 22 B** 38/45 - 65/75.

Zum Schänzchen mit Zim, Dyck 58 (südlich der BAB-Ausfahrt), ✆ 24 65 – ☎ Ⓟ. AE E
Juni - Juli 3 Wochen geschl. – Karte 23/52 *(Montag geschl.)* – **11 Z : 19 B** 45/55 - 80/95.

NEUALBENREUTH 8591. Bayern 413 U 17 – 1 450 Ew – Höhe 549 m – ☎ 09638.

Schloß Ernestgrün (S : 1 km), ✆ 8 00.

♦München 254 – Bayreuth 83 – ♦Nürnberg 171.

Schloßhotel Ernestgrün , Rothmühle 15 (S : 1,5 km), ✆ 8 00, , (Halle), – TV ☎ Ⓟ . E
Karte 29/51 – **19 Z : 37 B** 85/120 - 120/170 Fb – (Anbau mit 56 Z, ab Frühsommer 1989).

NEUBEUERN 8201. Bayern 413 T 23, 426 ⑱ – 3 200 Ew – Höhe 478 m – Luftkurort – ☎ 08035 (Raubling).

♦München 69 – Miesbach 31 – Rosenheim 12.

Burghotel - Burgdacherl , Marktplatz 23, ✆ 24 56, ≤ Riesenkopf und Kaisergebirge, Dachterrasse, Massage, – ☎ . Rest
13 Z : 26 B.

Hofwirt, Marktplatz 5, ✆ 23 40, Biergarten
6. Nov.- 4. Dez. geschl. – Karte 18/36 *(Montag geschl.)* – **18 Z : 36 B** 40/42 - 58/72.

Zum Glaserwirt, Marktplatz 30, ✆ 26 66 – AE E
nur Abendessen, Donnerstag und Ende Aug.- Mitte Sept. geschl. – Karte 43/64.

NEUBIBERG Bayern siehe München.

NEUBRUNN 8702. Bayern 413 M 17 – 2 200 Ew – Höhe 290 m – ☎ 09307.

♦München 300 – Wertheim 14 – ♦Würzburg 21.

In Neubrunn-Böttigheim SW : 5 km :

Berghof , Neubrunner Weg 15, ✆ (09349) 12 48, ≤, , eigener Weinbau, – TV ☎ Ⓟ
Mitte Jan.- Mitte Feb. geschl. – Karte 21/34 *(Montag geschl.)* – **13 Z : 22 B** 40 - 75.

NEUBULACH 7265. Baden-Württemberg 413 IJ 21 – 3 800 Ew – Höhe 584 m – Luftkurort – ☎ 07053.

Kurverwaltung, Rathaus, ✆ 75 92.

♦Stuttgart 57 – Calw 10 – Freudenstadt 41.

Hirsch, Calwer Str. 5, ✆ 70 90, – Ⓟ. Zim
16 Z : 28 B Fb.

Lamm, Calwer Str. 22, ✆ 71 23, – Ⓟ.
21. Nov.- 10. Dez. geschl. – Karte 22/30 *(Dienstag geschl.)* – **15 Z : 26 B** 39 - 72.

Zum Rößle, Obere Torstr. 8, ✆ 77 66, , (geheizt), – Ⓟ
Mitte Nov.- 10. Dez. geschl. – Karte 18/39 *(Montag geschl.)* – **14 Z : 28 B** 28/38 - 60/75 – P 40/52.

In Neubulach-Martinsmoos SW : 5 km :

Schwarzwaldhof, Wildbader Str. 28, ✆ (07055) 3 55, – Ⓟ. .
14. Feb.- 6. März geschl. – Karte 20/34 *(Dienstag geschl.)* – **12 Z : 26 B** 35/40 - 66.

In Neubulach-Oberhaugstett SW : 1 km :

Löwen, Hauptstr. 21, ✆ 62 00 – Ⓟ
10 Z : 22 B.

NEUBURG AN DER DONAU 8858. Bayern 413 Q 20, 987 ㊱ – 24 400 Ew – Höhe 403 m – ☎ 08431.

Städt. Fremdenverkehrsbüro, Amalienstr. A 51, ✆ 5 52 40.

♦München 95 – ♦Augsburg 53 – Ingolstadt 22 – ♦Ulm (Donau) 124.

Bergbauer, Fünfzehnerstr. 11, ✆ 4 70 95, Biergarten, – ☎. E VISA
Karte 23/48 *(Freitag - Samstag 17 Uhr geschl.)* – **22 Z : 40 B** 52/58 - 98 Fb.

Garni, Schrannenplatz C 153, ✆ 4 76 99
13 Z : 19 B 42 - 70.

Kieferlbräu, Eybstr. B 239, ✆ 20 14 – P
Karte 18/40 *(Ende Juli - Anfang Aug. und Donnerstag geschl.)* – **17 Z : 21 B** 30/48 - 57/74.

Neuwirt, Färberstr. C 88, ✆ 20 78 – P. E
23. Dez.- 7. Jan. geschl. – Karte 18/30 *(Sonntag 15 Uhr - Montag 15 Uhr geschl.)* – **36 Z : 40 B** 30/38 - 55/68.

In Neuburg-Bergen NW : 8 km :

Zum Klosterbräu mit Zim, Kirchplatz 1, ✆ 20 88, Biergarten, « Altbayrischer Landgasthof », – ☎ P
7.- 14. Sept. und 24. Dez.- 15. Jan. geschl. – Karte 18/42 *(Sonntag 17 Uhr - Montag geschl.)* – **10 Z : 16 B** 40/42 - 64/68.

In Neuburg-Bittenbrunn NW : 2 km :

Kirchbaur-Hof (traditioneller Landgasthof), Monheimer Str. 119, ✆ 25 32, « Gartenterrasse », – ☎ P
26. Dez.- 6. Jan. geschl. – Karte 21/48 *(Samstag geschl.)* – **40 Z : 60 B** 41/65 - 75/110 Fb.

NEUBURGWEIER Baden-Württemberg siehe Rheinstetten.

NEUDROSSENFELD 8581. Bayern 413 R 16 – 3 000 Ew – Höhe 340 m – ☎ 09203.

♦München 241 – ♦Bamberg 55 – Bayreuth 10.

Im Ortsteil Altdrossenfeld S : 1 km :

Brauerei-Gasthof Schnupp, ✆ 64 74, – ☎ P
Karte 19/37 *(Freitag geschl.)* – **19 Z : 27 B** 45/48 - 75/85.

NEUENAHR-AHRWEILER, BAD 5483. Rheinland-Pfalz 987 ㉔ – 28 000 Ew – Höhe 92 m – Heilbad – ☎ 02641.

Köhlerhof (über Landskroner Straße BY), ✆ (02641) 23 25.

Kur- und Verkehrsverein Bad Neuenahr, Pavillon am Bahnhof und Verkehrsverein Ahrweiler, Marktplatz, ✆ 22 78.

Mainz 147 ③ – ♦Bonn 30 ② – ♦Koblenz 56 ③.

Stadtplan siehe gegenüberliegende Seite.

Im Stadtteil Bad Neuenahr :

Steigenberger Kurhotel, Kurgartenstr. 1, ✆ 22 91, Telex 861812, Fax 70 01, , , direkter Zugang zum Bäderhaus – TV P. AE E VISA. Rest — CZ v
Karte 45/80 – **171 Z : 223 B** 140/175 - 210/260 Fb – 12 Appart. 330/500 – P 160/230.

Dorint-Hotel, Am Dahliengarten, ✆ 89 50, Telex 861805, Fax 895834, « Terrasse mit », Bade- und Massageabteilung, , – Zim TV P. AE E VISA. Rest — BY u
Karte 27/74 *(auch Diät)* – **180 Z : 300 B** 144/160 - 200/210 Fb – 6 Appart. 320/370 – P 150/210.

Giffels Goldener Anker, Mittelstr. 14, ✆ 80 40, Telex 861768, , « Garten », , – Rest ☎ P. AE E VISA. Rest — CZ w
Karte 30/55 *(auch Diät)* – **85 Z : 120 B** 79/115 - 150/180 Fb – P 120/160.

Seta Hotel, Landgrafenstr. 41, ✆ 80 30, Telex 861850, – TV ☎ P. AE E VISA — CZ r
Karte 29/49 – **107 Z : 175 B** 106 - 168 Fb.

Aurora, Georg-Kreuzberg-Str. 8, ✆ 2 60 20 – TV ☎ P. AE E VISA — CZ z
15. Nov.-14. Dez. geschl. – (Restaurant nur für Hausgäste) – **50 Z : 68 B** 66/150 - 145/180 Fb – P 96/117.

Fürstenberg - Restaurant Habsburg, Mittelstr. 6, ✆ 23 17, , – TV ☎ P. — CZ a
Karte 23/62 – **27 Z : 49 B** 55/66 - 95/125 – P 84/102.

Elisabeth, Georg-Kreuzberg-Str. 11, ✆ 2 60 74, , – TV ☎ P. Rest — CZ z
März-Nov. – Karte 32/45 *(auch Diät)* – **55 Z : 75 B** 86/130 - 152/186 Fb – 4 Fewo 150/190 – P 95/160.

Pfäffle, Lindenstr. 7, ✆ 2 42 35 – ☎ P. AE E. Rest — CZ s
(Restaurant nur für Hausgäste) – **50 Z : 64 B** 62/84 - 135/226 Fb.

Krupp, Poststr. 4, ✆ 22 73 – ☎ P. E. — CZ t
Karte 22/38 *(auch Diät)* – **35 Z : 50 B** 69 - 134 Fb – P 90.

Rieck garni, Hauptstr. 45, ✆ 2 66 99, – TV ☎ P — CZ n
11 Z : 18 B 55/60 - 85/95.

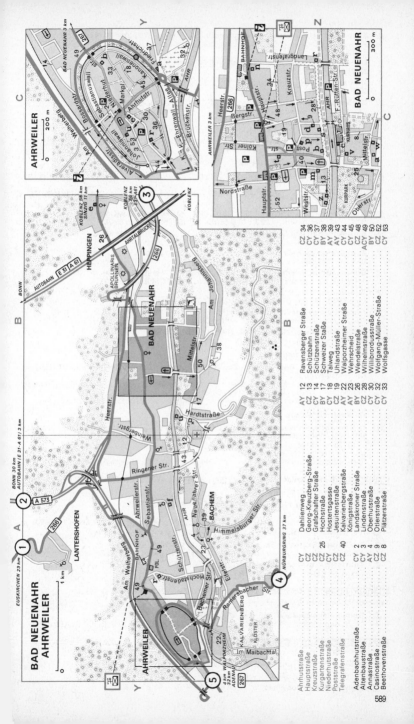

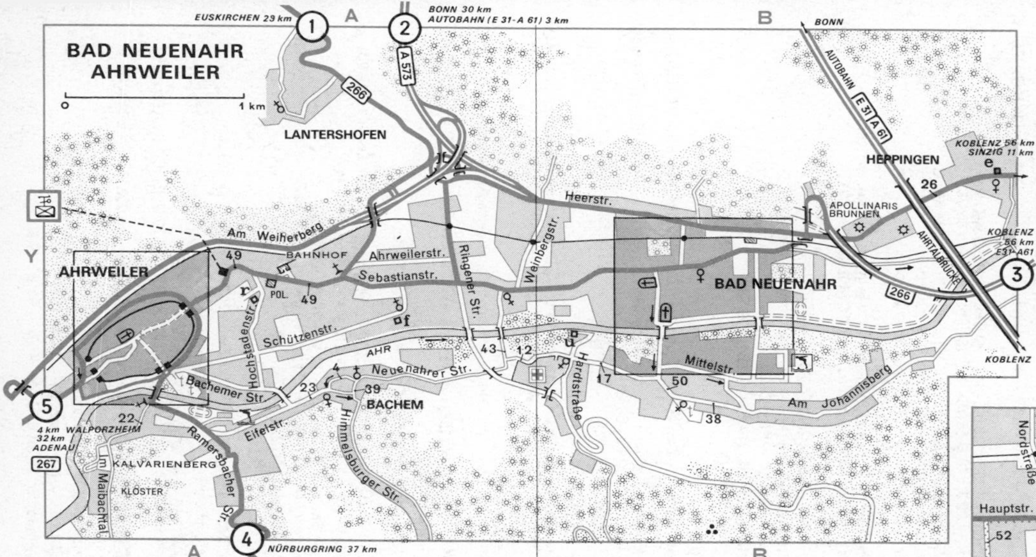

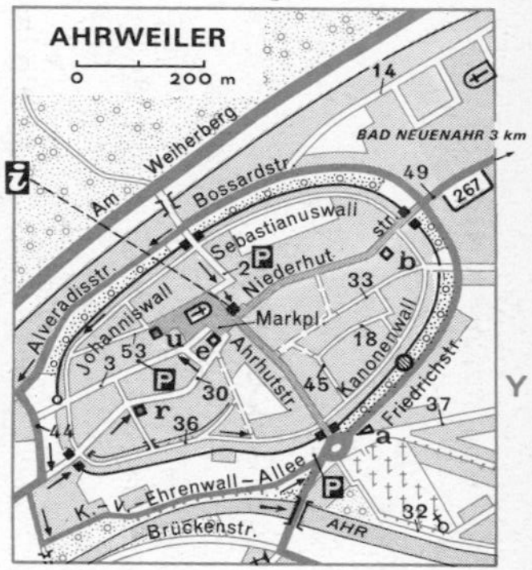

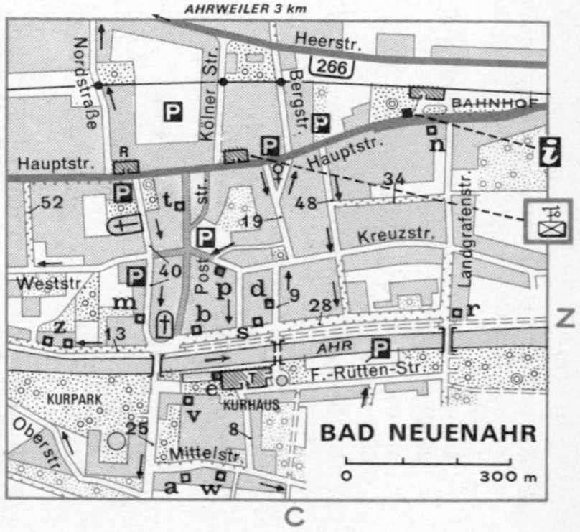

Ahrhutstraße	CY		Dahlienweg	AY	12	Ravensberger Straße	CZ	34
Hauptstraße	CZ		Georg-Kreuzberg-Straße	CZ	13	Schützbahn	CY	36
Kreuzstraße	CZ		Grafschafter Straße	CY	14	Schützenstraße	CY	37
Kurgartenstraße	CZ	25	Hochstraße	BY	17	Schweizer Staße	BY	38
Niederhutstraße	CY		Hostertsgasse	CY	18	Talweg	AY	39
Poststraße	CZ		Jesuitenstraße	CZ	19	Uhlandstraße	AY	43
Telegrafenstraße	CZ	40	Kalvarienbergstraße	AY	22	Walporzheimer Straße	CY	44
			Königstraße	AY	23	Wehrscheid	CY	45
Adenbachhutstraße	CY	2	Landskroner Straße	BY	26	Wendelstraße	CZ	48
Altenbaustraße	CY	3	Lindenstraße	CZ	28	Wilhelmstraße	ACY	49
Annastraße	AY	4	Oberhutstraße	CY	30	Willibrordusstraße	BY	50
Casinostraße	CZ	9	Otlerstraße	CY	32	Wolfgang-Müller-Straße	CZ	52
Beethovenstraße	CZ	8	Plätzerstraße	CY	33	Wolfsgasse	CY	53

🏨 **Kurpension Haus Ernsing**, Telegrafenstr. 30 (1. Etage), ☎ 22 21 – 🛗 ☎. ⊘ Rest CZ **m**
20. Nov.- 19. Dez. geschl. – (Restaurant nur für Hausgäste) – **24 Z : 32 B** 35/57 - 89/104 – P 60/83.

🏨 **Central** garni, Lindenstr. 2, ☎ 2 55 46 – 🛗 [TV] ☎ [P] CZ **b**
22 Z : 40 B 60/80 - 120/130.

🏨 **Hamburger Hof** garni, Jesuitenstr. 11, ☎ 2 60 17, « Garten » – ☎ 🚗 CZ **c**
35 Z : 50 B 38/62 - 73/112.

🍴🍴 **Kurhaus-Restaurant**, Kurgartenstr. 1, ☎ 22 91, 🌳 – 🏛. [AE] [D] [E] [VISA] CZ **e**
Montag geschl. – Karte 34/66.

🍴🍴 **Ratskeller**, Casinostr. 8, ☎ 2 54 66 CZ **d**
Dienstag - Mittwoch 19 Uhr und Juli 3 Wochen geschl. – Karte 52/80.

🍴 **Piccola Milano da Gianni** (Italienische Küche), Kreuzstr. 8c, ☎ 2 43 75 – [AE] [D] [E] [VISA]
Juli - Aug. 4 Wochen geschl. – Karte 28/60. CZ **p**

Im Stadtteil Ahrweiler :

🏨 **Hohenzollern** 🌙, Silberbergstr. 50, ☎ 42 68, ≤ Ahrtal, « Gartenterrasse » – [TV] ☎ [P]. [AE] [D] [E] [VISA] über ⑤
Mitte Jan.- Mitte Feb. geschl. – Karte 42/67 – **Wanderstube** Karte 21/40 – **17 Z : 34 B** 65/100 - 100/150.

🏨 **Avenida** garni, Schützenstr. 136, ☎ 33 66, 🏊 – ☎ 🚗 [P]. [AE] [E] [VISA]. ⊘ AY **f**
21. Dez.- 5. Jan. geschl. – **23 Z : 40 B** 65/75 - 105/130 Fb – 5 Fewo 65/75.

🏨 **Zum Ännchen** (mit Gästehaus), Niederhutstr. 10, ☎ 3 60 21 – 🛗 ☎ [P]. [E] CY **b**
◆ Karte 19/54 *(25. Jan.- 10. Feb. geschl.)* – **32 Z : 59 B** 35/52 - 58/92 – P 53/76.

🏨 **Zum Römer** 🌙 garni, Schülzchenstr. 11, ☎ 3 61 01 – [P]. ⊘ AY **r**
10 Z : 16 B 43/65 - 80.

🏨 **Schützenhof**, Schützenstr. 1, ☎ 3 43 77, Biergarten – ☎ [P]. [E]. ⊘ Zim CY **a**
März geschl. – Karte 21/36 *(Donnerstag geschl.)* – **9 Z : 18 B** 50/55 - 90/110.

🏨 **Zum Stern**, Markt 9, ☎ 3 47 38 – ⊘ CY **e**
Karte 39/60 *(Montag geschl.)* – **15 Z : 25 B** 36/60 - 70/95 – P 65/90.

🍴🍴 **Ahrweinhaus Zur Alten Post**, Am Markt 12, ☎ 47 57 – [AE] [D] [E] CY **u**
10.- 30. Jan. und Mittwoch geschl. – Karte 29/62.

🍴 **Altes Zunfthaus**, Oberhutstr. 34, ☎ 47 51 – [AE] [D] [E] [VISA] CY **r**
Donnerstag geschl. – Karte **27**/53 🍷.

Im Stadtteil Heppingen :

🍴🍴🍴 ✿ **Steinheuer's Restaurant - Zur Alten Post** mit Zim, Landkroner Str. 110 (Eingang Konsumsgasse), ☎ 2 41 14 – [P]. [AE] BY **e**
2.- 26. Jan. geschl. – Karte 62/85 *(Dienstag - Mittwoch 18 Uhr geschl.)* – **Poststuben** (Dienstag geschl.) Karte **27**/48 – **8 Z : 15 B** 30/38 - 60/66
Spez. Gratinierte Steinbuttschnitte mit Pinienkernen, Rehfilet mit Printensauce, Hippen-Feuilleté mit Beeren.

Im Stadtteil Walporzheim ⑤ : 1 km ab Ahrweiler :

🍴🍴🍴 ✿ **Romantik-Restaurant Brogsitter's Sanct Peter** (Historisches Gebäude, Gasthaus seit 1246), Walporzheimer Str. 134 (B 267), ☎ 38 99 11, eigener Weinbau, « Innenhofterrasse » – [P]. [AE] [D] [E] [VISA]
Jan.- 17. Feb. geschl. – Karte 55/93
Spez. Grafschafter Sauerkrautsuppe, Steinbutt in Gemüse-Kräutersud, Rehkotelett auf Johannisbeersauce.

NEUENBÜRG

NEUENBÜRG 7540. Baden-Württemberg [413] I 20, [987] ㉟ – 7 200 Ew – Höhe 325 m – ☎ 07082.
◆Stuttgart 62 – Baden-Baden 40 – Pforzheim 12.

🏨 Zum Grünen Baum, Flößerstr. 7, ☎ 29 55, 🌳 – ☎ – **10 Z : 21 B.**

NEUENBURG

NEUENBURG 7844. Baden-Württemberg [413] F 23, [427] ④, [242] ㊱ ㊵ – 7 800 Ew – Höhe 231 m – ☎ 07631 (Müllheim) – ◆Stuttgart 232 – Basel 35 – ◆Freiburg im Breisgau 36 – Mulhouse 20.

🏨 **Zur Krone**, Breisacher Str. 1, ☎ 78 04, 🌳 – 🛗 ☎ 🚗 [P]. [D] [E] [VISA]
Mitte Okt.- Mitte Nov. geschl. – Karte 21/48 *(Mittwoch geschl.)* 🍷 – **25 Z : 48 B** 30/70 - 60/98.

🏨 **Touristik-Hotel** garni, Basler Str. 2, ☎ 78 76 – [P]
Dez.- Jan. geschl. – **14 Z : 30 B** 66 - 87/95.

NEUENDETTELSAU

NEUENDETTELSAU 8806. Bayern [413] P 19 – 7 000 Ew – Höhe 440 m – ☎ 09874.
◆München 187 – Ansbach 19 – ◆Nürnberg 41.

🏨 **Sonne**, Hauptstr. 43, ☎ 7 66 – 🛗 ☎ [P] 🏛. ⊘ Rest
◆ *1.- 21. Aug. geschl.* – Karte 17,50/37 *(Montag geschl.)* 🍷 – **53 Z : 70 B** 35/70 - 70/100.

NEUENKIRCHEN KREIS SOLTAU

NEUENKIRCHEN KREIS SOLTAU 3044. Niedersachsen [987] ⑮ – 5 000 Ew – Höhe 35 m – Luftkurort – ☎ 05195 – [i] Verkehrsverein, Kirchstr. 9, ☎ 17 18.
◆Hannover 90 – ◆Bremen 71 – ◆Hamburg 88 – Lüneburg 62.

🏨 Tödter, Hauptstr. 2, ☎ 12 47 – [TV] ☎ 🚗 [P] – **16 Z : 29 B.**

🏨 Neuenkirchener Hof, Hauptstr. 27, ☎ 6 06, 🏊 – [P] – **11 Z : 20 B.**

NEUENKIRCHEN KREIS STEINFURT 4445. Nordrhein-Westfalen – 10 500 Ew – Höhe 64 m – ☎ 05973.

♦Düsseldorf 180 – Enschede 37 – Münster (Westfalen) 43 – ♦Osnabrück 54.

🏨 **Parkhotel Neuenkirchen**, Wettringer Str. 46 (B 70), ☎ 8 58, ⛱, « Stilvolle, rustikale Räume », 🏊, 🌳, 🏸 – 📞 🚗 [P] 🏛. [AE] [E] [VISA]. ✂ Zim
Karte 35/62 – **30 Z : 46 B** 70/85 - 125/140 Fb.

NEUENKIRCHEN (OLDENBURG) 2846. Niedersachsen – 5 800 Ew – Höhe 31 m – ☎ 05493.

♦Hannover 179 – ♦Bremen 97 – ♦Osnabrück 28.

Beim Kloster Lage SW : 5 km :

🏨 **Kommende Lage** 🐌 (Hotel in einem Rittergut a.d. 13.Jh.), ✉ 4555 Rieste, ☎ (05464) 51 51, Telex 941442, « Gartenterrasse », 🌳 – 📞 [P] 🏛. [E]
3.- 27. Jan. geschl. – Karte 30/50 *(Montag geschl.)* – **23 Z : 40 B** 60/85 - 93/128 Fb.

NEUENRADE 5982. Nordrhein-Westfalen – 11 200 Ew – Höhe 324 m – ☎ 02392.

♦Düsseldorf 103 – Iserlohn 22 – Werdohl 6.

🍴 **Landhaus Uffelmann** mit Zim, Kohlberg 4 (N : 2,5 km), Höhe 500 m, ☎ 6 13 12, ≤ Sauerländer Berge, ⛱, 🏸 – [P]. [AE]
Jan. geschl. – Karte 33/50 *(Donnerstag geschl.)* – **19 Z : 30 B** 45/65 - 80/120.

🍴 **Kaisergarten** 🐌 mit Zim, Hinterm Wall 15, ☎ 6 10 15 – [TV] 📞 🚗 [P] 🏛. [AE] [E] [VISA]
Karte 28/69 *(Dienstag bis 18 Uhr geschl.)* – **9 Z : 16 B** 64 - 93.

NEUENSTEIN 7113. Baden-Württemberg [413] L 19 – 5 100 Ew – Höhe 284 m – ☎ 07942.

Sehenswert : Schloß Neuenstein.

♦Stuttgart 74 – Heilbronn 34 – ♦ Nürnberg 132 – ♦ Würzburg 93.

🏨 **Café am Schloß**, Hintere Str. 18, ☎ 20 95 – 📞 [P]
Karte 26/48 *(Montag geschl.)* 🍷 – **11 Z : 19 B** 54 - 98 Fb.

🍴 **Goldene Sonne** (Fachwerkhaus a.d.J. 1786), Vorstadt 2, ☎ 30 55 – [AE] [E] [VISA]
Dienstag und 9.- 30. Jan. geschl. – Karte 46/77.

NEUENSTEIN 6431. Hessen – 3 200 Ew – Höhe 400 m – ☎ 06677.

♦Wiesbaden 166 – Fulda 53 – Bad Hersfeld 11 – ♦Kassel 58.

In Neuenstein-Aua [987] ㉕ :

🏨 **Landgasthof Hess**, Geistalstr. 8, ☎ 4 43, Telex 493283, « Grillgarten », 🏊, 🌳 – 🛗 📞 🚗 [P] 🏛. [AE] [E] [VISA]
Karte 26/50 – **37 Z : 68 B** 55/70 - 98/120 Fb.

NEUENWEG 7861. Baden-Württemberg [413] G 23, [427] ⑤, [242] ㊱㊵ – 380 Ew – Höhe 750 m – Erholungsort – Wintersport : 800/1 414 m ⛷2 ⛷1 – ☎ 07673 (Schönau).

♦Stuttgart 259 – Basel 49 – ♦Freiburg im Breisgau 49 – Müllheim 21.

🏨 Markgräfler Hof, Ortsstr. 22, ☎ 3 77 – [P]
25 Z : 45 B.

🏨 **Belchenstüble**, Schönauer Str. 63, ☎ 72 05, 🌳 – [P]. ✂
April geschl. – Karte 26/44 *(Donnerstag geschl.)* 🍷 – **12 Z : 23 B** 20/34 - 38/68.

In Neuenweg-Hinterheubronn NW : 5 km :

🏨 **Haldenhof** 🐌, ☎ 2 84, ≤, ⛱, 🏊, 🌳 – 🚗 [P]
✦ *15. Nov.-Dez. geschl.* – Karte 18/44 *(Dienstag geschl.)* 🍷 – **14 Z : 24 B** 34/39 - 56/66 – P 58/63.

In Bürchau 7861 S : 3 km – Wintersport : ⛷1 – Erholungsort :

🏨 **Berggasthof Sonnhalde** 🐌, Sonnhaldenweg 37, ☎ (07629) 2 60, ≤, ⛱, 🏋, 🌳, ⛷,
✦ Skiverleih – 🚗 [P]
10. Nov.- 20. Dez. geschl. – Karte 19,50/58 *(Montag - Dienstag geschl.)* 🍷 – **21 Z : 39 B** 33/45 - 68/88 Fb – P 52/66.

NEUERBURG 5528. Rheinland-Pfalz [987] ㉓, [409] ㉗ – 2 000 Ew – Höhe 337 m – Luftkurort – ☎ 06564.

[i] Tourist-Information, Herrenstr. 2, ☎ 26 73.

Mainz 189 – Bitburg 23 – Prüm 33 – Vianden 19.

🏨 **Berghof** 🐌, Plascheiderberg 27, ☎ 25 50, ≤, ⛱ – 🚗 [P]. ✂
Karte 25/50 – **16 Z : 26 B** 40/50 - 80/100.

🏨 **Zur Stadt Neuerburg**, Poststr. 10, ☎ 21 26 – [P]. [E]. ✂ Zim
✦ *8. Feb.- 8. März geschl.* – Karte 19/35 – **23 Z : 45 B** 35/37 - 58/71.

🏨 **Schloß-Hotel**, Bitburger Str. 13, ☎ 23 73 – 🚗 [P]
✦ *Ende Okt.- Anfang Dez. geschl.* – Karte 15/33 *(Dez.- April Montag ab 14 Uhr geschl.)* – **30 Z : 60 B** 25/30 - 46/50 – P 40/45.

NEUFAHRN 8056. Bayern [413] R 22 – 14 500 Ew – Höhe 463 m – ☏ 08165.
♦München 18 – Landshut 55 – ♦Regensburg 109.

🏨 **Gumberger**, Echinger Str. 1, ☎ 30 42, Telex 526728 – ⇅ 📺 📞 🚗 [P] 🏔. [AE] [D] [E]
Karte 18,50/44 – **55 Z : 100 B** 100/120 - 140/160.

🏨 **Krone**, Echinger Str. 23, ☎ 40 81 – ⇅ 📺 📞 🚗 [P]. [AE]
Karte 24/42 *(Jugoslawische Küche)* (Samstag bis 18 Uhr geschl.) – **36 Z : 60 B** 75/85 - 110.

NEUFARN Bayern siehe Vaterstetten.

NEUFFEN 7442. Baden-Württemberg [413] L 21, [987] ㉟ – 5 000 Ew – Höhe 405 m – ☏ 07025.
Ausflugsziel : Hohenneuffen : Burgruine★ (※★), O : 12 km.
♦Stuttgart 41 – Reutlingen 17 – ♦Ulm (Donau) 70.

🍴 **Traube** mit Zim, Hauptstr. 24, ☎ 28 94, ≘s – 📞 🚗 [P]. [AE] [D] [E]
Juli - Aug. 3 Wochen geschl. – Karte 24/56 – **6 Z : 14 B** 70/120 - 90/140.

🍴 **Stadthalle**, Oberer Graben 28, ☎ 26 66 – [P] 🏔. [D]
Montag - Dienstag, 1.- 10. Jan. und Aug. 3 Wochen geschl. – Karte 31/60.

NEUHARLINGERSIEL 2943. Niedersachsen – 1 500 Ew – Höhe 2 m – Seebad – ☏ 04974.
[i] Kurverwaltung, Hafenzufahrt-West 1, ☎ 4 01.
♦Hannover 257 – Emden 59 – ♦Oldenburg 87 – Wilhelmshaven 46.

🏨 **Mingers**, Am Hafen - Westseite 1, ☎ 3 17, ← – 📺 📞 🚗 [P]. [D]. 🐕
März - 20. Nov. – Karte 26/61 *(Mittwoch geschl.)* – **24 Z : 46 B** 68/83 - 130/170 – 8 Fewo.

🏨 **Rodenbäck**, Am Hafen - Ostseite 2, ☎ 2 25 (Hotel) 7 07 (Appart.), ← – 📞 [P]. 🐕 Zim
3. Nov.- 27. Dez. geschl. – Karte 24/45 *(Montag geschl.)* – **14 Z : 23 B** 50/65 - 80/88 – 13 Fewo 75/95.

🏨 **Jansen's Hotel**, Am Hafen - Westseite 7, ☎ 2 24, ← – 📞 [P]. 🐕
(Restaurant nur für Hausgäste) – **23 Z : 43 B.**

In Neuharlingersiel-Großholum SW : 3 km :

🏨 **Kissmann's Hotel** garni, Ost 4, ☎ 2 44 – [P]. 🐕
Mitte März - Okt. – **12 Z : 24 B** 42 - 78.

NEUHAUS AM INN 8399. Bayern [413] X 21 – 3 000 Ew – Höhe 312 m – ☏ 08503.
♦München 162 – Linz 96 – Passau 18 – Regensburg 142.

🏨 **Apparthotel Alte Innbrücke** 🐚 garni, Finkenweg 7, ☎ 80 01, ←, 🌳, Fahrradverleih – ⇅ [P] – **40 Z : 82 B** 40/42 - 68 Fb.

In Neuhaus-Vornbach N : 4 km :

🏨 **Am Schloßpark** 🐚, Dr.-Duisberg-Str. 1, ☎ 80 05, 🍽, ≘s, 🏊, 🌳 – ⇅ 📞 [P] 🏔
Karte 19/30 – **46 Z : 92 B** 51/59 - 76/85.

NEUHAUS AN DER PEGNITZ 8574. Bayern [413] R 18 – 3 000 Ew – Höhe 400 m – ☏ 09156.
Sehenswert : Lage★.
♦München 199 – Amberg 38 – Bayreuth 47 – ♦Nürnberg 53.

🏨 **Burg Veldenstein** 🐚, Burgstr. 88, ☎ 6 33, 🍽, Wildgehege, Volièren, ≘s, 🌳 – [P]. [AE] [D] [E] [VISA]
15. Jan.- Feb. geschl. – Karte 17/35 *(Montag geschl.)* – **19 Z : 40 B** 43/49 - 72/95.

🏨 **Bayerischer Hof**, Unterer Markt 9, ☎ 6 71, 🍽, 🌳 – 🚗 [P]. 🐕 Zim
5.- 30. Nov. geschl. – Karte 14,50/30 *(Montag geschl.)* 🍷 – **13 Z : 22 B** 33/60 - 55/80.

NEUHAUSEN AUF DEN FILDERN 7303. Baden-Württemberg [413] K 20 – 10 300 Ew – Höhe 280 m – ☏ 07158 – ♦Stuttgart 24 – Esslingen 9 – ♦Ulm (Donau) 74.

🍴 Ochsen (restaurierter Fachwerkbau a.d. 17. Jh.), Kirchstr. 12, ☎ 82 06 – [P].

NEUHEWEN Baden-Württemberg siehe Engen im Hegau.

NEUHOF 6404. Hessen [413] L 15 – 10 500 Ew – Höhe 275 m – ☏ 06655.
♦Wiesbaden 133 – ♦Frankfurt am Main 89 – Fulda 15.

🏨 **Schützenhof**, Gieseler Str. 2, ☎ 20 71, ≘s – 🚗 [P]. [AE] [D] [E]
Juli - Aug. 2 Wochen geschl. – Karte 19/45 *(Samstag bis 17 Uhr geschl.)* – **17 Z : 32 B** 33/45 - 70/80.

In Neuhof-Giesel NW : 7,5 km :

🏨 **Zur Post**, Laurentiusstr. 4, ☎ (0661) 4 38 52, 🍽, 🌳 – 🚗 [P] 🏔
Karte 17/38 *(Montag geschl.)* – **12 Z : 28 B** 35 - 70.

In Kalbach 1-Grashof **6401** S : 8 km über Kalbach - Mittelkalbach :

🏨 **Zum Grashof** 🐚, ☎ (09742) 27 72, ←, 🌳 – 📞 🚗 [P]
Karte 25/45 *(Montag geschl.)* – **18 Z : 24 B** 40 - 70.

NEUHOF AN DER ZENN 8501. Bayern 413 O 18 – 1 700 Ew – Höhe 335 m – 09107.
•München 198 – •Nürnberg 34 – •Würzburg 81.

Riesengebirge, Marktplatz 14, 13 71, Telex 624321, « Innenhofterrasse », – . . Rest
Karte 42/78 – **64 Z : 105 B** 75/105 - 110/145 Fb.

NEU-ISENBURG Hessen siehe Frankfurt am Main.

NEUKIRCHEN AM TEISENBERG Bayern siehe Teisendorf.

NEUKIRCHEN Bayern siehe Sulzbach-Rosenberg.

NEUKIRCHEN BEIM HL. BLUT 8497. Bayern 413 V 19 – 3 800 Ew – Höhe 490 m – Wintersport : 670/1 060 m 2 4 – 09947.
Verkehrsamt, Marktplatz 2, 3 30.
•München 208 – Cham 30 – Zwiesel 46.

Zum Bach, Marktstr. 1, 12 18, –
10. Nov.- 12. Dez. geschl. – Karte 14/31 *(Donnerstag bis 18 Uhr geschl.)* – **14 Z : 30 B** 26 - 50.

NEUKIRCHEN KREIS NORDFRIESLAND 2268. Schleswig-Holstein 987 ④ – 1 300 Ew – Höhe 2 m – 04664 – **Ausflugsziel** : Hof Seebüll : Nolde-Museum★ N : 5 km.
•Kiel 133 – Flensburg 56 – Niebüll 14.

Fegetasch, Osterdeich, 2 02 – .
22. Dez.- 6. Jan. geschl. – Karte 21/37 *(Sonntag ab 14 Uhr geschl.)* – **14 Z : 27 B** 29/32 - 58/64.

NEUKIRCHEN (Knüllgebirge) 3579. Hessen – 7 400 Ew – Höhe 260 m – Kneipp- und Luftkurort – 06694.
Kurverwaltung, im Rathaus, Kurhessenstraße, 60 33.
•Wiesbaden 148 – Bad Hersfeld 33 – •Kassel 80 – Marburg 52.

Landgasthof Combecher, Kurhessenstr. 32 (B 454), 60 48, , Massage, , –
. AE E VISA
3.- 15. Jan. geschl. – Karte 19/50 – **37 Z : 78 B** 43/68 - 80/106 Fb – P 62/85.

Kneipp-Kurhotel Sonnenhof , Kienbergweg 36, 70 11, , Bade- und Massageabteilung, , , – .
2.- 22. Jan. geschl. – (Restaurant nur für Hausgäste) – **33 Z : 44 B** 50/65 - 80/90 Fb – P 70/75.

NEUKIRCHEN VORM WALD Bayern siehe Liste der Feriendörfer.

NEULAUTERN Baden-Württemberg siehe Wüstenrot.

NEULEININGEN Rheinland-Pfalz siehe Grünstadt.

NEULINGEN Baden-Württemberg siehe Pforzheim.

NEU-LISTERNOHL Nordrhein-Westfalen siehe Attendorn.

NEUMAGEN-DHRON 5559. Rheinland-Pfalz – 3 000 Ew – Höhe 120 m – 06507.
Mainz 133 – Bernkastel-Kues 20 – •Trier 39.

Gutshotel, Balduinstr. 1, 20 35, , « Ehemaliges Weingut », , , – . E
15. Jan.- Feb. geschl. – Karte 37/58 *(Montag - Dienstag 18 Uhr geschl.)* – **20 Z : 40 B** 98 - 136/150.

Zur Post, Römerstr. 79, 21 14 –
Ostern - Nov. – Karte 19/40 *(Montag geschl.)* – **17 Z : 30 B** 45 - 75.

NEUMARKT IN DER OBERPFALZ 8430. Bayern 413 R 19, 987 ㉖㉗ – 31 600 Ew – Höhe 429 m – 09181.
•München 138 – Amberg 40 – •Nürnberg 40 – •Regensburg 72.

Nürnberger Hof, Nürnberger Str. 28a, 3 24 28 –
24. Dez.- 10. Jan. geschl. – Karte 20/35 *(nur Abendessen)* – **59 Z : 98 B** 40/60 - 80/90.

Mehl , Kirchengasse 3, 57 16 – . Rest
1.- 18. Jan. geschl. – Karte 15/32 *(nur Abendessen, Sonntag geschl.)* – **22 Z : 29 B** 32/60 - 60/98.

Torschmied, Ringstr. 1, 94 44, Biergarten – . AE E
Nov. 2 Wochen geschl. – Karte 20/39 *(wochentags nur Abendessen, Mittwoch geschl.)* – **23 Z : 43 B** 50/65 - 90/110.

Stern, Oberer Markt 32, 52 38 – – **53 Z : 105 B.**

Gasthof Ostbahn, Bahnhofstr. 4, 50 41 – . AE E. Zim
Karte 16,50/32 *(Dienstag geschl.)* – **18 Z : 36 B** 50/70 - 80/100.

NEUMARKT-ST. VEIT 8267. Bayern 413 U 21, 987 ㊲ – 5 000 Ew – Höhe 448 m – ☎ 08639.
♦München 98 – Landshut 39 – Passau 93 – Salzburg 89.

- **Peterhof**, Bahnhofstr. 31, ✆ 3 09 – 🅟
  Karte 19/28 *(Samstag geschl.)* – **19 Z : 30 B** 25/38 - 45/65.
- **Post**, Stadtplatz 21, ✆ 3 50, – 🅟. E
  Karte 18,50/32 – **15 Z : 27 B** 30 - 56.

In Niedertaufkirchen 8267 SO : 8 km :

- **Söll** mit Zim, Hundhamer Str. 2, ✆ (08639) 2 27, – 🅟. E
  Karte 20/31 *(28. Aug.- 9. Sept. und Mittwoch geschl.)* – **6 Z : 9 B** 32 - 56/72.

NEUMÜNSTER 2350. Schleswig-Holstein 987 ⑤ – 78 000 Ew – Höhe 22 m – ☎ 04321.
Tourist-Information, Großflecken (Verkehrspavillon), ✆ 4 32 80.
ADAC, Wasbeker Str. 306 (B 430), ✆ 6 22 22.
♦Kiel 34 ⑥ – Flensburg 100 ⑥ – ♦Hamburg 66 ⑤ – ♦Lübeck 58 ③.

NEUMÜNSTER

Gänsemarkt	Z	6
Großflecken	Z	8
Holstenstraße	Z	10
Kleinflecken	Z	14
Kuhberg	Y	16
Lütjenstraße	Z	18
Parkstraße	Y	24
Am Teich	Z	2
Anscharstraße	Y	3
Bismarckstraße	Y	4
Brachenfelder Straße	YZ	5
Goethestraße	Y	7
Kaiserstraße	YZ	12
Klaus-Groth-Straße	Y	13
Marienstraße	YZ	19
Mühlenhof	Z	22
Sauerbruchstraße	Y	25
Schleusberg	Z	26
Schützenstraße	Z	28
Tungendorfer Straße	Y	29
Warmsdorfstraße	Z	30

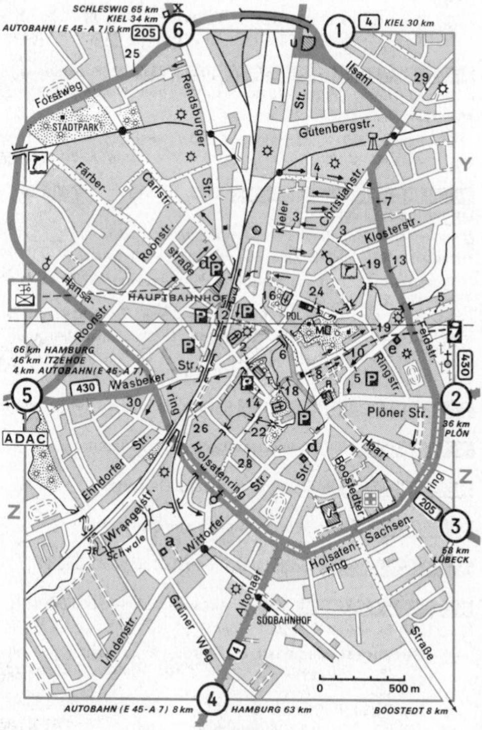

- **Parkhotel** garni, Parkstr. 29, ✆ 4 30 27, Telex 299602 – 🅟. AE ⓓ E VISA — Y **r**
  49 Z : 100 B 95/115 - 125/165 Fb.
- **Friedrichs** garni, Rügenstr. 11, ✆ 80 11, Telex 299510 – 🅟 — Z **a**
  38 Z : 57 B 50/70 - 94/100.
- **Pries** garni, Luisenstr. 3, ✆ 1 23 42 – 🅟 — Y **d**
  16 Z : 24 B 55/60 - 100.
- **Firzlaff's Hotel** garni, Rendsburger Str. 183 (B 205), ✆ 5 14 66 – 🅟. E — Y **x**
  18 Z : 31 B 53/55 - 95/98.
- **Am Kamin**, Probstenstr. 13, ✆ 4 28 53 – AE E — Z **d**
  nur Abendessen, Sonntag und Juli - Aug. 4 Wochen geschl. – Karte 56/73 *(Tischbestellung ratsam).*
- **Ratskeller**, Großflecken 63, ✆ 4 23 99 – AE ⓓ. — Z **R**
  Karte 32/60.
- **Holsteiner Bürgerhaus** mit Zim, Brachenfelder Str. 58, ✆ 2 32 84 – . AE ⓓ — Z **e**
  Karte 28/70 – **5 Z : 9 B** 50/60 - 85/98.

In Neumünster 2-Einfeld ① : 3,5 km :

🏨 **Tannhof - Waldschlößchen**, Kieler Str. 452 (B 4), ℘ 52 91 97, 🏊, 🏋 – [TV] ☎ ♿ [P] 🚌. [AE] [D] [E] [VISA]. 🚫 Zim
Karte 25/54 – **34 Z : 68 B** 60/85 - 95/125 – 3 Appart. 265.

In Neumünster 1 - Gadeland ③ : 3,5 km :

🏠 **Kühl**, Segeberger Str. 74 (B 205), ℘ 7 11 18 – 🚗 [P]
Karte 24/45 *(nur Abendessen, Sonntag geschl.)* – **34 Z : 56 B** 40/48 - 65/85.

NEUNKIRCHEN **6951.** Baden-Württemberg [413] K 18 – 1 500 Ew – Höhe 350 m – ☎ 06262.
♦Stuttgart 92 – Heidelberg 34 – Heilbronn 40 – Mosbach 15.

🏨 **Park- und Sporthotel Stumpf** 🌿, Zeilweg 16, ℘ 8 98, Telex 467227, ≤, 🌳, « Garten », 🏊, 🏊, 🎾 – 🛗 [TV] ☎ [P]. [D] [E]
Karte 28/49 *(auch vegetarische Gerichte)* – **30 Z : 54 B** 55/75 - 120/144 Fb – P 70/85.

NEUNKIRCHEN **5908.** Nordrhein-Westfalen – 14 500 Ew – Höhe 250 m – ☎ 02735.
♦Düsseldorf 139 – Limburg an der Lahn 53 – Siegen 15.

🍴🍴🍴 **Münze**, Kölner Str. 190, ℘ 6 05 96 – [P] 🚌. [AE] [D] [E]
Samstag bis 18 Uhr und Montag geschl. – Karte 35/63.

In Neunkirchen-Wiederstein SO : 3 km :

🏠 **Blecher**, Frankfurter Str. 174, ℘ 22 50 – 🚗 [P]
Juli - Aug. 4 Wochen geschl. – (Restaurant nur für Hausgäste) – **15 Z : 18 B** 24/38 - 56.

NEUNKIRCHEN AM BRAND **8524.** Bayern [413] Q 18 – 6 500 Ew – Höhe 317 m – ☎ 09134.
♦München 190 – ♦Bamberg 40 – ♦Nürnberg 26.

🏨 Selau 🌿, In der Selau 5, ℘ 70 10, Telex 629728, 🏊, 🏊, 🏋, 🎾 (Halle) – 🛗 ☎ 🚗 [P] 🚌. 🚫 Rest
54 Z : 104 B Fb.

🍴🍴 **Historisches Gasthaus Klosterhof** (Gebäude a.d. 17. Jh., rustikale Einrichtung), Innerer Markt 7, ℘ 15 85 – [AE] [D]
Feb. 1 Woche, Mitte Aug.- Anfang Sept. und Montag geschl. – Karte 50/71.

NEUNKIRCHEN/SAAR **6680.** Saarland [987] ㉔, [242] ⑦, [87] ⑪ – 50 200 Ew – Höhe 255 m – ☎ 06821.
♦Saarbrücken 22 – Homburg/Saar 15 – Idar-Oberstein 60 – Kaiserslautern 51.

🏨 **Am Zoo** 🌿 garni, Zoostr. 29, ℘ 2 70 74 – 🛗 [TV] ☎ [P] 🚌. [AE] [D] [E]
34 Z : 58 B 60/75 - 100 Fb.

In Neunkirchen 5-Furpach SO : 4 km :

🏨 **Furpacher Hof**, Kohlhofweg 3, ℘ 3 11 82 – [P]
Karte 23/48 *(Samstag geschl.)* – **12 Z : 14 B** 30/45 - 67/75.

In Neunkirchen-Kohlhof SO : 5 km :

🍴🍴🍴 ✲ **Hostellerie Bacher** mit Zim, Limbacher Str. 2, ℘ 3 13 14, bemerkenswerte Weinkarte – [P]. [AE] [D] [E] [VISA]
Sonntag und Juli - Aug. 3 Wochen geschl. – Karte 48/72 (Tischbestellung ratsam) – **4 Z : 7 B** 78/80 - 160
Spez. Terrinen, Kalbskopf in Meerrettichsauce, Seeteufel mit Knoblauchsoße.

NEUNKIRCHEN-SEELSCHEID **5206.** Nordrhein-Westfalen – 16 500 Ew – Höhe 180 m – ☎ 02247.
♦Düsseldorf 81 – ♦Bonn 24 – ♦Köln 40.

Im Ortsteil Neunkirchen :

🏨 **Kurfürst**, Hauptstr. 13, ℘ 10 38, 🏋 – ☎ [P] 🚌. [AE] [D] [E]
Karte 24/60 – **22 Z : 38 B** 60/65 - 98 Fb.

NEUÖTTING **8265.** Bayern [413] V 22, [987] ㊲㊳, [426] ⑥ – 7 900 Ew – Höhe 392 m – ☎ 08671.
♦München 94 – Landshut 62 – Passau 82 – Salzburg 74.

🏠 **Krone**, Ludwigstr. 69, ℘ 23 43 – 🛗 🚗
➡ Karte 15/26 *(Samstag ab 14 Uhr geschl.)* 🍷 – **28 Z : 45 B** 22/36 - 44/64.

NEUPOTZ **6729.** Rheinland-Pfalz [413] HI 19 – 1 600 Ew – Höhe 110 m – ☎ 07272.
Mainz 123 – ♦Karlsruhe 23 – Landau 23 – ♦Mannheim 52.

🏠 **Zum Lamm**, Hauptstr. 7, ℘ 28 09 – [P]
Karte 21/42 *(Sonntag ab 14 Uhr und Dienstag geschl.)* 🍷 – **12 Z : 18 B** 25/35 - 50/70.

NEUREICHENAU 8391. Bayern 413 Y 20 – 3 700 Ew – Höhe 680 m – Erholungsort – ☎ 08583.
♦München 220 – Freyung 26 – Passau 43.

In Neureichenau-Lackenhäuser O : 8 km :

Bergland Hof 🐎, ✆ 12 86, ≤, ≘s, ⛱, 🏊, 🌳, 🎾 – TV ℗. ⛒
April und Nov.- 15. Dez. geschl. – (nur Abendessen für Hausgäste) – **35 Z : 65 B** 39/51 - 68/92 Fb – 3 Fewo 85.

NEURIED 7607. Baden-Württemberg 413 G 21, 242 ㉔, 87 ⑤ – 7 200 Ew – Höhe 148 m – ☎ 07807.
♦ Stuttgart 156 – ♦ Freiburg im Breisgau 59 – Lahr 21 – Offenburg 11 – Strasbourg 19.

In Neuried 2-Altenheim :

Ratsstüble, Kirchstr. 38, ✆ 8 05, ≘s, 🌳 – ☎ ℗
Karte 21/40 *(Sonntag und 18. Juni - 8. Juli geschl.)* ♁ – **33 Z : 53 B** 33/40 - 60/70.

NEURIED Bayern siehe München.

NEUSÄSS 8902. Bayern 413 P 21 – 19 000 Ew – Höhe 525 m – ☎ 0821 (Augsburg).
♦München 75 – ♦ Augsburg 7 – ♦ Ulm (Donau) 89.

Neusässer Hof, Hauptstr. 7, ✆ 46 10 51, Biergarten – |♦| ☎ 🚗 ℗
(Mahlzeiten im Gasthof Schuster) – **50 Z : 60 B.**

In Neusäß-Steppach S: 2 km :

Brauereigasthof Fuchs, Alte Reichsstr. 10, ✆ 48 10 57, Biergarten – ℗
24. Dez.- 18. Jan. geschl. – Karte 22/33 *(Montag geschl.)* – **22 Z : 37 B** 52/60 - 90/95.

NEUSCHÖNAU Bayern siehe Grafenau.

NEUSCHWANSTEIN (Schloß) Bayern. Sehenswürdigkeit siehe Füssen.

NEUSS 4040. Nordrhein-Westfalen 987 ㉓ – 144 000 Ew – Höhe 40 m – ☎ 02101.
Sehenswert : St. Quirinus-Münster★.
Ausflugsziel : Schloß Dyck★ SW : 9 km über ⑤.
ℹ Verkehrsverein, Friedrichstr. 40, ✆ 27 98 17.
ADAC, Markt 21, ✆ 27 33 80, Notruf ✆ 1 92 11.
♦Düsseldorf 10 ② – ♦Köln 38 ② – Krefeld 20 ⑦ – Mönchengladbach 21 ⑥.

Stadtplan siehe gegenüberliegende Seite.

Rheinpark-Plaza-Neuss 🐎, Rheinallee 1, ✆ 15 30, Telex 8517521, Fax 1531803, ≤, Massage, ≘s, 🏊, Fahrradverleih – |♦| ⇔ Zim ▤ TV 🚗 ℗ 🏛. AE ◑ E VISA. ⛒ Rest
Restaurants: – **Alfredo's** *(nur Abendessen, Sonntag - Montag geschl.)* Karte 49/83 – **Petit Paris** Karte 38/68 – **250 Z : 500 B** 369 - 433 Fb – 6 Appart. 593/1748. X **b**

City-Hotel garni, Adolf-Flecken-Str. 18, ✆ 27 50 21, Telex 8517780 – |♦| TV ☎ 🚗. AE ◑ E VISA
50 Z : 82 B 144/234 - 184/264 Fb. Y **r**

Hamtor-Hotel, Hamtorwall 17, ✆ 22 20 02, ≘s – |♦| TV ☎ ℗. AE ◑ E VISA
Karte 24/41 *(nur Abendessen, Montag geschl.)* – **35 Z : 50 B** 70/95 - 120/140 Fb. Y **s**

Haus Hahn garni, Bergheimer Str. 125 (B 477), ✆ 4 90 51 – ☎ ℗. ◑ E VISA
24. Dez.- 7. Jan. geschl. – **15 Z : 20 B** 85 - 145. Z **u**

Hansa-Hotel garni, Krefelder Str. 22 (Bahnhofspassage), ✆ 22 20 81 – |♦| ☎
Weihnachten - Anfang Jan. geschl. – **61 Z : 91 B** 50/100 - 75/150 Fb. Y **n**

Marienhof garni, Kölner Str. 187 a, ✆ 15 05 41, Telex 8517465 – TV ☎ 🚗 ℗. AE ◑ E VISA
30 Z : 38 B 60/120 - 110/155 Fb. X **r**

XX Rosengarten in der Stadthalle, Selikumer Str. 25, ✆ 27 41 81, 🍴 – ℗ 🏛 Z

XX Bölzke, Michaelstr. 29, ✆ 2 48 26 Z **a**

XX **An de Poz** (Restaurant in einem alten Kellergewölbe), Oberstr. 7, ✆ 27 27 77 – AE ◑ E VISA
Samstag bis 18 Uhr, Sonn- und Feiertage sowie Juli 3 Wochen geschl. – Karte 53/76 (Tischbestellung ratsam). Z **b**

XX **Zum Stübchen**, Preussenstr. 73, ✆ 8 22 16 – AE ◑ E VISA
wochentags nur Abendessen, Montag geschl. – Karte 43/73 (Tischbestellung ratsam). X **n**

XX St. Georg auf der Rennbahn, Hammer Landstr. 1, ✆ 2 85 75, ≤, 🍴 – ℗ YZ **z**

X Im Kessel (Brauereigaststätte), Krefelder Str. 42, ✆ 22 25 71 Y **v**

In Neuss-Erfttal SO : 5 km über die A 57, X , Autobahnausfahrt Norf :

Novotel Neuss, Am Derikumer Hof 1, ✆ 1 70 81, Telex 8517634, Fax 120687, 🍴, ⛱, 🌳 – |♦| ▤ Rest TV ☎ 🚗 ℗ 🏛 (mit ▤). AE ◑ E VISA
Karte 29/62 – **116 Z : 228 B** 165 - 190 Fb.

NEUSS

Büchel	Y	
Further Straße	X	12
Glockhammer	Y	13
Neustraße	Z	21
Meererhof	Y	
Niederstraße	Y	22
Sebastianusstraße	Y	28
Berghäuschens Weg	X	2
Bergheimer Straße	X	3
Burgunder Straße	X	6
Danziger Straße	Y	7
Dreikönigenstraße	Z	8
Düsseldorfer Straße	X	9
Fesserstraße	X	10
Hammfelddamm	X	14
Hamtorplatz	YZ	15
Jülicher Landstraße	X	16
Konrad-Adenauer-Ring	X	17
Marienkirchplatz	Y	18
Münsterplatz	Y	20
Platz am Niedertor	Y	23
Römerstraße	X	26
Schulstraße	Y	27
Selikumer Straße	Z	29
Stiftsgasse	YZ	30
Stresemannallee	X	31
Venloer Straße	X	33
Viersener Straße	X	34

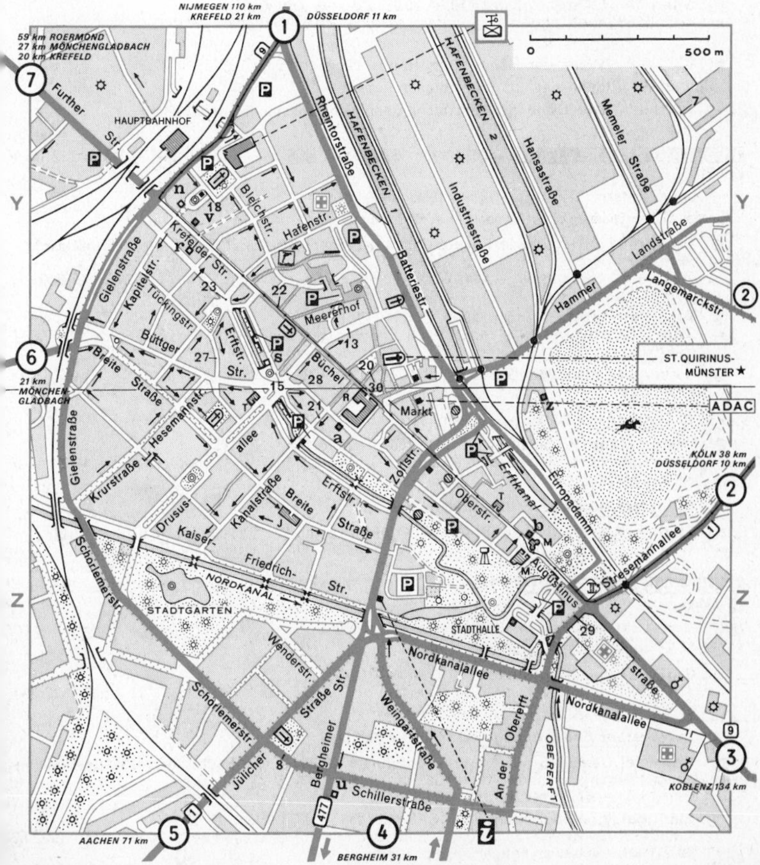

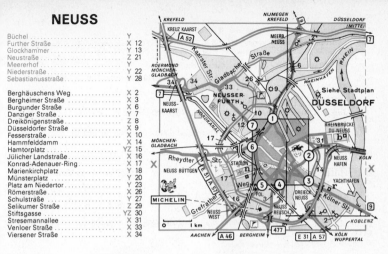

In Neuss-Grimlinghausen SO : 6 km über ③ :

🏨 **Landhaus Hotel**, Hüsenstr. 17, ✆ 3 70 30, Telex 8517891, Biergarten – 🛗 [TV] ☎ ♿ [P] 🏛 . [E]
Karte 30/63 *(Bistro Zwitscherstube)* – **30 Z : 55 B** 131/175 - 175/250 Fb.

In Kaarst **4044** NW : 6 km über Karster Str. X :

🏨 **Landhaus Michels** garni, Kaiser-Karl-Str. 10, ✆ (02101) 60 40 04 – ☎ 🚗 [P]. [AE] [D] [E]. 🐕
23. Dez.- 7. Jan. geschl. – **19 Z : 34 B** 50/95 - 80/120.

In Kaarst 2-Büttgen **4044** W : 6 km über Rheydter Str. X :

🏨 **Jan van Werth**, Rathausplatz 20, ✆ (02101) 51 41 60 – 🛗 ☎ [P]. [D] [E] [VISA]
Karte 28/55 – **26 Z : 40 B** 65/100 - 110/150 Fb.

🏨 Gästehaus Alt Büttgen garni, Kölner Str. 30, ✆ (02101) 51 80 66 – ☎ 🚗 [P]
16 Z : 20 B.

MICHELIN-REIFENWERKE KGaA. Niederlassung 4040 Neuss 1, Moselstr. 11 X, ✆ 4 90 61.

NEUSTADT AM MAIN **8771.** Bayern [413] L 17 – 1 500 Ew – Höhe 153 m – ☎ 09393.
♦München 338 – Lohr am Main 8 – ♦Würzburg 43.

🏨 **Zum Engel**, Hauptstr. 1, ✆ 5 05, 🌳 – 🛗 🚗 [P]
✦ *15. Nov.- 15. Dez. geschl.* – Karte 16/40 *(Montag geschl.)* 🍷 – **20 Z : 32 B** 28/45 - 60/80.

NEUSTADT AM RÜBENBERGE **3057.** Niedersachsen [987] ⑮ – 39 900 Ew – Höhe 35 m – ☎ 05032.
♦Hannover 26 – ♦Bremen 85 – ♦Osnabrück 138.

🏨 **Sonnenhof**, Am Schießstand 19, ✆ 30 68, 🏊 – ☎ 🚗 [P]
✦ Karte 19/38 *(nur Abendessen, Sonntag geschl.)* – **27 Z : 46 B** 40/60 - 70/100.

Europe

Wenn der Name eines Hotels dünn gedruckt ist,
dann hat uns der Hotelier Preise
und Öffnungszeiten nicht oder nicht vollständig angegeben.

NEUSTADT AN DER AISCH **8530.** Bayern [413] O 18, [987] ㉖ – 11 700 Ew – Höhe 292 m – ☎ 09161.
[i] Fremdenverkehrsamt, Untere Schloßgasse (Schloßhof), ✆ 20 51.
♦München 217 – ♦Bamberg 53 – ♦Nürnberg 41 – ♦Würzburg 67.

🏨 **Römerhof - Ristorante Forum**, Richard-Wagner-Str. 15, ✆ 30 11 (Hotel) 30 13 (Rest.) – ☎ ♿ [P]
20. Dez.- 10. Jan. geschl. – Karte 22/40 *(Italienische Küche)* (Aug. geschl.) – **24 Z : 45 B** 45/60 - 80/100 Fb.

🏨 **Aischtal-Hotel**, Ostendstr. 29, ✆ 27 66 – [P]. [D]
✦ *Aug. 3 Wochen geschl.* – Karte 18/30 *(Montag geschl.)* 🍷 – **14 Z : 22 B** 30/48 - 56/72 – P 48/54.

🏨 Roter Adler, Riedfelder Ortsstr. 34 (B 8), ✆ 23 19 – [P]. 🐕
16 Z : 26 B.

In Dietersheim **8531** SW : 6,5 km :

🏨 **Frankenland** 🌙, Schützenstr. 15, ✆ (09161) 28 76, 🌳 – 🚗 [P]
Mitte Feb.- Mitte März geschl. – Karte 21/50 *(Sonntag 15 Uhr - Montag geschl.)* – **10 Z : 15 B** 28/40 - 50/68.

In Dietersheim-Oberroßbach **8531** S : 6 km :

🍴 **Fiedler** 🌙 mit Zim, Oberroßbach 28, ✆ (09161) 24 25, 🌳, 🏊, 🌲, Fahrradverleih – [P]
✦ Karte 18,50/30 *(Mittwoch geschl.)* 🍷 – **9 Z : 18 B** 35 - 70.

NEUSTADT AN DER DONAU **8425.** Bayern [413] S 20, [987] ㉗ – 10 000 Ew – Höhe 355 m – ☎ 09445.
[i] Verkehrsamt, Heiligenstädter Straße (Bad Gögging), ✆ 5 61.
♦München 90 – Ingolstadt 33 – Landshut 48 – ♦Regensburg 43.

🏨 **Gigl**, Herzog-Ludwig-Str. 6, ✆ 70 97 – ☎ 🚗 [P]
✦ *1.- 21. Jan. geschl.* – Karte 15/33 *(Samstag und 12.- 26. Aug. geschl.)* 🍷 – **22 Z : 35 B** 26/36 - 52/66.

In Neustadt-Bad Gögging NO : 4 km – Heilbad :

🏨 **Kurhotel Centurio** 🌙, Am Brunnenforum 6, ✆ 20 50, 🌳, Bade- und Massageabteilung,
✦ direkter Zugang zur Limestherme (Gebühr) – 🛗 ☎ 🚗 [P] 🏛. [AE] [D] [E]
Karte 18/43 – **67 Z : 144 B** 70/80 - 100/130 Fb.

🏨 **Eisvogel** 🌙, An der Abens 20, ✆ 5 65, 🌳, 🌲 – 🛗 [TV] ☎ 🚗 [P]. [E]
Karte 24/54 *(2.- 23. Jan., 28. Aug.- 11. Sept. und Montag geschl.)* – **34 Z : 60 B** 60/100 - 100/150 Fb – (Hotelneubau ab Frühjahr 1989).

NEUSTADT AN DER SAALE, BAD 8740. Bayern [413] N 16, [987] ㉖ – 14 000 Ew – Höhe 243 m – Heilbad – ☎ 09771.

[i] Kurverwaltung, Löhriether Str. 2, ☎ 13 84.

♦München 344 – ♦Bamberg 86 – Fulda 59 – ♦Würzburg 76.

🏨 **Schwan und Post** (Gasthof a.d.J. 1772), Hohnstr. 35, ☎ 9 10 70, 🌂, ♨ – [TV] ☎ 🚗 🏔. [AE] [D] [E] [VISA]
Karte 31/60 – **33 Z : 55 B** 80 - 120 Fb – 3 Appart. 150 – P 105/125.

🏨 **Stadthotel**, An der Stadthalle 4, ☎ 9 19 80 – ☎ [P] 🏔
Karte 29/53 *(Sonn- und Feiertage ab 14 Uhr sowie 2.- 28. Aug. geschl.)* – **31 Z : 35 B** 48 - 90 Fb.

🏨 Zum goldenen Löwen, Hohnstr. 26, ☎ 80 22 – [P] – **34 Z : 54 B.**

Im Kurviertel :

🏨 Haus Sonnenschein 🌳, Waldweg 3, ☎ 25 01, 🌂 – 🚗
(Restaurant nur für Hausgäste) – **17 Z : 25 B.**

🏨 Schloßcafé (Barockschloß a.d.J. 1773), Kurhausstr. 37, ☎ 25 55, 🌂 – 🏔 – **8 Z : 16 B.**

NEUSTADT AN DER WALDNAAB 8482. Bayern [413] T 17, [987] ㉗ – 5 800 Ew – Höhe 408 m – ☎ 09602.

♦München 210 – Bayreuth 60 – ♦Nürnberg 105 – ♦Regensburg 87.

🏨 **Grader**, Freyung 39, ☎ 70 85, Telex 63878 – [‡] ☎ [P] 🏔. [AE] [D] [E] [VISA]
✦ Karte 16/44 *(Samstag geschl.)* 🍷 – **46 Z : 88 B** 35/44 - 58/78 Fb.

🏨 **Zum Bären**, Stadtplatz 28, ☎ 13 80, Biergarten – 🚿wc ☎
✦ *8.- 24. Nov. geschl.* – Karte 15/32 *(Montag geschl.)* 🍷 – **13 Z : 21 B** 40 - 60.

🏨 **Kronprinz**, Knorrstr. 16, ☎ 12 18 – 🚗. [D] [E] [VISA]
✦ *23. Dez.- 10. Jan. geschl.* – Karte 17/35 *(Samstag geschl.)* – **18 Z : 30 B** 28/40 - 50/70 Fb.

NEUSTADT AN DER WEINSTRASSE 6730. Rheinland-Pfalz [413] H 18, [987] ㉔, [242] ⑧ – 50 000 Ew – Höhe 140 m – ☎ 06321 – ⛳ Neustadt-Geinsheim (SO : 10 km), ☎ (06327) 29 73.

[i] Touristik-Information, Exterstr. 4, ☎ 85 53 29, Telex 454869.

ADAC, Martin-Luther-Str. 69, ☎ 8 90 50, Telex 454849.

Mainz 94 – Kaiserslautern 36 – ♦Karlsruhe 56 – ♦Mannheim 29 – Wissembourg 46.

🏨 **Kurfürst**, Mussbacher Landstr. 2, ☎ 74 41, Telex 454895 – [‡] [TV] ☎ 🚗 [P] 🏔. [AE] [D] [E] [VISA]
Karte 30/61 *(Sonntag geschl.)* 🍷 – **40 Z : 60 B** 80 - 120 Fb – 4 Appart. 150.

🏨 **Festwiese**, Festplatzstr. 8, ☎ 8 20 81 – [‡] [TV] ☎ 🚗 [P] 🏔. [AE] [D] [E] [VISA]
Karte 30/50 *(Sonn- und Feiertage ab 14 Uhr geschl.)* 🍷 – **42 Z : 71 B** 39/70 - 78/120.

🍴🍴 **Saalbau - Restaurant**, Bahnhofstr. 1, ☎ 3 31 00 – [P] 🏔
Karte 26/59.

🍴 **Ratsherrnstuben**, Marktplatz 10, ☎ 20 70 – [D] [E] [VISA]
Mittwoch geschl. – Karte 27/56 🍷.

In Neustadt 14-Gimmeldingen N : 3 km – Erholungsort :

🍴 **Kurpfalzterrassen** 🌳 mit Zim, Kurpfalzstr. 162, ☎ 62 68, ≤, 🌂 – [P] 🏔. [AE] [D] [E]
Jan. und 24. Juli - 8. Aug. geschl. – Karte 34/49 *(Montag - Dienstag geschl.)* 🍷 – **3 Z : 7 B** 30 - 60.

In Neustadt 13-Haardt N : 2 km – Erholungsort :

🏨 **Haardter Schloß** 🌳, Mandelring 35, ☎ 3 26 25, 🌂, « Villa a.d.J. 1875 in eindrucksvoller Lage über Neustadt » – [TV] ☎ [P]. [AE] [D] [E] [VISA]
Mitte Jan.- Mitte Feb. geschl. – Karte 60/79 *(Sonntag - Montag 18 Uhr geschl.)* – **10 Z : 19 B** 79/138 - 138/178.

🏨 **Tenner** 🌳 garni, Mandelring 216, ☎ 65 41, « Kleiner Park », ♨, 🏊, Fahrradverleih – [TV] ☎ 🚗 [P] 🏔. [AE] [D] [E] [VISA]
über Weihnachten geschl. – **40 Z : 70 B** 65/75 - 110/120 Fb – 2 Fewo 100.

🏠 **Haardter Herzel** 🌳, Eichkehle 58, ☎ 64 21, 🌂, 🌂 – 🚗 [P]
Karte 20/35 🍷 – **9 Z : 19 B** 45/55 - 80.

In Neustadt 19-Hambach SW : 3 km :

🍴 **Rittersberg** 🌳 mit Zim, beim Hambacher Schloß, ☎ 8 62 50, ≤ Rheinebene, 🌂 – [P] 🏔. 🐕
Feb. geschl. – Karte 28/53 *(Donnerstag geschl.)* 🍷 – **5 Z : 12 B** 80 - 100.

NEUSTADT AN DER WIED 5466. Rheinland-Pfalz – 5 500 Ew – Höhe 165 m – ☎ 02683 (Asbach).

[i] Verkehrsbüro, im Bürgerhaus, ☎ 3 24 24.

Mainz 123 – ♦Koblenz 49 – ♦Köln 65 – Limburg an der Lahn 64.

An der Autobahn A 3 S : 4,5 km :

🏨 **Autobahn-Rasthaus Fernthal**, ✉ 5466 Neustadt-Fernthal, ☎ (02683) 35 34, ≤, 🌂 – ☎ [P]. [E]
Karte 25/55 *(auch vegetarische Gerichte)* – **28 Z : 63 B** 64/78 - 104/169.

NEUSTADT BEI COBURG 8632. Bayern 413 Q 15, 16, 987 ㉖ – 17 000 Ew – Höhe 344 m – ☎ 09568 – ♦München 296 – ♦Bamberg 61 – Bayreuth 68 – Coburg 14.

Bahnhofshotel, Bahnhofstr. 24, ✆ 30 71 – ☎ ⇔ Ⓟ
Karte 19,50/36 – **14 Z : 32 B** 39 - 75.

In Neustadt-Fürth am Berg SO : 7 km :

Grenzgasthof ⑤, Allee 37, ✆ 30 96, ≘s, 🌳 – ⇔ Ⓟ 🏔
Mitte Nov.- Mitte Dez. geschl. – Karte 21/42 *(Freitag geschl.)* – **40 Z : 68 B** 25/38 - 50/70.

In Neustadt-Wellmersdorf S : 5 km :

Gästehaus Heidehof ⑤, Wellmersdorfer Str. 50, ✆ 21 55, 🌳 – ⇔ Ⓟ. E. ✻ Zim
Karte 20/30 *(Montag geschl.)* – **41 Z : 81 B** 38/44 - 70/76.

NEUSTADT IN HOLSTEIN 2430. Schleswig-Holstein 987 ⑥ – 16 000 Ew – Höhe 4 m – ☎ 04561.
♦Kiel 60 – ♦Lübeck 34 – Oldenburg in Holstein 21.

Hamburger Hof garni, Lienaustr. 26, ✆ 62 40 – ⇔ Ⓟ. E. ✻
Weihnachten - Neujahr geschl. – **10 Z : 20 B** 52 - 92.

Ratskeller, Am Markt 1, ✆ 80 11, 🍽 – AE E VISA
Montag und 7.- 27. Feb. geschl. – Karte 28/61.

In Neustadt 2-Pelzerhaken O : 5 km :

Eichenhain ⑤ mit Zim, Eichenhain 3, ✆ 74 80, ≤, 🍽, ≘s, 🌳 – ☎ Ⓟ. E VISA
Hotel März - Okt., Restaurant auch Weihnachten - Neujahr geöffnet – Karte 40/68 *(außer Saison Donnerstag geschl.)* – **10 Z : 20 B** 75/95 - 120/140 – 10 Fewo 150.

NEUTRAUBLING 8402. Bayern 413 T 19 – 9 600 Ew – Höhe 330 m – ☎ 09401.
♦München 128 – ♦ Nürnberg 107 – ♦ Regensburg 10 – Straubing 42.

Groitl, St. Michaelsplatz 2, ✆ 10 02 – Ⓟ – **26 Z : 43 B.**

Am See, Teichstr. 6, ✆ 14 54, 🍽 – Ⓟ – **17 Z : 30 B.**

NEU-ULM 7910. Bayern 413 N 21, 987 ㊱ – 50 000 Ew – Höhe 468 m – ☎ 0731 (Ulm/Donau).

Stadtplan siehe Ulm (Donau).

ℹ Städt. Verkehrsbüro, Ulm, Münsterplatz, ✆ 6 41 61.
ADAC, Ulm, Neue Str. 40, ✆ 6 66 66, Notruf ✆ 1 92 11.

Mövenpick-Hotel ⑤, Silcherstr. 40 (Edwin-Scharff-Haus), ✆ 8 01 10, Telex 712539, Fax 85967, ≤, 🍽, 🏊 – 🛗 ▤ Rest 📺 Ⓟ 🏔. AE ◑ E VISA — Y e
Karte 30/60 – **135 Z : 235 B** 170/205 - 215/265 Fb.

City-Hotel garni, Ludwigstr. 27, ✆ 7 40 25 – 🛗 📺 ☎. ✻ — Y r
20 Z : 35 B Fb.

Deckert, Karlstr. 11, ✆ 7 60 81 – ☎ ⇔ — Y s
22. Dez.- 7. Jan. geschl. – (nur Abendessen für Hausgäste) – **23 Z : 33 B** 39/70 - 78/96 Fb.

Glacis, Schützenstr. 72, ✆ 8 68 43, 🍽 – Ⓟ. ◑ E VISA — Y u
Montag geschl. – Karte 28/57.

In Neu-Ulm - Reutti SO : 6,5 km über Reuttier Str. Y :

Landhof Meinl, Marbacher Str. 4, ✆ 7 05 20, Massage, ≘s – 🛗 📺 ☎ Ⓟ 🏔. AE ◑ E VISA.
✻ – (nur Abendessen für Hausgäste) – **30 Z : 50 B** 83/88 - 115/125 Fb.

Rössle, Neu-Ulmer Str. 3, ✆ 7 75 21, 🍽 – Ⓟ – **15 Z : 20 B.**

In Neu-Ulm - Schwaighofen über Reuttier Str. Y :

Zur Post, Reuttier Str. 172, ✆ 7 74 10, 🍽 – Ⓟ. AE E
Samstag bis 17 Uhr, Montag und 14.- 29. Aug. geschl. – Karte 27/56.

NEUWEILER 7266. Baden-Württemberg 413 I 21 – 2 500 Ew – Höhe 640 m – Wintersport : ⛷4 – ☎ 07055 – ℹ Touristik-Information, Rathaus, ✆ 4 77.
♦Stuttgart 66 – Freudenstadt 36 – Pforzheim 41.

In Neuweiler-Oberkollwangen NO : 3 km :

Talblick ⑤, Breitenberger Str. 15, ✆ 2 32, ≘s, 🏊, 🌳 – Ⓟ
Nov. geschl. – Karte 20/35 *(Montag geschl.)* – **18 Z : 32 B** 38 - 76 Fb – P 50.

NEUWEILNAU Hessen siehe Weilrod.

NEUWIED 5450. Rheinland-Pfalz 987 ㉔ – 63 000 Ew – Höhe 60 m – ☎ 02631.
ℹ Städt. Verkehrsamt, Kirchstr. 50, ✆ 80 22 60.
Mainz 114 – ♦Bonn 54 – ♦Koblenz 15.

Stadt-Hotel garni, Pfarrstr. 1a, ✆ 2 21 95 – 🛗 ☎ ⇔. AE ◑ E VISA
20. Dez.- 2. Jan. geschl. – **16 Z : 28 B** 70 - 115 Fb.

Hubertus-Stuben, Deichstr. 16, ✆ 2 40 46 (Hotel) 3 12 05 (Rest.) – 📺 ☎. AE ◑ E VISA
Karte 24/60 *(nur Abendessen)* – **19 Z : 29 B** 60 - 105.

XX **Deichkrone**, Deichstr. 14, ☎ 2 38 93, ≤ Rhein, 🏞 – [AE] [D] [E] [VISA]
Montag geschl. – Karte 40/65.

XX Im Leseverein, Marktstr. 72, ☎ 2 50 89, 🏞.

In Neuwied 21-Engers O : 7 km :

🏨 **Euro-Hotel Fink**, Werner-Egk-Str. 2, ☎ (02622) 49 50 – [P]
15. Juli - 10. Aug. geschl. – Karte 22/40 *(Freitag - Samstag 17 Uhr geschl.)* – **35 Z : 72 B** 38/40 - 76/80.

In Neuwied 22 - Heimbach-Weis NO : 7 km :

🏠 **Lindenhof**, Sayner Str. 34, ☎ (02622) 26 78 – 🚗 [P]
15. Juli - 10. Aug. geschl. – (nur Abendessen für Hausgäste) – **12 Z : 25 B** 28/33 - 56/66.

In Neuwied 23-Oberbieber NO : 6 km :

🏨 **Waldhaus Wingertsberg** 🐎, Wingertsbergstr. 48, ☎ 4 90 21, ≤ – ☎ 🚗 [P]. [AE] [E]
4. Jan.- 5. Feb. geschl. – Karte 26/50 – **30 Z : 50 B** 50/65 - 90/120.

In Neuwied 13-Segendorf N : 5,5 km :

🏨 **Fischer-Hellmeier**, Austr. 2, ☎ 5 35 24, 🏞, 🌳 – ☎ [P]. [AE] [E]
Karte 24/52 *(Freitag geschl.)* – **8 Z : 18 B** 43 - 86.

NEVERSFELDE Schleswig-Holstein siehe Malente-Gremsmühlen.

NIDDA 6478. Hessen [413] K 15 – 17 600 Ew – Höhe 150 m – ☎ 06043.

[i] Kurverwaltung, Bad Salzhausen, ☎ 5 61.

♦Wiesbaden 88 – ♦Frankfurt am Main 56 – Gießen 43.

In Nidda 11-Bad Salzhausen – Heilbad :

🏨 **Kurhaus-Hotel** 🐎, Kurstr. 2, ☎ 9 17, 🏞, direkter Zugang zum Kurmittelhaus – [$] ☎ 🚗 [P] 🏃. [AE] [D] [E] [VISA]. ✻ Rest
Karte 30/59 – **52 Z : 75 B** 55/90 - 104/165 – P 84/122.

🏨 **Jäger** 🐎, Kurstr. 9, ☎ 8 00 70, Fax 800710, ≘s – [$] [TV] ☎ ♿ 🚗 [P] 🏃. [AE] [D] [E] [VISA]
Karte 51/81 – **29 Z : 52 B** 140/190 - 190/260 Fb.

NIDDERAU 6369. Hessen [413] J 16, [987] (25) – 14 000 Ew – Höhe 182 m – ☎ 06187.

♦Wiesbaden 60 – ♦Frankfurt am Main 22 – Gießen 52.

In Nidderau 1 - Heldenbergen

🏨 **Zum Adler**, Windecker Str. 2, ☎ 30 58 – ☎ [P]. [E]
➜ Karte 19,50/47 *(Freitag geschl.)* 🍷 – **17 Z : 25 B** 50/65 - 87/96.

NIDEGGEN 5168. Nordrhein-Westfalen [987] (23) – 9 000 Ew – Höhe 325 m – Luftkurort – ☎ 02427.

[i] Städt. Verkehrsamt, Rathaus, Zülpicher Str. 1, ☎ 4 35.

♦Düsseldorf 91 – Düren 14 – Euskirchen 25 – Monschau 30.

In Nideggen-Abenden S : 3 km :

🏨 **Zur Post** (Haus a.d. 16. Jh.), Mühlbachstr. 9, ☎ 2 79 – [P]
Karte 30/68 – **16 Z : 30 B** 25/40 - 50/80.

In Nideggen-Rath N : 2 km :

🏨 Küpper - Forsthaus Rath, Rather Str. 126, ☎ 2 65, ≤, 🌳 – ☎ [P] 🏃
(wochentags nur Abendessen) – **20 Z : 36 B**.

🏨 **Gästehaus Thomé** 🐎 garni, Im Waldwinkel 25, ☎ 61 73 – [P]. ✻
15. Dez.- 15. Jan. geschl. – **10 Z : 13 B** 40 - 70.

In Nideggen-Schmidt SW : 9 km – Höhe 430 m :

🏨 Roeb - Zum alten Fritz, Monschauer Str. 1, ☎ (02474) 4 77, ≘s, [🏊], 🌳 – [$] 🚗 [P] 🏃
27 Z : 50 B.

🏨 **Bauernstube**, Heimbacher Str. 53, ☎ (02474) 4 49, Wildpark, 🌳 – ☎ [P]. ✻
24. Nov.- 27. Dez. geschl. – Karte 23/40 *(Freitag geschl.)* 🍷 – **9 Z : 17 B** 35/40 - 60/70 – P 45/50.

NIEBÜLL 2260. Schleswig-Holstein [987] (4) – 6 800 Ew – Höhe 2 m – Luftkurort – ☎ 04661.

🚗 ☎ 7 18.

[i] Fremdenverkehrsverein, Hauptstr. 44, ☎ 6 01 90.

♦Kiel 121 – Flensburg 44 – Husum 42.

🏨 Bossen, Hauptstr. 15, ☎ 7 31, ≘s – [TV] ☎ [P] 🏃 – **55 Z : 110 B**.

NIEDALTDORF Saarland siehe Rehlingen-Siersburg.

[NIEDENSTEIN] 3501. Hessen – 4 800 Ew – Höhe 305 m – ☏ 05624.
♦Wiesbaden 200 – ♦Kassel 22.

🏠 **Ratskeller**, Hauptstr. 15, ✆ 7 44, ☂ – ☎ [P]
Karte 22/50 – **12 Z : 22 B** 49 - 70.

[NIEDERAICHBACH] Bayern siehe Landshut.

[NIEDERALTEICH] 8351. Bayern [413] V 20 – 1 800 Ew – Höhe 310 m – ☏ 09901.
Sehenswert : Klosterkirche ★.
♦München 157 – Passau 39 – ♦ Regensburg 80 – Straubing 48.

XX **Klosterhof**, Mauritiushof 2, ✆ 76 73, ☂ – [P]
Montag geschl. – Karte 26/54.

[NIEDERAUDORF] Bayern siehe Oberaudorf.

[NIEDERAULA] 6434. Hessen [987] ㉕ – 5 500 Ew – Höhe 210 m – ☏ 06625.
♦Wiesbaden 158 – Bad Hersfeld 11 – Fulda 35 – ♦Kassel 70.

XX **Schlitzer Hof** mit Zim, Hauptstr. 1, ✆ 3 41 – 🚗 [P]. [AE] [D] [E]
2.-31. Jan. geschl. – Karte 28/58 *(Montag geschl.)* – **13 Z : 18 B** 30/68 - 60/105.

In Niederaula-Niederjossa SW : 4 km :

🏠 **Gasthof Eydt**, Jossastr. 44 (B 62), ✆ 13 23 – [P]
◆ Karte 18/32 – **30 Z : 64 B** 40 - 60/70.

[NIEDERESCHACH] 7732. Baden-Württemberg [413] I 22 – 4 500 Ew – Höhe 638 m – ☏ 07728.
♦Stuttgart 108 – Freudenstadt 57 – Villingen-Schwenningen 12.

🏠 Eschach - Hof, Ifflinger Str. 29, ✆ 13 30, ☂, 🌳 – ☎ [P] – **10 Z : 18 B**.

[NIEDERFISCHBACH] 5241. Rheinland-Pfalz – 4 700 Ew – Höhe 270 m – ☏ 02734.
Mainz 169 – Olpe 29 – Siegen 13.

🏨 **Café Fuchshof**, Siegener Str. 22, ✆ 54 77, 🏊, 🏖 – ☎ [P]
23.- 29. Dez. geschl. – Karte 21/50 – **17 Z : 36 B** 48/75 - 96/150 Fb.

In Niederfischbach-Fischbacherhütte NW : 2 km :

🏨 **Bähner** 🛏, Konrad-Adenauer-Str. 26, ✆ 65 46, <, ☂, 🏊, 🏖, 🌳 – ☎ ⛹ [P] 🏛. [AE] [D] [E] [VISA]. 🐕 Zim
über Weihnachten geschl. – Karte 28/70 – **32 Z : 60 B** 70/80 - 115/130 Fb.

[NIEDERHAVERBECK] Niedersachsen siehe Bispingen.

[NIEDERHELDEN] Nordrhein-Westfalen siehe Attendorn.

[NIEDERJOSSA] Hessen siehe Niederaula.

[NIEDERKAIL] Rheinland-Pfalz siehe Landscheid.

[NIEDERKASSEL] 5216. Nordrhein-Westfalen – 27 500 Ew – Höhe 50 m – ☏ 02208.
♦Düsseldorf 67 – ♦Bonn 20 – ♦Köln 23.

Im Ortsteil Ranzel N : 2,5 km :

🏠 **Zur Krone**, Kronenweg 1, ✆ 35 01 – [P]
◆ Karte 18/30 *(Mittwoch geschl.)* – **14 Z : 20 B** 38 - 70.

[NIEDERMOHR] Rheinland-Pfalz siehe Ramstein-Miesenbach.

[NIEDERNHAUSEN] 6272. Hessen [413] H 16 – 12 500 Ew – Höhe 259 m – ☏ 06127.
♦Wiesbaden 14 – ♦Frankfurt am Main 43 – Limburg an der Lahn 41.

🏨 **Engel**, Wiesbadener Str. 43, ✆ 59 00, ☂ – [P]
Karte 21/44 *(Dienstag geschl.)* – **13 Z : 24 B** 40/60 - 65/90.

In Niedernhausen 2-Engenhahn NW : 6 km :

🏨 **Wildpark-Hotel** 🛏, Trompeterstr. 21, ✆ (06128) 7 10 33, ☂, 🏖, 🌳 – [TV] ☎ 🚗 [P] 🏛. [AE] [D] [E] [VISA]
Karte 33/65 *(Aug. 2 Wochen geschl.)* – **43 Z : 75 B** 65/165 - 95/220 Fb.

🏨 **Sonnenhof** 🛏, Eschenhahner Weg 5, ✆ (06128) 7 19 62, <, ☂ – [P]. [E] [VISA]
Karte 23/52 *(Montag geschl.)* – **14 Z : 28 B** 55/66 - 85/99.

In Niedernhausen 4-Oberjosbach NO : 2 km :

🏨 **Gästehaus Baum** 🛏 garni, Langgraben 4, ✆ 84 28, < – [TV] ☎ [P]. [E]
7 Z : 14 B 65 - 95.

NIEDERNWÖHREN Niedersachsen siehe Stadthagen.

NIEDER-OLM Rheinland-Pfalz siehe Mainz.

NIEDEROTTERSBACH Nordrhein-Westfalen siehe Eitorf.

NIEDERSALWEY Nordrhein-Westfalen siehe Eslohe.

NIEDERSTETTEN 6994. Baden-Württemberg [413] M 18, [987] ㉕ ㉖ – 306 m – Höhe 307 m – ☎ 07932.

♦Stuttgart 127 – Crailsheim 37 – Bad Mergentheim 21 – ♦Würzburg 52.

- **Krone**, Marktplatz 3, ✆ 12 22 – ☎ [P]. [AE] [E]
  Karte 20/50 *(Montag geschl.)* – **21 Z : 38 B** 25/45 - 45/80.

NIEDERSTOTZINGEN 7907. Baden-Württemberg [413] N 21, [987] ㊱ – 3 800 Ew – Höhe 450 m – ☎ 07325.

♦Stuttgart 117 – ♦Augsburg 65 – Heidenheim an der Brenz 30 – ♦Ulm (Donau) 38.

Im Ortsteil Oberstotzingen :

- **Schloß Oberstotzingen**, Stettener Str. 37, ✆ 60 14, 🏊, 🌳, 🎾 – [TV] ☎ 🚗 [P] 🏔. [AE] [O] [E] [VISA]
  2.- 31. Jan. geschl. – Karte 68/78 *(nur Abendessen, Sonntag und Dienstag auch Mittagessen, Montag geschl.)* – **14 Z : 32 B** 135/155 - 190/220.

NIEDERTAUFKIRCHEN Bayern siehe Neumarkt-St. Veit.

NIEFERN-ÖSCHELBRONN 7532. Baden-Württemberg [413] J 20 – 9 700 Ew – Höhe 228 m – ☎ 07233.

♦Stuttgart 47 – ♦Karlsruhe 42 – Pforzheim 7.

Im Ortsteil Niefern :

- **Krone**, Schloßstr. 1, ✆ 12 37, ☂ – [lift] [TV] ☎ 🚗 [P] 🏔. [AE] [O] [E] [VISA]. 🚭 Rest
  27. Dez.- 10. Jan. geschl. – Karte 26/54 *(Samstag geschl.)* – **55 Z : 85 B** 80/95 - 120/160 Fb.
- **Goll** garni, Hebelstr. 6, ✆ 12 44 – [lift] [TV] ☎ ♿ [P]
  15 Z : 34 B 52/68 - 86/123.
- **Kirnbachtal**, Hauptstr. 123, ✆ 31 11 – ☎ 🚗 [P]
  Karte 23/49 *(Freitag geschl.)* – **20 Z : 30 B** 34/55 - 67/89.

Siehe auch : ***Pforzheim*** SW : 7 km

NIEHEIM 3493. Nordrhein-Westfalen – 6 300 Ew – Höhe 183 m – ☎ 05274.

♦Düsseldorf 203 – Detmold 29 – Hameln 48 – ♦Kassel 90.

- **Café Berghof** 🐦, Piepenborn 17, ✆ 3 42, ←, ☂, 🌳 – 🚗 [P]. 🚭 Zim
  Mitte Okt.- Mitte Nov. geschl. – Karte 17/38 *(Montag geschl.)* – **10 Z : 18 B** 36 - 72.
- Haus Eggeland 🐦, Am Park 4, ✆ 5 47, ←, ☂, 🏊, 🌳 – [P]
  38 Z : 68 B.

NIENBURG (WESER) 3070. Niedersachsen [987] ⑮ – 30 000 Ew – Höhe 25 m – ☎ 05021.

[i] Städtisches Verkehrsamt, Lange Str. 39, ✆ 8 73 55.

♦Hannover 48 – Bielefeld 103 – ♦Bremen 63.

- **Nienburger Hof**, Hafenstr. 3, ✆ 1 30 48 – [lift] [TV] ☎ [P] 🏔. [AE] [O] [E] [VISA]
  Karte 23/50 *(Juni - Aug. Mittwoch geschl.)* – **20 Z : 30 B** 72/90 - 110/150 Fb.
- **Zum Kanzler**, Lange Str. 63, ✆ 30 77 – ☎ 🚗 [P]. [AE] [E]
  Karte 26/58 – **16 Z : 24 B** 35/75 - 90/120 Fb.

In Nienburg-Holtorf N : 4 km :

- 🍴 **Der Krügerhof**, Verdener Landstr. 267 (B 215), ✆ 29 06 – [P]. [O] [VISA]
  Montag und 17. Juli - 7. Aug. geschl. – Karte 22/43.

NIENDORF Schleswig-Holstein siehe Timmendorfer Strand.

NIENHAGEN Niedersachsen siehe Celle.

NIENSTÄDT Niedersachsen siehe Stadthagen.

Wenn Sie ein ruhiges Hotel suchen,
benutzen Sie zuerst die Übersichtskarte in der Einleitung
oder wählen Sie im Text ein Hotel mit dem Zeichen 🐦.

[NIERSTEIN] **6505.** Rheinland-Pfalz [413] I 17, [987] ㉔ – 6 000 Ew – Höhe 85 m – ☎ 06133 (Oppenheim).

[i] Verkehrsverein, Rathaus, Bildstockstr. 10, ☎ 51 11.

Mainz 20 – ♦Darmstadt 23 – Bad Kreuznach 39 – Worms 28.

🏨 **Rheinhotel**, Mainzer Str. 16, ☎ 51 61, Telex 4187784, ≤, 🌳 – [TV] ☎ 🚗 [P]. [AE] [D] [E] [VISA]
10. Dez.- 9. Jan. geschl. – Karte 38/85 *(Mitte Nov.- Mitte März Samstag - Sonntag geschl.)* (Weinkarte mit über 250 rheinhessischen Weinen) – **15 Z : 30 B** 99/220 - 129/350.

🏨 **Alter Vater Rhein**, Große Fischergasse 4, ☎ 56 28 – ✖
12. Dez.- 20. Jan. geschl. – Karte 21/53 *(Freitag bis 16 Uhr sowie Sonn- und Feiertage geschl.)* 🍷 – **11 Z : 18 B** 30/40 - 80.

In Mommenheim **6501** NW : 8 km :

🏨 Zum Storchennest, Wiesgartenstr. 3, ☎ (06138) 12 33, 🌳, eigener Weinbau, 🚗 – 🚗 [P].
✖ Rest – **15 Z : 33 B.**

[NIESTETAL-HEILIGENRODE] Hessen siehe Kassel.

[NIEUKERK] Nordrhein-Westfalen siehe Kerken.

[NINDORF] Niedersachsen siehe Hanstedt.

[NITTEL] **5515.** Rheinland-Pfalz [214] ⑳, [409] ㉗ – 1 600 Ew – Höhe 160 m – ☎ 06584 (Wellen).

Mainz 187 – Luxembourg 32 – Saarburg 20 – ♦Trier 25.

🏨 **Zum Mühlengarten**, Uferstr. 5 (B 419), ☎ 3 87, 🌳, eigener Weinbau, 🏊, 🚗 – 🚗 [P]
15. Nov.- 1. Dez. geschl. – Karte 22/49 *(Montag geschl.)* 🍷 – **19 Z : 36 B** 35 - 70.

[NITTENAU] **8415.** Bayern [413] T 19, [987] ㉗ – 6 900 Ew – Höhe 350 m – ☎ 09436.

[i] Verkehrsamt, Rathaus, ☎ 5 76.

♦München 158 – Amberg 49 – Cham 36 – ♦Regensburg 36.

🏨 **Pirzer**, Brauhausstr. 3, ☎ 82 26, Biergarten, 🚗 – [P]
✈ Karte 17,50/32 *(Freitag geschl.)* – **39 Z : 65 B** 25/35 - 50/70.

[NÖRDLINGEN] **8860.** Bayern [413] O 20, [987] ㉖㊱ – 18 400 Ew – Höhe 430 m – ☎ 09081.

Sehenswert : St.-Georg-Kirche★ (Turm★, Magdalenen-Statue★) – Stadtmauer★ – Museum★ M.

[i] Verkehrsamt, Marktplatz 2, ☎ 43 80.

♦München 128 ② – ♦Nürnberg 92 ① – ♦Stuttgart 112 ④ – ♦Ulm (Donau) 82 ③.

NÖRDLINGEN

Baldinger Straße 2
Bei den Kornschrannen 4
Deininger Straße 12
Eisengasse 14
Löpsinger Straße 23
Marktplatz 25
Polizeigasse 32
Reimlinger Straße 34
Schäfflesmarkt 36
Schrannenstraße 39

Bauhofgasse 3
Beim Klösterle 6
Brettermarkt 8
Bürgermeister-Reiger-Straße 9
Drehergasse 13
Frauengasse 15
Hafenmarkt 16
Hallgasse 17
Herrengasse 19
Kreuzgasse 21
Luckengasse 24
Nürnberger Straße 28
Obstmarkt 29
Oskar-Mayer-Straße 30
Salvatorgasse 35
Ulmer Straße 40
Vordere Gerbergasse 41
Weinmarkt 43
Wemdinger Straße 45
Würzburger Straße 46

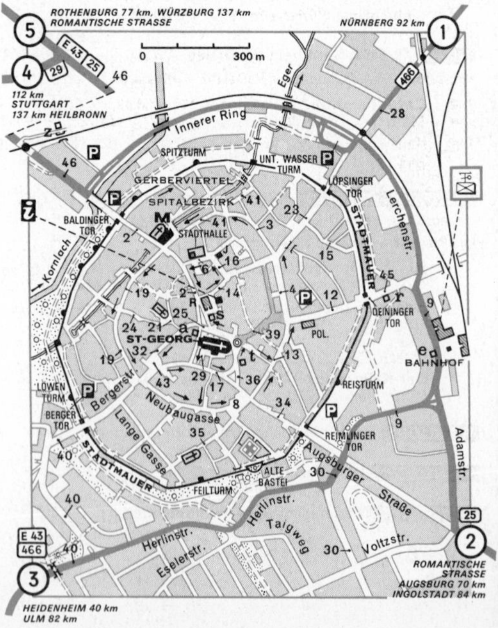

Michelin hängt keine Schilder an die empfohlenen Hotels und Restaurants.

Am Ring, Bürgermeister-Reiger-Str. 14, ☎ 40 29 – ⇅ 🚗 [P] 🏛. [AE] [D] [E] **e**
22. Dez.- 10. Jan. geschl. – Karte 24/45 *(Sonntag ab 15 Uhr geschl.)* 🍷 – **39 Z : 65 B** 52/69 - 98/125.

Schützenhof, Kaiserwiese 2, ☎ 39 40, Biergarten – 🚗 [P]. [AE] [D] [E] [VISA] **z**
Aug. 2 Wochen geschl. – Karte 30/55 *(Sonntag ab 15 Uhr geschl.)* – **15 Z : 29 B** 50/60 - 92/104 Fb.

Sonne, Marktplatz 3, ☎ 50 67, Telex 51749 – 📞 🚗 [P] 🏛. [AE] [D] [E] [VISA] **s**
23. Dez.- 14. Jan. geschl. – Karte 22/54 *(Freitag geschl.)* – **40 Z : 60 B** 35/85 - 65/120.

Braunes Roß, Marktplatz 12, ☎ 32 26 **a**
15 Z : 27 B.

Zum Engel (Brauerei-Gasthof), Wemdinger Str. 4, ☎ 31 67 – 📞 🚗 [P]. [E] **r**
22. Sept.- 12. Okt. geschl. – Karte 19,50/38 *(Samstag geschl.)* 🍷 – **9 Z : 15 B** 35/40 - 70/80.

Zum Goldenen Lamm, Schäfflesmarkt 3, ☎ 42 06 – [P] **t**
Nov. geschl. – Karte 19,50/30 *(Montag geschl.)* 🍷 – **8 Z : 16 B** 22/30 - 44/60.

Meyers-Keller, Marienhöhe 8, ☎ 44 93, ≤, Biergarten – [P]. [AE] [E] über Oskar-Mayer-Str.
Montag geschl. – Karte 54/78.

NÖRTEN-HARDENBERG 3412. Niedersachsen [987] ⑮ – 8 800 Ew – Höhe 140 m – ☎ 05503.
◆Hannover 109 – ◆Braunschweig 96 – Göttingen 11 – ◆Kassel 57.

Burghotel Hardenberg 🔇, Im Hinterhaus 11 a, ☎ 10 47, Telex 96634, « Terrasse mit ≤ » – ⇅ 📺 🚗 [P] 🏛. [AE] [D] [E] [VISA]
Karte 46/85 (bemerkenswerte Weinkarte) – **39 Z : 74 B** 85/105 - 140/175 Fb – 4 Appart. 255.

Im Rodetal O : 3 km, an der B 446 :

Rodetal mit Zim, ✉ 3406 Bovenden 1, ☎ (05594) 6 33, ☂ – 📺 📞 [P]
2.- 31. Jan. geschl. – Karte 27/60 – **9 Z : 21 B** 60/65 - 100/110.

NOHFELDEN 6697. Saarland [987] ㉔, [57] ⑦, [242] ③ – 10 650 Ew – Höhe 350 m – ☎ 06852.
◆ Saarbrücken 57 – Kaiserslautern 59 – ◆Trier 55 – ◆Wiesbaden 117.

Burghof, Burgstr. 4, ☎ 65 65 – [P]
Karte 19/48 – **10 Z : 20 B** 45/55 - 80/90.

In Nohfelden 14-Bosen W : 8,5 km:

Seehotel Weingärtner 🔇, Bostalstr. 12, ☎ 16 01, Telex 445359, ☂, ♨, 🎾, Fahrradverleih – ⇅ 📺 📞 [P] 🏛. [AE] [D] [E] [VISA]
Karte 29/63 – **66 Z : 130 B** 70/89 - 108/148 Fb.

Bostal-Hotel Merker, Bostalstr. 46, ☎ 67 70 – [P] 🏛
20 Z : 42 B.

NONNENHORN 8993. Bayern [413] L 24 – 1 500 Ew – Höhe 406 m – Luftkurort – ☎ 08382 (Lindau im Bodensee).
[i] Verkehrsamt, Seehalde 2, ☎ 82 50.
◆München 187 – Bregenz 17 – Ravensburg 25.

Zum Torkel, Seehalde 14, ☎ 84 12, ☂ – 📞 [P]
15. Dez.- Jan. geschl. – Karte 24/43 *(Mittwoch geschl.)* – **22 Z : 38 B** 45/50 - 90/100 Fb.

Haus am See 🔇, Uferstr. 23, ☎ 82 69, ≤, 🏖, 🌳 – [P]. 🚫 Rest
März-Okt. – (Restaurant nur für Hausgäste) – **26 Z : 40 B** 46/50 - 77/110.

Engel-Seewirt 🔇, Seestr. 15, ☎ 82 85, « Caféterrasse am See mit ≤ », 🌳 – 🚗 [P]
Dez.- 4. Feb. geschl. – Karte 23/52 *(Okt.- April Montag - Dienstag geschl.)* 🍷 – **30 Z : 54 B** 45/60 - 80/120.

Altdeutsche Weinstube Fürst, Kapellenplatz 2, ☎ 82 03 – [P]
Mittwoch, 16. Feb.- 7. April und Mitte - Ende Okt. geschl. – Karte **24**/47.

NONNENMISS Baden-Württemberg siehe Wildbad im Schwarzwald.

NONNWEILER 6696. Saarland – 8 400 Ew – Höhe 375 m – Heilklimatischer Kurort – ☎ 06873.
◆Saarbrücken 50 – Kaiserslautern 75 – ◆Trier 42.

Parkschenke, Auensbach 68, ☎ 60 44 – 📞 [P]. [D] [E]
Karte 18/37 *(Montag geschl.)* 🍷 – **14 Z : 21 B** 38 - 74.

NORDDEICH Niedersachsen siehe Norden.

NORDDORF Schleswig-Holstein siehe Amrum (Insel).

☞ *Keine Aufnahme in den* **Michelin-Führer** *durch*
- Beziehungen oder
- Bezahlung

NORDEN 2980. Niedersachsen 987 ③ ④, 408 ⑦ – 25 500 Ew – Höhe 3 m – ☎ 04931.

von Norden-Norddeich nach Norderney (Autofähre) und nach Juist.

Kurverwaltung-Verkehrsamt, Dörperweg, ✆ 17 22 00.

♦Hannover 268 – Emden 31 – ♦Oldenburg 97 – Wilhelmshaven 78.

Deutsches Haus, Neuer Weg 26, ✆ 42 71 – – **41 Z : 68 B** Fb.

Reichshof, Neuer Weg 53, ✆ 24 11 – . AE E VISA
Karte 23/50 – **20 Z : 42 B** 45 - 90 Fb.

In Norden 2 - Norddeich NW : 4,5 km – Seebad :

Fährhaus, Hafenstr. 1, ✆ 80 27, Telex 27252, ≤ – . AE E VISA
6. Nov.- 16. Dez. geschl. – Karte 38/77 – **35 Z : 65 B** 77/85 - 115/145.

Regina Maris, Badestr. 7c, ✆ 80 55, Wintergarten – . AE E. Zim
Karte 23/55 *(15. Nov.- 27. Dez. und 10. Jan.- 15. März geschl.)* – **12 Z : 24 B** 65/75 - 99/130 Fb – 10 Fewo 85/130.

Deichkrone, Muschelweg 21, ✆ 80 31, – . AE E VISA
Nov. geschl. – Karte 26/55 *(Dez.- Juni Dienstag geschl.)* – **22 Z : 44 B** 85 - 119 Fb.

Henschen's Hotel garni, Norddeicher Str. 234, ✆ 80 68, – – **8 Z : 15 B**.

Haus Windhuk garni, Deichstr. 16, ✆ 80 92, Fahrradverleih – . AE E
20 Z : 40 B 56 - 104 Fb.

In Hage 2984 O : 6 km :

XXX **Lebers Restaurant**, Hauptstr. 4, ✆ (04931) 70 12 –
Okt.- April Montag - Dienstag geschl. – Karte 40/66 – **Mühlenstübchen** Karte 28/50.

In Hage-Lütetsburg 2984 O : 3 km :

Landhaus Spittdiek, Landstr. 67, ✆ (04931) 34 13, –
Karte 25/63 – **10 Z : 20 B** 44 - 80.

NORDENAU Nordrhein-Westfalen siehe Schmallenberg.

NORDENHAM 2890. Niedersachsen 987 ④ – 28 900 Ew – Höhe 2 m – ☎ 04731.

♦Hannover 200 – ♦Bremen 81 – ♦Bremerhaven 7 – ♦Oldenburg 54.

Am Markt, Marktplatz, ✆ 50 94, – . AE E VISA
Karte 30/64 – **34 Z : 63 B** 78 - 115 Fb.

Aits garni, Bahnhofstr. 120, ✆ 8 00 44 – . E VISA
21 Z : 35 B 57 - 92.

In Nordenham-Abbehausen SW : 4,5 km :

Butjadinger Tor, Butjadinger Str. 67, ✆ 8 80 44, – . AE E VISA
Karte 24/57 – **17 Z : 30 B** 50 - 84 Fb.

In Nordenham-Tettens N : 10 km :

XX **Landhaus Tettens** (ehem. Bauernhaus a.d.J. 1832), Am Dorfbrunnen 17, ✆ 3 94 24, bemerkenswerte Weinkarte – . AE E VISA
2.- 19. Jan., 4.- 15. Sept. und Montag geschl. – Karte **27**/60.

NORDERNEY (Insel) 2982. Niedersachsen 987 ③ ④ – 8 000 Ew – Seeheilbad – Insel der ostfriesischen Inselgruppe – ☎ 04932.

Golfplatz (O : 5 km), ✆ 6 80.

von Norddeich (ca. 1h), ✆ (04931) 80 11.

Verkehrsbüro, Bülowallee 5, ✆ 5 02.

♦Hannover 272 – Aurich/Ostfriesland 31 – Emden 35.

Kurhotel Norderney, Am Kurgarten, ✆ 7 71 – . Rest
15. Jan.- Feb. und Nov.- 15. Dez. geschl. – Karte 39/68 *(nur Abendessen)* – **31 Z : 51 B** 122/180 - 196/270.

Inselhotel Vier Jahreszeiten, Herrenpfad 25, ✆ 89 40, Telex 27223, Dachterrasse, Bade- und Massageabteilung, – . AE E VISA
Karte 30/58 – **93 Z : 186 B** 115 - 210 Fb – 21 Appart. 190/330.

Hanseatic, Gartenstr. 47, ✆ 30 32, – . Rest
2. Nov.- 24. Dez. geschl. – (nur Abendessen für Hausgäste) – **36 Z : 72 B** 140/150 - 180/260.

Strandhotel Pique, Am Weststrand 4, ✆ 7 53, ≤, Massage, – . AE .
Mitte Jan.- Mitte Feb. und Nov.- 26. Dez. geschl. – Karte 32/58 *(Dienstag geschl.)* – **23 Z : 45 B** 95/105 - 220/260 Fb.

Golf-Hotel, Am Golfplatz 1 (O : 5 km), ✆ 89 60, ≤, – . E
Karte 28/66 – **35 Z : 65 B** 97/125 - 174/194 Fb.

Haus am Meer - Rodehuus und Wittehuus garni, Kaiserstr. 3, ✆ 89 30, ≤, – .
1.- 22. Dez. geschl. – **26 Z : 65 B** 94/104 - 148/258 Fb – 9 Fewo 140/230.

🏨 **Strand- und Aparthotel an der Georgshöhe** 🔇, Kaiserstr. 24, ✆ 89 80, ⇐, Massage, ≘s, 🏊, 🌳, 🎾 (Halle), Fitness-Center – 🛗 [TV] ☎ 🅿. 🐕
15. Feb.- 1. März und 1.- 15. Dez. geschl. – Karte 31/73 *(nur Abendessen, Jan.- März Dienstag geschl.)* – **76 Z : 160 B** 88/140 - 170/240 Fb.

🏨 **Seeschlößchen** 🔇 garni, Damenpfad 13, ✆ 30 21, ≘s – 🛗 [TV] ☎. 🐕
März - 15. Nov. – **14 Z : 24 B** 98/130 - 196/235.

🏨 **Friese** 🔇, Friedrichstr. 34, ✆ 30 15, ≘s – 🛗 ☎. 🐕 Zim
15. Jan.- Feb. geschl. – Karte 26/50 *(Mittwoch geschl.)* – **45 Z : 69 B** 73/86 - 136.

🏨 Haus Waterkant 🔇 garni, Kaiserstr. 9, ✆ 80 00, ⇐, Bade- und Massageabteilung, ≘s, 🏊 – 🛗 [TV] ☎ 🅿. 🐕 – **49 Z : 80 B** – 9 Fewo.

🏨 **Bruns Hotel** 🔇 garni, Langestr. 7, ✆ 5 31, ≘s – 🛗. 🐕
70 Z : 150 B 50/90 - 70/180 – 2 Fewo 160/190.

🍴 Le Pirate, Friedrichstr. 37, ✆ 18 66 – (überwiegend Fischgerichte).

NORDERSTEDT 2000. Schleswig-Holstein [987] ⑤ – 70 000 Ew – Höhe 26 m – 📞 040 (Hamburg).
ADAC, Berliner Allee 38 (Herold Center), ✆ 5 23 38 00.
♦Kiel 79 – ♦Hamburg 19 – Itzehoe 58 – ♦Lübeck 69.

🍴🍴 **Kupferpfanne am Park**, Rathausallee 35, ✆ 5 22 45 43, ⛱ – [AE] [D] [E] [VISA]
Karte 43/75.

🍴 Brunnenhof am Rathaus, Rathausallee 60, ✆ 5 22 81 70, ⛱ – 🅿.

In Norderstedt-Garstedt :

🏨 **Heuberg** garni, Niendorfer Str. 52, ✆ 5 23 11 97 – [TV] ☎ 🚗 🅿. [AE] [D] [E] [VISA]. 🐕
24 Z : 35 B 78/90 - 98/150.

🏨 **Maromme** garni, Marommer Str. 58, ✆ 5 25 20 37 – [TV] ☎ 🅿 🏢. [AE] [D] [E] [VISA]. 🐕
18 Z : 37 B 68/85 - 95/115 Fb.

In Norderstedt-Glashütte :

🏨 **Norderstedter Hof**, Mittelstr. 54, ✆ 5 24 00 46, Telex 2164128 – 🛗 [TV] ☎ 🅿 🏢. [AE] [D] [E] [VISA] – *23. Dez.- 2. Jan. geschl.* – Karte 35/68 *(nur Abendessen, im Winter Samstag, im Sommer Samstag - Sonntag geschl.)* – **90 Z : 120 B** 79/98 - 125.

In Norderstedt-Harksheide :

🏨 **Wilhelm Busch** garni, Wilhelm-Busch-Platz (B 432), ✆ 5 27 02 61, ≘s – 🛗 [TV] ☎ ♿ 🚗 🅿. [AE] [D] [E] [VISA]
35 Z : 70 B 84/98 - 120/135 Fb.

In Norderstedt-Harkshörn :

🏨 **Schmöker Hof**, Oststr. 18 (beim TÜV), ✆ 5 22 40 56, ⛱, ≘s, Fahrradverleih – [TV] ☎ 🅿 🏢. [AE] [D] [E] [VISA]
Karte 40/68 *(Samstag bis 18 Uhr geschl.)* – **40 Z : 70 B** 98/115 - 140/150 Fb.

NORDHEIM Bayern siehe Volkach.

NORDHORN 4460. Niedersachsen [987] ⑭, [408] ⑭ – 50 000 Ew – Höhe 22 m – 📞 05921.
[i] Verkehrs- und Veranstaltungsverein, Hagenstr. 38, ✆ 1 30 36.
ADAC, Lingener Str. 9, ✆ 3 63 83, Telex 98219.
♦Hannover 224 – ♦Bremen 155 – Groningen 113 – Münster (Westfalen) 73.

🏨 **Determann**, Bernhard-Niehues-Str. 12, ✆ 60 21, ≘s, 🏊 – 🛗 ☎ ♿ 🚗 🅿 🏢. [AE] [D] [E] [VISA]. 🐕 Zim
Karte 23/50 – **45 Z : 65 B** 50/90 - 90/130 Fb.

🏨 Rolinck-Bräu, Neuenhauser Str. 10, ✆ 3 40 98 – ☎ 🚗 🅿 – **15 Z : 20 B.**

🏨 **Am Stadtring**, Am Strampel 1 (Ecke Stadtring), ✆ 1 47 70 – ☎ 🚗 🅿. [AE] [D] [E]. 🐕 Zim
Karte 31/57 – **20 Z : 29 B** 42/48 - 80/100.

🏨 **Euregio**, Denekamper Str. 43, ✆ 50 77 – ☎ 🅿. [AE] [D] [E] [VISA]
Karte 24/36 *(nur Abendessen)* – **26 Z : 34 B** 42/45 - 74.

🏨 **Möllers**, Lingener Str. 52, ✆ 3 54 14 – 🚗 🅿. [E]
Karte 20/39 – **16 Z : 25 B** 35 - 70.

NORDRACH 7618. Baden-Württemberg [413] H 21, [242] ㉔ – 1 900 Ew – Höhe 300 m – Luftkurort – 📞 07838 – ♦Stuttgart 130 – Freudenstadt 39 – Lahr 23 – Offenburg 28.

🏨 **Stube**, Im Dorf 28, ✆ 2 02 – 🅿
Karte 23/44 *(Dienstag geschl.)* 🍷 – **13 Z : 20 B** 30/38 - 60/68.

NORDSTRAND 2251. Schleswig-Holstein [987] ④ – 2 700 Ew – Höhe 1 m – 📞 04842.
♦Kiel 103 – Flensburg 61 – Husum 19 – Schleswig 53.

In Nordstrand-Herrendeich :

🏨 **Landgasthof Kelting** 🔇, Herrendeich 6, ✆ 3 35, ⛱ – [TV] 🅿. [D] [E]
Karte 22/37 *(Nov.- März Montag geschl.)* – **19 Z : 38 B** 35/75 - 70/95.

[NORIMBERGA] = Nürnberg.

[NORTHEIM] 3410. Niedersachsen [987] ⑮ – 30 000 Ew – Höhe 121 m – ☏ 05551.

[i] Fremdenverkehrsbüro, Am Münster 30 (1. Etage), ✆ 6 36 50.

◆Hannover 98 – ◆Braunschweig 85 – Göttingen 27 – ◆Kassel 69.

🏨 Sonne, Breite Str. 59, ✆ 40 71 – 🛗 ☎ 🚗
24 Z : 48 B Fb.

🏨 **Leineturm**, an der B 241 (W : 1,5 km), ✆ 35 76, 🍽 – [TV] ☎ 🚗 [P] 👥. [AE] (D) E [VISA]
Karte 28/79 – **10 Z : 15 B** 38/55 - 74/95.

🏨 **Deutsche Eiche**, Bahnhofstr. 16, ✆ 22 93 – ☎ 🚗. [AE] (D) E [VISA]
23. Dez.- 5. Jan. geschl. – Karte 21/40 *(Sonn- und Feiertage geschl.)* – **22 Z : 32 B** 40/52 - 75/96.

Bei der Freilichtbühne O : 3 km über die B 241 :

🏨 Waldhotel Gesundbrunnen 🪑, ✉ 3410 Northeim, ✆ (05551) 40 45, Telex 965581, ⛱, ♨ – 🛗 ☎ 🚗 [P] 👥
62 Z : 92 B Fb.

[NORTORF] 2353. Schleswig-Holstein [987] ⑤ – 6 000 Ew – Höhe 30 m – ☏ 04392.

◆Kiel 29 – Flensburg 81 – ◆Hamburg 78 – Neumünster 16.

🏨 **Kirchspiels Gasthaus**, Große Mühlenstr. 9, ✆ 49 22 – [TV] ☎ 🚗 [P] 👥. [AE] (D) E [VISA]. ⊘
Karte 31/64 – **11 Z : 22 B** 60/80 - 85/110 Fb.

[NORTRUP] 4577. Niedersachsen – 2 200 Ew – Höhe 34 m – ☏ 05436.

◆Hannover 153 – ◆Bremen 89 – ◆Osnabrück 44.

🍴 Jagdhaus Spark 🪑 mit Zim, Mühlenweg 6, ✆ 4 27 – [P]
6 Z : 9 B.

[NOTSCHREI] Baden-Württemberg siehe Todtnau.

[NOTTULN] Nordrhein-Westfalen siehe Havixbeck.

[NÜBELFELD] Schleswig-Holstein siehe Quern.

[NÜMBRECHT] 5223. Nordrhein-Westfalen – 13 100 Ew – Höhe 280 m – Heilklimatischer Kurort – ☏ 02293.

[i] Kur- und Verkehrsverein Homburger Land e.V., Weiherstraße, ✆ 24 73.

◆Düsseldorf 91 – ◆Köln 53 – Waldbröl 8.

🏨 **Park-Hotel** 🪑 (mit Gästehaus, 🏠), Parkstraße, ✆ 30 30, Telex 887943, ⛱, ♨, 🍽 – 🛗 [TV] ♿ [P] 👥. [AE] (D) E [VISA]. ⊘ Rest
Karte 41/68 – **85 Z : 150 B** 95/120 - 140/160 Fb.

🏨 **Derichsweiler Hof** 🪑, Jacob-Engels-Str. 22, ✆ 60 61, ♨ – 🛗 ☎ [P] 👥. [AE] E. ⊘
Mitte Juli - Anfang Aug. geschl. – Karte 26/56 *(Montag geschl.)* – **35 Z : 65 B** 66/80 - 132 – P 80.

🏨 **Parkschlößchen**, Bahnhofstr. 2, ✆ 69 59, kleiner Park – ☎ [P]. [AE]
Karte 28/63 – **20 Z : 38 B** 38/65 - 60/90.

🏨 **Am Kurpark** 🪑, Lindchenweg 15, ✆ 15 76, ⛱, ♨ – ☎ 🚗 [P]. [AE] (D) E [VISA]
8. Jan.- 20. Feb. geschl. – Karte 23/45 *(Okt.- März Dienstag geschl.)* – **18 Z : 36 B** 50 - 70 – P 56/71.

🍴🍴 **Rheinischer Hof** mit Zim, Hauptstr. 64, ✆ 67 89 – 🚗 [P]. ⊘ Zim
Mitte Juli - Anfang Aug. geschl. – Karte 25/57 *(Freitag geschl.)* – **11 Z : 15 B** 35/50 - 65/80.

In Nümbrecht-Bierenbachtal NO : 4 km :

🏨 Spitzer-In der Schlenke 🪑, Schlenkestr. 3, ✆ 60 31, 🍽 – ☎ [P] 👥
31 Z : 56 B.

In Nümbrecht-Marienberghausen NW : 8 km :

🏡 Zur alten Post 🪑, Humperdinckstr. 6, ✆ 71 73 – ☎ [P]
16 Z : 27 B.

[NÜRBURG] 5489. Rheinland-Pfalz [987] ㉔ – 200 Ew – Höhe 610 m – Luftkurort – ☏ 02691 (Adenau).

Sehenswert : Burg★ (✻★).

Mainz 152 – ◆Bonn 56 – Mayen 26 – Wittlich 57.

🏨 **Zur Burg** 🪑, Burgstr. 4, ✆ 75 75, ♨ – [P]. [AE] (D) E [VISA]. ⊘ Zim
15. Nov.- 15. Dez. geschl. – Karte 21/42 – **38 Z : 68 B** 30/80 - 60/120.

🏨 **Döttinger Höhe**, an der B 258 (NO : 2 km), ✆ 73 21 – [TV] ☎ 🚗 [P]
15. März - Nov. – Karte 25/48 *(Mittwoch geschl.)* – **19 Z : 36 B** 89/99 - 99/145 Fb.

NÜRNBERG 8500. Bayern 413 Q 18, 987 ㉖ – 465 000 Ew – Höhe 300 m – ☎ 0911.

Sehenswert : Germanisches National-Museum★★ HZ M1 – St.-Sebaldus-Kirche★ (Kunstwerke★★) HY A – Stadtbefestigung★ – Dürerhaus★ HY B – Schöner Brunnen★ HY C – St.-Lorenz-Kirche★ (Engelsgruß★★) HZ D – Kaiserburg (Sinnwellturm ≤★, Tiefer Brunnen★) HY.

N-Kraftshof (über Kraftshofer Hauptstr. CS), ☎ 30 57 30.

Nürnberg BS, ☎ 37 54 40.

☎ 2 19 53 04.

Messezentrum (CT), ☎ 8 60 60, Telex 623613.

Tourist-Information, im Hauptbahnhof (Mittelhalle), ☎ 23 36 32 und Am Hauptmarkt (Rathaus), ☎ 23 36 35.

ADAC, Prinzregentenufer 7, ☎ 5 39 01, Notruf ☎ 1 92 11.

♦München 165 ⑤ – ♦Frankfurt am Main 226 ⑧ – Leipzig 276 ③ – ♦Stuttgart 205 ⑤ – ♦Würzburg 110 ⑧.

Die Angabe (N 15) nach der Anschrift gibt den Postzustellbezirk an : Nürnberg 15
L'indication (N 15) à la suite de l'adresse désigne l'arrondissement : Nürnberg 15
The reference (N 15) at the end of the address is the postal district : Nürnberg 15
L'indicazione (N 15) posta dopo l'indirizzo, precisa il quartiere urbano : Nürnberg 15

Messe-Preise : siehe S. 17
Fairs : see p. 33
Foires et salons : voir p. 25
Fiere : vedere p. 41

Stadtpläne siehe nächste Seiten.

Maritim, Frauentorgraben 11 (N 70), ☎ 2 36 30, Telex 622709, Fax 2363823, Massage, ≘s, ▢ – |\$| ⇔ Zim ▢ ♿ ⇔ 🅰. ⓓ E VISA HZ **e**
Restaurants : – **Die Auster** *(Sonntag und Aug. geschl.)* Karte 64/85 – **Nürnberger Stuben** Karte 48/73 – **316 Z : 520 B** 195/315 - 268/378 Fb – 9 Appart. 420/1000.

Atrium-Hotel, Münchener Str. 25 (N 50), ☎ 4 74 80, Telex 626167, Fax 4748420, ♣, ≘s, ▢, Fahrradverleih – |\$| ▤ Rest ▢ ♿ ⇔ Ⓟ 🅰 (mit ▤). AE ⓓ E VISA. ✻ Rest GX **g**
Karte 46/72 *(25. Dez.- 9. Jan. geschl.)* – **200 Z : 300 B** 169/255 - 198/324 Fb – 3 Appart. 550.

Grand-Hotel, Bahnhofstr. 1 (N 1), ☎ 20 36 21, Telex 622010, Fax 232786, ≘s – |\$| ⇔ Zim ▢ 🅰. AE ⓓ E VISA JZ **d**
Restaurants : – **Fürstenhof** *(wochentags nur Abendessen)* Karte 39/68 – **Kanne** Karte 24/46 – **187 Z : 273 B** 163/243 - 216/261 Fb – 5 Appart. 486/636.

Carlton, Eilgutstr. 13 (N 70), ☎ 2 00 30, Telex 622329, Fax 2003532, « Gartenterrasse », ≘s – |\$| ▢ Ⓟ 🅰. AE ⓓ E VISA. ✻ Rest HZ **f**
Karte 53/77 – **130 Z : 200 B** 125/229 - 186/330 Fb.

Queens Hotel Nürnberg, Münchener Str. 283 (N 50), ☎ 4 94 41, Telex 622930, Fax 468865, ≘s – |\$| ⇔ Zim ▢ Ⓟ 🅰. AE ⓓ E VISA BT **y**
Restaurants : – **Puppenstube** Karte 34/64 – **Uhrenstube** *(nur Abendessen, Sonn- und Feiertage geschl.)* Karte 25/54 – **141 Z : 211 B** 164/224 - 246/288 Fb.

Deutscher Hof, Frauentorgraben 29 (N 70), ☎ 20 38 21, Telex 622992 – |\$| ▤ Rest ▢ ☎ 🅰 (mit ▤). AE ⓓ E VISA. ✻ Rest HZ **p**
Karte 32/62 – **Weinstube Bocksbeutelkeller** « Rustikale Einrichtung » *(ab 17 Uhr geöffnet)* Karte 27/46 – **50 Z : 70 B** 100/115 - 160/180 Fb.

Merkur, Pillenreuther Str. 1 (N 40), ☎ 44 02 91, Telex 622428, Fax 459037, ≘s, ▢ – |\$| ▢ ☎ Ⓟ 🅰. AE ⓓ E VISA. ✻ Rest FX **a**
Karte 27/61 – **150 Z : 300 B** 90/160 - 135/280 Fb.

Novotel Nürnberg-Süd, Münchener Str. 340 (N 50), ☎ 8 67 91, Telex 626449, Fax 869165, ♣, ≘s, ▢ (geheizt), ♣ – |\$| ▤ ▢ ☎ ♿ Ⓟ 🅰. AE ⓓ E VISA. ✻ Rest CT **s**
Karte 31/57 – **117 Z : 234 B** 140/160 - 175/195 Fb.

Apart-Hotel Senator garni, Landgrabenstr. 25 (N 70), ☎ 4 19 71, Telex 626748, Fax 41978, ≘s – |\$| ▢ ☎ ⇔ Ⓟ. AE ⓓ E VISA EX **c**
71 Z : 110 B 110/140 - 140/240.

Gästehaus Maximilian, Obere Kanalstr. 11 (N 80), ☎ 2 72 40, Telex 623387, Fax 2724706, ≘s – |\$| ▢ ☎ ⇔. AE ⓓ E VISA DV **a**
Karte 27/46 *(Mittwoch geschl.)* – **150 Z : 230 B** 105/145 - 145/180 Fb.

Victoria garni, Königstr. 80 (N 1), ☎ 20 38 01, Telex 626923 – |\$| ▢ ☎ Ⓟ. AE ⓓ E VISA
23. Dez.- 6. Jan. geschl. – **64 Z : 90 B** 75/85 - 120/140 Fb. JZ **x**

Drei Linden, Äußere Sulzbacher Str. 1 (N 20), ☎ 53 32 33, Telex 626455 – ▢ ☎ Ⓟ. AE ⓓ E
Karte 26/56 – **28 Z : 40 B** 95/110 - 140/170 Fb. GU **p**

Ibis, Steinbühlerstr. 2 (N 70), ☎ 2 37 10, Telex 626884 – |\$| ▢ ☎ ♿ Ⓟ 🅰. AE ⓓ E VISA
Karte 30/43 – **155 Z : 245 B** 109 - 137 Fb. HZ **s**

Bayerischer Hof garni, Gleißbühlstr. 15 (N 1), ☎ 2 32 10, Telex 626547 – |\$| ▢ ☎ ⇔. AE ⓓ E VISA JZ **u**
80 Z : 105 B 89/105 - 128/136 Fb.

Am Jakobsmarkt garni, Schottengasse 3 (N 1), ☎ 24 14 37, ≘s – |\$| ▢ ☎ ⇔ Ⓟ. AE ⓓ E VISA HZ **h**
70 Z : 110 B 88/114 - 134/142 Fb – 5 Appart. 154/164.

Weinhaus Steichele, Knorrstr. 2 (N 1), ☎ 20 43 78, ♣ – |\$| ▢ ☎ Ⓟ. ✻ Rest HZ **x**
Karte 21/45 *(Sonntag und Montag nur Abendessen)* – **37 Z : 57 B** 65/80 - 100/130 Fb.

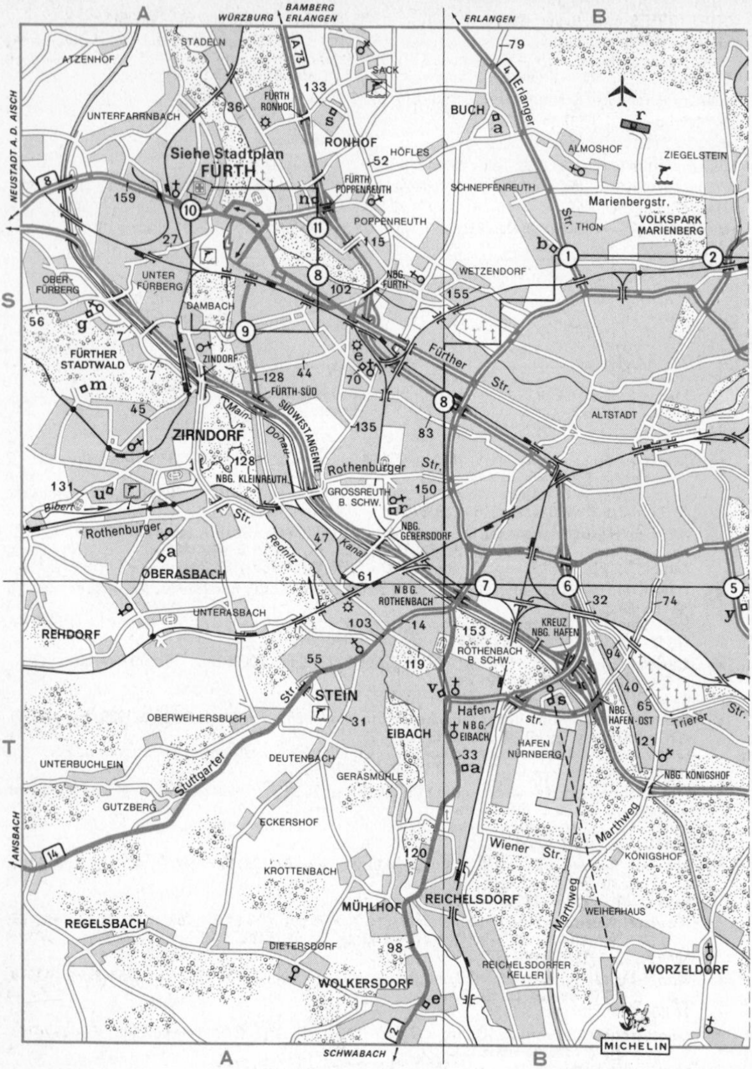

Marienbad garni, Eilgutstr. 5 (N 70), ℘ 20 31 47, Telex 626179 – AE E VISA HZ **y**
55 Z : 100 B 90/110 - 130/180 Fb.

Reichshof, Johannesgasse 16 (N 1), ℘ 20 37 17, Telex 626300 – AE E VISA JZ **n**
Karte 26/59 *(Sonn- und Feiertage, Mitte - Ende Aug. und 26. Dez.- 6. Jan. geschl.)* – **65 Z : 110 B** 60/125 - 100/175 Fb.

Hamburg garni, Hasstr. 3 (N 80), ℘ 32 72 18 – E DV **e**
26 Z : 54 B 75/110 - 98/170 Fb.

Petzengarten, Wilhelm-Spaeth-Str. 47 (N 40), ℘ 4 95 81, Telex 622581, Biergarten – AE E VISA GX **a**
25.- 30. Dez. geschl. – Karte 15/40 *(Sonntag ab 14 Uhr geschl.)* – **32 Z : 57 B** 90 - 145.

Erlenstegen garni, Äußere Sulzbacher Str. 157 (N 20), ℘ 59 10 33 – GU **a**
24. Dez.- 5. Jan. geschl. – **40 Z : 70 B** 95/120 - 135/150 Fb.

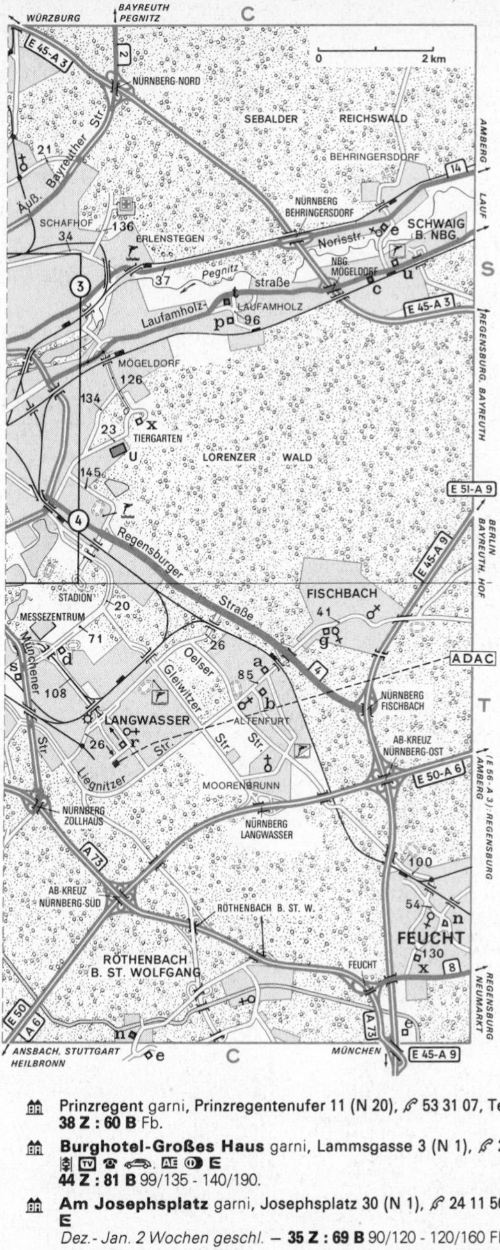

Am Europakanal . . . . AS 7
Ansbacher Straße . . . . AT 14
Beuthener Straße . . . . CT 20
Bierweg . . . . CS 21
Bingstraße . . . . CS 23
Breslauer Straße . . . . CT 26
Cadolzburger Straße . . . . . . AS 27
Deutenbacher Straße . . . . . . AT 31
Dianastraße . . . . BT 32
Eibacher Hauptstraße . . . . . BT 33
Eichendorffstraße . . . . CS 34
Erlanger Straße . . . . AS 36
Erlenstegenstraße . . . . CS 37
Finkenbrunn . . . . BT 40
Fischbacher Hauptstraße . . . CT 41
Fronmüllerstraße (FÜRTH) . . AS 44
Fürther Straße (ZIRNDORF) . . . . AS 45
Gebersdorfer Straße . . . . . . AS 47
Gründlacher Straße . . . . AS 52
Hauptstraße (FEUCHT) . . . . . CT 54
Hauptstraße (STEIN) . . . . . . AT 55
Heilstättenstraße . . . . AS 56
Hügelstraße . . . . AS 61
Julius-Loßmann-Straße . . . . BT 65
Karl-Martell-Straße . . . . AS 70
Karl-Schönleben-Straße . . . . CT 71
Katzwanger Straße . . . . BT 74
Kraftshofer Hauptstraße . . . BS 79
Leyher Straße . . . . AS 83
Löwenberger Straße . . . . CT 85
Minervastraße . . . . BT 94
Moritzbergstraße . . . . CS 96
Mühlhofer Hauptstraße . . . . AT 98
Nürnberger Straße (FEUCHT) . . . . CT 100
Nürnberger Str. (FÜRTH) . . . AS 102
Nürnberger Str. (STEIN) . . . . AT 103
Otto-Bärnreuther-Straße . . . CT 108
Poppenreuther Straße (FÜRTH) . . . . AS 115
Rednitzstraße . . . . AT 119
Reichelsdorfer Hauptstr. . . . AT 120
Saarbrückener Straße . . . . . BT 121
Schmausenbuckstraße . . . . . CS 126
Schwabacher Straße . . . . . . AS 128
Schwabacher Straße (FEUCHT) . . . . CT 130
Schwabacher Straße (ZIRNDORF) . . . . AS 131
Seeackerstraße . . . . AS 133
Siedlerstraße . . . . CS 134
Sigmundstraße . . . . AS 135
Stadenstraße . . . . CS 136
Valznerweiherstraße . . . . . . CS 145
Wallensteinstraße . . . . AS 150
Weißenburger Straße . . . . . . BT 153
Wetzendorfer Straße . . . . . . BS 155
Würzburger Straße . . . . AS 159

Prinzregent garni, Prinzregentenufer 11 (N 20), ✆ 53 31 07, Telex 622728 – |♦| ☎ JYZ **a**
38 Z : 60 B Fb.

Burghotel-Großes Haus garni, Lammsgasse 3 (N 1), ✆ 20 44 14, Telex 623567, ≘s, ▢ – |♦| TV ☎ ⇔. AE ⓓ E HY **k**
44 Z : 81 B 99/135 - 140/190.

Am Josephsplatz garni, Josephsplatz 30 (N 1), ✆ 24 11 56, ≘s – |♦| ⇔ Zim TV ☎. AE ⓓ E HZ **k**
Dez.- Jan. 2 Wochen geschl. – **35 Z : 69 B** 90/120 - 120/160 Fb – 5 Appart. 300.

Drei Raben garni, Königstr. 63 (N 1), ✆ 20 45 83 – |♦| TV ☎. AE ⓓ E VISA. ⇔ Zim JZ **v**
31 Z : 40 B 95 - 130/160.

Am Heideloffplatz garni, Heideloffplatz 9 (N 40), ✆ 44 94 51 – |♦| TV ☎ Ⓟ. AE ⓓ E VISA FX **t**
24. Dez.-6. Jan. geschl. – **50 Z : 70 B** 60/98 - 108/150 Fb.

NÜRNBERG

Allersberger Straße . . . FGX
Fürther Straße . . . . . . DV

Äußere Cramer-
Klett-Straße . . . . . . GV 3
Am Messehaus . . . . . GU 8
Beuthener Straße . . . GX 20
Celtisstraße . . . . EX 28
Deumentenstraße . . . GU 29
Endterstraße . . . . . . EX 35
Galgenhofstraße . . . . FX 46
Gibitzenhofstraße . . . EX 48
Gostenhofer Hauptstr. DV 49
Himpfelshofstraße . . . DV 59
Hinterm Bahnhof . . . FX 60
Knauerstraße . . . . . . DVX 76
Kressengartenstraße . . GV 81
Leyher Straße . . . . . . DV 83
Marienbader Str. . . . . GX 86
Maxfeldstraße . . . . . . FU 91
Maximilianstraße . . . DV 93
Obere Kanalstraße . . DV 104
Pillenreuther Straße . FX 112
Poppenreuther Str. . . . DU 113
Prinzregentenufer . . . GV 116
Scharrerstraße . . . . . . GX 122
Scheurlstraße . . . . . FGX 124
Schuckertstraße . . . . EX 127
Schweiggerstraße . . . GX 132
Steinbühler Straße . . EX 137
Südliche Fürther Str. DV 139
Tafelfeldstraße . . . . . . EX 141
Tunnelstraße . . . . EX 144
Wallensteinstraße . . . DX 150
Wassertorstraße . . . . GV 152
Wöhrder Hauptstr. . . GV 157
Wöhrder Talübergang . GV 158
Zufuhrstraße . . . . EX 160

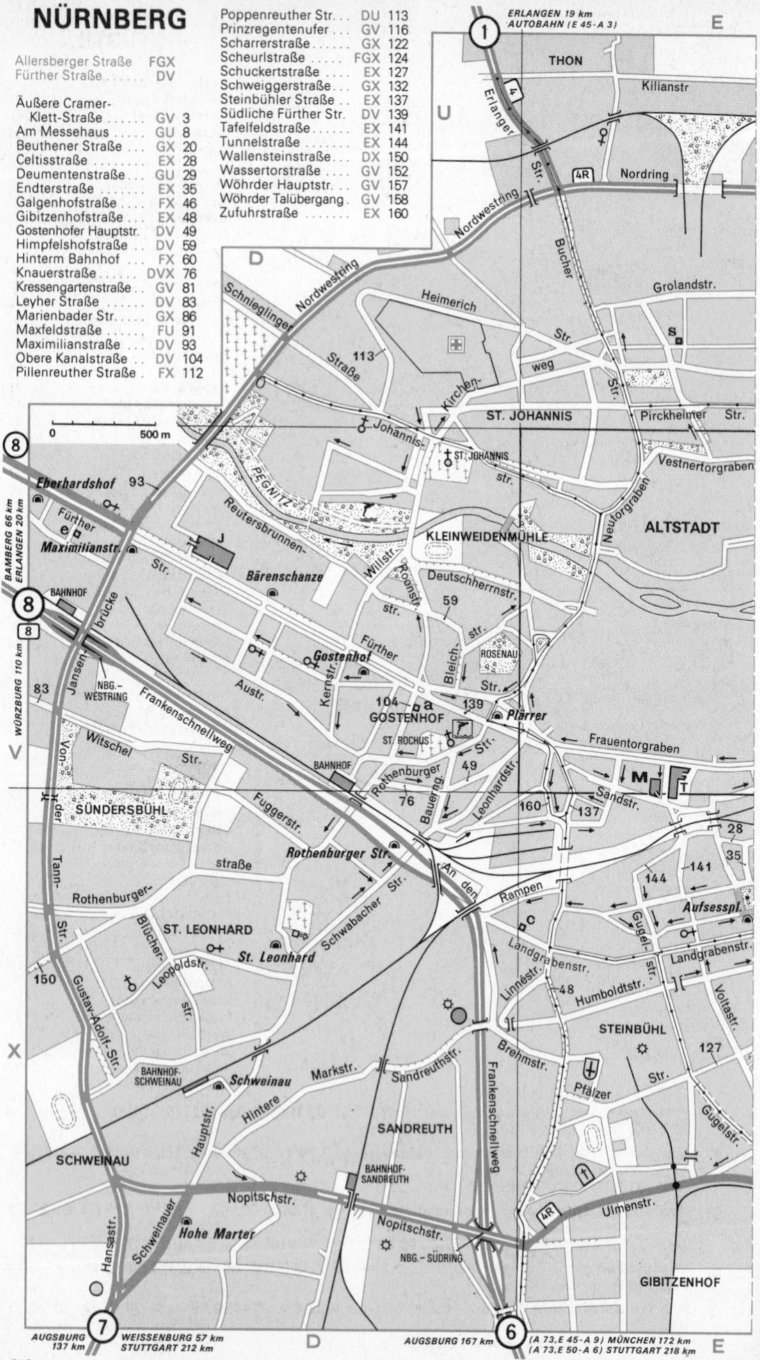

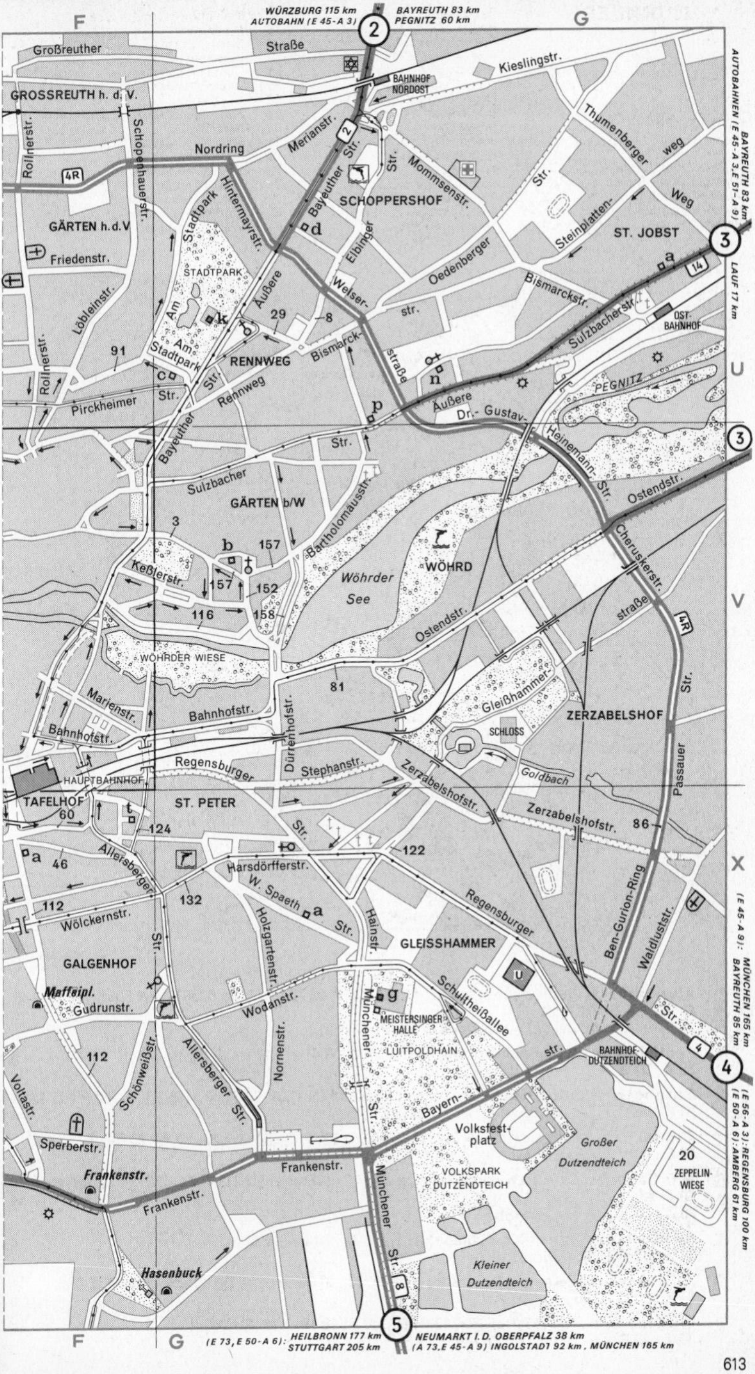
WÜRZBURG 115 km
AUTOBAHN (E 45-A 3)
BAYREUTH 83 km
PEGNITZ 60 km
BAYREUTH 83 km
AUTOBAHNEN (E 45-A 3, E 51-A 9)
LAUF 17 km
MÜNCHEN 165 km
BAYREUTH 85 km
(E 45-A 9):
(E 56-A 3): REGENSBURG 100 km
(E 50-A 6): AMBERG 61 km
(E 73, E 50-A 6): HEILBRONN 177 km
STUTTGART 205 km
NEUMARKT I.D. OBERPFALZ 38 km
(A 73, E 45-A 9) INGOLSTADT 92 km, MÜNCHEN 165 km
F
G
U
V
X
Großreuther
Straße
Kieslingstr.
BAHNHOF NORDOST
GROSSREUTH h. d. V.
Thumenberger
weg
Weg
Rollnerstr.
Schopenhauerstr.
Nordring
Merianstr.
Bayreuther Str.
Str.
Mommsenstr.
SCHOPPERSHOF
Stadtpark
Hintermayrstr.
GÄRTEN h.d.V
Friedenstr.
Elbinger
Oedenberger
Steinplatten-
ST. JOBST
Bismarckstr.
Sulzbacherstr.
OST-BAHNHOF
STADTPARK
Äußere
Welser-
str.
Am
Stadtpark
Löbleinstr.
RENNWEG
Bismarck-
straße
PEGNITZ
Rennweg
Pirckheimer
Str.
Äußere
Dr.-Gustav-
Heinemann-
Str.
Sulzbacher
GÄRTEN b/W
Bartholomäusstr.
Ostendstr.
WÖHRD
Wöhrder
See
Keßlerstr.
Cheruskerstr.
straße
Ostendstr.
WÖHRDER WIESE
Marienstr.
Bahnhofstr.
Bahnhofstr.
Dürrenhofstr.
Gleißhammer-
SCHLOSS
ZERZABELSHOF
Passauer
Str.
Regensburger
Stephanstr.
Zerzabelshofstr.
Goldbach
HAUPTBAHNHOF
TAFELHOF
ST. PETER
Zerzabelshofstr.
Allersberger
Harsdörfferstr.
W. Spaeth
Str.
Ben-Gurion-Ring
Waldluststr.
Wölckerstr.
Holzgartenstr.
Hainstr.
Regensburger
GALGENHOF
GLEISSHAMMER
Maffeipl.
Gudrunstr.
Wodanstr.
Münchener
MEISTERSINGER-HALLE
Schultheißallee
LUITPOLDHAIN
Str.
BAHNHOF DUTZENDTEICH
Voltastr.
Schönweißstr.
Allersberger Str.
Nornenstr.
str.
Bayern-
Volksfest-
platz
Großer
Dutzendteich
Sperberstr.
Frankenstr.
Frankenstr.
VOLKSPARK
DUTZENDTEICH
ZEPPELIN-WIESE
Frankenstr.
Münchener
Str.
Kleiner
Dutzendteich
Hasenbuck

NÜRNBERG

Breite Gasse	HZ	
Kaiserstraße	HZ	67
Karolinenstraße	HZ	
Königstraße	HZ	78
Ludwigstraße	HZ	
Luitpoldstraße	HZ	86
Pfannenschmiedsgasse	HZ	110
Äußere Laufer Gasse	JY	5
Albrecht-Dürer-Straße	HY	6
An der Fleischbrücke	HY	10
An der Karlsbrücke	HY	13
Bahnhofsplatz	JZ	16
Beckschlagergasse	JY	17
Bergstraße	HY	18
Bischof-Meiser-Straße	HY	24
Findelgasse	HZ	38
Grübelstraße	JY	50
Hans-Sachs-Gasse	HY	53
Henkersteg	HY	58
Innere Cramer-Klett-Str.	JY	62
Innere Laufer Gasse	JY	63
Johannesgasse	JZ	64
K.-Grillenberger-Str.	HZ	69
Karlstraße	HY	72
Katharinengasse	JZ	73
Königstorgraben	JZ	77
Lessingstraße	HZ	82
Lorenzer Straße	JZ	84
Marientorgraben	JZ	87
Maxbrücke	HY	90
Mohrengasse	HY	95
Museumsbrücke	HY	99
Obere Krämersgasse	HY	105
Obere Wörthstraße	HZ	106
Obstmarkt	HY	107
Prinzregentenufer	JZ	116
Rathausplatz	HY	117
Schlotfegergasse	HZ	125
Steubenbrücke	JY	138
Sulzbacher Straße	JY	140
Tafelhofstraße	HZ	142
Vordere Ledergasse	HZ	148
Vordere Sterngasse	HZ	149
Weißgerbergasse	HY	154

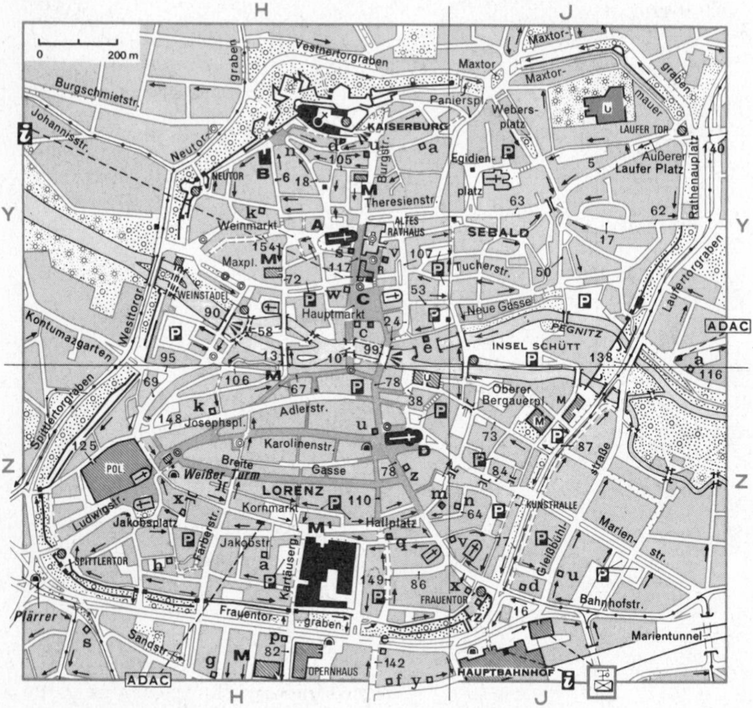

Klughardt garni, Tauroggenstr. 40 (N 20), ☎ 59 70 17, Telex 626614, Fahrradverleih – ☎ Ⓟ. AE ⓓ E VISA — GU **n**
24. Dez.- 6. Jan. geschl. – **35 Z : 45 B** 59/79 - 95/110.

Fackelmann garni, Essenweinstr. 10 (N 70), ☎ 20 41 21, – TV ☎. E — HZ **g**
36 Z : 50 B 70/105 - 110/150 Fb.

Burghotel-Kleines Haus garni, Schildgasse 14 (N 1), ☎ 20 30 40 – TV ☎. AE ⓓ E VISA — HY **a**
22 Z : 35 B 55/75 - 82/95.

Cristal garni, Willibaldstr. 7 (N 20), ☎ 56 40 05, – TV ☎. AE ⓓ E VISA — GU **d**
28 Z : 40 B 75/85 - 90/110.

Am Schönen Brunnen garni, Hauptmarkt 17 (2. Etage) (N 1), ☎ 22 42 25 – TV ☎. AE E VISA — HY **w**
25 Z : 34 B 75/100 - 115/145 Fb.

Kröll garni, Hauptmarkt 6 (4. Etage) (N 1), ☎ 22 71 13 – ☎ — HY **c**
28 Z : 52 B 41/86 - 86/120.

Alte Messehalle garni, Am Stadtpark 5 (N 10), ☎ 53 33 66 – TV ☎. AE ⓓ E VISA — GU **c**
57 Z : 80 B 70/80 - 90/110.

Westend garni, Karl-Martell-Str. 42 (N 80), ☎ 31 45 19 – ☎ Ⓟ. — AS **e**
30 Z : 40 B.

Wöhrder Hof garni, Rahm 18 (N 20), 53 60 60 – E — GV **b**
24. Dez.- 3. Jan. geschl. – **27 Z : 38 B** 75/90 - 120/130 Fb.

City-Hotel garni, Königstr. 25 (3. Etage) (N 1), 22 56 38 – E VISA — HZ **z**
22. Dez.- 6. Jan. geschl. – **21 Z : 32 B** 80 - 140.

Pfälzer Hof garni, Am Gräslein 10 (N 1), 22 14 11 – — HZ **a**
24. Dez.- 10. Jan. geschl. – **20 Z : 26 B** 44/61 - 81/98.

XX **Die Entenstub'n**, Uhlandstr. 9 (N 10), 35 93 35 – E — EU **s**
Samstag bis 18 Uhr, Montag und 10.- 20. Jan. geschl. – Karte 59/84 (Tischbestellung ratsam)
Spez. Parfaits und Terrinen, Entenbrust in Sauternessauce, Dessertteller Entenstub'n.

XX **Stadtpark-Restaurant**, Berliner Platz 9 (N 10), 55 21 02, « Parkterrasse » – E — GU **k**
Karte 30/52.

XX Zum Waffenschmied, Obere Schmiedgasse 22 (N 1), 22 58 59, — HY **d**

XX **Parkrestaurant Meistersingerhalle**, Münchener Str. 21 (N 50), 47 48 49, – E VISA — GX **g**
Aug. geschl. – Karte 33/63.

XX **Caruso** (Italienische Küche), Burgstr. 25 (N 1), 20 32 83 – E VISA — HY **u**
Montag geschl. – Karte 30/60 (Tischbestellung ratsam).

X **Zum Sudhaus**, Bergstr. 20 (N 1), 20 43 14, « Hübsche, rustikale Einrichtung » – E VISA — HY **n**
Sonntag geschl. – Karte 30/58.

X **Böhms Herrenkeller**, Theatergasse 19 (N 1), 22 44 65 – E VISA — HZ **m**
Mai - Sept. Sonntag ganztägig, Okt.- April Sonntag ab 14 Uhr geschl. – Karte 24/54.

X **Opatija**, Hauptmarkt 10 (1. Etage) (N 1), 22 71 96, – E VISA — HY **c**
Sonntag geschl. – Karte 28/65.

X Heilig-Geist-Spital, Spitalgasse 12 (N 1), 22 17 61 — HY **e**

X **Nassauer Keller**, Karolinenstr. 2 (N 1), 22 59 67, « Kellergewölbe a.d.13.Jh. » – E — HZ **u**
Ostern und Weihnachten geschl. – Karte 30/56.

Nürnberger Bratwurst-Lokale :

X **Bratwurst-Röslein**, Obstmarkt 1 (N 1), 22 77 94 — HY **v**
Karte 18/34.

X **Bratwurst-Häusle**, Rathausplatz 1 (N 1), 22 76 95, — HY **s**
Sonn- und Feiertage geschl. – Karte 14/23.

X Bratwurst-Friedl, Hallplatz 21 (N 1), 22 13 60 — HZ **q**

X **Das Bratwurstglöcklein**, im Handwerkerhof (N 1), 22 76 25, — JZ **z**
24. Dez.- 21. März sowie Sonn- und Feiertage geschl. – Karte 14,50/23.

In Nürnberg 50-Altenfurt :

Daucher, Habsburgerstr. 9, 83 56 99, – E — CT **b**
Aug. geschl. – Karte 29/54 *(nur Abendessen, Freitag und Sonntag geschl.)* – **45 Z : 70 B** 40/60 - 80/100 Fb.

Nürnberger Trichter garni, Löwenberger Str. 147, 83 43 07 – — CT **a**
Weihnachten - 6. Jan. geschl. – **35 Z : 60 B** 70/120 - 100/130 Fb.

In Nürnberg 90-Boxdorf ① : 9 km :

Landhotel Schindlerhof, Steinacher Str. 8, 30 20 77, Fax 304038, « Ehem. Bauernhof mit rustikaler Einrichtung, Innenhof mit Grill » – E VISA
Karte 40/66 (auf Vorbestellung: Essen wie im Mittelalter) – **37 Z : 78 B** 123/135 - 175/185 Fb.

In Nürnberg 90-Buch :

XX **Gasthof Bammes**, Bucher Hauptstr. 63, 38 13 03, , « Fränkischer Gasthof » – E — BS **a**
Sonn- und Feiertage geschl. – Karte 63/88 (Tischbestellung ratsam)
Spez. Ragout vom Waller mit Meerrettichsauce (Sept.- April), Crepinette vom Reh mit Lebkuchensauce, Rinderlende in Frankenwein gesotten.

In Nürnberg 60-Eibach :

Arotel, Eibacher Hauptstr. 135, 64 20 20, Telex 622128, Fax 633052, Biergarten, Massage, – E VISA — BT **a**
Karte 37/55 – **71 Z : 142 B** 125/165 - 170/244 Fb.

Am Hafen garni, Isarstr. 37 (Gewerbegebiet Maiach), 63 30 78, – — BT **s**
27 Z : 52 B 75/80 - 110.

Eibacher Hof garni, Eibacher Hauptstr. 2 a (B 2), 63 23 91 – — ABT **v**
1.- 20. Aug. und 23. Dez.- 13. Jan. geschl. – **27 Z : 44 B** 45/65 - 85/95.

In Nürnberg 50-Fischbach :

Silberhorn, Fischbacher Hauptstr. 112, 83 10 84, Telex 626342, , , (Halle) – E VISA. Zim — CT **g**
21. Dez.- 2. Jan. geschl. – Karte 31/57 – **65 Z : 115 B** 95/120 - 145/180 Fb.

In Nürnberg 90-Großgründlach ① : 11 km :

🏨 Rotes Ross, Großgründlacher Hauptstr. 22, ☎ 30 10 03 – 📞 [P]
(nur Abendessen) – **24 Z : 34 B.**

In Nürnberg 80-Großreuth bei Schweinau :

🍴🍴 **Romantik-Restaurant Rottner**, Winterstr. 15, ☎ 61 20 32, « Gartenterrasse, Grill-Garten » – [P]. [AE] [D] [E] [VISA] AS r
Samstag bis 18 Uhr, Sonn- und Feiertage sowie 27. Dez.- Jan. geschl. – Karte 43/68 (Tischbestellung ratsam).

In Nürnberg 90-Kraftshof N : 7 km über ① und Kraftshofer-Hauptstr. BS :

🍴🍴🍴 ✿ **Schwarzer Adler**, Kraftshofer Hauptstr. 166, ☎ 30 58 58, ⛱, « Historisches fränkisches Gasthaus a.d. 18. Jh., elegant-rustikale Einrichtung » – [AE] [D] [E]
22. Dez.- 3. Jan. geschl. – Karte 62/86 (Tischbestellung ratsam)
Spez. Gefüllter Seeteufel, Kalbsbriesstrudel mit Auberginenblüte, Fränkische Ententorte.

🍴 **Alte Post**, Kraftshofer Hauptstr. 164, ☎ 30 58 63
Karte 31/55 *(regionale Küche).*

In Nürnberg-Langwasser :

🏨 **Hotel am Frankenzentrum - Restaurant Arve**, Görlitzer Str. 51 (N 51), ☎ 8 92 20, ♨ – 🛗 ⊬ Zim [TV] [P] 🏛 (mit ▤). [AE] [D] [E] [VISA]. ✻ Rest CT r
24. Dez.- 7. Jan. geschl. – Karte 57/73 *(August sowie Sonn- und Feiertage geschl.)* – **240 Z : 350 B** 150/240 - 185/290 Fb – 6 Appart. 280/365.

🏨 **Am Messezentrum** garni, Bertolt-Brecht-Str. 2 (N 50), ☎ 8 67 11, Telex 623983 – 🛗 [TV] 📞 🚗 [P] 🏛. [AE] [D] [E] [VISA] CT d
24. Dez.- 6. Jan. geschl. – **62 Z : 100 B** 128/158 - 168/198 Fb.

In Nürnberg 30-Laufamholz :

🏨 **Park-Hotel** 🔇 garni, Brandstr. 64, ☎ 50 10 57 – 📞 [P]. [AE] [E] CS p
21. Dez.- 8. Jan. geschl. – **21 Z : 39 B** 78/98 - 118/138.

🍴🍴 **Landgasthof Zur Krone**, Moritzbergstr. 29, ☎ 50 25 28, ⛱ – [P]. [AE] [D] [E] [VISA] CS t
Montag, Jan. 1 Woche und 7.- 28. Aug. geschl. – Karte 53/69.

In Nürnberg 30-Mögeldorf :

🏨 **Tiergarten** 🔇, Am Tiergarten, ☎ 57 30 71, Telex 626005, ⛱ – 🛗 📞 🚗 [P] 🏛. [AE] [D] [E] [VISA] CS x
Karte 30/52 – **64 Z : 90 B** 80/105 - 120/170 Fb.

In Nürnberg 90-Reutles ① : 11 km :

🏨 **Käferstein** 🔇 garni, Reutleser Str. 67, ☎ 3 09 05, ♨, 🏊, 🌳 – [TV] 📞 🚗 [P] 🏛. [AE] [D] [E] [VISA]
47 Z : 84 B 90/140 - 130/180 Fb.

🏨 **Höfler** 🔇, Reutleser Str. 61, ☎ 30 50 73, Telex 626913, ♨, 🌳 – [TV] 📞 [P] 🏛. [AE] [D] [E] [VISA]
24. Dez.- 7. Jan. geschl. – Karte 26/49 *(Samstag - Sonntag geschl.)* – **35 Z : 60 B** 90/120 - 130/150 Fb.

In Nürnberg 90 - Thon :

🏠 **Zum Kreuzeck** (mit 🏨 Gästehaus), Schnepfenreuther Weg 1, ☎ 3 49 61 – [TV] 📞 [P]. [AE] [E] [VISA] BS b
Karte 21/30 – **25 Z : 34 B** 45/120 - 85/150.

Im Flughafen :

🍴🍴 **Flughafenrestaurant**, Flughafenstr. 100 (1. Etage), ✉ 8500 Nürnberg 10, ☎ (0911) 52 92 65, ≤, ⛱ – 🛗 ▤ [P] 🏛. [AE] [D] [E] BS r
Karte 28/60.

MICHELIN-REIFENWERKE KGaA. Niederlassung 8500 Nürnberg, Lechstr. 29 (Gewerbegebiet Maiach) BT, ☎ (0911) 63 30 53.

NÜRTINGEN 7440. Baden-Württemberg [413] L 21, [987] ㉟ – 36 000 Ew – Höhe 291 m – ☎ 07022.
♦Stuttgart 33 – Reutlingen 21 – ♦Ulm (Donau) 66.

🏨 **Am Schloßberg**, Europastr. 13, ☎ 70 40, Telex 7267355, ⛱, Massage, ♨, 🏊 – 🛗 [TV] [P] 🏛. [AE] [D] [E] [VISA]. ✻ Rest
Karte 25/65 – **112 Z : 200 B** 135/142 - 180/225 Fb.

🏨 **Vetter** 🔇, Marienstr. 59, ☎ 3 30 11, ♨ – 🛗 [TV] 📞 [P] 🏛
23. Dez.- 10. Jan. geschl. – Karte 25/45 *(nur Abendessen, Freitag - Sonntag geschl.)* – **37 Z : 50 B** 65/85 - 100/120.

🏨 In der Au garni, Hohes Gestade 12, ☎ 3 53 30 – [P]. ✻ – **18 Z : 19 B.**

🏨 **Pflum**, Steingrabenstr. 4, ☎ 3 30 80 – 📞 [P]
Ende Juli - Mitte Aug. geschl. – Karte 34/58 *(Samstag geschl.)* – **24 Z : 36 B** 70/75 - 115.

In Nürtingen-Hardt NW : 3 km :

XXX ✪ **Ulrichshöhe**, Herzog-Ulrich-Str. 14, ☎ 5 23 36, bemerkenswerte Weinkarte, « Terrasse mit ⋞ » – [P]. [D]
Montag - Dienstag 18 Uhr und Juli - Aug. 3 Wochen geschl. – Karte 70/94 (abends Tischbestellung erforderlich)
Spez. Selleriemaultäschchen mit Steinbutt, Lammrücken in Rosmarinsauce, Rehrücken mit Ebereschen (15. Mai - Dez.).

In Frickenhausen **7443** SO : 4 km :

XX **Landgasthaus zum Mühlstein**, Wielandstr. 1, ☎ (07022) 4 56 56, ⛱ – [P]
Montag und Ende Juli - Mitte Aug. geschl. – Karte 29/67 *(auch vegetarische Gerichte)*.

In Großbettlingen **7441** SW : 5 km :

🏨 **Café Bauer** garni, Nürtinger Straße, ☎ (07022) 4 10 11 – 📞 [P]
15 Z : 20 B 58/65 - 98/105.

NUREMBERG = Nürnberg.

NUSSDORF AM INN **8201. Bayern** [413] T 23, [426] ⑱ – **2 200 Ew – Höhe 500 m – Erholungsort – Wintersport : 600/900 m ⛷1 – ☏ 08034.**
ℹ Verkehrsamt, Brannenburger Str. 10, ☎ 23 87.
♦München 75 – Innsbruck 96 – Passau 188 – Rosenheim 18 – Salzburg 89.

🏨 Café Heuberg 🔇, Mühltalweg 12, ☎ 23 35, ⛱, 🌳 – [P]
18 Z : 27 B.

XX **Nußdorfer Hof**, Hauptstr. 4, ☎ 75 66, ⛱ – [P]. [D] [E] [VISA]
Karte 32/66.

NUSSLOCH Baden-Württemberg siehe Leimen.

OBERAMMERGAU **8103. Bayern** [413] Q 24, [987] ㊱, [426] ⑯ – **4 600 Ew – Höhe 834 m – Luftkurort – Wintersport : 850/1 700 m 🚡1 ⛷11 🎿4 – ☏ 08822.**
Ausflugsziel : Schloß Linderhof★, Schloßpark★★, SW : 10 km.
ℹ Verkehrsbüro, Eugen-Pabst-Str. 9a, ☎ 49 21.
♦München 92 – Garmisch-Partenkirchen 19 – Landsberg am Lech 59.

🏨 **Alois Lang** 🔇, St.-Lukas-Str. 15, ☎ 41 41/10 41, Telex 59623, « Gartenterrasse », ♨, 🌳 – ⇅ [P] 🏋. [AE] [D] [E] [VISA]
Karte 32/60 – **43 Z : 80 B** 90/120 - 160/200 Fb.

🏨 **Böld** 🔇, König-Ludwig-Str. 10, ☎ 5 20, Telex 592406, Fax 7292, ⛱, ♨, 🌳 – [TV] 📞 [P] 🏋. [D] [E] [VISA]. 🚫🐕 Rest
Karte 27/55 *(auch Diät)* – **57 Z : 110 B** 97/121 - 134/167 Fb – P 122/176.

🏨 **Wittelsbach**, Dorfstr. 21, ☎ 45 45, Telex 592407 – ⇅ [TV] 📞. [AE] [D] [E] [VISA]
25. Okt.- 20. Dez. geschl. – Karte 23/42 *(Dienstag geschl.)* – **38 Z : 80 B** 65/80 - 120/140 Fb.

🏨 **Turmwirt**, Ettaler Str. 2, ☎ 42 91/30 91 – [TV] 📞 [P]. [AE] [D] [E] [VISA]
6.- 30. Jan. und 1.- 6. Nov. geschl. – Karte 27/57 *(Nov.- 12. Dez. geschl., Feb.- April Mittwoch Ruhetag)* – **21 Z : 42 B** 75/90 - 110/140 Fb.

🏨 **Alte Post**, Dorfstr. 19, ☎ 66 91 – 📞 [P]
⬅ *30. Okt.- 22. Dez. geschl.* – Karte 18/32 🍷 – **32 Z : 65 B** 40/60 - 90/110 – P 70/90.

🏨 Parkhotel Sonnenhof 🔇, König-Ludwig-Str. 12, ☎ 9 71, Telex 592426, ⛱, ♨ – ⇅ 📞 🚗 [P] 🏋
66 Z : 130 B Fb.

🏨 **Wolf**, Dorfstr. 1, ☎ 69 71, ⛱, ♨, 🏊, 🌳 – ⇅ [TV] 📞 [P]. [AE] [D] [E] [VISA]
Karte 23/50 – **32 Z : 55 B** 60/80 - 98/120.

🏨 **Friedenshöhe** 🔇, König-Ludwig-Str. 31, ☎ 5 98, ⋞, ⛱, 🌳, Fahrradverleih – 📞 [P]. [AE] [D] [E] [VISA]
23. Okt.- 23. Dez. geschl. – Karte 23/49 *(Donnerstag geschl.)* – **11 Z : 20 B** 75/90 - 126/150 – P 94/106.

🏨 **Schilcherhof**, Bahnhofstr. 17, ☎ 47 40, Caféterrasse, 🌳 – 🚗 [P]. [AE] [D] [E] [VISA]. 🚫🐕
20. Nov.- 25. Dez. geschl. – (nur Abendessen für Hausgäste) – **26 Z : 45 B** 43/65 - 80/100.

🏨 **Wenger** 🔇, Ludwig-Lang-Str. 20, ☎ 47 88, ⛱, 🌳 – [P]. [E] [VISA]
29. Okt.- 18. Nov. geschl. – Karte 23/54 *(Donnerstag geschl.)* – **7 Z : 13 B** 55/65 - 80/90 – 2 Fewo 60/80.

🏨 Bayerischer Löwe, Dedlerstr. 2, ☎ 13 65
16 Z : 36 B.

🏨 **Enzianhof** garni, Ettaler Str. 33, ☎ 2 15, 🌳 – [P]
Mitte Nov.- Mitte Dez. geschl. – **16 Z : 29 B** 40/50 - 74/80.

🏨 **Zur Rose**, Dedlerstr. 9, ☎ 47 06 – [P]. [AE] [D] [E] [VISA]
Nov.- 15. Dez. geschl. – Karte 20/43 *(Montag geschl.)* 🍷 – **29 Z : 50 B** 30/35 - 60/70 – 10 Fewo 50/100 – P 60/65.

OBERASBACH 8507. Bayern 413 P 18 – 15 300 Ew – Höhe 295 m – ☎ 0911 (Nürnberg).

Siehe Nürnberg (Umgebungsplan).

♦München 174 – ♦Nürnberg 10 – ♦Würzburg 108.

Jesch garni, Am Rathaus 5, ✆ 69 97 03 – ☎ P AS a
23 Z : 36 B 59/69 - 89/99 Fb.

OBERAU Bayern siehe Farchant.

OBERAUDORF 8203. Bayern 413 T 24, 987 ㊲, 426 ⑱ – 5 000 Ew – Höhe 482 m – Luftkurort – Wintersport : 500/1 300 m ≴20 ⛷6 – ☎ 08033.

Kur- und Verkehrsamt, Kufsteiner Str. 6, ✆ 3 01 20.

♦München 81 – Innsbruck 82 – Rosenheim 28.

Sporthotel Wilder Kaiser, Naunspitzstr. 1, ✆ 10 91, Telex 525344, ≤, – ☎ P. AE E VISA
Karte 17/38 – **75 Z : 145 B** 63 - 102/139 Fb – P 64/85.

Ochsenwirt, Carl-Hagen-Str. 14, ✆ 40 21, Biergarten, – ☎ P
1.- 23. Dez. geschl. – Karte 16/46 *(Feb.- Juni Dienstag geschl.)* – **26 Z : 54 B** 42 - 80/84 Fb – P 57.

Hotel am Rathaus, Kufsteiner Str. 4, ✆ 14 70, – TV P
11 Z : 22 B.

Alpenhotel, Marienplatz 2, ✆ 14 54 –
15. Nov.- 5. Dez. geschl. – Karte 19/39 *(Montag geschl.)* – **21 Z : 40 B** 33/45 - 60/80.

Lambacher garni, Rosenheimer Str. 4, ✆ 10 46 – ☎ P. AE E
22 Z : 44 B 55 - 86/96 Fb.

Bayerischer Hof, Sudelfeldstr. 12, ✆ 10 84, – ☎ P. AE E VISA
Karte 16/40 *(Dienstag geschl.)* – **23 Z : 55 B** 38/49 - 66/88 Fb – P 53/64.

Alpenrose, Rosenheimer Str. 3, ✆ 32 41, Biergarten – E
Donnerstag und Ende Okt.- Mitte Dez. geschl. – Karte 20/48.

Im Ortsteil Niederaudorf N : 2 km :

Alpenhof, Rosenheimer Str. 97, ✆ 10 36, ≤, – ☎ P. E
20. Nov.- 20. Dez. geschl. – Karte 17,50/39 *(Okt.- April Donnerstag geschl.)* – **16 Z : 30 B** 48/60 - 80/90 Fb.

Gasthof Keindl, Dorfstr. 4, ✆ 10 11, – ☎ P
26 Z : 50 B – 4 Fewo.

An der Straße nach Bayrischzell NW : 10 km :

Alpengasthof Feuriger Tatzelwurm, ✉ 8203 Oberaudorf, ✆ (08034) 86 95, « Terrasse mit ≤ Kaisergebirge », – TV ☎ P E
15. Nov.- 10. Dez. geschl. – Karte 18,50/46 *(Nov.- Mai Dienstag geschl.)* – **26 Z : 46 B** 38/65 - 75/110 Fb – 8 Fewo 60/100.

OBERAULA 6435. Hessen – 3 700 Ew – Höhe 320 m – Luftkurort – ☎ 06628.

Am Golfplatz, ✆ (06625) 88 27.

♦Wiesbaden 165 – Fulda 50 – Bad Hersfeld 22 – ♦Kassel 69.

Zum Stern, Hersfelder Str. 1 (B 454), ✆ 80 91, « Garten mit Teich und Grill-Pavillon », (Halle) – ☎ P. AE E. Zim
Karte 23/49 – **38 Z : 72 B** 37/47 - 68/83 Fb – P 45/55.

Haus Braun, Heerstr. 10 (Richtung Hausen), ✆ 3 22, – P.
Karte 18/36 – **39 Z : 70 B** 45 - 84.

OBERBECKSEN Nordrhein-Westfalen siehe Oeynhausen, Bad.

OBERBOIHINGEN 7446. Baden-Württemberg 413 L 21 – 4 500 Ew – Höhe 285 m – ☎ 07022 (Nürtingen).

♦Stuttgart 32 – Göppingen 26 – Reutlingen 25 – ♦Ulm (Donau) 70.

Traube mit Zim, Steigstr. 45, ✆ 68 46 – TV ☎ P
1.- 9. Jan. und Juli - Aug. 2 Wochen geschl. – Karte 34/56 *(Samstag bis 17 Uhr und Montag geschl.)* – **6 Z : 7 B** 65/75 - 100.

Zur Linde, Nürtinger Str. 24, ✆ 6 11 68 – P. AE E
Montag, 31. Jan.- 8. Feb. und 15.- 30. Aug. geschl. – Karte **25**/62.

OBERBREITZBACH Hessen siehe Hohenroda.

OBERDERDINGEN 7519. Baden-Württemberg 413 J 19 – 8 000 Ew – Höhe 200 m – ☎ 07045.

♦Stuttgart 57 – Heilbronn 42 – ♦Karlsruhe 37.

Weinstube Kern, Hemrich 7, ✆ 5 73, ≤, – P
Montag und Feb. 3 Wochen geschl. – Karte 19/31.

[OBERDING] Bayern siehe Erding.

[OBEREGGENEN] Baden-Württemberg siehe Schliengen.

[OBERELCHINGEN] Bayern siehe Elchingen.

[OBERELSBACH] 8741. Bayern [413] N 15 – 2 800 Ew – Höhe 420 m – Wintersport: ⛷3 – ☎ 09774.

[i] Verkehrsamt, Rathaus, ☎ 2 12.

♦ München 325 – Bamberg 99 – ♦Frankfurt am Main 134 – Fulda 48 – ♦Würzburg 90.

🏠 **Rhöner Trachtenstuben**, Hauptstr. 13, ☎ 2 18, Biergarten, ♨ – ☎ [P]
◆ *8. Nov.- 5. Dez. geschl.* – Karte 17/42 *(Dienstag geschl.)* 🍷 – **7 Z : 11 B** 30/40 - 60.

In Oberelsbach-Unterelsbach SO : 2,5 km :

🏠 **Hubertus** 🌿, Röderweg 9, ☎ 4 32, Bade- und Massageabteilung, ♨, 🏊, 🌳, 🎾 (Halle). Fahrradverleih – [TV] ☎ 🚗 [P] 🏞
Karte 22/47 *(nur Abendessen, Mittwoch und 1.- 15. Dez. geschl.)* – **20 Z : 44 B** 59 - 98 Fb.

[OBERHACHING] Bayern siehe München.

[OBERHAMBACH] Rheinland-Pfalz siehe Liste der Feriendörfer.

[OBERHARMERSBACH] 7617. Baden-Württemberg [413] H 21 – 2 400 Ew – Höhe 300 m – Luftkurort – ☎ 07837.

[i] Verkehrsverein, Reichstalhalle, ☎ 2 77.

♦Stuttgart 126 – ♦Freiburg im Breisgau 63 – Freudenstadt 35 – Offenburg 30.

🏠 **Zur Stube**, Dorf 32, ☎ 2 07, ☂, ♨ – 🚗
◆ Karte 19/40 *(Nov.- März Montag geschl.)* 🍷 – **37 Z : 70 B** 30/37 - 56/64.

🏠 **Sonne**, Obertal 12, ☎ 2 01, 🌳 – [$] 🚗 [P]
◆ *Jan.- Feb. und Nov.- Dez. jeweils 3 Wochen geschl.* – Karte 19/44 *(Mittwoch geschl.)* 🍷 – **20 Z : 35 B** 24/49 - 48/70 – P 42/54.

🏠 Landhaus Bärenhof 🌿, Auf der Hub 1, ☎ 4 40, ≤ Schwarzwald, ☂, 🏊 (geheizt), 🌳 – ☎ [P]
27 Z : 50 B.

🏠 **Hubertus**, Dorf 2, ☎ 8 31, ☂, 🌳 – 🚗 [P]. 🚫
◆ *Mitte Nov.- Mitte Dez. geschl.* – Karte 19/36 *(Dienstag geschl.)* 🍷 – **23 Z : 36 B** 35 - 64 – P 50.

🏠 **Landgasthof Forelle**, Talstr. 77, ☎ 2 22, « Gartenterrasse », ♨, 🏊, 🌳 – [P]. 🚫 Rest
◆ *10. Jan.- 10. Feb. geschl.* – Karte 19,50/29 *(Montag geschl.)* – **22 Z : 42 B** 40/45 - 80/88 – P 60.

🏠 **Waldfrieden** garni, Am Schrofen 7, ☎ 8 25 – [P]
11 Z : 21 B 25/35 - 60/64.

An der Straße nach Bad Peterstal-Griesbach N : 4 km :

🏠 **Schwarzwald-Idyll**, Obertal 50, ✉ 7617 Oberharmersbach, ☎ (07837) 2 42, ☂ – [$] 🚗
◆ [P]. [AE] [D] [E] [VISA]
10.- 20. Jan. und 20. Nov.- 20. Dez. geschl. – Karte 19,50/42 *(Okt.- Mai Dienstag geschl.)* 🍷 – **25 Z : 46 B** 33/48 - 60/90 Fb – P 46/60.

[OBERHAUSEN] 8859. Bayern [413] Q 20 – 1 900 Ew – Höhe 409 m – ☎ 08431.

♦München 101 – Donauwörth 28 – Ingolstadt 28.

Im Ortsteil Unterhausen W : 1,5 km :

🍴 **Lindenhof** mit Zim, Lindenstr. 6 (B 16), ☎ 26 17 – [P]
◆ *Ende Dez.- Anfang Jan. geschl.* – Karte 14,50/32 *(Freitag geschl.)* – **4 Z : 7 B** 30 - 44.

[OBERHAUSEN] 4200. Nordrhein-Westfalen [987] ⑬⑭ – 224 000 Ew – Höhe 45 m – ☎ 0208.

Siehe Ruhrgebiet (Übersichtsplan).

[i] Verkehrsverein, Berliner Platz 4, ☎ 80 50 51, Telex 856934.

ADAC, Lessingstr. 2 (Buschhausen), ☎ 65 40 01, Notruf ☎ 1 92 11, Telex 8561194.

♦Düsseldorf 33 ③ – ♦Duisburg 10 ③ – ♦Essen 12 ② – Mülheim an der Ruhr 6 ③.

🏠 **Ruhrland**, Berliner Platz 2, ☎ 80 50 31, Telex 856900 – [$] [TV] ☎ 🚗 [P] 🏞. [AE] [D] [E] [VISA]. 🚫
Karte 25/75 – **60 Z : 75 B** 65/140 - 130/260. Y **a**

🏠 **Hagemann**, Buschhausener Str. 84, ☎ 2 08 17 – [TV] ☎ X **c**
Karte 21/44 *(nur Abendessen, Sonntag geschl.)* – **16 Z : 25 B** 60/70 - 100/130.

🍴 Ratsstube, Düppelstr. 1 (in der Luise-Albertz-Halle), ☎ 8 59 08 25, ☂ – 🏞 YZ

In Oberhausen 12-Osterfeld :

🏠 **Zur Bockmühle**, Teutoburger Str. 156, ☎ 6 90 20, Telex 856489, Fax 690258, ♨ – [$] [TV] 🚗 [P] 🏞 (mit ▤). [AE] [D] [E] [VISA] V **s**
21. Dez.- 3. Jan. geschl. – Karte 35/71 – **95 Z : 150 B** 97/152 - 170/224 Fb.

OBERHAUSEN

Bahnhofstraße	V	3
Bottroper Straße	V	7
Elsässer Straße	Z	15
Marktstraße	Z	
Alleestraße	X	2
Berliner Platz	Y	5
Biefangstraße	V	6
Buschhausener Straße	Y	8
Christian-Steger-Straße	Z	9
Concordiastraße	Z	10
Danziger Straße	X	12
Dorstener Straße	V	13
Duisburger Straße	X	14
Erzbergerstraße	V	16
Falkensteinstraße	X	17
Friedensplatz	Z	19
Frintroper Straße	X	20
Gerichtstraße	Z	21
Holtener Straße	V	24
Kapellenstraße	V	28
Kirchhellener Straße	V	29
Königstraße	V	32
Langemarkstraße	Z	33
Mellinghofer Straße	X	36
Mülheimer Straße	X	37
Neumühler Straße	V	40
Oberhauser Straße	X	41
Obermeidericher Straße	X	43
Osterfelder Straße	V	44
Poststraße	Z	46
Postweg	V	47
Prälat-Wirtz-Straße	Z	49
Ruhrorter Straße	X	50
Sterkrader Straße	V	51
Sterkrader Straße (BOTTROP)	V	52
Wilmsstraße	X	53

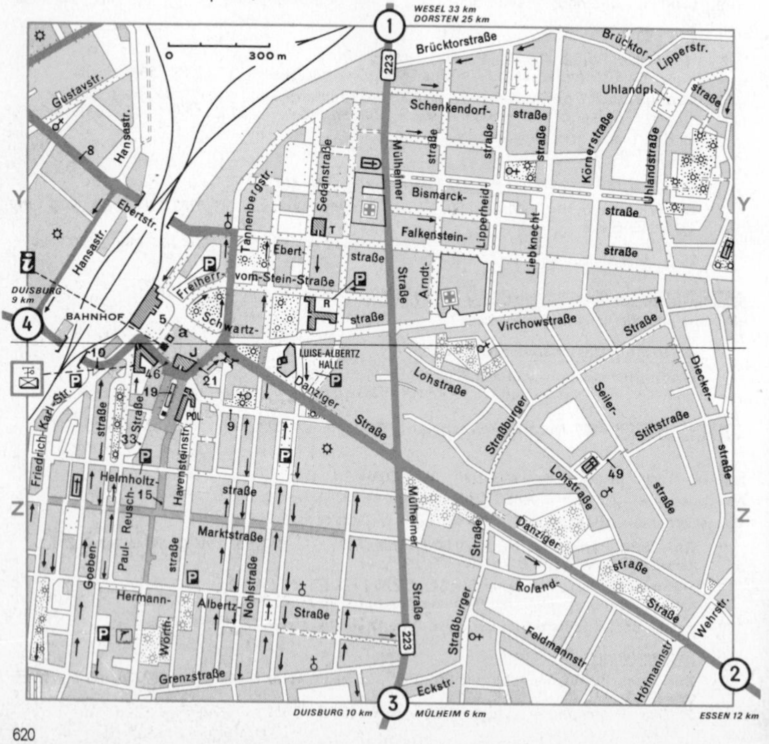

In Oberhausen 11-Sterkrade :

Hubertushof ⛰, Inselstr. 26, ☎ 64 02 13, kleiner Garten mit Grill (nur Abendessen für Hausgäste) – **10 Z : 24 B** 37/60 - 68/88. V r

MICHELIN-REIFENWERKE KGaA. Niederlassung Max-Eyth-Str. 2 (V), ☎ 65 40 21.

OBERHAVERBECK Niedersachsen siehe Bispingen.

OBERHÖLL Bayern siehe Weiden in der Oberpfalz.

OBERJOCH Bayern siehe Hindelang.

OBERJOSBACH Hessen siehe Niedernhausen.

OBERKIRCH 7602. Baden-Württemberg [413] H 21, [987] ㉞, [242] ㉔ – 17 000 Ew – Höhe 194 m – Erholungsort – ☎ 07802.

[i] Städt. Verkehrsamt, Eisenbahnstr. 1, ☎ 8 22 49.

♦Stuttgart 140 – Freudenstadt 42 – Offenburg 16 – Strasbourg 30.

Romantik-Hotel Obere Linde, Hauptstr. 25, ☎ 80 20, Telex 752640, Fax 3030, 🍴, « Geschmackvolle, gemütliche Einrichtung », 🌳, 🎾 – 🛗 [TV] ☎ [P] 🏔. [AE] [O] E [VISA] Karte 40/70 – **44 Z : 84 B** 90/135 - 150/220 Fb – P 120/170.

Lamm ⛰, Gaisbach 1, ☎ 33 46, Fax 5966, 🍴, eigener Weinbau, 🌳 – 🛗 ☎ [P] 🏔. [AE] [O] E. 🚭 Zim Karte 28/66 *(Dienstag geschl.)* 🍷 – **18 Z : 32 B** 60/70 - 82/110 Fb.

Pflug, Fernacher Platz 1, ☎ 40 81, 🍴, 🌳 – 🛗 ☎ 🚗 [P]. E *11. Feb.- 1. März geschl.* – Karte 20/43 *(Mittwoch geschl.)* 🍷 – **36 Z : 68 B** 48/65 - 78/102.

Pfauen, Josef-Geldreich-Str. 18, ☎ 45 29, 🍴 – ☎ 🚗 [P]. [AE] [O] E *9. Feb.- 2. März geschl.* – Karte 22/52 *(Mittwoch geschl.)* 🍷 – **11 Z : 22 B** 42/50 - 78/92 – P 64/75.

Ochsen, Obere Grendelstr. 14, ☎ 41 15 – ☎ [P] – **12 Z : 22 B.**

Haus am Berg ⛰ mit Zim, Am Rebhof 5 (Zufahrt über Privatweg), ☎ 47 01, ≤ Oberkirch und Renchtal, « Lage in den Weinbergen, große Freiterrasse » – [P] *15. Feb.- 13. März geschl.* – Karte 30/69 *(Dienstag geschl.)* 🍷 – **Gaststube** Karte 23/39 – **10 Z : 18 B** 45/50 - 75/90.

Schwanen, Eisenbahnstr. 3, ☎ 22 20, 🍴 – [P]. E *Mitte Nov.- Anfang Dez. und Montag geschl.* – Karte 24/51.

Löwen, Hauptstr. 46, ☎ 45 51, 🍴 – [O] E *Mittwoch geschl.* – Karte 24/51.

In Oberkirch-Bottenau SW : 5 km :

Rebstock ⛰, Meisenbühl 19, ☎ 30 47, ≤, 🍴, Damwildgehege – 🛗 ☎ [P] **12 Z : 24 B.**

In Oberkirch-Ödsbach S : 3 km :

Waldhotel Grüner Baum ⛰, Alm 33, ☎ 28 01, Telex 752627, 🍴, 🧖, 🏊, 🌳, 🎾 – 🛗 [TV] ☎ 🏃 🚗 [P] 🏔. [AE] [O] E [VISA] Karte 31/72 – **59 Z : 103 B** 68/110 - 110/220 Fb – P 93/148.

In Oberkirch-Nußbach W : 6 km :

Rose ⛰, Herztal 48 (im Ortsteil Herztal), ☎ (07805) 35 40, 🌳 – [P] *15. Jan.- 10. März geschl.* – Karte 21/46 *(Dienstag geschl.)* 🍷 – **11 Z : 22 B** 28/42 - 54/80.

OBERKOCHEN 7082. Baden-Württemberg [413] N 20, [987] ㊱ – 8 000 Ew – Höhe 495 m – ☎ 07364.

♦Stuttgart 80 – Aalen 9 – ♦ Ulm/Donau 66.

Am Rathaus ⛰, Eugen-Bolz-Platz 2, ☎ 3 95, Telex 713776 – 🛗 [TV] ☎ 🚗 [P] 🏔. [O] E [VISA]. 🚭 *2.- 10. Jan. und Juli - Aug. 2 Wochen geschl.* – Karte 35/62 *(Freitag - Samstag 18 Uhr geschl.)* – **41 Z : 50 B** 75/120 - 110/160 Fb.

OBERKOLLWANGEN Baden-Württemberg siehe Neuweiler.

OBERKOTZAU 8679. Bayern [413] S 16 – 5 500 Ew – Höhe 486 m – ☎ 09286.

♦München 284 – Bayreuth 56 – Hof 6,5.

Scharfes Eck, Schloßstr. 8, ☎ 3 35 Karte 17/36 – **12 Z : 15 B** 25/30 - 49/59.

OBERLAHR Rheinland-Pfalz siehe Döttesfeld.

OBERLEICHTERSBACH Bayern siehe Brückenau, Bad.

OBERLENGENHARDT Baden-Württemberg siehe Schömberg Kreis Calw.

OBERMAISELSTEIN Bayern siehe Fischen im Allgäu.

OBERMOSCHEL **6763.** Rheinland-Pfalz – 1 300 Ew – Höhe 187 m – ☎ 06362 (Alsenz).
Mainz 63 – Kaiserslautern 46 – Bad Kreuznach 18.

🏨 **Burg-Hotel** 🔇, ℘ 34 70, < Obermoschel, ♨, 🏊, 🌳 – ☎ 🚗 🅿
22. Dez.- 22. Jan. geschl. – Karte 24/45 – **20 Z : 30 B** 48 - 88.

OBERMOSSAU Hessen siehe Mossautal.

OBERNBURG **8753.** Bayern [413] K 17 – 7 100 Ew – Höhe 127 m – ☎ 06022.
♦München 356 – Aschaffenburg 20 – ♦Darmstadt 47 – ♦Würzburg 80.

🏨 **Anker** (Fachwerkhaus a.d. 16. Jh.), Mainstr. 3, ℘ 86 47, ⛱ – [TV] ☎ 🅿. [AE] [D] [E] [VISA]
Karte 33/55 *(Sonntag ab 14 Uhr geschl.)* – **25 Z : 50 B** 65 - 95 Fb.

🏨 **Karpfen**, Mainstr. 8, ℘ 86 45 – 🛗 ☎ 🅿. [E]. 🐕 Zim
Karte 26/49 *(Samstag geschl.)* 🍷 – **29 Z : 50 B** 33/58 - 66/100.

🏠 **Römerhof**, Römerstr. 83, ℘ 86 43, « Gartenterrasse » – [TV] 🚗 🅿. [AE] [D] [E] [VISA]
15.- 30. Juni und 20. Dez.- 8. Jan. geschl. – Karte 23/41 *(Mittwoch geschl.)* 🍷 – **11 Z : 17 B** 40/55 - 90/95.

OBERNDORF **7238.** Baden-Württemberg [413] J 22, [987] ㉟ – 13 800 Ew – Höhe 460 m – ☎ 07423.
♦Stuttgart 80 – Freudenstadt 36 – Rottweil 18.

🏨 **Wasserfall**, Lindenstr. 60, ℘ 35 79, 🌳 – 🅿. [E]
Jan. 2 Wochen und Juli 3 Wochen geschl. – Karte 20/47 *(Freitag geschl.)* 🍷 – **25 Z : 45 B** 28/45 - 76/86 – P 40/55.

🏨 **Post**, Hauptstr. 18, ℘ 40 58 – ☎ 🚗 👥. [AE] [D] [E] [VISA]
Karte 20/62 *(Okt.- März Freitag 15 Uhr - Samstag 18 Uhr geschl.)* – **21 Z : 30 B** 65/75 - 120 Fb.

In Oberndorf-Lindenhof W : 3 km :

🏨 **Bergcafé Link** 🔇, Mörikeweg 1, ℘ 34 91, 🌳 – ☎ 🚗 🅿. [E]. 🐕 Rest
10.- 26. Juli geschl. – (nur Abendessen für Hausgäste) – **16 Z : 22 B** 40/50 - 70/80.

OBERNZELL **8391.** Bayern [413] X 21, [987] ㉘㊳, [426] ⑦ – 3 500 Ew – Höhe 294 m – Erholungsort – ☎ 08591 – [i] Verkehrsamt, Marktplatz 42, ℘ 18 77.
♦München 193 – Passau 16.

🏨 **Sporthotel Fohlenhof** 🔇, Matzenberger Str. 36, ℘ 3 62, <, ⛱, ♨, 🏊 (geheizt), 🌳, 🎾,
→ 🏇 (Halle) – ☎ 🅿. 🐕 Rest
Karte 17/41 – **13 Z : 25 B** 35/56 - 84/102 Fb.

🏨 **Jachthotel**, Passauer Str. 19, ℘ 15 95, Fahrradverleih – [TV] 🅿
→ Karte 16/30 – **32 Z : 64 B** 50 - 80 – 14 Fewo 120.

🏠 **Schwarzer Adler**, Marktplatz 20, ℘ 3 73 – ☎ 🅿. 🐕 Rest
→ *15.- 30. Okt. geschl.* – Karte 18/42 *(Sonntag ab 14 Uhr geschl.)* 🍷 – **34 Z : 60 B** 35 - 65/70.

In Obernzell-Erlau NW : 6 km :

🏨 **Edlhof**, Edlhofstr. 10 (nahe der B 388), ℘ 4 66, Biergarten, 🌳 – 🅿 👥
→ *Nov. geschl.* – Karte 17/36 *(Dienstag geschl.)* – **21 Z : 39 B** 35/38 - 60/70.

OBERNZENN **8802.** Bayern [413] O 18 – 2 600 Ew – Höhe 376 m – ☎ 09107.
♦München 228 – Ansbach 26 – ♦Nürnberg 59 – ♦Würzburg 72.

In Obernzenn-Hechelbach NO : 6,5 km :

🍴 **Grüne Au** 🔇 (mit Gästehaus), ℘ 2 77, 🏊, 🌳 – 🅿
→ *12.- 24. Dez. geschl.* – Karte 16/30 *(Montag geschl.)* 🍷 – **15 Z : 29 B** 40 - 62.

OBERPFRAMMERN **8011.** Bayern [413] S 22, [426] ⑰ ⑱ – 1 500 Ew – Höhe 613 m – ☎ 08093.
♦München 25 – Salzburg 119.

🏨 **Bockmaier** garni, Münchner Str. 3, ℘ 50 44 – [TV] 🅿. [E]
30 Z : 50 B 50/70 - 80/100.

OBER-RAMSTADT **6105.** Hessen [413] J 17 – 14 000 Ew – Höhe 200 m – ☎ 06154.
♦Wiesbaden 58 – ♦Darmstadt 8,5 – ♦Mannheim 56.

🏨 **Hessischer Hof** (ehemalige Zehntscheune a.d. 17. Jh.), Schulstr. 14, ℘ 30 66, ⛱ – ☎ 🅿 👥. [AE] [E]
20. Juli - 10. Aug. geschl. – Karte 24/56 *(Samstag geschl.)* 🍷 – **19 Z : 25 B** 40/60 - 80/100.

In Ober-Ramstadt - Modau S : 3 km :

🏨 **Zur Krone**, Kirchstr. 39, ℘ 16 33, ♨ – 🛗 [TV] ☎ 🅿 👥. [AE] [E] [VISA]
Karte 34/60 *(Samstag bis 17 Uhr sowie Sonn- und Feiertage geschl.)* – **35 Z : 53 B** 56/73 - 90/110.

[OBERREICHENBACH] 7261. Baden-Württemberg [413] I 20 – 2 200 Ew – Höhe 600 m – Wintersport : ⛷5 – ☎ 07051 (Calw).

♦Stuttgart 52 – Freudenstadt 40 – Pforzheim 30 – Tübingen 46.

In Oberreichenbach - Würzbach SW : 5 km :

🏠 **Pension Talblick** 🌿, Panoramaweg 1, ☎ (07053) 87 53, 🧖, 🌳 – 🚗 🅿
Mitte Nov.- Mitte Dez. geschl. – Karte 18/36 – **20 Z : 40 B** 35/45 - 70/96 Fb.

[OBERREIFENBERG] Hessen siehe Schmitten im Taunus.

[OBERREUTE] 8999. Bayern [413] M 24, [426] ⑭ – 1 350 Ew – Höhe 860 m – Erholungsort – Wintersport : 840/1 040 m ⛷1 ⛷3 – ☎ 08387 (Weiler-Simmerberg).

[i] Verkehrsamt, Rathaus, ☎ 12 33.

♦München 182 – Bregenz 35 – Ravensburg 45.

🏠 **Martinshöhe** 🌿, Freibadweg 4, ☎ 13 13, ⛱, Fahrrad- und Skiverleih – 🚗 🅿
Karte 20/32 *(Donnerstag geschl.)* – **13 Z : 29 B** 35 - 63 – P 55/60.

🏠 **Alpenhof** 🌿, Unterreute 6, ☎ 4 96, 🌳 – 🅿. [D]
Mitte Nov.- 22. Dez. geschl. – Karte 22/45 *(nur Abendessen, Donnerstag geschl.)* – **11 Z : 20 B** 39/49 - 60/98.

In Oberreute-Irsengrund S : 1,5 km :

🏠 **Sonnenhalde** 🌿, Hochgratstr. 312, ☎ 12 38, ≤ Voralpen-Gebirgskette, ⛱, 🧖, 🌳, Skiverleih – ☎ 🅿. [AE] [D] [E] [VISA]
1.- 16. April und 15. Nov.- 15. Dez. geschl. – Karte 21/49 *(Montag geschl.)* – **15 Z : 28 B** 50/54 - 76/92 – P 63.

Siehe auch : ***Liste der Feriendörfer***

[OBERRIED] 7801. Baden-Württemberg [413] G 23, [87] ⑧ – 2 600 Ew – Höhe 455 m – Erholungsort – Wintersport : 650/1 300 m ⛷8 ⛷4 – ☎ 07661.

Sehenswert : Schauinslandstraße★.

[i] Verkehrsbüro, Rathaus, ☎ 9 93.

♦Stuttgart 182 – Basel 67 – Donaueschingen 59 – ♦Freiburg im Breisgau 13.

🏠 **Zum Hirschen**, Hauptstr. 5, ☎ 54 20, 🌳 – 🅿
Mitte Nov.- Mitte Dez. geschl. – Karte 20/50 *(Montag geschl.)* 🍷 – **17 Z : 33 B** 42/48 - 74/82.

In Oberried-Hofsgrund SW : 6,5 km :

🏠 Zum Hof 🌿, Silberbergstr. 21 (am Schauinsland), ☎ (07602) 2 50, ⛱, 🧖, 🌳, 🎾, 🐎 – ☎ 🅿
17 Z : 40 B.

In Oberried-Schauinsland SW : 14 km [987] ㉞ – Höhe 1 284 m :

🏠 **Halden-Hotel** 🌿 (mit historischer Gaststube), ☎ (07602) 2 11, ≤ Schwarzwald, ⛱, 🧖, 🏋, 🌳, ⛷ – ⚹ Rest ☎ 🚗 🅿. [AE] [D] [E] [VISA]
3.- 28. April geschl. – Karte 30/58 – **45 Z : 70 B** 68/126 - 110/164 Fb – P 103/141.

In Oberried-Weilersbach NO : 1 km :

🏠 **Zum Schützen** 🌿, Weilersbacher Str. 7, ☎ 52 10/70 11, ⛱, 🌳 – ☎ ♿ 🅿
9. Jan.- 3. Feb. geschl. – Karte 18/41 *(Dienstag geschl.)* 🍷 – **15 Z : 30 B** 40/50 - 68/80 – 2 Fewo 65/75.

Am Notschrei (S : 11,5 km) siehe *Todtnau.*

[OBERRIMBACH] Bayern siehe Burghaslach.

[OBERSCHEINFELD] Bayern siehe Scheinfeld.

[OBERSCHLEISSHEIM] 8042. Bayern [413] R 22, [426] ⑰ – 10 800 Ew – Höhe 477 m – ☎ 089 (München).

Sehenswert : Schloß Schleißheim★.

♦München 14 – ♦Augsburg 64 – Ingolstadt 67 – Landshut 62.

🏠 **Blauer Karpfen** garni, Dachauer Str. 1, ☎ 3 15 40 51 – [TV] ☎ 🚗 🅿 🏔. [E]
35 Z : 53 B 85/98 - 110.

In Oberschleißheim-Lustheim O : 1 km :

🏠 **Kurfürst** garni, Kapellenweg 5, ☎ 3 15 16 44, Telex 522560, 🧖, 🏋 – 🛗 [TV] ☎ 🚗 🅿 🏔. [AE] [D] [E]
90 Z : 130 B 85/110 - 115/170 Fb.

[OBER-SCHÖNMATTENWAG] Hessen siehe Wald-Michelbach.

[OBERSIMTEN] Rheinland-Pfalz siehe Pirmasens.

[OBERSTAUFEN] 8974. Bayern [413] MN 24, [987] [36], [426] [14] – 6 500 Ew – Höhe 792 m – Schrothkurort – Heilklimatischer Kurort – Wintersport : 740/1 800 m 🚡1 ⛷36 ⛷12 – ☎ 08386.

[i] Kurverwaltung, Schloßstr. 8, ☎ 20 24, Telex 541136.

♦München 161 – Bregenz 43 – Kempten (Allgäu) 37 – Ravensburg 53.

🏨 **Parkhotel**, Argenstr. 1, ☎ 70 30, Fax 703704, <, ☂, « Rustikal-elegante Einrichtung im alpenländischen Stil », Bade- und Massageabteilung, ♨, ⌂s, 🏊, 🌳, Fitness-Center – [lift] [TV] 🚗 [P]. [AE] [D] [E] [VISA]. 🚫🐕
Karte 50/70 – **91 Z : 165 B** 170/240 - 270/310 Fb – 6 Appart. 330/500 – P 175/245.

🏨 **Allgäu Sonne** 🌙, Am Stießberg 1, ☎ 70 20, Telex 54370, Fax 7826, < **Weißachtal, Steibis und Hochgrat**, ☂, Bade- und Massageabteilung, ♨, ⌂s, 🏊, 🌳, Fitness-Center, Skischule – [lift] [TV] 🚸 🚗 [P]. [AE] [D] [E]. 🚫🐕 Rest
Karte 59/76 – **168 Z : 404 B** 120/200 - 240/280 Fb – 48 Appart. 300/450.

🏨 ✿ **Löwen**, Kirchplatz 8, ☎ 20 42, Telex 54398, ☂, Massage, ⌂s, 🏊, 🌳 – [TV] 🚗 [P]. [AE] [D] [VISA]
Mitte Nov.- 19. Dez. geschl. – Karte 50/97 *(Mittwoch geschl.)* – **Café am Markt** *(Mittwoch geschl.)* Karte 28/50 – **31 Z : 52 B** 100/135 - 170/230 Fb – P 160/175
Spez. Gänsestopfleber auf Zwiebelmarmelade, Cordon bleu vom Zander in Krebsbutter, Ragout von Kalbsniere und -bries in Senfsauce.

🏨 **Kurhotel Rosen-Alp** 🌙 garni, Am Lohacker 5, ☎ 70 60, <, Bade- und Massageabteilung, ⌂s, 🏊 (geheizt), 🏊, 🌳 – [lift] [TV] 🚗 [P]. 🚫🐕
7. Nov.- 25. Dez. geschl. – **65 Z : 90 B** 100/150 - 200/260.

🏨 Kurhotel Hirsch garni, Kalzhofer Str. 4, ☎ 49 10, Massage, ⌂s, 🏊, 🌳 – [lift] [TV] ☎ [P]. 🚫🐕
36 Z : 48 B.

🏨 **Kurhotel Adula** garni, Argenstr. 7, ☎ 16 56, Bade- und Massageabteilung, ♨, ⌂s, 🏊, 🌳 – [TV] ☎ 🚗
24 Z : 36 B 67/71 - 154/164.

🏨 **Interest Aparthotel** 🌙, Auf der Höh 1, ☎ 16 33 (Hotel) 25 30 (Rest.), Bade- und Massageabteilung, ♨, ⌂s, 🏊, 🌳 – [lift] [TV] ☎ 🚗 [P]. [AE] [D] [E]
Karte 23/60 – **52 Z : 110 B** 72/132 - 145/178.

🏨 **Kurhotel Alpina** 🌙 garni, Am Kurpark 7, ☎ 16 61, ⌂s, 🏊 – [TV] ☎ 🚗 [P]. [D] [VISA]. 🚫🐕
13 Z : 24 B 120 - 200 Fb.

🏨 **Sonnhalde** 🌙 garni, Paul-Rieder-Str. 2, ☎ 20 82, Massage, 🌳 – [TV] ☎ 🚗 [P]
10. Nov.- 28. Dez. geschl. – **15 Z : 25 B** 70/80 - 140/150.

🏨 **Kurhotel Hochbühl** garni, Auf der Höh 12, ☎ 6 44, Massage, ⌂s, 🏊, 🌳 – ☎ [P]. 🚫🐕
21 Z : 27 B 75 - 140/150.

🏨 **Am Rathaus**, Schloßstr. 6, ☎ 20 40 – [TV] ☎
Karte 29/47 *(Freitag - Samstag 17 Uhr geschl.)* – **7 Z : 13 B** 54 - 108.

🏨 **Alpenhof** 🌙 garni, Gottfried-Resl-Weg 8a, ☎ 20 21, Massage, ⌂s, 🌳 – ☎ [P]. 🚫🐕
30. Nov.- 26. Dez. geschl. – **31 Z : 43 B** 55/85 - 100/120.

🏨 Kurhotel Pelz 🌙 garni, Bürgermeister-Hertlein-Str. 1, ☎ 20 88, Massage, ⌂s, 🏊, 🌳 – [lift] ☎ 🚗 [P]. 🚫🐕
33 Z : 41 B.

🍴🍴 **Beim Kesslar**, Lindauer Str. 1, ☎ 12 08, « Rustikale Gaststube in einem renovierten Fachwerkhaus »
nur Abendessen, Dienstag sowie Juni und Dez. jeweils 2 Wochen geschl. – Karte 58/84 (Tischbestellung ratsam).

🍴 **Kurhaus**, Argenstr. 3, ☎ 27 08, ☂ – [P]
◆ *Montag und Dez. 3 Wochen geschl.* – Karte 19/46.

In Oberstaufen-Aach SW : 7 km :

🍴 **Seywald** mit Zim, ☎ 21 53, ☂, 🌳 – [P]
9.- 16. Jan. und 10.- 24. April geschl. – Karte 48/66 *(Montag - Dienstag 14 Uhr geschl.)* – **9 Z : 16 B** 40 - 80.

In Oberstaufen-Bad Rain :

🏨 **Alpengasthof Bad Rain** 🌙, ☎ 3 58, ☂, Bade- und Massageabteilung, ⌂s, 🏊, 🌳 – [TV] ☎ [P]. 🚫🐕 Zim
Mitte Nov.- 20. Dez. geschl. – Karte 26/50 *(auch Diät)* (Montag geschl.) – **18 Z : 34 B** 45/65 - 90/130 Fb.

In Oberstaufen-Buflings N : 1,5 km :

🏨 **Kurhotel Engel**, ☎ 16 47, <, ☂, Massage, ⌂s, 🏊, 🌳 – [lift] ☎ 🚗 [P]. 🚫🐕 Zim
6. Nov.- 18. Dez. geschl. – Karte 23/42 *(Montag und 3.- 14. April geschl.)* – **42 Z : 78 B** 52/110 - 104/180 – P 76/126.

In Oberstaufen-Konstanzer O : 7 km :

🏨 **Konstanzer Hof**, an der B 308, ☎ 4 62, ☂, 🌳 – [TV] ☎ [P]. [AE] [D] [E] [VISA]. 🚫🐕 Zim
◆ *1.- 22. Dez. geschl.* – Karte 18/40 *(Dienstag geschl.)* – **24 Z : 47 B** 47 - 84.

In Oberstaufen-Steibis S : 5 km – Höhe 860 m :

Kurhotel Burtscher, ☎ 89 10, ≤, Bade- und Massageabteilung, 🏋, ≘s, 🏊, 🏊, 🌳, 🎾 – [TV] 🅿. ✗ (nur Abendessen für Hausgäste) – **70 Z : 126 B** Fb.

In Oberstaufen-Thalkirchdorf O : 6 km – Erholungsort :

Traube 🐦 (Altes Fachwerkhaus mit rustikaler Einrichtung), ☎ (08325) 4 51, Telex 541923, ≘s, 🏊, 🌳, Fahrradverleih – [TV] ☎ 🚗 🅿. AE ⓪ E VISA. ✗ Zim
Anfang Nov.-Mitte Dez. geschl. – Karte 28/53 *(Montag 14 Uhr - Dienstag geschl.)* – **28 Z : 47 B** 61/79 - 100/120 Fb – P 80/95.

OBERSTDORF 8980. Bayern [413] N 24, [987] ㊱, [426] ⑮ – 11 000 Ew – Höhe 815 m – Heilklimatischer Kurort – Kneippkurort – Wintersport : 843/2 200 m 🚡2 ⛷18 ⛷10 – ☎ 08322.

Ausflugsziele : Nebelhorn ✵** 30 min mit 🚡 und Sessellift – Breitachklamm** SW : 7 km.

⛳ Oberstdorf-Gruben (S : 2 km), ☎ 28 95.

[i] Kurverwaltung und Verkehrsamt, Marktplatz 7, ☎ 70 00.

♦München 165 – Kempten (Allgäu) 39 – Immenstadt im Allgäu 20.

Parkhotel Frank 🐦, Sachsenweg 11, ☎ 70 60, Telex 54407, ≤, 🏖, Bade- und Massageabteilung, ≘s, 🏊, 🌳 – 🛗 [TV] ⛷ 🚗 🅿. ✗ Rest
16.- 30. April und 5. Nov.- 16. Dez. geschl. – Karte 42/81 – **70 Z : 130 B** 116/196 - 226/328 Fb – P 151/190.

Kurhotel Filser 🐦, Freibergstr. 15, ☎ 10 20, 🏖, Bade- und Massageabteilung, 🏋, ≘s, 🏊, 🌳 – 🛗 [TV] ♿ 🚗 🅿. ✗ Rest
Nov.- 17. Dez. geschl. – Karte 33/55 – **93 Z : 145 B** 74/100 - 130/200 Fb – P 114/140.

Kneippkurhaus Christliches Hospiz 🐦, Ludwigstr. 37, ☎ 70 10, ≤, 🏖, Bade- und Massageabteilung, 🏋, 🏊, 🌳 – [TV] ♿ 🅿. ✗
Nov.- 15. Dez. geschl. – (Restaurant nur für Hausgäste) – **23 Z : 30 B** 100/139 - 200/298 Fb – P 140/189.

Kur- und Sporthotel Exquisit 🐦, Prinzenstr. 17, ☎ 10 34, Telex 54493, ≤, 🏖, Bade- und Massageabteilung, 🏋, ≘s, 🏊, 🌳 – 🛗 [TV] ♿ 🅿. AE ⓪. ✗ Rest
2. Nov.- 19. Dez. geschl. – Karte 44/81 *(nur Abendessen, Dienstag geschl.)* – **38 Z : 80 B** 102/161 - 148/280 Fb.

Tannhof 🐦, Stillachstr. 12, ☎ 40 66, ≤, ≘s, 🏊, 🌳 – 🛗 [TV] ☎ 🚗 🅿
(nur Abendessen für Hausgäste) – **17 Z : 31 B** 86/116 - 142/232.

Alpenhof 🐦, Zweistapfenweg 6, ☎ 30 95, ≤, 🏊, 🏊, 🌳 – ☎ 🚗 🅿. ✗ Rest
10. Nov.- 15. Dez. geschl. – Karte 25/59 – **29 Z : 45 B** 52/110 - 104/200 Fb.

Haus Wiese 🐦 garni, Stillachstr. 4a, ☎ 30 30, ≤, 🏊 – ☎ 🅿. ✗
13 Z : 21 B 70/130 - 140/180.

Sporthotel Menning 🐦 garni, Oeschlesweg 18, ☎ 30 29, ≘s, 🏊, 🌳, Fahrrad- und Skiverleih – 🛗 [TV] ☎ 🚗 🅿. AE
21 Z : 40 B 83/110 - 110/168 Fb – 2 Fewo 100/130.

Haus Annemarie 🐦 garni, Fellhornstr. 26, ☎ 45 49, ≤, ≘s, 🏊, 🌳 – [TV] ☎ 🅿
15. April - 15. Mai und Nov.- 15. Dez. geschl. – **10 Z : 20 B** 160/230 (Doppelzimmer).

Adler, Fuggerstr. 1, ☎ 30 50 – ☎ 🅿
Mitte - Ende April und Mitte Nov.- Mitte Dez. geschl. – Karte 26/62 *(Dienstag geschl.)* – **33 Z : 61 B** 70/144 - 132/152 – 10 Fewo 130/160 – P 104/116.

Kurparkhotel 🐦, Prinzenstr. 1, ☎ 30 34, ≤, ≘s – [TV] ☎ 🅿. ⓪ E VISA. ✗
17. April - 8. Mai und Nov.- 20. Dez. geschl. – (nur Abendessen für Hausgäste) – **23 Z : 43 B** (nur ½ P) 99/109 - 180/240 Fb.

Wittelsbacher Hof 🐦, Prinzenstr. 24, ☎ 10 18, Telex 541905, ≤, 🏊, 🏊, 🌳 – 🛗 ☎ 🚗 🅿. AE ⓪ E VISA
2. April - 12. Mai und 22. Okt.- 15. Dez. geschl. – Karte 29/51 – **90 Z : 140 B** 82/106 - 120/196 Fb – 4 Appart. 204/260 – P 104/150.

Waldesruhe 🐦, Stillachstr. 20 (Zufahrt über Alte Walserstraße), ☎ 40 61, ≤ Allgäuer Alpen, 🏖, ≘s, 🏊 – 🛗 [TV] ☎ 🅿
25. Okt.- 20. Dez. geschl. – Karte 23/45 *(Dienstag geschl.)* – **40 Z : 66 B** 74/105 - 128/170 Fb.

Hölting 🐦 garni, Lorettostr. 23, ☎ 40 99, ≘s, 🌳 – [TV] ☎ 🚗 🅿. AE ⓪
Nov.- 15. Dez. geschl. – **13 Z : 24 B** 65/105 - 105/150 Fb.

Landhaus Thomas garni, Weststr. 49, ☎ 42 47, ≘s, 🌳 – ☎ 🚗. ✗
April 2 Wochen und Nov.- 20. Dez. geschl. – **14 Z : 27 B** 55/70 - 110/140 Fb.

Fuggerhof 🐦, Speichackerstr. 2, ☎ 47 32, ≤, « Gartenterrasse », 🌳 – ☎ 🅿. E
17. April - 2. Mai und 23. Okt.- 17. Dez. geschl. – Karte 23/48 *(Juni-Sept. Dienstag geschl.)* – **18 Z : 33 B** 55/81 - 94/142 Fb – P 77/99.

Weller 🐦 garni, Fellhornstr. 22, ☎ 30 08, ≤, ≘s, 🏊, 🌳 – [TV] ☎ 🚗 🅿. ✗
15. April - 5. Mai und Nov.- 15. Dez. geschl. – **10 Z : 18 B** 52/85 - 122/144 – 5 Fewo 102/136.

Luitpold garni, Ludwigstr. 18, ☎ 40 74, Bade- und Massageabteilung, 🌳 – ☎ 🅿
34 Z : 50 B 52/75 - 110/140 Fb.

Marzeller garni, Rechbergstr. 8, ☎ 25 86, 🌳 – ☎ 🅿. ✗
12 Z : 24 B.

Kappelerhaus garni, Am Seeler 2, 10 07, (geheizt), – . E.
60 Z : 90 B 55/70 - 88/110.

Steinacker, Am Otterrohr 3, 21 46, – . Rest
Okt.- 20. Dez. geschl. – (nur Abendessen für Hausgäste) – **17 Z : 30 B** 44/66 - 84/110 – 2 Fewo 95/110.

Rex garni, Clemens-Wenzeslaus-Str. 3, 30 17, – – **43 Z : 57 B** Fb.

Haus Rieger, Fellhornstr. 20, 45 50, – .
(nur Abendessen für Hausgäste) – **17 Z : 31 B** 66/70 - 136/142 Fb.

Grüns Restaurant, Nebelhornstr. 49, 24 24 – . E VISA
Montag - Dienstag 18 Uhr und Juni 3 Wochen geschl. – Karte 47/73 (abends Tischbestellung ratsam).

Restaurant 7 Schwaben, Pfarrstr. 9, 38 70 – E
Mittwoch und ab Ostern 4 Wochen geschl. – Karte 30/56.

Bacchus-Stuben, Freibergstr. 4, 47 87, –
Mitte April - 10. Mai, Mitte Okt.- 19. Dez., Montag und im Sommer Sonntag 14 Uhr - Montag geschl. – Karte 21/40.

Weiler mit Zim, Bachstr. 4, 44 38 –
20.- 30. April und Nov.- 18. Dez. geschl. – Karte 19/45 – **14 Z : 22 B** 45 - 86 – P 69.

In Oberstdorf-Jauchen W : 1,5 km – Höhe 900 m :

Kurhotel Adula, In der Leite 6, 70 90, Telex 54478, Oberstdorf und Allgäuer Alpen, , Bade- und Massageabteilung, , , , – . E VISA. Rest
Karte 41/82 *(auch Diät)* – **78 Z : 130 B** 135/177 - 252/272 Fb – 5 Appart. 322/362 – P 173/224.

In Oberstdorf-Reichenbach N : 4 km :

Tannberg-Stuben, Haus Nr. 8, (08326) 79 23, , – – auch 2 Fewo.

In Oberstdorf-Reute W : 2 km – Höhe 950 m :

Gebirgsaussicht, 30 80, Allgäuer Alpen, , , , –
Mitte April - Mitte Mai und Ende Okt.- Mitte Dez. geschl. – Karte 35/62 – **26 Z : 52 B** 68/91 - 136/182 Fb.

Panorama, 30 74, Oberstdorf und Allgäuer Alpen, , –
6. April - 7. Mai und 15. Okt.- 15. Dez. geschl. – Karte 19/40 – **11 Z : 20 B** 60/100 - 100/130 Fb.

In Oberstdorf-Schöllang N : 6 km :

Zur Mühle, Mühlenstr. 9, (08326) 5 18, , – . E VISA
30. Okt.- 15. Dez. geschl. – (nur Abendessen für Hausgäste) – **26 Z : 40 B** 34/48 - 60/70 – 6 Fewo 88.

In Oberstdorf-Tiefenbach NW : 6 km – Höhe 900 m :

Bergruh, Im Ebnat 2, 40 11, , , , – . E.
10. Nov.- 15. Dez. geschl. – Karte 27/51 – **12 Z : 25 B** 67/82 - 114/130 Fb.

OBERSTENFELD 7141. Baden-Württemberg 413 KL 19 – 6 400 Ew – Höhe 227 m – 07062 (Beilstein).
♦Stuttgart 39 – Heilbronn 18 – Schwäbisch Hall 49.

Zum Ochsen, Großbottwarer Str. 31, 30 33, – . E
Karte 28/62 *(1.- 21. Jan. und Dienstag geschl.)* – **40 Z : 78 B** 69/79 - 110/130 Fb.

OBERTAL Baden-Württemberg siehe Baiersbronn.

OBERTHULBA 8731. Bayern 413 M 16 – 4 400 Ew – Höhe 270 m – 09736.
♦München 327 – Fulda 58 – Bad Kissingen 9,5 – ♦Würzburg 59.

Zum grünen Kranz, Obere Torstr. 11, 3 33 – . E. Rest
Jan. geschl. – Karte 16,50/39 *(Nov.- Ostern Mittwoch geschl.)* – **12 Z : 20 B** 38/40 - 63/68.

OBERTRAUBLING Bayern siehe Regensburg.

OBERTRUBACH 8571. Bayern 413 R 17 – 2 100 Ew – Höhe 420 m – Erholungsort – 09245.
♦München 206 – Bayreuth 44 – Forchheim 28 – ♦Nürnberg 41.

Alte Post, Trubachtalstr. 1, 3 22, –
15. Jan.- 15. Feb. geschl. – Karte 17/31 – **42 Z : 65 B** 32/35 - 65 – 2 Fewo 50.

Fränkische Schweiz, Bergstr. 1, 2 18, , – . Zim – **30 Z : 56 B.**

Treiber, Reichelsmühle 5 (SW : 1,5 km), 4 89, , , – .
Karte 14,50/33 *(Freitag geschl.)* – **9 Z : 16 B** 32 - 64 – P 46.

In Obertrubach-Bärnfels N : 2,5 km :

Drei Linden, Nr. 12, 3 25 –
Karte 16/30 – **28 Z : 56 B** 29/35 - 52/64 Fb.

[OBERTSHAUSEN] 6053. Hessen [413] J 16 – 22 000 Ew – Höhe 100 m – ☎ 06104 (Heusenstamm).
♦Wiesbaden 59 – Aschaffenburg 30 – ♦Frankfurt am Main 19.

Anthes, Robert-Schumann-Str. 2, ☎ 48 84, Telex 4170171 – [TV] ☎ [P]. Rest *(nur Abendessen)* – **26 Z : 36 B** Fb.

Park-Hotel, Münchener Str. 12, ☎ 47 63 – [TV] ☎ [P]. [AE] [E] [VISA] Karte 33/59 *(Samstag geschl.)* – **18 Z : 28 B** 72 - 120 Fb.

In Obertshausen 2-Hausen NO : 2 km :

Kroko-Hotel garni, Egerländer Platz 17, ☎ 78 41, Telex 4185286 – [TV] ☎ [P]. [AE] [E] [VISA] *20. Dez.- 7. Jan. geschl.* – **28 Z : 50 B** 65/75 - 106/120 Fb.

[OBERUHLDINGEN] Baden-Württemberg siehe Uhldingen-Mühlhofen.

[OBERURSEL (Taunus)] 6370. Hessen [413] I 16, [987] ㉕ – 41 600 Ew – Höhe 250 m – ☎ 06171.
♦Wiesbaden 47 – ♦Frankfurt am Main 19 – Bad Homburg vor der Höhe 4.

Parkhotel Waldlust, Hohemarkstr. 168 (NW : 4 km), ☎ 28 69, Fax 26627, « Kleiner Park », – [TV] ☎ [P]. [E]. *23. Dez. -2. Jan. geschl.* – Karte 33/57 – **105 Z : 140 B** 88/130 - 140/180 Fb.

Mergner garni, Liebfrauenstr. 20, ☎ 35 92 – ☎ [P] **12 Z : 20 B** 42/65 - 76/99.

Le Papillon, Frankfurter Landstr. 14, ☎ 5 75 15 – [AE] [E] *Samstag bis 18 Uhr und Sonntag geschl.* – Karte 32/66 (Tischbestellung ratsam).

Rôtisserie Le Cognac, Liebfrauenstr. 6, ☎ 5 19 23 – [P]. [AE] [E] [VISA] *Montag geschl.* – Karte 49/71.

Zum Schwanen, Hollerberg 7, ☎ 5 53 83, – [E] *1.- 16. Jan. und Mittwoch - Donnerstag geschl.* – Karte 31/46.

In Oberursel-Oberstedten :

Sonnenhof garni, Weinbergstr. 94, ☎ (06172) 3 10 72, – [TV] [P] **15 Z : 19 B** 60/80 - 110/120.

[OBERVEISCHEDE] Nordrhein-Westfalen siehe Olpe/Biggesee.

[OBERWARMENSTEINACH] Bayern siehe Warmensteinach.

[OBERWESEL] 6532. Rheinland-Pfalz [987] ㉔ – 4 600 Ew – Höhe 70 m – ☎ 06744.
Sehenswert : Liebfrauenkirche★ (Flügelaltäre★).
Ausflugsziel : Burg Schönburg★ S : 2 km.
[i] Verkehrsamt, Rathausstr. 3, ☎ 81 31, Telex 42300.
Mainz 56 – Bingen 21 – ♦Koblenz 42.

Burghotel Auf Schönburg (Hotel in einer 1000-jährigen Burganlage), Schönburg (S : 2 km), Höhe 300 m, ☎ 70 27, Telex 42321, ←, – [TV] ☎ [P]. [AE] [E] [VISA]. Rest *März - Nov.* – Karte 47/75 *(Montag geschl.)* – **21 Z : 40 B** 85/200 - 125/240.

Weinhaus Weiler, Marktplatz 4, ☎ 70 03, – [TV] ☎. [AE] [E] *8. Feb.- 23. März geschl.* – Karte 21/48 *(Donnerstag geschl.)* – **11 Z : 23 B** 45/70 - 75/100.

Römerkrug mit Zim, Marktplatz 1, ☎ 81 76, – [TV] ☎. [E] [VISA] *Jan.- 15. Feb. geschl.* – Karte 38/61 *(Mittwoch geschl.)* – **7 Z : 14 B** 80/100 - 100/150.

In Oberwesel-Dellhofen SW : 2,5 km :

Gasthaus Stahl, Am Talblick 6, ☎ 4 16, eigener Weinbau, – [P] *15. Dez.- Jan. geschl.* – Karte 17/38 *(Mittwoch geschl.)* – **19 Z : 38 B** 30/43 - 60/86.

[OBERWÖSSEN] Bayern siehe Unterwössen.

[OBERWOLFACH] 7620. Baden-Württemberg [413] H 22 – 2 700 Ew – Höhe 280 m – Luftkurort – ☎ 07834 (Wolfach).
[i] Verkehrsamt, Rathaus (Walke), ☎ 2 65.
♦Stuttgart 139 – ♦Freiburg im Breisgau 60 – Freudenstadt 40 – Offenburg 42.

In Oberwolfach-Kirche :

Drei Könige, Wolftalstr. 28, ☎ 2 60, Telex 752418 – ☎ [P]. [AE] [E] [VISA] Karte 21/42 *(Donnerstag geschl.)* – **40 Z : 70 B** 46/50 - 84 Fb – P 70.

In Oberwolfach-Walke :

Hirschen, Schwarzwaldstr. 2, ☎ 3 66, – [P]. [AE] [E] Karte 23/45 *(Montag geschl.)* – **41 Z : 74 B** 40/55 - 80/100 Fb – P 63/78.

[OBERZELL] Baden-Württemberg siehe Reichenau (Insel).

OBING 8201. Bayern [413] U 22,23, [987] [37], [426] [18] – 3 200 Ew – Höhe 564 m – ☏ 08624.
♦München 72 – Passau 123 – Rosenheim 31 – Salzburg 70.

🏨 **Oberwirt**, Kienberger Str. 14, ✆ 22 64, Biergarten, ♨, 🎳, 🌳, ✂ – 🛗 🚗 [P] 🏋
✦ *5.- 25. Okt. geschl.* – Karte 18/38 *(Mittwoch geschl.)* – **38 Z : 72 B** 34/46 - 66/92.

In Obing-Großbergham SO : 2,5 km :

🏠 **Pension Griessee** 🌿, ✆ 22 80, 🎳, 🌳 – 🚗 [P]
✦ *10. Jan.- 15. März geschl.* – Karte 17/32 🍷 – **28 Z : 56 B** 21/28 - 42/58.

OBRIGHEIM 6952. Baden-Württemberg [413] K 18 – 5 100 Ew – Höhe 134 m – ☏ 06261 (Mosbach).
♦Stuttgart 85 – Eberbach am Neckar 24 – Heidelberg 39 – Heilbronn 31 – Mosbach 6.

🏨 **Schloß Neuburg** 🌿, ✆ 70 01, ≤ Neckartal und Neckarelz, ⛱, Garten – ☎ [P] 🏋. [AE] [O] [E]
1.- 8. Jan. geschl. – Karte 40/68 *(Sonntag ab 15 Uhr, Juli - Aug. Sonntag ganztägig geschl.)* – **13 Z : 25 B** 55/75 - 95/145.

🏨 **Wilder Mann**, Hauptstr. 22 (B 292), ✆ 6 20 91, ♨, 🏊 – 📺 ☎ 🚗 [P]
✦ *20. Dez.- 10. Jan. geschl.* – Karte 19,50/39 *(Samstag geschl.)* – **28 Z : 47 B** 65 - 120 Fb.

OBRIGHEIM 6719. Rheinland-Pfalz [413] H 18 – 2 800 Ew – Höhe 130 m – ☏ 06359 (Grünstadt).
Mainz 65 – Kaiserslautern 40 – ♦Mannheim 34 – Neustadt an der Weinstraße 33 – Worms 12.

🏨 **Beuke's Hotel Rosengarten** 🌿, Große Hohl 4, ✆ 20 15 – ☎ [P]. [AE]
2.- 16. Jan. geschl. – (nur Abendessen für Hausgäste) – **27 Z : 36 B** 30/60 - 50/100.

OCHSENFURT 8703. Bayern [413] N 17,18, [987] [26] – 11 400 Ew – Höhe 187 m – ☏ 09331.
Sehenswert : Ehemalige Stadtbefestigung★ mit Toren und Anlagen.
[i] Verkehrsbüro, Hauptstr. 39, ✆ 58 55.
♦München 278 – Ansbach 59 – ♦Bamberg 95 – ♦Würzburg 19.

🏨 **Bären**, Hauptstr. 74, ✆ 22 82 – 🚗 [P]. [O] [E]
10. Jan.- Feb. geschl. – Karte 32/56 *(wochentags nur Abendessen, Montag geschl.)* – **28 Z : 50 B** 40/75 - 78/156 Fb.

🏠 **Zum Schmied**, Hauptstr. 26, ✆ 24 38
20. Dez.- 20. Feb. geschl. – Karte 21/42 *(Mittwoch geschl.)* 🍷 – **23 Z : 43 B** 35/50 - 55/75.

In Ochsenfurt-Großmannsdorf NW : 3 km :

🏨 **Weißes Roß**, Rechte Bachgasse 5, ✆ 26 14 – 🏋. [AE] [E]
✦ Karte 17,50/31 *(Mittwoch geschl.)* 🍷 – **38 Z : 70 B** 30/55 - 60/80.

Nahe der Straße nach Marktbreit O : 2,5 km :

🏨 **Waldhotel Polisina**, Marktbreiter Str. 265, ✉ 8701 Frickenhausen, ✆ (09331) 30 81, ⛱, ♨, 🏊, 🌳, ✂ – 🛗 📺 [P] 🏋. [AE] [O] [E] [VISA]
Karte 36/56 – **33 Z : 60 B** 115/145 - 150/190 Fb.

In Sommerhausen 8701 NW : 6 km über die B 13 – ☏ 09333 :

🏨 **Ritter Jörg**, Maingasse 14, ✆ 12 21 – ☎ [P]
Karte 23/48 *(Dienstag - Freitag nur Abendessen, Montag geschl.)* 🍷 – **22 Z : 36 B** 55/70 - 85/95.

🏨 **Pension zum Weinkrug** garni, Steingraben 5, ✆ 2 92 – 📺 ☎ 🚗 [P]. [AE] [E]
20. Dez.- 14. Jan. geschl. – **13 Z : 29 B** 55/65 - 88/98 Fb.

🏠 Weinhaus Unkel, Maingasse 6, ✆ 2 27 – 🚗
(nur Abendessen) – **12 Z : 22 B.**

OCHSENHAUSEN 7955. Baden-Württemberg [413] MN 22, [987] [36], [426] [14] – 6 800 Ew – Höhe 609 m – Erholungsort – ☏ 07352.
♦Stuttgart 139 – Memmingen 22 – Ravensburg 55 – ♦Ulm (Donau) 47.

🏨 **Mohren**, Grenzenstr. 4, ✆ 32 86, ♨ – 🛗 📺 ☎ [P] 🏋. [E] [VISA]. 🚫 Zim
Karte 23/60 – **28 Z : 60 B** 50/80 - 95/140 Fb.

🏨 **Zum Bohrturm**, Poststr. 41, ✆ 32 22 – 🚗
✦ *24.- 27. Dez. geschl.* – Karte 18/35 *(Mittwoch, Feb.- März 1 Woche und Juli - Aug. 2 Wochen geschl.)* – **20 Z : 29 B** 30/55 - 60/100 – P 44/69.

🏨 **Adler**, Schloßstr. 7, ✆ 15 03, ⛱ – 🚗 [P]
Juni 2 Wochen geschl. – Karte 27/49 *(Sonntag 14 Uhr - Montag geschl.)* – **15 Z : 20 B** 30/48 - 60/80.

In Gutenzell-Hürbel 7959 NO : 6 km :

🏨 **Klosterhof** 🌿, Schloßbezirk 2 (Gutenzell), ✆ (07352) 30 21 – 📺 ☎ [P] 🏋
Karte 21/44 *(Freitag geschl.)* 🍷 – **18 Z : 29 B** 30/45 - 60/85.

OCHSENWANG Baden-Württemberg siehe Bissingen an der Teck.

[OCHTENDUNG] 5405. Rheinland-Pfalz – 4 200 Ew – Höhe 190 m – ☎ 02625.
Mainz 110 – •Koblenz 20 – Mayen 13.

🍴🍴 **Gutshof Arosa** mit Zim, Koblenzer Str. 2 (B 258), ☎ 44 71, « Innenhofterrasse » – 🚗 [P]. [AE]. 🚫
Juli - Aug. 2 Wochen geschl. – Karte 32/66 *(Montag geschl.)* 🍷 – **11 Z : 22 B** 40/50 - 80/90.

[OCHTRUP] 4434. Nordrhein-Westfalen [987] ⑭, [408] ⑭ – 17 200 Ew – Höhe 65 m – ☎ 02553.
•Düsseldorf 139 – Enschede 21 – Münster (Westfalen) 43 – •Osnabrück 70.

🏨 **Münsterländer Hof (Viefhues-Fischer)**, Bahnhofstr. 7, ☎ 20 88 – [TV] ☎ 🚗 [P] 🏛. [AE] [D] E [VISA]
Karte 26/52 *(Samstag bis 18 Uhr und Sonntag ab 14 Uhr geschl.)* – **19 Z : 33 B** 40/70 - 70/110 Fb.

🍴🍴 Bi de Buer, Brookstr. 19, ☎ 10 81, ⛱, « Ehemaliges Bauernhaus mit rustikaler Einrichtung » – [P].

An der B 54 SO : 4,5 km :

🍴 **Alter Posthof**, Bökerhook 4, ✉ 4434 Ochtrup-Welbergen, ☎ (02553) 34 87, ⛱, « Historischer Münsterländer Gasthof » – [P]. [D] [VISA]
Montag und Ende Dez.- Mitte Jan. geschl. – Karte 26/49.

[OCKFEN] 5511. Rheinland-Pfalz – 550 Ew – Höhe 160 m – ☎ 06581 (Saarburg).
Mainz 173 – Saarburg 5 – •Trier 24.

🏨 **Klostermühle**, Hauptstr. 1, ☎ 30 91, ⛱, eigener Weinbau – ♿ 🚗 [P]
◆ *Jan. geschl.* – Karte 17,50/36 *(Nov.- April Dienstag geschl.)* 🍷 – **16 Z : 31 B** 38/45 - 68/75.

[OCKHOLM] Schleswig-Holstein siehe Bredstedt.

[ODELZHAUSEN] 8063. Bayern [413] Q 22, [987] ㊱㊲ – 1 600 Ew – Höhe 507 m – ☎ 08134.
•München 37 – Augsburg 33 – Donauwörth 65 – Ingolstadt 77.

🏨 **Staffler** garni, Hauptstr. 3, ☎ 60 06 – ♿ [P]
23. Dez.- Mitte Jan. geschl. – **23 Z : 40 B** 50/65 - 80/85 Fb.

🏨 **Gutshaus** 🌿, Am Schloßberg 1, ☎ 60 21, 🏊, 🏊 – ☎ [P]
Karte : siehe Schloßbräustüberl – **10 Z : 18 B** 60/80 - 105/120.

🏨 **Schloß-Hotel** 🌿 garni, Am Schloßberg 3, ☎ 65 98 – ☎ [P]
23. Dez.- 7. Jan. geschl. – **7 Z : 10 B** 68/100 - 105/160.

🍴 **Schloßbräustüberl** (bayerischer Brauereigasthof), Am Schloßberg 1, ☎ 66 06, ⛱, Biergarten – [P]
Samstag sowie Jan. und Aug. jeweils 2 Wochen geschl. – Karte 21/44.

[ODENTHAL] 5068. Nordrhein-Westfalen [987] ㉔ – 12 900 Ew – Höhe 80 m – ☎ 02202 (Bergisch Gladbach).
Ausflugsziel : Odenthal-Altenberg : Altenberger Dom (Buntglasfenster*) N : 3 km.
•Düsseldorf 43 – •Köln 18.

🍴🍴 Herzogenhof, Altenberger Domstr. 36, ☎ 7 85 54, ⛱ – [P].

🍴 **Zur Post** mit Zim, Altenberger Domstr. 23, ☎ 7 81 24, « Gasthof im bergischen Stil » – [P]
27. Juli - 21. Aug. geschl. – Karte 30/55 *(Donnerstag geschl.)* – **4 Z : 8 B** 55 - 95/105.

🍴 Gericke, Altenberger Domstr. 45, ☎ 7 98 65 – [P].

In Odenthal-Altenberg :

🏨 **Altenberger Hof** 🌿, Eugen-Heinen-Platz 7, ☎ (02174) 42 42 – $ [TV] ☎ [P] 🏛. [AE] [D]
Karte 43/86 – **46 Z : 75 B** 100/149 - 135/197 Fb.

In Odenthal-Eikamp SO : 7 km :

🏨 **Eikamper Höhe** 🌿 garni, Schallemicher Str. 11, ☎ (02207) 23 21, 🏊 – ☎ 🚗 [P]. [D]
22 Z : 40 B 40/78 - 70/100 Fb.

[OEDENWALD] Baden-Württemberg siehe Loßburg.

[ÖDENWALDSTETTEN] Baden-Württemberg siehe Hohenstein.

[OEDHEIM] 7101. Baden-Württemberg [413] K 19 – 4 400 Ew – Höhe 166 m – ☎ 07136.
•Stuttgart 65 – Heidelberg 75 – Heilbronn 13 – •Würzburg 91.

🏠 **Sonne**, Hauptstr. 35, ☎ 2 01 30
21. Dez.- 10. Jan. und 20. Juli - 26. Aug. geschl. – Karte 20/35 *(wochentags nur Abendessen, Donnerstag - Freitag geschl.)* 🍷 – **18 Z : 27 B** 26/34 - 47/67.

[OEDING] Nordrhein-Westfalen siehe Südlohn.

[ÖHNINGEN] 7763. Baden-Württemberg [413] J 24, [427] ⑥, [216] ⑨ – 3 500 Ew – Höhe 440 m – Erholungsort – ☎ 07735.

[i] Verkehrsbüro, Rathaus, ☎ 5 05.

♦Stuttgart 168 – Schaffhausen 22 – Singen (Hohentwiel) 16 – Zürich 61.

⌂ **Adler**, Oberdorfstr. 14, ☎ 4 50, ⛱, 🌳 – 🚗 [P]. ✗
27. Feb.- 15. März und 15. Nov.- 10. Dez. geschl. – Karte 21/47 *(April - Okt. Dienstag, Nov.- März Montag - Dienstag geschl.)* – **22 Z : 40 B** 39/65 - 78/84 – P 58/60.

In Öhningen 3-Wangen O : 3 km :

⌂ **Adler**, Kirchplatz 6, ☎ 7 24, 🍽, ⛱, 🌳 – [P]
Karte 21/47 *(Donnerstag geschl.)* 🍷 – **16 Z : 34 B** 25/50 - 50/90.

[ÖHRINGEN] 7110. Baden-Württemberg [413] L 19, [987] ㉕ – 17 100 Ew – Höhe 230 m – ☎ 07941.

Sehenswert : Ehemalige Stiftskirche★ (Margarethen-Altar★).

⛳ Friedrichsruhe (N : 6 km), ☎ (07941) 6 28 01.

♦Stuttgart 68 – Heilbronn 28 – Schwäbisch Hall 29.

⌂⌂ **Post**, Karlsvorstadt 4, ☎ 80 51, Telex 74461, 🧖 – ☎ [P] 🏛. [AE] [E] [VISA]
24. Dez.- 6. Jan. geschl. – Karte 27/65 *(Sonntag ab 14 Uhr geschl.)* – **47 Z : 90 B** 55/95 - 90/155 Fb.

⌂ **Krone** 🌿, Marktstr. 24, ☎ 72 78
10. Jan.- 1. Feb. geschl. – Karte 26/50 *(Samstag geschl.)* 🍷 – **10 Z : 15 B** 35/55 - 95.

In Öhringen-Cappel O : 2 km :

⌂ **Gästehaus Schmidt**, Haller Str. 128, ☎ 88 80, 🌳 – 🚗 [P]
(nur Abendessen für Hausgäste) – **12 Z : 15 B** 28/38 - 60.

In Friedrichsruhe 7111 N : 6 km :

⌂⌂⌂⌂ ✿✿ **Waldhotel und Schloß Friedrichsruhe** 🌿, ☎ (07941) 70 78, Telex 74498, 🍽, Hirschfreigehege, « Garten, Park », 🧖, 🏊, 🏊, 🎾, ⛳ – 🛗 🚗 [P] 🏛. [AE] [E] [VISA]
Karte 74/110 *(bemerkenswerte Weinkarte)* (Montag - Dienstag 19 Uhr geschl.) – **47 Z : 86 B** 165/175 - 238/278 – 15 Appart. 388/450

Spez. Parfait von Gänsestopfleber und Artischockenboden mit Sauternes-Sauce, Lasagne von Krustentieren in Estragon-Champagnersauce, Hohenloher Täubchen mit Weintrauben braisiert.

[OELDE] 4740. Nordrhein-Westfalen [987] ⑭ – 27 700 Ew – Höhe 98 m – ☎ 02522.

[i] Verkehrsamt, Ratsstiege 1, ☎ 7 20.

♦Düsseldorf 137 – Beckum 13 – Gütersloh 23 – Lippstadt 29.

⌂⌂ **Mühlenkamp**, Geiststr. 36, ☎ 21 71 – 🛗 [TV] ☎ 🚗 [P]. [AE] [E] [VISA]
Karte 24/55 – **30 Z : 53 B** 76 - 160/112 Fb.

⌂ **Engbert**, Lange Str. 24, ☎ 10 94 (Hotel) 24 57 (Rest.) – 🛗 [TV] ☎ 🚗 [P]
✦ Karte 17/37 *(Freitag und Juli geschl.)* – **24 Z : 34 B** 55/65 - 90/100.

⌂ **Oelder Brauhaus**, Am Markt 3, ☎ 22 09 – [P] 🏛. [AE] [E]
Karte 25/53 *(Montag geschl.)* – **8 Z : 14 B** 44 - 78.

⌂ **Zum Wasserturm**, Ennigerloher Str. 43, ☎ 36 00 – ☎ [P]
✦ Karte 19,50/32 *(nur Abendessen, Sonntag geschl.)* – **14 Z : 18 B** 40 - 76.

In Oelde 3-Lette N : 6,5 km :

⌂ Hartmann, Hauptstr. 40, ☎ (05245) 51 65 – ☎ 🚗 [P] 🏛. ✗ Rest
(wochentags nur Abendessen) – **49 Z : 95 B** Fb.

In Oelde 4-Stromberg SO : 5 km – Erholungsort :

⌂ **Zur Post**, Münsterstr. 16, ☎ (02529) 2 46, 🌳 – 🚗 [P]. ✗
✦ *15. Juli - 1. Aug. geschl.* – Karte 18,50/38 *(Montag geschl.)* – **15 Z : 24 B** 32 - 64.

[OELIXDORF] Schleswig-Holstein siehe Itzehoe.

[OER-ERKENSCHWICK] 4353. Nordrhein-Westfalen – 25 000 Ew – Höhe 85 m – ☎ 02368.

Siehe Ruhrgebiet (Übersichtsplan).

♦ Düsseldorf 76 – ♦Dortmund 29 – Münster (Westfalen) 64 – Recklinghausen 5.

⌂ **Stimbergpark** 🌿, Am Stimbergpark 78, ☎ 10 67, ≤, 🍽 – ☎ 🚗 [P]. [E]
Karte 25/53 – **9 Z : 16 B** 50/60 - 80/100.

[OERLINGHAUSEN] 4811. Nordrhein-Westfalen – 19 500 Ew – Höhe 250 m – ☎ 05202.

♦Düsseldorf 182 – Bielefeld 13 – Detmold 19 – Paderborn 32.

⌂ Am Tönsberg 🌿, Piperweg 17, ☎ 65 01, 🧖, 🏊 – [TV] ☎ [P]
(nur Abendessen für Hausgäste) – **15 Z : 23 B** Fb.

⌂ **Berghotel Birner** 🌿, Danziger Str. 8, ☎ 34 73, ≤, 🍽 – ☎ 🚗 [P]
Karte 24/58 – **15 Z : 24 B** 58 - 96.

🍴🍴 Altes Gasthaus Nagel mit Zim (Historisches Fachwerkhaus a.d. 18. Jh.), Hauptstr. 43, ☎ 56 55 – [TV] ☎ – **6 Z : 11 B**.

[OESTRICH-WINKEL] **6227.** Hessen – 12 000 Ew – Höhe 90 m – ☎ 06723.

[i] Verkehrsamt, Rheinweg 20 (Stadtteil Winkel), ☎ 62 50.

♦Wiesbaden 21 – ♦Koblenz 74 – Mainz 24.

Im Stadtteil Oestrich :

🏨 **Romantik-Hotel Schwan**, Rheinallee 5, ☎ 30 01, Telex 42146, Fax 7820, ≤, eigener Weinbau, « Gartenterrasse » – [$] ☎ [P] 🐴. [AE] [O] [E] [VISA]
März - 15. Nov. – Karte 36/75 – **66 Z : 120 B** 90/170 - 150/280 Fb.

Im Stadtteil Winkel :

🏨 **Hotel Nägler am Rhein**, Hauptstr. 1, ☎ 50 51, Fax 5054, ≤ Rhein und Ingelheim, ☂, ≘s – [$] [TV] ☎ ♿ [P] 🐴. [AE] [O] [E] [VISA]
Karte 39/65 – **40 Z : 75 B** 105/155 - 155/195.

🏨 **Gästehaus Weingut Carl Strieth** garni, Hauptstr. 128, ☎ 33 57, ☂ – ☎ [P]. [AE] [E]
12 Z : 23 B 55/75 - 90/120.

🍴🍴 ✿ **Graues Haus**, Graugasse 10 (an der B 42), ☎ 26 19, ☂, « Modernes Restaurant in einem historischen Steinhaus » – [P]. [AE] [O] [E] [VISA]
Montag - Dienstag, 10. Jan.- 9. Feb. und 16.- 22. Aug. geschl. – Karte 57/82 (Tischbestellung ratsam)
Spez. Gänsestopfleber gebraten mit Honig-Schalotten, Steinbuttfilet mit rohem Lachs in Rieslingsauce, Spanferkelkeule gratiniert mit Majoran und Roggenbrot.

🍴 **Haus am Strom**, Gänsgasse 13, ☎ 22 50, ≤, ☂ – [P]
Dienstag - Mittwoch 18 Uhr geschl. – Karte 25/53 🍷.

Im Stadtteil Hallgarten N : 3 km ab Oestrich :

🏨 **Café Plath** 🐦 garni, Am Rebhang, ☎ 21 66, ≤ Rheintal und Weinberge – [P]
17 Z : 30 B 34/40 - 64/74.

[ÖSTRINGEN] **7524.** Baden-Württemberg [413] J 19 – 10 500 Ew – Höhe 110 m – ☎ 07253.

♦Stuttgart 97 – Heilbronn 45 – ♦ Karlsruhe 41 – ♦ Mannheim 44.

In Östringen-Odenheim SO : 9 km :

🏨 **Landgasthof zum Ochsen**, Eppinger Str. 20, ☎ (07259) 3 32, ≘s – [P]
◆ *Jan.- Feb. geschl.* – Karte 19,50/39 *(Donnerstag geschl.)* 🍷 – **10 Z : 20 B** 39 - 70.

In Östringen-Tiefenbach SO : 12 km :

🏨 Kreuzberghof 🐦 (Gasthof im alpenländischen Stil), am Kreuzbergsee, ☎ (07259) 89 81, ≤, Biergarten – [TV] ☎ [P] – **14 Z : 27 B.**

[ÖTISHEIM] Baden-Württemberg siehe Mühlacker.

[OETTINGEN] **8867.** Bayern [413] O 20, [987] ㉖ – 5 000 Ew – Höhe 419 m – Erholungsort – ☎ 09082.

[i] Verkehrsamt, Schloßstr. 22, ☎ 20 00.

♦München 143 – ♦Nürnberg 77 – ♦Stuttgart 127 – ♦Ulm (Donau) 95.

🏨 Krone, Schloßstr. 34, ☎ 20 97 – ☎ 🚗 [P] 🐴 – **17 Z : 34 B** Fb.

[OEVERSEE] Schleswig-Holstein siehe Flensburg.

[Europe] Wenn der Name eines Hotels dünn gedruckt ist, dann hat uns der Hotelier Preise und Öffnungszeiten nicht oder nicht vollständig angegeben.

[OEYNHAUSEN, BAD] **4970.** Nordrhein-Westfalen [987] ⑭⑮ – 48 000 Ew – Höhe 71 m – Heilbad – ☎ 05731.

⛳ Auf dem Stickdorn, ☎ 5 20 73.

[i] Verkehrshaus, Am Kurpark, ☎ 2 04 30.

♦Düsseldorf 211 – ♦Bremen 116 – ♦Hannover 79 – ♦Osnabrück 62.

🏨 **Kurhotel Wittekind** 🐦, Am Kurpark 10, ☎ 2 10 96 – [$] [TV] ☎. [O] [E]. 🚫
(Restaurant nur für Hausgäste) – **22 Z : 34 B** 60/88 - 140/150.

🏨 **Westfälischer Hof**, Herforder Str. 16, ☎ 2 29 10, ☂ – [$] [TV] ☎ [P]. 🚫
Dez.- 15. Jan. geschl. – Karte 23/45 *(Freitag geschl.)* – **25 Z : 30 B** 45/55 - 100/105.

🏨 **Stickdorn**, Wilhelmstr. 17, ☎ 2 11 41, ☂ – ☎ ♿ 🚗 [P]. [AE] [E]. 🚫 Zim
Karte 25/61 *(Montag geschl.)* – **22 Z : 40 B** 75/95 - 140.

🏨 **Bosse** garni, Herforder Str. 40, ☎ 2 80 61 – ☎ 🚗
22 Z : 32 B 45/60 - 88/98 Fb.

🍴🍴🍴 **Kurhaus - Restaurant Lenné** (Spielcasino im Hause), Im Kurgarten 8, ☎ 2 99 55, ☂ – [P] 🐴. 🚫
Sept.- April Montag bis 18 Uhr geschl. – Karte 36/66.

🍴🍴 Café Sonntag mit Zim, Schützenstr. 2, ☎ 2 24 47, « Gartenterrasse » – [TV] ☎
8 Z : 12 B Fb.

Nahe der B 61 NO : 2,5 km :

🏨 **Romantik-Hotel Hahnenkamp** 🐦, Alte Reichsstr. 4, ✉ 4970 Bad Oeynhausen, ☎ (05731) 50 41, 🌳 – [TV] ☎ [P] 🚶. [AE] [D] [E] [VISA]. ✗
Karte 38/70 *(wochentags nur Abendessen)* – **20 Z : 35 B** 89/188 - 129/259 Fb.

In Bad Oeynhausen-Bergkirchen N : 10 km :

🏨 Zur Wittekindsquelle, Bergkirchener Str. 476, ☎ (05734) 22 05 – 🚗 [P]. ✗
12 Z : 19 B.

In Bad Oeynhausen-Lohe S : 3 km :

🍴🍴 **Windmühle**, Detmolder Str. 273, ☎ 9 24 62, ← – [P]. [AE] [D] [E] [VISA]
15. Jan.- 15. Feb. und Montag geschl. – Karte 29/67.

🍴 **Trollinger Hof** mit Zim, Detmolder Str. 89, ☎ 9 15 48, 🌳 – ☎ [P]. [AE] [D] [E] [VISA]
Karte 30/53 *(Dienstag - Mittwoch 18 Uhr geschl.)* 🍷 – **9 Z : 12 B** 49/65 - 90/98.

In Bad Oeynhausen-Oberbecksen SO : 4 km :

🏨 **Forsthaus Alter Förster** 🐦, Forststr. 21, ☎ 9 19 88, 🌳 – ☎ 🚗 [P] 🚶. [AE] [D] [E] [VISA].
✗ Zim
Karte 20/40 *(Freitag geschl.)* – **30 Z : 45 B** 40/80 - 80/120.

Siehe auch : ***Löhne***

Der Rote Michelin-Führer ist kein vollständiges Verzeichnis aller Hotels und Restaurants. Er bringt nur eine bewußt getroffene, begrenzte Auswahl.

OFFENBACH **6050. Hessen [413] J 16, [987] ㉕ – 110 800 Ew – Höhe 100 m – ☎ 069** (Frankfurt am Main).

Sehenswert : Deutsches Ledermuseum★★.

Messehalle (Z), ☎ 81 70 91, Telex 411298.

[i] Verkehrsbüro, Am Stadthof 17 (Pavillon), ☎ 80 65 29 46.

ADAC, Frankfurter Str. 74, ☎ 8 01 61, Telex 4185494.

♦Wiesbaden 44 ④ – ♦Darmstadt 28 ④ – ♦Frankfurt am Main 6 ⑤ – ♦Würzburg 116 ④.

Stadtplan siehe gegenüberliegende Seite.

🏨 **Tourotel**, Kaiserleistr. 45, ☎ 8 06 10, Telex 416839, Fax 8004797, ♨, 🏊 – 🛗 [TV] [P] 🚶. [AE] [D] [E] [VISA] X s
Karte 37/65 – **246 Z : 492 B** 159/249 - 199/249 Fb – 6 Appart. 249/498.

🏨 **Novotel**, Strahlenberger Str. 12, ☎ 81 80 11, Telex 413047, 🏊 (geheizt), 🌳 – 🛗 ▤ Rest [TV] ☎ [P] 🚶 (mit ▤). [AE] [D] [E] [VISA] X u
Karte 28/53 – **122 Z : 244 B** 148/168 - 190/196 Fb.

🏨 **Offenbacher Hof**, Ludwigstr. 35, ☎ 81 42 55, Telex 4152851, ♨ – 🛗 [TV] ☎ [P] 🚶. [AE] [D] [E] [VISA] Z t
22. Dez.- 5. Jan. geschl. – Karte 33/53 *(nur Abendessen, Samstag - Sonntag geschl.)* – **85 Z : 120 B** 145/185 - 195/225 Fb – 7 Appart. 280/300.

🏨 **Kaiserhof - Restaurant Datscha**, Kaiserstr. 8a, ☎ 81 40 54 (Hotel) 88 55 81 (Rest.), Telex 4170303 – 🛗 [TV] ☎ 🚗. [AE] [D] [E] [VISA]. ✗ Rest Z a
Karte 44/79 *(Russische Küche)* (nur Abendessen, Sonntag und Juni - Juli 3 Wochen geschl.) – **36 Z : 60 B** 85/105 - 120/160 Fb.

🏨 **Graf** garni, Ziegelstr. 4, ☎ 81 17 02, Telex 416213 – [TV] ☎. [AE] [D] [E] [VISA] Z g
22.- 31. Dez. geschl. – **28 Z : 40 B** 85/125 - 100/160 Fb.

🏨 **Hansa** garni, Bernardstr. 101, ☎ 88 80 75 – ☎ ♿ [P]. [AE] [D] [E] Z r
23. Dez.- 4. Jan. geschl. – **28 Z : 36 B** 46/82 - 95/130.

🍴🍴 **Ristorante Ottavio**, Löwenstr. 26, ☎ 81 84 84 – [AE] [D] [E] [VISA] Z c
Sonntag und Aug. geschl. – Karte 36/56.

🍴 **Die Terrine**, Luisenstr. 53, ☎ 88 33 39, 🌳 – [P]. [D] [E] [VISA] Z e
Samstag bis 18 Uhr, Montag und 18. Juli - 16. Aug. geschl. – Karte 39/60.

🍴 **Marktschänke**, Wilhelmsplatz 14, ☎ 81 63 55 Z n
Sonntag 15 Uhr - Montag und 13. Juli - 14. Aug. geschl. – Karte 33/60.

In Offenbach-Bürgel NO : 2 km über Mainstraße X :

🏨 Mainbogen, Altkönigstr. 4, ☎ 8 60 80 (Hotel) 8 60 86 00 (Rest.) – 🛗 [TV] ☎ [P] 🚶. ✗
39 Z : 57 B Fb.

🏨 **Lindenhof** 🐦, Mecklenburger Str. 10, ☎ 86 14 58, Telex 411994 – [TV] ☎ [P] 🚶. [AE] [D] [E] [VISA]
Karte 32/73 *(nur Abendessen, Freitag geschl.)* – **32 Z : 60 B** 70/160 - 110/220 Fb.

🍴🍴 **Zur Post** mit Zim, Offenbacher Str. 33, ☎ 86 13 37, 🌳 – ☎ 🚗 [P]. ✗ Zim
1.- 9. Jan. und 16. Juli - 10. Aug. geschl. – Karte 31/58 *(Samstag bis 18 Uhr, Sonntag 15 Uhr - Montag und März 2 Wochen geschl.)* – **8 Z : 12 B** 70/100 - 110/140.

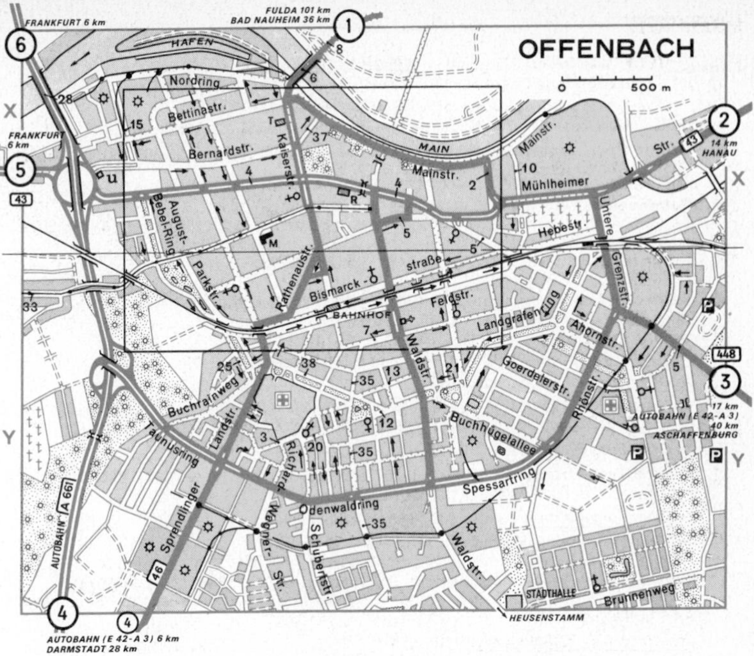

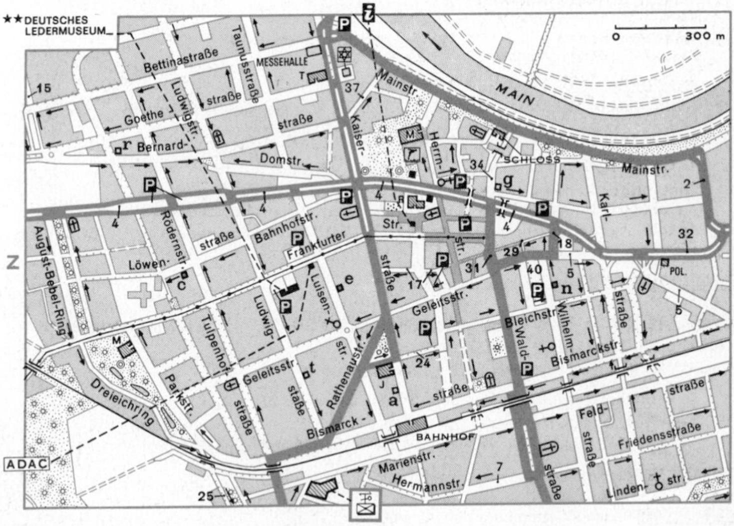

Bieberer Straße	Y,Z	5
Frankfurter Straße	Z	
Geleitsstraße	Z	
Große Marktstraße	Z	17
Herrnstraße	Z	
Kaiserstraße	Z	
Kleiner Biergrund	Z	29
Marktplatz	Z	31
Schloßstraße	Z	34
Waldstraße	Z	
Arthur-Zitscher-Straße	Z	2
Beethovenstraße	Y	3
Berliner Straße	Z	4
Carl-Ulrich-Brücke	X	6
Christian-Pleß-Straße	Z	7
Dieburger Straße	X	8
Friedhofstraße	X	10
Friedrichsring	Y	12
Gabelsbergerstraße	Y	13
Goethering	Z	15
Großer Biergrund	Z	18
Haydnstraße	Y	20
Hessenring	Y	21
Hospitalstraße	Z	24
Isenburgring	Y,Z	25
Kaiserleibrücke	X	28
Mathildenstraße	Z	32
Offenbacher Landstraße	Y	33
Senefelderstraße	Y	35
Speyerstraße	Z	37
Starkenburgring	Y	38
Wilhelmsplatz	Z	40

OFFENBACH Rheinland-Pfalz siehe Landau in der Pfalz.

OFFENBURG 7600. Baden-Württemberg [413] GH 21, [987] ㉞, [242] ㉔ – 50 200 Ew – Höhe 165 m – ☎ 0781 – Messegelände Oberrheinhalle, Messeplatz, ☎ 7 20 81, Telex 752725.

[i] Städt. Verkehrsamt, Gärtnerstr. 6, ☎ 8 22 53 – ADAC, Hindenburgstr. 8, ☎ 3 77 20.

♦Stuttgart 148 – Baden-Baden 54 – ♦Freiburg im Breisgau 64 – Freudenstadt 58 – Strasbourg 26.

- **Dorint-Hotel**, Messeplatz (bei der Oberrheinhalle), ☎ 50 50, Telex 752889, Fax 505513, [≘s], [⛝] – [|$|] [▤] Rest [TV] ♿ [P] [⛺] (mit [▤]). [AE] [O] [E] [VISA]
  Karte 34/58 – **132 Z : 222 B** 140/150 - 175/185 Fb – 4 Appart. 250/290.
- **Palmengarten** 🔇, Okenstr. 13, ☎ 20 80 – [|$|] [TV] ☎ [P] [⛺]. [AE] [O]
  24. Dez.- 10. Jan. geschl. – Karte 31/75 *(Sonntag geschl.)* – **65 Z : 140 B** 115/155 - 165/250 Fb – 4 Appart. 250/350.
- **Union** garni, Hauptstr. 19, ☎ 2 44 78 – [|$|] [TV] ☎ 🚗. [E] [VISA]
  35 Z : 65 B 70/80 - 98 Fb.
- **Central-Hotel** garni, Poststr. 5, ☎ 7 20 04 – [TV] ☎ [P]. [AE] [E] [VISA]
  20 Z : 35 B 75/95 - 95/120.
- **Sonne**, Hauptstr. 94, ☎ 7 10 39 – 🚗. [AE] [E] [VISA]. 🚫
  Karte 23/49 *(Samstag und April geschl.)* – **37 Z : 56 B** 46/65 - 78/160 Fb.

In Offenburg - Albersbösch :

- **Hubertus**, Kolpingstr. 4, ☎ 2 24 68 – [|$|] ☎ [P]. [AE] [O] [E] [VISA]
  Karte 22/52 *(Samstag und 15. Juli - 8. Aug. geschl.)* – **24 Z : 40 B** 65/90 - 95/125 Fb.

In Offenburg-Fessenbach SO : 2 km :

- **Traube**, Fessenbacher Str. 115, ☎ 3 33 29, Telex 753109, [⛱] – [TV] ☎ [P]. [AE] [O] [E] [VISA]
  Karte 34/60 – **22 Z : 45 B** 62/120 - 98/155 Fb.

In Offenburg-Rammersweier NO : 3 km – Erholungsort :

- **Schwarzwaldblick**, Weinstr. 81, ☎ 3 24 88 – ☎ [P]. 🚫
  ♦ Karte 18/36 *(Freitag 14 Uhr - Samstag geschl.)* 🍷 – **17 Z : 34 B** 45 - 75.
- XX **Blume** mit Zim (Fachwerkhaus a.d. 18. Jh.), Weinstr. 160, ☎ 3 36 66, [⛱] – ☎ [P] [⛺]
  30. Jan.- 14. Feb. und 1.-15. Aug. geschl. – Karte **29**/58 *(Montag - Dienstag 17 Uhr geschl.)* – **6 Z : 11 B** 49 - 80.

In Offenburg - Zell-Weierbach O : 3,5 km :

- **Gasthaus Riedle-Rebenhof** 🔇, Talweg 43, ☎ 3 35 79, [⛝] – ☎ [P] [⛺]
  Karte 23/38 *(Montag geschl.)* 🍷 – **35 Z : 60 B** 55/60 - 90/95 Fb.
- XX **Gasthaus Sonne** mit Zim, Obertal 1, ☎ 3 20 24 – ☎ 🚗 [P] [⛺]
  Karte **27**/47 *(Mittwoch geschl.)* 🍷 – **7 Z : 10 B** 52 - 86 Fb.

In Ohlsbach **7601** SO : 6 km – Erholungsort :

- **Landgasthof Kranz**, Hauptstr. 28, ☎ (07803) 20 47, « Gemütliche Gaststube » – ☎ [P] [⛺]. 🚫 Rest
  Karte 29/58 *(Donnerstag geschl.)* – **14 Z : 28 B** 58/80 - 98/140 Fb.

In Ortenberg **7601** S : 4 km – Erholungsort :

- **Glattfelder**, Kinzigtalstr. 20, ☎ (0781) 3 12 19, [⛱] – ☎ [P]. [AE] [O] [E]
  Karte 27/65 *(Sonntag und Jan.- Feb. 2 Wochen geschl.)* 🍷 – **14 Z : 23 B** 35/45 - 65/72.
- XX **Ortenberger Hof** mit Zim, Hauptstr. 46, ☎ (0781) 3 38 51, Biergarten mit Grill – [P]. [AE] [O] [E] [VISA] – Karte 27/60 *(Montag geschl.)* – **7 Z : 12 B** 35/45 - 70/90.

OFTERSCHWANG Bayern siehe Sonthofen.

OFTERSHEIM 6836. Baden-Württemberg [413] I 18 – 10 600 Ew – Höhe 102 m – ☎ 06202.

⛳18 an der B 291 (SO: 2 km), ☎ (06202) 5 37 67.

♦Stuttgart 119 – Heidelberg 11 – ♦ Mannheim 18 – Speyer 17.

In Oftersheim-Hardtwaldsiedlung S : 1 km über die B 291 :

- XX **Landhof**, Am Fuhrmannsweg 1, ☎ 5 13 76, [⛱]
  nur Abendessen, Dienstag geschl. – Karte 31/59 (Tischbestellung ratsam).

OHLENBACH Nordrhein-Westfalen siehe Schmallenberg.

OHLSBACH Baden-Württemberg siehe Offenburg.

OLCHING 8037. Bayern [413] QR 22, [426] ⑰ – 20 400 Ew – Höhe 503 m – ☎ 08142.

⛳18 Feursstr. 89, ☎ 32 40 – ♦München 27 – ♦Augsburg 51 – Dachau 13.

- Am Krone Center 🔇 garni, Kemeter Str. 55, ☎ 1 87 01 – [TV] ☎ [P] – **38 Z : 72 B** Fb.
- **Schiller**, Nöscherstr. 20, ☎ 28 40, [⛱], [≘s] – [|$|] [TV] ☎ 🚗 [P] [⛺]. [AE] [O] [E] [VISA]
  14.-31. Aug. und 22.-31. Dez. geschl. – Karte 24/54 *(Montag bis 17 Uhr geschl.)* – **58 Z : 98 B** 50/75 - 88/120 Fb.
- XX Restaurant Golf-Club, Feursstr. 89, ☎ 1 59 63, [⛱] – [P]. 🚫 – (Tischbestellung erforderlich).

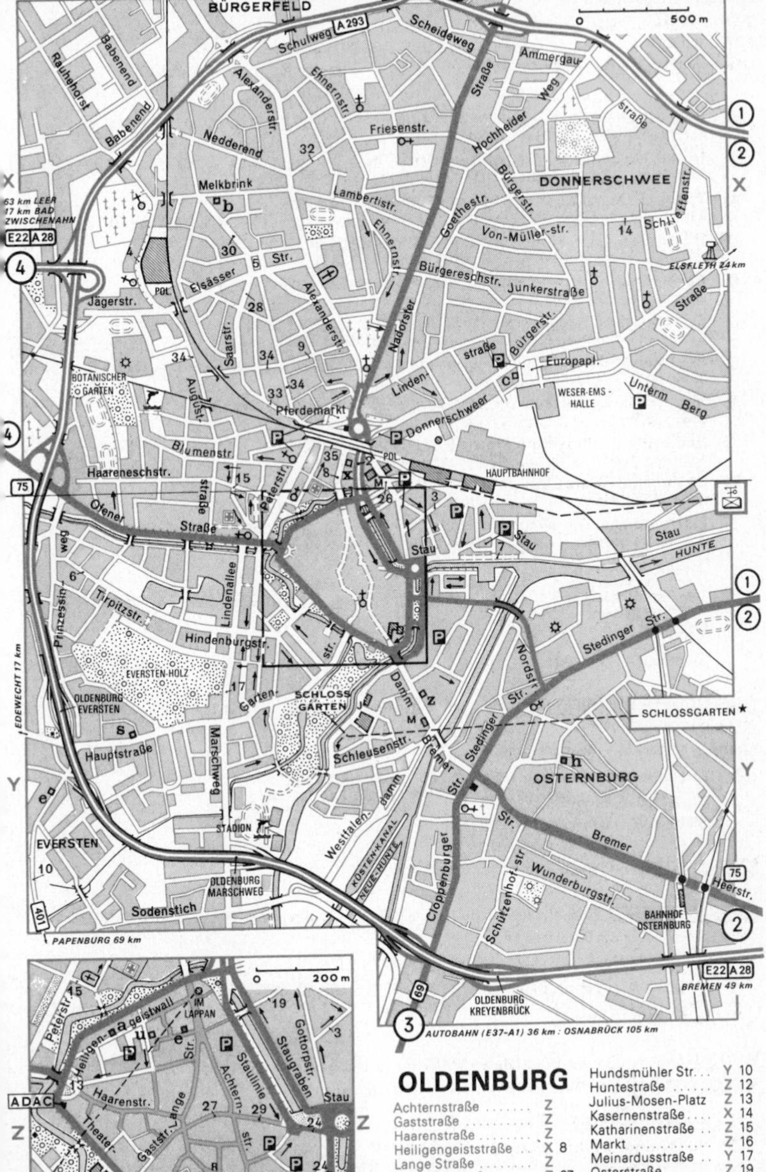

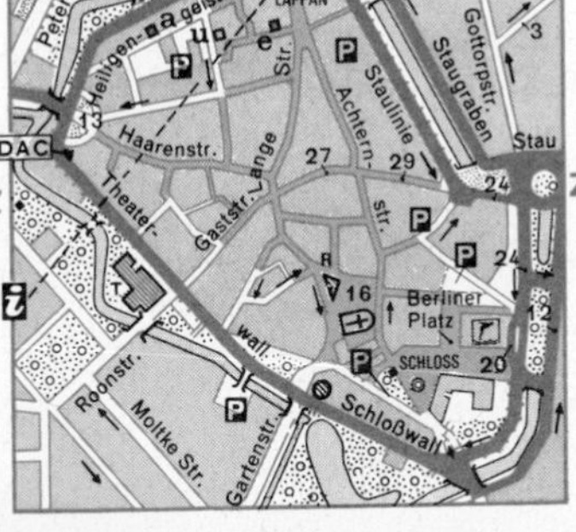

OLDENBURG

Achternstraße . . . . Z
Gaststraße . . . . Z
Haarenstraße . . . . Z
Heiligengeiststraße . . . X 8
Lange Straße . . . . Z
Schüttingstraße . . . . . Z 27
Staustraße . . . . Z 29

Am Stadtmuseum . . . . X 2
Bahnhofstraße . . . . Z 3
Friedhofsweg . . . . X 4
Friedrich-August-Pl. . . X 5
Gerberhof . . . . Y 6
Hafenstraße . . . . Y 7
Humboldtstraße . . . . . X 9

Hundsmühler Str. . . . Y 10
Huntestraße . . . . Z 12
Julius-Mosen-Platz Z 13
Kasernenstraße . . . . X 14
Katharinenstraße . . Z 15
Markt . . . . Z 16
Meinardusstraße . . Y 17
Osterstraße . . . . Z 19
Paradewall . . . . Z 20
Poststraße . . . . Z 24
Raiffeisenstraße . . . X 26
Sedanstraße . . . . . . X 28
Wardenburgstraße . X 30
Widukindstraße . . . X 32
Würzburger Straße . X 33
Ziegelhofstraße . . . . X 34
91er Straße . . . . X 35

[OLDENBURG] **2900.** Niedersachsen [987] ⑭ – 139 000 Ew – Höhe 7 m – ☎ 0441.

Sehenswert : Schloßgarten ★.

[i] Verkehrsverein, Lange Str. 3, ☎ 2 50 96.

ADAC, Julius-Moser-Platz 2, ☎ 1 45 45, Notruf ☎ 1 92 11.

♦Hannover 171 ② – ♦Bremen 49 ② – ♦Bremerhaven 58 ① – Groningen 132 ④ – ♦Osnabrück 105 ③.

Stadtplan siehe vorhergehende Seite.

- **City-Club-Hotel**, Europaplatz 4, ☎ 80 80, Sauna, Hallenbad – Lift TV ♿ [P] Garage. [AE] [D] [E] [VISA]. ✕ X **c**
  Karte 26/50 – **90 Z : 200 B** 108/142 - 158/298 Fb.
- **Heide**, Melkbrink 49, ☎ 80 40, Telex 25604, Sauna, Hallenbad – Lift TV ☎ [P] Garage. [AE] [D] [E] [VISA]. ✕ Rest X **b**
  Karte 25/59 – **91 Z : 180 B** 82/102 - 120/180 Fb.
- **Wieting**, Damm 29, ☎ 2 72 14 – Lift TV ☎ [P]. [AE] [D] [E] [VISA] Y **z**
  Karte 17/44 *(nur Abendessen, Samstag - Sonntag geschl.)* – **70 Z : 105 B** 60/85 - 75/125.
- **Posthalter** garni, Mottenstr. 13, ☎ 2 51 94 – Lift TV ☎. [AE] [E] Z **u**
  23. Dez.- 7. Jan. geschl. – **31 Z : 60 B** 57/80 - 95/125 Fb – 3 Appart. 145.
- **Park-Hotel**, Cloppenburger Str. 418, ☎ 4 30 24, Telex 25811 – TV ☎ [P] über ③
  Karte 24/58 – **32 Z : 62 B** 52/82 - 88/122 Fb.
- **Schützenhof**, Hauptstr. 38, ☎ 5 00 90 – TV ☎ [P]. [AE] [D] [E] [VISA] Y **s**
  Karte 21/36 *(Sonntag ab 14 Uhr geschl.)* – **28 Z : 55 B** 50/65 - 98 Fb.
- **Graf von Oldenburg** garni, Heiligengeiststr. 10, ☎ 2 50 77 – Lift TV ☎ Garage. [AE] [D] [E] X **x**
  33 Z : 60 B 40/100 - 75/165.
- Metz garni, Hundsmühler Str. 16 (B 401), ☎ 50 22 08 – TV ☎ Garage [P] Y **e**
  25 Z : 45 B.
- 🍴🍴 **Sartorius Stuben**, Herbartgang 6, ☎ 2 66 76 – [AE] [D] [E] Z **e**
  Sonntag geschl. – Karte 33/62 (Tischbestellung ratsam).
- 🍴🍴 **Le Journal** (Bistro), Wallstr. 13, ☎ 1 31 28 – [AE] [D] [E] [VISA] Z **a**
  Karte 39/55 *(Menu inkl. Wein)* (abends Tischbestellung ratsam).
- 🍴 **Harmonie** mit Zim, Dragonerstr. 59, ☎ 2 77 04 – [P] Garage. [AE] [D] Y **h**
  3.- 24. Juli geschl. – Karte 24/46 *(Sonntag geschl.)* – **10 Z : 15 B** 39 - 71.

An der B 69 N : 6 km :

- 🍴🍴 Der Patentkrug mit Zim, Wilhelmshavener Heerstr. 359, ✉ 2900 Oldenburg, ☎ (0441) 3 94 71 – TV ☎ [P] Garage
  9 Z : 14 B.

Siehe auch : ***Rastede***

[OLDENBURG IN HOLSTEIN] **2440.** Schleswig-Holstein [987] ⑥ – 9 800 Ew – Höhe 4 m – Erholungsort – ☎ 04361.

♦Kiel 55 – ♦Lübeck 55 – Neustadt in Holstein 21.

- **Zur Eule** garni, Hopfenmarkt 1, ☎ 24 85 – [P]. [D] [E]
  22. Dez.- 1. Jan. geschl. – **20 Z : 36 B** 68/100 - 98/110.

Siehe auch : ***Liste der Feriendörfer***

[OLDENDORF] Niedersachsen siehe Hermannsburg.

[OLDESLOE, BAD] **2060.** Schleswig-Holstein [987] ⑤ – 20 700 Ew – Höhe 10 m – ☎ 04531.

ADAC, Sehmsdorfer Str. 56, ☎ 8 54 11.

♦Kiel 66 – ♦Hamburg 48 – ♦Lübeck 28 – Neumünster 45.

- **Wigger's Gasthof**, Bahnhofstr. 33, ☎ 8 81 41 – [P]. [AE] [D] [E] [VISA]
  Okt. 2 Wochen und 27. Dez.- 10. Jan. geschl. – Karte 19,50/48 *(Samstag - Sonntag geschl.)* – **19 Z : 32 B** 50/55 - 85.

[OLFEN] **4716.** Nordrhein-Westfalen – 9 100 Ew – Höhe 40 m – ☎ 02595.

♦Düsseldorf 88 – Münster (Westfalen) 37 – Recklinghausen 19.

In Olfen-Kökelsum NW : 2 km :

- 🍴🍴 **Füchtelner Mühle**, Kökelsum 66, ☎ 4 30, Terrasse – [P]. ✕
  wochentags nur Abendessen, Montag - Dienstag geschl., Jan.- Feb. nur Samstag - Sonntag geöffnet – Karte 38/60.

In Olfen-Vinnum SO : 4 km :

- **Mutter Althoff**, Hauptstr. 42, ☎ 4 16, Terrasse, Sauna – TV Garage [P] Garage
  Karte 26/45 *(Mittwoch - Donnerstag 17 Uhr geschl.)* – **13 Z : 19 B** 40 - 80.

[OLLSEN] Niedersachsen siehe Hanstedt.

[OLPE / BIGGESEE] 5960. Nordrhein-Westfalen [987] ㉔ – 24 000 Ew – Höhe 350 m – ☎ 02761.
Ausflugsziel : Biggetalsperre★ N : 13 km.
[i] Tourist-Information, Rathaus, Franziskanerstr. 6, ☎ 8 32 29.
♦Düsseldorf 114 – Hagen 62 – ♦Köln 75 – Meschede 63 – Siegen 34.

- **Altes Olpe**, Bruchstr. 16, ☎ 51 71 – ☎ [P] . [D] [E] [VISA]. Rest
  Karte 27/54 *(Montag geschl.)* – **20 Z : 31 B** 45/65 - 98/135 Fb.
- **Tillmann's Hotel**, Kölner Str. 15, ☎ 26 07 – ☎ [P]
  Karte 19/49 *(Freitag 15 Uhr - Samstag 18 Uhr geschl.)* – **15 Z : 26 B** 38/65 - 68/98.
- **Kaiserhof**, Martinstr. 24 (B 54), ☎ 52 22 – ☎ [P]. [AE] [D] [E] [VISA]
  Karte 24/40 *(Montag geschl.)* – **21 Z : 40 B** 45/65 - 80/120.

In Olpe-Oberveischede NO : 10 km :

- Haus Sangermann, Oberveischeder Str. 13 (B 55), ☎ (02722) 81 65 – ☎ [P]
  17 Z : 33 B Fb.

[OLSBERG] 5787. Nordrhein-Westfalen [987] ⑭⑮ – 15 000 Ew – Höhe 333 m – Kneippkurort – Wintersport : 480/780 m 3 3 – ☎ 02962.
[i] Kurverwaltung, Bahnhofstr. 4, ☎ 30 51.
♦Düsseldorf 167 – ♦Kassel 99 – Marburg 81 – Paderborn 58.

- **Parkhotel**, Stehestr. 23, ☎ 80 40, Telex 296230, , direkter Zugang zum Kurmittelhaus, – [TV] ☎ [P] . [AE] [D] [E]. Rest
  Karte 32/51 – **90 Z : 180 B** 90/115 - 135/160 Fb – P 112/159.

In Olsberg 5-Assinghausen S : 6 km :

- 🍴🍴 Weiken-Kracht, Grimmestr. 30, ☎ 18 47 – [P]
  – auch 25 Fewo.

In Olsberg 1-Bigge W : 2 km :

- 🍴 **Schettel** mit Zim, Hauptstr. 52, ☎ 18 32 – [P]. [D] [E]
  5.- 16. Nov. geschl. – Karte 26/52 *(Dienstag geschl.)* – **10 Z : 16 B** 40 - 80.

In Olsberg 8-Gevelinghausen W : 4 km :

- **Schloß Gevelinghausen**, Schloßstr. 1, ☎ (02904) 80 30, , , , (Halle) – [P] . [AE] [D] [E]. Rest
  Karte 34/64 – **47 Z : 75 B** 77/98 - 153 Fb.
- **Stratmann**, Kreisstr. 2, ☎ (02904) 22 79, , – [P]
  Nov. geschl. – Karte 20/45 *(Dienstag geschl.)* – **17 Z : 34 B** 42 - 71/79 – P 58.

[OPPENAU] 7603. Baden-Württemberg [413] H 21, [987] ㉟, [242] ㉔ – 4 900 Ew – Höhe 270 m – Luftkurort – ☎ 07804.
[i] Städt. Verkehrsamt, Rathausplatz 1, ☎ 20 43.
♦Stuttgart 150 – Freudenstadt 32 – Offenburg 26 – Strasbourg 40.

- **Rebstock**, Straßburger Str. 13 (B 28), ☎ 7 28, – [P]
  Nov. geschl. – Karte 17/48 *(Dienstag geschl.)* – **11 Z : 20 B** 30/32 - 60 – P 42.
- 🍴 **Linde** mit Zim (modernisierter Gasthof a.d. 17. Jh.), Straßburger Str. 72 (B 28), ☎ 14 15 – [P]
  Karte 19/50 *(Montag geschl.)* – **8 Z : 13 B** 35 - 70.
- 🍴 **Badischer Hof**, Hauptstr. 61, ☎ 6 81 – [E]
  Montag und 1.- 27. Feb. geschl. – Karte 25/43 (Tischbestellung ratsam) .

In Oppenau-Kalikutt W : 5 km über Ramsbach – Höhe 600 m :

- **Höhenhotel Kalikutt**, ☎ 6 02, < Schwarzwald, , , – [TV] ☎ [P] . [D]
  Karte 20/50 – **28 Z : 50 B** 42/60 - 76/110 Fb – P 62/78.

In Oppenau-Lierbach NO : 3,5 km :

- **Blume**, Rotenbachstr. 1, ☎ 30 04, , – [P]. [AE]
  Feb. geschl. – Karte 23/44 *(Donnerstag geschl.)* – **11 Z : 21 B** 45 - 80/88 – P 65.

In Oppenau-Löcherberg S : 5 km :

- **Erdrichshof**, Schwarzwaldstr. 57 (B 28), ☎ 5 65, « Schöner Schwarzwaldgasthof », , , – [TV] ☎ [P]. [AE] [D] [E] [VISA].
  Karte 26/61 – **13 Z : 26 B** 58/80 - 115/140.

[OPPENHEIM] 6504. Rheinland-Pfalz [413] HI 17, [987] ㉔ ㉕ – 5 000 Ew – Höhe 100 m – ☎ 06133.
Sehenswert : Katharinenkirche★.
[i] Verkehrsverein, Rathaus, Marktplatz, ☎ 27 63.
Mainz 23 – ♦Darmstadt 23 – Bad Kreuznach 41 – Worms 26.

- **Oppenheimer Hof**, Friedrich-Ebert-Str. 84, ☎ 24 95 – [P] . [AE] [D] [E]
  Karte 35/64 – **25 Z : 45 B** 75/89 - 115/129.

[ORB, BAD] 6482. Hessen [413] L 16, [987] ㉕ – 8 300 Ew – Höhe 170 m – Heilbad – ✆ 06052.

[i] Verkehrsverein, Untertorplatz, ✆ 10 16.

♦Wiesbaden 99 – ♦Frankfurt am Main 55 – Fulda 57 – ♦Würzburg 80.

🏨 **Steigenberger Kurhaus-Hotel** ⛰, Horststr. 1, ✆ 8 80, Telex 4184013, Fax 88135, ⛱, direkter Zugang zum Leopold-Koch-Bad – [lift] [TV] 🚗 [P] 🐕. [AE] ⓓ [E] [VISA]. 🚫 Rest
Karte 46/69 – **Sälzer Schänke** *(nur Abendessen, Dienstag geschl.)* Karte 30/52 – **104 Z : 160 B** 127/150 - 190/300 Fb – 8 Appart.308/390 – P 151/206.

🏨 **Hohenzollern - Haus Roseneck** ⛰, Spessartstr. 4, ✆ 8 00 60, Massage, ♨, [🏊], 🌳 – [lift] ☎ [P] 🐕. [AE] ⓓ [E] [VISA]. 🚫 Rest
(Restaurant nur für Hausgäste, siehe auch Restaurant Zollernschänke) – **38 Z : 53 B** 85/90 - 150/185 – 6 Fewo 75/95 – P 95/128.

🏨 **Orbtal** ⛰, Haberstalstr. 1, ✆ 8 10, « Park », Massage, [🏊], 🌳 – [lift] ☎ [P]. [AE] ⓓ [E]. 🚫 Rest
(Restaurant nur für Hausgäste) – **40 Z : 65 B** 68/105 - 134/170 Fb – P 93/111.

🏨 **Madstein** ⛰, Am Orbgrund 1, ✆ 20 28, direkter Zugang zur Badeabteilung mit [🏊] des Hotel Elisabethpark, ⛱ – [lift] ☎ 🚗 [P] 🐕. [E]. 🚫 Rest
Karte 30/54 – **40 Z : 60 B** 85/95 - 170/190 Fb – P 114/131.

🏨 **Elisabethpark** ⛰ garni, Rotahornallee 5, ✆ 30 51, Bade- und Massageabteilung, 🏋, ♨, [🏊] – [lift] ☎ [P]
26 Z : 48 B 85/100 - 110/180 Fb.

🏨 **Weißes Roß** ⛰, Marktplatz 4, ✆ 20 91, « Garten » – [lift] ☎ [P]. [AE] ⓓ [E] [VISA]. 🚫 Rest
Karte 23/59 – **45 Z : 60 B** 50/80 - 91/140 Fb.

🏨 **Bismarck** ⛰ garni, Kurparkstr. 13, ✆ 30 88, Massage, ♨, [🏊] – [lift] [TV] ☎ [P]
Dez.- 15. Jan. geschl. – **17 Z : 26 B** 64/94 - 100/140 Fb.

🏨 **Café Fernblick** ⛰, Sälzerstr. 51, ✆ 10 81, ≤, Caféterrasse, Massage, ♨ – ☎ 🚗 [P] 🐕. 🚫 Rest
9.- 29. Jan. geschl. – (Restaurant nur für Hausgäste) – **27 Z : 38 B** 40/70 - 90/120 Fb – P 65/85.

🏨 **Helvetia** ⛰ garni, Lindenallee 19, ✆ 25 84 – [lift] ☎ [P]
15. März - Okt. – **15 Z : 20 B** 40/50 - 95 Fb.

🍴🍴 Zollernschänke, Spessartstr. 4, ✆ 30 45, « Gemütlich-rustikale Einrichtung » – [P]
nur Abendessen – (Tischbestellung ratsam).

[ORSCHOLZ] Saarland siehe Mettlach.

[ORSINGEN-NENZINGEN] 7769. Baden-Württemberg [413] J 23, [216] ⑨ – 2 100 Ew – Höhe 450 m – ✆ 07771 (Stockach).

♦Stuttgart 155 – ♦Freiburg im Breisgau 107 – ♦Konstanz 40 – ♦Ulm (Donau) 117.

🏨 **Schönenberger Hof**, Stockacher Str. 16 (B 31, Nenzingen), ✆ 20 12, ⛱, 🌳 – ☎ 🚗 [P] 🐕. [E]
1.- 14. Jan. und Okt. 1 Woche geschl. – Karte 21/50 *(Montag geschl.)* – **21 Z : 30 B** 29/40 - 55/70.

🏨 Landgasthof Ritter, Stockacher Str. 68 (B 31, Nenzingen), ✆ 21 14, ♨ – [lift] [P] 🐕
22 Z : 44 B.

[ORTENBERG] Baden-Württemberg siehe Offenburg.

[ORTENBURG] 8359. Bayern [413] W 21, [426] ⑦ – 8 400 Ew – Höhe 350 m – Erholungsort – ✆ 08542.

[i] Verkehrsamt, Marktplatz 11, ✆ 73 21.

♦München 166 – Passau 24 – ♦Regensburg 127 – Salzburg 129.

In Ortenburg-Vorderhainberg O : 2 km :

🏨 **Zum Koch** ⛰, ✆ 5 18, ⛱, Massage, ♨, [🏊], 🌳 – [lift] [P] 🐕
9.- 20. Jan. und 13.- 30. Nov. geschl. – Karte 16,50/31 🍷 – **107 Z : 188 B** 31/40 - 52/62 – P 42/47.

[OSANN-MONZEL] 5561. Rheinland-Pfalz – 1 500 Ew – Höhe 140 m – ✆ 06535.

Mainz 124 – Bernkastel-Kues 11 – ♦ Trier 32 – Wittlich 12.

🏨 **Apostelstuben**, Steinrausch 3 (Osann), ✆ 8 41, ♨, [🏊] – ☎ [P]. [AE] [E]
Karte 20/47 🍷 – **32 Z : 64 B** 40/60 - 70/84.

[OSNABRÜCK] 4500. Niedersachsen [987] ⑭ – 149 500 Ew – Höhe 65 m – ✆ 0541.

Sehenswert : Rathaus (Friedenssaal★) – Marienkirche (Passionsaltar★) Y **B.**

⛳ Lotte (W : 11 km über ⑤), ✆ (05404) 52 96.

[i] Städt. Verkehrsamt, Marktplatz 22, ✆ 3 23 22 02 und Schloßwall 1 (Stadthalle), ✆ 2 37 24.

ADAC, Dielinger Str. 40, ✆ 2 24 88, Telex 94658.

♦Hannover 141 ④ – Bielefeld 55 ④ – ♦Bremen 121 ① – Enschede 91 ⑥ – Münster (Westfalen) 57 ⑤.

OSNABRÜCK

Bierstraße . . . . Y
Domhof . . . . Y 9
Große Straße . . . . YZ
Johannisstraße . . . . Z
Krahnstraße . . . . Y

Atterstraße . . . . X 3
Belmer Straße . . . . X 4
Ellerstraße . . . . X 10
Hansastraße . . . . X 13
Hasetorwall . . . . Y 15
Haster Weg . . . . X 16
Heinrich-Heine-Straße . . . . Z 19
Herrenteichsstraße . . . . Y 20
Iburger Straße . . . . X 21
Johannisfreiheit . . . . Z 23
Knollstraße . . . . X 25
Kolpingstraße . . . . Z 26
Kurt-Schumacher-Damm . . . . . . X 27
Lengericher Landstraße . . . . . . X 28
Lieneschweg . . . . X 29

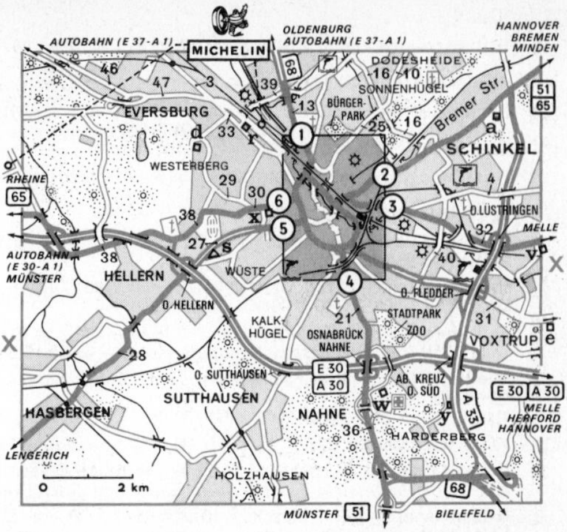

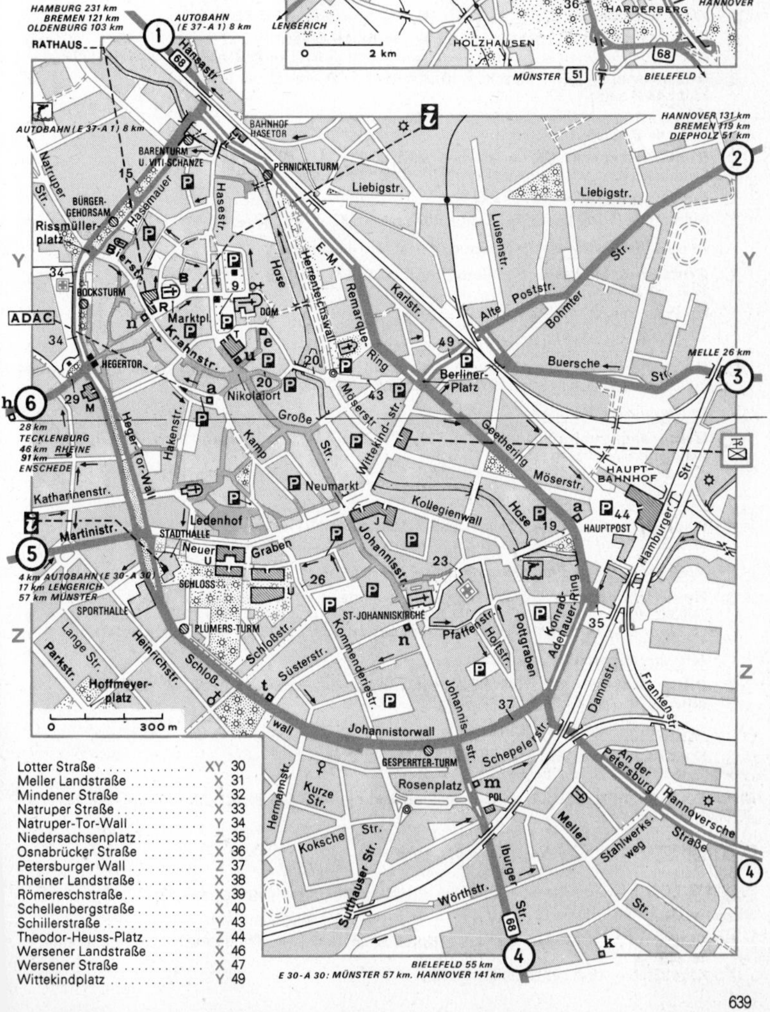

Lotter Straße . . . . XY 30
Meller Landstraße . . . . X 31
Mindener Straße . . . . X 32
Natruper Straße . . . . X 33
Natruper-Tor-Wall . . . . Y 34
Niedersachsenplatz . . . . Z 35
Osnabrücker Straße . . . . X 36
Petersburger Wall . . . . Z 37
Rheiner Landstraße . . . . X 38
Römereschstraße . . . . X 39
Schellenbergstraße . . . . X 40
Schillerstraße . . . . Y 43
Theodor-Heuss-Platz . . . . Z 44
Wersener Landstraße . . . . X 46
Wersener Straße . . . . X 47
Wittekindplatz . . . . Y 49

Hohenzollern, Heinrich-Heine-Str. 17, ℘ 3 31 70, Telex 94776, – TV P (mit). AE E VISA Z a
Karte 39/71 – **105 Z : 140 B** 85/185 - 135/230 Fb – 4 Appart. 280/350.

Parkhotel Osnabrück, Edinghausen 1 (Am Heger Holz), ℘ 4 60 83, Telex 94939, – TV P. AE E VISA X d
Karte 36/67 – **90 Z : 140 B** 68/135 - 100/180 Fb.

Residenz garni, Johannisstr. 138, ℘ 58 63 58, « Elegante, behagliche Einrichtung » – TV P Z m
22 Z : 41 B 70/90 - 100/135 Fb.

Nikolai-Zentrum garni, Kamp 1, ℘ 2 83 23 – TV P. AE E VISA Y a
27 Z : 50 B 88/115 - 130/150 Fb.

Ibis, Blumenhaller Weg 152, ℘ 4 04 90, Telex 94831 – P. AE E VISA X s
Karte 26/54 – **96 Z : 192 B** 99/104 - 133/138 Fb.

Kulmbacher Hof, Schloßwall 67, ℘ 2 78 44 – TV P. AE E VISA Z t
Karte 28/50 *(nur Abendessen, Sonntag geschl.)* – **45 Z : 75 B** 80/90 - 120/145 Fb.

Walhalla (Renoviertes Fachwerkhaus a.d. 17. Jh.), Bierstr. 24, ℘ 2 72 06, – TV. AE E VISA Y n
Karte 23/51 – **25 Z : 44 B** 85/95 - 130/160 Fb.

Welp, Natruper Str. 227, ℘ 12 33 07, – P – **25 Z : 33 B.** X r

Klute, Lotter Str. 30, ℘ 4 50 01 – TV P. E VISA Y h
Karte 24/50 *(Sonntag ab 15 Uhr und Juli 2 Wochen geschl.)* – **20 Z : 32 B** 65/90 - 110/130 Fb.

Intourhotel garni, Maschstr. 10, ℘ 4 66 43 – . AE E VISA X x
23 Z : 48 B 59/65 - 120.

Neustadt garni, Miquelstr. 34, ℘ 5 12 00 – Z k
26 Z : 44 B 35/55 - 65/85 Fb.

Dom-Restaurant, Kleine Domsfreiheit 5, ℘ 2 15 54 – AE VISA Y e
Karte 19/36 *(Juli und Samstag geschl.)* – **22 Z : 30 B** 35/60 - 70/100.

Der Landgraf, Domhof 9, ℘ 2 23 72 Y u

Aldermann (Portugiesische Küche), Johannisstr. 92, ℘ 2 61 33 – P Z n

In Osnabrück-Gretesch (Richtung Osnabrück-Lüstringen):

Gretescher Hof garni, Sandforter Str. 1, ℘ 3 74 17 – P. AE E VISA X v
20 Z : 32 B 65/95 - 120/140.

Zur Post, Sandforter Str. 1, ℘ 3 70 25 – P X v

In Osnabrück-Nahne (Nähe Neues Kreishaus) :

Himmelreich, Zum Himmelreich 11, ℘ 5 17 00, – P. AE E X w
(nur Abendessen für Hausgäste) – **42 Z : 52 B** 57/70 - 86/122 Fb.

In Osnabrück-Schinkel :

Niedersachsenhof, Nordstraße 109, ℘ 7 75 35, « 200 Jahre altes Bauernhaus mit rustikaler Einrichtung » – P X a
Feb. und Dienstag geschl. – Karte 24/54.

In Osnabrück-Voxtrup SO : 5 km :

Haus Rahenkamp, Meller Landstr. 106, ℘ 38 69 71 – P X e
Karte 23/27 *(nur Abendessen, Freitag geschl.)* – **16 Z : 20 B** 34/42 - 64/76.

Außerhalb, Nähe Franziskus-Hospital ④ : 6,5 km :

Haus Waldesruh, ✉ 4504 Georgsmarienhütte 4 - Harderberg, ℘ (0541) 5 43 23, Waldspielplatz – P. AE E VISA X y
18. Dez.- 10. Jan. geschl. – Karte 23/45 *(Montag geschl.)* – **28 Z : 40 B** 32/50 - 56/90 Fb.

In Wallenhorst 4512 ① : 10 km :

Bitter, Große Str. 26, ℘ (05407) 20 15, Fax 9943, – P. AE E VISA
Karte 30/59 – **49 Z : 98 B** 52/80 - 99/125.

In Belm-Vehrte 4513 ② : 12 km :

Kortlüke, Venner Str. 5, ℘ (05406) 20 01 – P
Karte 18,50/44 *(Dienstag geschl.)* – **20 Z : 40 B** 45 - 70.

MICHELIN-REIFENWERKE KGaA. Niederlassung 4500 Osnabrück-Atterfeld, Im Felde 4 (X), ℘ (0541) 12 60 84.

OSTBEVERN Nordrhein-Westfalen siehe Telgte.

OSTEN 2176. Niedersachsen – 2 100 Ew – Höhe 2 m – Erholungsort – 04771.
♦Hannover 206 – ♦Bremerhaven 56 – Cuxhaven 47 – ♦Hamburg 85 – Stade 28.

Fährkrug, Deichstr. 1, ℘ 39 22 (Hotel) 23 38 (Rest.), ≤, Bootssteg, Schwebefähre –
Karte 23/55 – **15 Z : 29 B** 38/50 - 80/95.

[OSTENFELDE] Nordrhein-Westfalen siehe Ennigerloh.

[OSTERBURKEN] 6960. Baden-Württemberg [413] L 18, [987] ㉕ – 4 600 Ew – Höhe 247 m – ☎ 06291 (Adelsheim).

♦Stuttgart 91 – Heilbronn 49 – ♦Würzburg 68.

- **Märchenwald**, Boschstr. 3 (NO : 2 km), ☎ 80 26, – ☎ [P]
  Karte 19,50/47 – **33 Z : 56 B** 50/62 - 79/90 Fb.

[OSTERHOFEN] 8353. Bayern [413] W 20, [987] ㉘, [426] ⑥ – 11 100 Ew – Höhe 320 m – ☎ 09932.

Ausflugsziel : Klosterkirche★ in Osterhofen - Altenmarkt (SW : 1 km).

♦München 152 – Deggendorf 27 – Passau 38 – Straubing 41.

- **Café Pirkl**, Altstadt 1, ☎ 12 76, (Halle) – [P]
  24. Dez.- 7. Jan. geschl. – Karte 17,50/34 *(Montag geschl.)* – **19 Z : 27 B** 32 - 64.

[OSTERHOFEN] Bayern siehe Bayrischzell.

[OSTERHOLZ-SCHARMBECK] 2860. Niedersachsen [987] ⑮ – 25 000 Ew – Höhe 20 m – ☎ 04791.

♦Hannover 144 – ♦Bremen 28 – ♦Bremerhaven 45.

- **Zum alten Torfkahn** (rustikale Einrichtung), Am Deich 9, ☎ 76 08, – ☎ [P]. [AE] [E] [VISA]
  Karte 56/86 – **12 Z : 25 B** 80/95 - 135/200.

An der Straße nach Worpswede SO : 3 km :

- **Tietjen's Hütte** mit Zim, An der Hamme 1, ✉ 2860 Osterholz-Scharmbeck, ☎ (04791) 24 15, Bootssteg, « Gartenterrasse an der Hamme », – [TV] ☎ [P]. [AE] [E]
  Karte 32/68 – **8 Z : 15 B** 75/95 - 150.

Im Stadtteil Heilshorn W : 5 km, an der B 6 :

- **Mildahn**, ☎ (04795) 15 61, – ☎ [P]. Rest
  Karte 22/40 *(Freitag geschl.)* – **25 Z : 40 B** 45 - 86.

[OSTERNOHE] Bayern siehe Schnaittach.

[OSTERODE AM HARZ] 3360. Niedersachsen [987] ⑯ – 27 100 Ew – Höhe 230 m – ☎ 05522.

Ausflugsziel : Sösetalsperre★ O : 5 km.

[i] Fremdenverkehrsamt, Dörgestr. 40, ☎ 31 83 32.

♦Hannover 94 – ♦Braunschweig 81 – Göttingen 48 – Goslar 30.

- **Zum Röddenberg**, Steiler Ackerweg 6, ☎ 33 34 – [P]. [E]
  Karte 20/41 *(wochentags nur Abendessen, Sonntag nur Mittagessen)* – **30 Z : 50 B** 35/65 - 65/100 Fb.
- **Ratskeller**, Martin-Luther-Platz 2, ☎ 64 44 – [E]
  Mittwoch geschl. – Karte 26/47.

In Osterode-Freiheit NO : 4 km :

- Zur alten Harzstraße mit Zim, Hengstrücken 148 (an der B 241), ☎ 29 15, – [P].
  4 Z : 8 B.

In Osterode-Lerbach NO : 5 km :

- **Sauerbrey**, Friedrich-Ebert-Str. 129, ☎ 20 65, – [TV] ☎ [P]. [AE] [E] [VISA]
  Karte 22/56 – **20 Z : 42 B** 60/75 - 85/105 Fb.

In Osterode-Riefensbeek NO : 12 km – Erholungsort :

- **Landhaus Meyer**, Sösetalstr. 23 (B 498), ☎ 38 37, – [P]
  Nov. geschl. – Karte 19,50/40 – **10 Z : 22 B** 33/50 - 50/70.

[OSTFILDERN] 7302. Baden-Württemberg [413] K 20 – 28 000 Ew – Höhe 420 m – ☎ 0711 (Stuttgart).

♦Stuttgart 22 – Göppingen 39 – Reutlingen 35 – ♦Ulm (Donau) 76.

In Ostfildern 4-Kemnat :

- **Kemnater Hof**, Sillenbucher Straße (NW : 1,5 km), ☎ 45 50 48, – [TV] ☎ [P]. [AE] [E]
  26. Dez. - 15. Jan. geschl. – Karte 27/48 *(Sonntag ab 15 Uhr geschl.)* – **27 Z : 43 B** 95/120 - 120/150.
- **Zum Lamm**, Hauptstr. 28, ☎ 45 47 66 – [P]
  15. Aug.- 10. Sept. und Donnerstag geschl. – Karte 30/58.

Fortsetzung →

In Ostfildern 2-Nellingen :

🏨 **Filderhotel** 🐦, In den Anlagen 1, ☎ 34 20 91, Telex 7253498, ⛱ – [lift] ▤ Rest [TV] ☏ ♿ 🚗 [P]. [AE] [D] [E] [VISA]. 🚫🐕
Karte 32/62 *(Freitag - Samstag und Juli - Aug. 3 Wochen geschl.)* – **45 Z : 90 B** 125/155 - 165/195 Fb.

🏨 **Germania**, Esslinger Str. 3, ☎ 34 13 93 – [P]. 🚫🐕
Karte 21/32 *(nur Abendessen, Samstag - Montag geschl.)* 🍷 – **26 Z : 42 B** 45/80 - 60/100.

🍴 **Stadthalle**, In den Anlagen 6, ☎ 34 20 94 – [P] 👥. [AE] [D] [E] [VISA]
Samstag bis 18 Uhr sowie Sonn- und Feiertage jeweils ab 15 Uhr geschl. – Karte 24/48.

In Ostfildern 1-Ruit :

🏨 **Hirsch Hotel Gehrung**, Stuttgarter Str. 7, ☎ 44 20 88, Telex 722061 – [lift] [TV] ☏ 🚗 [P] 👥. [AE] [D] [E] [VISA]. 🚫🐕 Rest
Karte 33/53 *(Sonntag geschl.)* – **40 Z : 60 B** 120 - 195 Fb.

In Ostfildern 3-Scharnhausen :

🏨 Lamm, Plieninger Str. 3, ☎ (07158) 40 31, ♨ – [lift] [TV] ☏ ♿ 🚗 [P] 👥
27 Z : 50 B Fb.

OSTHEIM VOR DER RHÖN **8745.** Bayern [413] N 15, [987] ㉖ – 3 800 Ew – Höhe 306 m – Erholungsort – ☎ 09777.

Sehenswert : Kirchenburg.

[i] Fremdenverkehrsverein, Kirchstr. 1, ☎ 18 50.

♦München 364 – ♦Bamberg 97 – Fulda 59 – ♦Würzburg 95.

⛱ Café Kaak 🐦, Burgstr. 25, ☎ 5 70, ♨, ⛱ – [P]
39 Z : 64 B.

OSTRACH **7965.** Baden-Württemberg [413] L 23, [987] ㉟, [427] ⑦ – 5 000 Ew – Höhe 620 m – ☎ 07585.

♦Stuttgart 128 – ♦Freiburg im Breisgau 144 – Ravensburg 33 – ♦Ulm (Donau) 83.

🏨 **Hirsch**, Hauptstr. 27, ☎ 6 01 – 🚗 [P]
Ende Juli - Anfang Aug. geschl. – Karte **27**/45 *(Freitag und 2.- 15. Jan. geschl.)* 🍷 – **9 Z : 14 B** 42 - 84.

OSTWIG Nordrhein-Westfalen siehe Bestwig.

OTTENHÖFEN IM SCHWARZWALD **7593.** Baden-Württemberg [413] H 21, [87] ⑤ – 3 200 Ew – Höhe 311 m – Luftkurort – ☎ 07842 (Kappelrodeck).

Ausflugsziel : Allerheiligen : Lage★ - Wasserfälle★ SO : 7 km.

[i] Kurverwaltung, Rathaus, Allerheiligenstr. 14, ☎ 20 97.

♦Stuttgart 137 – Baden-Baden 43 – Freudenstadt 35.

🏨 **Pflug**, Allerheiligenstr. 1, ☎ 20 58, Telex 752116, ⛱, 🏊 – [lift] ☏ [P] 👥. [AE] [D] [E]
↞ *8.- 28 Jan. geschl.* – Karte 17/54 🍷 – **45 Z : 80 B** 46/79 - 90/140 Fb – 14 Fewo 100 – P 63/90.

🏨 **Wagen**, Ruhesteinstr. 77, ☎ 4 85, « Gartenterrasse », ⛱ – [lift] ☏ [P] 👥
Karte 22/40 *(Nov.- Mai Freitag geschl.)* 🍷 – **34 Z : 65 B** 25/42 - 50/84 – P 40/57.

⛱ **Sternen**, Hagenbruck 6, ☎ 20 80, ⛱, ⛱ – [P] 👥
28. Jan.- 22. Feb. und 15. Nov.- 8. Dez. geschl. – Karte 22/40 – **31 Z : 50 B** 27/36 - 50/71 – P 43/57.

OTTERBERG **6754.** Rheinland-Pfalz [413] G 18, [242] ④, [57] ⑨ – 4 600 Ew – Höhe 230 m – ☎ 06301.

Sehenswert : Abteikirche – Kapitelsaal des ehemaligen Klosters.

Mainz 78 – Kaiserslautern 10 – ♦Mannheim 65.

🏨 Laierkasten, Hauptstr. 25, ☎ 20 32, ⛱ – [TV] ☏ [P] 👥
21 Z : 40 B.

OTTERNDORF **2178.** Niedersachsen [987] ④⑤ – 6 300 Ew – Höhe 5 m – Erholungsort – ☎ 04751.

[i] Verkehrsamt, Rathausplatz, ☎ 1 31 31.

♦Hannover 217 – ♦Bremerhaven 40 – Cuxhaven 17 – ♦Hamburg 113.

🏨 **Eibsens's Hotel**, Marktstr. 33, ☎ 27 73 – 🚗 [P]. 🚫🐕 Zim
Karte 22/37 *(nur Abendessen, Sonntag geschl.)* – **11 Z : 22 B** 40/60 - 80/96.

🍴 **Elb-Terrassen**, An der Schleuse 18 (NW : 2 km), ☎ 22 13, <, ⛱ – [P]. [AE] [D] [E]. 🚫🐕
Karte 25/60.

OTTLAR Hessen siehe Diemelsee.

OTTMARSBOCHOLT Nordrhein-Westfalen siehe Senden.

[OTTOBEUREN] **8942.** Bayern [418] N 23, [987] ㊱, [426] ⑮ – 7 300 Ew – Höhe 660 m – Kneippkurort – ☎ 08332.

Sehenswert : Klosterkirche*** (Vierung***, Chor**, Chorgestühl**, Chororgel**).

⛳ Hofgut Boschach (S : 3 km), ✆ (08332) 13 10.

[i] Kurverwaltung und Verkehrsamt, Marktplatz 14, ✆ 68 17.

♦München 110 – Bregenz 85 – Kempten (Allgäu) 29 – ♦Ulm (Donau) 66.

🏨 **Hirsch**, Marktplatz 12, ✆ 79 90, Telex 54993, Massage, ♨, 🏊 – 🛗 ☎ 🚗 Ⓟ 🎭. ✖ Rest
Karte 24/48 – **62 Z : 100 B** 50/79 - 98/110 Fb.

[OTTOBRUNN] Bayern siehe München.

[OTTWEILER] **6682.** Saarland [987] ㉔, [242] ⑦, [57] ⑦ – 10 600 Ew – Höhe 246 m – ☎ 06824.

♦Saarbrücken 31 – Kaiserslautern 63 – ♦Trier 80.

🍴🍴 **Eisel-Ziegelhütte** (ehemalige Mühle), Mühlstr. 15a, ✆ 75 77 – Ⓟ 🎭. AE ⓞ E VISA
Samstag bis 19 Uhr, Montag und Juli - Aug. 3 Wochen geschl. – Karte 47/66.

[OVERATH] **5063.** Nordrhein-Westfalen [987] ㉔ – 23 500 Ew – Höhe 92 m – ☎ 02206.

♦Düsseldorf 62 – ♦Bonn 30 – ♦ Köln 25.

🏨 Sporthotel Hammermühle, Hammermühle (Industriegebiet), ✆ 8 15 15, Telex 8873750, ♨, 🎾 – ☎ Ⓟ 🎭 – **26 Z : 36 B** Fb.

In Overath-Brombach NW : 10 km :

🏨 **Zur Eiche**, Dorfstr. 1, ✆ (02207) 75 80, ☂ – ☎ Ⓟ 🎭. ✖ Zim
24. Dez.- 10. Jan. geschl. – Karte 27/55 *(Donnerstag geschl.)* – **12 Z : 22 B** 50/80 - 80/100.

In Overath-Immekeppel NW : 7 km :

🍴🍴 **Sülztaler Hof** mit Zim, Lindlarer Str. 83, ✆ (02204) 77 46 – 📺 ☎. AE ⓞ. ✖ Zim
Jan. 1 Woche, Juli 3 Wochen geschl. – Karte 44/68 *(Dienstag - Mittwoch 18 Uhr geschl.)* – **4 Z : 6 B** 90/130 - 160.

In Overath-Klef NO : 2 km :

🏨 **Lüdenbach**, Klef 99 (B 55), ✆ 21 53 – ☎ 🚗 Ⓟ 🎭. ✖ Zim
Mitte Juli - Mitte Aug. geschl. – Karte 25/54 *(Dienstag - Freitag nur Abendessen, Montag geschl.)* – **20 Z : 40 B** 60/75 - 100.

[OWSCHLAG] **2372.** Schleswig-Holstein – 2 300 Ew – Höhe 15 m – ☎ 04336.

♦Kiel 48 – Rendsburg 18 – Schleswig 21.

🏨 **Förster-Haus** 🌙, Beeckstr. 41, ✆ 2 02, ≤, ☂, ♨, 🏊 (geheizt), 🌳, 🎾 – 📺 ☎ Ⓟ 🎭. AE ⓞ E
Karte 28/52 – **68 Z : 120 B** 50/90 - 100/180 Fb – 2 Fewo 110.

[OY-MITTELBERG] **8967.** Bayern [418] O 24, [987] ㊱, [426] ⑮ – 4 000 Ew – Höhe 960 m – Luft- und Kneippkurort – Wintersport : 950/1 200 m ⛷2 ⛷6 – ☎ 08366.

[i] Kur- und Verkehrsamt, Oy, Wertacher Str. 11, ✆ 2 07.

♦München 124 – Füssen 22 – Kempten (Allgäu) 19.

Im Ortsteil Oy :

🏨 **Kurhotel Tannenhof** 🌙, Tannenhofstr. 19, ✆ 5 52, ≤, ☂, Bade- und Massageabteilung, ⛹, ♨, 🏊, 🌳 – 📺 ☎ 🚗 Ⓟ. ✖ Rest
Nov.- 18. Dez. geschl. – Karte 22/43 – **30 Z : 48 B** 45/69 - 84/128 Fb – 2 Fewo 80 – P 65/93.

🏨 **Löwen**, Hauptstr. 12, ✆ 2 12, 🌳 – 📺 🚗 Ⓟ. AE ⓞ E
✦ *10. Nov.- 19. Dez. geschl.* – Karte 19/42 *(Mittwoch geschl.)* 🍷 – **17 Z : 36 B** 40/50 - 70/80 – P 60/70.

Im Ortsteil Mittelberg :

🏨 Kur- und Sporthotel Mittelburg 🌙, ✆ 1 80, Telex 541401, ≤, Bade- und Massageabteilung, ⛹, ♨, 🏊, 🌳 – 📺 ☎ Ⓟ. ✖ Rest
(Restaurant nur für Hausgäste) – **31 Z : 55 B** Fb (in der Saison nur Halb- oder Vollpension).

🏨 **Gasthof Rose** 🌙, Dorfbrunnenstr. 10, ✆ 8 76 – Ⓟ
✦ *Nov.- 12. Dez. geschl.* – Karte 19/37 *(Montag - Dienstag 16 Uhr geschl.)* 🍷 – **15 Z : 28 B** 32/42 - 64/78 Fb.

🏠 **Krone** 🌙, Dorfbrunnenstr. 2, ✆ 2 14, 🌳 – Ⓟ
✦ *Mitte Nov.- Mitte Dez. geschl.* – Karte 17/32 *(Mittwoch 14 Uhr - Donnerstag geschl.)* – **16 Z : 27 B** 34/36 - 68/72 – P 51/53.

In Oy-Mittelberg - Maria Rain O : 5 km :

🏨 **Sonnenhof** 🌙, Kirchweg 3, ✆ (08361) 5 76, ≤ Allgäuer Berge – ☎ Ⓟ
✦ *7. Nov.- 20. Dez. geschl.* – Karte 18/34 🍷 – **22 Z : 42 B** 28/31 - 56/62 – P 35/41.

In Oy-Mittelberg - Petersthal W : 5 km :

🏨 Sonne 🌙, ✆ (08376) 3 12, ♨, 🏊, 🌳 – Ⓟ – **25 Z : 43 B.**

[OYTEN] Niedersachsen siehe Bremen.

[PADERBORN] 4790. Nordrhein-Westfalen [987] ⑮ – 121 000 Ew – Höhe 119 m – ☎ 05251.

Sehenswert : Dom★ – Paderquellen★ – Diözesanmuseum (Imadmadonna★) Z M.

ℹ Verkehrsverein, Marienplatz 2a, ☎ 2 64 61.

ADAC, Kamp 9, ☎ 2 77 76, Notruf ☎ 1 92 11.

♦Düsseldorf 167 ⑤ – Bielefeld 45 ⑥ – ♦Dortmund 101 ⑤ – ♦Hannover 143 ⑥ – ♦Kassel 92 ④.

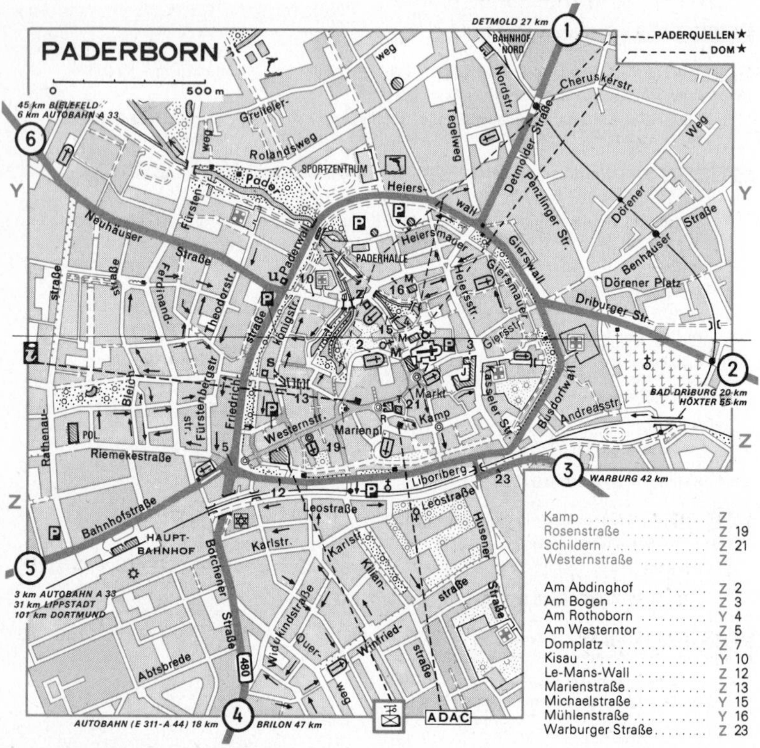

Kamp	Z	
Rosenstraße	Z	19
Schildern	Z	21
Westernstraße	Z	
Am Abdinghof	Z	2
Am Bogen	Z	3
Am Rothoborn	Y	4
Am Westerntor	Z	5
Domplatz	Z	7
Kisau	Y	10
Le-Mans-Wall	Z	12
Marienstraße	Z	13
Michaelstraße	Y	15
Mühlenstraße	Y	16
Warburger Straße	Z	23

🏨 **Arosa**, Westernmauer 38, ☎ 20 00, Telex 936798, Fax 200806, ≘, 🏊 – 🛗 ▤ Rest [TV] 🅿 🐕 (mit ▤). [AE] ⦿ E VISA. ✂ — Z **s**
Karte 31/63 – **100 Z : 150 B** 128/158 - 209/245 Fb.

🏨 **Zur Mühle - Au cygne noir**, Mühlenstr. 2 (Paderquellgebiet), ☎ 2 30 26, Telex 936780 – 🛗 [TV] ☎ 🚗. ⦿ E VISA. ✂ — Y **z**
Karte 64/119 *(nur Menu)* – **34 Z : 43 B** 140 - 200 Fb.

🏨 **Ibis**, Paderwall 3, ☎ 2 50 31, Telex 936972 – 🛗 [TV] ☎ 🅿 🐕. [AE] ⦿ E VISA — Y **u**
Karte 25/48 – **90 Z : 117 B** 102/107 - 133 Fb.

🍴🍴🍴 **Schweizer Haus**, Warburger Str. 99, ☎ 6 19 61 – 🅿. E — über ③
Samstag bis 18 Uhr, Sonntag und Juni - Juli 3 Wochen geschl. – Karte 38/64.

🍴🍴 **Ratskeller**, im Rathaus, ☎ 2 57 53 – ▤ ♿. [AE] ⦿ E VISA — Z **R**
Jan. geschl. – Karte 29/50.

🍴🍴 **Zu den Fischteichen**, Dubelohstr. 92, ☎ 3 32 36, ☂ – 🅿 🐕 — über Fürstenweg Y
⟵ *Donnerstag geschl.* – Karte 19,50/57.

In Paderborn-Elsen ⑥ : 4,5 km :

🏨 **Kaiserpfalz**, von-Ketteler-Str. 20, ☎ (05254) 55 11 – [TV] ☎. [AE] ⦿ E VISA
Juni - Juli 3 Wochen und 24.- 30. Dez. geschl. – Karte 30/46 *(Samstag - Sonntag 18 Uhr geschl.)* – **24 Z : 32 B** 83 - 130 Fb.

In Paderborn-Marienloh ① : 6 km :

🍴 Haus Hentze, Detmolder Str. 388, ☎ (05252) 43 52, ☂ – 🅿.

In Paderborn-Schloß Neuhaus ⑥ : 5 km :

🏨 **Hellmann,** Neuhäuser Kirchstr. 19, ℘ (05254) 22 97 – Ⓟ
🍴 Karte 19/43 *(wochentags nur Abendessen)* – **20 Z : 28 B** 40/45 - 74/80 Fb.

In Borchen 2-Nordborchen **4799** ④ : 6 km :

🏨 **Haus Amedieck,** Paderborner Str. 7 (B 480), ℘ (05251) 3 94 24 – [TV] ☎ Ⓟ. [E]
20. Dez.- 9. Jan. geschl. – Karte 24/45 *(nur Abendessen, Sonntag geschl.)* – **41 Z : 70 B** 60/80 - 90/100.

🏨 **Pfeffermühle,** Paderborner Str. 66 (B 480), ℘ (05251) 3 94 45, 🌳 – [Lift] [TV] ☎ Ⓟ. [AE] [D]
🍴 *Juni - Juli 3 Wochen und 20. Dez.- 10. Jan. geschl.* – Karte 18/40 *(Freitag und Sonntag jeweils ab 14 Uhr geschl.)* – **32 Z : 57 B** 65/75 - 85/95 Fb.

[PANKER] Schleswig-Holstein siehe Lütjenburg.

[PAPENBURG] **2990.** Niedersachsen [987] ⑭ – 30 000 Ew – Höhe 5 m – ☎ 04961.

[i] Verkehrsverein, Rathaus, Hauptkanal rechts, ℘ 8 22 21.

♦Hannover 240 – Groningen 67 – Lingen 68 – ♦Oldenburg 69.

🏨 **Stadt Papenburg** 🌙, Am Stadtpark 25, ℘ 41 64 (Hotel) 63 45 (Rest.), 🌳 – [Lift] ⇔ Zim [TV] ☎ Ⓟ 🎤. [AE] [D] [E] [VISA]
Karte 34/73 – **49 Z : 96 B** 79/135 - 125/185 Fb.

🏨 Am Stadtpark, Deverweg 27, ℘ 41 45 – [Lift] [TV] ☎ Ⓟ 🎤
(nur Abendessen) – **33 Z : 58 B** Fb.

🏨 **Graf Luckner,** Hümmlinger Weg 2, ℘ 77 50 – [TV] ☎ Ⓟ 🎤. [AE] [D] [E] [VISA]
1.- 15. Jan. geschl. – Karte 22/52 *(Samstag bis 18 Uhr und Sonntag ab 14 Uhr geschl.)* – **24 Z : 42 B** 56/75 - 90 Fb.

🏨 **Engeln,** Mittelkanal rechts 97, ℘ 7 18 59 – ☎ 🚗 Ⓟ. [AE] [D]. 🐕
🍴 Karte 19/56 – **40 Z : 78 B** 42/50 - 80/95 Fb.

In Papenburg 2-Herbrum SW : 9,5 km :

🏨 **Emsblick** 🌙, Fährstr. 31, ℘ (04962) 63 69, ≤, 🌳, 🏊, 🏖, Fahrradverleih – [TV] ☎ 🚗 Ⓟ
Karte 21/34 – **30 Z : 50 B** 30/75 - 60/110 Fb.

[PAPPENHEIM] **8834.** Bayern [413] PQ 20, [987] ㉖ – 4 200 Ew – Höhe 410 m – Luftkurort – ☎ 09143.

[i] Fremdenverkehrsbüro, Graf-Karl-Str. 3, ℘ 62 66.

♦München 134 – ♦Augsburg 76 – ♦Nürnberg 72 – ♦Ulm (Donau) 113.

🏨 **Sonne,** Deisinger Str. 20, ℘ 3 24 – ☎
🍴 *Okt. 3 Wochen geschl.* – Karte 14,50/37 *(Sonntag 14 Uhr - Montag geschl.)* – **11 Z : 19 B** 32/45 - 62/72 – P 47/49.

🏨 **Pension Hirschen** garni, Marktplatz 4, ℘ 4 34, Fahrradverleih – 🐕
10 Z : 19 B 28/37 - 56/72.

🏨 **Gästehaus Dengler** garni, Deisinger Str. 32, ℘ 3 52 – 🚗. 🐕
12 Z : 21 B 29/31 - 52/58.

[PARKSTEIN] **8481.** Bayern [413] T 17 – 1 000 Ew – Höhe 432 m – ☎ 09602.

♦München 265 – Bayreuth 54 – Weiden in der Oberpfalz 12.

🏨 **Grünthaler Hof** 🌙, Grüntal 2 (SW : 2 km), ℘ 46 25, 🌳, Waldtierpark, 🌳 – 🚗 Ⓟ
🍴 *Ostern - Okt.* – Karte 14/36 *(Dienstag geschl.)* – **6 Z : 12 B** 25 - 45 – P 38.

[PARSBERG] **8433.** Bayern [413] S 19, [987] ㉗ – 5 400 Ew – Höhe 550 m – ☎ 09492.

♦München 137 – Ingolstadt 63 – ♦Nürnberg 64 – ♦Regensburg 42.

🏨 **Zum Hirschen,** Dr.-Schrettenbrunner-Str. 1, ℘ 60 60, 🌳, 🌳 – ☎ 🚗 Ⓟ 🎤. [E]. 🐕 Zim
🍴 Karte 16/32 – **70 Z : 120 B** 38/45 - 67/71 Fb.

[PARSDORF] Bayern siehe Vaterstetten.

[PARTNACHKLAMM] Bayern. Sehenswürdigkeit siehe Garmisch-Partenkirchen.

[PASSAU] **8390.** Bayern [413] X 21, [987] ㊳, [426] ⑦ – 51 000 Ew – Höhe 290 m – ☎ 0851.

Sehenswert : Lage ★★ **am Zusammenfluß von Inn, Donau und Ilz – Dom** ★ **(Chorabschluß** ★★**)** B.

Ausflugsziele : Veste Oberhaus (B) ≤★★ **auf die Stadt – Bayerische Ostmarkstraße** ★ **(bis Weiden in der Oberpfalz).**

⛳ Thyrnau-Raßbach (NO : 9 km über ②), ℘ (08501) 13 13.

[i] Fremdenverkehrsverein, Höllgasse 2, ℘ 3 34 21.

ADAC, Nikolastr. 2a, ℘ 5 11 31, Telex 5 77 13.

♦München 192 ⑦ – Landshut 119 ⑤ – Linz 110 ④ – ♦Regensburg 118 ⑦ – Salzburg 142 ⑤.

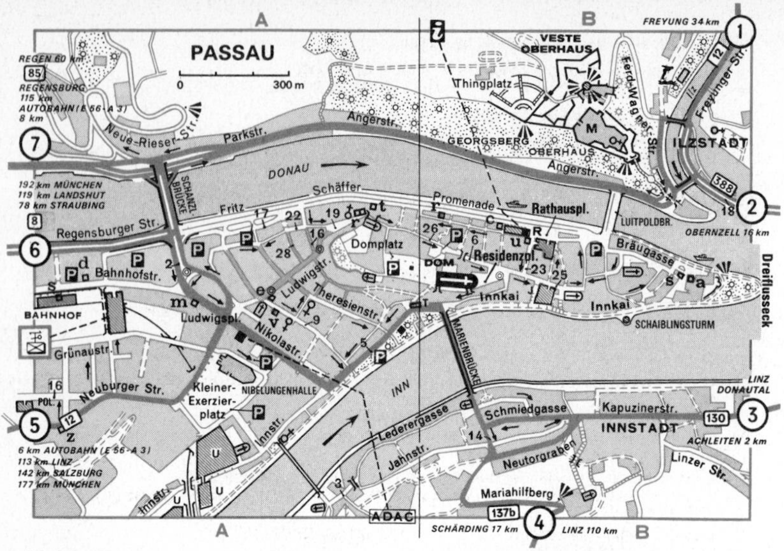

Bahnhofstraße	A		Steinweg	B	26	Große Messergasse	B	6
Heiliggeistgasse	A	9	Theresienstraße	A		Mariahilfstraße	B	14
Ludwigstraße	A		Wittgasse	A	28	Nibelungenstraße	A	16
Neuburger Straße	A					Obere Donaulände	A	17
Rindermarkt	A	19	Am Schanzl	A	2	Obernzeller Straße	B	18
Schmiedgasse	B		Am Severinstor	A	3	Roßtränke	A	22
Schustergasse	B	25	Gottfried-Schäffer-Straße	A	5	Schrottgasse	B	23

Holiday Inn, Bahnhofstr. 24, ☎ 5 90 00, Telex 57818, Fax 5900514, ←, Zim, AE E VISA. Rest — A **d**
Karte 31/58 — **141 Z : 240 B** 125/145 - 180/250 Fb.

Passauer Wolf, Rindermarkt 6, ☎ 3 40 46, Telex 57817, ← — AE E VISA — A **r**
Karte 35/66 *(Sonntag ab 15 Uhr geschl.)* — **40 Z : 60 B** 86/140 - 130/200 Fb.

König garni, Untere Donaulände 1, ☎ 3 50 28, Telex 57956, ← — AE
E — **39 Z : 78 B** 68/85 - 120/150 Fb. — A **t**

Wilder Mann - Restaurant Kaiserin Sissi (modernisiertes Patrizierhaus), Schrottgasse 2, ☎ 3 50 71 (Hotel) 3 50 75 (Restaurant), Dachterrasse, « Glasmuseum » — AE E. Zim — Karte 47/68 — **60 Z : 100 B** 60/80 - 120/200 Fb. — B **u**

Residenz garni, Fritz-Schäffer-Promenade, ☎ 3 50 05, Telex 57910 — AE E VISA
März - Nov. — **49 Z : 93 B** 75 - 130 Fb. — B **c**

Dreiflüssehof, Danziger Str. 42, ☎ 5 10 18 — E — über ⑤
Karte 19,50/35 *(Sonntag geschl.)* — **67 Z : 130 B** 45/65 - 85/100 Fb.

Weisser Hase, Ludwigstr. 23, ☎ 3 40 66, Telex 57960 — AE E VISA — A **e**
Karte 22/44 — **117 Z : 210 B** 40/90 - 70/140.

Altstadt-Hotel Laubenwirt, Bräugasse 27 (am Dreiflußeck), ☎ 3 34 51, ← —
AE E VISA — B **s**
Karte 25/48 — **40 Z : 62 B** 65/80 - 110/140 Fb.

Spitzberg garni, Neuburger Str. 29, ☎ 5 70 15 — E VISA — A **z**
29 Z : 64 B 50/60 - 80/120.

Herdegen garni, Bahnhofstr. 5, ☎ 5 69 95 — AE E VISA — A **m**
34 Z : 70 B 50/55 - 100/110.

Schloß Ort, Ort 11 (am Dreiflußeck), ☎ 3 40 72 (Hotel) 3 33 31 (Rest.), ← —
Hotel : Mitte Dez.- Feb. geschl. — Karte 22/46 *(Dienstag und Jan.- 15. Feb. geschl.)* — **34 Z : 55 B** 33/54 - 73/102. — B **a**

Zum König, Rindermarkt 2, ☎ 3 40 98, ← — A **r**
Karte 22/43 — **16 Z : 32 B** 54/60 - 94/120.

Heilig-Geist-Stift-Schenke, Heiliggeistgasse 4, ☎ 26 07, « Gaststätte a.d.J. 1358, Stiftskeller, Wachauer Garten » — AE E — A **v**
Mittwoch und 7.- 29. Jan. geschl. — Karte 22/42.

Johann-Strauß-Stüberl im Bahnhofrestaurant, Bahnhofstr. 29, ☎ 5 13 67 — A **s**
Karte 22/34.

La Terrazza, Fritz-Schäffer-Promenade, ☎ 3 11 36, Terrasse mit ← — AE E — B **r**
Karte 21/40.

In Passau-Grubweg ② : 4 km :

Firmiangut 🐕, Firmiangut 12a, ☎ 4 19 55, 🌳 – ☎ [P]. [AE] [D] [E] [VISA]
23. Dez.- 15. Jan. geschl. – (nur Abendessen für Hausgäste) – **26 Z : 43 B** 50/60 - 85/100 Fb.

In Passau-Kohlbruck ⑤ : 3 km :

Albrecht, Kohlbruck 18 (an der B 12), ☎ 5 10 11, 🍴 – ☎ 🚗 [P]. [AE] [D] [E] [VISA]. 🐕
20. Dez.- 6. Jan. geschl. – Karte 19/35 *(Freitag geschl.)* – **40 Z : 75 B** 49/55 - 95 Fb.

In Passau 16-Rittsteig ⑥ : 7,5 km :

Rittsteig, Alte Poststr. 58, ☎ 84 58 – ☎ [P]
Karte 19/41 *(Nov.- April Samstag geschl.)* – **32 Z : 52 B** 40 - 74/78.

Außerhalb SW : 5 km über Innstraße A, nach dem Kraftwerk rechts ab :

Abrahamhof 🐕, Abraham 1, ✉ 8390 Passau, ☎ (0851) 67 88, ≤, 🍴, 🌳 – [P]
Karte 19/44 *(Montag geschl.)* – **28 Z : 53 B** 35/50 - 75/85.

[PATERSDORF] Bayern siehe Viechtach.

[PATTENSEN] 3017. Niedersachsen – 14 000 Ew – Höhe 75 m – ☎ 05101.
♦Hannover 13 – Hameln 36 – Hildesheim 23.

Leine-Hotel, Schöneberger Str. 43, ☎ 1 30 36, ≘s – |♦| ⇔ Zim [TV] ☎ ♿ 🚗 [P] 🏔
(nur Abendessen) – **70 Z : 96 B** Fb.

Zur Linde, Göttinger Str. 14 (B 3), ☎ 1 23 22 – [TV] ☎ [P]. [AE] [D] [E] [VISA]
Karte 31/59 – **43 Z : 65 B** 45/90 - 130/150.

[PEGNITZ] 8570. Bayern [413] R 17, [987] ㉗ – 14 000 Ew – Höhe 424 m – Erholungsort – ☎ 09241.
[i] Stadtverwaltung, Hauptstr. 37, ☎ 72 30.
♦München 206 – ♦Bamberg 67 – Bayreuth 33 – ♦Nürnberg 60 – Weiden in der Oberpfalz 55.

❀ **Pflaums Posthotel**, Nürnberger Str. 14, ☎ 72 50, Telex 642433, Fax 404, 🍴, ≘s, [🏊], 🌳, Fahrradverleih – |♦| [TV] 🚗 [P] 🏔. [AE] [D] [E]
Karte 65/95 (Tischbestellung ratsam) – **Posthalter-Stube** Karte 31/42 – **58 Z : 90 B** 120/240 - 170/370 Fb – 15 Appart. 220/610
Spez. Tatar vom Bachsaibling, Zicklein aus dem Backofen (für 2 Pers.), Warme Apfeltorte (für 2 Pers.).

In Pegnitz-Hollenberg NW : 6 km :

Landgasthof Schatz 🐕, Hollenberg 1, ☎ 21 49, 🍴, ≘s – 🚗 [P]. 🐕 Zim
30. Okt.- 20. Dez. geschl. – Karte 15/25 *(Sept.- Ostern Montag geschl.)* – **16 Z : 20 B** 40 - 80.

[PEINE] 3150. Niedersachsen [987] ⑮ ⑯ – 45 500 Ew – Höhe 67 m – ☎ 05171.
[i] Verkehrsverein, Werderstr. 49, ☎ 4 06 78 – ♦Hannover 39 – ♦Braunschweig 28 – Hildesheim 32.

Am Herzberg garni, Am Herzberg 18, ☎ 69 90 – ⇔ Zim 🚗 [P]. 🐕
22 Z : 30 B 65/72 - 125/130.

Peiner Hof 🐕 garni, Am Silberkamp 23, ☎ 1 50 92 – ☎ 🚗 [P]
16 Z : 20 B 60/90 - 110/140.

Schützenhaus, Schützenstr. 23, ☎ 1 52 09 – ☎. [AE] [D] [E] [VISA]
Aug. geschl. – Karte 23/45 *(Sonntag geschl.)* – **9 Z : 13 B** 50 - 100 Fb.

In Peine-Stederdorf N : 3 km :

Schönau, Peiner Str. 17 (B 444), ☎ 62 59 – [TV] ☎ [P]
3.- 25. Juli geschl. – Karte 19/48 *(Samstag geschl.)* – **29 Z : 40 B** 55/70 - 100/140.

In Ilsede 1-Groß Bülten 3152 S : 10 km :

Gästehaus Ilsede, Triftweg 2, ☎ (05172) 60 88 – ☎ 🚗 [P]
Juli - Aug. 4 Wochen geschl. – Karte 19,50/44 *(Montag geschl.)* – **12 Z : 20 B** 46 - 88.

In Wendeburg-Rüper 3304 NO : 9 km :

Zum Jägerheim, Meerdorfer Str. 40, ☎ (05303) 20 26, 🍴, ≘s, [🏊] (Gebühr) – |♦| ☎ ♿ [P] 🏔
28. Dez.- 16. Jan. geschl. – Karte 18/41 *(Montag geschl.)* – **18 Z : 33 B** 45/55 - 80/110.

[PEITING] 8922. Bayern [413] P 23, [987] ㊱, [426] ⑯ – 11 000 Ew – Höhe 718 m – Erholungsort – ☎ 08861 – [i] Verkehrsverein, Hauptplatz 1, ☎ 65 35.
♦München 87 – Füssen 33 – Landsberg am Lech 30.

Dragoner, Ammergauer Str. 11 (B 23), ☎ 60 51, 🍴, ≘s – |♦| ☎ [P]. [AE] [D] [E] [VISA]
Karte 18,50/42 🍷 – **51 Z : 95 B** 45/65 - 78/115 Fb – P 65/90.

Zum Pinzger, Am Hauptplatz 9, ☎ 62 40, 🍴 – |♦| [TV] 🚗 [P]. [AE] [D] [E] [VISA]. 🐕 Zim
Karte 18,50/35 *(Montag geschl.)* – **26 Z : 52 B** 35/50 - 62/90.

[PELZERHAKEN] Schleswig-Holstein siehe Neustadt in Holstein.

[PENTLING] Bayern siehe Regensburg.

PERL 6643. Saarland [242] ②, [409] ㉗ – 6 500 Ew – Höhe 254 m – ✆ 06867.
✦Saarbrücken 72 – ✦Luxembourg 32 – Saarlouis 47 – ✦Trier 46.

🏠 **Hammes**, Hubertus-von-Nell-Str. 15, ✆ 2 35 – [P]
✦ *1.- 22. Juli geschl.* – Karte 19/49 *(Mittwoch geschl.)* – **16 Z : 27 B** 38 - 76.

🏠 Winandy, Biringerstr. 2, ✆ 3 64, ⛱ – [P] – **12 Z : 20 B.**

PESTENACKER Bayern siehe Weil.

PETERSBERG 6415. Hessen [413] M 15 – 13 000 Ew – Höhe 350 m – ✆ 0661 (Fulda).
✦Wiesbaden 147 – ✦ Frankfurt am Main 107 – Fulda 6 – ✦ Würzburg 114.

In Petersberg 6-Almendorf NO : 2,5 km :

🏠 **Berghof**, Hubertusstr. 2, ✆ 6 60 03, ⛱, 🧖, 🏊 – 🛗 ☎ [P] 🏔
✦ Karte 18/37 – **52 Z : 84 B** 45/52 - 82/85 Fb.

In Petersberg 4-Horwieden O : 2 km :

🏠 **Horwieden**, Tannenküppel 2, ✆ 6 50 01, Biergarten, 🧖, 🏊, 🎾 (Halle) – ☎ [P]
✦ *24. Dez.- 15. Jan. geschl.* – Karte 15/31 *(Sonntag 15 Uhr - Montag 17 Uhr geschl.)* – **23 Z : 33 B** 28/43 - 55/75.

In Petersberg 3-Marbach N : 9 km :

🏠 **Hahner**, Bahnhofstr. 6, ✆ 6 17 62, 🧖, 🏊 – 🚗 [P]
✦ *24. Dez.- 5. Jan. geschl.* – Karte 19,50/28 *(Mittwoch bis 17 Uhr geschl.)* – **22 Z : 32 B** 28/45 - 55/65.

PETERSHAGEN 4953. Nordrhein-Westfalen [987] ⑮ – 23 500 Ew – Höhe 45 m – ✆ 05707.
✦Düsseldorf 230 – ✦Bremen 90 – ✦Hannover 82 – ✦Osnabrück 78.

🍴🍴🍴 **Schloß Petershagen** 🔇 mit Zim, Schloßstr. 5, ✆ 3 46, ≤, « Fürstbischöfliche Residenz a.d. 14. Jh.; stilvolle Einrichtung », 🏊 (geheizt), 🌳, 🎾 – ☎ [P] 🏔. [DC] [E] [VISA]
Karte 31/68 *(auch vegetarische Gerichte)* – **11 Z : 22 B** 85/110 - 150/180 Fb.

🍴🍴 **Alte Schmiede**, Mindener Str. 25, ✆ 27 55 – [P]. [AE] [DC] [E]
Montag - Samstag nur Abendessen, Dienstag und erste Augustwoche geschl.) – Karte 29/54.

In Petershagen 1-Wietersheim rechtes Weserufer :

🏠 **Rasthaus Wietersheim**, Lange Str. 49, ✆ (05702) 90 39 – ☎ [P]
✦ *Ende Juli - Mitte Aug. geschl.* – Karte 19/41 *(Samstag bis 16 Uhr geschl.)* – **16 Z : 28 B** 30/50 - 50/90.

PETERSTAL-GRIESBACH, BAD 7605. Baden-Württemberg [413] H 21, [987] ㉞ – 3 400 Ew – Höhe 400 m – Heilbad – Kneippkurort – Wintersport : 700/800 m ⛷1 ⛷2 – ✆ 07806.
[i] Kurverwaltung, Bad Peterstal, Schwarzwaldstr. 11, ✆ 10 76.
✦Stuttgart 115 – Freudenstadt 24 – Offenburg 34 – Strasbourg 48.

Im Ortsteil Bad Peterstal :

🏠 Hirsch, Insel 1, ✆ 10 28, Biergarten, 🏊 – 🛗 [TV] ☎ [P] – **47 Z : 74 B** Fb.

🏠 **Bärenwirtshof**, Schwimmbadstr. 4, ✆ 10 74, « Gartenterrasse », Bade- und Massageabteilung, 🏋, 🌳 – 🛗 ☎ [P]. [AE] [VISA]
Nov.- Dez. 2 Wochen geschl. – Karte 25/60 *(Mai - Okt. Dienstag ab 13,30 Uhr, Nov.- April Dienstag ganztägig geschl.)* – **24 Z : 40 B** 34/55 - 68/110 Fb – P 54/77.

🏠 **Gästehaus Faißt**, Am Eckenacker 5, ✆ 5 22, Bade- und Massageabteilung, 🧖, 🏊 – 🛗 ☎ 🚗 [P]
Nov. geschl. – Karte 20/39 – **20 Z : 40 B** 32/60 - 72/130 – P 58/95.

🏠 **Hubertus** garni, Insel 3, ✆ 5 95, 🧖, 🏊, 🌳 – 🚗 [P]
Mitte Nov.- Mitte Dez. geschl. – **16 Z : 24 B** 36/42 - 70/88.

🏠 **Schauinsland** 🔇, Forsthausstr. 21, ✆ 81 91, ≤ Bad Peterstal, 🏊 – [P]
6. Nov.- 11. Dez. geschl. – (Restaurant nur für Hausgäste) – **12 Z : 22 B** 38/52 - 76/96 – P 58/75.

🏠 **Schützen**, Renchtalstr. 21 (B 28), ✆ 2 41, ⛱ – 🐕 Zim
8.- 31. Jan. geschl. – Karte 26/45 *(Donnerstag geschl.)* – **11 Z : 20 B** 30/42 - 60/78 – P 52/60.

Im Ortsteil Bad Griesbach :

🏠 **Kur- und Sporthotel Dollenberg** 🔇, Dollenberg 3, ✆ 10 61, ≤, Bade- und Massageabteilung, 🏋, 🧖, 🏊, 🌳, 🎾, Fahrradverleih – [TV] ☎ [P] 🏔. [DC] [E]
Ende Nov.- Mitte Dez. geschl. – Karte 28/75 – **38 Z : 72 B** 60/84 - 116/164 Fb – P 85/109.

🏠 **Adlerbad**, Kniebisstr. 55, ✆ 10 71, ⛱, Bade- und Massageabteilung, 🧖 – 🛗 ☎ 🚗 [P]. [E]
20. Nov.- 19. Dez. geschl. – Karte 26/50 *(Mittwoch geschl.)* – **32 Z : 53 B** 55/70 - 96/110 Fb – P 69/83.

🏠 **Café Kimmig**, Kniebisstr. 57, ✆ 10 55 – 🛗 🚗. 🐕 Zim
Karte 23/43 – **11 Z : 22 B** 48/60 - 86/110 – P 65/80.

🏠 **Hoferer** 🔇, Wilde Rench 29, ✆ 85 66, ⛱ – 🛗 [P]
Nov. geschl. – Karte 22/54 *(Montag geschl.)* 🍷 – **14 Z : 23 B** 36/40 - 72/80 – P 56/62.

🏠 **Herbstwasen** 🔇, Wilde Rench 68, ☎ 6 27, <, 🌳 – 🚗 [P]
10. Nov.- 20. Dez. geschl. – Karte 23/44 *(Mittwoch geschl.)* – **17 Z : 28 B** 28/40 - 54/72.

XX **Döttelbacher Mühle** mit Zim, Kniebisstr. 8, ☎ 10 37, 🍽 – [P]
21. Nov.- 15. Dez. geschl. – Karte 23/53 *(Dienstag ab 13 Uhr geschl.)* 🍷 – **15 Z : 28 B** 40 - 80 Fb – P 60/65.

Außerhalb SO : 5 km über die Straße nach Wolfach :

🏠 **Palmspring** 🔇, Palmspring 1, ✉ 7605 Bad Peterstal-Griesbach 1, ☎ (07806) 3 01, Telex 7525319, <, 🍽, 🏋, 🎾 – [TV] ☎ [P]. [AE] [O] [E] [VISA]
Mitte Jan.- Mitte Feb. geschl. – Karte 26/52 *(Dienstag geschl.)* 🍷 – **16 Z : 32 B** 47/55 - 90/100 Fb – P 70/78.

[PETERSTHAL] Bayern siehe Oy-Mittelberg.

[PETTENDORF] Bayern siehe Marquartstein bzw. Regensburg.

[PFABEN] Bayern siehe Erbendorf.

[PFAFFENHOFEN AN DER ILM] **8068.** Bayern [413] R 21, [987] ㊲ – 17 500 Ew – Höhe 430 m – ☎ 08441.

⛳ Schloß Reichertshausen (S : 7 km), ☎ (08441) 70 04.

[i] Verkehrsamt, Haus der Begegnung, Hauptplatz 47, ☎ 94 00.

♦München 50 – ♦Augsburg 62 – Ingolstadt 32 – ♦Regensburg 85.

🏠 **Müllerbräu**, Hauptplatz 2, ☎ 25 11 – [P]
Karte 24/43 *(Montag geschl.)* – **13 Z : 25 B** 65 - 95.

[PFAFFENWEILER] Baden-Württemberg siehe Ehrenkirchen.

[PFAHLDORF] Bayern siehe Kipfenberg.

[PFALZGRAFENWEILER] **7293.** Baden-Württemberg [413] J 21, [987] ㉟ – 5 400 Ew – Höhe 635 m – Luftkurort – ☎ 07445.

[i] Kurverwaltung, im Haus des Gastes, Marktplatz, ☎ 1 82 40.

♦Stuttgart 76 – Freudenstadt 16 – Tübingen 57.

🏠 **Schwanen**, Marktplatz 1, ☎ 20 44, 🏋, 🌳 – 🛗 [P] ⛺. [E]
Ende Jan.- Mitte Feb. geschl. – Karte 24/46 *(Mittwoch geschl.)* 🍷 – **36 Z : 57 B** 50/60 - 92/116 Fb – P 70/88.

🏠 Pfalzgraf, Bellingstr. 19, ☎ 25 91, 🍽, 🌳 – 🚗 [P]. 🚫 Rest
10 Z : 18 B.

In Pfalzgrafenweiler - Bösingen NO : 3 km :

🏠 **Pension Gärtner** 🔇 garni, Oberer Höchsten 1, ☎ 29 20, 🌳 – [P]. 🚫
8 Z : 14 B 30/35 - 56/60.

In Pfalzgrafenweiler - Herzogsweiler SW : 4 km :

🏠 **Sonnenschein**, Birkenbuschweg 11, ☎ 22 10, 🌳 – [P]. 🚫 Zim
◆ *Mitte Nov.- Mitte Dez. geschl.* – Karte 19/40 *(Mittwoch geschl.)* 🍷 – **36 Z : 60 B** 34/43 - 68/86 Fb – P 54/63.

🏠 **Hirsch**, Alte Poststr. 20, ☎ 22 91, 🌳 – 🚗 [P]. 🚫 Rest
◆ *15. Okt.- 15. Nov. geschl.* – Karte 19/37 *(Montag geschl.)* 🍷 – **28 Z : 45 B** 32/36 - 64/68 Fb – P 52/56.

🏠 **Pension Braun** garni, Birkenbuschweg 3, ☎ 28 41, 🌳 – [P]
10 Z : 16 B 20/28 - 52/56.

In Pfalzgrafenweiler - Kälberbronn W : 7 km :

🏨 **Schwanen** 🔇, Große Tannenstr. 10, ☎ 20 21, 🍽, Massage, 🏋, 🏊, 🌳, Fahrradverleih – 🚭 [P] ⛺. [AE] [O] [E]. 🚫 Rest
Mitte Nov.- Mitte Dez. geschl. – Karte 30/60 – **60 Z : 100 B** 75/90 - 140/150 Fb – 4 Appart. 206 – P 95/103.

🏨 **Waldsägmühle** 🔇, an der Straße nach Durrweiler (SO : 2 km), ☎ 20 35, Fax 6750, 🍽, 🏋, 🏊, 🌳, Fahrradverleih – 🛗 ☎ [P] ⛺. [O] [E]
6. Jan.- 3. Feb. geschl. – Karte 28/75 *(Donnerstag geschl.)* 🍷 – **38 Z : 69 B** 65/75 - 125/140 Fb – P 95/110.

In Pfalzgrafenweiler - Neu-Nuifra SO : 5 km :

🏠 **Schwarzwaldblick**, Vörbacher Str. 3, ✉ 7244 Waldachtal 1, ☎ (07445) 24 79, 🌳 – [P]
◆ *Mitte Nov.- Mitte Dez. geschl.* – Karte 18/28 *(Montag geschl.)* 🍷 – **17 Z : 34 B** 28 - 56 – P 41.

PFARRKIRCHEN 8340. Bayern [413] V 21, [987] ㊳, [426] ⑥ – 10 000 Ew – Höhe 380 m – ☎ 08561.
♦München 135 – Landshut 70 – Passau 58.

🏨 **Ederhof**, Zieglstadl 1a, ☎ 17 50, 🌳, 🧖 – ↕ ☎ [P]. [E]
Karte 19,50/38 *(Sonntag ab 14 Uhr geschl.)* – **18 Z : 36 B** 45/50 - 70/80 Fb.

XX Casa Toscana (Italienische Küche), Ringstr. 14, ☎ 26 53.

In Postmünster **8341** SW : 4 km :

🏨 **Sport- und Golfhotel Postmünster** 🌙, Seestr. 10, ☎ (08561) 60 16, Telex 57345, ≤, 🌳, 🧖, 🏊, 🌲, 🎾 – ↕ ☎ [P] 🏛. [AE] ⓓ [E]
Karte 25/49 – **75 Z : 150 B** 85/95 - 140/170 Fb – P 110/135.

PFEDELBACH 7114. Baden-Württemberg [413] L 19 – 6 400 Ew – Höhe 237 m – ☎ 07941 (Öhringen).
♦Stuttgart 72 – Heilbronn 32 – Schwäbisch Hall 33.

🏨 Schellhorn, Max-Eyth-Str. 8, ☎ 70 03 – ↕ ☎ [P] 🏛
33 Z : 50 B Fb.

In Pfedelbach-Untersteinbach SO : 8 km – Erholungsort :

🏨 **Gästehaus Karin** 🌙, In der Heid 3, ☎ (07949) 6 70, 🧖, 🌲 – [P]
(Restaurant nur für Hausgäste) – **12 Z : 20 B** 33/40 - 60.

PFEFFENHAUSEN 8308. Bayern [413] S 21 – 4 200 Ew – Höhe 434 m – ☎ 08782.
♦München 85 – Landshut 24 – ♦Regensburg 61.

🏨 Brauerei-Gasthof Pöllinger, Moosburger Str. 23, ☎ 16 70 – [P]
14 Z : 25 B.

PFINZTAL Baden-Württemberg siehe Karlsruhe.

PFORZEN Bayern siehe Kaufbeuren.

PFORZHEIM 7530. Baden-Württemberg [413] J 20, [987] ㉟ – 105 500 Ew – Höhe 280 m – ☎ 07231.
Sehenswert : Reuchlinhaus – Technisches Museum.
[i] Stadtinformation, Marktplatz 1, ☎ 39 21 90.
ADAC, Bahnhofstr. 14, ☎ 1 30 55, Notruf ☎ 1 92 11.
♦Stuttgart 53 ② – Heilbronn 82 ② – ♦Karlsruhe 36 ⑤.

Stadtplan siehe gegenüberliegende Seite.

🏨 **Goldene Pforte**, Hohenstaufenstr. 6, ☎ 3 79 20, Fax 3792144, 🌳, 🧖, 🏊 – ↕ [TV] ♿ [P] 🏛 (mit 📠). [AE] ⓓ [E] [VISA] — B s
Karte 36/74 – **115 Z : 219 B** 135/185 - 185/285 Fb.

🏨 **Ruf**, Bahnhofplatz 5, ☎ 1 60 11, Telex 783843 – ↕ [TV] ☎ 🏛. [AE] ⓓ [E] [VISA] — B a
Karte 45/70 *(auch vegetarische Menus)* – **53 Z : 84 B** 100/120 - 130/155 Fb.

🏨 **Mönchs Schloßhotel**, Lindenstr. 2, ☎ 1 60 51, Telex 783999 – ↕ [TV] ☎. [AE] ⓓ [E] [VISA]
Karte 36/60 *(Freitag geschl.)* – **32 Z : 40 B** 68/90 - 110/180. — B e

🏨 Gute Hoffnung garni, Dillsteiner Str. 9, ☎ 2 20 11, Telex 783912 – ☎ [P] — A v
23 Z : 34 B.

🏨 **City** garni, Bahnhofstr. 8, ☎ 35 80 11 – ↕ [TV] ☎. [AE] ⓓ [E] [VISA] — B b
20. Dez.- 6. Jan. geschl. – **20 Z : 27 B** 95/110 - 150/170.

🏨 **Europa-Hotel** garni, Kronprinzenstr. 1, ☎ 35 70 33 – ☎ 🚗. [AE] ⓓ [VISA] — B t
24 Z : 35 B 69/79 - 115.

XX **Goldener Bock**, Ebersteinstr. 1, ☎ 1 51 23 – [AE] [E] — B c
Donnerstag - Freitag 17 Uhr, Juli - Aug. 3 Wochen und 27. Dez.- 10. Jan. geschl. – Karte 29/55 (abends Tischbestellung ratsam).

XX **Ratskeller**, Marktplatz 1 (Rathaus), ☎ 10 12 22, 🌳 – ♿ 🏛 — B R
Karte 24/60.

In Pforzheim-Brötzingen über ④ :

XX **Silberburg**, Dietlinger Str. 27, ☎ 4 11 59
17. Juli - 15. Aug. und Montag - Dienstag 18 Uhr geschl. – Karte 43/68.

XX **Pyramide**, Dietlinger Str. 25, ☎ 4 17 54 – [AE] ⓓ [E] [VISA]. 🚫🐕
15. Juli - 15. Aug. und Sonntag geschl. – Karte 45/68.

In Pforzheim-Büchenbronn SW : 5 km über Kaiser-Friedrich-Str. A :

XX **Adler** mit Zim, Lerchenstr. 21, ☎ 7 12 25, 🌳 – 🚗 [P]. ⓓ
Anfang Jan. 1 Woche, über Fasching und Mitte Juli - Mitte Aug. geschl. – Karte 33/58 *(Sonn- und Feiertage ab 15 Uhr sowie Montag geschl.)* – **3 Z : 4 B** 38/40 - 64.

In Pforzheim-Dillweißenstein :

X **Trattoria Ballotta** (Italienische Küche), Hirsauer Str. 211 (B 463), ☎ 7 46 70, 🌳 – [P]
Dienstag und Sept. geschl. – Karte 38/56.

PFORZHEIM

Leopoldstraße	B	
Östliche Karl-Friedrich-Straße	B	
Westliche Karl-Friedrich-Straße	A	
Am Waisenhausplatz	B	2
Bahnhofstraße	B	3
Barfüßergasse	B	4
Berliner Straße	A	5
Ebersteinstraße	B	6
Emilienstraße	A	7
Gymnasiumstraße	B	9
Hohenstaufenstraße	B	12
Kallhardtstraße	A	13
Karolingerstraße	B	14
Kiehnlestraße	A	15
Kreuzstraße	B	16

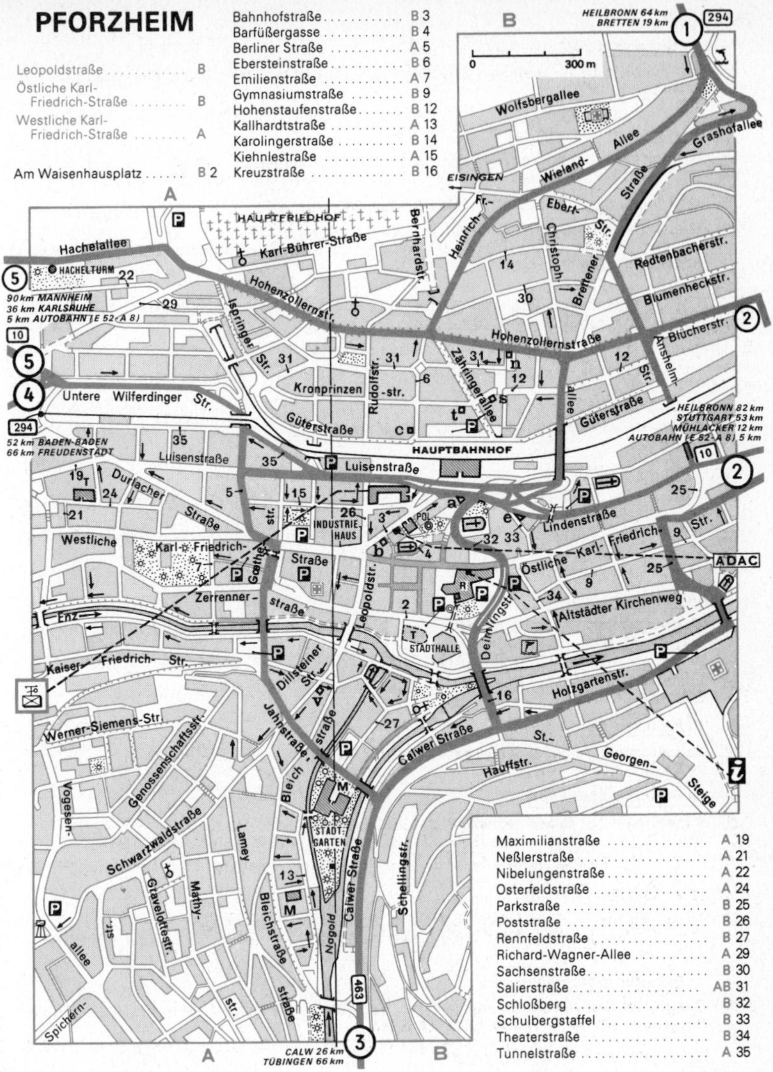

Maximilianstraße	A	19
Neßlerstraße	A	21
Nibelungenstraße	A	22
Osterfeldstraße	A	24
Parkstraße	B	25
Poststraße	B	26
Rennfeldstraße	B	27
Richard-Wagner-Allee	A	29
Sachsenstraße	B	30
Salierstraße	AB	31
Schloßberg	B	32
Schulbergstaffel	B	33
Theaterstraße	B	34
Tunnelstraße	A	35

In Pforzheim-Eutingen ② : 3 km :

Stadt Pforzheim - Bären, Hauptstr. 70, ☏ 5 13 55 – 🅟
8.- 19. Feb. und 12. Juli - 6. Aug. geschl. – Karte 19/37 *(Mittwoch - Donnerstag geschl.)* –
20 Z : 30 B 30/40 - 55/70.

In Pforzheim-Sonnenberg über Kaiser-Friedrich-Str. A :

Sonnenberg, Julius-Naeher-Str. 41, ☏ 7 12 30, – 🅟
Juli geschl. – Karte 19/40 *(Samstag ab 14 Uhr und Dienstag geschl.)* – **12 Z : 21 B** 35/45 - 65/75.

An der Autobahnausfahrt Pforzheim-Ost ② : 6 km :

Nieferner Hof, Pforzheimer Str. 52, ✉ 7532 Niefern-Öschelbronn, ☏ (07233) 12 11, Telex 783905, – Zim 🅟. AE E VISA
Karte 39/73 – **72 Z : 122 B** 106 - 128/166 Fb.

In Birkenfeld **7534** ④ : 6,5 km :

🍴🍴 Zur Sonne mit Zim, Dietlinger Str. 134, ☎ (07231) 4 78 24, « Gemütliche Einrichtung » – ☎ 🚗 [P]
5 Z : 8 B.

In Neulingen-Bauschlott **7531** ① : 10 km :

🏠 **Goldener Ochsen**, Brettener Str. 1, ☎ (07237) 2 25, Biergarten – [P]
Juli - Aug. 3 Wochen geschl. – Karte 17/48 *(Dienstag geschl.)* – **15 Z : 25 B** 40 - 70.

In Wimsheim **7251** SO : 12 km über St.-Georgen-Steige B :

🍴🍴 **Restaurant Widmann**, Austr. 48, ☎ (07044) 4 13 23 – [P]. [AE]
Montag und Aug.- Sept. 2 Wochen geschl. – Karte 31/52 – **Le Gourmet** *(nur Abendessen)* Karte 50/68.

PFRONTEN 8962. Bayern [413] O 24, [987] ㊱, [426] ⑮ – 7 500 Ew – Höhe 850 m – Luftkurort – Wintersport : 840/1 840 m 🚡2 ⛷15 ⛷7 – ☎ 08363.

[i] Verkehrsamt, Haus des Gastes, Pfronten-Ried, Vilstalstraße, ☎ 50 43.

♦München 131 – Füssen 12 – Kempten (Allgäu) 29.

In Pfronten-Berg :

🏠 Alpengasthof zum Engel 🌙, Am Hörnle 2, ☎ 18 86 – [P]
12 Z : 24 B.

In Pfronten-Dorf :

🏠 **Bavaria** 🌙, Kienbergstr. 62, ☎ 50 04, ≤, Massage, ♨, 🏊 (geheizt), 🏊, 🌳, Fahrradverleih – 🛗 [TV] 🚗 [P]
Nov.- Mitte Dez. geschl. – Karte 35/59 – **51 Z : 100 B** 85/110 - 180/240 Fb – 8 Appart. 260/300.

🏠 **Haus Achtal** 🌙 garni, Brentenjochstr. 4, ☎ 83 29, ≤, ♨, 🏊, 🌳, 🎾 – ☎ [P]
Nov.- 20. Dez. geschl. – **16 Z : 26 B** 32/50 - 80/90.

In Pfronten-Halden :

🏠 **Zugspitzblick** 🌙 garni, Edelsbergweg 71, ☎ 50 75, ≤ Tannheimer Gruppe und Pfronten, ♨, 🏊, 🌳 – ☎ 🚗 [P]
2. Nov.- 17. Dez. geschl. – **51 Z : 110 B** 34/81 - 70/108.

🏠 Edelsberg 🌙, Edelsbergweg 72, ☎ 50 77, ≤, ♨, 🏊, 🌳 – ☎ 🚗 [P]
9 Z : 18 B – 14 Fewo.

In Pfronten-Heitlern :

🏠 **Am Kurpark** 🌙 garni, Schlickestr. 11, ☎ 81 12, Caféterrasse, 🌳 – 🚗 [P]. [E]
14 Z : 22 B 39/50 - 70/96.

In Pfronten-Meilingen :

🏠 **Alpenhotel** 🌙, Falkensteinweg 9, ☎ 50 55, ≤, ♨, 🏊, 🌳 – ☎ [P]. [AE] [E]
Nov.- 18. Dez. geschl. – Karte 23/49 *(Mittwoch geschl.)* – **23 Z : 45 B** 50/84 - 90/98 Fb.

🏠 Berghof 🌙, Falkensteinweg 13, ☎ 50 17, ≤ Pfronten mit Kienberg und Breitenberg, ☂, ♨ – ☎ [P]
29 Z : 50 B Fb – 5 Fewo.

🏠 **In der Sonne** 🌙, Neuer Weg 14, ☎ 50 19, ☂, ♨, 🌳 – ☎ 🚗 [P]
Nov.-15. Dez. geschl. – Karte 20/38 *(Dienstag geschl.)* 🍷 – **20 Z : 35 B** 47/54 - 76/84 Fb – 2 Fewo 95 – P 66/73.

In Pfronten-Obermeilingen :

🏠 **Berghotel Schloßanger-Alp** 🌙, Am Schloßanger 1, Höhe 1 130 m, ☎ 3 81, ≤ Tiroler Berge, ☂, ♨, 🌳 – ☎ 🚗 [P]. [AE] [D] [E] [VISA]
Anfang Nov.- Mitte Dez. geschl. – Karte 27/53 *(Okt.- Mai Dienstag geschl.)* – **14 Z : 30 B** 50/80 - 92/150 Fb – 16 Fewo 90/130.

🏠 **Schönblick** 🌙, Falkensteinweg 21, ☎ 81 23, ≤, ☂, ♨ – 🚗 [P]
20. Okt.- 20. Dez. geschl. – Karte 19/31 *(Donnerstag geschl.)* – **16 Z : 34 B** 28/40 - 72/80 – P 48/60.

In Pfronten-Ried :

🏠 **Haus Manhard** 🌙 garni, Birkenweg 21, ☎ 18 55, ♨, 🌳 – ☎ [P]
Ende Okt.- Mitte Dez. geschl. – **18 Z : 31 B** 40 - 76 – 10 Fewo 88.

In Pfronten-Röfleuten :

🏠 **Frisch** 🌙, Zerlachweg 1, ☎ 50 89, ≤, ☂, ♨, 🏊, 🌳 – 🛗 ☎ ♿ 🚗 [P]
3. Nov.- 16. Dez. geschl. – Karte 17,50/31 *(Mittwoch geschl.)* – **34 Z : 58 B** 53/58 - 93/103 Fb.

In Pfronten-Steinach :

🏠 **Chesa Bader** 🌙 garni, Enzianstr. 12, ☎ 83 96, « Chalet mit rustikal-behaglicher Einrichtung », ♨, 🏊, 🌳 – [TV] ☎ 🚗 [P]. 🚫
10. Nov.- 15. Dez. geschl. – **8 Z : 16 B** 55 - 92/110.

In Pfronten-Weißbach :

🏨 Post, Kemptener Str. 14, ☎ 50 32, ♨ – [TV] ☎ 🚗 [P] – **27 Z : 55 B** – 17 Fewo.

🏨 **Parkhotel Flora** 🌿, Auf der Geigerhalde 43, ☎ 50 71, ≤ Allgäuer Berge, ⛱, Fahrradverleih – [TV] ☎ [P]. [AE] [D] [E] [VISA]. ✗ Rest
Mitte Nov.- Mitte Dez. geschl. – Karte 23/46 🍷 – **57 Z : 100 B** 65/75 - 110/116 Fb – P 74/88.

PFULLENDORF 7798. Baden-Württemberg [413] K 23, [987] ㉟, [427] ⑦ – 10 500 Ew – Höhe 650 m – ☎ 07552.
♦Stuttgart 123 – ♦Freiburg im Breisgau 137 – ♦Konstanz 62 – ♦Ulm (Donau) 92.

🏨 Adler, Heiligenberger Str. 20, ☎ 80 54 – [lift] ☎ [P] 🏛 – **28 Z : 46 B** Fb.

🏨 **Krone**, Hauptstr. 18, ☎ 81 11 – [TV] ☎ 🚗 [P] 🏛. [AE] [D] [E]
23. Dez.- 10. Jan. geschl. – Karte 20/46 🍷 – **15 Z : 28 B** 45/60 - 80/90.

🏨 **Stadtblick** garni, Am Pfarröschle 2/1, ☎ 3 11 – ☎ 🚗 [P]
über Fastnacht 1 Woche geschl. – **14 Z : 19 B** 55 - 85/90.

PFULLINGEN 7417. Baden-Württemberg [413] K 21, [987] ㉟ – 16 000 Ew – Höhe 426 m – ☎ 07121 (Reutlingen).
♦Stuttgart 53 – Reutlingen 4 – ♦ Ulm (Donau) 78.

🏨 **Engelhardt** garni, Hauffstr. 111, ☎ 7 70 38, ♨ – [lift] [TV] ☎ 🚗 [P]. [AE] [E]
32 Z : 45 B 65/80 - 95/120 Fb.

🍴 **Waldcafé**, Vor dem Urselberg 1 (O : 2 km), ☎ 7 10 81, ≤ Pfullingen, ⛱ – [P]
Donnerstag und 16. Jan.- 16. Feb. geschl. – Karte 24/46.

PFUNGSTADT 6102. Hessen [413] I 17, [987] ㉕ – 24 000 Ew – Höhe 103 m – ☎ 06157.
♦Wiesbaden 52 – ♦Darmstadt 10 – Mainz 45 – ♦Mannheim 45.

🏨 **Rheinischer Hof**, Rheinstr. 40, ☎ 60 76 – [TV] ☎ [P]. [AE] [D] [E]
Karte 45/68 *(Sonntag geschl.)* – **14 Z : 25 B** 82 - 135.

🏨 **Weingärtner** 🌿 garni, Sandstr. 26, ☎ 29 58 – [P]
41 Z : 60 B 36/65 - 59/90.

🍴🍴 **Kirchmühle**, Kirchstr. 31, ☎ 68 20, « Originelle Einrichtung aus Teilen einer alten Mühle » – [AE] [D] [E] [VISA]
Montag geschl. – Karte 53/80 (Tischbestellung ratsam).

An der Autobahn A 67 :

🏨 **Raststätte und Motel** (Ostseite), ✉ 6102 Pfungstadt, ☎ (06157) 30 31, ⛱ – [lift] ☎ 🚗 [P]
Karte 23/49 *(auch Self-service)* – **50 Z : 72 B** 54/69 - 92/106.

PHILIPPSBURG 7522. Baden-Württemberg [413] I 19 – 11 000 Ew – Höhe 100 m – ☎ 07256.
♦Stuttgart 89 – Heidelberg 30 – ♦Karlsruhe 35 – Landau in der Pfalz 29 – ♦Mannheim 34.

🏨 **Philippsburger Hof**, Söternstr. 1, ☎ 51 63 – ☎ [P]. [AE] [D] [E] [VISA]
✦ Karte 17,50/54 – **13 Z : 16 B** 50 - 80 Fb.

PHILIPPSTHAL 6433. Hessen – 5 400 Ew – Höhe 226 m – Erholungsort – ☎ 06620.
♦Wiesbaden 190 – Fulda 77 – Bad Hersfeld 26.

🏠 **Hessisches Wappen**, Rathausstr. 14, ☎ 2 09, ♨ – [P]
✦ Karte 17/32 *(Montag - Freitag nur Abendessen, Mitte Aug.- Anfang Sept. geschl.)* – **11 Z : 20 B** 27/30 - 53/60.

PIDING 8235. Bayern [413] V 23, [426] ⑲ – 4 300 Ew – Höhe 457 m – Luftkurort – ☎ 08651 (Bad Reichenhall) – [i] Verkehrsamt, Thomastr. 2 (Rathaus), ☎ 38 60.
♦München 128 – Bad Reichenhall 9 – Salzburg 13.

In Piding - Högl N : 4 km :

🏨 **Berg- und Sporthotel Neubichler Alm** 🌿, Kleinhögl 87, Höhe 800 m, ☎ (08656) 8 74, ≤ Salzburg und Berchtesgadener Land, ⛱, Massage, ♨, 🏊, 🌳, 🎾, ⛷ – [lift] ☎ [P] 🏛. [AE] [D] [E] [VISA]
Karte 29/52 – **49 Z : 105 B** 71/107 - 119/161 Fb.

In Piding-Mauthausen :

🏨 **Pension Alpenblick** 🌿, Gaisbergstr. 9, ☎ 43 60, ♨, 🌳 – ☎ [P]. ✗
Nov.- 15. Dez. geschl. – (nur Abendessen für Hausgäste) – **17 Z : 36 B** 47 - 78/90.

PINNEBERG 2080. Schleswig-Holstein [987] ⑤ – 38 200 Ew – Höhe 11 m – ☎ 04101.
ADAC, Saarlandstr. 18, ☎ 2 22 23.
♦Kiel 89 – ♦Bremen 128 – ♦Hamburg 18 – ♦Hannover 173.

🏨 **Cap Polonio** 🌿, Fahltskamp 48, ☎ 2 24 02, « Festsaal mit Original-Einrichtung des Dampfers Cap Polonio », Fahrradverleih – [lift] ☎ [P] 🏛. [AE]
Karte 31/59 – **44 Z : 79 B** 77/92 - 118/134 Fb.

[PIRMASENS] **6780.** Rheinland-Pfalz [413] FG 19, [987] ㉔, [57] ⑧ – 52 900 Ew – Höhe 368 m – ☎ 06331.

Sehenswert : Deutsches Schuhmuseum★ M.

Messegelände Wasgauhalle, ☎ **6 40 41, Telex 452468.**

[i] Verkehrsamt, Messehaus, Dankelsbachstr. 19, ☎ 8 44 44.

ADAC, Schloßstr. 6, ☎ 6 44 40, Telex 452348.

Mainz 122 ① – Kaiserslautern 36 ① – Landau in der Pfalz 46 ② – ♦Saarbrücken 63 ①.

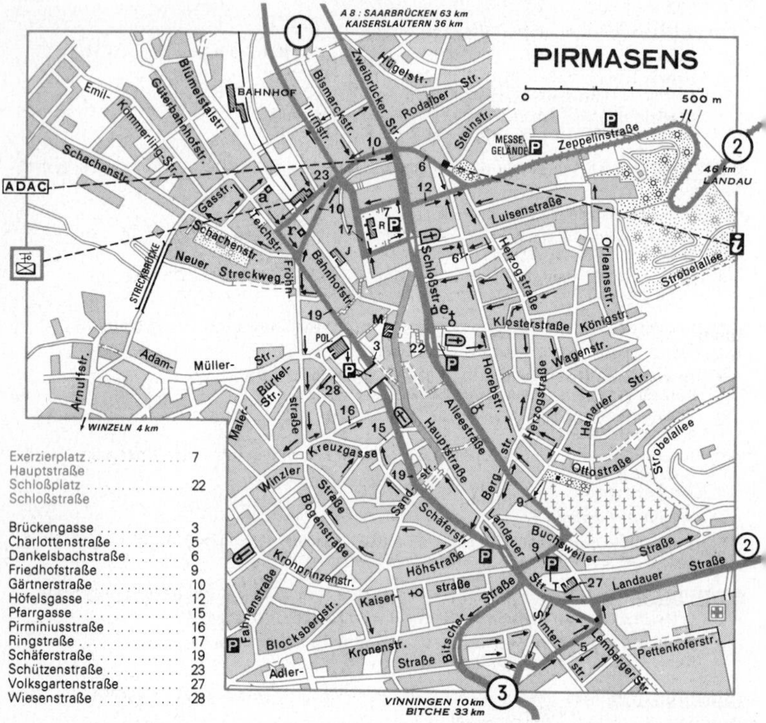

Exerzierplatz 7
Hauptstraße
Schloßplatz 22
Schloßstraße

Brückengasse 3
Charlottenstraße 5
Dankelsbachstraße 6
Friedhofstraße 9
Gärtnerstraße 10
Höfelsgasse 12
Pfarrgasse 15
Pirminiusstraße 16
Ringstraße 17
Schäferstraße 19
Schützenstraße 23
Volksgartenstraße 27
Wiesenstraße 28

🏨 **Matheis,** Bahnhofstr. 47, ☎ 6 30 75, Telex 452504, ☂, ⌂, 🏊 – 🛗 ☎ 🚗 [P] 🏞. [AE] [O] [E] [VISA] **a**
Juli 2 Wochen und 27. Dez.- 6. Jan. geschl. – Karte 27/53 *(Samstag geschl.)* 🍷 – **75 Z : 105 B** 38/57 - 66/110 Fb.

🏨 **Hans-Sachs-Hof,** Schloßstr. 59, ☎ 7 00 91, Telex 452428 – 🛗 ▤ Rest [TV] ☎ [P] 🏞. [AE] [O] [E] [VISA]. ✱ Rest **e**
Karte 20/54 *(Sonntag geschl.)* 🍷 – **75 Z : 115 B** 48/95 - 80/196 Fb.

🏨 **Wasgauland** garni, Bahnhofstr. 35, ☎ 6 60 23 – 🛗 ☎ 🚗 [P]. [AE] [O] [E] [VISA] **r**
44 Z : 66 B 60/75 - 84/99 Fb.

In Pirmasens 17 - Winzeln W : 4 km über Winzler Str. oder Arnulfstr. :

🏨 **Kunz,** Bottenbacher Str. 74, ☎ 9 80 53, ⌂, 🏊 – [TV] ☎ 🚗 [P]. [O] [E]. ✱
✦ Karte **19,50**/45 *(Tischbestellung ratsam)* (Freitag - Samstag 18 Uhr und 12.- 27. Juli geschl.) 🍷 – **40 Z : 74 B** 42/65 - 80/100 Fb.

In Obersimten **6781** ③ : 5 km :

🍴 **Berghof** mit Zim, Hauptstr. 1, ☎ (06331) 4 59 76, ☂, 🌳 – [P]
Feb. und Aug. jeweils 2 Wochen geschl. – Karte 23/56 *(Dienstag geschl.)* 🍷 – **8 Z : 12 B** 40 - 75.

[PLÄTTIG] Baden-Württemberg siehe Schwarzwaldhochstraße.

Lärmen Sie nicht im Hotel ! Ihre Nachbarn werden Ihnen dankbar sein.

[PLAIDT] 5472. Rheinland-Pfalz – 5 500 Ew – Höhe 110 m – ☎ 02632 (Andernach).
Mainz 109 – •Bonn 63 – •Koblenz 19.

- **Geromont** 🌳, Römerstr. 3a, ☎ 60 55 – ☎ [P]
  23. Dez.- 6. Jan. geschl. – (nur Abendessen für Hausgäste) – **31 Z : 70 B** 45/55 - 60/90 Fb.

[PLANEGG] Bayern siehe Gräfelfing.

[PLATTLING] 8350. Bayern [413] V 20, [987] ㉘ – 10 400 Ew – Höhe 320 m – ☎ 09931.
•München 134 – Deggendorf 12 – Landshut 65 – Passau 53 – •Regensburg 71.

- **Bahnhof-Hotel Liebl**, Bahnhofsplatz 3, ☎ 24 12 – 🚗 [P]. [D] [E]
  Karte 17,50/45 *(Freitag geschl.)* – **43 Z : 50 B** 31/45 - 52/82.

In Moos 8351 SO : 8,5 km :

- Schloßwirtschaft (Gasthof a.d. 18. Jh., regionale Küche), Preysingstr. 23, ☎ (09938) 2 29, Biergarten – [P]. 🚫

[PLECH] 8571. Bayern [413] R 18 – 1 200 Ew – Höhe 461 m – Erholungsort – ☎ 09244 (Betzenstein).
•München 192 – Bayreuth 40 – •Nürnberg 46.

In Plech-Bernheck NO : 2,5 km :

- **Veldensteiner Forst** 🌳, ☎ 4 14, 🍴, 🏊, 🏊, 🌳, Fahrradverleih – [TV] ☎ 🚗 [P] 🏋. [AE] [D] [E]. 🚫
  15. Feb.- 15. März geschl. – Karte 18,50/39 *(Montag geschl.)* – **35 Z : 56 B** 38/46 - 72/92 Fb – P 52/61.

[PLEINFELD] 8835. Bayern [413] PQ 19 – 6 000 Ew – Höhe 371 m – ☎ 09144.
[i] Verkehrs- und Reisebüro, Marktplatz 11, ☎ 67 77.
•München 140 – Donauwörth 49 – Ingolstadt 60 – •Nürnberg 46.

- **Landhotel Der Sonnenhof** 🌳, Badstr. 11, ☎ 5 41, Telex 625112, 🍴, Biergarten, 🏊 – [lift] ☎ [P] 🏋. [AE] [D] [E] [VISA]
  Karte 24/50 – **54 Z : 104 B** 86 - 116 Fb.
- Buckl 🌳, Kirchenstr. 8, ☎ 2 74 – [P]
  16 Z : 34 B.
- **Landgasthof Siebenkäs** mit Zim, Kirchenstr. 1, ☎ 82 82, 🍴 – ☎ [P]. [E]
  2.- 16. Jan. geschl. – Karte 26/45 *(Montag geschl.)* – **4 Z : 6 B** 45 - 80.

[PLEISWEILER-OBERHOFEN] Rheinland-Pfalz siehe Bergzabern, Bad.

[PLETTENBERG] 5970. Nordrhein-Westfalen [987] ㉔ – 28 200 Ew – Höhe 210 m – ☎ 02391.
•Düsseldorf 117 – Arnsberg 43 – Hagen 50 – Lüdenscheid 23 – Olpe 29.

- **Berghaus Tanneneck**, Brachtweg 61, ☎ 33 66, ≤ Plettenberg und Ebbegebirge – [P]
  Anfang - Mitte Jan. und Dienstag geschl. – Karte 22/52.

[PLEYSTEIN] 8481. Bayern [413] U 18 – 2 500 Ew – Höhe 549 m – Erholungsort – Wintersport : 600/800 m ⛷1 ⛷4 – ☎ 09654.
[i] Rathaus, Neuenhammer Str. 1, ☎ 4 62.
•München 216 – •Nürnberg 116 – •Regensburg 94 – Weiden in der Oberpfalz 23.

- **Zottbachhaus** 🌳, Gut Peugenhammer (N : 2 km), ☎ 2 62, 🍴, 🏊, 🌳 – 🚗 [P]. 🚫
  Nov.- 25. Dez. geschl. – Karte 18/36 *(Montag geschl.)* – **12 Z : 24 B** 30/45 - 70/90 – P 40/55.
- **Weißes Lamm**, Neuenhammer Str. 11, ☎ 2 73, 🌳 – 🚗 [P]. 🚫 Zim
  Nov. geschl. – Karte 17/31 *(Dez.-März Freitag geschl.)* – **25 Z : 44 B** 24/30 - 48/60.

[PLIEZHAUSEN] 7401. Baden-Württemberg [413] K 21 – 6 700 Ew – Höhe 350 m – ☎ 07127.
•Stuttgart 32 – Reutlingen 8,5 – •Ulm (Donau) 80.

- **Schönbuch-Hotel** 🌳, Stellenäcker Str. 54, ☎ 72 86, Telex 7266101, ≤ Schwäbische Alb, 🍴, 🏊, 🏊, 🌳 – [lift] [TV] ☎ ♿ 🚗 [P] 🏋. [AE] [D] [E] [VISA]
  Juni geschl. – Karte 34/68 *(Sonn- und Feiertage ab 15 Uhr geschl.)* – **36 Z : 50 B** 100 - 190 Fb.

[PLOCHINGEN] 7310. Baden-Württemberg [413] L 20, [987] ㉟ – 12 100 Ew – Höhe 276 m – ☎ 07153.
•Stuttgart 25 – Göppingen 20 – Reutlingen 36 – •Ulm (Donau) 70.

- Schurwaldhotel 🌳 garni, Marktstr. 13, ☎ 20 64 – [lift] [TV] ☎ [P]
  27 Z : 34 B.

In Plochingen-Stumpenhof N : 3 km Richtung Schorndorf :

- **Stumpenhof**, Schorndorfer Str. 1, ☎ 2 24 25 – [P]
  Montag - Dienstag, über Fasching 2 Wochen und Juli 3 Wochen geschl. – Karte 28/56.

In Altbach 7305 NW : 3 km :

🏨 **Altbacher Hof** (mit 4 Gästehäusern), Kirchstr. 11, ☎ (07153) 2 30 41 – [TV] ☎ [P]. [O] E
Karte 24/50 *(nur Abendessen, 15. Juli - 5. Aug. und Freitag - Samstag geschl.)* – **75 Z : 100 B** 55/85 - 120.

In Deizisau 7310 W : 3 km :

🍴 **Ochsen** mit Zim, Sirnauer Str. 1, ☎ (07153) 2 79 45 – [P]. Zim
Juli - Aug. 3 Wochen und 24. Dez. - 7. Jan. geschl. – Karte 22/50 *(Sonntag 14 Uhr - Montag geschl.)* – **5 Z : 8 B** 42 - 78.

PLÖN 2320. Schleswig-Holstein [987] ⑤ – 12 200 Ew – Höhe 25 m – Luftkurort – ☎ 04522.

Sehenswert : Großer Plöner See★ – Schloßterrasse ≤★.

[i] Kurverwaltung, Lübecker Straße (Schwentinehaus), ☎ 27 17.

♦Kiel 29 – ♦Lübeck 55 – Neumünster 36 – Oldenburg in Holstein 41.

🏨 **A. C. Kurhotel**, Ölmühlenallee 1a, ☎ 90 66, Telex 261317, Bade- und Massageabteilung, direkter Zugang zum städt. – [TV] ☎ [P]. [AE] [O] E [VISA]
Karte 32/58 – **50 Z : 100 B** 92/112 - 158/178 Fb – P 138.

🏨 **Fegetasche**, Fegetasche 1 (B 76), ☎ 90 51, – ☎ [P]. E
Mitte März - Nov. – Karte 32/56 *(außer Saison Freitag geschl.)* – **20 Z : 40 B** 41/65 - 82/102 – P 71/81.

🏨 **Touristic** garni, August-Thienemann-Str. 1 (nahe der B 76), ☎ 81 32 – [P]
16 Z : 30 B 48/50 - 80/90.

In Dörnick 2323 W : 3 km :

🏨 Johannestal garni, Fuchsberg 10 (nahe der B 430), ☎ (04522) 46 83 – ☎ [P] – **13 Z : 28 B.**

PLÖSSBERG 8591. Bayern [413] TU 17 – 3 000 Ew – Höhe 620 m – Erholungsort – ☎ 09636.

♦München 224 – Bayreuth 63 – Hof 85 – ♦Nürnberg 123 – Weiden in der Oberpfalz 20.

🏨 Schwarzer Adler, Hauptstr. 11, ☎ 2 08, – – **20 Z : 41 B.**

POCKING 8398. Bayern [413] W 21, [987] ㊳, [426] ⑦ – 12 000 Ew – Höhe 323 m – ☎ 08531.

♦München 149 – Landshut 102 – Passau 27 – Salzburg 112.

🏨 **Pockinger Hof** (mit Gästehaus), Klosterstr. 13, ☎ 73 39 – [P]
Karte 15,50/30 *(Donnerstag geschl.)* – **35 Z : 56 B** 31 - 55.

🏨 **Rauch**, Bahnhofstr. 3, ☎ 73 12 – [P]. [O]
23. Dez.- 6. Jan. geschl. – Karte 15/33 – **30 Z : 50 B** 25/35 - 48/68 Fb.

PÖCKING 8134. Bayern [413] Q 23 – 5 200 Ew – Höhe 672 m – ☎ 08157.

♦München 32 – ♦Augsburg 71 – Garmisch-Partenkirchen 65.

In Pöcking-Possenhofen SO : 1,5 km :

🏨 **Forsthaus am See**, Am See 1, ☎ 12 45, ≤, « Terrasse am See », Bootsanleger – [TV] ☎ [P]
Karte 30/58 *(im Winter Dienstag geschl.)* – **21 Z : 44 B** 100/150 - 180/250 Fb.

🍴🍴 **Bosselmann's Restaurant Schiffsglocke**, Seeweg 4, ☎ 70 08, – [P]. [AE] [O] E [VISA]
Mittwoch geschl. – Karte 33/65 (Tischbestellung ratsam).

PÖLICH Rheinland-Pfalz siehe Mehring.

PÖTTMES 8897. Bayern [413] Q 21, [987] ㊱ – 4 200 Ew – Höhe 406 m – ☎ 08253.

♦München 87 – ♦Augsburg 33 – Ingolstadt 42 – ♦Ulm (Donau) 104.

🏨 **Krone**, Kirchplatz 1, ☎ 3 30 –
15. Aug.- 4. Sept. geschl. – Karte 18/40 *(Montag geschl.)* – **18 Z : 25 B** 28/30 - 56/60.

POHLHEIM Hessen siehe Gießen.

POING 8011. Bayern [413] S 22 – 6 200 Ew – Höhe 517 m – ☎ 08121.

♦München 21 – Landshut 95.

🏨 Strasser, Rathausstr. 5, ☎ 8 10 31 (Hotel) 8 11 10 (Rest.), – ☎ [P] – **32 Z : 50 B** Fb.

POLLE 3453. Niedersachsen [987] ⑮ – 1 300 Ew – Höhe 80 m – ☎ 05535.

Weißenfelder Mühle, ☎ (05535) 2 70.

♦Hannover 83 – Detmold 44 – Hameln 38 – ♦Kassel 88.

🏨 **Zur Burg**, Amtsstr. 10, ☎ 2 06, – [P]. [AE] [O] E [VISA]
Karte 21/45 *(Montag geschl.)* – **12 Z : 25 B** 35/39 - 70.

🍴 **Graf Everstein**, Amtsstr. 6, ☎ 2 78, ≤, – [P]. E
Okt. - April Freitag und 20. Jan. - 20. Feb. geschl. – Karte 27/45.

POMMELSBRUNN Bayern siehe Hersbruck.

POMMERSFELDEN 8602. Bayern 413 P 17, 987 ㉖ – 2 200 Ew – Höhe 269 m – ☎ 09548.
Sehenswert : Schloß★ : Treppenhaus★.
♦München 216 – ♦Bamberg 21 – ♦Nürnberg 45 – ♦Würzburg 74.

Schloßhotel, im Schloß Weißenstein, ✆ 4 88, « Schloßpark », –
Karte 18,50/44 – **63 Z : 120 B** 54/64 - 86/102 Fb.

In Pommersfelden-Limbach S : 1,5 km :

Volland, ✆ 2 81 –
16. Mai - 13. Juni geschl. – Karte 13,50/27 *(Dienstag geschl.)* – **12 Z : 30 B** 26/34 - 42/52.

POPPELTAL Baden-Württemberg siehe Enzklösterle.

POPPENHAUSEN 8721. Bayern 413 N 16, 987 ㉖ – 3 500 Ew – Höhe 252 m – ☎ 09725.
♦München 317 – ♦Bamberg 71 – Bad Neustadt a.d. Saale 29 – Schweinfurt 11 – ♦Würzburg 49.

Landgasthof Schwarzer Adler, Bahnhofstr. 110, ✆ 8 34, –
31 Z : 48 B Fb.

POPPENHAUSEN/WASSERKUPPE 6416. Hessen 413 M 15 – 2 700 Ew – Höhe 446 m – Luftkurort – ☎ 06658.
♦Wiesbaden 201 – Fulda 18 – Gersfeld 7,5.

Hof Wasserkuppe garni, Pferdskopfstr. 3, ✆ 5 33, –
16 Z : 30 B 49/54 - 77/87.

In Poppenhausen-Rodholz O : 2 km :

Berghotel Rhöndistel, ✆ 5 81, –
15. Nov.- 25. Dez. geschl. – Karte 19,50/40 – **10 Z : 20 B** 52 - 71/81 – 2 Fewo 60/150.

In Poppenhausen-Schwarzerden O : 4 km :

Rhön-Hotel Sinai, beim Guckaisee, ✆ 5 11, – E
Karte 35/64 – **51 Z : 108 B** 70/105 - 125/210 Fb.

PORTA WESTFALICA 4952. Nordrhein-Westfalen – 35 000 Ew – Höhe 50 m – ☎ 0571 (Minden).
Sehenswert : Porta Westfalica★ : Kaiser-Wilhelm-Denkmal ≤★, Porta Kanzel ≤★ (auf dem rechten Weserufer).
Haus des Gastes, Porta Westfalica - Hausberge, Kempstr. 4a, ✆ 79 12 80.
♦Düsseldorf 214 – ♦Bremen 106 – ♦Hannover 71 – ♦Osnabrück 75.

Im Ortsteil Barkhausen linkes Weserufer – Luftkurort :

Der Kaiserhof, Freiherr-vom-Stein-Str. 1, ✆ 7 24 47, – AE E VISA
Karte 26/56 – **37 Z : 75 B** 90/125 - 140/180 Fb.

Friedenstal, Alte Poststr. 4, ✆ 7 01 47, – AE E VISA
Jan. geschl. – Karte 26/55 – **22 Z : 38 B** 50/60 - 90/115.

Im Ortsteil Hausberge – Kneipp-Kurort :

Porta Berghotel, Hauptstr. 1, ✆ 7 20 61, Telex 97975, ≤, – AE E VISA
Karte 43/69 – **84 Z : 172 B** 82/122 - 139/189 Fb.

Waldhotel Porta Westfalica garni, Findelsgrund 81, ✆ 7 27 29, –
18 Z : 32 B 30/60 - 60/100.

Im Ortsteil Lerbeck :

Haus Hubertus, Zur Porta 14, ✆ 73 27, Telex 97963, – AE E VISA
Karte 25/48 – **42 Z : 90 B** 65/75 - 120/140.

POSSENHOFEN Bayern siehe Pöcking.

POSTBAUER-HENG 8439. Bayern 413 QR 19 – 5 700 Ew – Höhe 490 m – ☎ 09188.
♦München 152 – ♦Nürnberg 28 – ♦Regensburg 82.

In Postbauer-Heng - Dillberg O : 3 km, über die B 8 :

Berghof, ✆ 6 31, ≤, – Rest
Aug. geschl. – Karte 31/51 – **34 Z : 60 B** 52/60 - 82/92.

POSTMÜNSTER Bayern siehe Pfarrkirchen.

POTTENSTEIN 8573. Bayern 413 R 17 – 5 100 Ew – Höhe 368 m – Luftkurort – ☎ 09243.
Ausflugsziel : Fränkische Schweiz★★.
ℹ Städtisches Verkehrsbüro, Rathaus, ☎ 8 33.
♦München 212 – ♦Bamberg 51 – Bayreuth 40 – ♦Nürnberg 66.

Kurhotel Schwan garni, Am Kurzentrum 6, ☎ 8 36, direkter Zugang zum Kurhaus, – (mit) **30 Z : 54 B** 52 - 98 Fb.

Tucher Stuben, Hauptstr. 44, ☎ 3 39 – . E. Zim
15. Nov.- 19. Dez. geschl. – Karte 13/33 – **13 Z : 22 B** 42 - 74 – P 46/58.

Steigmühle garni, Franz-Wittmann-Gasse 24, ☎ 3 38, ← – .
18 Z : 34 B 29/40 - 62/75.

Café Minderlein garni, Franz-Wittmann-Gasse 30, ☎ 3 43, ←, Caféterrasse, –
Mitte März - Okt. – **13 Z : 25 B** 30/45 - 50/64.

Wagner-Bräu, Hauptstr. 1, ☎ 2 05 –
Dienstag, 15. Jan.- 15. Feb. und Nov.- Dez. 3 Wochen geschl. – Karte 19,50/36.

In Pottenstein-Haselbrunn N : 2,5 km :

Schaffer, Haselbrunn 11, ☎ 3 61, , , –
Karte 14/28 – **15 Z : 30 B** 26/36 - 48/64.

In Pottenstein-Kirchenbirkig S : 4 km :

Bauernschmitt, ☎ 2 35, , –
16. Nov.- 15. Dez. geschl. – Karte 13/31 *(Nov.- März Freitag geschl.)* – **18 Z : 35 B** 29/32 - 56/64 Fb – P 47/51.

In Pottenstein-Schüttersmühle SO : 2,5 km :

Gasthof Schüttersmühle, an der B 470, ☎ 2 07, –
Mitte Jan.- Mitte Feb. geschl. – Karte 13,50/39 – **12 Z : 25 B** 35/38 - 70.

In Pottenstein-Tüchersfeld NW : 4 km :

Zur Einkehr , ☎ (09242) 8 09 – .
(Restaurant nur für Hausgäste) – **10 Z : 18 B** 28 - 57 – P 44.

PREETZ 2308. Schleswig-Holstein 987 ⑤ – 15 600 Ew – Höhe 34 m – Luftkurort – ☎ 04342.
♦Kiel 16 – ♦Lübeck 68 – Puttgarden 82.

In Schellhorn **2308** SO : 1,5 km :

Landhaus Hahn , am Berg 12, ☎ (04342) 8 60 01, – . AE E VISA
Karte 38/71 *(Montag und Samstag nur Abendessen)* – **24 Z : 58 B** 65/75 - 95/135 Fb.

PRESSIG 8644. Bayern 413 Q 15 – 4 400 Ew – Höhe 400 m – ☎ 09265.
♦München 292 – ♦Bamberg 71 – Bayreuth 57 – Coburg 38.

Barnickel, Kronacher Str. 2 (B 85), ☎ 2 73 –
Karte 17/29 *(Montag geschl.)* – **8 Z : 14 B** 28 - 48/58.

In Pressig-Förtschendorf NO : 6 km :

Brauerei-Gasthof Leiner-Bräu, Bamberger Str. 13 (B 85), ☎ (09268) 2 27 – . E VISA
Karte 18/32 *(Freitag geschl.)* – **11 Z : 20 B** 29/32 - 46/52.

PREUSSISCH OLDENDORF 4994. Nordrhein-Westfalen – 11 000 Ew – Höhe 72 m – Luftkurort – ☎ 05742.
♦Düsseldorf 225 – ♦Bremen 110 – ♦Hannover 105 – ♦Osnabrück 35.

In Preußisch Oldendorf - Börninghausen SO : 7 km :

Waidmanns Ruh mit Zim, Bünder Str. 15, ☎ 22 80, –
5 Z : 9 B.

In Preußisch Oldendorf-Holzhausen SO : 5 km über die B 65 :

Kurhaus Holsing , Brunnenallee 3, ☎ (05741) 27 50, « Park, Gartenterrasse », Bade- und Massageabteilung, , , –
Karte 28/58 *(auch Diät)* (22. Dez.- 15. Jan. geschl.) – **90 Z : 140 B** 75/85 - 140/150 Fb.

PRICHSENSTADT 8718. Bayern 413 NO 17 – 2 800 Ew – Höhe 278 m – ☎ 09883 (Abtswind).
Sehenswert : Hauptstraße ★ mit Fachwerkhäusern.
♦ München 254 – ♦Bamberg 49 – ♦Nürnberg 82 – Schweinfurt 32 – ♦Würzburg 45.

Zum Storch (Gasthof a.d.J. 1658), Luitpoldstr. 7, ☎ 5 87, , eigener Weinbau –
21. Aug.- 1. Sept. geschl. – Karte 19,50/30 *(Dienstag geschl.)* – **9 Z : 20 B** 40 - 60.

PRIEN AM CHIEMSEE 8210. Bayern 413 U 23, 987 ㊲, 426 ⑱ – 9 700 Ew – Höhe 531 m – Luftkurort – Kneippkurort – ☎ 08051.

Sehenswert : Chiemsee★ (Überfahrt zur Herren- und Fraueninsel).

Prien-Bauernberg, ☎ 59 48.

Kur- und Verkehrsamt, Rathausstr. 11, ☎ 30 31.

♦München 85 – Rosenheim 23 – Salzburg 64 – Wasserburg am Inn 27.

Yachthotel Chiemsee, Harrasser Str. 49, ☎ 69 60, Telex 525482, Fax 5171, ≤ Chiemsee und Herrenchiemsee, « Seeterrasse », Bade- und Massageabteilung, Yachthafen, Fahrradverleih – AE E VISA
Karte 47/70 – **101 Z : 206 B** 130/155 - 170/195 Fb – 5 Appart. 275/350 – P 150/220.

Sport-u. Golf-Hotel, Erlenweg 16, ☎ 10 01, – AE E
Ostern - Okt. – Karte 32/45 *(nur Abendessen, Mittwoch geschl.)* – **40 Z : 68 B** 82/90 - 140/190 Fb.

Reinhart, Seestr. 117, ☎ 10 45, ≤, – AE E VISA
7. Jan.- 15. April und 20. Okt.- 7. Dez. geschl. – Karte 22/50 *(Donnerstag geschl.)* – **28 Z : 50 B** 48/100 - 98/150 Fb – P 98/130.

Luitpold am See garni, Seestr. 110, ☎ 60 91 00, ≤, « Caféterrasse am Hafen », –
11. Jan.- 14. Feb. geschl. – **39 Z : 51 B** 60/88 - 100/120 Fb.

Bayerischer Hof, Bernauer Str. 3, ☎ 10 95, – E
Nov. geschl. – Karte 23/53 *(Montag geschl.)* – **47 Z : 90 B** 65 - 110/120 Fb – P 90.

Gästehaus Drexler garni, Seestr. 95, ☎ 48 02 –
17 Z : 36 B.

Seehotel Feldhütter, Seestr. 101, ☎ 43 21, Biergarten –
nur Saison – **30 Z : 50 B.**

In Prien-Harras SO : 4 km :

Fischer am See, Harrasser Str. 145, ☎ 10 08, ≤, « Terrasse am See », –
15 Z : 30 B.

PRINZBACH Baden-Württemberg siehe Biberach im Kinzigtal.

PROBSTRIED Bayern siehe Dietmannsried.

PRÜM 5540. Rheinland-Pfalz 987 ㉓ – 6 000 Ew – Höhe 450 m – Luftkurort – ☎ 06551.

Verkehrsamt, Rathaus, Hahnplatz, ☎ 5 05.

Mainz 196 – ♦Köln 104 – Liège 104 – ♦Trier 64.

Tannenhof, Am Kurpark 2, ☎ 24 06, – E. Rest
Karte 22/45 *(Sonntag 14 Uhr-Montag 17 Uhr geschl.)* – **27 Z : 40 B** 35/50 - 60/85 – 5 Fewo 70/100 – P 60/80.

Haus am Kurpark garni, Teichstr. 27, ☎ 8 46, –
9 Z : 16 B 43/50 - 67/80 – 3 Fewo 115/175.

Kölner Hof garni, Tiergartenstr. 22, ☎ 25 03 – AE E VISA
15 Z : 28 B 33/48 - 70/86.

Zum Goldenen Stern garni, Hahnplatz 29, ☎ 30 75 –
54 Z : 80 B 31/40 - 58/72.

Post-Hotel Bäckerkläsjen mit Zim, Hahnstr. 1, ☎ 22 92 – AE E
Mitte Feb.- Mitte März geschl. – Karte 20/40 *(Donnerstag geschl.)* – **7 Z : 13 B** 29/34 - 60/64.

St. Wendel mit Zim, Kreuzerweg 1, ☎ 38 39 –
Karte 18/40 *(Montag geschl.)* – **7 Z : 13 B** 30 - 60.

In Prüm-Held S : 1,5 km :

Zur Held, an der B 51, ☎ 30 16, –
Nov. geschl. – Karte 19/40 *(Montag geschl.)* – **17 Z : 33 B** 30/50 - 60/85 – P 50/60.

An der B 410 O : 5 km :

Schoos, ✉ 5546 Fleringen - Baselt, ☎ (06558) 5 04 – Rest
22. Feb.- 24. März geschl. – Karte 21/46 *(Montag geschl.)* – **20 Z : 40 B** 40/45 - 80.

In Weinsheim-Gondelsheim **5540** NO : 7 km :

Kirst, Am Bahnhof, ☎ (06558) 4 21, –
Karte 18/38 – **23 Z : 36 B** 27/38 - 54/70.

In Bleialf **5542** NW : 14 km :

Waldblick, Oberbergstr. 2, ☎ (06555) 84 69 –
11 Z : 20 B.

Zwicker, Am Markt 2, ☎ (06555) 5 11 –
14 Z : 30 B.

PRÜMZURLAY Rheinland-Pfalz siehe Irrel.

[PUCHHEIM] Bayern siehe Germering.

[PÜNDERICH] 5587. Rheinland-Pfalz – 1 000 Ew – Höhe 108 m – Erholungsort – ☎ 06542 (Zell a.d. Mosel).

Mainz 108 – Bernkastel-Kues 36 – Cochem 45.

🏠 **Weinhaus Lenz**, Hauptstr. 31, ✆ 23 50, ≤, eigener Weinbau – Ⓟ
✦ *März geschl.* – Karte 18/38 *(Donnerstag geschl.)* 🍷 – **14 Z : 27 B** 38/45 - 56/80.

[PULHEIM] 5024. Nordrhein-Westfalen – 48 100 Ew – Höhe 45 m – ☎ 02238.

♦Düsseldorf 30 – ♦Köln 13 – Mönchengladbach 43.

In Pulheim 2 - Brauweiler S : 5 km :

🏠 **Abtei-Park-Hotel** garni, Bernhardstr. 50, ✆ (02234) 8 10 58, Telex 8886366 – 🛗 📺 ☎. [AE] [DC] [E] [VISA]
40 Z : 61 B 85/150 - 135/160 Fb.

In Pulheim 2-Dansweiler SW : 6 km über Ortsteil Brauweiler :

🍴 **Zum Goldenen Adler**, Zehnthofstr. 26, ✆ (02234) 8 21 46, 🌳 – [AE] [DC] [E] [VISA]
wochentags nur Abendessen, Dienstag und Sept. 3 Wochen geschl. – Karte 47/73 (Tischbestellung ratsam).

In Pulheim 4-Sinnersdorf NO : 3 km :

🏠 **Faßbender** garni, Stommelner Str. 92, ✆ 5 46 73 – Ⓟ. 🚫
22 Z : 29 B 38/55 - 65/70.

In Pulheim 3-Stommeln NW : 4 km :

🏠 In der Gaffel, Hauptstr. 45, ✆ 20 15 – ☎ Ⓟ
(wochentags nur Abendessen) – **15 Z : 20 B.**

[PYRMONT, BAD] 3280. Niedersachsen [987] ⑮ – 22 000 Ew – Höhe 114 m – Heilbad – ☎ 05281.

Sehenswert : Kurpark★.

⛳ (2 Plätze), Schloß Schwöbber (N : 16 km) ✆ (05154) 20 04.

ℹ Kur- und Verkehrsverein, Arkaden 14, ✆ 46 27.

♦Hannover 67 – Bielefeld 58 – Hildesheim 70 – Paderborn 54.

🏠 **Bergkurpark** 🌙, Ockelstr. 11, ✆ 40 01, « Gartenterrasse », Bade- und Massageabteilung, ♨, 🏊, 🌳 – 🛗 📺 🚗 Ⓟ 🎪. [AE]
Karte 31/57 – **57 Z : 70 B** 53/130 - 138/260 Fb – 3 Appart. 320 – P 99/176.

🏠 **Park-Hotel Rasmussen**, Hauptallee 8, ✆ 44 85, « Terrasse an der Allee » – 📺 ☎ 🚗. [AE]
7. Jan.- Feb. geschl. – Karte 30/57 *(Nov.- Dez. Montag geschl.)* – **12 Z : 20 B** 75/95 - 150/190 Fb.

🏠 **Bad Pyrmonter Hof**, Brunnenstr. 32, ✆ 60 93 03 – 🛗 📺 ☎ 🚗. [AE] [E]
(Restaurant nur für Hausgäste) – **45 Z : 70 B** 50/80 - 100/140 – 7 Fewo 75/120 – P 80/100.

🏠 Pension Heldt, Severinstr. 9, ✆ 26 23, ♨, 🏊 – 📺 ☎. 🚫
nur Saison – (Restaurant nur für Hausgäste) – **18 Z : 25 B** Fb.

🏠 **Kaiserhof** garni, Kirchstr. 1, ✆ 40 11 – 🛗 📺 ☎
März- Nov. – **50 Z : 95 B** 70/85 - 120/180 Fb.

🏠 **Schloßblick** garni, Kirchstr. 23, ✆ 37 23 – 📺 ☎ Ⓟ
April- Okt. – **18 Z : 28 B** 53/58 - 106/116 Fb.

🏠 **Schaumburg** garni, Annenstr. 1, ✆ 25 54 – 🛗 ☎ 🚗 Ⓟ
20. Dez.- Feb. geschl. – **19 Z : 22 B** 45/65 - 90/98 Fb.

🍴 Alter Fritz, Brunnenstr. 16, ✆ 86 69, 🌳 – 🚫.

In Bad Pyrmont-Hagen SW : 4 km :

🏠 **Deutsches Haus**, Pyrmonter Str. 24, ✆ 60 97 74, 🌳 – ☎ 🚗 Ⓟ. [AE] [DC] [E] [VISA]
✦ Karte 19/45 *(Montag und 2.- 30. Jan. geschl.)* – **8 Z : 16 B** 45/55 - 80/95.

[QUAKENBRÜCK] 4570. Niedersachsen [987] ⑭ – 10 500 Ew – Höhe 40 m – ☎ 05431.

ℹ Verkehrsamt, Rathaus, Marktstr. 1, ✆ 18 20.

♦Hannover 144 – ♦Bremen 90 – Nordhorn 84 – ♦Osnabrück 50.

🏠 **Niedersachsen**, St. Antoniort 2, ✆ 22 22 – ☎ 🚗 Ⓟ. [AE] [DC] [E] [VISA]
Karte 27/47 *(Sonntag geschl.)* – **17 Z : 27 B** 47/65 - 95/102.

🍴 **Zur Hopfenblüte**, Lange Str. 48, ✆ 33 59, « Fachwerkhaus a.d.J. 1661 » – 🚫
Dienstag geschl. – Karte 24/45.

In Menslage-Bottorf 4575 W : 6 km :

🏠 **Gut Vahlkampf** 🌙, Bruchweg 1, ✆ (05437) 6 33, Telex 942442, ♨, 🏊, 🌳 – ☎ Ⓟ 🎪. [E]
Karte 27/45 *(Montag geschl.)* – **20 Z : 38 B** 49/90 - 100/130.

[QUARRENDORF] Niedersachsen siehe Hanstedt.

MICHELIN : L'AVANCE TECHNOLOGIQUE

Dans les 3 centres de recherche Michelin, 4500 chercheurs sont chaque jour au travail. 4500 chercheurs de pneus. De pneus. Rien que de pneus.

Pour faire évoluer plus de 3000 modèles et les adapter à des milliers de véhicules. Ici, sous la plaque de verre, une caméra haute fréquence enregistre le comportement dans l'eau d'un pneu MX de 155 millimètres de large.

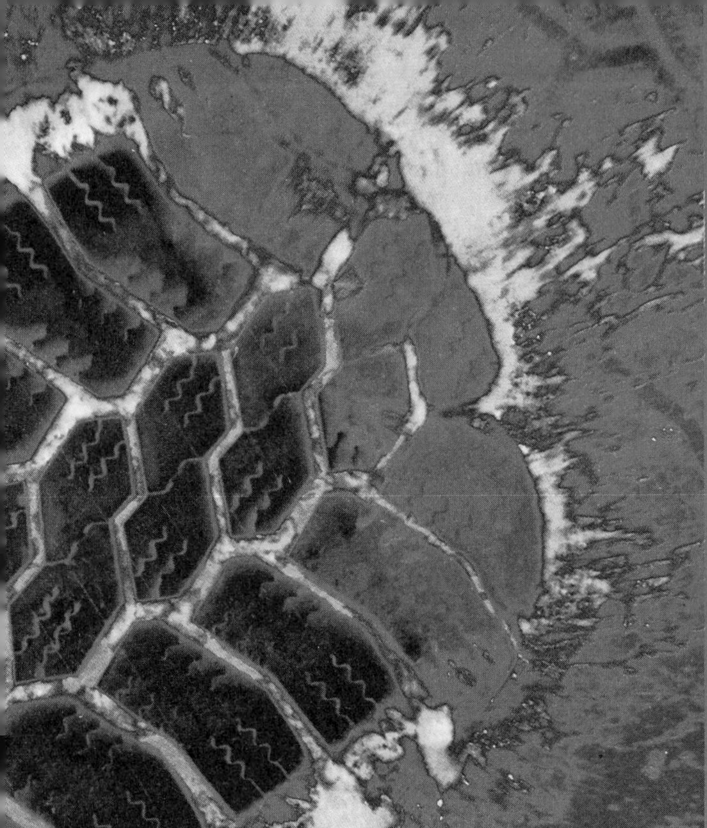

A 100 km/h, sur une piste en béton bitumineux recouverte de 8 mm d'eau, le pneu évacue 25 litres d'eau à la seconde. Plus loin, un ordinateur aide à définir la structure d'un nouveau pneu. Puissance de calcul : 10 000 équations par jour.

A l'extérieur sur 6 000 hectares de circuits, 300 pilotes démarrent, accélèrent et virent.

En camion, en voiture, en moto, sur absolument tout ce qui roule. Chaque année, 300 millions de kilomètres parcourus pour les essais.

Chaque année, plus de 200 nouvelles homologations par les constructeurs automobiles du monde entier.

Chaque jour, 4 500 chercheurs au travail pour faire avancer les pneus qui font aujourd'hui avancer 2 milliards de roues sur la terre.

QUELQUES CONSEILS

GONFLAGE La pression de gonflage a une très grande importance pour votre sécurité, votre confort et la durée de vos pneus.

Contrôlez la pression les pneus étant froids (c'est-à-dire après au moins une heure d'arrêt).

Vérifiez périodiquement la pression de la roue de secours.

Seul le bouchon de valve assure l'étanchéité.

La pression augmente en cours de roulage, c'est normal.

Ne dégonflez jamais des pneus chauds.

Nos tableaux de gonflage donnent par véhicule deux séries de pression.

Utilisation courante : ces pressions conviennent pour la majorité des cas d'utilisation.

Autres utilisations : ces pressions sont à adopter dans les cas suivants : véhicule très chargé, roulage type autoroute (voiture à faible ou à pleine charge). Les pressions indiquées sont valables pour les pneus Tubeless comme pour les pneus Tube Type.

ÉQUILIBRAGE Lorsque vous faites équiper votre voiture de nouveaux pneus, faites équilibrer l'ensemble pneu-roue.

Une roue mal équilibrée peut provoquer des troubles de direction, des vibrations, etc.

MONTAGE Pour profiter entièrement des qualités des pneus Michelin, il est préférable d'équiper la voiture avec le train complet. C'est indispensable avec les pneus XWX, XDX et TRX.

On peut toutefois, pour les autres types de pneus Michelin, commencer avec seulement deux pneus.

Dans ce cas, consultez votre fournisseur habituel ou Michelin.

Sur un même essieu, les deux pneus doivent toujours être du même type.

IMPORTANT Même à vitesse limitée, pour rouler en toute sécurité, monter le pneu qui convient aux possibilités maximales de la voiture.

A VOTRE SERVICE Vous avez des observations, des suggestions, vous souhaitez des précisions concernant l'utilisation de vos pneumatiques Michelin, écrivez-nous à :
Manufacture Française des Pneumatiques Michelin - Boîte Postale Consommateurs - 63040 CLERMONT FERRAND CEDEX.

LES GUIDES ET LES CARTES MICHELIN

Seize millions de publications de tourisme sont vendues chaque année dans le monde sous la signature Michelin.

Compléments du pneumatique dont ils portent le nom, les Guides Rouges hôteliers, les cartes routières, les Guides Verts touristiques sont nés et se sont développés avec l'automobile, selon l'orientation définie par leurs créateurs, les frères Edouard et André Michelin.

Tout au long de notre siècle, ils ont eu pour mission de pressentir les besoins réels de l'automobiliste et d'apporter à ce dernier la réponse appropriée, selon qu'il se déplace sur la route, qu'il fait étape ou qu'il cherche à profiter de ses loisirs.

Trois activités du voyage, mais un seul service.

Trois types de publications, mais complémentaires.

Fidèle reflet de notre environnement en perpétuelle évolution, faisant appel aujourd'hui à l'informatique et aux techniques graphiques les plus récentes, les Guides et les Cartes Michelin sont bien la collection de référence de notre temps.

LE GUIDE ROUGE

Ce livre que vous avez entre les mains, ce n'est pas un guide hôtelier comme tous les autres. Pour plusieurs raisons, qui n'apparaissent pas toujours au premier usage.

Si son ancienneté, son expérience, sa signature expliquent déjà la sympathie dont il jouit, avec tous ses frères de collection, elles ne doivent pas faire oublier certains caractères fondamentaux, en particulier :

– L'objectivité de sa sélection d'établissements et de ses classements. Ni un catalogue, ni un recueil de commentaires et de critiques. Sa règle : choisir, puis informer le voyageur pour lui permettre de choisir à son tour. Le Guide n'est pas un juge, c'est un service.

– La concision de sa présentation. Deux ou trois lignes sur un établissement, c'est peu, mais chaque symbole a sa définition propre et aucun détail n'est laissé au hasard. Le Guide n'est pas bavard, mais chacun le lit aisément.

– La scrupuleuse tenue à jour de son contenu. A longueur d'année, nos inspecteurs, français en France, étrangers à l'étranger, visitent et testent anonymement, nos documentalistes cherchent et contrôlent, nos techniciens vérifient les plans de villes. Au plus près de l'actualité, c'est leur règle de travail.

– ... Sans oublier votre collaboration bénévole à tous, amis lecteurs et voyageurs, qui nous écrivez par milliers chaque année. Un complément bien précieux à nos efforts. Soyez-en remerciés.

Si le Guide vous mène en confiance, c'est notre meilleur encouragement.
C'est aussi avec votre aide que nous progresserons.

LA CARTE

Plus de 75 années de cartographie Michelin, c'est une expérience et un savoir-faire irremplaçables, puisqu'ils remontent aux débuts même de l'automobile.

Des dizaines de millions de feuilles en usage, c'est la reconnaissance de cette suprématie par le public le plus large : il se vend aujourd'hui une carte Michelin toutes les trois secondes quelque part dans le monde !

Les raisons ? Elles sont bien simples : la carte Michelin est précise et facile à lire, elle connaît les besoins de son lecteur, elle est présente partout et ne coûte qu'un minimum.

Enfin et surtout, elle fait l'objet d'une actualisation permanente jusque dans ses moindres détails, à l'image du terrain qu'elle représente. Sait-on que plus de huit cents corrections viennent, en moyenne, modifier année après année chacune des cartes jaunes de la série France ?

Plus d'une centaine de feuilles couvrent l'Europe et l'Afrique, selon une gamme étendue d'échelles adaptées à chaque région traitée, de sorte que le piéton de Paris comme le concurrent des grands rallyes africains y trouvent également ce qu'ils y cherchent.

Routière et touristique, la carte Michelin donne le meilleur d'elle-même lorsqu'elle est utilisée avec le Guide Rouge et le Guide Vert. L'union fait la force.

LE GUIDE VERT

Le Guide Vert touristique, c'est le compagnon des moments de détente et de loisir. Sans ambition faussement culturelle, mais sans concession à la facilité ou à l'à-peu-près.

Aussi rigoureux que nos autres publications, dans sa conception comme dans sa mise en forme, il évite néanmoins toute sévérité par son ton équilibré et son sens pratique, deux atouts souvent déterminants pour la réussite d'un voyage. Une rédaction concise, un style simple (mais qui ne craint pas d'aborder la géologie d'une région ou la technique d'un ouvrage d'art lorsque c'est nécessaire), assurent une lecture plaisante, aérée, qui va à l'essentiel.

Et les étoiles de curiosité, qui permettent d'un coup d'œil d'apprécier l'intérêt général d'une localité, d'un site naturel ou d'une excursion, sont un apport décisif – et bien connu – à la clarté de nos Guides.

En complément au texte, plans de villes et de monuments, schémas d'excursions, cartes thématiques, illustrations en couleur ou à la plume sont présents à toutes les pages des quelque soixante-dix titres, belle collection répartie sur l'Europe, et l'Amérique du Nord.

[QUERN] **2391**. Schleswig-Holstein – 3 000 Ew – Höhe 47 m – ☏ 04632.
♦ Kiel 71 – Flensburg 19.

In Quern-Nübelfeld N : 3,5 km :

🍴🍴 **Landhaus Schütt** mit Zim, nahe der B 199, ℘ 3 18 – 🚗 [P]. [AE] [D] [E]
9.- 30. Jan. und 11.- 25. Sept. geschl. – Karte 32/74 – **8 Z : 13 B** 39/45 - 78/85.

[QUICKBORN] **2085**. Schleswig-Holstein [987] ⑤ – 18 300 Ew – Höhe 25 m – ☏ 04106.
⛳18 Quickborn-Renzel (SW : 2 km), ℘ 6 08 76.
♦Kiel 76 – ♦Hamburg 23 – Itzehoe 45.

🏨 **Romantik-Hotel Jagdhaus Waldfrieden**, Kieler Str. 1 (B 4, N : 3 km), ℘ 37 71, « Ehem. Villa, Park » – [TV] ☎ [P]. [AE] [D] [E] [VISA]
Karte 50/85 *(Montag geschl.)* – **15 Z : 25 B** 80/110 - 140/175 Fb.

🏨 **Sporthotel Quickborn**, Harksheider Weg 258, ℘ 40 91, ☂, 🌳 – [TV] ☎ [P] 🏃. [AE] [D] [E] [VISA]
Karte 30/76 – **27 Z : 38 B** 80/90 - 130/135 Fb.

In Quickborn-Heide NO : 5 km :

🍴🍴 **Landhaus Quickborner Heide**, Ulzburger Landstr. 447, ℘ 7 35 35 – [P]. [AE] [D] [E]
Dienstag geschl. – Karte 40/68.

[QUIERSCHIED] **6607**. Saarland [242] ⑦, [57] ⑥, [87] ⑪ – 16 800 Ew – Höhe 215 m – ☏ 06897.
♦Saarbrücken 13 – Neunkirchen/Saar 12 – Saarlouis 24.

🏠 Didion, Rathausplatz 3, ℘ 6 12 24 – [$] [P]
14 Z : 18 B.

🍴🍴 **Schachtglocke** mit Zim, Rathausstr. 10, ℘ 6 78 00 – [TV] ☎ [P]. [E]
Jan. und Juli jeweils 10 Tage geschl. – Karte 35/60 *(Samstag bis 18 Uhr und Donnerstag geschl.)* – **2 Z : 4 B** 80 - 140.

🍴🍴 **Da Nico** (Italienische Küche), Am Freibad 1, ℘ 6 28 31, ☂ – [P]. 🚫
Mittwoch, Sept. 3 Wochen und 23. Dez.- 2. Jan. geschl. – Karte 33/59.

Im Ortsteil Fischbach-Camphausen SW : 4,5 km :

🍴 **Kerner** mit Zim, Dudweiler Str. 20, ℘ 6 10 99 – [TV] 🚗 [P]. [E]. 🚫 Zim
Juli geschl. – Karte 21/50 *(Sonntag 15 Uhr - Montag geschl.)* – **10 Z : 17 B** 38/55 - 70/90.

[RADEVORMWALD] **5608**. Nordrhein-Westfalen [987] ㉔ – 23 800 Ew – Höhe 367 m – ☏ 02195.
♦Düsseldorf 51 – Hagen 27 – Lüdenscheid 22 – Remscheid 13.

🏨 **Café Weber**, Elberfelder Str. 96 (B 229), ℘ 12 74 – 🚗 [P]
◆ *20. Dez.- 10. Jan. geschl.* – Karte 18/45 – **29 Z : 50 B** 35/45 - 70/80.

Außerhalb NO : 3 km an der B 483, Richtung Schwelm :

🏨 **Zur Hufschmiede** 🐌, Neuenhof 1, ✉ 5608 Radevormwald, ℘ (02195) 82 38, 🌳 – [TV] ☎ 🚗 [P]. [AE]
Juli - Aug. 3 Wochen geschl. – Karte 26/53 *(Donnerstag geschl.)* – **17 Z : 23 B** 69/95 - 105/135.

[RADOLFZELL] **7760**. Baden-Württemberg [413] J 23, [987] ㉟, [427] ⑥ ⑦ – 25 100 Ew – Höhe 400 m – Kneippkurort – ☏ 07732.
[i] Städt. Verkehrsamt, Rathaus, Marktplatz 2, ℘ 38 00.
♦Stuttgart 163 – ♦Konstanz 21 – Singen (Hohentwiel) 11 – Zürich 91.

🏨 **Am Stadtgarten** garni, Höllturmpassage Haus 2, ℘ 40 11 – [$] [TV] ☎ 🚗. [AE] [D] [E] [VISA]
31 Z : 55 B 70/85 - 130/150 Fb.

🏨 **Kreuz** garni, Obertorstr. 3, ℘ 40 66 – [TV] ☎. [AE] [D] [E] [VISA]
21 Z : 44 B 55/65 - 98/120 Fb.

🏨 **Adler**, Seestr. 34, ℘ 34 73 – ☎ 🚗. [AE] [D] [E] [VISA]
24. Dez.- 15. Jan. geschl. – Karte 25/50 *(Mittwoch geschl.)* 🍷 – **17 Z : 27 B** 50/60 - 98/110 Fb – P 85.

🏠 **Krone am Obertor**, Obertorstr. 2, ℘ 48 04 – [AE] [D] [E] [VISA]
Juni geschl. – Karte 25/53 *(Samstag bis 17 Uhr geschl.)* – **12 Z : 20 B** 55/65 - 96/130.

🏠 **Braun** 🐌, Schäferhalde 16, ℘ 37 30, ☂, 🏊 – 🚗 [P]
◆ *20. Dez.- 12. Jan. geschl.* – Karte 18/33 *(Freitag und Sonntag jeweils ab 14 Uhr geschl.)* 🍷 – **19 Z : 31 B** 38/40 - 70/74.

🍴 Scheffelhof, Friedrich-Werber-Str. 20, ℘ 34 22.

Auf der Halbinsel Mettnau :

🏨 **Iris am See** 🐌 garni, Rebsteig 2, ℘ 70 26, ≤ – [TV] ☎ [P]
15. Dez.- 15. Jan. geschl. – **17 Z : 27 B** 60/85 - 105/130 Fb.

🏨 **Café Schmid** 🐌 garni, St.Wolfgang-Str. 2, ℘ 1 00 66, 🌳 – [TV] ☎ [P]
20. Dez.- 10. Jan. geschl. – **20 Z : 26 B** 75/80 - 130/160.

In Radolfzell 15-Güttingen N : 4,5 km :

Adler - Gästehaus Sonnhalde, Schloßbergstr. 1, 16 64, Fahrradverleih – P
15 Z : 27 B.

In Radolfzell 18-Markelfingen O : 4 km :

Kreuz, Markolfstr. 8, 1 05 23 – P. Zim
19 Z : 31 B.

In Moos 7761 SW : 4 km :

Haus Gottfried, Böhringer Str. 1, (07732) 41 61, – P. AE E
6.- 31. Jan. geschl. – Karte 34/64 *(Donnerstag - Freitag 17 Uhr geschl.)* – **20 Z : 35 B** 60/80 - 104/120 Fb – P 87/107.

RAESFELD 4281. Nordrhein-Westfalen 987 ⑬ – 8 300 Ew – Höhe 50 m – 02865.
♦Düsseldorf 77 – Borken 9 – Dorsten 16 – Wesel 23.

Schloß Raesfeld, Freiheit 27, 80 18 – P. AE E
Sonntag 19 Uhr - Montag geschl. – Karte 35/56.

RAICHBERG Baden-Württemberg. Sehenswürdigkeit siehe Albstadt.

RAISDORF Schleswig-Holstein siehe Kiel.

RAITENBUCH Baden-Württemberg siehe Lenzkirch.

RAMBERG 6741. Rheinland-Pfalz 418 GH 19 – 1 000 Ew – Höhe 270 m – 06345.
Mainz 121 – Kaiserslautern 51 – ♦ Karlsruhe 50 – Pirmasens 43.

Gästehaus Eyer, Im Harzofen 3, 83 18 – P
18 Z : 36 B.

RAMMINGEN Baden-Württemberg siehe Langenau.

RAMSAU 8243. Bayern 413 V 24, 987 ㊳, 426 ⑲ – 1 700 m – Höhe 669 m – Heilklimatischer Kurort – Wintersport : 670/1 400 m 6 2 – 08657.
Ausflugsziele : Schwarzbachwachtstraße : ≤**, N : 7 km – Hintersee* W : 5 km.
Verkehrsamt, Im Tal 2, 12 13.
♦München 138 – Berchtesgaden 11 – Bad Reichenhall 17.

Rehlegg, Holzengasse 16, 12 14, ≤, (geheizt), – P . AE
10. Nov.- 10. Dez. geschl. – Karte 35/66 – **60 Z : 108 B** 84/94 - 130/230 Fb.

Oberwirt, Im Tal 86, 2 25, Biergarten, – P
Nov.-15. Dez. geschl. – Karte 19,50/38 *(Jan.- Mai Montag geschl.)* – **31 Z : 55 B** 38/56 - 68/94.

Am Eingang der Wimbachklamm O : 2 km über die B 305 :

Wimbachklamm, Rotheben 1, 8243 Ramsau, (08657) 12 25, – P
15. Jan.- 5. Feb. und Nov.- 20. Dez. geschl. – Karte 19/39 *(Dienstag geschl.)* – **26 Z : 52 B** 50/65 - 88/120.

Am Eingang zum Zauberwald W : 2 km, Richtung Hintersee :

Datzmann, Hinterseer Str. 45, 8243 Ramsau, (08657) 2 35, ≤, – P
10. Jan.- 10. Feb. und 20. Okt.- 20. Dez. geschl. – Karte 25/48 *(Donnerstag geschl.)* – **30 Z : 50 B** 26/38 - 52/76.

An der Alpenstraße N : 5 km :

Hindenburglinde, Alpenstr. 66, Höhe 850 m, 8243 Ramsau, (08657) 5 50, ≤, – P
April und Nov.- 20. Dez. geschl. – Karte 20/45 *(Dienstag 17 Uhr - Mittwoch geschl.)* – **9 Z : 18 B** 26/40 - 70.

An der Straße nach Loipl N : 6 km :

Schwarzeck, Schwarzecker Str. 58, Höhe 1 100 m, 8243 Ramsau, (08657) 5 29, ≤ Watzmann, Hochkalter und Reiter-Alpe, – P
Freitag, 4.- 29. April und 28. Okt.- 20. Dez. geschl. – Karte 18/36.

In Ramsau-Hintersee W : 5 km – Höhe 790 m :

Seehotel Gamsbock, Am See 75, 2 79, ≤ See mit Hochkalter, – P
Nov.- 22. Dez. geschl. – Karte 22/41 – **26 Z : 45 B** 38/53 - 64/97 Fb.

Alpenhof, Am See 27, 2 53, ≤, – P. Zim
Ostern - Okt. – Karte 16/33 – **18 Z : 35 B** 33/43 - 50/78.

RAMSDORF Nordrhein-Westfalen siehe Velen.

RAMSTEIN-MIESENBACH 6792. Rheinland-Pfalz [413] F 18, [242] ③, [57] ⑧ – 7 700 Ew – Höhe 262 m – ☎ 06371 (Landstuhl).

Mainz 100 – Kaiserslautern 19 – ♦ Saarbrücken 57.

- **Ramsteiner Hof**, Miesenbacher Str. 26 (Ramstein), ☎ 54 27 – [TV] ☎. [AE] [D] [E] [VISA]
  Karte 18/45 – **22 Z : 44 B** 55/60 - 90/100.
- **Landgasthof Pirsch**, Auf der Pirsch 12 (Ramstein), ☎ 59 30, – [TV] ☎ [P]. [E].
  Karte 26/50 *(Samstag bis 18 Uhr und Sonntag geschl.)* – **37 Z : 73 B** 65 - 85 Fb.

In Niedermohr **6791** W : 6 km :

- St. Paulushof (ehemalige Klosteranlage), in Kirchmohr, ☎ (06383) 4 15, « Park » – [TV] ☎ [P].
  (wochentags nur Abendessen) – **40 Z : 65 B** Fb.

RANDERSACKER 8701. Bayern [413] M 17 – 3 600 Ew – Höhe 178 m – ☎ 0931 (Würzburg).

♦München 278 – Ansbach 71 – ♦Würzburg 7.

- **Gasthof und Gästehaus Bären**, Pförtleinsgasse 1, ☎ 70 81 88 (Hotel) 70 60 75 (Rest.) – ☎ [P]
  Karte 23/45 *(Mitte Nov.- Mitte Dez. und Mittwoch - Donnerstag 17 Uhr geschl.)* – **36 Z : 65 B** 48/52 - 80/86 Fb.

RANFELS Bayern siehe Zenting.

RANSBACH-BAUMBACH 5412. Rheinland-Pfalz – 6 900 Ew – Höhe 300 m – ☎ 02623.

Mainz 92 – ♦Bonn 72 – ♦Koblenz 24 – Limburg an der Lahn 31.

- Kannenbäckerland, Zur Fuchshohl (beim Tennisplatz), ☎ 30 51, Telex 863187, (Halle) – ☎ [P]
  12 Z : 24 B Fb.
- Eisbach, Schulstr. 2, ☎ 23 76, – [P]
  12 Z : 18 B.

RANZEL Nordrhein-Westfalen siehe Niederkassel.

Benutzen Sie bitte immer die neuesten Ausgaben der Michelin-Straßenkarten und -Reiseführer.

RAPPENAU, BAD 6927. Baden-Württemberg [413] K 19, [987] ㉕ – 15 600 Ew – Höhe 265 m – Soleheilbad – ☎ 07264.

[i] Kur- und Verkehrsamt, Salinenstr. 20, ☎ 8 61 25.

♦Stuttgart 74 – Heilbronn 22 – ♦Mannheim 71 – ♦Würzburg 122.

- **Salinen-Hotel**, Salinenstr. 7, ☎ 10 93, – ☎ [P]
  Karte 30/57 – **37 Z : 52 B** 56/73 - 115 Fb – P 96/113.
- **Häffner Bräu**, Salinenstr. 24, ☎ 10 61, – ☎ [P]. [AE] [D] [E] [VISA]
  22. Dez.- 20. Jan. geschl. – Karte 24/42 *(Freitag geschl.)* – **33 Z : 43 B** 40/71 - 120/132 Fb – P 75/106.

In Bad Rappenau 4-Heinsheim NO : 6 km :

- **Schloß Heinsheim** (Herrensitz a.d.J. 1730), ☎ 10 45, Telex 782376, « Park, Schloßkapelle », – [TV] [P]. [E] [VISA]
  20. Dez.- Jan. geschl. – Karte 43/76 *(auch vegetarische Gerichte)* – **41 Z : 72 B** 95/140 - 135/200 Fb – P 143/195.

RASTATT 7550. Baden-Württemberg [413] H 20, [987] ㉞, [242] ⑯ – 40 000 Ew – Höhe 123 m – ☎ 07222.

Ausflugsziel : Schloß Favorite★ S : 5 km.

[i] Verkehrspavillon, Kaiserstraße, ☎ 3 56 11.

♦Stuttgart 97 ① – Baden-Baden 13 ② – ♦Karlsruhe 24 ① – Strasbourg 61 ③.

Stadtplan siehe nächste Seite.

- Schwert, Herrenstr. 3a, ☎ 76 80, Telex 786574, Fax 768120 – [TV] ☎ — Z **a**
  50 Z : 78 B Fb.
- **Zum Schiff**, Poststr. 2, ☎ 3 21 60, – [TV] ☎. [E]. Zim — Z **f**
  Karte 25/43 *(Freitag und Juni 3 Wochen geschl.)* – **21 Z : 38 B** 60/75 - 85/100 Fb.
- **Im Münchfeld** garni, Donaustr. 7, ☎ 3 12 70 – ☎ [P]. [AE] [D] [E] [VISA] — über ②
  10 Z : 20 B 65 - 90.
- **Katzenberger's Adler** mit Zim, Josefstr. 7, ☎ 3 21 03 – [P]. [AE] [D] [E] [VISA]. Zim
  Karte 40/79 *(Sonntag und Juli - Aug. 4 Wochen geschl.)* – **8 Z : 14 B** 35/60 - 60/100. — Z **n**
- Zum Storchennest, Karlstr. 24, ☎ 3 22 60 — Z **r**

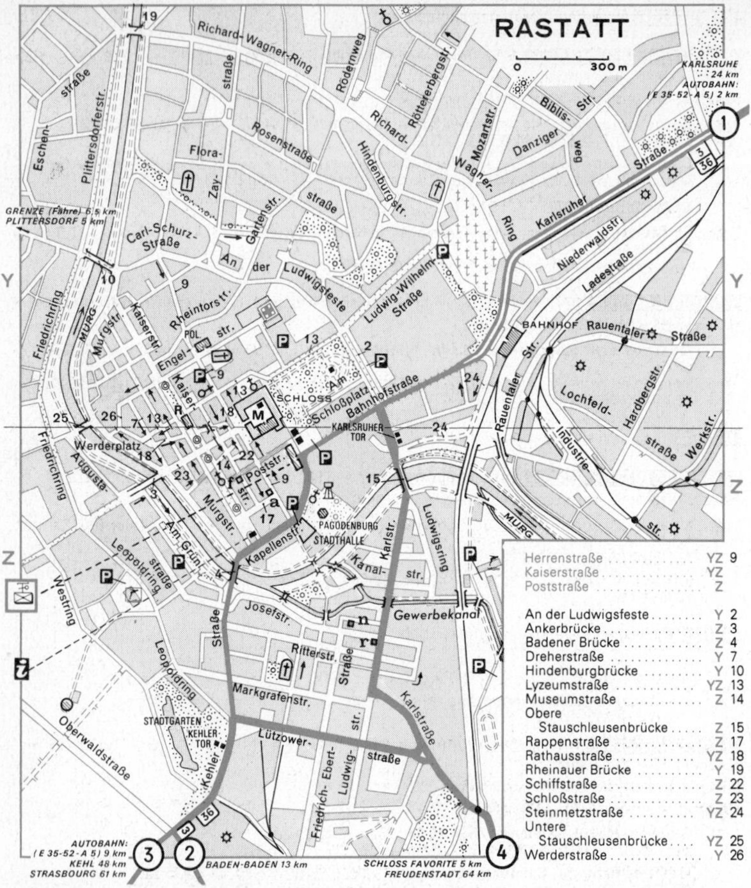
RASTATT
0 300 m
KARLSRUHE 24 km
AUTOBAHN: (E 35-52-A 5) 2 km
GRENZE (Fähre) 6,5 km
PLITTERSDORF 5 km
AUTOBAHN: (E 35-52-A 5) 9 km
KEHL 48 km
STRASBOURG 61 km
BADEN-BADEN 13 km
SCHLOSS FAVORITE 5 km
FREUDENSTADT 64 km
SCHLOSS
KARLSRUHER TOR
PAGODENBURG
STADTHALLE
STADTGARTEN
KEHLER TOR
BAHNHOF
MURG
Gewerbekanal
Herrenstraße YZ 9
Kaiserstraße YZ
Poststraße Z
An der Ludwigsfeste Y 2
Ankerbrücke Z 3
Badener Brücke Z 4
Dreherstraße Y 7
Hindenburgbrücke Y 10
Lyzeumstraße YZ 13
Museumstraße Z 14
Obere Stauschleusenbrücke Z 15
Rappenstraße Z 17
Rathausstraße YZ 18
Rheinauer Brücke Y 19
Schiffstraße Z 22
Schloßstraße Z 23
Steinmetzstraße YZ 24
Untere Stauschleusenbrücke YZ 25
Werderstraße Y 26

RASTEDE 2902. Niedersachsen [987] ⑭ – 18 900 Ew – Höhe 20 m – Luftkurort – ☏ 04402.

18 Wemkendorf (NW : 3 km), ☎ (04402) 72 40.

•Hannover 181 – •Oldenburg 11 – Wilhelmshaven 44.

🏨 Hof von Oldenburg, Oldenburger Str. 199, ☎ 10 31 – Rest ☎ [P] – **25 Z : 47 B.**

XXX ✻ **Landhaus am Schloßpark**, Südender Str. 1, ☎ 32 43, « Gartenterrasse » – [P]. [AE] [O] [E]
nur Abendessen, Montag - Dienstag geschl. – Karte 66/84
Spez. Rasteder Aaltorte, Dorsch im Sauerkrautmantel, Entengerichte.

RATEKAU Schleswig-Holstein siehe Bad Schwartau.

RATH Nordrhein-Westfalen siehe Nideggen.

RATINGEN 4030. Nordrhein-Westfalen [987] ⑬ – 89 000 Ew – Höhe 70 m – ☏ 02102.

18 Rittergut Rommeljans, ☎ 8 10 92 – •Düsseldorf 9,5 – •Duisburg 19 – •Essen 22.

🏨 **Altenkamp**, Marktplatz 17, ☎ 2 70 44, Telex 8585141 – [TV] ☎ [AE] [O] [E] [VISA]
Karte 47/80 *(Samstag - Sonntag und Juni - Juli 4 Wochen geschl.)* – **30 Z : 59 B** 130/150 - 180/220 Fb.

🏨 **Quality Inn**, Stadionring 1, ☎ 1 00 20, Telex 8589146, Fax 1002140 – [TV] ☎ [P]. [AE] [O] [E] [VISA]
Karte 29/49 – **68 Z : 97 B** 119/199 - 149/229 Fb.

Astoria garni, Mülheimer Str. 72, ✆ 1 40 05/8 20 05, Telex 8589111 – AE O E VISA
22. Dez.- 7. Jan. und 23.- 28. März geschl. – **27 Z : 59 B** 124/164 - 170/248 Fb.

Anger - Steakhaus, Angerstr. 20, ✆ 8 20 11 (Hotel) 84 61 47 (Rest.), Fax 870482 –
Karte 24/46 – **27 Z : 43 B** 95/130 - 150 Fb.

Am Düsseldorfer Platz garni, Düsseldorfer Platz 1, ✆ 2 70 14, Telex 8585370 – AE O E VISA
22. Dez.- 4. Jan. geschl. – **29 Z : 45 B** 85/110 - 130 Fb.

Suitbertus-Stuben, Oberstr. 23, ✆ 2 89 67 – AE E
Karte 31/58.

Auermühle, Auf der Aue, ✆ 8 10 64, – AE O E
Montag geschl. – Karte 34/62.

In Ratingen-West :

Crest-Hotel, Broichhofstr. 3, ✆ 4 60 46, Telex 8585235, Fax 499603, (geheizt), – Zim AE O E VISA
Karte 42/70 – **200 Z : 300 B** 213/292 - 292/351 Fb.

Beim Autobahnkreuz Breitscheid N : 5 km, Ausfahrt Mülheim :

Novotel Breitscheider Kreuz, Lintorfer Weg 75, ✉ 4030 Ratingen 5 - Breitscheid, ✆ (02102) 1 76 21, Telex 8585272, (geheizt), –
120 Z : 240 B Fb.

In Ratingen 4-Lintorf N : 4,5 km :

Angerland garni, Lintorfer Markt 10, ✆ 3 50 33 –
14 Z : 26 B 80/100 - 120/135 Fb.

RATISBONA, RATISBONNE = Regensburg.

RATTENBERG 8441. Bayern 413 V 19 – 1 960 Ew – Höhe 570 m – Erholungsort – ☎ 09963.

Verkehrsamt, Gemeindeverwaltung, ✆ 7 03.

♦München 153 – Cham 25 – Deggendorf 43 – Straubing 33.

Zur Post, Dorfplatz 2, ✆ 10 00, – AE O E
Karte 18/34 – **50 Z : 95 B** 42/52 - 74/110 – P 56/74.

RATZEBURG 2418. Schleswig-Holstein 987 ⑥ – 13 000 Ew – Höhe 16 m – Luftkurort – ☎ 04541.

Sehenswert : Ratzeburger See★ – Dom★ (Hochaltarbild★) – Aussichtsturm ≤★.

Verkehrsamt, Alte Wache am Markt, ✆ 80 00 80.

♦Kiel 107 – ♦Hamburg 68 – ♦Lübeck 24.

Der Seehof (mit Gästehaus Hubertus), Lüneburger Damm 3, ✆ 20 55, Telex 261835, Fax 7861, ≤, « Terrasse am See », Bootssteg – AE O E VISA
Karte 34/68 – **65 Z : 130 B** 60/140 - 85/170.

Hansa-Hotel, Schrangenstr. 25, ✆ 33 72 –
Karte 30/51 – **28 Z : 45 B** 65/80 - 105 Fb – P 88/115.

Wittlers Hotel - Gästehaus Cäcilie, Große Kreuzstr. 11, ✆ 32 04 –
20. Dez.- 20. Jan. geschl. – Karte 23/41 *(Okt.- März Sonntag geschl.)* – **36 Z : 65 B** 40/60 - 75/95.

In Fredeburg 2418 SW : 5,5 km :

Fredenkrug, Lübecker Str. 5, ✆ (04541) 35 55, –
Karte 23/43 – **17 Z : 27 B** 45 - 85.

In Salem 2419 SO : 7 km :

Lindenhof, Seestr. 40, ✆ (04541) 34 71, ≤, – Zim
nur Saison – – **15 Z : 30 B.**

In Seedorf 2411 SO : 13 km :

Schaalsee-Hotel, Schloßstr. 9, ✆ (04545) 2 82, ≤, – Rest
März - Nov. – Karte 30/49 *(Mittwoch geschl.)* – **15 Z : 27 B** 60/80 - 100 – P 85.

RAUENBERG 6914. Baden-Württemberg 413 I J 19 – 6 100 Ew – Höhe 130 m – ☎ 06222 (Wiesloch).

♦Stuttgart 99 – Heidelberg 22 – Heilbronn 47 – ♦Karlsruhe 45 – ♦Mannheim 35.

Winzerhof, Bahnhofstr. 6, ✆ 6 20 67, Telex 466035, eigener Weinbau, – AE O E VISA
Karte 28/67 – **67 Z : 83 B** 77/111 - 130/190 Fb.

Café Laier, Wieslocher Str. 36, ✆ 6 27 95 –
Karte 17/36 *(Samstag ab 15 Uhr und Dienstag geschl.)* – **13 Z : 20 B** 35/60 - 60/80.

RAUNHEIM Hessen siehe Rüsselsheim.

RAUSCHENBERG **3576.** Hessen – 4 500 Ew – Höhe 282 m – Luftkurort – ☎ 06425.
♦Wiesbaden 140 – ♦Kassel 78 – Marburg 20.

🏠 **Gästehaus Schöne Aussicht**, an der B 3 (NW : 3,5 km), ✆ 7 17, ≘, [🏊], 🌳 – [TV] ☎ 🚗 [P]. [E]
Karte 21/42 *(Mahlzeiten im Gasthof)* (Montag geschl.) – **12 Z : 19 B** 43 - 86 – P 56.

RAVENSBURG **7980.** Baden-Württemberg [413] LM 23, [987] ㉟ ㊱, [427] ⑧ – 43 200 Ew – Höhe 430 m – ☎ 0751.

Sehenswert : Liebfrauenkirche (Kopie der "Ravensburger Schutzmantelmadonna"★★).

[i] Städt. Kultur- u. Verkehrsamt, Marienplatz 54, ✆ 8 23 24.

ADAC, Seestr. 55, ✆ 2 37 08, Telex 732968.

♦Stuttgart 147 – Bregenz 41 – ♦München 183 – ♦Ulm (Donau) 86.

🏠 ❀ **Romantik-Hotel Waldhorn**, Marienplatz 15, ✆ 1 60 21, Telex 732311 – [$] [TV] 🚗 🏞. [AE] [D] [E] [VISA]
Karte 69/102 *(Tischbestellung ratsam)* (Sonntag - Montag 18 Uhr geschl.) – **40 Z : 55 B** 82/125 - 130/230 Fb
Spez. Geräucherte Taube mit Pilzen, Hummer-Tortellini, Kalbsniere in Folie.

🏠 **Lamm**, Marienplatz 47, ✆ 39 14 – 🚗. [AE] [D] [E] [VISA]
22. Dez.- 10. Jan. geschl. – Karte 31/53 – **50 Z : 65 B** 35/70 - 70/140 Fb.

🏠 **Sennerbad** 🐦 garni, Am Sennerbad 24 (Weststadt), ✆ 20 83, ≤, 🌳 – [$] ☎ [P]. [D] [E]
24. Dez.- 11. Jan. geschl. – **24 Z : 40 B** 34/55 - 85/88 Fb.

🏠 **Obertor**, Marktstr. 67, ✆ 3 20 81, ≘ – ☎ [P]. [AE] [E]
23. Dez.- 6. Jan. geschl. – Karte 23/47 *(nur Abendessen, Sonntag geschl.)* – **30 Z : 45 B** 55/60 - 100 Fb.

🏠 Goldene Uhr, Saarlandstr. 44, ✆ 27 75, 🍴 – 🚗 [P]
32 Z : 55 B.

🏠 Weinstube zum Muke, Herrenstr. 16, ✆ 2 30 06
22 Z : 36 B Fb.

🍴🍴 **Restaurant Sennerbad**, Am Sennerbad 18 (Weststadt), ✆ 3 18 48, ≤, 🍴 – [P]
Montag geschl. – Karte 31/57 🍷.

🍴 **Ristorante La Gondola** (Italienische Küche), Gartenstr. 75 (B 32), ✆ 2 39 40 – [P]. [D]
24. Dez.- 2. Jan., 18. Juli - 7. Aug. und Sonntag geschl. – Karte 40/54.

In Ravensburg-Dürnast SW : 9,5 km :

🏠 **Landvogtei** (Haus a.d.J. 1470), an der B 33, ✆ (07546) 52 39, 🍴 – 🚗 [P]. [D] [E]. ✂ Zim
♦ *4.- 21. Jan. geschl.* – Karte 19/30 *(Freitag geschl.)* 🍷 – **18 Z : 36 B** 26/45 - 52/80.

In Ravensburg 19-Obereschach S : 6 km über die B 30 und die B 467 :

🏠 Bräuhaus 🐦, Kirchstr. 8, ✆ 6 20 63, Biergarten – ☎ 🚗 [P]
10 Z : 20 B.

In Berg **7981** N : 4 km :

🏠 **Haus Hubertus** 🐦, Maierhofer Halde 9, ✆ (0751) 4 10 58, ≤, 🍴, Wildgehege – ☎ [P] 🏞. [E] [VISA]
1.- 15. Jan. geschl. – Karte 25/41 *(Sonntag 15 Uhr - Montag 17 Uhr geschl.)* – **25 Z : 38 B** 61 - 91.

RAVENSBURG (Burg) Baden-Württemberg siehe Sulzfeld.

RECHTENBACH **8771.** Bayern [413] L 17 – 1 100 Ew – Höhe 335 m – ☎ 09352.
♦München 327 – Aschaffenburg 29 – ♦Würzburg 47.

🏠 **Krone**, Hauptstr. 52, ✆ 22 38, 🌳 – 🚗
♦ Karte 14/27 *(Freitag geschl.)* 🍷 – **14 Z : 25 B** 26/34 - 52/62.

An der B 26 W : 3,5 km :

🍴🍴 **Bischborner Hof** mit Zim, ✉ 8771 Neuhütten, ✆ (09352) 33 56, 🍴 – ☎ 🚗 [P]. [AE] [D] [E] [VISA]
Karte 28/59 *(Dienstag geschl.)* – **4 Z : 8 B** 60 - 80.

RECKE **4534.** Nordrhein-Westfalen [987] ⑭ – 9 800 Ew – Höhe 60 m – ☎ 05453.
♦Düsseldorf 183 – ♦Bremen 140 – Enschede 70 – ♦Osnabrück 40.

🏠 **Altes Gasthaus Greve** 🐦, Markt 1, ✆ 30 99, Fahrradverleih – ☎ 🚗 [P]. ✂
♦ Karte 18/39 *(Montag bis 18 Uhr geschl.)* – **14 Z : 21 B** 36/42 - 72/75.

In this guide,
a symbol or a character, printed in red or **black**, *in* **bold** *or light type,*
does not have the same meaning.
Please read the explanatory pages carefully.

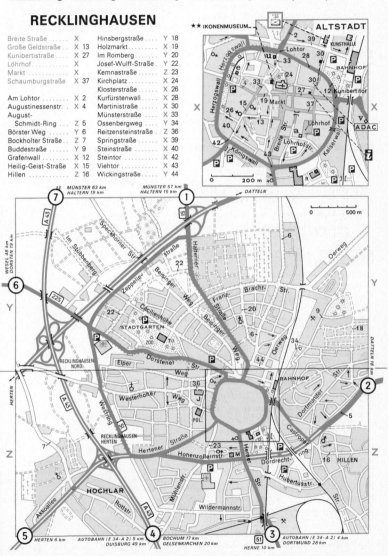

[RECKLINGHAUSEN] **4350. Nordrhein-Westfalen [987] ⑭ – 119 300 Ew – Höhe 76 m – ☎ 02361.**

Siehe Ruhrgebiet (Übersichtsplan).

Sehenswert : Ikonenmuseum★★.

⛳18 **Bockholter Str. 475 (über ⑥), ☎ 2 65 20.**

ℹ Städt. Reisebüro, Kunibertistr. 23, ☎ 58 76 72.

ADAC, Martinistr. 11, ☎ 1 54 20, Notruf ☎ 1 92 11.

♦Düsseldorf 71 ④ – Bochum 17 ④ – ♦Dortmund 28 ③ – Gelsenkirchen 20 ④ – Münster (Westfalen) 63 ⑦.

RECKLINGHAUSEN

Breite Straße	X		Hinsbergstraße	Y	18
Große Geldstraße	X	13	Holzmarkt	X	19
Kunibertistraße	X	27	Im Romberg	Y	20
Löhrhof	X		Josef-Wulff-Straße	Y	22
Markt	X		Kemnastraße	Z	23
Schaumburgstraße	X	37	Kirchplatz	X	24
			Klosterstraße	X	26
Am Lohtor	X	2	Kurfürstenwall	X	28
Augustinessenstr.	X	4	Martinistraße	X	30
August-Schmidt-Ring	Z	5	Münsterstraße	X	33
Börster Weg	Y	6	Ossenbergweg	Y	34
Bockholter Straße	Z	7	Reitzensteinstraße	Z	36
Buddestraße	Y	9	Springstraße	X	39
Grafenwall	X	12	Steinstraße	X	40
Heilig-Geist-Straße	X	15	Steintor	X	42
Hillen	Z	16	Viehtor	X	43
			Wickingstraße	Y	44

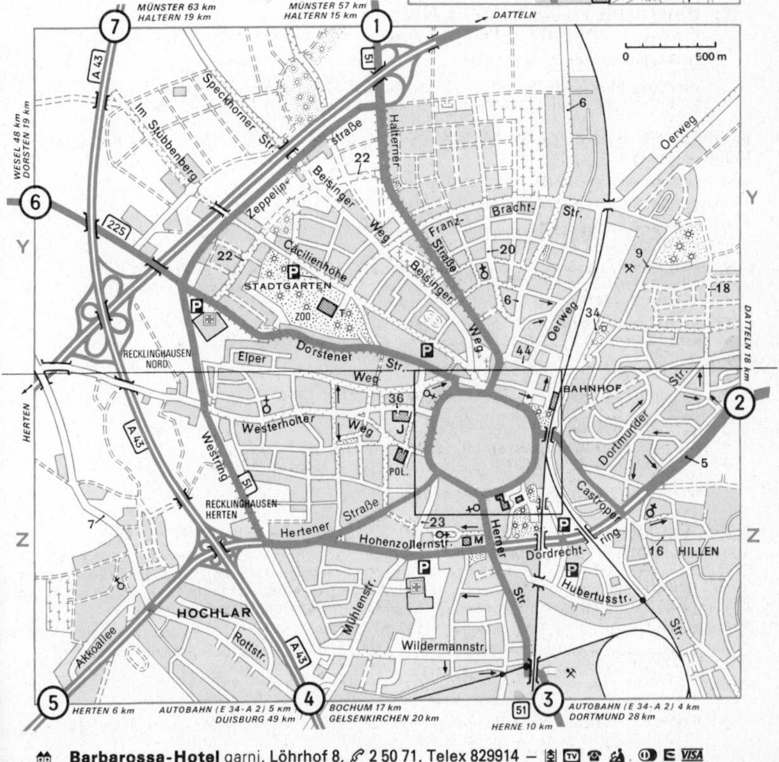

🏨 **Barbarossa-Hotel** garni, Löhrhof 8, ☎ 2 50 71, Telex 829914 – 🛗 📺 ☎ 🅿. ⓓ E VISA
23.Dez.- 6. Jan. geschl. – **63 Z : 107 B** 75/115 - 140/195 Fb. X **a**

🏨 **Landhaus Quellberg** 🐴 garni, Holunderweg 9, ☎ 4 10 14, 🏊 (geheizt), 🌳 – ☎ 🅿 🅿
32 Z : 60 B Fb. über Castroper Straße Z

XXX **Die Engelsburg** mit Zim, Augustinessenstr. 10, ☎ 2 50 66, « Park, Kaminzimmer » – AE E
Karte 57/90 – **30 Z : 43 B** 65/90 - 110/160 Fb – 3 Appart. 250. X e

XX **Landhaus Scherrer**, Bockholter Str. 385, ☎ 2 27 20, Biergarten – AE E
2.-13. Jan. und Montag geschl., Samstag nur Abendessen – Karte 35/63.
über Bockholter Str. Y

XX **Die weiße Brust**, Münsterstr. 4, ☎ 2 99 04, – AE E
Samstag bis 18 Uhr und Montag geschl. – Karte 35/63. X u

XX Scirocco, Dortmunder Str. 20, ☎ 4 44 06 X v

X **Ratskeller**, Rathausplatz 3, ☎ 5 99 11, – AE E
Karte 20/53. X R

REDNITZHEMBACH 8540. Bayern 413 Q 19 – 4 300 Ew – Höhe 315 m – ☎ 09122 (Schwabach).
♦München 154 – Ansbach 41 – Donauwörth 74 – ♦Nürnberg 22.

In Rednitzhembach - Plöckendorf :

Hembacher Hof, Untermainbacher Weg 21, ☎ 70 91 – AE E
10.- 24. Aug. geschl. – Karte 26/46 *(Sonn- und Feiertage ab 15 Uhr geschl.)* – **22 Z : 37 B** 65/75 - 98/103 Fb – P 79/105.

Kuhrscher Keller, Bahnhofstr. 5, ☎ 70 71, – Zim
Karte 19/33 *(nur Abendessen, Freitag - Samstag geschl.)* – **12 Z : 24 B** 52 - 90.

REES 4242. Nordrhein-Westfalen 987 ⑬ – 18 300 Ew – Höhe 20 m – ☎ 02851.
♦Düsseldorf 87 – Arnhem 49 – Wesel 24.

Rheinhotel Dresen, Markt 6, ☎ 12 55, ←, –
3.- 28. Jan. geschl. – Karte 29/50 *(Freitag geschl.)* – **14 Z : 22 B** 44/60 - 110/120.

XXX **Op de Poort**, Vor dem Rheintor 5, ☎ 74 22, ←, –
Montag - Dienstag und 20. Dez.- Jan. geschl. – Karte 33/68 (Tischbestellung ratsam).

In Rees-Grietherort NW : 8 km :

XX **Inselgasthof Nass** mit Zim, Rheinstr. 1, ☎ 63 24, ←, –
Karte 32/59 *(vorwiegend Fischgerichte)* (Montag geschl.) – **5 Z : 10 B** 40 - 80.

REGEN 8370. Bayern 413 W 20, 987 ㉘ – 11 000 Ew – Höhe 536 m – Erholungsort – Wintersport : 3 – ☎ 09921.
Verkehrsamt, Haus des Gastes, Stadtplatz 2, ☎ 29 29.
♦München 169 – Cham 49 – Landshut 100 – Passau 60.

Brauerei-Gasthof Falter, Am Sand 15, ☎ 43 13 – E
Karte 20/50 – **12 Z : 19 B** 35 - 60/70.

Pension Panorama, Johannesfeldstr. 27, ☎ 23 56, ←, –
10. Jan. - Ostern und 15. Okt. - 20. Dez. geschl. – (nur Abendessen für Hausgäste) – **17 Z : 31 B** 32/35 - 54/70.

Pichelsteinerhof, Talstr. 35, ☎ 24 72 –
Karte 16/29 – **10 Z : 19 B** 35 - 68 – P 47.

In Regen 2-March W : 6,5 km :

Zur alten Post, Hauptstr. 37, ☎ 23 93, – – **36 Z : 70 B.**

In Regen-Weißenstein SO : 3 km :

Burggasthof Weißenstein, ☎ 22 59, ←, –
Nov. geschl. – Karte 18,50/39 *(Dienstag geschl.)* – **15 Z : 26 B** 31/34 - 58/68.

Siehe auch : *Liste der Feriendörfer*

REGENSBURG 8400. Bayern 413 T 19, 987 ㉗ – 128 000 Ew – Höhe 339 m – ☎ 0941.
Sehenswert : Dom★ (Glasgemälde★★) Z – Alter Kornmarkt★ Z – Alte Kapelle★ Z **D** – Stadtmuseum★ Z **M1** – St. Emmeram★ (Grabmal★ der Königin Hemma) Z **A** – Schloß Thurn und Taxis : Marstallmuseum★ Z **M2** – St. Jakobskirche (romanisches Portal★) Z **B** – Steinerne Brücke (←★) Z – **Ausflugsziel :** Walhalla★ : Lage★, O : 10 km über Donaustaufer Str. Y.
Donaustauf, Jagdschloß Thiergarten (② : 13 km), ☎ (09403) 5 05.
Tourist-Information, Altes Rathaus, ☎ 5 07 21 41 – **ADAC**, Luitpoldstr. 2, ☎ 5 56 73, Notruf ☎ 1 92 11.
♦München 122 ④ – ♦Nürnberg 100 ④ – Passau 115 ③.

Stadtplan siehe gegenüberliegende Seite.

Ramada, Frankenstraße/Bamberger Str. 28, ☎ 8 10 10, Fax 84047, Biergarten, –
Zim AE E VISA über ⑤
Karte 52/69 – **125 Z : 205 B** 151/166 - 182/212 Fb – 7 Appart. 332/382.

Parkhotel Maximilian garni, Maximilianstr. 28, ☎ 5 10 42, Telex 65181 – AE E VISA
53 Z : 105 B 153 - 193 Fb – 3 Appart. 386. Z f

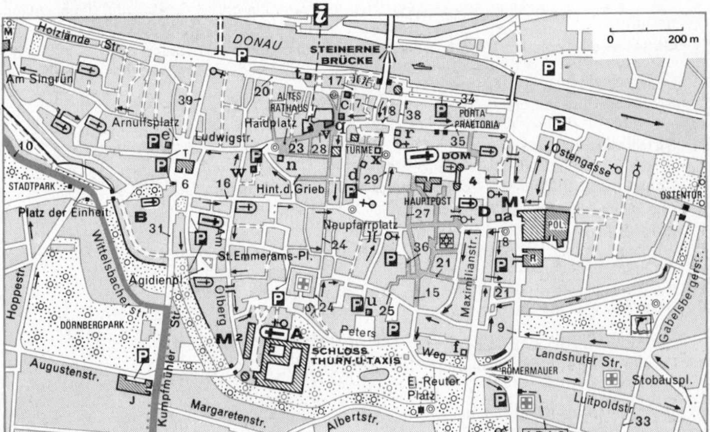

Gesandtenstraße . . . . Z 16
Goliathstraße . . . . Z 18
Haidplatz . . . . Z
Königsstraße . . . . Z 21
Ludwigstraße . . . . Z
Maximilianstraße . . . . Z
Neupfarrplatz . . . . Z
Stadtamhof . . . . Y 32

Adolf-Schmetzer-Straße . . . . . . Y 2
Altdorfer Straße . . . . Y 3
Alter Kornmarkt . . . . Z 4

Bismarckplatz . . . . Z 6
Brückstraße . . . . Z 7
Dachauplatz . . . . Z 8
D.-Martin-Luther-Straße . . . . . . Z 9
Dr.-Johann-Maier-Straße . . . . YZ 10
Donaustaufer Straße . . . . Y 12
Fröhliche-Türken-Straße . . . . . . Z 15
Goldene-Bären-Straße . . . . Z 17
Gumpelzhaimerstraße . . . . Y 19
Keplerstraße . . . . Z 20
Neue-Waag-Gasse . . . . Z 23
Obere Bachgasse . . . . Z 24

Obermünsterstraße . . . . Z 25
Pfauengasse . . . . Z 27
Rathausplatz . . . . Z 28
Residenzstraße . . . . Z 29
Schottenstraße . . . . Z 31
Sternbergstraße . . . . YZ 33
Thundorfer Straße . . . . Z 34
Unter den Schwibbögen . . . . . . Z 35
Viereimergasse . . . . Z 36
Walhalla Allee . . . . Y 37
Weiße-Hahnen-Gasse . . . . Z 38
Weißgerbergraben . . . . Z 39

Avia-Hotel, Frankenstr. 1, ☎ 43 00, Telex 65703 – AE E VISA — Y c
Karte 29/56 *(27. Dez.- 6. Jan. geschl.)* – **81 Z : 123 B** 95/150 - 130/195 Fb.

Altstadt-Hotel Arch garni, Am Haidplatz 4, ☎ 50 20 60, « Modernisiertes Patrizierhaus a.d. 18. Jh. » – E VISA — Z n
40 Z : 68 B 89/120 - 135/185 Fb.

St. Georg, Karl-Stieler-Str. 8, ☎ 9 70 66, Telex 652504, – AE E VISA. Zim — über Bischof-Wittmann-Str. Y
Karte 23/50 – **65 Z : 115 B** 79/98 - 116/150 Fb.

Am Sportpark garni, Gewerbepark D 90, ☎ 4 02 80, Telex 652604 – AE E VISA — über Donaustaufer Straße Y
96 Z : 144 B 108/128 - 130/250 Fb.

Bischofshof am Dom, Krauterermarkt 3, ☎ 5 90 86, Biergarten – AE E VISA — Z r
Karte 23/70 – **67 Z : 120 B** 65/88 - 98/120 Fb.

Ibis, Furtmayrstr. 1, ☎ 7 80 40, Telex 652691 – Rest (mit). AE E VISA — Y e
Karte 25/44 – **114 Z : 185 B** 96 - 127 Fb.

Kaiserhof am Dom, Kramgasse 10, ☎ 5 40 27, – AE E — Z x
23. Dez.- 6. Jan. geschl. – Karte 22/52 – **31 Z : 50 B** 65/85 - 108/115 Fb.

Karmeliten - Restaurant Taverne (Spanische Küche), Dachauplatz 1, ☎ 5 43 08 (Hotel) 5 49 10 (Rest.), Telex 65170 – AE E — Z a
18. Dez.- 18. Jan. geschl. – Karte 30/50 *(nur Abendessen, Sonntag geschl.)* – **75 Z : 130 B** 55/120 - 90/140.

Münchner Hof , Tändlergasse 9, ☎ 5 82 62, Telex 652593 – AE E — Z d
Karte 19/35 – **40 Z : 70 B** 60/73 - 95/110 Fb.

Straubinger Hof, Adolf-Schmetzer-Str. 33, ☎ 79 83 55 – AE E VISA — Y n
22. Dez.- 6. Jan. geschl. – Karte 16/41 – **64 Z : 98 B** 45/75 - 82/130 Fb.

Bischofshof Braustuben, Dechbettener Str. 50, ☎ 2 14 73, Biergarten – — Y s
Karte 17,50/29 – **14 Z : 23 B** 45/50 - 75.

Apollo 11, Neuprüll 17, ☎ 9 70 47, , – AE E VISA
Karte 19/35 *(Sonntag geschl.)* – **52 Z : 80 B** 38/60 - 65/90. — über Universitätsstr. Y

Wiendl, Universitätsstr. 9, ☎ 9 04 16 – — Y u
Karte 16/32 *(Samstag und 24. Dez.- 6. Jan. geschl.)* – **33 Z : 55 B** 36/60 - 60/85.

XXX **Zum Krebs** (kleines Restaurant in einem renovierten Altstadthaus), Krebsgasse 6, ☎ 5 58 03 – AE E — Z w
nur Abendessen, Samstag und Ende Aug.- Anfang Sept. geschl. – Karte 46/73 (Tischbestellung ratsam).

XX **Gänsbauer**, Keplerstr. 10, ☎ 5 78 58, « Gemütliche rustikale Einrichtung » — Z t
nur Abendessen, Sonntag - Montag und Aug.- Sept. 2 Wochen geschl. – Karte 49/63 (Tischbestellung ratsam).

XX **Prälatur**, Gutenbergstr. 9 (Eingang Am Mühlbach), ☎ 9 71 41 – E VISA — Y a
Sonntag, 29. Jan.- 7. Feb. und 13.- 27. Aug. geschl. – Karte 39/73.

XX **Ratskeller**, Rathausplatz 1, ☎ 5 17 77, , Historischer Saal – AE E — Z v
Sonntag 15 Uhr - Montag geschl. – Karte 27/51.

X Obermünster-Stiftskeller, Obermünsterplatz 7, ☎ 5 31 22, Biergarten – — Z u

X Alte Münze, Fischmarkt 7, ☎ 5 48 86 — Z c

X **Alter Simpl**, Fischgässel 4, ☎ 5 16 50 — Z q
Montag - Freitag nur Abendessen, Samstag nur Mittagessen, Sonntag, 28. Feb.- 5. März und 19. Aug. - 3. Sept. geschl. – Karte 34/53.

X **Brauerei Kneitinger** (Brauereigaststätte), Arnulfsplatz 3, ☎ 5 24 55 — Z e
Mitte Mai - Mitte Sept. Sonntag geschl. – Karte 11/20.

In Regensburg-Dechbetten SW : 4 km über Kirchmeierstr. Y :

Dechbettener Hof, Dechbetten 11, ☎ 3 52 83, – . Zim
9.- 23. Jan. geschl. – Karte 20/49 *(Montag geschl.)* – **12 Z : 19 B** 29/34 - 53/63.

In Regensburg-Irl ② : 7 km :

Held, Irl 11, ☎ (09401) 10 41, Biergarten, , – E
22.- 30. Dez. geschl. – Karte 19,50/38 – **60 Z : 100 B** 75/98 - 110/130 Fb.

In Regensburg-Stadtamhof :

XX **Schildbräu** mit Zim, Stadtamhof 24, ☎ 8 57 24 – AE E — Y e
Karte 35/62 *(Sonntag 15 Uhr - Montag 18 Uhr geschl.)* – **6 Z : 12 B** 50 - 90.

In Pentling 8401 ④ : 5 km :

Schrammel Wirt, An der Steinernen Bank 10, ☎ (09405) 10 14, Biergarten, , (Halle) – AE E
Karte 20/47 – **65 Z : 130 B** 90/130 - 140/180 Fb – 4 Appart. 285.

In Tegernheim **8409** NO : 7 km, Richtung Walhalla Y :

🏠 **Minigolf-Hotel** 🌿, Bergweg 2, ℘ (09403) 16 44 – ☎ 🚗 [P] 🏞
◆ *1.- 10. Jan. geschl.* – Karte 16,50/37 *(Freitag geschl.)* 🍷 – **48 Z : 60 B** 33/60 - 45/100.

In Pettendorf-Mariaort **8411** ⑤ : 7 km :

🏠 **Gästehaus Krieger**, Naabstr. 20 (B 8), ℘ (0941) 8 00 17, ←, Biergarten – [lift] ☎ 🚗 [P]
◆ *24. Dez.- 5. Jan. geschl.* – Karte 16,50/30 *(Mittwoch und Ende Aug.- Anfang Sept. geschl.)* – **27 Z : 52 B** 36/56 - 62/83.

In Pettendorf-Adlersberg **8411** ⑤ : 7 km :

🏠 **Prössl-Bräu** 🌿, Dominikanerinnenstr. 2, ℘ (09404) 18 22, Biergarten – [P]
◆ *23. Dez.- 15. Jan. geschl.* – Karte 17/31 *(Montag geschl.)* – **13 Z : 18 B** 38 - 68.

In Obertraubling **8407** ③ : 8 km :

🏠 **Stocker**, St.-Georg-Str. 2, ℘ 5 00 45, Biergarten – ☎ [P]
◆ Karte 18/30 *(Samstag geschl.)* – **38 Z : 60 B** 39 - 68.

In Donaustauf **8405** O : 9 km, Richtung Walhalla Y :

🏠 **Pension Walhalla** 🌿 garni, Ludwigstr. 37, ℘ (09403) 15 22, ←, 🌳 – ☎ 🚗 [P]
16 Z : 36 B 42/48 - 64/68.

🍴 **Kupferpfanne**, Lessingstr. 48, ℘ (09403) 10 98, ☂ – [P]. [AE] [O] [E]
12. Jan.- 8. Feb. und Montag geschl. – Karte 33/58.

In Köfering **8401** SO : 12 km über ③ :

🍴 Zur Post, Hauptstr. 1 (B 15), ℘ (09406) 3 34, Biergarten – [P].

Siehe auch : **Neutraubling**

MICHELIN-REIFENWERKE KGaA. Niederlassung 8400 **Regensburg,** Schikanederstr. 4 (Y), ℘ (0941) 7 50 01.

REGENSTAUF **8413.** Bayern [413] T 19, [987] ㉗ – 13 500 Ew – Höhe 345 m – ☎ 09402.
◆München 137 – Amberg 46 – ◆Regensburg 15 – Weiden in der Oberpfalz 76.

🏠 **Wald-Pension** 🌿, Hauzensteiner Str. 102, ℘ 89 87, 🏊, 🌳 – [P]
(Restaurant nur für Hausgäste) – **20 Z : 24 B** 30 - 60.

REHAU **8673.** Bayern [413] T 16, [987] ㉗ – 10 400 Ew – Höhe 521 m – ☎ 09283.
◆München 287 – Bayreuth 58 – Hof 14.

🏠 Krone, Friedrich-Ebert-Str. 13, ℘ 10 01, ☂ – ☎ – **14 Z : 18 B** Fb.

REHBURG-LOCCUM **3056.** Niedersachsen [987] ⑮ – 9 800 Ew – Höhe 60 m – ☎ 05037.
◆ Hannover 44 – ◆ Bremen 89 – Minden 28.

🏠 **Rodes Hotel**, Marktstr. 22 (Loccum), ℘ (05766) 2 38 – 🚗 [P]. 🚫 Zim
◆ *20. Dez.- 10. Jan. geschl.* – Karte 19/47 *(Freitag geschl.)* – **19 Z : 30 B** 37/48 - 75/91 – P 51/62.

REHLINGEN-SIERSBURG **6639.** Saarland [242] ⑥, [57] ⑤ – 10 000 Ew – Höhe 180 m – ☎ 06833.
◆ Saarbrücken 35 – Luxembourg 66 – ◆ Trier 63.

In Rehlingen-Siersburg - Niedaltdorf SW : 8 km :

🍴 **Rôtisserie Biehl**, Neunkircher Str. 10, ℘ 3 77, Zugang zur Tropfsteinhöhle – [P]. 🚫
Mittwoch ab 14 Uhr, Montag und 1.- 15. Jan. geschl. – Karte 32/66.

REICHELSHEIM **6101.** Hessen [413] J 17 – 7 800 Ew – Höhe 216 m – Erholungsort – ☎ 06164.
[i] Verkehrsverein, Rathaus, ℘ 20 21.
◆Wiesbaden 84 – ◆Darmstadt 36 – ◆Mannheim 44.

🍴🍴 **Zum Schwanen - Restaurant Treusch**, Rathausplatz 2, ℘ 22 26, ☂ – [P] 🏞. [AE] [O] [E] [VISA]
Donnerstag und 30. Jan.- 17. Feb. geschl. – Karte **30**/65 *(auch vegetarisches Menu)* 🍷 – **Johann's Stuben** Karte 18/35.

In Reichelsheim-Eberbach NW : 1,5 km:

🏠 **Landhaus Lortz** 🌿, Eberbachtal 3, ℘ 49 69, ←, ☂, 🏊, 🌳 – [P]. 🚫
◆ *15. Nov.- 23. Dez. geschl.* – Karte 18,50/34 *(Montag - Dienstag geschl.)* 🍷 – **18 Z : 30 B** 35/50 - 72/84 – 4 Fewo 60/95.

In Reichelsheim-Erzbach SO : 6,5 km :

🏠 **Berghof**, Forststr. 44, ℘ 20 95, 🏊, 🏊, 🌳, 🐎 – [lift] ☎ [P]. 🚫
(Restaurant nur für Hausgäste) – **27 Z : 56 B** 45/55 - 80/100 – 4 Fewo 68/108.

In Reichelsheim-Gumpen SW : 2,5 km :

🏡 **Schützenhof**, Kriemhildstr. 73 (B 47), ℘ 22 60, ☂, 🌳 – [P]
◆ Karte 15/41 *(Dienstag geschl.)* – **7 Z : 15 B** 28 - 56 – P 38.

In Reichelsheim-Laudenau W : 5 km :

Zum Scholzenhof, Reichelsheimer Weg 24, 49 23, ← – P
Karte 19/44 – **17 Z : 30 B** 33/38 - 66 Fb – P 50.

In Reichelsheim-Rohrbach SO : 5,5 km :

Zum Fürstengrund, Im Unterdorf 1, 22 65, – P – **33 Z : 50 B** – 3 Fewo.

In Reichelsheim - Unter-Ostern SO : 4 km :

Naumann - Restaurant Wetterhahn mit Zim, Formbachstr. 3, 20 67, – P. AE E
Karte 34/50 – **10 Z : 23 B** 39 - 70.

REICHENAU (Insel) 7752. Baden-Württemberg 413 K 23, 216 ⑨, 427 ⑦. – 4 800 Ew – Höhe 398 m – Erholungsort – 07534.

Sehenswert: In Oberzell : Stiftskirche St. Georg (Wandgemälde**) – In Mittelzell : Münster* (Münsterschatz*).

Verkehrsbüro, Mittelzell, Ergat 5, 2 76.

♦Stuttgart 181 – ♦Konstanz 10 – Singen (Hohentwiel) 29.

Im Ortsteil Mittelzell :

Romantik-Hotel Seeschau, Schiffslände 8, 2 57, ←, « Terrasse am See » – P. AE E
Mitte Okt.- 24. Dez. geschl. – Restaurants (Sonntag 15 Uhr - Montag geschl.) : – **Winkelmann** (Tischbestellung ratsam) *(nur Menu)* Karte 55/90 – **Kamin-Stube** Karte 42/75 – **11 Z : 20 B** 70/130 - 140/200 Fb – 4 Fewo 100/110
Spez. Sülze von Edelfischen mit Kresseschaum, Gefüllter Zander in Nudelteig, Perlhuhnbrust auf grünen Linsen mit Gänselebersauce.

Strandhotel Löchnerhaus, Schiffslände 12, 4 11, ←, – P. AE E VISA
15. Dez.- Jan. geschl. – Karte 31/68 – **49 Z : 74 B** 70/110 - 140/180 Fb – P 100/155.

Im Ortsteil Oberzell :

Kreuz, Zelleleweg 4, 3 32, – P
10.- 31. Okt. und 30. Jan.- 7. Feb. geschl. – Karte 27/42 *(Donnerstag ab 14 Uhr und Montag geschl.)* – **11 Z : 18 B** 40/55 - 80/100.

REICHENBACH Baden-Württemberg siehe Waldbronn.

REICHENHALL, BAD 8230. Bayern 413 V 23, 987 ㊳, 426 ⑲ – 18 500 Ew – Höhe 470 m – Heilbad – Wintersport : 470/1 600 m 1 3 3 – 08651.

Sehenswert : St. Zeno-Kirche BZ – Alte Saline AZ.

Kur- und Verkehrsverein im Kurgastzentrum, Wittelsbacherstr. 15, 30 03.

ADAC, Schwarzbach, Autobahn-Grenzbüro, 49 00.

♦München 136 ① – Berchtesgaden 18 ② – Salzburg 19 ①.

Stadtplan siehe gegenüberliegende Seite.

Steigenberger-Hotel Axelmannstein, Salzburger Str. 4, 40 01, Telex 56112, Caféterrasse, « Park », Bade- und Massageabteilung, – P AE E VISA. Rest AY **a**
Restaurants : – **Parkrestaurant** Karte 51/80 – **Axel-Stüberl** (regionale Küche) Karte 24/48 – **151 Z : 220 B** 160/275 - 220/385 Fb – 8 Appart. 450/720 – P 178/280.

Kurhotel Luisenbad, Ludwigstr. 33, 50 11, Telex 56131, « Garten », Bade- und Massageabteilung, – P. E VISA. Rest AY **e**
Nov.- 20. Dez. geschl. – Karte 43/66 – **83 Z : 116 B** 137/189 - 224/282 Fb – 4 Appart. 340/365 – P 162/232.

Panorama, Baderstr. 3, 6 10 01, Telex 56194, ←, Bade- und Massageabteilung, – P (mit). Rest – **83 Z : 136 B** Fb. AY **w**

Residenz Bavaria, Am Münster 3, 50 16, Fax 65786, Bade- und Massageabteilung, – AE E. Rest AY **g**
Karte 25/49 – **173 Z : 390 B** 152 - 224 Fb.

Sonnenbichl, Adolf-Schmid-Str. 2, 6 10 19, – P. AE E VISA. (Restaurant nur für Hausgäste, im Winter garni) – **40 Z : 60 B** 65/75 - 120/140 Fb – P 90/105. AY **h**

Kurhotel Alpina, Adolf-Schmid-Str. 5, 20 38, Bade- und Massageabteilung, – P. AY **t**
Feb.- Okt. – (Restaurant nur für Hausgäste) – **65 Z : 89 B** 60/90 - 100/135 Fb – P 87/105.

Hofwirt, Salzburger Str. 21, 6 20 21, – P AY **k**
15. Jan.- 15. Feb. geschl. – Karte 27/47 *(Montag geschl.)* – **20 Z : 30 B** 70 - 120 – P 95/105.

Bayerischer Hof, Bahnhofsplatz 14, 50 84, Telex 56123, Bade- und Massageabteilung, – AE E VISA AY **m**
5. Jan.- 17. Feb. geschl. – Karte 28/54 – **64 Z : 91 B** 80/130 - 128/188 Fb – P 95/133.

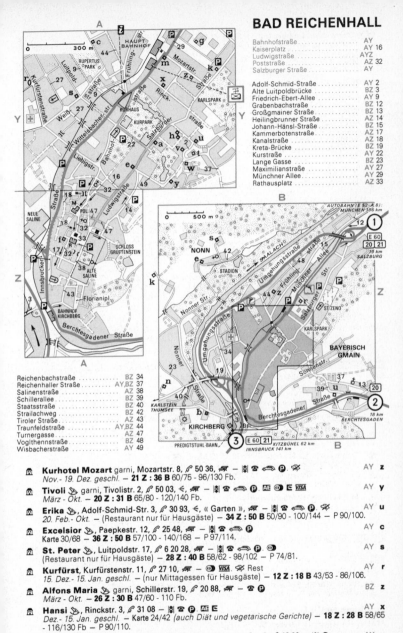

BAD REICHENHALL

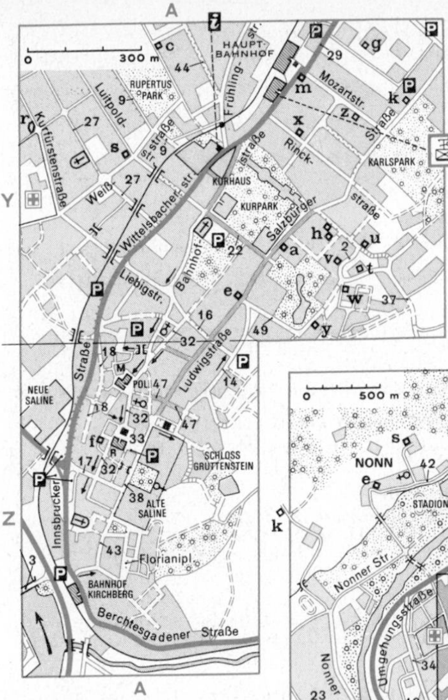

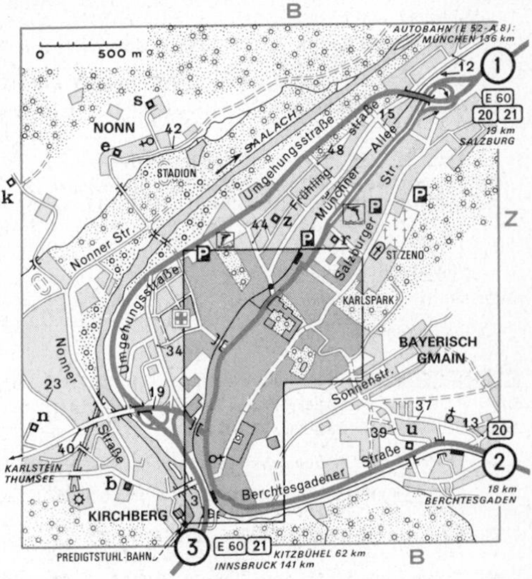

Kurhotel Mozart garni, Mozartstr. 8, ℘ 50 36, – . AY **z**
Nov.- 19. Dez. geschl. – **21 Z : 36 B** 60/75 - 96/130 Fb.

Tivoli garni, Tivolistr. 2, ℘ 50 03, ←, – . AE E VISA AY **y**
März - Okt. – **20 Z : 31 B** 65/80 - 120/140 Fb.

Erika, Adolf-Schmid-Str. 3, ℘ 30 93, ←, « Garten », – . AY **u**
20. Feb.- Okt. – (Restaurant nur für Hausgäste) – **34 Z : 50 B** 50/90 - 100/144 – P 90/100.

Excelsior, Paepkestr. 12, ℘ 25 48, – AY **c**
Karte 30/68 – **36 Z : 50 B** 57/100 - 140/168 – P 97/114.

St. Peter, Luitpoldstr. 17, ℘ 6 20 28, – . AY **s**
(Restaurant nur für Hausgäste) – **28 Z : 40 B** 58/62 - 98/102 – P 74/81.

Kurfürst, Kurfürstenstr. 11, ℘ 27 10, – VISA. Rest AY **r**
15. Dez.- 15. Jan. geschl. – (nur Mittagessen für Hausgäste) – **12 Z : 18 B** 43/53 - 86/106.

Alfons Maria garni, Schillerstr. 19, ℘ 20 88, – BZ **z**
März - Okt. – **26 Z : 30 B** 47/60 - 110 Fb.

Hansi, Rinckstr. 3, ℘ 31 08 – . AE E AY **x**
Dez.- 15. Jan. geschl. – Karte 24/42 *(auch Diät und vegetarische Gerichte)* – **18 Z : 28 B** 58/65 - 116/130 Fb – P 90/110.

Bergfried und Villa Schönblick garni, Adolf-Schmid-Str. 8, ℘ 43 98 – AY **v**
36 Z : 56 B.

Kraller garni, Zenostr. 7, ℘ 27 52 – . BZ **r**
15. Nov.- 15. Dez. geschl. – **24 Z : 32 B** 50/55 - 86/92.

Brauerei-Gasthof Bürgerbräu, Waaggasse 2, ℘ 24 11, – . AE E AZ **f**
Karte 20/43 – **41 Z : 55 B** 45/56 - 80/110 Fb – P 75/91.

XX ✿ **Schweizer Stuben**, Nonner Str. 8, ✆ 27 60, 🏠 – AE ◑ E VISA BZ **b**
Donnerstag und 15. Jan.- Feb. geschl. – Karte 43/69 (Umzug am 1. März 1989 ins Kirchberg-Schloß, Thumseestr. 11)
Spez. Krautwickerl von Zander auf Rote-Bete-Sauce, Gefüllte Perlhuhnbrust mit Weinessigsauce, Gries-Soufflé mit Früchte-Kompott.

In Bad Reichenhall 3-Karlstein :

Karlsteiner Stuben ⛰, Staufenstr. 18, ✆ 13 89, 🏠, 🌳 – 🅟. ✻ Zim BZ **n**
10. Jan.- 4. März und Nov.-20. Dez. geschl. – Karte 22/40 *(Dienstag geschl.)* – **48 Z : 78 B** 30/53 - 60/90 Fb – P 56/79.

In Bad Reichenhall 4-Marzoll ① : 6 km :

Schloßberghof ⛰, Schloßberg 5, ✆ 7 00 50, ≤, « Gartenterrasse », Bade- und Massageabteilung, 🏋, ≘s, 🏊, 🌳 – 🛗 ☎ 🅟
10. Jan.- Feb. geschl. – Karte 19,50/44 *(Montag geschl.)* – **49 Z : 86 B** 89/134 - 134/154 Fb.

In Bad Reichenhall 3-Nonn :

Neu-Meran ⛰, ✆ 40 78, ≤ Untersberg und Predigtstuhl, 🏠, ≘s, 🏊, 🌳 – 📺 ☎ 🅟
11. Jan.- 3. Feb. und 15. Nov.- 14. Dez. geschl. – Karte 27/70 *(Dienstag - Mittwoch 18 Uhr geschl.)* – **20 Z : 32 B** 45/75 - 136/170 – P 81/121. BZ **k**

Alpenhotel Fuchs ⛰, ✆ 6 10 48, ≤ Untersberg und Predigtstuhl, « Gartenterrasse », 🌳, 🐎 – 🛗 ☎ 🅟. AE ◑ E BZ **s**
2. Nov.- 19. Dez. geschl. – Karte 20/46 – **36 Z : 60 B** 45/80 - 90/130 Fb – P 65/95.

Gästehaus Sonnleiten ⛰ garni, Nonn 27, ✆ 6 10 09, ≤, 🌳 – 📺 ☎ 🅟 BZ **e**
8 Z : 16 B 77/95 - 98/130.

Am Thumsee W : 5 km über Staatsstraße BZ :

Haus Seeblick ⛰, ✉ 8230 Bad Reichenhall 3, ✆ (08651) 29 10, ≤ Thumsee und Ristfeucht-Horn, « Gartenterrasse », Massage, ≘s, 🏊, 🌳, 🎾, 🐎 – 🛗 📺 🚗 🅟. ✻ Rest
2. Nov.- 18. Dez. geschl. – (Restaurant nur für Hausgäste) – **54 Z : 90 B** 44/65 - 88/150 – P 67/95.

In Bayerisch Gmain 8232 :

Amberger, Schillerallee 5, ✆ (08651) 50 66, ≘s, 🏊, 🌳, Fahrradverleih – ☎ 🚗 🅟 BZ **u**
5. Nov.- 15. Jan. geschl. – (nur Abendessen für Hausgäste) – **14 Z : 21 B** 48/60 - 80/96 – 3 Fewo 70/105.

REICHSHOF 5226. Nordrhein-Westfalen – 16 500 Ew – Höhe 300 m – ☎ 02265.

ℹ Verkehrsamt, Reichshof-Eckenhagen, Barbarossastr. 5, ✆ 4 70.
♦Düsseldorf 100 – ♦Köln 63 – Olpe 22 – Siegen 38.

In Reichshof 21-Eckenhagen – Luftkurort – Wintersport : 400/500 m ⛷1 :

Haus Leyer ⛰, Am Aggerberg 33, ✆ 90 21, ≤, ≘s, 🏊, 🌳 – 📺 ☎ 🅟. AE ◑ E
Karte 26/56 – **16 Z : 30 B** 75/90 - 140/180 Fb.

Park-Hotel, Hahnbucher Str. 12, ✆ 90 59, 🏠, ≘s – 🛗 ☎ 🅟 🏔
Karte 19/43 *(Donnerstag geschl.)* – **22 Z : 42 B** 60 - 100.

Aggerberg ⛰, Am Aggerberg 20, ✆ 90 87, ≤, 🌳 – ☎ 🅟. ◑
(nur Abendessen für Hausgäste) – **11 Z : 22 B** 70/85 - 120/150 Fb.

Zur Post, Hauptstr. 30, ✆ 2 15, 🏠 – ☎ 🅟. AE ◑
März geschl. – Karte 21/48 *(Montag geschl.)* – **12 Z : 24 B** 42/48 - 84/90.

In Reichshof-Wildbergerhütte :

Landhaus Wuttke, Crottorfer Str. 57, ✆ (02297) 13 30 – 🅟 🏔. ✻ Rest
Juni - Juli 3 Wochen geschl. – Karte 18,50/44 – **16 Z : 34 B** 41 - 70/78.

REIDELBACH Saarland siehe Wadern.

REIL 5586. Rheinland-Pfalz – 1 600 Ew – Höhe 110 m – ☎ 06542 (Zell a.d. Mosel).

Mainz 110 – Bernkastel-Kues 34 – Cochem 47.

Reiler Hof ⛰, Moselstr. 27, ✆ 26 29, ≤, 🏠 – 🚗 🅟
Dez.- Jan. geschl. – Karte 18,50/48 ⅄ – **18 Z : 32 B** 32/39 - 50/75.

REINBEK 2057. Schleswig-Holstein 987 ⑤ – 25 500 Ew – Höhe 22 m – ☎ 040 (Hamburg).

♦Kiel 113 – ♦Hamburg 17 – ♦Lübeck 56.

Sachsenwald-Congress-Hotel, Hamburger Str. 2, ✆ 72 76 10, Telex 2163074, Fax 72761215, ≘s – 🛗 📺 ☎ ♿ 🅟 🏔. AE ◑ E VISA
Karte 37/67 *(Juli geschl.)* – **66 Z : 118 B** 140/195 - 165/260 Fb.

XX **Waldhaus Reinbek**, Laddenallee 2, ✆ 7 22 68 46, 🏠 – 🅟 🏔. AE ◑ E VISA
Montag geschl. – Karte 33/60.

X Schloß Reinbek, Schloßstraße (im Schloß), ✆ 7 27 93 15 – 🅟.

REINFELD 2067. Schleswig-Holstein 987 ⑤ – 7 000 Ew – Höhe 25 m – 04533.
♦Kiel 66 – ♦Hamburg 55 – ♦Lübeck 17.

Gästehaus Seeblick garni, Ahrensböker Str. 4, 14 23, –
14 Z : 25 B 32/40 - 58/68.

Holsteinischer Hof mit Zim, Paul-von-Schönaich-Str. 50, 23 41 –
Karte 27/60 *(Montag und 28. März - 18. April geschl.)* – **7 Z : 14 B** 45/100 - 80/120.

REINHARDSHAGEN 3512. Hessen – 4 500 Ew – Höhe 114 m – Luftkurort – 05544.
Verkehrsamt in Reinhardshagen-Vaake, Mündener Str. 44, 10 54.
♦Wiesbaden 246 – Münden 11 – Höxter 53.

In Reinhardshagen 2-Vaake :

Sonnenhof, Mündener Str. 108 (B 80), 4 01, –
Karte 22/41 *(Montag geschl.)* – **16 Z : 28 B** 40/50 - 74 – P 50/63.

In Reinhardshagen 1-Veckerhagen :

Peter, Untere Weserstr. 2, 2 32, ≤, Cafégarten – . E VISA
2.- 14. Jan. geschl. – Karte 18/34 *(Nov.- März Donnerstag geschl.)* – **15 Z : 27 B** 28/55 - 56/80.

Felsenkeller, Felsenkellerstr. 25, 2 04, ≤, – . E
Nov. geschl. – Karte 23/46 *(Dienstag geschl.)* – **10 Z : 17 B** 40 - 80 – P 50.

REISBACH Saarland siehe Saarwellingen.

REISBACH / VILS 8386. Bayern 413 U 21, 426 ⑥ – 5 700 Ew – Höhe 405 m – 08734.
Reisbach-Grünbach, 3 56.
♦München 112 – Landshut 40 – ♦Regensburg 88.

Schlappinger Hof, Marktplatz 40, 77 11, Biergarten – . Zim
27. Dez.- Anfang Jan. geschl. – Karte 17,50/37 *(Mittwoch geschl.)* – **26 Z : 35 B** 35/40 - 60/70 Fb.

REISEN Baden-Württemberg siehe Birkenau.

REIT IM WINKL 8216. Bayern 413 U 23, 987 ㊲, 426 ⑲ – 2 700 Ew – Höhe 700 m – Luftkurort – Wintersport : 700/1 800 m 21 8 – 08640.
Sehenswert : Oberbayrische Häuser★.
Reit im Winkl-Birnbach, 82 07.
Verkehrsamt, Rathaus, 8 00 20.
♦München 111 – Kitzbühel 35 – Rosenheim 52.

Unterwirt, Kirchplatz 2, 88 11, –
Karte 21/59 – **62 Z : 99 B** 55/135 - 110/260 – 5 Appart. 305 – 3 Fewo 150.

Gästehaus am Hauchen garni, Am Hauchen 5, 87 74, – .
Nov.- 15. Dez. geschl. – **26 Z : 52 B** 47/146 - 93/157 Fb.

Altenburger Hof, Frühlingstr. 3, 89 94, –
April und Nov.- 18. Dez. geschl. – (nur Abendessen für Hausgäste) – **13 Z : 26 B** 59/158 - 110/176 Fb.

Bichlhof, Alte Grenzstr. 1, 10 73, – .
15. April- 15. Mai und 15. Okt.- 15. Dez. geschl. – (nur Abendessen für Hausgäste) – **22 Z : 45 B** (½ P) 85/100 - 150/200.

Sonnwinkl garni, Kaiserweg 12, 16 44, – .
10. April - 7. Mai und Nov.- 18. Dez. geschl. – **23 Z : 40 B** 47/85 - 94/126.

Zum Postillion garni, Dorfstr. 32, 88 86, –
25 Z : 40 B.

Sonnleiten, Holunderweg 1 (Ortsteil Entfelden), 88 82, ≤, – .
15. April - 15. Mai und 20. Okt.- 10. Dez. geschl. – Karte 19,50/44 *(nur Abendessen, Mittwoch geschl.)* – **22 Z : 40 B** 50/65 - 90/120 Fb.

Zum Löwen, Tiroler Str. 1, 89 01 –
29. März - 2. Mai und Nov.- 10. Dez. geschl. – Karte 19/39 *(Mittwoch geschl.)* – **30 Z : 52 B** 39/72 - 78/88.

Zirbelstuben, Am Hauchen, 82 85, « Gartenterrasse », –
Karte 19,50/40 – auch 11 Fewo 60/80.

Klauser's Café-Weinstube mit Zim, Birnbacher Str. 8, 84 24, « Gartenterrasse » –
3. April-Pfingsten und Nov.- 15. Dez. geschl. – Karte 41/63 *(Mitte Juni - Mitte Sept. Montag geschl.)* – **2 Z : 4 B** 80 - 120.

Bei der Sprungschanze S : 1,5 km :

Steinbacher Hof, Steinbachweg 10, 8216 Reit im Winkl, (08640) 84 10, ≤, – AE E
Nov. - 14. Dez. geschl. – Karte 39/65 *(auch Diät)* – **66 Z : 108 B** 74/144 - 136/192 Fb.

Auf der Winklmoosalm SO : 10,5 km, Auffahrt im Sommer 5 DM Gebühr, im Winter nur mit Bus – Höhe 1 160 m :

🏨 **Alpengasthof Winklmoosalm** 🙛, Dürrnbachhornweg 6, ✉ 8216 Reit im Winkl, ✆ (08640) 10 97, ⋞, ⛱, ≋, ☘ – 📺 ☎ 🅿
3. April - 6. Mai und 16. Okt.- 22. Dez. geschl. – Karte 21/28 *(Abendessen nur für Hausgäste, Mai - Okt. Freitag geschl.)* – **18 Z : 36 B** 40/55 - 70/110 (im Winter nur ½ P 64/79).

🏠 **Alpengasthof Augustiner** 🙛, Klammweg 2, ✉ 8216 Reit im Winkl, ✆ (08640) 82 35, ⋞, ⛱, ☘ – 🅿
10. April - 10. Mai und Nov. geschl. – Karte 21/37 *(Mai - Okt. Montag geschl.)* – **24 Z : 50 B** 30/45 - 60/80.

Siehe auch : ***Kössen (Österreich)***

[REKEN] 4421. Nordrhein-Westfalen [987] ⑭ – 12 100 Ew – Höhe 65 m – ☎ 02864.

♦Düsseldorf 83 – Bocholt 33 – Dorsten 22 – Münster (Westfalen) 53.

In Reken - Groß-Reken :

🏨 **Schmelting**, Velener Str. 3, ✆ 3 11, ⛱, Damwildgehege – ☎ 🚗 🅿
✦ *23. Dez.- 13. Jan. geschl.* – Karte 19,50/52 *(Freitag geschl.)* – **24 Z : 32 B** 37/41 - 74/78.

🏨 **Hartmann's-Höhe** 🙛, Werenzostr. 17, ✆ 13 17, ⋞, ⛱, ☘ – 🅿 🚌. 🐕 Zim
✦ *15.- 25. Dez. geschl.* – Karte 18/40 *(Donnerstag geschl.)* – **14 Z : 26 B** 40 - 70.

🏨 Vogelwiesche, Hauptstr. 31, ✆ 51 17, ⛱ – 📺 ☎ 🚗 🅿
18 Z : 34 B.

🍴🍴 **Haus Wilkes**, Bergstr. 1, ✆ 12 24, « Gartenterrasse » – 🅿
Donnerstag und 20. Juli - 7. Aug. geschl. – Karte 23/56.

[RELLINGEN] 2084. Schleswig-Holstein – 14 000 Ew – Höhe 12 m – ☎ 04101.

♦Kiel 92 – ♦Bremen 124 – ♦Hamburg 17 – ♦Hannover 168.

🏨 **Rellinger Hof**, Hauptstr. 31, ✆ 2 80 71 – 📺 🚗 🅿 🚌
Karte 27/50 – **45 Z : 70 B** 78/80 - 95/115.

In Rellingen-Krupunder SO : 5 km :

🏨 **Fuchsbau**, Altonaer Str. 357, ✆ 3 10 31, « Gartenterrasse », ≋, ☘ – 📺 ☎ 🅿 🚌. AE ⓓ E VISA
siehe Stadtplan Hamburg S. 3 T **b**
Karte 28/54 *(nur Abendessen, Sonn- und Feiertage geschl.)* – **50 Z : 100 B** 90/105 - 117/135.

🏨 **Krupunder Park**, Altonaer Str. 325, ✆ 3 12 85, ⛱ – ☎ 🅿
Karte 30/57 – **21 Z : 36 B** 54/79 - 88/113. siehe Stadtplan Hamburg S. 3 T **b**

[REMAGEN] 5480. Rheinland-Pfalz [987] ㉔ – 15 000 Ew – Höhe 65 m – ☎ 02642.

ℹ Verkehrsamt, Rathaus, Am Markt, ✆ 2 25 72.

Mainz 142 – ♦Bonn 23 – ♦Koblenz 38.

In Remagen-Kripp SO : 5,5 km :

🏠 **Rhein-Ahr**, Quellenstr. 67, ✆ 4 41 12, ≋, ▣ – 🅿
✦ *23. Dez.- 15. Jan. geschl.* – Karte 18/34 *(Montag geschl.)* 🍷 – **17 Z : 32 B** 48/60 - 85/95.

In Remagen-Oberwinter N : 5 km :

🍴🍴 **Waldheide - Restaurant du Maître** 🙛 mit Zim, Rheinhöhenweg 101, ✆ (02228) 72 92, ⋞ – ☎ 🚗 🅿. AE. 🐕 Zim
Jan.- Feb. 2 Wochen geschl. – Karte 44/71 *(Montag geschl.)* – **5 Z : 10 B** 65 - 98.

In Remagen-Rolandseck N : 6 km :

🍴 **Bellevuechen**, Bonner Str. 68 (B 9), ✆ (02228) 79 09, ⋞, ⛱ – 🅿. AE ⓓ E VISA
Montag - Dienstag geschl. – Karte 47/65 (abends Tischbestellung ratsam).

[REMELS] Niedersachsen siehe Uplengen.

[REMSCHEID] 5630. Nordrhein-Westfalen [987] ㉔ – 124 000 Ew – Höhe 366 m – ☎ 02191.

ℹ Amt für Wirtschaft und Liegenschaften, Theodor-Heuss-Platz (Rathaus), ✆ 44 22 52.

ADAC, Fastenrathstr. 1, ✆ 2 68 60, Notruf ✆ 1 92 11.

♦Düsseldorf 39 ③ – ♦Köln 43 ② – Lüdenscheid 35 ② – Solingen 12 ③ – Wuppertal 12 ④.

Stadtplan siehe gegenüberliegende Seite.

🏨 **Remscheider Hof**, Bismarckstr. 39, ✆ 43 20, Telex 8513516 – 🛗 ▤ Rest 📺 ♿ 🚗 🅿 🚌 (mit ▤). AE ⓓ E VISA **r**
Karte 39/68 – **88 Z : 120 B** 164/189 - 233 Fb – 3 Appart. 268.

🏨 **Café Noll**, Alleestr. 85, ✆ 2 40 50 – 🛗 ☎ 🚗. AE ⓓ E VISA. 🐕 **e**
Karte 25/34 *(bis 19 Uhr geöffnet, Sonn- und Feiertage geschl.)* – **24 Z : 36 B** 60/95 - 105/140.

REMSCHEID

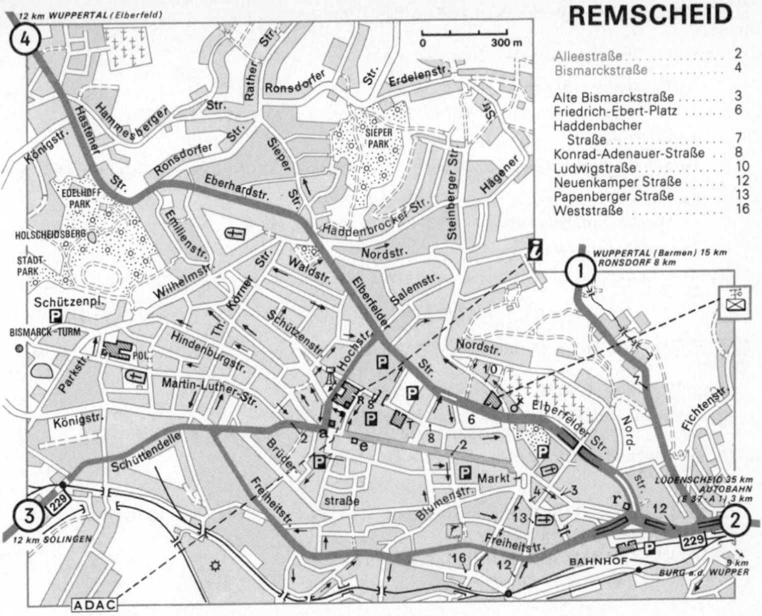

XX **Zur Pfeffermühle**, Hochstr. 2, ✆ 2 96 05 – AE E **a**
Samstag bis 18 Uhr und Montag geschl. – Karte 29/60.

XX **Lobster**, Theodor-Heuss-Platz 2 (im Rathaus), ✆ 2 65 60 – AE ⓓ E VISA. ✻ **R**
nur Abendessen, Montag geschl. – Karte 34/64 – **Ratskeller** *(auch Mittagessen, kein Ruhetag)* Karte 23/56.

Nahe der Autobahn SO : 5 km an der Zufahrt zur Talsperre :

XX **In der Mebusmühle**, ✉ 5630 Remscheid, ✆ (02191) 3 25 34, ☂, « Werkzeuge der heimischen Industrie als Wandschmuck » – ⓟ
Montag geschl. – Karte 24/47.

An der Autobahn A 1 Ostseite, SO : 6 km :

Rasthaus Remscheid, ✉ 5630 Remscheid, ✆ (02191) 3 10 61, Telex 8513659, ☂ – |≑| TV ☎ ⇔ ⓟ ⛺. AE ⓓ E VISA
Karte 26/56 – **50 Z : 100 B** 79/119 - 118/168 Fb.

In Remscheid-Lennep ② : 6 km :

Berliner Hof garni, Mollplatz 1, ✆ 6 01 51 – ☎ ⇔. AE ⓓ E VISA
33 Z : 50 B 65/95 - 135/160.

In Remscheid-Lüttringhausen ① : 6 km :

Fischer, Lüttringhauser Str. 131, ✆ 58 35, ≋ – TV ☎ ⓟ. AE ⓓ E VISA. ✻
Karte 21/46 *(Dienstag geschl.)* – **24 Z : 36 B** 38/70 - 70/98.

Zum Klewinghaus, Richthofenstr. 30, ✆ 57 87 – TV ☎ ⇔ ⓟ ⛺. AE ⓓ E
Karte **30**/53 *(Samstag bis 18 Uhr geschl.)* – **Chez Ewé** *(nur Menu)* Karte 75/130 – **13 Z : 19 B** 60/75 - 85/140.

Kromberg, Kreuzbergstr. 24, ✆ 59 00 31 – ☎ ⇔. AE ⓓ E VISA
Karte 25/47 *(Samstag geschl.)* – **18 Z : 30 B** 50/65 - 90/100.

REMSECK AM NECKAR

REMSECK AM NECKAR 7148. Baden-Württemberg 413 K 20 – 16 300 Ew – Höhe 212 m – ✆ 07146.

♦Stuttgart 12 – Heilbronn 44 – ♦Nürnberg 198.

In Remseck 2-Aldingen :

XX **Schiff**, Neckarstr. 1, ✆ 9 05 40 – ⓟ. AE ⓓ E
Mittwoch - Donnerstag sowie Jan. und Sept. jeweils 2 Wochen geschl. – Karte **32**/64.

In Remseck 3-Hochberg :

XX **Gengenbach's Adler**, Am Schloß 2, ✆ 57 49 – ⓟ
Montag und Mitte Juli - Mitte Aug. geschl. – Karte **31**/62.

REMSHALDEN **7064.** Baden-Württemberg 413 L 20 – 13 000 Ew – Höhe 267 m – ☎ 07151 (Waiblingen).

♦Stuttgart 21 – Schwäbisch Gmünd 34 – Schwäbisch Hall 58.

In Remshalden-Buoch :

Krone, Eduard-Hiller-Str. 1, ✆ 7 97 65, Terrasse mit < – Ⓟ – **19 Z : 28 B.**

In Remshalden-Grunbach :

Hirsch (Fachwerkhaus a.d.J. 1610), Reinhold-Maier-Str. 12, ✆ 7 24 52, – Ⓟ AE ⓓ E
Karte 26/43 *(Freitag geschl.)* – **45 Z : 60 B** 45/53 - 95.

Grunbacher Hof, Bahnhofstr. 31, ✆ 77 32 – ☎ Ⓟ – **8 Z : 12 B.**

In Remshalden - Hebsack :

X **Zum Lamm** mit Zim (Gasthaus a.d.J. 1792), Winterbacher Str. 1, ✆ (07181) 7 16 57 – ☎ Ⓟ. AE ⓓ E VISA.
10. Juli - 3. Aug. geschl. – Karte 29/57 *(Sonntag 15 Uhr - Montag geschl.)* – **8 Z : 10 B** 48 - 72.

RENCHEN **7592.** Baden-Württemberg 413 GH 21, 987 ㉞, 242 ⑳ – 6 000 Ew – Höhe 144 m – ☎ 07843.

♦Stuttgart 132 – Baden-Baden 38 – Offenburg 15 – Strasbourg 29.

Hanauer Hof, Poststr. 30, ✆ 3 27 – TV ☎ Ⓟ. ⓓ E
Jan. 2 Wochen geschl. – Karte 26/52 *(Montag geschl.)* – **15 Z : 25 B** 45/65 - 85/105 Fb.

Ratsstube, Hauptstr. 69 (B 3), ✆ 26 60 – ☎ Ⓟ
11 Z : 16 B.

RENDSBURG **2370.** Schleswig-Holstein 987 ⑤ – 31 000 Ew – Höhe 7 m – ☎ 04331.

Sehenswert : Eisenbahnhochbrücke★ B.

Sorgbrück (NW : 8 km über die B 77 B), ✆ (04336) 33 33.

♦Kiel 36 ① – Neumünster 38 ① – Schleswig 30 ②.

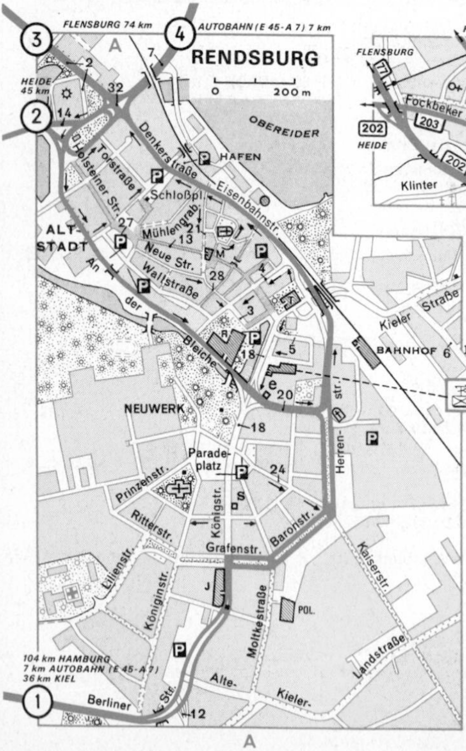

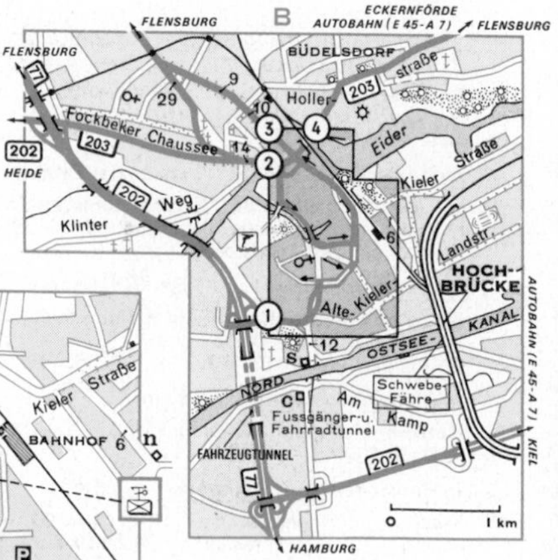

[Hotel] **Conventgarten** ⓢ, Hindenburgstr. 38, ☎ 5 90 50, ≤, [Terrasse] – [Lift] [TV] ☎ [P] [Saal]. [AE] [DC] [E]. [Hunde]
Karte 25/58 – **46 Z : 96 B** 72/76 - 111/121. B s

[Hotel] **Pelli-Hof - Restaurant Klöndeel** (historisches Gebäude a.d.J. 1720), Materialhofstr. 1, ☎ 2 22 16, [Terrasse] – [TV] ☎ [Garage] [P] [Saal]. [AE] [DC] [E] [VISA] A e
Karte 25/55 – **31 Z : 42 B** 45/75 - 75/120 Fb.

[Hotel] **Tüxen Hotel**, Lancasterstr. 44, ☎ 2 70 99 – [TV] ☎ [P]. [AE] [DC] [E] [VISA]
Karte 27/47 *(nur Abendessen, Samstag geschl.)* – **20 Z : 40 B** 69 - 110 Fb.
über Kieler Straße B

[Hotel] **Neuwerk**, Königstr. 4, ☎ 53 66 – [TV] ☎ [P]. [AE] [DC] [E] [VISA] A s
28. Dez.- 17. Jan. geschl. – Karte 20/50 *(Sonntag bis 18 Uhr geschl.)* – **16 Z : 30 B** 65 - 90 Fb.

[Hotel] Schützenheim ⓢ, Itzehoer Chaussee (Am Südufer des Kanals), ☎ 8 90 41 – ☎ [Garage] [P]
12 Z : 20 B Fb. B c

[Hotel] **Hansen**, Bismarckstr. 29, ☎ 2 25 50 – [Garage] [Saal]. [AE] [DC] [E] [VISA] A n
Juli geschl. – Karte 29/54 *(Sonntag geschl.)* – **21 Z : 34 B** 40/65 - 75/98.

Am Bistensee ④ : 13 km über Büdelsdorf-Holzbunge :

[Hotel] **Töpferhaus** ⓢ, ✉ 2371 Alt-Duvenstedt, ☎ (04338) 3 33 (Hotel) 2 22 (Rest.), ≤ Bistensee, [Terrasse], [Badestrand], [Garten] – ☎ [P]. [Hunde] Rest
2.- 30. Jan. geschl. – Karte 40/65 *(Montag geschl.)* – **12 Z : 22 B** 82/97 - 159/174 Fb.

RENGSDORF 5455. Rheinland-Pfalz [987] ㉔ – 2 500 Ew – Höhe 300 m – Heilklimatischer Kurort – ☎ 02634 – [i] Kurverwaltung, Westerwaldstr. 32 a, ☎ 23 41.
Mainz 118 – ♦Bonn 57 – ♦Koblenz 31.

[Hotel] **Obere Mühle** ⓢ, an der Straße nach Hardert (N : 1 km), ☎ 22 29, [Terrasse], « Park », [Hallenbad], [Freibad], [Garten] – [TV] ☎ [P] [Saal]
Karte 32/55 *(Dienstag geschl.)* – **17 Z : 30 B** 55/60 - 110/120 – P 75/80.

[Hotel] **Zur Linde**, Westerwaldstr. 35, ☎ 21 55, [Terrasse], [Hallenbad] – [Lift] ☎ [P] [Saal]. [AE] [DC] [E]
Karte 34/67 – **58 Z : 96 B** 48/72 - 88/132 – P 75/107.

[Hotel] **Schmitz und Gästehaus Tanneneck** ⓢ, Friedrich-Ebert-Str. 8, ☎ 22 85, [Garten]
◆ *5. Nov.- 15. Dez. geschl.* – Karte 16/31 – **34 Z : 52 B** 32/50 - 60/100.

[Hotel] **Rengsdorfer Hof**, Westerwaldstr. 26, ☎ 22 13, [Garten] – [E]
◆ *10.- 31. Jan. geschl.* – Karte 16/38 *(Mittwoch geschl.)* – **30 Z : 45 B** 30/40 - 60/80 – P 42/48.

🍴 **Am Wellenbad** ⓢ mit Zim, Buchenweg 18, ☎ 14 22 – [P]. [Hunde] Zim
4.- 29. Jan. geschl. – Karte 24/47 *(Dienstag geschl.)* – **5 Z : 8 B** 35/70 - 70/98.

In Hardert 5455 NO : 3 km :

[Hotel] Zur Linde ⓢ, Mittelstr. 27, ☎ (02634) 16 63, « Kleiner Garten mit Teich », [Hallenbad] – [Garage] [P]
13 Z : 22 B.

[Hotel] **Zur Post** ⓢ, Mittelstr. 13, ☎ (02634) 27 27, « Garten » – [P]. [Hunde] Zim
15. Nov.- 20. Dez. geschl. – Karte 21/36 – **13 Z : 21 B** 37 - 74 – P 56.

In Straßenhaus 5457 NO : 7 km :

[Hotel] **Zur Post**, Raiffeisenstr. 5, ☎ (02634) 50 90, [Hallenbad], [Garten] – [Lift] ☎ [P] [Saal]. [AE] [E]
Juli geschl. – Restaurants (Dienstag geschl.): – **Poststuben** Karte 48/81 – **Klause** Karte 30/55 – **110 Z : 214 B** 80/140 - 140/200 Fb.

[Hotel] **Westfälischer Hof**, Raiffeisenstr. 9, ☎ (02634) 40 70, [Hallenbad], [Freibad], [Garten] – ☎ [Garage] [P]. [AE] [E]
Karte 22/44 – **24 Z : 36 B** 50/60 - 90/110 Fb – P 75/95.

RENNEROD 5439. Rheinland-Pfalz [987] ㉔ – 3 800 Ew – Höhe 450 m – ☎ 02664.
Mainz 87 – Limburg an der Lahn 28 – Siegen 42.

🍴🍴 **Café Röttger** (mit Gästehaus ⓢ, [Freibad], [Hallenbad], [Garten]), Hauptstr. 50, ☎ 10 75 – [TV] ☎ [Garage] [P]. [E] [VISA]
Karte **32**/67 *(Montag geschl.)* – **12 Z : 24 B** 49/60 - 98/130.

RESTHAUSEN Niedersachsen siehe Cloppenburg.

RETTENBACH Bayern siehe St. Englmar.

RETTENBERG 8977. Bayern [413] N 24 – 3 000 Ew – Höhe 806 m – Erholungsort – Wintersport : 800/1 700 m [Seilbahn]14 [Langlauf]3 – ☎ 08327 – [i] Verkehrsamt, Rathaus, Kranzegger Str. 4, ☎ 4 12.
♦München 139 – Kempten (Allgäu) 25 – Sonthofen 8.

In Rettenberg-Kranzegg NO : 3 km :

[Hotel] **Alpenhof** ⓢ, ☎ 4 26, ≤, [Terrasse], [Freibad], [Garten] – [P]
◆ *Nov.- 20. Dez. geschl.* – Karte 18/36 – **15 Z : 26 B** 34/46 - 60/80.

RETZBACH Bayern siehe Zellingen.

REUSSENSTEIN Baden-Württemberg. Sehenswürdigkeit siehe Wiesensteig.

REUTLINGEN 7410. Baden-Württemberg 413 K 21, 987 ㉟ – 100 000 Ew – Höhe 382 m – ☎ 07121.

ℹ Fremdenverkehrsamt, Listplatz 1, ✆ 30 35 26 – **ADAC,** In Laisen 14, ✆ 4 04 04, Telex 729545.

♦**Stuttgart 41** ① – **Pforzheim 77** ① – ♦**Ulm (Donau) 75** ①.

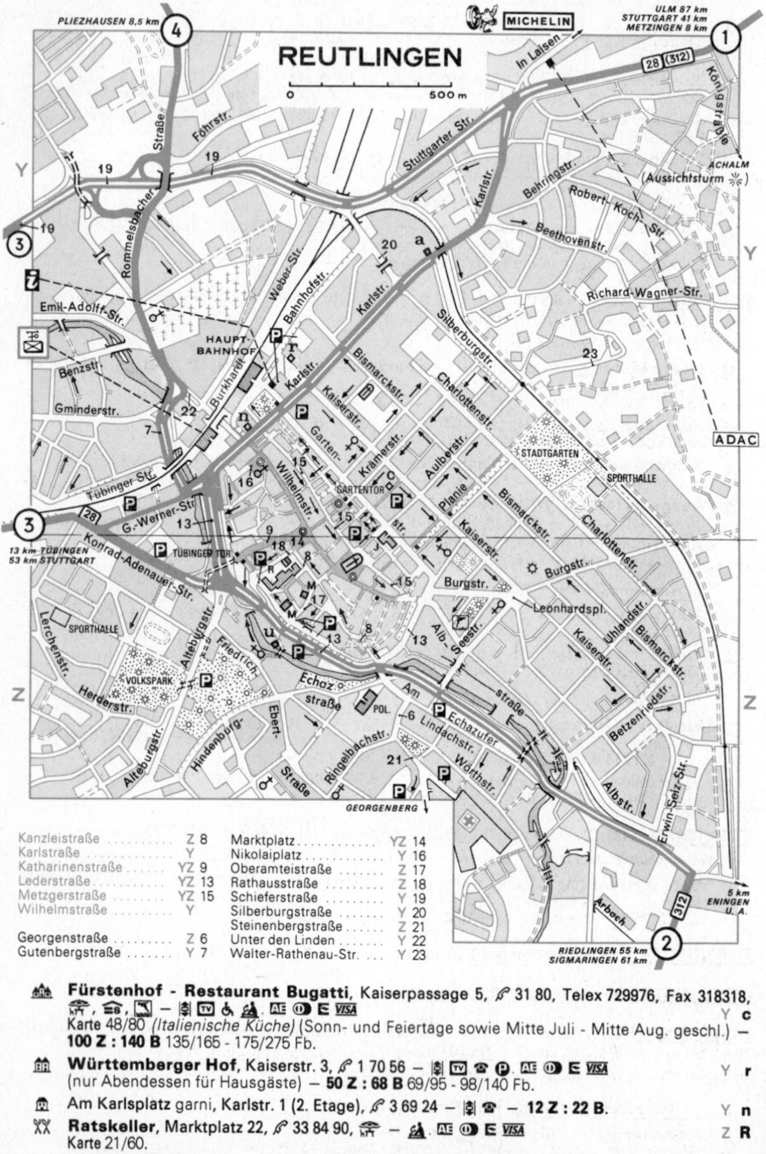

Kanzleistraße	Z	8	Marktplatz	YZ	14
Karlstraße	Y		Nikolaiplatz	Y	16
Katharinenstraße	YZ	9	Oberamteistraße	Z	17
Lederstraße	YZ	13	Rathausstraße	Z	18
Metzgerstraße	YZ	15	Schieferstraße	Y	19
Wilhelmstraße	Y		Silberburgstraße	Y	20
			Steinenbergstraße	Z	21
Georgenstraße	Z	6	Unter den Linden	Y	22
Gutenbergstraße	Y	7	Walter-Rathenau-Str.	Y	23

Fürstenhof - Restaurant Bugatti, Kaiserpassage 5, ✆ 31 80, Telex 729976, Fax 318318, – AE ⓓ E VISA — Y **c**
Karte 48/80 *(Italienische Küche)* (Sonn- und Feiertage sowie Mitte Juli - Mitte Aug. geschl.) – **100 Z : 140 B** 135/165 - 175/275 Fb.

Württemberger Hof, Kaiserstr. 3, ✆ 1 70 56 – AE ⓓ E VISA — Y **r**
(nur Abendessen für Hausgäste) – **50 Z : 68 B** 69/95 - 98/140 Fb.

Am Karlsplatz garni, Karlstr. 1 (2. Etage), ✆ 3 69 24 – **12 Z : 22 B.** — Y **n**

Ratskeller, Marktplatz 22, ✆ 33 84 90, – AE ⓓ E VISA — Z **R**
Karte 21/60.

Stadt Reutlingen, Karlstr. 55, ✆ 4 23 91 – Ⓟ. AE ⓓ E — Y **a**
Samstag geschl. – Karte 37/65.

Alte Mühle, Frankonenweg 8, ✆ 3 87 86, — Z **u**
20. Feb.- 3. März, 23.- 31. Okt. und Sonntag geschl. – Karte 37/73.

Außerhalb S : 3 km über Alteburgstraße Z in Richtung Freibad :

X **Schützenhaus**, Markwasen 2, ✉ 7410 Reutlingen, ✆ (07121) 27 05 25, ☂ – Ⓟ
Montag - Dienstag und Mitte Jan.- Mitte Feb. geschl. – Karte 24/50.

Auf der Achalm O : 4,5 km, Zufahrt über Königssträßle Y – Höhe 707 m :

🏨 **Achalm** 🔇, ✉ 7410 Reutlingen, ✆ (07121) 1 70 11, Telex 729753, ≤ Reutlingen und Schwäbische Alb, ☂ – TV ☎ Ⓟ. AE Ⓓ E
Karte : siehe Höhenrestaurant Achalm – **43 Z : 68 B** 60/130 - 110/150 Fb.

XX **Höhenrestaurant Achalm**, ✉ 7410 Reutlingen, ✆ (07121) 4 26 01, ≤ Reutlingen und Schwäbische Alb, ☂ – Ⓟ. AE Ⓓ E
Karte 39/66.

In Reutlingen 11-Betzingen über ③ :

X **Lindner Grill**, Julius-Kemmler-Str. 35 (nahe der B 28), ✆ 5 25 98 – Ⓟ
2.- 20. Juli sowie Sonn- und Feiertage geschl. – Karte 27/60.

In Reutlingen 27-Mittelstadt ① : 10 km :

🏨 **Klostermühle**, Neckartenzlinger Str. 90, ✆ (07127) 72 92 – TV ☎ 🚗 Ⓟ. AE Ⓓ E
Karte 27/47 *(Dienstag geschl.)* – **14 Z : 18 B** 60/70 - 120.

In Eningen unter Achalm 7412 O : 5 km Z :

🏨 **Eninger Hof**, Am Kappelbach 24, ✆ (07121) 8 29 09, ☂ – ☎ 🚗 Ⓟ. AE Ⓓ E
Juli - Aug. 2 Wochen geschl. – Karte 26/44 *(Mittwoch geschl.)* – **16 Z : 24 B** 56 - 95.

MICHELIN-REIFENWERKE KGaA. Niederlassung 7410 Reutlingen, Schuckertstr. 9 (über In Laisen Y), ✆ (07121) 4 30 41.

RHEDA-WIEDENBRÜCK 4840. Nordrhein-Westfalen 987 ⑭ – 38 000 Ew – Höhe 73 m – ☎ 05242.
♦Düsseldorf 151 – Bielefeld 33 – Münster (Westfalen) 54 – Paderborn 36.

Im Stadtteil Rheda :

🏨 **Reuter**, Bleichstr. 3, ✆ 4 20 52 – 🛗 TV ☎ Ⓟ. Ⓓ E
23. Dez.- 1. Jan. geschl. – Karte **27**/64 *(Freitag 15 Uhr - Samstag und Juli - Aug. 3 Wochen geschl.)* – **28 Z : 40 B** 38/75 - 90/110.

Im Stadtteil Wiedenbrück :

🏨 **Romantik-Hotel Ratskeller**, Markt 11 (Eingang auch Langestraße), ✆ 70 51, « Historische Gasträume mit rustikaler Einrichtung », 🏠 – 🛗 TV ☎ 🚗. AE Ⓓ E VISA
Karte 35/69 – **38 Z : 60 B** 75/110 - 120/160 Fb – 3 Appart. 220

🏨 **Hohenfelder Brauhaus**, Lange Str. 10, ✆ 84 06 – 🚗 Ⓟ. E
21. Dez.- 6. Jan. geschl. – Karte 24/40 *(nur Abendessen, Samstag geschl.)* – **12 Z : 17 B** 38 - 75.

Im Stadtteil Lintel O : 4 km über die B 64 :

🏨 **Landhotel Pöppelbaum**, Am Postdamm 86, ✆ 76 92, ☂ – TV ☎ 🚗 Ⓟ. AE Ⓓ E
Karte 19,50/46 – **15 Z : 24 B** 50/60 - 100.

RHEINAU Baden-Württemberg siehe Kehl.

RHEINBACH 5308. Nordrhein-Westfalen 987 ㉓㉔ – 23 200 Ew – Höhe 175 m – ☎ 02226.
ℹ Verkehrsbüro, Schweigelstr. 21, ✆ 8 11 70.
♦Düsseldorf 87 – ♦Bonn 21 – Euskirchen 13 – ♦Köln 46.

🏨 **Am Kamin** 🔇, Langgasse 7, ✆ 1 24 26 – ☎ Ⓟ. AE Ⓓ E VISA
Karte 32/70 *(Sonntag 15 Uhr - Montag 18 Uhr geschl.)* – **32 Z : 53 B** 59/78 - 98/130.

🏨 **Ratskeller** garni, Vor dem Voigtstor 1, ✆ 49 78, 🏠 – ☎ Ⓟ. AE Ⓓ E VISA
20. Dez.- 5. Jan. geschl. – **24 Z : 45 B** 60/75 - 98/110.

🏨 Café Mostert garni, Vor dem Dreeser Tor 9, ✆ 49 00 – 🛗 ☎ Ⓟ
11 Z : 21 B.

RHEINBERG 4134. Nordrhein-Westfalen 987 ⑬ – 26 700 Ew – Höhe 25 m – ☎ 02843.

Siehe Ruhrgebiet (Übersichtsplan).

♦Düsseldorf 51 – ♦Duisburg 25 – Krefeld 29 – Wesel 17.

🏨 **Rheintor**, Rheinstr. 63, ✆ 30 31 – TV ☎ 🚗 Ⓟ
24.- 31. Dez. geschl. – Karte 24/59 *(Samstag bis 18 Uhr geschl.)* – **18 Z : 25 B** 55 - 95.

RHEINBREITBACH 5342. Rheinland-Pfalz – 4 000 Ew – Höhe 80 m – ☎ 02224 (Bad Honnef).
Mainz 140 – ♦Bonn 20 – ♦Koblenz 49.

🏨 **Haus Bergblick** 🔇, Gebr.-Grimm-Str. 11, ✆ 56 01, ☂, 🏊 (geheizt), ☂ – 🚗. E. 🚫
Karte 24/40 *(Mittwoch geschl.)* – **17 Z : 35 B** 49/52 - 88/94.

🏨 **Alt Breitbach**, Kirchplatz 1, ✆ 32 85 – TV ☎
Juli 3 Wochen geschl. – Karte 23/45 *(Montag - Dienstag 17 Uhr geschl.)* 🍷 – **8 Z : 14 B** 58 - 90.

[RHEINBROHL] 5456. Rheinland-Pfalz – 4 000 Ew – Höhe 65 m – ☎ 02635.
Mainz 124 – ♦ Bonn 37 – ♦ Koblenz 35.

🍴 **Im Krug zum grünen Kranze** mit Zim, Kirchstr. 11, ☎ 24 14, ⛱ – [P]. [AE] [O] [E]
März geschl. – Karte 29/58 *(Dienstag geschl.)* 🍷 – **6 Z : 10 B** 30/40 - 60/70.

[RHEINE] 4440. Nordrhein-Westfalen [987] ⑭ – 72 000 Ew – Höhe 45 m – ☎ 05971.
[i] Verkehrsverein-Tourist Information, Bahnhofstr. 14, ☎ 5 40 55.
ADAC, Tiefe Str. 32, ☎ 5 71 11, Notruf ☎ 1 92 11.
♦Düsseldorf 166 – Enschede 45 – Münster (Westfalen) 45 – ♦Osnabrück 46.

🏨 **Lücke**, Heilig-Geist-Platz 1, ☎ 5 40 64 – 🛗 ☎ 🚗 [P] 🏃. [AE] [O] [E] [VISA]
Karte 24/50 *(Sonntag geschl.)* – **39 Z : 63 B** 80/120 - 115/150 Fb.

🏨 **Blömer**, Tiefe Str. 32, ☎ 5 40 26 – 🛗 ☎. [AE] [O] [E]
Karte 21/46 *(Freitag - Samstag 17 Uhr geschl.)* – **35 Z : 50 B** 60 - 90.

🏨 **Zum Alten Brunnen**, Dreierwalder Str. 25, ☎ 6 68 60, « Gartenrestaurant » – ☎ [P]. [E]
24. Dez.- 1. Jan. geschl. – Karte 26/55 *(nur Abendessen)* – **8 Z : 13 B** 45/70 - 90/105.

🏨 **Freye** 🌙 garni, Emsstr. 1, ☎ 20 69 – ☎ 🚗. [AE] [O] [E]. 🚫
16 Z : 23 B 38/70 - 70/105.

In Rheine 11-Elte SO : 7,5 km :

🍴🍴 **Zum Splenterkotten** (Münsterländer Bauernhaus a.d.J. 1764), Ludgerusring 44, ☎ (05975) 2 85, ⛱ – [P]
Montag - Dienstag und 1.- 15. Feb. geschl. – Karte 28/59.

🍴 **Hellhügel** 🌙 mit Zim, Roßweg 1, ☎ (05975) 81 48 – [P]
März 2 Wochen geschl. – Karte 26/45 *(Freitag geschl.)* – **9 Z : 13 B** 30/35 - 60/70.

In Rheine 11-Mesum SO : 7 km :

🍴🍴 **Altes Gasthaus Borcharding** mit Zim, Burgsteinfurter Damm 13, ☎ (05975) 12 70, « Stilvolle, rustikale Einrichtung, kleine Innenhofterrasse » – [P]. 🚫
Mitte Juli - Anfang Aug. geschl. – Karte 36/66 *(bemerkenswerte Weinkarte)* (Mittwoch - Donnerstag 18 Uhr geschl.) – **2 Z : 4 B** 30 - 60.

An der B 70 N : 6 km :

🍴 **Gutsschänke Holsterfeld** mit Zim, Feldstr. 30, ✉ 4442 Salzbergen, ☎ (05971) 7 06 50, ⛱, Fahrradverleih – [TV] ☎ [P]. [AE] [O] [E] [VISA]
Karte 24/53 – **12 Z : 19 B** 36/50 - 76/84.

[RHEINFELDEN] 7888. Baden-Württemberg [413] G 24, [987] ㉞, [427] ④ – 28 000 Ew – Höhe 283 m – ☎ 07623.
♦Stuttgart 284 – Basel 19 – Bad Säckingen 15.

🏨 **Danner**, Am Friedrichsplatz, ☎ 85 34 – 🛗 [TV] ☎ [P] 🏃. [AE] [O] [E] [VISA]
Karte 28/59 *(Sonntag geschl.)* – **35 Z : 54 B** 58/85 - 98/120 Fb.

🏨 Oberrhein garni, Werderstr. 13, ☎ 10 16 – 🛗 ☎ 🚗 [P]
21 Z : 32 B Fb.

In Rheinfelden-Eichsel N : 6 km :

🍴🍴 **Café Elke**, Saaleweg 8, ☎ 44 37, « Gartenterrasse mit ≤ » – [P]
Montag - Dienstag und 1.- 15. Feb. geschl. – Karte 20/51 🍷.

In Rheinfelden-Herten W : 6 km :

🏠 **Linde**, Rabenfelsstr. 1, ☎ 43 65 – [P]
Mitte Juli - Mitte Aug. geschl. – Karte 23/45 *(Donnerstag-Freitag 16 Uhr geschl.)* – **8 Z : 15 B** 29 - 56.

In Rheinfelden-Karsau NO : 3,5 km :

🍴 **Landgasthaus Kupferdächli** 🌙 mit Zim, Rütte 16, ☎ 53 43 – ☎ [P]. [E]
Karte 27/54 *(Dienstag - Mittwoch 16 Uhr geschl.)* 🍷 – **10 Z : 18 B** 50 - 90.

In Rheinfelden-Riedmatt NO : 5 km :

🏨 **Storchen**, Brombachstr. 3 (an der B 34), ☎ 51 94, ⛱ – 🛗 ☎ 🚗 [P]. [AE] [O] [E] [VISA]
Karte 23/50 *(auch vegetarische Gerichte)* (Freitag - Samstag 16 Uhr und 2. Jan.- 16. Feb. geschl.) 🍷 – **30 Z : 44 B** 60/90 - 90/110 Fb.

[RHEINSTETTEN] 7512. Baden-Württemberg [413] HI 20 – 18 500 Ew – Höhe 116 m – ☎ 07242.
♦Stuttgart 88 – ♦ Karlsruhe 10 – Rastatt 14.

In Rheinstetten-Neuburgweier :

🍴🍴 **Zum Karpfen**, Markgrafenstr. 2, ☎ 18 73, Biergarten – [E]
Montag und Mitte Feb.- Anfang März geschl. – Karte 23/43.

[RHEINTAL] Rheinland-Pfalz [987] ㉔
Sehenswert : Tal★★★ von Bingen bis Koblenz (Details siehe unter den erwähnten Rhein-Orten).

[RHENS] 5401. Rheinland-Pfalz – 3 000 Ew – Höhe 63 m – ☎ 02628.

Mainz 95 – Boppard 12 – ♦Koblenz 9.

XX Königstuhl mit Zim, Am Rhein 1, ☎ 22 44, ≤, 🍴, « Haus a.d.J. 1573 mit altdeutscher Einrichtung » – 🚗 [P]
12 Z : 22 B.

[RHUMSPRINGE] 3429. Niedersachsen – 2 000 Ew – Höhe 155 m – ☎ 05529.

♦ Hannover 114 – ♦Braunschweig 101 – Göttingen 34.

🏠 Rhume-Hotel, Dechant-Hartmann-Str. 21, ☎ 2 41, 🍴, Massage, ≘, [▢], 🌳 – [P] 🏛
31 Z : 48 B.

[RICKENBACH] 7884. Baden-Württemberg [413] G 24, [427] ⑤, [216] ⑤ – 3 500 Ew – Höhe 742 m – Erholungsort – ☎ 07765.

⛳ Hennematt 7, ☎ 88 83 00.

[i] Verkehrsamt, Rathaus, ☎ 10 17.

♦Stuttgart 216 – Basel 42 – Bad Säckingen 11 – Todtmoos 17.

🏠 **Golf- und Kurhotel Rickenbach**, Hennenmatt 7, ☎ 88 80, Massage, ≘, [▢], 🌳, 🎾 – [|$|] ✈ Rest [TV] ☎ 🚗 [P] 🏛. [AE] ⦿ [E] [VISA]
Karte 36/62 – **20 Z : 40 B** 89/99 - 158/178 Fb – P 133/153.

🏠 **Alemannenhof Engel**, Hauptstr. 6, ☎ 2 59, ≘, 🌳 – [|$|] ☎ [P] 🏛. [AE] ⦿ [E] [VISA]
Karte 22/53 *(9. Jan.- 5. Feb. geschl.)* 🍷 – **71 Z : 136 B** 50/70 - 80/120.

[RIED] Bayern siehe Kochel am See.

[RIEDENER MÜHLEN] Rheinland-Pfalz siehe Mayen.

[RIEDERICH] Baden-Württemberg siehe Metzingen.

[RIEDLINGEN] 7940. Baden-Württemberg [413] L 22, [987] ㉟ – 8 400 Ew – Höhe 540 m – ☎ 07371.

♦Stuttgart 96 – ♦Freiburg im Breisgau 159 – Ravensburg 51 – ♦Ulm (Donau) 53.

🏠 **Brücke**, Hindenburgstr. 4, ☎ 1 22 66, 🍴, ≘ – [TV] ☎ [P] 🏛. [AE] ⦿ [E] [VISA]
Karte 23/44 – **54 Z : 74 B** 36/55 - 72/100 Fb.

🏠 **Mohren**, Marktplatz 7, ☎ 73 20 – [|$|] 🚗 🏛. ✈ Zim
1.- 20. Jan. und Ende Juli - Mitte Aug. geschl. – Karte 22/39 🍷 – **35 Z : 50 B** 30/45 - 50/70.

[RIEGEL] 7839. Baden-Württemberg [413] G 22, [987] ㉞, [242] ㉜ – 2 700 Ew – Höhe 183 m – ☎ 07642 (Endingen).

♦Stuttgart 187 – ♦Freiburg im Breisgau 25 – Offenburg 45.

🏠 **Riegeler Hof**, Hauptstr. 69, ☎ 14 68, Telex 772699, Fax 26566 – [TV] ☎ [P]. [AE] ⦿ [E] [VISA]. ✈
Karte 27/53 *(wochentags nur Abendessen)* 🍷 – **50 Z : 100 B** 60 - 95.

🏠 **Zum Rebstock**, Hauptstr. 37, ☎ 10 26 – [P]. [E]
♦ *Nov. geschl.* – Karte 18/35 *(Mittwoch geschl.)* 🍷 – **26 Z : 44 B** 30/35 - 60/70.

In Malterdingen **7831** O : 3 km :

🏠 **Rebstock**, Hauptstr. 45, ☎ (07644) 61 66 – 🚗 [P]. [E]
23. Dez.- 18. Jan. geschl. – Karte 26/54 *(Sonntag geschl.)* 🍷 – **22 Z : 40 B** 45/50 - 60/70.

XX Landhaus Keller, Gartenstr. 21, ☎ (07644) 13 88, 🍴 – [P].

[RIEGSEE] Bayern siehe Murnau.

[RIELASINGEN-WORBLINGEN] Baden-Württemberg siehe Singen (Hohentwiel).

[RIENECK] 8786. Bayern [413] L 16 – 2 300 Ew – Höhe 170 m – Erholungsort – ☎ 09354.

♦München 325 – Fulda 72 – ♦Würzburg 45.

🏠 **Gut Dürnhof**, Burgsinner Str. 3 (N : 1 km), ☎ 10 01, « Gartenterrasse », [▢], 🌳, 🐎 (Halle) – [P] 🏛. [E]
10.- 26. Dez. geschl. – Karte 22/45 – **40 Z : 65 B** 46/78 - 82/116 Fb.

[RIEPEN] Niedersachsen siehe Nenndorf, Bad.

[RIETBERG] 4835. Nordrhein-Westfalen [987] ⑭ – 23 500 Ew – Höhe 83 m – ☎ 05244.

⛳ Gütersloher Str. 127, ☎ 23 40.

♦Düsseldorf 160 – Bielefeld 35 – Münster (Westfalen) 63 – Paderborn 27.

🏠 **Vogt**, Rathausstr. 24, ☎ 88 02 – [TV] ☎ [P]. [AE] [E]
♦ *Weihnachten - Neujahr und Juli 2 Wochen geschl.* – Karte 18/32 *(nur Abendessen, Samstag geschl.)* – **11 Z : 15 B** 25/45 - 65.

In Rietberg 3-Mastholte SW : 7 km :

🍴🍴 ✿ **Domschenke**, Lippstädter Str. 1, ☎ (02944) 3 18 – [P]. ✻
Samstag bis 19 Uhr, Dienstag und Ende Juli - Ende Aug. geschl. – Karte 38/70 (abends Tischbestellung ratsam)
Spez. Lachs in Hummersauce, Kalbsleber in Ingwersauce, Topfenpalatschinken.

[RIEZLERN] Österreich siehe Kleinwalsertal.

[RIMBACH] 8491. Bayern [413] V 19 – 1 700 Ew – Höhe 560 m – Erholungsort – ☎ 09941 (Kötzting).
[B] Verkehrsamt, Hohenbogenstr. 10, ☎ 89 31.
♦München 202 – Cham 20 – Deggendorf 53.

🏨 **Bayerischer Hof**, Dorfstr. 32, ☎ 23 14, 🌳, 🛋 – 🛗 [P]
✈ Karte 16/35 – **100 Z : 200 B** 35/60 - 60/90 Fb.

🏨 Kollmerhof, Hohenbogenstr. 1, ☎ 12 37, 🌳 – 🚗 [P] – **20 Z : 35 B**.

[RIMBACH] Hessen siehe Fürth im Odenwald.

[RIMBERG] Nordrhein-Westfalen siehe Schmallenberg.

[RIMPAR] 8709. Bayern [413] M 17 – 7 000 Ew – Höhe 224 m – ☎ 09365.
♦ München 285 – ♦Nürnberg 90 – Schweinfurt 35 – ♦Würzburg 9,5.

🍴 **Schloßgaststätte**, im Schloß Grumbach, ☎ 38 44, 🌳, « Ehemaliges Jagdschloß a.d.J. 1603 » – [P]
Mittwoch und 16. Mai - 16. Juni geschl. – Karte 23/41 🍷.

[RIMSTING] 8219. Bayern [413] U 23 – 2 800 Ew – Höhe 563 m – Luftkurort – ☎ 08051 (Prien).
Sehenswert : Chiemsee★.
[B] Verkehrsamt, Rathaus, Schulstr. 4, ☎ 44 61.
♦München 87 – Rosenheim 20 – Wasserburg am Inn 24.

In Rimsting-Greimharting SW : 4 km – Höhe 668 m :

🏨 **Der Weingarten** 🌙, Ratzingerhöhe, ☎ 17 75, ← Voralpenlandschaft, Chiemsee und Alpen,
✈ 🌳, 🛋 – 🚗 [P]
Nov.- 20. Dez. geschl. – Karte 17,50/30 *(Montag geschl.)* – **22 Z : 40 B** 35 - 65 – P 45.

In Rimsting-Schafwaschen NO : 1 km, am Chiemsee :

🏨 **Seehof** 🌙, ☎ 16 97, ←, 🌳, 🏖, 🛋 – [P]
✈ *Mitte Okt.- Ende Nov. geschl.* – Karte 17/28 *(Dienstag geschl.)* – **18 Z : 35 B** 30/37 - 58/82.

[RINGELAI] 8391. Bayern [413] X 20, [426] ⑦ – 960 Ew – Höhe 410 m – Erholungsort – ☎ 08555 (Perlesreut).
♦München 209 – Passau 33 – ♦Regensburg 138.

🏨 **Wolfsteiner Ohe** 🌙, Perlesreuter Str. 5, ☎ 5 76, 🏊, 🏊, 🛋 – [P]
✈ *13. Nov.- 5. Dez. geschl.* – Karte 16/28 *(Nov.- März Montag geschl.)* 🍷 – **26 Z : 46 B** 25/39 - 44/66 – P 38/49.

[RINGSHEIM] 7636. Baden-Württemberg [413] G 22, [242] ㉘, [62] ⑳ – 1 800 Ew – Höhe 166 m – ☎ 07822.
♦Stuttgart 175 – ♦Freiburg im Breisgau 35 – Offenburg 33.

🏨 **Heckenrose**, an der B 3, ☎ 14 84 – [P]. E
Karte 24/45 *(Montag bis 18 Uhr geschl.)* 🍷 – **25 Z : 49 B** 35/48 - 80/90.

[RINTELN] 3260. Niedersachsen [987] ⑮ – 25 700 Ew – Höhe 55 m – ☎ 05751.
♦Hannover 60 – Bielefeld 61 – Hameln 27 – ♦Osnabrück 91.

🏨 **Zum Brückentor** garni, Weserstr. 1, ☎ 4 20 95 – 🛗 [TV] ☎ [P]. [AE] ⓓ E [VISA]. ✻
22 Z : 40 B 65/70 - 100/125 Fb.

🏨 **Stadt Kassel**, Klosterstr. 42, ☎ 4 40 64 – ☎ [P] 🏛. [AE] ⓓ E [VISA]
Karte 21/46 – **18 Z : 30 B** 45/55 - 75/95.

In Rinteln 1-Todenmann NW : 3 km – Erholungsort :

🏨 **Altes Zollhaus**, Hauptstr. 5, ☎ 7 40 57, ←, 🌳, 🏊 – [TV] ☎ ♿ [P] 🏛. [AE] ⓓ E [VISA]
Karte 30/62 – **18 Z : 36 B** 70/120 - 110/160 Fb.

🏨 **Weserberghaus** 🌙 garni, Weserberghausweg 1, ☎ 7 68 87, ←, « Garten », 🏊, 🏊 – [P]. ✻
22 Z : 33 B 35/54 - 76/100.

Nahe der BAB-Ausfahrt Bad Eilsen Ost NO : 5 km :

🏨 Schlingmühle, Bückebergstr. 2, ✉ 3061 Buchholz, ☎ (05751) 60 86, 🌳 – [P] – **11 Z : 18 B**.

RIPPOLDSAU-SCHAPBACH, BAD 7624. Baden-Württemberg [413] H 21, [987] [35] – 2 500 Ew – Höhe 564 m – Heilbad – Luftkurort – ☎ 07440.

[i] Kurverwaltung, Kurhaus (Bad Rippoldsau), ☎ 7 22.

♦Stuttgart 106 – Freudenstadt 15 – Offenburg 55.

Im Ortsteil Bad Rippoldsau :

🏨 **Kranz**, Reichenbachstr. 2, ☎ 7 25, 🧖, 🏊, 🏊 – 🛗 ☎ 🚗 [P]. 🚫🐕 Zim
5. Nov.- 15. Dez. geschl. – Karte 23/64 – **31 Z : 50 B** 70/100 - 130/150 – P 80/100.

🏨 **Zum letzten G'stehr**, Wolftalstr. 17, ☎ 7 14, Caféterrasse – 🛗 ☎ [P]. [E]
15.- 30. Jan. und 2. Nov.- 16. Dez. geschl. – Karte 23/48 *(Dienstag geschl.)* – **27 Z : 36 B** 48/60 - 96/108 Fb – P 68/85.

🏨 **Klösterle Hof**, Klösterleweg 2, ☎ 2 15, 🧖 – 🚗 [P]. 🚫🐕 Zim
25. Nov.- 25. Dez. geschl. – Karte 21/42 *(Dienstag geschl.)* 🍷 – **13 Z : 20 B** 35/37 - 70 – P 54.

Im Ortsteil Bad Rippoldsau-Holzwald NW : 3 km :

🏨 **Holzwälder Höhe** 🌿, Holzwaldstr. 5, ☎ 2 10, 🌳 – [P]
7. Nov.- 20. Dez. geschl. – Karte 22/47 *(Mittwoch geschl.)* 🍷 – **14 Z : 25 B** 32/37 - 64/74.

Im Ortsteil Schapbach S : 10 km – ☎ 07839 :

🏨 **Ochsenwirtshof**, Wolfacher Str. 21, ☎ 2 23, 🏊, 🌳, 🎾 – 🚗 [P]. 🚫🐕 Zim
5. Nov.- 15. Dez. geschl. – Karte 21/40 *(Donnerstag geschl.)* 🍷 – **21 Z : 40 B** 42/45 - 84 Fb – P 65/68.

🏨 **Sonne**, Dorfstr. 31, ☎ 2 22, 🌳 – [P]
Feb. 2 Wochen geschl. – Karte 17/42 *(Montag geschl.)* 🍷 – **13 Z : 26 B** 42/45 - 68/88 – P 55/65.

🏨 **Adler**, Dorfstr. 6, ☎ 2 15, 🌳 – 🚗 [P]. 🚫🐕 Zim
25. Okt.- 10. Dez. geschl. – Karte 22/45 *(Donnerstag geschl.)* – **9 Z : 20 B** 33/47 - 66/94 Fb – P 43/57.

Im Ortsteil Bad Rippoldsau-Wildschapbach NW : 3 km ab Schapbach :

🏨 **Grüner Baum**, Wildschapbachstr. 15, ☎ (07839) 2 18, 🧖 – [P]. 🚫🐕 Zim
10.- 31. Jan. geschl. – Karte 20/41 *(Dienstag geschl.)* 🍷 – **10 Z : 20 B** 28/32 - 45/58 – P 44/46.

RITTERSDORF Rheinland-Pfalz siehe Bitburg.

RITTSTEIG Bayern siehe Passau.

RIVERIS Rheinland-Pfalz siehe Waldrach.

RODACH 8634. Bayern [413] P 15, [987] [26] – 6 600 Ew – Höhe 320 m – Erholungsort mit Heilquellenkurbetrieb – ☎ 09564.

[i] Fremdenverkehrsamt, Markt 1, ☎ 15 50.

♦München 300 – Coburg 18.

🏨 **Zur Alten Molkerei** 🌿, Ernststr. 6, ☎ 2 38, 🏊 – 🛗 ☎ [P]
Karte 22/49 *(Mahlzeiten im Restaurant Roesler-Stuben, Dienstag geschl.)* – **38 Z : 69 B** 36/60 - 62/90 Fb.

🏨 Alt Rodach, Heldburger Str. 57, ☎ 39 99, 🧖, Massage, 🏊 – ☎ ♿ [P] 🏕
16 Z : 28 B.

🏨 Kurhotel am Thermalbad 🌿, Thermalbadstr. 20, ☎ 2 07, <, 🌳 – 🛗 ☎ 🚗 [P]. 🚫🐕 Zim
30 Z : 60 B Fb – 15 Fewo.

🏨 Café Fadler garni, Am Markt 18, ☎ 13 34
17 Z : 30 B.

🏨 **Rodacher Hof**, Am Markt 13, ☎ 7 27 – 🚫🐕
21. Sept.- 10. Okt. geschl. – Karte 19/35 *(Mittwoch geschl.)* – **13 Z : 21 B** 35 - 70.

In Rodach-Gauerstadt SO : 4,5 km :

🏨 Gasthof Wacker, Billmuthäuser Str. 1, ☎ 2 25, 🌳 – ☎ [P]
20 Z : 36 B.

In Rodach-Heldritt NO : 3 km :

🏨 Pension Tannleite 🌿, Obere Tannleite 4, ☎ 7 44 – ☎ ♿ [P]
(nur Abendessen) – **13 Z : 25 B** – 2 Fewo.

Michelin-Straßenkarten für Deutschland :

Nr. [984] im Maßstab 1:750 000
Nr. [987] im Maßstab 1:1 000 000
Nr. [412] im Maßstab 1:400 000 (Nordrhein-Westfalen, Rheinland-Pfalz, Hessen, Saarland)
Nr. [413] im Maßstab 1:400 000 (Bayern und Baden-Württemberg)

[RODALBEN] 6782. Rheinland-Pfalz [413] J 16, [242] ⑧, [87] ① – 7 800 Ew – Höhe 260 m – ☎ 06331 (Pirmasens).
Mainz 119 – Kaiserslautern 32 – Pirmasens 6.

- 🏨 **Zum grünen Kranz**, Hauptstr. 210, ☎ 5 20 36 – ☎ [P]. [AE] [O] [E] [VISA]
  Karte 22/42 🍷 – **13 Z : 21 B** 38/40 - 70 Fb.
- 🏨 **Villa Bruderfels** garni, Baumbuschstr. 58, ☎ 5 20 38 – [TV] ☎. [O] [VISA]
  12 Z : 24 B 42 - 74 Fb.
- 🍴 **Pfälzer Hof** mit Zim, Hauptstr. 108, ☎ 5 11 23 – [P]. [AE] [O] [E] [VISA]. ✻
  Juli - Aug. 3 Wochen geschl. – Karte 19,50/46 *(Donnerstag ab 19 Uhr und Montag geschl.)* 🍷 – **5 Z : 6 B** 30 - 60.

In Rodalben-Lohn :

- 🍴 Rodalb-Stub'n, Memelstr. 17, ☎ 5 20 55, 🌳 – [P].

[RODENBACH MAIN-KINZIG-KREIS] Hessen siehe Hanau am Main.

[RODENBERG] 3054. Niedersachsen – 5 000 Ew – Höhe 75 m – Luftkurort – ☎ 05723 (Bad Nenndorf).
•Hannover 34 – Bielefeld 80 – •Osnabrück 110.

- 🏠 Grüner Baum garni, Allee 33 (B 442), ☎ 36 51 – 🚗 [P]. ✻
  7 Z : 12 B.

[RODENKIRCHEN] Niedersachsen siehe Stadland.

[RODGAU] 6054. Hessen [413] J 16 – 39 500 Ew – Höhe 128 m – ☎ 06106.
•Wiesbaden 54 – Aschaffenburg 27 – •Frankfurt am Main 21.

In Rodgau 2-Dudenhofen :

- 🍴🍴 **Wiener Spitz**, Friedberger Str. 43, ☎ 2 15 10 – [P]. ✻
  wochentags nur Abendessen, Montag, Feb. 2 Wochen und Aug. 3 Wochen geschl. – Karte 37/68.

In Rodgau 6-Weiskirchen :

- 🏨 Darmstädter Hof, Schillerstr. 7, ☎ 1 20 21 (Hotel) 1 80 20 (Rest.) – [TV] ☎ [P]
  (nur Abendessen) – **26 Z : 47 B** Fb.

Siehe auch : ***Seligenstadt***

[RODHOLZ] Hessen siehe Poppenhausen/Wasserkuppe.

[RODING] 8495. Bayern [413] U 19, [987] ㉗ – 10 250 Ew – Höhe 370 m – ☎ 09461.
•München 163 – Amberg 62 – Cham 15 – •Regensburg 41 – Straubing 39.

- 🏨 **Brauereigasthof Brantl**, Schulstr. 1, ☎ 6 75 – [P] 🎳
  Karte 13/28 *(Mittwoch und Ende Juni - Anfang Juli geschl.)* – **16 Z : 28 B** 31 - 50.

In Roding-Mitterdorf W : 1 km :

- 🏠 **Hecht**, Hauptstr. 7, ☎ 22 94, 🌳 – 🚗 [P]
  Nov. geschl. – Karte 15,50/22 *(Samstag geschl.)* – **18 Z : 33 B** 30 - 50.

In Roding-Neubäu NW : 9 km :

- 🏨 **Am See** 🔇, Seestr. 1, ☎ (09469) 3 41, ←, 🌳, 🏊, [🏊], 🌳 – [P] 🎳
  Karte 16/32 – **57 Z : 120 B** 40 - 60.

[RODT] Nordrhein-Westfalen siehe Marienheide.

[RÖDELSEE] Bayern siehe Iphofen.

[RÖDENTAL] Bayern siehe Coburg.

[RÖDERMARK] 6074. Hessen [413] J 17 – 24 000 Ew – Höhe 141 m – ☎ 06106 (Rodgau).
•Wiesbaden 54 – Aschaffenburg 30 – •Darmstadt 25 – •Frankfurt am Main 23.

In Rödermark - Ober-Roden [987] ㉕ :

- 🏨 **Parkhotel Atlantis**, Niederröder Str. 24 (NO : 1,5 km), ☎ 7 09 20, Telex 413555, Fax 7092282, « Gartenterrasse », 🏊, [🏊] – [≡] [TV] ☎ 🚗 [P] 🎳. [AE] [O] [E] [VISA]. ✻ Rest
  Karte 40/69 – **136 Z : 250 B** 149/169 - 225/245 Fb.

In Rödermark-Urberach :

- 🏨 **Jägerhof**, Mühlengrund 18, ☎ (06074) 65 02 – ☎ [P]
  24. Dez.- Anfang Jan. geschl. – Karte 23/46 *(Samstag geschl.)* – **24 Z : 30 B** 65 - 120 Fb.

RÖHRNBACH 8391. Bayern 413 X 20 – 2 500 Ew – Höhe 436 m – Erholungsort – ☎ 08582.
♦München 203 – Freyung 13 – Passau 26.

Jagdhof, Marktplatz 11, ☎ 2 68, (geheizt), –
54 Z : 120 B Fb.

Alte Post, Marktplatz 1, ☎ 2 20, –
Nov.- 20. Dez. geschl. – Karte 18,50/34 *(Sonntag ab 14 Uhr geschl.)* – **31 Z : 82 B** 45 - 76/90 – P 54/56.

RÖNKHAUSEN Nordrhein-Westfalen siehe Finnentrop.

RÖSRATH 5064. Nordrhein-Westfalen – 21 900 Ew – Höhe 72 m – ☎ 02205.
♦Düsseldorf 56 – ♦Köln 16 – Siegburg 12.

XX **Klostermühle**, Zum Eulenbroicher Auel 15, ☎ 47 58, « Rustikale Einrichtung » – E
Montag - Dienstag 18 Uhr, Juni - Juli 4 Wochen und Jan. 2 Wochen geschl. – Karte 45/62.

In Rösrath 3-Forsbach N : 4 km :

Forsbacher Mühle, Mühlenweg 43, ☎ 42 41 –
Karte 19/45 *(Montag ab 15 Uhr und Freitag geschl.)* – **23 Z : 36 B** 40/50 - 74/80.

In Rösrath 1-Hoffnungsthal NO : 3 km :

Lindenhof, Hauptstr. 289, ☎ 22 01, – E VISA
Mai und Sept. jeweils 2 Wochen geschl. – Karte 19,50/38 *(Donnerstag geschl.)* – **14 Z : 20 B** 32/45 - 64/76.

RÖTENBACH Baden-Württemberg siehe Friedenweiler.

ROETGEN 5106. Nordrhein-Westfalen 409 ⑯ – 7 100 Ew – Höhe 420 m – ☎ 02471.
Verkehrsverein, Rathaus, Hauptstr. 55, ☎ 40 21.
♦Düsseldorf 96 – ♦Aachen 18 – Liège 59 – Monschau 15 – ♦Köln 85.

Marienbildchen, an der B 258 (N : 2 km), ☎ 25 23 – Zim
20. Juli - 20. Aug. geschl. – Karte 30/72 *(Sonntag geschl.)* – **8 Z : 14 B** 50/75 - 85/125 – 3 Fewo 70/140.

XXX **Pilgerborn-Restaurant C'est la vie** mit Zim, Pilgerbornstr. 2, ☎ 16 00, Fahrradverleih – AE E
Juni - Juli 3 Wochen geschl. – Karte 55/73 *(Dienstag geschl.)* – **Pilgerstube** Karte 28/55 – **7 Z : 13 B** 60/75 - 100/130.

X **Zum genagelten Stein** mit Zim, Bundesstr. 2 (B 258), ☎ 22 78, – AE E
Feb. 3 Wochen geschl. – Karte 33/58 *(Freitag bis 18 Uhr geschl.)* – **5 Z : 10 B** 58/65 - 100.

In Roetgen-Mulartshütte NO : 7 km :

Altes Jägerhaus, Hahner Str. 2, ☎ (02408) 50 24 –
Karte 20/51 – **10 Z : 15 B** 40/50 - 75/85.

An der Straße nach Monschau SO : 4 km :

XX **Fringshaus**, an der B 258, ✉ 5106 Roetgen, ☎ (02471) 22 87 – AE E
20. Juni - 9. Juli, 28. Nov.- 7. Jan. und Mittwoch geschl. – Karte 19,50/56.

RÖTZ 8463. Bayern 413 U 18, 987 ㉗ – 3 400 Ew – Höhe 453 m – ☎ 09976.
♦München 204 – Amberg 56 – Cham 25 – Weiden in der Oberpfalz 56.

Thamer Bräu, Marktplatz 3, ☎ 15 82
11 Z : 23 B.

In Rötz-Bauhof NW : 3 km :

Pension Bergfried, ☎ 3 22, Bayerischer Wald, –
Karte 17/32 – **20 Z : 35 B** 27/35 - 55/65.

In Rötz-Grassersdorf N : 3 km :

Alte Taverne, ☎ 14 13, –
Karte 15/27 – **18 Z : 30 B** 22/27 - 44/54.

In Rötz-Hillstett W : 4 km :

Die Wutzschleife, ☎ 1 80, Fax 1878, (Halle), Fahrradverleih –
E. Rest
Karte 30/54 – **48 Z : 88 B** 69 - 118/218 Fb.

In Winklarn-Muschenried 8479 N : 10 km :

Seeschmied, Lettenstr. 6, ☎ (09676) 2 41, –
6. Nov.- 1. Dez. geschl. – Karte 16/33 *(Montag geschl.)* – **15 Z : 30 B** 30 - 60.

ROHLSTORF-WARDER Schleswig-Holstein siehe Bad Segeberg.

ROHRBACH Hessen siehe Reichelsheim.

ROHRDORF Baden-Württemberg siehe Nagold.

ROHRDORF 8201. Bayern [413] T 23, [426] ⑱ – 4 100 Ew – Höhe 472 m – ☎ 08032.
♦München 69 – Innsbruck 110 – Passau 178 – Rosenheim 10 – Salzburg 73.

🏨 **Zur Post**, Dorfplatz 14, ☎ 50 41, 🌳 – |$| 🚗 [P] 🏔. [AE] [O] [E]
Karte 19/30 – **95 Z : 200 B** 30/50 - 54/75.

ROITHAM Bayern siehe Seeon-Seebruck.

ROMANTISCHE STRASSE Baden-Württemberg und Bayern [987] ㉕㉖㊱, [413] M 17 bis P 24.
Sehenswert : Strecke ★★ von Würzburg bis Füssen (Details siehe unter den erwähnten Orten entlang der Strecke).

ROMMELSHAUSEN Baden-Württemberg siehe Kernen im Remstal.

ROMROD Hessen siehe Alsfeld.

RONNENBERG Niedersachsen siehe Hannover.

RONSHAUSEN 6447. Hessen – 2 600 Ew – Höhe 210 m – Luftkurort – ☎ 06622 (Bebra).
♦Wiesbaden 189 – Bad Hersfeld 26 – ♦Kassel 73.

🏨 **Waldhotel Marbach** 🌙, Berliner Str. 7, ☎ 29 78, 🌳, 🏊, 🏊 (Gebühr), 🌲 – |$| [P]. 🐕
Karte 19/36 – **31 Z : 55 B** 45 - 79.

ROSCHE 3115. Niedersachsen – 2 200 Ew – Höhe 60 m – Erholungsort – ☎ 05803.
♦Hannover 110 – Dannenberg 32 – Lüchow 28 – Uelzen 14.

🏠 **Werner**, Lönsstr. 11, ☎ 5 55, 🏊, 🌲 – [P]
Karte 23/36 – **54 Z : 95 B** 28/48 - 56/76.

ROSENBERG 7092. Baden-Württemberg [413] N 19 – 2 400 Ew – Höhe 520 m – ☎ 07967 (Jagstzell).
♦Stuttgart 105 – Aalen 30 – Ansbach 64 – Schwäbisch Hall 28.

🏨 ✿ **Landgasthof Adler**, Ellwanger Str. 15, ☎ 5 13, 🌲 – ☎ 🚗 [P]. 🐕
Jan. geschl. – Karte 34/74 *(bemerkenswerte Weinkarte, abends Tischbestellung ratsam)* (Juli - Aug. 2 Wochen, Freitag und jeden 1. Sonntag im Monat geschl.) – **11 Z : 20 B** 49 - 89
Spez. Pasteten und Terrinen, Geschmorte Lammhaxe, Punschbirne mit Caramelparfait.

ROSENGARTEN 2107. Niedersachsen – 11 000 Ew – Höhe 85 m – ☎ 04108.
♦Hannover 140 – ♦Bremen 90 – Buchholz in der Nordheide 8 – ♦Hamburg 27.

In Rosengarten 3-Sieversen :

🏨 **Holst**, Hauptstr. 31, ☎ 80 18, 🌳, 🏊, 🏊 – |$| [TV] ☎ [P] 🏔. [O] [E]
Karte 28/62 – **50 Z : 99 B** 70/110 - 110/180 Fb.

🍴🍴 **Zur Kutsche**, Hauptstr. 24, ☎ 2 12, « Cafégarten » – [P]. [AE] [O] [E]
Montag - Dienstag 17 Uhr geschl. – Karte 27/65.

In Rosengarten-Sottorf :

🏠 Cordes (mit 🏨 Gästehaus), Sottorfer Dorfstr. 2, ☎ 71 27 – |$| [TV] ♿ [P] 🏔
50 Z : 80 B.

In Rosengarten-Tötensen :

🏨 **Rosengarten**, Woxdorfer Weg 2, ☎ 74 92, 🏊 – [TV] ☎ [P]. [AE] [O] [E] [VISA]. 🐕 Zim
Karte 26/51 – **19 Z : 30 B** 74/84 - 110.

ROSENHEIM 8200. Bayern [413] T 23, [987] ㊲, [426] ⑱ – 52 500 Ew – Höhe 451 m – ☎ 08031.
[i] Verkehrsbüro, Stadthalle, Kufsteiner Str. 4, ☎ 3 70 80.
ADAC, Kufsteiner Str. 55, ☎ 3 23 55, Notruf ☎ 1 92 11.
♦München 69 – Innsbruck 108 – Landshut 89 – Salzburg 82.

🏨 **Parkhotel Crombach**, Kufsteiner Str. 2, ☎ 1 20 82, Telex 525767, « Gartenterrasse » – |$| [TV] ☎ 🚗 [P] 🏔. [AE] [O] [E] [VISA]
Karte 30/53 *(2.- 10. Jan. und Sonntag geschl.)* – **63 Z : 93 B** 89/108 - 148/178 Fb – 4 Appart. 228.

🏨 Congress-Hotel garni, Brixstr. 3, ☎ 30 60 – |$| ☎ [P] 🏔
89 Z : 178 B Fb.

🏨 Alpenhotel Wendelstein, Bahnhofstr. 4, ☎ 3 30 23 – |$| ☎ 🚗
37 Z : 65 B Fb.

✗ **Weinhaus zur historischen Weinlände**, Weinstr. 2, ☎ 1 27 75 – AE ⓓ E VISA
Samstag bis 17 Uhr, Sonntag und 22. Aug.- 11. Sept. geschl. – Karte 27/52.

✗ **Stadthallen-Restaurant Saline**, Kufsteiner Str. 4, ☎ 1 38 26, ⛱
bis 18 Uhr geöffnet, wenn keine Veranstaltung, 20. Juli - 1. Sept. geschl. – Karte 26/45.

✗ Weinstube Bössl, Schießstattstr. 9, ☎ 8 75 28, ⛱ – Ⓟ.

In Rosenheim-Happing S : 3 km nahe der B 15 :

🏠 Ariadne, Kirchenweg 38, ☎ 6 20 49 – |‡| ☎ 🚗 Ⓟ – **33 Z : 61 B.**

In Rosenheim-Heilig Blut S : 3 km über die B 15 Richtung Autobahn :

🏠 **Fortuna**, Hochplattenstr. 42, ☎ 6 20 85, ⛱ – ☎ Ⓟ. E
Karte 26/46 *(Italienische Küche)* (1.- 15. Sept. und Dienstag geschl.) – **15 Z : 28 B** 50/55 - 90/105.

🏠 **Theresia**, Zellerhornstr. 16, ☎ 6 78 05, ≋, 🌳 – Ⓟ
◆ Karte 19,50/40 *(Sonntag bis 17 Uhr geschl.)* – **25 Z : 42 B** 62 - 75/88.

ROSSBACH 5461. Rheinland-Pfalz – 1 400 Ew – Höhe 113 m – Luftkurort – ☎ 02638 (Waldbreitbach).
Mainz 132 – ◆Bonn 41 – ◆Koblenz 42.

🏠 **Strand-Café**, Neustadter Str. 9, ☎ 51 15, ⛱, 🌳 – [TV] ☎ Ⓟ
◆ *11. Jan.- 11. Feb. geschl.* – Karte 19/38 – **21 Z : 34 B** 43 - 80.

🏠 Zur Mühle 🐦, Mühlenstr. 1, ☎ 3 07, 🌳 – Ⓟ
17 Z : 27 B.

🏠 **Haus Tanneck** 🐦, Waldstr. 1, ☎ 52 15, ≤, ⛱, 🌳 – ☎ Ⓟ. 🐕 Zim
◆ *6. Jan.- 15. März und Nov.- 20. Dez. geschl.* – Karte 18/36 🍷 – **21 Z : 38 B** 31/35 - 60/64.

🏠 **Zur Post**, Wiedtalstr. 55, ☎ 2 80, ⛱, 🌳 – Ⓟ. 🐕 Zim
◆ *7. Jan.- 15. März und Nov.- 18. Dez. geschl.* – Karte 17/38 – **15 Z : 23 B** 28/39 - 52/70.

ROSSFELD-RINGSTRASSE Bayern siehe Berchtesgaden.

ROSSHAUPTEN 8959. Bayern [413] P 24, [987] ㊱, [426] ⑯ – 1 700 Ew – Höhe 816 m – Wintersport : 800/1 000 m ⛷2 ⛷2 – ☎ 08367.
[i] Verkehrsamt, Hauptstr. 10, ☎ 3 64.
◆München 118 – Füssen 11 – Marktoberdorf 18.

🏠 **Kaufmann** 🐦, Füssener Str. 44, ☎ 8 23, ≤, ⛱ – ☎ 🚗 Ⓟ. E
20. Nov.- 19. Dez. geschl. – Karte 20/50 *(Nov.- Mai Freitag geschl.)* – **20 Z : 40 B** 35/46 - 70/92 – P 65/70.

In Rosshaupten-Vordersulzberg W : 4 km :

🏠 **Haflinger Hof** 🐦, Vordersulzberg 1, ☎ (08364) 14 02, ≤, ⛱, 🌳, 🐎 – [TV] ☎ Ⓟ. 🐕
◆ *6. Nov.- 15. Dez. geschl.* – Karte 17/37 *(Dienstag geschl.)* – **9 Z : 20 B** 35/40 - 60/80 – 6 Fewo 80/90.

ROT AM SEE 7185. Baden-Württemberg [413] N 19 – 4 200 Ew – Höhe 419 m – ☎ 07955.
◆Stuttgart 132 – Crailsheim 18 – ◆Nürnberg 110.

🏠 **Café Mack** 🐦, Erlenweg 24, ☎ 23 54, ≋, [🏊], 🌳 – 🚗 Ⓟ. ⓓ E
Karte 23/39 *(Montag bis 16 Uhr geschl.)* 🍷 – **26 Z : 48 B** 42 - 75.

🏠 **Gasthof Lamm**, Kirchgasse 18, ☎ 23 44 – 🚗 Ⓟ. ⓓ
◆ *20. Okt.- 5. Nov. geschl.* – Karte 17/42 *(Donnerstag geschl.)* 🍷 – **12 Z : 19 B** 32/37 - 59/69.

ROT AN DER ROT 7956. Baden-Württemberg [413] MN 22, [426] ⑭ – 3 800 Ew – Höhe 604 m – ☎ 08395.
◆ Stuttgart 149 – Memmingen 17 – Ravensburg 46 – ◆Ulm (Donau) 58.

🏠 **Landhotel Seefelder**, Theodor-Her-Str. 11, ☎ 3 38, ≋ – [TV] ☎ 🚗 Ⓟ 🏛. AE E VISA
Karte 27/47 *(Mai - Sept. Montag ab 14 Uhr, Okt.- April Montag ganztägig und 16.- 30. Jan. geschl.)* 🍷 – **15 Z : 30 B** 48/58 - 75/95.

ROTENBURG/FULDA 6442. Hessen [987] ㉕ – 14 800 Ew – Höhe 198 m – Luftkurort – ☎ 06623.
[i] Verkehrs- und Kulturamt, Marktplatz 15 (Rathaus), ☎ 55 55.
◆Wiesbaden 187 – Bad Hersfeld 20 – ◆Kassel 59.

🏨 **Pergola** 🐦, Panoramastr. 1, ☎ 88 83 00, Telex 493299, ≤, ⛱, ≋, [🏊], 🌳, 🎾 – |‡| [TV] Ⓟ
🏛 (mit ▤). AE ⓓ E VISA. 🐕 Rest
Karte 28/53 – **88 Z : 139 B** 95 - 145 Fb – P 108/130.

🏠 **Silbertanne** 🐦, Am Wäldchen 2, ☎ 16 43, ≤, 🌳 – ☎ Ⓟ. ⓓ E
23. Jan.- 13. Feb. und 30. Okt.- 6. Nov. geschl. – Karte 26/52 *(Montag geschl.)* – **11 Z : 22 B** 52/60 - 90/126.

🏠 Pension Haus Waldborn 🐦, Zum Haseler Berg 2, ☎ 72 33, ≋, 🌳 – Ⓟ
(nur Abendessen) – **8 Z : 14 B.**

ROTENBURG (WÜMME) 2720. Niedersachsen 987 ⑮ – 19 600 Ew – Höhe 28 m – ☎ 04261.

Hof Emmen Westerholz (N : 5 km), ☎ (04263) 33 52.

♦Hannover 107 – ♦Bremen 46 – ♦Hamburg 80.

Stadtpark-Hotel, Pferdemarkt 3, ☎ 30 55, Telex 24352 – ⬚ TV ☎ P. AE ⓓ E
Karte 32/51 – **29 Z : 53 B** 89/90 - 124/129 Fb – 5 Appart. 140/150.

Bürgerhof, Am Galgenberg 2, ☎ 52 74 – TV ☎ P. AE ⓓ E
Karte 19/37 – **21 Z : 40 B** 50/60 - 80/110.

Deutsches Haus, Große Str. 51, ☎ 33 00 – P
Sonntag 14 Uhr - Montag geschl. – Karte 22/43.

In Rotenburg-Waffensen W : 6 km :

Lerchenkrug, an der B 75, ☎ (04268) 3 43 – P. AE ⓓ E
Montag - Dienstag, 1.- 13. Januar und 8.- 28. Juli geschl. – Karte 24/53.

In Ahausen-Eversen 2724 SW : 10 km :

Gasthaus Dönz, Dorfstr. 10, ☎ (04269) 52 53, « Ehemaliger Bauernhof », – P
Karte 24/52 – **12 Z : 18 B** 38/45 - 70/80.

In Bothel 2725 SO : 8 km :

Botheler Landhaus, Hemsbünder Str. 10, ☎ (04266) 15 17 – P. AE ⓓ E
nur Abendessen, Donnerstag geschl. – Karte 45/70 (Tischbestellung ratsam).

Siehe auch : *Liste der Feriendörfer*

ROTH KREIS ROTH 8542. Bayern 413 Q 19, 987 ㉖ – 24 500 Ew – Höhe 340 m – ☎ 09171.

♦München 149 – Ansbach 52 – Donauwörth 67 – ♦Nürnberg 28.

Ratsstuben im Schloß Ratibor (Schloßanlage a.d. 16. Jh.), Hauptstr. 1, ☎ 65 05 – P.
AE ⓓ E
Montag geschl. – Karte 34/67.

Am Rother See NO : 1,5 km :

Seerose, Obere Glasschleife 1, ✉ 8542 Roth, ☎ (09171) 24 80, – P
Karte 17/29 – **20 Z : 30 B** 32/35 - 55/60.

In Roth 1-Pfaffenhofen N : 2,5 km :

Jägerhof, Äußere Nürnberger Str. 40, ☎ 20 38 – ⬚ ☎ P. AE ⓓ E VISA
Karte 26/50 *(Dienstag bis 14 Uhr geschl.)* – **24 Z : 48 B** 50/55 - 80/105 Fb.

In Roth-Rothaurach W : 3 km :

Böhm, Schwabacher Str. 1, ☎ 26 36, – P
(nur Abendessen) – **20 Z : 30 B.**

ROTH/OUR 5529. Rheinland-Pfalz 409 ⑰, 214 ⑲ – 280 Ew – Höhe 220 m – ☎ 06566 (Körperich).

Mainz 193 – Bitburg 29 – Neuerburg 18 – Vianden 2.

Ourtaler Hof, Ourtalstr. 27, ☎ 2 18, – P – **27 Z : 45 B.**

ROTHAUS Baden-Württemberg siehe Grafenhausen.

ROTHENBERG (ODENWALDKREIS) 6121. Hessen 413 J 18 – 2 400 Ew – Höhe 450 m – ☎ 06275.

♦Wiesbaden 118 – ♦Frankfurt am Main 87 – Heidelberg 31 – Heilbronn 74 – ♦Mannheim 49.

Zum Hirsch, Schulstr. 3, ☎ 2 63 – P – **28 Z : 55 B.**

In Rothenberg - Ober-Hainbrunn SW : 8 km :

Zur Krone, Neckarstr. 4, ☎ 2 58, , – ☎ P. Zim
22. Okt.- 11. Nov. geschl. – Karte 18/37 – **7 Z : 12 B** 37 - 68.

ROTHENBUCH 8751. Bayern 413 L 17 – 1 500 Ew – Höhe 340 m – ☎ 06094.

♦München 337 – Aschaffenburg 24 – ♦Frankfurt am Main 63 – Schweinfurt 76.

Spechtshaardt, Rolandstr. 34, ☎ 12 03, ≤, , – P. ⓓ E. Zim
Karte 19/48 – **24 Z : 48 B** 47/55 - 78/84 – P 69/95.

ROTHENBURG OB DER TAUBER 8803. Bayern 413 N 18, 987 ㉖ – 11 100 Ew – Höhe 425 m – ☎ 09861.

Sehenswert : Mittelalterliches Stadtbild★★★ – Rathaus★ (Turm ≤★★) – Plönlein★ – Burggarten★ – Spital★ Z – Spitaltor★ Z – Stadtmauer★ YZ – St.-Jakob-Kirche (Hl.- Blut-Altar★★) – Kalkturm ≤★ Z – Reichsstadtmuseum Y M.

Ausflugsziel : Detwang : Kirche (Kreuzaltar★) 2 km über ④.

Städt. Verkehrsamt, Rathaus, ☎ 4 04 92, Telex 61379.

♦München 236 ② – Ansbach 35 ② – ♦Stuttgart 134 ② – ♦Würzburg 62 ①.

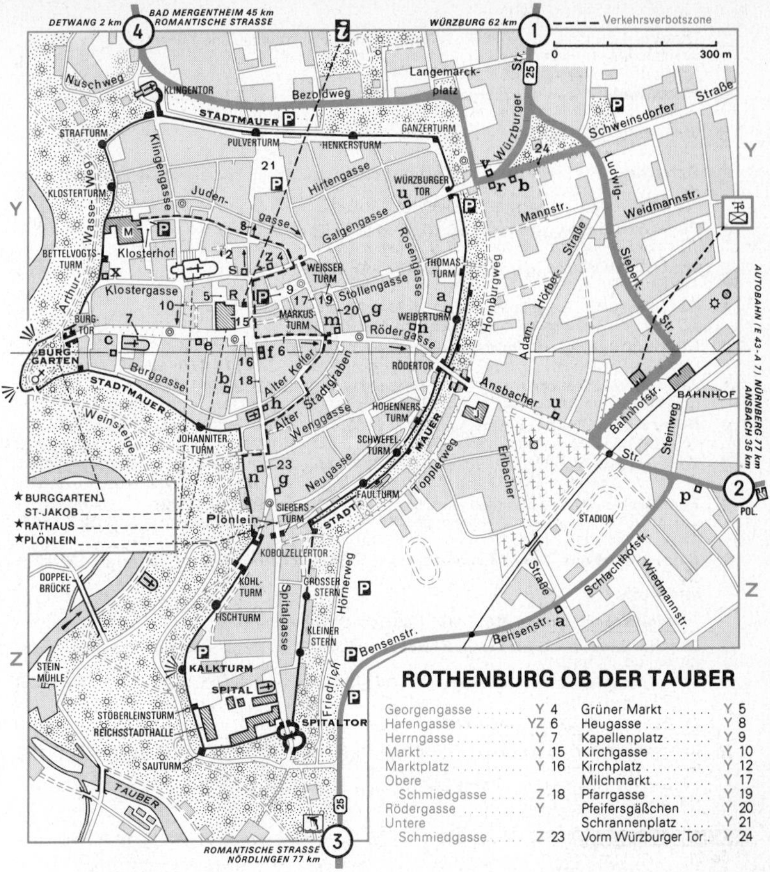

ROTHENBURG OB DER TAUBER

Georgengasse	Y	4	Grüner Markt	Y	5
Hafengasse	YZ	6	Heugasse	Y	8
Herrngasse	Y	7	Kapellenplatz	Y	9
Markt	Y	15	Kirchgasse	Y	10
Marktplatz	Y	16	Kirchplatz	Y	12
Obere Schmiedgasse	Z	18	Milchmarkt	Y	17
Rödergasse	Y		Pfarrgasse	Y	19
Untere Schmiedgasse	Z	23	Pfeifersgäßchen	Y	20
			Schrannenplatz	Y	21
			Vorm Würzburger Tor	Y	24

Eisenhut, Herrngasse 3, ☎ 20 41, Telex 61367, Fax 7248, « Gartenterrasse » – Rest — Y e
Karte 50/80 – **80 Z : 140 B** 155/165 - 210/285 Fb.

Tilman Riemenschneider, Georgengasse 11, ☎ 20 86, Telex 61384, Fax 2979 — Y z
Karte 24/58 – **65 Z : 125 B** 90/120 - 120/200 Fb.

Romantik-Hotel Markusturm, Rödergasse 1, ☎ 23 70, « Geschmackvolle Einrichtung » — Y m
10. Jan.- Feb. geschl. – Karte 32/66 – **24 Z : 48 B** 115/150 - 160/270 Fb – 2 Fewo 250.

Prinzhotel Rothenburg, An der Hofstatt 3, ☎ 60 51, Telex 61377, Fax 6052 — Y a
(Restaurant nur für Hausgäste) – **50 Z : 100 B** 162/207 - 219/314 Fb.

Goldener Hirsch, Untere Schmiedgasse 16, ☎ 20 51, Telex 61372, « Restaurant Blaue Terrasse mit ≤ Taubertal » — Z n
15. Dez.- Jan. geschl. – Karte 43/77 – **80 Z : 145 B** 80/230 - 145/280.

Burg-Hotel garni, Klostergasse 1, ☎ 50 37, Telex 61315, ≤ Taubertal — Y x
Nov. geschl. – **14 Z : 28 B** 125/160 - 160/250.

Merian garni, Ansbacher Str. 42, ☎ 30 96, Telex 61357 — Z p
April - Mitte Dez. – **32 Z : 56 B** 95/120 - 145/180 Fb.

Bären, Hofbronnengasse 9, ☎ 60 33, Telex 61380 — Z b
7. Jan.- März und Nov. geschl. – Karte 59/90 *(wochentags nur Abendessen, Sonntag ab 14 Uhr geschl.)* – **35 Z : 62 B** 120/190 - 180/305 Fb.

Reichs-Küchenmeister, Kirchplatz 8, ☎ 20 46 — Y s
Karte 22/54 *(Nov.- März Dienstag geschl.)* – **30 Z : 60 B** 85/95 - 100/140.

Glocke, Am Plönlein 1, ☎ 30 25, Telex 61318, eigener Weinbau und Kellerei – [AE] [D] [E] [VISA]. Rest Z g
Karte 23/57 – **28 Z : 48 B** 73/95 - 124/144.

Mittermeier, Vorm Würzburger Tor 9, ☎ 22 59, – [TV] ☎ [P]. [AE] [D] [E] [VISA]
7. Jan.- 18. Feb. geschl. – Karte 26/59 – **21 Z : 43 B** 75/120 - 140/190. Y v

Stern Hotel garni, Rosengasse 1, ☎ 43 44, – [TV] ☎. Y n
nur Saison – **11 Z : 20 B.**

Spitzweg garni (Haus a.d.J. 1536 mit rustikaler Einrichtung), Paradeisgasse 2, ☎ 60 61 – ☎ [P] Y g
10. Jan.- Feb. geschl. – **10 Z : 20 B** 85/105 - 110/200.

Bayerischer Hof, Ansbacher Str. 21, ☎ 34 57 – [TV] [P] Z u
10. Jan.- Feb. geschl. – Karte 29/51 *(Donnerstag geschl.)* – **9 Z : 20 B** 65/80 - 95/120.

Linde, Vorm Würzburger Tor 12, ☎ 74 44 – [P]. [AE] [E] [VISA] Y b
Feb. geschl. – Karte 23/41 *(Dienstag geschl.)* – **27 Z : 60 B** 48/54 - 82/94 Fb.

Café Frei garni, Galgengasse 39, ☎ 78 36 – [TV]. [AE] [D] [E] [VISA] Y u
17. Aug.- 6. Sept. geschl. – **14 Z : 29 B** 59/64 - 94/97.

Klosterstüble, Heringsbronnengasse 5, ☎ 67 74, – [TV]. [AE] [D] [E] [VISA] YZ c
Karte 23/45 *(Sonntag 18 Uhr - Montag und Feb. geschl.)* – **12 Z : 24 B** 58 - 98/118.

Alter Ritter, Bensenstr. 1, ☎ 74 97, Telex 61316 – [P]. [AE] [D] [E] [VISA] Z a
(Restaurant nur für Hausgäste) – **26 Z : 53 B** 55/70 - 95/120.

Roter Hahn, Obere Schmiedgasse 21, ☎ 50 88, Telex 61304 – [TV] ☎. [AE] [D] [E] [VISA]
15. März - 22. Dez. – Karte 21/45 – **40 Z : 80 B** 70/100 - 98/160 Fb. Z h

Zum Rappen, Vorm Würzburger Tor 6, ☎ 60 71, Telex 61319 – ☎ [P]. [AE] [D] [E] [VISA]
10.- 31. Jan. geschl. – Karte 21/55 *(Montag geschl.)* – **73 Z : 125 B** 55/80 - 80/140. Y r

Zum Greifen, Obere Schmiedgasse 5, ☎ 22 81, – Rest [P]. [AE] [VISA] YZ f
21.- 31. Aug. und 22. Dez.- 20. Jan. geschl. – Karte 19/38 *(Montag geschl.)* – **22 Z : 36 B** 38/55 - 66/92.

Baumeisterhaus, Obere Schmiedgasse 3, ☎ 34 04, « Patrizierhof a.d. 16. Jh. » – [AE] [D] [E] [VISA] YZ f
Karte 31/59.

In Windelsbach-Linden **8801** NO : 7 km über Schweinsdorfer Str. Y :

Gasthof Linden - Gästehaus Keitel, ☎ (09861) 43 34, , , Fahrradverleih – [P]
Karte 15/28 *(Montag, über Weihnachten und Mitte Jan.- Anfang Feb. geschl.)* – **16 Z : 32 B** 30 - 58.

In Steinsfeld-Reichelshofen **8801** ① : 8 km :

Landwehrbräu, an der B 25, ☎ (09865) 8 33, – [TV] ☎ [P]. [AE] [D] [E] [VISA]. Zim
22. Dez.- 2. Feb. geschl. – Karte 24/47 *(Samstag bis 17 Uhr geschl.)* – **30 Z : 65 B** 56/75 - 99/108 Fb.

ROTHENFELDE, BAD 4502. Niedersachsen [987] ⑭ – 6 500 Ew – Höhe 112 m – Heilbad – ☎ 05424.

[i] Kur- und Verkehrsverein, Salinenstr. 2, ☎ 18 75.

♦Hannover 135 – Bielefeld 32 – Münster (Westfalen) 45 – ♦Osnabrück 25.

Residenz am Kurpark, Parkstr. 1, ☎ 64 30, Telex 94303, , , – [TV] [P]. [AE] [D] [E] [VISA]
Restaurants : – **Vier Jahreszeiten** Karte 40/67 – **Salzkate** Karte 26/45 – **64 Z : 114 B** 89/105 - 140/160 Fb – 2 Fewo 100/150 – P 115/150.

Zur Post, Frankfurter Str. 2, ☎ 10 66, Telex 94310, « Restaurant Alte Küche », , , – [TV] ☎ [P]. [AE] [D] [E] [VISA]
Karte 22/62 – **54 Z : 80 B** 67/76 - 120/128 Fb.

Parkhotel Gätje, Parkstr. 10, ☎ 10 88, , kleiner Park, , – Rest ☎ [P]. [AE] [D] [E] [VISA]
Karte 27/64 – **40 Z : 60 B** 52/78 - 94/116 – P 73/106.

Dreyer garni, Salinenstr. 7, ☎ 10 08 – [TV] ☎.
16 Z : 26 B 55 - 98 Fb.

In Bad Rothenfelde-Aschendorf :

Kröger, Versmolder Str. 26, ☎ 47 88, « Gartenterrasse mit Grill », , , – [TV] ☎ [P]. [AE] [D] [E]. Rest
Karte 27/53 *(Donnerstag geschl.)* – **10 Z : 18 B** 40 - 70 – P 58.

ROTT Rheinland-Pfalz siehe Flammersfeld.

ROTT AM INN 8093. Bayern [413] T 23, [987] ㊲, [426] ⑱ – 2 900 Ew – Höhe 481 m – ☎ 08039.

♦München 55 – Landshut 73 – Rosenheim 16.

Zur Post, Marktplatz 5, ☎ 12 25, – [P]. Zim – **16 Z : 26 B.**

ROTTACH-EGERN 8183. Bayern [413] S 23, [987] ㊲, [426] ⑰ – 6 500 Ew – Höhe 731 m – Heilklimatischer Kurort – Wintersport : 740/1 700 m 1 6 2 – ☎ 08022 (Tegernsee).

[i] Kuramt, Rathaus, Nördliche Hauptstr. 9, ☎ 2 67 40.

♦München 56 – Miesbach 21 – Bad Tölz 22.

Bachmair am See, Seestr. 47, ☎ 27 20, Telex 526920, ←, « Park », Bade- und Massageabteilung, (geheizt), Sportstudio – [TV] [P]
266 Z : 418 B Fb.

Seehotel Überfahrt, Überfahrtstr. 7, ☎ 66 90, Telex 526935, Fax 65835, « Terrasse mit ← », Bade- und Massageabteilung, – [TV] [P] [AE] [E]
Karte 45/78 – **124 Z : 218 B** 130/200 - 190/280 Fb – 20 Appart. 320 – P 155/260.

Walter's Hof im Malerwinkel, Seestr. 77, ☎ 27 70, ←, – [TV] [P]
36 Z : 59 B Fb.

Gästehaus Maier-Kirschner garni, Seestr. 23, ☎ 6 71 10, – [TV] ☎ [P]
30 Z : 50 B 65/80 - 120/140 – 11 Fewo 165/195.

Franzen-Restaurant Pfeffermühle, Karl-Theodor-Str. 2a, ☎ 60 87, « Restaurant im rustikalen Stil mit Grill-Corner » – ☎ [P]. [E]
Karte 31/60 *(Nov.- Dez. Mittwoch - Donnerstag geschl.)* – **14 Z : 28 B** 85/140 - 140/200 – 3 Appart. 280.

Gästehaus Haltmair garni, Seestr. 35, ☎ 27 50, ←, – [TV] ☎ [P].
26 Z : 50 B 60/100 - 110/155 Fb – 9 Fewo 105/200.

Reuther garni, Salitererweg 6, ☎ 2 40 24, – [TV] ☎ [P]. [AE] [E].
26 Z : 42 B 48/65 - 95/120.

Zur Post, Nördliche Hauptstr. 17, ☎ 2 60 85, Biergarten – ☎ [P]
45 Z : 72 B Fb.

Seerose garni, Stielerstr. 13, ☎ 20 21, – ☎ [P].
Nov.- 20. Dez. geschl. – **19 Z : 38 B** 70 - 104/114 – P 84.

Gästehaus Pfatischer garni, Ludwig-Thoma-Str. 63, ☎ 2 60 53, – ☎ [P]
1.- 25. Dez. geschl. – **18 Z : 32 B** 54/78 - 86/126.

Café Sonnenhof garni, Sonnenmoosstr. 20, ☎ 58 12, ←, « Garten » – ☎ [P]
Nov.- 20. Dez. geschl. – **14 Z : 24 B** 50/60 - 80/98.

Lindl, Nördliche Hauptstr. 25, ☎ 2 40 64, Biergarten – [TV] ☎ [P]
15. Nov.- 14. Dez. geschl. – Karte 24/49 – **11 Z : 18 B** 33/48 - 76/91.

🍴🍴🍴 **La Cuisine**, Südl. Hauptstr. 2 (1. Etage), ☎ 2 47 64 – [AE] [E]
nur Abendessen, im Bistro auch Mittagessen, Montag und 25. Jan.- 8. Feb. geschl. – Karte 60/81 – Bistro Karte 35/53.

In Rottach-Berg O : 1,5 km Richtung Sutten :

Café Angermaier (ehemaliges Forst- und Bauernhaus), Berg 1, ☎ 2 60 19, ←, – [TV] ☎ [P]
2. Nov.- 20. Dez. geschl. – Karte 24/52 *(Montag geschl.)* – **20 Z : 33 B** 60/63 - 100/110 Fb.

An der Talstation der Wallbergbahn S : 3 km :

🍴 **Alpenwildpark**, Am Höhenrain 1, ✉ 8183 Rottach-Egern, ☎ (08022) 58 32, « Terrasse mit ← » – [P]
Mittwoch 18 Uhr - Donnerstag, 6.- 28. April und 18. Okt.- Nov. geschl. – Karte 20/43.

Weißach siehe unter : *Kreuth*

ROTTENBUCH 8121. Bayern [413] PQ 23, [426] ⑯ – 1 700 Ew – Höhe 763 m – Erholungsort – ☎ 08867.

Sehenswert : Mariä-Geburts-Kirche★.

Ausflugsziel : Wies (Kirche★★) SW : 12 km.

[i] Verkehrsverein im Rathaus, ☎ 14 64.

♦München 96 – Füssen 30 – Landsberg am Lech 40.

Café am Tor garni, Klosterhof 1, ☎ 2 55, Caféterrasse – [P]. [E]
Nov. geschl. – **11 Z : 20 B** 30/40 - 60/65.

In Rottenbuch-Moos NW : 2 km :

Moosbeck-Alm, Moos 38, ☎ 13 47, « Gartenterrasse », Fahrrad- und Skiverleih – [P]
10.- 24. Jan. geschl. – Karte 22/40 *(Nov.- April Dienstag geschl.)* – **15 Z : 32 B** 44/48 - 64/79.

ROTTENBURG AM NECKAR 7407. Baden-Württemberg [413] J 21, [987] ㉟ – 33 000 Ew – Höhe 349 m – ☎ 07472.

[i] Verkehrsamt, Rathaus, Marktplatz 20, ☎ 16 52 74.

♦Stuttgart 52 – Freudenstadt 47 – Reutlingen 26 – Villingen-Schwenningen 76.

Martinshof, Eugen-Bolz-Platz 5, ☎ 2 10 21, Fax 24691 – [TV] ☎ [P]. [AE] [E] [VISA]
Juli - Aug. 4 Wochen geschl. – Karte 24/52 – **34 Z : 48 B** 70/80 - 110/130 Fb.

Württemberger Hof, Tübinger Str. 14, ☎ 66 60 – [P]
17 Z : 26 B.

In Rottenburg 5-Wurmlingen NO : 4 km :

Rössle, Bricciusstr. 25, ✆ 33 33 – ☎ Ⓟ
Karte 25/51 *(Mittwoch geschl.)* – **13 Z : 23 B** 40/45 - 70/76.

Schloß Weitenburg siehe unter : ***Starzach***

ROTTENDORF Bayern siehe Würzburg.

ROTTWEIL 7210. Baden-Württemberg 413 IJ 22, 987 ㉟ – 23 400 Ew – Höhe 600 m – ☎ 0741.
Sehenswert : Heiligkreuzmünster (Altäre★) – Kapellenkirche (Turm★) – Hauptstraße ≤★ – Lorenzkapelle (Plastiken-Sammlung★).

Städt. Verkehrsbüro, Rathaus, Rathausgasse, ✆ 49 42 80.

♦Stuttgart 98 – Donaueschingen 33 – Offenburg 83 – Tübingen 59.

Johanniterbad, Johannsergasse 12, ✆ 60 83, Telex 762705 – TV ☎ Ⓟ. AE ⓓ E VISA
2.- 15. Jan. geschl. – Karte 26/53 *(Sonntag ab 15 Uhr geschl.)* – **27 Z : 43 B** 63/115 - 108/160 Fb.

Lamm, Hauptstr. 45, ✆ 4 50 15 – TV ☎. AE E VISA
Karte 31/67 – **11 Z : 24 B** 68/105 - 100/130.

Zum Sternen garni (Haus a.d. 14. Jh.), Hauptstr. 60, ✆ 70 06, « Stilvolle Einrichtung » – TV ☎. AE ⓓ E
12 Z : 19 B 70/90 - 135/180.

Bären, Hochmaurenstr. 1, ✆ 2 20 46, – TV ☎ Ⓟ
20. Dez.- 15. Jan. geschl. – Karte 22/48 *(Samstag geschl.)* – **31 Z : 56 B** 45/68 - 78/115 Fb.

Park-Hotel, Königstr. 21, ✆ 71 37, Caféterrasse – VISA
23. Dez.- 7. Jan. und 10.- 30. Juli geschl. – Karte 26/48 *(Samstag geschl.)* – **15 Z : 27 B** 70/85 - 110/130.

XX Villa Duttenhofer, Königstr. 1, ✆ 4 31 05 – Ⓟ.

X Paradies mit Zim, Waldtorstr. 15 (1. Etage), ✆ 73 21
7 Z : 12 B.

RUDERSBERG 7062. Baden-Württemberg 413 L 20 – 9 600 Ew – Höhe 278 m – ☎ 07183.

♦Stuttgart 36 – Heilbronn 47 – Göppingen 37.

In Rudersberg-Schlechtbach S : 1 km :

Sonne, Heilbronner Str. 70, ✆ 61 88 – Ⓟ
30 Z : 40 B.

RUDOLPHSTEIN Bayern siehe Berg.

RÜCKERSDORF 8501. Bayern 413 Q 18 – 4 000 Ew – Höhe 326 m – ☎ 0911 (Nürnberg).

♦München 174 – Bayreuth 65 – ♦Nürnberg 14.

Wilder Mann, Hauptstr. 37 (B 14), ✆ 57 01 11, – TV ☎ Ⓟ. AE ⓓ E. Rest
24. Dez.- 6. Jan. geschl. – Karte 24/57 – **51 Z : 83 B** 75/89 - 120/130 Fb.

RÜCKHOLZ Bayern siehe Seeg.

RÜDESHEIM AM RHEIN 6220. Hessen 987 ㉔ – 10 500 Ew – Höhe 85 m – ☎ 06722.
Ausflugsziel : Niederwald-Denkmal ≤★, NW : 3 km.

Städt. Verkehrsamt, Rheinstr. 16, ✆ 29 62, Telex 42171.

♦Wiesbaden 31 – ♦Koblenz 65 – Mainz 34.

Traube-Aumüller, Rheinstr. 6, ✆ 30 38, Telex 42144, – ☎ Ⓟ. AE ⓓ E VISA
Mitte März - Mitte Nov. – Karte 25/53 – **115 Z : 220 B** 60/120 - 90/200.

Felsenkeller, Oberstr. 39, ✆ 20 94, Telex 42156 – TV ☎ Ⓟ. AE E VISA.
Ostern-Okt. – Karte 24/56 – **55 Z : 100 B** 70/110 - 110/150 – P 95/120.

Gasthof Trapp, Kirchstr. 7, ✆ 10 41, Telex 42160 – ☎ Ⓟ. AE ⓓ E VISA
15. Dez.- 12. März geschl. – Karte 22/55 – **35 Z : 60 B** 70/130 - 110/160.

Central-Hotel, Kirchstr. 6, ✆ 23 91, Telex 42110 – Ⓟ. AE E VISA
15. März - Nov. – Karte 23/54 – **56 Z : 100 B** 75/125 - 130/170.

Rüdesheimer Hof, Geisenheimer Str. 1, ✆ 20 11, Telex 42148, , eigener Weinbau – ☎ Ⓟ. AE E VISA
Mitte Feb.- Mitte Nov. – Karte 22/54 – **48 Z : 90 B** 60/80 - 90/130.

Zum Bären, Schmidtstr. 24, ✆ 26 67, Telex 42100, eigener Weinbau, – ☎. AE ⓓ E VISA
Karte 19,50/48 *(Nov.- April Dienstag geschl.)* – **26 Z : 46 B** 55/100 - 90/120 Fb.

🏨 **Rheinstein**, Rheinstr. 20, ✆ 20 04, Telex 42130, ≤, 🏞 – 🛗 ☎. AE ⓓ E VISA
April - Mitte Nov. – Karte 20/52 – **43 Z : 80 B** 50/120 - 80/140 – P 78/95.

🏨 **Haus Dries** garni, Kaiserstr. 1, ✆ 24 20, Telex 420009, 🧖, 🏊 – AE E VISA. 🐕
April - Okt. – **38 Z : 70 B** 55/58 - 90.

Außerhalb NW : 5 km über die Straße zum Niederwald-Denkmal :

🏨 **Jagdschloß Niederwald** 🐎, ✉ 6220 Rüdesheim, ✆ (06722) 10 04, Telex 42152, « Gartenterrasse », 🧖, 🏊, 🐴, 🎾 – 🛗 📺 ☎ 🚗 🅿 🏛. 🐕 Rest
3. Jan.- 15. Feb. geschl. – Karte 39/68 – **52 Z : 92 B** 125/185 - 198/225 Fb – 3 Appart. 290.

In Rüdesheim-Assmannshausen :

🏨 **Krone**, Rheinuferstr. 10, ✆ 20 36, Telex 413576, Fax 3049, ≤, eigener Weinbau, « Historisches Hotel a.d. 16. Jh., Laubenterrasse », 🏊, 🐴 – 🛗 🚗 🅿 🏛. ⓓ E VISA
Jan.- Feb. geschl. – Karte 50/85 – **73 Z : 124 B** 58/208 - 116/396 – 6 Appart. 396/416.

🏨 **Unter den Linden**, Rheinallee 1, ✆ 22 88, ≤, « Laubenterrasse » – 📺 🚗 🅿. E
Karte 27/60 – **28 Z : 53 B** 55/85 - 120/160.

🏨 **Anker**, Rheinuferstr. 7, ✆ 29 12, Telex 42179, ≤, 🏞 – 🛗 🅿. E VISA
März - Nov. – Karte 30/60 🍷 – **41 Z : 72 B** 75/105 - 105/135.

🏨 **Alte Bauernschänke - Nassauer Hof**, Niederwaldstr. 23, ✆ 23 13, Telex 42178, 🏞, eigener Weinbau – AE E
April - Okt. und über Weihnachten geöffnet – Karte 20/45 – **65 Z : 110 B** 60/75 - 70/120.

🏨 **Ewige Lampe und Haus Resi**, Niederwaldstr. 14, ✆ 24 17
14. Feb.- 17. März geschl. – Karte 22/44 *(Nov.- Juni Dienstag geschl.)* – **24 Z : 44 B** 45/65 - 90/120.

🏨 **Schön**, Rheinuferstr. 3, ✆ 22 25, ≤, 🏞, eigener Weinbau – ☎ 🅿. AE E VISA
April-Okt. – Karte 25/65 – **25 Z : 50 B** 50/80 - 100/125 – P 90/120.

🏨 **Lamm**, Rheinuferstr. 6, ✆ 20 55, ≤, 🏞 – 🛗 ☎. E VISA
Mitte März - Mitte Nov. – Karte 20/49 🍷 – **34 Z : 65 B** 55/90 - 85/140.

🏨 **Zwei Mohren**, Rheinuferstr. 1, ✆ 26 73, Telex 42189, ≤, 🏞 – 🚗. AE ⓓ E VISA
20. März - 15. Nov. – Karte 23/43 🍷 – **30 Z : 50 B** 50/110 - 80/140.

🏨 **Café Post**, Rheinuferstr. 2, ✆ 23 26, ≤, 🏞 – 🚗. AE ⓓ E VISA
März - Mitte Nov. – Karte 27/48 – **14 Z : 28 B** 55/95 - 70/150.

🍴 **Altes Haus** (mit Zim. und Gästehaus), Lorcher Str. 8, ✆ 20 51, « Fachwerkhaus a.d.J. 1578 » – ☎. E VISA. 🐕 Zim
2. Jan.- 2. März geschl. – Karte 21/42 *(Nov.- April Dienstag - Mittwoch, Mai - Okt. Mittwoch geschl.)* 🍷 – **26 Z : 48 B** 45/75 - 80/100.

In Rüdesheim-Presberg N : 13 km :

🏠 **Haus Grolochblick** 🐎, Schulstr. 8, ✆ (06726) 7 38, ≤, 🐴 – 🅿
Mitte Feb.- Mitte Nov. – (Restaurant nur für Pensionsgäste) – **20 Z : 38 B** 34 - 68 – P 44.

RÜLZHEIM 6729. Rheinland-Pfalz [418] H 19 – 6 100 Ew – Höhe 112 m – ☎ 07272.
Mainz 117 – ♦Karlsruhe 27 – Landau in der Pfalz 16 – Speyer 25.

🏨 **Südpfalz** garni, Schubertring 48, ✆ 80 61 – ☎ 🅿. AE ⓓ E VISA
22. Dez.- 7. Jan. geschl. – **23 Z : 46 B** 55/60 - 75/85 Fb.

RÜNDEROTH Nordrhein-Westfalen siehe Engelskirchen.

RÜSSELSHEIM 6090. Hessen [418] I 16,17, [987] ㉔㉕ – 63 000 Ew – Höhe 88 m – ☎ 06142.
[i] Verkehrsamt im Rathaus, Marktplatz, ✆ 60 02 13.
ADAC, Marktplatz 8, ✆ 6 30 27, Telex 4182850.
♦Wiesbaden 19 – ♦Darmstadt 27 – ♦Frankfurt am Main 24 – Mainz 12.

🏨 **Dorint-Hotel Rhein-Main**, Eisenstr. 54 (Gewerbegebiet Im Hasengrund), ✆ 60 70, Telex 4182842, Fax 607510, 🧖 – 🛗 ▤ 📺 🅿 🏛. AE ⓓ E VISA
Karte 40/76 – **126 Z : 202 B** 162/225 - 208/315 Fb.

🏨 **City-Hotel**, Marktstr. 2, ✆ 6 50 51, Telex 4182187, 🧖 – 🛗 📺 ☎ 🏛. AE ⓓ E VISA
24. Dez.- 1. Jan. geschl. – Karte 28/58 *(Samstag - Sonntag geschl.)* – **84 Z : 150 B** 110/155 - 145/180 Fb.

In Raunheim **6096** NO : 4 km :

🏨 **City Hotel** garni, Ringstr. 107 (Stadtzentrum), ✆ (06142) 4 40 66, Telex 4182814 – 📺 ☎ 🅿. AE ⓓ E VISA
27 Z : 47 B 98/150 - 110/180 Fb.

RÜTHEN Nordrhein-Westfalen siehe Warstein.

RUHPOLDING 8222. Bayern [418] U 23, [987] ㊲ ㊳, [426] ⑲ – 6 800 Ew – Höhe 660 m – Luftkurort – Wintersport : 740/1 636 m 🚡1 ⛷20 ⛷4 – ☎ 08663.
[i] Kurverwaltung, Hauptstr. 60, ✆ 12 68.
♦München 115 – Bad Reichenhall 23 – Salzburg 43 – Traunstein 14.

Steinbach-Hotel, Maiergschwendtner Str. 10, ℰ 16 44, Massage, – E
30. Okt.- 18. Dez. geschl. – Karte 27/54 – **84 Z : 144 B** 70/115 - 130/180 Fb – 4 Appart. 240.

Zur Post, Hauptstr. 35, ℰ 10 35, Massage, – E
Karte 23/49 *(Mittwoch geschl.)* – **60 Z : 100 B** 70/90 - 100/140.

Sporthotel am Westernberg, Am Wundergraben 4, ℰ 16 74, Massageabteilung, (Reithalle und Parcours) – E Rest
Nov.- 15. Dez. geschl. – Karte 32/57 – **36 Z : 60 B** 69/110 - 110/150 Fb – 10 Appart. 170/230.

Ruhpoldinger Hof, Hauptstr. 30, ℰ 12 12, Biergarten, – E
3. Nov.- 15. Dez. geschl. – Karte 22/53 *(Dienstag geschl.)* – **45 Z : 70 B** 45/100 - 80/140 – 5 Appart. 180.

Haus Flora garni, Zellerstr. 13, ℰ 59 54, –
15. Okt.- 15. Dez. geschl. – **28 Z : 46 B** 70/80 - 120/140 Fb.

Almhof garni, Maiergschwendter Str. 5, ℰ 14 52, –
April und Nov. geschl. – **20 Z : 34 B** 45/50 - 80/90.

Alpina garni, Niederfeldstr. 11, ℰ 99 05, –
1.- 26. Nov. geschl. – **15 Z : 34 B** 55/65 - 105/110 Fb.

Haus Hahn, Niederfeldstr. 16, ℰ 93 90, –
(nur Abendessen für Hausgäste) – **14 Z : 30 B** 50/65 - 88/105.

Diana, Kurhausstr. 1, ℰ 97 05 –
Nov.-15. Dez. geschl. – Karte 21/45 – **26 Z : 48 B** 50/60 - 75/100 – P 66/80.

Zum Fuchs, Brandstätter Str. 38a, ℰ 59 55, Fahrrad- und Skiverleih – E
8.- 30. April und 4. Nov.- 14. Dez. geschl. – Karte 19,50/40 *(auch vegetarische Gerichte)* (Mittwoch geschl.) – **16 Z : 35 B** 60/65 - 79/95 Fb.

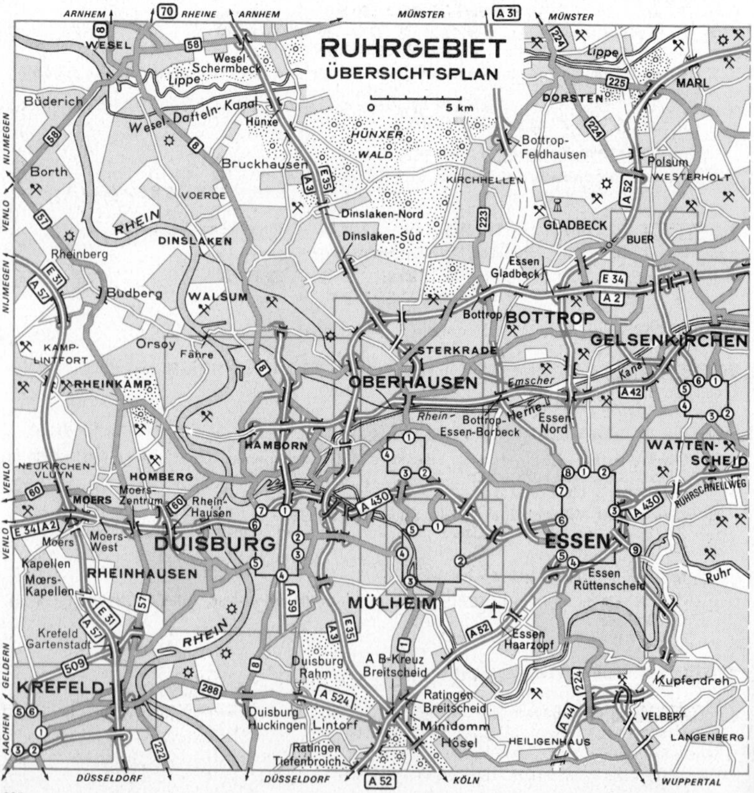

Maiergschwendt ⑤, (SW : 1,5 km), ✆ 90 33, ≤, 🏛, ⛱ – ☎ 🚗 Ⓟ
3.- 30 April und 23. Okt.- 23. Dez. geschl. – Karte 24/43 – **12 Z : 23 B** (nur ½ P) 80 - 130.

Sonnenbichl, Brandstätter Str. 48, ✆ 12 35, ≘s – 📺 ☎ Ⓟ
Anfang - Mitte April und Ende Okt.- 17. Dez. geschl. – Karte 22/37 *(Montag geschl.)* 𝔖 – **16 Z : 29 B** 47/75 - 90/104 Fb.

Valentin Plenk garni, Hauptstr. 64, ✆ 99 98, ≘s, 🏊 – ☎ Ⓟ. AE ⓓ E. ⛔
26 Z : 36 B 40/80 - 70/110.

Vier Jahreszeiten garni, Brandstätter Str. 41, ✆ 17 49, ≤, ⛱ – 🚗 Ⓟ
15 Z : 25 B 29/35 - 60/70.

Fischerwirt ⑤, Rauschbergstr. 1 (Zell, SO : 2 km), ✆ 17 05, ≤, 🏛, ⛱ – 🚗 Ⓟ
April und 15. Okt.- 20. Dez. geschl. – Karte 19/41 *(Montag geschl.)* – **22 Z : 38 B** 30/45 - 64/85.

Berggasthof Weingarten ⑤ mit Zim, Weingarten 1 (SW : 3 km), ✆ 92 19, ≤ Ruhpolding und Trauntal, 🏛 – Ⓟ
28. März - April und Nov.- 15. Dez. geschl. – Karte 18/33 *(Montag geschl.)* – **6 Z : 12 B** 35/38 - 54/66.

RUHRGEBIET Nordrhein-Westfalen 987 ⑬⑭.

Hotels und Restaurants siehe unter den nachfolgend aufgeführten Städten :

Voir ressources hotelières aux localités suivantes :

For hotels and restaurants see towns indicated below :

Vedere alberghi e ristoranti al testo delle località seguenti :

Bochum - Bottrop - Castrop-Rauxel - Datteln - Dinslaken - Dorsten - Dortmund - Duisburg - Essen - Gelsenkirchen - Gevelsberg - Gladbeck - Hagen - Hattingen - Heiligenhaus - Herdecke - Herne - Herten - Iserlohn - Kamen - Kamp-Lintfort - Krefeld - Lünen - Marl - Moers - Mülheim - Oberhausen - Oer-Erkenschwick - Recklinghausen - Rheinberg - Schermbeck - Schwerte - Unna - Velbert - Voerde - Waltrop - Werne - Wesel - Wetter - Witten.

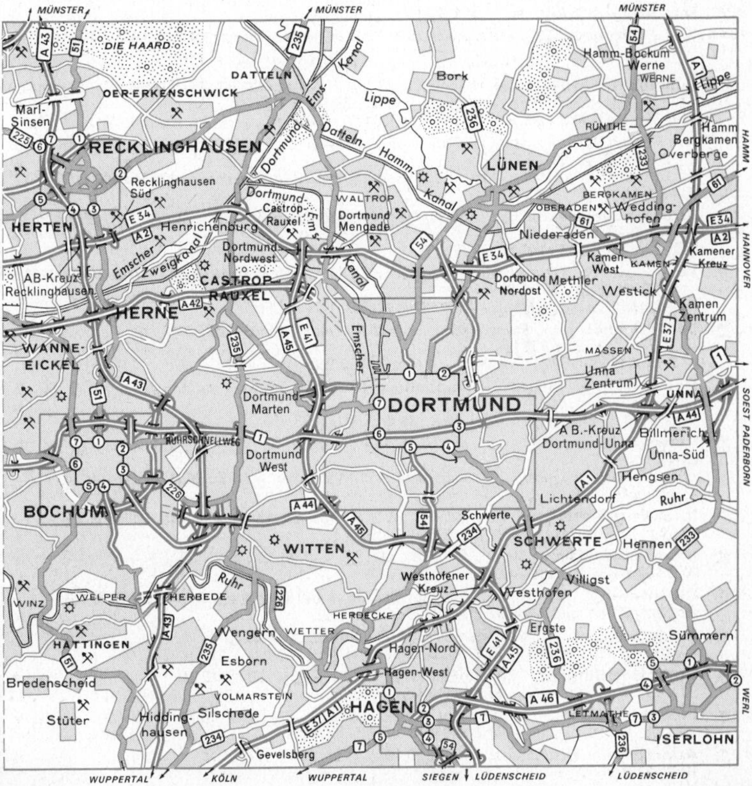

RUHSTORF 8399. Bayern [413] WX 21, [426] ⑦ – 6 200 Ew – Höhe 318 m – ☎ 08531.
♦München 155 – Passau 24 – Salzburg 118.

Antoniushof, Ernst-Hatz-Str. 2, ☎ 30 44, « Garten », – ☎ P
Karte 25/56 *(Montag geschl.)* – **33 Z : 55 B** 48/90 - 85/160 Fb.

Mathäser, Hauptstr. 19, ☎ 30 74 – ☎ P
Karte 18/45 *(Freitag geschl.)* – **30 Z : 55 B** 45/63 - 78/106 Fb.

RUHWINKEL Schleswig-Holstein siehe Bornhöved.

RUMBACH 6749. Rheinland-Pfalz [413] G 19, [242] ⑫, [87] ② – 500 Ew – Höhe 230 m – ☎ 06394.
Mainz 150 – Landau in der Pfalz 38 – Pirmasens 31 – Wissembourg 19.

Haus Waldeck, Im Langenthal 75, ☎ 4 94, – P.
Karte 21/33 *(nur Abendessen)* – **15 Z : 31 B** 35/50 - 64/66.

RUMMENOHL Nordrhein-Westfalen siehe Hagen.

RUNKEL Hessen. Sehenswürdigkeit siehe Limburg an der Lahn.

RURBERG Nordrhein-Westfalen siehe Simmerath.

SAARBRÜCKEN 6600. [L] Saarland [987] ㉔, [242] ⑦, [57] ⑥ – 200 000 Ew – Höhe 191 m – ☎ 0681.
Saarbrücken-Ensheim (SO : 12 km, über Saarbrücker Straße X), ☎ (06893) 8 31.
☎ 3 08 55 79.
Messegelände (X), ☎ 5 30 56.
[i] Verkehrsverein und Städt. Verkehrsamt, Trierer Str. 2, (Info-Pavillon), ☎ 3 51 97.
[i] Verkehrsverein, Rathaus, Rathausplatz, ☎ 3 69 01.
ADAC, Am Staden 9, ☎ 68 70 00, Notruf ☎ 1 92 11.
♦Bonn 212 ⑦ – Luxembourg 93 ⑥ – ♦Mannheim 128 ③ – Metz 67 ⑤ – Strasbourg 124 ④ – ♦Wiesbaden 162 ③.

Stadtplan siehe gegenüberliegende Seite.

Pullman Kongreß-Hotel, Hafenstr. 8, ☎ 3 06 91, Telex 4428942, Fax 372266, Massage, – Zim ☎ P (mit). AE VISA — AY x
Karte 34/61 – **150 Z : 300 B** 155/185 - 205/300 Fb – 5 Appart..

Am Triller, Trillerweg 57, ☎ 58 00 00, Telex 4421123, Fax 58000303, <, – ☎ P. AE E VISA — AZ a
24. Dez.- 1. Jan. geschl. – Karte 32/60 *(Sonntag bis 18 Uhr geschl.)* – **130 Z : 240 B** 95/149 - 150/245 Fb.

Novotel, Zinzinger Str. 9, ☎ 5 86 30, Telex 4428836, Fax 582242, – ☎ P. AE E VISA — X v
Karte 27/51 – **100 Z : 200 B** 120 - 155 Fb.

Park-Hotel, Deutschmühlental 4, ☎ 58 10 33 (Hotel) 58 10 44 (Rest.), Telex 4428860, – ☎ P. AE E VISA — X t
Karte 28/53 *(Freitag geschl.)* – **42 Z : 62 B** 77/107 - 102/142 Fb.

La Résidence garni, Faktoreistr. 2, ☎ 3 30 30, Telex 4421409, Fax 35570, Fahrradverleih – ☎. AE E VISA — AY x
73 Z : 132 B 100/150 - 170/200 Fb – 4 Appart. 200/250.

Haus Kiwit, Theodor-Heuss-Straße, ☎ 85 20 77, « Terrasse mit < », – ☎ P. AE E VISA — X k
Karte 41/61 *(Samstag geschl.)* – **19 Z : 35 B** 75/140 - 125/180.

Christine, Gersweiler Str. 39, ☎ 5 50 81, Telex 4428736, – ☎ P. AE E VISA — X a
über Weihnachten geschl. – Karte : siehe Rest. Wätzmann – **63 Z : 90 B** 66/130 - 98/145 Fb – 4 Appart. 150/170.

Kirchberg-Hotel garni, St. Josef-Str. 18, ☎ 4 77 83, – ☎. AE E VISA — X s
23. Dez.- 2. Jan. geschl. – **34 Z : 49 B** 78 - 115 Fb.

Meran garni, Mainzer Str. 69, ☎ 6 53 81, – ☎. AE E — BZ r
60 Z : 80 B 62/110 - 108/140 Fb.

City-Hotel garni, Richard-Wagner-Str. 67, ☎ 3 40 88 – ☎. AE E VISA — BY k
22. Dez.- 2. Jan. geschl. – **32 Z : 63 B** 70/90 - 95/130.

Römerhof garni, Am Kieselhumes 4, ☎ 6 17 07, – ☎ P — X r
23. Dez.- 2. Jan. geschl. – **25 Z : 40 B** 72/90 - 105/120.

Stadt Hamburg garni, Bahnhofstr. 71, ☎ 3 46 92 – ☎. AE E VISA — AY a
23. Dez.- 8. Jan. geschl. – **29 Z : 40 B** 45/70 - 85/95.

Industrie-Hotel garni, Dudweiler Str. 35, ☎ 3 96 52 – ☎. AE E VISA — BY y
20. Dez.- 6. Jan. geschl. – **46 Z : 70 B** 65/95 - 85/105 Fb.

Atlantic garni, Ursulinenstr. 59, ☎ 3 10 18 – ☎. AE E VISA. — BY d
16 Z : 27 B 60/70 - 90/110.

SAARBRÜCKEN

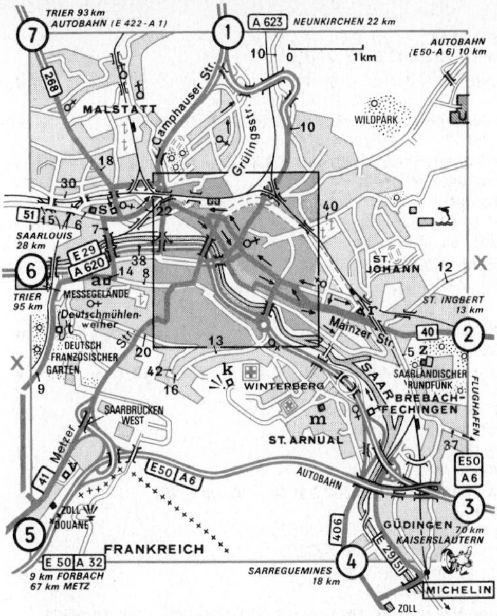

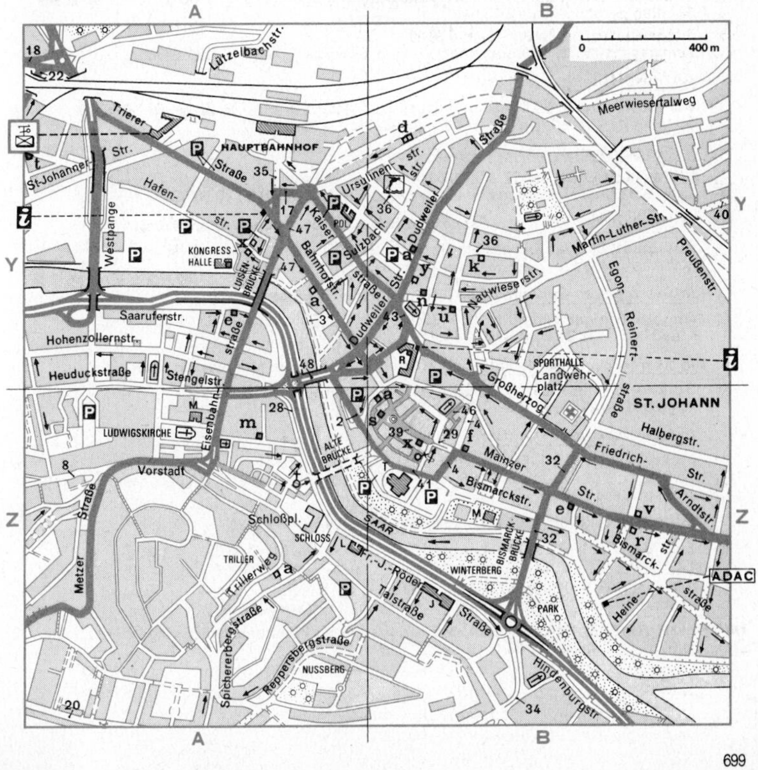

Kaiserhof, Mainzer Str. 78, ☎ 6 64 26 – AE (nur Abendessen für Hausgäste) – **23 Z : 42 B** 43/77 - 81/114. BZ **v**

Drei Kronen garni, Ursulinenstr. 57, ☎ 3 60 32 – **16 Z : 30 B** 55/75 - 85/105. BY **d**

XXX **Légère**, Cecilienstr. 7, ☎ 3 59 00, bemerkenswerte Weinkarte – . AE E VISA BY **n**
Samstag bis 18 Uhr, Sonntag und 18. Juli - 8. Aug. geschl. – Karte 56/72.

XXX **La Touraine**, Am alten Hafen (Kongreßhalle, 1. Etage), ☎ 4 93 33 – P. AE E VISA AY
Samstag bis 19 Uhr und Sonntag geschl. – Karte 45/70.

XXX **Kuntze's Handelshof**, Wilhelm-Heinrich-Str. 17, ☎ 5 69 20 – AE E AZ **m**
Sonntag 15 Uhr - Montag geschl. – Karte 54/76.

XX Bitburger Residenz, Dudweilerstr. 56, ☎ 37 23 12 – P BY **a**

XX Fröschengasse, Fröschengasse 18, ☎ 37 17 15 – BZ **a**

XX **Ratskeller**, Kaltenbachstraße (im Rathaus), ☎ 3 47 80 – . VISA BY **R**
Karte 23/52.

XX **Wätzmann**, Gersweiler Str. 39, ☎ 5 58 21 – E VISA X **a**
Samstag bis 18 Uhr und Montag geschl. – Karte 50/69.

XX **Ristorante Roma** (Italienische Küche), Klausener Str. 25, ☎ 4 54 70 – AE E AY **t**
Montag geschl. – Karte 46/65.

X **Bastei**, Saaruferstr. 16, ☎ 5 11 54 – AE E VISA. AY **e**
Sonntag ab 14 Uhr und Samstag geschl. – Karte 25/48.

X **Die Neue Brücke**, Cecilienstr. 12, ☎ 39 80 39 BY **u**
Montag 15 Uhr - Dienstag geschl. – Karte 31/60.

X **Yang Tsao** (China-Restaurant), Mainzer Str. 49a, ☎ 6 81 40 – AE E VISA BZ **e**
Donnerstag geschl. – Karte 28/64.

X **Horch**, Mainzer Str. 2, ☎ 3 44 15 BZ **f**
Samstag und Juli - Aug. 4 Wochen geschl. – Karte 30/62.

X **Rebstock**, St. Johanner Markt 43, ☎ 3 68 95 – E VISA BZ **x**
Dienstag und 1.- 10. Jan. geschl. – Karte 36/59.

X **Gasthaus zum Stiefel** (Brauereigaststätte), Am Stiefel 2, ☎ 3 12 46, – AE E VISA
Sonntag geschl. – Karte 27/50. BZ **s**

X **Jörgs Bistro**, Breite Str. 47, ☎ 4 29 80 X **s**
Samstag bis 18 Uhr, Sonntag und Juli - Aug. 3 Wochen geschl. – Karte 31/60 .

Auf dem Halberg SO : 4 km :

XXX **Schloß Halberg**, ✉ 6600 Saarbrücken 3, ☎ (0681) 6 31 81 – P . AE E VISA X **z**
Sonntag geschl., an Feiertagen kein Abendessen – Karte 39/67.

In Saarbrücken-Altenkessel **6623** ⑥ : 8 km :

Wahlster, Gerhardstr. 12, ☎ (06898) 8 13 94 – Rest
Karte 19/33 *(nur Abendessen, Sonntag geschl.)* – **27 Z : 35 B** 33/50 - 60/80.

In Saarbrücken - Brebach-Fechingen **6604** SO : 8 km über Saarbrücker Str. X :

Budapest, Bliesransbacher Str. 74, ☎ (06893) 20 23, – ☎ P. E
(nur Abendessen für Hausgäste) – **22 Z : 35 B** 60 - 90.

In Saarbrücken-Bübingen **6601** SO : 9 km über die B 51 X :

Angelo, Saargemünder Str. 28, ☎ (06805) 10 81 – TV ☎ P. AE E VISA.
Karte 31/55 – **12 Z : 24 B** 80/85 - 115/125.

In Saarbrücken - Dudweiler-Süd **6602** NO : 6,5 km über Meerwiesertalweg BY :

Burkhart, Kantstr. 58, ☎ (06897) 70 17, Biergarten – ☎ P. E VISA
Karte 30/65 – **14 Z : 20 B** 80 - 120.

In Saarbrücken-St. Arnual :

XX **Felsen**, Feldstr. 17 (1. Etage), ☎ 85 19 31 – X **m**
Samstag bis 18 Uhr sowie Sonn- und Feiertage geschl. – Karte 56/76 (Tischbestellung ratsam) – **Bistro** Karte 23/52.

In Kleinblittersdorf **6601** SO : 13 km über die B 51 X – ☎ 06805

Zum Dom garni (Restaurant gegenüber), Elsässer Str. 51, ☎ 10 35 – TV ☎ P
9 Z : 18 B 49/59 - 81/86.

X **Roter Hahn**, Saarbrücker Str. 20, ☎ 30 55 – . E VISA
Montag 15 Uhr - Dienstag und 1.- 18. Feb. geschl. – Karte 30/54.

MICHELIN-REIFENWERKE KGaA. Niederlassung 6601 **Saarbrücken-Bübingen,** Industriestr. 35 (über die B 51 X), ☎ (06805) 80 58.

Si vous écrivez à un hôtel à l'étranger, joignez à votre lettre un coupon réponse international (disponible dans les bureaux de poste).

[SAARBURG] 5510. Rheinland-Pfalz [987] ㉓, [409] ㉗, [242] ② – 6 500 Ew – Höhe 148 m – Erholungsort – ☎ 06581.

[i] Verkehrsamt, Graf-Siegfried-Str. 32, ☎ 8 12 15.

Mainz 176 – ♦Saarbrücken 71 – Thionville 44 – ♦Trier 24.

🏨 **Zunftstube**, Am Markt 11, ☎ 36 96 – [AE] [D] [E] [VISA]
Feb. geschl. – Karte 23/41 *(Donnerstag geschl.)* ♿ – **7 Z : 14 B** 40/42 - 65/72.

🏨 **Brizin - Restaurant Chez Claude** 🌙, Kruterberg 14 (S : 1 km), ☎ 21 33, ← – [P]. [AE] [D] [E] [VISA]
ab Rosenmontag 2 Wochen geschl. – Karte 29/64 *(Dienstag geschl.)* – **8 Z : 13 B** 30/40 - 60.

🍴🍴 **Burg-Restaurant**, Schloßberg 12 (in der Burg), ☎ 26 22, « Terrasse mit ← » – [P]. [AE] [D] [E] [VISA]
Montag und 5. Jan.- 15. Feb. geschl. – Karte 27/53.

🍴🍴 **Saarburger Hof**, Graf-Siegfried-Str. 37, ☎ 23 58, ☂ – [D] [E] [VISA]
Montag und 27. Dez.- 20. Jan. geschl. – Karte **29**/57 *(Freitag geschl.)*.

In Trassen 5511 SW : 4,5 km :

🏨 St. Erasmus, Kirchstr. 6a, ☎ (06581) 26 84, ☂, ☂ – [P] ♿
22 Z : 44 B.

Siehe auch : *Liste der Feriendörfer*

[SAARLOUIS] 6630. Saarland [987] ㉓㉔, [242] ⑥, [57] ⑤ – 38 000 Ew – Höhe 185 m – ☎ 06831.

[18] Wallerfangen - Gisingen (W : 10 km), ☎ (06837) 4 01.

[i] Stadt-Info, Großer Markt, ☎ 44 32 63.

♦Saarbrücken 28 ② – Luxembourg 75 ⑤ – Metz 57 ④ – ♦Trier 70 ⑤.

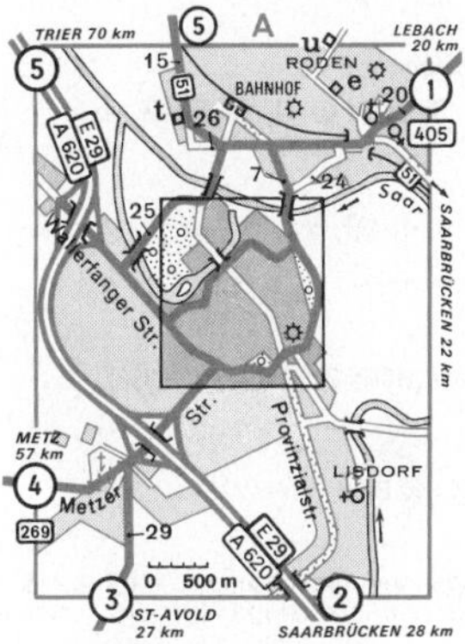

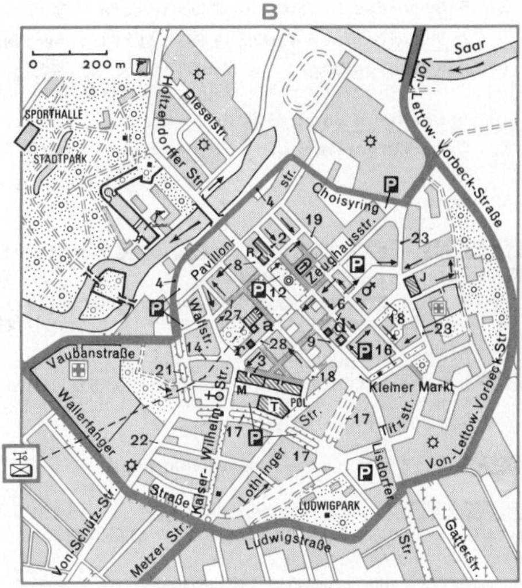

SAARLOUIS

Bibelstraße	B 6	Handwerkerstraße	B 14	Luxemburger Ring	B 21
Deutsche Straße	B 8	Herrenstraße	A 15	Neue Brauereistraße	B 22
Französische Straße	B 9	Hohenzollernring	B 16	Prälat-Subtil-Ring	B 23
Großer Markt	B 12	Kaiser-Friedrich-Ring	B 17	Saarlouiser Straße	A 24
Kleiner Markt	B	Karcherstraße	B 18	St. Nazairer Allee	A 25
Lisdorfer Straße	B	Kavalleriestraße	B 19	Schanzenstraße	A 26
Schlächterstraße	B 27	Lebacher Straße	A 20	Überherrner Straße	A 29
Silberherzstraße	B 28				
Zeughausstraße	B				
Adlerstraße	B 2				
Alte Brauereistraße	B 3				
Anton-Merziger-Ring	B 4				
Brückenstraße	A 7				

🏨 **Ratskeller** garni, Kleiner Markt 7, ☎ 20 90 – [TV] ☎. [AE] [D] [E] [VISA] — B **d**
31 Z : 50 B 67/87 - 106 Fb.

🏨 **City-Hotel Posthof**, Postgäßchen 5 (Passage), ☎ 20 40 – [lift] [TV] ☎. [AE] [D] [E] [VISA]. ✱ — B **a**
Karte 24/46 *(Samstag bis 18 Uhr geschl.)* – **43 Z : 56 B** 75/98 - 110/140 Fb.

🍴🍴 **Peter Zaunmüller**, Postgäßchen 6, ☎ 4 03 40, ☂ – [VISA]. ✱ — B **r**
Sonn- und Feiertage geschl. – Karte 35/59.

🍴🍴 Schmitt - Le Gourmet, Französische Str. 7 (Untergeschoß), ☎ 28 27 — B **d**

Fortsetzung →

In Saarlouis 5 - Beaumarais W : 3 km über Wallerfanger Straße A :

Altes Pfarrhaus Beaumarais (ehem. Sommer-Residenz a.d.J. 1762), Hauptstr. 2, ✆ 63 83 (Hotel) 6 08 48 (Rest.), « Gemälde-Ausstellung und Antiquitäten » – AE E VISA
Karte 46/81 *(Samstag bis 19 Uhr und Sonntag geschl.)* – **35 Z : 65 B** 110 - 145/195.

In Saarlouis 3-Fraulautern :

Hennrich, Rodener Str. 56, ✆ 8 00 91 – AE E VISA A **e**
Karte 36/48 *(Montag geschl.)* – **21 Z : 36 B** 45/60 - 90/100 Fb.

In Saarlouis-Picard ④ : 4 km :

Taffing's Mühle, Am Taffingsweiher, ✆ 20 45, – AE E VISA
Karte 29/55 – **12 Z : 19 B** 48/75 - 98/103 Fb.

In Saarlouis-Roden :

Reiter, Gerberstr. 51 (B 51), ✆ 8 00 10 – E VISA A **t**
Karte 21/43 *(nur Abendessen)* – **22 Z : 45 B** 50/60 - 80/90.

In Saarlouis-Steinrausch :

Steinrauschhalle, Kurt-Schumacher-Allee 129 (beim Freibad), ✆ 8 00 25 –
20 Z : 39 B Fb. A **u**

In Wallerfangen **6634** W : 4 km über Wallerfanger Straße A :

Villa Fayence mit Zim, Hauptstr. 12, ✆ (06831) 6 20 66, « Villa a.d.J. 1835 in einem großen Park » – AE E VISA
Montag geschl. – Karte 51/89 – **Bistro** *(Samstag und Sonntag nur Abendessen)* Karte 31/53 – **4 Z : 8 B** 130/170 - 170/230
Spez. Wachtel-Ravioli in Koriander-Sauce, Cassoulet von Taube und Kaninchen, Dessert Villa Fayence.

Bernhard Epe, Hauptstr. 15, ✆ (06831) 66 69 –

In Wallerfangen 5-Kerlingen **6634** W : 9 km über Wallerfanger Straße A :

Haus Scheidberg, ✆ (06837) 7 50, – AE E VISA
1.- 15. Jan. geschl. – Karte 30/57 – **49 Z : 76 B** 50/70 - 85/98 Fb.

In Überherrn-Berus **6636** ③ : 9,5 km :

Café Margaretenhof, Orannastraße, ✆ (06836) 20 10, –
3.- 20. Jan. geschl. – Karte 28/48 *(nur Abendessen, Freitag geschl.)* – **14 Z : 24 B** 60/78 - 95/98 Fb.

SAARWELLINGEN 6632. Saarland 242 ⑥, 57 ⑥ – 14 200 Ew – Höhe 200 m – ✆ 06838.
♦Saarbrücken 25 – Lebach 14 – Saarlouis 4,5.

Maurer, Schloßstr. 58, ✆ 27 35 – Rest
Karte 13/37 *(Sonntag ab 15 Uhr und Freitag geschl.)* – **25 Z : 40 B** 32/37 - 62/72.

In Saarwellingen 3-Reisbach O : 6 km :

Landhaus Kuntz mit Zim, Kirchplatz 3, ✆ 5 05, « Hübsche Inneneinrichtung » –
Karte 40/77 *(bemerkenswerte Weinkarte, Tischbestellung ratsam)* (Samstag bis 19 Uhr geschl.) – **8 Z : 13 B** 70/90 - 110/140.

SACHRANG Bayern siehe Aschau im Chiemgau.

SACHSA, BAD 3423. Niedersachsen 987 ⑯ – 6 300 Ew – Höhe 360 m – Heilklimatischer Kurort – Wintersport : 500/650 m 4 1 – ✆ 05523.
Kurverwaltung, Am Kurpark 6, ✆ 80 15.
♦Hannover 129 – ♦Braunschweig 95 – Göttingen 62.

Harzhotel Romantischer Winkel, Bismarckstr. 23, ✆ 10 05, – AE E. Rest
12. Nov.- 15. Dez. geschl. – Karte 30/68 – **42 Z : 60 B** 76/105 - 118/148 Fb – P 97/123.

Hildesia, Pfaffenberg 28, ✆ 13 00, – Zim
(nur Abendessen für Hausgäste) – **42 Z : 79 B** 45/90 - 80/160.

Birkenhof garni, Tannenweg 6, ✆ 37 11, Skischule, Skiverleih –
20 Z : 34 B – 2 Fewo.

Auf dem Ravensberg NW : 4,5 km – Höhe 660 m :

Berghof Ravensberg mit Zim, ✉ 3423 Bad Sachsa, ✆ (05523) 21 45, ≤ Harz, –
5 Z : 10 B.

[SACHSENHEIM] 7123. Baden-Württemberg [413] K 20 – 14 800 Ew – Höhe 260 m – ☎ 07147.
♦Stuttgart 31 – Heilbronn 31 – Ludwigsburg 15 – Pforzheim 29.

In Sachsenheim 1-Großsachsenheim :

🏠 Schloßhotel, Obere Str. 15, ✆ 30 33 – ☎ Ⓟ. ✂
10 Z : 16 B.

In Sachsenheim-Ochsenbach NW : 10 km :

🍴🍴 **Landgasthof zum Schwanen**, Dorfstr. 47, ✆ (07046) 21 35, ☂ – Ⓟ
7. Jan.- 13. Feb. und Montag - Dienstag 17 Uhr geschl. – Karte **30**/57 (Tischbestellung ratsam).

[SÄCKINGEN, BAD] 7880. Baden-Württemberg [413] GH 24, [987] ㉞, [427] ⑤ – 15 400 Ew – Höhe 290 m – Heilbad – ☎ 07761.
Sehenswert : Fridolinsmünster★.
[i] Kurverwaltung, Waldshuter Str. 20, ✆ 5 13 16.
♦Stuttgart 205 – Basel 31 – Donaueschingen 82 – Schaffhausen 67 – Zürich 58.

🏠 Goldener Knopf, Rathausplatz 9, ✆ 60 78, ≤, ☂ – |⇕| [TV] ☎ ⛹
55 Z : 85 B Fb.

🏠 Zur Flüh 🐚, Weihermatten 38, ✆ 85 13, ☂, ≘, 🏊 – [TV] ☎ 🚗 Ⓟ
40 Z : 55 B Fb.

🏠 **Kater Hiddigeigei**, Tanzenplatz 1 (am Schloßpark), ✆ 40 55, ☂ – ☎. [DC] E [VISA]
Feb. 2 Wochen geschl. – Karte 24/59 *(Samstag geschl.)* 🍷 – **14 Z : 22 B** 58/65 - 90.

🏠 Café Schneider, Gießenstr. 21, ✆ 70 17, ☂ – Ⓟ
17 Z : 28 B.

🍴🍴 **Fuchshöhle** (Haus a.d. 17. Jh.), Rheinbrückstr. 7, ✆ 73 13 – [DC] E
Sonntag - Montag und über Fastnacht 3 Wochen geschl. – Karte 36/61.

🍴 **Margarethen-Schlößle**, Balther Platz 1, ✆ 15 25, ☂
Dienstag 15 Uhr - Mittwoch und Jan. geschl. – Karte 29/43.

In Bad Säckingen 12-Rippolingen NO : 6 km :

🏡 **Zum Rößle** 🐚, Talstr. 14, ✆ 75 22, ☂ – Ⓟ. E. ✂ Zim
✦ *Nov. geschl.* – Karte 18/34 *(Donnerstag geschl.)* 🍷 – **15 Z : 22 B** 32/41 - 58/74 – P 46/57.

[SAHRENDORF] Niedersachsen siehe Egestorf.

[SAIG] Baden-Württemberg siehe Lenzkirch.

[SALACH] 7335. Baden-Württemberg [413] M 20 – 6 400 Ew – Höhe 365 m – ☎ 07162 (Süßen).
♦Stuttgart 52 – Göppingen 8 – ♦Ulm (Donau) 43.

🏠 **Bernhardus**, Weberstr. 15, ✆ 80 61 – |⇕| [TV] ☎ 🚗 Ⓟ ⛹. [AE] [DC] E [VISA]
Karte 31/55 – **29 Z : 58 B** 85/95 - 145/162 Fb.

🏡 **Garni**, Hauffstr. 12, ✆ 83 07 – 🚗 Ⓟ
19 Z : 26 B 33/45 - 65/75.

Bei der Ruine Staufeneck O : 3 km :

🍴🍴 **Burgrestaurant Staufeneck** 🐚 mit Zim, ✉ 7335 Salach, ✆ (07162) 50 28, ≤ Gingen und Filstal, ☂ – |⇕| ☎ Ⓟ ⛹. [AE] [DC] E
2.- 16. Jan. geschl. – Karte 32/71 *(Donnerstag geschl.)* – **4 Z : 5 B** 50 - 100.

[SALEM] 7777. Baden-Württemberg [413] K 23, [987] ㉟, [427] ⑦ – 8 500 Ew – Höhe 445 m – ☎ 07553.
Sehenswert : Ehemaliges Kloster★ (Klosterkirche★) – Schloß★.
♦Stuttgart 149 – Bregenz 62 – Sigmaringen 47.

🏠 **Schwanen**, beim Schloß, ✆ 2 83, ☂ – Ⓟ
Jan.- 14. März geschl. – Karte 24/44 *(Okt.- April Donnerstag geschl.)* – **15 Z : 30 B** 45/59 - 85/89.

🏠 **Salmannsweiler Hof** 🐚, Salmannsweiler Weg 5, ✆ 70 46, ☂ – ☎ Ⓟ
ab Aschermittwoch 2 Wochen und Mitte - Ende Okt. geschl. – Karte 24/48 *(Mittwoch geschl.)* – **10 Z : 23 B** 45/50 - 70/85.

🏡 **Lindenbaum - Gästehaus Jehle**, Neufracher Str. 1, ✆ 2 11, ≘ – 🚗 Ⓟ. [DC]
Nov. geschl. – Karte 20/33 *(Montag 14 Uhr - Dienstag geschl.)* 🍷 – **7 Z : 12 B** 25/35 - 50/65.

In Salem 2-Mimmenhausen S : 2 km :

🏠 **Hirschen**, Bodenseestr. 135, ✆ 3 76, ☂ – Ⓟ
✦ Karte 19/38 *(Dienstag geschl.)* – **8 Z : 16 B** 35/40 - 70/76.

[SALEM] Schleswig-Holstein siehe Ratzeburg.

[SALMBACH] Baden-Württemberg siehe Engelsbrand.

SALZBURG A-5020. L Österreich 413 W 23, 987 ㊳, 426 ⑲ ⑳ – 140 000 Ew – Höhe 425 m – ✆ 0662 (innerhalb Österreich).

Sehenswert : ≤** auf die Stadt (vom Mönchsberg) Y **K** – Hohensalzburg** X, Z : ≤** (von der Kuenburgbastei), ☀** (vom Reckturm), Burgmuseum* Z **M3** – Petersfriedhof** Z – Stiftskirche St. Peter** Z – Residenz** Z – Haus der Natur** Y **M2** – Franziskanerkirche* Z **A** – Getreidegasse* Y – Mirabellgarten* V – Hettwer Bastei* : ≤* Y – Mozarts Geburtshaus Y **D**.

Ausflugsziele : Gaisbergstraße** (≤*) über ① – Untersberg* über ② : 10 km (mit ⛡) – Mondsee * ① : 28 km (über die Autobahn A 1).

⛳9 Salzburg-Wals, Schloß Klessheim, ✆ 85 08 51 ; ⛳9 in Hof (① : 20 km), ✆ (06229) 2 37 20 ; ⛳18 in St. Lorenz (① : 29 km), ✆ (06232) 29 94.

Festspiel-Preise : siehe S. 17
Prix pendant le festival : voir p. 25
Prices during tourist events : see p. 33
Prezzi duranti i festival : vedere p. 41.

🚗 ✆ 71 54 14 22 – Salzburger Messegelände, Linke Glanzeile 65, ✆ 3 45 66.

i Stadtverkehrsbüro, Auerspergstr. 7, ✆ 8 07 20 – **ÖAMTC**, Alpenstr. 102, ✆ 2 05 01.

Wien 292 ① – Innsbruck 177 ③ – ♦München 140 ③.

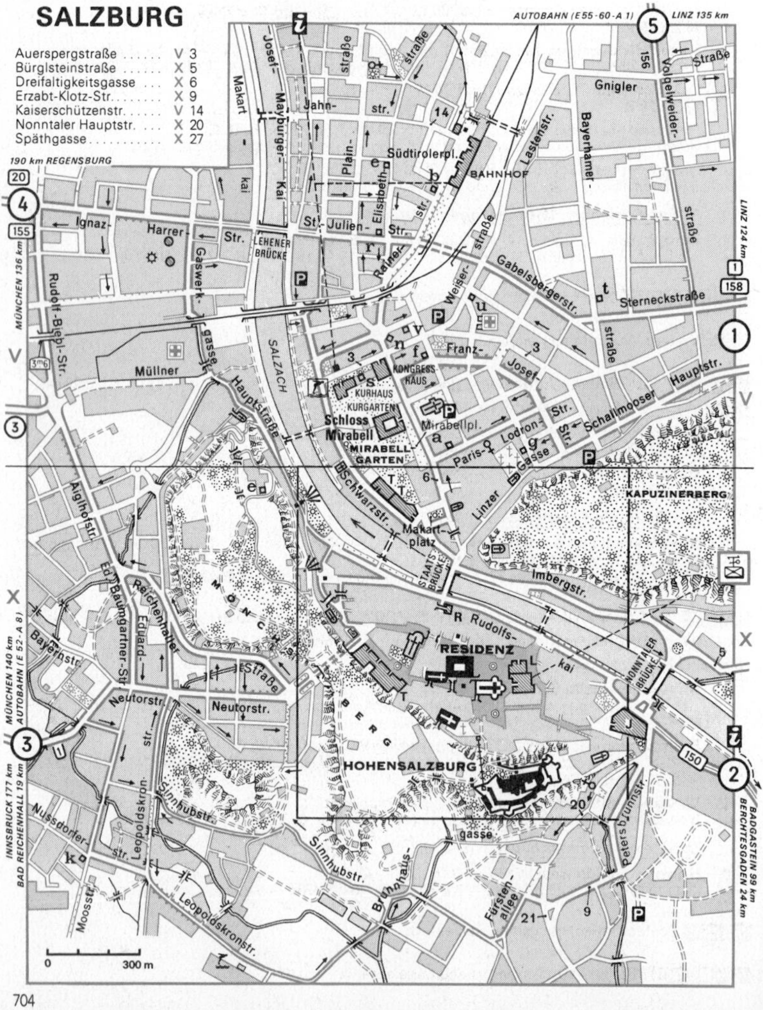

Getreidegasse	Y	
Judengasse	Y	
Residenzplatz	Z	
S.-Haffner-Gasse	YZ	25
Universitätsplatz	Y	29
Alter Markt	Y	2
Bürgerspitalgasse	Y	4
Dreifaltigkeitgasse	Y	6
Hanusch-Platz	Y	12
Kajetaner-Platz	Z	15
Max-Reinhardt-Platz	Z	18
Museumsplatz	Y	20
Sigmundsplatz	Y	26
Theatergasse	Y	28
Waagplatz	Z	30

Die Preise sind in der Landeswährung (ö. S.) angegeben.

Salzburg Sheraton Hotel, Auerspergstr. 4, 79 32 10, Telex 632518, Fax 881776, « Terrasse im Kurpark », direkter Zugang zum Kurmittelhaus – Zim AE E VISA. Rest V **s**
Restaurants : – **Mirabell** Karte 340/600 – **Bistro** Karte 180/380 – **165 Z : 330 B** 1800/3050 - 2300/3550 Fb – 9 Appart. 3800/6200.

Österreichischer Hof, Schwarzstr. 5, 7 25 41, Telex 633590, « Terrassen an der Salzach mit < Altstadt und Festung » – (mit) Y **b**
Restaurants : – **Zirbelzimmer** – **Salzach Grill** – **114 Z : 200 B**.

Bristol, Makartplatz 4, 7 35 57, Telex 633337, Fax 7355710, « Stilvolle Einrichtung, Gemäldesammlung » – Rest AE E VISA. Rest Y **a**
10. Jan.- 10. März geschl. – Karte 390/600 – **80 Z : 140 B** 1690/2890 - 2300/3450 – 10 Appart. 3620/5040.

Schloß Mönchstein, Am Mönchsberg 26, 8 48 55 50, Telex 632080, < Salzburg und Umgebung, , Hochzeitskapelle, « Kleines Schlößchen mit eleganter, stilvoller Einrichtung, Park », , – AE E VISA. Rest X **e**
Karte 375/810 – **17 Z : 33 B** 1600/2800 - 3400/5900.

Goldener Hirsch, Getreidegasse 37, 84 85 11, Telex 632967, Fax 848517845, « Patrizierhaus a.d.J. 1407 mit stilvoller Einrichtung » – Rest AE E VISA
Karte 330/600 – **s'Herzl** Karte 160/320 – **74 Z : 137 B** 1920/3620 - 3190/4740 – 7 Appart. 5240/6240. Y **e**

Pitter, Rainerstr. 6, 7 85 71, Telex 633532, – AE E VISA V **n**
Karte 205/390 – **200 Z : 340 B** 700/1150 - 1350/2200 Fb.

Mercure, Bayerhamerstr. 14, 88 14 38, Telex 632341, Fax 71111411, , Zugang zum Sport- und Tenniscenter – Zim AE E VISA V **t**
Karte 260/440 – **121 Z : 242 B** 1500 - 1800 Fb.

Europa, Rainerstr. 31, 73 39 10, Telex 633424, Restaurant in der 14. Etage mit < Salzburg und Umgebung – Rest (mit). AE E VISA. Rest V **b**
Karte 170/380 – **104 Z : 156 B** 870/1030 - 1210/1750 Fb.

Winkler, Franz-Josef-Str. 7, ✆ 7 35 13, Telex 633961 – AE E VISA V f
Karte 200/460 – **103 Z : 200 B** 1150/1800 - 1880/3100.

Austrotel - Restaurant Zum Krebsen, Mirabellplatz 8, ✆ 88 16 88, Telex 632361 – AE E VISA V a
Karte 210/560 – **74 Z : 118 B** 1200/1570 - 1670 Fb.

Schaffenrath, Alpenstr. 115, ✆ 2 31 53, Telex 633207, Fax 29314, – AE E VISA über ②
Karte 176/350 – **50 Z : 100 B** 650/1400 - 990/2600 Fb.

Kasererhof, Alpenstr. 6, ✆ 2 12 65, Telex 633477, Fax 28376, – AE E VISA
Feb. geschl. – Karte 180/470 *(Samstag - Sonntag geschl.)* – **51 Z : 100 B** 960/1460 - 1645/4000 Fb. über ②

Fuggerhof garni, Eberhard-Fugger-Str. 9, ✆ 2 04 79, Telex 632533, – über Bürglsteinstr. X
20. Dez.- 7. Jan. geschl. – **20 Z : 40 B** 700/900 - 900/2000.

Hohenstauffen garni, Elisabethstr. 19, ✆ 7 21 93 – AE E VISA V e
28 Z : 54 B 690/880 - 1140/1460.

Zum Hirschen, St.-Julien-Str. 21, ✆ 73 14 10, Telex 632691, Fax 7314158, Gastgarten, Massage, – AE E VISA. Rest V r
Karte 175/320 *(Nov.- April Montag geschl.)* – **80 Z : 140 B** 480/810 - 800/1340 Fb.

Wolf-Dietrich, Wolf-Dietrich-Str. 7, ✆ 7 12 75, Telex 633877, – AE E VISA. Rest V g
Feb.- 5. März geschl., Okt.- Mai garni – Karte 180/380 *(Sonntag geschl.)* – **32 Z : 50 B** 790/1180 - 1280/1580 Fb.

Elefant, Sigmund-Haffner-Gasse 4, ✆ 84 33 97, Telex 632725 – AE E VISA Y f
Karte 145/340 *(Dienstag, 2.- 16. Feb. und 5.- 23. Nov. geschl.)* – **38 Z : 60 B** 650/1050 - 950/1600 Fb.

Weiße Taube garni, Kaigasse 9, ✆ 84 24 04, Telex 633065 – AE E VISA. Z r
30 Z : 53 B 680/780 - 980/1400.

Nußdorfer Hof garni, Moosstr. 36, ✆ 84 52 24, Telex 632515, (geheizt), – AE E VISA X k
5.- 25. Nov. geschl. – **35 Z : 65 B** 690/980 - 1160/1580 Fb.

Gablerbräu, Linzer Gasse 9, ✆ 7 34 41, Telex 631067 – AE E VISA Y d
Karte 155/270 – **54 Z : 92 B** 650/1000 - 1160/1450 Fb.

Markus Sittikus garni, Markus-Sittikus-Str. 20, ✆ 7 11 21, Telex 632720 – AE E VISA V v
40 Z : 63 B 550/680 - 890/1240.

Lasserhof garni, Lasserstr. 47, ✆ 7 33 88, Telex 633297 – AE E VISA V u
20 Z : 40 B 620/1400 - 1050/2100.

Café Winkler, Mönchsberg 32 (Zufahrt mit , 17 ö.S.), ✆ 8 41 21 50, ≤ Salzburg, « Modernes Café-Restaurant auf dem Mönchsberg, Terrassen » – AE E VISA Y
Sept.- Juli Montag geschl. – Karte 270/500.

K u. K Restaurant am Waagplatz, Waagplatz 2 (1. Etage), ✆ 84 21 56, « Mittelalterliches Essen mit Theateraufführung im Freysauff-Keller (auf Vorbestellung) » – AE E VISA Z h
Jan.- Ostern Sonntag geschl. – Karte 255/400 (Tischbestellung ratsam).

Purzelbaum (Restaurant im Bistrostil), Zugallistr. 7, ✆ 84 88 43, – AE E VISA.
Sept.- Juni Sonntag geschl. – Karte 205/460 (Tischbestellung ratsam). Z e

Zum Mohren, Judengasse 9, ✆ 84 23 87 Y g
Nov. sowie Sonn- und Feiertage geschl. – Karte 200/350 (Tischbestellung ratsam).

In Salzburg-Aigen **A-5026** über Bürglsteinstr. X :

Doktorwirt, Glaser Str. 9, ✆ 2 29 73, Telex 632938, Gastgarten, (geheizt), – AE E VISA
4.- 19. Feb. und Nov. geschl. – Karte 140/305 *(Montag geschl.)* – **39 Z : 75 B** 500/1100 - 720/1200.

Gasthof Schloß Aigen, Schwarzenbergpromenade 37, ✆ 2 12 84 –
Mittwoch - Donnerstag 18 Uhr geschl. – Karte 160/350.

In Salzburg-Liefering **A-5020** über ④ :

Brandstätter, Münchner Bundesstr. 69, ✆ 3 45 35, – AE E VISA
22. Dez.- 7. Jan. geschl. – Karte **215**/490 *(Tischbestellung ratsam)* – **36 Z : 63 B** 660/850 - 950/1750.

In Salzburg-Maria Plain **A-5101** über Plainstr. V :

Maria Plain (Landgasthof aus dem 17. Jh.), Plainbergweg 33, ✆ 5 07 01, Telex 632801, « Gastgarten mit ≤ » –
8. Jan.- 14. Feb. geschl. – Karte 145/300 *(Okt.- April Dienstag 14 Uhr - Mittwoch geschl.)* – **30 Z : 56 B** 480/620 - 680/1450 – 5 Fewo.

In Salzburg-Parsch **A-5020** über Bürglsteinstr. X :

Fondachhof, Gaisbergstr. 46, 2 09 06, Telex 632519, «200-jähriges Herrenhaus in einem Park», (geheizt), Rest
15. März - Okt. – (Restaurant nur für Hausgäste) – **30 Z : 48 B** 900/1500 - 1700/2800.

Haus Ingeborg garni, Sonnleitenweg 9, 2 17 49, Telex 631141, Salzburg und Festung,
12 Z : 22 B 1850/2600 - 2950/4200.

Cottage, Joseph-Messner-Str. 12, 2 45 71, Telex 632011, Massage,
Karte 210/360 – **110 Z : 206 B** 1050/1650 - 1880/2500 Fb.

Auf dem Heuberg NO : 3 km über ① – Höhe 565 m :

Schöne Aussicht, A-5023 Salzburg, (0662) 7 82 26, Telex 631153, « Gartenterrasse mit Salzburg und Alpen », (geheizt),
15. März - Okt. – Karte 228/450 – **30 Z : 58 B** 750 - 1400 Fb.

Auf dem Gaisberg über ① :

Kobenzl, Gaisberg 11, Höhe 750 m, A-5020 Salzburg, (0662) 2 17 76, Telex 633833, Fax 2767071, « Schöne Panorama-Lage mit Salzburg und Alpen », Massage, Rest
März - Okt. – Karte 345/560 – **35 Z : 70 B** 1200/3250 - 2200/3950 Fb – 4 Appart. 3300/4975.

Berghotel Zistel-Alm, Gaisberg 16, Höhe 1 001 m, A-5026 Salzburg-Aigen, (0662) 2 01 04, Alpen, Rest
26. Okt.- 20. Dez. geschl. – Karte 160/405 – **24 Z : 38 B** 280/630 - 560/970 – 6 Fewo 980/1400.

In Anif **A-5081** ② : 7 km – 06246 :

Point Hotel, 42 56, Telex 631003, Fax 4256443, Massage, (geheizt), (Halle) –
Restaurants : – **Gourmet-Restaurant** *(nur Abendessen, Sonntag - Montag geschl.)* Karte 230/365 – **Blaue Stube** Karte 150/290 – **62 Z : 114 B** 1050 - 1600/2100 Fb.

Romantik-Hotel Schloßwirt (Hübscher Gasthof a.d. 17.Jh. mit Biedermeier-Einrichtung), Halleiner Bundesstr. 22, 21 75, Telex 631169, « Gastgarten », – *Feb. geschl.* – Karte 250/430 – **32 Z : 55 B** 800/1100 - 1100/1400 Fb.

Hubertushof, Neu Anif 4 (nahe der Autobahnausfahrt Salzburg Süd), 24 78, Telex 632684, – **65 Z : 130 B** Fb.

Friesacher, 20 75, Telex 632943, « Gastgarten »,
70 Z : 130 B Fb.

In Bergheim-Lengfelden **A-5101** N : 7 km über Vogelweiderstr. V :

Gasthof Bräuwirt, (0662) 5 21 63, Telex 631109, « Gastgarten » – Karte 150/260 *(Dienstag und 25. Okt.- Nov. geschl.)* – **38 Z : 70 B** 380/600 - 560/850.

In Hof **A-5322** über ① : 20 km :

Schloß Fuschl (ehem. Jagdschloß a.d. 15 Jh. mit 3 Gästehäusern), (06229) 2 25 30, Telex 633454, Massage, Rest
(Tischbestellung ratsam) – **82 Z : 160 B** Fb.

Jagdhof am Fuschlsee (ehemaliges Bauernhaus a.d.J. 1783, mit Gästehaus), (06229) 2 37 20, Telex 633454, Fax 2253531, « Jagdmuseum », Rest
Karte 175/380 – **50 Z : 96 B** 500/600 - 850/1000 Fb.

In Fuschl am See **A-5330** über ① : 26 km :

Parkhotel Waldhof, Seepromenade, (06226) 2 64, Massage, Fahrradverleih – Rest
10. Jan.- 21. März geschl. – Karte 235/450 – **67 Z : 125 B** 580/790 - 1100/1700 Fb – P 640/970.

Brunnwirt, (06226) 2 36,
Montag - Freitag nur Abendessen, Dienstag und 25. Jan.- 15. Feb. geschl. – Karte 320/470 (Tischbestellung erforderlich).

Am Mondsee **A-5310** ① : 28 km (über Autobahn A 1) – 06232 :

Seehof, (SO : 7 km), A-5311 Loibichl, 2 55 00, « Gartenterrasse, kleiner Park am See », Massage, – **31 Z : 61 B** Fb.

✿ **Weißes Kreuz**, Herzog-Odilo-Str. 25, A-5310 Mondsee, 22 54, bemerkenswertes Weinangebot, « Gastgarten » –
Jan. und Dez. je 2 Wochen geschl. – Karte 350/600 *(Tischbestellung ratsam)* (Mittwoch geschl.) – **10 Z : 18 B** 400 - 800 –
Spez. Salat von gebratenen Mondsee-Fischen (März-Nov.), Nüßchen vom Weidelamm mit Rosmarin-Jus, Schokoladeauflauf.

✿ **Plomberg-Eschlböck** mit Zim, (S : 5 km), A-5310 St. Lorenz-Plomberg, 35 72,
Karte 340/605 *(Tischbestellung ratsam)* (Sept.- April Montag geschl.) – **10 Z : 19 B** 750/850 - 1800/2200
Spez. St. Laurentiustorte, Cassoulet von Mondseefischen, Gänseleberrisotto.

[SALZBURG] Rheinland Pfalz siehe Marienberg, Bad.

[SALZDETFURTH, BAD] 3202. Niedersachsen [987] [15] – 15 000 Ew – Höhe 155 m – Heilbad – ☎ 05063.

⛳ Bad Salzdetfurth-Wesseln, ☎ 15 16.

♦Hannover 47 – ♦Braunschweig 52 – Göttingen 81 – Hildesheim 16.

🏨 **Relexa-Hotel**, An der Peesel 1 (in Detfurth), ☎ 2 90, Telex 927444, Fax 29113, ♨, ♨s, 🏊, 🌳 – 🛗 ⇔ Zim [TV] 🚗 [P] 🏟. [AE] [O] [E] [VISA]. ⊗ Rest
Karte 40/75 – **132 Z : 267 B** 135/195 - 160/240 Fb – 14 Appart. 200/320 – P 129/244.

[SALZGITTER] 3320. Niedersachsen [987] [15] [16] – 110 000 Ew – Höhe 80 m – ☎ 05341.

⛳ Salzgitter - Bad, Mahner Berg, ☎ 30 03 51.

[i] Verkehrspavillon am Bahnhof, Salzgitter-Lebenstedt, ☎ 1 44 88.

♦Hannover 64 – ♦Braunschweig 28 – Göttingen 79 – Hildesheim 33.

In Salzgitter 51-Bad – Heilbad :

🏨 **Ratskeller - Golfhotel** 🔕, Marktplatz 10, ☎ 3 70 25, Telex 954485, ♨ – 🛗 [TV] ☎ ♿ [P] 🏟. [AE] [O] [E] [VISA]
Karte 32/46 – **52 Z : 87 B** 70/95 - 103/139 Fb.

🏨 **Harß - Hof**, Braunschweiger Str. 128 (B 248), ☎ 39 05 90, Massage, ♨s – [TV] ☎ [P]. [AE] [O] [E]. ⊗
Karte 27/42 *(nur Abendessen)* – **17 Z : 30 B** 74/79 - 98/118.

In Salzgitter 1-Bleckenstedt :

🏨 **Koch's Hotel**, Bleckenstedter Str. 36, ☎ 6 50 91 – [P]. [AE] [O] [E]
Karte 24/47 – **32 Z : 66 B** 55 - 80 Fb.

In Salzgitter 1-Lebenstedt :

🏨 **Gästehaus** 🔕, Kampstr. 37, ☎ 1 44 52 – [TV] ☎ 🚗 [P] 🏟. [AE] [O] [E] [VISA]
Karte 26/62 *(Sonntag ab 15 Uhr geschl.)* – **47 Z : 60 B** 81/132 - 112/174 Fb.

XX **Reinhardt's Höhe**, Thiestr. 18, ☎ 4 44 47 – [P]. [AE] [O] [E]. ⊗
nur Abendessen, Montag und Juli 3 Wochen geschl. – Karte **31**/56 (Tischbestellung ratsam).

Siehe auch : ***Liste der Feriendörfer***

[SALZHAUSEN] 2125. Niedersachsen [987] [15] – 3 200 Ew – Höhe 60 m – ☎ 04172.

♦Hannover 117 – ♦Hamburg 45 – Lüneburg 18.

🏨 **Romantik-Hotel Josthof**, Am Lindenberg 1, ☎ 2 92, ♨, « Alter Niedersächsischer Bauernhof », 🌳 – ☎ [P]. [AE] [O] [E] [VISA]
Karte 41/72 *(bemerkenswerte Weinkarte)* (Nov. - März Dienstag geschl.) – **16 Z : 30 B** 80/135 - 95/165 Fb.

🏨 **Rüter's Gasthaus**, Hauptstr. 1, ☎ 71 40, ♨s, 🏊 – [P] 🏟. [AE] [O] [E] [VISA]
Karte 26/53 – **23 Z : 40 B** 50/60 - 100.

In Garlstorf am Walde 2125 W : 5 km :

🏨 **Heidehof**, Winsener Landstr. 4, ☎ (04172) 71 27, « Gemütliche Gasträume », 🌳 – [P] 🏟. [O] [E] [VISA]. ⊗
Karte 30/67 *(Donnerstag geschl.)* – **13 Z : 26 B** 40/60 - 62/95 Fb.

In Gödenstorf 2125 W : 3 km :

🏨 **Gasthof Isernhagen**, Hauptstr. 11, ☎ (04172) 3 13, ♨, 🌳 – [TV] ☎ [P]
27. Feb.- 22. März geschl. – Karte 20/48 *(Dienstag geschl.)* – **9 Z : 15 B** 46/56 - 80.

In Gödenstorf-Lübberstedt 2125 SW : 6 km :

🏠 **Gellersen's Gasthaus**, Lübberstedter Str. 20, ☎ (04175) 4 94, 🌳 – [P]
↔ *Nov. geschl.* – Karte 17,50/34 *(Mittwoch geschl.)* – **13 Z : 24 B** 34/36 - 68/72.

[SALZHEMMENDORF] 3216. Niedersachsen – 10 800 Ew – Höhe 200 m – Kurort – ☎ 05153.

[i] Fremdenverkehrsamt, Hauptstr. 33, ☎ 60 22.

♦Hannover 49 – Hameln 23 – Hildesheim 31.

In Salzhemmendorf 2-Lauenstein NW : 3 km :

🏠 **Lauensteiner Hof**, Im Flecken 54, ☎ 64 12 – [P]
↔ *Juli - Aug. 4 Wochen geschl.* – Karte 18/30 *(nur Abendessen, Dienstag geschl.)* – **14 Z : 24 B** 30/40 - 50/80.

In large towns,
certain hotels offer all inclusive **weekends**
at interesting prices.

SALZKOTTEN 4796. Nordrhein-Westfalen [987] ⑭⑮ – 19 300 Ew – Höhe 100 m – ☎ 05258.

⛳ Salzkotten-Thüle, Glockenpohl, ✆ 64 98.

♦Düsseldorf 157 – Lippstadt 19 – Paderborn 12.

🏨 **Sälzerhof** 🐦, Am Stadtgraben 26, ✆ 63 74, 🪑 – [P]. AE D E
20. Dez.- 10. Jan. geschl. – Karte 27/51 *(Freitag geschl.)* – **16 Z : 20 B** 55 - 110.

🏠 **Hermann Hentzen**, Geseker Str. 20 (B 1), ✆ 63 80 – 🚗 [P]. D E. 🚫🐕
⬅ *17. Dez.- 7. Jan. geschl.* – Karte 14/25 *(Samstag geschl.)* – **18 Z : 29 B** 32/44 - 60/78.

SALZSCHLIRF, BAD 6427. Hessen [987] ㉕ – 2 900 Ew – Höhe 250 m – Heilbad – ☎ 06648.

[i] Kur- und Verkehrsverein, Rathaus, ✆ 22 66.

[i] Kurverwaltung, im Kurpark, ✆ 1 81 61.

♦Wiesbaden 161 – Fulda 18 – Gießen 81 – Bad Hersfeld 36.

🏨 **Kurhotel Badehof** 🐦 (mit Gästehäusern), Lindenstr. 2 (im Kurpark), ✆ 1 81 84, « Terrasse mit ⩽ », Bade- und Massageabteilung, 🏊, 🪑, direkter Zugang zum Moorbadehaus – ⇅ ☎ ♿ [P] 👥. 🚫🐕
Karte 28/54 *(auch vegetarische Gerichte)* – **171 Z : 250 B** 60/80 - 100/150 Fb – P 80/110.

🏨 **Ahorn Konferenz- und Sporthotel** 🐦, Ahornweg 7, ✆ 5 20, Telex 49214, Fax 5265, Bade- und Massageabteilung, ♨, 🏊, 🪑, 🎾 (Halle) – ⇅ 📺 ☎ [P] 👥. AE D E
Karte 38/59 – **60 Z : 120 B** 125 - 200 Fb – P 173.

🏨 Tannenhof 🐦, Tannenstr. 6, ✆ 20 71, 🏊 – ☎ [P] 👥
(Restaurant nur für Hausgäste) – **32 Z : 59 B** Fb.

🏨 **Arnold**, Schlitzer Str. 12, ✆ 23 06 – ⇅ 🚗. 🚫🐕
2. Jan.- Feb. geschl. – Karte 21/42 *(Montag und Dienstag kein Abendessen)* – **15 Z : 25 B** 45 - 80/90 – P 55/60.

🏨 **Deutsches Haus** 🐦, Schlitzer Str. 4 (Eingang Schumannstraße), ✆ 20 38, 🪑 – ⇅ [P].
⬅ 🚫🐕 Rest
3. Feb.- 15. März geschl. – Karte 19/41 🍷 – **44 Z : 54 B** 37/50 - 68/104 Fb – P 57/69.

🏠 **Paradies**, Bahnhofstr. 30, ✆ 22 73, 🪑 – [P]
⬅ *2. Jan.- Feb. und Nov.- 20. Dez. geschl.* – Karte 17,50/35 *(Dienstag geschl.)* – **17 Z : 24 B** 33/45 - 66/90 – P 47/57.

SALZUFLEN, BAD 4902. Nordrhein-Westfalen [987] ⑮ – 53 000 Ew – Höhe 76 m – Heilbad – ☎ 05222.

⛳ Schwaghof(N : 3 km), ✆ 1 07 73.

[i] Kur- und Verkehrsverein, Parkstr. 20, ✆ 18 32 05.

♦Düsseldorf 191 – Bielefeld 22 – ♦Hannover 89.

🏨 **Maritim Staatsbadhotel** 🐦, Parkstr. 53, ✆ 18 10, Telex 9312173, Fax 15953, Bade- und Massageabteilung, 🏋, ♨, 🏊, 🪑 – ⇅ ▤ Rest 📺 ♿ 🚗 [P] 👥 (mit ▤). AE D E. 🚫🐕
Karte 42/86 *(auch Diät)* – **200 Z : 300 B** 127/203 - 204/274 Fb – 9 Appart. 330/450 – P 155/251.

🏨 **Schwaghof** 🐦, Schwaghof (N : 3 km), ✆ 14 85, Telex 9312216, ⩽, ⛱, ♨, 🏊, 🪑, 🎾, ⛳ – ⇅ 📺 ☎ ♿ 🚗 [P] 👥. AE D E VISA. 🚫🐕 Rest
Karte 38/65 – **90 Z : 160 B** 125 - 170 Fb – 6 Appart. 220/310 – P 160.

🏨 **Lippischer Hof**, Mauerstr. 1a, ✆ 35 03, Bade- und Massageabteilung, ♨, 🏊 – ⇅ 🚭 Zim 📺 ☎ ♿ 🚗 [P] 👥. AE E
22. Dez.- 7. Jan. geschl. – Karte 35/76 – **75 Z : 100 B** 75/120 - 110/220 Fb – 4 Appart. 220 – P 89/154.

🏨 **Stadt Hamburg** 🐦, Asenburgstr. 1, ✆ 66 55, Biergarten, 🪑 – ⇅ ☎ [P]. AE D E VISA. 🚫🐕
Karte 26/65 *(Donnerstag geschl.)* – **35 Z : 50 B** 73/85 - 120 – P 80/90.

🏨 **Haus der Königin - Restaurant Medaillon** 🐦, Roonstr. 7, ✆ 18 02 10, « Ehemalige Villa, stilvolle Einrichtung », 🪑 – 📺 ☎. AE D E VISA
Karte 39/57 *(Montag geschl.)* – **9 Z : 18 B** 105/180 - 135/190.

🏨 Kurpark - Hotel 🐦, Parkstr. 1, ✆ 14 44, ⛱ – ⇅ ☎. 🚫🐕
33 Z : 45 B Fb.

🏨 **Café Rosengarten** garni, Bismarckstr. 8, ✆ 18 02 22, Caféterrasse – 📺 ☎ [P]. AE D E VISA
14 Z : 21 B 55/115 - 110/132 – 2 Fewo 90.

🏨 **Café Bauer** 🐦, An der Hellrüsche 41, ✆ 14 32, ⛱ – 📺 ☎ [P]. AE E VISA
Karte 25/45 *(Abendessen nur für Hausgäste, Montag geschl.)* – **11 Z : 23 B** 50/70 - 90/120 Fb.

🏨 **Kurheim Knobbe**, An der Hellrüsche 2, ✆ 1 33 51 – ⇅ ☎ [P]. 🚫🐕
(Restaurant nur für Pensionsgäste) – **18 Z : 24 B** 50/65 - 100/130 – P 85/90.

🏨 **Parkblick-Parkfrieden** 🐦, Augustastr. 8, ✆ 1 64 45, ♨, 🪑 – 📺 ☎ [P]. 🚫🐕 Rest
Dez.- 15. Feb. geschl. – (Restaurant nur für Hausgäste) – **24 Z : 33 B** 65/93 - 128/146 Fb – P 92/101.

🍴🍴 **Kurhaus**, Parkstr. 26, ✆ 14 75, ⩽, ⛱ – 👥. 🚫🐕
Nov.- März Montag und Dienstag sowie 15.- 30. Dez. geschl. – Karte 29/56.

In Bad Salzuflen 5-Werl :

🏨 **Ried-Hotel**, Riedweg 24, ✆ 36 37, ⛱ – ☎ 🚗 [P]. AE D E VISA. 🚫🐕 Rest
Karte 30/54 *(Sonntag geschl.)* – **19 Z : 32 B** 38/75 - 99/110.

[SAMERBERG] 8201. Bayern [413] T 23 – 2 200 Ew – Höhe 700 m – Erholungsort – Wintersport : 700/1 569 m 🚡1 ⛷4 ⛷10 – ☎ 08032.

ℹ Verkehrsverein, Samerberg-Törwang, Rathaus, ☎ 86 06.

♦München 76 – Rosenheim 16 – Traunstein 44.

In Samerberg-Duft S : 3,5 km ab Törwang :

🏨 **Berggasthof Duftbräu** 🌳, ☎ 82 26, ←, 🌳 – 🚗 🅿
Karte 19/27 – **16 Z : 28 B** 40/45 - 70/100 – P 50/60.

In Samerberg-Törwang :

🏨 Zur Post, Dorfplatz 4, ☎ 86 13, 🌳, 🏊, 🏊 (geheizt), 🌳 – 🛗 ☎ 🚗 🅿
34 Z : 60 B.

[SAND] Hessen siehe Emstal.

[SANDBERG] 8741. Bayern [413] M 15 – 1 000 Ew – Höhe 470 m – ☎ 09701 (Waldberg).

♦München 362 – Fulda 48 – Schweinfurt 55.

🏨 **Berghotel Silberdistel**, Blumenstr. 22, ☎ 7 13, ←, 🌳, 🏊 – ☎ 🅿 🐕
30. Okt.- Nov. geschl. – Karte 19/42 *(Montag geschl.)* – **15 Z : 30 B** 34/38 - 64/68.

[SANDE] 2945. Niedersachsen [987] ⑭ – 9 500 Ew – ☎ 04422.

♦Hannover 217 – ♦Oldenburg 47 – Wilhelmshaven 9.

🏨 **Landhaus Tapken**, Bahnhofstr. 46, ☎ 22 92 – ♿ 🅿 🐕. AE ⦿ E VISA
23.- 26. Dez. geschl. – Karte 21/45 *(Samstag bis 18 Uhr geschl.)* – **20 Z : 40 B** 58/68 - 88/120 Fb.

Erfahrungsgemäß werden bei größeren Veranstaltungen, Messen und Ausstellungen in vielen Städten und deren Umgebung erhöhte Preise verlangt.

[SANDSTEDT] 2856. Niedersachsen – 1 800 Ew – Höhe 15 m – ☎ 04702.

♦Hannover 163 – ♦ Bremen 44 – ♦ Bremerhaven 23.

🏨 **Deutsches Haus**, Osterstader Str. 23, ☎ 10 26 – ☎ 🅿. AE E
2.- 14. Jan. geschl. – Karte 23/40 – **13 Z : 24 B** 39 - 78.

[ST. ANDREASBERG] 3424. Niedersachsen [987] ⑯ – 2 600 Ew – Höhe 630 m – Heilklimatischer Kurort – Wintersport : 600/894 m ⛷9 ⛷8 – ☎ 05582.

Sehenswert : Lage★.

ℹ Kur- und Verkehrsamt, Am Glockenberg 12 (Stadtbahnhof), ☎ 10 12.

♦Hannover 126 – ♦Braunschweig 72 – Göttingen 58.

🏨 **Tannhäuser**, Clausthaler Str. 2a, ☎ 10 55, 🏊, 🌳 – ☎ 🅿. AE ⦿ E
20. Nov.- 10. Dez. geschl. – Karte 26/55 *(Mittwoch geschl.)* – **23 Z : 41 B** 50/65 - 98/110 Fb – P 63/79.

🏨 Fernblick 🌳, St.Andreasweg 3, ☎ 2 27, ←, 🌳 – 🚗 🅿
(Restaurant nur für Pensionsgäste) – **15 Z : 25 B.**

🏨 **Vier Jahreszeiten** 🌳 garni, Quellenweg 3, ☎ 5 21, 🏊, 🏊, 🌳 – 🅿
10. Nov.- 15. Dez. geschl. – **14 Z : 25 B** 36/42 - 62/78.

🏨 **In der Sonne** 🌳, An der Skiwiese 12, ☎ 10 18, 🌳, 🏊, 🏊, 🌳 – 🅿. AE ⦿ E
5. Nov.- 15. Dez. geschl. – Karte 22/47 *(Dienstag geschl.)* – **15 Z : 29 B** 44/62 - 78/120 – P 65/87.

🏨 **Skandinavia** 🌳, An der Rolle, ☎ 6 44, ←, 🏊, 🏊, 🌳 – 🅿. 🚫
Karte 21/49 *(nur Abendessen, Montag geschl.)* – **13 Z : 26 B** 55 - 96.

[ST. AUGUSTIN] 5205. Nordrhein-Westfalen – 55 000 Ew – Höhe 50 m – ☎ 02241.

♦ Düsseldorf 71 – ♦ Bonn 7 – Siegburg 4.

🏨 **Regina**, Markt 81, ☎ 2 80 51, Telex 889796, 🌳, 🏊 – 🛗 TV 🚗 🅿 🐕. AE ⦿ E VISA
Karte 31/60 – **59 Z : 114 B** 99/169 - 159/245 Fb.

🏨 **Augustiner Hof** 🌳, Uhlandstr. 8, ☎ 2 90 21 – ☎ 🚗 🅿 🐕
Karte 25/69 – **31 Z : 51 B** 55/85 - 95/125.

In St. Augustin 2-Hangelar :

🏨 **Hangelar**, Lindenstr. 21, ☎ 2 10 25, 🏊, 🏊, 🌳 – TV ☎ ♿ 🚗 🅿 🐕
23. Dez.- 12. Jan. geschl. – (nur Abendessen für Hausgäste) – **31 Z : 50 B** 70/80 - 90/110 Fb.

In St. Augustin 1-Mülldorf :

🍴🍴🍴 Chez René, Bonner Str. 83 (B 56), ☎ 2 70 88 – 🅿 🐕.

ST. BLASIEN 7822. Baden-Württemberg 413 H 23, 987 ㉟, 427 ⑤ – 3 300 Ew – Höhe 762 m – Heilklimatischer Kneippkurort – Wintersport : 900/1 350 m ≴7 ⛷6 – ☎ 07672.

Sehenswert : Dom★.

ℹ Städt. Kurverwaltung, Haus des Gastes, am Kurgarten, ☎ 4 14 30.

ℹ Kurverwaltung, im Rathaus Menzenschwand, ☎ (07675) 8 76.

♦Stuttgart 187 – Basel 62 – Donaueschingen 64 – ♦Freiburg im Breisgau 62 – Zürich 71.

Klosterhof, Am Kurgarten 9, ☎ 5 23, 🍽 – ☎ P. AE ① E VISA
2.- 20. Jan. und 19.- 23. Dez. geschl. – Karte 24/55 *(Montag geschl.)* – **12 Z : 20 B** 50/60 - 100/130.

Domhotel, Hauptstr. 4, ☎ 3 71 – E
Mitte Nov.- Mitte Dez. geschl. – Karte 19,50/51 *(Mittwoch geschl.)* – **11 Z : 21 B** 32/48 - 52/94.

Kurhotel Bellevue 🔇, Am Kalvarienberg 19, ☎ 7 86, Caféterrasse mit ≤, Bade- und Massageabteilung, ♨, 🌳 – ☎ P
Karte 19/42 *(Dienstag geschl.)* – **17 Z : 28 B** 36/48 - 76/94.

In St. Blasien 3-Kutterau S : 5 km über die Straße nach Albbruck :

Vogelbacher 🔇, ☎ 28 25, 🍽, 🌳 – P
Nov.- 22. Dez. geschl. – Karte 17/40 🍷 – **15 Z : 32 B** 35 - 62/66 Fb – P 53/57.

In St. Blasien 2-Menzenschwand NW : 9 km – Luftkurort – ☎ 07675 (Bernau) :

Sonnenhof, Vorderdorfstr. 58, ☎ 5 01, ≤, 🍽, Massage, ♨, ≘s, 🏊, 🌳 – ☎ P
Anfang Nov.- 19. Dez. geschl. – Karte 23/48 *(außer Saison Dienstag geschl.)* – **28 Z : 52 B** 65/85 - 90/170.

Waldeck, Vorderdorfstr. 74, ☎ 2 72, ≘s, 🌳 – ☎ P. AE ① E VISA
15. Nov.- 15. Dez. geschl. – Karte 19/40 *(Montag geschl.)* 🍷 – **21 Z : 40 B** 27/55 - 54/90.

Café - Weinstube Lärchenhof 🔇 garni, Am Fischrain 6, ☎ 2 83, 🌳 – P – **15 Z : 30 B.**

Hirschen, Hinterdorfstr. 18, ☎ 8 84, 🍽 – ☎ 🚗 P – **24 Z : 48 B.**

ST. ENGLMAR 8449. Bayern 413 V 19 – 1 400 Ew – Höhe 805 m – Luftkurort – Wintersport : 800/1 000 m ≴4 ⛷6 – ☎ 09965.

ℹ Verkehrsbüro, Rathaus, ☎ 2 21.

♦München 151 – Cham 37 – Deggendorf 30 – Straubing 31.

Angerhof 🔇, Am Anger 38, ☎ 5 67, ≤, 🍽, ≘s, 🌳 – ☎ P
April 2 Wochen und Nov.- Mitte Dez. geschl. – Karte 20/38 – **13 Z : 30 B** 49/65 - 78/106 Fb.

In St. Englmar-Grün NW : 3 km :

Reinerhof, ☎ 5 88, ≤, ≘s, 🏊, 🌳 – |♦| ☎ 🚗 P
5. Nov.- 10. Dez. geschl. – (nur Abendessen für Hausgäste) – **31 Z : 60 B** 40/45 - 74/90.

In St. Englmar-Kolmberg N : 7 km :

Bernhardshöhe 🔇, ☎ 2 58, ≤, 🍽, 🌳, 🎾, ≴ – P. E
Nov.- 20. Dez. geschl. – Karte 19,50/31 *(Freitag geschl.)* – **23 Z : 44 B** 29/35 - 58/64 – P 45/48.

In St. Englmar-Maibrunn NW : 5 km :

Berghotel Maibrunn 🔇, ☎ 2 92, ≤, 🍽, ≘s, 🏊 (geheizt), 🏊, 🌳 – ☎ 🚗 P. 🚫 Zim
10. Nov.- 19. Dez. geschl. – Karte 17/37 – **26 Z : 50 B** 39/47 - 76/112 Fb.

Beim Simmerl 🔇, ☎ 5 90, ≤, 🍽, 🌳, 🐎 – 🚗 P
7. Nov.- 3. Dez. geschl. – Karte 18/30 *(Montag geschl.)* – **15 Z : 30 B** 24/29 - 43/67.

In St. Englmar-Predigtstuhl O : 2 km :

Kur- und Sporthotel St. Englmar 🔇, Am Predigtstuhl 12, ☎ 3 12, Telex 69844, ≤, 🍽, Bade- und Massageabteilung, ≘s, 🏊, 🌳, 🎾 (Halle) – |♦| TV ☎ 🚗 P 🏛. AE ① E. 🚫 Rest
Karte 33/53 – **72 Z : 130 B** 69/99 - 158/178 Fb – 5 Appart. 198/248.

In St. Englmar-Rettenbach SO : 4,5 km :

Kurhotel Gut Schmelmerhof 🔇, ☎ 5 17, 🍽, « Rustikales Restaurant mit Ziegelgewölbe, Garten », Bade- und Massageabteilung, ≘s, 🏊 (geheizt), 🏊, 🌳 – TV ☎ 🚗 P 🏛. 🚫
Karte 28/57 – **32 Z : 60 B** 44/80 - 120/172 Fb – 5 Fewo 90/148 – P 76/106.

ST. GEORGEN 7742. Baden-Württemberg 413 I 22, 987 ㉟ – 14 500 Ew – Höhe 810 m – Erholungsort – Wintersport : 800/1 000 m ≴5 ⛷3 – ☎ 07724.

ℹ Städt. Verkehrsamt, Rathaus, ☎ 87 28.

♦Stuttgart 127 – Offenburg 65 – Schramberg 18 – Villingen-Schwenningen 14.

Hirsch 🔇, Bahnhofstr. 70, ☎ 71 25 – TV ☎ 🚗. AE ① E VISA
Karte 36/62 *(Samstag und Juli - Aug. 3 Wochen geschl.)* – **22 Z : 29 B** 55/60 - 85/89.

Café Kammerer 🔇 garni, Hauptstr. 23, ☎ 60 15 – |♦| ☎ 🚗. AE E
9.- 30. Jan. geschl. – **18 Z : 30 B** 46/54 - 78/84 Fb.

In St. Georgen-Peterzell O : 3 km :

Krone, Buchenberger Str. 2, ☎ 71 85, 🍽 – 🚗 P. AE ① E VISA
Karte 24/44 – **15 Z : 26 B** 45/65 - 90/130 – P 81/101.

[ST. GOAR] 5401. Rheinland-Pfalz [987] ㉔ – 3 500 Ew – Höhe 70 m – ✆ 06741.

Sehenswert : Burg Rheinfels★★.

[i] Verkehrsamt, Heerstr. 120, ✆ 3 83.

Mainz 63 – Bingen 28 – ◆Koblenz 35.

🏨 **Schloßhotel auf Burg Rheinfels** 🔇, Schloßberg 47, ✆ 20 71, ≤ Rheintal, ⛱, ≘s, 🏊 – ⇅ ☎ [P] 🎤. [AE] [D] [E] [VISA]
Karte 33/59 (auf Vorbestellung: Essen wie im Mittelalter) 🍷 – **46 Z : 90 B** 70/95 - 125/170 Fb – P 115/140.

🏨 **Zum Goldenen Löwen**, Heerstr. 82, ✆ 16 74, ≤, ⛱ – [TV] ☎
März - Mitte Nov. – Karte 30/72 – **12 Z : 24 B** 65/85 - 95/140.

🏨 **Montag**, Heerstr. 128, ✆ 16 29, ≘s – ☎. [AE] [D] [E] [VISA]
◆ Karte 19/40 – **27 Z : 61 B** 55/75 - 80/120 Fb.

In St. Goar-Fellen NW : 2 km :

🏨 **Landsknecht**, an der Rheinufer-Straße (B 9), ✆ 16 93, ≤, « Terrasse am Rhein » – [P]. [AE] [VISA]
8. Jan.- Feb. geschl. – Karte 30/59 *(Dienstag geschl.)* – **15 Z : 30 B** 65/110 - 95/160.

[ST. GOARSHAUSEN] 5422. Rheinland-Pfalz [987] ㉔ – 2 000 Ew – Höhe 77 m – ✆ 06771.

Ausflugsziel : Loreley★★★ ≤★★, SO : 4 km.

[i] Verkehrsamt, Rathaus, Bahnhofstr. 8, ✆ 4 27.

Mainz 63 – ◆Koblenz 35 – Limburg an der Lahn 48 – Lorch 16.

🏨 **Erholung**, Nastätter Str. 15, ✆ 26 84 – [P]
◆ *15. März - 15. Nov.* – Karte 17,50/46 🍷 – **57 Z : 104 B** 39/42 - 76/80.

🏨 **Colonius**, Bahnhofstr. 37, ✆ 26 04, ≤ – [P]
◆ *15. März - 15. Nov.* – Karte 19,50/48 – **34 Z : 58 B** 35/50 - 70/98.

[ST. INGBERT] 6670. Saarland [987] ㉔, [242] ⑦, [57] ⑦ – 41 000 Ew – Höhe 229 m – ✆ 06894.

◆Saarbrücken 13 – Kaiserslautern 55 – Zweibrücken 25.

🏨 Goldener Stern, Ludwigstr. 37, ✆ 30 17 – ☎. 🚫🐕 Zim
11 Z : 14 B.

XX **Die Alte Brauerei** mit Zim, Kaiserstr. 101, ✆ 44 51, ⛱ – ☎ [P]. [D] [E]
Karte 30/65 *(Montag geschl.)* – **7 Z : 10 B** 50/60 - 100/120.

XX **Stadtkrug**, Poststr. 33, ✆ 32 62 – [P]
20.- 28. März, 3.- 23. Juli sowie Sonn- und Feiertage geschl. – Karte 25/61.

An der Autobahn-Ausfahrt St. Ingbert West SW : 3 km :

🏨 **Alfa-Hotel**, ✉ 6670 St. Ingbert, ✆ (06894) 70 90 – ☎ 🚗 [P] 🎤. [AE] [D] [E] [VISA]
Karte : siehe Restaurant Le jardin – **26 Z : 40 B** 85/115 - 115/150 Fb.

XXX **Le jardin**, ✉ 6670 St. Ingbert, ✆ (06894) 8 71 96, ⛱ – [P]. [D] [E] [VISA]
Samstag bis 18 Uhr und Montag geschl. – Karte 48/74.

In St. Ingbert - Rohrbach O : 3 km :

🏨 **Zum Mühlenhannes**, Obere Kaiserstr. 97, ✆ 5 20 61 – [TV] ☎ [P]. [D] [E]
◆ Karte 19/49 *(Samstag bis 18 Uhr geschl.)* – **15 Z : 22 B** 45/65 - 80/100 Fb.

In St. Ingbert - Schüren N : 3 km :

🏨 **Waldhof** 🔇, Schüren 22, ✆ 40 11, Telex 4429422, ⛱, ≘s, 🏊 (geheizt), 🌳 – [TV] ☎ 🚗 [P] 🎤. [AE] [D] [E] [VISA]
24. Dez.- 10. Jan. geschl. – Karte 41/66 *(Freitag - Samstag nur Abendessen)* – **25 Z : 50 B** 70/100 - 110/150.

[ST. JOHANN] 7411. Baden-Württemberg [413] L 21 – 4 400 Ew – Höhe 750 m – Erholungsort – Wintersport : 750/800 m ⛷2 ⛷2 – ✆ 07122.

[i] Verkehrsverein, Rathaus, Schulstr. 1 (Würtingen), ✆ 90 71.

◆Stuttgart 57 – Reutlingen 17 – ◆Ulm (Donau) 65.

In St. Johann-Gächingen :

🏨 Zum Hirsch, Parkstr. 2, ✆ 92 87 – 🚗 [P]. 🚫🐕 Zim
14 Z : 24 B.

In St. Johann-Lonsingen :

🏨 **Grüner Baum** 🔇, Albstr. 4, ✆ 92 77, ≘s, 🌳, Fahrradverleih – ⇅ 🚗 [P] 🎤. 🚫🐕 Zim
◆ *20. Nov.- 15. Dez. geschl.* – Karte 15/38 *(Montag bis 18 Uhr geschl.)* 🍷 – **42 Z : 90 B** 28/42 - 56/74.

In St. Johann-Ohnastetten :

🏨 **Nußbaum Hof**, Würtinger Str. 13, ✆ 34 09, Fahrradverleih – [P]
◆ Karte 19/39 *(Donnerstag geschl.)* 🍷 – **11 Z : 25 B** 50 - 80.

ST. MÄRGEN 7811. Baden-Württemberg 413 H 22, 987 ㉞, 242 ㉜ – 1 700 Ew – Höhe 898 m – Luftkurort – Wintersport : 900/1 100 m ≰1 ⛷2 – ✆ 07669.

Kurverwaltung, Rathaus, ✆ 10 66.

♦Stuttgart 230 – ♦Freiburg im Breisgau 24 – Donaueschingen 51.

- **Hirschen**, Feldbergstr. 9, ✆ 2 01, ☂, ☀ – ☎ ⇔ Ⓟ. AE ⓓ E VISA
  15. Nov.- 18. Dez. geschl. – Karte 24/59 – **41 Z : 75 B** 52/60 - 99/116 Fb.
- Löwen, Glottertalstr. 15, ✆ 3 76, ≤ Schwarzwald, ☂, ≘s, ☒, ☀ – ⇔ Ⓟ – **35 Z : 70 B.**
- **Pension Kranz** ⛰, Südhang 20, ✆ 3 11, ≤, ☂, ☀ – |‡| Ⓟ
  15. Nov.- 18. Dez. geschl. – Karte 21/48 – **12 Z : 20 B** 30/50 - 58/90 – P 56/76.
- **Rössle**, Wagensteigstr. 7, ✆ 2 13, ☂ – Ⓟ
  20. Nov.- 22. Dez. geschl. – Karte 19/36 – **17 Z : 35 B** 30 - 48/60.

An der Straße nach Hinterzarten :

- Neuhäusle, Erlenbach 1 (S : 4 km), ✉ 7811 St. Märgen, ✆ (07669) 2 71, ≤ Schwarzwald, ☂, ≘s, ☀ – |‡| ⇔ Ⓟ – **26 Z : 48 B.**
- **Thurnerwirtshaus**, (S : 7 km), Höhe 1 036 m, ✉ 7811 St. Märgen, ✆ (07669) 2 10, ≤, ≘s, ☒, ☀ – |‡| Ⓟ
  15. Nov.- 15. Dez. geschl. – Karte 21/39 – **28 Z : 55 B** 44/61 - 72/106 – P 68/89.

ST. MARTIN 6731. Rheinland-Pfalz 413 H 19, 242 ⑧ – 2 000 Ew – Höhe 240 m – Erholungsort – ✆ 06323.

Verkehrsamt, Haus des Gastes, ✆ 53 00.

Mainz 102 – Kaiserslautern 46 – ♦ Karlsruhe 51 – ♦ Mannheim 42.

- **St. Martiner Castell**, Maikammerer Str. 2, ✆ 20 95, ≘s – |‡| ☎
  29. Jan.- 9. März geschl. – Karte 25/49 – **18 Z : 39 B** 63/73 - 105 Fb – P 88.
- **Winzerhof**, Maikammerer Str. 22, ✆ 20 88, ☂ – . AE ⓓ E VISA
  9. Jan.- 3. Feb. geschl. – Karte 31/55 *(Donnerstag geschl.)* – **16 Z : 29 B** 50/70 - 98/112 Fb.
- XX **Grafenstube**, Edenkobener Str. 38, ✆ 27 98
  Montag - Dienstag und Jan.- Mitte Feb. geschl. – Karte 26/48 .
- X **Weinstube Altes Rathaus**, Tanzstr. 9, ✆ 24 04
  Mittwoch 14 Uhr - Donnerstag und Weihnachten - Ende Jan. geschl. – Karte 24/49 .

ST. OSWALD-RIEDLHÜTTE 8356. Bayern 413 X 20 – 3 100 Ew – Höhe 700 m – Erholungsort – Wintersport : 700/800 m ≰2 ⛷6 – ✆ 08553 – **Sehenswert :** Waldgeschichtliches Museum.

Verkehrsamt, Klosterallee 4 (St. Oswald), ✆ 3 83.

♦München 188 – Passau 45 – ♦ Regensburg 115.

Im Ortsteil Riedlhütte :

- **Berghotel Wieshof** ⛰, Anton-Hiltz-Str. 8, ✆ 4 77, ☂, ≘s – Ⓟ
  10. Nov.- 20. Dez. geschl. – Karte 15,50/36 – **15 Z : 32 B** 38/44 - 64/84 Fb – P 48/56.

ST. PETER 7811. Baden-Württemberg 413 H 22, 242 ㉜ – 2 300 Ew – Höhe 722 m – Luftkurort – Wintersport : ⛷1 – ✆ 07660.

Kurverwaltung, Rathaus, ✆ 2 74.

♦Stuttgart 224 – ♦Freiburg im Breisgau 18 – Waldkirch 20.

- **Zur Sonne**, Zähringerstr. 2, ✆ 2 03, ☂ – ⇔ Ⓟ. ⓓ E
  Mitte Jan.- Mitte Feb. geschl. – Karte 32/64 *(Mittwoch geschl.)* – **14 Z : 28 B** 48/55 - 90.
- **Zum Hirschen**, Bertholdsplatz 1, ✆ 2 04, ☂
  15. Nov.- 15. Dez. geschl. – Karte 25/49 *(Donnerstag geschl.)* – **25 Z : 44 B** 38/43 - 70/80.

Kandel siehe unter : *Waldkirch*

ST. PETER-ORDING 2252. Schleswig-Holstein 987 ④ – 5 500 Ew – Nordseeheil- und Schwefelbad – ✆ 04863 – St. Peter-Böhl, ✆ 15 45.

Kurverwaltung, St. Peter-Bad, Im Bad 27, ✆ 8 30.

♦Kiel 125 – Heide 40 – Husum 50.

In St. Peter-Bad :

- **Ambassador** ⛰, Im Bad 26, ✆ 10 91, Telex 28420, Fax 2666, ≤, ☂, ≘s, ☒ – |‡| TV ⇔ Ⓟ
  . AE ⓓ E VISA
  Karte 35/66 – **90 Z : 180 B** 150/180 - 190/220 Fb – P 150/225.
- **Tannenhof**, Im Bad 59, ✆ 22 16, ≘s, ☀ – Ⓟ.
  Nov. geschl. – Karte 21/48 – **44 Z : 80 B** 60/80 - 120/140 Fb – 3 Fewo 110.
- **Dünenhotel Eulenhof** ⛰ garni, Im Bad 93, ✆ 21 79, ≘s, ☒, ☀ – Ⓟ. E
  5. Jan.- 15. März geschl. – **28 Z : 46 B** 60/72 - 128/140 Fb.
- **Fernsicht** ⛰, Am Kurbad 17, ✆ 20 22, ≤, ☂ – ☎ ⇔ Ⓟ. AE ⓓ E VISA
  8. Jan.- 5. Feb. und 26. Nov.- 22. Dez. geschl. – Karte 30/53 – **23 Z : 45 B** 60/80 - 100/150 Fb.
- **Strandhotel** garni, Im Bad 16, ✆ 24 40 – Ⓟ
  31 Z : 62 B 110/130 - 120/140 – 4 Fewo 220/230.

Im Ortsteil Ording :

🏨 **Ordinger Hof** 🔇, Am Deich 31, ☎ 22 08, ⛱, 🌳 – [P]. [AE]. 🚫🐕 Zim
Mitte Jan.- Feb. geschl. – Karte 28/47 *(Juni - Sept. Dienstag ab 15 Uhr, Okt.- Mai Dienstag ganztägig geschl.)* – **15 Z : 27 B** 68 - 124/136.

🏨 **Kurpension Eickstädt** 🔇, Waldstr. 19, ☎ 20 58, 🌳 – [P]. 🚫🐕
15. Dez.- 15. Jan. geschl. – (Restaurant nur für Hausgäste) – **35 Z : 60 B** 60/90 - 140/250 – 8 Fewo 100/200.

🏨 **Garni Twilling** 🔇 garni, Strandweg 10, ☎ 27 33 – [P]
März - 15. Nov. – **24 Z : 48 B** 100 - 110 – 8 Fewo 120.

🏨 **Waldesruh** 🔇, Waldstr. 11, ☎ 20 56, 🌳 – [P]. 🚫🐕 Rest
15. Nov.- 20. Dez. geschl. – Karte 23/44 – **43 Z : 70 B** 67 - 140 – P 83/86.

In St. Peter-Süd :

🏨 **Zum Landhaus** 🔇 garni, Olsdorfer Str. 7, ☎ 22 74, 🌳 – [P]. 🚫🐕
18 Z : 28 B 42/45 - 80/90.

ST. ROMAN Baden-Württemberg siehe Wolfach.

ST. WENDEL **6690.** Saarland [987] ㉔, [242] ③, [57] ⑦ – 26 000 Ew – Höhe 286 m – ☎ 06851.

[i] Verkehrsamt, Rathaus, Schloßstr. 7, ☎ 80 91 31.

♦Saarbrücken 41 – Idar-Oberstein 43 – Neunkirchen/Saar 19.

🏨 Stadt St. Wendel, Tholeyer Straße (B 41), ☎ 80 00 60, Telex 445313, ⛱, 🧖 – [lift] [TV] ☎ 🚗 [P] 🏛
22 Z : 44 B Fb.

🏨 **Posthof**, Brühlstr. 18, ☎ 40 28 – ☎ [P]. [AE] [E]
Karte 31/49 *(Donnerstag geschl.)* – **17 Z : 34 B** 50/55 - 90/120.

In St. Wendel-Urweiler N : 1,5 km :

🏠 **Vollmann**, Hauptstr. 66, ☎ 25 54 – [P]
➜ Karte 13,50/29 *(nur Abendessen, Samstag geschl.)* 🍷 – **13 Z : 20 B** 32/43 - 55/70.

In St. Wendel 1-Wallesweilerhof NW : 5,5 km Richtung Oberthal :

🍴 Wallesweiler Mühle, ☎ 38 72, ⛱ – [P].

SARREBRUCK = Saarbrücken.

SARRELOUIS = Saarlouis.

SASBACHWALDEN **7595.** Baden-Württemberg [413] H 21, [242] ⑳ – 2 200 Ew – Höhe 260 m – Luftkurort – Kneippkurort – ☎ 07841 (Achern).

[i] Kurverwaltung, im Kurhaus "Zum Alde Gott", ☎ 10 35.

♦Stuttgart 131 – Baden-Baden 37 – Freudenstadt 45 – Offenburg 30.

🏨 ✿ **Talmühle**, Talstr. 36, ☎ 10 01, « Gartenterrasse », 🌳 – [lift] 🚗 [P] 🏛. [E]. 🚫🐕 Zim
1.- 25. Dez. geschl. – Restaurants : – **Le jardin und Badische Stuben** Karte 37/78 – **33 Z : 55 B** 62/108 - 122/194 – P 99/135
Spez. Salat von lauwarmem Kalbskopf in Kräutervinaigrette, Zanderfilet auf Linsensauce mit gefüllten Pfannküchle, Schokoladen-Marquise.

🏨 **Zum Engel**, Talstr. 14, ☎ 30 00 – ☎ 🚗 [P] 🏛
7.- 31. Jan. geschl. – Karte 30/58 *(Montag geschl.)* 🍷 – **13 Z : 22 B** 30/64 - 64/86 – P 50/84.

🍴🍴 **Zum Alde Gott**, Talstr. 51, ☎ 2 12 90, ⛱ – [P] 🏛. [AE] [DC] [E] [VISA]
Dienstag und 9. Feb.- 7. März geschl. – Karte 26/58.

🍴 **Sonne** (badischer Landgasthof), Talstr. 32, ☎ 2 52 58 – [P]
Mittwoch 14 Uhr - Donnerstag und 10.- 21. Sept. geschl. – Karte **27**/58 🍷.

In Sasbachwalden-Brandmatt SO : 5 km – Höhe 722 m :

🏨 **Forsthof** 🔇, Brandrüttel 26, ☎ 64 40, Telex 752106, ≤ Schwarzwald und Rheinebene, ⛱, 🧖, [🏊], 🌳 – [lift] [TV] 🎾 🚗 [P] 🏛. [AE] [DC] [E] [VISA]. 🚫🐕 Rest
Karte 37/61 – **143 Z : 233 B** 89/130 - 155/190 Fb – 8 Appart. 220 – P 133/165.

🍴🍴 **Sternenwirtshaus Hohritt** (mit Cafèstuben), ☎ 10 78 – [P]
bis 18 Uhr geöffnet, Freitag und Mitte Jan.- Mitte Feb. geschl. – Karte 35/70.

🍴 **Berghotel Brandmatt** mit Zim, ☎ 33 84, ≤ Rheinebene, ⛱, 🌳 – 🚗 [P]
➜ *ab Aschermittwoch 4 Wochen geschl.* – Karte 19/53 *(Dienstag geschl.)* – **6 Z : 12 B** 30/37 - 60/74.

SASSENBERG **4414.** Nordrhein-Westfalen [987] ⑭ – 8 600 Ew – Höhe 57 m – ☎ 02583.

♦Düsseldorf 154 – Bielefeld 42 – Münster (Westfalen) 33 – ♦Osnabrück 37.

🏠 **Börding**, von-Galen-Str. 10 (B 475), ☎ 10 39 – [P]
Karte 21/31 *(Montag geschl.)* – **16 Z : 26 B** 40 - 80.

SASSENDORF, BAD 4772. Nordrhein-Westfalen – 9 400 Ew – Höhe 90 m – Heilbad – ✆ 02921 (Soest).

[i] Kurverwaltung, Kaiserstr. 14, ☏ 50 11.

♦Düsseldorf 123 – Beckum 27 – Lippstadt 20 – Soest 5.

🏨 **Maritim-Hotel Schnitterhof** 🌀, Salzstr. 5, ☏ 59 90, Telex 847311, Fax 52627, 🌳, 🏊, 🏊, 🏌 – ⇅ 🚭 Zim 📺 ♿ [P] 👥. [D] [E] [VISA]. 🐕 Rest
Karte 43/80 – **142 Z : 257 B** 132/209 - 210/281 Fb – 3 Appart. 340.

🏨 **Gästehaus Hof Hueck** 🌀 garni, Wiesenstr. 12, ☏ 56 77 – 📺 ☎ ♿ [P]. [AE] [D] [E]
30 Z : 60 B 86/92 - 130/140 Fb.

🏨 **Hof Hueck** 🌀, Im Kurpark, ☏ 57 61, 🌳, « Restauriertes westfälisches Bauernhaus a.d. 17.Jh. » – 📺 ☎ [P]. [AE] [D] [E]. 🐕
Karte 34/70 *(Montag bis 18 Uhr geschl.)* – **16 Z : 24 B** 93 - 148 Fb.

🏨 **Wulff** 🌀 garni, Berliner Str. 31, ☏ 5 55 51, 🏊, 🏊 – 📺 ☎ [P]. 🐕
23 Z : 28 B 44/60 - 85/115.

SAUENSIEK 2151. Niedersachsen – 1 700 Ew – Höhe 20 m – ✆ 04169.

♦Hannover 162 – ♦Bremen 74 – ♦Hamburg 49.

🏨 **Klindworth's Gasthof**, Hauptstr. 1, ☏ 6 50 – [P]. [E]
➜ Karte 15/34 *(Montag geschl.)* – **15 Z : 33 B** 40 - 70.

XX **Hüsselhus** (ehem. Bauernhaus), Hauptstr. 12, ☏ 6 50 – [P]. [E]
wochentags nur Abendessen, Montag - Dienstag geschl. – Karte 24/49.

SAUERLACH 8029. Bayern [413] R 23, [987] ㊲, [426] ⑰ – 5 200 Ew – Höhe 619 m – ✆ 08104.

♦München 22 – Innsbruck 144 – Salzburg 122.

🏨 **Zur Post**, Tegernseer Landstr. 2, ☏ 8 30, Telex 5218117, 🌳 – ⇅ ☎ [P] 👥. [AE] [D] [E] [VISA]
21. Dez.- 3. Jan. geschl. – Karte 24/50 – **51 Z : 98 B** 90/140 - 130/150 Fb.

SAULGAU 7968. Baden-Württemberg [413] L 22, [987] ㉟, [427] ⑦ – 15 000 Ew – Höhe 593 m – ✆ 07581 – [i] Verkehrsamt, Rathaus, Oberamteistr. 11, ☏ 42 68.

♦Stuttgart 114 – Bregenz 73 – Reutlingen 74 – ♦Ulm (Donau) 69.

🏨 **Kleber-Post**, Hauptstr. 100, ☏ 30 51, Telex 732284 – 📺 ☎ 🚗 [P] 👥. [AE] [D] [E] [VISA]
3.- 20. Jan. geschl. – Karte 45/73 – **43 Z : 65 B** 62/100 - 110/158 Fb.

🏨 **Schwarzer Adler**, Hauptstr. 41, ☏ 73 30 – 🚗 [P]
1.- 24. Aug. geschl. – Karte 27/49 *(Montag geschl.)* – **17 Z : 24 B** 38/45 - 70/80.

🏨 **Bären**, Hauptstr. 93, ☏ 87 78 – 🚗 [P]
Juli - Aug. 2 Wochen geschl. – Karte 22/40 *(Samstag geschl.)* – **23 Z : 30 B** 30/45 - 64/85.

SAULHEIM 6501. Rheinland-Pfalz – 5 700 Ew – Höhe 208 m – ✆ 06732.

Mainz 20 – Koblenz 96 – Bad Kreuznach 25 – ♦Mannheim 60.

XX Schloß Wedenhof mit Zim, Neue Bahnhofstr. 29, ☏ 50 81, 🌳 – ☎ [P]. 🐕 Rest
(wochentags nur Abendessen) – **8 Z : 16 B.**

SCHACKENDORF Schleswig-Holstein siehe Segeberg, Bad.

SCHAFFLUND 2391. Schleswig-Holstein – 1 200 Ew – Höhe 15 m – ✆ 04639.

♦Kiel 104 – Flensburg 18 – Niebüll 27.

🏨 **Utspann**, Hauptstr. 47 (B 199), ☏ 12 02, 🌳 – 📺 ☎ [P] 👥
15. Jan.- 15. Feb. geschl. – Karte 22/50 – **11 Z : 22 B** 55 - 98/140.

SCHAFWINKEL Niedersachsen siehe Kirchlinteln.

SCHALKENMEHREN Rheinland-Pfalz siehe Daun.

SCHALKSMÜHLE 5885. Nordrhein-Westfalen – 11 200 Ew – Höhe 225 m – ✆ 02355.

♦Düsseldorf 83 – ♦Dortmund 43 – Hagen 18 – Lüdenscheid 14 – Siegen 66.

In Schalksmühle 2-Dahlerbrück :

XX **Haus im Dahl**, Im Dahl 72, ☏ 13 63, ≤, 🌳 – [P]
21. Dez.- 5. Jan. und Donnerstag geschl. – Karte 31/48.

SCHALLBACH Baden-Württemberg siehe Binzen.

SCHALLSTADT 7801. Baden-Württemberg [413] G 23, [242] ㊱, [62] ⑳ – 5 000 Ew – Höhe 233 m – ✆ 07664.

♦Stuttgart 213 – Basel 66 – ♦Freiburg im Breisgau 8,5 – Strasbourg 90.

In Schallstadt-Wolfenweiler :

XX **Zum Schwarzen Ritter**, Basler Str. 54, ☏ 6 01 36, 🌳, « Kellergewölbe » – [P]. [AE] [D] [E]
➜ *Sonntag geschl.* – Karte 19,50/47 🍷.

SCHANZE Nordrhein-Westfalen siehe Schmallenberg.

SCHARBEUTZ 2409. Schleswig-Holstein 987 ⑥ – 13 800 Ew – Seeheilbad – 04503 (Timmendorfer Strand).

Kurverwaltung, Strandallee 134, 7 42 55.

♦Kiel 59 – ♦Lübeck 26 – Neustadt in Holstein 12.

Kurhotel Martensen - Die Barke, Strandallee 123, 71 17, Telex 261445, ←, Massage, E.
März - Okt. – Karte 25/52 – **36 Z : 65 B** 85/100 - 170/300 Fb.

Appartment-Hotel Baltic garni, Hamburger Ring 2, 7 41 41, AE E VISA
Dez.- Jan. geschl. – **25 Z : 75 B** 90/120 - 120/200.

Petersen's Landhaus garni, Seestr. 56a, 7 33 32,
14 Z : 40 B 75/95 - 125/145 Fb.

Wennhof, Seestr. 62, 7 23 54, E
Karte 26/60 – **28 Z : 60 B** 65 - 120/140 Fb.

Windrose garni, Strandallee 122, 7 35 36, ←,
April - Sept. – **18 Z : 30 B** 76/100 - 152 Fb.

Seestern, Seestr. 7, 7 31 34
April - Sept. – (Restaurant nur für Hausgäste) – **29 Z : 54 B** 36/50 - 72/90 – P 60/72.

In Scharbeutz-Haffkrug :

Maris-Restaurant Tante Alma, Strandallee 10, (04563) 51 82, ←, AE E VISA
21. Nov.- 24. Dez. geschl. – Karte 26/55 *(Nov.- Mai Montag geschl.)* – **13 Z : 25 B** 59/100 - 130 – 4 Fewo 100/130.

Siehe auch : ***Liste der Feriendörfer***

SCHAUINSLAND Baden-Württemberg siehe Oberried.

SCHEDA Nordrhein-Westfalen siehe Drolshagen.

SCHEER Baden-Württemberg siehe Sigmaringen.

SCHEIBENHARDT 6729. Rheinland-Pfalz 413 H 20, 242 ⑫, 87 ② – 500 Ew – Höhe 120 m – 06340.

Mainz 168 – ♦Karlsruhe 26 – Landau in der Pfalz 32 – Wissembourg 16.

In Scheibenhardt 2-Bienwaldmühle NW : 5,5 km :

Zur Bienwaldmühle, 2 76,
20. Dez.- Jan. und Montag - Dienstag geschl. – Karte 29/48.

SCHEIDEGG 8999. Bayern 413 M 24, 426 ⑭, 427 ⑧ – 3 700 Ew – Höhe 804 m – Heilklimatischer Kurort – Kneippkurort – Wintersport : 5 – 08381.

Kurverwaltung, Rathausplatz 4, 14 51.

♦München 177 – Bregenz 22 – Ravensburg 40.

Panorama Kurhotel, Kurstr. 22, 80 20, Telex 541115, ← Alpen, Bade- und Massageabteilung, (Halle), Fahrrad- und Skiverleih – AE
Karte 29/54 – **72 Z : 108 B** 73/120 - 138/150 Fb – 12 Appart. 220/270 – 10 Fewo 75/95 – P 119/130.

Gästehaus Allgäu, Am Brunnenbühl 11, 52 50, AE E.
(nur Abendessen für Hausgäste) – **14 Z : 25 B** 37/50 - 78/100 Fb – 2 Fewo 85.

Gästehaus Bergblick garni, Am Brunnenbühl 12, 72 91,
14 Z : 26 B 39/50 - 78/80.

Haus Montfort garni, Höhenweg 4, 14 50, ←,
Nov.- Dez. geschl. – **12 Z : 24 B** 55 - 80.

Kneippkurhaus Herzberger, Bräuhausstr. 28, 25 63, Bade- und Massageabteilung,
20. Nov.- 20. Dez. geschl. – (Restaurant nur für Hausgäste) – **16 Z : 31 B** 43 - 74 – P 60/65.

Post, Kirchplatz 5, 66 15 (Hotel) 22 09 (Rest.) – AE E
5. Nov.- 15. Dez. geschl. – Karte 16/40 *(Montag geschl.)* – **28 Z : 52 B** 44 - 80.

In Scheidegg-Lindenau S : 4 km :

Landhaus Reni garni, Waldweg 2, (08387) 6 46,
9 Z : 16 B 45/55 - 75/85.

Antoniushof, Lindenau 48, (08387) 5 84, ←
Ende Okt.- Mitte Nov. geschl. – (nur Abendessen für Hausgäste) – **11 Z : 22 B** 39 - 78.

SCHEINFELD 8533. Bayern 413 O 17,18, 987 ㉖ – 4 100 Ew – Höhe 306 m – ☎ 09162.
♦München 244 – ♦Bamberg 62 – ♦Nürnberg 57 – ♦Würzburg 54.

- **Weinstube Posthorn**, Adi-Dassler-Str. 4, ✆ 4 88 – ☎
(nur Abendessen für Hausgäste) – **13 Z : 25 B** 40/60 - 70/100.
- Zur Schrotmühle mit Zim, Würzburger Str. 19, ✆ 4 41, Fahrradverleih – ☎ Ⓟ
7 Z : 12 B.

In Oberscheinfeld 8531 NW : 8 km :

- **Ziegelmühle**, ✆ (09167) 7 47, – Ⓟ
(nur Abendessen für Hausgäste) – **9 Z : 18 B** 40/50 - 80/90 – 5 Fewo 80.

SCHELKLINGEN 7933. Baden-Württemberg 413 M 21 – 6 100 Ew – Höhe 540 m – ☎ 07394.
♦Stuttgart 90 – Reutlingen 63 – ♦Ulm (Donau) 24.

In Schelklingen 3-Hütten W : 8 km :

- Eichhalde, Auf der Eichhalde 100, ✆ (07384) 2 85, ≤, (geheizt), – Ⓟ
12 Z : 17 B.

SCHELLERTEN Niedersachsen siehe Hildesheim.

SCHELLHORN Schleswig-Holstein siehe Preetz.

SCHENKENZELL 7623. Baden-Württemberg 413 HI 22 – 2 000 Ew – Höhe 365 m – Luftkurort – ☎ 07836 (Schiltach).
Kurverwaltung, Rathaus, Reinerzaustr. 12, ✆ 22 58.
♦Stuttgart 104 – Freudenstadt 23 – Villingen-Schwenningen 46.

- **Sonne**, Reinerzaustr. 13, ✆ 20 34, – ☎ Ⓟ. AE E VISA
Jan. 2 Wochen geschl. – Karte 24/45 – **42 Z : 76 B** 43/59 - 74/108 Fb – P 59/70.
- **Café Winterhaldenhof**, Winterhalde 8, ✆ 72 48, ≤, – ☎ Ⓟ. Rest
2. Nov.- 20. Dez. geschl. – Karte 25/41 *(Donnerstag geschl.)* – **13 Z : 24 B** 49/65 - 94/102 Fb – P 62/66.
- **Waldblick**, Schulstr. 12, ✆ 3 48, – ☎ Ⓟ. AE . Zim
Karte 24/47 *(Nov.- März Dienstag geschl.)* – **13 Z : 23 B** 40/60 - 70/104 – P 52/81.

SCHENKLENGSFELD 6436. Hessen – 4 800 Ew – Höhe 310 m – ☎ 06629.
♦Wiesbaden 178 – Fulda 38 – Bad Hersfeld 13.

- **Steinhauer**, Hersfelder Str. 8, ✆ 2 22, – Ⓟ
Karte 18/33 *(Sonntag ab 14 Uhr geschl.)* – **15 Z : 20 B** 30 - 60 – P 50.

SCHERMBECK 4235. Nordrhein-Westfalen 987 ⑬ – 12 900 Ew – Höhe 34 m – ☎ 02853.
Siehe Ruhrgebiet (Übersichtsplan).
♦Düsseldorf 69 – Dorsten 10 – Wesel 19.

- **Haus Hecheltjen**, Weseler Str. 24, ✆ 22 14, – Ⓟ
22. Dez.- 6. Jan. geschl. – Karte 21/46 *(Dienstag geschl.)* – **14 Z : 22 B** 26/42 - 72/82.

In Schermbeck-Gahlen S : 4 km :

- **Op den Hövel**, Kirchstr. 71, ✆ 44 47, – ☎ Ⓟ
24. Dez.- 2. Jan. geschl. – Karte 17,50/47 *(Donnerstag und 3.- 16. Jan. geschl.)* – **13 Z : 25 B** 45/55 - 80/90.

In Schermbeck - Gahlen-Besten S : 7,5 km :

- **Landhaus Spickermann**, Kirchhellener Str. 1, ✆ (02362) 4 11 32 – Ⓟ. E
Montag geschl. – Karte 66/76 – **Bistro** Karte 41/57.

In Schermbeck-Voshövel NW : 13 km :

- **Gaststätte Voshövel** mit Zim, Am Voshövel 1, ✆ (02856) 20 82, – ☎ Ⓟ. E VISA
Jan.- Feb. 3 Wochen geschl. – Karte 33/58 – **7 Z : 13 B** 65/75 - 110/130.

SCHESSLITZ 8604. Bayern 413 Q 17, 987 ㉖ – 6 800 Ew – Höhe 309 m – ☎ 09542.
♦München 252 – ♦Bamberg 14 – Bayreuth 47 – ♦Nürnberg 70.

In Scheßlitz-Würgau O : 5 km :

- **Brauerei Gasthof Hartmann**, Hauptstr. 31 (B 22), ✆ 5 37, Biergarten – Ⓟ. Zim
Karte 21/45 *(24.- 30. Dez. und Dienstag geschl.)* – **9 Z : 15 B** 35 - 65.
- **Sonne**, Hauptstr. 55 (B 22), ✆ 3 12, – Ⓟ
Karte 18/29 *(Montag geschl.)* – **35 Z : 56 B** 22/28 - 41/48.

[SCHIEDER-SCHWALENBERG] **4938.** Nordrhein-Westfalen [987] ⑮ – 9 000 Ew – Höhe 150 m – ☎ 05282.

[i] Kurverwaltung (Schieder), im Kurpark, ☎ 2 98.

♦Düsseldorf 209 – Detmold 22 – ♦Hannover 80 – Paderborn 39.

Im Ortsteil Schieder – Kneippkurort :

🏨 Skidrioburg, Pyrmonter Str. 4, ☎ 2 16, 🌳 – 🚗 [P]
24 Z : 42 B.

🍴 **Nessenberg** mit Zim, an der B 239 (W : 2 km), ☎ 2 45 – 🚗 [P]
4.- 30. Jan. geschl. – Karte 20/46 *(Freitag geschl.)* – **13 Z : 20 B** 25/34 - 50/68.

Im Ortsteil Schwalenberg – ☎ 05284 :

🏨 **Burg Schwalenberg** 🐎, ☎ 51 67, Fax 5567, ≤ Schwalenberg und Umgebung – [TV] ☎ [P]. [D] [E] [VISA]
10. Jan.- 25. Feb. geschl. – Karte 28/57 *(auch vegetarische Gerichte)* – **15 Z : 30 B** 80/90 - 130/160.

🏨 **Schwalenberger Malkasten**, Neue-Tor-Str. 1, ☎ 52 78, wechselnde Kunstausstellungen, ♨ – [P]. [D] [E] [VISA]. ✂ Zim
2. Jan.- 8. Feb. geschl. – Karte 21/48 – **35 Z : 67 B** 40/61 - 75/91 Fb.

In Schieder-Glashütte NO : 5 km – Kneippkurort :

🏨 **Herlingsburg** 🐎, Bergstr. 29, ☎ 2 24, ≤, Massage, ⛷, 🌲 – 🚗 [P]
16. Jan.- 10. März geschl. – Karte 23/50 – **45 Z : 74 B** 43/65 - 81.

In Schieder-Siekholz N : 3 km ab Schieder :

🏨 **Haus Fahrenbusch**, Siekholzer Str. 27, ☎ 2 18, 🌳, ♨, [🏊], 🌲 – ☎ [P]
März 2 Wochen geschl. – Karte 24/45 *(Dienstag ab 14 Uhr geschl.)* – **18 Z : 33 B** 45/48 - 80/85.

An der Straße nach Bad Pyrmont NO : 4 km ab Schieder :

🏨 **Fischanger**, ✉ 4938 Schieder-Schwalenberg 1, ☎ (05282) 2 37, 🌳, ♨, 🌲 – 🚗 [P]
◆ *Mitte Jan.- Mitte Feb. geschl.* – Karte 18,50/39 *(Dienstag geschl.)* – **15 Z : 25 B** 34/36 - 64/76.

[SCHIFFERSTADT] **6707.** Rheinland-Pfalz [413] I 18, [987] ㉔ ㉕ – 18 000 Ew – Höhe 102 m – ☎ 06235.

Mainz 83 – ♦Mannheim 16 – Speyer 9,5.

🏨 **Kaufmann**, Bahnhofstr. 81, ☎ 70 41, 🌳, 🌲, 🎾 – 🚗 [P]. [AE] [E] [VISA]
27. Dez.- 6. Jan. geschl. – Karte 30/65 *(Samstag bis 17 Uhr geschl.)* – **18 Z : 32 B** 40/95 - 80/160.

🏨 **Zur Kanne**, Kirchenstr. 9, ☎ 26 64 – [TV] [P]
◆ *20. Dez.- 10. Jan. geschl.* – Karte 19/45 *(Dienstag - Mittwoch 17 Uhr geschl.)* 🍷 – **26 Z : 50 B** 35/65 - 55/95 Fb.

🍴🍴 **Am Museum**, Kirchenstr. 13, ☎ 51 69, 🌳 – [E] [VISA]
Montag geschl. – Karte 33/70.

🍴 **Ochsen**, Am Marktplatz 3, ☎ 21 04
Samstag bis 18 Uhr und Montag geschl. – Karte 30/68 🍷.

[SCHILLINGSFÜRST] **8813.** Bayern [413] N 19 – 2 200 Ew – Höhe 515 m – Erholungsort – Wintersport : ⛷3 – ☎ 09868.

♦ München 188 – Ansbach 28 – Heilbronn 121 – ♦ Nürnberg 86.

🏨 Die Post, Rothenburger Str. 1, ☎ 4 73, ≤, 🌲 – 🚗 [P]
14 Z : 28 B.

🏨 **Zapf**, Dombühler Str. 9, ☎ 2 75, ♨, 🌲 – [P]. [AE] [D] [E] [VISA]
◆ *15. Jan.- 15. Feb. geschl.* – Karte 18,50/35 *(Dienstag geschl.)* 🍷 – **29 Z : 52 B** 32/40 - 60/80 – P 50/60.

[SCHILTACH] **7622.** Baden-Württemberg [413] HI 22, [987] ㉟ – 4 100 Ew – Höhe 325 m – Luftkurort – ☎ 07836.

[i] Städt. Verkehrsamt, Hauptstr. 5, ☎ 6 48.

♦Stuttgart 126 – Freudenstadt 27 – Offenburg 51 – Villingen-Schwenningen 42.

🍴 **Rößle** mit Zim, Schenkenzeller Str. 42, ☎ 3 87 – 🚗 [P]
◆ *über Fastnacht 2 Wochen geschl.* – Karte 19,50/56 *(Sonntag 14 Uhr - Montag geschl.)* – **6 Z : 12 B** 30/38 - 60/76 – P 50/58.

[SCHIRMITZ] Bayern siehe Weiden in der Oberpfalz.

[SCHLADERN] Nordrhein-Westfalen siehe Windeck.

A l'occasion de certaines manifestations commerciales ou touristiques, les prix demandés par les hôteliers risquent d'être sensiblement majorés dans certaines villes et leurs alentours même éloignés.

SCHLANGENBAD 6229. Hessen 987 ㉔ – 6 300 Ew – Höhe 318 m – Heilbad – ☎ 06129.

ℹ Verkehrsbüro, Rheingauer Str. 20, ✆ 88 21.

♦Wiesbaden 16 – ♦Koblenz 63 – Limburg an der Lahn 43 – Mainz 21.

Staatliches Kurhotel, Rheingauer Str. 47, ✆ 4 20, Telex 4186468, Bade- und Massageabteilung, direkter Zugang zum Thermalbewegungsbad, – TV P. AE E
Sept.- Dez. geschl. – Karte 25/61 – **99 Z : 140 B** 78/120 - 135/175 Fb – P 122/174.

Schlangenbader Hof, Rheingauer Str. 7, ✆ 20 33, Telex 4186208, – TV P. Rest
40 Z : 60 B Fb.

Sonnenhof, Mühlstr. 17, ✆ 20 71, – TV. E VISA.
(Restaurant nur für Hausgäste) – **30 Z : 40 B** 60/90 - 100/150 Fb – P 72/102.

Russischer Hof garni, Rheingauer Str. 37, ✆ 20 05, – P. AE E
15.- 30. Jan. und 15. Nov.- 10. Dez. geschl. – **21 Z : 36 B** 42/54 - 80/94 Fb.

Grüner Wald, Rheingauer Str. 33, ✆ 20 61, – AE VISA
Jan.- Mitte Feb. geschl. – Karte 26/48 – **22 Z : 38 B** 55/90 - 85/120 – 7 Fewo 40/80 – P 80/100.

In Schlangenbad-Georgenborn SO : 2,5 km :

Gästehaus Werner garni, Mainstr. 38, ✆ 23 58 – P. E
10 Z : 17 B 34/42 - 64/84.

SCHLECHING 8211. Bayern 413 U 23, 987 ㊲, 426 ⑱ – 1 700 Ew – Höhe 570 m – Luftkurort – Wintersport : 600/1 400 m 3 5 – ☎ 08649.

ℹ Verkehrsamt, Haus des Gastes, Schulstr. 4, ✆ 2 20.

♦München 104 – Rosenheim 45 – Traunstein 34.

Zur Post, Kirchplatz 7, ✆ 12 14, <, – P
31 Z : 62 B.

Zum Geigelstein mit Zim, Hauptstr. 5, ✆ 2 81, – P. E
15. April - 10. Mai und 15. Nov.- 24. Dez. geschl. – Karte 31/51 *(Dienstag geschl.)* – **7 Z : 12 B** 45/48 - 70/80.

In Schleching-Ettenhausen SW : 2 km :

Steinweidenhof, Steinweiden 8, ✆ 5 11, « Einrichtung im Bauernstil », – P
Nov.- 20. Dez. geschl. – Karte 33/61 *(Donnerstag geschl.)* – **9 Z : 20 B** 60/80 - 100/120.

SCHLECHTBACH Baden-Württemberg siehe Schopfheim.

SCHLEDEHAUSEN Niedersachsen siehe Bissendorf Kreis Osnabrück.

SCHLEIDEN 5372. Nordrhein-Westfalen 987 ㉓ – 13 500 Ew – Höhe 348 m – ☎ 02445.

ℹ Kurverwaltung (Schleiden-Gemünd), Kurhausstr. 6, ✆ (02444) 20 12.

♦Düsseldorf 103 – ♦Aachen 57 – Düren 38 – Euskirchen 30.

Tannenhof garni, Poensgenstr. 19, ✆ 2 66 – P.
8 Z : 12 B.

XXX ❀ **Alte Rentei** mit Zim, Am Markt 39, ✆ 6 99 – TV . E
Karte 64/76 *(Donnerstag geschl.)* – **Rentei-Keller** Karte **30**/55 – **6 Z : 12 B** 60/70 - 110/130
Spez. Lotte mit Hummer gefüllt auf Rotweinsauce, Lammrückenstück in der Kruste, Dessertteller Alte Rentei.

In Schleiden-Gemünd NO : 6 km – Kneippkurort – ☎ 02444 :

Friedrichs, Alte Bahnhofstr. 16, ✆ 6 00, Telex 888060, – TV P. AE E VISA
28. März - 7. April geschl. – Karte 31/58 *(Dienstag geschl.)* – **21 Z : 37 B** 54/75 - 90/150 Fb.

Kurpark Hotel garni, Parkallee 1, ✆ 17 29, – .
20 Z : 30 B 45/50 - 90.

Zum Urfttal garni, Alte Bahnhofstr. 12, ✆ 26 88 – P. E.
Nov.- 26. Dez. geschl. – **18 Z : 38 B** 35/40 - 56/80.

Haus Salzberg, Am Lieberg 31, ✆ 4 94, – P. AE E
Karte 25/45 *(Montag geschl.)* – **10 Z : 22 B** 53/58 - 86/94.

Lieske, Dreiborner Str. 34, ✆ 21 73 – . Zim
Karte 18,50/41 *(Okt.- April Mittwoch geschl.)* – **8 Z : 11 B** 35/45 - 68 – P 62.

X Parkrestaurant Kurhaus, im Kurpark, ✆ 7 76, « Gartenterrasse » – .

SCHLESWIG 2380. Schleswig-Holstein 987 ⑤ – 28 400 Ew – Höhe 14 m – ☎ 04621.

Sehenswert : Nydam-Boot★★★ Y – Schloß Gottorf : Landesmuseum für Kunst- und Kulturgeschichte ★★, Kapelle ★★ Y – Dom★ (Bordesholmer Altar★★) Z – <★ vom Parkplatz an der B 76 Y – Fischerviertel "Holm" (Friedhof-Platz★) Z.

ℹ Städt. Touristbüro, Plessenstr. 7, ✆ 81 42 26.

♦Kiel 53 ② – Flensburg 33 ⑤ – Neumünster 65 ③.

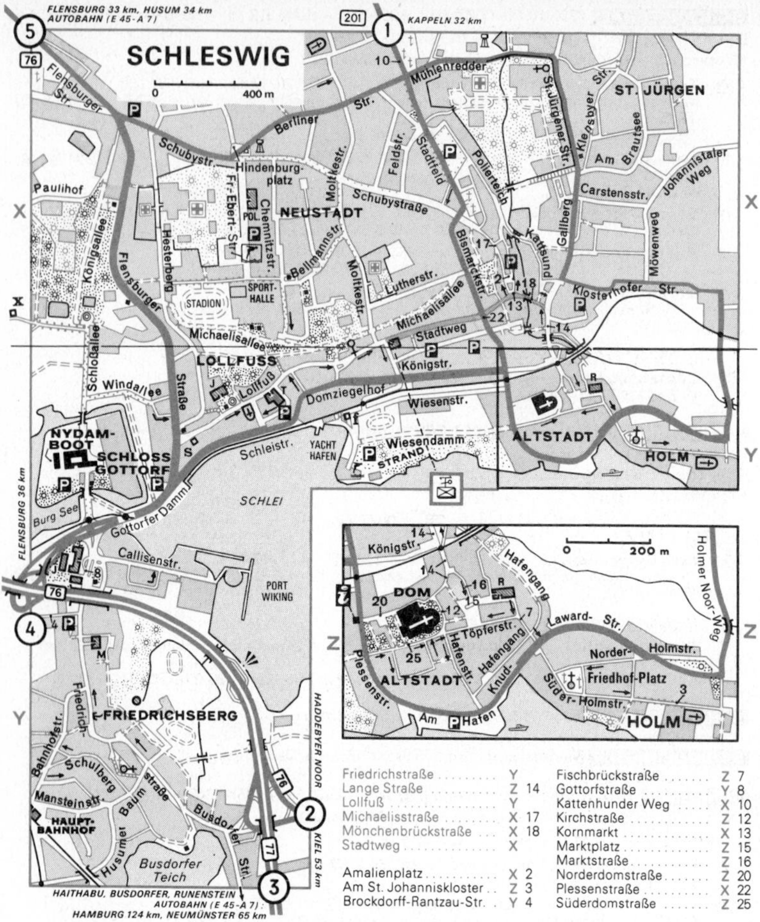

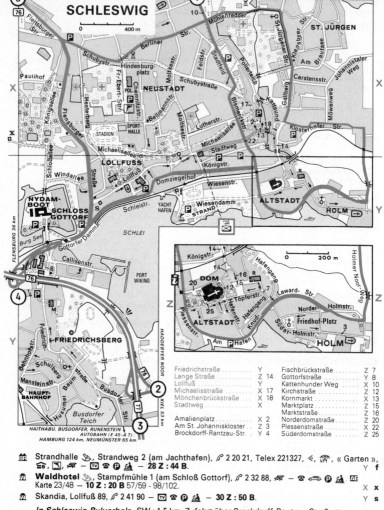

Friedrichstraße	Y		Fischbrückstraße	Z	7
Lange Straße	Z	14	Gottorfstraße	Y	8
Lollfuß	Y		Kattenhunder Weg	X	10
Michaelisstraße	X	17	Kirchstraße	Z	12
Mönchenbrückstraße	X	18	Kornmarkt	X	13
Stadtweg	X		Marktplatz	Z	15
			Marktstraße	Z	16
Amalienplatz	X	2	Norderdomstraße	Z	20
Am St. Johanniskloster	Z	3	Plessenstraße	X	22
Brockdorff-Rantzau-Str.	Y	4	Süderdomstraße	Z	25

Strandhalle, Strandweg 2 (am Jachthafen), ✆ 2 20 21, Telex 221327, ←, « Garten », – **28 Z : 44 B**. Y f

Waldhotel, Stampfmühle 1 (am Schloß Gottorf), ✆ 2 32 88, – Karte 23/48 – **10 Z : 20 B** 57/59 - 98/102. X x

Skandia, Lollfuß 89, ✆ 2 41 90 – **30 Z : 50 B**. Y s

In Schleswig-Pulverholz SW : 1,5 km, Zufahrt über Brockdorff-Rantzau-Straße Y :

Waldschlößchen, Kolonnenweg 152, ✆ 38 30, Telex 221306, Fax 383105, – Karte 28/55 – **80 Z : 140 B** 65/90 - 105/140 Fb.

SCHLIENGEN 7846. Baden-Württemberg 413 F 23, 427 ④, 242 ⑩ – 3 800 Ew – Höhe 251 m – ☎ 07635 – ♦Stuttgart 243 – Basel 28 – Müllheim 9.

Holzschopf mit Zim, Altinger Str. 1, ✆ 12 29 – *Nov. geschl.* – Karte 31/43 *(Montag geschl.)* – **7 Z : 14 B** 45/55 - 85.

In Schliengen 5-Obereggenen O : 7 km :

Graf's Weinstube, Kreuzweg 6, ✆ 12 64, eigener Weinbau, – *9. Jan.- 15. Feb. geschl.* – Karte 31/50 *(Mittwoch - Donnerstag 17 Uhr geschl.)* – **15 Z : 25 B** 46/52 - 88/94.

Zum Rebstock, Kanderner Str. 4, ✆ 12 89, eigener Weinbau – *Mitte Nov.- Mitte Dez. geschl.* – Karte 24/46 *(Dienstag - Mittwoch 15 Uhr geschl.)* – **14 Z : 23 B** 27/42 - 54/78.

[SCHLIERSEE] **8162.** Bayern [413] S 23, [987] ㊲, [426] ⑱ – 6 200 Ew – Höhe 800 m – Luftkurort – Wintersport : 790/1 700 m 2 18 5 – ☎ 08026.

Sehenswert : Pfarrkirche★.

Ausflugsziel : Spitzingsattel : Aussichtspunkt ≤★, S : 9 km.

[i] Kurverwaltung, Am Bahnhof, ☎ 40 69.

♦München 62 – Rosenheim 36 – Bad Tölz 25.

- **Arabella Schliersee Hotel**, Kirchbichlweg 18, ☎ 40 86, Telex 526947, – [TV] [P] [AE] [E] [VISA]. Rest
Karte 28/54 – **60 Z : 113 B** 102/115 - 140/180 Fb – 33 Fewo 100/250 – P 120/186.
- **Schlierseer Hof**, Seestr. 21, ☎ 40 71, Telex 526945, Fax 4953, ≤, « Gartenterrasse », (geheizt), – [TV] [P]. [AE] [E] [VISA]
Karte 26/60 – **46 Z : 82 B** 100/120 - 180/230 Fb – P 140/160.
- **Gästehaus am Kurpark**, Gartenstr. 7, ☎ 40 41, – ☎ [P]. Rest (nur Abendessen für Hausgäste, außer Saison garni) – **26 Z : 47 B** 58/63 - 95/102 Fb.
- **Terofal**, Xaver-Terofal-Platz 2, ☎ 40 45, – ☎ [P]
Karte 22/46 *(Montag geschl.)* – **24 Z : 51 B** 50/95 - 90/135 Fb.
- Lechner am See garni, Seestr. 33, ☎ 46 10, ≤, – ☎ [P]. – **11 Z : 24 B** Fb.

In Schliersee-Fischhausen S : 3 km :

- 🍴 **Zum Bartlbauer**, Neuhauser Str. 3, ☎ 47 33, – [P]. [AE] [E]
15.Nov.- 5. Dez. und Dienstag geschl. – Karte 27/49.

In Schliersee-Neuhaus S : 4 km :

- **Dahms**, Schönfeldstr. 5, ☎ 70 94, – [TV] ☎ [P]
15. Nov.- 20. Dez. geschl. – (nur Abendessen für Hausgäste) – **17 Z : 38 B** 72/88 - 99/154 Fb.
- 🍴🍴 **Sachs**, Neuhauser Str. 12, ☎ 72 38, « Einrichtung im alpenländischen Stil » – [P]. [AE] [E]
Nov. und Montag geschl. – Karte 29/66.

In Schliersee-Spitzingsee S : 10 km – Höhe 1 085 m :

- **Spitzingsee-Hotel**, Spitzingstr. 5, ☎ 70 81, Telex 526944, ≤, Massage, – [TV] [P]. [AE] [E] [VISA]. Rest
Karte 30/52 – **86 Z : 163 B** 112/142 - 156/236 Fb – 4 Appart. 436 – P 128/172.
- Gundl-Alm - Jagdhof, Spitzingstr. 8, ☎ 74 12, ≤, – [P]
42 Z : 80 B.
- **Postgasthof St. Bernhard**, Seeweg 1, ☎ 7 10 11, ≤, – ☎ [P]. [AE] [E] [VISA]
Mitte Nov.- Mitte Dez. geschl. – Karte 19/38 *(Donnerstag geschl.)* – **10 Z : 20 B** 35/45 - 80/100.

[SCHLIFFKOPF] Baden-Württemberg siehe Schwarzwaldhochstraße.

[SCHLITZ] **6407.** Hessen [987] ㉕ – 9 400 Ew – Höhe 240 m – Erholungsort – ☎ 06642.

[i] Verkehrsbüro, Rathaus, An der Kirche, ☎ 50 51.

♦Wiesbaden 165 – Fulda 20 – Bad Hersfeld 28 – ♦Kassel 91.

- **Guntrum**, Otto-Zinßer-Str. 5, ☎ 50 93 – ☎ [P]. [AE] [E] [VISA]
Karte 18,50/38 *(Montag bis 17 Uhr geschl.)* – **25 Z : 36 B** 37/40 - 65/70.
- **Habermehl**, Salzschlirfer Str. 38, ☎ 12 45, – [P]. [E]
Karte 19/38 *(Montag ab 14 Uhr geschl.)* – **16 Z : 28 B** 30 - 58.

In Schlitz 1 - Willofs W : 6 km :

- **Roth**, Schlitzer Str. 1, ☎ 16 25, – [P]
Karte 18/37 – **8 Z : 16 B** 30 - 58/66.

[SCHLOSSBÖCKELHEIM] **6558.** Rheinland-Pfalz – 400 Ew – Höhe 150 m – ☎ 06758.

Mainz 56 – Idar-Oberstein 40 – Bad Kreuznach 12.

An der Nahe SO : 1,5 km :

- **Weinhotel Niederthäler Hof**, ✉ 6558 Schlossböckelheim, ☎ (06758) 69 96, ≤, eigener Weinbau, – [P]
Karte 27/49 – **23 Z : 43 B** 59/70 - 98/130.

[SCHLOSSBORN] Hessen siehe Glashütten.

[SCHLOSS HOLTE-STUKENBROCK] **4815.** Nordrhein-Westfalen – 21 000 Ew – Höhe 135 m – ☎ 05207.

♦Düsseldorf 178 – Bielefeld 18 – Detmold 19 – Paderborn 25.

Im Ortsteil Stukenbrock :

- **Westhoff**, Hauptstr. 24 (B 68), ☎ 33 69 – ☎ [P]. [AE]
Karte 21/45 *(Freitag geschl.)* – **25 Z : 45 B** 42/48 - 72/80.

[SCHLOSS SAALECK] Bayern siehe Hammelburg.

[SCHLUCHSEE] 7826. Baden-Württemberg [413] H 23, [987] ㉞ ㉟, [427] ⑤ – 2 600 Ew – Höhe 951 m – Heilklimatischer Kurort – Wintersport : 1 000/1 130 m ⛷3 ⛷6 – ☏ 07656.

[i] Kurverwaltung, Haus des Gastes, ℘ 77 32.

♦Stuttgart 172 – Donaueschingen 49 – ♦Freiburg im Breisgau 47 – Waldshut-Tiengen 33.

🏨 **Hetzel-Hotel Hochschwarzwald** 🔇, Am Riesenbühl 13, ℘ 7 03 26, Telex 7722331, ≤, ⛱, Bade- und Massageabteilung, ♨, 🏊 (geheizt), 🏊, 🌳, 🎾 (Halle) – 🛗 [TV] ♿ 🚸 🚗 [P] 🏕. [AE] [D] [E] [VISA]. 🚫 Rest
Karte 45/73 – **Kachelofen** Karte 26/43 – **212 Z : 450 B** 105/150 - 216/300 Fb.

🏨 **Hegers Parkhotel Flora** 🔇, Sonnhalde 22, ℘ 4 52, ≤, ♨, 🏊, 🌳 – [TV] ☎ 🚗 [P]. [AE] [D]
9. Nov.- 24. Dez. geschl. – (Restaurant nur für Hausgäste) – **34 Z : 70 B** 88/108 - 118/175 – P 107/135.

🏨 **Schiff**, Kirchplatz 7, ℘ 2 52, ≤, ⛱, ♨ – 🛗 [P]
15. Nov.- 15. Dez. geschl. – Karte 27/50 *(Montag geschl.)* – **29 Z : 70 B** 55/85 - 90/170 Fb.

🏨 **Berghotel Mühle** 🔇, Mühlenweg 13 (NO : 1,5 km über Giersbühlstraße), ℘ 2 09, ⛱, 🌳 – [P]
15. Nov.- 20. Dez. geschl. – Karte 26/55 *(Mittwoch geschl.)* – **14 Z : 25 B** 40/50 - 80/120 Fb – P 80/100.

🏨 Gästehaus Ott garni, Faulenfürster Str. 9, ℘ 15 43, ♨, 🌳 – [TV] ☎ 🚗 [P]
6 Z : 10 B Fb – 11 Fewo.

🏨 **Sternen**, Dresselbacher Str. 1, ℘ 2 51, ⛱ – 🛗 ♿ 🚗 [P]. [AE] [E] [VISA]
Nov.- 20. Dez.geschl. – Karte 24/57 – **41 Z : 74 B** 58/70 - 100/160 – P 84/116.

🍴 **Schwarzwaldstube**, Lindenstraße (im Kurhaus), ℘ 12 00, ≤, ⛱ – 🛗 ♿ [P]
im Winter Mittwoch und Mitte Nov.- Mitte Dez. geschl. – Karte **26**/58.

In Schluchsee-Faulenfürst SO : 3 km :

🏠 **Rössle**, Bildstöckle 1, ℘ 2 77, ⛱, ♨, 🌳 – [P]
Nov.- 15. Dez. geschl. – Karte 17,50/36 *(Montag geschl.)* 🍷 – **15 Z : 30 B** 25/30 - 50/60.

In Schluchsee-Fischbach NW : 5 km :

🏨 **Hirschen**, Schluchseestr. 9, ℘ 2 78, ♨, 🌳, ⛷ – 🛗 ☎ ♿ [P]
14. Nov.- 18. Dez. geschl. – Karte 20/44 *(auch vegetarische Gerichte)* (Donnerstag geschl.) – **27 Z : 50 B** 38 - 60/70 – 6 Fewo 50/55 – P 58/65.

In Schluchsee-Seebrugg SO : 2 km :

🏨 **See-Hotel Hubertus**, ℘ 5 24, ≤, ⛱, 🏖 – [TV] ♿ 🚗 [P]. [VISA]
20. Feb.- 17. März und 27. Nov.- 22. Dez. geschl. – Karte 22/58 *(auch vegetarische Gerichte)* – **12 Z : 25 B** 54/94 - 88/138 Fb – P 78/113.

[SCHLÜSSELFELD] 8602. Bayern [413] O 17, [987] ㉖ – 5 200 Ew – Höhe 299 m – ☏ 09552.

♦München 227 – ♦Bamberg 44 – ♦Nürnberg 56 – ♦Würzburg 57.

🏨 **Zum Storch**, Marktplatz 20, ℘ 10 16, Telex 662914 – 🛗 [TV] ☎ 🚗. [AE] [D] [E]
Karte 17,50/39 🍷 – **41 Z : 83 B** 30/48 - 58/90.

🏨 **Amtmann-Bräu**, Kirchplatz 1, ℘ 70 63, 🌳 – 🚗 [P]
27. Nov.- 5. Jan. geschl. – Karte 17,50/32 *(Jan.- März Montag geschl.)* – **33 Z : 65 B** 35/45 - 50/75.

In Schlüsselfeld-Attelsdorf SO : 2 km :

🏨 **Herderich**, nahe der BAB - Ausfahrt Schlüsselfeld, ℘ 4 19 – 🚗 [P]. [AE] [E]
Karte 21/36 – **24 Z : 43 B** 30/35 - 60/75.

In Schlüsselfeld-Reichmannsdorf NO : 7,5 km :

🏨 **Schloßgasthof**, Untere Hauptstr. 2, ℘ (09546) 61 72, ⛱ – [TV] ☎ [P]. [AE] [D] [E]
10. Jan.- 20. Feb. geschl. – Karte 33/59 *(Montag - Dienstag 18 Uhr geschl.)* – **11 Z : 22 B** 58/90 - 90/140.

[SCHMALLENBERG] 5948. Nordrhein-Westfalen [987] ㉔ – 26 500 Ew – Höhe 410 m – Luftkurort – Wintersport : 480/800 m, ⛷15 ⛷34 – ☏ 02972.

[i] Verkehrsamt, Weststr. 32, ℘ 77 55.

♦Düsseldorf 168 – Meschede 35 – Olpe 38.

🏨 **Störmann**, Weststr. 58, ℘ 40 55, Telex 841556, « Behagliches Restaurant, Garten », Massage, ♨, 🏊, 🌳 – 🛗 [TV] ☎ 🚗 [P] 🏕. [AE] [D] [E] [VISA]. 🚫 Rest
März 2 Wochen und 21.- 26. Dez. geschl. – Karte 36/70 *(Sonntag ab 14 Uhr geschl.)* – **39 Z : 60 B** 50/97 - 99/186 Fb – P 75/118.

In Schmallenberg 3-Bödefeld NO : 17 km :

🏨 **Albers**, Graf-Gottfried-Str. 2, ℘ (02977) 2 13, ♨, 🏊, 🌳, Fahrrad- und Skiverleih – ☎ [P]. 🚫 Rest
20. Nov.- 25. Dez. geschl. – Karte 26/53 *(Mittwoch geschl.)* – **38 Z : 75 B** 47/50 - 94/100 Fb – P 65/70.

🏠 **Haus Fehr**, Graf-Gottfried-Str. 6, ℘ (02977) 2 73, ♨ – 🚗 [P]
15. Nov.- 4. Dez. geschl. – Karte 20/37 *(Montag geschl.)* – **12 Z : 21 B** 38- 76 Fb – P 48.

In Schmallenberg 12-Fleckenberg SW : 2 km :

Hubertus, Latroper Str. 24, 50 77 –
5.- 25. Dez. geschl. – Karte 21/50 – **24 Z : 39 B** 52/79 - 98/155 Fb – P 70/92.

Gasthof Röhrig, Hauptstr. 25, 63 69 –
16 Z : 29 B.

In Schmallenberg 2-Fredeburg NO : 7 km – Kneippkurort – 02974 :

Kleins Wiese, (NO : 2,5 km), 3 76 – Zim
25. Nov.- 26. Dez. geschl. – Karte 23/52 – **20 Z : 30 B** 45/48 - 90/96 Fb – P 75/78.

Landhaus Knoche, In der Schmiedinghausen 36, 4 37 –
18 Z : 35 B.

Fredeburger Hof garni, Kirchplatz 3, 62 41 –
17 Z : 31 B.

Haus Waltraud mit Zim, Gartenstr. 20, 2 87 –
Ende Nov.- 20. Dez. geschl. – Karte 22/49 – **9 Z : 18 B** 48/58 - 96 – P 71.

In Schmallenberg 3-Gellinghausen NO : 15 km :

Gasthof Hennecke, (02977) 3 91 –
25 Z : 50 B Fb.

In Schmallenberg 11-Grafschaft SO : 4,5 km – Luftkurort :

Maritim Sporthotel Droste, An der Almert 11, 30 30 – VISA. Rest
Karte 25/61 – **116 Z : 210 B** 105/155 - 175/310 Fb – P 143/210.

Grafschafter Hof, Am Stünzel 33 (SO : 1 km), 10 61, Telex 841538 – Rest
53 Z : 91 B Fb.

Gasthof Heimes, Hauptstr. 1, 10 51 –
15. Nov.- 6. Dez. geschl. – Karte 21/37 (Dienstag geschl.) – **15 Z : 30 B** 31/51 - 62/88 – P 43/63.

In Schmallenberg 12-Jagdhaus S : 7 km :

Jagdhaus Wiese, 30 60, « Park », Massage –
27. Nov.- 27. Dez. geschl. – Karte 30/55 (ab 19.30 Uhr geschl.) – **66 Z : 105 B** 73/135 - 134/216 Fb – 12 Appart 168/250 – P 104/172.

Gasthaus Tröster, 63 00 –
20. Nov.- 27. Dez. geschl. – Karte 23/32 – **18 Z : 33 B** 55/62 - 102/120 – P 70/78.

In Schmallenberg 12-Latrop SO : 8 km :

Hanses Bräutigam, 50 37, Skiverleih – AE E VISA
20. Nov.- 25. Dez. geschl. – Karte 21/51 – **23 Z : 38 B** 68/110 - 126/166 Fb – P 86/105.

Zum Grubental, 63 27 – Zim
15. Nov.- 26. Dez. geschl. – Karte 25/45 (Montag geschl.) – **19 Z : 30 B** 33/48 - 90/110 – 2 Fewo 60 – P 55/75.

In Schmallenberg 7-Nordenau NO : 13 km – 02975 :

Kur- und Sporthotel Gnacke, Astenstr. 6, 4 44, « Terrasse mit », Bade- und Massageabteilung – AE E
20. Nov.- 26. Dez. geschl. – Karte 38/58 – **57 Z : 96 B** 77/118 - 160/242 Fb – P 95/140.

Tommes, Talweg 14, 2 20 – AE E
20. Nov.- 20. Dez. geschl. – Karte 19/64 – **43 Z : 80 B** 35/80 - 70/150 Fb – 5 Fewo 70/120 – P 59/99.

Nordenauer Landhaus, Sonnenpfad 1a, 88 32 –
(Restaurant nur für Hausgäste) – **14 Z : 26 B** 40/52 - 84/114 – P 58/73.

In Schmallenberg 8-Oberkirchen O : 8 km :

Schütte, Eggeweg 2 (B 236), (02975) 8 20, Telex 841558, « Behagliches Restaurant », Massage, (geheizt) – AE E VISA
26. Nov.- 26. Dez. geschl. – Karte 34/70 – **70 Z : 115 B** 79/160 - 144/260 Fb – 4 Appart. 300.

Schauerte, Alte Poststr. 13 (B 236), (02975) 3 75 –
15. Nov.- 26. Dez. geschl. – Karte 25/33 (Montag geschl.) – **18 Z : 31 B** 42 - 84 – P 56.

In Schmallenberg 9-Ohlenbach O : 15 km :

Waldhaus Ohlenbach, Ohlenbach 10, (02975) 4 62, Telex 841545, Rothaargebirge – AE E VISA. Zim
15. Nov.- 20. Dez. geschl. – Karte 38/70 – **50 Z : 90 B** 70/120 - 140/220 Fb – P 100/150
Spez. Zander mit Meerrettichkruste auf Roter-Bete-Sauce, Poulardenbrust mit Lachs gefüllt, Rehrücken mit Gänsestopfleber auf Rotweinsauce.

In Schmallenberg 2-Rimberg NO : 13 km :

Knoche, Rimberg 1, Höhe 713 m, (02974) 70 41 –
16.- 26. Dez. geschl. – Karte 30/58 – **54 Z : 82 B** 46/81 - 96/158 Fb – P 71/104.

In Schmallenberg 11-Schanze SO : 9 km :

Gasthof Alfons Hanses, (02975) 4 73, – P
Nov. geschl. – Karte 20/34 *(Dienstag geschl.)* – **14 Z : 24 B** 34/43 - 78/84 – P 45/48.

In Schmallenberg - Sellinghausen N : 14 km :

Stockhausen, (02971) 8 20, Waldhütte mit Grillplatz, (geheizt), – TV P. Rest
64 Z : 103 B Fb.

In Schmallenberg 8-Vorwald O : 13 km :

Gasthof Gut Vorwald, (02975) 3 74, Kutschfahrten – P.
AE E
15. Nov.- 26. Dez. geschl. – Karte 20/36 – **26 Z : 52 B** 32/46 - 60/88 – P 53/64.

In Schmallenberg 35 -Westernbödefeld NO : 15 km :

Zur Schmitte, Am Roh 2, (02977) 2 68, – P
15. Nov.- 5. Dez. geschl. – Karte 14/37 *(Montag geschl.)* – **17 Z : 32 B** 35/45 - 60/75 – P 45/50.

In Schmallenberg 9-Westfeld O : 12 km :

Berghotel Hoher Knochen, am Hohen Knochen (O : 2 km), Höhe 650 m, (02975) 4 96, – TV P. E VISA
Mitte Nov.- Mitte Dez. geschl. – Karte 31/60 – **59 Z : 99 B** 70/95 - 130/164 Fb – 7 Appart. 170/230 – P 95/145.

Bischof, Am Birkenstück 3, (02975) 2 56, – P. E. Rest
10.- 19. April geschl. – Karte 23/45 *(Mittwoch geschl.)* – **18 Z : 35 B** 40/45 - 80/90 – P 54/59.

In Schmallenberg 38-Winkhausen O : 6 km :

Deimann zum Wilzenberg, an der B 236, (02975) 8 10, Bade- und Massageabteilung, – TV P
42 Z : 76 B Fb – 9 Fewo.

SCHMELZ 6612. Saarland 242 ②, 57 ⑥ – 17 400 Ew – Höhe 300 m – 06887.
♦Saarbrücken 30 – Dillingen/Saar 17 – Saarlouis 20 – ♦Trier 52.

Staudt, Trierer Str. 17, 21 45 – P
Freitag und Juli - Aug. 3 Wochen geschl. – Karte 18,50/44.

In Schmelz 5-Hüttersdorf S : 3 km :

Wilhelm, Kanalstr. 3a, 25 84 – P. AE E
wochentags nur Abendessen, Dienstag und Juli - Aug. 3 Wochen geschl. – Karte 43/81 *(bemerkenswerte Weinkarte)* (Tischbestellung ratsam).

SCHMITTEN IM TAUNUS 6384. Hessen 413 I 16 – 7 800 Ew – Höhe 440 m – Luftkurort – Wintersport : 534/880 m 4 2 – 06084.
Ausflugsziel : Großer Feldberg : ** S : 8 km.
Verkehrsamt, Parkstr. 2, 5 11.
♦Wiesbaden 37 – ♦Frankfurt am Main 37 – Gießen 55 – Limburg an der Lahn 39.

Kurhaus Ochs, Kanonenstr. 6, 5 59, – P. E
Karte 25/53 – **40 Z : 60 B** 50/75 - 80/120 Fb – P 75/97.

Haus Freund, Wiesensteg 2, 5 38 – P. E
Karte 22/50 – **38 Z : 62 B** 45/90 - 80/170.

In Schmitten 1-Arnoldshain SO : 1 km :

Haus Hattstein, Schöne Aussicht 9, 35 11 – P
14 Z : 24 B.

In Schmitten 3-Oberreifenberg SW : 4 km – Höhe 650 m – 06082 :

Waldhotel, Tannenwaldstr. 12 (O : 1 km), 6 42, « Gartenterrasse », – P
. AE E VISA. Rest
Karte 31/57 – **30 Z : 48 B** 58/68 - 98/118 – P 85/95.

Haus Reifenberg, Vorstadt 5, 29 75, – TV . AE E VISA. Zim
Karte 20/43 *(Dienstag und 15. Nov.- 24. Dez. geschl.)* – **20 Z : 30 B** 35/85 - 65/135 – 6 Fewo 65 – P 57/81.

Haus Burgfried garni, Arnoldshainer Weg 4, 21 31 –
12 Z : 18 B 45 - 80.

Ne confondez pas :

Confort des hôtels	: ...
Confort des restaurants	: XXXXX ... X
Qualité de la table	: ✿✿✿, ✿✿, ✿, Karte

SCHNAITTACH 8563. Bayern [413] R 18 – 6 900 Ew – Höhe 352 m – ☏ 09153.
◆München 178 – Amberg 49 – Bayreuth 55 – ◆Nürnberg 32.

🏨 **Kampfer**, Fröschau 1, ℘ 6 71, ⛱, 🌳 – ☎ 🚗 🏞. [D] [E]
↔ *15. Dez.- 15. Jan. geschl.* – Karte 17,50/41 *(Freitag geschl.)* – **30 Z : 43 B** 32/50 - 52/80 Fb.

In Schnaittach 2-Osternohe N : 5 km – Höhe 596 m – Erholungsort – Wintersport : 480/620 m ⛷1 :

🏨 **Igelwirt** 🌙, Igelweg 6, ℘ 2 97, <, ⛱ – 🅿 🏞
↔ Karte 17/32 *(Montag geschl.)* 🍽 – **27 Z : 48 B** 29/37 - 54/66 – P 40/47.

🏠 **Goldener Stern**, An der Osternohe 2, ℘ 75 86, ⛱, 🌳 – 🅿. 🚫
↔ *6. Nov.- 1. Dez. geschl.* – Karte 15,50/24 *(Donnerstag geschl.)* 🍽 – **18 Z : 35 B** 26/42 - 50/68.

An der Autobahn A 9 Bayreuth-Nürnberg :

🏨 **Autobahnraststätte Hienberg**, ✉ 8563 Schnaittach, ℘ (09155) 2 66, <, ⛱ – 🅿
Karte 24/42 – **17 Z : 38 B** 58/63 - 82/88.

Nördlich der Autobahnausfahrt Hormersdorf NO : 11 km :

🏨 **Schermshöhe** (mit Gästehaus), ✉ 8571 Betzenstein, ℘ (09244) 4 66, ⛱, [≡s], 🏊, 🌳 – ☎
↔ 🚗 🅿 🏞
28. Okt.- 5. Dez. geschl. – Karte 19,50/39 🍽 – **49 Z : 82 B** 37/69 - 64/128.

SCHNEIZLREUTH Bayern siehe Inzell.

SCHNEVERDINGEN 3043. Niedersachsen [987] [15] – 16 800 Ew – Höhe 85 m – Luftkurort – ☏ 05193.
[i] Verkehrsamt, Schulstr. 6a, ℘ 70 66.
◆Hannover 97 – ◆Bremen 74 – ◆Hamburg 63.

🏨 **Landhaus Höpen** 🌙, Höpener Weg 13, ℘ 10 31, Telex 924153, <, [≡s], 🏊, 🌳 – [TV] 🅿 🏞. [E]
Karte 42/87 – **44 Z : 78 B** 136/216 - 231/271 Fb – 3 Fewo 110/130.

In Schneverdingen-Barrl NO : 10 km :

🏨 **Hof Barrl**, an der B 3, ℘ (05198) 3 51, ⛱, 🌳, Fahrradverleih – [TV] 🚗 🅿
10. Jan.- 15. Feb. geschl. – Karte 24/45 *(Montag 15 Uhr - Dienstag geschl.)* – **9 Z : 16 B** 38/45 - 66/80.

In Schneverdingen-Heber SO : 13 km :

🏨 **Hof Tütsberg** 🌙 (Niedersächsischer Bauern- und Reiterhof), Tütsberg (NO : 6 km), ℘ (05199) 2 41, 🌳 – 🚗 🅿 🏞. 🚫 Rest
Ende Dez.- Jan. geschl. – Karte 22/50 – **25 Z : 36 B** 37/52 - 70/124.

In Schneverdingen-Lünzen W : 6 km :

🏨 **Landhaus Birkenhof** 🌙, Birkenhain 10, ℘ 60 95, ⛱, 🏊, 🌳 – ☎ 🅿
4.- 30. Nov. geschl. – Karte 20/43 *(Okt.- Juni Dienstag geschl.)* – **17 Z : 40 B** 45/60 - 90/110 – P 70/85.

SCHÖLLANG Bayern siehe Oberstdorf.

SCHÖMBERG Baden-Württemberg siehe Lossburg.

SCHÖMBERG (Zollernalbkreis) 7464. Baden-Württemberg [413] J 22 – 3 250 Ew – Höhe 670 m – ☏ 07427.
◆Stuttgart 90 – Rottweil 13 – Tübingen 46.

🏠 **Pension Kern**, Egertstr. 24, ℘ 26 08 – 🅿. 🚫 Zim
20. Dez.- 7. Jan. geschl. – (nur Abendessen für Hausgäste) – **14 Z : 18 B** 25/28 - 46/50.

SCHÖMBERG (Kreis Calw) 7542. Baden-Württemberg [413] I 20 – 7 100 Ew – Höhe 633 m – Heilklimatischer Kurort – Wintersport : ⛷ – ☏ 07084.
[i] Kurverwaltung, Rathaus, ℘ 71 11.
◆Stuttgart 74 – Calw 15 – Pforzheim 24.

🏨 **Mönch's Lamm**, Hugo-Römpler-Str. 21, ℘ 4 12 – ⇅ ☎ 🅿 🏞
4.- 22. Jan. geschl. – Karte 25/54 – **40 Z : 50 B** 60/74 - 115/120.

🏨 **Krone**, Liebenzeller Str. 15, ℘ 70 77 – ⇅ ☎ 🚗 🅿 🏞. [AE] [D] [E]
Karte 21/50 – **40 Z : 65 B** 38/70 - 75/110 – P 66/83.

🏠 Café Burkhardt, Schillerstr. 5, ℘ 66 07 – 🅿 – (Restaurant nur für Hausgäste) – **14 Z : 20 B.**

In Schömberg 3-Langenbrand NW : 2 km – Luftkurort:

🏨 **Schwarzwald-Sonnenhof** garni, Salmbacher Str. 35, ℘ 75 88, 🌳 – [TV] ☎ 🅿. 🚫
Nov. geschl. – **20 Z : 40 B** 44 - 80 Fb.

🏨 **Ehrich**, Schömberger Str. 26, ℘ 2 89, ⛱, [≡s], 🌳 – ♿ 🅿 🏞. [AE] [D]
3. Nov.- 3. Dez. geschl. – Karte 23/47 – **29 Z : 48 B** 40/65 - 65/80 Fb.

🏨 **Hirsch**, Forststr. 4, ✆ 75 27, ⛱, ♨ – 🚗 🅿
Nov. geschl. – Karte 21/33 *(Donnerstag geschl.)* – **15 Z : 25 B** 32/40 - 58/78 – P 50/54.

🏨 Café Waldblick garni, Zum Felsenmeer 3, ✆ 61 43 – ☎ 🅿
16 Z : 35 B – 2 Fewo.

In Schömberg 5-Oberlengenhardt SO : 3 km – Erholungsort :

🏨 Ochsen 🔇, Burgweg 3, ✆ 70 65, 🌳 – ☎ 🅿 – **16 Z : 36 B**.

SCHÖNAICH Baden-Württemberg siehe Böblingen.

SCHÖNAU a. d. BREND **8741.** Bayern [413] N 15 – 1 400 Ew – Höhe 310 m – Erholungsort – 📞 09775.

♦München 356 – ♦Bamberg 95 – Fulda 47 – ♦Würzburg 88.

🏨 **Im Krummbachtal** 🔇, Krummbachstraße 24, ✆ 7 11, ⛱, Biergarten, ♨, 🏊, 🌳, Fahrradverleih – ☎ 🅿 👥. AE ◑ E
(Restaurant nur für Hausgäste) – **27 Z : 54 B** 56 - 92 Fb – P 65/75.

⌂ **Krone**, Rhönstr. 57 (B 279), ✆ 2 58 – 🚗 🅿
20. Feb.- 13. März geschl. – Karte 20/35 – **16 Z : 28 B** 27/31 - 44/52 – P 36/40.

SCHÖNAU AM KÖNIGSSEE **8240.** Bayern [413] V 24 – 5 200 Ew – Höhe 620 m – Heilklimatischer Kurort – Wintersport : 560/1 100 m 🚡1 ⛷6 ⛷3 – 📞 08652 (Berchtesgaden).

Ausflugsziele : Königssee★★ S : 2 km – St. Bartholomä : Lage★ (nur mit Schiff ab Königssee erreichbar).

[i] Kur- und Verkehrsverein, im Haus des Gastes, ✆ 17 60.

♦München 159 – Berchtesgaden 5 – Bad Reichenhall 23 – Salzburg 28.

Im Ortsteil Faselsberg :

🏨 **Kur- und Sporthotel Alpenhof** 🔇, Richard-Voss-Str. 30, ✆ 60 20, Telex 56210, <, ⛱, Bade- und Massageabteilung, 🏋, ♨, 🏊, 🌳, 🎾 – ⇅ 📺 🅿. AE ◑ E VISA. 🐕 Zim
15. Jan.- 2. Feb. und Nov.- 20. Dez. geschl. – Karte 38/56 – **55 Z : 100 B** 90/145 - 180/230 Fb – P 120/145.

Im Ortsteil Königssee [987] ㊳ :

🏨 **Schiffmeister** 🔇 garni, Seestr. 34, ✆ 40 15, <, 🏊, 🌳 – ⇅ ☎ 🅿. AE ◑ E VISA
März und Nov.- 25. Dez. geschl. – **30 Z : 60 B** 51/80 - 90/150.

Im Ortsteil Oberschönau :

🏨 **Stoll's Hotel Alpina** 🔇, Ulmenweg 14, ✆ 50 91, < Kehlstein, Hoher Göll, Watzmann und Hochkalter, « Garten », Bade- und Massageabteilung, ♨, 🌊 (geheizt), 🏊, 🌳 – ☎ 🅿
10.- 31. Jan. und 4. Nov.- 18. Dez. geschl. – Karte 29/50 – **50 Z : 100 B** 65/120 - 110/160 Fb – 4 Appart. 180/240.

🏨 **Zechmeisterlehen** 🔇, Wahlstr. 35, ✆ 6 20 81, <, ♨, 🏊, 🌳 – ⇅ 📺 ☎ 🅿
Nov.- 20. Dez. geschl. – (nur Abendessen für Hausgäste) – **39 Z : 75 B** 64/98 - 148/196 Fb.

🏨 **Georgenhof** 🔇, Modereggweg 21, ✆ 6 20 66, < Hoher Göll, Watzmann und Hochkalter, 🌳 – 📺 ☎ ♿ 🅿. 🐕 Rest
Nov.- 20. Dez. geschl. – (nur Abendessen für Hausgäste) – **16 Z : 30 B** 61/70 - 112/122 Fb.

Im Ortsteil Schwöb :

🏨 **Lichtenfels**, Alte Königsseer Str. 15, ✆ 40 35 – 📺 ☎ 🅿. AE ◑ E VISA
Karte 23/54 *(außer Saison Mittwoch geschl.)* – **10 Z : 20 B** 55 - 110 Fb.

⌂ **Café Waldstein** 🔇, Königsseefußweg 17, ✆ 24 27, ⛱, 🌳 – 🚗 🅿
◆ *Mai - 15. Okt.* – Karte 19,50/35 *(Montag geschl.)* – **20 Z : 36 B** 38/46 - 72/80 Fb.

Im Ortsteil Unterschönau :

🏨 **Köppleck** 🔇, Am Köpplwald 15, ✆ 6 10 66, < Kehlstein, Jenner und Watzmann, ⛱, 🌳 – 📺 ☎ 🅿. E
Mai - Okt. – Karte 23/43 – **22 Z : 42 B** 60 - 96 Fb.

SCHÖNAU IM SCHWARZWALD **7869.** Baden-Württemberg [413] G 23, [987] ㉞, [242] ㊱ ㊵ – 2 300 Ew – Höhe 542 m – Luftkurort – Wintersport : 800/1 414 m ⛷3 ⛷4 – 📞 07673.

Ausflugsziel : Belchen ✳ ★★★, NW : 14 km.

[i] Kurverwaltung, Haus des Gastes, Gentnerstr. 2a, ✆ 4 08.

♦Stuttgart 186 – Basel 42 – Donaueschingen 63 – ♦Freiburg im Breisgau 38.

🏨 **Kirchbühl** 🔇, Kirchbühlstr. 6, ✆ 2 40, ⛱ – ☎ 🅿. ◑ E VISA. 🐕 Zim
20. Nov.- 10. Dez. geschl. – Karte 26/51 *(Dienstag geschl.)* 🍷 – **10 Z : 19 B** 42 - 74 Fb – P 59.

🏨 Ochsen, Talstr. 11, ✆ 2 01, Biergarten – 🅿
12 Z : 23 B.

🏨 **Vier Löwen**, Talstr. 18, ✆ 2 35 – 🅿
Ende März - Anfang April geschl. – Karte 24/55 *(Montag geschl.)* 🍷 – **7 Z : 14 B** 38 - 75 Fb – P 55.

In Tunau **7869** SO : 3 km :

Zur Tanne, Alter Weg 4, (07673) 3 10, ←, – P
Mitte Nov.- Mitte Dez. geschl. – Karte 22/38 *(Dienstag geschl.)* – **15 Z : 25 B** 40/48 - 80/86 – P 60/68.

Auf dem Belchen NW : 14 km – Höhe 1 413 m :

Berghotel Belchenhaus, 7869 Schönau, (07673) 2 81, ← Schwarzwaldberge, Schweizer Alpen und Vogesen – P
Karte 21/54 *(Nov.- April Montag geschl.)* – **24 Z : 38 B** 35 - 71 Fb – P 68.

SCHÖNAU (RHEIN-NECKAR-KREIS) 6917. Baden-Württemberg 413 J 18 – 4 600 Ew – Höhe 175 m – 06228.

♦Stuttgart 115 – Heidelberg 18 – Mosbach 43.

Pfälzer Hof, Ringmauerweg 1, 82 88 – P. AE E VISA
Mitte Jan.- Mitte Feb. geschl. – Karte 36/85 *(Montag - Dienstag geschl.)* – **13 Z : 25 B** 40/50 - 75/105.

In Schönau-Altneudorf N : 3 km :

Zum Pflug, Altneudorfer Str. 16, 82 07 – P
Feb. und Donnerstag geschl. – Karte 22/46.

Deutscher Kaiser, Altneudorfer Str. 117, 82 74 – P
Montag geschl. – Karte 18,50/45.

SCHÖNBERG 8351. Bayern 413 X 20, 987 ㉘, 426 ⑦ – 2 600 Ew – Höhe 565 m – Luftkurort – Wintersport : 650/700 m 1 1 – 08554.

Verkehrsamt, Rathaus, 8 21.

♦München 181 – Cham 74 – Deggendorf 38 – Passau 34.

Zur Post, Marktplatz 19, 14 12 – P
4.- 29. Nov. geschl. – Karte 17,50/32 *(Samstag ab 14 Uhr geschl.)* – **28 Z : 56 B** 35/40 - 62 – P 44/46.

Unterer Markt, Unterer Marktplatz 12, 5 75, – P. Rest
18 Z : 40 B Fb.

Bayerischer Hof, Marktplatz 13, 3 06, Massage, – P
65 Z : 110 B.

Dorfner, Marktplatz 3, 8 95, – P
Nov. geschl. – Karte 15/36 *(Freitag geschl.)* – **10 Z : 21 B** 29/32 - 52/58 – P 41/43.

Der Rote MICHELIN-Hotelführer : Main Cities EUROPE für Geschäftsreisende und Touristen.

SCHÖNBERG 2306. Schleswig-Holstein 987 ⑤ – 4 900 Ew – Höhe 18 m – Erholungsort – 04344.

Kurverwaltung, Rathaus, 38 35.

♦Kiel 26 – Lütjenburg 22 – Preetz 19.

Ruser's Hotel, Albert-Koch-Str. 4, 20 13, – P
Karte 21/45 – **31 Z : 65 B** 50 - 92.

In Schönberg-Kalifornien N : 5 km :

Kalifornien, Deichweg 3, 13 88, – P. Zim
Mitte Okt.- Mitte Nov. geschl. – Karte 23/40 *(15. Sept.- April Montag geschl.)* – **14 Z : 30 B** 30/50 - 60/100 – 2 Fewo 100/140.

SCHÖNBORN, BAD 7525. Baden-Württemberg 413 IJ 19, 987 ㉕ – 8 900 Ew – Höhe 110 m – Heilbad – 07253.

Kurverwaltung, Rathaus Mingolsheim, 44 96.

♦Stuttgart 79 – Heidelberg 25 – Heilbronn 51 – ♦Karlsruhe 37.

In Bad Schönborn - Langenbrücken :

Quellenhof, Östringer Str. 40, 40 60, Telex 782106, Fax 32502, – P. AE E VISA
Karte 25/52 – **22 Z : 43 B** 84/124 - 124/174 Fb.

Monica garni, Kirchbrändelring 42, 40 16, Fahrradverleih – P.
13 Z : 26 B 64 - 84 Fb.

Peters garni, Franz-Peter-Sigel-Str. 39, 68 56, – P. E.
März - April 2 Wochen geschl. – **10 Z : 20 B** 50 - 74 Fb.

Zur den Drei Königen, Huttenstr. 2, 60 14, eigener Weinbau – P
8 Z : 11 B.

In Bad Schönborn - Mingolsheim :

🏨 **Waldparkstube,** Waldparkstr. 1, ☎ 46 73, Massage – [TV] ☎ [P] 🏋. 🚫🐕
🍴 *23. Dez.- 8. Jan. geschl.* – Karte 19/44 *(Freitag 14 Uhr - Samstag geschl.)* – **30 Z : 40 B** 75/90 - 110/150.

🏨 **Gästehaus Prestel** 🪑 garni, Beethovenstr. 20, ☎ 41 07, 🌳, Fahrradverleih – 🛗 🚭 Zim ☎ [P]. 🚫🐕
28 Z : 37 B 40/45 - 65 – 5 Fewo 65.

🏨 Erck, Heidelberger Str. 22 (B 3), ☎ 51 51, ⛱ – [P]
17 Z : 27 B.

🍴 **Schweizer Stube,** Friedrichstr. 48, ☎ 46 85 – [P]
2.- 10. Jan., 15. Juni - 1. Juli und Freitag - Samstag 17 Uhr geschl. – Karte 24/46 🍷.

SCHÖNBUSCH (Park) Bayern. Sehenswürdigkeit siehe Aschaffenburg.

SCHÖNECKEN 5541. Rheinland-Pfalz [987] ㉓, [409] ⑰ – 1 900 Ew – Höhe 400 m – ☎ 06553.
Mainz 199 – Euskirchen 76 – Prüm 7,5 – ◆Trier 56.

🏨 **Burgfrieden** 🪑, Rammenfeld 6, ☎ 22 09, ≤, ⛱, 🌳 – 🚗 [P]
🍴 Karte 19,50/40 – **21 Z : 36 B** 40 - 70.

SCHÖNEGRÜND Baden-Württemberg siehe Baiersbronn.

SCHÖNMÜNZACH Baden-Württemberg siehe Baiersbronn.

SCHÖNSEE 8476. Bayern [413] U 18, [987] ㉗ – 2 600 Ew – Höhe 656 m – Erholungsort – Wintersport : 550/900 m ⛷5, ⛷10, Sommerrodelbahn – ☎ 09674.
[i] Verkehrsamt, Rathaus, ☎ 4 18.
◆München 235 – Cham 56 – ◆Nürnberg 136 – Weiden in der Oberpfalz 51.

🏨 **St. Hubertus** 🪑, Hubertusweg 1, ☎ 4 15, Telex 631825, ≤, ⛱, « Jagdmuseum », Bade- und Massageabteilung, ♨, 🏊, 🌳, 🎾 – 🛗 🚗 [P] 🏋. [AE] [D]
🍴 *Mitte Nov.- Mitte Dez. geschl.* – Karte 16/49 – **81 Z : 150 B** 57/69 - 82/108 Fb – 25 Fewo 78 – P 67/95.

🏨 Waldhotel Drechselberg 🪑, Böhmerwaldstr. 42, ☎ 15 20, ≤, ⛱, 🌳 – [P]
40 Z : 80 B.

🏨 **Haberl,** Hauptstr. 9, ☎ 2 14 – [P]
🍴 *über Ostern 2 Wochen geschl.* – Karte 14,50/27 *(Montag geschl.)* 🍷 – **15 Z : 31 B** 26 - 52.

In Schönsee 3-Gaisthal SW : 6 km :

🏨 **Gaisthaler Hof,** Schönseer Str. 16, ☎ 2 38, ⛱, ♨, 🌳, 🏇 (Reitschule) – [P]
🍴 *Nov. geschl.* – Karte 15/26 *(Montag geschl.)* – **22 Z : 40 B** 27/32 - 48/56 – 4 Fewo – P 35/39.

🏠 Zur Waldesruh 🪑, Am Buchberg 2, ☎ 14 93, ≤, ⛱, 🌳 – [P]
11 Z : 21 B.

SCHÖNTAL 7109. Baden-Württemberg [413] L 19 – 5 700 Ew – Höhe 210 m – ☎ 07943.
Sehenswert : Ehemalige Klosterkirche★ (Alabasteraltäre★★) – Klosterbauten (Ordenssaal★).
◆Stuttgart 86 – Heilbronn 44 – ◆Würzburg 67.

In Kloster Schöntal :

🏨 **Pension Zeller** 🪑 garni, Honigsteige 21, ☎ 6 00, 🌳 – 🚗 [P]. 🚫🐕
20. Dez.- 10. Jan. geschl. – **17 Z : 34 B** 29/36 - 51/62.

SCHÖNWALD 7741. Baden-Württemberg [413] H 22, [987] ㉞ ㉟ – 2 400 Ew – Höhe 988 m – Heilklimatischer Kurort – Wintersport : 950/1 150 m ⛷5 ⛷5 – ☎ 07722 (Triberg).
[i] Kurverwaltung, Rathaus, ☎ 40 46, Telex 792415.
◆Stuttgart 146 – Donaueschingen 37 – ◆Freiburg im Breisgau 56 – Offenburg 63.

🏨 **Dorer** 🪑, Franz-Schubert-Str. 20, ☎ 10 66, 🏊, 🌳 – [TV] ☎ 🚗 [P]. [AE] [D] [E] [VISA]. 🚫🐕 Rest (Restaurant nur für Hausgäste) – **20 Z : 34 B** 60/124 - 116/134 Fb – P 90/156.

🏨 **Zum Ochsen,** Ludwig-Uhland-Str. 18, ☎ 10 45, Telex 792606, ≤, ⛱, ♨, 🏊, 🌳, 🎾, Fahrradverleih – [TV] ☎ 🚗 [P]. [AE] [D] [E] [VISA]
15.- 30. Nov. geschl. – Karte 39/72 *(Dienstag - Mittwoch und 1.- 15. Dez. geschl.)* – **39 Z : 76 B** 51/99 - 92/164 Fb – 5 Appart. 180 – P 90/140.

🏨 **Landgasthof Falken,** Hauptstr. 5, ☎ 43 12 – ☎ 🚗 [P]. [AE] [D] [E] [VISA]
15. Nov.- 18. Dez. geschl. – Karte 24/55 *(Donnerstag geschl.)* – **15 Z : 28 B** 45/54 - 90/104 Fb.

🏨 **Pension Silke** 🪑, Feldbergstr. 8, ☎ 60 81, ≤, ♨, 🌳 – ☎ [P]
Nov.- 24. Dez. geschl. – Karte 24/36 *(nur Abendessen)* – **36 Z : 60 B** 36/45 - 68/90 Fb.

Bäuerle ⋟, Anton-Bruckner-Str. 3, ☎ 40 01, ⋞, ⚘ – TV ☎ ⇌ P. E
20. Nov.- 15. Dez. geschl. – Karte 24/52 *(Dienstag geschl.)* – **19 Z : 35 B** 54/78 - 108/116 Fb – P 76.

Löwen, Furtwanger Str. 8 (Escheck), ☎ 41 14, ⚘ – ⇌ P. ✗
Mitte Nov.- Mitte Dez. geschl. – Karte 19/42 *(Mittwoch geschl.)* – **11 Z : 21 B** 40 - 76 – P 56.

Landhaus Karoline ⋟ garni, Goethestr. 8, ☎ 51 91, ⋞, ≘s, ⚘ – ⓓ
2. Nov.- 10. Dez. geschl. – **15 Z : 30 B** 49/69 - 92/98.

SCHÖNWALD 8671. Bayern 413 T 16 – 4 250 Ew – Höhe 626 m – ☎ 09287 (Selb).

♦München 297 – Bayreuth 68 – Hof 22.

Ploss, Grünhaid 1 (B 15), ☎ 54 86 – P – **27 Z : 48 B.**

SCHÖNWALDE AM BUNGSBERG 2437. Schleswig-Holstein 987 ⑥ – 2 300 Ew – Höhe 100 m – Erholungsort – ☎ 04528.

♦Kiel 53 – ♦Lübeck 44 – Neustadt in Holstein 11 – Oldenburg in Holstein 17.

Café Feldt garni, Am Lachsbach 3, ☎ 2 31, ⚘ – TV ⇌ P. AE E. ✗
Nov. geschl. – **19 Z : 38 B** 36/48 - 70/80.

Altes Amt, Eutiner Str. 39, ☎ 7 75 – P. AE. ✗
1.- 20. Feb. und Dienstag geschl. – Karte 45/60 (Tischbestellung erforderlich).

SCHÖPPINGEN 4437. Nordrhein-Westfalen – 5 500 Ew – Höhe 94 m – ☎ 02555.

♦Düsseldorf 133 – Enschede 31 – Münster (Westfalen) 33 – ♦Osnabrück 74.

Zum Rathaus, Hauptstr. 52, ☎ 2 05, ≘s – ⇌ P – **20 Z : 40 B.**

Zur alten Post, Hauptstr. 82, ☎ 2 22 – ⇌ P. AE ⓓ E VISA. ✗
Karte 19/50 *(Mittwoch geschl.)* – **15 Z : 26 B** 39/50 - 78/96.

In Schöppingen-Eggerode S : 4 km :

Haus Tegeler, Vechtestr. 24, ☎ (02545) 6 97 – P. ✗ Zim
Karte 22/36 *(15. Jan. - 15. Feb. geschl.)* – **11 Z : 18 B** 35/38 - 70/80.

Winter, Gildestr. 3, ☎ (02545) 2 55, ☂ – ⇌ P – **9 Z : 17 B.**

SCHOLLBRUNN 8771. Bayern 413 L 17 – 800 Ew – Höhe 392 m – Erholungsort – ☎ 09394.

♦München 325 – Aschaffenburg 34 – Wertheim 11 – ♦Würzburg 49.

Benz ⋟, Am Herrengrund 1, ☎ 2 92, ≘s, ⊠, ⚘ – ⇌ P ⛹. ✗
23. Jan.- 25. Feb. geschl. – (Restaurant nur für Hausgäste) – **32 Z : 62 B** 46/50 - 88/92 – P 58/62.

Zur Sonne, Brunnenstr.1, ☎ 3 44, ⚘ – P
Karte 16,50/33 *(Dienstag geschl.)* ♁ – **38 Z : 76 B** 45 - 75.

SCHONACH 7745. Baden-Württemberg 413 H 22 – 4 600 Ew – Höhe 885 m – Luftkurort – Wintersport : 900/1 152 m ≤4 ⛷4 – ☎ 07722 (Triberg).

ℹ Kurverwaltung, Haus des Gastes, Hauptstraße, ☎ 60 33, Telex 792600.

♦Stuttgart 143 – Offenburg 60 – Triberg 4 – Villingen-Schwenningen 30.

Rebstock, Sommerbergstr. 10, ☎ 53 27, ⋞, ≘s, ⊠ – |♦| ⇌ P. AE ⓓ E
Ende Okt.- Mitte Nov. geschl. – Karte 24/46 *(Dienstag geschl.)* ♁ – **25 Z : 44 B** 45 - 90 Fb.

Lamm, Hauptstr. 21, ☎ 53 06 – ☎ P
3.- 30. April und 27. Nov.- 18. Dez. geschl. – Karte 19/45 *(Mittwoch geschl.)* – **26 Z : 50 B** 42/50 - 75/80.

Schwanen (Schwarzwaldgasthof a.d. 18. Jh.), Hauptstr. 18, ☎ 52 96, ⋞, ☂ – ☎ ⇌ P. AE ⓓ E VISA
5.- 24. April und Nov. geschl. – Karte 25/48 *(Montag geschl.)* – **20 Z : 35 B** 45/48 - 84.

Schloßberg, Sommerbergstr. 28, ☎ 53 33, ⚘ – |♦|. AE ⓓ E VISA
Mitte Nov.- Mitte Dez. geschl. – Karte 22/43 – **34 Z : 58 B** 42/45 - 74 – P 60.

Michel's Restaurant, Triberger Str. 42, ☎ 55 16 – P. AE ⓓ E VISA
Montag 15 Uhr- Dienstag geschl. – Karte 38/62.

SCHONGAU 8920. Bayern 413 P 23, 987 ㊱, 426 ⑯ – 10 900 Ew – Höhe 710 m – Erholungsort – ☎ 08861.

ℹ Verkehrsverein, Bahnhofstr. 44, ☎ 72 16.

♦München 83 – Füssen 36 – Garmisch-Partenkirchen 50 – Landsberg am Lech 27.

Holl ⋟, Altenstädter Str. 39, ☎ 72 92, ⋞ – TV ☎ P. AE ⓓ E VISA
Karte 25/59 *(Samstag - Sonntag und 23. Dez.- 9. Jan. geschl.)* – **25 Z : 50 B** 75 - 120 Fb.

Rössle garni, Christophstr. 49 (2. Etage, |♦|), ☎ 26 46 – TV ☎ ⇌ P. AE ⓓ E VISA
17 Z : 34 B 75/95 - 120/140 Fb.

Alte Post, Marienplatz 19, ☎ 80 58 – TV ☎. E
24. Dez.- 9. Jan. geschl. – Karte 18/38 *(Samstag sowie Sonn- und Feiertage geschl.)* ♁ – **28 Z : 57 B** 55/75 - 105/130 Fb.

[SCHOPFHEIM] **7860.** Baden-Württemberg [413] G 24, [987] ㉞, [427] ④ ⑤ – 16 000 Ew – Höhe 374 m – ☎ 07622.

[i] Verkehrsamt, Hauptstr. 31 (Rathaus), ☎ 39 61 16.

♦Stuttgart 275 – Basel 23 – ♦Freiburg im Breisgau 79 – Zürich 77.

- 🏨 **Zum Statthalter von Schopfheim**, Wehrer Str. 36 (B 518), ☎ 70 84 – 🚗 [P]
  Karte 21/38 *(Samstag und 16.- 31. Juli geschl.)* 🍷 – **18 Z : 25 B** 39/42 - 75.
- 🏨 **Adler**, Hauptstr. 100, ☎ 27 30 – 🚗 [P]. [D]
  Juli 2 Wochen geschl. – Karte 21/48 *(Freitag - Samstag 17 Uhr geschl.)* 🍷 – **17 Z : 25 B** 32/45 - 65/84 Fb.
- 🍴🍴🍴 ✽ **Alte Stadtmühle**, Entegaststr. 9, ☎ 24 46
  5.- 23.Feb., Samstag bis 18 Uhr und Mittwoch geschl. – Karte 78/168 *(nur Menu)*
  Spez. Salat vom Kaninchenrücken, St. Petersfisch im Kartoffelmantel mit Schnittlauch-Tomatensauce, Pochiertes Rinderfilet in Rotweinbuttersauce.
- 🍴 **Glöggler**, Austr. 5, ☎ 21 67, 🌂
  Juli - 4. Aug. und Dienstag 14 Uhr - Mittwoch geschl. – Karte 28/57 🍷.

In Schopfheim 5-Gersbach NO : 16 km – Wintersport : 870/970 m ⛷2 :

- 🏨 **Mühle zu Gersbach** 🔇, Zum Bühl 4, ☎ (07620) 2 25, 🌂, 🌳 – [P] 🚌. [D] [E]. ✗ Zim
  6. Jan.- 3. Feb. geschl. – Karte **30**/67 *(Dienstag - Mittwoch 17 Uhr geschl.)* 🍷 – **14 Z : 28 B** 40/60 - 80/100.

In Schopfheim-Gündenhausen W : 2 km :

- 🏨 **Zum Löwen**, Hauptstr. 16 (B 317), ☎ 80 12, 🌂, 🌳 – ☎ 🚗 [P]. [E]. ✗
  ◆ Karte 16/53 *(Sonntag ab 14 Uhr geschl.)* 🍷 – **23 Z : 40 B** 35/49 - 62/86 Fb.

In Schopfheim-Schlechtbach NO : 12 km :

- 🏨 **Auerhahn** 🔇, Hauptstr. 5, ☎ (07620) 2 28, 🌂, 🌳 – 🚗 [P]
  Nov. geschl. – Karte 23/60 *(Donnerstag geschl.)* 🍷 – **10 Z : 18 B** 26/34 - 52/68 – P 51/59.

In Schopfheim-Wiechs SW : 3 km :

- 🏨 **Krone - Landhaus Brunhilde** 🔇, Am Rain 6, ☎ 76 06, ≤, 🌂, 🏊, 🌳 – ☎ ♿ [P]. [E]. ✗ Zim
  Karte 20/45 *(Freitag - Samstag 17 Uhr sowie Feb. und Nov. je 2 Wochen geschl.)* 🍷 – **37 Z : 66 B** 48/55 - 86/95 Fb.
- 🏨 **Berghaus Hohe Flum** 🔇, Auf der Hohen Flum 2, ☎ 27 82, ≤, 🌂, 🌳 – [P]
  21. Dez.- 21. Jan. geschl. – Karte 23/40 *(Donnerstag 15 Uhr - Freitag geschl.)* 🍷 – **10 Z : 15 B** 30/45 - 80 – P 49/64.

In Maulburg **7864** W : 3 km :

- 🏨 **Murperch** garni, Hotzenwaldstr. 1, ☎ (07622) 80 44, 🌳 – [TV] ☎ [P]. [AE] [D] [E] [VISA]
  14 Z : 20 B 60/70 - 75/120 Fb.

[SCHOPFLOCH] Baden-Württemberg siehe Lenningen.

[SCHORNDORF] **7060.** Baden-Württemberg [413] L 20, [987] ㉟ – 34 600 Ew – Höhe 256 m – ☎ 07181.

Sehenswert : Oberer Marktplatz★.

♦Stuttgart 29 – Göppingen 20 – Schwäbisch Gmünd 23.

- 🍴🍴 **Erlenhof**, Mittlere Uferstr 70 (Erlensiedlung), ☎ 7 56 54 – [P]
  Montag und Juli - Aug. 3 Wochen geschl. – Karte 29/68.

In Winterbach **7065** W : 4 km :

- 🏨 **Am Engelberg**, Ostlandstr. 2 (nahe der B 29), ☎ (07181) 70 09 60, ♨, 🏊 – |◆| ☎ [P] 🚌. [AE] [D] [E]
  1.- 19. Aug. geschl. – Karte 30/48 *(nur Abendessen, Samstag - Sonntag geschl.)* – **36 Z : 50 B** 53/85 - 85/125.

[SCHOTTEN] **6479.** Hessen [413] K 15, [987] ㉕ – 10 000 Ew – Höhe 274 m – Luftkurort – Wintersport : 600/763 m ⛷4 ⛷4 – ☎ 06044.

⛳ Lindenstr. 5, ☎ 13 75.

[i] Stadtverwaltung, Vogelsbergstr. 184, ☎ 66 51.

♦Wiesbaden 100 – ♦Frankfurt am Main 72 – Fulda 52 – Gießen 41.

- 🏨 **Sonnenberg** 🔇, Laubacher Str. 25, ☎ 7 71, ≤, 🌂, ♨, 🏊, 🌳, 🎾 – ☎ [P] 🚌. [AE] [E]
  Karte 25/46 – **54 Z : 103 B** 48/58 - 80/98 Fb – P 75.
- 🏨 **Adler**, Vogelsbergstr. 160, ☎ 24 37 – [P]
  ◆ Karte 17/36 – **33 Z : 58 B** 34 - 64/68 – P 45/55.
- 🍴🍴 **Zur Linde**, Schloßgasse 3, ☎ 15 36 – [P]. [AE] [D] [E] [VISA]
  wochentags nur Abendessen, Dienstag geschl. – Karte 46/60.

In Schotten 19-Betzenrod :

- 🏨 **Landhaus Appel** 🔇, Altenhainer Str. 38, ☎ 7 05, ≤, ♨ – ☎ [P] 🚌. [AE] [D] [E]
  17. Juli - 3. Aug. geschl. – Karte 27/43 – **26 Z : 44 B** 38/44 - 64/70 Fb – P 65/67.

[SCHRAMBERG] 7230. Baden-Württemberg [413] HI 22, [987] ㉟ – 19 000 Ew – Höhe 420 m – Erholungsort – ☎ 07422.

[i] Städt. Verkehrsbüro, Hauptstr. 25, ✆ 2 92 15.

♦Stuttgart 118 – ♦Freiburg im Breisgau 64 – Freudenstadt 37 – Villingen-Schwenningen 32.

🏨 **Parkhotel** (ehem. Villa), Im Stadtpark, ✆ 2 08 18, 🌳 – 📺 ☎ 🚗 🅿 🏛. AE ⓓ E
Juli geschl. – Karte 23/50 *(Mittwoch geschl.)* – **10 Z : 18 B** 38/66 - 76/110.

🍴🍴 **Hirsch**, Hauptstr. 11, ✆ 2 05 30 – AE ⓓ E VISA
Sonntag 14 Uhr - Dienstag 18 Uhr und Juli - Aug. 4 Wochen geschl. – Karte 49/78 (Tischbestellung ratsam).

🍴 **Schilteckhof** mit Zim, Schilteck 1, ✆ 36 78, ≤, 🌳, 🐎 – 🅿
Feb. 2 Wochen und Ende Okt.- Mitte Nov. geschl. – Karte 29/45 *(Montag geschl.)* – **4 Z : 8 B** 30 - 60.

🍴 **Braustube Schraivogel**, Hauptstr. 51, ✆ 46 70 – 🚭. E
Montag 14 Uhr - Dienstag geschl. – Karte 21/45.

Außerhalb W : 4,5 km über Lauterbacher Straße :

🍴 **Burgstüble** mit Zim, Hohenschramberg 1, ✉ 7230 Schramberg, ✆ (07422) 77 73, ≤ Schramberg und Schwarzwaldhöhen, 🌳 – 🅿. ⓓ
7.-31. Jan. geschl. – Karte 19,50/43 *(Donnerstag geschl.)* – **6 Z : 13 B** 40 - 80 – P 54.

[SCHRIESHEIM] 6905. Baden-Württemberg [413] IJ 18 – 14 100 Ew – Höhe 120 m – ☎ 06203.

♦Stuttgart 130 – ♦Darmstadt 53 – Heidelberg 8 – ♦Mannheim 18.

🏨 **Neues Ludwigstal**, Strahlenberger Str. 2, ✆ 66 28, 🌳 – ☎ 🚗 🅿
Mitte Jan.- Anfang Feb. geschl. – Karte 17,50/40 *(Mittwoch - Donnerstag 16 Uhr geschl.)* 🍷 – **32 Z : 52 B** 42/44 - 72/76 Fb.

🏨 **Gästehaus Weinstuben Hauser**, Steinachstr. 12, ✆ 6 14 45, eigener Weinbau – 🅿
Ende Juli - Mitte Aug. geschl. – Karte 26/42 *(nur Abendessen, Sonntag geschl.)* 🍷 – **24 Z : 38 B** 29/38 - 56/70.

🍴🍴 **Strahlenburg**, Auf der Strahlenburg (O : 3 km), ✆ 6 12 32, « Terrasse mit ≤ Schriesheim » – 🅿. AE VISA
Okt.- März Dienstag und Jan.- 15. Feb. geschl. – Karte 35/68.

In Schriesheim-Altenbach O : 7,5 km :

🏠 **Bellevue**, Röschbachstr. 1, ✆ (06220) 15 20, 🌳, 🐎 – 🅿. 🚫 Zim
Karte 19/38 🍷 – **10 Z : 18 B** 38/48 - 74/88.

In Schriesheim 3-Ursenbach NO : 7,5 km :

🍴 Landhaus Greßlin, Ortsstr. 1, ✆ (06220) 82 00, 🌳 – 🅿.

[SCHROBENHAUSEN] 8898. Bayern [413] Q 21, [987] ㊱ – 14 300 Ew – Höhe 414 m – ☎ 08252.

♦München 74 – ♦Augsburg 42 – Ingolstadt 37 – ♦Ulm (Donau) 113.

🏨 **Zur Post** garni, Lenbachplatz 9, ✆ 70 84 – 🛗 📺 ☎ 🚗. AE E VISA
22. Dez.- 7. Jan. geschl. – **25 Z : 39 B** 49/55 - 74/84 Fb.

🏨 **Grieser**, Bahnhofstr. 36, ✆ 20 04, Biergarten – ☎ 🚗 🅿 🏛. AE ⓓ E VISA. 🚫
Karte 28/58 *(Freitag - Samstag 17 Uhr und 1.- 20. Aug. geschl.)* – **25 Z : 33 B** 44/52 - 68/72 Fb.

In Schrobenhausen-Hörzhausen SW : 5 km :

🏨 **Gästehaus Eder**, Bernbacher Str. 3, ✆ 24 15, 🌳, 🧖, 🏊 (Gebühr), 🐎 – 📺 ☎ 🅿. AE ⓓ E
8.- 22. Aug. geschl. – Karte 22/40 *(nur Abendessen, Sonntag geschl.)* – **15 Z : 24 B** 40 - 65 Fb.

[SCHÜTTORF] 4443. Niedersachsen [987] ⑭, [408] ⑭ – 13 600 Ew – Höhe 32 m – ☎ 05923.

♦Hannover 201 – Enschede 35 – Nordhorn 23 – ♦Osnabrück 63.

🏨 **Lindemann**, Steinstr. 40, ✆ 44 37 – 📺 ☎ 🚗 🅿. AE ⓓ E
Karte 25/53 *(Freitag ab 14 Uhr geschl.)* – **20 Z : 34 B** 33/44 - 60/80 Fb.

🏨 **Löhr**, Pagenstr. 1, ✆ 23 91 – 🅿. AE ⓓ
Karte 19/40 – **12 Z : 25 B** 43 - 80.

🍴🍴 Nickisch, Friedrich-Kröner-Str. 2, ✆ 18 72, 🌳 – ▤ ♿ 🅿.

In Schüttorf-Suddendorf SW : 3 km :

🏨 **Stähle**, Postweg 115, ✆ 50 24, « Gartenterrasse », 🧖, 🏊, 🐎 – 📺 ☎ 🚗 🅿 🏛. AE E
Karte 28/63 – **20 Z : 41 B** 65/75 - 110/150 Fb.

[SCHULD] 5489. Rheinland-Pfalz – 800 Ew – Höhe 270 m – ☎ 02695 (Insul).

Mainz 176 – Adenau 11 – ♦Bonn 46.

🏠 Schäfer, Schulstr. 2, ✆ 3 40, « Caféterrasse mit ≤ Ahr » – 🅿
10 Z : 20 B.

🏠 **Zur Linde**, Hauptstr. 2, ✆ 2 01, ≤, 🌳 – 🅿
über Karneval 2 Wochen geschl. – Karte 22/49 *(Nov.- April Dienstag geschl.)* – **14 Z : 24 B** 35 - 70.

[SCHUSSENRIED, BAD] 7953. Baden-Württemberg [413] LM 22, [987] ㉟㊱, [426] ⑭ – 7 600 Ew – Höhe 580 m – Heilbad – ☎ 07583.

Sehenswert : Ehemaliges Kloster (Bibliothek ★).

Ausflugsziel : Bad Schussenried-Steinhausen : Wallfahrtskirche ★ NO : 4,5 km.

♦ Stuttgart 120 – Ravensburg 35 – ♦Ulm (Donau) 61.

🏨 **Barbara**, Georg-Kaess-Str. 2, ✆ 26 50 – ☎ [P] 🏠. E
(nur Abendessen für Hausgäste) – **20 Z : 38 B** 30/58 - 60/95 Fb.

[SCHUTTERTAL] 7631. Baden-Württemberg [413] G 22, [242] ㉘, [87] ⑥ – 3 400 Ew – Höhe 421 m – Erholungsort – ☎ 07823 (Seelbach).

[i] Verkehrsamt, Rathaus, Hauptstr. 5 (Dörlinbach), ✆ (07826) 2 38.

♦Stuttgart 180 – ♦Freiburg im Breisgau 50 – Offenburg 38.

🏨 **Adler**, Talstr. 5, ✆ 22 76, 🌳, 🏊 (geheizt), 🌲 – 🚗 [P] 🏠. [D] E [VISA]
über Fastnacht 3 Wochen geschl. – Karte 20/52 *(Montag geschl.)* 🍷 – **19 Z : 40 B** 33 - 66.

In Schuttertal 1 - Dörlinbach S : 2,5 km :

🏠 **Löwen**, Hauptstr. 4, ✆ (07826) 3 24, 🏔, 🌲 – [P]. E
1.- 15. Feb. und 1.- 15. Dez. geschl. – Karte 21/43 *(Dienstag geschl.)* 🍷 – **15 Z : 28 B** 30/41 - 56/74 – P 46/55.

[SCHWABACH] 8540. Bayern [413] PQ 18,19, [987] ㉖ – 35 500 Ew – Höhe 328 m – ☎ 09122.

♦München 167 – Ansbach 36 – ♦Nürnberg 15.

🏨 Raab - Inspektorsgarten, Äußere Rittersbacher Str. 14, ✆ 8 50 53, 🌳 – [TV] ☎ [P]
12 Z : 18 B.

🏨 **Löwenhof**, Rosenberger Str. 11, ✆ 20 47 – ☎ 🚗. [AE] [D] E [VISA]
◆ *24. Dez.- 10. Jan. geschl.* – Karte 19/39 *(nur Abendessen)* – **25 Z : 40 B** 58/68 - 92/110.

🍴🍴 **Zur goldenen Sonne**, Limbacher Str. 19, ✆ 51 46 – [AE] [D] E
Feb. 1 Woche, Aug. 3 Wochen und Sonntag 14 Uhr - Montag geschl. – Karte 37/60.

In Schwabach-Wolkersdorf N : 4 km – siehe Nürnberg (Umgebungsplan) :

🏠 **Adam Drexler**, Wolkersdorfer Hauptstr. 42, ✆ 63 00 99, 🌳 – ☎ [P]. [AE] E AT **e**
◆ *Ende Juli - Ende Aug. geschl.* – Karte 15/38 *(Freitag 15 Uhr - Sonntag geschl.)* 🍷 – **38 Z : 60 B** 30/45 - 56/75.

[SCHWABMÜNCHEN] 8930. Bayern [413] P 22, [987] ㊱, [426] ⑯ – 10 300 Ew – Höhe 557 m – ☎ 08232.

♦München 75 – ♦Augsburg 25 – Kempten (Allgäu) 77 – Memmingen 58.

🏨 **Deutschenbaur**, Fuggerstr. 11, ✆ 40 31 – [TV] ☎ 🚗 [P]. 🐕 Zim
20. Dez.- 10. Jan. geschl. – Karte 22/43 *(Samstag geschl.)* – **24 Z : 35 B** 52 - 89.

In Langerringen - Schwabmühlhausen 8936 S : 9 km :

🏨 **Untere Mühle** 🔇, ✆ (08248) 10 11, 🌳, 🏊, 🌲, 🎾, Fahrradverleih – [TV] ☎ [P] 🏠. [AE] [D] E [VISA]
Karte 25/54 *(regionale Küche)* – **25 Z : 42 B** 55/70 - 100/120 Fb.

[SCHWABSTEDT] 2251. Schleswig-Holstein – 1 300 Ew – Höhe 17 m – Luftkurort – ☎ 04884.

[i] Fremdenverkehrsverein, Haus des Kurgastes, An der Treene, ✆ 4 20.

♦ Kiel 81 – Heide 33 – Husum 16 – Rendsburg 45.

🍴🍴 **Drei Kronen** 🔇 mit Zim, Kirchenstr. 9, ✆ 4 44 – [P]. [AE] [D] E
15. Jan.- 15. Feb. geschl. – Karte 42/65 *(Dienstag geschl.)* – **8 Z : 16 B** 55/60 - 85/95.

[SCHWÄBISCH GMÜND] 7070. Baden-Württemberg [413] M 20, [987] ㉟ ㊱ – 57 000 Ew – Höhe 321 m – Wintersport : 400/781 m ⛷6 ⛷3 – ☎ 07171.

Sehenswert : Heiligkreuz-Münster★.

[i] Verkehrsamt und Fremdenverkehrsverein, Johannisplatz 3, (Prediger), ✆ 60 34 15 und 6 62 44.

♦Stuttgart 53 ⑤ – ♦Nürnberg 151 ② – ♦Ulm (Donau) 68 ③.

Stadtplan siehe gegenüberliegende Seite.

🏨 **Das Pelikan - Restaurant Bugatti**, Türlensteg 9, ✆ 35 90, Telex 7248763, Fax 359359 – [lift] [TV] ♿ 🚗 [P] 🏠. [AE] [D] E [VISA] Y **n**
Karte 53/80 *(Italienische Küche)* (nur Abendessen, Sonn- und Feiertage geschl.) – **70 Z : 110 B** 130/165 - 185/275 Fb.

🏨 **Staufen** 🔇 garni, Pfeifergäßle 16, ✆ 6 20 85, Telex 7248831 – [lift] [TV] ☎ ♿ 🚗 [P]. [AE] [D] E [VISA] YZ **a**
17 Z : 31 B 85 - 130 Fb.

🏨 **Patrizier**, Kornhausstr. 25, ✆ 3 04 34 – ☎. E Z **e**
Karte 24/39 *(Sonn- und Feiertage geschl.)* – **25 Z : 40 B** 48/78 - 80/108.

🏨 **Goldene Krone** garni, Marktplatz 18, ✆ 25 72 – [AE] [D] E [VISA] Y **r**
22. Dez.- 1. Jan. geschl. – **18 Z : 28 B** 40/60 - 70/95.

SCHWÄBISCH GMÜND

XXX ✿ **Postillion**, Königsturmstr. 35, ✆ 6 15 84 – Ⓟ. AE ⓓ E VISA — Y z
Montag sowie Sonn- und Feiertage geschl. – Karte 65/90 (Tischbestellung ratsam)
Spez. Kalbskopfsalat, Kutteln in Lemberger, Lammrücken mit Rosmarin.

XX **Fuggerei** (restauriertes Fachwerkhaus a.d. 14. Jh.), Münstergasse 2, ✆ 3 00 03, 余 – AE ⓓ E VISA — Z b
Dienstag, 1.- 24. Jan. und Juli 1 Woche geschl. – Karte 33/70 *(auch vegetarisches Menu).*

XX Stadtgarten-Restaurant (Stadthalle), Rektor-Klaus-Str. 9, ✆ 6 90 24 – Ⓟ — Z

In Schwäbisch Gmünd - Degenfeld ③ : 14 km :

Zum Pflug, Kalte-Feld-Str. 3, ✆ (07332) 53 42 – Ⓟ
15. Juni - 2. Juli und 20.- 30. Okt. geschl. – Karte 19/36 *(Donnerstag geschl.)* – **8 Z : 12 B** 32/48 - 64/75.

In Schwäbisch Gmünd - Hussenhofen ② : 4,5 km :

Gelbes Haus, Hauptstr. 83, ✆ 8 23 97 – Ⓟ. AE ⓓ E VISA. Rest
Karte 26/48 *(Samstag und Ende Juli - Mitte Aug. geschl.)* – **36 Z : 55 B** 52/68 - 92/120 Fb.

In Schwäbisch Gmünd - Rechberg ④ : 8 km :

X **Zum Rad** mit Zim, Hohenstaufenstr. 1, ✆ 4 28 20, Caféterrasse, – Ⓟ. AE ⓓ E VISA – Karte 18,50/41 *(Montag geschl.)* – **5 Z : 8 B** 44 - 74.

In Schwäbisch Gmünd - Straßdorf ④ : 4 km :

Löwen, Alemannenstr. 33, ✆ 4 33 11, – Ⓟ. AE ⓓ E VISA.
Ende Juli - Anfang Aug. geschl. – Karte 27/55 *(Sonntag-Montag 17 Uhr geschl.)* – **30 Z : 50 B** 60/65 - 110 Fb.

Adler, Einhornstr. 31, ✆ 4 10 41, 余 – Ⓟ. Zim
Karte 22/59 *(bemerkenswerte Weinkarte)* (Montag geschl.) – **27 Z : 35 B** 45/80 - 80/150.

In Mutlangen **7075** ① : 3,5 km :

Mutlangerhof, Ringstr. 49, ✆ (07171) 7 11 29, – Ⓟ. Zim
Karte 18,50/35 *(Samstag geschl.)* – **10 Z : 15 B** 48 - 86.

In Waldstetten **7076** S : 6 km :

XX **Sonnenhof**, Lauchgasse 19, ☎ (07171) 4 23 09, 🍽 – Ⓟ 🏞. AE
Montag, 6.- 20. Jan. und 15.- 30. Juli geschl. – Karte **29**/58.

In Waldstetten-Weilerstoffel **7076** S : 8 km :

🏠 **Hölzle** 🐦, Waldstettener Str. 19, ☎ (07171) 4 21 84, 🍽 – Ⓟ
◆ *August 2 Wochen geschl.* – Karte 19/45 *(Dienstag geschl.)* 🍷 – **12 Z : 20 B** 30 - 60.

SCHWÄBISCH HALL **7170.** Baden-Württemberg **413** M 19, **987** ㉕ – 31 500 Ew – Höhe 270 m – ☎ 0791.

Sehenswert : Marktplatz★★ : Rathaus★ **R**, Michaelskirche (Innenraum★) **D** – Kocherufer ≤★ **F**.

Ausflugsziele : Ehemaliges Kloster Groß-Comburg★ : Klosterkirche (Leuchter★★★, Antependium★) – Romanisches Klostertor★ SO : 3 km – Hohenloher Freilandmuseum in Wackershofen, NW : 4 km über ④.

ℹ Tourist-Information, Am Markt 9, ☎ 75 12 46.

◆Stuttgart 68 ④ – Heilbronn 53 ① – ◆Nürnberg 138 ② – ◆Würzburg 107 ①.

SCHWÄBISCH HALL

Am Spitalbach 3
Bahnhofstraße 5
Gelbinger Gasse
Neue Straße 18
Schwatzbühlgasse 21

Am Schuppach 2
Badtorweg 4
Crailsheimer Straße 6
Gymnasiumstraße 7
Hafenmarkt 8
Heilbronner Straße 10
Henkersbrücke 13
Im Weiler 14
Marktstraße 17
Obere Herrngasse 19
Untere Herrngasse 23
Unterlimpurger Straße 24
Weilertor 25
Zollhüttengasse 26
Zwinger 28

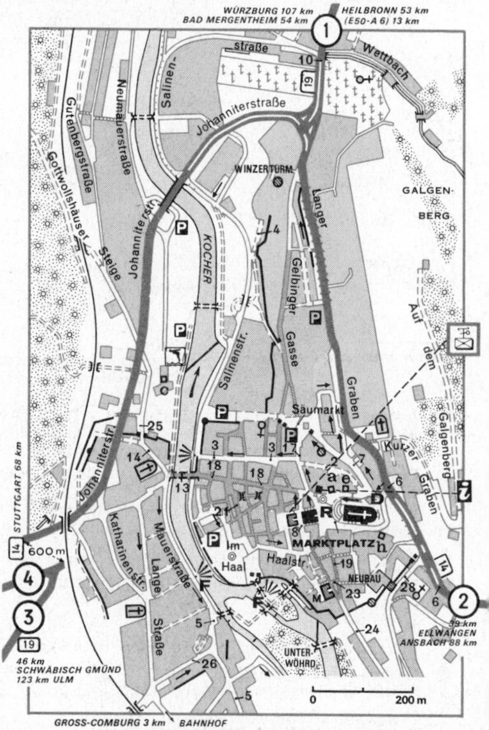

🏨 **Hohenlohe**, Im Weilertor 14, ☎ 7 58 70, Telex 74870, ≤, 🍽, Massage, ♨, 🏊 (geheizt), 🏊, 🌳, Fahrradverleih – 🛗 ⇔ Zim 📺 ♿ 🚗 Ⓟ 🏞. AE ⓓ E VISA. ✂ Rest — c
Karte 29/68 *(auch vegetarische Gerichte)* – **96 Z : 150 B** 87/125 - 166/186 Fb – 6 Appart. 196/246.

🏨 **Ratskeller**, Am Markt 12, ☎ 61 81, Telex 74893, ♨, 🏊 – 🛗 📺 Ⓟ 🏞. AE ⓓ E VISA — e
Karte 32/62 *(Montag geschl.)* – **46 Z : 92 B** 70/105 - 115/180 Fb – 4 Appart. 170/230.

🏨 **Goldener Adler**, Am Markt 11, ☎ 61 68 – ☎ 🚗 🏞. E — a
Karte 27/48 *(Okt.- März Mittwoch geschl.)* – **21 Z : 40 B** 65/75 - 110/150 Fb.

🏠 **Café Scholl** garni, Klosterstr. 3, ☎ 7 10 46 – 🛗 ☎ — h
31 Z : 60 B 52/78 - 78/125.

🏠 **Simon** garni, Schweickerweg 25, ☎ 30 76 – ☎ 🚗 Ⓟ. AE ⓓ E VISA — über ②
17 Z : 26 B 53/65 - 92/105.

In Schwäbisch Hall 4-Hessental [2] : 3 km :

🏨 **Krone** (Haus a.d.J. 1754), Schmiedsgasse 1, ✆ 21 28, « Barocksaal », 🍽 – [lift] [TV] ☎ ♿ 🚗 [P] 🏔. [AE] [O] E [VISA]
Karte 23/53 *(Dienstag und 1.- 12. Aug. geschl.)* – **40 Z : 70 B** 67/77 - 120/140 Fb.

🏨 **Wolf - Restaurant Eisenbahn**, Karl-Kurz-Str. 2, ✆ 21 12 – [lift] [TV] ☎ [P] 🏔. [AE] [O] E. 🚫🐕
Juli 2 Wochen geschl. – Karte **30**/65 *(Montag geschl.)* – **28 Z : 50 B** 60/70 - 92/115 Fb.

🏨 **Leidig**, Karl-Kurz-Str. 24, ✆ 25 84 – 🚗 [P]
◆ *Juli - Aug. 3 Wochen geschl.* – Karte 15/31 *(auch vegetarische Gerichte)* (Freitag geschl.) 🍷 – **14 Z : 22 B** 25/36 - 54/72.

SCHWAIG 8501. Bayern [413] Q 18 – 8 800 Ew – Höhe 325 m – ✆ 0911 (Nürnberg).

Siehe Stadtplan Nürnberg (Umgebungsplan).

♦München 171 – Lauf 6,5 – ♦Nürnberg 11.

🏨 **Schwaiger Hof** garni, Röthenbacher Str. 16, ✆ 50 00 47 – [lift] ☎ [P]. [AE] [O] E — CS **u**
27 Z : 56 B 69/75 - 108/118 Fb.

✕✕ **La Tartaruga** (Italienische Küche), Nürnberger Str. 19, ✆ 50 85 55, ⛱ – [AE] [O] E [VISA]
Karte 34/65 *(abends Tischbestellung ratsam).* — CS **c**

In Schwaig 2 - Behringsdorf :

🏨 Weißes Ross, Schwaiger Str. 2, ✆ 57 49 71 – ☎ [P] – **18 Z : 40 B.** — CS **e**

SCHWAIGERN 7103. Baden-Württemberg [413] K 19, [987] [25] – 8 900 Ew – Höhe 185 m – ✆ 07138.

♦Stuttgart 69 – Heilbronn 15 – ♦Karlsruhe 61.

✕✕ **Zum Alten Rentamt** 🌿 mit Zim (historisches Fachwerkhaus), Schloßstr. 6, ✆ 52 58, ⛱ – ☎
10. Jan.- 9. Feb. geschl. – Karte 40/67 *(Montag und jeden 1. Dienstag im Monat geschl.)* – **6 Z : 10 B** 45/60 - 80/95.

SCHWAIM Bayern siehe Griesbach im Rottal.

SCHWALBACH 6635. Saarland [242] [6], [57] [6] – 19 200 Ew – Höhe 160 m – ✆ 06834.

♦Saarbrücken 25 – Kaiserslautern 84 – Saarlouis 6.

In Schwalbach-Elm SO : 2 km :

🏨 **Zum Mühlenthal**, Bachtalstr. 214, ✆ 50 17 (Hotel) 5 21 17 (Rest.), 🌳 – [TV] ☎ 🚗 [P] 🏔. 🚫🐕
Karte 27/43 *(nur Abendessen, Sonntag geschl.)* – **25 Z : 46 B** 51/61 - 80/100 Fb.

In Schwalbach-Hülzweiler N : 3 km :

🏨 **Waldhotel Zur Freilichtbühne** 🌿, Zur Freilichtbühne, ✆ (06831) 5 36 33, ⛱ – ☎ [P] 🏔.
◆ E [VISA]
Karte 18/46 – **24 Z : 46 B** 40/45 - 70/80.

SCHWALBACH, BAD 6208. Hessen [987] [24] – 10 000 Ew – Höhe 330 m – Heilbad – ✆ 06124.

[i] Verkehrsbüro in der Kurverwaltung, Am Kurpark, ✆ 50 20.

♦Wiesbaden 18 – ♦Koblenz 60 – Limburg an der Lahn 36 – Lorch am Rhein 32 – Mainz 27.

🏨 **Staatliches Kurhotel und Sanatorium**, Goetheplatz 1, ✆ 50 23 29, direkter Zugang zum Stahlbadehaus – [lift] ☎ [P] 🏔. [AE] [O] E. 🚫🐕
(Restaurant nur für Hausgäste) – **110 Z : 120 B** 67/88 - 117/154 Fb – 3 Appart. 180 – P 100/123.

🏨 **Zum Ritter**, Brunnenstr. 49, ✆ 1 20 71, 🌳 – [lift] ☎ 🚗 [P]
◆ *5. Jan.- 15. Feb. geschl.* – Karte 18/38 *(Donnerstag geschl.)* 🍷 – **30 Z : 45 B** 55/75 - 104/116 – P 72/75.

🏨 **Café Lutz**, Parkstr. 2, ✆ 86 20, ⛱ – [P]. [O] E
◆ Karte 17/38 *(Dienstag geschl.)* – **22 Z : 32 B** 41/55 - 90/110 Fb – P 60/74.

🏨 **Park-Villa** garni, Parkstr. 1, ✆ 22 94
15.- 30. Dez. geschl. – **21 Z : 33 B** 40/55 - 80/110 Fb.

🏨 **Helenenhof**, Parkstr. 9, ✆ 40 55, [pool], 🌳 – ☎
◆ *Dez.- Jan. geschl.* – Karte 17/43 *(Abendessen nur für Hausgäste)* – **27 Z : 40 B** 40/65 - 80/106.

🏨 **Malepartus**, Brunnenstr. 43, ✆ 23 05, 🌳 – [TV]
2.- 18.Jan. und 16.- 30. Nov. geschl. – Karte 27/52 *(Sonntag 15 Uhr - Montag geschl.)* 🍷 – **11 Z : 20 B** 38/47 - 76/90.

✕✕ **Moorgrube**, im Kurhaus, ✆ 50 23 51 – [P]. [AE] [O] E
Montag geschl. – Karte 30/58.

In Hohenstein (Oberdorf) **6209** N : 7 km, 5 km über die B 54 dann links ab :

✕✕ **Waffenschmiede** 🌿 mit Zim, Burgstr. 12 (in der Burg Hohenstein), ✆ (06120) 33 57, ≤, ⛱ – [TV] ☎ [P]. [AE] [O] E. 🚫🐕
Jan.- 15. Feb. sowie Ende Juli und Ende Okt. je 1 Woche geschl. – Karte 30/84 *(Montag bis 18 Uhr und Dienstag geschl.)* – **8 Z : 15 B** 80/90 - 135.

[SCHWALEFELD] Hessen siehe Willingen (Upland).

[SCHWALMSTADT] 3578. Hessen [987] ㉕ – 18 000 Ew – Höhe 220 m – ☎ 06691.
[i] Rathaus, Marktplatz (Treysa). ☎ 20 70.
♦Wiesbaden 154 – Bad Hersfeld 41 – ♦Kassel 70 – Marburg 43.

In Schwalmstadt 1- Treysa :

🏠 Schwalmbergbaude, Höhenweg 14, ☎ 12 16, ≤, 🌳 – ☎ 🅿 – **9 Z : 18 B.**

In Schwalmstadt 2-Ziegenhain :

🏠 **Rosengarten** (Fachwerkhaus a.d.J. 1620 mit Hotelanbau), Muhlystr. 3 (an der B 254), ☎ 30 84, 🌳 – [TV] ☎ 🅿 . [AE] [D] [E]
Karte 19,50/47 – **15 Z : 29 B** 29/51 - 55/89 Fb.

[SCHWALMTAL] 4056. Nordrhein-Westfalen [213] ⑫ – 15 000 Ew – Höhe 60 m – ☎ 02163.
♦Düsseldorf 44 – Krefeld 25 – Mönchengladbach 12 – Roermond 24.

In Schwalmtal-Waldniel O : 2 km :

🍴 **Bistro L'Escargot**, Ungerather Str. 33, ☎ 4 79 92 – [AE] [E] [VISA]
nur Abendesen, Montag sowie Sonn- und Feiertage geschl. – Karte 46/71.

Im Schwalmtal SW : 3,5 km ab Ortsteil Waldniel :

🍴🍴 **Lüttelforster Mühle** mit Zim, ✉ 4056 Schwalmtal 1, ☎ (02163) 4 52 77, 🌳 – 🅿 . [AE] [D] [E] [VISA]
Jan. geschl. – Karte 31/52 *(Montag geschl.)* – **11 Z : 18 B** 45 - 80.

[SCHWANAU] 7635. Baden-Württemberg [413] G 21, [242] ㉔, [87] ⑤ – 5 000 Ew – Höhe 150 m – ☎ 07824.
♦Stuttgart 164 – ♦ Freiburg im Breisgau 50 – ♦ Karlsruhe 93 – Strasbourg 44.

In Schwanau-Ottenheim :

🍴 **Erbprinzen** mit Zim, Schwarzwaldstr. 5, ☎ 24 42 – Rest 🚗 🅿. [D] [E]
über Fastnacht 2 Wochen und Nov. 3 Wochen geschl. – Karte **28**/55 *(auch vegetarische Gerichte)* (Mittwoch bis 18 Uhr, Montag und jeden 1. Sonntag im Monat geschl.) 🍷 – **9 Z : 18 B** 39 - 69.

[SCHWANDORF] 8460. Bayern [413] T 18, 19, [987] ㉗ – 20 000 Ew – Höhe 365 m – ☎ 09431.
♦München 167 – ♦Nürnberg 83 – ♦Regensburg 41 – Weiden in der Oberpfalz 46.

🏠 **Café Waldlust**, Fronberger Str. 10, ☎ 33 03, 🌳, [S] (Gebühr) – ☎ 🅿
nach Fasching 2 Wochen geschl. – Karte 16/35 *(Freitag geschl.)* – **31 Z : 48 B** 24/40 - 45/70.

[SCHWANEWEDE] 2822. Niedersachsen [987] ⑭ – 17 200 Ew – Höhe 12 m – ☎ 0421 (Bremen).
♦Hannover 145 – ♦Bremen 28 – ♦Bremerhaven 40.

In Schwanewede-Löhnhorst SO : 4 km :

🏠 **Waldhotel Köster**, Hauptstr. 9, ☎ 62 10 71, 🌳 – [TV] ☎ 🅿. [AE] [D] [E] [VISA]. ✻ Zim
Karte 28/58 – **12 Z : 21 B** 69/75 - 103/115 Fb.

[SCHWANGAU] 8959. Bayern [413] P 24, [426] ⑯ – 3 600 Ew – Höhe 800 m – Heilklimatischer Kurort – Wintersport: 830/1 720 m ⛷1 ⛷5 ⛷4 – ☎ 08362 (Füssen).
Ausflugsziele : Schloß Neuschwanstein** ≤***, S : 3 km – Schloß Hohenschwangau* S : 4 km – Alpsee* : Pindarplatz ≤*, S : 4 km – St. Colomanskirche.
[i] Kurverwaltung, Rathaus, ☎ 8 10 51.
♦München 116 – Füssen 3 – Kempten (Allgäu) 44 – Landsberg am Lech 60.

🏠 **König Ludwig**, Kreuzweg 11, ☎ 8 10 81, Telex 541309, 🌳, [S], [S], 🌳, 🍴 – [TV] ☎ 🚗 🅿 . [AE]. ✻ Rest
Mitte Nov.- Mitte Dez. geschl. – Karte 26/58 – **91 Z : 244 B** 91/96 - 131/161 Fb – P 98/133.

🏠 **Post**, Münchener Str. 5, ☎ 82 35 – 🅿. [AE] [D] [E] [VISA]
20. Nov.- 15. Dez. geschl. – Karte 17,50/45 *(Montag, Okt.- Ostern auch Dienstag geschl.)* – **40 Z : 70 B** 55/80 - 90/120 – P 90/100.

🏠 **Weinbauer**, Füssener Str. 3, ☎ 8 10 15, Fahrradverleih – [lift] ☎ ♿ 🅿. ✻ Zim
7. Jan.- 5. Feb. geschl. – Karte 18/41 *(Donnerstag, Nov.- April auch Freitag geschl.)* 🍷 – **45 Z : 80 B** 29/55 - 58/96 Fb.

🏠 **Hanselewirt**, Mitteldorf 13, ☎ 82 37 – 🅿
5. Nov.- 5. Dez. geschl. – Karte 18/35 *(Mittwoch geschl.)* – **10 Z : 18 B** 30/40 - 60/70.

In Schwangau-Alterschrofen :

🏠 **Waldmann**, Parkstr. 5, ☎ 84 26, 🌳 – 🚗 🅿. [AE] [E] [VISA]. ✻
Karte 18/37 *(Mittwoch geschl.)* 🍷 – **22 Z : 42 B** 40/70 - 70/130.

🏠 **Wildparkhotel**, Bullachbergweg 1, ☎ 84 25, 🌳, 🌳 – 🚗 🅿
Nov.- 26. Dez. geschl. – Karte 20/44 *(Jan.- Ostern und Donnerstag geschl.)* – **17 Z : 35 B** 34/45 - 67/71.

In Schwangau-Brunnen :

Ferienhotel Huber 🔕, Seestr. 67, ☎ 8 13 62, Biergarten, ≘s, 🌳 – [P]
◆ *Nov.- Mitte Dez. geschl.* – Karte 19,50/37 *(Montag geschl.)* – **16 Z : 32 B** 45/65 - 70/90 Fb – 4 Fewo 60/120 – P 58/75.

Seeklause 🔕, Seestr. 45, ☎ 8 10 91, ≤, 🌳 – ☏ [P]
Feb.- März 2 Wochen und Dez. 3 Wochen geschl. – Karte 20/33 *(Dienstag geschl.)* – **9 Z : 18 B** 55 - 84 – P 72/85.

Haus Martini 🔕, Seestr. 65, ☎ 82 57, ≤, ⛱, 🌳 – [P]
◆ *Nov.- Mitte Dez. geschl.* – Karte 14/29 *(Donnerstag geschl.)* – **16 Z : 32 B** 32/60 - 70/85 – P 60/80.

In Schwangau-Hohenschwangau :

Müller 🔕, Alpseestr. 16, ☎ 8 10 56, Telex 541325, Fax 81612, « Terrasse mit ≤ » – 🛗 [TV] [P]. [AE] ◎ E VISA
10. Nov.- 20. Dez. geschl. – Karte 28/60 *(bemerkenswerte Weinkarte)* – **45 Z : 80 B** 80/150 - 120/180 Fb – P 130/200.

Lisl und Jägerhaus 🔕, Neuschwansteinstr. 1, ☎ 8 10 06, Telex 541332, ≤, ⛱ – 🛗 🚗 [P]. [AE] ◎ E VISA
Anfang Jan.- Mitte März geschl. – Karte 33/53 – **56 Z : 110 B** 35/115 - 60/180.

In Schwangau-Horn :

Rübezahl 🔕, Am Ehberg 31, ☎ 83 27, ≤, ⛱, « Gemütlich-rustikale Einrichtung », ≘s – 🛗 🚗 [P]. [AE] E VISA
Anfang Nov.- Anfang Dez. geschl. – Karte 24/42 *(Donnerstag geschl.)* – **28 Z : 53 B** 33/70 - 84/96 Fb – P 57/75.

Alpenblick, Füssener Str. 113, ☎ 84 00, ⛱, 🌳 – 🛗 [P]
◆ *Nov.- Jan. geschl.* – Karte 18,50/33 *(nur Abendessen)* – **20 Z : 40 B** 47/50 - 80/87.

In Schwangau-Waltenhofen :

Gasthof am See 🔕, Forggenseestr. 81, ☎ 83 93, ≤, ⛱, ≘s, 🌳 – 🛗 [P]
◆ *10. Nov.- 10.Dez. geschl.* – Karte 17,50/39 *(Dienstag geschl.)* 🍷 – **23 Z : 46 B** 44 - 70/88.

Kur- und Ferienhotel Waltenhofen 🔕, Marienstr. 16, ☎ 8 10 39, Bade- und Massageabteilung, ⛷, ≘s, 🏊 – 🛗 [TV] ☏ 🚗 [P]. [AE] ◎ E VISA
Karte 25/39 *(Montag geschl.)* – **30 Z : 63 B** 65/85 - 90/150 Fb.

Café Gerlinde 🔕 garni, Forggenseestr. 85, ☎ 82 33, Caféterrasse, ≘s, 🌳 – [P]
Mitte Nov.- Mitte Dez. geschl. – **10 Z : 17 B** 35/55 - 70/100 – 9 Fewo 70/98.

Haus Kristall 🔕 garni, Kreuzweg 24, ☎ 85 94, 🌳 – ☏ [P]. 🚫🐕
Nov.- 15. Dez. geschl. – **11 Z : 21 B** 39/69 - 74.

SCHWANHEIM Rheinland-Pfalz siehe Hauenstein.

SCHWANN Baden-Württemberg siehe Straubenhardt.

SCHWARMSTEDT 3033. Niedersachsen [987] ⑮ – 4 300 Ew – Höhe 30 m – ☎ 05071.
◆Hannover 42 – ◆Bremen 88 – Celle 33 – ◆Hamburg 118.

Bertram, Moorstr. 1, ☎ 80 80, Cafégarten, Fahrradverleih – 🛗 ☏ [P] 🏋. [AE] ◎ E VISA.
🚫🐕 Rest
Karte 28/61 – **44 Z : 74 B** 75/92 - 108/135 Fb.

In Essel-Engehausen 3031 NO : 7 km :

Zur Tanne, Stillhöfen (O : 1,5 km), ☎ (05071) 34 61, 🌳 – [P]
25. Okt.- 4. Dez. geschl. – Karte 27/39 *(Dienstag geschl.)* – **9 Z : 13 B** 35 - 80.

An der Straße nach Ostenholz NO : 8 km :

Heide-Kröpke 🔕, ✉ 3031 Ostenholzer Moor, ☎ (05167) 2 88, « Cafégarten », ≘s, 🏊, 🌳, 🎾, Fahrradverleih – 🛗 [TV] ♿ 🚸 🚗 [P] 🏋. [AE] ◎ E VISA. 🚫🐕
Karte 31/67 – **52 Z : 96 B** 110 - 155 Fb – 5 Appart. 195.

SCHWARTAU, BAD 2407. Schleswig-Holstein [987] ⑤⑥ – 19 500 Ew – Höhe 10 m – Heilbad – ☎ 0451 (Lübeck).
[i] Touristinformation, Eutiner Ring 12, ☎ 20 04 45.
◆Kiel 72 – ◆Lübeck 8 – Oldenburg in Holstein 50.

Waldhotel Riesebusch 🔕, Sonnenweg, ☎ 2 15 81, ⛱ – ☏ 🚗 [P]. [AE] E. 🚫🐕
27.- 31. Dez. geschl. – Karte 25/59 *(Donnerstag geschl.)* – **14 Z : 24 B** 50/60 - 80/160 Fb.

In Ratekau 2401 NO : 4 km über die B 207 :

Zur Linde, Hauptstr. 13, ☎ (04504) 2 84, ⛱ – [P] – **13 Z : 26 B** – 7 Fewo.

In Ratekau-Techau 2409 NO : 6 km über die B 207 :

Rethschänke, Johannes-Brammer-Str. 1, ☎ (04504) 37 39 – 🚗 [P]
◆ *24. Dez.- Jan. geschl.* – Karte 18/34 *(nur Abendessen, Sonntag geschl.)* – **13 Z : 19 B** 37/45 - 70.

SCHWARZACH 6951. Baden-Württemberg 413 JK 18 – 2 800 Ew – Höhe 213 m – ☎ 06262 (Aglasterhausen).

♦Stuttgart 115 – Heilbronn 42 – ♦Mannheim 53 – ♦Würzburg 110.

In Schwarzach-Unterschwarzach :

🏨 **Haus Odenwald** ⛰, Wildparkstr. 8, ✆ 8 01, ⛱, 🏊, 🏊, 🌳 – TV ☎ 🚗 🅿 ⚑. AE ⓓ E
Karte 26/56 – **24 Z : 47 B** 62/82 - 112/122 Fb – P 88/114.

SCHWARZACH 8719. Bayern 413 N 17 – 3 100 Ew – Höhe 200 m – ☎ 09324.

♦München 255 – ♦Bamberg 47 – Gerolzhofen 9 – Schweinfurt 35 – ♦Würzburg 33.

Im Ortsteil Münsterschwarzach :

🏨 **Zum Benediktiner** ⛰ garni, Weideweg 7, ✆ 8 51, Telex 689355, 🌳 – TV ☎ ♿, 🚗 🅿. ⓓ E VISA
32 Z : 64 B 58/68 - 92/150 Fb.

✕ **Gasthaus zum Benediktiner**, Schweinfurter Str. 31, ✆ 37 05, ⛱ – 🅿. AE ⓓ E VISA
Karte 28/57 🍷.

SCHWARZENBACH AM WALD 8678. Bayern 413 R 16 – 6 500 Ew – Höhe 667 m – Wintersport : ⛷3 – ☎ 09289.

Ausflugsziel : Döbraberg : Aussichtsturm ☀★, SO : 4 km und 25 min. zu Fuß.

♦München 283 – Bayreuth 54 – Coburg 64 – Hof 24.

In Schwarzenbach - Schübelhammer SW : 7 km :

🏠 **Zur Mühle**, an der B 173, ✆ 4 24, 🏊, 🏊 – 🚗 🅿
◆ *20. Nov.- 10. Dez. geschl.* – Karte 16/37 *(Dienstag geschl.)* 🍷 – **21 Z : 36 B** 32/38 - 66/78 – P 42/49.

In Schwarzenbach - Schwarzenstein SW : 2 km :

🏠 **Rodachtal**, ✆ 2 39, ⛱, 🌳 – 🚗 🅿. AE ⓓ
◆ *Mitte Okt.- Mitte Nov. geschl.* – Karte 16,50/31 *(Montag geschl.)* – **28 Z : 43 B** 28/38 - 56/72 – P 42/53.

SCHWARZENBACH AN DER SAALE 8676. Bayern 413 ST 16, 987 ㉗ – 8 800 Ew – Höhe 504 m – ☎ 09284.

♦München 278 – Bayreuth 50 – Hof 16 – ♦Nürnberg 131.

✕ Sonne mit Zim, Ludwigstr. 13, ✆ 3 80 – 🅿
20 Z : 27 B.

SCHWARZENBACHTALSPERRE Baden-Württemberg siehe Forbach.

SCHWARZENBERG Baden-Württemberg siehe Baiersbronn.

SCHWARZENBRUCK 8501. Bayern 413 Q 18 – 8 000 Ew – Höhe 360 m – ☎ 09128.

♦München 157 – ♦Nürnberg 21 – ♦Regensburg 92.

In Schwarzenbruck-Ochenbruck :

🏠 **Hellmann**, Regensburger Str. 32 (B 8), ✆ 21 76, ⛱, 🏊 – 🅿
◆ Karte 18/30 *(Freitag geschl.)* – **37 Z : 45 B** 30/45 - 60/80 Fb.

SCHWARZENFELD 8472. Bayern 413 T 18, 987 ㉗ – 6 000 Ew – Höhe 363 m – ☎ 09435.

⛳ Kemnath bei Fuhrn (SO : 9 km), ✆ (09439) 4 66.

♦München 175 – ♦Nürnberg 82 – ♦Regensburg 53 – Weiden in der Oberpfalz 38.

🏨 **Brauerei-Gasthof Bauer**, Hauptstr. 30, ✆ 15 05, 🏊 – ☎ 🅿. ⓓ E VISA
◆ *22. Dez.- 7. Jan. geschl.* – Karte 15/35 *(Samstag geschl.)* – **40 Z : 70 B** 30/50 - 55/90 Fb.

In Fensterbach - Wolfringmühle 8451 W : 7,5 km :

🏨 **Wolfringmühle** ⛰, ✆ (09438) 3 26, Biergarten, 🏊, 🏊, 🌳 – TV ☎ 🅿 ⚑. AE ⓓ
◆ Karte 15,50/30 – **30 Z : 65 B** 39/55 - 74/92 – P 55/73.

Besonders angenehme Hotels oder Restaurants sind im Führer rot gekennzeichnet.
Sie können uns helfen, wenn Sie uns die Häuser angeben, in denen Sie sich besonders wohl gefühlt haben.
Jährlich erscheint eine komplett überarbeitete Ausgabe aller Roten Michelin-Führer.

🏨🏨🏨🏨🏨 ... 🏨

✕✕✕✕✕ ... ✕

 – 50 km lange Höhenstraße** von Baden-Baden bis Freudenstadt – Wintersport : 700/1 166 m 21 6

Die Hotels sind in der Reihenfolge von Baden-Baden nach Freudenstadt angegeben
Les hôtels sont indiqués suivant l'itinéraire : Baden-Baden à Freudenstadt
The hotels are listed as they are found on the route from Baden-Baden to Freudenstadt
Gli alberghi sono indicati seguendo l'itinerario : Baden-Baden - Freudenstadt

Schloßhotel Bühlerhöhe, Höhe 800 m, ✉ 7580 Bühl 13, ✆ (07226) 5 51 00, Telex 722610, Fax 557777, Schwarzwald und Rheinebene, « Park », Bade- und Massageabteilung, (Halle) – Rest Rest Karte 53/72 – **Imperial** *(Donnerstag geschl.)* Karte 82/104 – **90 Z : 170 B** 275/325 - 480/650 – 25 Appart. 860/1200 – P 348/433.

Plättig, Höhe 800 m, ✉ 7580 Bühl 13, ✆ (07226) 5 53 00, Telex 722610, Fax 55444, Skiverleih – Karte 32/57 – **61 Z : 99 B** 110 - 170/210 Fb – 8 Appart. 250/280 – P 139/159.

Höhenhotel Unterstmatt, Höhe 930 m, ✉ 7580 Bühl 13, ✆ (07226) 2 04, Skiverleih – *April 2 Wochen und Mitte Nov.- Mitte Dez. geschl.* – Karte 46/77 *(Montag 16 Uhr - Dienstag geschl.)* – **16 Z : 30 B** 55/65 - 110/170 – P 95/125
Spez. Schwarzwälder Bauernschinken mit Holzofenbrot und Kirschwasser, Gänsestopfleber-Terrine, Lamm-Karree mit eingelegtem jungem Knoblauch (für 2 Pers.).

Berghotel Mummelsee, Höhe 1 036 m, ✉ 7596 Seebach, ✆ (07842) 10 88, – *Mitte Nov.- 23. Dez. geschl.* – Karte 20/38 – **30 Z : 55 B** 38/48 - 60/106 – P 55/73.

Schliffkopfhotel (mit Berggasthof), Höhe 1 025 m, ✉ 7292 Baiersbronn-Schliffkopf, ✆ (07449) 2 05 Schwarzwald, – Zim *3.- 14. April und 20. Nov.- 21. Dez. geschl.* – Karte 26/53 – **36 Z : 60 B** 40/100 - 80/150 – P 70/120.

Auf dem Kniebis – Höhe 935 m – ✉ **7290** Freudenstadt 1-Kniebis :

Waldblick, Eichelbachstr. 47, ✆ (07442) 20 02, – Rest *10.- 24. April und 6. Nov.- 18. Dez. geschl.* – Karte 25/51 *(Dienstag geschl.)* – **34 Z : 62 B** 52/93 - 94/176 Fb.

In Kniebis-Dorf – Höhe 920 m – Luftkurort – ✉ **7290** Freudenstadt 1-Kniebis – 07442 :

Kniebishöhe, Alter Weg 42, ✆ 23 97, – *3.- 28. April und 2. Nov.- 18. Dez. geschl.* – Karte 23/43 *(Dienstag geschl.)* – **14 Z : 26 B** 40/45 - 76/110 Fb – P 60/77.

Klosterhof, Alte Paßstr. 49, ✆ 21 15, Bade- und Massageabteilung, – *Nov.- 15. Dez. geschl.* – Karte 24/38 *(Montag geschl.)* – **22 Z : 40 B** 35/60 - 60/110 Fb – 5 Fewo 49/98 – P 55/77.

Café Günter, Baiersbronner Str. 26, ✆ 21 14, – *15.- 29. April und Nov.- 15. Dez. geschl.* – (Restaurant nur für Hausgäste) – **21 Z : 30 B** 37/55 - 64/110 – 3 Fewo 50/75.

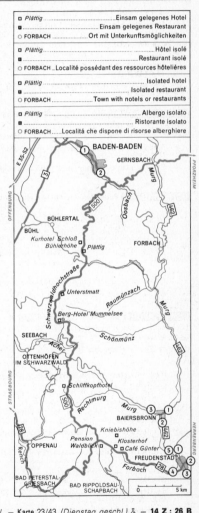

▫ *Plättig*	Einsam gelegenes Hotel
▪	Einsam gelegenes Restaurant
○ FORBACH	Ort mit Unterkunftsmöglichkeiten
▫ *Plättig*	Hôtel isolé
▪	Restaurant isolé
○ FORBACH	Localité possédant des ressources hôtelières
▫ *Plättig*	Isolated hotel
▪	Isolated restaurant
○ FORBACH	Town with notels or restaurants
▫ *Plättig*	Albergo isolato
▪	Ristorante isolato
○ FORBACH	Località che dispone di risorse alberghiere

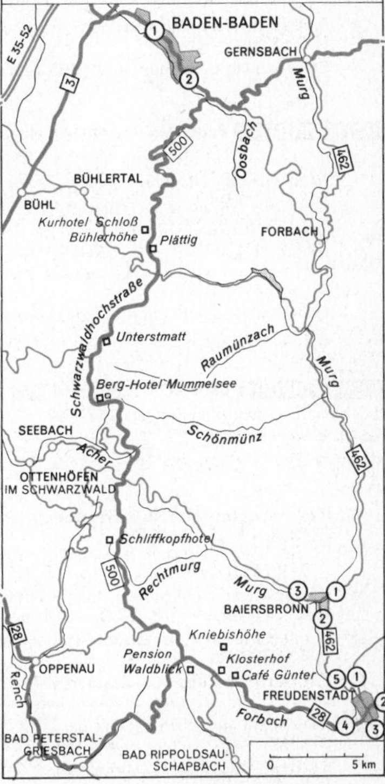

SCHWEDENECK 2307. Schleswig-Holstein – 3 000 Ew – Höhe 2 m – Seebad – ☎ 04308.
♦Kiel 20 – Flensburg 75.

In Schwedeneck - Dänisch-Nienhof :

Zur Schmiede, Eckernförder Str. 49, ☎ 3 24, – P. AE
Karte 19/44 *(Dienstag geschl.)* – **24 Z : 45 B** 33/54 - 66/84 Fb.

SCHWEICH 5502. Rheinland-Pfalz 987 ㉓ – 5 700 Ew – Höhe 125 m – ☎ 06502.
Verkehrsamt im Rathaus, Brückenstr. 26 (B 49), ☎ 40 71 17.
Mainz 149 – Bernkastel-Kues 36 – ♦Trier 13 – Wittlich 24.

Haus Grefen, Brückenstr. 31 (B 49), ☎ 30 81, – ☎ P. D E
28. Jan.- 26. Feb. geschl. – Karte 21/43 – **22 Z : 41 B** 40/45 - 70/90.

Zur Moselbrücke, Brückenstr. 1 (B 49), ☎ 10 68, – ☎ P. AE D E VISA
2.- 20. Jan. geschl. – Karte 18,50/43 – **23 Z : 50 B** 45/60 - 75/90.

Leinenhof, an der B 49 (N : 1,5 km), ☎ 26 57, – P
24 Z : 46 B.

Bender, Hofgartenstr. 21, ☎ 84 06, – P
15 Z : 33 B.

SCHWEIGEN-RECHTENBACH 6749. Rheinland-Pfalz 413 GH 19, 242 ⑫, 87 ② – 1 300 Ew – Höhe 220 m – ☎ 06342.
Mainz 162 – ♦Karlsruhe 46 – Landau in der Pfalz 21 – Pirmasens 47 – Wissembourg 4.

Am deutschen Weintor garni, Bacchusstr. 1 (Rechtenbach), ☎ 73 35 – P
17 Z : 31 B 42 - 72.

Schweigener Hof, Hauptstr. 2 (B 38, Schweigen), ☎ 2 44, – P
12 Z : 21 B.

SCHWEINBERG Baden-Württemberg siehe Hardheim.

Unsere Hotel-, Reiseführer und Straßenkarten ergänzen sich. Benutzen Sie sie zusammen.

Nos guides hôteliers, nos guides touristiques et nos cartes routières sont complémentaires. Utilisez-les ensemble.

Our hotel and restaurant guides, our tourist guides and our road maps are complementary. Use them together.

SCHWEINFURT 8720. Bayern 413 N 16, 987 ㉖ – 51 500 Ew – Höhe 226 m – ☎ 09721.
Schweinfurt-Information, Rathaus, ☎ 5 14 98.
ADAC, Rückertstr. 17, ☎ 2 22 62, Telex 673321.
♦München 287 ② – ♦Bamberg 57 ① – Erfurt 156 ⑤ – Fulda 85 ④ – ♦Würzburg 44 ③.

Stadtplan siehe gegenüberliegende Seite.

Roß - Restaurant Roß-Stuben, Postplatz 9, ☎ 2 00 10, Telex 673222, – TV ☎ P. D E VISA — Z r
21. Dez.- 10. Jan. geschl. – Karte 29/54 *(Montag bis 18 Uhr sowie Sonn- und Feiertage geschl.)* – **50 Z : 85 B** 63/90 - 100/125 Fb.

Luitpold garni, Luitpoldstr. 45, ☎ 8 80 25 – TV ☎ P. AE D E VISA — Z n
40 Z : 65 B 70/100 - 100/180 Fb – 6 Appart. 200.

Dorint Hotel garni, Am Oberen Marienbach 1, ☎ 14 81, Telex 673358 – TV ☎ — Y a
75 Z : 150 B Fb.

Zum Grafen Zeppelin, Cramerstr. 7, ☎ 2 21 73, Fahrradverleih – AE D E — Z u
Karte 17,50/42 *(Sonntag ab 15 Uhr geschl.)* – **22 Z : 36 B** 40/50 - 80/95 Fb.

Parkhotel garni, Hirtengasse 6a, ☎ 12 77 – TV ☎. AE — Z s
23. Dez.- 9. Jan. geschl. – **38 Z : 55 B** 75/82 - 90/115 Fb.

Central-Hotel garni, Zehntstr. 20, ☎ 2 00 90, Telex 673349 – TV ☎. AE D E VISA
35 Z : 65 B 59/78 - 98/118 Fb. — Y x

Brauhaus am Markt, Am Markt 30, ☎ 1 63 16, – — Y e

In Bergrheinfeld 8722 ③ : 5 km :

Weißes Roß, Hauptstr. 65 (B 26), ☎ (09721) 9 01 23, – P
18. Juli - 15. Aug. geschl. – Karte 17/38 *(Montag geschl., 15. Mai - 15. Sept. Sonntag nur Mittagessen)* – **41 Z : 61 B** 26/36 - 48/68.

Astoria, Schweinfurter Str. 117 (B 26), ☎ (09721) 9 00 51 – ☎ P. AE E
18. März - 9. April geschl. – Karte 15/33 *(Sonn- und Feiertage bis 18 Uhr geschl.)* – **70 Z : 105 B** 30/42 - 56/74.

SCHWEINFURT

Brückenstraße . . . . Z 6
Jägersbrunnen . . . . Z 12
Kesslergasse . . . . Z 13
Manggasse . . . . Z 18
Markt . . . . YZ 19
Roßmarkt . . . . Z 22
Rückertstraße . . . . Y 23
Schultesstraße . . . . Z
Spitalstraße . . . . Z 26

Albrecht-Dürer-Platz . . . . . Z 2
Am Oberen Marienbach . . Y 3
Am Zeughaus . . . . Y 4

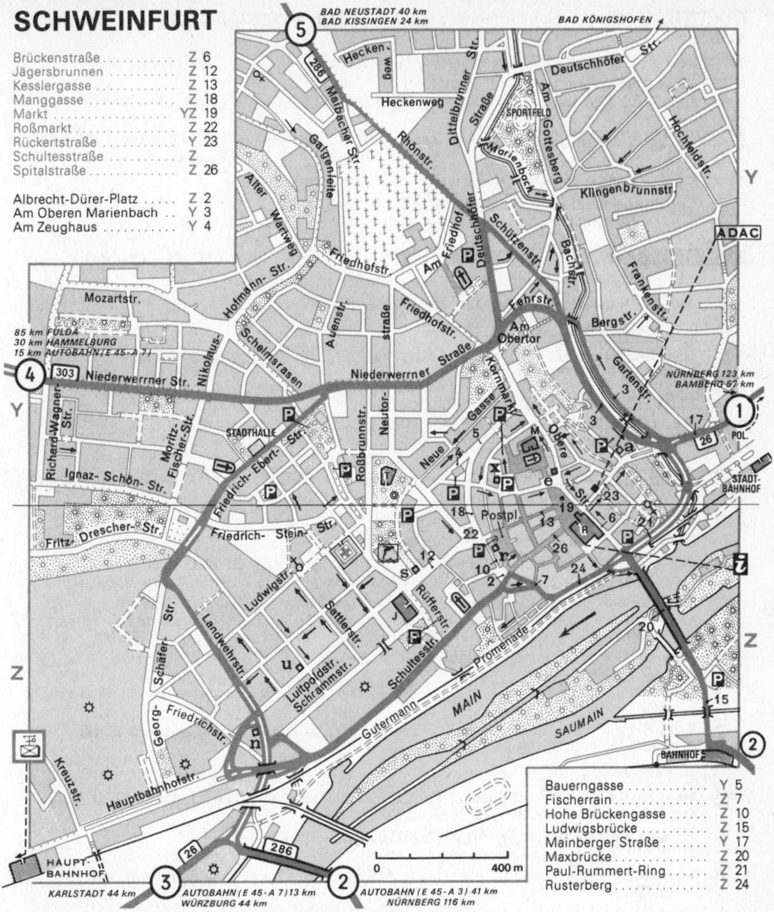

Bauerngasse . . . . Y 5
Fischerrain . . . . Z 7
Hohe Brückengasse . . . . . Z 10
Ludwigsbrücke . . . . Z 15
Mainberger Straße . . . . . . Y 17
Maxbrücke . . . . Z 20
Paul-Rummert-Ring . . . . . Z 21
Rusterberg . . . . Z 24

SCHWEITENKIRCHEN **8069.** Bayern [413] R 21 – 4 000 Ew – Höhe 520 m – ☎ 08444.
♦München 46 – ♦Augsburg 70 – Landshut 60 – ♦Nürnberg 123.

Im Ortsteil Geisenhausen N : 6 km :

Liebhardt, Hauptstr. 3, ☎ (08441) 50 20 – [P]
15. Nov.- 14. Dez. geschl. – Karte 16/30 – **14 Z : 24 B** 36/38 - 52/64.

An der Autobahn A 9 :

Motel Holledau, ✉ 8069 Schweitenkirchen-Geisenhausen, ☎ (08441) 24 17 (Hotel) 48 48 (Rest.) – ♿ [P]
25 Z : 42 B (Frühstück im Rasthaus).

SCHWELM **5830.** Nordrhein-Westfalen [987] ⑭ – 31 200 Ew – Höhe 220 m – ☎ 02336.
♦Düsseldorf 50 – Hagen 16 – Wuppertal 9.

Haus Wünsche, Göckinghofstr. 47, ☎ 8 20 30, ≤, 🏠, 🌳 – [TV] ☎ 🚗 [P] 🏔. [AE] [D] [E].
Aug. geschl. – (nur Abendessen für Hausgäste) – **19 Z : 25 B** 65/70 - 80/90.

Frese, Schulstr. 56, ☎ 29 63
Juni - Juli 3 Wochen geschl. – Karte 24/60 *(Freitag 15 Uhr - Samstag geschl.)* – **16 Z : 25 B** 45/60 - 80/90.

SCHWEND Bayern siehe Birgland.

[SCHWENDI] 7959. Baden-Württemberg [413] MN 22, [987] ㊱, [426] ⑭ – 5 300 Ew – Höhe 530 m – ☎ 07353.

♦Stuttgart 127 – Memmingen 36 – Ravensburg 67 – ♦Ulm (Donau) 35.

Zum Stern, Hauptstr. 32, ☎ 29 41 – [P]
Karte 17,50/39 *(Freitag geschl.)* – **14 Z : 20 B** 28/40 - 52/70.

[SCHWENNINGEN / HEUBERG] 7476. Baden-Württemberg [413] JK 22 – 1 600 Ew – Höhe 864 m – ☎ 07579.

♦Stuttgart 112 – ♦Ulm (Donau) 110 – ♦Konstanz 75 – ♦Freiburg im Breisgau 123.

🍴🍴 **Landhaus Müller** mit Zim, Hauser Talstr. 23, ☎ 5 95, 🌂 – [P]
1.- 20. Feb. geschl. – Karte 29/44 *(Dienstag geschl.)* 🍷 – **5 Z : 8 B** 40 - 80 – P 76.

[SCHWERTE] 5840. Nordrhein-Westfalen [987] ⑭ – 49 800 Ew – Höhe 127 m – ☎ 02304.

Siehe Ruhrgebiet (Übersichtsplan).

♦Düsseldorf 75 – ♦Dortmund 13 – Hagen 19 – Hamm in Westfalen 40.

In Schwerte 6-Geisecke O : 5,5 km :

Gutshof Wellenbad, Zum Wellenbad 7, ☎ 48 70, 🌂 – [TV] ☎ [P]. [AE] [D] [E]
Karte 41/69 – **11 Z : 18 B** 90 - 140.

In Schwerte 5-Villigst SO: 3 km :

🍴🍴 **Haus Becker**, Am Buschufer 7, ☎ 7 31 35, « Gartenterrasse » – [P]. [D] [E]
Donnerstag geschl. – Karte 48/79.

[SCHWETZINGEN] 6830. Baden-Württemberg [413] I 18, [987] ㉕ – 18 000 Ew – Höhe 102 m – ☎ 06202 – Sehenswert : Schloßgarten★★.

[i] Verkehrsverein, Schloßplatz (Palais Hirsch), ☎ 49 33.

♦Stuttgart 118 – Heidelberg 10 – ♦Mannheim 16 – Speyer 16.

Adler-Post, Schloßstr. 3, ☎ 1 00 36, 🌂 – [TV] ☎ ♿ 🚗 🏋. [AE] [D] [E] [VISA]
Karte 25/70 *(Montag, 1.- 14. Jan. und 2.- 24. Juli geschl.)* – **29 Z : 49 B** 81/135 - 156/250 Fb.

Am Theater, Hebelstr. 15 (am Meßplatz), ☎ 1 00 28, 🌂 – [TV] ☎. [AE] [D] [E] [VISA]
Juli 2 Wochen und 23. Dez.- 8. Jan. geschl. – Karte 27/56 *(außer Festspielzeit Samstag bis 18 Uhr und Sonntag geschl.)* 🍷 – **19 Z : 28 B** 75/125 - 145/150 Fb – 4 Appart. 185/260.

Romantik-Hotel Löwe, Schloßstr. 4, ☎ 2 60 66, Fax 10726, 🌂, Fahrradverleih – [TV] ☎ 🚗 🏋. [AE] [D] [E] [VISA]
Karte 28/74 *(außer Festspielzeit Sonntag 14 Uhr - Montag geschl.)* – **20 Z : 39 B** 95/110 - 135/160 Fb – 3 Appart. 240.

Zum Erbprinzen, Karlsruher Str. 1 (Schloßplatz), ☎ 1 00 42, 🌂 – ☎. [AE] [D] [E] [VISA]
Karte 30/57 🍷 – **23 Z : 38 B** 55/70 - 110/120 Fb.

In Ketsch 6834 SW : 5 km :

See-Hotel 🐌, am Anglersee, ☎ (06202) 66 31 (Hotel) 6 43 00 (Rest.), 🌂 – [TV] ☎ [P] 🏋
Karte 23/53 – **42 Z : 75 B** 85/95 - 125/145 Fb.

🍴🍴 **Hirsch**, Hockenheimer Str. 47, ☎ (06202) 6 14 39 – [D] [E]
25. Juni - 15. Juli und Dienstag geschl. – Karte 33/59.

🍴🍴 **Vier Jahreszeiten**, Hohe Wiesenweg 4 (SW : 1,5 km beim Tenniszentrum), ☎ 6 28 59, 🌂 – [P]. [AE]
Montag und über Fasching 4 Wochen geschl. – Karte 38/60.

[SCHWIEBERDINGEN] 7141. Baden-Württemberg [413] JK 20 – 9 600 Ew – Höhe 251 m – ☎ 07150.

♦Stuttgart 16 – Heilbronn 42 – ♦ Karlsruhe 66 – Pforzheim 35.

Schloßhof, Bahnhofstr. 4, ☎ 3 32 03 – [lift] ☎ [P]. [E]
Juli - Aug. 3 Wochen geschl. – Karte 19/47 *(Samstag geschl.)* – **21 Z : 28 B** 70 - 105.

[SCHWOLLEN] Rheinland-Pfalz siehe Hattgenstein.

[SCHWÜLPER] Niedersachsen siehe Braunschweig.

[SEEBACH] 7596. Baden-Württemberg [413] H 21, [242] ⑳ – 1 500 Ew – Höhe 406 m – Luftkurort – ☎ 07842 (Kappelrodeck).

[i] Verkehrsbüro, Rathaus, Ruhesteinstr. 21, ☎ 20 60.

♦Stuttgart 142 – Baden-Baden 48 – Freudenstadt 30.

Zum Adler, Ruhesteinstr. 62 (O : 2 km), ☎ 27 27, 🌂, 🌳, 🎾 – ☎ [P]. [AE]. 🐕
April geschl. – Karte 23/43 *(Dienstag geschl.)* 🍷 – **12 Z : 28 B** 50/55 - 80/90 Fb – P 70/80.

Pension Bohnert 🐌 garni, Bohnertshöfe 6, ☎ 31 61, 🏊, 🌳 – [P]
Nov.- 26. Dez. geschl. – **11 Z : 22 B** 39 - 67 Fb – 2 Fewo 85.

Hirsch, Ruhesteinstr. 17, ☎ 22 28 – [P]. [AE] [D] [E]
Mitte - Ende Jan. und Mitte Nov.- Anfang Dez. geschl. – Karte 18/42 *(Nov.- April Freitag geschl.)* 🍷 – **19 Z : 34 B** 28/43 - 50/79 – P 43/56.

[SEEBRUCK] Bayern siehe Seeon-Seebruck.

[SEEDORF] Schleswig-Holstein siehe Ratzeburg.

[SEEFELDEN] Baden-Württemberg siehe Uhldingen-Mühlhofen.

[SEEG] **8959. Bayern [413] O 24, [426] ⑮ – 2 300 Ew – Höhe 854 m – Erholungsort – ☎ 08364.**

ℹ Verkehrsamt, Hauptstr. 26, ✆ 6 42.

♦München 142 – Kempten (Allgäu) 34 – Pfronten 11.

🏠 **Pension Heim** 🔇, Aufmberg 8, ✆ 2 58, ≤ Voralpenlandschaft, 🏊, 🌳 – ☎ 🅿. ✂ Rest
Nov.- 20. Dez. geschl. – (nur Abendessen für Hausgäste) – **18 Z : 33 B** (½ P) 59/77 - 114/130.

In Rückholz-Seeleuten **8961** SW : 2 km :

🏠 **Café Panorama** 🔇, ✆ (08364) 2 48, ≤ Voralpenlandschaft, 🌳 – 🚗 🅿
5. Nov.- 15. Dez. geschl. – (Restaurant nur für Hausgäste) – **20 Z : 36 B** 25/40 - 52/80 – P 43/50.

[SEEHEIM-JUGENHEIM] **6104. Hessen [413] IJ 17, [987] ㉕ – 16 600 Ew – Höhe 140 m – Luftkurort – ☎ 06257.**

♦Wiesbaden 56 – ♦Darmstadt 13 – Heidelberg 47 – Mainz 48 – ♦Mannheim 44.

Im Ortsteil Jugenheim :

🏠 **Jugenheim** 🔇 garni, Hauptstr. 54, ✆ 20 05 – 📺 ☎ ♿ 🅿. [AE] [D] [E] [VISA]
18 Z : 27 B 75/90 - 98/135 Fb.

🏠 **Brandhof** 🔇, Im Stettbacher Tal 61 (O: 1,5 km), ✆ 26 89, ☂ – ☎ 🅿 🏛. [D] [E]
Karte 25/49 🍷 – **39 Z : 65 B** 55/65 - 95/100.

Im Ortsteil Malchen :

🏠 **Malchen** 🔇 garni, Im Grund 21, ✆ (06151) 5 50 31 – 📺 ☎ ♿ 🚗 🅿. [AE] [D] [E] [VISA]
21 Z : 46 B 80/95 - 110/125 Fb.

[SEELBACH] **7633. Baden-Württemberg [413] G 22, [242] ㉘, [87] ⑥ – 4 500 Ew – Höhe 217 m – Luftkurort – ☎ 07823.**

♦Stuttgart 175 – ♦Freiburg im Breisgau 61 – Offenburg 33.

🏠 **Ochsen**, Hauptstr. 100, ✆ 20 34, ☂ – 🚗 🅿 🏛. [D] [E] [VISA]. ✂ Zim
Feb. 2 Wochen geschl. – Karte 19/40 *(Mittwoch geschl.)* 🍷 – **29 Z : 54 B** 55 - 90 – P 60.

In Seelbach-Schönberg NO : 6 km – Höhe 480 m :

🏠 **Geroldseck** garni, ✆ 20 44, ≤, 🏊, 🏊, 🌳 – ☎ 🚗 🅿 🏛. [D] [E]
26 Z : 52 B 61/67 - 118/124 Fb.

🍴 **Löwen** (Gasthof a.d.J. 1370), an der B 415, ✆ 20 44, ≤, ☂ – 🅿. [D] [E]
Montag geschl. – Karte 27/54.

[SEELBACH] Rheinland-Pfalz siehe Hamm (Sieg).

[SEEON-SEEBRUCK] **8221. Bayern [413] U 23 – 4 300 Ew – Höhe 540 m – Erholungsort – ☎ 08624 (Seeon) und 08667 (Seebruck).**

Sehenswert : Chiemsee★.

ℹ Verkehrsamt Seebruck, Am Anger 1, ✆ 71 33.

ℹ Verkehrsamt Seeon, Weinbergstr. 6, ✆ 21 55.

♦München 80 – Rosenheim 39 – Wasserburg am Inn 26.

Im Ortsteil Seebruck [987] ㊲, [426] ⑲ – Luftkurort :

🏠 **Café Wassermann**, Ludwig-Thoma-Str.1, ✆ 87 10, ≤, ☂, 🏊, 🏊, Fahrradverleih – 🛗 📺 ☎ 🅿 🏛. [AE] [D] [E] [VISA]
Mitte Jan.- Anfang Feb. geschl. – Karte 23/50 – **41 Z : 90 B** 65/80 - 107/127 Fb.

🏠 **Gästehaus Kaltner** garni, Traunsteiner Str. 4, ✆ 71 14, 🏊, 🏖, 🌳 – 📺 ☎ 🚗 🅿
26. Nov.- 26. Dez. geschl. – **16 Z : 29 B** 50/70 - 80/140 Fb – 14 Fewo 60/105.

🍴🍴 Segelhafen, Im Jachthafen 7, ✆ 6 11, ≤, ☂ – 🅿.

Im Ortsteil Seebruck-Lambach SW : 3 km ab Seebruck :

🏠 **Landgasthof Lambachhof**, ✆ 4 27, Biergarten, 🏖, 🌳 – 📺 ☎ 🅿
Karte 23/51 *(Okt.- Mai Dienstag und Dez.- Jan. geschl.)* – **31 Z : 60 B** 70/90 - 100/130 – 5 Appart. 200.

🏠 **Malerwinkel**, ✆ 4 88, Terrasse mit ≤ Chiemsee und Alpen, 🏊, 🏖, 🌳 – 📺 ☎ 🅿
Karte 28/58 (Tischbestellung ratsam) – **23 Z : 46 B** 60/85 - 100/120.

Fortsetzung →

Im Ortsteil Seeon :

🏨 **Schanzenberg** 🔇, Schanzenberg 1, ✆ 20 31, ←, « Gartenterrasse, Oldtimermuseum », 🏕, 🌳 – [TV] ☎ [P]. [AE] E
Feb. geschl. – Karte 27/64 *(Nov.- April Montag geschl.)* (abends Tischbestellung ratsam) – **18 Z : 50 B** 70/90 - 105/160.

🏨 **Parkhotel Sandau** 🔇 garni, Werlinstr. 9, ✆ 25 80, ≘s, 🌳 – [P]
Nov. geschl. – **32 Z : 60 B** 41/58 - 70/112.

🍴 **Insel - Schloß-Gaststätte**, Klosterweg 2 (Kloster Seeon), ✆ 25 25, « Terrasse am See », Badesteg – [P]
Nov. geschl., Dez.- Feb. Dienstag Ruhetag – Karte 23/56.

Im Ortsteil Seeon-Roitham S : 4 km ab Seeon :

🏨 **Gruber-Alm** 🔇, Almweg 18, ✆ (08667) 6 96, ←, ≘s, 🌳 – [P]
27. Okt.- 5. Nov. geschl. – Karte 19/43 *(Okt.- März Montag - Dienstag geschl.)* 🍷 – **19 Z : 34 B** 33/45 - 62/76 – P 50/55.

SEESEN 3370. Niedersachsen [987] ⑮⑯ – 21 800 Ew – Höhe 250 m – ☏ 05381.
ℹ Städt. Verkehrsamt, Marktstr. 1, ✆ 7 52 43.
♦Hannover 77 – ♦Braunschweig 62 – Göttingen 53 – Goslar 26.

🏨 **Goldener Löwe**, Jacobsonstr. 20, ✆ 12 01 – ☎ 🚗. [AE] ⓓ E VISA
Karte 35/60 – **31 Z : 55 B** 71/100 - 94/168 Fb.

🏨 **Wilhelmsbad**, Frankfurter Str. 10, ✆ 22 48 – [TV] 🚗 [P]. [AE] ⓓ E VISA
Juli geschl. – Karte 19/45 *(Sonntag geschl.)* – **16 Z : 25 B** 35/55 - 60/90.

SEEVETAL 2105. Niedersachsen [987] ⑤ ⑮ – 35 000 Ew – Höhe 25 m – ☏ 04105.
⛳18 Am Golfplatz 24, ✆ 23 31.
♦Hannover 130 – ♦Bremen 101 – ♦Hamburg 22 – Lüneburg 33.

In Seevetal 1-Hittfeld :

🏨 **Krohwinkel**, Kirchstr. 15, ✆ 25 07, Spielbank im Hause – [TV] ☎ [P] 🏛. [AE] ⓓ E VISA
Karte 26/57 – **16 Z : 27 B** 73/82 - 105/110.

🏨 **Meyer's Hotel** garni, Hittfelder Twiete 1, ✆ 28 27 – [TV] ☎ [P]. [AE] ⓓ
16 Z : 28 B 89/98 - 145/158 Fb.

🏨 **Zur Linde**, Lindhorster Str. 3, ✆ 23 72, « Gartenterrasse » – [TV] ☎ [P]
Karte 24/44 – **26 Z : 51 B** 55 - 88 Fb.

In Seevetal 1-Karoxbostel :

🏨 **Derboven**, Karoxbosteler Chaussee 68, ✆ 24 87 – [P]
15. Juli - 14. Aug. und 22. Dez.- 2. Jan. geschl. – Karte 18,50/35 *(Freitag geschl.)* – **28 Z : 40 B** 35/45 - 66/86 Fb.

In Seevetal 3-Maschen :

🏨 **Maack**, Hamburger Str. 6 (B 4), ✆ 8 30 31 – [TV] ☎ [P] 🏛. [AE] ⓓ E VISA
Karte 24/45 – **41 Z : 66 B** 49/55 - 78/95 Fb.

SEEWALD 7291. Baden-Württemberg [413] I 21 – 2 100 Ew – Höhe 750 m – Luftkurort – Wintersport : 700/900 m ⛷1 ⛷2 – ☏ 07448.
ℹ Rathaus in Besenfeld, Freudenstädter Str. 12, ✆ (07447) 10 07.
♦Stuttgart 76 – Altensteig 13 – Freudenstadt 23.

In Seewald-Besenfeld – ☏ 07447 :

🏨 **Oberwiesenhof** 🔇, Freudenstädter Str. 60, ✆ 10 01, 🏊, ≘s, 🏊, 🌳, 🎾 – 🛗 [TV] ☎ 🚗 [P] 🏛. [AE] ⓓ E VISA. ✂ Rest
Karte 28/60 – **56 Z : 106 B** 65/85 - 120/176 Fb – P 93/121.

🏨 Sonnenblick, Freudenstädter Str. 40 (B 294), ✆ 3 19, 🏊, 🌳 – 🛗 [TV] 🚗 [P]. ✂ Rest
26 Z : 48 B.

🏨 **Café Konradshof** 🔇 garni, Freudenstädter Str. 65 (B 294), ✆ 12 22, 🌳 – 🛗 🚗 [P]
16 Z : 31 B 38/46 - 64/90.

🏨 **Pferdekoppel-Unterwiesenhof** 🔇, Kniebisstr. 65, ✆ 3 64, ←, 🌳, 🏇 (Halle, Schule) – [P]
9. Nov.- 14. Dez. geschl. – Karte 19/42 *(Montag geschl.)* – **14 Z : 25 B** 35/40 - 60/72.

🏨 **Kapplerhof** garni, Römerweg 33, ✆ 4 37, 🌳 – ☎ [P]
22. Okt.- 18. Dez. geschl. – **17 Z : 30 B** 36/40 - 72/80.

In Seewald-Eisenbach :

🏨 Tannenhof, Ortsstr. 14, ✆ 2 28, 🌳 – 🚗 [P] – **16 Z : 28 B.**

In Seewald-Göttelfingen :

🏨 Traube, Altensteiger Str. 15, ✆ 2 13, 🌳 – 🚗 [P] – **40 Z : 60 B.**

An der Straße Göttelfingen-Altensteig SO : 4 km ab Göttelfingen :

🍴 **Kropfmühle** 🔇 mit Zim, ✉ 7291 Seewald-Omersbach, ✆ (07448) 2 44, ☂, 🌳 – 🚗 🅿
12. Jan.- Feb. geschl. – Karte 21/45 *(Okt.- April Donnerstag geschl.)* – **11 Z : 19 B** 28/32 - 56/64 – P 42/50.

SEGEBERG, BAD **2360.** Schleswig-Holstein [987] ⑤ – 15 500 Ew – Höhe 45 m – Luftkurort – ☎ 04551 – [i] Tourist-Information, Lübecker Str. 10a (2. Etage), ✆ 5 72 33.
♦Kiel 47 – ♦Hamburg 63 – ♦Lübeck 31 – Neumünster 26.

🏨 **Intermar Kurhotel** 🔇, Kurhausstr. 87, ✆ 80 40, Telex 261619, ≤, ☂, 🏊, 🏊 – 🛗 📺 ☎ 🅿 🎪. [AE] ⓓ [E] [VISA]
Karte 32/52 – **100 Z : 200 B** 99/104 - 159/298 Fb.

🏨 **Central Gasthof**, Kirchstr. 32, ✆ 27 83 – 🚗. [AE] ⓓ [E]
Okt. 2 Wochen geschl. – Karte 21/44 *(Nov.- April Donnerstag geschl.)* – **11 Z : 20 B** 40/52 - 70/90.

🍴 Haus des Handwerks, Hamburger Str. 24, ✆ 41 40.

In Bad Segeberg-Schackendorf NW : 5 km :

🍴🍴 **Immenhof**, Neukoppel 1, ✆ 32 44, ☂ – 🅿
Donnerstag geschl. – Karte 27/55 *(auch vegetarische Gerichte).*

In Högersdorf **2360** SW : 3,5 km :

🍴🍴 **Holsteiner Stuben** 🔇 mit Zim, Dorfstr. 19, ✆ (04551) 40 41, 🌳 – ☎ 🅿 🎪
Karte 29/59 *(Mittwoch geschl.)* – **6 Z : 10 B** 65 - 100.

In Rohlstorf-Warder **2361** NO : 8 km :

🏨 Am See 🔇, Seestr. 25, ✆ (04559) 10 31, ☂, 🏊, 🌳 – 🚗 🅿 – **18 Z : 35 B.**

In Leezen **2361** SW : 10 km :

🏨 **Teegen**, Heiderfelder Str. 5 (B 432), ✆ (04552) 2 90, 🏊, 🏊 (Gebühr), 🌳 – 🚗 🅿 🎪. [AE] ⓓ [E] [VISA]
Karte 21/43 *(Montag geschl.)* – **17 Z : 25 B** 29/41 - 56/81.

SEHNDE **3163.** Niedersachsen [987] ⑮ – 18 500 Ew – Höhe 64 m – ☎ 05138.
♦Hannover 17 – ♦Braunschweig 48 – Hildesheim 38.

In Sehnde 4-Bilm NW : 5 km :

🏨 **Parkhotel Bilm** 🔇, Behmerothsfeld 6, ✆ 20 47, Telex 922485, 🏊, 🏊, 🌳 – 🛗 📺 ☎ 🅿 🎪. [AE] ⓓ [E] [VISA]
2.- 15. Jan. geschl. – Karte 36/66 *(nur Abendessen, 15.- 22. Jan. und Montag geschl.)* – **54 Z : 74 B** 75/105 - 95/150 Fb.

In Sehnde 14-Müllingen SW : 7 km :

🍴🍴 Müllinger Tivoli 🔇 mit Zim, Müllinger Str. 41, ✆ 13 80, ☂ – 🅿 – **8 Z : 14 B.**

SEHRINGEN Baden-Württemberg siehe Badenweiler.

SELB **8672.** Bayern [413] T 16, [987] ㉗ – 22 700 Ew – Höhe 555 m – ☎ 09287.
[i] Verkehrsverband für Nordostbayern, Friedrich-Ebert-Str. 7, ✆ 27 59.
♦München 291 – Bayreuth 62 – Hof 27.

🏨 **Rosenthal-Casino** 🔇, Kasinostr. 3, ✆ 7 89 24, « Zimmer mit moderner Einrichtung und Dekor verschiedener Künstler » – 📺 ☎ 🅿. [AE] ⓓ [E] [VISA]
Aug. 2 Wochen geschl. – Karte 27/55 *(Samstag bis 17 Uhr und Sonntag geschl.)* – **14 Z : 20 B** 75 - 95/105 Fb.

🏨 **Parkhotel**, Franz-Heinrich-Str. 29, ✆ 7 89 91, Telex 61124, Fax 3222, 🏊 – 🛗 ☎ 🅿 🎪. [AE]
Karte 24/51 *(nur Abendessen)* – **40 Z : 66 B** 69/75 - 98/110 Fb.

🏨 **Schmidt**, Bahnhofstr. 19, ✆ 7 89 01 (Hotel) 7 95 67 (Rest.) – 📺 ☎
✦ Karte 19/43 *(Freitag und 5.- 25. Juni geschl.)* – **24 Z : 40 B** 43/65 - 68/85.

🍴🍴 **Altselber-Stuben** mit Zim, Martin-Luther-Platz 5, ✆ 22 00 – ☎. ⓓ [E]
✦ Karte 19/38 *(Montag geschl.)* – **6 Z : 12 B** 63 - 85.

SELBECKE Nordrhein-Westfalen siehe Kirchhundem bzw. Hagen.

SELBITZ **8677.** Bayern [413] S 16 – 4 800 Ew – Höhe 525 m – ☎ 09280.
♦München 285 – Bayreuth 56 – Hof 15.

🏨 Goldene Krone, Bahnhofstr. 18, ✆ 2 35 – 🚗 – **16 Z : 32 B.**

🏠 **Napoleon**, Mühlberg 4, ✆ 16 60 – 🚗. 🚫
(nur Abendessen für Hausgäste) – **7 Z : 12 B** 30 - 60.

In Selbitz-Stegenwaldhaus O : 4 km über die B 173, in Sellanger rechts ab :

🏨 **Leupold** 🔇, ✆ 2 72, ☂ – 🚗 🅿
✦ Karte 18/30 *(Montag bis 18 Uhr geschl.)* – **13 Z : 23 B** 24/32 - 48/64 – P 42/50.

SELIGENSTADT 6453. Hessen 413 J 16, 987 ㉕ – 17 700 Ew – Höhe 118 m – ☎ 06182.
ℹ Verkehrsbüro, Aschaffenburger Str. 1, ☎ 8 71 77.
♦Wiesbaden 58 – Aschaffenburg 17 – ♦Frankfurt am Main 25.

Mainterrasse - Ristorante La Gondola, Kleine Maingasse 18, ☎ 2 70 56 (Hotel) 2 22 60 (Rest.), <, – TV ☎. AE ⓓ E.
über Weihnachten geschl. – Karte 32/63 *(Freitag geschl.)* – **24 Z : 33 B** 75/80 - 120/130 Fb.

Zum Ritter, Würzburger Str. 31, ☎ 2 60 34 – ☎ P
21. Dez.- 6. Jan. geschl. – Karte 21/44 *(nur Abendessen, Sonn- und Feiertage geschl.)* – **24 Z : 38 B** 40/65 - 70/100.

XX **Klosterstuben**, Freihofplatz 7, ☎ 35 71, « Innenhofterrasse » – ⓓ E
3.- 24. Juli und Sonntag - Montag geschl. – Karte 34/57.

In Seligenstadt-Froschhausen NW : 3 km :

Zum Lamm, Seligenstädter Str. 36, ☎ 70 64 – ☎ P
22. Dez.- 4. Jan. geschl. – Karte 18/27 *(Juli und Freitag - Samstag geschl.)* – **27 Z : 36 B** 40 - 70.

An der Autobahn A 3 NW : 6 km :

Motel Weiskirchen garni, Autobahn-Nordseite, ✉ 6054 Rodgau 6, ☎ (06182) 6 80 38 –
☎ P. E
30 Z : 60 B 68 - 95.

SELLINGHAUSEN Nordrhein-Westfalen siehe Schmallenberg.

SELM Nordrhein-Westfalen siehe Lünen.

SELTERS 5418. Rheinland-Pfalz – 2 200 Ew – Höhe 246 m – ☎ 02626.
Mainz 94 – ♦Bonn 70 – ♦Koblenz 35 – Limburg an der Lahn 35.

Adler, Rheinstr. 24, ☎ 7 00 44 – P. AE E
Karte 18/40 *(Samstag bis 18 Uhr geschl.)* – **15 Z : 23 B** 60/65 - 110/120.

SELTERS (TAUNUS) 6251. Hessen – 6 600 Ew – Höhe 140 m – ☎ 06483.
♦Wiesbaden 49 – ♦ Frankfurt am Main 62 – Limburg an der Lahn 18.

In Selters 3-Münster – Erholungsort :

XX **Stahlmühle** mit Zim, Bezirksstr. 34 (NO : 1,5 km), ☎ 56 90, – TV ☎ P. AE E
Feb. und Okt. jeweils 2 Wochen geschl. – Karte 43/64 *(Mittwoch - Donnerstag 18 Uhr geschl.)* – **4 Z : 8 B** 68/78 - 108/120.

SENDEN 7913. Bayern 413 N 22 – 19 000 Ew – Höhe 470 m – ☎ 07307.
♦München 143 – Memmingen 48 – ♦Ulm (Donau) 11.

Feyrer, Bahnhofstr. 18, ☎ 40 87 – TV ☎ P . Zim
1.- 14. Aug. geschl. – Karte 15/30 *(Freitag bis 17 Uhr und Sonntag ab 14 Uhr geschl.)* – **36 Z : 60 B** 40/80 - 60/110 Fb.

In Senden-Aufheim NO : 2 km :

Rößle, Unterdorf 17, ☎ 20 25 – TV ☎ P
20 Z : 35 B.

XX Alte Schule, Hausener Str. 5, ☎ 2 37 77 – P.

SENDEN 4403. Nordrhein-Westfalen 408 ㉑ – 15 600 Ew – Höhe 60 m – ☎ 02597.
♦Düsseldorf 129 – Lüdinghausen 10 – Münster (Westfalen) 18.

XX **Haus Scharlau**, Laurentiusplatz 7, ☎ 2 89, « Gediegene, gemütliche Einrichtung » – ⓓ E
Mittwoch und Juli - Aug. 2 Wochen geschl. – Karte 36/64.

In Senden-Ottmarsbocholt SO : 4 km :

XXX ✿ **Averbeck's Giebelhof** mit Zim, Kirchstr. 12, ☎ (02598) 3 93, « Elegante Einrichtung » – P .
Montag - Dienstag 18 Uhr geschl. – Karte 78/100 *(bemerkenswerte Weinkarte)* – **Grüner Zeisig** Karte 34/55 – **5 Z : 9 B** 32 - 64
Spez. Selleriecannelloni mit Hummer und Trüffel, Geräucherter Zander auf Linsen, Frikassee vom Perlhuhn mit Kürbisgemüse.

SENDENHORST 4415. Nordrhein-Westfalen – 10 600 Ew – Höhe 53 m – ☎ 02526.
♦Düsseldorf 136 – Beckum 19 – Münster (Westfalen) 22.

Zurmühlen, Osttor 38, ☎ 13 74
9 Z : 15 B.

In Sendenhorst-Hardt SO : 2 km :

XX **Waldmutter**, an der Straße nach Beckum, ☎ 12 72, « Gartenterrasse » – P
Feb. und Montag geschl. – Karte 22/43.

[SENHEIM] 5594. Rheinland-Pfalz – 700 Ew – Höhe 90 m – ☎ 02673 (Ellenz-Poltersdorf).
Mainz 104 – Cochem 16 – ♦Koblenz 74 – ♦Trier 75.

🏠 **Schützen** ⛰, Brunnenstr. 92, ☎ 43 06, eigener Weinbau, Weinproben – 🚗. [AE] [E]. ⊘
April - Nov. – Karte 21/38 *(Montag geschl.)* – **15 Z : 28 B** 35/45 - 54/70 Fb – P 50/54.

[SESSLACH] 8601. Bayern [413] P 16 – 3 800 Ew – Höhe 271 m – ☎ 09569.
♦München 275 – ♦Bamberg 40 – Coburg 16.

🍴🍴 **Mally** ⛰ mit Zim, Dr.-Josef-Otto-Kolb-Str.7, ☎ 2 28, ☂
Jan. und Sept. geschl. – Karte 46/66 *(nur Abendessen, Tischbestellung ratsam)* (Montag geschl.) – **7 Z : 12 B** 40 - 80.

[SIEDELSBRUNN] Hessen siehe Wald-Michelbach.

[SIEGBURG] 5200. Nordrhein-Westfalen [987] ㉔ – 36 000 Ew – Höhe 61 m – ☎ 02241.
[i] Verkehrsamt, im Rathaus, ☎ 10 23 83.
ADAC, Humperdinckstr. 64, ☎ 6 95 50, Notruf ☎ 1 92 11.
♦Düsseldorf 67 – ♦Bonn 11 – ♦Koblenz 87 – ♦ Köln 27.

🏨 **Kaspar** garni, Elisabethstr. 11 (am Rathaus), ☎ 6 30 73 – [|$|] [TV] ☎. [AE] [D] [E] [VISA]
22. Dez.- 5. Jan. geschl. – **25 Z : 35 B** 75/120 - 110/160 Fb.

🏠 **Siegblick**, Nachtigallenweg 1, ☎ 6 00 77, ☂ – ☎ 🚗 [P]. [E]
1.- 20. Jan. und 10.- 24. März geschl. – Karte 27/54 *(Freitag geschl.)* – **21 Z : 42 B** 55/100 - 84/131.

🏠 **Kaiserhof**, Kaiserstr. 80, ☎ 5 00 71 – [|$|] ☎ 🚗. [AE] [D] [E] [VISA]
Karte 28/57 – **32 Z : 48 B** 70/80 - 120.

🍴🍴 **Alt Siegburg**, Luisenstr. 9, ☎ 6 23 33 – [D] [E] [VISA]
Sonn- und Feiertage sowie Ende Juli - Anfang Aug. geschl. – Karte 42/58 *(Tischbestellung ratsam).*

[SIEGEN] 5900. Nordrhein-Westfalen [987] ㉔ – 119 000 Ew – Höhe 236 m – ☎ 0271.
🚗 in Siegen 21-Weidenau, ☎ 59 13 25.
[i] Städt. Verkehrsamt, Pavillon am Hauptbahnhof, ☎ 5 77 75.
ADAC, Koblenzer Str. 65, ☎ 33 50 44, Notruf ☎ 1 92 11.
♦Düsseldorf 130 ⑤ – ♦Bonn 99 ⑤ – Gießen 73 ③ – Hagen 88 ⑤ – ♦Köln 93 ⑤.

Stadtplan siehe nächste Seite.

🏨 **Park Hotel Siegen**, Koblenzer Str. 135, ☎ 3 38 10, Telex 872617, Bade- und Massageabteilung, ♨ – [|$|] [TV] ♿ [P] 🏛. [AE] [D] [E] [VISA] Z a
Karte 41/64 *(wochentags nur Abendessen)* – **91 Z : 139 B** 175 - 235/335 Fb.

🏨 **Hotel am Kaisergarten**, Kampenstr. 83, ☎ 5 40 72, Telex 872734, Fax 21146, Massage, ♨, 🏊 – [|$|] ⊘ Zim [TV] 🚗 [P] 🏛. [AE] [D] [E] [VISA] Y c
Karte 42/56 – **102 Z : 170 B** 99/145 - 119/192 Fb.

🏨 **Kochs Ecke**, Koblenzer Str. 53, ☎ 5 20 23 – [|$|] [TV] ☎ 🚗. [AE] [D] [E] [VISA] Z e
Karte 24/62 – **40 Z : 60 B** 65/100 - 100/140 Fb.

🏨 **Berghotel Johanneshöhe**, Wallhausenstr. 1, ☎ 31 00 08, ← Siegen – [TV] ☎ 🚗 [P] 🏛. [AE] [D] [E]. ⊘ Rest über Achenbacher Straße Z
Karte 29/61 – **25 Z : 44 B** 75/110 - 110/175 Fb.

🏠 **Haus am Hang** ⛰ garni, Am jähen Hain 5, ☎ 5 10 01 – [TV] ☎ 🚗 [P]. [AE] [D] [E] [VISA] Y h
22. Dez.- 6. Jan. geschl. – **20 Z : 25 B** 43/87 - 110/130.

🏠 **Bürger** garni, Marienborner Str. 134, ☎ 6 25 51 – [|$|] 🚗 [P]. [AE] [D] [E] [VISA]. ⊘
60 Z : 90 B 43/75 - 78/110. über Marienborner Straße YZ

🏠 **Jakob** garni, Tiergartenstr. 61, ☎ 5 23 75 – ☎ [P] Y a
10 Z : 18 B 50/55 - 87.

🍴🍴 **Pfeffermühle**, Frankfurter Str. 261, ☎ 5 45 26, ☂ – [P] über ②
Karte 32/63.

🍴🍴 **Laterne**, Löhrstr. 37, ☎ 5 70 33, « Gemütliche Einrichtung » – [AE] [E] Z c
Donnerstag geschl. – Karte 20/56.

🍴🍴 **Siegerlandhalle**, Koblenzer Str. 151, ☎ 33 10 00 – ♿ [P] 🏛. [AE] [E] Z T
15. Juli - 15. Aug. geschl. – Karte 31/60.

🍴 **Schwarzbrenner**, Untere Metzgerstr. 29, ☎ 5 12 21 Z u
nur Abendessen, Montag und Juni - Juli 2 Wochen geschl. – Karte 42/68 *(Tischbestellung ratsam).*

🍴 China-Restaurant Lotus, Markt 47 (1. Etage), ☎ 2 12 67 Y e

In Siegen 21-Buchen ① : 8 km :

🏠 Ongelsgrob, Buchener Str. 22, ☎ 8 13 48, ☂ – ☎ 🚗 [P]. ⊘ Rest – **8 Z : 12 B.**

In Siegen 21-Dillnhütten ① : 7 km :

🏠 **Reuter**, Geisweider Str. 144 (B 54), ☎ 8 55 66 – 🚗 [P]
◆ *Juni - Juli 3 Wochen geschl.* – Karte 17/29 *(nur Abendessen, Sonntag geschl.)* – **7 Z : 9 B** 35/38 - 60/70.

SIEGEN

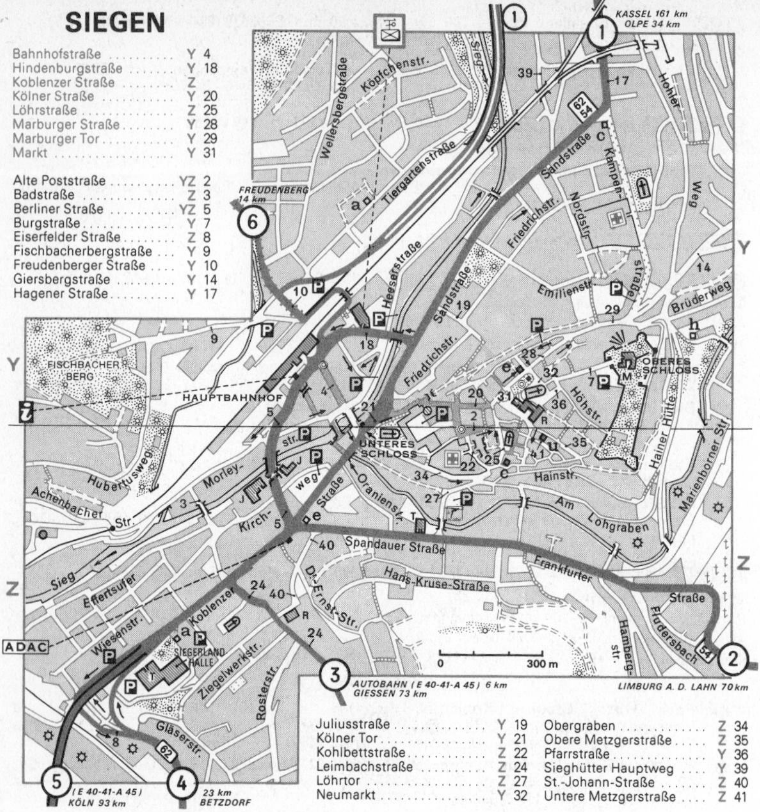

In Siegen 31-Eiserfeld ④ : 5 km :

Haus Hennche, Eiserntalstr. 71, ✆ 38 16 45 – ☎ Ⓟ
Juli - Aug. 3 Wochen geschl. – Karte 18/42 *(Samstag 13.30 Uhr - Sonntag geschl.)* – **16 Z : 22 B** 30/48 - 70/85 Fb.

Haus Siegboot, Eiserfelder Str. 230, ✆ 38 15 23 – ☎ Ⓟ
Karte 19,50/32 – **29 Z : 50 B** 68/80 - 105 Fb.

In Siegen 21-Geisweid ① : 6 km :

Café Römer garni, Rijnsburger Str. 4, ✆ 8 10 45 – ☎. AE ⓓ E VISA
16 Z : 20 B 60/70 - 100/110 Fb.

XXX Ratskeller, Lindenplatz 7 (im Rathaus), ✆ 8 43 33 – Ⓟ.

In Siegen 1-Kaan-Marienborn O : 4 km über Marienborner Str. YZ :

X **Weißtalhalle**, Blumertsfeld 2, ✆ 6 40 74 – Ⓟ. E
Sonntag - Montag geschl. – Karte 22/50.

In Siegen 1-Seelbach ⑥ : 7 km :

Haus Waldhardt, Nelkenweg 54, ✆ (0271) 37 01 88, ≤ – Ⓟ.
(Restaurant nur für Hausgäste) – **12 Z : 18 B** 40/45 - 70/80.

XX Am Weiher mit Zim, Freudenberger Str. 671, ✆ (02734) 72 84, ≤, – Ⓟ.
8 Z : 11 B.

In Siegen 21-Sohlbach ① : 7 km :

Kümmel, Gutenbergstr. 7, ✆ 8 30 69 – ☎ Ⓟ.
Karte 25/54 *(Freitag geschl.)* – **11 Z : 16 B** 60 - 90.

In Siegen 21-Weidenau ① : 4 km :

Oderbein, Weidenauer Str. 187 (am Bahnhof), ✆ 4 50 27 – ☎ Ⓟ. AE ⓓ E VISA
Karte 23/53 – **28 Z : 56 B** 78/80 - 108/120 Fb.

In Wilnsdorf-Obersdorf **5901** ② : 6 km :

XXX **Haus Rödgen** mit Zim, Rödgener Str. 100 (B 54), ✆ (0271) 3 91 73, <, ☂ – [TV] ☎ 🚗 🅿. [AE] [D] [E] [VISA]
Karte 44/65 – **7 Z : 12 B** 85/90 - 130/150.

In Wilnsdorf **5901** ② : 11 km :

🏠 **Kölsch**, Frankfurter Str. 7 (B 54), ✆ (02739) 22 53 – 🅿
10.- 30. Okt. geschl. – Karte 21/52 *(Dienstag geschl.)* – **8 Z : 12 B** 29/35 - 58/70.

[SIEGSDORF] **8227.** Bayern [413] U 23, [987] ㊲ ㊳, [426] ⑲ – 7 200 Ew – Höhe 615 m – Luftkurort – ☏ 08662.

ℹ Verkehrsamt, Rathausplatz 2, ✆ 79 93.

◆München 105 – Bad Reichenhall 32 – Rosenheim 48 – Salzburg 36 – Traunstein 7.

🏨 Forelle, Traunsteiner Str. 1, ✆ 70 93, ☂ – ☎ 🚗 🅿 – **22 Z : 45 B.**

🏠 **Edelweiß**, Hauptstr. 21, ✆ 92 96 – 🚗 🅿. [E]
◆ *Okt. geschl.* – Karte 16/32 *(Donnerstag geschl.)* – **14 Z : 26 B** 27/32 - 52/62.

🏠 **Neue Post**, Kirchplatz 2, ✆ 92 78 – 🚗 🅿
◆ *2. Nov.- 16. Dez. geschl.* – Karte 16,50/35 *(Montag geschl.)* – **21 Z : 40 B** 27/40 - 54/80.

In Siegsdorf-Eisenärzt S : 3 km:

🏨 **Eisenärzter Hof**, Arztbergstr. 1, ✆ 94 00, ☂ – 🅿
◆ *20. Okt.- Mitte Nov. geschl.* – Karte 18/39 *(Sept.- Juni Dienstag geschl.)* – **11 Z : 23 B** 38/40 - 68/75 Fb.

In Siegsdorf-Hammer **8221** SO : 6 km :

🏨 **Hörterer**, Schmiedstr. 1 (B 306), ✆ 93 21, ☂, 🌳 – [TV] ☎ 🅿. [AE] [E]
5. Nov.- 15. Dez. geschl. – Karte **25**/45 *(Mittwoch geschl.)* – **32 Z : 60 B** 50/65 - 84/96.

[SIERKSDORF] **2430.** Schleswig-Holstein – 1 900 Ew – Höhe 15 m – Seebad – ☏ **04563.**

ℹ Kurverwaltung, Vogelsang 1, ✆ 70 23.

◆Kiel 57 – ◆Lübeck 28 – Neustadt in Holstein 8,5.

🏠 **Ostseestrand**, Am Strande 2, ✆ 81 15, <, ☂ – 🚗 🅿
Nov. geschl. – Karte 25/50 *(Okt.- März Mittwoch geschl.)* – **16 Z : 29 B** 45/85 - 75/115 – 8 Fewo 65/105.

XX **Seehof** ⚘ mit Zim, Gartenweg 30, ✆ 70 31, < Ostsee, ☂, « Park », 🌳 – ☎ 🚗 🅿
3. Jan.- 15. Feb. geschl. – Karte 25/50 *(Okt.- April Dienstag geschl.)* – **9 Z : 25 B** 70/85 - 140 Fb – 10 Fewo 115/145.

[SIEVERSEN] Niedersachsen siehe Rosengarten.

[SIGMARINGEN] **7480.** Baden-Württemberg [413] K 22, [987] ㉟ – 15 000 Ew – Höhe 570 m – ☏ 07571.

ℹ Verkehrsamt, Schwabstr. 1, ✆ 10 62 23.

◆Stuttgart 101 – ◆Freiburg im Breisgau 136 – ◆Konstanz 76 – ◆Ulm (Donau) 85.

🏨 **Fürstenhof** ⚘, Zeppelinstr. 14 (SO : 2 km), ✆ 30 76, < – ⇅ ▤ Rest [TV] ☎ 🚗 🅿 ⛺. [E]
Karte 26/53 – **30 Z : 45 B** 55/85 - 90/120 Fb.

🏨 **Jägerhof** garni, Wentelstr. 4, ✆ 20 21 – [TV] ☎ 🚗 🅿. [AE] [D] [E]
15 Z : 25 B 50 - 80 Fb.

🏨 **Gästehaus Schmautz** ⚘, Im Mucketäle 33 (Gorheim), ✆ 5 15 54, < – 🚗 🅿
(nur Abendessen für Hausgäste) – **15 Z : 24 B** 30/40 - 60/80 Fb.

🏠 Gästehaus Gmeiner garni, Josefinenstr. 13, ✆ 1 30 06 – 🅿 – **11 Z : 20 B.**

In Scheer **7486** SO : 10 km :

XX **Brunnenstube**, Mengener Str. 4, ✆ (07572) 36 92 – 🅿
Samstag bis 18 Uhr, Montag und Anfang Aug. 1 Woche geschl. – Karte 37/54.

[SILBERSBACH] Bayern siehe Lam.

[SILBERSTEDT] **2381.** Schleswig-Holstein – 1 500 Ew – Höhe 20 m – ☏ 04626.

◆Kiel 66 – Flensburg 44 – ◆Hamburg 133 – Schleswig 15.

🏨 **Schimmelreiter**, Hauptstr. 56 (B 201), ✆ 10 44 – [TV] ☎ 🚗 🅿 ⛺
Karte 29/54 *(Montag geschl.)* – **29 Z : 51 B** 55 - 100 Fb.

[SILZ] **6749.** Rheinland-Pfalz [413] G 19, [242] ⑫ – 900 Ew – Höhe 211 m – Erholungsort – ☏ 06346 (Annweiler).

Mainz 128 – Kaiserslautern 49 – ◆ Karlsruhe 50 – Landau in der Pfalz 17 – Wissembourg 21.

🏨 **Sonnenberg-Haus am Walde** ⚘ garni, Waldstr. 20, ✆ 52 61, 🏊 (geheizt), 🌳 – 🅿. [AE] [D]. 🚫🐕
12 Z : 22 B 43 - 74/94.

SIMBACH bei Landau/Isar 8384. Bayern [413] V 21, [987] ㊲㊳, [426] ⑥ – 3 200 Ew – Höhe 433 m – ☎ 09954.

◆München 127 – Passau 66 – ◆Regensburg 88 – Salzburg 118.

🏨 **Pension Hacker** garni, Kreuzkirchenstr. 1, ✆ 2 24, « Einrichtung mit alten Bauernmöbeln », ♨, 🏊 (geheizt), 🌳 – [P]
9 Z : 17 B 30/35 - 60.

SIMBACH AM INN 8346. Bayern [413] W 22, [987] ㊳, [426] ⑥ – 9 000 Ew – Höhe 345 m – ☎ 08571.

◆München 122 – Landshut 89 – Passau 54 – Salzburg 85.

🏨 **Weissbräu-Wimmer**, Schulgasse 6, ✆ 14 18 – [AE] [D] [E]
✦ Karte 15/30 *(Montag geschl.)* 🍷 – **13 Z : 25 B** 33 - 58.

🏨 **Passauer Hof**, Passauer Str. 15, ✆ 25 00 – 🚗 [P]. [AE] [D] [E]
✦ *1.- 15. Okt. geschl.* – Karte 16/30 *(Freitag geschl.)* – **24 Z : 32 B** 28/45 - 52/84.

In Stubenberg-Prienbach 8399 NO : 4,5 km :

🏨 **Zur Post**, Poststr. 1 (B 12), ✆ (08571) 20 09, 🌳, ♨, 🎾 – ☎ 🚗 [P]. [AE] [D] [E] [VISA]
Jan. geschl. – Karte 26/57 *(Mittwoch geschl.)* 🍷 – **32 Z : 48 B** 42/58 - 82/95 Fb.

SIMMERATH 5107. Nordrhein-Westfalen [987] ㉓, [409] ⑯⑰ – 14 000 Ew – Höhe 540 m – ☎ 02473.

Ausflugsziel : Rurtalsperre* O : 10 km.

[i] Verkehrsamt, Rathaus, ✆ 88 39.

[i] Verkehrsverein Monschauer Land, Rathaus, ✆ 17 10.

◆Düsseldorf 107 – ◆Aachen 30 – Düren 34 – Euskirchen 45 – Monschau 10.

🏨 Zur Post, Hauptstr. 67, ✆ 14 46, 🌳 – [TV] 🚗 [P]. 🚫 Zim
11 Z : 20 B.

In Simmerath-Einruhr SO : 10 km :

🏨 **Haus am See**, Pleushütte 1 (an der B 266), ✆ (02485) 2 32, ≤, 🌳 – 🚗 [P]. 🚫 Zim
✦ *15. Dez.- Jan. geschl.* – Karte 18/40 *(Okt.- Mai Dienstag geschl.)* – **21 Z : 38 B** 30/50 - 60/80.

In Simmerath-Erkensruhr SO : 12 km :

🏨 **Talcafé Wollgarten** 🔇, ✆ (02485) 4 14, 🌳, ♨, 🏊, 🌳 – 🛗 [TV] ☎ [P] 🏔. [AE] [E]
30. Nov.- 27. Dez. geschl. – Karte 25/61 – **32 Z : 54 B** 56/66 - 112/132 Fb.

🏨 **Waldfriede** 🔇, ✆ (02485) 3 33, 🌳, ♨, 🏊, 🌳 – ☎ 🚗 [P] 🏔. [AE] [E]
Karte 23/51 – **40 Z : 70 B** 54/79 - 98/130.

In Simmerath-Lammersdorf NW : 3 km :

🏨 **Lammersdorfer Hof**, Kirchstr. 50, ✆ 80 41 – [TV] ☎ [P]
✦ Karte 18/45 *(Mittwoch geschl.)* – **9 Z : 16 B** 45 - 75.

In Simmerath-Rurberg NO : 8,5 km :

🏨 Paulushof 🔇, Seeufer 10, ✆ 22 57, ≤, 🌳, ♨, 🏊 – 🛗 [P] 🏔. [E] [VISA]
43 Z : 75 B.

🍴 **Ziegler** 🔇 mit Zim, Dorfstr. 24, ✆ 23 10, 🌳, 🌳 – [P]
4.- 31. Jan. geschl. – Karte 22/53 *(Donnerstag geschl.)* – **6 Z : 10 B** 27/55 - 50/70.

SIMMERN 6540. Rheinland-Pfalz [987] ㉔ – 6 200 Ew – Höhe 330 m – ☎ 06761.

[i] Fremdenverkehrsamt, Rathaus, ✆ 68 80.

Mainz 67 – ◆Koblenz 61 – Bad Kreuznach 48 – ◆Trier 97.

🏨 **Bergschlößchen**, Nannhauser Straße, ✆ 40 41, 🌳 – 🛗 [TV] ☎ ♿ 🚗 [P] 🏔. [AE] [D] [E] [VISA]
Mitte Jan.- Mitte Feb. geschl. – Karte 22/46 *(Montag bis 18 Uhr geschl.)* 🍷 – **22 Z : 42 B** 51/56 - 82/92 Fb.

🏨 **Zur Post**, Marktstr. 51, ✆ 60 07 – ☎ [P]. [E]
Mitte Juli - Mitte Aug. geschl. – Karte 26/46 *(Freitag geschl.)* 🍷 – **8 Z : 14 B** 35/50 - 70/89.

🏨 **Haus Vogelsang** garni, Am Vogelsang 1, ✆ 21 62, 🌳 – [P]
1.- 17. Juli geschl. – **9 Z : 15 B** 38/41 - 64/69.

Nahe der Straße nach Oberwesel NO : 5 km :

🏨 **Jagdschloß** 🔇, ✉ 6540 Pleizenhausen, ✆ (06761) 22 84, 🌳, 🌳 – [P]
✦ Karte 19/42 🍷 – **29 Z : 54 B** 29/59 - 56/110.

An der Straße nach Laubach N : 6 km :

🏨 **Birkenhof** 🔇, ✉ 6540 Klosterkumbd, ✆ (06761) 50 05, ♨, 🌳 – 🛗 [TV] ☎ [P]. [AE] [D] [E]
8. Jan.- 8. Feb. geschl. – Karte 27/57 *(Dienstag geschl.)* – **22 Z : 44 B** 56/72 - 96/110 Fb.

In Michelbach 5448 NW : 7 km Richtung Kastellaun :

🏨 **Junkersmühle** 🔇, ✆ (06761) 20 68, 🌳, 🌳 – [P]
Karte 23/46 *(Montag geschl.)* 🍷 – **21 Z : 41 B** 66 - 104.

[SIMMERSFELD] 7275. Baden-Württemberg [413] I 21 – 1 800 Ew – Höhe 725 m – Erholungsort – Wintersport : 720/800 m ⛷3 ⛷6 – ☎ 07484.

[i] Kurverwaltung, Rathaus, Gartenstraße, ☎ 3 62.

♦Stuttgart 70 – Freudenstadt 28 – Pforzheim 44.

🏨 **Löwen**, Altensteiger Str. 6, ☎ 3 76, « Gartenterrasse mit Grill », 🌳 – [$] [P]
20. Nov.- 20. Dez. geschl. – Karte 20/44 *(Montag geschl.)* – **30 Z : 55 B** 39/46 - 74/90 – P 53/59.

[SIMMERTAL] 6573. Rheinland-Pfalz – 1 750 Ew – Höhe 182 m – Erholungsort – ☎ 06754.

Mainz 69 – Idar-Oberstein 26 – Bad Kreuznach 27.

🏨 **Landhaus Felsengarten**, Banzel-Auf der Lay 2, ☎ 84 61, ≘s, Fahrradverleih – [P]. [E]
✦ *15. Nov.- 10. Dez. geschl.* – Karte 17/32 *(Mittwoch geschl.)* – **19 Z : 41 B** 45 - 80 – P 65.

🏨 **Haus Bergmühle**, an der B 421, ☎ 3 12, « Kleiner Park, Gartenterrasse », 🌳 – 🚗 [P]
5. Jan.- 15. Feb. geschl. – Karte 20/39 *(Dienstag geschl.)* – **9 Z : 16 B** 35 - 70 – P 45.

[SIMONSBERGER KOOG] Schleswig-Holstein siehe Husum.

[SIMONSKALL] Nordrhein-Westfalen siehe Hürtgenwald.

[SIMONSWALD] 7809. Baden-Württemberg [413] H 22, [987] [34] [35], [242] [32] – 2 800 Ew – Höhe 330 m – Luftkurort – ☎ 07683.

[i] Verkehrsamt, Talstr. 14 a, ☎ 2 55.

♦Stuttgart 215 – Donaueschingen 49 – ♦Freiburg im Breisgau 28 – Offenburg 73.

🏨 **Tannenhof**, Talstr. 13, ☎ 3 25, ≘s, 🌳 – [$] [P] 🏃. ✂
3. Jan.- 20. Feb. geschl. – Karte 20/38 *(Mittwoch geschl.)* 🍷 – **34 Z : 68 B** 52 - 100 Fb.

🏨 **Engel**, Obertalstr. 44, ☎ 2 71, ⛱, 🌳 – 🚗 [P]
✦ *Ende Okt.- Mitte Nov. geschl.* – Karte 19,50/50 *(Dienstag und 30. Jan.- 7. Feb. geschl.)* 🍷 – **32 Z : 64 B** 51 - 83.

🏨 Bären, Untertalstr. 45, ☎ 2 03, ⛱ – 🚗 [P]
24 Z : 44 B.

🏨 **Krone-Post**, Talstr. 8, ☎ 2 65, 🏊, 🌳, ✂ – [P]
✦ *5. Nov.- 5. Dez. geschl.* – Karte 18,50/39 *(Montag geschl.)* 🍷 – **30 Z : 50 B** 42/48 - 64/78.

🏨 Hirschen, Talstr. 11, ☎ 2 60, ⛱, ≘s – [P]
24 Z : 40 B.

[SINDELFINGEN] 7032. Baden-Württemberg [413] JK 20, [987] [35] – 56 000 Ew – Höhe 449 m – ☎ 07031(Böblingen).

Messehalle, Mahdentalstr. 116, ☎ 8 58 61.

[i] Verkehrsamt, Neues Rathaus, ☎ 80 10 80, Telex 7265836.

[i] Verkehrsamt, Pavillon am Rathaus, ☎ 6 10 13 25.

ADAC, Rotbühlstr. 5, ☎ 80 10 80, Telex 7265836.

♦Stuttgart 19 – ♦Karlsruhe 80 – Reutlingen 34 – ♦Ulm (Donau) 97.

🏨 **Ramada**, Mahdentalstr. 68, ☎ 69 60, Telex 7265385, Fax 696880, Massage, ≘s, 🏊 – [$] ⇔ Zim ▤ [TV] ♿ 🚗 🏃. [AE] [O] [E] [VISA]. ✂ Rest
Restaurants : – **Graf Rudolf** Karte 51/73 – **4-Seasons** Karte 26/52 – **260 Z : 500 B** 217/257 - 274/364 Fb – 4 Appart. 694/1044.

🏨 **Berlin - Restaurant Adlon**, Berliner-Platz 1, ☎ 6 19 70, Telex 7265591, ≘s, 🏊 – [$] ⇔ Zim ▤ Rest [TV] ☎ ♿ 🚗 [P] 🏃 (mit ▤). [AE] [O] [E] [VISA]
Karte 39/74 – **100 Z : 150 B** 186 - 244 Fb – 3 Appart. 290.

🏨 **Holiday Inn**, Schwertstr. 65 (O : 2 km), ☎ 6 19 60, Telex 7265569, Fax 84990, ≘s, 🏊 – [$] ▤ [TV] ☎ ♿ [P] 🏃. [AE] [O] [E] [VISA]. ✂ Rest
Karte 27/58 – **185 Z : 331 B** 195 - 239/245 Fb.

🏨 **Bristol**, Wilh.-Haspel-Str. 101 (O : 2 km), ☎ 61 50, Telex 7265778, Fax 874981 – [$] ▤ Rest [TV] ☎ [P] 🏃 (mit ▤). [AE] [O] [VISA]
Karte 32/69 – **148 Z : 178 B** 184/246 - 237/265 Fb.

🏨 **Klostersee** garni, Burghaldenstr. 6, ☎ 8 50 81, Fax 265898 – [$] [TV] ☎ ♿ [P]. [AE] [O] [E] [VISA]
71 Z : 125 B 120/135 - 165/190 Fb.

🏨 **Linde**, Marktplatz, ☎ 87 60 60 – ☎
Karte 26/58 *(Freitag 14 Uhr- Sonntag 17 Uhr geschl.)* – **30 Z : 38 B** 60/100 - 100/150 Fb.

🏨 **Knote**, Vaihinger Str. 14, ☎ 8 40 45, ⛱, Kellertheater im Hause – [TV] ☎ [P]. [AE] [O] [E]
Karte 43/70 – **23 Z : 30 B** 115 - 175 Fb.

🏨 **Eichholz** 🐦, Wolfstr. 25, ☎ 80 10 46 (Hotel) 80 16 06 (Rest.), Biergarten, 🌳 – [TV] ☎ 🚗 [P]. [AE] [E]
Karte 37/63 *(Sonntag 14 Uhr - Montag geschl.)* – **36 Z : 42 B** 80/110 - 130/140.

In Sindelfingen-Maichingen NW : 5 km :

🏨 **Abacon Hotel**, Stuttgarter Str. 49, ☎ 3 10 61, ≘s – [$] ⇔ Zim [TV] ☎ [P] 🏃. [AE] [O] [E] [VISA]
Karte 24/51 – **76 Z : 100 B** 112/172 - 156/206 Fb – 4 Appart. 308.

SINGEN (HOHENTWIEL) 7700. Baden-Württemberg [413] J 23, [987] ㉟, [427] ⑥ – 44 000 Ew – Höhe 428 m – ☎ 07731.

Ausflugsziele : Hohentwiel : Lage★★ – Festungsruine ≤ ★, W : 2 km.

[i] Verkehrsamt, August-Ruf-Str. 7, ☎ 8 54 73 – **ADAC,** Schwarzwaldstr. 40, ☎ 6 65 63.

♦Stuttgart 154 ⑤ – ♦Freiburg im Breisgau 106 ⑤ – ♦Konstanz 32 ① – Zürich 79 ③.

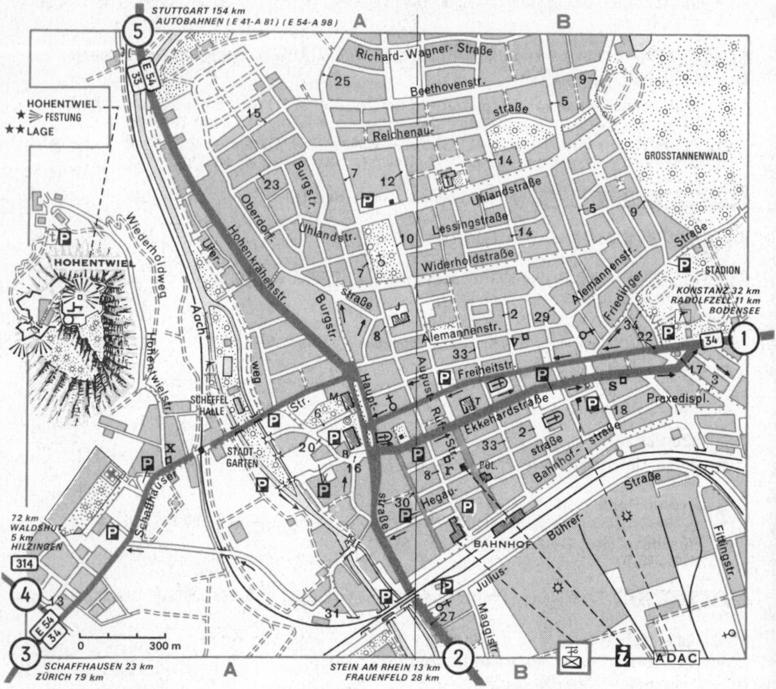

SINGEN (HOHENTWIEL)

- August-Ruf-Straße .... B
- Ekkehardstraße .... B
- Erzbergerstraße .... AB 8
- Scheffelstraße .... AB 30
- Thurgauer Straße .... B 33

- Alpenstraße .... B 2
- Aluminiumstraße .... B 3
- Am Posthalterswäldle .... B 5
- Am Schloßgarten .... A 6
- Anton-Bruckner-Straße .... A 7
- Fichtestraße .... B 9
- Goethestraße .... A 10
- Herderstraße .... A 12
- Hilzinger Straße .... A 13
- Hohenhewenstraße .... B 14
- Hohenstoffelnstraße .... A 15

- Hohgarten .... A 16
- Holzacker .... B 17
- Kreuzensteinstraße .... B 18
- Mühlenstraße .... A 20
- Radolfzeller Straße .... B 22
- Reckholderbühl .... A 23
- Remishofstraße .... A 25
- Rielasinger Straße .... B 27
- Ringstraße .... B 29
- Schlachthausstraße .... A 31
- Waldeckstraße .... B 34

🏨 **Jägerhaus,** Ekkehardstr. 86, ☎ 6 50 97 – 🛗 📺 ☎ 🚲. AE ⓓ E VISA — B **s**
Karte 28/55 *(Dienstag und Juli - Aug. 3 Wochen geschl.)* – **28 Z : 46 B** 60/75 - 100/125.

🏨 **Lamm,** Alemannenstr. 42, ☎ 4 10 11, Telex 793791 – 🛗 ☎ ♿ 🚗 Ⓟ. ⓓ E — B **v**
15. Dez.-15. Jan. geschl. – Karte 26/47 *(Sonntag geschl.)* – **79 Z : 115 B** 48/90 - 90/150.

🏨 **Widerhold,** Schaffhauser Str. 58, ☎ 6 24 83 – ☎ 🚗 Ⓟ. ⓓ E VISA — A **x**
18. Dez.- 10. Jan. geschl. – Karte 26/49 *(Freitag geschl.)* – **35 Z : 70 B** 39/58 - 70/98.

🏠 **Sternen,** Schwarzwaldstr. 6, ☎ 6 22 79 – Ⓟ — B **r**
Karte 21/34 *(Freitag und Mitte Juli - Mitte Aug. geschl.)* – **24 Z : 38 B** 30/55 - 60/100.

In Rielasingen-Worblingen **7703** ② : 4 km :

🏨 **Krone,** Hauptstr. 3 (Rielasingen), ☎ (07731) 20 46, « Rustikale und elegante Einrichtung », 🏊, 🌳 – 📺 ☎ 🚗 Ⓟ 🚲. AE ⓓ E
Juli 2 Wochen und 26. Dez.- 5. Jan. geschl. – Karte 26/44 *(Montag geschl.)* 🍷 – **19 Z : 36 B** 56/72 - 95/120 Fb.

🏠 **Sonne,** Hardstr. 23 (Worblingen), ☎ (07731) 2 24 52 – Ⓟ 🚲
✈ Karte 19/40 *(Mittwoch geschl.)* 🍷 – **18 Z : 27 B** 28/44 - 54/76.

🍴 **Zur Alten Mühle** mit Zim, Singener Str. 3 (Rielasingen), ☎ (07731) 5 20 55, 🌳, « Ehemalige Mühle mit rustikaler Einrichtung » – ☎ Ⓟ
Karte 47/78 – **6 Z : 10 B** 56 - 98.

SINNERSDORF Nordrhein-Westfalen siehe Pulheim.

SINSHEIM 6920. Baden-Württemberg 413 J 19, 987 ㉕ – 28 000 Ew – Höhe 154 m – ☎ 07261.
Sehenswert : Auto- und Technikmuseum.
ℹ Rathaus, Wilhelmstr. 14, ✆ 40 41 07.
♦Stuttgart 87 – Heilbronn 35 – ♦Mannheim 50 – ♦Würzburg 135.

- Lott, Hauptstr. 22, ✆ 53 70 – |♦| ☎ ⇔ P
  (nur Abendessen) – **20 Z : 23 B.**
- **Poststuben**, Friedrichstr. 16 (am Bahnhof), ✆ 20 21 – P
  Freitag - Samstag 18 Uhr und Juli - Aug. 3 Wochen geschl. – Karte 27/56.

In Sinsheim-Rohrbach O : 2 km :

- Grüner Baum, Heilbronner Str. 34, ✆ 20 60 – P
  17 Z : 25 B.

In Zuzenhausen 6921 NW : 7 km :

- **Brauereigasthof Adler** mit Zim, Hoffenheimer Str. 1 (B 45), ✆ (06226) 14 93, 🏠 – P
  Feb. geschl. – Karte 25/57 *(Samstag bis 17 Uhr und Montag geschl.)* – **6 Z : 10 B** 45/50 - 80.

SINSPELT 5529. Rheinland-Pfalz 409 ㉗ – 300 Ew – Höhe 281 m – ☎ 06522.
Mainz 181 – ♦Trier 47 – Wittlich 52.

- **Altringer**, Neuerburger Str. 4, ✆ 7 12, 🏠, « Garten », ≘s, ✂ – ☎ P. E
  Karte 21/41 ♁ – **20 Z : 40 B** 40 - 71/75 Fb.

SINZIG 5485. Rheinland-Pfalz 987 ㉔ – 15 000 Ew – Höhe 65 m – ☎ 02642 (Remagen).
ℹ Verkehrsamt, Bad Bodendorf, Pavillon am Kurgarten, ✆ 4 26 01.
Mainz 135 – ♦Bonn 27 – ♦Koblenz 36.

In Sinzig-Bad Bodendorf – Thermalheilbad :

- **Kurhaus Spitznagel** ⛰, Weinbergstr. 29, ✆ 4 20 91, « Gartenterrasse », Bade- und Massageabteilung, ♨, ≘s, ◫, 🌳 – |♦| ☎ ⇔ P. AE E. ✂ Rest
  15. Jan.- 15. Feb. geschl. – Karte 27/49 – **30 Z : 46 B** 59/75 - 94/210 Fb – 3 Fewo 70/144 – P 84/98.
- **Haus am Weiher** ⛰, Bäderstr. 46, ✆ 4 33 24, 🏠, 🌳 – P. E
  10. Feb.- 10. März geschl. – Karte 21/50 *(Dienstag geschl.)* – **13 Z : 19 B** 44 - 86.

SIPPLINGEN 7767. Baden-Württemberg 413 K 23, 427 ⑦, 216 ⑨ – 2 000 Ew – Höhe 401 m – Erholungsort – ☎ 07551 (Überlingen).
ℹ Verkehrsbüro, Haus des Gastes (ehem. Bahnhof), an der B 31, ✆ 6 17 43.
♦Stuttgart 168 – ♦Freiburg im Breisgau 123 – ♦Konstanz 40 – Ravensburg 53 – ♦Ulm (Donau) 142.

- Seeblick ⛰ garni, Prielstr. 4, ✆ 6 12 27, ←, ≘s, ◫, 🌳 – TV ☎ P
  nur Saison – **10 Z : 20 B.**
- **Zum Sternen** ⛰, Burkhard-von-Hohenfels-Str. 20, ✆ 6 36 09, ← Bodensee und Alpen, 🏠, 🌳 – ⇔ P
  15. Jan.- 5. März geschl. – Karte 21/45 *(Okt.- Jan. Dienstag geschl.)* ♁ – **18 Z : 35 B** 35/60 - 70/103 Fb.
- **Krone**, Seestr. 54 (B 31), ✆ 6 32 11, ▲s, 🌳 – |♦| P. AE ① E VISA
  Karte 20/37 *(Montag und 29. Nov.- 25. Dez. geschl.)* ♁ – **26 Z : 49 B** 48 - 90.

SITTENSEN 2732. Niedersachsen 987 ⑮ – 4 250 Ew – Höhe 20 m – ☎ 04282.
♦Hannover 130 – ♦Bremen 63 – ♦Hamburg 58.

- **Zur Mühle** garni (Abendessen im Restaurant Kupferpfanne gegenüber), Bahnhofstr. 25, ✆ 32 32, ≘s – TV ☎ P. AE ① E VISA
  11 Z : 22 B 69 - 95 Fb.

In Groß Meckelsen 2732 W : 5 km :

- Schröder's Gasthaus, Am Kuhbach 1, ✆ (04282) 15 80 – P.

SOBERNHEIM 6553. Rheinland-Pfalz – 7 000 Ew – Höhe 150 m – Felke-Kurort – ☎ 06751.
ℹ Kur- und Verkehrsverein, am Bahnhof, ✆ 8 12 41.
Mainz 64 – Idar-Oberstein 31 – Bad Kreuznach 19.

- Kurhaus am Maasberg ⛰, am Maasberg (N : 2 km), ✆ 20 41, 🏠, Bade- und Massageabteilung, ♨, ≘s, ⛱, ◫, 🌳, ✂, Fahrradverleih – |♦| ☎ P 🏃. ✂ Rest
  115 Z : 140 B.
- Gästehaus Naheblick ⛰, Im Wesentlich 82, ✆ 40 44, ≘s – P
  (Restaurant nur für Hausgäste) – **14 Z : 30 B.**
- **Hammer**, Staudernheimer Str. 2, ✆ 24 01, 🏠 – ⇔ P
  26. Dez.- 15. Jan. geschl. – Karte 18,50/41 *(Freitag geschl.)* ♁ – **9 Z : 15 B** 30/45 - 60/80.

In Sobernheim-Kallweiler NW : 14 km beim Flugplatz :

🍴 **Haus Kallweiler** mit Zim, ✆ (06756) 2 31, ☂ – [P]
Feb. geschl. – Karte 16,50/32 *(Donnerstag geschl.)* 🍷 – **7 Z : 12 B** 26/32 - 49/55.

Siehe auch : ***Schloßböckelheim*** O : 6 km

SODEN AM TAUNUS, BAD 6232. Hessen [413] I 16, [987] ㉔ ㉕ – 18 300 Ew – Höhe 200 m – Heilbad – ☎ 06196.

[i] Kurverwaltung, Königsteiner Str. 88 (im Kurhaus), ✆ 20 82 80.

♦Wiesbaden 31 – ♦Frankfurt am Main 17 – Limburg an der Lahn 45.

🏨 **Parkhotel**, Königsteiner Str. 88, ✆ 20 00, Telex 4072548, Fax 200153, ☂, 🏊 – ⇅ [TV] ♿ [P] 🏛 (mit ▤). [AE] [O] [E] [VISA]
Karte 45/68 – **130 Z : 260 B** 160/248 - 210/298 Fb.

🏨 **Salina Hotel** 🐌, Bismarckstr. 20, ✆ 6 20 88, Telex 4072597, 🏊, [🏊] – ⇅ [TV] ☎ [P] 🏛. [E] [VISA]
22. Dez.- 3. Jan. geschl. – (Restaurant nur für Hausgäste) – **47 Z : 82 B** 98/150 - 150/240.

🏨 **Concorde**, Am Bahnhof 2, ✆ 2 70 13 – ⇅ [TV] ☎ 🏛. [AE] [O] [E] [VISA]
23. Dez.- 2. Jan. geschl. – Karte 26/53 *(nur Abendessen, Mitte Juli - Mitte Aug. und Freitag - Montag geschl.)* – **70 Z : 105 B** 110/240 - 160/280 Fb.

🏨 **Travel Inn** garni, Kronberger Str. 32, ✆ 2 90 76, Fax 61351 – ⇅ [TV] ☎ [P] 🏛. [AE] [O] [E] [VISA]
30 Z : 52 B 98/145 - 130/185 Fb.

🏨 Rohrwiese 🐌 garni, Rohrwiesenweg 11, ✆ 2 35 88 – ☎ [P]
36 Z : 48 B.

🏨 **Waldfrieden** 🐌 garni, Seb.-Kneipp-Str. 1, ✆ 2 50 14, 🏊, 🌳 – [TV] ☎ 🚗. [AE] [E]
23. Dez.- 3. Jan. geschl. – **35 Z : 45 B** 80/90 - 125/135 Fb.

🍴🍴 **Restaurant De France im Quellenhof**, Zum Quellenpark 29, ✆ 2 94 92 – [AE] [O] [E]
Samstag bis 18 Uhr geschl. – Karte 38/74.

SODEN-SALMÜNSTER, BAD 6483. Hessen [413] KL 16, [987] ㉕ – 12 200 Ew – Höhe 150 m – Heilbad – ☎ 06056.

⛳ Alsberg (O : 5 km), ✆ (06056) 35 94.

[i] Verkehrsverein, Badestr. 8a, ✆ 14 33.

♦Wiesbaden 105 – ♦Frankfurt am Main 61 – Fulda 47.

Im Ortsteil Salmünster :

🍴🍴 **Country Club**, Fuldaer Str. 18, ✆ 12 00 – [P]. [E]
wochentags nur Abendessen, 26. Juli - 16. Aug. und Donnerstag geschl. – Karte 25/50.

Im Ortsteil Bad Soden :

🏨 **Zum Heller** garni, Gerhard-Radke-Str. 1, ✆ 73 50, [🏊] – [TV] ☎ [P]
24 Z : 58 B 48 - 78.

🏨 **Kurhotel Ottilie** 🐌, Frowin-von-Hutten-Str. 24, ✆ 16 36, Massage, [🏊], 🌳 – ⇅ 🚭 Zim [P]. 🐕 Rest
10. Jan.- Feb. und Nov.- 15. Dez. geschl. – (Restaurant nur für Hausgäste) – **70 Z : 100 B** 55/60 - 90/120 – P 72/79.

🏨 **Pension Sehn** 🐌 garni, Brüder-Grimm-Str. 11, ✆ 16 09, ≤, 🌳 – ☎ [P]. 🐕
15. Nov.- 15. Feb. geschl. – **14 Z : 23 B** 42 - 80.

SÖGEL 4475. Niedersachsen [987] ⑭ – 4 700 Ew – Höhe 50 m – ☎ 05952.

♦Hannover 220 – Cloppenburg 42 – Meppen 26 – Papenburg 37.

🏨 **Café Jansen**, Clemens-August-Str. 33, ✆ 12 30 – ☎ [P]
Karte 16/30 *(Montag geschl.)* – **13 Z : 22 B** 35 - 60.

🏨 **Kossen**, Clemens-August-Str. 54, ✆ 3 59, 🌳 – 🚗 [P]
1.- 15. Jan. geschl. – Karte 19/42 *(Freitag geschl.)* – **17 Z : 27 B** 35/48 - 60/65.

SOEST 4770. Nordrhein-Westfalen [987] ⑭ – 43 000 Ew – Höhe 98 m – ☎ 02921.

Sehenswert : St. Patroklidom★ (Westwerk★★ und Westturm★★) Z – **Wiesenkirche★ (Aldegrevers-Altar★)** Y – **Nikolaikapelle (Nikolai-Altar★)** Z **A**.

[i] Städt. Kultur- und Verkehrsamt, Am Seel 5, ✆ 10 33 23.

ADAC, Arnsberger Str. 7, ✆ 41 16, Notruf ✆ 1 92 11.

♦Düsseldorf 118 ② – ♦Dortmund 52 ② – ♦Kassel 121 ② – Paderborn 49 ①.

Stadtplan siehe gegenüberliegende Seite.

🏨 **Hanse**, Siegmund-Schultze-Weg 100, ✆ 7 70 22, Telex 84309 – [TV] ☎ 🚗 [P] 🏛. [O]
Karte 25/53 – **45 Z : 70 B** 55/70 - 100/135 Fb. über ② und Arnsberger Str.

🏨 **Andernach zur Börse**, Thomästr. 31, ✆ 40 19 – ☎ 🚗 [P] 🏛. [AE] [O] [E] Z **n**
Karte 28/64 *(Montag geschl.)* – **16 Z : 24 B** 42/52 - 74/84 Fb.

🏨 **Stadt Soest** garni, Brüderstr. 50, ✆ 18 11 – [TV] ☎ 🚗. [AE] [O] [E] Y **a**
20 Z : 34 B 42/70 - 85/100.

SOEST

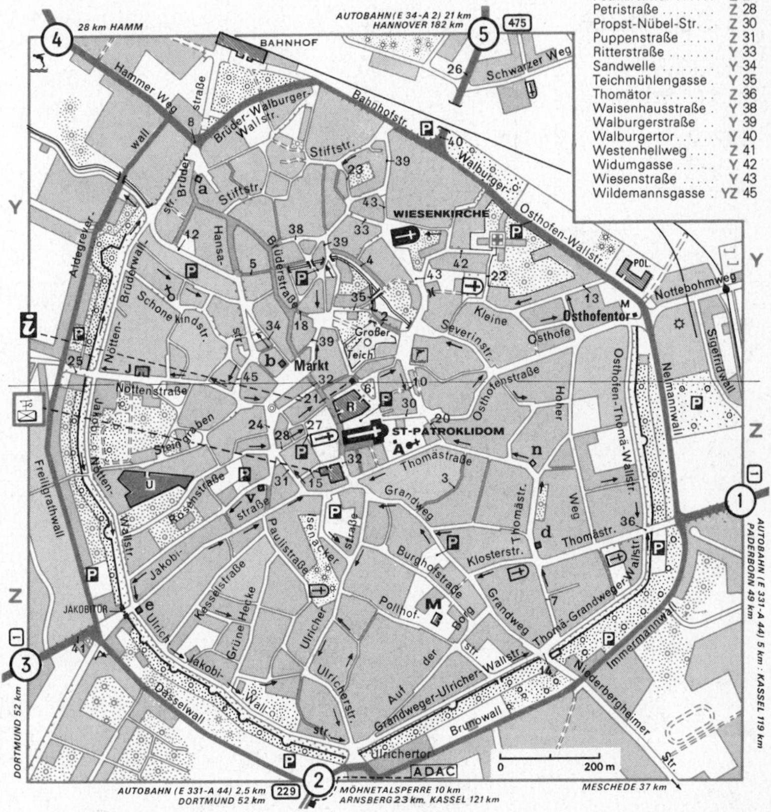

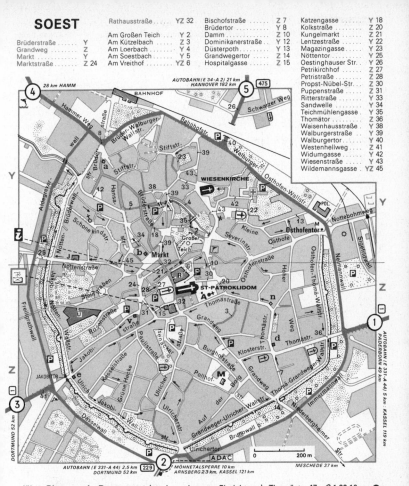

XX ✿ **Biermann's Restaurant** (modern-elegante Einrichtung), Thomästr. 47, ☎ 1 33 10 – Ⓟ. AE ⓓ E Z **d**
Montag und Juli - Aug. 3 Wochen geschl. – Karte 62/85 (Tischbestellung ratsam) – **Bistro** Karte 36/55
Spez. Savarin von Hummer und Steinbutt, Lasagne von Lachs und Loup de mer in Champagner, Kalbsfilet in Morchelrahm.

XX **Im wilden Mann** mit Zim, Am Markt 11, ☎ 1 50 71 – TV ☎ . AE ⓓ E VISA Y **b**
Karte 35/70 – **14 Z : 25 B** 50/90 - 95/120.

XX **Pilgrim-Haus** mit Zim, Jakobistr. 75, ☎ 18 28, « Gasthaus a.d. 14. Jh. » – TV ☎. AE ⓓ E VISA Z **e**
24.- 31. Dez. geschl. – Karte 34/57 *(Montag - Freitag nur Abendessen)* – **6 Z : 10 B** 84/88 - 135/140.

X **Altes Gasthaus im Zuckerberg** (restauriertes Fachwerkhaus, rustikale Einrichtung), Höggenstr. 1, ☎ 28 68 – AE ⓓ E Z **v**
Montag geschl. – Karte 27/55.

In Soest-Ruploh ② : 4 km :

Haus Schuerhoff, Arnsberger Str. 120 (B 229), ☎ 7 51 39, Biergarten – Ⓟ
15.- 30. Jan. geschl. – Karte 22/49 *(Montag bis 17 Uhr geschl.)* – **10 Z : 21 B** 35/40 - 70/80.

SOLINGEN 5650. Nordrhein-Westfalen 987 ㉔ – 161 000 Ew – Höhe 225 m – ☎ 0212.

Ausflugsziele : Solingen-Gräfrath : Deutsches Klingenmuseum★ 4 km über ① – Solingen-Burg : Schloß Burg (Lage★) 8 km über ③.

ADAC, Schützenstr. 21, ✆ 4 50 05, Notruf ✆ 1 92 11.

♦Düsseldorf 27 ⑤ – ♦Essen 35 ① – ♦Köln 36 ④ – Wuppertal 16 ②.

SOLINGEN

Hauptstraße . . . . Z
Kölner Straße . . . . Z
Konrad-Adenauer-Straße . . . . Y
Ohliger Tor . . . . Z 13

Breidbacher Tor . . . . Z 2
Elisenstraße . . . . Z 3
Graf-Engelbert-Straße . . . . Z 5
Graf-Wilhelm-Platz . . . . Z 6

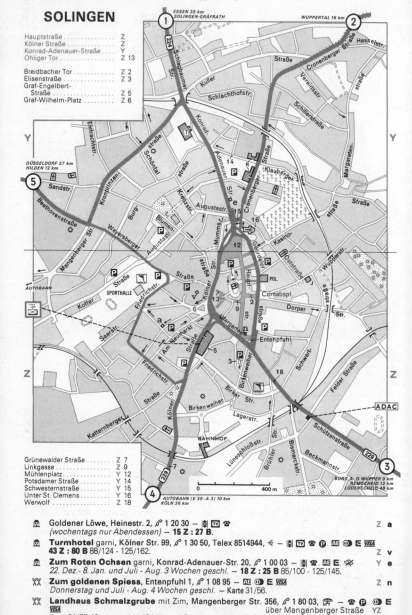

Grünewalder Straße . . . . Z 7
Linkgasse . . . . Z 9
Mühlenplatz . . . . Y 12
Potsdamer Straße . . . . Y 14
Schwesternstraße . . . . Y 15
Unter St. Clemens . . . . Y 16
Werwolf . . . . Z 18

 Goldener Löwe, Heinestr. 2, ✆ 1 20 30 – ⎮ TV ☎ — Z a
(wochentags nur Abendessen) – **15 Z : 27 B.**

 Turmhotel garni, Kölner Str. 99, ✆ 1 30 50, Telex 8514944, ⇐ – ⎮ TV ☎ P. AE ⓓ E VISA — Z v
43 Z : 80 B 88/124 - 125/162.

 Zum Roten Ochsen garni, Konrad-Adenauer-Str. 20, ✆ 1 00 03 – ⎮ ☎. AE E. — Y e
22. Dez.- 8. Jan. und Juli - Aug. 3 Wochen geschl. – **18 Z : 25 B** 85/100 - 125/145.

XX **Zum goldenen Spiess,** Entenpfuhl 1, ✆ 1 08 95 – AE ⓓ E VISA — Z n
Donnerstag und Juli - Aug. 4 Wochen geschl. – Karte 31/56.

XX **Landhaus Schmalzgrube** mit Zim, Mangenberger Str. 356, ✆ 1 80 03, – ☎ P. ⓓ E VISA
über Mangenberger Straße YZ
Karte 24/55 *(Samstag bis 18 Uhr und Donnerstag geschl.)* – **9 Z : 12 B** 60/74 - 106.

In Solingen 25-Burg ③ : 8 km :

Haus in der Straßen (Gasthof a.d. 17. Jh.), Wermelskirchener Str. 12, ☎ 4 40 11, Telex 8514558, « Zinn- und historische Hausratsammlung » – ☎ P. Rest – **25 Z : 50 B.**

Haus Niggemann, Wermelskirchener Str. 22, ☎ 4 10 21, – ☎ P. E
Karte 32/60 – **30 Z : 50 B** 60/95 - 90/130.

Zur Post, Eschbachstr. 17, ☎ 4 50 90 – [TV] ☎. AE E VISA
Karte 24/56 *(Donnerstag geschl.)* – **16 Z : 25 B** 35/75 - 70/110.

Burger Hof, Eschbachstr. 3, ☎ 4 25 68 – [TV] ☎ P. E VISA
Karte 30/53 – **7 Z : 13 B** 50/65 - 70/100.

Schloß-Restaurant, Schloßplatz 1, ☎ 4 30 50, – P. AE E VISA
Montag geschl. – Karte 42/77.

Haus Striepen, Eschbachstr. 13, ☎ 4 24 61 – E VISA
Karte 30/56.

In Solingen 11-Ohligs ⑤ : 7 km :

Parkhotel Solingen, Hackhauser Str. 62, ☎ 7 60 41, Telex 8514547, Fax 74662, – [TV] P. AE E VISA
Karte 45/67 *(Freitag geschl.)* – **70 Z : 120 B** 139/179 - 250/290 Fb.

In Solingen 19-Wald ① : 6 km :

Haus vom Schemm, Bausmühlenstr. 9, ☎ 31 10 91 – [TV] ☎ P – **14 Z : 28 B** Fb.

SOLNHOFEN 8838. Bayern [413] P 20 – 1 550 Ew – Höhe 409 m – ☎ 09145.
Verkehrsamt, Bahnhofstr. 8, ☎ 4 77.
♦München 138 – Donauwörth 35 – Ingolstadt 52 – Weißenburg in Bayern 20.

Birkenhof, Am Birkenhain 4, ☎ 3 09, – P
Karte 19/27 *(Donnerstag geschl.)* – **9 Z : 18 B** 27 - 54.

SOLTAU 3040. Niedersachsen [987] ⑮ – 20 000 Ew – Höhe 64 m – Erholungsort – ☎ 05191.
Hof Loh (S : 3 km), ☎ 1 40 77.
Verkehrsverein, Bornemannstr. 7, ☎ 24 74.
♦Hannover 79 – ♦Bremen 92 – ♦Hamburg 77 – Lüneburg 51.

Heidland, Winsener Str. 109, ☎ 1 70 33, Telex 924168, Fax 4263, , , – ☎ P. AE E
Karte 30/54 – **47 Z : 79 B** 69/109 - 126/156 Fb.

Heidehotel Anna garni, Saarlandstr. 2, ☎ 1 50 26, – [TV] ☎ P. AE E VISA
14 Z : 23 B 60/68 - 110 Fb.

Meyn, Poststr. 19, ☎ 20 01, Telex 924169 – [TV] ☎ P. AE E VISA
Karte 30/65 – **45 Z : 85 B** 65/85 - 85/130 Fb.

In Soltau-Friedrichseck NO : 4,5 km, Richtung Bispingen :

Haus Waldfrieden, ☎ 40 82, , , Fahrradverleih – P.
Mitte Jan.- Mitte Feb. geschl. – (Restaurant nur für Hausgäste) – **14 Z : 26 B** 53/70 - 80/110.

In Soltau-Harmelingen NO : 7,5 km :

Landhaus Hubertus, ☎ 46 55, , 🍴 – ☎ P.
(Restaurant nur für Hausgäste) – **15 Z : 28 B.**

In Soltau-Wolterdingen N : 5 km :

Zu den Eichen-Schlößchen mit Zim, Soltauer Str. 1, ☎ 34 44, – P. AE E
1.- 20. Juli geschl. – Karte 36/64 *(Dienstag geschl.)* – **7 Z : 14 B** 35 - 65.

SOMMERACH 8711. Bayern [413] N 17 – 1 150 Ew – Höhe 200 m – ☎ 09381 (Volkach).
♦München 263 – ♦Bamberg 62 – ♦Nürnberg 93 – Schweinfurt 30 – ♦Würzburg 30.

Zum weißen Lamm, Hauptstr. 2, ☎ 93 77, eigener Weinbau
Weihnachten - 10. Jan. geschl. – Karte 16,50/38 *(Mittwoch geschl., Mai - Juni nur Abendessen)* – **16 Z : 30 B** 26/50 - 44/92 Fb.

Bocksbeutelherberge garni, Weinstr. 22, ☎ 14 65 – [TV] ☎ P.
Dez. geschl. – **8 Z : 16 B** 42 - 68.

SOMMERAU Bayern siehe Lohberg.

SOMMERHAUSEN Bayern bzw. Nordrhein-Westfalen siehe Ochsenfurt bzw. Much.

SONDHEIM VOR DER RHÖN 8741. Bayern [413] N 15 – 1 200 Ew – Höhe 360 m – ☎ 09779 (Nordheim) – ♦München 371 – ♦Bamberg 104 – Fulda 52 – ♦Würzburg 102.

In Sondheim-Stetten NW : 3 km :

Zur Linde, Obertor 1, ☎ 12 16 – P
nur Abendessen, Dienstag, 9.- 26. Jan. und 14. Aug.- 8. Sept. geschl. – Karte 24/50.

SONNEFELD Bayern siehe Ebersdorf.

SONNENBÜHL 7419. Baden-Württemberg [413] K 21 – 5 800 Ew – Höhe 720 m – Wintersport : 720/880 m ⛷3 ⛷4 – ☎ 07128.

⛳18 Sonnenbühl-Undingen, ✆ 20 18.

ℹ Tourist Information, Trochtelfinger Str. 1 (Erpfingen), ✆ 6 96.

♦Stuttgart 67 – ♦Konstanz 120 – Reutlingen 26.

In Sonnenbühl 2-Erpfingen – Luftkurort :

🏠 Gästehaus Sonnenmatte 🌙, Im Feriendorf Sonnenmatte, ✆ 8 91, ⛱, 🏊, 🌳 – ☎ 🅿 🚸 **20 Z : 40 B**.

🏠 Löwen, Trochtelfinger Str. 2, ✆ 22 22 – 🅿 – **10 Z : 16 B**.

🍴🍴 **Hirsch** mit Zim, Im Dorf 12, ✆ 22 12, ⛱ – 🅿
5.- 12. Juli und Nov. geschl. – Karte 28/62 *(Dienstag geschl.)* 🍷 – **5 Z : 10 B** 40/45 - 70/80.

SONSBECK 4176. Nordrhein-Westfalen [987] [13] – 6 900 Ew – Höhe 22 m – ☎ 02838.

♦Düsseldorf 72 – Krefeld 52 – Nijmegen 58.

🍴🍴 **Waldrestaurant Höfer**, Gelderner Str. 69 (S : 2 km), ✆ 24 42 – 🅿. [AE] [D] [E]
Montag - Dienstag 17 Uhr geschl. – Karte 26/57.

SONTHOFEN 8972. Bayern [413] NO 24, [987] [36], [426] [15] – 22 000 Ew – Höhe 742 m – Luftkurort – Wintersport : 750/1 050 m ⛷3 ⛷12 – ☎ 08321.

⛳18 Ofterschwang (SW : 4 km), ✆ (08321) 72 76 – 🚗 ✆ 24 11.

ℹ Verkehrsamt, Rathausplatz 3, ✆ 7 62 91.

♦München 152 – Kempten (Allgäu) 27 – Oberstdorf 13.

🏨 **Der Allgäu Stern** 🌙, Auf der Staiger Alp, ✆ 7 90, Telex 54402, Fax 7944, ≤ Allgäuer Berge, Bade- und Massageabteilung, 🏋, ♨, 🏊, 🏊, 🌳, Skischule, Skiverleih – 🛗 [TV] ☎ 🏃 🚗 🅿 🚸. [AE] [D] [E] [VISA]. 🐕 Rest
Restaurants : – **Rôtisserie** Karte 37/60 – **Bierstüberl** *(nur Abendessen)* Karte 25/33 – **450 Z : 850 B** 113/138 - 166/246 Fb.

🏠 Brauerei-Gasthof Hirsch, Grüntenstr. 7, ✆ 70 16 – 🛗 ☎ 🅿 🚸 – **70 Z : 146 B** Fb.

🏠 **Zum Ratsherrn**, Hermann-von-Barth-Str. 4, ✆ 29 29, ♨ – ☎ 🅿. 🐕
Nov. geschl. – Karte 21/34 *(nur Abendessen, Montag geschl.)* – **13 Z : 22 B** 40 - 70.

🏠 **Schwäbele Eck**, Hindelanger Str. 9, ✆ 47 35 – 🚗 🅿
◆ *Nov. geschl.* – Karte 18/42 *(Montag geschl.)* 🍷 – **24 Z : 50 B** 40/60 - 70/90 Fb.

🍴🍴 **Alte Post**, Promenadenstr. 5, ✆ 25 08
Freitag - Samstag 18 Uhr und Juni 2 Wochen geschl. – Karte 22/43.

🍴🍴 **Rathaus Stube**, Rathausplatz 2, ✆ 8 73 84, ⛱ – [AE] [D] [E] [VISA]
Sonntag - Montag 18 Uhr und 5.- 20. Jan. geschl. – Karte 27/51.

🍴 **Postillion**, Hirschstr. 4, ✆ 22 86 – 🅿. [E]
Dienstag geschl. – Karte 23/42.

In Sonthofen-Rieden NW : 1 km :

🏠 **Bauer**, Hans-Böckler-Str. 86, ✆ 70 91, ⛱ – [TV] ☎ 🚗 🅿. [E]. 🐕 Rest
◆ Karte 19,50/45 – **12 Z : 24 B** 52/62 - 94/114 Fb – 2 Fewo 90/120 – P 71/86.

In Blaichach-Seifriedsberg 8976 NW : 4 km :

🏠 Kühberg, ✆ (08321) 20 11, ≤, ♨, 🏊, 🌳 – ☎ 🅿 – **33 Z : 65 B**.

In Ofterschwang 8972 SW : 6 km :

🏠 **Landhaus Süßdorf** 🌙, ✆ (08321) 90 28, ≤, ⛱, ♨, 🏊, 🌳 – ☎ 🚗 🅿. 🐕
◆ *April 2 Wochen und Nov.- 20. Dez. geschl.* – Karte 17/35 *(Mittwoch geschl.)* 🍷 – **17 Z : 32 B** 40/75 - 66/106 Fb – P 55/72.

In Ofterschwang-Schweineberg 8972 SW : 4 km :

🏨 **Sport- und Kurhotel Sonnenalp** 🌙, ✆ (08321) 7 20, Telex 54465, ≤, « Außenanlagen mit Terrassen », Bade- und Massageabteilung, 🏋, ♨, 🏊 (geheizt), 🏊, 🌳, 🎾 (Halle), ⛳, Fahrradverleih, Skischule, ⛷ – 🛗 [TV] 🏃 🚗 🅿 🚸 (mit ▤). 🐕
(Rest. nur für Hausgäste) – **230 Z : 425 B** (nur ½ P) 179/266 - 362/650 Fb – 6 Appart. 572/1020 – 3 Fewo 225/368.

In Ofterschwang-Tiefenberg 8972 S : 3 km :

🏠 Tiefenberger Hof, ✆ (08321) 31 16, ⛱, 🌳 – 🅿 – **12 Z : 25 B**.

🏠 **Gästehaus Gisela**, ✆ (08321) 26 72, ≤, ♨, 🏊, 🌳 – ☎ 🚗 🅿. 🐕
Nov.- 16. Dez. geschl. – (Rest. nur für Hausgäste) – **14 Z : 24 B** 32/55 - 80/95.

Auf der Alpe Eck W : 8,5 km Richtung Gunzesried, Zufahrt über Privatstraße, Gebühr 4 DM, Hausgäste frei, Tagesgäste 2 DM – ✉ 8972 Sonthofen :

🏨 **Allgäuer Berghof** 🌙, Höhe 1 260 m, ✆ (08321) 80 60, ≤ Allgäuer Alpen, ⛱, « Park », Massage, ♨, 🏊, 🌳, 🎾, Skischule, ⛷ – 🛗 ☎ 🏃 🚗 🅿 🚸. 🐕 Rest
Mitte Nov.- Mitte Dez. geschl. – Karte 28/52 – **68 Z : 119 B** 40/142 - 96/312 Fb.

SONTRA 6443. Hessen 987 ㉕ – 8 900 Ew – Höhe 242 m – Luftkurort – ✆ 05653.
♦Wiesbaden 201 – Göttingen 62 – Bad Hersfeld 34 – ♦Kassel 56.

- **Link**, Bahnhofstr. 17, ✆ 6 83, – Ⓟ
  Karte 16/30 – **41 Z : 73 B** 26/35 - 50/65.

In Nentershausen 2-Weißenhasel 6446 S : 5 km :

- Johanneshof, Kupferstr. 24, ✆ (06627) 7 88, – TV ☎ Ⓟ
  23 Z : 45 B Fb.

SOODEN - ALLENDORF, BAD 3437. Hessen 987 ⑮⑯ – 10 000 Ew – Höhe 160 m – Heilbad – ✆ 05652.

Sehenswert : Allendorf : Fachwerkhäuser★ (Bürgersches Haus★, Kirchstr. 29, Eschstruthsches Haus★★, Kirchstr. 59).

ℹ Kurverwaltung, in Bad Sooden, ✆ 50 10.

♦Wiesbaden 231 – Göttingen 36 – Bad Hersfeld 68 – ♦Kassel 36.

Im Ortsteil Bad Sooden :

- **Kurhaus-Kurparkhotel** , Am Brunnenplatz 5, ✆ 30 31, , direkter Zugang zum Kurmittelhaus, , – ☎ AE ⓓ E VISA
  Karte 27/60 – **40 Z : 60 B** 89/113 - 146/152 Fb.
- **Martina** , Westerburgstr. 1, ✆ 20 88, – ☎ Ⓟ. AE ⓓ E. Rest
  Karte 25/53 – **67 Z : 94 B** 49/85 - 90/124.
- Central (mit Gästehaus - Kurhotel Kneipp), Am Haintor 3, ✆ 25 84, Bade- und Massageabteilung, , , ,
  61 Z : 88 B.
- Am Schwanenteich garni, Rosenstr. 4, ✆ 20 68, Caféterrasse,
  14 Z : 20 B.

Im Ortsteil Allendorf :

- **Werratal**, Kirchstr. 62, ✆ 23 43, – ☎
  20. Dez.- 11. Jan. geschl. – Karte 19/58 – **30 Z : 45 B** 40/45 - 76/90 – P 58.

Im Ortsteil Ahrenberg NW : 6 km über Ellershausen :

- **Berggasthof Ahrenberg** , ✆ 20 03, ←, , – Ⓟ. AE ⓓ E VISA
  Jan.- Feb. 4 Wochen geschl. – Karte 20/59 – **12 Z : 20 B** 40 - 80.

SOTTORF Niedersachsen siehe Rosengarten.

SPAICHINGEN 7208. Baden-Württemberg 413 J 22, 987 ㉟ – 9 500 Ew – Höhe 670 m – ✆ 07424.

Ausflugsziel : Dreifaltigkeitsberg : Wallfahrtskirche ✻★ NO : 6 km.

♦Stuttgart 112 – Rottweil 14 – Tuttlingen 14.

- Kreuz, Hauptstr. 113, ✆ 59 55 – ☎ Ⓟ
  13 Z : 18 B.

SPALT 8545. Bayern 413 P 19 – 4 700 Ew – Höhe 357 m – ✆ 09175.
♦München 149 – Ansbach 35 – Ingolstadt 70 – ♦Nürnberg 45.

- **Krone**, Hauptstr. 23, ✆ 3 70 – Ⓟ
  Sept. geschl. – Karte 18,50/34 *(Dienstag geschl.)* – **15 Z : 25 B** 30 - 55.

In Spalt-Enderndorf S : 4,5 km :

- ✗ **Zum Hochreiter**, Enderndorf 4a, ✆ 7 49, ←, – Ⓟ. E
  Dez.- Jan. und Montag geschl. – Karte 20/33.

In Spalt-Stiegelmühle NW : 5 km :

- ✗ Gasthof Blumenthal, ✆ (09873) 3 32, – Ⓟ.

SPANGENBERG 3509. Hessen 987 ㉕ – 7 000 Ew – Höhe 265 m – Luftkurort – ✆ 05663.

ℹ Verkehrsamt, Kirchplatz 4, ✆ 72 97.

♦Wiesbaden 209 – Bad Hersfeld 50 – ♦Kassel 36.

- **Schloß Spangenberg** (Burganlage a.d. 13. Jh.), ✆ 8 66, Telex 99988, ← Spangenberg, – TV ☎ Ⓟ . ⓓ E VISA.
  5.- 31. Jan. geschl. – Karte 43/64 *(Dez.- Feb. Donnerstag geschl.)* – **26 Z : 51 B** 65/150 - 130/230.
- ✗✗ Ratskeller, Markt 1, ✆ 3 41 – (Tischbestellung ratsam).

SPARNECK Bayern siehe Münchberg.

SPEICHERZ Bayern siehe Motten.

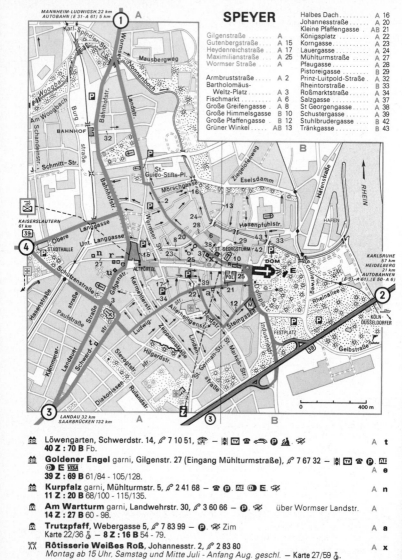

[SPEYER] 6720. Rheinland-Pfalz [413] I 18, 19, [987] ㉕ – 44 500 Ew – Höhe 104 m – ☎ 06232.

Sehenswert : Dom★★ (Krypta★★★, Querschiff★★) B – ≤★★ vom Fuß des Heidentürmchens auf den Dom B E – [i] Verkehrsamt, Maximilianstr. 11, ✆ 1 43 95.

Mainz 93 ① – Heidelberg 21 ② – ♦Karlsruhe 57 ② – ♦Mannheim 22 ① – Pirmasens 73 ④.

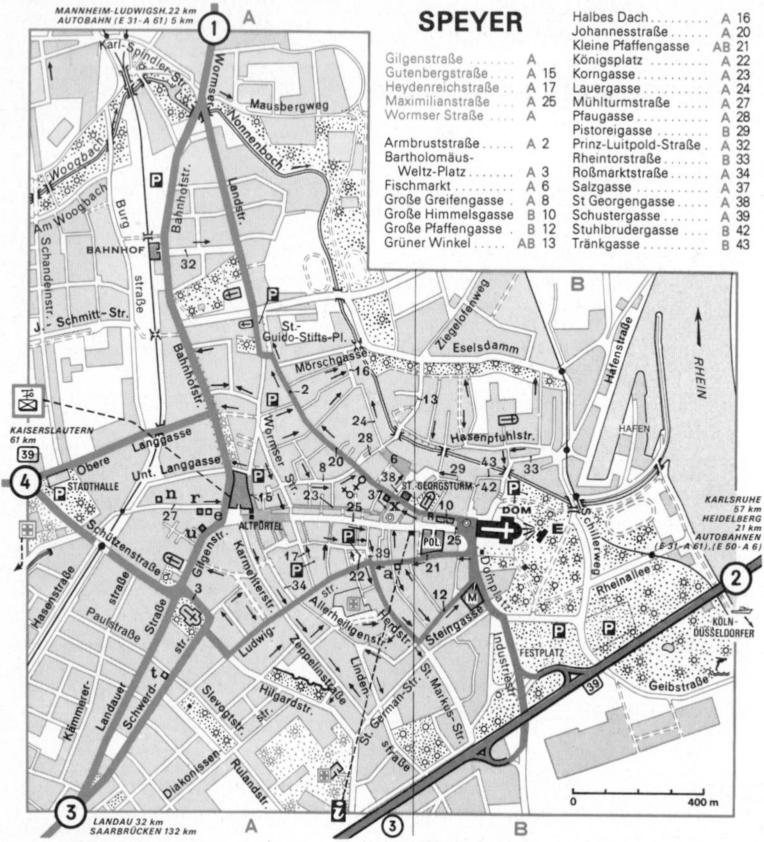

🏨 Löwengarten, Schwerdstr. 14, ✆ 7 10 51, 🍴 – |♦| [TV] ☎ 🚗 [P] 🏋. ✂ A **t**
40 Z : 70 B Fb.

🏨 **Goldener Engel** garni, Gilgenstr. 27 (Eingang Mühlturmstraße), ✆ 7 67 32 – |♦| [TV] ☎ [P]. [AE] [D] [E] [VISA] A **e**
39 Z : 69 B 61/84 - 105/128.

🏨 **Kurpfalz** garni, Mühlturmstr. 5, ✆ 2 41 68 – ☎ [P]. [AE] [D] [E]. ✂ A **n**
11 Z : 20 B 68/100 - 115/135.

🏨 **Am Wartturm** garni, Landwehrstr. 30, ✆ 3 60 66 – [P]. ✂ über Wormser Landstr. A
14 Z : 27 B 60 - 98.

🏨 **Trutzpfaff**, Webergasse 5, ✆ 7 83 99 – [P]. ✂ Zim A **a**
Karte 22/36 🍷 – **8 Z : 16 B** 54 - 79.

🍴🍴 **Rôtisserie Weißes Roß**, Johannesstr. 2, ✆ 2 83 80 A **x**
Montag ab 15 Uhr, Samstag und Mitte Juli - Anfang Aug. geschl. – Karte 27/59 🍷.

🍴 Pfalzgraf, Gilgenstr. 26 b, ✆ 7 47 55 – [P]. A **u**

🍴 **Wirtschaft zum Alten Engel**, Gilgenstr. 27 (Eingang Mühlturmstr.), ✆ 7 67 32, « Altes Backsteingewölbe, antikes Mobiliar » A **r**
Samstag und 1.- 21. Aug. geschl. – Karte 28/48.

__*An der Rheinbrücke*__ rechtes Ufer :

🏨 **Rheinhotel Luxhof**, ✉ 6832 Hockenheim, ✆ (06205) 35 81, 🏊, 🍴 – ☎ 🚗 [P] 🏋. [AE] [D] [E] [VISA] – Karte 27/56 🍷 – **45 Z : 90 B** 60/90 - 98/140 Fb. über ②

SPIEGELAU 8356. Bayern 413 X 20, 426 ⑦ – 4 200 Ew – Höhe 730 m – Erholungsort – Wintersport : 780/830 m ≰2 ⛷4 – ☎ 08553.

Verkehrsamt, Rathaus, Hauptstr. 30, ✆ 4 19.

♦München 193 – Deggendorf 50 – Passau 45.

- **Hubertushof**, Hauptstr. 1, ✆ 5 22, ≘s – P. ⅋
  5. März - April und 30. Okt.- 20. Dez. geschl. – Karte 18/31 – **36 Z : 65 B** 40/45 - 76 Fb.
- **Tannenhof** ⑤, Auf der List 27, ✆ 3 54, « Terrasse mit ≤ », ≘s, ⬚, ⛨ – ⇔ P
  Mitte Nov.- Mitte Dez. geschl. – Karte 19/34 – **40 Z : 63 B** (nur ½ P) 53/62 - 100/118.
- **Waldfrieden** ⑤, Waldschmidtstr. 10, ✆ 12 47, ≘s, ⬚, ⛨ – P
  Nov.- 15. Dez. geschl. – (nur Abendessen für Hausgäste) – **24 Z : 44 B** 45 - 80 Fb.
- Café Lilo, Hauptstr. 22, ✆ 3 80, ⛱, ≘s, ⬚ – P – **20 Z : 42 B.**

In Spiegelau-Klingenbrunn NW : 4 km – Höhe 820 m :

- **Hochriegel**, Frauenauer Str. 31, ✆ 3 43, ≘s, ⬚, ⛨ – |$| TV P. ⅋
  Nov.- 24. Dez. geschl. – (nur Abendessen für Hausgäste) – **40 Z : 80 B** (nur ½ P) 55/61 - 110/122 Fb.

SPIEKEROOG (Insel) 2941. Niedersachsen 987 ④ – 920 Ew – Seeheilbad – Insel der Ostfriesischen Inselgruppe. Autos nicht zugelassen – ☎ 04976.

⛴ von Neuharlingersiel (40 min.), ✆ (04976) 2 17.

Kurverwaltung, Noorderpaad 25, ✆ 1 70.

♦Hannover 258 – Aurich (Ostfriesland) 33 – Wilhelmshaven 46.

- **Upstalsboom** ⑤, Pollerdiek 4, ✆ 3 64, Telex 27917, ≘s, ⛨ – ☎. AE ⓓ E VISA
  Karte 29/63 *(auch vegetarische Gerichte)* (Nov.- Mitte März geschl.) – **34 Z : 68 B** 105 - 150 Fb.
- Süder Mens ⑤, Südermens 1, ✆ 2 26, ≘s, ⛨ – ⅋
  (Restaurant nur für Hausgäste) – **24 Z : 43 B.**
- **Zur Linde** ⑤, Noorderloog 5, ✆ 2 34, ⛨
  3. Jan.- 15. März und Nov.- 26. Dez. geschl. – Karte 25/53 – **25 Z : 45 B** 55/80 - 110/154 – P 76/92.

SPIRE = Speyer.

SPITZINGSEE Bayern siehe Schliersee.

SPRAKENSEHL Niedersachsen siehe Hankensbüttel.

SPRINGE AM DEISTER 3257. Niedersachsen 987 ⑮ – 29 000 Ew – Höhe 113 m – Erholungsort – ☎ 05041.

Verkehrsverein, Am Markt/Ecke Burgstraße (Haus Peters), ✆ 7 32 73.

♦Hannover 26 – Hameln 20 – Hildesheim 33.

- Zum Grafen Hallermunt, Zum Niederntor 1, ✆ 40 18 – ☎ P
  12 Z : 16 B Fb.
- **Garni**, Zum Oberntor 9, ✆ 40 11
  17 Z : 28 B 45/50 - 80/90.

SPROCKHÖVEL Nordrhein-Westfalen siehe Hattingen.

STADE 2160. Niedersachsen 987 ⑤ – 45 000 Ew – Höhe 7 m – ☎ 04141.

Verkehrsamt, Bahnhofstr. 3, ✆ 40 15 50 – ADAC, Hinterm Teich 1, ✆ 6 32 32, Notruf ✆ 1 92 11.

♦Hannover 178 – ♦Bremerhaven 76 – ♦Hamburg 57.

- **Vier Linden** ⑤, Schölischer Str. 63, ✆ 4 40 11 – TV ☎ P ⛺. AE ⓓ E
  Karte 25/45 *(nur Abendessen, Sonntag geschl.)* – **31 Z : 59 B** 50/80 - 99/130.
- **Zur Einkehr**, Freiburger Str. 82, ✆ 23 25, ≘s, Fahrradverleih – TV ☎ ⇔ P ⛺. AE ⓓ E VISA
  Karte 24/44 – **40 Z : 70 B** 45/65 - 100/110.
- **Schwedenkrone**, Richeyweg 15, ✆ 8 11 74 – ☎ P. AE ⓓ E VISA
  Karte 26/45 *(Sonntag ab 14 Uhr geschl.)* – **31 Z : 51 B** 55/65 - 90/105.
- Zur Hanse garni, am Burggraben 4, ✆ 4 44 41 – P – **17 Z : 32 B** – 2 Fewo.
- XXX **Zur Alten Schleuse**, Salzstr. 29, ✆ 30 63, ⛱ – P. AE ⓓ E VISA
  Karte 34/71.
- X **Insel-Restaurant**, Auf der Insel 1, ✆ 20 31, ⛱ – ♿ P ⛺. AE ⓓ E VISA
  Karte 32/62.
- X **Ratskeller**, Hökerstr. 10, ✆ 4 42 55, ⛱ – AE ⓓ E VISA
  Montag und 9.- 31. Jan. geschl. – Karte 28/60.

In Stade-Bützfleth N : 6 km :

- **Bützflether Hof**, Obstmarschenweg 350, ✆ (04146) 10 11 – ☎ P
  20. Dez.- 10. Jan. geschl. – Karte 20/40 *(Samstag geschl.)* – **21 Z : 35 B** 30/45 - 58/75.

STADECKEN-ELSHEIM Rheinland-Pfalz siehe Mainz.

STADLAND 2883. Niedersachsen – 7 800 Ew – Höhe 2 m – ☎ 04732.

♦Hannover 187 – ♦Bremen 68 – ♦Oldenburg 40.

In Stadland 1-Rodenkirchen :

🏠 **Friesenhof** garni, Friesenstr. 13 (B 212), ☎ 6 48, Grillplatz, 🌳, ✂ – 🚗 [P]
15 Z : 18 B 50/60 - 75/85 – 2 Fewo 100/120.

STADTALLENDORF 3570. Hessen – 21 000 Ew – Höhe 255 m – ☎ 06428.

♦Wiesbaden 141 – Alsfeld 27 – Marburg 21 – Neustadt Kreis Marburg 8.

🏨 **Parkhotel** 🌙, Schillerstr. 1, ☎ 70 80, Telex 4821000, ⛱, 🌳, ✂ – [TV] 🚗 [P] 🏢. [AE] [D] E VISA. ✂
Restaurants : – **Hufschmiede** *(nur Abendessen)* Karte 28/46 – **La Casserole** Karte 36/63 –
50 Z : 88 B 69/120 - 125/160 Fb – 3 Appart. 240.

STADTBERGEN 8901. Bayern [413] P 21 – 11 600 Ew – Höhe 491 m – ☎ 0821 (Augsburg).

♦München 88 – ♦ Augsburg 6 – ♦ Ulm (Donau) 74.

🏠 **Café Weinberger** garni, Bismarckstr. 55, ☎ 43 20 71 – [lift] ☎ [P]. ✂
Mitte - Ende Aug. geschl. – **27 Z : 31 B** 38/48 - 75.

STADTHAGEN 3060. Niedersachsen [987] ⑮ – 23 100 Ew – Höhe 67 m – ☎ 05721.

⛳ Obernkirchen (SW : 4 km), ☎ (05724) 46 70.

♦Hannover 44 – Bielefeld 76 – ♦Osnabrück 106.

🏠 **Parkhotel** 🌙 garni, Büschingstr. 10, ☎ 30 44, ♨ – [TV] ☎ ♿ 🚗 [P]. [AE] [D] E VISA
20 Z : 36 B 78/98 - 108/128.

In Stadthagen-Obernwöhren SO : 5 km :

🏠 **Oelkrug** 🌙, Waldstr. 2, ☎ 7 60 51, 🌳 – [lift] [P] 🏢. ✂ Rest
9.- 22. Jan. und 15. Juli - 15. Aug. geschl. – Karte 28/60 *(Montag geschl.)* – **20 Z : 38 B** 60 - 98.

In Nienstädt-Sülbeck 3065 SW : 6 km :

🍴🍴 **Sülbecker Krug** mit Zim, Mindener Str. 17 (B 65), ☎ (05724) 60 31 – ☎ 🚗 [P]. ✂
6.- 21. Jan. geschl. – Karte 31/69 *(Freitag - Samstag 17 Uhr geschl.)* – **15 Z : 20 B** 44 - 88 Fb.

In Niedernwöhren 3066 NW : 6 km :

🍴🍴 **Landhaus Heine - Restaurant Ambiente**, Brunnenstr. 17, ☎ (05721) 21 21 – [P]. [AE] [D] E VISA. ✂
Dienstag sowie Jan. und Juli - Aug. jeweils 2 Wochen geschl. – Karte 31/69 (bemerkenswerte Weinkarte).

STADTKYLL 5536. Rheinland-Pfalz [987] ㉓ – 1 200 Ew – Höhe 460 m – Luftkurort – ☎ 06597.

[i] Verkehrsbüro, Kyllplatz 1, ☎ 28 78.

Mainz 190 – Euskirchen 48 – Mayen 64 – Prüm 22.

🏠 **Haus am See**, Wirftstraße, ☎ 23 26, ≤, ⛱, ♨, ✂ – [P]. [D] E. ✂
Karte 27/48 *(Nov.- März Dienstag 14 Uhr - Mittwoch geschl.)* – **19 Z : 34 B** 42/50 - 79/94 Fb.

STADTLOHN 4424. Nordrhein-Westfalen [987] ⑬⑭, [408] ⑬ – 17 400 Ew – Höhe 40 m – ☎ 02563.

[i] Verkehrsverein, Rathaus, Markt 3, ☎ 8 71.

♦Düsseldorf 105 – Bocholt 31 – Enschede 38 – Münster (Westfalen) 56.

🏨 **Tenbrock**, Pfeifenofen 2, ☎ 10 72, ♨, 🏊 – [TV] [P] 🏢. [AE] [D] E VISA. ✂ Zim
24. Dez.- 10. Jan. geschl. – Karte 28/57 *(Freitag 14 Uhr - Samstag 17 Uhr und 22. Juni - 13. Juli geschl.)* – **30 Z : 48 B** 48/65 - 100/120.

🍴🍴 Schäfer's Restaurant, Dufkampstr. 24, ☎ 66 19 – [P].

STADTOLDENDORF 3457. Niedersachsen [987] ⑮ – 6 000 Ew – Höhe 206 m – ☎ 05532.

♦Hannover 64 – Göttingen 71 – Hildesheim 51 – Paderborn 84.

🏠 **Bahnhofshotel**, Deenser Str. 2, ☎ 15 39
◆ Karte 16/38 *(Samstag und Sonntag nur Mittagessen)* – **22 Z : 36 B** 48 - 84.

STADTSTEINACH 8652. Bayern [413] R 16, [987] ㉖ ㉗ – 3 800 Ew – Höhe 352 m – Erholungsort – ☎ 09225.

♦München 260 – ♦Bamberg 71 – Bayreuth 31 – Hof 46.

🏠 **Ratskeller**, Marktplatz 6, ☎ 2 58 – [AE] [D] E. ✂ Zim
◆ *20. Okt.- 10. Nov. geschl.* – Karte 15/33 *(Samstag geschl.)* – **7 Z : 13 B** 24/26 - 48/50 – P 38.

STAFFELSTEIN 8623. Bayern 413 PQ 16, 987 ㉖ – 10 500 Ew – Höhe 272 m – ☎ 09573.
Ausflugsziel : Ehemaliges Kloster Banz : Terrasse ≤★, N : 5 km.
ℹ Städt. Verkehrsamt, Alte Darre am Stadtturm, ✆ 41 92.
♦München 261 – ♦Bamberg 26 – Coburg 26.

Rödiger, Zur Herrgottsmühle 2, ✆ 8 95, – AE ⓓ E
Aug. geschl. – Karte 22/42 *(Freitag geschl.)* – **19 Z : 40 B** 42/48 - 76/84.

In Staffelstein-Grundfeld NO : 4 km :

Maintal, ✆ (09571) 31 66, Terrasse mit offenem Kamin, – Ⓟ.
Weihnachten - Mitte Jan. geschl. – Karte 16/34 *(Freitag geschl.)* – **20 Z : 32 B** 33/46 - 60/65.

In Staffelstein-Romansthal O : 3 km :

Zur schönen Schnitterin, ✆ 43 73, ≤ – Ⓟ
1.- 27. Dez. geschl. – Karte 14/28 *(Montag geschl.)* – **15 Z : 27 B** 34 - 64.

In Staffelstein-Unnersdorf NW : 4 km :

Berggasthof mit Zim, Unnersdorf 47, ✆ 59 63, ≤, – Ⓟ.
Nov. geschl. – Karte 17/37 *(Montag geschl.)* – **7 Z : 11 B** 38 - 76.

STAMSRIED 8491. Bayern 413 U 19 – 1 900 Ew – Höhe 450 m – ☎ 09466.
♦München 172 – ♦ Nürnberg 131 – Passau 124 – ♦ Regensburg 50.

Pusl, Marktplatz 6, ✆ 3 26, – . E
Karte 16/30 – **22 Z : 44 B** 32/35 - 59/64 Fb.

STAPELFELD 2000. Schleswig-Holstein – 1 500 Ew – Höhe 20 m – ☎ 040 (Hamburg).
♦Kiel 91 – ♦Hamburg 22 – ♦Lübeck 47.

Zur Windmühle, Hauptstr. 67 (O : 1 km), ✉ 2000 Hamburg 73, ✆ 6 77 30 03, – Ⓟ
AE ⓓ E VISA
Karte 35/60 – **32 Z : 46 B** 86/90 - 128/135 Fb.

STARNBERG 8130. Bayern 413 R 22,23, 987 ㊲, 426 ⑰ – 17 800 Ew – Höhe 587 m – ☎ 08151.
Starnberg-Hadorf, ✆ 1 21 57.
ℹ Verkehrsverein, Kirchplatz 3, ✆ 1 32 74.
♦München 27 – ♦Augsburg 95 – Garmisch-Partenkirchen 70.

Seehof, Bahnhofsplatz 6, ✆ 60 01 (Hotel) 22 21 (Rest.) – Ⓟ. AE ⓓ E VISA
Karte 38/62 *(Italienische Küche)* – **32 Z : 60 B** 90/100 - 120/150 Fb.

Tutzinger Hof, Tutzinger-Hof-Platz 7, ✆ 30 81, – Ⓟ. AE ⓓ E VISA
Karte 21/50 – **34 Z : 78 B** 45/75 - 90/110.

Pension Happach garni, Achheimstr. 2, ✆ 1 25 37 –
11 Z : 20 B.

Maximilian, Osswaldstr. 16, ✆ 62 80
nur Abendessen, Sonn- und Feiertage sowie 1.- 8. Jan. und 7.- 20. Aug. geschl. – Karte 49/70 (Tischbestellung ratsam).

Isola d'Elba (Italienische Küche), Theresienstr. 9, ✆ 1 67 80, – Ⓟ. AE ⓓ E
Montag geschl. – Karte 35/60.

Gasthof in der Au - Museum Stub'n, Josef-Jägerhuber-Str. 15, ✆ 1 55 77, Biergarten, « Sammlung alter handwerklicher Geräte » – Ⓟ. AE ⓓ E VISA
ab Ostermontag 1 Woche, 24.- 30. Sept., 22. Dez.- 5. Jan. und Sonntag 15 Uhr - Montag geschl. – Karte 19/40.

STARZACH 7245. Baden-Württemberg 413 J 21 – 3 000 Ew – Höhe 400 m – ☎ 07457.
Schloß Weitenburg, ✆ (07472) 80 61.
♦Stuttgart 66 – Freudenstadt 29.

In Starzach-Börstingen N : 7 km :

Schloß Weitenburg, ✆ 80 51, ≤, « Schloß a.d.J. 1585, Park, Schloßkapelle », (Halle) – Ⓟ. ⓓ E VISA
Karte 36/72 – **35 Z : 60 B** 60/90 - 110/160 Fb – P 110/142.

Gerenommeerde keukens

Fijnproevers
voor U hebben wij bepaalde
restaurants aangeduid met Karte, ✿, ✿✿, ✿✿✿.

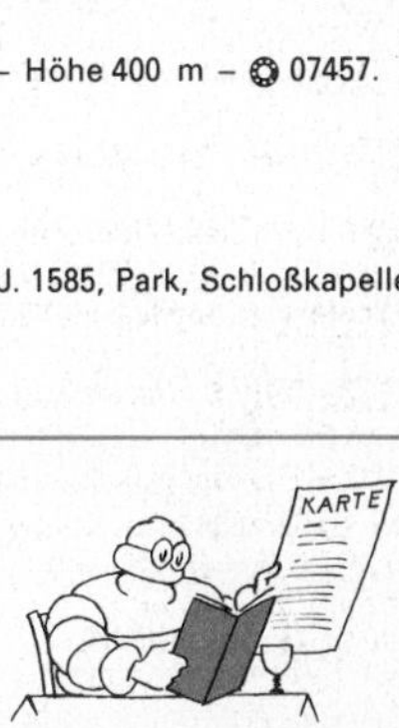

STAUDACH-EGERNDACH 8217. Bayern 413 U 23 – 1 100 Ew – Höhe 600 m – ☎ 08641 (Grassau).

Verkehrsbüro, Marquartsteiner Str. 3, ✆ 25 60.

♦München 91 – Rosenheim 34 – Traunstein 20.

Im Ortsteil Staudach :

Mühlwinkl, Mühlwinkl 14, ✆ 24 14, – *Nov.- 20. Dez. geschl.* – Karte 17,50/33 *(Dienstag geschl.)* – **17 Z : 30 B** 27/40 - 54/70.

Im Ortsteil Egerndach :

Gasthof Ott, ✆ 21 83, – *10. Jan.- 10. Feb. geschl.* – Karte 22/34 *(Montag geschl.)* – **28 Z : 55 B** 20/29 - 40/58.

STAUFEN 7813. Baden-Württemberg 413 G 23, 427 ④, 242 ㊱ – 7 500 Ew – Höhe 290 m – Erholungsort – ☎ 07633.

Sehenswert : Staufenburg : Lage★.

Verkehrsamt, Rathaus, ✆ 8 05 36.

♦Stuttgart 222 – Basel 58 – ♦Freiburg im Breisgau 20.

Zum Hirschen, Hauptstr. 19, ✆ 52 97, eigener Weinbau, – *Ende Okt.- Ende Nov. geschl.* – Karte 27/48 *(Montag - Dienstag geschl.)* – **12 Z : 24 B** 55 - 80/90.

Zum Löwen - Fauststube mit Zim (Gasthaus seit 1407), Hauptstr. 47, ✆ 70 78, – *9.- 27. Jan. geschl.* – Karte 46/83 *(Tischbestellung ratsam)* (Nov.- März Sonntag geschl.) – **4 Z : 8 B** 85 - 125.

Kreuz-Post mit Zim, Hauptstr. 65, ✆ 52 40, – Zim *Anfang Juni - Anfang Juli geschl.* – Karte 28/45 *(Mittwoch 14 Uhr - Donnerstag geschl.)* – **9 Z : 16 B** 30/40 - 52/75.

STAUFENBERG 6301. Hessen – 7 400 Ew – Höhe 163 m – ☎ 06406.

♦Wiesbaden 102 – ♦Frankfurt am Main 73 – Gießen 11 – ♦Kassel 116.

Burghotel Staufenberg (Burg a.d. 12.Jh. mit modernem Hotelanbau), Burggasse 10, ✆ 30 12 – *30. Juli - 13. Aug. geschl.* – Karte 24/57 – **26 Z : 40 B** 80/100 - 150/175 Fb.

STEBEN, BAD 8675. Bayern 413 R 15 – 3 700 Ew – Höhe 580 m – Heilbad – Wintersport : 585/650 m 1 5 – ☎ 09288.

Kurverein, ✆ 2 88 – Staatl. Kurverwaltung, Badstr. 31, ✆ 10 93.

♦München 295 – Bayreuth 66 – Hof 25.

Relexa Kurhotel - Parkschlößchen, Badstr. 26, ✆ 7 20, Telex 643423, Fax 72113, Bade- und Massageabteilung, – Zim AE E VISA Rest Karte 28/60 *(auch Diät)* – **123 Z : 159 B** 98/140 - 150/180 Fb – 6 Appart. 220 – P 120/170.

Modena, Hemplastr.1, ✆ 85 28, – (Restaurant nur für Hausgäste) – **19 Z : 29 B** 55/80 - 80/110 Fb.

Promenade, Badstr. 16, ✆ 10 21, – **47 Z : 60 B** Fb.

Zum alten Bergamt, Badstr. 8, ✆ 81 24, – Karte 21/44 – **12 Z : 20 B** 49/70 - 98 Fb.

In Bad Steben-Thierbach NO : 2 km :

Gasthof Faunken, Thierbach Nr. 26, ✆ 2 05, – *1.- 20. Feb. geschl.* – Karte 17,50/43 *(Montag geschl.)* – **17 Z : 27 B** 23/33 - 45/65.

STEDESAND Schleswig-Holstein siehe Leck.

STEGEN Baden-Württemberg siehe Kirchzarten.

STEIBIS Bayern siehe Oberstaufen.

STEIN Schleswig-Holstein siehe Laboe.

STEINACH 7619. Baden-Württemberg 413 H 22, 242 ㉘ – 3 600 Ew – Höhe 205 m – ☎ 07832 (Haslach im Kinzigtal).

♦Stuttgart 170 – ♦Freiburg im Breisgau 50 – Offenburg 24.

Alte Bauernschänke, Kirchgasse 8, ✆ 23 44, « Restaurant im Schwarzwälder Bauernstil » – – **17 Z : 33 B** Fb.

Schwarzer Adler mit Zim (Fachwerkhaus a.d.J. 1716), Hauptstr. 39, ✆ 25 09, – AE E VISA Karte 30/54 *(Montag geschl.)* – **7 Z : 11 B** 40/45 - 90.

STEINACH Bayern siehe Bocklet, Bad.

[STEINACH KREIS STRAUBING-BOGEN] **8441**. Bayern [413] U 20 – 2 000 Ew – Höhe 370 m – ☎ 09428.

♦München 163 – ♦ Regensburg 43 – Straubing 11.

🏨 Schloß Steinach 🐦, August-Schmiederer-Str. 21, ☎ 1 70 – 📺 ☎ 🅿 🚩
72 Z : 260 B Fb.

[STEINBACH AM WALD] **8641**. Bayern [413] QR 15 – 4 100 Ew – Höhe 600 m – Wintersport : ⛷3 – ☎ 09263.

♦München 300 – ♦Bamberg 83 – Bayreuth 69.

🏨 **Pietz** 🐦, Otto-Wiegand-Str. 4, ☎ 3 74, 🧖, 🌳 – 📺 ☎ 🅿
✦ *Mitte Nov.- Mitte Dez. geschl.* – Karte 16/32 *(Dienstag geschl.)* 🍷 – **35 Z : 64 B** 21/32 - 42/60.

🏨 **Rennsteig** 🐦, Rennsteigstr. 33, ☎ 13 50, 🧖, 🌳 – 📺 🅿. [D] [E]
✦ Karte 15/40 *(Donnerstag geschl.)* – **16 Z : 34 B** 32 - 60 Fb.

🏠 Steinbacher Hof, Kronacher Str. 3 (B 85), ☎ 4 86 – 🅿
8 Z : 16 B.

[STEINBERG] **2391**. Schleswig-Holstein – 1 000 Ew – Höhe 15 m – ☎ 04632 (Steinbergkirche).

♦Kiel 78 – Flensburg 28 – Kappeln 20.

🏠 **Ties Möller**, Süderstr. 1 (B 199), ☎ 3 11 – 🚗 🅿. [D]
Jan. geschl. – Karte 21/40 *(Montag geschl.)* – **10 Z : 17 B** 30/40 - 55/75.

In Steinberg-Steinberghaff O : 3 km :

🏨 **Norderlück** 🐦 (ehemaliger Bauernhof a.d.J. 1778), ☎ 75 95, 🧖, 🏊, 🌳 – ☎ 🅿. 🚫 Rest
(Rest. nur für Hausgäste) – **14 Z : 25 B** 72 - 135/149.

[STEINEBACH] Bayern siehe Wörthsee.

[STEINEN] **7853**. Baden-Württemberg [413] G 24, [427] ④, [216] ⑤ – 4 600 Ew – Höhe 335 m – ☎ 07627.

♦Stuttgart 269 – Basel 17 – ♦Freiburg im Breisgau 73 – Schopfheim 7.

🏨 **Gästehaus Pflüger** garni, Lörracher Str. 15, ☎ 14 18, 🌳 – ☎ 🚗 🅿
15 Z : 23 B 45/50 - 70/80.

[STEINENBRONN] **7049**. Baden-Württemberg [413] K 21 – 4 700 Ew – Höhe 430 m – ☎ 07157.

♦Stuttgart 20 – Reutlingen 33 – ♦Ulm (Donau) 92.

🏨 **Krone**, Stuttgarter Str. 47, ☎ 70 01, 🧖, 🏊 – 🛗 📺 ☎ 🚗 🅿 🚩. [AE] [D] [E]
Karte 30/67 *(20. Dez.- 15. Jan. und Sonntag 15 Uhr - Montag geschl.)* – **46 Z : 70 B** 95/110 - 135/150 Fb.

🏨 **Weinstube Maier**, Tübinger Str. 21, ☎ 25 89 – 🚗 🅿. [D] [E]. 🚫
✦ Karte 19/42 *(nur Abendessen, Samstag - Sonntag geschl.)* 🍷 – **23 Z : 35 B** 45/60 - 75/88 Fb.

[STEINFELD] **2841**. Niedersachsen [987] ⑭ – 6 600 Ew – Höhe 49 m – ☎ 05492.

♦Hannover 122 – ♦Bremen 90 – ♦Oldenburg 121 – ♦Osnabrück 45.

🏨 **Zur alten Ziegelei** 🐦, Ziegelstr. 29, ☎ 6 21 – 📺 ☎ 🅿
✦ Karte 17/34 *(Montag geschl.)* – **14 Z : 24 B** 45 - 90.

In Steinfeld-Lehmden O : 5 km :

🍴🍴 **Zur Post**, Lehmden Nr. 65, ☎ 22 42, ⛱ – 🅿
Samstag bis 17 Uhr und Montag geschl. – Karte 29/55.

[STEINFURT] **4430**. Nordrhein-Westfalen – 33 000 Ew – Höhe 70 m – ☎ 02551.

⛳ Steinfurt-Bagno, ☎ 51 78.

ℹ Verkehrsverein Steinfurt- Burgsteinfurt, Markt 2, ☎ 13 83.

♦Düsseldorf 162 – Enschede 39 – Münster (Westfalen) 25 – ♦Osnabrück 58.

In Steinfurt-Borghorst [987] ⑭ :

🏨 **Posthotel Riehemann**, Münsterstr. 8, ☎ (02552) 40 59 – 📺 ☎ 🚗 🅿 🚩. [E]. 🚫 Zim
14.- 29. Juli geschl. – Karte 25/53 *(Freitag geschl.)* – **21 Z : 25 B** 38/60 - 86/90.

🍴🍴 **Schünemann** mit Zim, Altenberger Str. 109, ☎ (02552) 23 30 – 📺 ☎ 🅿. [AE] [D] [E]
Karte 34/61 – **8 Z : 15 B** 70 - 110 (Hotelerweiterung mit 11 Z : 22 B ab Frühjahr 1989).

In Steinfurt-Burgsteinfurt [987] ⑭ :

🏨 **Zur Lindenwirtin**, Ochtruper Str. 38, ☎ 20 15 – 🅿. 🚫
10.- 31. Juli geschl. – Karte 20/44 *(Montag geschl.)* – **19 Z : 32 B** 38/48 - 62/76.

🍴 Schloßmühle, Burgstr. 17, ☎ 55 63 – 🅿.

STEINGADEN 8924. Bayern [413] P 23, [987] ㊱, [426] ⑯ – 2 600 Ew – Höhe 763 m – Erholungsort – ☎ 08862.

Sehenswert : Klosterkirche★.

Ausflugsziel : Wies : Kirche★★ SO : 5 km.

♦München 103 – Füssen 21 – Weilheim 34.

In Steingaden-Wies SO : 5 km :

🍴 Moser mit Zim, Wies 1, ☎ 5 03, – P
5 Z : 10 B.

STEINHEIM 4939. Nordrhein-Westfalen [987] ⑮ – 12 100 Ew – Höhe 144 m – ☎ 05233.

♦Düsseldorf 208 – Detmold 21 – ♦Hannover 85 – Paderborn 38.

Hubertus, Rosentalstr. 15, ☎ 52 46 – P
15. Juli - 16. Aug. geschl. – Karte 18,50/50 *(Montag geschl.)* – **5 Z : 8 B** 35/45 - 75/85.

In Steinheim-Bergheim SW : 7 km :

Gasthof Hegge, Koobenweg 1, ☎ 52 25 – [TV] ☎ P
Karte 19/33 *(Sonntag bis 18 Uhr und Mittwoch geschl.)* – **10 Z : 16 B** 42 - 84.

In Steinheim 2-Sandebeck SW : 12 km :

Germanenhof, Teutoburger-Wald-Str. 29, ☎ (05238) 3 33 – [TV] ☎ P. [AE] [E]
Karte 26/53 *(Dienstag geschl.)* – **11 Z : 19 B** 42/46 - 80/90.

STEINHEIM AM ALBUCH Baden-Württemberg siehe Heidenheim an der Brenz.

STEINHEIM AN DER MURR 7141. Baden-Württemberg [413] K 20 – 9 600 Ew – Höhe 202 m – ☎ 07144 (Marbach am Neckar).

♦Stuttgart 32 – Heilbronn 28 – Ludwigsburg 16.

Zum Lamm, Marktstr. 32, ☎ 2 93 90 – [TV] ☎ P. [AE] [E]
Karte 21/39 *(Montag bis 17 Uhr geschl.)* – **24 Z : 45 B** 45/52 - 70/90.

In Steinheim 2-Kleinbottwar N : 2 km :

Rädle, Steinheimer Str. 12, ☎ (07148) 13 33 – P
12 Z : 18 B.

STEINKIRCHEN 2162. Niedersachsen – 1 700 Ew – Höhe 4 m – ☎ 04142.

♦Hannover 175 – ♦Hamburg 55 – Stade 16.

Das Alte Land, Bürgerei 5, ☎ 24 42, « Garten mit Teich und Wasserspielen » – P. Zim
Jan. geschl. – Karte 23/37 *(Mittwoch geschl.)* – **9 Z : 14 B** 30 - 55.

STEINSFELD Bayern siehe Rothenburg o.d.T.

STEISSLINGEN 7705. Baden-Württemberg [413] J 23, [427] ⑥, [216] ⑨ – 3 500 Ew – Höhe 465 m – Erholungsort – ☎ 07738.

[i] Verkehrsbüro, Langestr. 34, ☎ 4 27.

♦Stuttgart 152 – ♦Konstanz 29 – Singen (Hohentwiel) 9.

Schinderhannes, Singener Str. 45, ☎ 2 31, – ☎ P. [E]
März und Okt. jeweils 2 Wochen geschl. – Karte 21/38 *(Dienstag geschl.)* – **11 Z : 23 B** 35/40 - 65/70.

Krone, Schulstr. 18, ☎ 2 25, – P
Jan. geschl. – Karte 22/39 *(Montag geschl.)* – **16 Z : 23 B** 30 - 65.

🍴🍴 **Café Sättele** mit Zim, Schillerstr. 9, ☎ 3 58, ≤, , – P
Jan. geschl. – Karte 27/42 *(Donnerstag und 24.- 31. Okt. geschl.)* – **6 Z : 12 B** 40 - 70.

STEMSHORN Niedersachsen siehe Lemförde.

STEMWEDE 4995. Nordrhein-Westfalen – 14 000 Ew – Höhe 65 m – ☎ 05745.

[i] Verkehrsamt, Buchhofstr. 43 (Levern), ☎ 21 12.

♦Düsseldorf 227 – Minden 36 – ♦Osnabrück 33.

In Stemwede 2-Haldem NW : 8,5 km ab Levern :

Berggasthof Wilhelmshöhe, ☎ (05474) 10 10, , « Garten » – [TV] ☎ P. [AE] [E]. Zim
23. Jan.- 24. Feb. geschl. – Karte 30/51 *(Dienstag geschl.)* – **14 Z : 22 B** 45/65 - 85/110 – P 60/80.

STEPPACH Bayern siehe Neusäß.

[STERNENFELS] 7137. Baden-Württemberg [413] J 19 – 2 200 Ew – Höhe 347 m – ☎ 07045 (Oberderdingen).
♦Stuttgart 52 – Heilbronn 33 – ♦Karlsruhe 41.

🏠 **Krone**, Brettener Str. 1, ✆ 5 90 – [P]
✦ *Juli - Aug. 3 Wochen geschl.* – Karte 18,50/30 *(Abendessen nur für Hausgäste)* (Dienstag, Samstag, Sonn- und Feiertage geschl.) – **10 Z : 15 B** 35/40 - 70/84.

[STERUP] 2396. Schleswig-Holstein – 1 400 Ew – Höhe 40 m – ☎ 04637.
♦Kiel 74 – Flensburg 30 – Schleswig 45.

🏠 **Allmanns Kroog**, Flensburger Str. 1, ✆ 10 85, Biergarten, Fahrradverleih – [TV] 📞 [P] 🪑. [AE] [D] [E] [VISA]
Karte 28/55 – **30 Z : 60 B** 65/75 - 99/109.

[STETTEN] Baden-Württemberg siehe Kernen im Remstal.

[STETTEN AM KALTEN MARKT] 7488. Baden-Württemberg [413] K 22 – 5 880 Ew – Höhe 750 m – ☎ 07573.
♦Stuttgart 124 – Sigmaringen 20 – Tuttlingen 44 – ♦Ulm (Donau) 105.

🏠 **Gasthaus zum Kreuz**, Hauptstr. 9, ✆ 8 02, 🍽 – 📞 [P]
6.- 30. Nov. geschl. – Karte 20/51 *(Dienstag geschl.)* – **11 Z : 20 B** 40/60 - 90/98.

[STEYERBERG] 3074. Niedersachsen – 5 000 Ew – Höhe 60 m – ☎ 05764.
♦Hannover 62 – ♦Bremen 74 – Minden 38 – Nienburg (Weser) 19.

🏠 Deutsches Haus, Am Markt 5, ✆ 16 12 – 📞 🚗 [P]
10 Z : 14 B.

🏠 **Süllhof** 🌿, Kirchstr. 41, ✆ 16 04 – 🚗 [P]
✦ Karte 15/32 *(Freitag geschl.)* – **12 Z : 16 B** 26/36 - 62/68.

[STIERBACH] Hessen siehe Brensbach.

Die Übernachtungs- und Pensionspreise können sich durch Kurtaxe und Heizungszuschlag erhöhen.
Erfragen Sie daher bei der Zimmerreservierung den zu zahlenden Endpreis.

[STIPSHAUSEN] 6581. Rheinland-Pfalz – 1 000 Ew – Höhe 500 m – Erholungsort – Wintersport : 500/746 m ⛷2 ⛷1 – ☎ 06544.
Mainz 106 – Bernkastel-Kues 26 – Bad Kreuznach 62 – Idar-Oberstein 24.

🏠 **Brunnenwiese** 🌿, Mittelweg 3, ✆ 85 85, 🏊, 🌳 – [TV] ♿ [P]. 🚫
Karte 23/45 – **10 Z : 20 B** 40/60 - 80.

[STOCCARDA] = Stuttgart.

[STOCKACH] 7768. Baden-Württemberg [413] K 23, [987] [35], [216] [9] – 13 100 Ew – Höhe 491 m – ☎ 07771.
Ausflugsziel : Haldenhof ≤**, SO : 13 km.
♦Stuttgart 157 – ♦Freiburg im Breisgau 112 – ♦Konstanz 36 – ♦Ulm (Donau) 114.

🏠 **Goldener Ochsen**, Zoznegger Str. 2, ✆ 20 31, Fahrradverleih – |$| 📞 🚗 [P] 🪑. [AE] [D] [E] [VISA]
2.- 9. Jan. geschl. – Karte 33/56 *(Mittwoch und 10.- 22. Jan. geschl.)* – **42 Z : 65 B** 59/75 - 98/115 Fb.

🏠 **Zur Linde**, Goethestr. 23, ✆ 6 10 66, 🍽 – |$| [TV] 📞 [P] 🪑. [AE] [D] [E] [VISA]
10.- 30. Jan. geschl. – Karte 29/51 *(Freitag geschl.)* – **25 Z : 47 B** 32/73 - 56/110.

🏠 **Paradies**, Radolfzeller Str. 36 (B 31), ✆ 35 20, 🍽 – 🚗 [P]
15. Dez.- 15. Jan. geschl. – Karte 21/44 *(Freitag geschl.)* 🍷 – **36 Z : 65 B** 30/45 - 56/75.

[STOCKHEIM] Hessen siehe Glauburg.

[STOCKSBERG] Baden-Württemberg siehe Beilstein.

[STOCKSTADT AM MAIN] 8751. Bayern [413] K 17 – 7 000 Ew – Höhe 110 m – ☎ 06027.
♦München 361 – ♦ Darmstadt 36 – ♦ Frankfurt am Main 35.

🏠 **Brößler**, Obernburger Str. 2, ✆ 72 37, Biergarten – [TV] 📞 [P]
1.- 10. Jan. geschl. – Karte 24/44 *(Samstag geschl.)* – **12 Z : 18 B** 65 - 110 Fb.

[STOHREN] Baden-Württemberg siehe Münstertal.

STOLBERG 5190. Nordrhein-Westfalen [987] (23), [213] (24), [409] (16) – 56 400 Ew – Höhe 180 m – ☎ 02402.

♦Düsseldorf 80 – ♦Aachen 11 – Düren 23 – Monschau 36.

🏨 **Parkhotel am Hammerberg** 🌿 garni, Hammerberg 11, ✆ 2 00 31, ♨, 🏊, 🌳 – [TV] ☎ [P] 🏛. [AE] ⓞ E [VISA]
25 Z : 45 B 85/118 - 135/175 Fb.

🏨 **Stadthalle**, Rathausstr. 71, ✆ 2 30 56 – [$] [TV] ☎ ♿ [P] 🏛. [AE] ⓞ E [VISA]
Karte 24/48 *(Dienstag geschl.)* – **19 Z : 25 B** 60 - 110.

XXX **Romantik-Hotel Burgkeller** 🌿 mit Zim, Klatterstr. 10, ✆ 2 72 72, ☂ – [TV] ☎ 🏛. [AE] ⓞ E [VISA]. 🐕
über Fasching geschl. – Karte 42/71 *(Samstag bis 18 Uhr geschl.)* – **7 Z : 12 B** 60/125 - 160/175 Fb.

In Stolberg-Mausbach SO : 5,5 km :

🏨 **Süssendell** 🌿, Süssendeller Straße (SO : 2 km), ✆ 7 10 11, ☂, 🌳, 🐎 – ☎ [P] 🏛
Karte 23/48 *(Freitag geschl.)* – **11 Z : 20 B** 55 - 100.

In Stolberg-Zweifall SO : 6,5 km :

🏨 **Zum Walde**, Klosterstr. 4, ✆ 70 58, « Gartenterrasse », ♨, 🏊, 🌳 – [$] [TV] ☎ [P] 🏛. [AE] ⓞ E
Karte 30/55 *(Montag geschl.)* – **38 Z : 85 B** 110/125 - 164 Fb.

STOLLHAMM Niedersachsen siehe Butjadingen.

STOMMELN Nordrhein-Westfalen siehe Pulheim.

STRAELEN 4172. Nordrhein-Westfalen [987] (13), [409] (7) – 12 900 Ew – Höhe 45 m – ☎ 02834.

ℹ Fremdenverkehrsamt, Rathaus, ✆ 70 21 07.

♦Düsseldorf 66 – Venlo 12 – Wesel 39.

🏨 Straelener Hof, Annastr. 68, ✆ 10 41, ☂ – ☎ [P] – **11 Z : 18 B.**

🏨 Zum Siegburger, Annastr. 13, ✆ 15 81, ♨ – [P] – **16 Z : 31 B.**

STRANDE 2307. Schleswig-Holstein – 1 700 Ew – Höhe 5 m – Seebad – ☎ 04349 (Dänischenhagen).

ℹ Verkehrsbüro, Strandstr. 12, ✆ 2 90.

♦Kiel 17 – Eckernförde 26.

🏨 **Seglerhus** garni, Rudolf-Kinau-Weg 2, ✆ 81 81 – [TV] ☎ [P]. [AE] ⓞ E
16 Z : 32 B 80/130 - 110/160 Fb.

🏨 **Petersen's Hotel** garni, Dorfstr. 9, ✆ 3 11 – ☎ [P]. E
23 Z : 36 B 35/59 - 70/117.

XX **Jever-Stuben**, Strandstr. 15, ✆ 81 19, ≤, ☂ – [P]. ⓞ E [VISA]
Karte 26/60.

STRASSENHAUS Rheinland-Pfalz siehe Rengsdorf.

STRAUBENHARDT 7541. Baden-Württemberg [413] I 20 – 8 500 Ew – Höhe 416 m – ☎ 07082 (Neuenbürg).

ℹ Verkehrsamt, Rathaus Conweiler, ✆ 10 21.

♦Stuttgart 67 – Baden-Baden 38 – ♦Karlsruhe 25 – Pforzheim 17.

In Straubenhardt 4-Schwann :

🏨 **Adlerhof** 🌿, Mönchstr. 14 (Schwanner Warte), ✆ 5 00 51, ≤, ☂, 🌳 – [TV] ☎ [P]
10. Jan.- 16. Feb. geschl. – Karte 25/56 *(Mittwoch 15 Uhr - Donnerstag geschl.)* – **28 Z : 45 B** 51 - 102 Fb – P 72.

Im Holzbachtal SW : 6 km :

🏨 **Waldhotel Bergschmiede** 🌿, ✉ 7541 Straubenhardt 6, ✆ (07248) 10 51, « Hirschgehege, Gartenterrasse », ♨, 🏊, 🌳, 🎾 – ☎ 🚗 [P]. ⓞ E
Anfang Jan.- Mitte Feb. geschl. – Karte 27/55 *(Sonntag ab 18 Uhr geschl.)* 🍷 – **26 Z : 40 B** 45/65 - 84/120 Fb.

STRAUBING 8440. Bayern [413] U 20, [987] (27) – 41 700 Ew – Höhe 330 m – ☎ 09421.

Sehenswert : Stadtplatz★.

ℹ Städt. Verkehrsamt, Theresienplatz 20, ✆ 1 63 07.

ADAC, Am Stadtgraben 44a, ✆ 2 25 55.

♦München 120 – Landshut 51 – Passau 79 – ♦Regensburg 48.

🏨 **Seethaler** 🌿, Theresienplatz 25, ✆ 1 20 22, ☂ – [TV] ☎ [P]. [AE] E
Karte 20/42 *(Sonntag 15 Uhr - Montag geschl.)* – **25 Z : 40 B** 75/85 - 110/120 Fb.

🏨 **Wenisch**, Innere Passauer Str. 59, ✆ 2 20 66 – [TV] ☎ [P]
✈ *23. Dez.- 10. Jan. geschl.* – Karte 17/38 *(Sonntag geschl.)* – **40 Z : 54 B** 45/55 - 90/100.

🏨 **Wittelsbach**, Stadtgraben 25, ℘ 15 17 – ⇅ ☎ [P]. [AE] [D] [E] VISA
✦ Karte 17/42 *(Sonntag 15 Uhr-Montag 18 Uhr geschl.)* – **41 Z : 62 B** 49/65 - 80/110 Fb.

🏨 **Schedlbauer**, Landshuter Str. 78, ℘ 3 38 38 – [TV]. [AE] [D] [E] VISA
(nur Abendessen für Hausgäste) – **22 Z : 38 B** 38/43 - 68/78.

XX **La Mirage** mit Zim, Regensburger Str. 46, ℘ 20 51 – [TV] ☎ 🚗. [AE] [D] [E]. 🐕
Karte 43/64 *(nur Abendessen, Sonntag und 12.- 26. Aug. geschl.)* – **18 Z : 24 B** 50/70 - 100.

In Straubing-Ost :

🏨 **Heimer**, Schlesische Str. 131, ℘ 6 10 91, Telex 65507, ≘s – ⇅ [TV] ☎ ♿ 🚗 [P] 🏛. [AE] [D] [E] VISA
Karte 30/54 – **37 Z : 70 B** 80/95 - 135/165 Fb.

In Aiterhofen 8441 SO : 6 km :

🏨 **Murrerhof**, Passauer Str. 1, ℘ (09421) 3 27 40, ⛱ – 🚗 [P] 🏛
✦ *24. Dez.- 8. Jan. geschl.* – Karte 19/42 *(Freitag - Samstag geschl.)* – **25 Z : 40 B** 42/54 - 70/84.

STREITBERG Bayern siehe Wiesenttal.

STROMBERG KREIS KREUZNACH 6534. Rheinland-Pfalz [987] ㉔ – 2 500 Ew – Höhe 235 m – ⊛ 06724.

⛳ Akazienweg 13, ℘ 85 81.

Mainz 45 – ◆Koblenz 59 – Bad Kreuznach 18.

🏨 **Burghotel Stromburg** 🔇, Schloßberg (O : 1,5 km), ℘ 10 26, ≤, ⛱, ≘s – [TV] ☎ [P] 🏛. [AE] [D] [E] VISA
Karte 46/78 – **22 Z : 40 B** 75/85 - 130/160 Fb.

🏨 **Goldenfels**, August-Gerlach-Str. 2a, ℘ 36 05 – [P]
Karte 22/38 *(Montag geschl.)* – **20 Z : 34 B** 45 - 85.

STRÜMPFELBRUNN Baden-Württemberg siehe Waldbrunn.

STRULLENDORF 8618. Bayern [413] P 17 – 6 700 Ew – Höhe 253 m – ⊛ 09543.

◆München 220 – ◆Bamberg 9 – Bayreuth 68 – ◆Nürnberg 50 – ◆Würzburg 93.

🏨 **Christel**, Forchheimer Str. 20, ℘ 91 18, ⛱, ≘s, 🏊 – ⇅ [TV] ☎ 🚗 [P] 🏛
Karte 31/56 *(Sonntag geschl.)* – **42 Z : 60 B** 50/60 - 90/120 Fb.

STRYCK Hessen siehe Willingen (Upland).

STUBENBERG Bayern siehe Simbach am Inn.

STÜHLINGEN 7894. Baden-Württemberg [413] I 23, [987] ㉟, [427] ⑥ – 5 000 Ew – Höhe 501 m – Luftkurort – ⊛ 07744.

◆Stuttgart 156 – Donaueschingen 30 – ◆Freiburg im Breisgau 73 – Schaffhausen 21 – Waldshut-Tiengen 27.

🏨 **Rebstock**, Schloßstr. 10, ℘ 3 75, 🍽 – [TV] 🚗 [P]
✦ *15. Nov.- 8. Dez. geschl.* – Karte 18/41 *(Donnerstag geschl.)* 🍷 – **30 Z : 52 B** 45/50 - 90/100 Fb – P 52/59.

🏠 **Krone**, Stadtweg 2, ℘ 3 21, ⛱, 🍽 – ☎ 🚗 [P]. [D]
✦ *23.- 31. Okt. geschl.* – Karte 19,50/39 *(Montag geschl.)* 🍷 – **20 Z : 30 B** 44 - 80 – P 59.

In Stühlingen-Weizen NO : 4 km :

🏠 **Zum Kreuz**, Ehrenbachstr. 70, ℘ 3 35, ⛱ – 🚗 [P]
✦ *25. Okt.- 10. Nov. geschl.* – Karte 18/36 *(Montag geschl.)* 🍷 – **19 Z : 30 B** 35/40 - 70/80.

STUHR 2805. Niedersachsen – 28 000 Ew – Höhe 4 m – ⊛ 0421 (Bremen).

◆Hannover 125 – ◆Bremen 9,5 – Wildeshausen 29.

In Stuhr 1-Brinkum SO : 4 km [987] ⑮ :

🏨 **Bremer Tor**, Syker Str. 4 (B 6), ℘ 8 97 03 – ⇅ ▤ Rest [TV] ☎ ♿ [P] 🏛 (mit ▤). [AE] [D] [E] VISA
Karte 31/57 – **38 Z : 65 B** 74/79 - 105/109 Fb.

In Stuhr-Groß Mackenstedt SW : 5 km :

🏨 **Delme-Tor**, Moordeicher Landstr. 79 (BAB-Abfahrt Delmenhorst-Ost), ℘ (04206) 90 66, Fax 7103 – [TV] ☎ ♿ [P] 🏛. [AE] [D] [E] VISA
Karte 30/51 – **52 Z : 104 B** 77/85 - 116/136 Fb.

In Stuhr 1-Heiligenrode SW : 7 km :

XX Meyerhof mit Zim, Heiligenroder Str. 72, ℘ (04206) 3 15, ⛱, 🍽 – [P] 🏛
13 Z : 17 B.

X **Klosterhof** 🔇 mit Zim, Auf dem Kloster 2, ℘ (04206) 2 12, ⛱ – [P] 🏛
27. Juli - 17. Aug. geschl. – Karte 26/65 *(Dienstag geschl.)* – **7 Z : 13 B** 36/55 - 72/110.

STUTTGART 7000. [L] Baden-Württemberg [413] KL 20, [987] ㉟ – 559 000 Ew – Höhe 245 m – ☎ 0711.

Sehenswert: Lage** – Park Wilhelma DU und Höhenpark Killesberg** BU – Fernsehturm** (※**) DZ – Birkenkopf ※** AY – Liederhalle* BX – Altes Schloß (Innenhof*) CX – Staatsgalerie Stuttgart* CX **M1** – Stifts-Kirche (Grafenstandbilder*) CX **A** – Württembergisches Landesmuseum (mittelalterliche Kunst**) CX **M2** – Daimler-Benz-Museum* EX **M** – Porsche-Museum* HR **M.**

Ausflugsziel: Bad Cannstatt: Kurpark* O: 4 km EU.

⛳ Kornwestheim, Aldinger Straße (N: 11 km), ☎ (07141) 87 13 19; ⛳ Mönsheim (NW: 30 km über die A 8 FS), ☎ (07044) 85 88.

✈ Stuttgart-Echterdingen (JT), ☎ 7 90 11, City-Air-Terminal, Lautenschlagerstr. 14, ☎ 22 12 64.

🚗 siehe Kornwestheim.

Messegelände Killesberg (BU), ☎ 2 58 91, Telex 722584.

[i] Touristik-Zentrum des Verkehrsamts, Klett-Passage (Unterführung Hbf, U 1), ☎ 2 22 82 40, Telex 723854.

ADAC, Am Neckartor 2, ☎ 2 80 00, Notruf ☎ 1 92 11.

♦Frankfurt am Main 204 ⑧ – ♦Karlsruhe 88 ⑥ – ♦München 222 ④ – Strasbourg 156 ⑥.

Messe-Preise: siehe S. 17
Fairs: see p. 33
Foires et salons: voir p. 25
Fiere: vedere p. 41

Stadtpläne siehe nächste Seiten.

🏨 ❀ **Steigenberger-Hotel Graf Zeppelin** ⊗, Arnulf-Klett-Platz 7, ☎ 29 98 81, Telex 722418, Fax 299881, Massage, ♨, 🏊 – |♦| ⇌ Zim ▤ [TV] ♿ 🅿. [AE] ⓓ [E] [VISA] CX **s**
Karte 62/92 *(abends Tischbestellung ratsam)* (18. Juli - 11. Aug. sowie Samstag, Sonn- und Feiertage geschl.) – **Bistro Zepp 7** Karte 26/45 – **280 Z : 400 B** 239/360 - 340/400 Fb – 20 Appart. 730/1500
Spez. Steinbutt in Nudelteig mit Champagnersauce, Hummermedaillons auf überbackenem Lauchgemüse, Rehrückenfilet mit Morchelrahmsauce.

🏨 **Inter-Continental**, Neckarstr. 60, ☎ 2 02 00, Telex 721996, Fax 292640, ♨, 🏊, Fitness-Center – |♦| ⇌ Zim ▤ [TV] ♿ [P] 🅿. [AE] ⓓ [E] [VISA] DX **t**
Restaurants: – **Les Continents** Karte 54/96 – **Neckarstube** Karte 29/53 – **277 Z : 554 B** 310/365 - 375/430 Fb – 36 Appart. 800/3000.

🏨 **Am Schloßgarten**, Schillerstr. 23, ☎ 2 02 60, Telex 722936, Fax 2026888, « Terrasse mit ≤ » – |♦| ▤ Rest [TV] 🚗 🅿 (mit ▤). [AE] ⓓ [E] [VISA]. ✻ CX **u**
Karte 54/83 – **125 Z : 169 B** 172/245 - 300/360 Fb – 4 Appart. 572.

🏨 **Royal**, Sophienstr. 35, ☎ 62 50 50, Telex 722449, 🍴 – |♦| ▤ Rest [TV] 🚗 [P] 🅿. [AE] ⓓ [E] [VISA]
Karte 41/72 – **85 Z : 115 B** 195/280 - 250/380 Fb. BY **b**

🏨 **Park-Hotel**, Villastr. 21, ☎ 28 01 61, Telex 723405, Fax 284353, 🍴 – |♦| [TV] [P] 🅿 (mit ▤). [AE] ⓓ [E] [VISA] DV **r**
Karte 46/65 – **Radiostüble** *(nur Abendessen, Sonn- und Feiertage geschl.)* Karte 25/50 – **75 Z : 100 B** 170/210 - 240/290 Fb – 3 Appart. 380/490.

🏨 **Ruff**, Friedhofstr. 21, ☎ 2 58 70, Telex 721645, Fax 2587404, ♨, 🏊 – |♦| [TV] ☎ 🚗 [P] 🅿. [AE] ⓓ [E] [VISA] CV **a**
23. Dez.- 6. Jan. geschl. – Karte 31/53 *(Samstag - Sonntag 18 Uhr geschl.)* – **85 Z : 136 B** 115/130 - 146/166 Fb.

🏨 **Rega Hotel**, Ludwigstr. 18, ☎ 61 93 40, Telex 722701 – |♦| [TV] ☎ 🚗 🅿. [AE] ⓓ [E] [VISA]. ✻ Zim AX **a**
Karte 26/43 – **60 Z : 110 B** 135 - 185 Fb.

🏨 **Intercity-Hotel** garni, Arnulf-Klett-Platz 2, ☎ 29 98 01, Telex 723543 – |♦| [TV] ☎ 🅿. [AE] ⓓ [E] [VISA] CX **p**
104 Z : 135 B 88/160 - 185/220 Fb.

🏨 **Kronen-Hotel** ⊗ garni, Kronenstr. 48, ☎ 29 96 61, Telex 723632, Fax 296940, ♨ – |♦| [TV] ☎ 🚗 🅿. [AE] ⓓ [E] [VISA] BX **m**
20. Dez.- 7. Jan. geschl. – **85 Z : 104 B** 100/180 - 135/260 Fb.

🏨 **Unger** garni, Kronenstr. 17, ☎ 29 40 41, Telex 723995 – |♦| [TV] ☎ 🚗. [AE] ⓓ [E] [VISA] CX **a**
22. Dez.- 8. Jan. geschl. – **80 Z : 100 B** 127/150 - 195/235 Fb.

🏨 **Wörtz zur Weinsteige** ⊗, Hohenheimer Str. 30, ☎ 24 53 96, Telex 723821, « Gartenterrasse » – [TV] ☎. [AE] ⓓ [E] [VISA] CY **p**
20. Dez.- 20. Jan. geschl. – Karte 30/72 *(Samstag, Sonn- und Feiertage geschl.)* – **25 Z : 40 B** 68/168 - 96/198 Fb.

🏨 **Stadthotel am Wasen** garni, Schlachthofstr. 19, ☎ 72 20 30 – |♦| [TV] ☎ 🚗 [P]. [AE] ⓓ [E] [VISA]. ✻ EVX **e**
31 Z : 46 B 85/89 - 119/129 Fb.

🏨 **Azenberg** ⊗, Seestr. 116, ☎ 22 10 51, Telex 721819, ♨, 🏊 – |♦| ☎ 🚗 [P]. [AE] ⓓ [E] [VISA]
(nur Abendessen für Hausgäste) – **55 Z : 80 B** 110/150 - 170/200 Fb. AV **e**

🏨 **Wartburg Hospiz**, Lange Str. 49, ☎ 2 04 50, Telex 721587 – |♦| ▤ Rest [TV] ☎ [P] 🅿 (mit ▤). [AE] ⓓ [E] [VISA] BX **g**
über Ostern und Weihnachten geschl. – Karte 28/46 *(Sonntag geschl.)* – **81 Z : 91 B** 55/163 - 94/198 Fb.

🏨 **Am Feuersee**, Johannesstr. 2, ☎ 62 61 03 – |♦| [TV] ☎. [AE] ⓓ [E] [VISA] AY **t**
20. Dez.- 10. Jan. geschl. – Karte 27/50 *(nur Abendessen, Samstag sowie Sonn- und Feiertage geschl.)* – **38 Z : 47 B** 115/135 - 135/160 Fb.

🏨 **Rieker** garni, Friedrichstr. 3, ☎ 22 13 11 – |♦| [TV] ☎. [AE] [E] [VISA] CX **d**
63 Z : 80 B 115/147 - 164/180.

Mack und Pflieger garni, Kriegerstr. 7, ✆ 29 19 27 – 🛗 📺 ☎ 🅿. AE ⓓ E VISA — CX h
85 Z : 110 B 63/115 - 130/175 Fb.

Ketterer, Marienstr. 3, ✆ 2 03 90, Telex 722340 – 🛗 📺 ☎ 🚗. AE ⓓ E VISA. 🐕 — BY y
23. Dez.- 3. Jan. geschl. – Karte 21/56 *(Freitag - Samstag und 12. Juli - 11. Aug. geschl.)* –
107 Z : 150 B 105/140 - 150/200 Fb.

Bellevue, Schurwaldstr. 45, ✆ 48 10 10 – 📺 ☎ 🚗. AE ⓓ E VISA — EX p
Ende Juli - Mitte Aug. geschl. – Karte 28/52 *(Mittwoch geschl.)* – **13 Z : 20 B** 75/85 - 110/120.

Bäckerschmide, Schurwaldstr. 44, ✆ 46 60 35 – 📺 ☎ 🅿. AE ⓓ E VISA — EX p
Karte 29/56 – **14 Z : 20 B** 89 - 125 Fb.

Münchner Hof, Neckarstr. 170, ✆ 28 30 86 – 🛗 ☎ — DV e
Karte 26/57 *(nur Abendessen, Sonntag geschl.)* – **18 Z : 26 B** 85/98 - 130/148.

Killesberg garni, Am Kochenhof 60, ✆ 25 30 68 – 📺 ☎. AE ⓓ E — AV f
12 Z : 24 B 95/110 - 140/160 Fb.

Haus von Lippe garni, Rotenwaldstr. 68, ✆ 63 15 11 – 🛗 ☎ 🚗 🅿 — AY s
36 Z : 45 B 90 - 135.

XXX ❁ **Alte Post**, Friedrichstr. 43, ✆ 29 30 79 – ⓓ E — CX e
Samstag und Montag jeweils bis 18 Uhr, Sonn- und Feiertage sowie Mitte Juli - Anfang Aug. geschl. – Karte 63/95 (Tischbestellung ratsam)
Spez. Feuilleté von der Languste in Champagner rosé, Kalbsbries in Gänselebersauce, Ofenschlupfer mit Vanillesauce.

XXX **Da Franco** (modernes Restaurant mit italienischer Küche), Calwer Str. 23, ✆ 29 15 81 – AE ⓓ E — BX c
Karte 45/70.

XXX **Mövenpick-Rôtisserie Baron de la Mouette**, Kleiner Schloßplatz 11 (Eingang Theodor-Heuss-Straße), ✆ 22 00 34, 🍽 – ▤. AE ⓓ E VISA — BX a
Karte 44/75 – **Chesa** Karte 35/57.

XX **Martins Stuben im Engelhorn**, Neckarstr. 119, ✆ 26 16 31 – AE ⓓ E VISA — DV u
Samstag, Sonn- und Feiertage sowie Juli - Aug. 3 Wochen geschl. – Karte 32/69.

XX **Der Goldene Adler**, Böheimstr. 38, ✆ 6 40 17 62 – 🅿. AE ⓓ E VISA — AY e
Samstag bis 18 Uhr und Montag geschl. – Karte 37/72.

XX **Gaisburger Pastetchen**, Hornbergstr. 24, ✆ 48 48 55 — EX a
nur Abendessen, Sonn- und Feiertage sowie 24. Aug.- 10. Sept. geschl. – Karte 49/75.

XX **Intercity-Restaurant**, Arnulf-Klett-Platz 2, ✆ 29 49 46 – AE ⓓ E VISA — CX v
Karte 25/60.

XX **Zeppelin-Stüble**, Lautenschlagerstr. 2 (im Hotel Graf Zeppelin), ✆ 22 40 13, 🍽 – ▤. AE ⓓ E VISA — CX s
Karte 30/60 *(Schwäbische Küche)* (Tischbestellung ratsam).

XX **Krämer's Bürgerstuben**, Gablenberger Hauptstr. 4, ✆ 46 54 81 – AE ⓓ E — DX n
Montag und Juli - Aug. 3 Wochen geschl. – Karte 48/78 (Tischbestellung ratsam).

X Kupferschmiede, Christophstr. 45, ✆ 23 35 30, Straßenterrasse — CY a

X Alte Zunft, Herdweg 19, ✆ 22 57 78 – 🅿 — BX k

X **Brauereigasthof Ketterer**, Marienstr. 3b, ✆ 29 75 51 — BY y
◆ *Sonntag geschl.* – Karte 19/42.

__Schwäbische Weinstuben__ (kleines Speisenangebot) :

X **Kachelofen**, Eberhardstr. 10, ✆ 24 23 78 — CY x
ab 17 Uhr geöffnet, Sonn- und Feiertage sowie 23. Dez.- 6. Jan. geschl. – Karte 28/38.

X **Bäcka-Metzger**, Aachener Str. 20 (S 50 - Bad Cannstatt), ✆ 54 41 08 — DU e
nur Abendessen, Sonn- und Feiertage, Montag sowie 10. Aug.- 5. Sept. geschl. – Karte 26/45.

X Weinstube Träuble, Gablenberger Hauptstr. 66, ✆ 46 54 28, Weingarten – 🐕 — DX s
ab 17 Uhr geöffnet.

X **Weinhaus Stetter**, Rosenstr. 32, ✆ 24 01 63, bemerkenswerte Weinkarte — CY e
◆ *Montag - Freitag ab 15 Uhr, Samstag bis 14 Uhr geöffnet, Juli - Aug. 3 Wochen, 24. Dez.- 6. Jan. sowie Sonn- und Feiertage geschl.* – Karte 12/17 *(nur Vesperkarte)* 🍷.

X **Weinstube am Stadtgraben**, Am Stadtgraben 6, ✆ 56 70 06 — EU e
23. Sept.- 10. Okt., Weihnachten - Neujahr sowie Samstag, Sonn- und Feiertage geschl. –
Karte 24/38.

X **Weinstube Schreinerei**, Zaisgasse 4 (S 50-Bad Cannstatt), ✆ 56 74 28 — DEU s
Samstag ab 15 Uhr sowie Sonn- und Feiertage geschl. – Karte 23/59.

X Weinstube Zaiss, Erbsenbrunnengasse 5 (S 50-Bad Cannstatt), ✆ 56 38 27 — EU s

X **Zur Kiste**, Kanalstr. 2, ✆ 24 40 02 — CX c
Montag - Freitag ab 17 Uhr, Samstag bis 15 Uhr geöffnet, 24. Dez.- 5. Jan. sowie Sonn- und Feiertage geschl. – Karte 23/35.

X **Weinstube Klösterle** (historisches Klostergebäude a.d.J. 1463), Marktstr. 71 (S 50-Bad Cannstatt), ✆ 56 89 62, 🍽 — DEU a
ab 16 Uhr geöffnet, 24. Dez.- 6. Jan. sowie Sonn- und Feiertage geschl. – Karte 28/50.

X **Weinstube Schellenturm**, Weberstr. 72, ✆ 23 48 88, 🍽 – AE. 🐕 — CY u
ab 17 Uhr geöffnet, 24. Dez.- 6. Jan. sowie Sonn- und Feiertage geschl. – Karte 33/56.

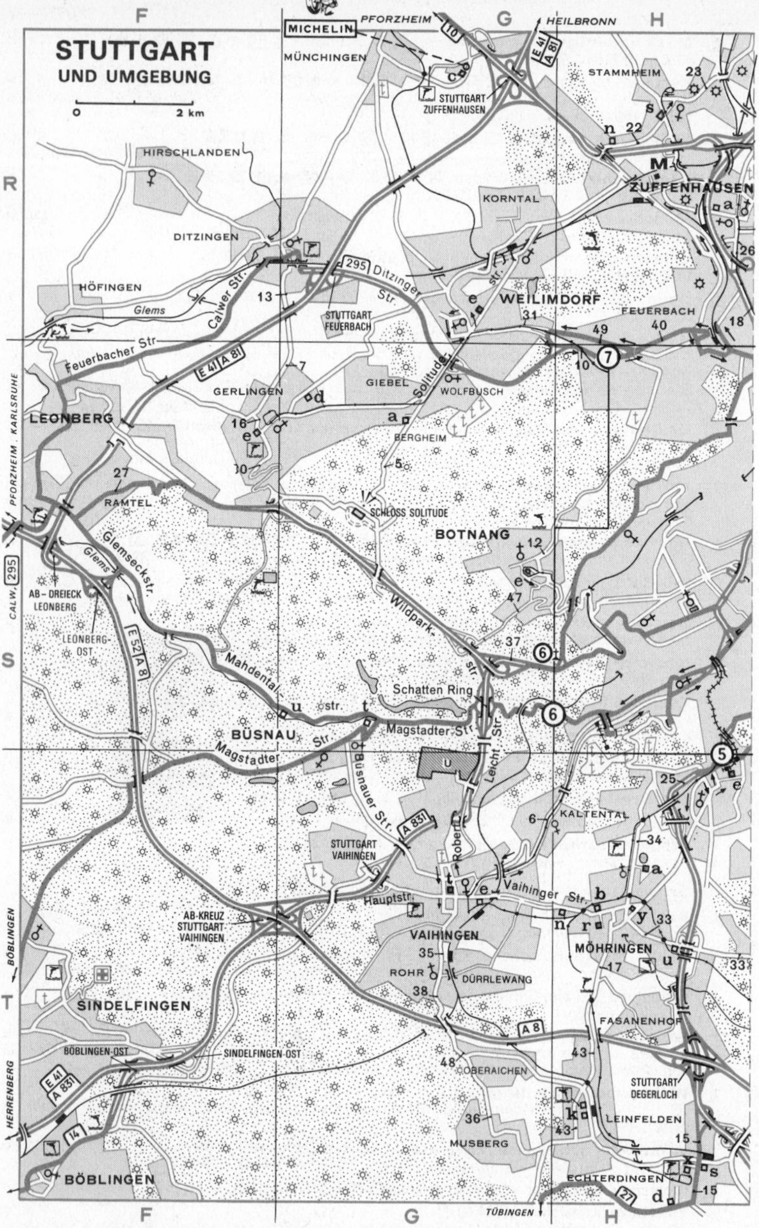

Si vous écrivez à un hôtel à l'étranger,
joignez à votre lettre un coupon réponse international
(disponible dans les bureaux de poste).

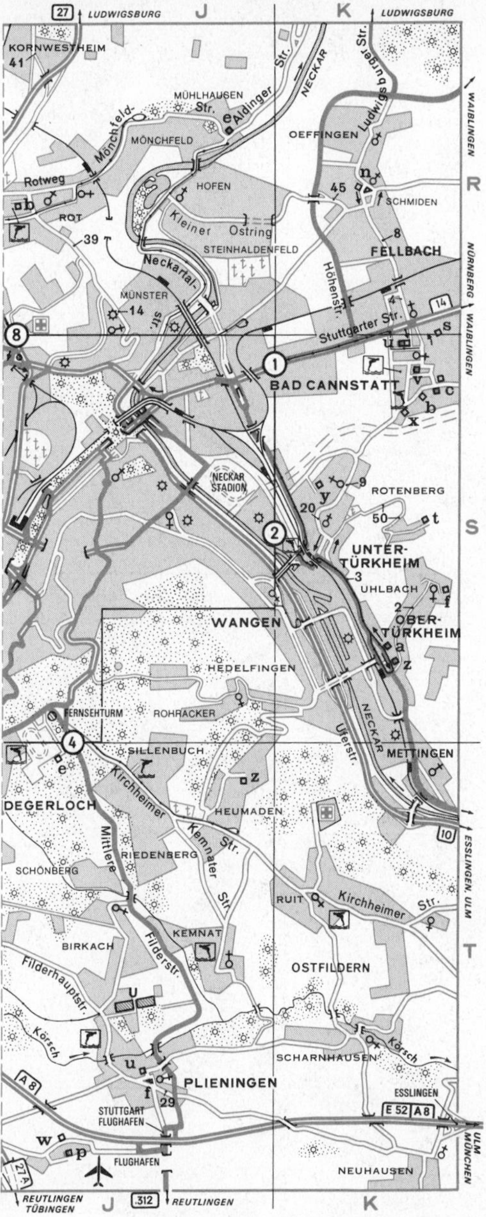

Se scrivete ad un albergo all' estero,
allegata alla vostra lettera un tagliando-risposta internazionale
(disponibile presso gli uffici postali)

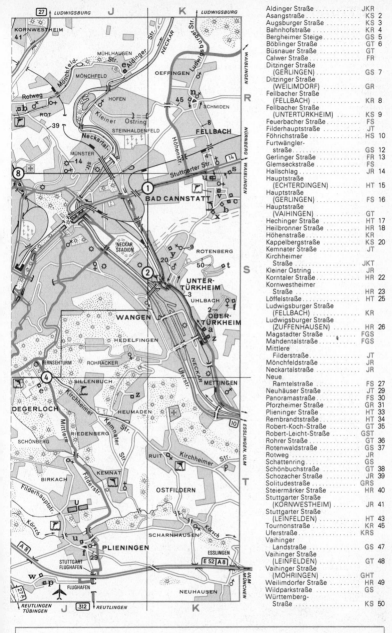

STUTTGART

Albert-Schäffle-Str. . .	DY	
Alexanderstraße	DX	2
Am Kochenhof	ABV	
Am Kräherwald	AVX	
Am Neckartor	DV	4
Augsburger Straße .	EUV	
Augustenstraße	AY	7
Badstraße	DU	
Bebelstraße	AX	
Benzstraße	EV	
Berliner Platz	BX	8
Birkenwaldstraße . . .	BV	
Bismarckstraße	AY	9
Blumenstraße	CY	10
Böblinger Straße	AZ	
Böheimstraße	AZ	
Bolzstraße	CX	15
Botnanger Straße . . .	AX	16
Brückenstraße	DU	17
Burgstallstraße	AZ	
Cannstatter Straße .	CDV	
Charlottenplatz	CX	20
Charlottenstraße	CX	21
Daimlerstraße	EU	
Dillmannstraße	AX	22
Dobelstraße	CY	23
Eberhardstraße	CY	25
Eisenbahnstraße	EU	26
Feuerbacher-Tal-Straße	AU	
Filderstraße	BY	
Friedr.-Ebert-Straße .	CU	
Friedrichstraße	CX	
Fritz-Elsas-Straße . . .	BX	28
Gablenberger Hauptstraße	DXY	
Gänsheidestraße	DY	30
Gaußstraße	AX	
Geißeichstraße	AY	

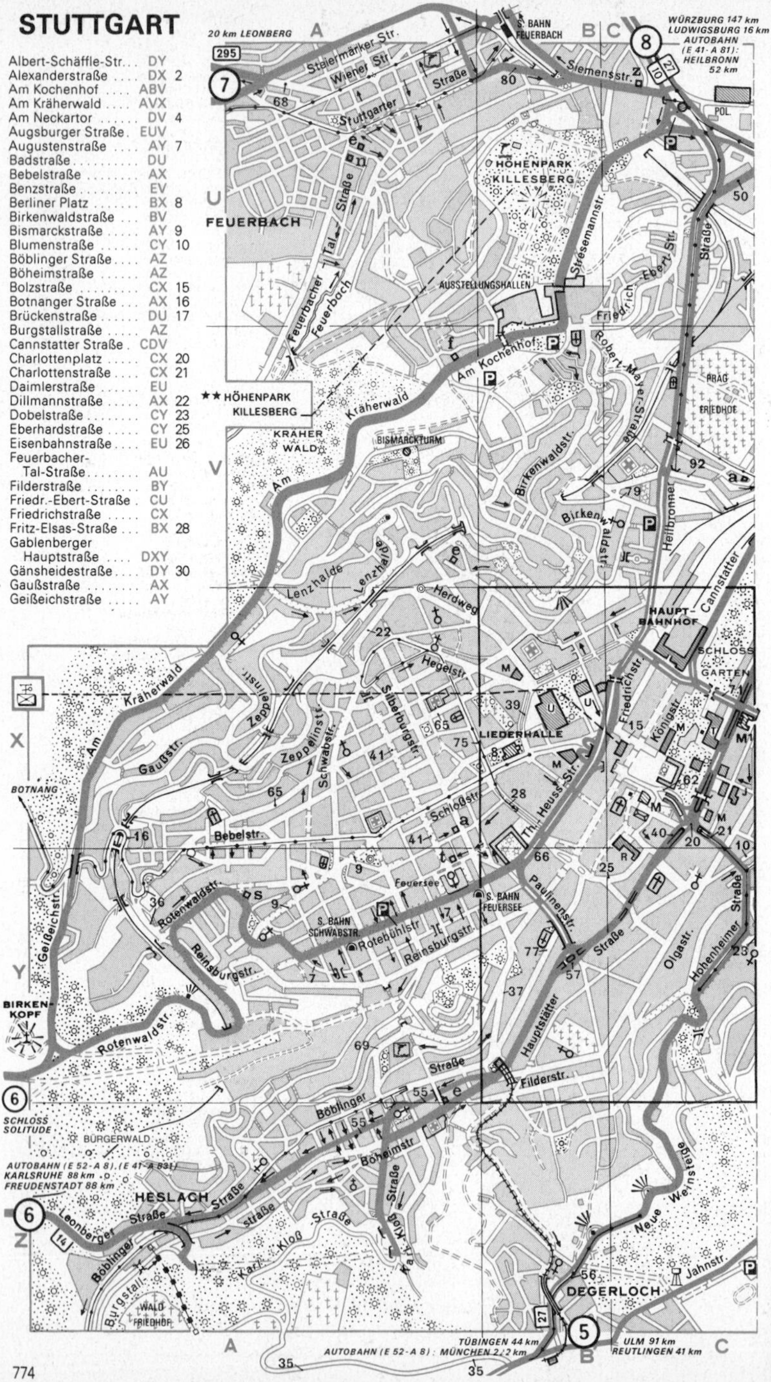

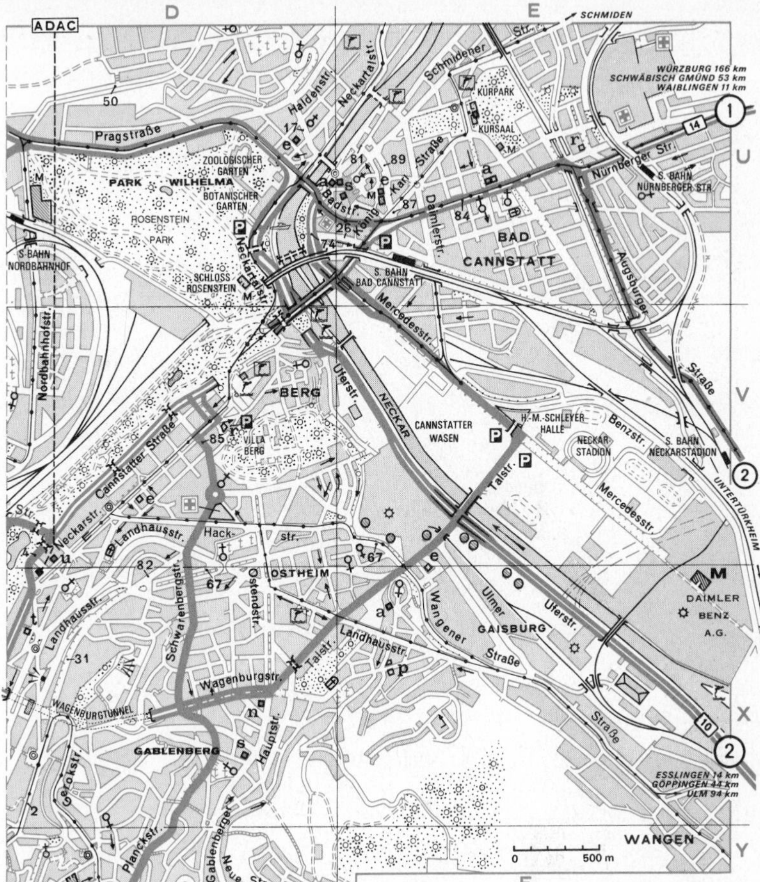
D
E
ADAC
SCHMIDEN
WÜRZBURG 166 km
SCHWÄBISCH GMÜND 53 km
WAIBLINGEN 11 km
U
V
X
Y
Pragstraße
Haldenstr.
Neckartalstr.
Schmidener Str.
KURPARK
KURSAAL
ZOOLOGISCHER GARTEN
PARK WILHELMA
BOTANISCHER GARTEN
ROSENSTEIN PARK
SCHLOSS ROSENSTEIN
S-BAHN NORDBAHNHOF
Nordbahnhofstr.
Badstr.
König-Karl-Straße
Daimlerstr.
Nürnberger Str.
S. BAHN NÜRNBERGER STR.
BAD CANNSTATT
S. BAHN BAD CANNSTATT
Mercedesstr.
Augsburger Straße
BERG
VILLA BERG
Uferstr.
NECKAR
CANNSTATTER WASEN
H.-M.-SCHLEYER-HALLE
NECKAR-STADION
Benzstr.
S. BAHN NECKARSTADION
UNTERTÜRKHEIM
Talstr.
Mercedesstr.
Cannstatter Straße
Neckarstr.
Landhausstr.
Hackstr.
OSTHEIM
Ostendstr.
Schwarenbergstr.
Wangener Straße
Ulmer Uferstr.
GAISBURG
DAIMLER BENZ A.G.
Landhausstr.
Wagenburgstr.
WAGENBURGTUNNEL
GABLENBERG
Hauptstr.
Gerokstr.
Planckstr.
Gablenberger Neue Straße
Albert-Schäffle-Straße
Straße
ESSLINGEN 14 km
GÖPPINGEN 44 km
ULM 94 km
WANGEN
0 500 m

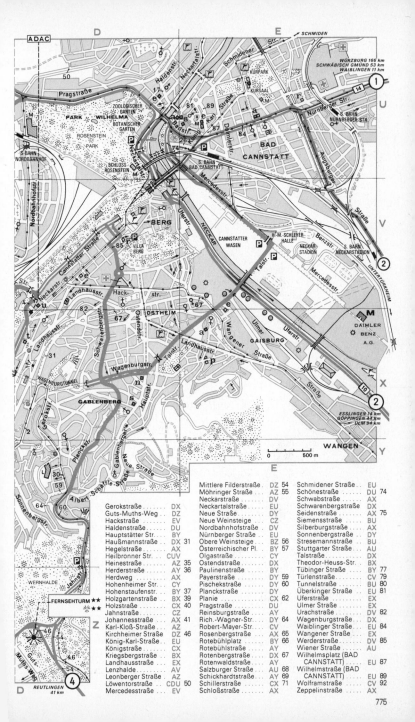

Sonnenbergstr.
Jahnstr.
WERNHALDE
FERNSEHTURM ★★
Guts-Muths-Weg
Z
D
REUTLINGEN 41 km

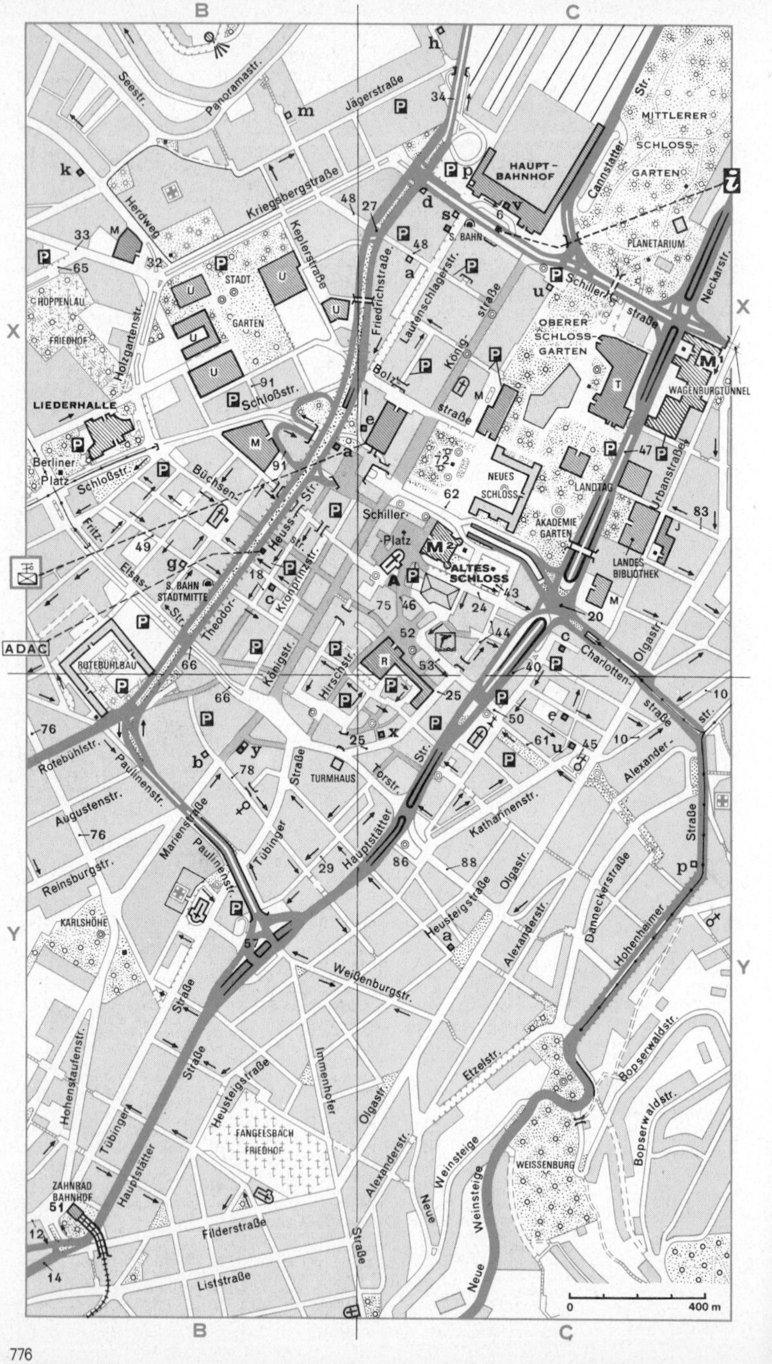

B
C
X
Y
Seestr.
Panoramastr.
Jägerstraße
Kriegsbergstraße
Herdweg
Keplerstraße
Friedrichstraße
Lautenschlagerstr.
Königstraße
Cannstatter Str.
MITTLERER SCHLOSS-GARTEN
HAUPT-BAHNHOF
PLANETARIUM
Neckarstr.
Schillerstraße
S. BAHN
STADT-GARTEN
HOPPENLAU FRIEDHOF
Holzgartenstr.
LIEDERHALLE
Schloßstr.
Bolzstraße
OBERER SCHLOSS-GARTEN
WAGENBURGTUNNEL
Berliner Platz
Büchsenstr.
Fritz-Elsas-Str.
Theodor-Heuss-Str.
S. BAHN STADTMITTE
Kronprinzstr.
Schiller-Platz
NEUES SCHLOSS
LANDTAG
AKADEMIE GARTEN
ALTES SCHLOSS
LANDES BIBLIOTHEK
Urbanstraße
ADAC
ROTEBÜHLBAU
Königstr.
Hirschstr.
Charlottenstraße
Olgastr.
Rotebühlstr.
Paulinenstr.
Marienstraße
TURMHAUS
Torstr.
Hauptstätter Str.
Katharinenstr.
Alexanderstr.
Augustenstr.
Reinsburgstr.
Tübinger Straße
KARLSHÖHE
Heusteigstraße
Olgastr.
Alexanderstr.
Danneckerstraße
Hohenheimer Straße
Weißenburgstr.
Etzelstr.
Bopserwaldstr.
Hohenstaufenstr.
Immenhofer Straße
FANGELSBACH FRIEDHOF
Weinsteige
Neue Weinsteige
WEISSENBURG
ZAHNRAD BAHNHOF
Filderstraße
Liststraße
0
400 m

STUTTGART

Charlottenplatz	CX	20
Eberhardstraße	CY	
Königstraße	BCX	
Schulstraße	CX	75
Theodor-Heuss-Straße	BX	
Alexanderstraße	CY	
Arnulf-Klett-Platz	CX	6
Augustenstraße	BY	
Blumenstraße	CY	10
Böblinger Straße	BY	12
Böheimstraße	BY	14
Bolzstraße	CX	
Bopserwaldstraße	CY	
Büchsenstraße	BX	
Calwer Straße	BX	18
Charlottenstraße	CXY	
Danneckerstraße	CY	
Dorotheenstraße	CX	24
Eberhardstraße	CY	25
Etzelstraße	CY	
Filderstraße	BY	
Friedrichsplatz	CX	27
Friedrichstraße	CX	
Fritz-Elsas-Straße	BX	
Gerberstraße	BY	29
Hauptstätter Straße	BCY	
Hegelplatz	BX	32
Hegelstraße	BX	33
Heilbronner Straße	CX	34
Herdweg	BX	
Heusteigstraße	BCY	
Hirschstraße	BXY	
Hohenheimer Straße	CY	
Hohenstaufenstraße	BY	
Holzgartenstraße	BX	
Holzstraße	CX	40
Immenhofer Straße	BY	
Jägerstraße	BCX	
Karlsplatz	CX	43
Karlstraße	CX	44
Katharinenplatz	CY	45
Katharinenstraße	CY	
Keplerstraße	BX	
Kirchstraße	CX	46
Konrad-Adenauer-Straße	CX	47
Kriegsbergstraße	BX	
Kronenstraße	CX	48
Kronprinzstraße	BX	
Lange Straße	BX	49
Lautenschlagerstraße	CX	
Leonhardsplatz	CY	50
Liststraße	BY	
Marienplatz	BY	51
Marienstraße	BY	
Marktplatz	CX	52
Marktstraße	CX	53
Neckarstraße	CX	
Neue Weinsteige	CY	
Österreichischer Platz	BY	57
Olgastraße	CXY	
Panoramastraße	BX	
Paulinenstraße	BY	
Pfarrstraße	CY	61
Planie	CX	62
Reinsburgstraße	BY	
Rosenbergstraße	BX	65
Rotebühlplatz	BX	66
Rotebühlstraße	BY	
Schillerplatz	CX	
Schillerstraße	CX	
Schloßplatz	CX	72
Schloßstraße	BX	
Seestraße	BX	
Silberburgstraße	BY	76
Sophienstraße	BY	78
Tübinger Straße	BY	
Ulrichstraße	CX	83
Urbanstraße	CX	
Weißenburgstraße	BCY	
Wilhelmsplatz	CY	86
Wilhelmstraße	CY	88
Willi-Bleicher-Straße	BX	91

In Stuttgart 1 - Botnang :

Hirsch, Eltinger Str. 2, ✆ 69 29 17 – AE E. GS **e**
24.- 27. Dez. geschl. – Karte 28/60 *(Sonntag 15 Uhr - Montag geschl.)* – **40 Z : 60 B** 79/103 - 105/136 Fb.

In Stuttgart 80 - Büsnau :

Relexa Waldhotel Schatten, Gewandschatten 2, ✆ 68 10 51, Telex 7255557, Fax 681051999, – Zim . AE E VISA GS **t**
Restaurants : – **Kaminhalle** Karte 35/65 – **La Fenêtre** *(nur Abendessen, Sonntag - Montag geschl.)* Karte 61/80 – **144 Z : 205 B** 150/230 - 175/255 Fb – 9 Appart. 230/470.

Waldgasthaus Glemstal, Mahdentalstr. 1, ✆ 68 16 18, – . AE FGS **u**
27. Dez.- 5. Jan. geschl. – Karte 26/65 *(Dienstag geschl.)* – **24 Z : 33 B** 85/95 - 110/140 Fb.

In Stuttgart 50 - Bad Cannstatt :

Spahr garni, Waiblinger Str. 63 (B 14), ✆ 55 20 00, Telex 7254608 – . AE E VISA EU **a**
59 Z : 100 B 125/165 - 180/235.

Krehl's Linde, Obere Waiblinger Str. 113, ✆ 52 75 67, – . AE E EU **r**
Karte 37/70 *(Sonntag - Montag und Juli - Aug. 3 Wochen geschl.)* – **25 Z : 30 B** 85/150 - 130/220 Fb.

Alt-Cannstatt, Königsplatz 1 (Kursaal), ✆ 56 11 15, – . AE E EU
Montag geschl. – Karte 32/60.

Weinstube Pfund, Waiblinger Str. 61A, ✆ 56 63 63, Biergarten – . AE E VISA EU **a**
Samstag bis 18 Uhr, Sonn- und Feiertage, Juli - Aug. 2 Wochen sowie 24. Dez.- 6. Jan. geschl. – Karte 34/60.

In Stuttgart 70 - Degerloch :

Waldhotel Degerloch, Guts-Muths-Weg 18, ✆ 76 50 17, Telex 7255728, – . AE E VISA JT **e**
Karte 30/60 – **50 Z : 68 B** 100/150 - 150/200 Fb.

Fäßle, Löwenstr. 51, ✆ 76 01 00 HT **e**
Samstag - Sonntag 18 Uhr und 8. Juli - 5. Aug. geschl. – Karte 38/75.

In Stuttgart 30 - Feuerbach :

Europe, Siemensstr. 26, ✆ 81 50 91, Telex 723650, Fax 854082, – . AE E VISA CU **z**
Karte 45/70 – **150 Z : 250 B** 150/200 - 220/250 Fb.

Lamm, Mühlstr. 24, ✆ 85 36 15 AU **e**
Samstag bis 18 Uhr, Sonn- und Feiertage sowie 24. Dez.- 10. Jan. geschl. – Karte 55/85 (Tischbestellung ratsam).

Schiff (Französische Küche), Walterstr. 1, ✆ 81 43 29 – AE E AU **n**
Samstag bis 18 Uhr, Montag sowie Jan. und Aug. jeweils 2 Wochen geschl. – Karte 48/65 (abends Tischbestellung ratsam).

In Stuttgart 23 - Flughafen :

Airport Mövenpick-Hotel, Randstraße, ✆ 7 90 70, Telex 7245677, Fax 793585, – Zim Rest (mit). AE E VISA JT **w**
Karte 39/66 – **230 Z : 390 B** 183/199 - 229/245 Fb – 23 Appart. 271/317.

top air, Randstraße (im Flughafen), ✆ 79 01 21 10 – AE E VISA JT **p**
Karte 45/79.

In Stuttgart 75 - Heumaden :

Seyboldt garni, Fenchelstr. 11, 44 53 54 – . JT z
28. Juli - 20. Aug. und 24. Dez.- 6. Jan. geschl. – **17 Z : 24 B** 78 - 98.

In Stuttgart 80 - Möhringen :

Stuttgart International, Plieninger Str. 100, 7 20 21, Telex 7255763, Fax 7202210, direkter Zugang zum Römerbad – Zim Rest (mit). AE E VISA. Rest
Restaurants : – **Kopenhagen** *(nur Mittagessen)* Karte 38/80 – **Paris Grill** *(nur Abendessen)* Karte 59/84 – **Schwabenbräu-Stube** Karte 30/65 – **200 Z : 300 B** 178/220 - 221/279 Fb. HT u

Gloria - Restaurant Möhringer Hexle, Sigmaringer Str. 59, 71 30 59, – HT y
Karte 23/47 – **79 Z : 133 B** 98/113 - 129/157 Fb.

Neotel garni, Vaihinger Str. 151, 7 80 06 35, Telex 7255179 – Zim . AE E VISA HT n
71 Z : 120 B 134/165 - 198/204 Fb.

Anker, Vaihinger Str. 76, 71 30 31 – . E VISA. Zim HT b
20. Dez.- 6. Jan. geschl. – Karte 22/50 *(Samstag - Sonntag 18 Uhr und Ende Juli - Anfang Aug. geschl.)* – **25 Z : 34 B** 78/85 - 115/125 Fb.

XXX ✿ **Hirsch-Weinstuben**, Maierstr. 3, 71 13 75 – . AE E VISA. HT r
Ostern 1 Woche, Juli - Aug. 2 Wochen, Montag und Samstag jeweils bis 18 Uhr sowie Sonn- und Feiertage geschl. – Karte 39/71 (Tischbestellung ratsam)
Spez. Linsensalat mit Entenbrustscheiben, Kalbskopf in Riesling, Roulade von Rind und Kalb in Rotweinsauce.

XX **Landgasthof Riedsee**, Elfenstr. 120, 71 24 84, – . AE E VISA HT a
Donnerstag - Freitag geschl. – Karte 40/70.

In Stuttgart 50 - Mühlhausen :

XXX ✿ **Öxle's Löwen**, Veitstr. 2, 53 22 26 – AE JR e
1.- 15. Jan., Montag und Samstag jeweils bis 18 Uhr sowie Sonn- und Feiertage geschl. – Karte 61/88
Spez. Taube auf Trüffelcreme, Fischgerichte, Ente aus dem Ofen (für 2 Pers.).

In Stuttgart 61 - Obertürkheim :

X **Weinstube Paule**, Augsburger Str. 643, 32 14 71 – . AE E KS a
27. Juli - 20. Aug., 22.- 30. Dez. sowie Donnerstag und jeden letzten Sonntag im Monat geschl. – Karte 30/58.

X **Wirt am Berg**, Uhlbacher Str. 14, 32 12 26 KS z
Aug. 3 Wochen, Sept.- Mai Sonn- und Feiertage sowie jeden 1. Samstag im Monat geschl., Juni - Juli Samstag - Sonntag Ruhetag – Karte 27/55.

In Stuttgart 70 - Plieningen :

Traube, Brabandtgasse 2, 45 48 33, – JT u
23. Dez.- 6. Jan. geschl. – Karte 48/92 *(Tischbestellung erforderlich)* (Samstag - Sonntag und Aug. 3 Wochen geschl.) – **22 Z : 28 B** 68/160 - 170/210.

Fissler-Post, Schoellstr. 4, 45 50 74/45 89 90 – . AE E VISA JT f
Karte 32/65 *(Tischbestellung ratsam)* – **60 Z : 86 B** 79/98 - 114/133.

XX **Recknagel's Nagelschmiede**, Brabandtgasse 1, 45 74 54 – JT u
wochentags nur Abendessen, Dienstag und Juli 3 Wochen geschl. – Karte 41/55.

In Stuttgart 40 - Rot :

Koetzle garni, Eschenauer Str. 27, 87 20 13 – – **46 Z : 80 B.** JR b

In Stuttgart 60 - Rotenberg :

Rotenberg-Hotel garni, Stettener Str. 87, 33 12 93, Stuttgart, – . AE E VISA KS t
15. Dez.- 15. Jan. geschl. – **23 Z : 30 B** 95/120 - 110/150 Fb.

In Stuttgart 40 - Stammheim :

Novotel, Korntaler Str. 207, 80 10 65, Telex 7252137, Fax 803673, , (geheizt) – . AE E VISA HR n
Karte 35/60 – **117 Z : 234 B** 155 - 187 Fb.

Strobel, Korntaler Str. 35a, 80 15 32 – HR s
Aug. 3 Wochen und 24. Dez.- 1. Jan. geschl. – Karte 21/52 *(Samstag geschl.)* – **32 Z : 42 B** 60/85 - 80/110.

In Stuttgart 61 - Uhlbach :

Gästehaus Münzmay garni, Rührbrunnenweg 19, 32 40 28, – KS f
22. Dez.- 7. Jan. geschl. – **14 Z : 17 B** 90/98 - 140/150 Fb.

X Weinstube Hasen, Innsbrucker Str. 5, 32 20 70, – KS f

In Stuttgart 60 - Untertürkheim :

Spahr , Klabundeweg 10 (Zufahrt über Sattelstraße), 33 23 45 – . AE E VISA
23. Dez.- 9. Jan. geschl. – (nur Abendessen für Hausgäste) – **30 Z : 41 B** 80/115 - 120/150. KS y

In Stuttgart 80 - Vaihingen :

Fremd-Gambrinus, Möhringer Landstr. 26, ☎ 73 17 67 – . AE E VISA
22. Dez.- 6. Jan. geschl. – Karte 22/48 *(Dienstag geschl.)* – **17 Z : 28 B** 104 - 140 Fb. GT **e**

Zum Ochsen (Brauerei-Gaststätte), Hauptstr. 26, ☎ 73 19 38 – GT **t**

In Stuttgart 31 - Weilimdorf :

Zum Muckestüble, Solitudestr. 25 (in Bergheim), ☎ 86 51 22, « Gartenterrasse » – GS **a**
Juli geschl. – Karte 24/42 *(Dienstag geschl.)* – **25 Z : 40 B** 60 - 100.

Hasen mit Zim, Solitudestr. 261, ☎ 88 30 51 – AE E GR **e**
Jan. und Juli - Aug. jeweils 2 Wochen geschl. – Karte 46/65 *(Montag sowie Sonn- und Feiertage geschl.)* – **4 Z : 6 B** 47/58 - 82.

In Stuttgart 40 - Zuffenhausen :

Garten-Hotel garni, Unterländer Str. 88, ☎ 87 10 55 – . AE E HR **a**
23. Dez.- 10. Jan. geschl. – **18 Z : 44 B** 89/101 - 130/140.

In Fellbach 7012 – 0711 (Stuttgart) :

Kongresshotel, Tainer Str. 7, ☎ 5 85 90, Telex 7254900, Fax 5859304, – . AE E VISA KS **u**
Karte : siehe Rest. Alt Württemberg – **148 Z : 296 B** 155/170 - 205/400 Fb.

Am Kappelberg, Karlstr. 37, ☎ 58 50 41, Telex 7254486, – . AE E KS **c**
24. Dez.- 10. Jan. geschl. – (nur Abendessen für Hausgäste) – **41 Z : 48 B** 105 - 155 Fb.

City-Hotel garni, Bruckstr. 3, ☎ 58 80 14 – – **26 Z : 40 B** Fb. KS **s**

Alte Kelter, Kelterweg 7, ☎ 58 90 74, – . AE E VISA KS **x**
Karte 30/53 *(Freitag geschl.)* – **20 Z : 40 B** 85 - 130.

Waldhorn, Burgstr. 23, ☎ 58 21 74 – . AE KS **b**
Juli und über Weihnachten geschl. – Karte 23/40 *(nur Abendessen, Sonntag geschl.)* – **18 Z : 21 B** 35/40 - 65/75.

Alt Württemberg, Tainer Str. 7 (Schwabenlandhalle), ☎ 58 00 88 – . AE E VISA. KS **u**
Karte 38/67.

Weinkeller Häussermann (Gewölbekeller a.d.J. 1732), Kappelbergstr. 1, ☎ 58 77 75 – . AE E KS **c**
Sonntag 15 Uhr - Montag geschl. – Karte 28/62.

Weinstube Germania mit Zim, Schmerstr. 6, ☎ 58 20 37 – KS **v**
Mitte Juli - Mitte Aug. und 24. Dez.- 9. Jan. geschl. – Karte 29/45 *(Sonn- und Feiertage sowie Montag geschl.)* – **8 Z : 11 B** 32/48 - 95.

In Fellbach-Schmiden 7012 :

Hirsch, Fellbacher Str. 2, ☎ (0711) 51 40 60, – . AE E KR **n**
Karte 28/50 *(Freitag und Sonntag geschl.)* – **92 Z : 114 B** 70/90 - 110/140 Fb.

Schmidener Eintracht, Brunnenstr. 4, ☎ (0711) 51 21 65 – . E KR **n**
1.- 10. Jan. geschl. – Karte 26/59 *(Samstag geschl.)* – **28 Z : 41 B** 50/80 - 105/115 Fb.

In Gerlingen 7016 :

Krone, Hauptstr. 28, ☎ (07156) 2 10 04 – . AE E VISA FS **e**
Karte 34/72 *(Tischbestellung ratsam)* (Mittwoch ab 14 Uhr, Sonn- und Feiertage sowie Juli - Aug. 3 Wochen geschl.) – **50 Z : 74 B** 104/130 - 150/195 Fb.

Balogh garni, Max-Eyth-Str. 16, ☎ (07156) 2 30 95 – . AE E GS **d**
46 Z : 54 B 75/85 - 110/135.

In Korntal-Münchingen 2 7015 nahe der Autobahn-Ausfahrt S-Zuffenhausen :

Mercure, Siemensstr. 50, ☎ (07150) 1 30, Telex 723589, Biergarten, – – **209 Z : 300 B** Fb. GR **c**

In Leinfelden-Echterdingen 1 7022 :

Drei Morgen garni, Bahnhofstr. 39, ☎ (0711) 75 10 85 – . AE E HT **k**
25 Z : 33 B 85/95 - 125/135 Fb.

Stadt Leinfelden garni, Lessingstr. 4, ☎ 75 25 10 – HT **k**
20 Z : 30 B 80 - 120.

In Leinfelden-Echterdingen 2 7022 – 0711 (Stuttgart) :

Lamm, Hauptstr. 98, ☎ 79 33 26, Telex 7255686 – HT **s**
20 Z : 44 B Fb.

Adler, Obergasse 16, ☎ 79 35 90, – HT **x**
24. Dez.- 6. Jan. geschl. – Karte 27/59 *(Sonntag - Montag 17 Uhr und Juli - Aug. 3 Wochen geschl.)* – **18 Z : 24 B** 90/100 - 130/135.

Martins Klause garni, Martin-Luther-Str. 1, ☎ 79 18 01 – . AE E HT **d**
1.- 15. Aug. geschl. – **18 Z : 24 B** 80 - 120.

In Leinfelden-Echterdingen 3 - Stetten 7022 über die B 27 JT :

🏨 **Nödingerhof**, Unterer Kasparswald 22, 📞 (0711) 79 90 67, <, ⛱ – 🛗 [TV] ☎ 🚗 [P] 👥. [AE] [D] [E] [VISA]
Karte 26/50 – **54 Z : 90 B** 92/99 - 130/135.

MICHELIN-REIFENWERKE KGaA. Niederlassung 7015 Korntal-Münchingen 2, Siemensstr. 62 (GR), 📞 (07150) 20 31.

[SUDDENDORF] Niedersachsen siehe Schüttorf.

[SÜDERAU] **2204.** Schleswig-Holstein – 750 Ew – Höhe 2 m – ✆ 04824 (Krempe).
◆Kiel 94 – ◆Hamburg 48 – Itzehoe 22.

In Süderau-Steinburg NO : 6 km :

🏠 **Zur Steinburg**, Hauptstr. 42, 📞 4 74 – [TV] 🚗 [P]
◆ *20. Dez.- 4. Jan. geschl.* – Karte 19,50/45 *(Samstag geschl.)* – **19 Z : 30 B** 30/52 - 58/80.

[SÜDERENDE] Schleswig-Holstein siehe Föhr (Insel).

[SÜDERGELLERSEN] Niedersachsen siehe Lüneburg.

[SÜDLOHN] **4286.** Nordrhein-Westfalen – 7 400 Ew – Höhe 40 m – ✆ 02862.
◆Düsseldorf 98 – Bocholt 24 – Münster (Westfalen) 64 – Winterswijk 12.

🏨 **Haus Lövelt**, Eschstr. 1, 📞 72 76 – 🚗 [P]. 🚫🐕 Rest
◆ Karte 19/40 – **15 Z : 25 B** 38 - 76.

In Südlohn-Oeding SW : 4 km :

🏨 Burghotel Pass 🪑 (modernes Hotel mit integriertem Burgturm a.d. 14. Jh.), Burgplatz, 📞 50 51, ⛱, « Restauranträume mit Ziegelgewölben », ♨, 🏊 – 🛗 [TV] ☎ ♿ [P] 👥
25 Z : 44 B.

[SÜSSEN] **7334.** Baden-Württemberg [413] M 20, [987] ㉟ ㊱ – 8 600 Ew – Höhe 364 m – ✆ 07162.
◆Stuttgart 53 – Göppingen 9 – Heidenheim an der Brenz 34 – ◆Ulm (Donau) 41.

🏨 **Löwen**, Hauptstr. 3, 📞 50 88 – 🛗 [TV] ☎ [P]. [AE] [VISA]
Karte 22/51 *(Montag geschl.)* – **36 Z : 48 B** 35/65 - 78/112.

[SUHLENDORF] **3117.** Niedersachsen – 2 650 Ew – Höhe 66 m – ✆ 05820.
◆Hannover 111 – Uelzen 15.

In Suhlendorf-Kölau S : 2 km :

🏨 **Brunnenhof** 🪑, 📞 3 84, « Ehemaliges Bauernhaus », ♨, 🏊, 🌳, 🎾, 🏇 (Halle) – [P]. 🚫🐕
15. Nov.- 15. Dez. geschl. – (Restaurant nur für Hausgäste) – **30 Z : 55 B** 61/66 - 116/122 – 3 Appart. 140 – P 80/90.

[SULINGEN] **2838.** Niedersachsen [987] ⑭⑮ – 11 600 Ew – Höhe 30 m – ✆ 04271.
◆Hannover 77 – Bielefeld 100 – ◆Bremen 51 – ◆Osnabrück 84.

🏨 **Zur Börse**, Langestr. 50, 📞 22 47 – [TV] ☎ 🚗 [P] 👥. [AE] [D] [E]
28. Dez.- 7. Jan. geschl. – Karte 26/55 *(Freitag 14 Uhr - Samstag 18 Uhr geschl.)* – **25 Z : 35 B** 53/70 - 86/105 Fb.

🏠 **Haake**, Bismarckstr. 2, 📞 23 63 – 🚗 [P]
◆ Karte 18/29 *(Sonn- und Feiertage geschl.)* – **12 Z : 18 B** 35/42 - 65/75.

In Mellinghausen 2839 NO : 8 km über die B 214 :

🏨 **Gesellschaftshaus Märtens** 🪑, 📞 (04272) 16 04, 🌳 – ☎ 🚗 [P] 👥. [E]
Juli 3 Wochen geschl. – Karte 21/43 *(Montag geschl.)* – **33 Z : 45 B** 33/48 - 55/80.

[SULZ AM NECKAR] **7247.** Baden-Württemberg [413] I 21, [987] ㉟ – 10 400 Ew – Höhe 430 m – Erholungsort – ✆ 07454.
ℹ Rathaus, Marktplatz, 📞 7 60.
◆Stuttgart 76 – Horb 16 – Rottweil 30.

In Sulz-Glatt N : 4 km :

🏨 **Kaiser**, Oberamtstr. 23, 📞 (07482) 10 11, Massage, ♨, 🏊, 🌳 – [TV] ☎ [P]
◆ Karte 15,50/49 *(Donnerstag geschl.)* – **30 Z : 60 B** 50/55 - 100/110 Fb.

🏨 **Zur Freystatt** 🪑, Schloßplatz 11, 📞 (07482) 3 33, ♨ – [TV] [P]. [E]. 🚫🐕 Zim
2. Nov.- 6. Dez. geschl. – Karte 26/51 *(Montag geschl.)* – **30 Z : 40 B** 43/55 - 80/96 – P 53.

In Sulz-Hopfau NW : 7 km :

🏨 **Odams-Hotel**, Neunthausen 19, 📞 30 94, ♨, 🏊 – 🛗 ☎ 🚗 [P] 👥. [AE]
Karte 27/50 – **24 Z : 48 B** 85 - 140.

SULZBACH AN DER MURR 7158. Baden-Württemberg [413] L 19, [987] (25) – 4 900 Ew – Höhe 467 m – Erholungsort – ☎ 07193.

♦Stuttgart 41 – Heilbronn 34 – Schwäbisch Gmünd 41 – Schwäbisch Hall 27.

🍴 **Krone** mit Zim, Haller Str. 1, ☎ 2 87 – 🚗 P
Juli - Aug. 3 Wochen geschl. – Karte 23/47 *(Dienstag geschl.)* 🍷 – **10 Z : 14 B** 35/45 - 65/80.

SULZBACH-LAUFEN 7166. Baden-Württemberg [413] M 20 – 2 300 Ew – Höhe 335 m – Wintersport : ⛷3 – ☎ 07976.

[i] Fremdenverkehrsverein, Rathaus, Eisbachstr. 24, ☎ 2 83.

♦Stuttgart 82 – Aalen 35 – Schwäbisch Gmünd 29 – ♦Würzburg 149.

🏨 **Krone**, Hauptstr. 44 (Sulzbach), ☎ 2 81, ☂, 🧖 – TV ☎ 🚗 P 👥. AE ⓓ E VISA. 🐕 Zim
Karte 24/47 *(Montag geschl.)* 🍷 – **16 Z : 36 B** 58/65 - 89/115.

🏠 Zum Steinäckerle, Hauptstr. 4 (Sulzbach), ☎ 3 71 – TV 🚗 P
9 Z : 16 B.

SULZBACH-ROSENBERG 8458. Bayern [413] S 18, [987] (27) – 17 600 Ew – Höhe 450 m – ☎ 09661.

♦München 205 – Bayreuth 67 – ♦Nürnberg 59 – ♦Regensburg 77.

🏨 **Bayerischer Hof**, Luitpoldplatz 15 (B 14), ☎ 30 16 – ☎ P
◆ *26. Dez.- 8. Jan. geschl.* – Karte 16/32 *(Samstag geschl.)* – **40 Z : 65 B** 28/40 - 60.

🏨 Sperber-Bräu, Rosenberger Str. 14, ☎ 30 44
24 Z : 40 B.

🏠 **Zum Bartl**, Glückaufstr. 2 (B 14, N : 1,5 km), ☎ 45 30, <, ☂ – 🚗 P
◆ *19. Sept.- 7. Okt. geschl.* – Karte 14/24 *(Montag geschl.)* 🍷 – **11 Z : 18 B** 22/27 - 54.

In Sulzbach-Rosenberg - Forsthof NW : 6 km über die B 85 :

🏠 **Heldrich - Am Forsthof** 🔇, Forsthof 8, ☎ 48 29, 🏊, 🌳, 🎾 – P
◆ Karte 14/26 – **17 Z : 31 B** 20/28 - 40/52.

In Neukirchen 8459 NW : 11,5 km :

🏨 Neukirchener Hof, Hauptstr. 4, ☎ (09663) 21 11, Telex 63708, Biergarten, 🧖, 🏊 – ☎ P 👥
(wochentags nur Abendessen) – **20 Z : 45 B.**

In Weigendorf 8561 W : 13 km, an der B 14 :

🏨 Pension Hubertus 🔇, Hohenschlag 74, ☎ (09154) 46 41, <, ☂, 🏊, 🌳 – P. 🐕
(nur Abendessen) – **15 Z : 28 B.**

SULZBACH/SAAR 6603. Saarland [987] (24), [242] (7), [57] (6) (7) – 14 000 Ew – Höhe 215 m – ☎ 06897.

♦Saarbrücken 11 – Kaiserslautern 61 – Saarlouis 33.

In Sulzbach-Hühnerfeld N : 1,5 km :

🏨 Dolfi, Grühlingstr. 69, ☎ 33 75, 🧖, 🏊 – TV ☎
31 Z : 61 B.

SULZBACH/TAUNUS 6231. Hessen [413] I 16 – 7 100 Ew – Höhe 190 m – ☎ 06196 (Bad Soden).

♦Wiesbaden 28 – ♦Frankfurt am Main 15 – Mainz 28.

🏨 **Holiday Inn**, Am Main-Taunus-Zentrum 1 (S : 1 km), ☎ 78 78, Telex 4072536, Fax 72996, 🧖, 🏊 – 🛗 🚭 Zim ❄ TV ♿ P 👥. AE ⓓ E VISA. 🐕 Rest
Karte 35/67 – **291 Z : 565 B** 190/205 - 260/272 Fb.

🏨 **Sulzbacher Hof** 🔇 garni, Mühlstr. 11, ☎ 77 11 – ☎ P. E
22 Z : 33 B 68 - 98.

SULZBERG Bayern siehe Kempten (Allgäu).

SULZBURG 7811. Baden-Württemberg [413] G 23, [427] (4), [242] (36) – 2 700 Ew – Höhe 474 m – Luftkurort – ☎ 07634.

[i] Verkehrsamt, Rathaus, ☎ 7 02.

♦Stuttgart 229 – Basel 51 – ♦Freiburg im Breisgau 28.

🏨 **Waldhotel Bad Sulzburg** 🔇, Badstr. 67 (SO : 4 km), ☎ 82 70, « Gartenterrasse », 🧖, 🏊, 🌳, 🎾 – 🛗 ☎ P 👥. ⓓ E
Anfang Jan.- Anfang Feb. geschl. – Karte **32**/60 (Tischbestellung ratsam) – **40 Z : 70 B** 44/90 - 66/144 Fb – P 74/109.

🍴🍴 ✿ **Zum Hirschen** mit Zim, Hauptstr. 69, ☎ 82 08
11.- 24. Jan. und 24. Juli - 8. Aug. geschl. – Karte 63/88 *(bemerkenswerte Weinkarte, Tischbestellung ratsam)* (Dienstag und Mittwoch jeweils bis 17 Uhr sowie Montag geschl.) – **7 Z : 13 B** 68/88 - 98/180
Spez. Taubengalantine, Pot au feu von Fischen und Meeresfrüchten, Lammsattel "meine Art" (für 2 Pers.).

In Sulzburg-Laufen W : 2 km :

XX ✿ **La Vigna** (kleines Restaurant in einem Hofgebäude a.d.J. 1837), Weinstr. 7, ☎ 80 14 – [P]. [AE] [D]
Sonntag - Montag 18 Uhr und Juli - Aug. 3 Wochen geschl. – Karte 46/71 (Tischbestellung erforderlich)
Spez. Grüne Nudeln mit Trüffel, Lachs und Seezunge in Weißburgunder, Joghurtschaum mit Früchten.

In Ballrechten-Dottingen 7801 NW : 2 km :

XX **Winzerstube** (mit Gästehaus), Neue Kirchstr. 30 (Dottingen), ☎ (07634) 7 05, 🌳 – 🚗 [P]. ✂ Zim
Anfang Jan.- Anfang Feb. geschl. – Karte 24/54 *(Donnerstag - Freitag 17 Uhr geschl.)* 🍷 – **8 Z : 14 B** 35 - 64/70.

SULZFELD 7519. Baden-Württemberg [413] J 19 – 3 500 Ew – Höhe 192 m – ☎ 07269.
♦Stuttgart 68 – Heilbronn 33 – ♦Karlsruhe 44.

Auf Burg Ravensburg SO : 2 km – Höhe 286 m :

X **Burgschenke**, ✉ 7519 Sulzfeld, ☎ (07269) 2 31, ≤, 🌳 – [P]
Dez.- Feb. und Montag geschl. – Karte 29/52.

SULZHEIM 8722. Bayern [413] O 17 – 1 800 Ew – Höhe 235 m – ☎ 09382 (Gerolzhofen).
♦München 214 – ♦Bamberg 55 – ♦Nürnberg 96 – Schweinfurt 15 – ♦Würzburg 44.

🏠 **Landgasthof Goldener Adler**, Otto-Drescher-Str. 12, ☎ 10 94 – [P]
✦ *22. Dez.- 15. Jan. geschl.* – Karte 17/32 *(Freitag und 15.- 30. Aug. geschl.)* 🍷 – **44 Z : 65 B** 24/35 - 48/70.

In Sulzheim-Alitzheim :

🏠 **Grob**, Dorfplatz 1, ☎ 2 85 – ☎ 🚗 [P] 🏃
✦ Karte 18/35 *(Samstag und Sonntag jeweils ab 14 Uhr geschl.)* 🍷 – **34 Z : 60 B** 40/50 - 70/90 Fb.

SUNDERN 5768. Nordrhein-Westfalen [987] ⑭ – 27 800 Ew – Höhe 250 m – ☎ 02933.
[i] Verkehrsverein, Sundern-Langscheid, Hakenbrinkweg (Haus des Gastes), ☎ (02935) 6 96.
♦Düsseldorf 111 – Arnsberg 12 – Lüdenscheid 48.

In Sundern 9-Allendorf SW : 6,5 km :

🏠 **Clute-Simon**, Allendorfer Str. 85, ☎ (02393) 3 72, 🌳 – [TV] 🚗 [P]. [AE] [D] E [VISA]
✦ *5.- 20. April geschl.* – Karte 19/47 *(Dienstag geschl.)* – **14 Z : 21 B** 35/45 - 64/84.

In Sundern 16-Altenhellefeld SO : 7,5 km :

🏠 **Gut Funkenhof** 🐦, Altenhellefelder Str. 10, ☎ (02934) 10 12, Telex 84277, 🌳, Bade- und Massageabteilung, ♨, [🏊], 🌳 – ✂ Zim ☎ [P] 🏃. [AE] [D] E. ✂
Karte 28/56 – **42 Z : 80 B** 75/135 - 133/265 Fb – 4 Fewo 165/280 – P 100/170.

In Sundern 13-Langscheid NW : 4 km – Luftkurort – ☎ 02935 :

🏠 **Seegarten - Zum Wilddieb**, Zum Sorpedamm 21, ☎ 15 79, [🏊] – [P] 🏃
Karte 28/49 – **24 Z : 50 B** 50 - 100/110 Fb.

🏠 **Landhaus Pichel**, Langscheider Str. 70, ☎ 20 33, ≤, 🌳, 🌳 – ☎ [P]. [AE] [D] E
Karte 28/56 *(Donnerstag geschl.)* – **12 Z : 22 B** 44/60 - 80/95 Fb – P 65/85.

🏠 **Haus Volmert**, Langscheider Str. 46, ☎ 25 00, ≤ – 🚗 [P]
Karte 26/42 *(Mittwoch und Nov. 2 Wochen geschl.)* – **11 Z : 20 B** 30/40 - 50/68 – P 51/61.

X **Deutsches Haus**, Langscheider Str. 41, ☎ 6 15, ≤, 🌳 – [P]
Dienstag geschl. – Karte 22/44.

In Sundern-Stockum SW : 5 km :

🏠 **Kleiner**, Stockumer Str. 17, ☎ 24 81, 🌳 – [🛗] ☎ 🚗 [P]. ✂
Nov. geschl. – (Restaurant nur für Hausgäste) – **24 Z : 40 B** 33/40 - 50/70.

In Sundern 11-Wildewiese S : 15 km – Wintersport : 520/640 m ⛷4 ⛷2 :

🏠 **Schomberg** 🐦, Hauptstr. 10, ☎ (02395) 13 13, ≤, [🏊] – [🛗] [P]. ✂
Karte 27/44 (Abendessen nur für Hausgäste) – **20 Z : 40 B** 55/77 - 98/114 – P 64/80.

SWISTTAL 5357. Nordrhein-Westfalen – 10 000 Ew – Höhe 130 m – ☎ 02254 (Weilerswist).
♦Düsseldorf 73 – ♦Bonn 20 – Düren 43 – ♦Köln 35.

In Swisttal-Heimerzheim :

🏠 **Weidenbrück** 🐦, Nachtigallenweg 27, ☎ 71 43 – [🛗] [TV] ☎ [P]
Karte 23/53 – **41 Z : 70 B** 38/60 - 70/90.

[SYKE] 2808. Niedersachsen [987] ⑮ – 19 100 Ew – Höhe 40 m – ☎ 04242.
♦Hannover 89 – ♦Bremen 22 – ♦Osnabrück 106.

In Syke-Steimke SO : 2,5 km :

🏨 **Steimker Hof**, an der B 6, ✆ 22 20, ⛱ – 🛗 ☎ [P]. [AE] [D] [E] [VISA]
Karte 23/49 – **11 Z : 20 B** 40/50 - 90.

[SYLT (Insel)] Schleswig-Holstein [987] ④ – Seebad – Größte Insel der Nordfriesischen Inselgruppe mit 36 km Strand, durch den 12 km langen Hindenburgdamm (nur Eisenbahn, ca. 30 min) mit dem Festland verbunden.

Sehenswert : Gesamtbild** der Insel – Keitumer Kliff*.

⛳18 Kampen-Wenningstedt, ✆ (04651) 4 53 11 ; ⛳9 Westerland, ✆ (04651) 70 37.

🚗 ✆ (04651) 2 40 57, Autoverladung in Niebüll.

[Hörnum] 2284 – 1 400 Ew – ☎ 04653.
[i] Kurverwaltung, Strandweg 2, ✆ 10 65.
Nach Westerland 18 km.

🏨 **Helene** 🌿 garni (Appartement-Hotel), An der Düne 38, ✆ 10 52, ≘s, 🏊 – [TV] ☎ 🚗 [P]
Nov.- 20. Dez. und 10. Jan.- 10. März geschl. – **26 Z : 76 B** 60/100 - 100/190.

🍴 **Seehof**, Strandstr. 2, ✆ 16 78, ⛱ – [P]
außer Saison Mittwoch, 10. Jan.- 20. Feb. und 20. Nov.- 24. Dez. geschl. – Karte 30/60.

[Kampen] 2285 – 1 000 Ew – ☎ 04651 (Westerland).
[i] Kurverwaltung, im Kamp-Hüs, ✆ 4 10 91.
Nach Westerland 6 km.

🏨 **Walter's Hof** 🌿, Kurhausstraße, ✆ 44 90, Fax 45403, ≤, Massage, ≘s, 🏊 – [TV] ☎ [P].
🚫🐕 Rest
Nov.- 20. Dez. und 2. Jan.- März geschl. – Karte 68/98 *(nur Abendessen)* – **30 Z : 60 B** 252/269 - 403/551 Fb.

🏨 **Rungholt - Haus Meeresblick** 🌿, Kurhausstr. 200, ✆ 44 80, ≤, ≘s, 🌳 – ☎ [P]. 🚫🐕
Ostern - Okt. – (nur Abendessen für Pensionsgäste) – **62 Z : 99 B** (nur ½ P) 130/230 - 240/400 Fb – 7 Appart. 350/450.

🏨 Hamburger Hof 🌿, Kurhausstr. 1, ✆ 4 10 56, ⛱, Massage, ≘s, 🌳 – [TV] ☎ [P]
(nur Abendessen für Hausgäste) – **11 Z : 21 B** Fb.

🍴🍴🍴 **Gogärtchen**, Stönwai, ✆ 4 12 42, « Cafégarten; ständig wechselnde Bilderausstellung » – [P]. [AE] [D] [E] [VISA]. 🚫🐕
Ostern - Mitte Okt. – Karte 57/88 (Tischbestellung ratsam).

🍴🍴 Zum Butt in der Kupferpfanne (ehemalige Bunkeranlage mit Bildergalerie; Cafégarten), Stapelhogawai, ✆ 4 10 10, ⛱ – [P]. 🚫🐕 – *außerhalb der Saison nur Abendessen.*

🍴 **Sturmhaube**, Riiperstig, ✆ 4 11 40, ≤, ⛱ – [P]
Jan.- Feb. und Nov. geschl., März - Mai Mittwoch Ruhetag – Karte 33/64.

[List] 2282 – 3 300 Ew – ☎ 04652.
[i] Kurverwaltung, Haus des Kurgastes, ✆ 10 14.
Nach Westerland 18 km.

🏨 Landhaus Silbermöwe 🌿 garni, Süderhörn 7, ✆ 12 14, ≘s, 🌳 – [P] – **14 Z : 36 B** Fb.

🍴🍴 **Alte Backstube**, Südhörn 2, ✆ 5 12, « Gartenterrasse » – [P]. [D]
15. Jan.- 15. Feb. und Nov.- Mitte Dez. geschl., Sept.- Mai Mittwoch Ruhetag – Karte 36/66.

🍴🍴 Zum alten Seebär, Mannemorsumtal 29, ✆ 3 85, ≤ – [P]
nur Saison.

[Sylt Ost] 2280 – 6 100 Ew – ☎ 04651 (Westerland).
[i] Kurverwaltung, im Ortsteil Keitum, Am Tipkenhoog 5, ✆ 3 10 50.
Nach Westerland 5 km.

Im Ortsteil Keitum – Luftkurort :

🏨 **Benen Diken Hof** 🌿 garni, Süderstraße, ✆ 3 10 35, Telex 221252, ≘s, 🏊, 🌳 – [TV] [P]. [AE] [D] [E] [VISA]. 🚫🐕
38 Z : 73 B 170/290 - 190/360 Fb.

🏨 **Seiler Hof** (modernisiertes Friesenhaus a.d.J. 1761), Gurtstig 7, ✆ 3 10 64, « Garten », ≘s – [TV] ☎ [P]. 🚫🐕
(nur Abendessen für Hausgäste) – **12 Z : 25 B** 115/220 - 180/235 Fb – 3 Appart. 335.

🏨 **Wolfshof** 🌿 garni, Osterweg 2, ✆ 34 45, ≘s, 🏊, 🌳 – [TV] ☎ [P]
Nov.- 14. Dez. und 10. Jan.- 14. März geschl. – **15 Z : 30 B** 145/190 - 210/245 Fb.

🍴🍴 **Fisch-Fiete**, Weidemannweg 3, ✆ 3 21 50, « Gartenterrasse » – [P]
März - Okt. – Karte 38/79 (Tischbestellung erforderlich).

🍴🍴 Landschaftliches Haus (überwiegend Fischgerichte), Gurtstig 54, « Gemütliche Gaststuben mit unterschiedlichem Dekor » – [P] – auch 4 Fewo.

Im Ortsteil Morsum :

XXX **Landhaus Nösse**, Nösistich, ✆ (04654) 15 55, «Schöne Lage am Morsum Kliff » – Ⓟ. AE E
Ende Nov.- Mitte Dez. geschl. – Karte 55/98 – **Bistro** Karte 36/56.

Im Ortsteil Tinnum :

XXX ✿ **Romantik-Restaurant Landhaus Stricker**, Boy-Nielsen-Str. 10, ✆ (04651) 3 16 72, bemerkenswerte Weinkarte – Ⓟ. AE E VISA.
Karte 59/112 (Tischbestellung ratsam)
Spez. Gebeizte Lammscheiben in Basilikum mit Schafskäse, Gefüllte Seezungenschleifen in Safransauce, Gebackene Pflaumen mit Zimteis und Sabayon.

Wenningstedt 2283 – 2 500 Ew – Seeheilbad – ☎ 04651 (Westerland).
Verkehrsverein, Westerlandstr. 1, ✆ 4 32 10.
Nach Westerland 4 km.

Strandhörn, Dünenstr. 1, ✆ 4 19 11 – Ⓟ
(nur Abendessen) – **16 Z : 27 B** Fb.

Strandhotel Seefrieden, Strandstr. 23, ✆ 4 10 71 – Ⓟ – **43 Z : 73 B.**

Friesenhof, Hauptstr. 16, ✆ 4 10 31, – Ⓟ. Zim
Ostern - Okt. – Karte 29/58 *(Mittwoch geschl.)* – **14 Z : 25 B** 82 - 164 – 10 Fewo 100/150.

XX **Hinkfuss am Dorfteich** mit Zim, Am Dorfteich 2, ✆ 54 61, – Ⓟ. AE E
10. Jan.- 15. Feb. geschl. – Karte 56/88 *(Montag geschl.)* – **3 Z : 6 B** 120/160 - 150/180 Fb.

Westerland 2280. 987 ④ – 9 000 Ew – Seeheilbad – ☎ 04651.
Fremdenverkehrszentrale, am Bundesbahnhof, ✆ 2 40 01.
♦Kiel 136 – Flensburg 55 – Husum 53.

Stadt Hamburg, Strandstr. 2, ✆ 85 80, Telex 221223, Fax 858220, – Ⓟ. Rest
Karte 47/85 – **68 Z : 100 B** 120/214 - 186/345 – 5 Appart. 390 – P 153/233.

Wünschmann, Andreas-Dirks-Str. 4, ✆ 50 25 – AE.
Mitte Jan.- Anfang März und Mitte Nov.- Mitte Dez. geschl. – (nur Abendessen für Hausgäste) – **33 Z : 54 B** 129/219 - 196/332 – 4 Fewo 100/490.

Miramar, Friedrichstr. 43, ✆ 85 50, ←, Massage, – Ⓟ. AE E VISA.
ab Mitte Okt. '89 wegen Umbau geschl. – Karte 36/66 – **61 Z : 100 B** 140/330 - 250/410 Fb.

Sylter Hahn - Kai's Restaurant (Aparthotel), Robbenweg 3, ✆ 75 85 (Hotel) 2 72 36 (Rest.), – Ⓟ – **10 Z : 18 B** Fb – 24 Fewo.

Hanseat garni, Maybachstr. 1, ✆ 2 30 23 – **21 Z : 35 B** Fb.

Atlantik, Johann-Möller-Str. 30, ✆ 60 46, – Ⓟ. E VISA
Karte 42/75 *(nur Abendessen, außer Saison Donnerstag Ruhetag, 15. Jan.- 20. Feb. und Nov.- 15. Dez. geschl.)* – **27 Z : 47 B** 100/135 - 175/275 Fb.

Monopol garni, Steinmannstr.11, ✆ 2 40 96 – **24 Z : 36 B** Fb.

Vier Jahreszeiten, Johann-Möller-Str. 40, ✆ 2 30 28 – Ⓟ. AE E VISA. Rest
3. Nov.- 15. Jan. geschl. – (nur Abendessen für Hausgäste) – **26 Z : 40 B** 85/130 - 190/210 Fb.

Dünenburg, Elisabethstr. 9, ✆ 60 06 – Ⓟ – **38 Z : 56 B** Fb.

Gästehaus Hellner garni, Maybachstr. 8, ✆ 69 45 – Ⓟ
März - Okt. – **19 Z : 30 B** 63/75 - 110/170 – 3 Fewo 160/170.

Windhuk garni, Brandenburger Str. 6, ✆ 60 33 – Ⓟ. – **35 Z : 50 B.**

XXXX ✿ **Restaurant Jörg Müller** mit Zim, Süderstr. 8, ✆ 2 77 88, « Modern-elegantes Restaurant in einem Friesenhaus » – Ⓟ. E VISA
15. Jan.- 17. Feb. geschl. – Karte 76/111 *(bemerkenswerte Weinkarte)* (in beiden Restaurants : Tischbestellung ratsam, Saison Mittwoch bis 18 Uhr, außer Saison Dienstag - Mittwoch 18 Uhr geschl.) – **Pesel** Karte 48/65 – **3 Z : 6 B** 180 - 230/260
Spez. Munkmarscher Muschelteigtaschen, Sylter Meeräsche auf Paprikasauce, Dessertvariation "Jörg Müller".

XX **Webchristel**, Süderstr. 11, ✆ 2 29 00 – Ⓟ. AE E VISA
nur Abendessen, Okt.- Mai Donnerstag geschl. – Karte 38/74.

XX ✿ **Das Kleine Restaurant**, Strandstr. 8 (Passage), ✆ 2 29 70 – AE E
nur Abendessen, Ende Feb.- Mitte März, Ende Nov.- Mitte Dez., sowie außer Saison Sonntag geschl. – Karte 55/90 (Tischbestellung ratsam)
Spez. Hummersalat, Seezungenfilets mit Noilly Prat-Sauce, Dreierlei Mousses au chocolat.

XX See-Garten, Andreas-Dirks-Str. 10 (Kurpromenade), ✆ 2 36 58, ←.

XX **Chantilly**, Wilhelmstr. 7, ✆ 2 38 43
1.- 15. Mai, im Sommer Dienstag bis 18 Uhr, außer Saison Dienstag ganztägig geschl. – Karte 38/71.

XX **Alte Friesenstube**, Gaadt 4, ✆ 12 28, « Haus a.d.J. 1648 mit rustikal-friesischer Einrichtung »
nur Abendessen, Okt.- Mai Montag und Anfang Jan.- Mitte Feb. geschl. – Karte 38/68 (Tischbestellung ratsam).

X Bratwurstglöckl, Friedrichstr. 37, ✆ 74 25 – *nur Saison.*

[TACHERTING] 8221. Bayern [413] U 22, [426] ⑲ – 4 300 Ew – Höhe 473 m – ☎ 08621 (Trostberg).
♦München 92 – Altötting 22 – Rosenheim 52 – Salzburg 70.

In Engelsberg-Wiesmühl **8261** N : 3 km :

Post, Altöttinger Str. 9 (B 299), ☎ (08634) 15 14, – 🚗 🅿
20. Aug.- 10. Sept. geschl. – Karte 17,50/43 *(Montag geschl.)* – **15 Z : 25 B** 25/35 - 48/55.

[TACHING] Bayern siehe Waging am See.

[TÄNNESBERG] 8481. Bayern [413] TU 18 – 1 700 Ew – Höhe 693 m – Erholungsort – ☎ 09655.
♦München 186 – ♦Nürnberg 106 – ♦Regensburg 69 – Weiden in der Oberpfalz 25.

Wurzer, Marktplatz 12, ☎ 2 57, , – 🅿.
Karte 15/29 – **38 Z : 70 B** 30/32 - 52/56 – P 42/45.

Post, Marktplatz 25, ☎ 2 43 – 🅿
20 Z : 40 B.

[TALHEIM] 7129. Baden-Württemberg [413] K 19 – 3 500 Ew – Höhe 195 m – ☎ 07133.
♦Stuttgart 48 – Heilbronn 9 – Ludwigsburg 32.

Zur Sonne, Sonnenstr. 44, ☎ 42 97, – ☎ 🚗
Aug. 2 Wochen geschl. – Karte 23/52 *(Montag geschl.)* – **25 Z : 39 B** 35/54 - 80/100.

[TANGENDORF] Niedersachsen siehe Toppenstedt.

[TANGSTEDT KREIS STORMARN] 2000. Schleswig-Holstein – 5 700 Ew – Höhe 35 m – ☎ 04109.
♦Kiel 81 – ♦ Hamburg 30 – ♦Lübeck 52.

In Tangstedt-Wilstedt NW : 2 km :

🍴 Wilstedter Mühle mit Zim, Dorfring 1, ☎ 95 56 – 🅿. Zim
8 Z : 13 B.

[TANN (RHÖN)] 6413. Hessen [987] ㉕㉖ – 5 000 Ew – Höhe 390 m – Luftkurort – ☎ 06682.
[i] Verkehrsamt, Stadtverwaltung, Marktplatz, ☎ 80 11.
♦Wiesbaden 226 – Fulda 39 – Bad Hersfeld 52.

Berghotel Silberdistel, Bergstr.10 (O : 1 km), ☎ 2 30, Tann und Rhön, , – ☎ 🚗 🅿
Mitte Jan.- Mitte Feb. geschl. – Karte 18,50/25 *(Dienstag geschl.)* – **11 Z : 21 B** 28/44 - 56/88 – P 50/64.

In Tann 5-Günthers NW : 3 km :

Zur Ulsterbrücke, Brückenstr. 1, ☎ 4 51, , , – 🅿. Zim
40 Z : 70 B.

In Tann-Lahrbach S : 3 km :

Gasthof Kehl, Eisenacher Str. 15, ☎ 3 87 – . Zim
Okt. 3 Wochen geschl. – Karte 14/28 *(Dienstag geschl.)* – **12 Z : 24 B** 24/25 - 47/50 – P 39.

[TARP] 2399. Schleswig-Holstein – 5 000 Ew – Höhe 22 m – ☎ 04638.
♦Kiel 76 – Flensburg 17 – Schleswig 25.

Bahnhofshotel, Bahnhofstr. 1, ☎ 3 58 – ☎ 🅿
Karte 19/48 – **52 Z : 92 B** 28/38 - 55/70 Fb.

[TAUBERBISCHOFSHEIM] 6972. Baden-Württemberg [413] LM 18, [987] ㉕ – 12 500 Ew – Höhe 190 m – ☎ 09341.
♦Stuttgart 117 – Heilbronn 75 – ♦Würzburg 37.

Henschker, Bahnhofstr. 18, ☎ 23 36 – 🚗 . E VISA
31. Juli - 7. Aug. und 20. Dez.- 20. Jan. geschl. – Karte 17/42 *(Sonntag-Montag 17 Uhr geschl.)* – **15 Z : 23 B** 41/56 - 89/96.

Am Brenner, Goethestr. 10, ☎ 30 91, , , – ☎ 🅿 . AE E VISA. Rest
Karte 29/53 *(Freitag geschl.)* – **31 Z : 50 B** 49/55 - 75/105.

Badischer Hof, Hauptstr. 70, ☎ 23 85 – 🚗 🅿
15. Dez.- 15. Jan. geschl. – Karte 19/34 *(Freitag geschl.)* – **28 Z : 48 B** 32/50 - 55/90.

Am Schloß garni, Hauptstr. 56, ☎ 32 71
9 Z : 17 B 45 - 70/75.

In Königheim **6976** W : 7 km :

Schwan, Hardheimer Str. 6, ☎ (09341) 38 99, – 🚗 🅿
13 Z : 23 B.

TAUBERRETTERSHEIM Bayern siehe Weikersheim.

TAUFKIRCHEN 8252. Bayern [413] T 21, [987] ㊲ – 8 000 Ew – Höhe 456 m – ☏ 08084.
♦München 53 – Landshut 26 – Passau 129 – Rosenheim 66 – Salzburg 126.

🏨 **Zur Post**, Erdinger Str. 1, ☎ 81 20, ☂ – 📞 [P]
→ Karte 18/39 – **11 Z : 22 B** 43/60 - 86 Fb.

🏨 **Pension Barbara** 🐦 garni, Hochstr. 2, ☎ 23 28 – [P]
23. Dez.- 18. Jan. geschl. – **22 Z : 34 B** 40/50 - 81/91.

TAUNUSSTEIN 6204. Hessen – 24 700 Ew – Höhe 343 m – ☏ 06128.
♦Wiesbaden 12 – Limburg an der Lahn 38 – Bad Schwalbach 10.

In Taunusstein 1-Hahn :

🏨 **Aarbrücke** 🐦 garni, Mühlfeldstr. 30, ☎ 56 55 – 🚗 [P]
24. Dez.- 6. Jan. geschl. – **21 Z : 40 B** 45/65 - 82/94.

In Taunusstein 4-Neuhof [413] H 16 :

🏨 Zur Burg, Limburger Str. 47 (B 417/275), ☎ 7 10 01 – 📞 [P] 🏢
24 Z : 43 B.

TECKLENBURG 4542. Nordrhein-Westfalen [987] ⑭ – 9 000 Ew – Höhe 235 m – Luftkurort – ☏ 05482.

⛳ Westerkappeln-Velpe (NO : 9 km), ☎ (05455) 10 35 ; ⛳ Wallen-Lienen (W : 3 km), ☎ (05455) 10 35.

[i] Verkehrsbüro, Haus des Gastes, Markt 7, ☎ 4 94.
♦Düsseldorf 160 – Münster (Westfalen) 39 – ♦Osnabrück 28.

🏨 **Parkhotel Burggraf** 🐦, Meesenhof 7, ☎ 4 25, Telex 941345, ≤ Münsterland, 🏊, ♨, 🌳 – ⇅ [TV] [P] 🏢. [AE] ⦿ E [VISA]. 🐕̸
Karte 45/79 – **44 Z : 76 B** 80/115 - 118/160 Fb – P 104/160.

🏨 **Drei Kronen**, Landrat-Schultz-Str. 15, ☎ 2 25, ≤, ☂, 🏊 – 📞 [P]. [AE] ⦿
4.- 31. Jan. geschl. – Karte 24/47 *(Mittwoch geschl.)* – **26 Z : 50 B** 50/70 - 90/120 Fb – P 78/88.

🏨 **Landhaus Frische** 🐦, Sundernstr. 52 (am Waldfreibad), ☎ 74 10, ≤, ☂ – 📞 [P]. [AE] ⦿ E [VISA]. 🐕̸ Zim
Karte 26/46 *(auch vegetarische Gerichte)* – **8 Z : 18 B** 60/80 - 120.

🏨 **Bismarckhöhe**, Am Weingarten 43, ☎ 2 33, ≤ Münsterland, ☂ – [TV] [P]. ⦿
Nov. geschl. – Karte 23/45 *(Dez.- März Montag geschl.)* – **28 Z : 52 B** 35/45 - 70/90 – P 51/61.

In Tecklenburg 2-Brochterbeck W : 6,5 km :

🏨 **Teutoburger Wald**, Im Bocketal 2, ☎ (05455) 10 65, Caféterrasse, 🏊, ♨, 🌳 – [TV] 📞 [P] 🏢. ⦿ E
15.- 25. Dez. geschl. – (Restaurant nur für Hausgäste) – **28 Z : 48 B** 60/70 - 95/120 Fb – P 75/95.

In Tecklenburg 4-Leeden O : 8 km :

🍴🍴 **Altes Backhaus**, Am Ritterkamp 27, ☎ (05481) 65 33, ☂, « Rustikale Einrichtung » – [P]. ⦿ E
Dienstag und Mitte Jan.- Anfang Feb. geschl. – Karte 37/72.

An der Autobahn A 1 NO : 7 km :

🏨 **Raststätte Tecklenburger Land (West)**, ✉ 4542 Tecklenburg 4-Leeden, ☎ (05456) 5 66, ☂ – 🚗 [P]. [AE] ⦿ E [VISA]
Karte 24/50 – **24 Z : 44 B** 57/70 - 90/115.

TEGERNHEIM Bayern siehe Regensburg.

TEGERNSEE 8180. Bayern [413] S 23, [987] ㊲, [426] ⑰ – 5 000 Ew – Höhe 732 m – Heilklimatischer Kurort – Wintersport : 730/900 m 🚡1 – ☏ 08022.

[i] Kuramt, im Haus des Gastes, Hauptstr. 2, ☎ 18 01 40.
♦München 53 – Miesbach 18 – Bad Tölz 19.

🏨 **Bayern** 🐦, Neureuthstr. 23, ☎ 18 20, Telex 526981, ≤ Tegernsee und Berge, ☂, 🏊, ♨, 🌳 – ⇅ [TV] 📞 [P] 🏢. [AE] ⦿ E [VISA]. 🐕̸ Rest
Karte 33/62 – **92 Z : 151 B** 95/106 - 156/176 Fb.

🏨 **Bastenhaus** garni, Hauptstr. 71, ☎ 30 80, ≤, 🏊, ♨, 🏖, 🌳 – 📞 [P]
20 Z : 38 B 50/80 - 80/110.

🏨 **Seehotel zur Post**, Seestr. 3, ☎ 39 51, ≤, ☂ – ⇅ 📞 🚗 [P]. [AE] ⦿ E [VISA]
8. Jan.- 10. Feb. geschl. – Karte 20/49 – **47 Z : 85 B** 38/90 - 80/150 Fb – P 67/104.

🏨 **Gästehaus Fackler** 🐦, Karl-Stieler-Str. 14, ☎ 41 73, ≤, 🏊, ♨, 🌳 – [P]. 🐕̸
(Restaurant nur für Hausgäste) – **14 Z : 23 B** 61/73 - 101/151 Fb.

🏨 **Gästehaus Gartenheim** 🐦 garni, Hauptstr. 13, ☎ 45 37, ≤, « Garten », 🏖, 🌳 – [P]
Nov.- 25. Dez. geschl. – **22 Z : 38 B** 41/55 - 76/120.

Fischerstüberl am See, Seestr. 51, ✆ 46 72, ≤, 🅿 – 🅿
15. Nov.- 24. Dez. geschl. – Karte 19,50/41 *(Okt.- Mai Mittwoch geschl.)* – **20 Z : 34 B** 37/78 - 74/130.

Ledererhof garni, Schwaighofstr. 89, ✆ 2 40 89, – 🅿
10. Nov.- 20. Dez. geschl. – **20 Z : 50 B** 65/90 - 100/130.

Der Leeberghof mit Zim, Ellingerstr. 10, ✆ 39 66, ≤ Tegernsee und Berge, « Gartenterrasse » – 🅿
9 Z : 16 B.

TEINACH-ZAVELSTEIN, BAD 7264. Baden-Württemberg 413 I J 20 – 2 400 Ew – Höhe 392 m – Heilbad – ☎ 07053.

Kurverwaltung, Rathaus (Bad Teinach), ✆ 84 44.

♦Stuttgart 56 – Calw 9 – Pforzheim 37.

Im Stadtteil Bad Teinach :

Bad-Hotel, Otto-Neidhart-Allee 5, ✆ 2 90, Bade- und Massageabteilung, – 🅿. AE ⓓ E.
Karte 29/65 – **Brunnen-Schenke** Karte 22/35 – **55 Z : 86 B** 95/105 - 180/190 Fb – 3 Appart. 250 – P 135/145.

Mühle garni, Otto-Neidhart-Allee 2, ✆ 88 17 – 🅿. E.
Nov.- 10. Dez. geschl. – **19 Z : 32 B** 45/50 - 88.

Schloßberg, Burgstr. 2, ✆ 12 18, ≤, – 🅿. AE ⓓ E VISA. Zim
15. Nov.- 15. Dez. geschl. – Karte 21/43 *(Montag geschl.)* – **13 Z : 24 B** 45/52 - 86/100 Fb – P 60/62.

Goldenes Faß, Hintere Talstr. 2, ✆ 88 03, – 🅿
8. Jan.- 20. Feb. geschl. – Karte 20/44 *(Montag geschl.)* – **22 Z : 34 B** 40/44 - 76/84 Fb – P 58/60.

Lamm, Badstr. 17, ✆ 12 22 – 🅿. E. Zim
15. Jan.- Feb. geschl. – Karte 21/40 *(Dienstag geschl.)* – **21 Z : 35 B** 35/46 - 70/90 Fb – P 50/60.

Café Gossger garni, Badstr. 28, ✆ 12 38 –
7. Jan.- 7. Feb. geschl. – **12 Z : 17 B** 38 - 68.

Waldhorn, Hintere Talstr. 9, ✆ 88 21 – Zim
Nov.- 22. Dez. geschl. – Karte 21/32 *(Donnerstag geschl.)* – **18 Z : 28 B** 35/48 - 80/116.

Im Stadtteil Zavelstein – Luftkurort :

Lamm, Marktplatz 3, ✆ 84 14, – 🅿
18 Z : 25 B.

Im Stadtteil Sommenhardt :

Löwen, Calwer Str. 20, ✉ 7264 Bad Teinach-Zavelstein 4, ✆ (07053) 88 56, – 🅿. Rest
15 Z : 29 B.

TEISENDORF 8221. Bayern 413 V 23, 987 ㊳, 426 ⑲ – 8 000 Ew – Höhe 504 m – Erholungsort – ☎ 08666.

♦München 120 – Bad Reichenhall 22 – Rosenheim 61 – Salzburg 22.

In Teisendorf-Achthal SW : 5 km :

Reiter, Teisendorfer Str. 80, ✆ 3 27, – 🅿
3.- 17. April und Nov. 2 Wochen geschl. – Karte 14/31 *(Donnerstag geschl.)* – **9 Z : 16 B** 31 - 62 – P 43.

In Teisendorf-Holzhausen N : 2 km :

Kurhaus Seidl, ✆ 80 10, ≤, Bade- und Massageabteilung, (Halle), Fahrradverleih – 🅿
6.- 31. Jan. geschl. – Karte 23/37 *(auch Diät)* – **61 Z : 85 B** 63/72 - 118/136 Fb – P 86/94.

In Teisendorf-Neukirchen am Teisenberg SW : 8 km :

Berggasthof Schneck, Pfarrhofweg 20, ✆ 3 56, ≤, – 🅿
11 Z : 20 B.

TEISING Bayern siehe Altötting.

TEISNACH 8376. Bayern 413 VW 19 – 2 800 Ew – Höhe 467 m – ☎ 09923.

Verkehrsamt, Rathaus, ✆ 5 62.

♦München 168 – Cham 40 – Deggendorf 24 – Passau 75.

In Teisnach-Kaikenried SO : 4 km :

Das Kleine Sporthotel, Am Platzl 2, ✆ 8 41, – 🅿
14 Z : 26 B.

TELGTE 4404. Nordrhein-Westfalen [987] ⑭ – 16 800 Ew – Höhe 49 m – ☎ 02504.
Sehenswert : Heimathaus Münsterland (Hungertuch★).
ℹ Verkehrsamt, Markt 1, ☎ 1 33 27.
♦Düsseldorf 149 – Bielefeld 62 – Münster (Westfalen) 12 – ♦Osnabrück 47.

🏨 **Heidehotel Waldhütte** 🔇, Im Klatenberg 19 (NO : 3 km, über die B 51), ☎ 20 16, « Waldpark, Gartenterrasse », 🏊, 🌳, Fahrradverleih – [TV] ☎ 🚗 [P] 🏋. [AE] [D] [E] [VISA]
30. Jan.- 25. Feb. geschl. – Karte 33/57 *(Montag geschl.)* – **30 Z : 56 B** 70/80 - 110/140.

🏨 **Marienlinde**, Münstertor 1, ☎ 50 57, Fahrradverleih – [TV] ☎ [P]. [AE] [D] [E] [VISA]
(Restaurant nur für Hausgäste) – **18 Z : 34 B** 56/70 - 96/110 Fb.

🏨 **Telgter Hof**, Münsterstr. 29, ☎ 30 44 – ⇅ [TV] ☎ 🚗. [AE] [E]
✦ *März 2 Wochen geschl.* – Karte 19,50/41 *(Montag geschl.)* – **12 Z : 22 B** 32/45 - 60/85.

In Ostbevern 4412 NO : 7 km :

🏠 **Beverhof**, Hauptstr. 35, ☎ (02532) 51 62 – 🚗 [P]
✦ Karte 13,50/26 – **7 Z : 12 B** 25/27 - 48/50.

TENINGEN 7835. Baden-Württemberg [413] G 22, [242] ㉜, [87] ⑦ – 10 500 Ew – Höhe 189 m – ☎ 07641 (Emmendingen).
♦Stuttgart 192 – ♦Freiburg im Breisgau 20 – Offenburg 50.

🏠 Zum Ochsen, Riegeler Str. 7, ☎ 12 28
20 Z : 32 B Fb.

In Teningen 3 - Bottingen SW : 4 km über Nimburg :

🏨 **Landgasthof Rebstock** 🔇, Wirtstr. 2, ☎ (07663) 18 43 – [P]
16. Jan.- 11. Feb. geschl. – Karte 22/47 *(Dienstag geschl.)* – **20 Z : 40 B** 30/44 - 56/74.

TENNENBRONN 7741. Baden-Württemberg [413] HI 22 – 3 700 Ew – Höhe 662 m – ☎ 07729.
ℹ Verkehrsamt, Rathaus, Hauptstr. 23, ☎ 2 02.
♦Stuttgart 116 – ♦ Freiburg im Breisgau 86 – Freudenstadt 44 – Villingen-Schwenningen 24.

🏨 Adler, Hauptstr. 60, ☎ 2 12 – [P]
15 Z : 26 B.

TETTNANG 7992. Baden-Württemberg [413] L 23, [987] ㉟ ㊱, [427] ⑧ – 15 000 Ew – Höhe 468 m – ☎ 07542.
ℹ Verkehrsbüro, Storchenstr. 5, ☎ 57 21.
♦Stuttgart 160 – Bregenz 28 – Kempten (Allgäu) 65 – Ravensburg 13.

🏨 **Rad**, Lindauer Str. 2, ☎ 60 01, Telex 734245, 🏊 – ⇅ ▤ Rest [TV] 🚗 [P] 🏋 (mit ▤). [AE] [D] [E] [VISA]
Karte 30/70 – **70 Z : 100 B** 75/83 - 114/170 Fb.

🏨 **Der Rosengarten**, Ravensburger Str. 1, ☎ 68 83, Telex 734331, 🏊 – ⇅ [TV] ☎ 🚗 [P] 🏋. [AE] [E]
14.- 28. Nov. geschl. – Karte 30/50 *(Sonntag 15 Uhr - Montag 17 Uhr geschl.)* – **50 Z : 90 B** 59/72 - 84/98 Fb.

🏨 **Ritter**, Karlstr. 2, ☎ 5 20 51, ☂ – ⇅ 🚗 [P]. [AE] [D]
Ende Okt.- Mitte Nov. geschl. – Karte 22/50 *(Okt.- April Freitag geschl.)* – **24 Z : 44 B** 54/65 - 78/106 Fb.

🏨 **Panorama** garni, Weinstr. 5, ☎ 71 89 – 🚗 – **19 Z : 35 B** 55 - 90.

🏨 Bären, Bärenplatz 1, ☎ 69 45 – 🚗 [P] – **40 Z : 60 B.**

🏠 Zur Krone, Bärenplatz 7, ☎ 74 52 – [P] – **10 Z : 15 B.**

In Tettnang-Laimnau SO : 8 km :

🍴🍴 **Landgasthof Ritter**, Ritterstr. 5, ☎ (07543) 64 60 – [P]
wochentags nur Abendessen, Sonntag nur Mittagessen, Montag sowie Jan. und Juni jeweils 2 Wochen geschl. – Karte 49/73 (Tischbestellung erforderlich).

TEUNZ 8478. Bayern [413] U 18 – 1 100 Ew – Höhe 550 m – ☎ 09671.
♦München 199 – Cham 49 – ♦Regensburg 77 – Weiden in der Oberpfalz 35.

🏠 **Zum goldenen Lamm**, Hauptstr. 12, ☎ 6 37 – 🚗 [P]
✦ Karte 13/23 *(Montag geschl.)* 🍷 – **18 Z : 36 B** 20/25 - 40/50.

THALFANG 5509. Rheinland-Pfalz [987] ㉔ – 1 700 Ew – Höhe 440 m – Erholungsort – Wintersport : 500/818 m ⛷4 ⛷3 (am Erbeskopf) – ☎ 06504.
Ausflugsziel : Hunsrück-Höhenstraße★.
ℹ Verkehrsamt, Rathaus, Saarstr. 9, ☎ 4 43.
Mainz 121 – Bernkastel-Kues 31 – Birkenfeld 20 – ♦Trier 49.

🏠 **Haus Vogelsang** 🔇, Im Vogelsang 7, ☎ 2 88, ☂, 🌳 – [P]. 🐕
✦ Karte 18/37 🍷 – **11 Z : 20 B** 29/39 - 54/74 – P 43/52.

Siehe auch : ***Liste der Feriendörfer***

[THALHAUSEN] Rheinland-Pfalz siehe Dierdorf.

[THALKIRCHDORF] Bayern siehe Oberstaufen.

[THALLICHTENBERG] Rheinland-Pfalz siehe Kusel.

[THANNHAUSEN] 8907. Bayern [413] O 22, [987] ㊱ – 5 000 Ew – Höhe 498 m – ☎ 08281.
♦München 113 – ♦Augsburg 37 – ♦Ulm (Donau) 59.

Sonnenhof, Messerschmittstr. 1, ☎ 20 14, 🍴 – 🚗 [P]
13 Z : 25 B.

[THEDINGHAUSEN] Niedersachsen siehe Achim.

[THELEY] Saarland siehe Tholey.

[THEUERN] Bayern siehe Kümmersbruck.

[THIERGARTEN] Baden-Württemberg siehe Beuron.

[THOLEY] 6695. Saarland [987] ㉔, [242] ③, [57] ⑥ – 12 000 Ew – Höhe 370 m – Erholungsort – ☎ 06853.
Ausflugsziel : Kastel : Ehrenfriedhof ≤★, N : 11 km.
♦Saarbrücken 37 – Birkenfeld 25 – ♦Trier 58.

XX **Hubertus** mit Zim, Metzer Str. 1, ☎ 24 04 – [AE] [D] [VISA]. ✕
Samstag bis 18 Uhr, Montag und Juli - Aug. 2 Wochen geschl. – Karte 53/74 – **Marktstube** Karte **29**/45 – **5 Z : 19 B** 45/65 - 89/120.

Im Ortsteil Theley N : 2 km :

Bard, Primstalstr. 22, ☎ 20 80 – ☎ 🚗 [P]. [AE] [D] [E] [VISA]
Jan. geschl. – Karte 22/55 *(Samstag bis 18 Uhr und Sonntag 15 Uhr - Montag 18 Uhr geschl.)* – **16 Z : 20 B** 28/48 - 50/80.

[THÜLSFELDER TALSPERRE] Niedersachsen siehe Cloppenburg.

[THUMBY] 2335. Schleswig-Holstein – 550 Ew – Höhe 2 m – ☎ 04352.
♦Kiel 46 – Flensburg 61 – Schleswig 34.

In Thumby-Sieseby NW : 3 km :

XX **Schlie-Krog,** Dorfstraße, ✉ 2335 Damp 1, ☎ (04352) 25 31, 🍴 – [P]
Montag - Dienstag 18 Uhr, Mitte Jan.- Mitte Feb. und Okt. 2 Wochen geschl. – Karte 44/70 – 2 Fewo 150.

[THURMANSBANG] 8391. Bayern [413] W 20, [426] ⑦ – 2 700 Ew – Höhe 503 m – Erholungsort – Wintersport : 490/800 m ⛷2 ⛷8 – ☎ 08504.
Ausflugsziel : Museumsdorf am Dreiburgensee SO : 4 km.
[i] Verkehrsamt, Schulstr. 5, ☎ 16 42.
♦München 171 – Deggendorf 38 – Passau 26.

Waldhotel Burgenblick ⛰, Auf der Rast 12, ☎ 83 83, 🍴, [S], [🏊], 🌲, 🎾 – 🚗 [P]. ✕
10. Jan.- April und Okt.- 20. Dez. geschl. – Karte 18/40 – **70 Z : 130 B** 47/57 - 82/107 Fb – P 63/73.

In Thurmansbang-Traxenberg W : 1,5 km :

Landgut Traxenberg ⛰, ☎ (09907) 9 12, ≤, 🍴, [S], [🏊], 🌲, 🎾 – [TV] ☎ [P] 🏔. [AE] [D] [E] [VISA]
Karte 17/34 – **34 Z : 62 B** 40/50 - 70/90 Fb – P 55/70.

[THURNAU] 8656. Bayern [413] R 16 – 4 200 Ew – Höhe 359 m – ☎ 09228.
[18] Petershof 1, ☎ 10 22.
♦München 256 – ♦Bamberg 44 – Bayreuth 21.

Gästehaus Boschen ⛰ garni, Dr.-Pollmann-Str.10, ☎ 6 61, Fax 5687, [S], [🏊], 🌲 – [TV] ☎ 🚗 [P]. [E]
7 Z : 15 B 45/55 - 80/98.

Fränkischer Hof, Bahnhofstr. 19, ☎ 2 39, 🍴, 🌲 – ☎ [P]
Sept. 2 Wochen geschl. – Karte 16,50/26 *(Dienstag geschl.)* – **16 Z : 26 B** 26/35 - 52/64.

[TIEFENBACH] Bayern siehe Oberstdorf.

TIEFENBRONN 7533. Baden-Württemberg 413 J 20, 987 ㉟ – 4 600 Ew – Höhe 432 m – ☎ 07234 – Sehenswert : Pfarrkirche (Lukas-Moser-Altar**).

♦Stuttgart 39 – Heilbronn 73 – Pforzheim 15 – Tübingen 59.

Ochsen-Post (renoviertes Fachwerkhaus a.d. 17. Jh.), Franz-Josef-Gall-Str. 13, ✆ 80 30 – ☎ ⇔ Ⓟ. AE ⓓ E VISA
Jan. geschl. – Karte 57/83 *(Montag bis 18 Uhr sowie Sonn- und Feiertage geschl.)* – **19 Z : 30 B** 69/98 - 98/138 Fb
Spez. Kräuterrahmsuppe mit Hummerklößchen, Duo von Edelfischen in Tomaten-Basilikumsauce, Dessertteller "Ochsen-Post".

Bauernstuben, ✆ 85 35, 🏖 – Ⓟ. AE
nur Abendessen, Dienstag und Jan. 3 Wochen geschl. – Karte 36/60.

In Tiefenbronn 1-Mühlhausen SO : 4 km :

Adler, Tiefenbronner Str. 20, ✆ 80 08, Telex 783972, 🏖, 🌳 – |♦| ☎ ⇔ Ⓟ 🏛. AE ⓓ E VISA
Karte 37/68 – **30 Z : 45 B** 75/85 - 120/160 Fb.

Im Würmtal W : 4 km :

Häckermühle (mit Gästehaus), Im Würmtal 5, ✉ 7533 Tiefenbronn, ✆ (07234) 2 46, 🏖, ≘s – TV ☎ Ⓟ. AE ⓓ E VISA. ✂
Anfang - Mitte Jan. geschl. – Karte 37/83 *(Tischbestellung ratsam)* (Montag und Dienstag nur Abendessen) – **15 Z : 24 B** 78/110 - 122/160 Fb.

TIMMENDORFER STRAND 2408. Schleswig-Holstein 987 ⑥ – 11 500 Ew – Höhe 10 m – Seeheilbad – ☎ 04503 – 18 (2 Plätze) Am Golfplatz 3, ✆ 51 52.

ℹ Kurverwaltung, im Kongresshaus, ✆ 40 61.

♦Kiel 64 – ♦Lübeck 21 – Lübeck-Travemünde 9.

Maritim Golf- und Sporthotel ⛰, An der Waldkapelle 26, ✆ 60 70, Telex 261433, Fax 2996, ≤ Ostsee, Massage, ≘s, 🏊 (geheizt), 🏊, 🌳, 🎾 (Halle), 18 – |♦| ⇔ Zim TV Ⓟ 🏛 (mit ▤). ⓓ E VISA. ✂ Rest
Karte 40/75 – **220 Z : 440 B** 169/232 - 218/318 Fb – P 186/289.

Maritim Seehotel ⛰, Strandallee 73b, ✆ 50 31, Telex 261431, Fax 2932, ≤, Bade- und Massageabteilung, ≘s, 🏊 (geheizt), 🏊 – |♦| TV 🏃 Ⓟ 🏛. AE ⓓ E VISA. ✂
Restaurants : – **Orangerie** *(wochentags nur Abendessen, Montag und 8.- 27. Jan. geschl.)* Karte 62/91 – **Seeterrassen** *(29. Jan.- 17. Feb. geschl.)* Karte 41/79 – **Friesenstuben** Karte 28/67 – **241 Z : 502 B** 177/235 - 246/326 Fb – 7 Appart.

Seeschlößchen, Strandallee 141, ✆ 60 11, ≤, 🏖, Bade- und Massageabteilung, 🏋, ≘s, 🏊 (geheizt), 🏊, 🌳 – |♦| TV ⇔ Ⓟ 🏛. ✂ Rest
Karte 46/77 – **150 Z : 250 B** 120/220 - 210/260 Fb – 30 Fewo 125/250.

Landhaus Carstens, Strandallee 73, ✆ 25 20, « Gartenterrasse », ≘s – TV ☎ ♿ Ⓟ
27 Z : 51 B.

Royal garni, Kurpromenade 2, ✆ 50 01, ≘s, 🏊 – |♦| TV ☎ Ⓟ
40 Z : 74 B 115/155 - 175/230 Fb.

Atlantis, Strandallee 60, ✆ 50 51, 🏖, « Schifferklause », ≘s, 🏊 – |♦| ☎ Ⓟ 🏛. E
Karte 27/65 – **47 Z : 80 B** 95/120 - 140/150 Fb.

von Oven's Landhaus, Strandallee 154, ✆ 60 12 75 – TV ☎. ✂ Rest
Ostern - Okt. – Karte 28/56 *(nur Abendessen)* – **22 Z : 40 B** 85/160 - 160/200 Fb.

Ancora garni, Strandallee 58, ✆ 20 16, ≘s, 🏊 – |♦| TV ☎ ⇔
24 Z : 47 B 90/110 - 125/240 Fb.

Holsteiner Hof, Strandallee 92, ✆ 20 22 – ☎ – *nur Saison* – **16 Z : 30 B.**

Steinhoff am Strand garni, Strandallee 45, ✆ 40 66, Caféterrasse – ☎ Ⓟ – **18 Z : 33 B** Fb.

Brigitte garni, Poststr. 91, ✆ 42 91, ≘s – Ⓟ
13 Z : 24 B 69/90 - 98/158.

Ostsee-Hotel garni, Poststr. 56, ✆ 24 07, 🏊, 🌳 – Ⓟ
Mitte März - Mitte Okt. – **18 Z : 30 B** 60/100 - 120 Fb.

Seestern garni, Strandallee 124, ✆ 26 51 – ⇔ Ⓟ
Ostern - Sept. – **19 Z : 34 B** 55/85 - 85/100.

In Timmendorfer Strand - Hemmelsdorf S : 3 km :

Am Hemmelsdorfer See, Seestr. 16, ✆ 58 50, 🌳 – Ⓟ. AE ⓓ E
Karte 27/48 *(Okt.- Mai Donnerstag geschl.)* – **7 Z : 13 B** 55/65 - 90.

In Timmendorfer Strand - Niendorf O : 1,5 km :

Yachtclub Timmendorfer Strand, Strandstr. 94, ✆ 50 61, Telex 261440, Fax 5065, ≘s, 🏊 – |♦| TV ☎ Ⓟ 🏛. AE ⓓ E. ✂ Rest
2.- 30. Jan. geschl. – Karte 63/84 – **60 Z : 120 B** 130/149 - 195/205 Fb – 5 Appart. 290/320.

Friedrichsruh, Strandstr. 65, ✆ 25 93, ≤, 🏖 – |♦| ☎ Ⓟ. AE E. ✂ Rest
Feb. geschl. – Karte 23/55 *(Nov.- März Dienstag geschl.)* – **29 Z : 50 B** 78/95 - 135/160 Fb.

Muschel (überwiegend Fischgerichte), Strandstr. 37, ✆ 23 66 – Ⓟ. AE E
Mitte März - Mitte Okt. – Karte 33/63.

Fischkiste (überwiegend Fischgerichte), Strandstr. 56, ✆ 35 43, 🏖 – Ⓟ. AE E
Karte 29/57.

[TINNUM] Schleswig-Holstein siehe Sylt (Insel).

[TIRSCHENREUTH] 8593. Bayern [413] U 17, [987] ㉗ – 9 500 Ew – Höhe 503 m – ☎ 09631.

♦München 283 – Bayreuth 63 – ♦Nürnberg 131.

🏠 **Pension Kistenpfennig** garni, Dammstr. 8, ✆ 10 33 – ⇕ ☎ 🅿
(Mahlzeiten im Gasthof Kistenpfennig) – **22 Z : 38 B** 30 - 60.

[TITISEE-NEUSTADT] 7820. Baden-Württemberg [413] H 23, [987] ㉞ ㉟ – 11 000 Ew – Höhe 849 m – Heilklimatischer Kurort – Wintersport : 820/1 200 m ⛷5 ⛷10 – ☎ 07651 – Sehenswert : See★.

[i] Kurverwaltung Titisee, im Kurhaus, ✆ 81 01.

[i] Kurverwaltung Neustadt, Sebastian-Kneipp-Anlage, ✆ 2 06 68.

♦Stuttgart 160 ② – Basel 74 ③ – Donaueschingen 32 ② – ♦Freiburg im Breisgau 30 ④ – Zürich 95 ③.

Stadtplan siehe nächste Seite.

Im Ortsteil Titisee :

🏨 **Treschers Schwarzwald-Hotel** 🐦, Seestr. 12, ✆ 81 11, Telex 7722341, <, ⛱, ♨, 🏊, 🏊, 🎾, 🌳, 🍴 – ⇕ [TV] 🚗 🅿 🏛. [AE] [E] [VISA] — BZ **x**
Nov.- 20. Dez. geschl. – Karte 46/75 – **86 Z : 150 B** 140/180 - 160/220 Fb – 4 Appart. 240.

🏨 **Titisee-Hotel** 🐦, Seestr. 16, ✆ 80 80, Telex 7722304, <, ⛱, ♨, 🏊, 🌳 – ⇕ ▤ Rest 🚗 🅿 🏛 (mit ▤). [AE] [O] [E] [VISA] — BZ **e**
Karte 30/62 – **132 Z : 222 B** 108/183 - 196 Fb.

🏨 **Kur-Hotel Brugger am See** 🐦, Strandbadstr. 14, ✆ 80 10, Telex 7722332, Fax 8238, <, « Gartenterrasse », Bade- und Massageabteilung, ⛹, ♨, 🏊, 🎾, 🌳, 🍴 – ⇕ [TV] ♿ 🚗 🅿 🏛. [AE] [O] [E] [VISA]. ⚘ Rest — AZ **s**
Karte 41/76 *(auch Diät und vegetarische Gerichte)* – **67 Z : 120 B** 90/150 - 150/250 Fb – P 125/175.

🏨 Seehotel Wiesler 🐦, Strandbadstr. 5, ✆ 83 30, <, ⛱, Massage, ♨, 🏊, 🎾, 🌳 – ⇕ [TV] ☎ 🚗 🅿 – **32 Z : 59 B** Fb. — BZ **t**

🏨 **Parkhotel Waldeck**, Parkstr. 6, ✆ 80 90, ♨, 🏊, 🌳 – [TV] ☎ 🅿. [O] [E] [VISA]. ⚘ — BZ **v**
Nov.- 20. Dez. geschl. – (nur Abendessen für Hausgäste) – **40 Z : 80 B** 65/75 - 120/150 Fb.

🏠 **Rauchfang**, Bärenhofweg 2, ✆ 82 55, ♨, 🏊 – ☎ 🚗 🅿. [O] [E] [VISA]. ⚘ Rest — AZ **b**
Karte 28/43 *(nur Abendessen)* 🍷 – **18 Z : 34 B** 56/80 - 104/130 Fb – 12 Fewo 49/125.

🏠 **Bären**, Neustädter Str. 35, ✆ 82 23, ♨, 🏊 – ⇕ ☎ 🅿. [AE] [O] [E] [VISA] — BZ **d**
7. Nov.- 19. Dez. geschl. – Karte 22/50 *(Montag geschl.)* 🍷 – **60 Z : 115 B** 50/90 - 94/140 Fb.

🏠 **Seehof am See** garni, Seestr. 47, ✆ 83 14, <, 🎾, 🌳 – ⇕ ☎ 🚗 🅿. [AE] [O] [E] [VISA] — BZ **k**
Nov.- 22. Dez. geschl. – **25 Z : 45 B** 58/85 - 120/128 Fb.

🏠 **Rheinland** 🐦 garni, Jägerstr. 25, ✆ 84 74, ♨ – [TV] ☎ 🅿. [AE] [E] — BZ **r**
Nov.- 15. Dez. geschl. – **16 Z : 27 B** 49/80 - 99/130.

Siehe auch : ***Hinterzarten-Bruderhalde***

Im Ortsteil Neustadt – Kneippkurort :

🏠 **Romantik-Hotel Adler Post**, Hauptstr. 16, ✆ 50 66, ♨, 🏊 – 🚗 🅿. [AE] [O] [E] [VISA]
Karte 28/71 – **32 Z : 60 B** 68/98 - 118/170 Fb – P 95/135. — CZ **a**

🏠 **Neustädter Hof**, Am Postplatz 5, ✆ 50 25, ♨ – ☎ 🚗 🅿 🏛. [O] [E] [VISA] — CZ **t**
Karte 24/46 – **30 Z : 58 B** 60 - 100 Fb.

🏠 Jägerhaus, Postplatz 1, ✆ 50 55 – ⇕ ☎ 🅿 – **38 Z : 60 B.** — CZ **n**

Im Jostal NW : 6 km ab Neustadt :

🏨 **Josen** 🐦, Jostalstr. 90, ✉ 7820 Titisee-Neustadt, ✆ (07651) 56 50, ⛱, ♨, 🏊, 🌳 – ⇕ ☎ 🅿 🏛. [AE] [O] [E] [VISA]
Mitte Nov.- Mitte Dez. geschl. – Karte 34/59 *(Donnerstag geschl.)* – **30 Z : 60 B** 75/82 - 120/144 Fb – 3 Appart. 154 – P 91/114.

Im Ortsteil Langenordnach N : 5 km über Titiseestr. BY :

🏠 **Zum Löwen "Unteres Wirtshaus"** 🐦, ✆ 10 64, ⛱, 🌳 – 🚗 🅿. [AE]
✦ *3.- 28. April und 20. Nov.- 16. Dez. geschl.* – Karte 19/40 *(Montag geschl.)* 🍷 – **17 Z : 32 B** 30/70 - 60/120 – 3 Fewo 59/89 – P 52/82.

Im Ortsteil Waldau N : 10 km über Titiseestr. BY :

🏠 **Sonne-Post** 🐦, Landstr. 13, ✆ (07669) 10 49, ⛱, 🌳 – ☎ 🅿. [O]
✦ *15. Nov.- 20. Dez. geschl.* – Karte 17/39 *(Montag geschl.)* 🍷 – **18 Z : 36 B** 40/48 - 62/86 – P 47/61.

🏠 **Traube** 🐦, Sommerbergweg 1, ✆ (07669) 7 55, <, ♨, 🌳 – 🚗 🅿. [O] [E]
✦ *Mitte Nov.- Mitte Dez. geschl.* – Karte 18/45 *(Dienstag geschl.)* 🍷 – **29 Z : 60 B** 43/63 - 66/110 Fb – 2 Fewo 46/70.

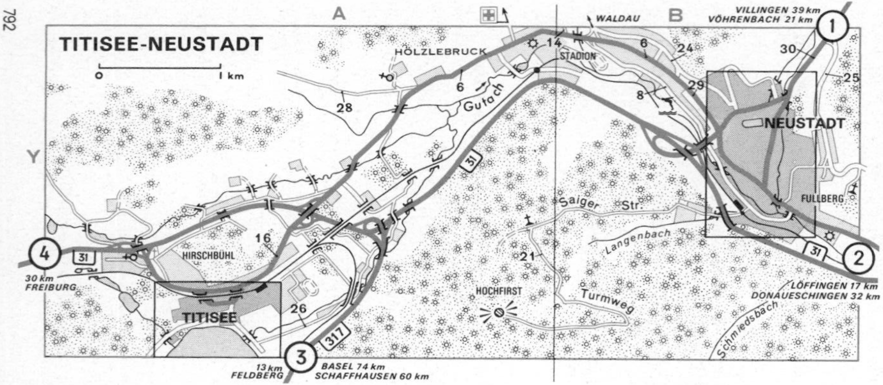

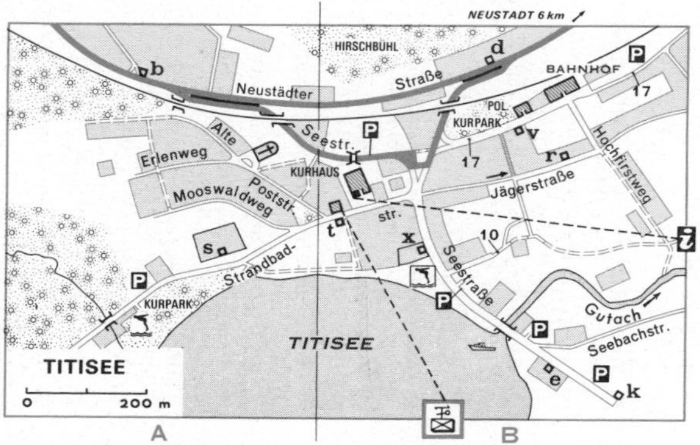

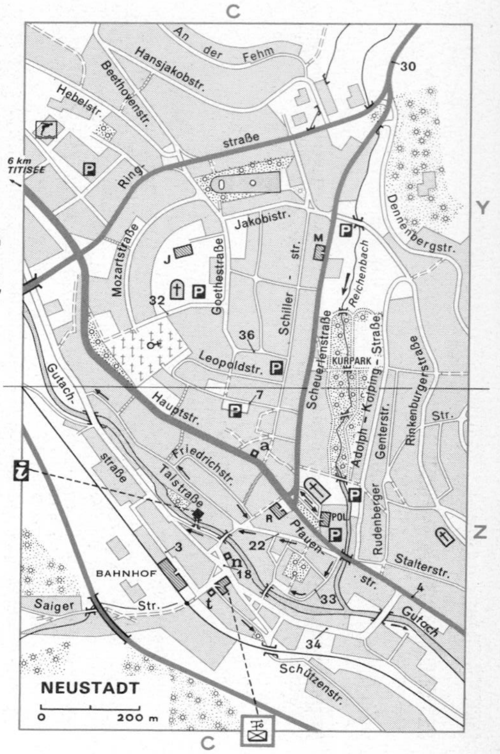

Hauptstraße	CZ	
Pfauenstraße	CZ	
Seestraße	BZ	
Bahnhofstraße	CZ	3
Donaueschinger Straße	CZ	4
Freiburger Straße	AY	6
Friedhofstraße	CZ	7
Gutachstraße	BY	8
Hermeshofweg	BZ	10
Kupferhammer	ABY	14
Neustädter Straße	AY	16
Parkstraße	BZ	17
Postplatz	CZ	18
Saigerkreuzweg	AY	21
Salzstraße	CZ	22
Schottenbühlstraße	BY	24
Schwarzwaldstraße	BY	25
Seebachstraße	AY	26
Spriegelsbachweg	AY	28
Titiseestraße	BY	29
Vöhrenbacher Straße	BY, CY	30
Walter-Goebel-Weg	CZ	32
Wilhelm-Fischer-Straße	CZ	33
Wilhelm-Stahl-Straße	CZ	34
Wilhelmstraße	CY	36

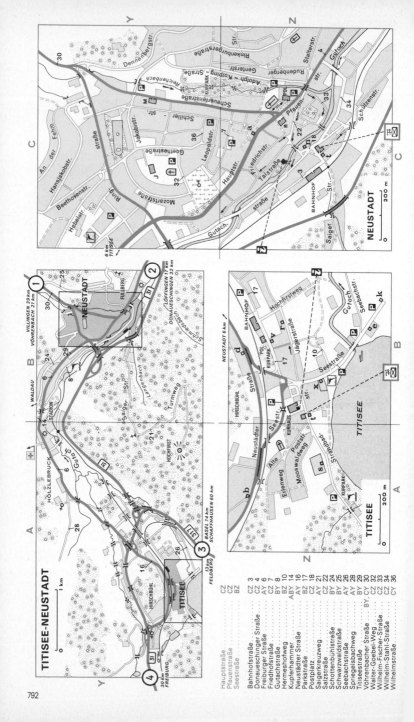

[TITTING] **8079.** Bayern [413] Q 20 – 2 500 Ew – Höhe 466 m – ☎ 08423.
♦München 119 – Ingolstadt 42 – ♦Nürnberg 73 – Weißenburg in Bayern 22.

In Titting-Emsing O : 4,5 km :

Dirsch 🔇, Hauptstr. 13, ☎ 6 23, 🍴 – |$| 🚗 [P] 🏕. E
Nov. geschl. – Karte 18,50/43 – **90 Z : 170 B** 50 - 84 Fb.

[TITTLING] **8391.** Bayern [413] X 20, [426] ⑦ – 4 000 Ew – Höhe 528 m – Erholungsort – ☎ 08504.
Ausflugsziel : Museumsdorf am Dreiburgensee NW : 2,5 km.
[i] Verkehrsamt im Grafenschlößle, Marktplatz 10, ☎ 26 66.
♦München 197 – Passau 20.

Habereder, Marktplatz 14, ☎ 17 14 – 🚗 [P]
32 Z : 58 B.

Zur Post, Marktplatz 3, ☎ 17 37 – |$| 🚗 [P] 🏕
Karte 17,50/32 *(Freitag ab 14 Uhr geschl.)* – **40 Z : 70 B** 28/33 - 56/66.

In Tittling-Rothau NW : 2,5 km :

Seehof Tauer 🔇, am Dreiburgensee, ☎ 7 60, ⛱, 🍴 – 🚗 [P]. ✗ Zim
Nov.- 15. Dez. geschl. – Karte 18/33 *(Jan.- Feb. nur Sonntag geöffnet)* – **27 Z : 52 B** 32/36 - 60/66 – P 47.

Landgasthof Schmalhofer mit Zim, Dorfstr. 9, ☎ 16 27, ⛱ – [P]
21. Nov.- 5. Dez. geschl. – Karte 18,50/30 *(Nov.- März Montag geschl.)* – **8 Z : 15 B** 25/27 - 50.

Am Dreiburgensee NW : 3 km :

Ferienhotel Dreiburgensee 🔇, beim Museumsdorf, ✉ 8391 Tittling, ☎ (08504) 20 92, Telex 57785, ⛱, ≘s, 🏊, 🎾, 🍴 – |$| ☎ [P] 🏕. ✗
5. Jan.- Feb. und Nov.- 20. Dez. geschl. – Karte 19/35 – **200 Z : 350 B** 38/42 - 74/84 Fb – P 60/70.

[TODTMOOS] **7865.** Baden-Württemberg [413] GH 23, [987] ㉞, [427] ⑤ – 2 500 Ew – Höhe 821 m – Heilklimatischer Kurort – Wintersport : 800/1 263 m ⛷4 ⛷4 – ☎ 07674.
[i] Kur- und Verkehrsamt, Wehratalstraße, ☎ 5 34.
♦Stuttgart 201 – Basel 48 – Donaueschingen 78 – ♦Freiburg im Breisgau 76.

Todtmooser Hof 🔇 (Appartement-Hotel), Auf dem Köpfle, ☎ 84 21, Telex 7721114, Bade- und Massageabteilung, 🏋, ≘s, 🏊, 🍴 – |$| [TV] ☎ 🏃 🚗 [P] 🏕. [AE] [O] E [VISA]
Karte 25/64 – **151 Z : 450 B** 119 - 188/200 Fb – P 148/173.

Löwen, Hauptstr. 23, ☎ 5 05, ⛱, ≘s, 🏊, 🍴 – |$| [TV] ☎ [P]. [AE] [O] E [VISA]
April und 6. Nov.- 15. Dez. geschl. – Karte 18,50/51 🍷 – **42 Z : 78 B** 40/65 - 85/130 Fb – P 68/85.

Waldeck, Kirchbergstr. 1, ☎ 3 95, ⛱ – [TV] ☎ [P]
Nov. geschl. – Karte 22/54 – **9 Z : 21 B** 45/56 - 90/100 – 3 Fewo 45/75 – P 73/84.

In Todtmoos-Strick NW : 2 km :

Rößle 🔇, Kapellenweg 2, ☎ 5 25, ←, « Gartenterrasse », ≘s, 🍴, 🎾, ⛷ – |$| ▤ Rest [TV] ☎ [P]. [AE]
2. Nov.- 15. Dez. geschl. – Karte 23/42 *(auch vegetarische Gerichte)* (Dienstag geschl.) 🍷 – **25 Z : 48 B** 55/65 - 100/140 Fb.

In Todtmoos-Weg NW : 3 km :

Schwarzwald-Hotel, Alte Dorfstr. 29, ☎ 2 73, ≘s, 🍴 – [TV] ☎ 🚗 [P]. [O] E [VISA]
10.- 24. April und 5. Nov.- 24. Dez. geschl. – Karte 23/57 *(Montag - Dienstag 17 Uhr geschl.)* 🍷 – **15 Z : 28 B** 47/70 - 80/100 Fb – P 72/86.

Gersbacher Hof, Hochkopfstr. 8, ☎ 4 44, 🍴 – [P]
15. Nov.- 20. Dez. geschl. – Karte 22/48 *(Mittwoch geschl.)* – **12 Z : 26 B** 40/50 - 80/85.

Siehe auch : ***Liste der Feriendörfer***

[TODTNAU] **7868.** Baden-Württemberg [413] G 23, [987] ㉞, [242] ㊱ – 5 200 Ew – Höhe 661 m – Luftkurort – Wintersport : 660/1 388 m ⛷21 ⛷7 – ☎ 07671.
Sehenswert : Wasserfall★.
Ausflugsziel : Todtnauberg★ (N : 6 km).
[i] Kurverwaltung, Haus des Gastes, Meinrad-Thoma-Str. 21, ☎ 3 75.
♦Stuttgart 179 – Basel 49 – Donaueschingen 56 – ♦Freiburg im Breisgau 31.

Waldeck, Poche 6 (nahe der B 317, O : 1,5 km), ☎ 2 16, ⛱ – 🚗 [P]. [AE] [O] E [VISA]
Mitte Nov.- Mitte Dez. geschl. – Karte 30/55 *(Dienstag geschl.)* 🍷 – **14 Z : 28 B** 50/55 - 85/95 – 13 Fewo 50/120 – P 75/87.

In Todtnau-Aftersteg NW : 3 km – Höhe 780 m – Erholungsort :

Aftersteger Mühle mit Zim, Talstr. 14, ☎ 2 13 – [TV] [P]. [AE] [O] E
Mitte Nov.- Mitte Dez. geschl. – Karte 25/47 *(Dienstag geschl.)* – **9 Z : 18 B** 40/50 - 70/90 – P 60/75.

In Todtnau-Brandenberg NO : 3,5 km – Höhe 800 m :

Zum Hirschen, Kapellenstr. 1, 18 44 –
10. Nov.- 10. Dez. geschl. – Karte 21/36 *(Dienstag geschl.)* – **10 Z : 14 B** 38/40 - 76/80 – P 60.

Landgasthaus Kurz mit Zim, Passtr. 38 (B 317), 5 22, –
15.- 30. April und 15. Nov.- 20. Dez. geschl. – Karte 21/42 *(Mittwoch - Donnerstag 18 Uhr geschl.)* – **6 Z : 12 B** 40/45 - 68/72 Fb – 2 Fewo 65/85 – P 60/63.

In Todtnau-Fahl NO : 4,5 km – Höhe 900 m :

Lawine, an der B 317, (07676) 3 55, , – . AE E VISA
11.- 25. April und 14. Nov.- 20. Dez. geschl. – Karte 24/48 *(Donnerstag geschl.)* – **18 Z : 33 B** 47 - 84 – P 73.

In Todtnau-Herrenschwand S : 14 km – Höhe 1 018 m :

Waldfrieden, Dorfstr. 8, (07674) 2 32, , Skiverleih – .
10.- 23. April und 10. Nov.- 15. Dez. geschl. – Karte 22/46 *(Montag 14 Uhr - Dienstag geschl.)* – **15 Z : 27 B** 32/46 - 60/86 – P 54/69.

In Todtnau-Muggenbrunn NW : 5 km – Höhe 960 m :

Adler, Schauinslandstr. 13, 7 83, – . AE E
April - Anfang Mai geschl. – Karte 21/50 – **30 Z : 50 B** 45 - 80/84 Fb – P 66/75.

Grüner Baum, Schauinslandstr. 3, 3 54, , , – . AE E VISA
Nov. geschl. – Karte 19/45 – **22 Z : 39 B** 30/55 - 60/110 – P 58/83.

Am Notschrei N : 2,5 km ab Muggenbrunn – Höhe 1 121 m :

Waldhotel am Notschrei, 7801 Oberried 2, (07602) 2 19, , , , –
. AE E
16. Nov.- 10. Dez. geschl. – Karte 28/49 – **34 Z : 60 B** 52/90 - 90/130 Fb.

In Todtnau-Präg SO : 7 km :

Landhaus Sonnenhof, Hochkopfstr. 1, 5 38, , – . E
30. Okt.- 15. Dez. geschl. – Karte 22/46 *(Montag geschl.)* – **22 Z : 38 B** 54/64 - 86/110 Fb – P 66/76.

In Todtnau-Todtnauberg N : 6 km – Höhe 1 021 m – Luftkurort :

Kur- und Sporthotel Mangler, Ennerbachstr. 28, 6 39, <, Bade- und Massageabteilung, , , , – .
2.- 20. Dez. geschl. – Karte 28/55 – **32 Z : 60 B** 65/85 - 120/160 Fb – P 90/110.

Sonnenalm, Hornweg 21, 18 00, < Schwarzwald und Berner Oberland, , , –
.
5. Nov.- 15. Dez. geschl. – (nur Abendessen für Hausgäste) – **13 Z : 26 B** 44/72 - 84/124 Fb.

Engel, Kurhausstr.3, 2 06, , , – . AE E
Nov. geschl. – Karte 18,50/44 – **45 Z : 85 B** 40/60 - 80/120 Fb – P 68/82.

Arnica, Hornweg 26, 3 74, < Schwarzwald und Berner Oberland, , , – .
3. Nov.- 17. Dez. geschl. – (nur Abendessen für Hausgäste) – **14 Z : 28 B** 45/65 - 96/130 Fb – 3 Fewo 130.

Herrihof, Kurhausstr. 21, 2 82, <, , , –
Karte 19/36 – **22 Z : 45 B** 35/85 - 70/150 Fb.

TÖLZ, BAD 8170. Bayern 413 R 23, 987 ㊲, 426 ⑰ – 13 600 Ew – Höhe 657 m – Heilbad – Heilklimatischer Kurort – Wintersport : 670/1 250 m 3 2 – 08041.

Sehenswert : Marktstraße★.

Wackersberg, Straß 124 (W : 2 km), (08041) 99 94.

Städt. Kurverwaltung, Ludwigstr. 11, 7 00 71.

♦München 53 – Garmisch-Partenkirchen 65 – Innsbruck 97 – Rosenheim 52.

Rechts der Isar :

Terrassenhotel Kolbergarten, Fröhlichgasse 5, 15 01, , –
(im Winter garni) – **16 Z : 26 B.**

Posthotel Kolberbräu, Marktstr. 29, 91 58 –
43 Z : 60 B.

Am Wald, Austr. 39, 90 14, , Bade- und Massageabteilung, , , – . AE E. Rest
7. Nov.- 20. Dez. geschl. – Karte 21/41 *(Dienstag geschl.)* – **35 Z : 55 B** 36/47 - 80 – P 63/70.

Zantl, Salzstr. 31, 97 94, Biergarten – . AE
1.- 10. Feb. und Mai 2 Wochen geschl. – Karte 18/42 *(Freitag - Samstag 17 Uhr geschl.)* – **10 Z : 17 B** 38/50 - 65/95 – P 55/70.

XX ✿ **Zum alten Fährhaus** 🌿 mit Zim, An der Isarlust 1, ✆ 60 30 – 📺 ☎ [P]. [AE] [E]. ✗ Zim
Ende Jan.- Anfang Feb. geschl. – Karte 48/79 *(Montag - Dienstag 18 Uhr geschl.)* – **5 Z : 10 B** 75/85 - 130/140
Spez. Saiblingsfilet im Strudelteig, Milchlammnüßchen mit Kräuterkruste, Ananasstrudel auf zwei Saucen.

XX **Weinstube Schwaighofer**, Marktstr. 17, ✆ 27 62
Mittwoch, Mai 2 Wochen und Nov.- Anfang Dez. geschl. – Karte 42/64.

Links der Isar :

🏨 Jodquellenhof 🌿, Ludwigstr. 15, ✆ 50 91, Telex 526242, direkter Zugang zum Kurmittelhaus und Alpamare-Badezentrum – 🛗 [P] 🏛. ✗ Rest
84 Z : 121 B Fb – 3 Fewo.

🏨 **Residenz** 🌿, Stefanie-von-Strechine-Str. 16, ✆ 80 10, Telex 526243, 🌳, ♨, 🌲 – 🛗 🚗 [P] 🏛. [AE] ⓓ [E] [VISA]
Karte 33/57 – **93 Z : 160 B** 160 - 190/230 Fb – 3 Appart. 280 – P 136/201.

🏨 Kurhotel Eberl 🌿, Buchener Str. 17, ✆ 40 50, Bade- und Massageabteilung, ♨, 🏊 – 🛗 ☎ [P]. ✗
(Restaurant nur für Hausgäste) – **32 Z : 50 B** Fb.

🏨 **Bellaria** garni, Ludwigstr. 22, ✆ 60 77, Telex 526237, ♨, 🌲 – 🛗 📺 ☎ [P]. [AE] ⓓ [E] [VISA]
26 Z : 40 B 69/99 - 108/138 Fb.

🏨 **Tölzer Hof** 🌿, Rieschstr. 21, ✆ 7 00 61, direkter Zugang zum Kurmittelhaus – 🛗 📺 ☎ 🚗 [P] 🏛. [AE] ⓓ [E] [VISA]
(Restaurant nur für Hausgäste) – **80 Z : 160 B** 78/85 - 128/158 Fb.

🏨 **Alexandra**, Kyreinstr. 13, ✆ 91 12, 🌳, ♨, 🌲 – ☎ 🚗 [P]
(Restaurant nur für Hausgäste) – **23 Z : 33 B** 50/90 - 90/110.

🏨 Hiedl - Restaurant Bürgerstuben, Ludwigstr. 9, ✆ 90 21, 🌳 – ☎ [P]. ✗
16 Z : 27 B.

🏨 **Kurhotel Tannenberg** 🌿 garni, Tannenbergstr. 1, ✆ 28 68, Bade- und Massageabteilung, ⛷, ♨, 🏊, 🌲 – 🛗 [P]
16 Z : 28 B 50/65 - 80/120 Fb.

TÖTENSEN Niedersachsen siehe Rosengarten.

TONBACH Baden-Württemberg siehe Baiersbronn.

TOPPENSTEDT 2096. Niedersachsen – 1 100 Ew – Höhe 50 m – ☎ 04173.
♦Hannover 117 – ♦Hamburg 43 – Lüneburg 27.

In Toppenstedt-Tangendorf N : 4 km :

🏨 **Gasthof Voßbur**, Wulfsener Str. 4, ✆ 3 12, 🌳 – 📺 ☎ 🚗 [P] 🏛. [AE] [E]
Karte 21/45 *(Donnerstag geschl.)* – **19 Z : 35 B** 50/55 - 87/110 Fb.

TORNESCH 2082. Schleswig-Holstein – 9 000 Ew – Höhe 11 m – ☎ 04122 (Uetersen).
♦Kiel 104 – ♦Hamburg 29 – Itzehoe 35.

🏨 Esinger Hof garni, Denkmalstr. 7, ✆ 5 10 71 – 📺 ☎ ♿ [P]
23 Z : 43 B.

TOSSENS Niedersachsen siehe Butjadingen.

TOSTEDT 2117. Niedersachsen [987] ⑮ – 10 100 Ew – Höhe 32 m – ☎ 04182.
♦Hannover 119 – ♦Bremen 78 – ♦Hamburg 51 – Lüneburg 64.

🏠 Zum Meierhof, Buxtehuder Str. 3, ✆ 13 37 – 🚗 [P]
20 Z : 30 B.

TOSTERGLOPE Niedersachsen siehe Dahlenburg.

TRABEN-TRARBACH 5580. Rheinland-Pfalz [987] ㉔ – 6 500 Ew – Höhe 120 m – Luftkurort – ☎ 06541.
[i] Kurverwaltung und Verkehrsamt in Traben, Bahnstr. 22, ✆ 90 11.
Mainz 104 – Bernkastel-Kues 24 – Cochem 55 – ♦Trier 60.

Im Ortsteil Traben :

🏨 **Appartementhotel Moselschlößchen**, Neue Rathausstr. 12, ✆ 70 10, 🌳, ♨, Fahrradverleih – 🛗 📺 ☎ 🚗 🏛. [AE] ⓓ [E] [VISA]
3. Jan.- 5. Feb. geschl. – Karte 31/61 – **40 Z : 100 B** 114/196 - 152/232 Fb.

🏨 **Krone** 🌿, An der Mosel 93, ✆ 63 63, ≤, 🌳, 🌲 – ☎ [P]. ⓓ [E] [VISA]
Karte 28/55 *(Montag geschl.)* – **22 Z : 43 B** 68/76 - 98/115.

Bellevue garni (mit Weinstube), Aacher Str. 1, 64 31, ≤, « Um 1900 erbautes Haus im Jugendstil » – **33 Z : 50 B** Fb.

Bisenius garni, An der Mosel 56, 68 10, ≤, – **P**. AE E VISA
12 Z : 24 B 65/88 - 120.

Central-Hotel, Bahnstr. 43, 62 38 – **P**. E
20. Dez.-10. Jan. geschl. – Karte 19/35 – **32 Z : 60 B** 36/48 - 60/76 – P 58/68.

Trabener Hof garni, Bahnstr. 25, 94 00
18 Z : 31 B 32/38 - 60/76.

Vier Löwen, An der Mosel 12, 93 14, ≤, – . E
Jan.- Feb. geschl. – Karte 21/45 *(Montag geschl.)* – **12 Z : 19 B** 35/65 - 70/120.

Sonnenhof garni, Köveniger Str. 36, 64 51, – **P**
22. Dez.- 3. Jan. geschl. – **11 Z : 22 B** 31/34 - 58/68.

Im Ortsteil Trarbach :

Altes Gasthaus Moseltor, Moselstr. 1, 65 51 – . AE E VISA. Rest
Feb. geschl. – Karte 43/68 *(Dienstag geschl.)* – **11 Z : 21 B** 50/70 - 80/120.

Zur Goldenen Traube, Am Markt 8, 60 11 – AE E VISA
Karte 22/50 – **15 Z : 30 B** 40/48 - 70/90 Fb.

Am Moselufer W : 1,5 km :

Gonzlay, Am Goldbach 3, ✉ 5580 Traben-Trarbach, (06541) 69 21, ≤, , , , Bootssteg – **P**. E
15. Jan.- 15. Feb. und 1.- 20. Dez. geschl. – Karte 28/51 – **36 Z : 64 B** 67/75 - 100/140.

TRAITSCHING 8499. Bayern 413 U 19 – 3 300 Ew – Höhe 400 m – 09974.
♦München 179 – Cham 7,5 – ♦ Regensburg 57 – Straubing 44.

In Traitsching-Sattelbogen SW : 6 km :

Sattelbogener Hof - Gästehaus Birkenhof, Im Wiesental 2, 3 77, ≤, , , , – **P**
13. Feb.- 10. März geschl. – Karte 13,50/27 – **51 Z : 102 B** 34/48 - 62/90.

TRAPPENKAMP 2351. Schleswig-Holstein – 6 000 Ew – Höhe 35 m – 04323.
♦Kiel 35 – ♦Hamburg 68 – ♦Lübeck 46 – Neumünster 20.

Sport- und Waldhotel Trappenkamp, Waldstr. 3, 4 80, Fax 48311, , – **P**. AE E
Karte 25/52 – **60 Z : 120 B** 60/70 - 100/120 Fb.

TRASSEN Rheinland-Pfalz siehe Saarburg.

TRAUCHGAU Bayern siehe Halblech.

TRAUNREUT 8225. Bayern 413 U 23, 987 ㊲, 426 ⑲ – 18 400 Ew – Höhe 553 m – 08669.
♦München 126 – Traunstein 14 – Wasserburg am Inn 34.

Christina garni, Kantstr. 15, 40 98, – **P**
25 Z : 48 B 65 - 95.

TRAUNSTEIN 8220. Bayern 413 UV 23, 987 ㊲ ㊳, 426 ⑲ – 17 000 Ew – Höhe 600 m – Wintersport : 4 – 0861.
Städt. Verkehrsamt, im Stadtpark (Kulturzentrum), 6 52 73.
♦München 112 – Bad Reichenhall 32 – Rosenheim 53 – Salzburg 41.

Park-Hotel Traunsteiner Hof, Bahnhofstr. 11, 6 90 41, Biergarten – **P**. AE E VISA
Karte 24/49 *(Freitag 14 Uhr - Samstag und 1.- 14. Jan. geschl.)* – **60 Z : 85 B** 54/80 - 95/140.

Rosenheimer Hof, Rosenheimer Str. 58, 49 00 – **P**. AE E
Karte 18/32 *(Samstag geschl.)* – **14 Z : 33 B** 32/38 - 59/70.

Auwirt, Karl-Theodor-Platz 9, 41 92
Okt. 3 Wochen geschl. – Karte 17/31 *(Sonntag 14 Uhr - Montag geschl.)* – **23 Z : 41 B** 30/45 - 56/70.

Brauerei Schnitzlbaumer-Malztenne, Stadtplatz 13, 45 34 – AE E VISA
Karte 21/50.

In Traunstein-Hochberg SO : 5 km – Höhe 775 m :

Alpengasthof Hochberg, 42 02, ≤, Biergarten – **P** – **15 Z : 32 B.**

TREBUR 6097. Hessen 413 I 17 – 10 900 Ew – Höhe 86 m – 06147.
♦Wiesbaden 25 – ♦Darmstadt 21 – ♦Frankfurt am Main 37 – Mainz 19.

Zum Erker mit Zim, Hauptstr. 1, 70 11 – **P**. AE E
Juli - Aug. 3 Wochen geschl. – Karte 25/54 *(Montag geschl.)* – **5 Z : 9 B** 58 - 88.

TREFFELSTEIN-KRITZENTHAL Bayern siehe Waldmünchen.

TREIA 2381. Schleswig-Holstein [987] ⑤ – 1 500 Ew – Höhe 20 m – ☏ 04626.

♦Kiel 70 – Flensburg 45 – ♦Hamburg 137 – Schleswig 19.

🍴🍴 **Osterkrug** mit Zim, Treenestr. 30 (B 201), ☎ 5 50, « Gemütlich-rustikaler Gasthof a.d. 18. Jh. », 🚿 – [TV] ☎ Ⓟ. [AE] ⓓ E [VISA]
Karte 26/61 – **8 Z : 18 B** 50 - 90/98 Fb.

TREIS-KARDEN 5402. Rheinland-Pfalz – 2 600 Ew – Höhe 85 m – ☏ 02672.

[i] Verkehrsamt am Rathaus (Treis), ☎ 61 37.

Mainz 100 – Cochem 12 – ♦Koblenz 41.

Im Ortsteil Treis :

🏨 **Koch**, Moselallee 120, ☎ 71 97, ≤, 🌳, eigener Weinbau – 🚗 Ⓟ 🏛. [AE] ⓓ E [VISA]
3. Jan.- Anfang Feb. geschl. – Karte 19,50/40 *(Nov.- April Mittwoch geschl.)* 🍼 – **28 Z : 59 B** 39/45 - 56/80.

Im Ortsteil Karden :

🏨 **Schloß-Hotel Petry**, Bahnhofstr. 80, ☎ 80 80, 🌳 – 🛗 ☎ Ⓟ 🏛. [AE] ⓓ E
Karte 25/52 🍼 – **56 Z : 115 B** 50/60 - 100/110 – P 75/85.

🏨 **Brauer**, Moselstr. 26, ☎ 12 11, ≤, 🌳 – 🚗 Ⓟ. [AE] E. 🐕
Jan.- 15. Feb. geschl. – Karte **26**/56 *(Nov.- April Mittwoch geschl.)* – **35 Z : 70 B** 32/45 - 60/84.

🏨 Weinhaus Stiftstor (mit Gästehaus ≤), Bahnhofstr. 17, ☎ 13 63, eigener Weinbau – Ⓟ
26 Z : 51 B.

🏨 Zum Rebstock, Bahnhofstr. 47, ☎ 13 98, eigener Weinbau – Ⓟ – **37 Z : 65 B.**

In Treis-Karden - Lützbach O : 4 km :

🏨 **Ostermann**, an der B 49, ☎ 12 38, ≤, 🌳, 🚿, [🏊] – [TV] 🚗 Ⓟ 🏛. [AE] ⓓ E
Karte 24/58 – **26 Z : 50 B** 50 - 90 Fb.

TRENDELBURG 3526. Hessen [987] ⑮ – 5 700 Ew – Höhe 190 m – Luftkurort – ☏ 05675.

[i] Verkehrsamt, im Rathaus, ☎ 10 24.

♦Wiesbaden 257 – Göttingen 77 – Hameln 91 – ♦Kassel 35.

🏨 **Burghotel** 🌙 (Burganlage a.d. 14.Jh.), ☎ 10 21, Telex 994812, ≤, 🌳 – ☎ Ⓟ 🏛. [AE] ⓓ E [VISA]. 🐕 Rest
Karte 35/71 – **23 Z : 41 B** 100/150 - 160/190 Fb – 3 Appart. 240 – P 125/165.

TREUCHTLINGEN 8830. Bayern [413] P 20, [987] ㉖ – 12 000 Ew – Höhe 414 m – Erholungsort – ☏ 09142.

[i] Verkehrsbüro, Haus des Gastes (Schloß), ☎ 10 29.

♦München 131 – ♦Augsburg 73 – ♦Nürnberg 66 – ♦Ulm (Donau) 110.

🏨 Kurhotel Schloß Treuchtlingen 🌙, Heinrich-Aurnhammer-Str. 5, ☎ 10 51, Telex 624628, 🌳, Bade- und Massageabteilung, 🚿 – 🛗 [TV] ☎ Ⓟ 🏛
22 Z : 42 B Fb.

🏨 **Gästehaus Stuterei Stadthof** garni, Luitpoldstr. 27, ☎ 10 11 – [TV] ☎ Ⓟ 🏛. [AE] ⓓ E. 🐕
29 Z : 49 B 56 - 98.

🏨 **Prinz Luitpold** (mit Gästehaus 🌙), Luitpoldstr. 8, ☎ 12 52 – ⓓ E
Karte 16,50/27 *(Sonn- und Feiertage, Anfang - Mitte Aug. und ab Weihnachten 2 Wochen geschl.)* 🍼 – **17 Z : 32 B** 27/37 - 50/64 – P 40/50.

TRÈVES **TREVIRI** = Trier.

TRIBERG 7740. Baden-Württemberg [413] H 22, [987] ㉞ ㉟ – 6 000 Ew – Höhe 700 m – Heilklimatischer Kurort – Wintersport : 800/1 000 m ⛷1 ⛷2 – ☏ 07722.

Sehenswert : Wasserfall★ – Wallfahrtskirche "Maria in der Tanne" (Ausstattung★) – Schwarzwaldmuseum.

[i] Kurverwaltung, Kurhaus, ☎ 8 12 30.

♦Stuttgart 139 – ♦Freiburg im Breisgau 61 – Offenburg 56 – Villingen-Schwenningen 26.

🏨 ✿ **Parkhotel Wehrle**, Marktplatz, ☎ 8 60 20, Telex 792609, « Park », 🚿, 🏊 (geheizt), [🏊], 🐎 – 🛗 [TV] 🚗 Ⓟ 🏛. [AE] ⓓ E [VISA]
Karte 40/80 – **56 Z : 96 B** 82/128 - 145/256 – P 100/150
Spez. Das Forellen-Hors d'oeuvre, Medaillon und Crépinette vom Rehrücken, Apfel in Honig mit Tannenspitzen-Kirschparfait.

🏨 **Pfaff**, Hauptstr. 85, ☎ 44 79, 🌳 – [AE] ⓓ E [VISA]
4.- 30. Nov. geschl. – Karte 28/52 *(Okt.- April Mittwoch geschl.)* – **10 Z : 21 B** 48 - 90 – P 70.

🏨 **Café Ketterer am Kurgarten**, Friedrichstr. 7, ☎ 42 29, ≤, 🐎 – ☎ 🚗 Ⓟ. E [VISA]
Karte 21/35 – **10 Z : 20 B** 42/50 - 80/86.

🏨 **Central** garni, Hauptstr. 64, ☎ 43 60 – 🛗 🚗
1.- 20. Dez. geschl. – **14 Z : 28 B** 47/52 - 78.

Schwarzwald-Hotel Tanne, Wallfahrtsstr. 35, ✆ 43 22, – P. AE E VISA
Nov.- 10. Dez. geschl. – Karte 23/41 *(Okt.- Mai Dienstag geschl.)* – **22 Z : 40 B** 38/48 - 70/94 – P 59/70.

X **Landgasthof zur Lilie**, Am Wasserfall 1, ✆ 44 19, « Rustikale Einrichtung, Gartenterrasse » – P. AE E VISA
Mitte Nov.- Mitte Dez. geschl. – Karte 23/44.

In Triberg 3-Gremmelsbach NO : 9 km (Zufahrt über die B 33 Richtung St. Georgen, auf der Wasserscheide Sommerau links ab) :

X **Staude** mit Zim, Obertal 20, Höhe 889 m, ✆ 48 02, ←, Skiverleih – P
Mitte Nov.- Mitte Dez. geschl. – Karte **24**/43 *(Dienstag geschl.)* – **9 Z : 20 B** 29/38 - 54/72 – P 52/59.

In Triberg 2-Nussbach O : 2 km:

Römischer Kaiser, Sommerauer Str. 35 (B 33), ✆ 44 18 – P. AE E VISA
März 3 Wochen geschl. – Karte 28/50 *(Mittwoch geschl.)* – **26 Z : 48 B** 45/55 - 70/90.

TRIER 5500. Rheinland-Pfalz 987 ㉓, 409 ㉗ – 95 300 Ew – Höhe 124 m – ✆ 0651.

Sehenswert : Porta Nigra★★ – Liebfrauenkirche★★ (Grabmal des Domherren Metternich★) – Kaiserthermen★★ – Rheinisches Landesmuseum★★ BY **M1** – Dom★ (Domschatzkammer★, Kreuzgang ←★, Inneres Tympanon★ des südlichen Portals) – Bischöfliches Museum ★ (Deckenmalerei des Konstantinischen Palastes ★★) BXY **M2** – Palastgarten★ – St. Paulin★ CX **A**.

Ausflugsziel : Moseltal★★ (von Trier bis Koblenz).

Tourist-Information, an der Porta Nigra, ✆ 4 80 71, Telex 472689 – **ADAC**, Fahrstr. 3, ✆ 7 60 67, Telex 472739.

Mainz 162 ① – ♦Bonn 143 ① – ♦Koblenz 124 ① – Luxembourg 47 ④ – Metz 98 ③ – ♦Saarbrücken 93 ①.

Stadtplan siehe gegenüberliegende Seite.

Scandic Crown Hotel, Zurmaiener Str. 164, ✆ 14 30, Telex 472808, Fax 1432000, ←, – Zim P. AE E VISA. Rest CV **e**
Restaurants : – **La Brochette** Karte 51/66 – **Rhapsody** Karte 35/54 – **217 Z : 369 B** 155 - 220/250 Fb.

Europa-Parkhotel Mövenpick, Kaiserstr. 29, ✆ 7 19 50, Telex 472858, – P (mit). AE E VISA. Zim AY **s**
Karte 29/55 – **85 Z : 170 B** 136/146 - 192/232 Fb – 4 Appart. 470.

Dorint-Hotel Porta Nigra, Porta-Nigra-Platz 1, ✆ 2 70 10, Telex 472895, Fax 2701170 – P. AE E VISA. Rest BX **z**
Karte 35/61 – **106 Z : 176 B** 115/130 - 164/280 Fb.

Altstadt-Hotel garni, Am Porta-Nigra-Platz, ✆ 4 80 41, Telex 6519528, Fax 40029 – P. AE E VISA BX **v**
32 Z : 73 B 85/110 - 130/190 Fb.

Petrisberg garni, Sickingenstr. 11, ✆ 4 11 81, ← Trier – P. CY **y**
33 Z : 70 B 70/80 - 115/120 Fb – 3 Appart. 150.

Nell's Parkhotel, Dasbachstr. 12, ✆ 2 80 91, ←, « Park » – P CV **a**
56 Z : 109 B Fb.

Villa Hügel, Bernhardstr. 14, ✆ 3 30 66, ← – P. AE E VISA
(nur Abendessen für Hausgäste) – **26 Z : 52 B** 70/100 - 100/135.
über die Straße nach Mariahof BY

Deutscher Hof, Südallee 25, ✆ 4 60 21, Telex 472799 – P. E VISA AY **g**
Karte 19/37 – **98 Z : 195 B** 65 - 90/110 Fb.

Casa Calchera garni, Engelstr. 8, ✆ 2 10 44 – P. AE E VISA. BX **r**
18 Z : 40 B 80/100 - 118/150 Fb.

Kessler, Brückenstr. 23, ✆ 7 67 71, –. AE E VISA AY **r**
(Restaurant nur für Hausgäste) – **20 Z : 40 B** 70/100 - 100/150.

Monopol garni, Bahnhofsplatz 7, ✆ 7 47 55 –. E VISA CXY **t**
24. Dez.- 15. Feb. geschl. – **35 Z : 71 B** 47/65 - 80/95.

Zum Christophel, Simeonstr. 1, ✆ 7 40 41, – BX **u**
Karte 21/45 – **13 Z : 24 B** 36/60 - 75/105.

Deutschherrenhof garni, Deutschherrenstr. 32, ✆ 4 83 08 –. AE E VISA AX **r**
15 Z : 33 B 60/75 - 95/115.

Weinhaus Haag garni, Stockplatz 1, ✆ 7 23 66 –. AE. BX **n**
16 Z : 25 B 43/65 - 75/100 Fb.

Zur alten Brücke, Aachener Str. 5, ✆ 8 53 33, ← – P – **23 Z : 40 B**. AY **v**

XXX **Pfeffermühle**, Zurlaubener Ufer 76, ✆ 2 61 33, bemerkenswerte Weinkarte – P. E.
Sonntag und Juli 3 Wochen geschl. – Karte 53/77 (Tischbestellung ratsam). AV **t**

XXX **Palais Kesselstatt**, Liebfrauenstr. 10, ✆ 4 02 04, nur Eigenbau-Weißweine, « Barockpalais a.d. 18. Jh. » – P. AE E BY
Sonntag 14 Uhr - Montag und 2.- 30. Jan. geschl. – Karte 41/77.

XX **Zum Domstein**, Hauptmarkt 5, ✆ 7 44 90, bemerkenswerte Weinkarte, « Innenhof » – AE E VISA BY **t**
Karte 23/45.

TRIER

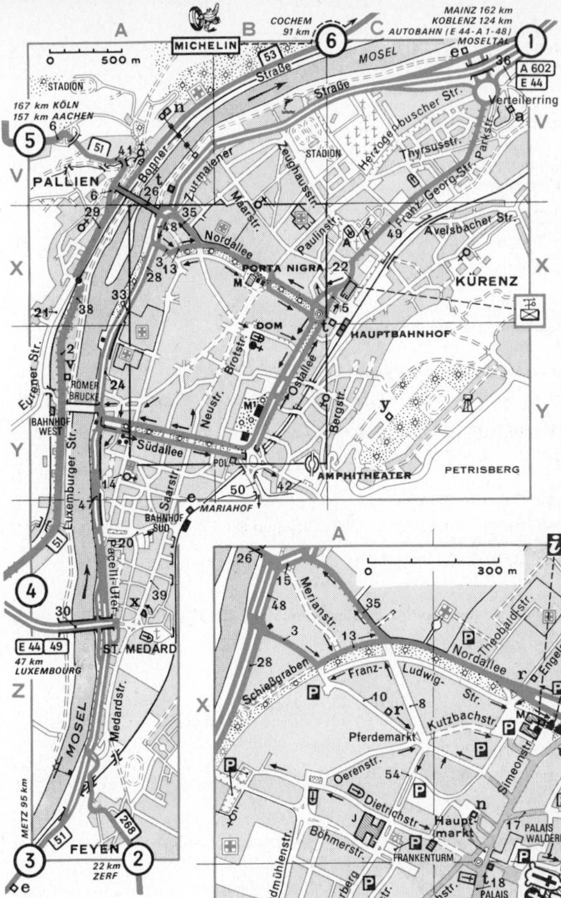

Brotstraße	BY	
Brückenstraße	AY	9
Fahrstraße	AY	12
Fleischstraße	AY	
Grabenstraße	BY	18
Hauptmarkt	BX	
Karl-Marx-Straße	AY	
Kornmarkt	AY	
Nagelstraße	AY	
Neustraße	AY	
Simeonstraße	BX	
Aachener Straße	AY	2
Ausoniusstraße	AX	3
Balthasar-Neumann-Straße	CX	4
Bismarckstraße	BX	5
Bitburger Straße	AV	6
Breitenstein	BY	7
Brüchhausenstraße	AX	8
Deutschherrenstr.	AX	10
Friedrich-Ebert-Allee	AX	13
Friedrich-Wilhelm-Straße	AY	14
Georg-Schmitt-Platz	AX	15
Glockenstraße	BX	17
Hohenzollernstraße	AZ	20
Hornstraße	AX	21
In der Reichsabtei	CX	22
Jesuitenstraße	BY	23
Johanniter Ufer	AY	24
Jüdemerstraße	AY	25
Kaiser-Wilhelm-Brücke	AX	26
Katharinenufer	AX	28
Kölner Straße	AX	29
Konrad-Adenauer-Brücke	AZ	30
Krahnenstraße	AY	32
Krahnenufer	AX	33
Liebfrauenstraße	BY	34
Lindenstraße	AX	35
Loebstraße	CV	36
Lorenz-Kellner-Str.	AY	37
Martinerfeld	AX	38
Matthiasstraße	AZ	39
Napoleonsbrücke	AV	41
Olewiger Straße	BY	42
Palaststraße	BY	43
St.-Barbara-Ufer	AZ	47
St.-Martins-Ufer	AX	48
Schöndorfer Straße	CX	49
Spitzmühle	BY	50
Stresemannstraße	AY	52
Walramsneustraße	AX	54

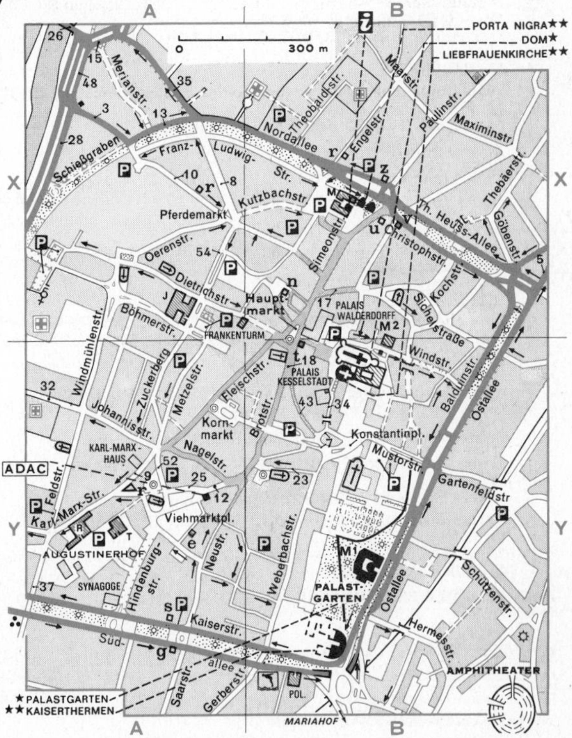

✗ **Alte Kate**, Matthiasstr. 71, ✆ 3 07 33, 🏠 – Ⓟ AZ **x**
Dienstag geschl. – Karte 33/57.

✗ **Bistro Alter Bahnhof Trier Süd**, Leoplatz 1, ✆ 7 29 99 AZ **e**
nur Abendessen – Karte 33/57.

✗ **Brunnenhof**, im Simeonstift, ✆ 4 85 84, « Innenhof » BX **M**
Anfang Jan.- Mitte Feb. geschl. – Karte 24/50 ♁.

✗ **Lenz Weinstuben**, Viehmarkt 4, ✆ 4 53 10 – ⓓ AY **e**
nur Abendessen, Montag geschl. – Karte 26/50.

Auf dem Kockelsberg ⑤ : 5 km :

Berghotel Kockelsberg ⟩, ✉ 5500 Trier, ✆ (0651) 8 90 38, ≤ Trier, 🏠 – ☎ Ⓟ 🚘. AE ⓓ E VISA
Karte 19/44 – **27 Z : 54 B** 49/79 - 79/109.

In Trier-Ehrang ⑥ : 8 km :

✗✗ **Kupfer-Pfanne**, Ehranger Str. 200 (B 53), ✆ 6 65 89 – ✻
Karte 34/66.

In Trier-Euren SW : 3 km über Eurener Str. AY :

Eurener Hof, Eurener Str. 171, ✆ 8 80 77, Telex 472555, 🏠, « Rustikale Einrichtung », ≘s, ⊡ – 🛗 ⊡ Ⓟ 🚘. ✻ Zim
Karte 29/63 ♁ – **60 Z : 104 B** 88/130 - 140/180 Fb – 4 Appart. 190/210.

Schütz ⟩ garni, Udostr. 74, ✆ 8 88 38, 🚗
22 Z : 36 B 40 - 60.

In Trier-Olewig über Olewiger Str. BY :

Blesius-Garten (ehemaliges Hofgut a.d.J. 1789), Olewiger Str. 135, ✆ 3 10 77, Telex 472441, 🏠 – 🛗 TV ☎ Ⓟ 🚘. AE ⓓ E VISA
Karte 24/53 ♁ – **60 Z : 120 B** 65/90 - 100/125 Fb.

In Trier-Pallien :

✗ **Weisshaus**, Bonner Str. 30 (Bergstation der Kabinenbahn), ✆ 8 34 33, ≤ Trier, 🏠 – ♿ Ⓟ 🚘. E AV **n**
Montag und 2. Jan.- 9. Feb. geschl. – Karte 26/50.

In Trier-Pfalzel ⑥ : 7 km :

Klosterschenke ⟩, Klosterstr. 10, ✆ 60 89, 🏠 – ☎ Ⓟ. ✻ Zim
Ende Dez.- Feb. geschl. – Karte 22/48 *(Montag geschl.)* – **9 Z : 15 B** 55/60 - 95/110.

In Trier-Zewen SW : 7 km über ④ :

Pension Rosi ⟩ garni, Turmstr. 14, ✆ 8 70 85, ≘s, 🚗 – ☎. ✻
10 Z : 23 B 33 - 50/65.

An der B 51 SW : 5 km :

Estricher Hof, ✉ 5500 Trier, ✆ (0651) 3 30 44, ≤, 🏠 – 🛗 ☎ ♿ 🚗 Ⓟ 🚘 AZ **e**
Karte 22/56 *(Montag bis 18 Uhr geschl.)* ♁ – **16 Z : 36 B** 50/52 - 94 Fb.

In Igel **5501** SW : 8 km :

Igeler Säule, Trierer Str. 41 (B 49), ✆ (06501) 1 20 61, 🏠, ≘s, ⊡ – ☎ Ⓟ 🚘
Karte 18/46 *(Montag bis 18 Uhr und Jan. geschl.)* ♁ – **26 Z : 52 B** 50/65 - 80/95.

In Mertesdorf **5501** O : 9 km über Trier-Ruwer :

Weis, Eitelsbacher Str. 4, ✆ (0651) 51 34, ≤, 🏠, eigener Weinbau – 🛗 🚗 Ⓟ 🚘. E. ✻ Rest
Karte 24/50 ♁ – **60 Z : 106 B** 45/55 - 80/95 Fb.

Karlsmühle, Im Mühlengrund 1, ✆ (0651) 51 23, 🏠, eigener Weinbau, Weinprobe, 🚗 – Ⓟ
20. Dez.- 30. Jan. geschl. – Karte 19/40 *(1.- 15. Feb. geschl., Nov.- März Montag Ruhetag)* ♁ – **45 Z : 78 B** 35/45 - 60/76.

MICHELIN-REIFENWERKE KGaA. 5500 Trier-Pfalzel Eltzstraße ⑥ : 7 km, ✆ (0651) 6 60 51, Telex 472617.

TRIPPSTADT 6751. Rheinland-Pfalz 413 G 18, 242 ⑧, 87 ① – 2 700 Ew – Höhe 420 m – Luftkurort – ☎ 06306.

ℹ Verkehrsamt, Hauptstr. 32, ✆ 3 41.

Mainz 96 – Kaiserslautern 13 – Pirmasens 34.

Gunst ⟩ garni, Hauptstr. 99, ✆ 17 85, 🚗
11 Z : 20 B 40 - 80 – 2 Fewo 45/65.

Zum Schwan, Kaiserslauterer Str. 4, ✆ 3 93, « Gartenterrasse mit Grill », 🚗 – Ⓟ
Feb. geschl. – Karte 21/41 *(Nov.- März Dienstag geschl.)* ♁ – **11 Z : 19 B** 35/45 - 70.

✗✗ Schloßstuben mit Zim, Hauptstr. 24, ✆ 4 42 – ☎ Ⓟ – **5 Z : 10 B.**

In Trippstadt-Johanniskreuz SO : 9 km :

🏨 **Waldhotel**, an der B 48, ✆ 13 04, « Kleiner Park, Gartenterrasse », ♨, 🏊, 🌳 – ↕ ☎ 🚗 [P] 🎤. [E]
Karte 26/54 *(Montag geschl.)* 🍷 – **46 Z : 80 B** 42/90 - 72/120 Fb.

TRITTAU 2077. Schleswig-Holstein [987] ⑤ – 5 500 Ew – Höhe 32 m – Luftkurort – ☎ 04154.
♦Kiel 90 – ♦Hamburg 32 – ♦Lübeck 48.

In Hamfelde in Lauenburg 2071 SO : 4 km :

🏨 Pirschmühle, Möllner Str. 2, ✆ (04154) 22 44, ☂, ♨ – ☎ 🚗 [P]
Restaurants (wochentags nur Abendessen) – **Mühlenrestaurant** – **Pirschklause** – **14 Z : 24 B**.

TRITTENHEIM 5501. Rheinland-Pfalz [987] ㉔ – 1 250 Ew – Höhe 121 m – ☎ 06507 (Neumagen-Dhron).
[i] Verkehrsamt, Moselweinstr. 55, ✆ 22 27.
Mainz 138 – Bernkastel-Kues 25 – ♦Trier 34.

🏨 **Moselperle**, Moselweinstr. 42, ✆ 22 21, ☂, eigener Weinbau – 🚗 [P]
20. Dez.- 6. Jan. geschl. – Karte 21/43 *(Montag geschl.)* 🍷 – **14 Z : 25 B** 30/50 - 55/80 – 7 Fewo (im Gästehaus mit 🏊) 330/700 pro Woche.

🏨 Krone (Appartementhotel), Moselpromenade 9, ✆ 20 11, ≤, ☂, ♨, 🏊 – ☎ [P]
20 Z : 78 B Fb.

In Büdlicherbrück 5509 S : 8 km :

🏨 **Zur Post**, Im Dhrontal, ✆ (06509) 5 20, ☂, 🌳 – [P]. [AE] [O] [E] [VISA]
Karte 24/56 🍷 – **12 Z : 25 B** 40 - 75.

🏨 **Robertmühle** 🌙, Im Dhrontal, ✆ (06509) 5 15, ☂, 🌳 – [P]
✦ *Nov. geschl.* – Karte 19,50/42 🍷 – **16 Z : 30 B** 30/37 - 51/69.

In Bescheid-Mühle 5509 S : 10 km über Büdlicherbrück :

🏨 **Forellenhof** 🌙, Im Dhrontal, ✆ (06509) 2 31, ☂, 🌳, 🐎 – [P]
✦ Karte 18/42 🍷 – **17 Z : 40 B** 39 - 78 – P 51/55.

TROCHTELFINGEN 7416. Baden-Württemberg [413] K 22 – 5 200 Ew – Höhe 720 m – Erholungsort – Wintersport : 690/815 m ⛷2 ⛷2 – ☎ 07124.
[i] Verkehrsamt, Rathaus, Rathausplatz 9, ✆ 27 71.
♦Stuttgart 68 – ♦Konstanz 109 – Reutlingen 27.

🏨 **Zum Rößle**, Marktstr. 48, ✆ 12 21, ♨, 🏊 – ☎ 🚗 [P]. [O] [E] [VISA]
Karte 22/38 *(Freitag ab 14 Uhr, Montag, 1.- 15. Jan. und 15.- 31. Juli geschl.)* 🍷 – **33 Z : 55 B** 43/55 - 78/98 Fb.

TROISDORF 5210. Nordrhein-Westfalen – 61 200 Ew – Höhe 65 m – ☎ 02241.
♦Düsseldorf 65 – ♦Köln 21 – Siegburg 5.

🏨 **Regina** garni, Hippolytusstr. 23, ✆ 7 29 18, Telex 889796 – ↕ [TV] ☎ [P] 🎤. [AE] [O] [E] [VISA]
36 Z : 62 B 105/169 - 148/245 Fb.

🏨 **Wald-Hotel Haus Ravensberg**, Altenrather Str. 51, ✆ 7 61 04 – ↕ ☎ 🚗 [P]. [AE] [O] [E] [VISA]
Karte 29/60 – **24 Z : 40 B** 79/89 - 115/140.

🏨 **Kronprinz** garni, Poststr. 87, ✆ 7 50 58, ♨ – ↕ [TV] ☎ 🚗. [AE] [E] [VISA]
42 Z : 60 B 80/95 - 110/135 Fb.

TROMM Hessen siehe Grasellenbach.

TROSSINGEN 7218. Baden-Württemberg [413] I 22 – 11 300 Ew – Höhe 699 m – ☎ 07425.
[i] Verkehrsamt, Rathaus, Schultheiß-Koch-Platz 1, ✆ 2 51 20.
♦Stuttgart 106 – Donaueschingen 27 – Rottweil 14.

🏨 **Bären**, Hohnerstr. 25, ✆ 60 07 – ☎ 🚗 [P] 🎤. [AE] [O] [E]
Karte 30/59 *(Samstag geschl.)* – **24 Z : 35 B** 38/75 - 60/120.

🏨 **Schoch**, Eberhardstr. 20, ✆ 64 14, ♨, 🏊 – 🚗. [E]
Karte 21/45 *(Freitag und Juli - Aug. 2 Wochen geschl.)* 🍷 – **22 Z : 35 B** 35/58 - 60/82.

TROSTBERG 8223. Bayern [413] U 22, [987] ㊲, [426] ⑲ – 10 000 Ew – Höhe 481 m – ☎ 08621.
♦München 86 – Passau 109 – Rosenheim 46 – Salzburg 64.

🏨 **Pfaubräu** (Haus a.d. 15. Jh.), Hauptstr. 2, ✆ 24 26, Biergarten – 🚗
✦ Karte 19/45 – **25 Z : 36 B** 31/47 - 62/87.

🏨 **Zur Post**, Vormarkt 30, ✆ 6 10 88 – [TV] ☎ 🚗 [P]. [AE] [O] [E] [VISA]
Karte 23/45 *(Sonntag 15 Uhr - Montag 17 Uhr geschl.)* 🍷 – **20 Z : 35 B** 59 - 108.

[TÜBINGEN] 7400. Baden-Württemberg [413] K 21, [987] ㉟ – 78 000 Ew – Höhe 341 m – ☎ 07071.

Sehenswert : Eberhardsbrücke ←★★ – Platanenallee★★ – Marktplatz★ – Rathaus★ – Stiftskirche (Grabtumben★★, Turm ←★, Kanzel★) – Schloß (Renaissance-Portale★).

Ausflugsziel : Bebenhausen : ehemaliges Kloster★ 6 km über ①.

[i] Verkehrsverein, an der Eberhardsbrücke, ☎ 3 50 11.

ADAC, Wilhelmstr. 3, ☎ 5 27 27, Telex 7262888.

♦Stuttgart 46 ① – ♦Freiburg im Breisgau 155 ③ – ♦Karlsruhe 105 ① – ♦Ulm (Donau) 100 ②.

TÜBINGEN

Am Markt .... YZ 5
Friedrichstraße ..... Z 16
Holzmarkt .... YZ 25
Karlstraße .... Z
Kirchgasse .... YZ 27
Lange Gasse .... Y 29
Mühlstraße .... YZ
Neckargasse .... Z 33
Pfleghofstraße ..... Y 35
Wilhelmstraße ...... Y

Alberstraße .... X 2
Am Klein. Ämmerle .. Y 3
Am Lustnauer Tor ... Y 4
Ammergasse .... Y 7
Burgsteige .... Z 8
Derendinger Straße . Z 9
Eberhardsbrücke .... Z 12
Eberhardstraße ..... X 13
Ebertstraße .... X 14
Europaplatz .... Z 15
Froschgasse .... Y 17
Goethestraße .... X 19
Haaggasse .... YZ 20
Hechinger Straße ... Z 21
Hintere Grabenstr. .. Y 22
Hirschgasse .... Y 23
Hölderlinstraße ..... Y 24
Kapitänsweg .... Z 26
Kronenstraße .... Z 28
Metzgergasse ...... Y 30
Mohlstraße .... X 31
Münzgasse .... Z 32
Nürtinger Straße .... X 34
Poststraße .... Z 37
Reutlinger Straße ... X 38
Seelhausgasse ..... Y 43
Silcherstraße .... Y 44
Stauffenbergstraße .. X 45
Steinlachallee ...... Z 46
Vor dem Haagtor .... Y 47
Waldhäuser Straße .. X 48
Walter-Simon-Str. .. Z 49

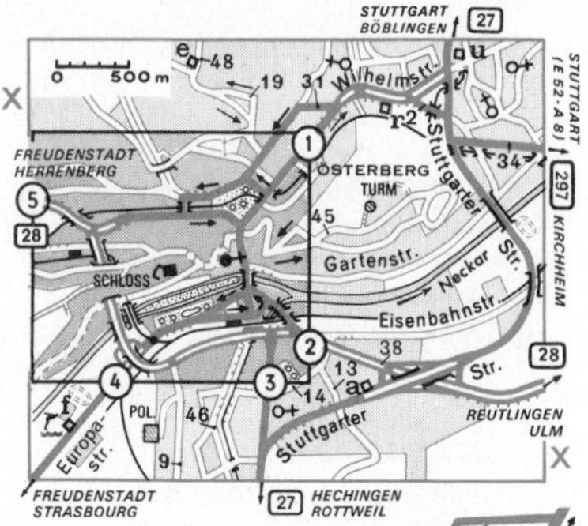

Krone 🔇, Uhlandstr. 1, ☎ 3 10 36, Telex 7262762, « Stilvolle Einrichtung » – [TV] – [P] . [AE] [E] [VISA] — Z **b**
22.- 30. Dez. geschl. – Karte 37/71 – **48 Z : 70 B** 125/180 - 200/250 – 3 Appart. 350.

Stadt Tübingen, Stuttgarter Str. 97, ☎ 3 10 71 – ☎ [P] . [AE] — X **a**
Karte 27/66 *(Sonntag geschl.)* – **56 Z : 110 B** 89/115 - 138/200 Fb.

Kupferhammer garni, Westbahnhofstr. 57, ☎ 4 11 11 – ☎ [P] . [AE] [E] [VISA] — Y **m**
14 Z : 27 B 66/80 - 88/98.

Am Bad 🔇, beim Freibad, ☎ 7 30 71 – [TV] ☎ ♿ [P] . [AE] [E] [VISA] — X **f**
20. Dez.- 10. Jan. geschl. – (nur Abendessen für Hausgäste) – **36 Z : 54 B** 65/90 - 102/130 Fb.

Hospiz, Neckarhalde 2, ℘ 2 60 02, Telex 7262841 – AE E VISA — Z n
Karte 21/51 *(Sonntag geschl.)* – **52 Z : 84 B** 55/98 - 90/140.

Barbarina, Wilhelmstr. 94, ℘ 2 60 48 – AE — X r
Karte 23/60 *(nur Abendessen, Sonntag geschl.)* – **23 Z : 35 B** 70/90 - 110/130 Fb.

Haus Katharina garni, Lessingweg 2, ℘ 6 70 21 — X e
16 Z : 20 B 63/110 - 130/150.

Museum, Wilhelmstr. 3, ℘ 2 28 28 – AE E VISA — Y T
Karte 33/69.

Landgasthof Rosenau, beim neuen Botanischen Garten, ℘ 6 64 66 — über Frondsbergstr. Y
Dienstag geschl. – Karte 27/65.

Forelle (Weinstube a.d.J. 1895), Kronenstr. 8, ℘ 2 29 38 — Z v
Mitte Aug.- Mitte Sept., Donnerstag ab 14 Uhr und Dienstag geschl. – Karte 22/38.

In Tübingen-Bebenhausen ① : 6 km :

Landhotel Hirsch, Schönbuchstr. 28, ℘ 6 80 27
Karte 28/61 *(Dienstag geschl.)* – **12 Z : 20 B** 105/135 - 170/210 Fb.

Waldhorn, Schönbuchstr. 49 (B 27), ℘ 6 12 70, bemerkenswerte Weinkarte
Donnerstag - Freitag 18 Uhr und Juli - Aug. 3 Wochen geschl. – Karte 45/82 (Tischbestellung ratsam)
Spez. Pasteten und Terrinen, Lasagne vom Hummer, Hägemark-Eisbömble.

In Tübingen-Kilchberg ④ : 5 km :

Gästehaus Hirsch garni, Closenweg 4/2, ℘ 7 29 35 – E VISA
24. Dez.- 15. Jan. geschl. – **15 Z : 25 B** 55/75 - 85/95.

In Tübingen-Lustnau :

Adler garni, Bebenhäuser Str. 2 (B 27), ℘ 8 18 06 — X u
20. Dez.- 7. Jan. geschl. – **30 Z : 45 B** 46/65 - 70/110.

In Tübingen 6-Unterjesingen ⑤ : 6 km :

Am Schönbuchrand garni, Klemsenstr. 3, ℘ (07073) 60 47
13 Z : 18 B 60/65 - 90/110.

TÜSCHENBROICH Nordrhein-Westfalen siehe Wegberg.

TUTTLINGEN

Bahnhofstraße	Z	
Königstraße	YZ	9
Obere Hauptstraße	Z	15
Untere Hauptstraße	Y	24
Alleenstraße	YZ	2
Balinger Straße	Y	3
Bismarckstraße	Z	4
Donaueschinger Straße	Z	6
Donaustraße	YZ	7
Kronenstraße	Z	10
Ludwigstaler Straße	Y	12
Marktplatz	Z	13
Neuhauser Straße	Z	14
Rathausstraße	YZ	18
Schaffhauser Straße	Z	19
Stadtkirchstraße	Z	22
Umgehungsstraße	Z	23
Untere Vorstadt	Y	25

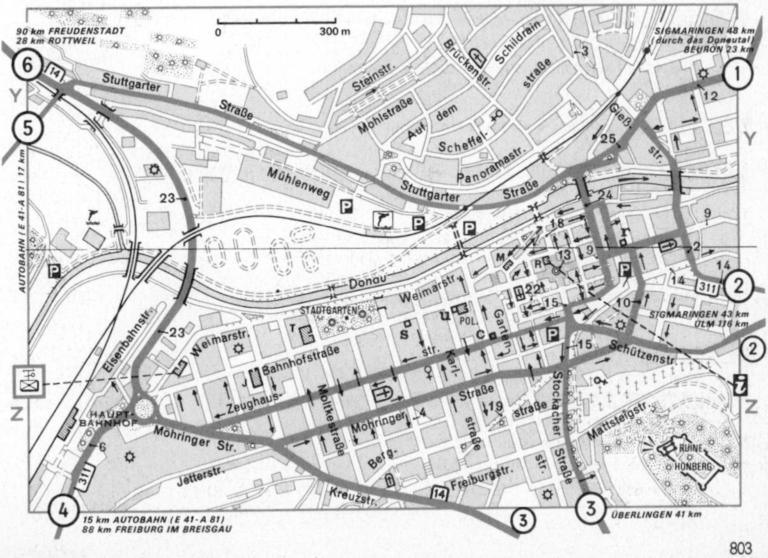

[TÜSSLING] Bayern siehe Altötting.

[TUNAU] Baden-Württemberg siehe Schönau im Schwarzwald.

[TUTTLINGEN] 7200. Baden-Württemberg [413] J 23, [987] ㉟, [427] ⑥ – 32 000 Ew – Höhe 645 m – ☎ 07461.

[i] Städt. Verkehrsamt, Rathaus, Marktplatz, ✆ 9 92 03.

[i] Verkehrsamt Möhringen, Rathaus, ✆ (07462) 3 40.

♦Stuttgart 128 ⑥ – ♦Freiburg im Breisgau 88 ④ – ♦Konstanz 59 ③ – ♦Ulm (Donau) 116 ②.

Stadtplan siehe vorhergehende Seite.

🏨 **Café Schlack**, Bahnhofstr. 59, ✆ 7 20 81, Telex 762577 – [TV] ☎ 🚗 [P]. [AE] [D] [E] [VISA]. ✗ Rest Z **s**
Karte 25/43 *(Samstag ab 18 Uhr geschl.)* – **37 Z : 62 B** 65/98 - 86/136 Fb.

🏨 Rosengarten, Königstr. 17, ✆ 51 04 (Hotel) 58 56 (Rest.) – [lift] 🚗 Y **r**
25 Z : 40 B.

🍴🍴 **Kupferkanne**, Zeughausstr. 8, ✆ 32 32 – [AE] [D] [E] Z **c**
Montag und Juli 3 Wochen geschl. – Karte 30/52.

In Tuttlingen - Möhringen ④ : 5 km – Luftkurort :

🏨 **Löwen**, Mittelgasse 4, ✆ (07462) 62 77, [≋] – 🚗 [P]. [D]
20. Okt.- 20. Nov. geschl. – Karte 18/34 *(Mittwoch geschl.)* 🍷 – **22 Z : 38 B** 28/44 - 56/100.

🍴 **Zum Hecht** mit Zim, Hechtgasse 1, ✆ (07462) 62 87 – [P]
Feb. geschl. – Karte 22/47 *(Freitag geschl.)* – **4 Z : 7 B** 35 - 70.

[TUTZING] 8132. Bayern [413] Q 23, [987] ㊲, [426] ⑰ – 10 000 Ew – Höhe 610 m – Luftkurort – ☎ 08158.

⛳ Tutzing-Deixlfurt (W : 2 km), ✆ 36 00.

[i] Verkehrsamt, Kirchenstr. 9, Rathaus, ✆ 20 31.

♦München 42 – Starnberg 15 – Weilheim 14.

🏨 **Engelhof**, Heinrich-Vogl-Str. 9, ✆ 30 61 – [TV] ☎ 🚗 [P]. ✗ Rest
(nur Abendessen für Hausgäste) – **11 Z : 23 B** 70/95 - 100/160 Fb.

🏨 **Café am See** 🌅, Marienstr. 16, ✆ 4 90, ← – [TV] [P]
Nov. geschl. – Karte 25/42 *(Dienstag und Mitte Jan.- Mitte Feb. geschl.)* – **9 Z : 18 B** 68/75 - 95 – 4 Fewo 55/95.

🍴🍴 Häring's Wirtschaft im Midgardhaus, Midgardstr. 3, ✆ 12 16, ←, « Terrasse am See » – [P]
(Tischbestellung ratsam).

🍴🍴 **Forsthaus Ilkahöhe**, auf der Ilka-Höhe (SW : 1,5 km), ✆ 82 42, ← Starnberger See und Alpen, ☂, Biergarten – [P]
April - Okt. Montag und 10.- 31. Jan. geschl. – Karte **30**/55.

[TWISTRINGEN] 2832. Niedersachsen [987] ⑭ – 11 700 Ew – Höhe 55 m – ☎ 04243.

♦Hannover 99 – ♦Bremen 38 – ♦Osnabrück 87.

🏨 Niedersachsen, Langenstr. 6, ✆ 39 35 – 🚗 [P]
7 Z : 9 B.

[UDENBRETH] Rheinland-Pfalz siehe Hellenthal.

[ÜBACH-PALENBERG] 5132. Nordrhein-Westfalen [212] ⑫, [408] ㉖, [409] ⑦ – 23 000 Ew – Höhe 125 m – ☎ 02451 (Geilenkirchen).

♦Düsseldorf 72 – ♦Aachen 18 – Geilenkirchen 6.

🏨 **Stadthotel**, Freiheitstr. 8 (Übach), ✆ 40 62 – [TV] ☎ 🏋. ✗ Zim
Karte 21/47 *(wochentags nur Abendessen, Sonntag nur Mittagessen)* – **18 Z : 28 B** 40/50 - 90/100.

🏨 **Weydenhof**, Kirchstr. 17 (Palenberg), ✆ 4 14 10 – 🚗 [P]
Juli geschl. – Karte 18/33 *(Freitag geschl.)* – **15 Z : 23 B** 35/50 - 70/90.

[ÜBERHERRN] Saarland siehe Saarlouis.

[ÜBERKINGEN, BAD] 7347. Baden-Württemberg [413] M 21 – 3 300 Ew – Höhe 440 m – Heilbad – ☎ 07331 (Geislingen an der Steige).

[i] Kurverwaltung, Rathaus, Aufhauser Str. 4, ✆ 6 40 74.

♦Stuttgart 64 – Göppingen 21 – ♦Ulm (Donau) 37.

🏨 **Bad-Hotel**, Badstr. 12, ✆ 6 40 46, ☂ – [lift] ▤ Rest [TV] ♿ [P] 🏋. [AE] [D] [E]. ✗ Zim
20.- 30. Dez. geschl. – Karte 25/60 *(auch vegetarische Gerichte)* – **20 Z : 37 B** 85/120 - 160/250 Fb.

[ÜBERLINGEN] 7770. Baden-Württemberg [413] K 23, [987] ㉟, [427] ⑦ – 18 000 Ew – Höhe 403 m – Kneippheilbad und Erholungsort – ☎ 07551 – **Sehenswert : Stadtbefestigungsanlagen**★★ A – **Münster**★ B **E** – **Seepromenade**★ AB – **Rathaus (Ratssaal**★**)** B **R**.

[i] Städt. Kurverwaltung, Landungsplatz 7, ☎ 40 41.

♦Stuttgart 172 ③ – Bregenz 63 ② – ♦Freiburg im Breisgau 129 ③ – Ravensburg 46 ①.

ÜBERLINGEN

Christophstraße .... A 3
Franziskanerstraße .... AB 5
Hofstatt .... B
Münsterstraße .... B

Bahnhofstraße .... A 2
Gradebergstraße .... B 6
Hafenstraße .... B 8
Hizlerstraße .... B 9
Hochbildstraße .... B 10
Jakob-Kessenring-Straße .. A 12
Klosterstraße .... A 14
Krummebergstraße .... B 15
Landungsplatz .... B 17
Lindenstraße .... B 19
Luziengasse .... B 20
Marktstraße .... AB 22
Obertorstraße .... B 23
Owinger Straße .... B 25
Pfarrhofstraße .... B 26
St-Ulrich-Straße .... B 28
Seestraße .... B 29

Michelin puts no plaque or sign on the hotels and restaurants mentioned in this guide.

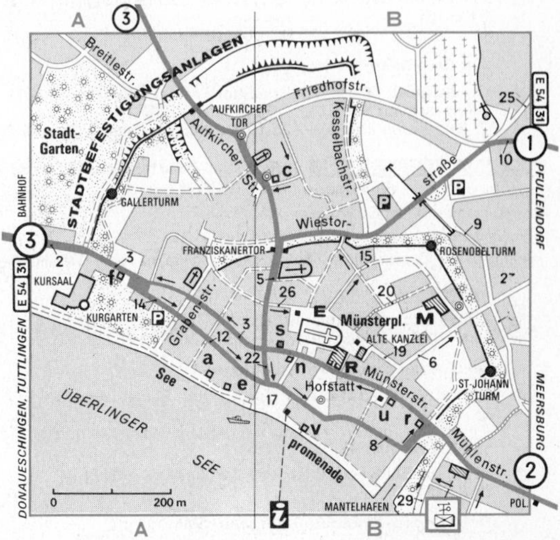

A
B
STADTBEFESTIGUNGSANLAGEN
Breitlestr.
Friedhofstr.
AUFKIRCHER TOR
Aufkircher Str.
Kesselbachstr.
Stadt-Garten
GALLERTURM
BAHNHOF
straße
Wiestor-
FRANZISKANERTOR
ROSENOBELTURM
KURSAAL
KURGARTEN
Graben-str.
Münsterpl.
ALTE KANZLEI
Münsterstr.
Hofstatt
ST-JOHANN TURM
See-
ÜBERLINGER SEE
promenade
Mühlenstr.
MANTELHAFEN
POL.
PFULLENDORF
MEERSBURG
DONAUESCHINGEN, TUTTLINGEN
E 54 31
0
200 m

🏨 **Parkhotel St. Leonhard** 🔇, Obere St.-Leonhard-Str. 83, ☎ 80 80, Telex 733983, ≤ Bodensee und Alpen, 🌳, « Park, Wildgehege », 🏊, 🏊, 🌲, 🎾 (Halle) – 🛗 📺 🅿 🏋. AE. ✻ Rest über Obertorstr. B
Karte 34/62 – **144 Z : 280 B** 89/132 - 156/194 Fb – P 108/174.

🏨 **Rosengarten**, Bahnhofstr. 12, ☎ 48 95, 🌳, 🌲 – 📺 ☎ 🚗 🅿. ✻ über ③
10. Jan.- 1. Feb. geschl. – Karte 22/43 *(Donnerstag und Feb. geschl.)* – **16 Z : 29 B** 80/110 - 130/190 Fb.

🏨 **Seegarten** 🔇, Seepromenade 7, ☎ 6 34 98, ≤, « Gartenterrasse » – 🛗 ☎ 🚗. E A **e**
15. Nov.- 15. Feb. geschl. – Karte 32/60 – **28 Z : 40 B** 65/100 - 130/180 – P 101/136.

🏨 **Bad Hotel**, Christophstr. 2, ☎ 6 10 55, Telex 733909, 🌳, 🌲 – 🛗 ☎ 🅿 🏋. AE ⓓ E VISA. ✻ Rest A **f**
20. Nov.- 20. Dez. und 15. Jan.- 20. Feb. geschl. – Karte 29/59 *(Dienstag geschl.)* – **50 Z : 80 B** 90/130 - 150/210 Fb – P 113/178.

🏨 **Bürgerbräu**, Aufkircher Str. 20, ☎ 6 34 07 – 📺 ☎ 🅿. AE ⓓ E VISA. ✻ Zim B **c**
26. Okt.- 11. Nov. geschl. – Karte 32/60 *(Donnerstag geschl.)* – **12 Z : 19 B** 70/80 - 120 Fb.

🏨 Walter 🔇, Seepromenade 13, ☎ 48 01, ≤ – 📺 ☎ – *nur Saison* – **9 Z : 17 B.** B **v**

🏨 **Ochsen**, Münsterstr. 48, ☎ 40 67, 🌳 – 🛗 ☎ 🚗 🅿. AE ⓓ E B **r**
Karte 28/51 *(23.-31. Dez. geschl.)* – **43 Z : 63 B** 65/75 - 110/140.

🏨 **Stadtgarten**, Bahnhofstr. 22, ☎ 45 22, 🏊, 🌲 – 🅿 über ③
(Restaurant nur für Hausgäste, Nov.- März garni) – **25 Z : 46 B** 60 - 96/120.

🏨 **Zähringer Hof** garni, Münsterstr. 36, ☎ 6 36 65 B **u**
15. März - 15. Nov. – **30 Z : 42 B** 40/60 - 78/108.

🍴🍴 **Romantik-Hotel Hecht** mit Zim, Münsterstr. 8, ☎ 6 33 33 – ☎ 🚗. AE ⓓ E VISA. ✻
Feb. 2 Wochen geschl. – Karte **29**/80 *(Tischbestellung ratsam)* (Sonntag 15 Uhr - Montag geschl.) – **9 Z : 15 B** 75/90 - 140/180 Fb. B **n**

🍴 **Mokkas Grillstuben** mit Zim, Münsterstr. 3 (1. Etage), ☎ 6 37 57 – ☎. AE ⓓ E VISA B **s**
Karte 25/52 *(Mittwoch geschl.)* – **5 Z : 7 B** 45 - 85.

🍴 **Weinstube Reichert** 🔇 mit Zim, Seepromenade 3, ☎ 6 38 57, ≤, 🌳 – AE ⓓ E VISA
März - Okt. – Karte 27/50 – **9 Z : 15 B** 38/49 - 98 – P 60/74. A **a**

In Überlingen-Andelshofen ① : 3 km :

🏨 Zum Johanniter-Kreuz 🔇, Johanniterweg 11, ☎ 6 10 91, 🌳, « Fachwerkhaus a.d. 17. Jh., rustikale Einrichtung » – 📺 ☎ 🅿 – **14 Z : 24 B.**

In Überlingen 18-Nußdorf ② : 3 km :

🏨 **Seehotel Zolg**, Zur Forelle 1, ☎ 6 21 49, ≤, 🌳, 🏊, 🏖, 🌲 – 📺 ☎ 🅿. AE ⓓ E. ✻ Zim
Mitte März - Okt. – Karte 26/50 – **19 Z : 36 B** 60/65 - 95/120 Fb.

ÜBERSEE 8212. Bayern 413 U 23, 426 ⑲ – 3 800 Ew – Höhe 525 m – Luftkurort – ☎ 08642.

Verkehrsamt, Feldwieser Str. 27, ☎ 2 95.

♦München 95 – Rosenheim 36 – Traunstein 20.

In Übersee-Westerbuchberg S : 2 km :

Zur Schönen Aussicht ⑤, Westerbuchberg 9, ☎ 19 43, ≤, – AE E VISA
Karte 19/40 – **60 Z : 85 B** 46/66 - 92 Fb – P 72.

Am Chiemsee N : 4 km :

Chiemgauhof ⑤, Julius-Exter-Promenade 21, ✉ 8212 Übersee, ☎ (08642) 3 51, ≤, « Terrasse am See », –
7. Jan.- Ostern und Nov.- 23. Dez. geschl. – Karte 25/55 – **21 Z : 45 B** 42/75 - 64/130 Fb.

ÜHLINGEN-BIRKENDORF 7899. Baden-Württemberg 413 H 23, 427 ⑤, 216 ⑥ ⑦ – 4 400 Ew – Höhe 644 m – Wintersport : 6 – ☎ 07743.

Verkehrsbüro Ühlingen, Rathaus, ☎ 55 11.

Kurverwaltung Birkendorf, Haus des Gastes, ☎ 3 80.

♦Stuttgart 172 – Donaueschingen 46 – ♦Freiburg im Breisgau 67 – Waldshut-Tiengen 21.

Im Ortsteil Ühlingen – Erholungsort :

Zum Posthorn, Hauptstr. 12, ☎ 2 44, –
Karte 19/34 *(Montag geschl.)* – **16 Z : 30 B** 28/35 - 56/62.

Im Ortsteil Birkendorf – Luftkurort :

Sonnenhof-Gästehaus Sonnhalde, Schwarzwaldstr. 9, ☎ 3 60, – AE E
2.- 21. Dez. geschl. – Karte 19/45 *(Jan.- April Donnerstag geschl.)* – **40 Z : 73 B** 32/52 - 56/92 Fb – P 48/66.

Hirschen, Schwarzwaldstr. 28, ☎ 3 49, –
23 Z : 42 B.

In Ühlingen-Birkendorf-Witznau SW : 10 km :

Witznau mit Zim, ☎ (07747) 2 15, – AE E VISA
Feb. geschl. – Karte 28/52 *(Montag geschl.)* – **8 Z : 12 B** 23/28 - 46/56.

UELSEN 4459. Niedersachsen 408 ⑬ – 3 500 Ew – Höhe 22 m – Erholungsort – ☎ 05942.

♦Hannover 240 – Almelo 23 – Lingen 36 – Rheine 56.

Am Waldbad ⑤, Zum Waldbad 1, ☎ 10 61, direkter Zugang zum städtischen –
Karte 25/53 – **14 Z : 22 B** 40/50 - 80/90.

UELZEN 3110. Niedersachsen 987 ⑯ – 38 000 Ew – Höhe 35 m – ☎ 0581.

Verkehrsbüro, Veerßer Str. 43, ☎ 80 01 32.

♦Hannover 96 – ♦Braunschweig 83 – Celle 53 – Lüneburg 33.

Stadt Hamburg, Lüneburger Str. 4, ☎ 1 70 81 – AE E VISA
Karte 28/47 – **34 Z : 56 B** 65 - 120 Fb.

Uelzener Hof, Lüneburger Str. 47, ☎ 7 39 93, « Schönes Fachwerkhaus » – AE E VISA. Rest
Karte 26/57 – **29 Z : 53 B** 55/60 - 85/100.

Stadthalle Schützenhaus, Schützenplatz 1, ☎ 23 78 – AE E.
Karte 28/70 – **14 Z : 25 B** 50 - 100 Fb.

Bürgerhotel, Lüneburger Str. 15, ☎ 52 83 –
14 Z : 28 B Fb.

Am Stern, Sternstr. 13, ☎ 63 29 –
Karte 22/35 *(nur Abendessen, 20. Dez.- 10. Jan. geschl.)* – **12 Z : 24 B** 40 - 70.

ÜRZIG 5564. Rheinland-Pfalz – 1 000 Ew – Höhe 106 m – ☎ 06532 (Zeltingen).

Mainz 124 – Bernkastel-Kues 10 – ♦Trier 46 – Wittlich 11.

Moselschild, Moselweinstr. 14 (B 53), ☎ 30 01, Telex 4721542, Fax 3004, ≤, Bootssteg, « Geschmackvolle Einrichtung », – AE E VISA
10.- 31. Jan. geschl. – Karte 29/70 *(bemerkenswertes Angebot regionaler Weine)* – **14 Z : 27 B** 69/89 - 94/150.

Ürziger Würzgarten, Moselweinstr. 44 (B 53), ☎ 20 83, ≤, – AE E VISA
Karte 22/55 – **33 Z : 61 B** 48/80 - 85/115.

Zehnthof, Moselufer 38, ☎ 25 19, ≤, – Zim
April - Okt. – Karte 24/58 – **20 Z : 40 B** 68/78 - 98/115.

Ürziger Rotschwänzchen, Moselufer 18, ☎ 21 83 – AE VISA
15. Feb.- 1. März geschl. – Karte 24/53 *(Mittwoch geschl.)* – **9 Z : 17 B** 28/50 - 56/72.

Zur Traube, Moselweinstr. 16 (B 53), ☎ 45 12, ≤, 🌳 – 🚗 P. [AE] E
Jan.- Feb. geschl. – Karte 19/49 – **12 Z : 23 B** 25/60 - 50/100.

Ürziger Ratskeller garni (Fachwerkhaus a.d.J. 1588), Rathausplatz 10, ☎ 22 60 – 🚗
13 Z : 25 B 40/50 - 70/80.

In Kinderbeuern 5561 N : 4,5 km :

Alte Dorfschänke, Hauptstr. 105, ☎ (06532) 24 94, « Gartenterrasse » – P
12 Z : 24 B.

[UETERSEN] 2082. Schleswig-Holstein [987] ⑤ – 17 000 Ew – Höhe 6 m – ☎ 04122.

♦Kiel 101 – ♦Hamburg 34 – Itzehoe 35.

Hotel im Rosarium 🔇, Berliner Str. 10, ☎ 70 66, « Gartenterrasse mit ≤ » – 🛗 [TV] ☎ ♿
🚗 P 🏛. [AE] E
Karte 24/70 – **31 Z : 62 B** 68/90 - 98/130 Fb.

[UETTINGEN] 8702. Bayern [413] M 17 – 1 250 Ew – Höhe 230 m – ☎ 09369.

♦München 294 – ♦ Frankfurt am Main 101 – ♦Würzburg 17.

Fränkischer Landgasthof, Würzburger Str. 8 (B 8), ☎ 82 89 – ☎ 🚗 P. ✕
6.- 30. Nov. geschl. – Karte 15/34 *(Donnerstag geschl.)* 🍷 – **9 Z : 15 B** 38/48 - 69.

[UETZE] 3162. Niedersachsen [987] ⑮ – 18 000 Ew – Höhe 50 m – ☎ 05173.

♦Hannover 39 – ♦Braunschweig 38 – Celle 23.

🍴 **Landhaus Wilhelmshöhe** mit Zim, Marktstr. 13 (N : 1,5 km Richtung Celle), ☎ 8 10, 🌳 –
🚗 P
Juli - Aug. 4 Wochen geschl. – Karte 25/48 *(Montag - Dienstag geschl.)* – **8 Z : 12 B** 36/45 - 68/78.

[ÜXHEIM] 5538. Rheinland-Pfalz – 1 750 Ew – Höhe 510 m – ☎ 02696.

Mainz 176 – ♦Bonn 65 – ♦Koblenz 85 – ♦Trier 92.

In Üxheim-Niederehe S : 4 km :

Sporthotel Niedereher Mühle, Kerpener Str. 4, ☎ 5 55, 🏊, 🏊, 🎾, 🐎 – ☎ P
Karte 26/46 – **24 Z : 40 B** 48/55 - 85/131.

[UFFENHEIM] 8704. Bayern [413] N 18, [987] ㉖ – 5 500 Ew – Höhe 330 m – ☎ 09842.

♦München 242 – Ansbach 40 – ♦Bamberg 88 – ♦Würzburg 38.

Grüner Baum, Marktplatz 14, ☎ 3 10 – P
Karte 16/38 🍷 – **40 Z : 80 B** 38 - 70.

[UHINGEN] 7336. Baden-Württemberg [413] L 20, [987] ㉟ – 12 000 Ew – Höhe 295 m – ☎ 07161 (Göppingen).

♦Stuttgart 44 – Göppingen 5 – Reutlingen 46 – ♦Ulm (Donau) 59.

In Uhingen-Diegelsberg NW : 3 km :

Sonnenhof 🔇, Sonnenhofstr. 1, ☎ (07163) 31 33, 🌳 – ☎ 🚗 P
24. Dez.- Jan. geschl. – (nur Abendessen für Hausgäste) – **14 Z : 17 B** 46/59 - 96/120.

[UHLDINGEN-MÜHLHOFEN] 7772. Baden-Württemberg [413] K 23, [427] ⑦, [216] ⑩ – 5 600 Ew – Höhe 398 m – Erholungsort – ☎ 07556.

Ausflugsziel : Birnau-Maurach : Wallfahrtskirche* : Lage**, NW : 3 km.

[i] Verkehrsamt, Unteruhldingen, Schulstr. 12, ☎ 80 20.

♦Stuttgart 181 – Bregenz 55 – Ravensburg 38.

Im Ortsteil Maurach :

Ferienhotel Pilgerhof 🔇, (Nähe Campingplatz), ☎ 65 52, 🌳, 🏊, 🌳, Fahrradverleih –
[TV] ☎ P. [AE] [DC] E [VISA]. ✕ Zim
8. Jan.- Feb. geschl. – Karte 28/57 *(Montag geschl.)* – **38 Z : 80 B** 85 - 120/160 Fb.

Im Ortsteil Oberuhldingen :

Storchen, Aachstr. 17, ☎ 85 86, 🌳, 🎾, Fahrradverleih – [TV] 🚗 P. [DC] [VISA]
22. Dez.- 10. Jan. geschl. – Karte 20/37 🍷 – **22 Z : 40 B** 33/45 - 60/82 – P 56/74.

Im Ortsteil Seefelden :

Landgasthof Fischerhaus 🔇, ☎ 85 63, ≤, 🏊, 🏊, 🌳 – [TV] ☎ P. ✕ Zim
20. März - Okt. – Karte 37/61 *(Tischbestellung erforderlich)* (Montag - Dienstag geschl.) – **22 Z : 40 B** 75/110 - 146/170 Fb.

Fortsetzung →

Im Ortsteil Unterhuhldingen :

🏨 **Gästehaus Bodensee** garni, Seestr. 5, ℘ 67 91, 🏊, 🌳 – [TV] ☎ 🚗 [P]
Mitte März - Mitte Nov. – **13 Z : 26 B** 70 - 120 Fb – 7 Fewo 120.

🏨 **Seehof**, Seefelder Str. 8, ℘ 65 15, ≤, « Gartenterrasse », 🌳 – [TV] [P]
März - Okt. – Karte 22/50 – **22 Z : 37 B** 57/68 - 90/110 Fb.

🏨 **Café Knaus**, Seestr. 2, ℘ 80 08, ⛱, 🌳 – [TV] ☎ 🚗 [P]. 🚫🐕
März - 15. Nov. – Karte 21/37 *(Montag geschl.)* – **28 Z : 50 B** 50/80 - 99/132 Fb.

🏨 **Mainaublick**, Seefelder Str. 22, ℘ 85 17, ⛱ – 🚗 [P]
Ostern - Ende Okt. – Karte 20/47 *(außer Saison Donnerstag geschl.)* – **20 Z : 35 B** 37/48 - 74/96.

🏨 Alpenblick garni, Meersburger Str. 11, ℘ 60 70, ≤, 🌳 – 🛗 [P]
nur Saison – **17 Z : 25 B.**

ULM (Donau) 7900. Baden-Württemberg [413] MN 21, [987] ㊱ – 101 000 Ew – Höhe 479 m – ☎ 0731.

Sehenswert : Münster*** (Chorgestühl***, Turm ✻**) Z – Jahnufer (Neu-Ulm) ≤** Z – Fischerviertel* Z – Ulmer Museum* Z **M1**.

Ausflugsziel : Ulm-Wiblingen : Klosterkirche (Bibliothek*) S : 5 km.

⛳9 Wochenauer Hof (S : 12 km), ℘ (07306) 21 02.

Ausstellungsgelände a. d. Donauhalle (über Wielandstr. X), ℘ 6 44 00.

[i] Städt. Verkehrsbüro, Pavillon am Münsterplatz, ℘ 6 41 61.

ADAC, Neue Str. 40, ℘ 6 66 66, Notruf ℘ 1 92 11.

♦Stuttgart 94 ⑥ – ♦Augsburg 80 ① – ♦München 138 ①.

Stadtplan siehe gegenüberliegende Seite.

🏨 **Intercity-Hotel**, Bahnhofsplatz 1, ℘ 6 12 21, Telex 712871 – 🛗 ▤ Rest [TV] 🚗 🧑‍🏫. [AE] [D] [E] [VISA] — Z **a**
Karte 23/54 – **110 Z : 160 B** 95/110 - 140/150 Fb.

🏨 **Neuthor**, Neuer Graben 23, ℘ 1 51 60, Telex 712401 – 🛗 [TV] 🚗 [P] 🧑‍🏫. [AE] [D] [E] [VISA] — Z **e**
2.- 10. Jan. geschl. – Karte 37/63 – **85 Z : 130 B** 96/120 - 120/160 Fb.

🏨 **Stern**, Sterngasse 17, ℘ 6 30 91, Telex 712923, 🏊 – 🛗 [TV] ☎ 🚗 [P] — Z **d**
Karte 24/48 – **62 Z : 100 B** 90/98 - 130/150 Fb.

🏨 **Goldener Bock**, Bockgasse 25, ℘ 2 80 79 – ☎. [AE] [D] [E] — Z **x**
Karte 42/69 *(Mai - Sept. Sonntag geschl.)* – **11 Z : 15 B** 75/85 - 120.

🏨 **Astra** garni, Steinhövelstr. 6, ℘ 2 20 84 – 🛗 [TV] ☎ 🚗 — X **a**
19 Z : 38 B 78 - 116 Fb.

🏨 **Ibis**, Neutorstr. 12, ℘ 61 90 01, Telex 712927 – 🛗 ☎ ♿ 🚗 🧑‍🏫. [AE] [D] [E] [VISA] — Z **y**
Karte 27/43 *(nur Abendessen)* – **90 Z : 135 B** 102 - 133 Fb.

🏨 **Ulmer Spatz**, Münsterplatz 27, ℘ 6 80 81, ⛱ – 🛗 ☎. [AE] [E] — Z **f**
Karte 23/44 – **40 Z : 54 B** 75 - 110 Fb.

🏨 Am Rathaus - Reblaus garni, Kronengasse 10, ℘ 6 40 32 – ☎ — Z **k**
36 Z : 62 B.

🏨 Goldenes Rad garni, Neue Str. 65, ℘ 6 70 48 – 🛗 ☎. 🚫🐕 — Z **t**
22 Z : 33 B.

🏨 Roter Löwe, Ulmer Gasse 8, ℘ 6 20 31 – 🛗 [TV] ☎ 🚗 — Z **m**
30 Z : 40 B Fb.

🏨 Schwarzer Adler, Frauenstr. 20, ℘ 2 10 93 – 🛗 🚗 — Z **n**
32 Z : 42 B.

XXX **Florian-Stuben**, Keplerstr. 26, ℘ 61 02 20, « Rustikale Einrichtung im Schweizer Stil »
Sonntag - Montag 18 Uhr und Aug. 3 Wochen geschl. – Karte 55/82 (abends Tischbestellung ratsam). — X **a**

XX **Pflugmerzler**, Pfluggasse 6, ℘ 6 80 61 – [E] — Z **c**
Sonn- und Feiertage geschl. – Karte 39/65 *(auch vegetarische Gerichte)* (Tischbestellung ratsam).

XX **Zur Forelle**, Fischergasse 25, ℘ 6 39 24 – [D] [E] [VISA] — Z **b**
Sonn- und Feiertage geschl. – Karte 38/70.

X **Gerberhaus**, Weinhofberg 9, ℘ 6 94 98 – [D] [E] [VISA] — Z **r**
✦ Karte 19,50/56.

X **Ratskeller**, Marktplatz 1, ℘ 6 07 22 – [AE] [D] [E] [VISA] — Z **R**
Sonn- und Feiertage ab 15 Uhr geschl. – Karte 23/50.

In Ulm-Böfingen über ① :

🏨 **Sonnenhof**, Eberhard-Finckh-Str. 17, ℘ 2 60 91, ≤, ⛱ – [TV] ☎ [P]. [AE] [D] [E]
Karte 25/56 – **25 Z : 33 B** 45/65 - 95.

In Ulm-Grimmelfingen ④ : 5 km :

🏨 **Hirsch**, Schultheißenstr. 9, ℘ 38 10 08, « Gartenwirtschaft » – [TV] ☎ [P]. [AE] [D] [E]
Mitte Dez.- Mitte Jan. geschl. – Karte 21/44 *(Dienstag geschl.)* – **25 Z : 35 B** 65/72 - 95/105 Fb.

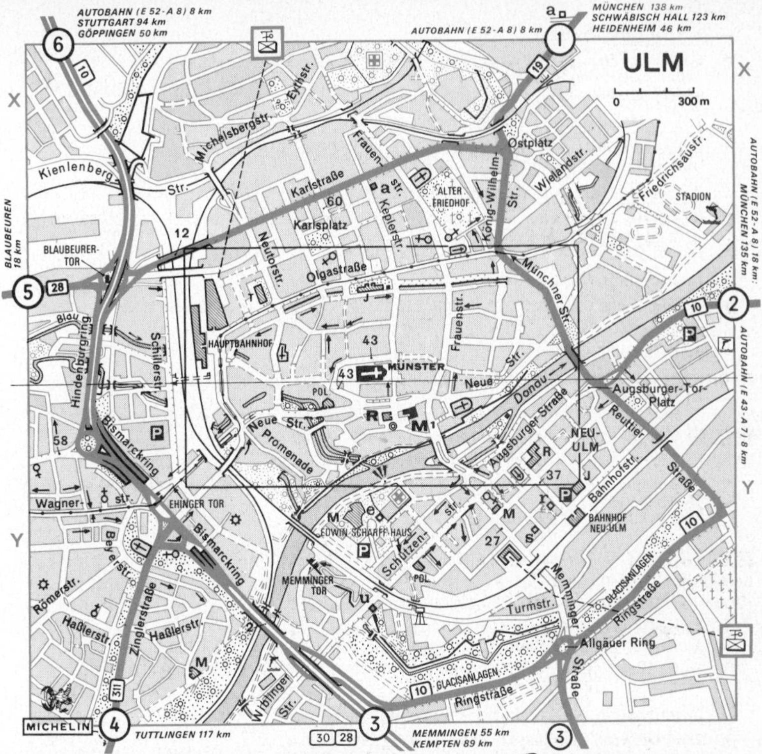
ULM
0 300 m
AUTOBAHN (E 52-A 8) 8 km
STUTTGART 94 km
GÖPPINGEN 50 km
AUTOBAHN (E 52-A 8) 8 km
MÜNCHEN 138 km
SCHWÄBISCH HALL 123 km
HEIDENHEIM 46 km
AUTOBAHN (E 52-A 8) 18 km: MÜNCHEN 135 km
AUTOBAHN (E 43-A 7) 8 km
BLAUBEUREN 18 km
TUTTLINGEN 117 km
MEMMINGEN 55 km
KEMPTEN 89 km
MICHELIN
Kienlenberg
Michelsbergstr.
Eythstr.
Karlstraße
Karlsplatz
Frauenstr.
Keplerstr.
Neutorstr.
Olgastraße
ALTER FRIEDHOF
König-Wilhelm-Str.
Ostplatz
Wielandstr.
Friedrichsaustr.
STADION
Münchner Str.
BLAUBEURER-TOR
HAUPTBAHNHOF
Schillerstr.
Hindenburgring
Blau
MÜNSTER
POL
Neue Str.
Donau
Augsburger-Tor-Platz
Augsburger Straße
Reuttier Straße
NEU-ULM
Bahnhofstr.
BAHNHOF NEU-ULM
Bismarckring
Wagnerstr.
EHINGER TOR
Beyerstr.
Römerstr.
Haßlerstr.
Zinglerstraße
Promenade
EDWIN-SCHARFF-HAUS
Schützenstr.
MEMMINGER TOR
Turmstr.
Memminger Straße
GLACISANLAGEN
Ringstraße
Allgäuer Ring
Wiblinger Str.

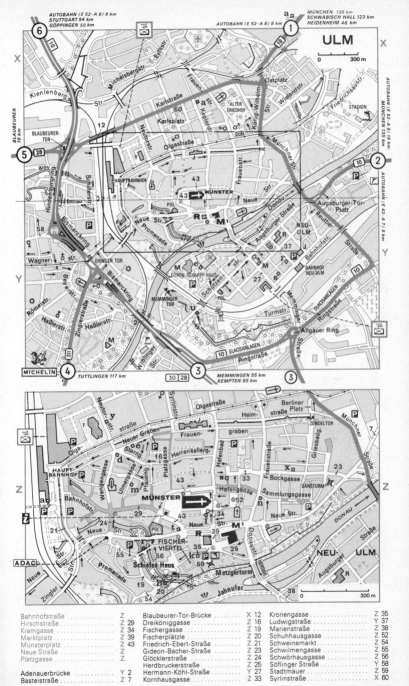

Neutor-str.
Syrlinstr.
Olgastraße
Heimstraße
Berliner Platz
Münchner Straße
ZUNDELTOR
Neuer Graben
Frauengraben
Sterng.
Herrenkellerg.
Platzgasse
Hafenbad
Frauenstraße
Griesbadg.
Bockgasse
GÄNSTURM
HAUPTBAHNHOF
Wengengasse
Ulmergasse
Pfaueng.
MÜNSTER
Hafengasse
Sammlungsgasse
Bahnhofstr.
Neue Str.
POL
FISCHER-VIERTEL
Schiefes Haus
Metzgerturm
Donaustr.
HERDBR.
DONAU
NEU-ULM
Augsburger Straße
Promenade
Jahnufer
Zingler Str.
ADAC
0 300 m

In Ulm-Lehr ⑥ : 3 km :

Engel, Loherstr. 35, ✆ 6 08 84, – AE E VISA. Zim
Jan. 1 Woche und 24. Juli - 7. Aug. geschl. – Karte 21/51 *(Sonntag ab 15 Uhr geschl.)* – **31 Z : 46 B** 78/87 - 108/126.

In Ulm-Wiblingen S : 5 km über Wiblinger Str. Y :

Grüner Baum, Donautalstr. 21, ✆ 4 10 80, – . AE E
Karte 21/43 *(Sonntag geschl.)* – **42 Z : 66 B** 35/58 - 64/90 Fb.

An der Autobahn A 8 - Ausfahrt Ulm-Ost ① : 8 km :

Rasthaus Seligweiler, an der B 19, ✉ 7900 Ulm (Donau), ✆ (0731) 2 05 40, Fax 2054400, – . AE E VISA
24.- 25. Dez. geschl. – Karte 18/42 – **118 Z : 198 B** 55/74 - 84/116 Fb.

In Dornstadt 7909 ⑥ : 9 km :

Krone, Lange Str. 1 (B 10), ✆ (07348) 2 10 33, – . AE E VISA
24.- 25. Dez. geschl. – Karte 27/53 – **53 Z : 90 B** 48/67 - 85/110.

Siehe auch : ***Neu-Ulm.***

MICHELIN-REIFENWERKE KGaA. Niederlassung Dornier Str. 5 (über ④, Industriegebiet Donautal), ✆ (0731) 4 50 88.

ULMET **6799.** Rheinland-Pfalz – 800 Ew – Höhe 185 m – ☎ 06387.
Mainz 98 – Kaiserslautern 31 – ♦Saarbrücken 76 – ♦Trier 98.

Felschbachhof, nahe der B 420 (W : 1,5 km), ✆ 4 25, , , , – . AE E.
Karte 19,50/38 – **25 Z : 50 B** 48 - 80 Fb.

ULRICHSTEIN **6314.** Hessen 413 K 15 – 3 200 Ew – Höhe 570 m – Erholungsort – ☎ 06645.
Sehenswert : Schloßruine ✻★.
♦Wiesbaden 122 – ♦Frankfurt am Main 94 – Gießen 43 – Lauterbach 21.

Gasthof Groh, Hauptstr. 1, ✆ 3 10, –
Mitte Feb.- Mitte März geschl. – Karte 20/36 *(Montag geschl.)* – **18 Z : 30 B** 28/40 - 50/70.

Haus Ulrichstein, Am Schloßberg 1, ✆ 80 03, ←, – . AE
Karte 21/45 – **32 Z : 56 B** 40 - 70.

In Ulrichstein 1 - Ober-Seibertenrod NW : 3 km :

Zum Ohmtal, Obergasse 6, ✆ 3 81, , , – . E
18. Nov.- 18. Dez. geschl. – Karte 18/36 – **16 Z : 28 B** 36/40 - 74 – P 52/58.

UMKIRCH **7801.** Baden-Württemberg 413 G 22, 242 ⑳ – 4 500 Ew – Höhe 207 m – ☎ 07665.
♦Stuttgart 206 – Colmar 41 – ♦Freiburg im Breisgau 9.

Heuboden garni (siehe auch Restaurant Heuboden), Gansacker 6a, ✆ 60 72, – .
AE E
50 Z : 76 B 65/78 - 98/120 Fb.

Pfauen, Hugstetter Str. 2, ✆ 65 34, –
11 Z : 20 B.

XXX **Heuboden**, Am Gansacker 3, ✆ 60 66, – . AE E
Samstag bis 18 Uhr und Sonntag geschl. – Karte 26/53.

UMRATHSHAUSEN Bayern siehe Frasdorf.

UNDELOH **2111.** Niedersachsen – 850 Ew – Höhe 60 m – ☎ 04189.
Sehenswert : Typisches Heidedorf★.
Verkehrsverein, Zur Dorfeiche 27, ✆ 3 33.
♦Hannover 113 – ♦Hamburg 53 – Lüneburg 35.

Witte's Hotel, Zum Loh 2, ✆ 2 67, , – . Zim
Jan.- 8. Feb. geschl. – Karte 25/48 *(Montag geschl.)* – **22 Z : 40 B** 61 - 124 – P 82/88.

Heiderose - Gästehaus Heideschmiede, Wilseder Str. 13, ✆ 3 11, , , , –
. E
Karte 24/55 – **34 Z : 63 B** 55/80 - 96/150 – P 81/101.

XX **Undeloher Hof** mit Zim, Wilseder Str. 22, ✆ 4 57, –
Karte 22/58 – **6 Z : 12 B** 60 - 100.

In Undeloh-Wesel NW : 5 km :

Heidelust, Weseler Dorfstr. 9, ✆ 2 72, , , –
Jan. geschl. – Karte 24/47 *(Nov.- Mai Donnerstag geschl.)* – **29 Z : 42 B** 40/56 - 76/112 Fb – 3 Fewo 65/75.

UNKEL 5463. Rheinland-Pfalz – 4 300 Ew – Höhe 53 m – ☎ 02224 (Bad Honnef).

Verkehrsamt, Linzer Str. 6, ✆ 33 09.

Mainz 137 – ♦Bonn 22 – Neuwied 28.

- **Rheinhotel Schulz**, Vogtsgasse 4, ✆ 23 02, ≤, « Gartenterrasse » – TV ☎ P. AE E VISA.
  Karte 43/74 – **30 Z : 50 B** 75/110 - 135/190 Fb.
- **Gästehaus Korf - Weinhaus Zur Traube**, Vogtsgasse 2, ✆ 33 15 – P
  Ostern - Okt. – Karte 25/50 *(wochentags nur Abendessen, Dienstag geschl.)* – **14 Z : 26 B** 35/45 - 70/90.
- Zum Marienberg, Frankfurter Str. 17, ✆ 7 13 36 – TV P. Zim
  15 Z : 30 B.

UNNA 4750. Nordrhein-Westfalen 987 ⑭ – 58 300 Ew – Höhe 96 m – ☎ 02303.

Siehe Ruhrgebiet (Übersichtsplan).

Verkehrsverein im DER Reisebüro, Bahnhofstr. 39, ✆ 2 10 31.

♦Düsseldorf 87 – ♦Dortmund 21 – Soest 35.

- **Kraka**, Gesellschaftsstr. 10, ✆ 18 11, – P
  Karte 22/48 *(Sonntag ab 14 Uhr geschl.)* – **23 Z : 41 B** 62/95 - 105/135.
- **Gut Höing** garni (Gutshof a.d. 15. Jh. mit Gästehaus), Ligusterweg (nahe Eissporthalle), ✆ 6 10 52, Fahrradverleih – TV ☎ P. AE E
  42 Z : 70 B 75/95 - 115/150.
- XX **Haus Kissenkamp**, Hammer Str. 102 (N : 2 km), ✆ 6 03 77, « Gemütliche Einrichtung » – P. AE
  Karte 32/58.
- XX Ölckenthurm (modernes Restaurant mit integriertem Turm a.d.J. 1475), Grabengasse 27 (am Neumarkt), ✆ 1 40 80, – .

UNNAU 5239. Rheinland-Pfalz – 1 600 Ew – Höhe 358 m – Luftkurort – ☎ 02661 (Bad Marienberg).

Mainz 106 – Hachenburg 8 – Limburg an der Lahn 47 – Siegen 47.

- **Goebel**, Erbacher Str. 10, ✆ 52 32, – P
  Okt. geschl. – Karte 19,50/35 *(Montag geschl.)* – **11 Z : 21 B** 30/35 - 60/70.

UNTERBACH Nordrhein-Westfalen siehe Düsseldorf.

UNTERELCHINGEN Bayern siehe Elchingen.

UNTERELSBACH Bayern siehe Oberelsbach.

UNTERFÖHRING Bayern siehe München.

UNTERGRUPPENBACH 7101. Baden-Württemberg 413 K 19 – 6 400 Ew – Höhe 270 m – ☎ 07131.

♦Stuttgart 42 – ♦Heilbronn 10 – ♦Nürnberg 166 – ♦Würzburg 108.

- Landgasthof Fromm, Happenbacher Str. 54, ✆ 70 20 40 – ☎ P.
  (nur Abendessen) – **13 Z : 24 B.**

UNTERHACHING Bayern siehe München.

UNTERHAUSEN Bayern siehe Oberhausen.

UNTERJOCH Bayern siehe Hindelang.

UNTERKIRNACH 7731. Baden-Württemberg 413 HI 22 – 2 400 Ew – Höhe 800 m – Luftkurort – Wintersport : 800/900 m 1 3 – ☎ 07721 (Villingen-Schwenningen).

Bürgermeisteramt, Hauptstr. 19, ✆ 5 30 37.

♦Stuttgart 122 – Donaueschingen 25 – ♦Freiburg im Breisgau 65.

- XX **Zum Stadthof** mit Zim, Hauptstr. 6, ✆ 5 70 77 – ☎ P. AE E
  Karte 28/64 *(Freitag geschl.)* – **10 Z : 14 B** 35 - 48.
- XX **Rößle-Post** mit Zim, Hauptstr. 16, ✆ 5 45 21 – P. AE E
  Karte 22/50 *(Dienstag - Mittwoch 18 Uhr geschl.)* – **9 Z : 15 B** 25/30 - 46/56.

UNTERLENNINGEN Baden-Württemberg siehe Lenningen.

UNTERLÜSS 3104. Niedersachsen – 4 400 Ew – Höhe 110 m – ☎ 05827.

♦Hannover 80 – Celle 37 – Lüneburg 65 – Munster 31.

- X **Zur Post** mit Zim, Müdener Str. 72, ✆ 3 59 – P
  Okt. geschl. – Karte 18/34 *(Mittwoch geschl.)* – **8 Z : 13 B** 28/35 - 66/72.

[UNTERPFAFFENHOFEN] Bayern siehe Germering.

[UNTERREICHENBACH] 7267. Baden-Württemberg [413] I J 20 – 2 100 Ew – Höhe 525 m – Erholungsort – ☎ 07235.
♦Stuttgart 62 – Calw 14 – Pforzheim 12.

In Unterreichenbach - Kapfenhardt :

🏨 **Mönchs Waldhotel Kapfenhardter Mühle** 🔇, ☎ 12 21, Telex 783443, <, 🌳, 🧖, 🏊, 🎾 – 🛗 [TV] 🅿 👥. [AE] ⓓ E VISA. 🚫🐕 Zim
Karte 36/68 – **65 Z : 101 B** 71/130 - 146/200 Fb – P 106/135.

🏨 **Jägerhof** 🔇, Hasenrain 1, ☎ 81 30, 🌳, ⛱ – 🚗 🅿
Anfang - Mitte Feb. geschl. – Karte 25/46 *(Montag geschl.)* 🍷 – **14 Z : 25 B** 46 - 86 Fb – P 65/68.

🏨 **Untere Kapfenhardter Mühle** 🔇, ☎ 2 23, 🌳, 🧖, ⛱ – 🛗 📞 🚗 🅿 👥. E
Ende Nov.- Anfang Dez. geschl. – Karte 21/43 *(Nov.- Mitte April Dienstag geschl.)* 🍷 – **34 Z : 65 B** 48/68 - 84/115 – P 67/95.

[UNTERSCHLEISSHEIM] 8044. Bayern [413] R 22, [987] ㊲ – 18 500 Ew – Höhe 474 m – ☎ 089 (München).
♦München 18 – ♦Augsburg 69 – Ingolstadt 62 – Landshut 60.

🏨 **Mercure** garni, Rathausplatz 8 (Lohof), ☎ 3 10 20 34, Telex 529888, 🧖 – 🛗 [TV] 📞 👥. [AE] ⓓ E VISA
57 Z : 114 B 115/130 - 150/170 Fb.

[UNTERSTEINBACH] Baden-Württemberg siehe Pfedelbach.

[UNTERSTMATT] Baden-Württemberg siehe Schwarzwaldhochstraße.

[UNTERUHLDINGEN] Baden-Württemberg siehe Uhldingen-Mühlhofen.

[UNTERWÖSSEN] 8218. Bayern [413] U 23, [426] ⑲ – 2 900 Ew – Höhe 600 m – Luftkurort – Wintersport : 600/900 m ⛷5 ⛷2 – ☎ 08641 (Grassau).
[i] Verkehrsamt, Rathaus, ☎ 82 05.
♦München 99 – Rosenheim 40 – Traunstein 29.

🏨 **Zur Post**, Hauptstr. 51, ☎ 87 36, « Gartenterrasse » – 📞 🚗 🅿. ⓓ E. 🚫🐕 Zim
18. Nov.- 18. Dez. geschl. – Karte 22/40 – **33 Z : 60 B** 30/60 - 56/110 – P 60/95.

🏨 **Haus Gabriele** 🔇, Bründlsberggasse 14, ☎ 86 02, ⛱ – 🚗 🅿
Nov.- 15. Dez. geschl. – (Restaurant nur für Hausgäste) – **32 Z : 60 B** 38 - 60/70 – P 52/60.

🏨 **Zum Bräu**, Hauptstr. 70, ☎ 83 03, 🌳 – 🅿. 🚫🐕 Zim
2. Nov.- 2. Dez. geschl. – Karte 20/40 *(Okt.- April Montag geschl.)* – **30 Z : 60 B** 33/48 - 60/90.

In Unterwössen-Oberwössen S : 5,5 km :

🏨 **Post**, Dorfstr. 22, ☎ (08640) 82 91, 🌳, ⛱ – 🅿
15. Nov.- 20. Dez. geschl. – Karte 20/44 *(Dienstag geschl.)* – **22 Z : 40 B** 39/55 - 74/82.

[UPLENGEN] 2912. Niedersachsen – 9 300 Ew – Höhe 10 m – ☎ 04956.
♦Hannover 206 – Emden 42 – ♦Oldenburg 38 – Wilhelmshaven 48.

In Uplengen-Remels :

🏠 **Uplengener Hof**, Ostertorstr. 57 (B 75), ☎ 12 25 – 🚗 🅿. ⓓ VISA. 🚫🐕 Zim
Juli 2 Wochen und 24. Dez.- 2. Jan. geschl. – Karte 20/33 *(Dienstag geschl.)* – **7 Z : 11 B** 34/38 - 68/76.

[URACH, BAD] 7432. Baden-Württemberg [413] L 21, [987] ㉟ – 11 000 Ew – Höhe 465 m – Heilbad – ☎ 07125.
[i] Kurverwaltung, Haus des Gastes, Bei den Thermen 4, ☎ 17 61.
♦Stuttgart 46 – Reutlingen 19 – ♦Ulm (Donau) 56.

🏨 **Parkhotel**, Bei den Thermen 10, ☎ 14 10, Fahrradverleih – 🛗 [TV] 📞 ♿ 🅿 👥. [AE] ⓓ E VISA
Karte 33/61 – **88 Z : 138 B** 77/143 - 120/195 Fb – P 109/159.

🏨 **Graf Eberhard** 🔇, Bei den Thermen 2, ☎ 17 11 (Hotel) 74 66 (Rest.), 🌳 – 🛗 [TV] 📞 🚗 🅿 👥. [AE] ⓓ E. 🚫🐕 Zim
Karte 28/65 – **77 Z : 150 B** 66/79 - 106/120 Fb – P 81/111.

🏨 **Ratstube** 🔇 (ehem. Zunfthaus a.d. 16. Jh.), Kirchstr. 7, ☎ 18 44 – [TV] 📞 🅿. [AE] E
7.- 29. Feb. geschl. – Karte 27/53 *(Montag und 14.- 19. Nov. geschl.)* – **15 Z : 26 B** 56/65 - 86/98 Fb – P 71/93.

🏨 **Frank-Vier Jahreszeiten**, Stuttgarter Str. 5, ☎ 16 96 – [TV] 📞. [AE] ⓓ E VISA
Karte 25/54 – **29 Z : 50 B** 64/69 - 89/104 – 5 Fewo 55/70.

🏨 **Café Buck**, Neue Str. 5, ☎ 17 17 – 🛗 📞 🚗
Karte 26/44 – **25 Z : 44 B** 54/72 - 84/108 Fb – 8 Fewo 45/108 – P 70/96.

Hotel am Berg, Ulmer Str. 14, ✆ 17 14, ≤ – 🛗 Zim ☎ 🚗. 🅿. [AE] [O] [E]
15. Dez.- 15. Jan. geschl. – Karte 30/45 *(Montag geschl.)* – **45 Z : 70 B** 35/65 - 70/120 – P 70/90.

Traube 🔇, Kirchstr. 8, ✆ 7 00 63, ⛱ – ☎
März und Nov. jeweils 2 Wochen geschl. – Karte 20/39 *(auch Diät und vegetarische Gerichte)* (Nov.- März Donnerstag geschl.) – **11 Z : 22 B** 52 - 82/90.

Breitenstein 🔇 garni, Eichhaldestr. 111, ✆ 16 77, ≤, Massage, ♨, 🏊, 🌳 – 🛗 [TV] ☎ 🚗 🅿
16 Z : 27 B 54/68 - 97/110.

Bächi 🔇 garni, Olgastr. 10, ✆ 18 56, 🏊 (geheizt), 🌳 – ☎ 🅿. 🚫🐕
16 Z : 23 B 45/60 - 82/86.

USINGEN 6390. Hessen [413] I 15, [987] ㉔ ㉕ – 10 600 Ew – Höhe 270 m – ☎ 06081.
♦Wiesbaden 62 – ♦Frankfurt am Main 33 – Gießen 41 – Limburg an der Lahn 41.

Zur goldenen Sonne, Obergasse 17, ✆ 30 08 – [TV] ☎ 🚗 🅿 🏛
Ende Juli - Mitte Aug. geschl. – Karte 19,50/46 *(Montag geschl.)* – **27 Z : 44 B** 72 - 98 Fb.

USLAR 3418. Niedersachsen [987] ⑮ – 7 000 Ew – Höhe 173 m – Erholungsort – ☎ 05571.
[i] Tourist-Information, Graftplatz 3, ✆ 50 51.
♦Hannover 133 – ♦Braunschweig 120 – Göttingen 39 – ♦Kassel 62.

Romantik-Hotel Menzhausen, Lange Str. 12, ✆ 20 51, « Reich verzierte 400-jährige Fachwerkfassade », 🌳 – [TV] ☎ 🚗 🅿 🏛. [AE] [O] [E] [VISA]. 🚫🐕
Karte 33/62 – **29 Z : 48 B** 75/90 - 110/140 Fb.

Unter den Linden, Graftplatz 1, ✆ 31 37 – ☎
11 Z : 19 B.

In Uslar - Fürstenhagen S : 12 km :

Zur Linde 🔇, Ahornallee 32, ✆ (05574) 3 22, ♨ – 🅿
Karte 19,50/39 *(Mittwoch geschl.)* – **14 Z : 29 B** 25 - 50.

In Uslar 1-Schönhagen NW : 7 km – Erholungsort :

Fröhlich-Höche, Amelither Str. 6 (B 241), ✆ 26 12, ⛱, 🌳 – 🅿
Karte 20/39 *(Donnerstag geschl.)* – **17 Z : 27 B** 25/35 - 50/70.

In Uslar 2-Volpriehausen O : 8 km :

Landhotel am Rothenberg 🔇, Rothenbergstr. 4, ✆ (05573) 3 62, ♨, 🌳 – ☎ 🅿 🏛. 🚫🐕
42 Z : 85 B Fb.

USSELN Hessen siehe Willingen (Upland).

UTTING AM AMMERSEE 8919. Bayern [413] Q 22, ⑯ – 2 900 Ew – Höhe 554 m – ☎ 08806.
♦München 41 – ♦Augsburg 60 – Landsberg am Lech 24.

In Utting-Holzhausen :

Sonnenhof 🔇, Ammerseestr. 1, ✆ 73 74, ⛱ – [TV] 🅿
1.- 28. Jan. geschl. – Karte 18/36 *(Dienstag geschl.)* – **25 Z : 50 B** 35/70 - 70/80.

VAAKE Hessen siehe Reinhardshagen.

VAIHINGEN AN DER ENZ 7143. Baden-Württemberg [413] J 20 – 23 000 Ew – Höhe 245 m – ☎ 07042.
♦Stuttgart 28 – Heilbronn 54 – ♦Karlsruhe 56 – Pforzheim 21.

Post garni, Franckstr. 23, ✆ 40 71 – 🛗 ☎ 🚗. [AE] [O] [E] [VISA]
21 Z : 33 B 45/65 - 70/90 Fb.

VALLENDAR 5414. Rheinland-Pfalz – 10 800 Ew – Höhe 65 m – ☎ 0261.
Mainz 115 – ♦ Bonn 65 – ♦ Koblenz 9.

Alexander v. Humboldt, Rheinstr. 31 (B 42), ✆ 6 60 46, ♨ – 🛗 [TV] ☎ 🅿. [AE] [O] [E] [VISA]
Karte 26/55 *(Montag geschl.)* 🍷 – **22 Z : 43 B** 55/65 - 100 Fb.

Die Traube - Schlemmerstübchen, Rathausplatz 12 (1. Etage), ✆ 6 11 62, « Fachwerkhaus a.d.J. 1698 » – [AE] [O] [E]
Dienstag - Mittwoch 17 Uhr geschl. – Karte 34/63 (Tischbestellung ratsam).

VALWIG Rheinland-Pfalz siehe Cochem.

Es ist empfehlenswert, in der Hauptsaison und vor allem in Urlaubsorten, Hotelzimmer im voraus zu bestellen.

[VAREL] 2930. Niedersachsen [987] [14] – 24 300 Ew – Höhe 10 m – ☎ 04451.
♦Hannover 204 – ♦Oldenburg 34 – Wilhelmshaven 25.

🏨 Friesenhof (mit Gästehaus), Neumarkt 6, ☎ 50 75 – ☎ 🚗 [P] 🏋
41 Z : 89 B Fb.

🏨 Ahrens, Bahnhofstr. 53, ☎ 57 21 – ☎ 🚗 [P]
15 Z : 20 B.

🍴 **Schienfatt**, Neumarktplatz 3, ☎ 47 61, « Friesisches Heimatmuseum »
wochentags nur Abendessen, Montag und Juni - Juli 3 Wochen geschl. – Karte 34/58.

In Varel 2-Obenstrohe SW : 4,5 km :

🏨 **Waldschlößchen Mühlenteich** 🐦, Mühlteichstr. 78, ☎ 8 40 61, 🌳, Massage, 🏊, 🏊 – [TV] ☎ [P] 🏋. 🐕
Karte 29/51 *(nur Abendessen)* – **54 Z : 104 B** 75/130 - 130/210 Fb.

🏨 Landgasthof Haßmann, Wiefelsteder Str. 71, ☎ 26 02 – [TV] ☎ [P] 🏋
10 Z : 20 B.

[VASBECK] Hessen siehe Diemelsee.

[VATERSTETTEN] 8011. Bayern [413] S 22 – 19 000 Ew – Höhe 528 m – ☎ 08106 (Zorneding).
♦München 17 – Landshut 76 – Passau 160 – Salzburg 138.

🏨 Alter Hof, Fasanenstr. 4, ☎ 3 10 86, 🌳 – ☎ [P] – **20 Z : 35 B** Fb.

🏨 **Cosima** garni, Bahnhofstr. 23, ☎ 3 10 59 – [TV] ☎ [P]. [AE] [O] [E] [VISA]
30 Z : 52 B 58/98 - 78/128.

In Vaterstetten-Neufarn NO : 7,5 km :

🏨 **Gasthof Stangl**, Münchener Str. 1 (B 12), ☎ (089) 9 03 28 49, Biergarten, Wildgehege – 🚗 [P]. [AE] [E]
Karte 20/47 *(Samstag geschl.)* – **23 Z : 36 B** 40/60 - 80/90.

🏨 Gasthof Anderschitz, Münchener Str. 13 (B 12), ☎ (089) 9 03 51 17 – [P]
(nur Abendessen) – **25 Z : 45 B.**

In Vaterstetten-Parsdorf N : 4,5 km [987] [37]

🏨 **Erb** garni, Feldkirchner Str. 2, ☎ (089) 9 03 73 74, 🏊, 🏊 – 🛗 ☎ 🚗 [P]. [AE] [O]
51 Z : 84 B 60/85 - 90/120 Fb.

[VECHTA] 2848. Niedersachsen [987] [14] – 23 200 Ew – Höhe 37 m – ☎ 04441.
♦Hannover 124 – ♦Bremen 69 – ♦Oldenburg 49 – ♦Osnabrück 61.

🏨 **Igelmann**, Lohner Str. 22, ☎ 50 66 – [TV] ☎ ♿ [P]. [AE] [O] [E]
(nur Abendessen für Hausgäste) – **22 Z : 44 B** 55 - 85.

🏨 **Schäfers**, Große Str. 115, ☎ 30 50 – [TV] ☎ [P]. [AE] [O] [E] [VISA]
Karte 22/49 *(Freitag und Samstag jeweils bis 18 Uhr geschl.)* – **17 Z : 33 B** 55 - 80/95.

🏨 **Sauna-Hotel** garni, Neuer Markt 20, ☎ 52 21 – 🚗 [P]. [O]
13 Z : 20 B 40 - 70.

[VECKERHAGEN] Hessen siehe Reinhardshagen.

[VEILBRONN] Bayern siehe Heiligenstadt.

[VEITSHÖCHHEIM] 8707. Bayern [413] M 17 – 9 400 Ew – Höhe 178 m – ☎ 0931 (Würzburg).
Sehenswert : Rokoko-Hofgarten★.
[i] Tourist-Information, Rathaus, Erwin-Vornberger-Platz, ☎ 9 00 96 39.
♦München 287 – Karlstadt 17 – ♦Würzburg 7.

🏨 **Hotel am Main** 🐦 garni, Untere Maingasse 35, ☎ 9 30 25 – [TV] ☎ [P]. [O]
24. Dez.- 8. Jan. geschl. – **22 Z : 35 B** 69 - 110 Fb.

🏨 Ratskeller 🐦, Erwin-Vornberger-Platz, ☎ 9 11 49, 🌳 – ☎ [P]
9 Z : 15 B Fb.

🏨 **Spundloch**, Kirchstr. 19, ☎ 9 12 13, 🌳 – [TV] ☎. [E]
Jan. 3 Wochen geschl. – Karte 22/43 🍷 – **10 Z : 20 B** 55/75 - 96/120 Fb.

[VELBERT] 5620. Nordrhein-Westfalen [987] [14] – 88 700 Ew – Höhe 260 m – ☎ 02051.

Siehe Ruhrgebiet (Übersichtsplan).

[i] Verkehrsverein, Pavillon am Denkmal, Friedrichstr. 181 a, ☎ 31 32 96.
♦Düsseldorf 37 – ♦Essen 16 – Wuppertal 19.

🏨 **Parkhotel** 🐦, Günther-Weisenborn-Str. 7, ☎ 49 20, Fax 492175, ←, « Terrasse, Park » – 🛗 [TV] ♿ [P] 🏋. [AE] [O] [E] [VISA]
Karte 45/70 – **84 Z : 152 B** 150/242 - 250/498 Fb.

🏨 **Stüttgen**, Friedrichstr. 168, ☎ 42 61 – [TV] ☎ 🚗 🏋. [O] [E] [VISA]. 🐕
Juli geschl. – (nur Abendessen für Hausgäste) – **22 Z : 30 B** 68/110 - 138/150 Fb.

🏠 **Zur Traube**, Friedrichstr. 233, ☎ 5 32 31 – [TV] 📞 [P]. [AE] [D] E
Karte 20/60 *(Freitag und 24. Dez.- 10. Jan. geschl.)* – **28 Z : 35 B** 50/75 - 90/125.

🏠 **Goeben**, Goebenstr. 49, ☎ 8 10 41 – 📞 🚗
20. Dez.- 10. Jan. geschl. – (nur Abendessen für Hausgäste) – **15 Z : 19 B** 48 - 88 Fb.

In Velbert 11-Langenberg NO : 7 km :

🏠 Gut Dronsberg 🔇, Donnerstr. 64, ☎ (02052) 12 75, 🌳 – [TV] 📞 [P] 👥
14 Z : 28 B.

In Velbert 15-Neviges SO : 4 km :

🏠 **Kimmes Kamp** 🔇, Elberfelder Str. 19, ☎ (02053) 25 46 – [TV] 📞 [P]. E
22. Dez.- 28. Jan. geschl. – Karte 34/62 *(Montag - Dienstag geschl.)* – **8 Z : 14 B** 75 - 110.

XX **Haus Stemberg**, Kuhlendahler Str. 295, ☎ (02053) 56 49, 🌳 – [P]. [AE] [D] E [VISA]
6.- 16. Feb., 17. Juli - 5. Aug. und Donnerstag - Freitag geschl. – Karte **29**/63.

[VELBURG] **8436.** Bayern [413] S 19, [987] [27] – 4 100 Ew – Höhe 516 m – ☏ 09182.
◆München 144 – ◆Nürnberg 60 – ◆Regensburg 51.

🏠 **Zur Post**, Parsberger Str. 2, ☎ 16 35 – ⇅ 🚗 [P] 👥. [AE]
◆ Karte 16/25 – **90 Z : 181 B** 35/39 - 62.

🏠 **Zum Löwen**, Stadtplatz 11, ☎ 4 97 – ⇅ 🚗
◆ Karte 16/21 *(Samstag geschl.)* – **25 Z : 50 B** 33 - 55.

[VELEN] **4282.** Nordrhein-Westfalen – 10 300 Ew – Höhe 55 m – ☏ 02863.
◆Düsseldorf 98 – Bocholt 30 – Enschede 54 – Münster (Westfalen) 52.

🏨 Sportschloß Velen 🔇 (Westfälisches Wasserschloß), ☎ 20 30, Hochzeitskapelle, 🏊, 🏊,
🎾 (Halle) – ⇅ [TV] 📞 [P] 👥
98 Z : 130 B Fb.

🏡 **Emming-Hillers**, Kirchplatz 1, ☎ 13 70, Fahrradverleih – 🚗 [P]
◆ *23. Okt.- 4. Nov. geschl.* – Karte 16/39 *(Dienstag geschl.)* – **6 Z : 11 B** 30/35 - 60/70.

In Velen 2-Ramsdorf W : 5 km :

🏠 **Rave** 🔇, Hüpohlstr. 31, ☎ 52 55, 🏊, 🐎, Fahrradverleih – [P] 👥
Karte 21/45 *(Donnerstag geschl.)* – **43 Z : 80 B** 33/35 - 60/66.

[VELLBERG] **7175.** Baden-Württemberg [413] M 19 – 3 600 Ew – Höhe 369 m – Erholungsort –
☏ 07907.
Sehenswert : Pfarrkirche St. Martin <★.
[i] Fremdenverkehrsamt im Amtshaus, Marktplatz, ☎ 20 55.
◆Stuttgart 81 – Aalen 49 – Schwäbisch Hall 13.

🏨 **Schloß Vellberg** 🔇 (mit Gästehäusern), ☎ 70 01, <, 🌳, « Schloßkapelle, Kaminzimmer, Rittersaal », 🏊, 🎾 – [TV] 📞 [P] 👥. [AE] [D] E [VISA]
Karte 30/70 🍷 – **39 Z : 54 B** 60/105 - 100/180 Fb – P 87/137.

[VELMEDE] Nordrhein-Westfalen siehe Bestwig.

[VERDEN AN DER ALLER] **2810.** Niedersachsen [987] [15] – 25 500 Ew – Höhe 25 m – ☏ 04231.
[i] Verkehrsamt im Pavillon, Ostertorstr. 7a, ☎ 1 23 17.
◆Hannover 88 – ◆Bremen 38 – Rotenburg (Wümme) 25.

🏨 **Höltje**, Obere Str. 13, ☎ 30 33, 🌳, 🏊, 🏊 – [TV] 📞 🚗 [P] 👥. [AE] [D] E [VISA]
Karte 31/70 – **46 Z : 83 B** 66/90 - 105/135 Fb.

🏨 **Parkhotel Grüner Jäger**, Bremer Str. 48 (B 215), ☎ 50 91, 🏊, 🏊 – ⇅ [TV] 📞 ♿ [P] 👥. [AE] [D] E [VISA]
Karte 31/60 – **43 Z : 66 B** 58/85 - 100/180 Fb.

🏨 **Haag's Hotel Niedersachsenhof**, Lindhooper Str. 97, ☎ 6 90 33, 🌳, 🏊 – [TV] 📞 [P] 👥. [AE] [D] E [VISA]
Karte 31/52 – **82 Z : 160 B** 65/85 - 98/120 Fb.

XX **Haus Schlepegrell**, Von-Einem-Platz 7, ☎ 30 60 – [D] E
nur Abendessen, Sonntag geschl. – Karte 50/70.

XX **Landhaus Hesterberg**, Hamburger Str. 27, ☎ 7 39 49, « 350 Jahre altes, restauriertes Fachwerkhaus » – [P]. E
15. Okt.- 5. Nov. und Donnerstag geschl. – Karte 32/61.

X **Zum Burgberg** mit Zim, Grüne Str. 36, ☎ 22 02 – [TV] [P]. [D] E. 🚫🐕 Zim
Karte 25/61 *(Montag geschl.)* – **5 Z : 8 B** 50 - 80.

In Verden-Walle NO : 7 km :

🏡 Zum Schützenhof, Waller Heerstr. 97 (B 215), ☎ (04230) 2 33 – 📞 🚗 [P]
11 Z : 15 B.

In Dörverden **2817** S : 10 km :

🏠 **Pfeffermühle** (mit Gästehaus), Große Str. 70 (B 215), ✆ (04234) 22 31 (Hotel) 13 65 (Rest.), ☂, 🌳 – ☎ ♿ 🚗 [P]
Karte 23/44 – **17 Z : 29 B** 45/50 - 75/80.

In Dörverden-Barnstedt **2817** SO : 9 km :

XX **Fährhaus** 🪑 mit Zim, ✆ (04239) 3 33, ⩽, « Terrasse an der Aller » – [P]. [AE]
Karte 26/57 – **4 Z : 8 B** 50 - 80.

VERL Nordrhein-Westfalen siehe Gütersloh.

VERSMOLD 4804. Nordrhein-Westfalen [987] ⑭ – 18 700 Ew – Höhe 70 m – ☎ 05423.
♦Düsseldorf 165 – Bielefeld 33 – Münster (Westfalen) 44 – ♦Osnabrück 33.

🏨 **Altstadthotel**, Wiesenstr. 4, ✆ 30 36, ♨ – ⇅ [TV] ☎ [P] 👥. [AE] [D] [E]
Karte 45/68 – **31 Z : 52 B** 84 - 138 Fb.

In Versmold-Bockhorst NO : 6 km :

XX **Alte Schenke** mit Zim, An der Kirche 3, ✆ 85 97 – [TV] ☎ [P]
2.- 10. Jan. und 26. Juni - 11. Juli geschl. – Karte 35/61 *(wochentags nur Abendessen, Montag geschl.)* – **3 Z : 5 B** 80 - 160.

VIECHTACH 8374. Bayern [413] V 19, [987] ㉗ – 7 500 Ew – Höhe 450 m – Luftkurort – Wintersport : ⛷8 – ☎ 09942.
[i] Verkehrsamt, Stadtplatz 1, ✆ 16 61.
♦München 174 – Cham 27 – Deggendorf 31 – Passau 82.

🏨 **Schmaus**, Stadtplatz 5, ✆ 16 27, ☂, ♨, 🏊 – ⇅ [TV] ☎ 🚗 [P] 👥. [AE] [D] [E] [VISA]. 🚫🐕 Rest
9.- 27. Jan. geschl. – Karte 22/54 – **42 Z : 74 B** 49/70 - 94/130 Fb.

🏠 **Dischinger**, Ringstr. 13, ✆ 16 01, Biergarten, 🌳 – ⇅ ☎ 🚗 [P]. [E]
↔ Karte 18/39 *(Nov.- Mai Freitag 15 Uhr - Samstag 17 Uhr und März 3 Wochen geschl.)* – **37 Z : 65 B** 45/50 - 74/80 Fb – P 64.

In Viechtach-Neunußberg NO : 10 km :

🏡 **Burggasthof Sterr-Gästehaus Burgfried** 🪑, ✆ 88 20, ⩽, ☂, ♨, 🏊, 🌳 – 🚗 [P]
↔ *5. Nov.- 15. Dez. geschl.* – Karte 15/24 – **33 Z : 56 B** 33 - 55/76.

In Patersdorf **8371** SO : 10 km über die B 85 [426] ⑥ :

🏠 Patersdorf, Birkenweg 2, ✆ (09923) 10 22, ⩽, ☂, 🌳 – ☎ 🚗 [P]. 🚫🐕 Rest – **14 Z : 26 B.**

VIENENBURG 3387. Niedersachsen [987] ⑯ – 11 700 Ew – Höhe 140 m – ☎ 05324.
♦Hannover 101 – ♦Braunschweig 38 – Göttingen 91 – Goslar 11.

🏡 **Multhaupt**, Goslarer Str. 4 (B 241), ✆ 30 27 – 🚗. 🚫🐕
↔ Karte 17/30 – **13 Z : 24 B** 35 - 60.

VIERNHEIM 6806. Hessen [413] I 18, [987] ㉕ – 31 000 Ew – Höhe 104 m – ☎ 06204.

Siehe Stadtplan Mannheim-Ludwigshafen.

⛳ Alte Mannheimer Str. 3 (beim Viernheimer Kreuz), ✆ 7 13 07.
♦Wiesbaden 82 – ♦Darmstadt 47 – Heidelberg 21 – ♦Mannheim 11.

🏨 Continental, Bürgermeister-Neff-Str. 12 (Rhein-Neckar-Zentrum), ✆ 50 36, Telex 465452, ♨, 🏊 – ⇅ ▤ [TV] ☎ [P] 👥 – **122 Z : 226 B** Fb. DU **r**

🏨 Central-Hotel garni, Hölderlinstr. 4, ✆ 81 08, ♨ – ⇅ [TV] ☎ [P] DU **n**
30 Z : 60 B Fb.

🏨 **Am Kapellenberg** garni, Mannheimer Str. 59, ✆ 7 70 77 – [TV] ☎ [P]. [AE] [D] [E] [VISA] DU **e**
18 Z : 27 B 68 - 93 Fb.

🏠 Zum Treffpunkt, Heinrich-Lanz-Ring 10, ✆ 7 90 01 – [TV] ☎ [P] – **16 Z : 26 B** Fb. DU **s**

X **Die Stubb**, Luisenstr. 10, ✆ 7 23 73 – [AE] DU **a**
nur Abendessen, Sonntag geschl. – Karte 49/88 (Tischbestellung ratsam).

In Viernheim-Neuzenlache über die A 659 DU, Ausfahrt Viernheim-Ost :

XXX ✿ **Pfeffer und Salz**, Neuzenlache 8, ✆ 7 70 33, ☂ – [P]. [AE]
Samstag bis 18 Uhr, Sonn- und Feiertage sowie 24. Dez.- 7. Jan. und Mitte - Ende Aug. geschl. – Karte 62/86 (Tischbestellung ratsam)
Spez. Terrinen, Gänseleber süß-sauer, Fisch- und Wildgerichte (nach Saison).

VIERSEN 4060. Nordrhein-Westfalen [987] ㉓ – 80 000 Ew – Höhe 41 m – ☎ 02162.
♦Düsseldorf 33 – Krefeld 20 – Mönchengladbach 10 – Venlo 23.

🏨 **Kaisermühle** (ehemalige Mühle, moderne Zimmereinrichtung), An der Kaisermühle 20, ✆ 2 62 00, ☂ – [TV] ☎ [P]. [AE] [D] [E] [VISA]. 🚫🐕 Zim
Karte 29/58 – **12 Z : 20 B** 115/165 - 150/210.

XX **Stadtwappen** mit Zim, Gladbacher Str. 143 (B 59), ✆ 3 20 11 – [P]
Juli - Aug. 3 Wochen geschl. – Karte 33/57 *(Montag geschl.)* – **7 Z : 10 B** 45/55 - 75/95.

In Viersen 11-Dülken W : 5,5 km :

🏨 **Ratsstube**, Lange Str. 111, ☎ 43 36 – [TV] ☏ 🚗. [E]. 🚫🐕 Zim
Juni - Juli 3 Wochen geschl. – Karte 32/63 – **14 Z : 20 B** 55/85 - 115.

In Viersen 12-Süchteln NW : 4,5 km [987] ⑬㉓ :

🏨 **Höhen-Hotel Gehring** (ehem. Villa), Hindenburgstr. 67, ☎ 60 79 – [TV] ☏ 🚗 [P]. [AE] [D] [E]
Karte 38/67 – **8 Z : 14 B** 48/65 - 90/110.

VIERZEHNHEILIGEN Bayern. Sehenswürdigkeit siehe Lichtenfels.

VILBEL, BAD **6368. Hessen [413] J 16, [987] ㉕ – 26 300 Ew – Höhe 110 m – Heilbad – ☎ 06101.**
[i] Städt. Kur- und Verkehrsbüro, Niddastr. 1, ☎ 23 89 – ♦Wiesbaden 47 – ♦Frankfurt am Main 9 – Gießen 54.

🏨 **Am Kurpark** garni, Parkstr. 20, ☎ 6 46 52 – ⇅ [TV] ☏ [P]. 🚫🐕
46 Z : 80 B 68/95 - 90/130.

🍴 **Hubertus**, Frankfurter Str. 192, ☎ 8 51 25 – [AE] [D] [E] [VISA]
Sonntag ab 14 Uhr und Mittwoch geschl. – Karte 37/60.

VILLINGENDORF **7211. Baden-Württemberg [413] I 22 – 2 400 Ew – Höhe 621 m – ☎ 0741 (Rottweil)** – ♦Stuttgart 89 – Oberndorf 13 – Rottweil 5,5 – Schramberg 23.

🏨 **Kreuz**, Hauptstr. 8, ☎ 3 13 29/3 40 57, ⛱ – [P]. [E]
1.- 13. Jan. und 26. Juli - 17. Aug. geschl. – Karte 28/52 *(auch vegetarische Gerichte)* (Mittwoch - Donnerstag 16 Uhr geschl.) 🍷 – **8 Z : 11 B** 43 - 80.

🍴🍴 **Linde**, Rottweiler Str. 3, ☎ 3 18 43 – [P]. [AE] [E]
Montag 14 Uhr - Dienstag, 6.- 20. Jan. und 25. Juni- 15. Juli geschl. – Karte **29**/65.

VILLINGEN-SCHWENNINGEN **7730. Baden-Württemberg [413] I 22, [987] ㉟ – 78 500 Ew – Höhe 704 m – Kneippkurort – ☎ 07721.**
[i] Verkehrsamt, Villingen, Rietstr. 8, ☎ 8 23 11 – **ADAC**, Kaiserring 1 (Villingen), ☎ 2 40 40, Telex 7921533.
♦Stuttgart 115 ③ – ♦Freiburg im Breisgau 78 ⑤ – ♦Konstanz 90 ⑤ – Offenburg 79 ① – Tübingen 83 ③.

Stadtplan siehe nächste Seite.

Im Stadtteil Villingen :

🏨 **Ketterer**, Brigachstr. 1, ☎ 2 20 95, Telex 792554 – ⇅ [TV] ☏ 🏋. [AE] [D] [E] [VISA] — A r
Karte 37/59 *(15.- 30. Juli geschl.)* – **38 Z : 60 B** 70/90 - 110/130 Fb.

🏨 **Parkhotel**, Brigachstr. 8, ☎ 2 20 11, 🏊 – ⇅ ☏. [AE] [D] [E] — A e
Karte 34/63 *(Samstag geschl.)* – **19 Z : 30 B** 78/85 - 140 Fb.

🏨 **Bosse** 🔇, Oberförster-Ganter-Str. 9 (Kurgebiet), ☎ 5 80 11, ⛱ – [TV] ☏ [P]. 🚫🐕 Rest
Karte 28/60 *(23. Dez.- 12. Jan. und Freitag geschl.)* – **36 Z : 56 B** 60/90 - 95/130. — über ⑥

🏠 **Bären**, Bickenstr. 19, ☎ 5 55 41 – ⇅ ☏ 🚗. [E] [VISA] — A a
Karte 26/49 *(auch vegetarische Gerichte)* (Freitag geschl.) 🍷 – **38 Z : 56 B** 35/49 - 62/79 Fb.

🍴🍴 **Ratskeller**, Obere Str. 37 (Oberes Tor), ☎ 5 11 34, Biergarten – [AE] [D] [E] [VISA] — A v
Sonntag ab 15 Uhr geschl. – Karte 31/56.

Im Stadtteil Schwenningen :

🏨 **Central-Hotel**, Alte Herdstr. 12 (Muslen-Parkhaus), ☎ 3 80 03 – ⇅ [TV] ☏ 🏋. [AE] [D] [E] [VISA]
(nur Abendessen für Hausgäste) – **57 Z : 96 B** 85 - 120 Fb. — B c

🏨 **Ochsen**, Bürkstr. 59, ☎ 3 40 44 – ⇅ [TV] ☏ 🚗 [P] 🏋. [D] [E] [VISA] — B a
Karte **32**/55 *(Freitag, 1.- 13. Jan. und 10.- 23. Juli geschl.)* – **Kupferpfanne** *(nur Abendessen, Sonntag geschl.)* Karte 23/50 – **45 Z : 70 B** 60/90 - 90/150.

🏨 **Royal**, August-Reitz-Str. 27, ☎ 3 40 01, « Uhrensammlung », 🏊 – [TV] ☏ 🚗 — B h
Juli geschl. – Karte 29/50 *(nur Abendessen, Sonn- und Feiertage geschl.)* – **20 Z : 30 B** 58/75 - 110 Fb.

🍴 **Zur Post**, Friedrich-Ebert-Str. 16, ☎ 3 53 84 – [AE] [D] [E] [VISA] — B r
Sonn- und Feiertage sowie 6.- 25. Juli geschl. – Karte 27/54.

Im Stadtteil Obereschach N : 5 km über Vockenhauser Str. A :

🏨 **Sonne**, Steinatstr. 17, ☎ 7 04 75 – [P]
25. Okt.- 15. Nov. geschl. – Karte 22/41 *(Dienstag geschl.)* 🍷 – **16 Z : 25 B** 36 - 62.

Im Stadtteil Weigheim über ③ : 7 km :

🏠 **Schützen**, Deißlinger Str. 2, ☎ (07425) 75 76 – ☏ [P]. [AE] [D] [E] [VISA]
➜ *Mitte Okt.- Anfang Nov. geschl.* – Karte 17,50/33 *(Dienstag geschl.)* 🍷 – **9 Z : 16 B** 33 - 60/75.

In Dauchingen **7735** NO : 4 km über Dauchinger Staße B :

🏨 **Landgasthof Fleig**, Villinger Str. 17, ☎ (07720) 59 09 – ☏ [P]. [D] [E] [VISA]
2.- 10. Jan. geschl. – Karte 25/40 *(Freitag geschl.)* – **18 Z : 29 B** 46 - 75 Fb.

🏨 **Schwarzwälder Hof** 🔇, Schwenninger Str. 3, ☎ (07720) 55 38, 🏊 – ⇅ ☏ 🚗 [P]. [E]
31. Juli - 22. Aug. geschl. – Karte 22/40 *(Dienstag geschl.)* – **41 Z : 55 B** 28/36 - 56/66.

In Brigachtal-Klengen **7734** S : 7 km über Donaueschinger Str. A :

🏠 Sternen, Hochstr. 2, ☎ (07721) 2 14 66 – [P] – **36 Z : 55 B.**

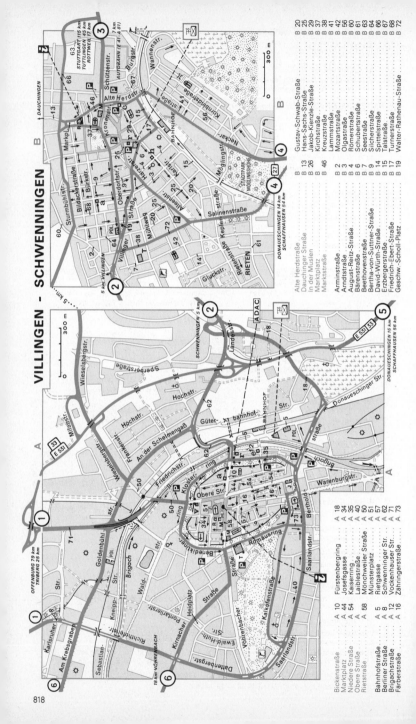

VILLINGEN - SCHWENNINGEN

Bickenstraße	A 10	Fürstenbergring	A 18
Marktplatz	A 44	Josefsgasse	A 34
Niedere Straße	A 54	Kaiserring	A 35
Obere Straße	A	Laiblestraße	A 40
Rietstraße	A 58	Mönchweiler Straße	A 50
		Münsterplatz	A 51
Bahnhofstraße	A 5	Rietgasse	A 57
Berliner Straße	A 8	Schwenninger Str.	A 62
Brigachstraße	A 12	Vockenhauser Str.	A 71
Färberstraße	A 16	Zähringerstraße	A 73

Alte Herdstraße	B	Gustav-Schwab-Straße	B 20
Dauchinger Straße	B 13	Hans-Sachs-Straße	B 25
In der Muslen	B 26	Jakob-Kienzle-Straße	B 29
Marktplatz	B	Kirchstraße	B 37
Marktstraße	B 46	Kreuzstraße	B 38
		Lammstraße	B 41
Arminstraße	B 2	Mozartstraße	B 42
Arndtstraße	B 3	Olgastraße	B 56
August-Reitz-Straße	B 4	Römerstraße	B 60
Bärenstraße	B 6	Schubertstraße	B 61
Beethovenstraße	B 7	Seestraße	B 63
Bertha-von-Suttner-Straße	B 9	Silcherstraße	B 64
David-Würth-Straße	B 14	Spittelstraße	B 66
Erzbergerstraße	B 15	Talstraße	B 67
Friedrich-Ebert-Straße	B 17	Turnerstraße	B 68
Geschw.-Scholl-Platz	B 19	Walter-Rathenau-Straße	B 72

VILSBIBURG 8313. Bayern [413] U 21, [987] [37] – 9 500 Ew – Höhe 449 m – ✆ 08741.
♦München 77 – Landshut 22 – Passau 106 – Salzburg 106.

🏨 Brauereigasthof Haslbeck, Stadtplatz 28, ✆ 2 75 – [P]
11 Z : 17 B.

VILSECK 8453. Bayern [413] S 18, [987] [27] – 5 800 Ew – Höhe 402 m – ✆ 09662.
♦München 222 – Bayreuth 64 – ♦Nürnberg 76 – ♦Regensburg 88 – Weiden in der Oberpfalz 28.

🏨 **Angerer - Gasthof zum Hirschen** (mit Gästehaus Turmhotel), Marktplatz 4, ✆ 16 90 – [$] [P]. 🚫 Rest
20. Dez.- 5. Jan. geschl. – Karte 15/35 *(Montag bis 17 Uhr geschl.)* – **39 Z : 65 B** 32/67 - 52/100 Fb.

VILSHOFEN 8358. Bayern [413] W 21, [987] [28] [38], [426] [7] – 14 600 Ew – Höhe 307 m – ✆ 08541.
♦München 164 – Passau 23 – ♦Regensburg 101.

🏨 **Bayerischer Hof**, Vilsvorstadt 32, ✆ 50 65, 🍴 – ☎ 🚗 [P]. [E]
27. Dez.- 10. Jan. geschl. – Karte 19/33 *(Samstag, im Winter auch Freitag ab 15 Uhr geschl.)* – **34 Z : 52 B** 31/46 - 59/82.

🏨 **Park Hotel**, Furtgasse 2, ✆ 80 37 – [P]. [AE] [D] [E] [VISA]. 🚫 Rest
Karte 22/37 *(Dienstag geschl.)* 🍷 – **17 Z : 31 B** 50/60 - 100/125 Fb.

VISSELHÖVEDE 2722. Niedersachsen [987] [15] – 10 000 Ew – Höhe 56 m – Erholungsort – ✆ 04262.
[i] Verkehrsamt, Haus des Gastes, Waldweg, ✆ 16 67.
♦Hannover 81 – ♦Bremen 60 – ♦Hamburg 98 – Lüneburg 72 – Rotenburg (Wümme) 19.

In Visselhövede-Hiddingen NO : 3 km :

🏨 **Röhrs Gasthaus**, Neuenkirchener Str.1, ✆ 13 72, « Garten », 🏊 – ☎ ♿ [P] 🏢
Karte 24/55 *(Freitag bis 17 Uhr geschl.)* – **28 Z : 53 B** 50/60 - 80 – P 65.

In Visselhövede-Jeddingen SW : 5 km :

🏨 **Jeddinger Hof**, Heidmark 1, ✆ 5 40, 🌳 – [TV] ☎ [P] 🏢. [AE] [D] [E]
Karte 26/52 – **38 Z : 75 B** 55/65 - 85/95.

VLOTHO AN DER WESER 4973. Nordrhein-Westfalen [987] [15] – 19 500 Ew – Höhe 47 m – ✆ 05733.
⛳ Vlotho-Exter, Heideholz 8 (SW : 8 km), ✆ (05221) 2 55 84.
♦Düsseldorf 206 – ♦Bremen 116 – ♦Hannover 76 – ♦Osnabrück 72.

🏨 **Lütke**, Weserstr. 29, ✆ 50 75 – [TV] ☎ [P] 🏢. [AE] [D] [E] [VISA]
Karte 29/75 – **20 Z : 30 B** 45/60 - 80/95.

🏨 **Fernblick** 🌙, Lange Wand 16, ✆ 41 94, ≤ Wesertal und Porta Westfalica, 🍴 – [TV] ☎ 🚗 [P]. [D] [E]
Karte 23/45 *(Dienstag geschl.)* – **17 Z : 34 B** 50 - 85 Fb.

🍴 **Alt Heidelberg**, Langestr. 70, ✆ 51 23, « Restauriertes Fachwerkhaus a.d.J. 1604 mit rustikaler Einrichtung »
Montag geschl. – Karte 28/59.

In Vlotho-Exter SW : 8 km :

🏨 **Grotegut**, Detmolder Str. 252, ✆ (05228) 2 16 – [TV] ☎ 🚗 [P]. [AE] [D] [E] [VISA]
Karte 28/65 *(Sonntag 15 Uhr - Montag 18 Uhr geschl.)* – **12 Z : 22 B** 55/60 - 110/120.

🏨 **Landhotel Ellermann**, Detmolder Str. 250, ✆ (05228) 10 88 – [TV] ☎ ♿ 🚗 [P]. [AE] [D] [VISA]. 🚫
17. Juli - 10. Aug. geschl. – Karte 27/45 *(Dienstag geschl.)* – **18 Z : 32 B** 35/49 - 70/90.

VÖHRENBACH 7741. Baden-Württemberg [413] HI 22 – 3 900 Ew – Höhe 800 m – Wintersport : 800/1 100 m ⛷4 ⛷3 – ✆ 07727.
[i] Verkehrsamt, Rathaus, Friedrichstr. 8, ✆ 50 11 15.
♦Stuttgart 131 – Donaueschingen 21 – ♦Freiburg im Breisgau 56 – Villingen-Schwenningen 18.

🏨 **Kreuz**, Friedrichstr. 7, ✆ 70 17 – 🚗 [P]
8.- 22. April und 26. Okt.- 18. Nov. geschl. – Karte 22/45 *(Freitag - Samstag 17 Uhr geschl.)* 🍷 – **15 Z : 30 B** 45/58 - 82/96 Fb.

🏨 **Ochsen**, Kälbergäßle 5, ✆ 2 24 – 🚗 [P]. [D]
Okt. geschl. – Karte 19/43 *(Montag geschl.)* 🍷 – **15 Z : 30 B** 29/40 - 58/70 – P 50/57.

🍴🍴 **Zum Engel** mit Zim, Schützenstr. 2, ✆ 70 52 – [P]
Jan. 2 Wochen und 6.- 24. Juli geschl. – Karte 31/67 *(Montag - Dienstag 18 Uhr geschl.)* – **6 Z : 11 B** 35 - 70.

An der Straße nach Unterkirnach NO : 3,5 km – Höhe 963 m :

🏨 **Friedrichshöhe**, ✉ 7741 Vöhrenbach, ✆ (07727) 2 49, 🍴, 🌳, Fahrradverleih – ☎ 🚗 [P]
Ende Okt.- Mitte Nov. geschl. – Karte 19/44 *(Freitag geschl.)* 🍷 – **18 Z : 34 B** 42/46 - 80/88 Fb.

VÖHRINGEN 7917. Bayern [418] N 22, [987] ㊱ – 12 900 Ew – Höhe 498 m – ☏ 07306.
♦München 146 – Kempten (Allgäu) 75 – ♦Ulm (Donau) 22.

In Vöhringen-Illerberg 2 NO : 3 km :

XX **Burgthalschenke,** Hauptstr. 4 1/2 (Thal), ✆ 52 65, ⛱ – [P] 🏞
Montag geschl. – Karte 30/66.

VÖLKLINGEN 6620. Saarland [987] ㉔, [242] ⑥, [57] ⑥ – 44 300 Ew – Höhe 185 m – ☏ 06898.
[i] Amt für Verkehrs- und Wirtschaftsförderung, Rathaus, Hindenburgplatz, ✆ 1 32 14.
♦Saarbrücken 11 – Saarlouis 12.

🏨 **Am Stadion** garni, Stadionstr. 55, ✆ 2 20 33 – ☎ 🚗 [P]. [AE] [D] E VISA
24. Dez.- 2. Jan. geschl. – **32 Z : 40 B** 48/62 - 88/95 Fb.

🏨 **Montan-Hotel,** Karl-Janssen-Str. 47, ✆ 2 33 11 – [P]
Karte 20/47 *(Samstag geschl.)* – **24 Z : 28 B** 50 - 90.

🏨 **Parkhaus,** Kühlweinstr. 70, ✆ 2 36 55, ⛱ – [P]
Karte 25/55 *(Donnerstag und 21. Okt.- 6. Nov. geschl.)* – **11 Z : 19 B** 45 - 75/95.

In Völklingen-Fürstenhausen S : 1,5 km :

🏨 **Saarhof,** Saarbrücker Str. 65, ✆ 3 72 39 (Hotel) 3 35 12 (Rest.) – ▤ Rest [TV] ☎ 🚗 [P]. ✗ Zim
Karte 33/55 *(Samstag geschl.)* – **14 Z : 17 B** 56/78 - 116.

In Völklingen-Geislautern SW : 2 km :

🏨 **Gästehaus Irene** garni, Im Kirchenfeld 16, ✆ 7 81 40 – ☎ [P]
11 Z : 15 B 57 - 90.

🏠 **Alte Post,** Ludweiler Str. 178, ✆ 70 11 – ☎ 🚗 [P]. E
Karte 22/54 *(Samstag bis 18 Uhr und Sonntag ab 15 Uhr geschl.)* – **17 Z : 30 B** 35/45 - 60/80.

In Völklingen-Heidstock O : 1,5 km :

🏨 Heidstock, Gerhardstr. 124, ✆ 8 21 00 – [P] – *(nur Abendessen)* – **10 Z : 14 B.**

VOERDE 4223. Nordrhein-Westfalen – 34 000 Ew – Höhe 46 m – ☏ 02855.
♦Düsseldorf 56 – ♦Duisburg 23 – Wesel 10.

XX **Wasserschloß Haus Voerde,** Allee 64, ✆ 36 11 – [P]
Montag geschl. – Karte 46/70.

VÖRSTETTEN Baden-Württemberg siehe Denzlingen.

VOGT 7981. Baden-Württemberg [418] M 23, [427] ⑧, [426] ⑭ – 3 800 Ew – Höhe 700 m – ☏ 07529.
♦Stuttgart 178 – Kempten (Allgäu) 57 – Ravensburg 13.

XX **Landgasthaus Adler** mit Zim, Ravensburger Str. 2, ✆ 15 22, « Fachwerkhaus mit elegant-rustikaler Einrichtung » – [TV] ☎ [P] 🏞. [AE] [D] E VISA
2.- 15. Jan. geschl. – Karte 43/72 – **10 Z : 20 B** 69 - 99.

VOGTSBURG IM KAISERSTUHL 7818. Baden-Württemberg [418] FG 22, [242] ㉜, [87] ⑦ – 5 100 Ew – Höhe 220 m – ☏ 07662.
♦Stuttgart 200 – Breisach 10 – ♦Freiburg im Breisgau 25 – Sélestat 28.

In Vogtsburg-Achkarren :

🏨 **Zur Krone,** Schloßbergstr. 15, ✆ 7 42, ⛱ – ☎ 🚗 [P]
8. Jan.- 7. Feb. geschl. – Karte 28/58 *(Mittwoch geschl.)* 🍷 – **22 Z : 41 B** 50 - 78/90 – P 69/75.

🏨 **Haus am Weinberg** 🌿, In den Kapellenmatten 8, ✆ 7 78, ♨, [🏊], ⛱ – ☎ 🚗 [P]. [D] E. ✗ Rest
10. Jan. - 5. Feb. geschl. – (nur Abendessen für Hausgäste) – **12 Z : 26 B** 68 - 98/110 Fb.

In Vogtsburg-Bickensohl :

🏨 **Rebstock,** Neunlindenstr, 23, ✆ 7 73, ⛱ – [P]
20. Dez.- Anfang Feb. geschl. – Karte 33/56 *(April - Okt. Dienstag und Nov.- März Montag - Dienstag geschl.)* 🍷 – **13 Z : 25 B** 42/65 - 84/102.

In Vogtsburg-Bischoffingen :

🏨 **Weinstube Steinbuck** 🌿, Steinbuckstr. 20 (in den Weinbergen), ✆ 7 71, ≤ Kaiserstühler Rebland, ⛱ – 🚗 [P] 🏞. ✗ Zim
15. Jan.- Feb. geschl. – Karte 27/45 *(April - Okt. Dienstag, Nov.- März Montag 15 Uhr - Dienstag geschl.)* 🍷 – **18 Z : 32 B** 40/50 - 70/80 – P 65/80.

In Vogtsburg-Burkheim :

🏨 **Kreuz-Post,** Landstr. 1, ✆ 5 96, ≤, ⛱ – [P]. [D]
10. Nov.- 10. Dez. geschl. – Karte 19,50/40 *(Dienstag geschl.)* 🍷 – **14 Z : 28 B** 32/48 - 52/68 Fb.

🏨 **Krone,** Mittelstadt 17, ✆ 2 11, « Terrasse mit ≤ »
2.- 30. Jan. geschl. – Karte 20/48 *(Montag geschl.)* 🍷 – **9 Z : 17 B** 35/55 - 60/85.

In Vogtsburg-Oberbergen :

XXX ✿✿ **Weingut Schwarzer Adler** mit Zim, Badbergstr. 23, ✆ 7 15, Telex 772685, ☂, große Auswahl an regionalen und französischen Weinen, ▣ – ☎ ⇔ Ⓟ. AE ⓓ E VISA. ✂
9. Jan.- 2. Feb. und 14.- 22. Dez. geschl. – Karte 47/85 *(Tischbestellung ratsam)* (Mittwoch - Donnerstag 18 Uhr geschl.) – **9 Z : 18 B** 80/100 - 100/150
Spez. Trüffel-Ravioli "Périgueux", Seezungenfilets und Langostinos in Thymianblüten, Barbarie-Ente aus dem Ofen (für 2 Pers.).

In Vogtsburg-Oberrotweil :

Landgasthof Winzerstube, Bahnhofstr. 47, ✆ 3 00, ☂ – Ⓟ. ⓓ E
6.- 31. Jan. geschl. – Karte 21/54 *(nur regionale Weine)* (Donnerstag geschl.) ♁ – **10 Z : 20 B** 31/33 - 62/66.

X **Rebstock** mit Zim (ehemaliges Rathaus a.d.J. 1672), Herrenstr. 11, ✆ 2 54, ☂ – Ⓟ
Feb. geschl. – Karte 22/41 *(Freitag geschl.)* ♁ – **8 Z : 13 B** 27 - 54.

X Neun Linden mit Zim, Hauptstr. 65, ✆ 3 24, ☂ – Ⓟ
6 Z : 12 B.

In Vogtsburg-Schelingen :

X **Zur Sonne** mit Zim, Mitteldorf 5, ✆ 2 76 – Ⓟ. AE ⓓ E
15.- 30. Jan. und 1.- 15. Juli geschl. – Karte 29/49 *(Tischbestellung ratsam)* (Dienstag geschl.) ♁ – **5 Z : 10 B** 35 - 66.

VOHENSTRAUSS 8483. Bayern 413 U 18, 987 ㉗ – 7 000 Ew – Höhe 570 m – ☎ 09651.
ℹ Verkehrsamt, Marktplatz 9 (Rathaus), ✆ 17 66.
♦München 205 – ♦Nürnberg 108 – Passau 179 – ♦Regensburg 81.

Gasthof Janner, Marktplatz 20, ✆ 22 59, ☂ – ⇔
2.- 17. Sept. geschl. – Karte 18/27 *(Samstag geschl.)* ♁ – **14 Z : 21 B** 22/34 - 44/68.

Drei Lilien, Friedrichstr. 15, ✆ 23 61 – ⇔
Karte 16/28 *(Dienstag bis 17 Uhr geschl.)* ♁ – **24 Z : 43 B** 34/37 - 58/63.

Siehe auch : ***Liste der Feriendörfer***

VOLKACH 8712. Bayern 413 N 17, 987 ㉖ – 8 500 Ew – Höhe 200 m – Erholungsort – ☎ 09381.
Sehenswert : Wallfahrtskirche "Maria im Weingarten" : Madonna im Rosenkranz NW: 1 km.
ℹ Verkehrsamt, Rathaus, Marktplatz, ✆ 4 01 12.
♦München 269 – ♦Bamberg 64 – ♦Nürnberg 98 – Schweinfurt 24 – ♦Würzburg 35.

Zur Schwane, Hauptstr. 12, ✆ 5 15, eigener Weinbau, « Altfränkische Stuben, Innenhofterrasse » – ☎ ⇔. AE ⓓ E. ✂
20. Dez.- 20. Jan. geschl. – Karte 39/65 *(Montag geschl.)* ♁ – **24 Z : 38 B** 60/95 - 115/150 Fb.

Vier Jahreszeiten, Hauptstr. 31, ✆ 37 77, ☂ – TV ☎ Ⓟ
18 Z : 35 B Fb.

Gasthof und Gästehaus Rose, Oberer Markt 7, ✆ 12 94, eigener Weinbau, ☂, Fahrradverleih – |♦| ☎ Ⓟ ⛟. E
20. Jan.- Feb. geschl. – Karte 21/46 *(Juli - April Mittwoch geschl.)* ♁ – **23 Z : 44 B** 35/58 - 60/96.

In Volkach-Escherndorf W : 3 km :

Engel, Bocksbeutelstr. 18, ✆ 24 47, eigener Weinbau
23. Dez.- Jan. geschl. – Karte 18,50/35 *(Donnerstag geschl.)* ♁ – **11 Z : 22 B** 30/35 - 45/55.

X **Zur Krone**, Bocksbeutelstr. 1, ✆ 8 50
Dienstag und Feb. geschl., Nov.- März wochentags nur Abendessen – Karte 29/60 ♁.

In Nordheim **8711** SW : 4 km :

Zur Weininsel, Mainstr. 17, ✆ (09381) 8 75, ☂, Fahrradverleih – Ⓟ. ✂ Zim
27. Dez.- Mitte Jan. geschl. – Karte 21/27 *(Mittwoch geschl.)* ♁ – **9 Z : 18 B** 33 - 55.

X **Zehnthof Weinstuben**, Hauptstr. 2, ✆ (09381) 17 02, ☂, Weinkellerbesichtigung möglich
Montag geschl. – Karte 19,50/42 ♁.

In Eisenheim-Obereisenheim **8702** NW : 9,5 km :

Zur Rose, Gaulberg 2, ✆ (09386) 2 69, eigener Weinbau – Ⓟ
20 Z : 40 B.

Cartes routières Michelin pour l'Allemagne :
n° 984 à 1/750.000
n° 987 à 1/1.000.000
n° 412 à 1/400.000 (Rhénanie-Westphalie, Rhénanie-Palatinat Hesse, Sarre)
n° 413 à 1/400.000 (Bavière et Bade-Wurtemberg)

VOLKERSBRUNN Bayern siehe Leidersbach.

VORNBACH Bayern siehe Neuhaus am Inn.

VORRA (PEGNITZ) **8561.** Bayern [413] R 18 – 1 800 Ew – Höhe 365 m – ☏ 09152 (Rupprechtstegen).
♦München 192 – Amberg 40 – Bayreuth 59 – ♦Nürnberg 46.

🏠 **Rotes Roß**, Hauptstr. 21, ☎ 80 26, ☂, 🌳 – [TV] 📞 🚗 [P]. [E]
Karte 23/44 – **15 Z : 30 B** 50/60 - 95/110 Fb.

🏨 **Zur Goldenen Krone**, Hirschbacher Str. 1, ☎ 81 40, Biergarten – [P]. [E]
Nov. geschl. – Karte 21/51 *(Montag geschl.)* 🍷 – **10 Z : 18 B** 30 - 60.

VOSSENACK Nordrhein-Westfalen siehe Hürtgenwald.

VREDEN **4426.** Nordrhein-Westfalen [987] ⑬, [408] ⑬ – 18 500 Ew – Höhe 40 m – ☏ 02564.
[i] Verkehrsverein, Markt 6, ☎ 46 00.
♦Düsseldorf 116 – Bocholt 33 – Enschede 25 – Münster (Westfalen) 65.

🏠 **Hamaland**, Up de Bookholt 28, ☎ 13 22 – 📞 [P]. [D] [E]
✈ *1.- 21. Aug. geschl.* – Karte 19,50/46 *(Montag geschl.)* – **13 Z : 26 B** 42/50 - 80/95.

WACHENHEIM **6706.** Rheinland-Pfalz [413] H 18, [242] ④, [57] ⑩ – 4 600 Ew – Höhe 158 m – Erholungsort – ☏ 06322 (Bad Dürkheim).
Mainz 86 – Kaiserslautern 35 – ♦Mannheim 24 – Neustadt an der Weinstraße 12.

🏠 **Goldbächel** 🌿, Waldstr. 99, ☎ 73 14, ☂, 🌳 – 📞 [P]. [AE]
Karte 32/53 *(Montag geschl.)* 🍷 – **16 Z : 30 B** 50/75 - 90/105 Fb.

🍴🍴 **Kapellchen**, Weinstraße, ☎ 6 54 55 – [AE] [D] [E] [VISA]. 🐕
Sonntag geschl. – Karte 36/66 🍷.

WACHTBERG **5307.** Nordrhein-Westfalen – 17 000 Ew – Höhe 230 m – ☏ 0228 (Bonn).
⛳18 Wachtberg-Oberbachem, Landgrabenweg, ☎ 34 40 03.
♦Düsseldorf 99 – ♦ Bonn 20 – ♦ Koblenz 67 – ♦ Köln 52.

In Wachtberg-Adendorf :

🍴🍴 **Gasthaus Kräutergarten**, Töpferstr. 30, ☎ (02225) 75 78 – [P]
nur Abendessen, Mitte - Ende Mai, Weihnachten - Anfang Jan. und Mittwoch geschl. – Karte 43/60 (Tischbestellung ratsam).

In Wachtberg-Niederbachem :

🏨 **Dahl** 🌿, Heideweg 9, ☎ 34 10 71, Telex 885495, ≤, 🏊, 🏊 – [♦] 📞 🚗 [P] 🎓. [AE] [E]. 🐕 Zim
23.- 29. Dez. geschl. – Karte 29/57 – **63 Z : 85 B** 75/90 - 110/130.

WADERN **6648.** Saarland [242] ②, [57] ⑥ – 17 000 Ew – Höhe 275 m – ☏ 06871.
♦Saarbrücken 51 – Birkenfeld 32 – ♦Trier 42.

In Wadern-Bardenbach S : 6 km :

🏨 **Zum Felsenhof** 🌿, Am Fels 24, ☎ 30 41, 🏊, 🏊, 🌳, 🎾 – [♦] [TV] 📞 [P] 🎓. [AE] [D] [E] [VISA].
🐕 Rest
Karte 33/65 *(Dienstag bis 17 Uhr geschl.)* – **35 Z : 70 B** 48/90 - 80/130 Fb.

In Wadern-Reidelbach NW : 7 km :

🏠 **Reidelbacher Hof**, ☎ 30 28, ≤, ☂ – 📞 🚗 [P] 🎓
✈ *ab Aschermittwoch 3 Wochen geschl.* – Karte 19,50/44 *(Montag geschl.)* 🍷 – **11 Z : 21 B** 42 - 66.

WADERSLOH **4724.** Nordrhein-Westfalen – 11 000 Ew – Höhe 90 m – ☏ 02523.
♦Düsseldorf 153 – Beckum 16 – Lippstadt 11.

🏠 **Bomke**, Kirchplatz 7, ☎ 13 01, ☂, 🌳 – 📞 [P] 🎓. [AE] [E]. 🐕 Zim
Karte **30**/65 *(Samstag geschl.)* – **17 Z : 27 B** 40/55 - 80/110.

WÄCHTERSBACH **6480.** Hessen [413] K 16, [987] ㉕ – 10 500 Ew – Höhe 148 m – ☏ 06053.
♦Wiesbaden 97 – ♦Frankfurt am Main 53 – Fulda 51.

🍴 Stadt Wächtersbach, Main-Kinzig-Str. 31 (im Bürgerhaus), ☎ 17 15, ☂ – [P] 🎓.

WÄSCHENBEUREN **7321.** Baden-Württemberg [413] M 20 – 2 600 Ew – Höhe 408 m – ☏ 07172 (Lorch).
♦Stuttgart 54 – Göppingen 10 – Schwäbisch Gmünd 16.

In Wäschenbeuren-Wäscherhof NO : 1,5 km :

🏠 **Zum Wäscherschloß** 🌿, Wäscherhof 2, ☎ 73 70 – 🚗 [P]. 🐕 Zim
✈ *Mitte - Ende Okt. geschl.* – Karte 19/35 *(Mittwoch geschl.)* 🍷 – **25 Z : 50 B** 37/42 - 70/80.

[WAGENFELD] 2841. Niedersachsen [987] ⑭ – 6 000 Ew – Höhe 38 m – ☎ 05444.
♦Hannover 100 – ♦Bremen 74 – ♦Osnabrück 64.

🏠 **Central-Hotel**, Hauptstr. 68 (B 239), ☎ 3 61 – [TV] 🚗 [P]
Juli 3 Wochen geschl. – Karte 19/33 *(Freitag - Samstag 17 Uhr geschl.)* – **12 Z : 24 B** 28/42 - 50/75.

[WAGHÄUSEL] 6833. Baden-Württemberg [413] I 19 – 17 000 Ew – Höhe 105 m – ☎ 07254.
♦Stuttgart 88 – Heidelberg 29 – ♦Karlsruhe 38 – Speyer 17.

In Waghäusel-Kirrlach :

🍴 Bürgerhof mit Zim, Kronauer Str. 3, ☎ 6 09 00 – 🚗 [P] – **7 Z : 11 B.**

[WAGING AM SEE] 8221. Bayern [413] V 23, [987] ㊳, [426] ⑲ – 5 200 Ew – Höhe 450 m – Luftkurort – ☎ 08681.
[i] Verkehrsbüro, Wilh.-Scharnow-Str. 20, ☎ 3 13.
♦München 124 – Salzburg 31 – Traunstein 12.

🏠 **Wölkhammer**, Haslacher Weg 3, ☎ 2 08, Telex 563013, ☂ – 🚗 [P]. ✗ Zim
Nov. geschl. – Karte 15/35 *(Freitag geschl.)* – **54 Z : 90 B** 32/43 - 60/96.

🏠 **Unterwirt**, Seestr. 23, ☎ 2 43, ♨, 🏊 – 🏋. E
3.- 31. Jan. geschl. – Karte 19,50/37 – **34 Z : 65 B** 44 - 90 Fb.

🏠 **Gästehaus Tanner** 🔇 garni, Hochfellnstr. 17, ☎ 92 19 – [P]. ✗
5.- 30. Nov. geschl. – **13 Z : 26 B** 35/50 - 60/70 Fb.

🍴🍴 ✿ **Kurhaus Stüberl**, am See (NO : 1 km), ☎ 6 66/46 66, ← – [P]. [AE] ⓓ E [VISA]. ✗
nur Abendessen, Montag - Dienstag, 6.- 31. Jan. und Mitte - Ende Okt. geschl. – Karte 61/80
Spez. Sülze von geräucherten Süßwasserfischen, Rindermeiserl mit Brezenknödel, Lammlaiberl auf Wirsing.

In Taching 8221 N : 4 km – Erholungsort :

🏠 **Unterwirt**, ☎ (08681) 2 52, 🏖, 🌳 – [P]. ✗ Zim
23. Dez.- 15. Jan. geschl. – Karte 19/30 *(Montag geschl.)* – **30 Z : 55 B** 27/38 - 46/65.

[WAHLEN] Hessen siehe Grasellenbach.

[WAHLSBURG] 3417. Hessen – 3 300 Ew – Höhe 150 m – ☎ 05572.
Sehenswert : in Lippoldsberg : Ehemalige Klosterkirche★.
[i] Verkehrsamt (Lippoldsberg), Am Mühlbach 15, ☎ 10 77.
♦Wiesbaden 265 – Göttingen 48 – Höxter 40 – Münden 30.

In Wahlsburg-Lippoldsberg – Luftkurort :

🏠 **Lippoldsberger Hof** 🔇, Schäferhof 16, ☎ 3 36, 🌳 – 🚗. ✗ Rest
März 3 Wochen geschl. – Karte 18,50/33 *(Mittwoch geschl.)* – **17 Z : 29 B** 39/42 - 66/88.

[WAHLSCHEID] Nordrhein-Westfalen siehe Lohmar.

[WAIBLINGEN] 7050. Baden-Württemberg [413] KL 20, [987] ㉟ – 46 200 Ew – Höhe 229 m – ☎ 07151.
♦Stuttgart 11 – Schwäbisch Gmünd 42 – Schwäbisch Hall 57.

🏠 **Waldhorn** 🔇, Fronackerstr. 10, ☎ 5 30 31, ♨ – |🛗| [TV] ☎ [P] 🏋. [AE] ⓓ E [VISA]
Karte 24/53 – **70 Z : 110 B** 99/120 - 150/170.

🏠 **Koch**, Bahnhofstr. 81, ☎ 5 34 35, Telex 7262255 – |🛗| [TV] ☎ [P]. [AE] ⓓ E
22. Dez.- 10. Jan. geschl. – Karte 29/60 – **50 Z : 91 B** 93/96 - 130/150.

🍴🍴 **Remsstuben**, An der Talaue (im Bürgerzentrum, 1. Etage, |🛗|), ☎ 2 10 78, ☂ – ♿ [P] 🏋. [AE] ⓓ E. ✗
Karte 26/31.

🍴 **Altes Rathaus**, Marktplatz 4, ☎ 5 39 89
Montag - Dienstag 18 Uhr und Juli 3 Wochen geschl. – Karte 25/53.

In Waiblingen 4-Hegnach NW : 3 km :

🏠 Lamm, Hauptstr. 35, ☎ 5 40 98, ♨ – [TV] ☎ [P] – **25 Z : 40 B** Fb.

In Waiblingen 8-Neustadt N : 2,5 km :

🍴🍴 Goldener Ochsen mit Zim, Am Rathaus 9, ☎ 8 39 97 – [TV] ☎ 🚗 [P]
(wochentags nur Abendessen) – **7 Z : 11 B.**

In Korb 7054 NO : 3 km :

🏠 **Korber Kopf**, Boschstraße (Gewerbegebiet), ☎ (07151) 39 76, ♨ – [TV] ☎ 🚗 [P]. [AE] ⓓ E
Karte 23/52 *(nur Abendessen)* – **21 Z : 37 B** 68/88 - 133.

In Korb-Kleinheppach 7054 NO : 3 km :

🏠 **Zum Lamm** 🔇, Im Hofacker 2, ☎ (07151) 6 43 52 – ☎ [P]
Juli - Aug. 3 Wochen geschl. – Karte 25/43 *(Sonntag 15 Uhr - Montag geschl.)* 🍷 – **17 Z : 32 B** 39/45 - 68/75.

WAISCHENFELD 8551. Bayern 413 R 17, 987 ㉖ – 3 100 Ew – Höhe 349 m – Luftkurort – ☎ 09202.

Ausflugsziel : Fränkische Schweiz★★.

Verkehrsamt im Rathaus, Marktplatz, ☎ 10 88.

♦München 228 – ♦Bamberg 48 – Bayreuth 26 – ♦Nürnberg 82.

Im Wiesenttal, an der Straße nach Behringersmühle :

Café-Pension Krems, Heroldsberg 17 (SW : 3 km), ✉ 8551 Waischenfeld, ☎ (09202) 2 45, ≤, – ♿ 🅿. Zim
9. Nov.- 18. Dez. geschl. – (Restaurant nur für Hausgäste) – **16 Z : 30 B** 37/50 - 68/80 – P 54/75.

Pulvermühle, Pulvermühle 35 (SW : 1 km), ✉ 8551 Waischenfeld, ☎ (09202) 10 44, – ☎ 🅿
Karte 21/44 – **9 Z : 17 B** 40/50 - 80/100 – P 65.

Heinlein, Doos (SW : 6 km), ✉ 8551 Waischenfeld, ☎ (09196) 7 66, – ☎ 🅿. AE ⓓ E
16. Nov.- 18. Dez. geschl. – Karte 24/54 – **16 Z : 26 B** 53/75 - 85/100 Fb – P 78/90.

Waldpension Rabeneck, Rabeneck 27 (SW : 3 km), ✉ 8551 Waischenfeld, ☎ (09202) 2 20, ≤, – 🅿
Karte 16/36 – **25 Z : 50 B** 28/41 - 56/72 – P 48/55.

In Waischenfeld-Langenloh SO : 2,5 km :

Gasthof Thiem, Langenloh 14, ☎ 3 57, – TV ☎ 🅿. Zim
nur Saison – **10 Z : 23 B.**

WALCHENSEE Bayern siehe Kochel am See.

WALCHSEE Österreich siehe Kössen.

WALD Bayern siehe Marktoberdorf.

WALDACHTAL 7244. Baden-Württemberg 413 I 21 – 5 100 Ew – Höhe 600 m – Wintersport : 5 – ☎ 07443.

Kurverwaltung, in Lützenhardt, Rathaus, ☎ 29 40.

♦Stuttgart 83 – Freudenstadt 17 – Tübingen 64.

In Waldachtal-Lützenhardt – Luftkurort :

Pfeiffer's Kurhotel - Restaurant Le Carosse, Willi-König-Str. 25, ☎ 80 21, Bade- und Massageabteilung, – 🅿. AE.
7. Jan.- 11. Feb. und 2.- 15. Dez. geschl. – Karte 31/60 *(auch Diät)* (Mittwoch geschl.) – **107 Z : 172 B** 45/55 - 86 – P 65.

Sattelacker Hof, Sattelackerstr. 21, ☎ 80 31, ≤, – 🅿
24 Z : 33 B Fb.

Breitenbacher Hof, Breitenbachstr. 18, ☎ 80 16, – TV ☎ 🅿
23 Z : 38 B Fb.

Waldeck garni, Kirchbergstr. 55, ☎ 81 98, ≤, – 🅿.
Okt. geschl. – **15 Z : 23 B** 27/30 - 54/60.

WALDBREITBACH 5454. Rheinland-Pfalz – 2 100 Ew – Höhe 110 m – Luftkurort – ☎ 02638.

Verkehrsamt, Neuwieder Str. 61, ☎ 40 17.

Mainz 124 – ♦Bonn 48 – ♦Koblenz 38.

Zur Post, Neuwieder Str. 44, ☎ 40 96, – 🅿. E. Zim
Karte 21/40 – **43 Z : 87 B** 45/50 - 90/100 – P 55/60.

Sport-Hotel Am Mühlenberg, Am Mühlenberg 1, ☎ 55 05, (Halle) – ☎ 🅿.
15. Nov.- 27. Dez. geschl. – (nur Abendessen für Hausgäste) – **23 Z : 43 B** 35/55 - 66/104.

Vier Jahreszeiten, Neuwieder Str. 67, ☎ 50 51, – TV ☎ 🅿
Karte 22/43 – **35 Z : 55 B** 35/41 - 66/78.

Michelin hängt keine Schilder an die empfohlenen Hotels und Restaurants.

Michelin n'accroche pas de panonceau aux hôtels et restaurants qu'il signale.

Michelin puts no plaque or sign on the hotels and restaurants mentioned in this Guide.

[WALDBRONN] 7517. Baden-Württemberg [413] I 20 – 12 500 Ew – Höhe 260 m – ☎ 07243 (Ettlingen).

[i] Kurverwaltung, im Haus des Kurgastes (beim Thermalbad), ☎ 6 09 50.

♦Stuttgart 71 – ♦Karlsruhe 16 – Pforzheim 22.

In Waldbronn 2-Busenbach :

🏨 **Römerberg** 🔇, Waldring 3a, ☎ 60 60 – 🛗 [TV] ☎ [P] 🏔. [AE] [D] [E] [VISA]. ✗ Rest
Karte 35/55 – **57 Z : 92 B** 89 - 134 Fb – P 129.

🏨 **Badner Hof - Restaurant Mormodes**, Marktplatz 3, ☎ 62 84, Biergarten – 🛗 [TV] ☎ [P]. [AE] [D] [E] [VISA]
Karte 24/52 *(auch vegetarische Gerichte)* (Freitag geschl.) – **20 Z : 32 B** 65/68 - 100/110 Fb.

🏨 **Kurhotel Bellevue** 🔇 garni, Waldring 1, ☎ 6 90 35 – 🛗 [TV] ☎ [P] 🏔. [AE] [D] [E] [VISA]
42 Z : 72 B 85 - 140 Fb – 3 Appart. 160.

🏨 Sonne, Ettlinger Str. 65, ☎ 6 14 20 – ☎ 🚗 [P]. ✗
(wochentags nur Abendessen) – **10 Z : 15 Z** Fb.

In Waldbronn 1-Reichenbach – Luftkurort :

🏨 **Weinhaus Steppe** 🔇, Neubrunnenschlag 18, ☎ 6 90 21, 🧖, 🏊 – [TV] ☎ 🚗 [P]. [AE] [E]
Karte 23/47 *(nur Abendessen, Jan. und Mittwoch geschl.)* 🍷 – **32 Z : 41 B** 56/80 - 90/101 Fb.

🏨 **Krone**, Kronenstr. 12, ☎ 6 11 40, 🧖, 🌳 – [TV] ☎ [P]. [AE] [E]
Juli - Aug. 3 Wochen geschl. – Karte 22/55 *(Samstag ab 14 Uhr und Mittwoch geschl.)* 🍷 – **20 Z : 30 B** 35/60 - 70/95 Fb – P 78.

[WALDBRUNN] 6935. Baden-Württemberg [413] K 18 – 4 200 Ew – Höhe 514 m – Luftkurort – ☎ 06274.

[i] Verkehrsamt, Alte Marktstraße, ☎ 14 88.

♦ Stuttgart 108 – Heidelberg 37 – Heilbronn 54 – ♦Mannheim 55.

In Waldbrunn 1-Strümpfelbrunn :

🏨 **Sockenbacher Hof**, Zu den Kuranlagen 4, ☎ 68 31, ⛱, Akupunktur-Zentrum, 🌳, 🎾 – [TV] ☎ [P]. [AE] [D] [E] [VISA]
1.- 12. Jan. geschl. – Karte 32/65 – **23 Z : 37 B** 85 - 170 Fb – P 140.

Siehe auch : ***Liste der Feriendörfer***

[WALDECK] 3544. Hessen [987] ⑮ – 6 800 Ew – Höhe 380 m – Luftkurort – ☎ 05623.

Sehenswert : Schloßterrasse ≤★★.

Ausflugsziel : Edertalsperre★ SW : 2 km.

[i] Verkehrsamt, Rathaus, ☎ 53 02.

♦Wiesbaden 201 – ♦Kassel 57 – Korbach 23.

🏨 **Roggenland**, Schloßstr. 11, ☎ 50 21, ⛱, 🧖, 🏊 – 🛗 ☎ [P]. [AE] [D] [E] [VISA]. ✗
Karte 25/54 – **54 Z : 110 B** 68/78 - 104/124.

🏨 Burghotel Schloß Waldeck 🔇, ☎ 53 24, ≤ Edersee und Ederhöhen, ⛱ – [P] 🏔
14 Z : 24 B Fb.

🏨 **Seeschlößchen** 🔇, Kirschbaumweg 4, ☎ 51 13, ≤ Edersee und Ederhöhen, 🧖, 🏊, 🌳 – ☎ [P]. ✗
5. Jan.- 15. März und Nov.- 15. Dez. geschl. – (Restaurant nur für Hausgäste) – **24 Z : 48 B** 36/68 - 72/98 Fb – 3 Fewo 64/136 – P 59/78.

Am Edersee SW : 2 km :

🏨 **Waldhotel Wiesemann** 🔇, Oberer Seeweg 1, ✉ 3544 Waldeck 2, ☎ (05623) 53 48, ≤ Edersee, ⛱, 🧖, 🏊, 🌳 – [TV] ☎ 🚗 [P]. [D] [E] [VISA]. ✗ Rest
Karte 23/54 – **15 Z : 30 B** 50/80 - 85/160 – P 80/110.

🏨 **Seehof** 🔇, Seeweg 2, ✉ 3544 Waldeck 2, ☎ (05623) 54 88, ≤ Edersee, ⛱ – [P]. [D] [E]
Karte 20/39 *(Abendessen nur für Hausgäste)* – **14 Z : 28 B** 28/45 - 49/69.

In Waldeck - Nieder-Werbe W : 6 km :

🏨 **Werbetal**, Uferstr. 28, ☎ 71 96 – ☎ 🚗 [P]. ✗
März - Nov. – Karte 25/45 – **22 Z : 45 B** 36/65 - 66/115 – 2 Fewo 45/75.

In Edertal - Affoldern am See **3593** S : 5 km :

🍴🍴 **Brombach** mit Zim, Hemfurter Str. 17, ☎ (05623) 47 29, ⛱ – [TV] [P]. [AE] [D] [E] [VISA]
Jan. 3 Wochen geschl. – Karte **30**/58 *(Dienstag geschl.)* – **7 Z : 14 B** 38 - 66.

[WALDENBUCH] 7035. Baden-Württemberg [413] K 21, [987] ㉟ – 8 000 Ew – Höhe 362 m – ☎ 07157.

♦Stuttgart 26 – Tübingen 20 – ♦ Ulm (Donau) 94.

🏨 **Rössle**, Grabenstr. 5 (B 27), ☎ 29 59 – [TV] [P]. [AE] [D] [E]
27. Dez.- 7. Jan. und 4.- 25. Juli geschl. – Karte 30/52 *(Dienstag geschl.)* – **10 Z : 14 B** 68 - 95.

WALDENBURG 7112. Baden-Württemberg 413 LM 19 – 2 750 Ew – Höhe 506 m – Luftkurort – ☎ 07942 (Neuenstein).

Verkehrsamt im Rathaus, ☎ 5 64.

♦Stuttgart 82 – Heilbronn 42 – Schwäbisch Hall 19.

Panoramahotel Waldenburg, Hauptstr. 84, ☎ 20 01, Telex 74176, ≤, ... – Karte 21/59 – **36 Z : 66 B** 65/85 - 99/150 Fb.

Mainzer Hof garni, Marktplatz 8, ☎ 23 35, Caféterrasse mit ≤ – **12 Z : 23 B**.

Bergfried, Hauptstr. 30, ☎ 5 44, ≤, – Zim
21. Dez.- 30. Jan. geschl. – Karte 19/36 *(Mittwoch geschl.)* – **13 Z : 20 B** 33/45 - 58/84 – P 50/67.

In Waldenburg-Neumühl SO : 6 km :

Gasthof Neumühlsee mit Zim, ☎ 85 33, ≤, – **6 Z : 12 Z**.

WALDESCH 5401. Rheinland-Pfalz – 2 300 Ew – Höhe 350 m – ☎ 02628.

Mainz 90 – ♦ Bonn 93 – ♦ Koblenz 11.

Waldhotel König von Rom, Lindenweg 10, ☎ 20 93, ≤, – AE E VISA
Karte 30/54 *(Montag geschl.)* – **19 Z : 32 B** 40/65 - 77/98.

WALDFISCHBACH-BURGALBEN 6757. Rheinland-Pfalz 413 FG 19, 987 ㉔, 87 ① – 6 200 Ew – Höhe 272 m – ☎ 06333.

Mainz 110 – Kaiserslautern 25 – Pirmasens 14.

Martin, Hauptstr. 47 (Waldfischbach), ☎ 25 38 – Rest
Karte 19/49 – **30 Z : 60 B** 25/45 - 40/80.

WALDKATZENBACH Baden-Württemberg siehe Liste der Feriendörfer : Waldbrunn.

WALDKIRCH 7808. Baden-Württemberg 413 GH 22, 987 ㉞, 242 ㉜ – 19 100 Ew – Höhe 274 m – Kneippkurort – ☎ 07681.

Kur- und Verkehrsamt, Marktplatz 21, ☎ 32 92.

♦Stuttgart 204 – ♦Freiburg im Breisgau 17 – Offenburg 62.

Parkhotel, Merklinstr. 20, ☎ 67 97 – AE E VISA
Karte 30/56 *(Sonntag 15 Uhr - Montag geschl.)* – **16 Z : 28 B** 55/70 - 102/135 Fb.

Felsenkeller, Schwarzenbergstr. 18, ☎ 60 33, ≤, Bade- und Massageabteilung, – AE E VISA
Karte 30/60 – **30 Z : 60 B** 51/65 - 98/110.

Zur Alten Post, Merklinstr. 1, ☎ 65 82 – – **9 Z : 18 B**.

Scheffelhof, Scheffelstr. 1, ☎ 65 04 –
Karte 26/40 *(Mittwoch geschl.)* – **16 Z : 30 B** 30/55 - 60/90.

Rebstock, Lange Str. 46, ☎ 93 80 –
Feb. 3 Wochen geschl. – Karte 30/50 *(Dienstag geschl.)* – **12 Z : 23 B** 35/40 - 60/75.

In Waldkirch-Buchholz SW : 4 km :

Hirschen-Stube - Gästehaus Gehri, Schwarzwaldstr. 45, ☎ 98 53, –
Karte 22/53 *(Montag und 8.- 30. Jan. geschl.)* – **17 Z : 34 B** 48/65 - 78/100 – 4 Fewo 58/105 – P 62/78.

Zum Rebstock mit Zim, Schwarzwaldstr. 107, ☎ 98 72 –
Karte 22/34 *(Dienstag geschl.)* – **6 Z : 12 B** 26/28 - 47/55.

Löwen mit Zim, Schwarzwaldstr. 34, ☎ 98 68 – – **5 Z : 10 B**.

In Waldkirch 2-Kollnau NO : 2 km :

Kohlenbacher Hof, Kohlenbach 8 (W : 2 km), ☎ 88 28, ≤, – AE
9.- 27. Jan. geschl. – Karte 31/55 *(Dienstag geschl.)* – **18 Z : 35 B** 50/60 - 90/110 Fb – P 70/80.

In Waldkirch-Suggental SW : 4 km :

Suggenbad, Talstr. 1, ☎ 80 46, – – **15 Z : 28 B**.

An der Straße zum Kandel SO : 3,5 km :

Altersbach, ✉ 7808 Waldkirch-Altersbach, ☎ (07681) 72 00 –
Karte 20/44 *(auch vegetarische Gerichte)* (Montag geschl.) – **17 Z : 33 B** 37/45 - 70/90.

Auf dem Kandel SO : 12,5 km – Höhe 1 243 m :

Berghotel Kandel, ✉ 7811 St. Peter, ☎ (07681) 70 91, ≤ Schwarzwald und Rheintal, Skischule –
40 Z : 80 B Fb.

WALDKIRCHEN 8392. Bayern [413] X 20, [987] ㉘, [426] ⑦ – 9 600 Ew – Höhe 575 m – Luftkurort – Wintersport : 600/984 m ⛷2 ⛷4 – ☎ 08581.

⛳ Dorn (SO : 3 km), ☎ (08581) 10 40.

[i] Fremdenverkehrsamt, Ringmauerstr. 14 (Bürgerhaus), ☎ 6 65.

♦München 206 – Freyung 12 – Passau 29.

- Vier Jahreszeiten 🌿, Hauzenberger Str. 48, ☎ 7 65, Telex 571131, <, 🏖, ♨, 🌳 – ☎ Ⓟ 🏛 112 Z : 240 B Fb.
- **Sporthotel Reutmühle** 🌿 (Aparthotel), Dorn 40, ☎ 20 30, 🏖, Massage, ♨, 🏊, 🎾 (Halle), Ski- und Fahrradverleih – 📺 ☎ Ⓟ. [AE] [O] [E] [VISA] Karte 23/47 – **140 Z : 462 B** 69 - 107/148 Fb.
- **Gottinger Keller** (mit Aparthotel), Hauzenberger Str. 10, ☎ 80 11, <, Biergarten, ♨, 🌳 – ☎ Ⓟ 🏛. [O] [E] [VISA] Karte 17/39 – **22 Z : 39 B** 38/55 - 72/94 Fb – 38 Fewo 50/105.
- **Lamperstorfer** (mit 🏨 Gästehaus), Marktplatz 19, ☎ 10 00 – 📺 ☎ 🚗. [E] Karte 18/30 – **23 Z : 44 B** 30/36 - 60/72.

WALDKRAIBURG 8264. Bayern [413] U 22, [987] ㊲, [426] ⑤⑱ – 22 000 Ew – Höhe 434 m – ☎ 08638.

♦München 71 – Landshut 60 – Passau 107 – Rosenheim 64.

- **Garni**, Berliner Str. 35, ☎ 30 21 – 📺 ☎ Ⓟ. [AE] [E] **25 Z : 34 B** 58/68 - 86 Fb.
- Hotel am Stadtplatz - Restaurant La Pastorella, Stadtplatz 2, ☎ 20 55 – |♦| ☎ *(Italienische Küche)* – **20 Z : 35 B.**

WALD-MICHELBACH 6948. Hessen [413] J 18, [987] ㉕ – 11 500 Ew – Höhe 346 m – Erholungsort – ☎ 06207.

[i] Verkehrsamt, Rathaus, Bahnhofstr. 17, ☎ 4 01.

♦Wiesbaden 101 – ♦Darmstadt 61 – ♦Mannheim 36.

- **Birkenhof** 🌿, Spechtbach 32, ☎ 22 97, 🌳 – ♿ Ⓟ *Nov. geschl.* – Karte 19,50/42 *(Dienstag geschl.)* 🍷 – **31 Z : 56 B** 42/45 - 80/84 – P 50.

In Wald-Michelbach 4 - Aschbach NO : 2 km :

- **Vettershof**, Waldstr. 12, ☎ 23 13 – Ⓟ. [AE] [E] *Mittwoch, Jan. und Mitte - Ende Juli geschl.* – Karte 40/70 (Tischbestellung ratsam) 🍷.

In Wald-Michelbach 1 - Ober-Schönmattenwag SO : 4 km :

- **Waldfrieden** 🌿, Lotzenweg 38, ☎ 29 88, 🌳 – 🚗 Ⓟ *Feb. geschl.* – Karte 17/38 *(Donnerstag geschl.)* 🍷 – **22 Z : 40 B** 37/45 - 68/74.

Auf der Kreidacher Höhe W : 3 km :

- **Sonnencafé Kreidacher Höhe** 🌿, ✉ 6948 Wald-Michelbach, ☎ (06207) 26 38, <, « Einrichtung im Landhausstil », ♨, 🏊 (geheizt), 🏊, 🌳, 🎾 – |♦| ☎ ♿ Ⓟ 🏛. [AE]. 🐕 Zim Karte 30/64 – **33 Z : 60 B** 86/98 - 156/184 Fb – P 113/133.

In Wald-Michelbach 5 - Siedelsbrunn SW : 7 km :

- Morgenstern, Weinheimer Str. 51, ☎ 31 43, <, 🏖 – 🚗 Ⓟ 🏛. 🐕 Zim **12 Z : 23 B.**
- **Tannenblick** 🌿, Am Tannenberg 17, ☎ 53 82, <, 🏖 – Ⓟ *1.- 20. Dez. geschl.* – Karte 19,50/37 *(Dienstag geschl.)* – **16 Z : 32 B** 42 - 70.
- Maienhof, Forsthausweg 2, ☎ 26 67, <, 🏖, 🌳 – 🚗 Ⓟ. 🐕 **15 Z : 25 B.**

WALDMOHR 6797. Rheinland-Pfalz [413] EF 18, [242] ⑦, [57] ⑦ – 5 100 Ew – Höhe 269 m – ☎ 06373.

Mainz 127 – Kaiserslautern 36 – ♦Saarbrücken 37.

- **Waldmohrer Hof**, Saarpfalzstr. 2, ☎ 93 96, 🌳 – Ⓟ. 🐕 Zim Karte 18,50/35 🍷 – **16 Z : 26 B** 38 - 70.
- **Le marmiton**, Mühlweier 1, ☎ 91 56, 🏖 – Ⓟ. [AE] [O] [VISA] *Montag - Dienstag 18 Uhr geschl.* – Karte 40/60.

In Waldmohr-Waldziegelhütte NW : 2 km :

- **Landhaus Hess** 🌿, Haus Nr. 13, ☎ 24 11, ♨ – 📺 ☎ Ⓟ. 🐕 *19. Sept.- 2. Okt. geschl.* – (Restaurant nur für Hausgäste) – **14 Z : 20 B** 38/45 - 70/90.

An der Autobahn A 6 - Nordseite SO : 3 km :

- **Raststätte Waldmohr**, ✉ 6797 Waldmohr, ☎ (06373) 32 35 – Ⓟ Karte 22/48 – **11 Z : 14 B** 61 - 112.

WALDMÜHLE Nordrhein-Westfalen siehe Kürten.

WALDMÜNCHEN 8494. Bayern [413] V 18, [987] ㉗ – 7 200 Ew – Höhe 512 m – Luftkurort – Wintersport : 750/920 m ⛷3 ⛷7 – ☎ 09972.

[i] Verkehrsamt, Marktplatz, ℘ 2 62.

♦München 210 – Cham 21 – Weiden in der Oberpfalz 70.

🏨 Post, Marktplatz 9, ℘ 14 16
16 Z : 26 B.

🏨 **Schmidbräu**, Marktplatz 5, ℘ 13 49, 🍴 – [lift] [P]. [AE] [DC] [E]
◆ *Mitte - Ende Feb. geschl.* – Karte 15/40 *(Nov.- März Samstag geschl.)* – **35 Z : 62 B** 25/45 - 50/76 – P 39/52.

In Waldmünchen-Arnstein N : 3 km – Höhe 760 m :

🏨 Napoleon, ℘ 7 69, 🍴, 🌳 – [P]
17 Z : 32 B.

In Waldmünchen-Herzogau SO : 4 km – Höhe 720 m :

🏨 **Gruber**, ℘ 14 39, <, [s], 🌳 – [P]
◆ Karte 15/25 *(Mittwoch geschl.)* – **20 Z : 38 B** 23/32 - 46/62 – 2 Fewo 50 – P 34/40.

In Treffelstein-Kritzenthal 8491 NW : 10 km Richtung Schönsee, nach 8 km rechts ab :

🏨 **Katharinenhof**, ℘ (09673) 4 12, 🍴, « Restaurant-Stuben im ländlichen Stil », [s], [🏊], 🌳 – ☎ [P]
Nov.- 15. Dez. geschl. – Karte 20/50 – **55 Z : 100 B** 45/55 - 80/100 Fb.

WALDORF Rheinland-Pfalz siehe Breisig, Bad.

WALDPRECHTSWEIER Baden-Württemberg siehe Malsch.

WALDRACH 5501. Rheinland-Pfalz – 2 200 Ew – Höhe 130 m – ☎ 06500.

Mainz 163 – Hermeskeil 22 – ♦Trier 11 – Wittlich 36.

🏨 **Waldracher Hof**, Untere Kirchstr. 1, ℘ 6 19 – ☎ 🚗 [P]
◆ *Mitte Jan.- Mitte Feb. geschl.* – Karte 19,50/42 *(Dienstag geschl.)* 🍷 – **27 Z : 56 B** 40/45 - 70/75.

In Riveris 5501 SO : 3 km :

🏨 **Landhaus zum Langenstein**, Auf dem Eschgart 50, ℘ (06500) 2 87, 🌳 – [P]. 🚫 Rest
◆ Karte 18/35 – **21 Z : 40 B** 35/40 - 64/70 – P 45.

WALDSASSEN 8595. Bayern [413] TU 16, 17, [987] ㉗ – 8 500 Ew – Höhe 490 m – ☎ 09632.

Sehenswert : Klosterkirche★ (Chorgestühl★, Bibliothek★★).

Ausflugsziel : Kappel : Lage★★ - Wallfahrtskirche★ NW : 7 km.

[i] Verkehrsamt, Johannisplatz 11, ℘ 88 28.

♦München 311 – Bayreuth 77 – Hof 55 – Weiden in der Oberpfalz 49.

🏨 **Zrenner**, Dr.-Otto-Seidl-Str. 13, ℘ 12 26, « Innenhofterrasse » – [TV] ☎ 🚗
Karte 23/57 – **22 Z : 36 B** 45/60 - 80/110 – P 60/75.

🏨 **Ratsstüberl**, Basilikaplatz 5, ℘ 17 82, 🍴 – [TV] [P]
◆ Karte 18,50/35 *(Sonntag und Dienstag jeweils ab 18 Uhr geschl.)* – **10 Z : 22 B** 27/32 - 47/52.

WALDSEE Rheinland-Pfalz siehe Limburgerhof.

WALDSEE, BAD 7967. Baden-Württemberg [413] M 23, [987] ㉟ ㊱, [427] ⑧ – 15 000 Ew – Höhe 587 m – Heilbad – Kneippkurort – ☎ 07524.

Sehenswert : Stadtsee★.

⛳18 Hofgut Hopfenweiler (NO: 1 km), ℘ 59 00.

[i] Kurverwaltung, Ravensburger Str. 1, ℘ 1 03 78.

♦Stuttgart 154 – Ravensburg 21 – ♦Ulm (Donau) 66.

🏨 **Zum Ritter** garni, Wurzacher Str. 90, ℘ 80 18, [s] – ☎ [P]. 🚫
25 Z : 37 B 55/68 - 90/110 Fb.

🏨 **Post**, Hauptstr. 1, ℘ 15 07, [s] – [lift] ☎. [E] [VISA]
◆ *20. Dez.- 15. Jan. geschl.* – Karte 18/39 *(Samstag geschl.)* 🍷 – **30 Z : 40 B** 28/55 - 60/90.

🍴 **Grüner Baum** mit Zim, Hauptstr. 34, ℘ 14 37 – [TV] ☎. [E]. 🚫
Karte 24/43 🍷 – **14 Z : 25 B** 38/75 - 95/105 (Hotelanbau ab Frühjahr 1989).

In Bad Waldsee 1-Enzisreute SW : 6 km :

🏨 Waldblick, Hauptstr.1 (B 30), ℘ 80 78, 🍴, 🌳 – [TV] ☎ 🚗 [P] 🏔
37 Z : 60 B.

In Bad Waldsee-Gaisbeuren SW : 4 km :

🍴 **Gasthaus Adler**, an der B 30, ☎ 67 47 – [P]
Donnerstag und 19. Okt.- 3. Nov. geschl. – Karte 24/42 🍷.

In Bad Waldsee-Mattenhaus N : 3 km :

🏠 Landgasthof Kreuz, an der B 30, ☎ 16 10, ☂ – [TV] ♿ 🚗 [P]
21 Z : 39 B.

WALDSHUT-TIENGEN **7890.** Baden-Württemberg [413] H 24, [987] ㉟, [427] ⑤ – 21 500 Ew – Höhe 340 m – ☎ 07751.

[i] Städtisches Verkehrsamt, Waldshut, im Oberen Tor, ☎ 16 14.

♦Stuttgart 180 – Basel 56 – Donaueschingen 57 – ♦Freiburg im Breisgau 80 – Zürich 45.

Im Stadtteil Waldshut :

🏠 **Waldshuter Hof**, Kaiserstr. 56, ☎ 20 08, Fax 7601 – 🛗 ☎. [AE] [E]
Karte **30**/53 *(Montag geschl.)* – **23 Z : 39 B** 65/70 - 110/120 Fb.

🏠 **Schwanen**, Amthausstr. 2, ☎ 36 32 – 🚗
Karte **27**/49 *(Montag geschl.)* 🍷 – **14 Z : 24 B** 36/42 - 65/75 Fb.

🍴🍴 **Fährhaus** mit Zim, Konstanzer Str. 7 (B 34) (SO : 2 km), ☎ 30 12 – 🚗 [P]
Feb. und Juli - Aug. jeweils 2 Wochen geschl. – Karte 26/48 *(Donnerstag - Freitag 17 Uhr geschl.)* – **17 Z : 23 B** 35/80 - 70/160 Fb.

🍴 **Taverna**, Kaiserstr. 98 (im Rheinischen Hof), ☎ 25 55 – [AE] [D] [E] [VISA]
Karte 32/53.

🍴 **Rheinterrasse**, Rheinstr. 33, ☎ 31 10, ≤, ☂
Dienstag 18 Uhr - Mittwoch und Nov. geschl. – Karte 23/45.

Im Stadtteil Tiengen :

🏠 **Bercher**, Bahnhofstr. 1, ☎ (07741) 6 10 66, ☂, ♨ – 🛗 [TV] ☎ 🚗 [P] 🏛. [AE] [D]
2.- 8. Jan. geschl. – Karte 28/52 *(Samstag geschl.)* – **35 Z : 60 B** 48/75 - 92/130 Fb.

🍴🍴 **Brauerei Walter** mit Zim, Hauptstr. 23, ☎ (07741) 45 30 – [TV] ☎ 🚗 [P]
Karte 25/45 *(Sonntag geschl.)* – **26 Z : 46 B** 31/60 - 62/110 – P 65/94.

In Waldshut-Tiengen - Schmitzingen N : 3,5 km ab Stadtteil Waldshut :

🍴🍴 **Löwen**, Hochtannweg 1, ☎ 69 44 – [P]. [AE] [D] [E] [VISA]
Sonntag - Montag 18 Uhr und 1.- 13. Aug. geschl. – Karte 46/66.

In Waldshut-Tiengen - Waldkirch N : 8 km ab Stadtteil Waldshut :

🏠 **Zum Storchen**, Tannholzstr. 19, ☎ (07755) 2 69 – 🚗 [P]
◆ *15. Nov.- 20. Dez. geschl.* – Karte 19/32 *(Freitag - Samstag 16 Uhr geschl.)* 🍷 – **12 Z : 24 B** 28/35 - 58/68.

In Lauchringen 2-Oberlauchringen **7898** SO : 4 km ab Stadtteil Tiengen :

🏠 **Feldeck**, Klettgaustr. 1 (B 34), ☎ (07741) 22 05, 🏊, 🌳 – 🛗 [TV] ☎ 🚗 [P] 🏛. 🚫 Rest
◆ Karte 18/38 *(Samstag geschl.)* 🍷 – **30 Z : 50 B** 40/60 - 80/90 Fb.

🏠 **Adler** (Historischer Gasthof a.d. 16. Jh.), Klettgaustr. 20 (B 34), ☎ (07741) 24 97 – 🚗 [P]
Mitte Okt. - Mitte Nov. geschl. – Karte 21/37 *(Donnerstag geschl.)* 🍷 – **6 Z : 10 B** 22 - 44 – P 38.

In Weilheim-Aisperg **7891** N : 10,5 km über die B 500 ab Stadtteil Waldshut – Höhe 840 m :

🏠 Landhaus Tannhof 🐚, ☎ (07755) 2 95 – [P]
11 Z : 21 B Fb.

WALDSTETTEN Baden-Württemberg siehe Schwäbisch Gmünd.

WALDULM Baden-Württemberg siehe Kappelrodeck.

WALLDORF **6909.** Baden-Württemberg [413] I 19, [987] ㉕ – 13 200 Ew – Höhe 110 m – ☎ 06227.

♦Stuttgart 107 – Heidelberg 15 – Heilbronn 54 – ♦Karlsruhe 42 – ♦Mannheim 30.

🏠 **Holiday Inn Walldorf-Astoria**, Roter Straße (SW : 1,5 km), ☎ 3 60, Telex 466009, Fax 36504, ☂, Massage, ♨, 🏊 (geheizt), 🏊, 🌳, 🎾 – 🛗 🚭 Zim ▤ [TV] ♿ [P] 🏛. [AE] [D] [E] [VISA]. 🚫 Rest
Karte 27/72 – **150 Z : 255 B** 192/227 - 234/284 Fb – 3 Appart. 384.

🏠 Vorfelder, Bahnhofstr. 28, ☎ 20 85, Telex 466016, ☂, 🌳 – 🛗 [TV] ☎ [P] 🏛
36 Z : 54 B Fb.

🏠 **Zum weißen Rössel**, Hauptstr. 26, ☎ 6 20 48/3 03 00 – 🛗 [TV] ☎. [AE] [E] [VISA]. 🚫 Zim
Karte 21/45 *(Sonntag ab 15 Uhr geschl.)* – **30 Z : 49 B** 45/75 - 75/110 Fb.

🍴 **Haus Landgraf** mit Zim (ehem. Bauernhaus a.d. 17. Jh.), Hauptstr. 25, ☎ 40 36, « Stilvolle, rustikale Einrichtung, Innenhof » – ☎ [P]. [AE] [D] [E] [VISA]
Karte 32/59 *(nur Abendessen, Montag geschl.)* – **14 Z : 22 B** 40/80 - 80/120.

[WALLDÜRN] 6968. Baden-Württemberg [413] KL 18, [987] [25] – 10 500 Ew – Höhe 420 m – ☏ 06282.
[i] Verkehrsamt, im alten Rathaus, Hauptstr. 27, ☎ 6 71 07.
♦Stuttgart 125 – Aschaffenburg 64 – Heidelberg 93 – ♦Würzburg 62.

🏨 **Landgasthof Zum Riesen** (restauriertes Fachwerkhaus a.d.J. 1724, ehemaliges Palais), Hauptstr. 14, ☎ 5 31, 🌳 – ⇅ ☏ [P] 👥. [AE] [O] [E] [VISA]
4.- 31. Jan. geschl. – Karte 29/60 – **28 Z : 60 B** 51/85 - 92/135 Fb.

🏨 **Zum Ritter**, Untere Vorstadtstr. 2, ☎ 60 55 – ☏ 👥
◆ Karte 19,50/38 *(Freitag und 13. Feb.- 11. März geschl.)* 🍷 – **19 Z : 35 B** 27/55 - 50/90 Fb.

In Walldürn-Reinhardsachsen N : 9 km :

🏨 **Haus am Frankenbrunnen** 🌙, Am Kaltenbach 3, ☎ (06286) 7 15, ♨, 🌲 – [TV] ☏ 🚗 [P].
◆ ✂ Rest
9. Jan.- 1. Feb. und 13.- 24. Feb. geschl. – Karte 19,50/38 *(Donnerstag geschl.)* 🍷 – **8 Z : 16 B** 40/45 - 76/95 Fb – 6 Fewo 55/75.

[WALLENHORST] Niedersachsen siehe Osnabrück.

[WALLERFANGEN] Saarland siehe Saarlouis.

[WALLGAU] 8109. Bayern [413] Q 24, [426] [16] – 1 100 Ew – Höhe 868 m – Erholungsort – Wintersport : 900/1 000 m ⛷1 ⛷5 – ☏ 08825 (Krün).
[i] Verkehrsamt, Dorfplatz 7, ☎ 4 72.
♦München 93 – Garmisch-Partenkirchen 19 – Bad Tölz 47.

🏨 **Parkhotel**, Barmseestr. 1, ☎ 2 11/20 01, Caféterrasse, « Elegant-rustikale Einrichtung », Massage, ♨, 🏊, 🌲 – ⇅ [TV] ♿ 🚗 [P]
Nov.- 15. Dez. geschl. – (nur Abendessen für Hausgäste) – **52 Z : 95 B** (nur ½ P) 115/130 - 210/220 Fb – 12 Appart. 280/320.

🏨 **Post**, Dorfplatz 6, ☎ 10 11, Biergarten, ♨ – ⇅ ☏ [P] 👥
Karte 24/52 *(Anfang Nov.- Mitte Dez. geschl.)* – **29 Z : 54 B** 40/91 - 79/132 Fb – 3 Appart. 157 – P 84/107.

🏨 **Vita Bavarica** 🌙 garni, Lange Äcker 17, ☎ 5 72, ≤ Karwendel und Wettersteinmassiv, ♨, 🏊 (geheizt), 🌲 – ☏ [P]. ✂
25. Okt.- 18. Dez. geschl. – **13 Z : 27 B** 39/58 - 77/92.

🏨 Karwendelhof, Walchenseestr. 18 (B 11), ☎ 13 13/10 21, ≤ Karwendel und Wettersteinmassiv, 🌳, ♨, 🏊, 🌲 – ☏ [P]. ✂ Rest
11 Z : 21 B Fb.

🏨 **Wallgauer Hof** 🌙, Isarstr. 15, ☎ 6 16/20 24, ♨, 🌲, Skiverleih – ☏ 🚗 [P]
2.- 16. April und Nov.- 15. Dez. geschl. – (nur Abendessen für Hausgäste) – **23 Z : 42 B** 47/85 - 85/130.

🏨 Gästehaus Bayerland garni, Mittenwalder Str. 3 (B 11), ☎ 6 11, ♨, 🏊, 🌲 – ☏ 🚗 [P]
15 Z : 29 B.

🏨 **Isartal**, Dorfplatz 2, ☎ 2 44/10 44 – 🚗 [P]. [E]
3. April - 3. Mai und Anfang Nov.- 18. Dez. geschl. – Karte 22/39 *(Dienstag geschl.)* – **20 Z : 35 B** 37/55 - 74/78.

[WALLUF] 6229. Hessen – 5 600 Ew – Höhe 90 m – ☏ 06123.
♦Wiesbaden 10 – ♦Koblenz 71 – Limburg an der Lahn 51 – Mainz 13.

🏨 **Zum neuen Schwan** 🌙 garni, Rheinstr. 3, ☎ 7 10 77 – [TV] ☏ 🚗 [P]. [AE] [O] [E] [VISA]
20 Z : 39 B 82/132 - 114/184 Fb.

🏨 **Ruppert**, Hauptstr. 61 (B 42), ☎ 7 10 89 – ☏ [P] 👥. ✂ Zim
◆ Karte 18/40 *(Montag - Dienstag geschl.)* 🍷 – **30 Z : 50 B** 40/60 - 70/100 Fb.

🍴🍴🍴 ✿ **Boris' Restaurant** (Haus a.d. 17. Jh.), Hauptstr. 14, ☎ 7 36 90, « Gartenterrasse; Ausstellung verkäuflicher Bilder » – [AE] [O] [E]
Sonntag - Montag und Juli - Aug. 3 Wochen geschl. – Karte 80/101 (Tischbestellung ratsam)
Spez. Mosaik von Gänseleber, Seezunge in Ingwer-Honigsauce, Ente auf Sojasprossen.

🍴🍴 **Schwan** 🌙 mit Zim, Rheinstr. 4, ☎ 7 24 10 – [P]. [AE] [O] [E]
Karte 48/81 *(Samstag bis 18 Uhr und Dienstag geschl.)* – **5 Z : 9 B** 43/48 - 56/70.

🍴🍴 **Zum Treppchen**, Kirchgasse 14, ☎ 7 17 68 – [E]
nur Abendessen, Mittwoch, Sonn- und Feiertage sowie Feb.- März und Aug.- Sept. je 2 Wochen geschl. – Karte 48/65 (Tischbestellung ratsam) 🍷.

[WALPORZHEIM] Rheinland-Pfalz siehe Neuenahr-Ahrweiler, Bad.

Pleasant hotels or restaurants
are shown in the Guide by a red sign.
Please send us the names
of any where you have enjoyed your stay.
Your Michelin Guide will be even better.

🏨🏨🏨🏨🏨 ... 🏨

🍴🍴🍴🍴🍴 ... 🍴

[WALSHEIM] Saarland siehe Gersheim.

[WALSRODE] **3030.** Niedersachsen [987] ⑮ – 23 100 Ew – Höhe 35 m – Erholungsort – ☎ 05161.
Ausflugsziel : Vogelpark ★★ N : 3 km.
[i] Fremdenverkehrsamt, Lange Str. 20, ℘ 20 37.
♦Hannover 61 – ♦Bremen 61 – ♦Hamburg 102 – Lüneburg 76.

🏨 Landhaus Walsrode ⑤, garni, Oskar-Wolff-Str. 1, ℘ 80 53, 🏊 (geheizt), 🌳 – ☎ 🚗 [P]
18 Z : 30 B Fb.

🏨 **Walsroder Hof**, Lange Str. 48, ℘ 58 10 – [lift] 🚗 [P] 🏛. [AE] ⓓ E [VISA]. ✗
15. Dez.- Jan. geschl. – Karte 24/48 *(Freitag geschl.)* – **35 Z : 50 B** 69/95 - 110/150 Fb.

🏨 Kopp-Ratscafé, Lange Str. 4, ℘ 7 30 73 – [TV] [P] 🏛
8 Z : 16 B.

🏨 Stadtschänke garni, Lange Str. 73, ℘ 57 76 – [P]
10 Z : 18 B.

🏨 **Hannover**, Lange Str. 5, ℘ 55 16 – 🚗 [P]. [AE] E [VISA]
Karte 18,50/43 – **26 Z : 50 B** 50/60 - 74/94.

In Walsrode-Hünzingen N : 5 km :

🏨 Forellenhof ⑤, ℘ 56 98, 🍽, 🌳 – [P]
14 Z : 27 B.

In Walsrode-Tietlingen O : 9 km :

🍴 **Sanssouci** ⑤ mit Zim, Lönsweg 9, ℘ (05162) 30 47, 🌳 – [TV] ☎ [P]. ✗ Zim
Feb. geschl. – Karte 26/38 *(Nov.- März Donnerstag geschl.)* – **12 Z : 22 B** 55/60 - 90/100.

[WALTENHOFEN] **8963.** Bayern [413] N 23, 24, [426] ⑮ – 8 000 Ew – Höhe 750 m – ☎ 08303.
[i] Verkehrsamt, Rathaus, ℘ 8 22.
♦München 131 – Bregenz 73 – Kempten (Allgäu) 6 – ♦Ulm (Donau) 97.

In Waltenhofen 2-Martinszell S : 5,5 km – Erholungsort :

🏨 **Adler**, Illerstr. 10, ℘ (08379) 2 07 – ☎ 🚗 [P]
9.- 22. Jan. geschl. – Karte 22/42 ♁ – **30 Z : 50 B** 46 - 92.

[WALTRINGHAUSEN] Niedersachsen siehe Nenndorf, Bad.

[WALTROP] **4355.** Nordrhein-Westfalen [987] ⑭ – 27 000 Ew – Höhe 60 m – ☎ 02309.
Siehe Ruhrgebiet (Übersichtsplan).
♦Düsseldorf 85 – Münster (Westfalen) 50 – Recklinghausen 15.

🏨 **Haus der Handweberei** garni, Bahnhofstr. 95, ℘ 30 03 – ☎ [P]. ✗
12 Z : 20 B 45/50 - 80/100.

🍴🍴 **Rôtisserie Stromberg**, Dortmunder Str. 5 (Eingang Isbruchstr.), ℘ 42 28 – [P]. [AE] ⓓ E
Montag geschl. – Karte 33/66.

[WAMEL] Nordrhein-Westfalen siehe Möhnesee.

[WANGEN IM ALLGÄU] **7988.** Baden-Württemberg [413] M 23, [987] ㊱, [426] ⑭ – 23 500 Ew – Höhe 556 m – ☎ 07522.
Sehenswert : Marktplatz ★.
[i] Gästeamt, Rathaus, Marktplatz, ℘ 7 42 11.
♦Stuttgart 194 – Bregenz 27 – Ravensburg 23 – ♦Ulm (Donau) 102.

🏨 **Romantik-Hotel Alte Post** (mit Gästehaus), Postplatz 2, ℘ 40 14, Telex 732774, « Einrichtung im Barock- und Bauernstil », 🌳 – [TV] ☎ 🚗 [P] 🏛. ⓓ E [VISA]
Karte 29/65 – **28 Z : 50 B** 68/90 - 120/150 Fb.

🏨 **Vierk's Privat-Hotel**, Bahnhofsplatz 1, ℘ 8 00 61, [sauna] – [TV] ☎ 🚗 [P]
Karte 30/56 *(Montag geschl.)* – **14 Z : 28 B** 50/75 - 90/130 Fb.

🏨 **Haus Waltersbühl** ⑤, Max-Fischer-Str. 4, ℘ 50 57, 🍽, [sauna], 🏊, 🏊, 🌳 – ☎ 🚗 [P] 🏛. ✗ Zim
Juli 2 Wochen geschl. – Karte 24/50 *(Sonntag ab 14 Uhr geschl.)* ♁ – **54 Z : 96 B** 53/75 - 96/114 Fb.

🏨 **Mohren-Post**, Herrenstr. 27, ℘ 2 10 76 – 🚗
Karte 28/45 *(Freitag und 10.- 30. Sept. geschl.)* ♁ – **14 Z : 20 B** 40/50 - 80/90.

🏨 **Alpina** garni, Am Waltersbühl 6, ℘ 40 38 – [lift] ☎ 🚗 [P]. [AE] ⓓ E [VISA]
23 Z : 48 B 46/48 - 74.

🏨 **Zur Sonnenhalde** ⑤, Wermeisterweg 35, ℘ 66 75, Gartenterrasse, 🏊, 🌳 – 🚗 [P]. E. ✗ Zim
Karte 21/41 *(Freitag geschl.)* ♁ – **20 Z : 32 B** 28/34 - 56/68.

🏨 **Taube**, Bindstr. 47, ℘ 2 13 38
Jan. geschl. – Karte 19/34 *(Freitag geschl.)* – **14 Z : 20 B** 30/35 - 60/70.

In Wangen-Herfatz NW : 3 km, über die B 32 :

Waldberghof , Am Waldberg, ☎ 67 71, , , – ☎ [P]. [AE] [VISA]
Karte 22/36 *(nur Abendessen)* – **13 Z : 26 B** 52 - 90.

In Wangen 4-Neuravensburg SW : 8 km :

Waldgasthof zum Hirschen , Grub 1, ☎ (07528) 72 22, « Gartenterrasse », , 🍴 – [P]. [E] [VISA]
Karte 23/44 *(Montag geschl.)* – **6 Z : 11 B** 50 - 100.

Mohren, Bodenseestr. 7, ☎ (07528) 72 45, , , 🍴 – [P]. [E]
10.- 30. Nov. geschl. – Karte 22/41 *(Montag geschl.)* – **22 Z : 42 B** 45 - 80.

[WANGEN] Baden-Württemberg siehe Göppingen bzw. Öhningen.

[WANGERLAND] 2949. Niedersachsen – 10 600 Ew – Höhe 1 m – ☎ 04426.
[i] Kurverwaltung, Zum Hafen 1 (Horumersiel), ☎ 15 11.
♦Hannover 242 – Emden 76 – ♦Oldenburg 72 – Wilhelmshaven 21.

In Wangerland 3-Hooksiel [987] ④ – Seebad :

Packhaus mit Zim, am Hafen 1, ☎ (04425) 12 33, ← – [TV] ☎ [P]. [AE] [E] [VISA]
Karte 30/70 – **6 Z : 12 B** 68/85 - 90/120.

In Wangerland 2-Horumersiel – Seebad :

Atlanta , Am Tief 6, ☎ 15 21, , – [TV] ☎ [P] . [AE] [E]
Karte 26/61 *(wochentags nur Abendessen)* – **25 Z : 100 B** 85 - 148 Fb – 15 Fewo 93.

Mellum , Fasanenweg 9, ☎ 6 16, , – [P]
Nov.- 22. Dez. geschl. – Karte 22/46 *(Montag geschl.)* – **20 Z : 40 B** 48 - 82 – P 52/60.

In Wangerland 2-Schillinghörn – Seebad :

Apart-Hotel Upstalsboom , Mellumweg 6, ☎ 8 80, ←, – [TV] ☎ [P] . [AE] [E] [VISA]
Karte 33/70 *(8. Jan.- 19. März geschl.)* – **72 Z : 161 B** 80/85 - 130/140 Fb – 6 Appart. 200/260 – 9 Fewo 120/160.

[WANGEROOGE (Insel)] 2946. Niedersachsen [987] ④ – 2 000 Ew – Seeheilbad – Insel der Ostfriesischen Inselgruppe. Autos nicht zugelassen – ☎ 04469.
 von Wittmund-Carolinensiel (Bahnhof Harle) (ca. 1 h 15 min), ☎ (04469) 2 17.
[i] Verkehrsverein, Pavillon am Bahnhof, ☎ 3 75.
♦Hannover 256 – Aurich/Ostfriesland 36 – Wilhelmshaven 41.

Gerken , Strandpromenade 21, ☎ 6 11, ←, – [TV] ☎. Rest
nur Saison – **52 Z : 88 B** Fb – 7 Fewo.

Kaiserhof , Strandpromenade 27, ☎ 2 02, ←, –
Ostern - Sept. – Karte 27/45 – **55 Z : 93 B** 59/86 - 118/172 – P 99/126.

Strandhotel Germania , Strandpromenade 33, ☎ 14 44, ← – ☎
März - Sept. – Karte 26/44 *(nur Abendessen)* – **56 Z : 98 B** 80/100 - 150/170 Fb.

Hansa-Haus , Dorfplatz 16, ☎ 2 37
nur Saison – (nur Abendessen für Hausgäste) – **35 Z : 60 B** Fb.

[WANK] Bayern. Sehenswürdigkeit siehe Garmisch-Partenkirchen.

[WARBURG] 3530. Nordrhein-Westfalen [987] ⑮ – 21 700 Ew – Höhe 205 m – ☎ 05641.
[i] Fremdenverkehrsamt, Zwischen den Städten 2, ☎ 9 25 55.
♦Düsseldorf 195 – ♦Kassel 34 – Marburg 107 – Paderborn 42.

Alt Warburg, Kalandstr. 11, ☎ 42 11, Telex 991239, « Restauriertes Fachwerkhaus a.d. 16. Jh. » – ☎
Karte 43/76 *(wochentags nur Abendessen, Montag geschl.)* – **16 Z : 25 B** 65/95 - 98/165 Fb.

Berliner Hof , Gerhart-Hauptmann-Str. 11, ☎ 21 37 – [P]
Juli geschl. – Karte 22/45 *(Sonntag ab 14 Uhr und Freitag geschl.)* – **13 Z : 23 B** 39/65 - 69/98.

In Warburg 2-Scherfede NW : 10 km :

Wulff, Wiggenbreite 3, ☎ (05642) 2 08, , – [P]
Karte 21/42 *(Sonntag ab 14 Uhr geschl.)* – **8 Z : 14 B** 35/55 - 68/75.

[WARENDORF] 4410. Nordrhein-Westfalen [987] ⑭ – 34 000 Ew – Höhe 56 m – ☎ 02581.
Ausflugsziel : Freckenhorst : Stiftskirche★ (Taufbecken ★) SW : 5 km.
 Vohren 41 (O: 3 km), ☎(02586) 17 92.
[i] Verkehrsamt, Markt 1, ☎ 5 42 22.
♦Düsseldorf 150 – Bielefeld 47 – Münster (Westfalen) 27 – Paderborn 63.

🏨 **Im Engel** 🔇, Brünebrede 37, ☎ 70 64, ♨ – 🛗 [TV] ☏ ♿ 🚗 [P] 👥. [AE] [D] [E] [VISA]
Ende Juli - Mitte Aug. geschl. – Karte **32**/65 *(Weinkarte mit über 400 Spitzenweinen, abends Tischbestellung ratsam)* (Freitag 15 Uhr - Samstag 18 Uhr geschl.) – **23 Z : 40 B** 60/150 - 90/200 Fb.

🏨 Olympia, Dreibrückenstr. 66, ☎ 80 18 (Hotel) 6 21 75 (Rest.), 🌳 – 🛗 [TV] ☏ 🚗 👥
(nur Abendessen) – **24 Z : 47 B** Fb.

🏨 **Emshof**, Sassenberger Str. 39, ☎ 23 00 – [TV] 🚗 [P]. 🚫🐕 Zim
20. Dez.- 10. Jan. geschl. – Karte 20/45 – **33 Z : 48 B** 40 - 80.

XX Wiesenhof, Lange Wieske 52, ☎ 34 84, « Gartenterrasse » – [P].

XX **Haus Allendorf**, Neuwarendorf 16 (B 64, W : 4 km), ☎ 21 07, ⛱ – [P]. 🚫🐕
Montag und Juli geschl. – Karte 22/52.

WARMENSTEINACH 8581. Bayern [418] S 17, [987] [27] – 3 000 Ew – Höhe 558 m – Luftkurort – Wintersport : 560/1 024 m 🚡11 (Skizirkus Ochsenkopf) ⛷7 – ✆ 09277.

[i] Verkehrsamt, Freizeithaus, ☎ 14 01.

◆München 253 – Bayreuth 24 – Marktredwitz 27.

🏨 **Sporthotel Sonnenbichl** 🔇, Panoramasteig 403, ☎ 5 15, Telex 642798, <, ⛱, ♨, 🏊 – 🛗 ☏ 🚗 [P] 👥. [AE] [D] [E]
Karte 23/45 – **83 Z : 155 B** 81/124 - 134 Fb – 4 Appart. 260/270.

🏨 Gästehaus Preißinger 🔇, Bergstr. 134, ☎ 15 54, <, ♨, 🏊, 🌳 – [P]
(nur Abendessen für Hausgäste) – **33 Z : 58 B** Fb.

🏨 **Krug** 🔇, Siebensternweg 15, ☎ 2 09, « Terrasse mit < », 🌳 – 🚗 [P]. [AE] [E]
◆ *7. Nov.- 17. Dez. geschl.* – Karte 19/43 *(Mittwoch geschl.)* – **33 Z : 53 B** 37/45 - 66/86 – P 55/67.

Im Steinachtal S : 2 km :

🏨 **Pension Pfeiferhaus**, ✉ 8581 Warmensteinach, ☎ (09277) 2 56, ⛱, 🌳 – [P]
◆ *Feb.- 18. März und 10. Okt.- 15. Dez. geschl.* – Karte 14/26 *(Mittwoch geschl.)* – **26 Z : 43 B** 27/40 - 49/76 – P 38/51.

In Warmensteinach-Fleckl NO : 5 km :

🏨 **Sport-Hotel Fleckl** 🔇, Fleckl 5, ☎ 2 34, ♨, 🏊, 🌳 – 🚗 [P]
Anfang Nov.- Mitte Dez. geschl. – (nur Abendessen für Hausgäste) – **30 Z : 57 B** 30/70 - 56/85 Fb.

🏨 **Berggasthof** 🔇, Fleckl 20, ☎ 2 70, 🌳 – [TV] 🚗 [P]
◆ *23. Nov.- 17. Dez. geschl.* – Karte 16/33 – **15 Z : 30 B** 30/34 - 60/68 – P 48/56.

In Warmensteinach - Oberwarmensteinach O : 2 km :

🏠 **Goldener Stern**, ☎ 2 46, 🌳 – 🚗 [P]
◆ *25. Okt.- Mitte Dez. geschl.* – Karte 17/35 – **20 Z : 40 B** 33 - 44/60 – P 40/50.

WARSTEIN 4788. Nordrhein-Westfalen [987] [14] – 29 000 Ew – Höhe 300 m – ✆ 02902.

[i] Kultur- und Fremdenverkehrsamt, Rathaus, Dieplohstr. 1, ☎ 8 12 56.

◆Düsseldorf 149 – Lippstadt 28 – Meschede 15.

🏨 **Hölter**, Siegfriedstr. 2, ☎ 24 40 – ☏ 🚗 [P]. [D] [E]. 🚫🐕
Juni - Juli 2 Wochen geschl. – Karte 25/48 *(Montag geschl.)* – **10 Z : 16 B** 30/40 - 65/75.

🏨 **Lindenhof** 🔇, Ottilienstr. 4, ☎ 25 27, ♨ – 🚗 [P]. [AE] [D] [E]
Karte 22/45 – **50 Z : 95 B** 40 - 75.

XX **Domschänke**, Dieplohstr. 12, ☎ 25 59, Biergarten, « Sauerländer Fachwerkhaus » – [AE] [D] [E]
Dienstag geschl. – Karte 40/66 – **Bistro** Karte 32/55 (auch Gästehaus Waldfrieden, 20 Z : 30 B 75 - 110).

Bei der Tropfsteinhöhle SW : 3 km, Richtung Hirschberg :

🏨 **Warsteiner Waldhotel**, Im Bodmen 52, ✉ 4788 Warstein, ☎ (02902) 50 44, ⛱ – [TV] 🚗 [P]. [AE] [D] [E]
8.- 30. Jan. geschl. – Karte 25/43 – **16 Z : 32 B** 40 - 70 Fb.

In Warstein 2-Allagen NW : 11 km :

🏨 **Postillion**, Victor-Röper-Str. 5, ☎ (02925) 33 83, ⛱, 🌳 – ☏ [P] 👥. [D] [E]
Karte 29/48 *(Montag bis 18 Uhr geschl.)* – **14 Z : 26 B** 45 - 75.

In Warstein 1-Hirschberg SW : 7 km – Erholungsort :

🏨 **Cramer** (Fachwerkhaus a.d.J. 1788), Prinzenstr. 2, ☎ 29 27, « Gemütliche Gaststube » – 🚗 [P]
Karte 23/48 *(Montag 14 Uhr - Dienstag sowie Juli und Nov. jeweils 2 Wochen geschl.)* – **13 Z : 24 B** 33/45 - 70/80.

🏠 **Zum Hirsch** 🔇, Stadtgraben 23, ☎ 36 45 – 🚗 [P]. 🚫🐕
◆ *1.- 20. Juli geschl.* – Karte 19/38 *(nur Abendessen, Montag geschl.)* – **8 Z : 15 B** 28/35 - 54/66.

In Warstein 2-Mülheim NW : 7 km :

XX **Bauernstübchen**, Erlenweg 45 (B 516), ✆ (02925) 28 21 – [P]. [AE] [O] [E]
Montag geschl. – Karte 27/56.

In Rüthen-Kallenhardt 4784 NO : 6 km :

🏨 **Knippschild**, Theodor-Ernst-Str. 1, ✆ (02902) 24 77, 🌳 – 🚗 [P]. 🐕 Zim
8. Feb.- 3. März geschl. – Karte **20**/44 *(Donnerstag geschl.)* – **14 Z : 22 B** 32/37 - 60/64.

WARTENBERG KREIS ERDING 8059. Bayern [413] S 21 – 3 000 Ew – Höhe 430 m – ✆ 08762.
◆München 49 – Landshut 27.

🏨 **Reiter-Bräu**, Untere Hauptstr. 2, ✆ 8 91 – ⇅ ☎ [P] 👥. [AE] [O]. 🐕
➜ Karte 19,50/41 *(Donnerstag und Aug. 3 Wochen geschl.)* – **34 Z : 76 B** 40/46 - 72/80.

WARTMANNSROTH Bayern siehe Hammelburg.

WASSENACH 5471. Rheinland-Pfalz – 1 100 Ew – Höhe 280 m – Luftkurort – ✆ 02636 (Burgbrohl).
Mainz 126 – ◆Bonn 51 – ◆Koblenz 34.

🏨 **Mittnacht**, Hauptstr. 43, ✆ 23 07, ⛱, ♨ – [P]
➜ Karte 13/32 *(Montag ab 14 Uhr geschl.)* – **12 Z : 24 B** 30 - 54 – P 50.

WASSENBERG 5143. Nordrhein-Westfalen [987] ㉓, [212] ⑳ – 13 200 Ew – Höhe 70 m – ✆ 02432.
◆Düsseldorf 57 – ◆Aachen 42 – Mönchengladbach 27 – Roermond 18.

🏨 **Burg Wassenberg** 🔇, Kirchstr. 17, ✆ 40 44, <, ⛱ – [TV] ☎ [P] 👥. [AE] [O] [E] [VISA]. 🐕 Rest
Karte 46/81 – **22 Z : 37 B** 85/100 - 150/185 – P 135.

WASSERBURG AM BODENSEE 8992. Bayern [413] L 24, [426] ⑭, [427] ⑧ – 3 100 Ew – Höhe 406 m – Luftkurort – ✆ 08382 (Lindau im Bodensee).
[i] Verkehrsverein, Rathaus, Bahnhofstraße, ✆ 55 82.
◆München 185 – Bregenz 15 – Ravensburg 27.

🏨 **Zum lieben Augustin** 🔇 garni, Hauptstr. 19, ✆ 2 88 94, <, ⛺, 🌳 – [TV] ☎ 🚗 [P]
Ostern - Okt. – **14 Z : 28 B** 80/110 - 125/155 Fb – 2 Fewo 65/85.

🏨 **Haus Lipprandt** 🔇, Hauptstr. 26, ✆ 53 83, ⛱, ♨, 🏊, ⛺, 🌳, Fahrradverleih – ☎ 🚗 [P]. [AE] [E] [VISA]
7. Jan.- 18. März geschl. – Karte 25/54 – **33 Z : 60 B** 58/80 - 122/160 – P 90/112.

🏨 **Seestern** garni, Hauptstr. 27, ✆ 60 49, 🏊, 🌳 – [TV] ☎ ♿ [P]. 🐕
20. März - 20. Okt. – **17 Z : 34 B** 70 - 100/130.

🏨 **Schloß Wasserburg** 🔇, Hauptstr. 5, ✆ 56 92, <, ⛺, 🌳 – ⇅ [P]. [AE] [E] [VISA]. 🐕 Rest
Jan.- Feb. geschl. – Karte 30/52 *(Dienstag geschl.)* – **15 Z : 30 B** 60/80 - 110/140.

🏨 **Pfälzer Hof**, Hauptstr. 83, ✆ 65 11, ⛱ – ☎ 🚗 [P]
23.- 31. Dez. geschl., Mitte Okt.- März garni – Karte 22/38 *(Mittwoch geschl.)* 🍷 – **10 Z : 20 B** 28/41 - 66/82 – P 52/60.

In Wasserburg-Hege NW : 1,5 km :

XX **Weinstube Gierer** mit Zim, ✆ 2 65 63, ⛱, ♨, 🏊 – ⇅ [TV] ☎ [P]. [AE] [O] [E]
Ende Jan.- Feb. und Nov.- Anfang Dez. geschl. – Karte 23/58 🍷 – **19 Z : 35 B** 44/60 - 80/116 Fb.

WASSERBURG AM INN 8090. Bayern [413] T 22, [987] ㊲, [426] ⑱ – 10 500 Ew – Höhe 427 m – ✆ 08071.
Sehenswert : Malerische Lage★.
[i] Städt. Verkehrsbüro, Rathaus, Eingang Salzsenderzeile, ✆ 1 05 22.
◆München 54 – Landshut 64 – Rosenheim 31 – Salzburg 88.

🏨 **Fletzinger**, Fletzingergasse 1, ✆ 80 10 – ⇅ [TV] ☎ 🚗 👥. [AE] [O] [E] [VISA]
9. Dez.- 22. Jan. geschl. – Karte 26/50 *(Nov.- März Samstag geschl.)* – **39 Z : 72 B** 63/78 - 94/125 Fb.

🏨 **Paulanerstuben**, Marienplatz 9, ✆ 39 03, ⛱, « Prächtige Rokokofassade » – ☎ 🚗
➜ *20. Okt.- 20. Nov. geschl.* – Karte 18/37 – **17 Z : 35 B** 40/50 - 68/80.

🏨 **Huber am Kellerberg**, Salzburger Str. 25 (B 304, O : 1,5 km), ✆ 74 33 – 🚗 [P]
➜ Karte 14,50/21 *(Freitag geschl.)* – **19 Z : 35 B** 25/32 - 48/60.

XX **Herrenhaus**, Herrengasse 17, ✆ 28 00
Aug. und Sonntag 14 Uhr - Montag geschl. – Karte 37/65.

An der B 15 S : 8 km :

🏨 **Fischerstüberl**, Elend 1, ✉ 8091 Wasserburg-Attel, ✆ (08071) 25 98, ⛱ – [P]
Sept. geschl. – Karte 22/38 *(Dienstag geschl.)* – **9 Z : 19 B** 35 - 70.

WASSERKUPPE Hessen. Sehenswürdigkeit siehe Gersfeld.

WASSERLIESCH Rheinland-Pfalz siehe Konz.

WASSERTRÜDINGEN 8822. Bayern 413 O 19, 987 ㉖ – 5 900 Ew – Höhe 420 m – ✆ 09832.
♦München 154 – Ansbach 34 – Nördlingen 26 – ♦Nürnberg 69.

Zur Ente, Dinkelsbühler Str. 1, ✆ 8 14,
Karte 18,50/33 – **46 Z : 85 B** 41 - 68 Fb – P 71/78 (Mahlzeiten im Gasthof).

Zur Sonne, Dinkelsbühler Str. 2, ✆ 3 28 –
Karte 18/34 *(Montag geschl.)* – **14 Z : 26 B** 28 - 52.

WEDEL 2000. Schleswig-Holstein 987 ⑤ – 30 300 Ew – Höhe 2 m – ✆ 04103.
Sehenswert : Schiffsbegrüßungsanlage beim Schulauer Fährhaus ≤ ★.
♦Kiel 106 – ♦Bremen 126 – ♦Hamburg 21 – ♦Hannover 170.

Diamant garni, Schulstr. 4, ✆ 1 60 01 –
37 Z : 71 B 90/120 - 146/170.

Motel Roland, Marktplatz 8, ✆ 54 11 –
23. Dez.- 1. Jan. geschl. – Karte 29/60 – **27 Z : 43 B** 67/71 - 93/100.

Wedel garni, Pinneberger Str. 69, ✆ 72 87 –
23.- 31. Dez. und 1.- 23. Juli geschl. – **12 Z : 20 B** 64/89 - 106/136.

Wedeler Wassermühle, Mühlenstr. 30a, ✆ 1 38 66, wechselnde Kunstausstellungen – AE
E – *Montag und 4.- 25. Juli geschl.* – Karte 37/69 (abends Tischbestellung ratsam).

In Holm 2081 NW : 5 km, nahe der B 431 :

Landhaus Zavrakis, Sauernbeksweg 2, ✆ (04103) 26 50 – AE E VISA
Dienstag - Freitag nur Abendessen, Bistro auch Mittagessen, Montag geschl. – Karte 65/95 (Tischbestellung ratsam) – **Bistro** Karte 34/53.

WEDEMARK 3002. Niedersachsen 987 ⑮ – 24 500 Ew – Höhe 45 m – ✆ 05130.
♦Hannover 20 – ♦Bremen 98 – Celle 27 – ♦Hamburg 128.

In Wedemark 7-Berkhof :

Bartels, Allerbusch 23, ✆ 25 67 –
Juli 2 Wochen geschl. – Karte 23/39 *(nur Abendessen, Samstag geschl.)* – **13 Z : 23 B** 38/48 - 70/86.

In Wedemark 1-Brelingen :

Deutscher Hermann, Bennemühler Str. 8, ✆ 22 94 –
Juli - Aug. 3 Wochen geschl. – Karte 24/40 *(Montag - Dienstag geschl.)* – **12 Z : 22 B** 35/45 - 70/90.

In Wedemark 1-Hellendorf :

Foellmer, Pappelallee, ✆ 30 30, –
(wochentags nur Abendessen) – **14 Z : 20 B.**

In Wedemark 1-Mellendorf :

Eichenkrug, Kaltenweider Str. 22, ✆ 25 00 – Zim
Karte 18/32 *(Dienstag geschl.)* – **7 Z : 13 B** 35/40 - 70.

WEENER 2952. Niedersachsen 987 ⑭ – 14 200 Ew – Höhe 6 m – ✆ 04951.
♦Hannover 245 – Emden 40 – Groningen 58 – ♦Oldenburg 74.

In Weener-Halte S : 10 km :

Reiherhorst, ✆ (04961) 23 17, –

WEGBERG 5144. Nordrhein-Westfalen 987 ㉓, 213 ⑫ – 25 000 Ew – Höhe 60 m – ✆ 02434.
Schmitzhof (W : 7 km), ✆ (02436) 4 79.
♦Düsseldorf 47 – Erkelenz 9,5 – Mönchengladbach 16.

In Wegberg-Kipshoven SO : 5 km:

Esser, von-Agris-Str. 43, ✆ (02161) 5 89 95, – AE E VISA
Karte 24/56 *(Donnerstag bis 17 Uhr geschl.)* – **20 Z : 31 B** 69/95 - 120/130 Fb.

In Wegberg-Schwaam N : 5 km über Rickelrath :

Schüppen, Zum Thomes Hof 1, ✆ 33 83, –
Karte 23/37 *(Donnerstag geschl.)* – **11 Z : 19 B** 42/55 - 94/100.

In Wegberg-Tüschenbroich SW : 2 km :

Tüschenbroicher Mühle, ✆ 42 80, ≤, –

WEHINGEN 7209. Baden-Württemberg 413 J 22 – 3 100 Ew – Höhe 777 m – ✆ 07426.
♦Stuttgart 100 – Sigmaringen 46 – Villingen-Schwenningen 40.

Café Keller, Bahnhofstr. 5, ✆ 10 68 – AE E
Karte 20/40 *(Freitag bis 18 Uhr geschl.)* – **21 Z : 32 B** 38/58 - 75/105 Fb.

WEHLMÄUSEL Bayern siehe Feuchtwangen.

WEHR **7867.** Baden-Württemberg [413] G 24, [987] ㉞, [427] ⑤ – 12 000 Ew – Höhe 365 m – ☎ 07762.

ℹ Verkehrsverein, Hauptstr. 31, ☎ 94 79.

♦Stuttgart 216 – Basel 31 – Lörrach 22 – Bad Säckingen 11 – Todtmoos 17.

Klosterhof, Frankenmatt 8 (beim Schwimmbad), ☎ 86 50, 🌳 – 🛗 ☎ 🅿. [AE]
Karte 24/51 *(Sonntag ab 18 Uhr und Freitag geschl.)* – **36 Z : 50 B** 50/60 - 82 Fb.

In Hasel **7861** N : 4 km :

Landgasthof Erdmannshöhle, Hauptstr. 14, ☎ (07762) 97 52, 🌳 – ☎ 🅿 🚶. [AE] [D] [E]
Mitte - Ende Feb. geschl. – Karte **29/64** 🍷 – **17 Z : 26 B** 35/48 - 58/105 Fb.

WEHRHEIM **6393.** Hessen [413] I 16 – 7 800 Ew – Höhe 320 m – ☎ 06081.

Ausflugsziel : Saalburg★ (Rekonstruktion eines Römerkastells) S : 4 km.

♦Wiesbaden 57 – ♦Frankfurt am Main 28 – Gießen 46 – Limburg an der Lahn 46.

Zum Taunus, Töpferstr. 2 (B 456), ☎ 51 68 – [TV] 🚗 🅿. ✗ Zim
1.- 9. Jan. geschl. – Karte 23/39 *(wochentags nur Abendessen, Freitag geschl.)* – **16 Z : 25 B** 40/70 - 70/110.

Am Bahnhof Saalburg SO : 3 km :

Lochmühle 🌿, ✉ 6393 Wehrheim, ☎ (06175) 2 81, 🌳, 🌲 – ☎ 🅿. [AE] [E] [VISA]
Karte 32/54 *(15.- 31. Jan. geschl.)* – **16 Z : 24 B** 82/105 - 125/145.

WEIBERSBRUNN **8751.** Bayern [413] L 17, [987] ㉕ – 2 000 Ew – Höhe 354 m – ☎ 06094.

ℹ Tourist-Information Franken, an der Autobahn A 3 (Rasthaus Spessart Südseite), ☎ (06094) 2 20 (geöffnet : Ostern - Mitte Okt.).

♦München 337 – Aschaffenburg 19 – ♦Würzburg 61.

Brunnenhof, Hauptstr. 231, ☎ 3 64, 🌳 – 🛗 ☎ 🚗 🅿 🚶
Karte 26/52 – **52 Z : 104 B** 45/82 - 78/106.

Jägerhof, Hauptstr. 223, ☎ 3 61 – 🅿
Karte 19/40 – **20 Z : 40 B** 45 - 68.

An der Autobahn A 3 Ausfahrt Rohrbrunn :

Rasthaus und Motel im Spessart - Südseite, ✉ 8751 Rohrbrunn, ☎ (06094) 5 31, 🌳 – ☎ 🅿
Karte 26/48 – **34 Z : 62 B** 70/107 - 112/153.

WEICHERING **8859.** Bayern [413] Q 20 – 1 500 Ew – Höhe 372 m – ☎ 08454.

♦ München 91 – ♦Augsburg 56 – Ingolstadt 14.

Gasthof Vogelsang 🌿, Bahnhofstr. 24, ☎ 8 79, 🌳 – ☎ 🅿. ✗ Rest
13.- 27. Feb. geschl. – Karte 15/29 *(Montag geschl.)* – **12 Z : 26 B** 32 - 58.

WEIDEN IN DER OBERPFALZ **8480.** Bayern [413] T 17, [987] ㉗ – 41 600 Ew – Höhe 397 m – ☎ 0961.

Ausflugsziel : Bayerische Ostmarkstraße ★ (bis Passau).

ℹ Verkehrsamt, Altes Rathaus, Oberer Markt, ☎ 8 14 11.

♦München 243 ④ – Bayreuth 64 ① – ♦Nürnberg 100 ④ – ♦Regensburg 82 ③.

Stadtplan siehe gegenüberliegende Seite.

Stadtkrug, Wolframstr. 5, ☎ 3 20 25, Telex 63863, Biergarten – [TV] ☎ 🚗. [AE] [D] [E] [VISA]
20. Dez.- 6. Jan. geschl. – Karte 25/56 *(Samstag - Sonntag geschl.)* – **52 Z : 75 B** 55/75 - 95/130 Fb. BZ **e**

Europa, Frauenrichter Str. 173, ☎ 2 50 51, Telex 63939 – 🛗 [TV] ☎ 🚗 🅿. [AE] [D] [E] [VISA]
1.- 14. Jan. geschl. – Karte 31/72 *(Freitag - Samstag 18 Uhr geschl.)* – **26 Z : 35 B** 50/70 - 80/110 Fb. AX **b**

Am Tor, Hinterm Wall 24, ☎ 50 14, 🏊 – [TV] ☎ 🚗 🅿. [AE] [D] [E] [VISA]. ✗ Rest BZ **m**
Karte 22/38 *(nur Abendessen, Samstag - Sonntag und 24. Dez.- 9. Jan. geschl.)* – **19 Z : 33 B** 49/65 - 79/118 Fb.

Waldlust, Neustädter Str. 46, ☎ 3 50 05 – 🚗 🅿 BX **a**
Karte 15/26 *(Sonn- und Feiertage geschl.)* 🍷 – **18 Z : 28 B** 26/37 - 50/64.

🍴 Gockiloch, Hinter der Mauer 12, ☎ 51 61, Biergarten BZ **s**

In Weiden-Oberhöll ② : 7 km :

Hölltaler Hof 🌿, Oberhöll 2, ☎ 4 30 93, 🌳, 🌲, 🎾 ⛷ – ☎ 🚗 🅿. [AE] [D] [E] [VISA]
20.- 31. Dez. geschl. – Karte 15/41 *(Montag bis 17 Uhr und 1.- 15. Aug. geschl.)* 🍷 – **28 Z : 40 B** 35/48 - 60/80.

In Schirmitz **8481** SO : 3 km :

Rebel 🌿, Habichtweg 1, ☎ (0961) 4 40 51, 🌳, 🌲 – ☎ 🚗 🅿. [VISA] BY **k**
24. Dez.- 6. Jan. geschl. – Karte 16/37 *(Freitag geschl.)* 🍷 – **23 Z : 31 B** 31/45 - 55/70 Fb.

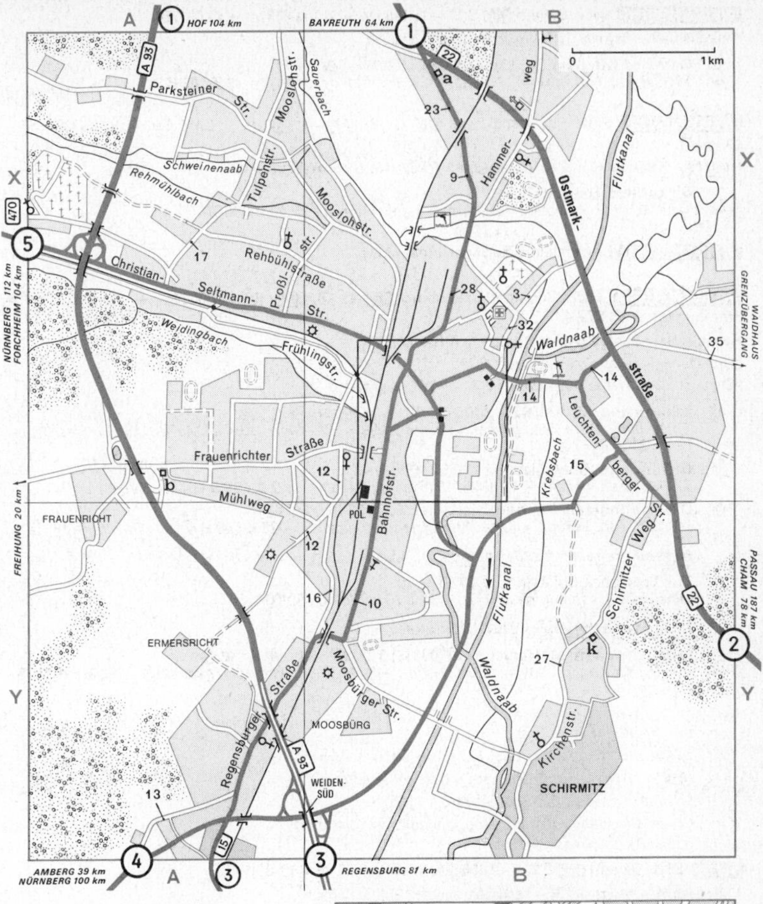

WEIDEN IN DER OBERPFALZ

Max-Reger-Straße . . . . BZ 21
Oberer Markt . . . . BZ 25
Wörthstraße . . . . BZ 36

Adolf-Kolping-Platz . . . . BZ 2
Am Langen Steg . . . . BX 3
Bürgermeister-Prechtl-Straße . . . . BZ 7
Christian-Seltmann-Straße . . . . BZ 8
Dr.-Martin-Luther-Straße . . . . BX 9
Dr.-Seeling-Straße . . . . BY 10
Ermersrichter Straße . . . . BY 12
Etzenrichter Straße . . . . AY 13
Friedrich-Ebert-Straße . . . . BX 14
Hetzenrichter Weg . . . . BX 15
Hinterm Rangierbahnhof . . . . BY 16
Joseph-Haas-Straße . . . . AX 17
Landgerichtsstraße . . . . BZ 18
Ledererstraße . . . . BZ 20
Neustädter Straße . . . . BX 23
Nikolaistraße . . . . BZ 24
Postkellerstraße . . . . BY 27
Prinz-Ludwig-Straße . . . . BX 28
Schulgasse . . . . BZ 31
Sebastianstraße . . . . BZ 32
Unterer Markt . . . . BZ 34
Vohenstraußer Straße . . . . BX 35

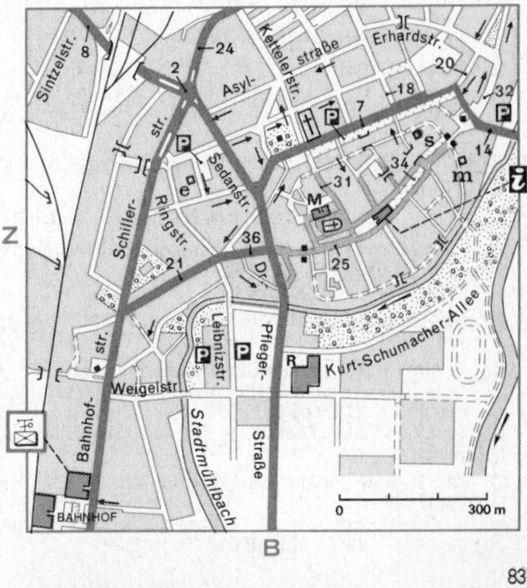

WEIDENBERG 8588. Bayern 413 S 17 – 5 400 Ew – Höhe 463 m – ☏ 09278.
♦München 244 – Bayreuth 15 – Weiden in der Oberpfalz 58.

Gasthof Kilchert, Lindenstr. 14, ☏ 2 77 – Ⓟ
24. Okt.- 16. Nov. geschl. – Karte 13/24 *(Montag geschl.)* – **16 Z : 33 B** 32/38 - 70/76.

WEIDENTHAL 6739. Rheinland-Pfalz 413 G 18, 242 ④, 57 ⑨ – 2 400 Ew – Höhe 220 m – ☏ 06329.
Mainz 89 – Kaiserslautern 19 – ♦Mannheim 42 – Neustadt an der Weinstraße 19.

Birkenhof, Hauptstr. 226, ☏ 3 08 – Ⓟ
Karte 19,50/37 *(Nov.- März Donnerstag geschl.)* – **13 Z : 23 B** 38 - 70.

WEIGENDORF Bayern siehe Sulzbach-Rosenberg.

WEIKERSHEIM 6992. Baden-Württemberg 413 M 18, 987 ㉖ – 7 300 Ew – Höhe 230 m – Erholungsort – ☏ 07934.
Sehenswert : Schloß (Ausstattung★★, Rittersaal★★).
Städt. Verkehrsamt, Marktplatz, ☏ 72 72.
♦Stuttgart 128 – Ansbach 67 – Heilbronn 86 – ♦Würzburg 42.

Laurentius, Marktplatz 5, ☏ 70 07, – TV ☎. ⓓ E VISA
Ende Jan.- Mitte Feb. geschl. – Karte 24/58 *(Dez.- März Donnerstag bis 18 Uhr geschl.)* – **12 Z : 20 B** 70/77 - 90/110.

Grüner Hof, Marktplatz 10, ☏ 2 52, –
17. Jan.- Feb. geschl. – Karte 25/42 *(Montag geschl.)* – **22 Z : 35 B** 45/65 - 80/85.

Deutschherren-Stuben, Marktplatz 9, ☏ 83 76,
10. Jan.- Feb. geschl. – Karte 23/46 *(Dienstag geschl.)* – **22 Z : 40 B** 40/50 - 60/85.

In Weikersheim - Laudenbach SO : 4,5 km :

Zur Traube, Mörikestr. 1, ☏ 88 63 – Ⓟ
Karte 15/36 *(Dienstag geschl.)* – **21 Z : 37 Z** 30/40 - 50/60.

In Tauberrettersheim 8701 NO : 4 km :

Zum Hirschen, Mühlenstr. 1, ☏ (09338) 3 22, – ☎ Ⓟ
8.- 25. Feb. und 22. Nov.- 1. Dez. geschl. – Karte 18/30 *(Mittwoch geschl.)* – **13 Z : 25 B** 35 - 60.

Die im Michelin-Führer
verwendeten Zeichen und Symbole haben –
***fett** oder dünn gedruckt, rot oder **schwarz** –*
jeweils eine andere Bedeutung.
Lesen Sie daher die Erklärungen aufmerksam durch.

WEIL 8911. Bayern 413 P 22 – 2 600 Ew – Höhe 573 m – ☏ 08195.
♦München 54 – ♦Augsburg 34 – Landsberg am Lech 10.

In Weil-Pestenacker NO : 7 km :

Post, Hauptstr. 22, ☏ 2 77, – Ⓟ
24. Dez.- 10. Jan. und 15. Aug.- 1. Sept. geschl. – Karte 15/27 *(Dienstag geschl.)* – **17 Z : 25 B** 25/30 - 58.

WEIL AM RHEIN 7858. Baden-Württemberg 413 F 24, 427 ④, 216 ④ – 26 000 Ew – Höhe 260 m – ☏ 07621 (Lörrach).
♦Stuttgart 261 – Basel 7,5 – ♦Freiburg im Breisgau 65 – Lörrach 5.

Atlas Hotel, Alte Str. 58 (nahe der BAB-Abfahrt Weil am Rhein), ☏ 70 70, Telex 773987, – TV Ⓟ. AE ⓓ E VISA
Karte 37/67 – **162 Z : 308 B** 124/210 - 158/248 Fb.

Leopoldshöhe, Müllheimer Str. 4, ☏ 7 30 31, Biergarten, – ☎ Ⓟ. AE ⓓ E
Karte 23/49 *(Mittwoch - Donnerstag 17 Uhr geschl.)* – **43 Z : 82 B** 66/85 - 110/145 Fb.

XXX ✿ **Zum Adler** (mit Zim. und Gästehaus), Hauptstr. 139, ☏ 7 11 88 – TV ☎ Ⓟ
Karte 53/95 *(Tischbestellung ratsam)* (Sonntag-Montag 15 Uhr, 1.- 15. Jan. und 1.- 15. Aug. geschl.) – **25 Z : 49 B** 90/120 - 120/170 Fb
Spez. Guglhupf von Gänseleber, Pot au feu von Hummer und St. Petersfisch, Bresse-Poularde auf Lauch mit Trüffel.

XX **Zur Krone** mit Zim (Landgasthof a.d. J. 1572), Hauptstr. 58, ☏ 7 11 64 – TV ☎ Ⓟ. AE ⓓ E VISA
Juli 2 Wochen geschl. – Karte 35/75 *(Tischbestellung ratsam)* (Montag 15 Uhr - Dienstag geschl.) – **10 Z : 17 B** 48/110 - 80/140.

In Weil-Haltingen N : 3 km :

🏨 Rebstock 🔇, Große Gass 30, ☎ 6 22 57 – 🚗 [P]
(wochentags nur Abendessen) – **18 Z : 36 B** Fb.

🍴🍴 **Weinstube zum Hirschen** mit Zim (Gasthaus a.d.J. 1747), Große Gass 1, ☎ 6 23 44, « Gartenterrasse » – ☎ 🚗 [P]. [AE] [D] [E]. ✗ Zim
Feb. 2 Wochen geschl. – Karte 34/61 *(Montag geschl.)* – **9 Z : 15 B** 40/65 - 74/90.

🍴 **Goldener Ochsen** mit Zim, Freiburger Str. 46, ☎ 6 22 38, ⛱, eigener Weinbau – [P]. [AE] [D] [E] [VISA]
Karte 24/55 *(Montag geschl.)* 🍷 – **12 Z : 24 B** 35/40 - 60/75.

In Weil-Märkt NW : 5 km :

🍴🍴 Zur Krone mit Zim, Rheinstr. 17, ☎ 6 23 04, ⛱ – [P] – **8 Z : 15 B.**

WEILBACH 8761. Bayern [413] K 17 – 2 100 Ew – Höhe 166 m – ☎ 09373 (Amorbach).
♦München 353 – ♦Frankfurt am Main 79 – Heilbronn 87 – ♦Mannheim 84 – ♦Würzburg 79.

In Weilbach-Ohrenbach NW : 8 km :

🏨 **Zum Ohrnbachtal** 🔇, Hauptstr. 5, ☎ (09373) 14 13, ⛱, 🧖, 🏊, 🌳 – 🚗 [P]. ✗ Zim
◆ *9. Jan.- 15. Feb. geschl.* – Karte 16,50/38 *(Mittwoch geschl.)* 🍷 – **23 Z : 41 B** 45/47 - 84/88.

WEILBURG 6290. Hessen [413] H 15, [987] ㉔ – 13 500 Ew – Höhe 172 m – Luftkurort – ☎ 06471.
Sehenswert : Lage★.
[i] Kur- und Verkehrsverein, Marktstr. 17, ☎ 76 71 – [i] Städt. Verkehrsamt, Mauerstr. 8, ☎ 3 14 24.
♦Wiesbaden 72 – Gießen 40 – Limburg an der Lahn 22.

🏨 **Schloßhotel Weilburg** 🔇, Langgasse 25, ☎ 3 90 96, Telex 484730, Fax 39199, ⛱, 🧖, 🏊 – 🛗 [TV] 🚗 [P] 🎤
Karte 34/60 – **43 Z : 95 B** 90/120 - 165/220 Fb.

🏨 **Heyne,** Frankfurter Str. 27 (B 456), ☎ 78 22, 🧖, 🏊, 🌳 – ♿ [P]. [AE] [D] [E] [VISA]. ✗ Rest
◆ Karte 18,50/40 – **21 Z : 47 B** 35/65 - 70/80.

🍴 **Weilburger Hof,** Schwanengasse 14, ☎ 71 53 – [AE] [E]
Montag und 1.- 25. Jan. geschl. – Karte 32/56.

In Weilburg-Kubach O : 4 km über die B 49 :

🏨 **Kubacher Hof** 🔇, Hauptstr. 58, ☎ 48 22, 🏊, 🌳 – [P]
◆ Karte 18/34 *(Montag geschl.)* – **16 Z : 30 B** 45/52 - 90/100 Fb.

WEILER-SIMMERBERG IM ALLGÄU 8999. Bayern [413] M 24, [426] ⑭, [427] ⑧ – 5 000 Ew – Höhe 631 m – Heilbad – Luftkurort – Wintersport : 630/900 m ⛷5 ⛷6 – ☎ 08387.
[i] Kur- und Verkehrsamt, Weiler, Hauptstr. 14, ☎ 6 51.
♦München 179 – Bregenz 32 – Ravensburg 42.

Im Ortsteil Weiler :

🏨 **Kur- und Tennishotel Tannenhof** 🔇, Lindenberger Str. 32, ☎ 12 35, Bade- und Massageabteilung, 🏋, 🧖, 🏊, 🌳, 🎾 (Halle) – [TV] ☎ [P] 🎤
27. Nov.- 17. Dez. geschl. – Karte 22/45 🍷 – **35 Z : 75 B** 85/119 - 136/170 Fb.

WEILHEIM Baden-Württemberg siehe Waldshut-Tiengen.

WEILHEIM 8120. Bayern [413] Q 23, [987] ㊲, [426] ⑯ – 17 300 Ew – Höhe 563 m – ☎ 0881.
♦München 53 – Garmisch-Partenkirchen 44 – Landsberg am Lech 37.

🏨 **Vollmann** 🔇, Marienplatz 12, ☎ 42 55, ⛱ – [TV] 🚗 [P]. [E]
10.- 31. Aug. geschl. – Karte 23/48 *(Montag geschl.)* – **38 Z : 60 B** 42/58 - 68/88 Fb.

🍴🍴 **La Galleria,** Prälatenweg 2, ☎ 26 20
Montag und 15. Aug.- 4. Sept. geschl. – Karte 30/59.

In Weilheim-Hirschberg SO : 8 km, 7 km Richtung Seeshaupt, dann rechts ab :

🍴 **Forsthaus am Haarsee** 🔇 mit Zim, ☎ 20 88, ≤, « Terrasse », ⛵, 🌳 – [P]
Nov.-15. Dez. geschl. – Karte 22/43 *(Dienstag geschl.)* – **6 Z : 10 B** 38/40 - 76.

An der B 2 NO : 8,5 km :

🍴🍴 Hirschberg Alm mit Zim, ✉ 8121 Pähl, ☎ (08808) 2 71, ≤, ⛱, 🌳 – 🚗 [P] – **11 Z : 17 B.**

WEILHEIM AN DER TECK 7315. Baden-Württemberg [413] L 21, [987] ㉟ – 8 200 Ew – Höhe 385 m – ☎ 07023.
Ausflugsziel : Holzmaden : Museum Hauff★ N : 4 km.
♦Stuttgart 44 – Göppingen 15 – ♦Ulm (Donau) 52.

🏨 **Zur Post,** Marktplatz 12, ☎ 28 16 – 🚗 [P]
Jan. 1 Woche und Juni 3 Wochen geschl. – Karte 22/35 *(Sonntag ab 14 Uhr geschl.)* – **18 Z : 27 B** 35 - 70.

[WEILROD] 6395. Hessen [413] I 15, 16 – 6 200 Ew – Höhe 370 m – Erholungsort – ☏ 06083.

⛳ Weilrod-Altweilnau, Merzhäuser Landstraße, ✆ 18 83.

♦Wiesbaden 42 – ♦Frankfurt am Main 39 – Gießen 51 – Limburg an der Lahn 33.

In Weilrod 7-Altweilnau [987] ㉔ ㉕ :

🏠 **Burgrestaurant**, Weilnauer Str. 1, ✆ 3 10, ≤, ☂, 🌳 – 🚗 [P]
◆ *Nov. geschl.* – Karte 16,50/35 *(Okt.- März Dienstag geschl.)* – **23 Z : 38 B** 33/45 - 65/80.

In Weilrod 6-Neuweilnau :

🏨 **Sporthotel Erbismühle** 🌿, ✆ 28 80, Fax 288700, ☂, ≘s, 🏊, 🌳, 🎾, ⛷ – ⇅ [TV] ☎ [P] 🏟. [AE] [O] [E]
Karte 27/61 – **68 Z : 126 B** 55/140 - 65/240 Fb.

[WEIMAR] Hessen siehe Marburg.

[WEINÄHR] Rheinland-Pfalz siehe Nassau.

[WEINGARTEN] 7987. Baden-Württemberg [413] LM 23, [987] ㉟ ㊱, [216] ⑪ – 22 600 Ew – Höhe 458 m – ☏ 0751 (Ravensburg).

Sehenswert : Basilika★★.

[i] Verkehrsamt, Münsterplatz 1, ✆ 40 52 13.

♦Stuttgart 143 – Biberach an der Riß 43 – Ravensburg 4 – ♦Ulm (Donau) 85.

🏨 **Altdorfer Hof**, Burachstr. 12, ✆ 5 00 90 – ⇅ [TV] ☎ 🚗 [P] 🏟. [AE] [O] [E] [VISA]
21. Dez.- 12. Jan. geschl. – Karte 26/49 *(Sonntag ab 15 Uhr und Freitag geschl.)* – **46 Z : 68 B** 59/80 - 98/138.

🏨 **Bayrischer Hof**, Abt-Hyller-Str. 22, ✆ 4 20 85, ≘s, 🏊 – ☎ [P] 🏟. [AE] [O] [E] [VISA]. ✗ Rest
Karte 24/46 *(Sonn- und Feiertage ab 14 Uhr sowie Freitag geschl.)* – **33 Z : 41 B** 56/65 - 89/95.

🏠 **Waldhorn**, Karlstr. 47, ✆ 4 42 79 – 🚗 [P]. [O] [E]
◆ *8.- 29. Aug. geschl.* – Karte 19/40 *(Montag geschl.)* 🍷 – **11 Z : 19 B** 38 - 70.

In Wolpertswende 1 - Mochenwangen **7984** N : 7,5 km :

🏠 **Rist**, Bahnhofstr. 8, ✆ (07502) 13 74 – 🚗 [P]
◆ *17. Juli - 6. Aug. geschl.* – Karte 15/25 *(Freitag geschl.)* 🍷 – **18 Z : 24 B** 28/38 - 52/60.

[WEINGARTEN KREIS KARLSRUHE] 7504. Baden-Württemberg [413] I 19 – 8 200 Ew – Höhe 120 m – ☏ 07244.

♦Stuttgart 88 – Heidelberg 46 – ♦Karlsruhe 16.

🏨 Kärcherhalle, Bahnhofstr. 150, ✆ 23 57, Biergarten – [TV] [P]
20 Z : 30 B.

🏠 **Zur Krone**, Marktplatz 6 (B 3), ✆ 23 16
Karte 25/51 *(Freitag geschl.)* – **17 Z : 26 B** 29/36 - 70.

XX ✿ **Gaststuben Walk'sches Haus** mit Zim, Marktplatz 7 (B 3), ✆ 20 31, « Restauriertes Fachwerkhaus a.d.J. 1701 » – [TV] ☎
1.- 7. Jan. geschl. – Karte 48/65 *(Tischbestellung ratsam)* (Sonntag geschl.) – **15 Z : 25 B** 80/130 - 140/190 Fb
Spez. Terrinen, Cannelloni von Lachs, Fisch- und Lammgerichte.

[WEINHEIM AN DER BERGSTRASSE] 6940. Baden-Württemberg [413] J 18, [987] ㉕ – 42 000 Ew – Höhe 108 m – ☏ 06201.

Sehenswert : Schloßpark★ – Wachenburg ≤★.

[i] Verkehrsverein, Bahnhofstr. 15, ✆ 1 65 03.

♦Stuttgart 137 – ♦Darmstadt 45 – Heidelberg 20 – ♦Mannheim 17.

🏨 **Fuchs'sche Mühle**, Birkenauer Talstr. 10, ✆ 6 10 31, ☂, ≘s, 🏊 – ⇅ ☎ 🚗 [P]. [E]. ✗
Karte 32/54 – **21 Z : 40 B** 85/95 - 110/120.

🏨 **Haus Masthoff** 🌿, Lützelsachsener Str. 5, ✆ 6 30 33, 🏊 – ☎ 🚗. [E]
Karte 34/56 *(Montag geschl.)* 🍷 – **18 Z : 30 B** 50/85 - 90/115.

🏨 **Zur Pfalz** 🌿, Am Marktplatz 7, ✆ 6 40 94, ☂ – ☎. [AE] [O] [E] [VISA]
Karte 31/60 *(Sonn- und Feiertage geschl.)* – **14 Z : 28 B** 80 - 120.

🏨 **Waldschloß**, Gorxheimer Talstr. 23 (SO : 4 km), ✆ 6 38 36 – ⇅ [P] 🏟. [AE] [E] [VISA]
Karte 27/55 – **48 Z : 70 B** 50 - 90 Fb.

🏨 **Goldener Bock** garni, Bergstr. 8, ✆ 6 20 31 – ⇅ [TV] ☎ 🚗 [P]
15 Z : 25 B 60/65 - 85/90.

XX **Würzhaus**, Hauptstr.47, ✆ 1 22 10, « Rustikale Einrichtung » – [AE] [O] [E] [VISA]
Sonn- und Feiertage geschl. – Karte 49/77.

XX **Schloßparkrestaurant**, Obertorstr. 9, ✆ 1 23 24, ≤, ☂ – [O] [E]
Dienstag und 16. Jan.- 16. Feb. geschl. – Karte 30/56.

In Weinheim-Lützelsachsen S : 3 km :

🏠 **Schmittberger Hof** (mit Gästehaus), Weinheimer Str. 43, ☎ 5 25 37 – 🛗 Ⓟ
27. Dez.- 15. Jan. geschl. – Karte 21/44 *(Dienstag bis 18 Uhr geschl.)* – **34 Z : 59 B** 45 - 80.

🏠 **Alte Pfalz** (mit Gästehaus 🌙), Wintergasse 47, ☎ 5 51 69 – 🚗 Ⓟ
22. Dez.- 10. Jan. und 3.- 29. Juli geschl. – Karte 21/44 *(nur Abendessen, Montag geschl.)* – **15 Z : 24 B** 30/50 - 60/95.

🍴🍴 **Winzerstube**, Sommergasse 7, ☎ 5 22 98 – Ⓟ. [AE] [O] [E] [VISA]
nur Abendessen, Sonn- und Feiertage sowie über Fasching geschl. – Karte 46/66.

In Gorxheimertal-Unterflockenbach **6946** SO : 5 km :

🏠 **Zum Odenwald**, Hauptstr. 231, ☎ (06201) 20 27, 🌲 – 🛗 [TV] ☎ 🚗 Ⓟ 🏋
Karte 18/40 *(Sonntag 15 Uhr - Montag geschl.)* 🛎 – **27 Z : 57 B** 55/70 - 90/115.

WEINSBERG 7102. Baden-Württemberg [413] K 19, [987] ㉕ – 9 200 Ew – Höhe 200 m – ☎ 07134.
♦Stuttgart 53 – Heilbronn 6 – Schwäbisch Hall 42.

🍴 Postwirt, Marktplatz 1, ☎ 24 23.

Außerhalb SO : 2 km :

🏠 **Gutsgasthof Rappenhof**, ✉ 7102 Weinsberg, ☎ (07134) 30 73, ≤, ⛱, 🌲 – ☎ Ⓟ. [E]
22. Dez.- 5. Feb. geschl. – Karte 24/51 *(Dienstag - Mittwoch 15 Uhr geschl.)* 🛎 – **15 Z : 24 B** 50/100 - 100/140.

In Eberstadt **7101** NO : 4 km :

🏠 **Krone**, Hauptstr. 47, ☎ (07134) 40 86, ⛱ – ☎ Ⓟ. [AE] [E]
Karte 26/54 🛎 – **18 Z : 30 B** 55/65 - 125.

In Erlenbach **7101** NW : 3 km :

🍴🍴 **Zum Alten Stapf**, Weinsberger Str. 6, ☎ (07132) 1 64 13, nur Eigenbauweine – Ⓟ. [E] [VISA]
Samstag bis 18 Uhr, Montag, 15.- 31. März und 1.- 15. Juli geschl. – Karte 36/62.

WEINSHEIM Rheinland-Pfalz siehe Prüm.

WEINSTADT 7056. Baden-Württemberg [413] L 20 – 23 000 Ew – Höhe 290 m – ☎ 07151 (Waiblingen).
♦Stuttgart 16 – Esslingen am Neckar 13 – Schwäbisch Gmünd 38.

In Weinstadt 1-Beutelsbach :

🍴🍴 Krone, Marktstr. 39, ☎ 6 51 81.

In Weinstadt 2-Endersbach :

🏠 **Gästehaus und Gasthof Rössle**, Waiblinger Str. 2, ☎ 6 10 01 – ☎ 🚗 Ⓟ
Karte 23/42 *(Freitag Ruhetag, Dez.- Jan. und Juli - Aug. jeweils 2 Wochen geschl.)* 🛎 – **25 Z : 35 B** 58 - 95.

🏠 **Gästehaus Zefferer** garni, Strümpfelbacher Str. 10, ☎ 60 00 34 – ☎ Ⓟ
12 Z : 24 B 72/76 - 105/115.

🍴🍴 Remstäler Hof mit Zim, Liedhornstr. 15, ☎ 6 11 56 – ☎ 🚗 Ⓟ
12 Z : 20 B.

🍴🍴 **Weinstube Muz**, Traubenstr. 3, ☎ 6 13 21 – [AE] [E]
nur Abendessen, Sonn- und Feiertage geschl. – Karte 36/62.

In Weinstadt 4-Schnait :

🏠 **Gasthof zum Lamm** (restauriertes Fachwerkhaus a.d.J. 1797), Silcherstr. 75, ☎ 6 50 03, ⛱ – ☎ 🚗 Ⓟ 🏋. [AE]
2.- 10. Jan. geschl. – Karte 26/64 *(Dienstag geschl.)* – **20 Z : 32 B** 68/95 - 110/175.

🍴 Fäßle 🌙 mit Zim, Lenzhalde 35, ☎ 6 51 01 – ☎ Ⓟ
6 Z : 8 B.

In Weinstadt 5-Strümpfelbach :

🏠 **Gästehaus Amalie** garni, Hindenburgstr. 16, ☎ 6 11 02 – ☎ 🚗 Ⓟ. 🐕
22. Dez.- 10. Jan., März 1 Woche und Juli - Aug. 3 Wochen geschl. – **15 Z : 25 B** 44/48 - 76/78.

🏠 **Garni**, Hauptstr. 106, ☎ 6 12 57, 🏊, 🌲 – Ⓟ. [O] [E]
12 Z : 20 B 45 - 80.

🍴 **Lamm**, Hindenburgstr. 16, ☎ 6 23 31 – [AE] [O] [E]
Sonntag 15 Uhr - Montag, Jan. 2 Wochen und Juli - Aug. 3 Wochen geschl. – Karte **30**/59.

WEISKIRCHEN 6649. Saarland [242] ②, [57] ⑥ – 6 400 Ew – Höhe 400 m – Heilklimatischer Kurort – ☎ 06876.

ℹ Kurverwaltung (Rathaus), Trierer Str. 29, ☎ 72 24.

♦Saarbrücken 45 – Merzig 21 – Saarburg 24 – ♦Trier 35.

- **Sporthotel Kurzentrum**, Im Besen, ☎ 17 22 50, Telex 445441, Fax 17685, 🍴 (Halle) – [TV] – [P]. [AE] [E] [VISA]
  Karte 43/69 – **54 Z : 74 B** 75 - 130/150 Fb.
- **Hofhaus Antz**, Trierer Str. 21, ☎ 2 02 – ☎ [P]. [AE] [E] [VISA]
  Karte 27/60 *(Montag geschl.)* – **15 Z : 26 B** 40/45 - 70/80 – P 54/59.
- **Am Holzbachtal**, Im Hänfert 39, ☎ 3 50, 🍴 – [P]. [AE] [E] [VISA]
  Karte 20/41 – **11 Z : 17 B** 35/40 - 60/65 – P 50/55.

WEISMAIN 8628. Bayern [413] Q 16, [987] ㉖ – 5 000 Ew – Höhe 315 m – ☎ 09575.

♦München 276 – ♦Bamberg 43 – Bayreuth 35 – Coburg 41.

- **Waldhotel Fuchs**, Forststr. 16, ☎ 12 93, ← – ☎ [P]. [E]
  7.- 21. Jan. geschl. – Karte 22/46 *(Donnerstag geschl.)* – **17 Z : 31 B** 45 - 78.
- Alte Post, Am Markt 14, ☎ 2 54,
  40 Z : 70 B.
- **Krone**, Am Markt 13, ☎ 12 66, – [E].
  Jan. geschl. – Karte 14,50/28 *(Montag geschl.)* – **38 Z : 65 B** 25/45 - 50/80 – P 40/55.

WEISSACH Bayern siehe Kreuth.

WEISSDORF Bayern siehe Münchberg.

WEISSENBURG IN BAYERN 8832. Bayern [413] P 19, [987] ㉖ – 17 000 Ew – Höhe 420 m – ☎ 09141.

Sehenswert : Römer-Museum und -Thermen.

Ausflugsziel : Ellingen (Schloß : Ehrentreppe*) N : 4 km.

ℹ Städt. Verkehrsamt, Martin-Luther-Platz 3 (Römermuseum), ☎ 90 71 24.

♦München 131 – ♦Augsburg 82 – ♦Nürnberg 55 – ♦Ulm (Donau) 119.

- **Romantik-Hotel Rose**, Rosenstr. 6, ☎ 20 96, Telex 624687, – [TV] ☎. [AE] [E] [VISA]
  Karte 33/69 *(Samstag bis 18 Uhr geschl.)* – **32 Z : 50 B** 60/120 - 90/170.
- **Am Ellinger Tor**, Ellinger Str. 7, ☎ 40 19, – ☎. [AE] [E] [VISA]
  Karte 26/45 *(Sonntag 15 Uhr - Montag geschl.)* – **17 Z : 34 B** 45/68 - 78.
- **Wittelsbacher Hof**, Friedrich-Ebert-Str. 21, ☎ 37 95 – ☎. [AE] [E]
  Karte 21/39 *(Sonntag 17 Uhr - Montag geschl.)* – **22 Z : 42 B** 40/50 - 80/90.
- Krone, Rosenstr. 10, ☎ 23 74 –
  9 Z : 16 B.
- 🍴 **Goldener Adler** mit Zim, Marktplatz 5, ☎ 24 00, Biergarten
  Feb. geschl. – Karte 22/39 *(Freitag geschl.)* – **8 Z : 16 B** 25/32 - 50/54.

WEISSENHÄUSER STRAND Schleswig-Holstein siehe Liste der Feriendörfer : Oldenburg i.H.

WEISSENHORN 7912. Bayern [413] N 22, [987] ㊱ – 10 800 Ew – Höhe 501 m – ☎ 07309.

♦München 146 – Memmingen 41 – ♦Ulm (Donau) 22.

- **Löwen**, Martin-Kuen-Str. 5, ☎ 50 14 – ☎
  1.- 15. Aug. geschl. – Karte 25/57 *(Tischbestellung ratsam)* (Sonntag geschl.) – **16 Z : 23 B** 50/56 - 80/90.

WEISSENSBERG Bayern siehe Lindau im Bodensee.

WEISSENSTADT 8687. Bayern [413] S 16, [987] ㉗ – 4 000 Ew – Höhe 630 m – Erholungsort – ☎ 09253.

ℹ Verkehrsamt, Rathaus, Kirchplatz 1, ☎ 7 11.

♦München 265 – Bayreuth 36 – Hof 28.

- **Post-Reichsadler**, Wunsiedler Str. 11, ☎ 3 66 – [TV]. [E] [VISA]. Zim
  Nov. geschl. – Karte 20/44 *(Montag geschl.)* – **11 Z : 23 B** 35/49 - 65/92.
- **Welzel-Goldener Löwe**, Wunsiedler Str. 4, ☎ 3 62, Biergarten – [P]. [AE] [E]
  Karte 19/46 *(Mittwoch und Feb. geschl.)* – **16 Z : 26 B** 32/42 - 64/84.
- Zum Waldstein, Kirchenlamitzer Str. 8, ☎ 2 70 –
  17 Z : 25 B.
- 🍴🍴 ✿ **Egertal**, Wunsiedler Str. 49, ☎ 2 37 – [P]. [E].
  Montag - Freitag nur Abendessen, Dienstag und Jan. 3 Wochen geschl. – Karte 53/78 (Tischbestellung ratsam)
  Spez. Lachsscheiben mit Basilikumsauce, Meeresfischteller mit zwei Saucen, Milchlammkeule mit Aromatenjus (für 2 Pers.).

In Weißenstadt - Weißenhaider Mühle SW : 3,5 km, über die Straße nach Bischofsgrün, hinter Schönlind links ab :

Weißenhaider Mühle ⑤, ☎ 2 96, 🏖 – [P]. [D] [E]
Nov. geschl. – Karte 17/30 *(Montag geschl.)* – **8 Z : 13 B** 23 - 46.

WEITENBURG (Schloß) Baden-Württemberg siehe Starzach.

WEITERSTADT Hessen siehe Darmstadt.

WEITNAU 8961. Bayern [426] ⑮ – 3 800 Ew – Höhe 797 m – Erholungsort – Wintersport : 850/980 m ⛷4 ⛷3 – ☎ 08375.
♦München 155 – Bregenz 52 – Kempten (Allgäu) 25.

In Weitnau-Wengen NO : 12 km :

Engel, Alpe-Egg-Weg 2 (B 12), ☎ 3 17, 🏖, 🌳 – [P]. [VISA]
Nov.- Dez. 3 Wochen geschl. – Karte 20/42 *(Dienstag geschl.)* – **20 Z : 32 B** 29/39 - 58/69.

WELLIN Nordrhein-Westfalen siehe Herscheid.

WELSCHNEUDORF Rheinland-Pfalz siehe Liste der Feriendörfer.

WEMDING 8853. Bayern [413] P 20, [987] ㉖ – 5 000 Ew – Höhe 460 m – Erholungsort – ☎ 09092.
[i] Verkehrsamt, Haus des Gastes, ☎ 80 01.
♦München 128 – ♦Augsburg 70 – Nördlingen 18 – ♦Nürnberg 93.

Meerfräulein, Wallfahrtsstr. 1, ☎ 80 21, ≘s – |≡| [TV] ☎ 🚗 🅰. [E]. ✂ Zim
Karte 19/36 *(Dienstag geschl.)* ⅝ – **48 Z : 90 B** 35/60 - 60/95 – P 50/60.

In Wemding-Wildbad W : 2 km :

Kurhotel Seebauer ⑤, ☎ 80 15, 🏖, Bade- und Massageabteilung, 🏊, ≘s, 🏊, 🏊, 🌳 – |≡| 🚗 [P] 🅰. [AE] [E]
Karte 17,50/34 – **66 Z : 104 B** 45/51 - 84/90.

WENDEBURG Niedersachsen siehe Peine.

WENDELSTEIN 8508. Bayern [413] Q 18 – 13 800 Ew – Höhe 340 m – ☎ 09129.
Siehe Nürnberg (Umgebungsplan).
♦ München 157 – Ingolstadt 84 – ♦Nürnberg 12 – ♦Regensburg 100.

Zum Wenden, Hauptstr. 32, ☎ 22 45 – [P]. [E] CT **e**
Karte 20/50 *(Montag geschl.)* – **12 Z : 22 B** 58/68 - 88/98.

🍴🍴 **Ofenplatt'n**, Nürnberger Str. 19, ☎ 34 30 – [P]. [AE] [D] [E] CT **n**
Sonntag geschl. – Karte 52/67 (Tischbestellung ratsam).

WENDELSTEIN Bayern. Sehenswürdigkeit siehe Bayrischzell und Brannenburg.

WENDEN 5963. Nordrhein-Westfalen – 15 700 Ew – Höhe 360 m – ☎ 02762.
⛳ Wenden-Ottfingen, ☎ (02762) 75 89.
♦Düsseldorf 109 – ♦Köln 72 – Olpe 11 – Siegen 22.

In Wenden 5-Brün W : 5,5 km über Gerlingen :

Wacker, Mindener Str. 1, ☎ 80 88, Telex 876623, ≘s, 🏊, 🌳, 🎾 – [TV] ☎ 🚗 [P] 🅰. [AE] [D] [E] [VISA]. ✂ Rest
Karte 21/46 – **40 Z : 80 B** 60/85 - 110/140.

WENDLINGEN AM NECKAR 7317. Baden-Württemberg [413] L 20 – 14 800 Ew – Höhe 280 m – ☎ 07024.
♦Stuttgart 29 – Göppingen 28 – Reutlingen 31 – ♦Ulm (Donau) 69.

Erbschenk, Unterboihinger Str. 25, ☎ 79 51, Telex 7267541, ≘s – |≡| [TV] ☎ 🚗 🅰. [AE] [D] [E] [VISA]
Karte 30/44 – **28 Z : 46 B** 95 - 135 Fb.

🍴 **Keim** mit Zim, Bahnhofstr. 26, ☎ 73 87 – ☎ 🚗 [P] 🅰
Juli - Aug. 3 Wochen geschl. – Karte 25/45 *(Samstag geschl.)* – **9 Z : 14 B** 35/45 - 60/70.

In Wendlingen-Unterboihingen :

Löwen, Nürtinger Str. 1, ☎ 73 43, 🏖, ≘s – ☎ [P] 🅰
Juli - Aug. 3 Wochen geschl. – Karte 22/40 *(Samstag geschl.)* – **28 Z : 40 B** 50/70 - 85/100.

WENHOLTHAUSEN Nordrhein-Westfalen siehe Eslohe.

[WENNIGSEN] **3015.** Niedersachsen – 13 500 Ew – Höhe 94 m – ☎ 05103.
♦Hannover 18 – Hameln 33 – Hildesheim 32.

🏨 **Calenberger Hof**, Bahnhofstr. 11, ✆ 6 90 – ☎ 🅿. [AE] [E]
↔ *24. Juli - 13. Aug. geschl.* – Karte 16/44 *(wochentags nur Abendessen, Montag geschl.)* – **18 Z : 33 B** 48/95 - 68/135.

[WENNINGSTEDT] Schleswig-Holstein siehe Sylt (Insel).

[WERDOHL] **5980.** Nordrhein-Westfalen [987] ⑭ – 20 800 Ew – Höhe 185 m – ☎ 02392.
♦Düsseldorf 104 – Arnsberg 43 – Hagen 39 – Lüdenscheid 15.

🏨 Forsthaus, an der Höhenstraße nach Lüdenscheid (W : 2 km), ✆ 26 07, <, 🏊, 🏊 – ☎ 🅿
17 Z : 26 B.

In Werdohl-Kleinhammer S : 5 km über die B 229 :

🏨 **Zum Dorfkrug**, Brauck 7, ✆ (02392) 7 02 07 – ☎ 🚗 🅿. [E]
Karte 23/53 *(Montag und Samstag jeweils bis 17 Uhr geschl.)* – **14 Z : 26 B** 44/50 - 80/88.

[WERL] **4760.** Nordrhein-Westfalen [987] ⑭ – 27 600 Ew – Höhe 90 m – ☎ 02922.
⛳ Werl-Stadtwald, ✆ (02922) 25 22.
♦Düsseldorf 103 – Arnsberg 25 – ♦Dortmund 37 – Hamm in Westfalen 17 – Soest 15.

🏨 **Parkhotel Wiener Hof**, Hammer Str. 1, ✆ 26 33, 🌂 – [TV] ☎ 🚗 🅿 🏛. [AE] ◐ [E] [VISA]
Karte 41/72 – **10 Z : 19 B** 55/65 - 75/99 Fb.

🏨 **Bartels - Restaurant Kupferspieß**, Walburgisstr. 6, ✆ 70 66 (Hotel) 13 22 (Rest.) – [TV] ☎ 🚗 🅿. [E]. ✗ Zim
Karte 26/57 *(Italienische Küche)* – **29 Z : 46 B** 50 - 90/95 Fb.

XX **Alte Mühle** (ehemalige Windmühle), Neheimer Str. 53, ✆ 33 39 – 🅿
nur Abendessen, Montag geschl. – Karte 26/61.

[WERMELSKIRCHEN] **5632.** Nordrhein-Westfalen [987] ㉔ – 34 000 Ew – Höhe 310 m – ☎ 02196.
♦Düsseldorf 52 – ♦Köln 34 – Lüdenscheid 38 – Wuppertal 30.

🏨 **Zum Schwanen**, Schwanen 1, ✆ 30 07 – [TV] ☎ 🚗 🅿 🏛. [AE] ◐ [E]
Karte 35/71 *(15.- 30. Aug. geschl.)* – **24 Z : 35 B** 76/88 - 140 Fb.

🏨 **Zur Eich**, Eich 7, ✆ 60 08 – [TV] ☎ 🚗 🅿 🏛
Karte 31/56 – **38 Z : 50 B** 63/78 - 108/135 Fb.

In Wermelskirchen 2-Dabringhausen SW : 8 km :

XX **Zur Post** mit Zim, Altenberger Str. 90, ✆ (02193) 20 88, « Antiquitätenausstellung » – ☎ 🅿
Jan. geschl. – Karte 47/72 *(Montag - Dienstag 18 Uhr geschl.)* – **8 Z : 11 B** 70 - 100.

[WERNAU] **7314.** Baden-Württemberg [413] L 20 – 13 200 Ew – Höhe 255 m – ☎ 07153.
♦Stuttgart 32 – Göppingen 21 – Reutlingen 34 – ♦Ulm (Donau) 67.

🏨 **Maître**, Kranzhaldenstr. 3, ✆ 33 75, 🌂 – [TV] ☎ 🚗 🅿. [AE] [E]. ✗
Karte 24/50 *(nur Abendessen)* – **33 Z : 42 B** 75/80 - 110/120 Fb.

🏨 **Bad Hotel Lämmle**, beim Freibad, ✆ 33 15, 🌂, 🏊, 🏊, 🌳 – [TV] ☎ 🅿. [AE] ◐ [E] [VISA]
23. Dez.- 7. Jan. und 22. Juli - 12. Aug. geschl. – Karte 22/45 *(nur Abendessen, Samstag geschl.)* – **64 Z : 100 B** 74/90 - 115/140 Fb.

XX **Maître** mit Zim, Kirchheimer Str. 83, ✆ 3 02 55 – ☎ 🅿. [AE] [E]
Karte 33/57 *(Freitag geschl.)* – **6 Z : 10 B** 68 - 90.

X **Stadthalle**, Kirchheimer Str. 70, ✆ 3 13 16 – 🅿 🏛
Montag und 9. Juli - 2. Aug. geschl. – Karte 25/46.

[WERNBERG-KÖBLITZ] **8475.** Bayern [413] T 18, [987] ㉗ – 5 000 Ew – Höhe 377 m – ☎ 09604.
♦München 193 – ♦Nürnberg 95 – ♦Regensburg 71 – Weiden in der Oberpfalz 18.

🏨 Pari 🔇, Zur Roten Marter 5, ✆ 5 22, <, « Gartenterrasse mit Grill », 🌳 – [TV] ☎ 🚗 🅿 🏛
26 Z : 42 B Fb.

X Burkhard, Marktplatz 10, ✆ 25 09 – 🅿.

[WERNE] **4712.** Nordrhein-Westfalen [987] ⑭ – 29 000 Ew – Höhe 52 m – ☎ 02389.

Siehe Ruhrgebiet (Übersichtsplan).

[i] Touristik-Information, Markt 19 (Stadtsparkasse), ✆ 53 40 80.
♦Düsseldorf 105 – ♦Dortmund 25 – Hamm in Westfalen 15 – Münster (Westfalen) 40.

🏨 **Baumhove** (Fachwerkhaus a.d.J. 1484), Markt 2, ✆ 22 98, « Restaurant mit rustikaler Einrichtung » – [lift] ☎ 🚗. ◐ [E]
Karte 24/50 *(Sonntag ab 14 Uhr und 26. Juni - 14. Juli geschl.)* – **18 Z : 28 B** 35/60 - 90/95.

🏨 **Ickhorn**, Markt 1, ✆ 28 24 – [TV] ☎ 🚗. [AE] [E]
Karte 20/42 *(Samstag geschl.)* – **14 Z : 22 B** 55/75 - 95/100.

In Werne 3-Stockum O : 5 km :

🏨 Stockumer Hof, Werner Str. 125, ✆ 34 39 – 🅿 – **13 Z : 19 B.**

[WERNECK] 8727. Bayern [413] N 17, [987] ㉖ – 10 000 Ew – Höhe 221 m – ✆ 09722.

♦München 295 – Schweinfurt 13 – ♦Würzburg 27.

🏨 **Krone-Post**, Balthasar-Neumann-Str. 1, ✆ 20 63 – ☎ 🚗 [P] 🎓. [AE] [O] [E]. 🚫🐕 Rest
◆ Karte 19,50/35 *(Montag bis 17 Uhr geschl.)* 🍷 – **56 Z : 97 B** 48/58 - 78/83.

[WERSAU] Hessen siehe Brensbach.

[WERSHOFEN] 5489. Rheinland-Pfalz – 960 Ew – Höhe 497 m – ✆ 02694.

Mainz 176 – Adenau 19 – ♦Bonn 53.

🏨 **Pfahl**, Hauptstr. 76, ✆ 2 32, <, ≘s, 🌳 – [P]. [AE] [E]
Jan. geschl. – Karte 23/45 *(Donnerstag geschl.)* – **22 Z : 48 B** 39/44 - 64/72.

🏨 **Kastenholz**, Hauptstr. 1, ✆ 3 81, <, Wildgehege, 🏊, 🌳 – [P] 🎓
Karte 25/45 *(Mittwoch geschl.)* – **16 Z : 30 B** 35 - 70.

[WERTACH] 8965. Bayern [413] O 24, [987] ㊱, [426] ⑮ – 2 300 Ew – Höhe 915 m – Luftkurort – Wintersport : 915/1 450 m ⛷4 ⛷3 – ✆ 08365.

[i] Verkehrsamt, Rathaus, ✆ 2 66.

♦München 127 – Füssen 24 – Kempten (Allgäu) 25.

🏨 **Gasthof Engel - Kupferpfanne**, Marktstr. 7, ✆ 2 10, ⛱ – ☎ [P]
Karte 21/42 – **25 Z : 47 B** 43/65 - 77/85.

🏨 **Alpengasthof Hirsch**, Marktstr. 21, ✆ 4 31, ⛱ – ☎ [P]
10. Nov.- 21. Dez. geschl. – Karte 23/53 *(Donnerstag geschl.)* – **10 Z : 20 B** 50/55 - 86/96.

🏨 **Drei Mühlen**, Alpenstr. 1, ✆ 3 34, 🌳, Fahrradverleih – ☎ 🚗 [P]. 🚫🐕 Zim
◆ *25. Okt.- 18. Dez. geschl.* – Karte 19/36 *(Dienstag - Mittwoch geschl.)* 🍷 – **20 Z : 40 B** 44 - 78 – P 56/59.

[WERTHEIM] 6980. Baden-Württemberg [413] L 17, [987] ㉕ – 20 600 Ew – Höhe 142 m – ✆ 09342.

Sehenswert : Stiftskirche (Grabdenkmäler ★: Isenburgsches Epitaph ★★) – Linkes Tauberufer <★.

Ausflugsziel : Bronnbach : Klosterkirche★ SO : 9,5 km.

[i] Verkehrsamt, Rathaus, ✆ 30 12 30.

♦Stuttgart 143 – Aschaffenburg 47 – ♦Würzburg 42.

🏨 Kette, Lindenstr. 14, ✆ 10 01, ⛱, ≘s – 🛗 ☎ 🚗
30 Z : 50 B.

🏨 Schwan, Mainplatz 8, ✆ 12 78, ⛱ – [TV] ☎ 🎓
38 Z : 70 B.

🏨 **Bronnbacher Hof**, Mainplatz 10, ✆ 13 63, ⛱ – 🎓. [AE] [O] [E]
◆ Karte 17/32 🍷 – **25 Z : 50 B** 38/55 - 60/90.

🍴 **Bach'sche Brauerei**, Marktplatz 11, ✆ 12 70 – [AE] [O] [E] [VISA]
Okt.- März Mittwoch und 19. Okt.- 17. Nov. geschl. – Karte 23/41.

In Wertheim-Bettingen O : 10 km :

🏨 ❀❀ **Schweizer Stuben** 🔇, Geiselbrunnweg 11, ✆ 30 70, Telex 689190, Fax 30755, <, « Hotelanlage in einem Park », ≘s, 🏊 (geheizt), 🌳, 🎾 (Halle) – [TV] ☎ [P]. [AE] [O] [E]
Karte 88/138 *(1.- 26. Jan., Sonntag bis 19 Uhr und Montag - Dienstag 19 Uhr geschl.)* (siehe auch Restaurants Taverna La vigna und Schober) – **27 Z : 60 B** 200/330 - 250/380 – 10 Appart. 480/850
Spez. Gugelhupf von Gänsestopfleber mit Weinbeerensauce, Roulade von St. Petersfisch mit Champagnersauce, Bresse- Taubenbrust in Blätterteig mit Trüffelsauce.

🍴🍴🍴 **Taverna La vigna** (Italienische Küche), Geiselbrunnweg 11, ✆ 30 70 (über Schweizer Stuben) – [P]. [AE] [O] [E] [VISA]. 🚫🐕
Freitag - Sonntag nur Abendessen, Mittwoch - Donnerstag und 1.- 23. Feb. geschl. – Karte 75/88 (Tischbestellung ratsam).

🍴🍴 **Schober**, Geiselbrunnweg 11, ✆ 30 70 (über Schweizer Stuben) – [P]. [AE] [O] [E]
Dienstag - Mittwoch 18 Uhr geschl. – Karte 29/65.

In Wertheim-Dertingen O : 14 km :

🏠 **Zum Roß**, Aalbachstr. 45, ✆ (09397) 2 36, ⛱ – [P]
◆ Karte 15,50/26 *(Donnerstag geschl.)* 🍷 – **6 Z : 11 B** 35 - 60.

In Wertheim-Mondfeld W : 10 km – Erholungsort :

🏠 **Weißes Rössel**, Haagzaun 12, ✆ 12 15, ⛱ – [TV] 🚗 [P]
◆ *Feb. 2 Wochen und 21. Okt.- 3. Nov. geschl.* – Karte 14/34 *(Dienstag geschl.)* 🍷 – **12 Z : 24 B** 35/40 - 70/80.

In Wertheim-Reicholzheim SO : 7 km – Erholungsort :

🏨 **Gästehaus Martha** 🔇, Am Felder 11, ✆ 78 96, <, ⛱, ≘s, 🏊, 🌳 – ☎ [P]. 🚫🐕 Zim
◆ Karte 18/38 🍷 – **10 Z : 18 B** 40/45 - 80 – P 62/69.

In Kreuzwertheim **6983**, Bayern, auf der rechten Mainseite – ☎ 09342 :

🏨 **Lindenhof**, Lindenstr. 41 (NO: 2 km), ✆ 13 53, ≤, ⛱ – [TV] ☎ 🚗 [P]. 🚫🐕 Rest
20. Dez.- 15. Jan. geschl. – Karte 31/56 – **15 Z : 26 B** 65/120 - 85/150 Fb.

🏨 **Herrnwiesen**, In den Herrnwiesen 4, ✆ 3 70 31, 🪑 – ☎ 🚗 [P]. 🚫🐕
Karte 20/43 *(nur Abendessen, Sonntag geschl.)* – **24 Z : 44 B** 49/55 - 78/92.

[WERTHER] Nordrhein-Westfalen siehe Halle in Westfalen.

[WERTINGEN] **8857.** Bayern [413] OP 21, [987] ㊱ – 4 200 Ew – Höhe 419 m – ☎ 08272.
◆München 90 – ◆Augsburg 32 – Donauwörth 24 – ◆Ulm (Donau) 74.

🏨 **Hirsch**, Schulstr. 7, ✆ 20 55 – ☎ 🚗 [P] 🏋. [AE]
➜ Karte 15/26 *(Samstag geschl.)* 🍷 – **28 Z : 40 B** 29/38 - 47/66.

[WESCHNITZ] Hessen siehe Fürth im Odenwald.

[WESEL] Niedersachsen siehe Undeloh.

[WESEL] **4230.** Nordrhein-Westfalen [987] ⑬ – 60 000 Ew – Höhe 25 m – ☎ 0281.
Siehe Ruhrgebiet (Übersichtsplan).

[i] Verkehrsverein, Franz-Etzel-Platz 4, ✆ 2 44 98.
◆Düsseldorf 64 – Bocholt 24 – ◆Duisburg 31.

🏨 **Zur Aue**, Reeser Landstr. 14 (B 8), ✆ 2 10 00 – ☎ [P]. [AE] [O]
➜ Karte 19/41 – **23 Z : 42 B** 60 - 85.

In Wesel 14-Büderich SW : 6 km :

🏠 **Wacht am Rhein**, Rheinallee 30, ✆ (02803) 3 02, ≤, ⛱ – [P] 🏋. 🚫🐕 Rest
20. Dez.- 4. Jan. geschl. – Karte 21/47 *(Okt.- Mai Dienstag geschl.)* – **21 Z : 32 B** 45/65 - 70/95.

In Wesel 14-Feldmark N : 4 km über Reeser Landstraße :

🏨 **Waldhotel Tannenhäuschen** 🔇, Am Tannenhäuschen 7, ✆ 6 10 14, Telex 812774, ⛱, 🧖, [🏊], 🪑 – ⇅ [TV] 🚗 [P] 🏋. [AE] [O] [E]. 🚫🐕 Rest
Karte 41/74 – **46 Z : 92 B** 105/139 - 134/199 – 4 Appart. 255.

In Wesel 1-Flüren NW : 5 km:

🍴 Waldschenke, Flürener Weg 49, ✆ 7 02 81, ⛱ – [P].

An der Autobahn A 3 Richtung Arnheim SO : 10 km :

🏨 **Autobahnrestaurant und Waldhotel**, ✉ 4224 Hünxe-Ost, ✆ (02858) 70 57, Telex 8120122 – [TV] ☎ ♿ [P]. [AE] [O] [E] [VISA]
Karte 20/50 – **29 Z : 50 B** 60/99 - 99/138 Fb.

In Hamminkeln 3-Marienthal **4236** NO : 14 km :

🏨 **Romantik-Hotel Haus Elmer** 🔇, An der Klosterkirche 12, ✆ (02856) 20 41, « Gartenterrasse » – [TV] ☎ 🚗 [P] 🏋. [AE] [O] [E] [VISA]. 🚫🐕 Zim
Karte 36/62 *(Montag bis 18 Uhr geschl.)* – **25 Z : 45 B** 88/120 - 130/200 Fb.

[WESSELING] **5047.** Nordrhein-Westfalen – 31 000 Ew – Höhe 51 m – ☎ 02236.
◆Düsseldorf 55 – ◆Bonn 15 – ◆Köln 12.

🏨 **Pontivy**, Cranachstr. 75, ✆ 4 30 91, Telex 8881672, Biergarten, 🧖 – [TV] ☎ [P]. [AE] [O] [E] [VISA]
Karte 30/52 *(Samstag bis 18 Uhr geschl.)* – **23 Z : 28 B** 85/115 - 105/140 Fb.

🏨 **Haus Burum** garni, Bonner Str. 83, ✆ 4 10 51 – ⇅ [TV] ☎ [P]. [E]
13. Dez.- 12. Jan. geschl. – **24 Z : 30 B** 70/75 - 110/120.

🍴 **Kölner Hof** mit Zim, Kölner Str. 83, ✆ 4 28 41 – [P]. [E] [VISA]. 🚫🐕 Zim
Karte 26/57 *(Samstag und 8. Juli - 5. Aug. geschl.)* – **8 Z : 11 B** 45/48 - 85.

[WESSOBRUNN] **8129.** Bayern [413] Q 23, [987] ㊱, [426] ⑯ – 1 740 Ew – Höhe 701 m – ☎ 08809.
◆München 64 – ◆Augsburg 66 – Weilheim 10.

🍴 **Zur Post** mit Zim, Zöpfstr. 2, ✆ 2 08 – [P]
➜ Karte 17,50/44 – **4 Z : 7 B** 30 - 59.

[WESTERDEICHSTRICH] Schleswig-Holstein siehe Büsum.

Do not mix up :

Comfort of hotels	: 🏨🏨🏨🏨🏨 ... 🏨, 🏠
Comfort of restaurants	: 🍴🍴🍴🍴🍴 ... 🍴
Quality of the cuisine	: ✿✿✿, ✿✿, ✿, Karte

WESTERHEIM 8941. Bayern 413 NO 22 – 2 000 Ew – Höhe 580 m – ☎ 08336 (Erkheim).
♦München 102 – ♦Augsburg 83 – Memmingen 12.

In Westerheim-Günz N : 2 km :

Brauereigasthof Laupheimer, Hauptstr. 6, ☎ 76 63 – P
Karte 18/42 *(Dienstag geschl.)* – **11 Z : 15 B** 25/29 - 52/56.

WESTERHORN 2205. Schleswig-Holstein – 950 Ew – Höhe 3 m – ☎ 04127.
♦Kiel 80 – ♦Hamburg 50 – Itzehoe 21.

Landkrog, Birkenweg 6, ☎ 3 97 – AE
Dienstag - Freitag nur Abendessen, Montag und Juli - Aug. 3 Wochen geschl. – Karte 35/60.

WESTERLAND Schleswig-Holstein siehe Sylt (Insel).

WESTERNBÖDEFELD Nordrhein-Westfalen siehe Schmallenberg.

WESTERSTEDE 2910. Niedersachsen 987 ⑭ – 18 400 Ew – Höhe 13 m – ☎ 04488.
Tourist-Information, Rathaus, Am Markt, ☎ 18 88.
♦Hannover 195 – Groningen 110 – ♦Oldenburg 24 – Wilhelmshaven 42.

Voss, Am Markt 4, ☎ 60 51, – TV P AE E VISA
Karte 26/59 – **45 Z : 85 B** 60/70 - 98/105 Fb.

Zur Linde mit Zim, Wilhelm-Geiler-Str. 1, ☎ 26 73, – TV P. AE E VISA
Karte 40/62 *(Sonntag geschl.)* – **11 Z : 22 B** 65 - 98 Fb.

In Westerstede 1-Hollwege NW : 3 km :

Heinemann's Gasthaus, Liebfrauenstr. 13, ☎ 22 47, – TV P.
23. Dez.- 4. Jan. und 9. Juni - 3. Juli geschl. – Karte 18/39 *(Sonn- und Feiertage geschl.)* – **18 Z : 32 B** 30/40 - 50/80.

WETTENBERG Hessen siehe Gießen.

WETTER (RUHR) 5802. Nordrhein-Westfalen 987 ⑭ – 30 000 Ew – Höhe 110 m – ☎ 02335.
Siehe Ruhrgebiet (Übersichtsplan).
♦Düsseldorf 59 – ♦Dortmund 20 – Hagen 9.

In Wetter 4-Wengern NW : 4 km :

Haus Elbschetal, Kirchstr. 2, ☎ 75 75, « Alpenländische Einrichtung » – TV P
36 Z : 58 B Fb.

WETTMAR Niedersachsen siehe Burgwedel.

WETTRINGEN 4441. Nordrhein-Westfalen 987 ⑭, 408 ⑭ – 6 600 Ew – Höhe 55 m – ☎ 02557.
♦Düsseldorf 160 – Enschede 32 – Münster (Westfalen) 37 – ♦Osnabrück 59.

Zur Post, Kirchstr. 4 (B 70), ☎ 70 02 – . E
Karte 17/36 *(Freitag ab 14 Uhr, Samstag und Sonntag jeweils bis 18 Uhr geschl.)* – **19 Z : 30 B** 35 - 68.

Zur Sonne, Metelener Str. 8 (B 70), ☎ 12 31, – P
Karte 15/29 *(nur Abendessen, Freitag geschl.)* – **9 Z : 13 B** 30/35 - 60/68.

WETTSTETTEN Bayern siehe Ingolstadt.

WETZLAR 6330. Hessen 413 I 15, 987 ㉔ ㉕ – 50 000 Ew – Höhe 145 m – ☎ 06441.
Sehenswert: Altstadt (Dom, Eisenmarkt, Kornmarkt), Lottehaus★ (Stadtmuseum und Industriemuseum) Z.
Städt.Verkehrsamt, Domplatz 8, ☎ 40 53 38.
ADAC, Bergstr. 2, ☎ 2 66 66, Telex 483718.
♦Wiesbaden 96 ② – Gießen 17 ② – Limburg an der Lahn 42 ⑧ – Siegen 64 ⑧.

Stadtplan siehe nächste Seite.

Mercure, Bergstr. 41, ☎ 4 80 31, Telex 483739, Fax 42504, – TV P . AE E VISA — Z **c**
Karte 28/56 – **144 Z : 198 B** 145/165 - 180/280 Fb.

Bürgerhof, Konrad-Adenauer-Promenade 20, ☎ 4 40 68, Telex 483735 – TV P. AE — Z **e**
Karte 23/51 *(Juli - Aug. 3 Wochen geschl.)* – **44 Z : 51 B** 70/95 - 120/145 Fb.

Wetzlarer Hof, Obertorstr. 3, ☎ 4 80 21, Telex 4821144, – P . AE E VISA — Z **d**
Karte 25/53 – **28 Z : 40 B** 55/85 - 92/125 Fb.

Euler Haus garni, Buderusplatz 1, ☎ 4 70 16, Telex 483763 – TV . AE E VISA — Y **a**
25 Z : 35 B 45/70 - 80/110 Fb.

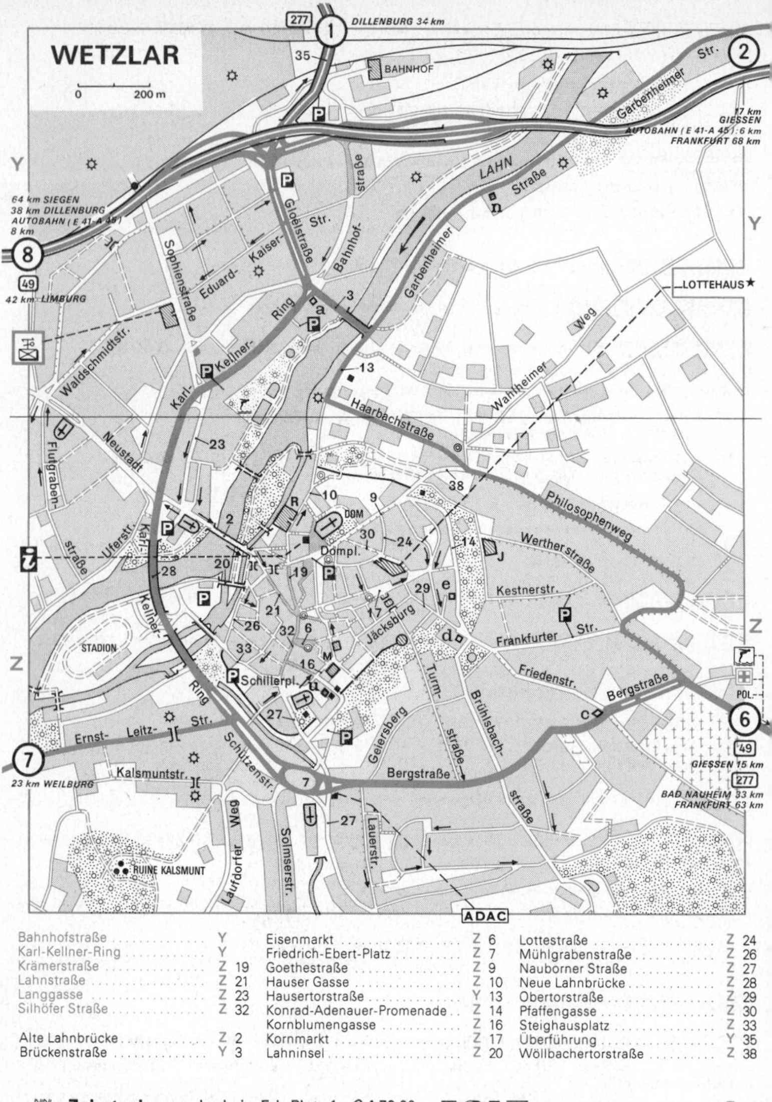

Bahnhofstraße . . . . . Y
Karl-Kellner-Ring . . . . . Y
Krämerstraße . . . . . Z 19
Lahnstraße . . . . . Z 21
Langgasse . . . . . Z 23
Silhöfer Straße . . . . . Z 32

Alte Lahnbrücke . . . . . Z 2
Brückenstraße . . . . . Y 3
Eisenmarkt . . . . . Z 6
Friedrich-Ebert-Platz . . . . . Z 7
Goethestraße . . . . . Z 9
Hauser Gasse . . . . . Z 10
Hausertorstraße . . . . . Y 13
Konrad-Adenauer-Promenade . . Z 14
Kornblumengasse . . . . . Z 16
Kornmarkt . . . . . Z 17
Lahninsel . . . . . Z 20
Lottestraße . . . . . Z 24
Mühlgrabenstraße . . . . . Z 26
Nauborner Straße . . . . . Z 27
Neue Lahnbrücke . . . . . Z 28
Obertorstraße . . . . . Z 29
Pfaffengasse . . . . . Z 30
Steighausplatz . . . . . Z 33
Überführung . . . . . Y 35
Wöllbachertorstraße . . . . . Z 38

XX **Zehntscheune**, Ludwig-Erk-Platz 1, ℘ 4 78 00 – AE ⓓ E VISA — Z **u**
Sonntag 15 Uhr - Montag geschl. – Karte 49/75 *(bemerkenswerte Weinkarte)* (Tischbestellung ratsam).

X Wetzlarer Braustuben (Brauerei-Gaststätte), Garbenheimer Str. 20, ℘ 4 25 51, Biergarten – P — Y **n**

In Wetzlar-Kirschenwäldchen S : 4,5 km über ⑥ :

Stoppelberg ≫, Kirschenwäldchen 18, ℘ 2 40 15, « Gartenterrasse » – ☎ ⇐ P. ⓓ E VISA.
Karte 24/48 *(Donnerstag geschl.)* – **14 Z : 30 B** 57 - 97.

In Lahnau 3-Atzbach **6335** ② : 7,5 km :

XX **Bergschenke**, Bergstr. 15, ℘ (06441) 6 19 02, ≤, – P. AE E VISA
Montag geschl. – Karte 46/66.

WEYARN 8153. Bayern [413] S 23, [426] ⑰ – 2 700 Ew – Höhe 654 m – ✆ 08020.
♦München 37 – Innsbruck 124 – Salzburg 104.

Im Mangfalltal NW : 2,5 km :

🍴 **Waldgasthaus Maxlmühle,** ✉ 8155 Valley, ☎ (08020) 7 72, ⛱ – [P]. [D]
7. Jan.- 11. Feb. und Mittwoch - Donnerstag geschl. – Karte **29**/50.

WEYHAUSEN Niedersachsen siehe Wolfsburg.

WICKEDE (RUHR) 5757. Nordrhein-Westfalen – 11 600 Ew – Höhe 155 m – ✆ 02377.
♦Düsseldorf 105 – ♦Dortmund 41 – Iserlohn 28.

🍴🍴 **Haus Gerbens** mit Zim, Hauptstr. 211 (B 63), ☎ 10 13, ⛱ – [TV] ☏ [P]. [AE] [D] [E]
Karte 33/66 *(Samstag bis 17 Uhr geschl.)* – **8 Z : 12 B** 55 - 95.

WIEDEN 7861. Baden-Württemberg [413] G 23, [242] ㊱, [216] ⑤ – 500 Ew – Höhe 850 m – Erholungsort – Wintersport : 850/ 1 100 m ⛷3 ⛷4 – ✆ 07673 (Schönau).
[i] Kurbüro, Rathaus, ☎ 3 03.
♦Stuttgart 246 – Basel 50 – ♦Freiburg im Breisgau 44 – Todtnau 11.

🏠 Hirschen, Ortsstr. 8, ☎ 10 22, ♨, 🏊, 🌳, 🎾 – 🛗 ☏ 🚗 [P] – **32 Z : 60 B**.

🏠 **Moosgrund** 🌿 garni, Steinbühl 16, ☎ 79 15, ←, ♨, 🌳 – [P]
8 Z : 18 B 38 - 70.

An der Straße zum Belchen W : 4 km :

🏠 **Berghotel Wiedener Eck**, Höhe 1 050 m, ✉ 7861 Wieden, ☎ (07673) 10 06, ←, ⛱, ♨, 🏊, 🌳, Skiverleih – 🛗 ☏ 🚗 [P]. [D] [E] [VISA]
Karte 26/60 – **32 Z : 54 B** 55/65 - 96/120 Fb – P 80/87.

WIEDERSTEIN Nordrhein-Westfalen siehe Neunkirchen.

WIEFELSTEDE 2901. Niedersachsen – 10 000 Ew – Höhe 15 m – ✆ 04402 (Rastede).
♦ Hannover 188 – ♦Oldenburg 13 – Bad Zwischenahn 14.

🏨 **Sporthotel Wiefelstede** 🌿, Alter Damm 9, ☎ 61 18, 🎾 (Halle) – [TV] ☏ [P] 🎤. [AE] [D] [E] [VISA]
Karte 25/48 – **25 Z : 40 B** 65 - 95 Fb.

In Wiefelstede-Spohle NW : 7,5 km :

🏠 Spohler Krug, Wiefelsteder Str. 28, ☎ (04458) 4 97 – 🚗 [P]
(nur Abendessen) – **32 Z : 50 B**.

WIEHL 5276. Nordrhein-Westfalen – 22 900 Ew – Höhe 192 m – ✆ 02262.
[i] Kur- und Verkehrsverein, Rathaus, Bahnhofstraße, ☎ 9 92 00.
♦Düsseldorf 85 – ♦Köln 48 – Siegen 53 – Waldbröl 17.

🏨 **Zur Post**, Hauptstr. 8, ☎ 90 91, Telex 884297, Biergarten, ♨, 🏊 – 🛗 [TV] ☏ [P] 🎤. [AE] [D] [E] [VISA]
Karte 31/63 – **55 Z : 70 B** 70/115 - 120/194 Fb.

🏨 **Platte**, Hauptstr. 25, ☎ 90 75 – ☏ 🚗 [P]. [D]
Karte 25/50 – **13 Z : 24 B** 60/75 - 90/120.

An der Tropfsteinhöhle S : 2 km :

🏨 **Waldhotel Hartmann**, Pfaffenberg 1, ✉ 5276 Wiehl, ☎ (02262) 90 22, Cafégarten, ♨, 🏊, 🌳 – 🛗 ☏ ♿ [P] 🎤. [AE] [D] [E] [VISA]
Karte 26/56 – **40 Z : 74 B** 83/130 - 150/195 Fb.

WIES Bayern siehe Steingaden.

WIESAU 8597. Bayern [413] T 17, [987] ㉗ – 4 800 Ew – Höhe 506 m – ✆ 09634.
♦München 274 – Bayreuth 60 – Hof 70 – Weiden in der Oberpfalz 32.

🏠 **Deutsches Haus**, Hauptstr. 61, ☎ 12 32, 🌳 – 🚗 [P]
✈ *Ende Okt.- Mitte Nov. geschl.* – Karte 18/42 *(Samstag geschl.)* – **21 Z : 30 B** 25/38 - 55/75.

WIESBADEN 6200. [L] Hessen [413] HI 16, [987] ㉔ – 269 000 Ew – Höhe 115 m – Heilbad – ✆ 06121.
⛳18 Wiesbaden-Delkenheim, Auf der Heide (0 : 12 km), ☎ (06122) 5 23 99 ; ⛳18 Wiesbaden-Frauenstein (W : 6 km), ☎ (06121) 82 38 89.
Ausstellungs- und Kongreßzentrum Rhein-Main-Halle (BZ), ☎ 14 40.
[i] Verkehrsbüro, Rheinstr. 15, ☎ 31 28 47.
[i] Verkehrsbüro, im Hauptbahnhof, ☎ 31 28 48.
ADAC, Grabenstr. 5, ☎ 37 70 71, Notruf ☎ 1 92 11.
♦Bonn 153 ① – ♦Frankfurt am Main 41 ② – ♦Mannheim 89 ③.

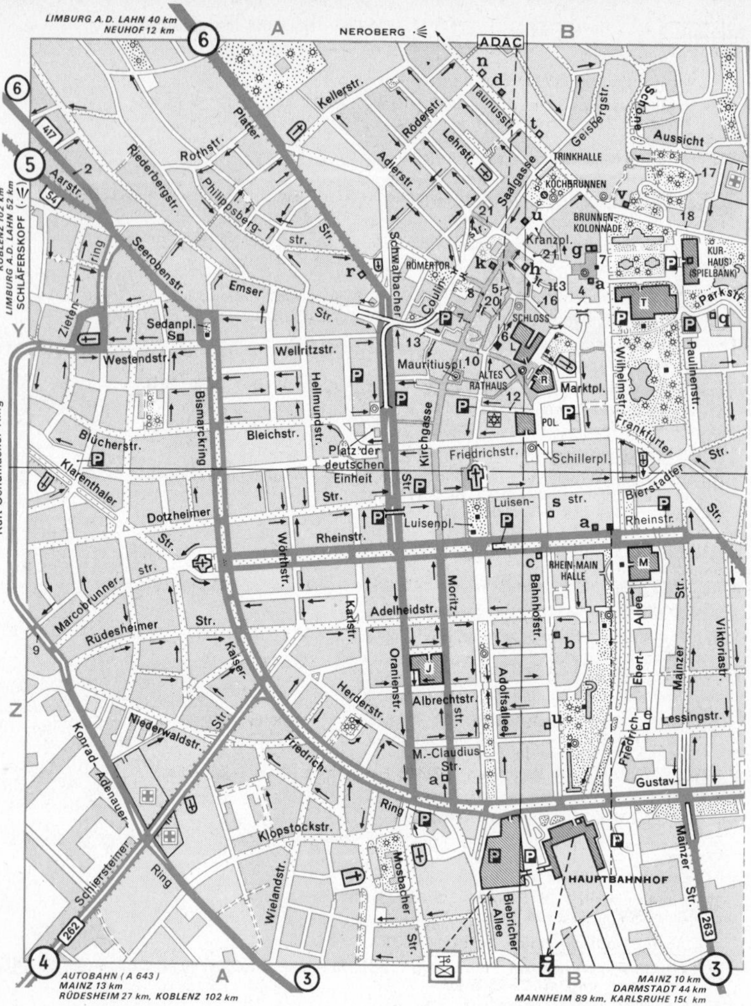

Nassauer Hof - Restaurant Orangerie, Kaiser-Friedrich-Platz 3, 13 30, Telex 4186847, Fax 133632, Massage, – Zim Rest TV P (mit). AE E VISA. Rest BY **g**
Karte 47/70 (siehe auch Rest. **Die Ente vom Lehel**) – **210 Z : 350 B** 290/370 - 445/490 Fb – 14 Appart. 600/1800.

Aukamm-Hotel, Aukamm-Allee 31, 57 60, Telex 4186283, Fax 576264, – Rest TV P (mit). AE E VISA über Bierstadter Str. BYZ
Restaurants : – **Imari** (Japanisches Restaurant) Karte 43/85 – **Rosenpark** Karte 44/67 – **160 Z : 300 B** 255 - 290 Fb – 15 Appart. 525.

Holiday Inn, Bahnhofstr. 10, 16 20, Telex 4064404, Fax 304599, – Zim TV . AE E VISA BZ **s**
Karte 37/67 – **234 Z : 350 B** 216/241 - 256/281 Fb – 3 Appart. 480.

Penta-Hotel, Auguste-Viktoria-Str. 15, 37 70 41, Telex 4186497, Fax 30 39 60, – Zim TV P (mit). AE E VISA. Rest BZ **e**
Karte 37/65 – **200 Z : 340 B** 163/213 - 216/306 Fb.

Klee am Park, Parkstr. 4, 30 50 61, Telex 4186916 – TV P . AE E VISA BY **q**
Karte 44/70 – **60 Z : 90 B** 131/176 - 196/262 Fb.

WIESBADEN

An den Quellen	BY	3
Bahnhofstraße	BZ	
Burgstraße	BY	4
Friedrichstraße	AY	
Kirchgasse	AYZ	
Langgasse	AY	8
Luisenstraße	ABZ	
Marktstraße	AY	10
Michelsberg	AY	13
Moritzstraße	AZ	
Webergasse	ABY	21
Wilhelmstraße	BY	
Albrecht-Dürer-Straße	AY	2
Goldgasse	AY	5
Grabenstraße	AY	6
Kaiser-Friedrich-Platz	BY	7
Loreleiring	AZ	9
Mauergasse	AY	12
Mühlgasse	BY	16
Prinzessin-Elisabeth-Straße	BY	17
Sonnenberger Straße	BY	18
Wagemannstraße	AY	20

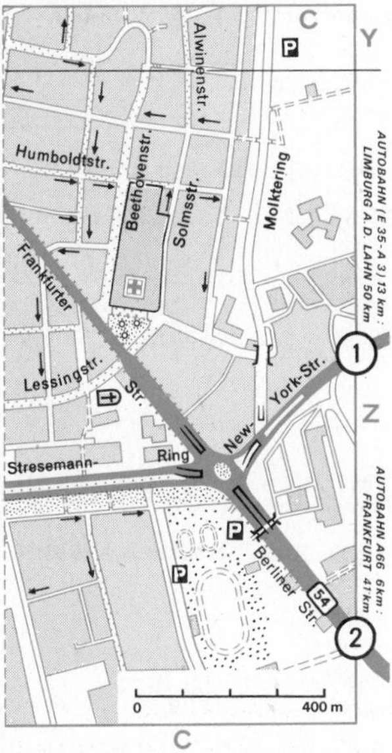

Forum-Hotel, Abraham-Lincoln-Str. 17, ✆ 79 70, Telex 4186369, Fax 761372, ... – über ②
Karte 32/63 – **157 Z : 250 B** 160/255 - 200/310 Fb.

Oranien, Platter Str. 2, ✆ 52 50 25, Telex 4186217 – ... AY **r**
Karte 25/42 *(nur Abendessen, Freitag - Sonntag und 20. Juli - 15. Aug. geschl.)* – **87 Z : 110 B** 89/105 - 130/148.

Hotel de France, Taunusstr. 49, ✆ 52 00 61, Telex 4186362 – ... AY **n**
23. Dez.- 5. Jan. geschl. – Karte : siehe Restaurant de France – **37 Z : 65 B** 90/130 - 140/180 Fb.

Hansa Hotel, Bahnhofstr. 23, ✆ 3 99 55, Telex 4186123 – ...
15. Dez.- 3. Jan. geschl. – Karte 30/52 *(Sonntag geschl.)* – **86 Z : 120 B** 95/120 - 145/150 Fb. BZ **c**

Bären garni, Bärenstr. 3, ✆ 30 10 21, Massage, ... – ... ABY **h**
60 Z : 90 B.

Am Kochbrunnen garni, Taunusstr. 15, ✆ 52 20 01 – ... BY **t**
24 Z : 45 B 80/100 - 110/145.

Am Landeshaus garni, Moritzstr. 51, ✆ 37 30 41 – ... AZ **a**
22. Dez.- 5. Jan. geschl. – **25 Z : 46 B** 75/110 - 105/145 Fb.

Central Hotel garni, Bahnhofstr. 65, ✆ 37 20 01, Telex 4186604 – ... BZ **u**
70 Z : 100 B 59/125 - 87/145.

XXXX ✿ **Die Ente vom Lehel**, Kaiser-Friedrich-Platz 3 (im Hotel Nassauer Hof), ✆ 13 36 66 – ... BY **g**
nur Abendessen, im Bistro auch Mittagessen, Montag, Sonn- und Feiertage sowie Juli - Aug. 4 Wochen geschl. – Karte 80/115 *(bemerkenswerte Weinkarte)* (Tischbestellung erforderlich) – **Bistro** mit ... Karte 54/70
Spez. Langostinos in Lauch-Kartoffel-Sud, Sauté von Entenherzen in Blätterteig, Taube mit Kräuterpurée.

XXX ✿ **Restaurant de France**, Taunusstr. 49, ✆ 5 12 51 – ... AY **n**
Sonntag - Montag, 13. Juli - 5. Aug. und 24. Dez.- 4. Jan. geschl. – Karte 85/125 (Tischbestellung ratsam)
Spez. Gänseleberpraline mit Trüffel, Lammrücken mit Rosmarin (für 2 Pers.), Gefülltes Marzipanomelette mit Amarettosauce.

XXX **La Belle Epoque** (im Stil der Belle Epoque restaurierte Räume des Kurhauses a.d.J. 1907), Kurhausplatz 1 (im Spielcasino, Ausweispflicht), ✆ 52 69 37 – ... BY
nur Abendessen, Bistro auch Mittagessen, Montag, Feiertage und Juli - Aug. 4 Wochen geschl. – Karte 66/93 (Tischbestellung ratsam) – **Le Bistro** Karte 33/56.

XX **Le Gourmet**, Bahnhofstr. 42, ✆ 30 16 54 – ... BZ **b**
Samstag bis 18 Uhr und Sonntag geschl. – Karte 60/85 (Tischbestellung ratsam).

XX **Lanterna** (Italienische Küche), Westendstr. 3, ✆ 40 25 22 – ... AY **s**
Freitag - Samstag 18 Uhr geschl. – Karte 56/87.

XX **Alte Krone**, Sonnenberger Str. 82, ✆ 56 39 47 – ... über Sonnenberger Str. BY
Sonntag und 30. Aug.- 12. Sept. geschl. – Karte 50/73.

XX **Alt-Prag** (Böhmische Spezialitäten), Taunusstr. 41, ✆ 52 04 02 – ... AY **d**
Montag geschl. – Karte 38/78.

X **Alte Münze**, Kranzplatz 5, ✆ 52 48 33, ... – ... ABY **u**
Sonn- und Feiertage geschl. – Karte 49/67 *(abends Tischbestellung ratsam).*

X Mövenpick, Sonnenberger Str. 2, ✆ 52 40 05, ... BY **v**

X Zum Dortmunder (Brauerei Gaststätte), Langgasse 34, ✆ 30 20 96, ... AY **k**

X Jade-Garten (Chinesische Küche), Rheinstr. 19, ✆ 37 08 54, ... BZ **a**

X **China-Restaurant Man-Wah**, Wilhelmstr. 52 (6. Etage, ...), ✆ 30 64 30, « Dachgarten mit ≤ » – ... BY **a**
Karte 25/52.

In Wiesbaden-Altklarenthal NW : 5 km über Klarenthaler Str. YZ :

XX **Landhaus Diedert** 🔇 mit Zim, Am Kloster Klarenthal 9, ℘ 46 02 34, « Gartenterrasse » – [TV] ☎ Ⓟ. [AE] [D] E
1.- 16. Jan. geschl. – Karte 45/81 – **15 Z : 28 B** 120/150 - 190 – 3 Appart. 350.

In Wiesbaden 1-Biebrich S : 4,5 km, über Biebricher Allee AZ :

🏠 Zum Scheppen Eck garni, Rathausstr. 94, ℘ 6 60 03 – ☎
43 Z : 65 B.

X **Weihenstephan**, Armenruhstr. 6, ℘ 6 11 34, ☂ – [AE] E
Samstag und Juli - Aug. 3 Wochen geschl. – Karte **29**/63.

In Wiesbaden-Dotzheim W : 3,5 km, über Dotzheimer Str. AZ :

🏨 Rheineck, Stegerwaldstr. 2, ℘ 42 10 61, ♨ – [TV] ☎ Ⓟ 👥
(nur Abendessen) – **38 Z : 68 B** Fb.

In Wiesbaden-Nordenstadt O : 10 km über ② und die A 66, Ausfahrt Nordenstadt :

🏨 Massa-Hotel, Ostring 9, ℘ (06122) 80 10, Telex 4182529 – ⇅ [TV] ☎ Ⓟ 👥
150 Z : 300 B Fb.

In Wiesbaden-Schierstein ④ : 5 km :

🏠 **Link's Weinstube**, Karl-Lehr-Str. 24, ℘ 2 00 20, eigener Weinbau – Ⓟ
Aug. geschl. – Karte 22/37 *(nur Abendessen, Freitag-Samstag geschl.)* 🍷 – **20 Z : 25 B** 45/65 - 85/100.

WIESEN 8752. Bayern [413] L 16 – 1 040 Ew – Höhe 394 m – ☎ 06096.
♦München 362 – ♦ Frankfurt am Main 76 – Fulda 76 – ♦ Würzburg 81.

🏨 **Berghof** 🔇, Am Berg 1, ℘ 3 30, <, ☂, ♨, 🌳 – Ⓟ
⟷ *10. Jan.- 15. Feb. geschl.* – Karte 17,50/41 *(Donnerstag geschl.)* 🍷 – **13 Z : 24 B** 35/45 - 69/79.

WIESENSTEIG 7346. Baden-Württemberg [413] L 21, [987] ㉟ – 2 400 Ew – Höhe 592 m – Erholungsort – Wintersport : 370/600 m ⛷3 – ☎ 07335.
Ausflugsziel : Reußenstein : Lage** der Burgruine <*, W : 5 km.
♦Stuttgart 57 – Göppingen 27 – ♦Ulm (Donau) 45.

🏨 **Sterneck** 🔇, Hohenstaufenstr. 10, ℘ 54 00, <, ♨, 🏊, 🌳 – ⇅ ☎ 🚗 Ⓟ. [AE] [D] E [VISA]
Karte 27/40 *(Dienstag geschl.)* – **8 Z : 16 B** 48/50 - 80/84 – P 68/75.

🏠 Post, Hauptstr. 45, ℘ 50 49 – Ⓟ
19 Z : 33 B.

In Mühlhausen im Täle 7341 NO : 3 km :

🏨 **Höhenblick**, Obere Sommerbergstr. 10, ℘ (07335) 50 66, <, ♨ – ⇅ ☎ Ⓟ 👥. [AE] [D] E [VISA]
⟷ *Aug. geschl.* – Karte 18/44 *(Sonntag geschl.)* 🍷 – **76 Z : 153 B** 35/70 - 65/120.

WIESENTTAL 8551. Bayern [413] Q 17, [987] ㉖ – 2 800 Ew – Höhe 320 m – Luftkurort – ☎ 09196.
[i] Rathaus, Marktplatz (Muggendorf), ℘ 7 17.
♦München 226 – ♦Bamberg 38 – Bayreuth 53 – ♦Nürnberg 56.

Im Ortsteil Muggendorf :

🏨 ✪ **Feiler**, Oberer Markt 4, ℘ 3 22, « Innenhofterrasse », ♨, 🌳 – [TV] ☎ Ⓟ. [AE] [D]
9.- 28. Jan. geschl. – Karte 67/89 *(Nov.- März Montag geschl.)* – **12 Z : 25 B** 85/110 - 130/180 Fb – 4 Appart. 280
Spez. Salat mit Taubenbrust und Wildkräutern, Filet von Bachsaibling mit Vanille-Tofu, Topfen und Früchte in Strudelteig.

🏨 **Goldener Stern**, Marktplatz 6, ℘ 2 04, ♨, Fahrradverleih – [TV] ☎ Ⓟ. [AE] [D]
Jan. 3 Wochen geschl. – Karte 24/43 *(Nov.- April Mittwoch geschl.)* – **35 Z : 65 B** 40/50 - 80/100 Fb.

🏨 **Sonne**, Forchheimer Str. 2, ℘ 7 54, ☂ – ☎ Ⓟ. [AE] [D] E
⟷ *13. Feb.- 2. März geschl.* – Karte 18/37 *(Nov.- März Montag geschl.)* – **12 Z : 21 B** 45/55 - 80 Fb.

🏠 **Zur Wolfsschlucht**, Wiesentweg 2, ℘ 3 24, ☂ – 🚗 Ⓟ
⟷ *20. Okt.- Nov. geschl.* – Karte 16/26 *(Dienstag geschl.)* – **17 Z : 28 B** 34/40 - 64/68 – P 51/54.

🏠 Kohlmannsgarten, Lindenberg 2, ℘ 2 01, ☂ – Ⓟ
12 Z : 20 B – 3 Fewo.

🏠 **Seybert** 🔇 garni, Oberer Markt 12, ℘ 3 72 – Ⓟ
14 Z : 24 B 30/45 - 56/70.

Im Ortsteil Streitberg :

🏨 **Stern's Posthotel**, Dorfplatz 1, ℘ 5 79, Biergarten, 🌳 – ☎ Ⓟ
Karte 21/48 *(Nov.- April Mittwoch geschl.)* – **33 Z : 60 B** 45/50 - 80/90 Fb.

XX **Altes Kurhaus** mit Zim, ℘ 7 36 – ☎ Ⓟ. 🐕 Zim
Jan. geschl. – Karte 32/53 *(Montag geschl.)* – **7 Z : 12 B** 45/55 - 85/95.

[WIESLOCH] 6908. Baden-Württemberg [413] J 19, [987] ㉕ – 22 500 Ew – Höhe 128 m – ☎ 06222.

⛳ Wiesloch-Baiertal, Hohenhardter Hof, ☎ 7 20 81.

♦Stuttgart 102 – Heidelberg 14 – Heilbronn 49 – ♦Karlsruhe 48 – ♦Mannheim 36.

🏨 **Mondial**, Schwetzinger Str. 123, ☎ 80 16, 🌳, 🏊 – 🛗 📺 ☎ 🅿. AE ◑ E VISA. ✗ Rest
Karte 59/88 *(Sonntag - Montag 18 Uhr, Samstag bis 18 Uhr, Jan. und Juli - Aug. jeweils 3 Wochen geschl.)* – **28 Z : 54 B** 73/129 - 98/149 Fb – (Umbau und Erweiterung des Hotels bis Mitte 1989).

🍴🍴 Freihof (historisches Weinrestaurant), Freihofstr. 2, ☎ 25 17, 🌳, eigener Weinbau.

🍴🍴 **Langen's Turmstuben**, Höllgasse 32, ☎ 10 00, 🌳 – 🅿. AE E
Mittwoch geschl. – Karte 28/53.

🍴🍴 **Ratsschenke**, Marktstr. 13 (im neuen Rathaus), ☎ 5 20 06 – ◑ E VISA
Samstag bis 18 Uhr, Montag und 31. Jan.- 12. Feb. geschl. – Karte 27/55.

🍴🍴 **Roberto** mit Zim, Schloßstr. 8, ☎ 5 44 59 – ☎. AE E VISA
Karte 33/60 *(Italienische Küche, Dienstag geschl.)* – **10 Z : 16 B** 37/45 - 65/75.

Am Gänsberg SW : 2 km, über Hauptstraße :

🏠 Landhotel Gänsberg ⛰, ✉ 6908 Wiesloch, ☎ (06222) 44 00, ← – 🅿
6 Z : 9 B.

[WIESMOOR] 2964. Niedersachsen [987] ⑭ – 10 600 Ew – Höhe 10 m – Luftkurort – ☎ 04944.

⛳ Wiesmoor-Hinrichsfehn (S : 4,5 km), ☎ 30 40.

ℹ Verkehrsbüro, Hauptstr. 199, ☎ 8 74.

♦Hannover 222 – Emden 47 – ♦Oldenburg 51 – Wilhelmshaven 36.

🏨 **Friesengeist**, Am Rathaus 1, ☎ 10 44, Telex 27474, 🌳, 🏊, 🏊 – 🛗 📺 ☎ ♿ 🅿 🏛. AE ◑ E. ✗ Rest
Karte 27/58 – **34 Z : 64 B** 57/95 - 120/140 Fb.

🏨 **Christophers**, Marktstr. 11, ☎ 20 05 – 🚗 🅿 🏛. ✗ Rest
✦ *Mitte Dez.- Anfang Jan. geschl.* – Karte 18/43 – **34 Z : 54 B** 35/42 - 70/100 – P 60/70.

🏠 **Zur Post** ⛰, Am Rathaus 6, ☎ 10 71 – 🚗 🅿
Karte 20/45 *(Montag bis 17 Uhr und Okt. geschl.)* – **21 Z : 42 B** 32/45 - 64/80 – P 50/65.

In Wiesmoor-Hinrichsfehn S : 4,5 km, ca. 3,5 km über die Straße nach Remels, dann rechts ab :

🍴🍴 **Blauer Fasan** ⛰ mit Zim, Fliederstr. 1, ☎ 10 47, Fax 30477, 🌳, « Blumengarten », 🏊, ⛳ – 📺 ☎ 🅿. AE ◑ E VISA. ✗ Zim
2. Jan.- Feb. geschl. – Karte 36/75 *(Okt.- März Montag geschl.)* – **26 Z : 46 B** 89 - 162/172.

[WIESSEE, BAD] 8182. Bayern [413] S 23, [987] ㊲, [426] ⑰ – 5 000 Ew – Höhe 730 m – Heilbad – Wintersport : 730/880 m ⛷5 ⛷3 – ☎ 08022.

Sehenswert : Ortsbild★★.

⛳ Robognerhof, ☎ 87 69.

ℹ Kuramt, Adrian-Stoop-Str. 20, ☎ 8 20 51.

♦München 54 – Miesbach 19 – Bad Tölz 18.

🏨 **Lederer am See** ⛰, Bodenschneidstr. 9, ☎ 82 91, Telex 526963, ←, 🌳, « Park », 🏊, 🏊, 🎾, 🏊 – 🛗 📺 🅿 🏛. AE ◑ E. ✗ Rest
Ende Okt.- Mitte Dez. geschl. – Karte 26/56 – **98 Z : 146 B** (nur ½ P) 122/180 - 220/340 – 19 Fewo 105/190.

🏨 **Terrassenhof**, Adrian-Stoop-Str. 50, ☎ 86 30, ←, « Gartenterrasse », Massage, 🏊, 🏊, 🏊 – 🛗 📺 ☎ 🅿. E
20. Nov.- 18. Dez. geschl. – Karte 26/54 – **82 Z : 125 B** 71/111- 154/232 Fb – 4 Appart. 260 – 18 Fewo 90/165 – P 106/151.

🏨 **Marina - Gästehaus Marinella** ⛰, Furtwänglerstr. 9, ☎ 8 60 10, Telex 526961, 🏊, 🏊, 🏊 – 🛗 📺 ☎ 🅿. AE E
15. Nov.- 15. Dez. geschl. – Karte 24/45 – **49 Z : 81 B** 65/85 - 110/138 Fb – P 80/110.

🏨 **Rex**, Münchner Str. 25, ☎ 8 20 91, « Park », 🏊, Fahrradverleih – 🛗 ☎ 🅿. ✗
15. April - Okt. – (Restaurant nur für Hausgäste) – **62 Z : 90 B** 75/120 - 140/210 – P 100/110.

🏨 **Resi von der Post** ⛰, Zilcherstr. 14, ☎ 8 27 88, 🏊 – 🛗 📺 ☎ 🅿. AE ◑ E
Karte 26/48 – **35 Z : 49 B** 37/95 - 95/130 Fb – 3 Appart. 190 – P 68/101.

🏨 **Landhaus Sapplfeld** ⛰, Im Sapplfeld 8, ☎ 8 20 67, Massage, 🏊, 🏊, 🏊 – 📺 ☎ 🚗 🅿. ◑ E VISA. ✗ Rest
15. Nov.- 15. Dez. geschl. – (nur Abendessen für Hausgäste) – **17 Z : 34 B** 100/120 - 150/220 Fb.

🏨 **St. Georg** ⛰ garni, Jägerstr. 20, ☎ 81 97 00, Fax 819611 – ☎ 🚗 🅿
19 Z : 34 B 85/100 - 170 Fb – 3 Appart. 270.

🏨 **Alpenrose** ⛰ garni, Freihausweg 7, ☎ 8 11 29, ← Tegernsee und Bad Wiessee, « Alpenländische Einrichtung », 🏊 – 🚗 🅿
15. Jan.- 15. Feb. und 15. Nov.- 20. Dez. geschl. – **15 Z : 24 B** 45/65 - 90/110 Fb.

🏨 **Wiesseer Hof**, Sanktjohanserstr. 46, ☎ 8 20 61 – 🛗 📺 ☎ 🚗 🅿 🏛. AE ◑ E VISA
9. Jan.- 9. Feb. geschl. – Karte 21/50 *(auch Diät)* – **56 Z : 88 B** 35/98 - 58/160 Fb – P 50/100.

🏨 **Landhaus Midas** 🐦 garni, Setzbergstr. 12, ☎ 8 11 50, 🌳 – [TV] ☎ [P]
12 Z : 17 B 85 - 140/180 Fb.

🏨 **Bellevue-Weinstube Weinbauer** garni, Hirschbergstr. 22, ☎ 8 40 37, ♨ – 🛗 [TV] ☎ [P]. [AE] [D] [E]
Mitte März - Okt. – **30 Z : 50 B** 72/112 - 104/140 Fb.

🏨 **Kurhotel Edelweiß**, Münchner Str. 21, ☎ 8 12 87, 🌳 – [TV] ☎ [P]. 🚫 Rest
10. Nov.- 24. Dez. geschl. – (Restaurant nur für Hausgäste) – **42 Z : 58 B** 45/61 - 86/110.

🏨 **Concordia** 🐦 garni, Klosterjägerweg 4, ☎ 8 40 16, ♨, 🏊, 🌳 – 🛗 ☎ 🚗 [P]
Dez.- Jan. geschl. – **36 Z : 50 B** 50/65 - 102/112.

🏨 **Am Kureck**, Bodenschneidstr. 3, ☎ 8 13 66, ⛱, 🌳 – [TV] ☎ [P]
Nov.- 25. Dez. geschl. – Karte 24/45 *(Dienstag geschl.)* – **36 Z : 54 B** 30/60 - 60/120.

🏨 **Roseneck** 🐦 garni, Sonnenfeldweg 26, ☎ 8 40 51, 🌳 – [TV] ☎ [P]. 🚫
April und Nov.- 20. Dez. geschl. – **22 Z : 40 B** 55/83 - 120/150 Fb.

🏨 **Jägerheim** 🐦 garni, Freihausstr. 12, ☎ 8 17 23, ♨, 🏊, 🌳 – [P]. 🚫
10. Nov.- Jan. geschl. – **29 Z : 43 B** 40/75 - 86/102.

🍴🍴 **Freihaus Brenner**, Freihaus 4, ☎ 8 20 04, < Tegernsee und Berge, ⛱, « Rustikales Berggasthaus » – [P]. [E]
Karte **29**/68 (Tischbestellung erforderlich).

Außerhalb W : 2 km – Höhe 830 m :

🏨 Berggasthof Sonnenbichl 🐦, ✉ 8182 Bad Wiessee, ☎ (08022) 8 40 10, < Tegernsee und Wallberg, ⛱, 🌳, ⛷ – [TV] ☎ [P]
13 Z : 19 B.

Siehe auch : ***Kreuth***

[WIETZE] 3109. Niedersachsen – 7 000 Ew – Höhe 40 m – ☎ 05146.

♦Hannover 47 – ♦Bremen 93 – Celle 18.

🏨 **Wietzer Hof** (mit Gästehaus Casino im Park 🐦 🌳), Nienburger Str. 62 (B 214), ☎ 3 93 – ☎ [P] 🏛. [AE] [D] [E] [VISA]
2.- 14. Jan. geschl. – Karte 27/52 *(Okt.- März Samstag geschl.)* – **43 Z : 78 B** 55/105 - 92/165 Fb.

[WIGGENSBACH] 8961. Bayern [413] N 23, [426] ⑮ – 3 500 Ew – Höhe 857 m – Erholungsort – Wintersport : 857/1 077 m ⛷1 ⛷3 – ☎ 08370.

⛳18 Hof Waldegg, ☎ 7 33.

[i] Verkehrsamt, Rathaus, ☎ 10 11.

♦München 133 – ♦ Augsburg 112 – Kempten (Allgäu) 10 – ♦ Ulm (Donau) 87.

🍴🍴 **Goldenes Kreuz**, Marktplatz 1, ☎ 2 17 – [P]
Montag geschl. – Karte 27/43 – (Anbau mit 24 Z ab Frühjahr 1989).

🍴 **Zum Kapitel**, Marktplatz 5, ☎ 2 06 – [P]
◆ *Mittwoch - Donnerstag 17 Uhr geschl.* – Karte 18/38 🍷.

[WILDBAD IM SCHWARZWALD] 7547. Baden-Württemberg [413] I 20, [987] ㉟ – 10 500 Ew – Höhe 426 m – Heilbad – Luftkurort – Wintersport : 685/769 m ⛷2 ⛷4 – ☎ 07081.

[i] Verkehrsbüro, König-Karl-Str. 7, ☎ 1 02 80, Telex 7245122.

[i] Verkehrsbüro in Calmbach, Lindenplatz 5, ☎ 1 02 88.

♦Stuttgart 76 – Freudenstadt 39 – Pforzheim 26.

🏨 **Badhotel Wildbad**, Kurplatz 5, ☎ 17 60, Caféterrasse, « Elegante Einrichtung », direkter Zugang zum Eberhardsbad und Kurmittelhaus – 🛗 [TV] ♿ 🚗 🏛. [AE] [E]
Karte 31/60 – **83 Z : 129 B** 105/150 - 190/220 Fb – 8 Appart. 250 – P 121/176.

🏨 Bären am Kurplatz, Kurplatz 4, ☎ 16 81, ⛱ – 🛗 ☎ ♿ 🚗 🏛
44 Z : 56 B Fb.

🏨 **Valsana am Kurpark** 🐦, Kernerstr. 182, ☎ 13 25, Bade- und Massageabteilung, 🏋, ♨, 🏊 – 🛗 ▤ Rest ☎ ♿ 🚗 [P] 🏛. [D] [E]
1.- 20. Dez. geschl. – Karte 29/59 *(Montag geschl.)* – **35 Z : 65 B** 65/120 - 130/190 Fb.

🏨 **Kurhotel Post**, Kurplatz 2, ☎ 16 11, ⛱ – 🛗 ☎. [AE] [D] [E]
10. Nov.- 20. Dez. geschl. – Karte 28/52 *(Donnerstag geschl.)* – **40 Z : 58 B** 60/85 - 110/135 Fb – P 85/115.

🏨 **Traube**, König-Karl-Str. 31, ☎ 20 66 – 🛗 ☎ 🚗 [P]. [E]
Karte 32/51 *(Dienstag geschl.)* – **38 Z : 55 B** 63/83 - 124/148 – P 89/109.

🏨 **Weingärtner**, Olgastr. 15, ☎ 20 51 – 🛗 ☎. [AE]
15. Feb.- 15. Nov. – (Restaurant nur für Hausgäste) – **40 Z : 61 B** 42/64 - 90/100 – P 82/90.

🏨 **Gästehaus Kießling** 🐦 garni, Bätznerstr. 28, ☎ 16 24, 🌳 – ☎ 🚗
15. Feb.- 15. Nov. – **40 Z : 51 B** 32/55 - 70/100.

🏨 **Goldenes Lamm**, Wilhelmstr. 1, ☎ 20 33 – 🛗 ☎. 🚫 Zim
Ende Dez.- Ende Jan. geschl. – Karte 24/48 – **25 Z : 37 B** 37/50 - 74/104.

🏠 Sonne, Wilhelmstr. 29, ☎ 13 31 – ☎
22 Z : 36 B Fb.

🏠 Gästehaus Post 🌿 garni, Uhlandstr. 40, ☎ 16 27, ♨, 🏊, 🌳 – 🛗 ☎ 🚗 🅿
22 Z : 30 B Fb – 2 Fewo.

🏠 **Gästehaus Rothfuß** 🌿 garni, Olgastr. 47, ☎ 16 87, <, ♨, 🌳 – 🛗 ☎ 🚗. 🐕
15. Nov.- 20. Dez. geschl. – **36 Z : 47 B** 33/48 - 80/96.

🏠 Gästehaus Vogelsang 🌿, Alte Steige 34, ☎ 20 86, <, ♨ – 🛗 ☎ 🚗. 🐕
(nur Abendessen für Hausgäste) – **16 Z : 21 B.**

🏠 **Gästehaus Nuding** 🌿 garni, Silcherstr. 26, ☎ 21 78 – 🚗
15 Z : 21 B 51 - 94.

Auf dem Sommerberg W : 3 km (auch mit Bergbahn zu erreichen) :

🏠 **Sommerberghotel** 🌿, ✉ 7547 Wildbad im Schwarzwald, ☎ (07081) 17 40, Telex 724015, < Wildbad und Enztal, 🍴, « Hirschgehege », Massage, ♨, 🏊, 🎾, direkter Zugang zum Halter-Institut – 🛗 [TV] 🚗 🅿. [AE]. 🐕
Karte 42/73 *(Nov.- April Montag - Dienstag, Mai - Okt. Montag 14 Uhr - Dienstag, sowie 9.- 31. Jan. und 27. Nov.- 19. Dez. geschl.* – **98 Z : 135 B** 95/143 - 180/319 Fb – P 120/190.

🏠 **Waldhotel Riexinger** 🌿, ✉ 7547 Wildbad im Schwarzwald, ☎ (07081) 13 64, <, 🍴, 🌳 – ☎ 🅿. [AE] [D] [VISA]
Nov.- Dez. geschl. – Karte 30/56 – **14 Z : 19 B** 48/55 - 86/96 – P 71/78.

In Wildbad-Calmbach N : 4 km – Luftkurort :

🏠 Birkenhof, Wildbader Str. 50, ☎ 64 87 – 🚗 🅿
12 Z : 19 B.

🏠 **Pension Christa-Maria**, Eichenstr. 4, ☎ 74 52, 🏊 – 🅿
Karte 23/36 – **10 Z : 19 B** 45/48 - 90/94 – P 68/70.

🏠 **Sonne**, Höfener Str. 15, ☎ 64 27 – 🚗 🅿
20. Okt.- Nov. geschl. – Karte 21/32 *(Montag geschl.)* – **29 Z : 65 B** 36/52 - 68/70.

In Wildbad-Nonnenmiss **7546** SW : 10 km, Richtung Enzklösterle :

🏠 **Tannenhöh** 🌿, Eichenweg 33, ☎ (07085) 3 71, <, 🍴, ♨ – 🛗 🚗 🅿. 🐕 Zim
→ Karte 16/39 🍷 – **16 Z : 32 B** 35/55 - 70/140 – P 57/77.

WILDBERG **7277.** Baden-Württemberg [413] J 21 – 8 400 Ew – Höhe 395 m – Luftkurort – ☎ 07054.

♦Stuttgart 52 – Calw 15 – Nagold 12.

🏠 **Bären**, Marktstr. 15, ☎ 51 95, < Nagoldtal – ☎ 🚗 🅿 🏛. 🐕 Zim
19.- 23. März und 11.- 25. Dez. geschl. – Karte 24/40 *(Dienstag geschl.)* 🍷 – **19 Z : 38 B** 42/45 - 80/85 Fb – P 62.

🏠 **Krone**, Talstr. 68 (B 463), ☎ 52 71 – 🚗 🅿 🏛
→ *2.- 21. Jan. geschl.* – Karte 19/39 🍷 – **18 Z : 32 B** 33/52 - 64/90 – P 44/60.

In Wildberg-Schönbronn W : 5 km – Erholungsort :

🏠 Zum Löwen, Eschbachstr. 1, ☎ 56 01, ♨, 🌳 – 🅿
22 Z : 40 B.

WILDEMANN **3391.** Niedersachsen – 1 350 Ew – Höhe 420 m – Kneippkurort – Wintersport : ⛷3 – ☎ 05323 (Clausthal-Zellerfeld).

[i] Kurverwaltung, Bohlenweg 5, ☎ 61 11.

♦Hannover 95 – ♦Braunschweig 82 – Goslar 28.

🏠 **Waldgarten** 🌿, Schützenstr. 31, ☎ 62 29, 🍴, 🏊, 🌳 – 🅿. 🐕 Zim
Karte 20/47 – **36 Z : 60 B** 40/70 - 80/110 Fb – P 65/80.

🏠 **Haus Sonneck** 🌿, Im Spiegeltal 41, ☎ 61 93, ♨, 🏊 (geheizt), 🌳 – 🅿 🏛
Nov.-15. Dez. geschl. – Karte 23/40 *(Dienstag geschl.)* – **17 Z : 28 B** 34/48 - 82/90 Fb.

🏠 **Rathaus**, Bohlweg 37, ☎ 62 61, 🍴 – 🚗 🅿. 🐕 Zim
→ *20. Nov.- 14. Dez. geschl.* – Karte 19/45 *(Donnerstag geschl.)* – **11 Z : 19 B** 32/40 - 58/78.

WILDENSEE Bayern siehe Eschau.

WILDESHAUSEN **2878.** Niedersachsen [987] ⑭ – 14 400 Ew – Höhe 20 m – Luftkurort – ☎ 04431.

Sehenswert : Alexanderkirche (Lage★).

Ausflugsziel : Visbeker Steindenkmäler★ : Visbeker Braut★, Visbeker Bräutigam★ (4 km von Visbeker Braut entfernt) SW : 11 km.

⛳ Glaner Straße (NW : 6 km), ☎ 12 32.

♦Hannover 149 – ♦Bremen 38 – ♦Oldenburg 37 – ♦Osnabrück 84.

Am alten Rathaus garni, Kleine Str. 4, ☎ 43 56 –
10 Z : 18 B 40 - 75.

Stadt Bremen, Huntetor 5 (B 213), ☎ 30 30 – [P]
Karte 22/41 – **10 Z : 15 B** 35 - 70.

🍴 **Ratskeller**, Markt 1, ☎ 33 77 – [AE] [D]
Karte 22/45.

An der Straße nach Oldenburg N : 1,5 km :

Gut Altona, Wildeshauser Straße, ✉ 2879 Dötlingen, ☎ (04431) 22 30, – [P]
– **40 Z : 75 B.**

[WILDUNGEN, BAD] **3590. Hessen [987] ㉕ – 16 000 Ew – Höhe 300 m – Heilbad – ☎ 05621.**

Sehenswert : Evangelische Stadtkirche (Wildunger Altar★★).

Talquellenweg, ☎ 37 67.

[i] Kurverwaltung, Langemarckstr. 2, ☎ 60 54.

♦Wiesbaden 185 – ♦Kassel 44 – Marburg 65 – Paderborn 108.

Staatliches Badehotel, Dr.-Marc-Str. 4, ☎ 8 60, Telex 994612, Bade- und Massageabteilung, – [P]. Rest – **74 Z : 96 B** Fb.

Homberger Hof, Am Unterscheid 12, ☎ 33 50, – [TV] ☎ [P]. [D] [E].
Rest
Mitte Dez.- Mitte Jan. geschl. – Karte 26/48 *(Dienstag geschl.)* – **26 Z : 56 B** 42/94 - 78/142 Fb – P 58/99.

Bellevue garni, Am Unterscheid 10, ☎ 20 18, – [P]
Mitte März - Mitte Nov. – **22 Z : 32 B** 42/49 - 84/90 Fb.

Café Schwarze, Brunnenallee 42, ☎ 40 64, – ☎.
Karte 21/43 (tägl. Tanz ab 19.30 Uhr) – **26 Z : 38 B** 37/45 - 54/68 – P 47/65.

🍴🍴 Kurhaus-Restaurant, Langemarckstr. 13, ☎ 60 70, – .

In Bad Wildungen - Bergfreiheit S : 12 km :

Hardtmühle, Im Urftal 5, ☎ (05626) 7 41, Bade- und Massageabteilung, (geheizt), – ☎ [P]. Rest
10. Jan.- 15. Feb. geschl. – Karte 29/57 – **36 Z : 60 B** 52/65 - 94/130 Fb – P 68/78.

Brockmeyer garni, Kellerwaldstr. 4, ☎ (05626) 6 65 – [P]
14 Z : 29 B 35 - 70.

In Bad Wildungen-Reinhardshausen SW : 4 km über die B 253 :

Haus Orchidee garni, Masurenallee 13, ☎ 55 52, – [TV] ☎ [P].
12 Z : 19 B 38/40 - 65.

[WILGARTSWIESEN] **Rheinland-Pfalz siehe Hauenstein.**

[WILHELMSFELD] **6916. Baden-Württemberg [413] J 18 – 3 000 Ew – Höhe 433 m – Luftkurort – Wintersport : 4 – ☎ 06220.**

[i] Verkehrsamt, Rathaus, ☎ 10 21.

♦Stuttgart 117 – Heidelberg 17 – Heilbronn 66 – ♦Mannheim 27.

🍴 **Talblick** mit Zim, Bergstr. 38, ☎ 16 26, – [P]
10.- 20. Feb. und 6.- 24. Dez. geschl. – Karte 23/40 *(Montag geschl.)* – **3 Z : 5 B** 32 - 64.

[WILHELMSHAVEN] **2940. Niedersachsen [987] ④⑭ – 97 000 Ew – Seebad – ☎ 04421.**

An der Raffineriestraße, ☎ (04425) 17 21.

[i] Wilhelmshaven-Information, Börsenstr. 55b, ☎ 2 62 61.

ADAC, Börsenstr. 55, ☎ 1 32 22, Telex 253309.

♦Hannover 228 ① – ♦Bremerhaven 70 ① – ♦Oldenburg 58 ①.

Stadtplan siehe gegenüberliegende Seite.

Kaiser, Rheinstr. 128, ☎ 4 20 04, Telex 253475 – [TV] ☎. [AE] [D] [E] [VISA]. Rest — B y
Karte 23/52 – **80 Z : 140 B** 50/90 - 75/160 Fb.

Am Stadtpark, Friedrich-Pfaffrath-Str. 116, ☎ 86 21, – [TV] ☎ [P]. [AE] [D] [E]
Karte 31/54 *(nur Abendessen)* – **62 Z : 124 B** 122/152 - 204/224 Fb.
über Friedrich-Pfaffrath-Straße — A

Seerose garni, Südstrand 112, ☎ 4 33 66, – [P]. [AE] [D] [E] — C s
15 Z : 25 B 55/60 - 80/95.

Jacobi, Freiligrathstr. 163, ☎ 6 00 51, – [TV] ☎ [P]. [AE] [D] [E] [VISA].
Karte 27/45 *(nur Abendessen, Freitag geschl.)* – **15 Z : 25 B** 60/80 - 85/130.
über Freiligrathstr. — C

Kopperhörner Mühle garni, Kopperhörner Str. 7, ☎ 3 10 72 – [TV] ☎ [P] — B n
22 Z : 37 B 60/68 - 115/125.

Keil garni, Marktstr. 23, ☎ 4 14 14 – ☎. [AE] [D] [E] [VISA] — B b
18 Z : 26 B 58/80 - 88/130.

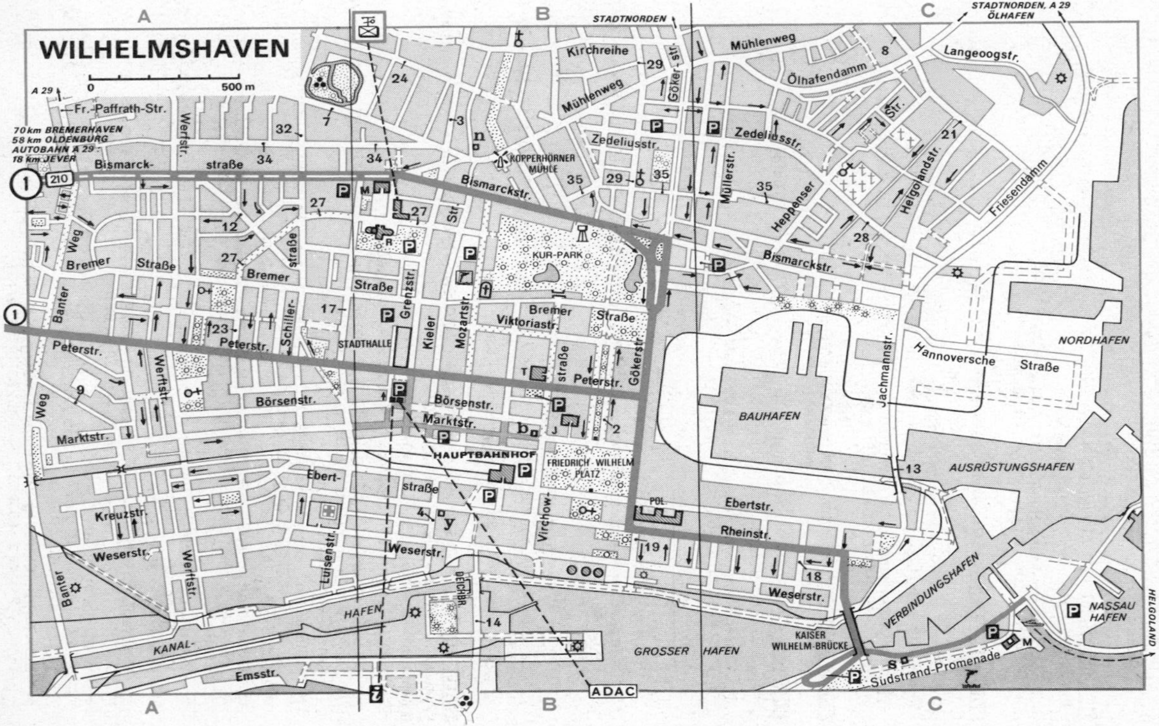

Gökerstraße . . . . B
Marktstraße . . . . AB

Adalbertstraße . . . . . B 2
Berliner Straße . . . . . B 3
Deichstraße . . . . B 4
Edo-Wiemken-Straße . . . . A 7
Freiligrathstraße . . . . C 8
Genossenschaftsstr. . . A 9
Hamburger Straße . . . . A 12
Jachmannbrücke . . . C 13
Jadestraße . . . . B 14
Mitscherlichstraße . . A 17
Moselstraße . . . . C 18
Neckarstraße . . . . B 19
Norderneystraße . . . . C 21
Oldeoogestraße . . . . A 23
Papingastraße . . . . . . B 24
Paul-Hug-Straße . . . . AB 27
Saarbrücker Straße . . . . C 28
Schulstraße . . . . B 29
Siebethsburger Straße . . . . A 32
Störtebekerstraße . . AB 34
Ulmenstraße . . . . . . BC 35

Die Namen der wichtigsten Einkaufsstraßen sind am Anfang des Straßenverzeichnisses in Rot aufgeführt.

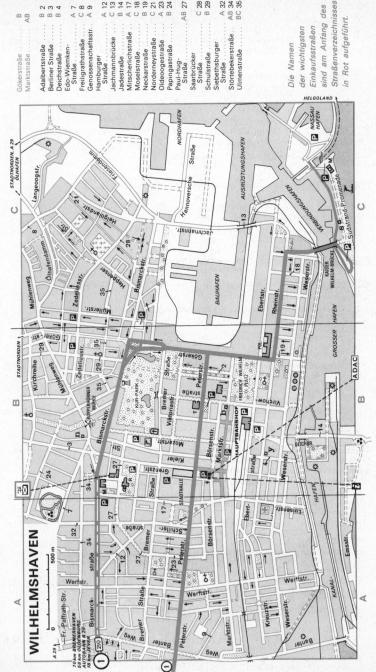

🍴🍴 **Ratskeller**, Rathausplatz 1, ✆ 2 19 64 – ♿ 👥. [AE] [E] B **R**
Juli geschl. – Karte 32/56.

🍴🍴 **Seehafen - Restaurant Columbus**, Am Südstrand, ✆ 4 40 88, ‹, ⛱ – Ⓟ 👥. [AE] [E] [VISA]
Karte 27/57. C **M**

Am Ölhafen NO : 5 km über Ölhafendamm C :

🏨 **Nordsee-Hotel Wilhelmshaven** 🌙, Ölhafendamm 205, ✉ 2940 Wilhelmshaven, ✆ (04421) 6 00 73, ≘s – [TV] ☎ Ⓟ 👥. [AE] [O] [E] [VISA]
Karte 28/61 – **32 Z : 60 B** 58/108 - 98/128.

Siehe auch : *Sande* ① : 9 km

WILLANZHEIM 8711. Bayern [413] N 17 – 1 400 Ew – Höhe 260 m – ☏ 09323 (Iphofen).
♦München 238 – ♦Nürnberg 78 – ♦Würzburg 32.

🏠 **Schwarzer Adler**, Hauptstr. 11, ✆ 34 45 – Ⓟ
✤ Karte 15/29 *(Dienstag geschl.)* 🍷 – **10 Z : 20 B** 32 - 60.

WILLEBADESSEN 3533. Nordrhein-Westfalen – 7 800 Ew – Höhe 250 m – Luftkurort – ☏ 05646.
[i] Tourist-Information, Haus des Gastes, ✆ 5 95.
♦Düsseldorf 199 – Bad Driburg 17 – ♦Kassel 68 – Paderborn 27.

🏨 **Der Jägerwinkel**, Am Jägerpfad 2, ✆ 13 91, ‹, ⛱, 🌳 – ⇕ [TV] ☎ Ⓟ 👥. [AE]
Karte 27/50 – **50 Z : 100 B** 50/65 - 110/180 Fb – P 85/110.

WILLERTSHAGEN Nordrhein-Westfalen siehe Meinerzhagen.

WILLICH 4156. Nordrhein-Westfalen – 39 400 Ew – Höhe 48 m – ☏ 02154.
♦Düsseldorf 22 – Krefeld 8 – Mönchengladbach 16.

🏨 **Motel Blum** garni, Parkstr. 28, ✆ 4 01 13, 🌳 – [TV] ☎ Ⓟ
24 Z : 47 B 85/95 - 150/160.

In Willich 3-Schiefbahn S : 3 km :

🍴🍴 **Kaiserhof**, Unterbruch 6, ✆ 8 02 02, ⛱ – Ⓟ. [AE] [O] [E] [VISA]
Samstag bis 18 Uhr geschl. – Karte 47/74.

🍴 **Stieger** (Restauriertes Bauernhaus a.d.J. 1765), Unterbruch 8, ✆ 57 65, Biergarten – Ⓟ. [AE] [O] [E] [VISA]
Karte 36/68.

An der Straße von Anrath nach St. Tönis NW : 9 km :

🍴🍴 **Landhaus Hochbend**, Hochbend 19, ✉ 4154 Tönisvorst 2, ✆ (02156) 32 17, ⛱ – Ⓟ. [AE] [O] [E]
Samstag bis 18 Uhr und Montag geschl. – Karte 51/79.

WILLINGEN (Upland) 3542. Hessen [987] ⑮ – 7 800 Ew – Höhe 550 m – Kneippheilbad – Wintersport : 560/843 m ⛷16 ⛷9 – ☏ 05632.
[i] Kurverwaltung, Korbacher Str. 10, ✆ 4 01 80.
♦Wiesbaden 208 – ♦Kassel 81 – Lippstadt 62 – Marburg 88 – Paderborn 64.

🏨 **Rüters Parkhotel** 🌙, Bergstr. 3a, ✆ 60 86, Telex 991113, Massage, ≘s, 🏊, 🌳, Fahrradverleih – ⇕ [TV] ☎ 🏃 🚗 Ⓟ 👥. 🐕 Rest
Karte 23/48 – **50 Z : 84 B** 65/90 - 110/180 Fb.

🏨 **Kölner Hof**, Briloner Str. 48 (B 251), ✆ 60 06, Telex 991130, ≘s, 🏊, 🌳, Fahrrad- und Skiverleih – ⇕ [TV] ☎ Ⓟ 👥. [AE] [O] [E] [VISA]
Karte 21/46 – **54 Z : 100 B** 60/75 - 110/146 Fb – 7 Fewo 65/80 – P 80/118.

🏨 **Göbel**, Korbacher Str. 5 (B 251), ✆ 60 91, ≘s, 🏊 – ⇕ [TV] ☎ 🚗. 🐕 Rest
25. Nov.- 15. Dez. geschl. – Karte 21/40 *(Donnerstag geschl.)* – **20 Z : 40 B** 65/75 - 130 Fb – 5 Fewo 50/110 – P 77/90.

🏨 **Waldhotel Willingen** 🌙, Am Köhlerhagen 3 (W : 2,5 km), ✆ 60 16, Telex 991174, ‹, ⛱, ≘s, 🏊, 🌳, 🎾 (Halle) – ☎ Ⓟ. [O] [E]. 🐕 Rest
Karte 29/64 – **36 Z : 60 B** 60/103 - 120/160 Fb – 3 Appart. 204 – P 96/107.

🏨 **Waldecker Hof**, Korbacher Str. 24 (B 251), ✆ 6 93 66, ≘s, 🏊, 🌳 – ⇕ ☎ 🚗 Ⓟ
20. Nov.- 15. Dez. geschl. – Karte 22/44 – **39 Z : 61 B** 55 - 110 – P 71.

🏨 **Willinger Hof**, Zum Kurgarten 3, ✆ 67 67, ≘s, 🏊, 🌳 – ⇕ [TV] ☎ 🚗 Ⓟ
9.- 28. April und 12. Nov.- 15. Dez. geschl. – Karte 26/43 *(Donnerstag geschl.)* – **29 Z : 50 B** 50/72 - 98/128 Fb – P 74/91.

🏨 **Zum hohen Eimberg**, Zum hohen Eimberg, ✆ 60 94, ≘s, 🏊 – ☎ Ⓟ
Karte 29/62 – **42 Z : 85 B** 69/135 - 118/270 Fb – P 79/189.

🏨 **Bürgerstuben**, Briloner Str. 40 (B 251), ☏ 60 99, Bade- und Massageabteilung, 🏋, ♨, 🏊 (geheizt), 🏊, 🌳 – ⇕ 📺 ☎ 🚗 🅿. [AE] [D] [E] [VISA]
Karte 22/48 – **49 Z : 90 B** 60/80 - 120/160 Fb – 8 Fewo 95 – P 75/95.

🏨 **Domizil Jägerhaus** 🔇 garni (Appartementhotel), Stryckweg 2, ☏ 63 91, ♨, 🏊, 🌳 – ☎ 🅿
10 Z : 35 B 55 - 110.

🏨 **Fürst von Waldeck**, Briloner Str. 1 (B 251), ☏ 60 74, ♨, 🏊, Fahrradverleih – ⇕ ☎ 🚗
⟷ *20. Nov.- 15. Dez. geschl.* – Karte 16,50/49 *(Donnerstag geschl.)* – **30 Z : 53 B** 50/70 - 92/140 Fb – P 65/80.

🏨 **Magdalenenhof**, Zum hohen Eimberg 12, ☏ 60 83, ≤, ♨, 🏊, 🌳 – ☎ 🅿. 🚫 Rest
20. Nov.- 15. Dez. geschl. – (Restaurant nur für Hausgäste) – **15 Z : 26 B** 51/70 - 100/132 Fb – P 65/84.

🏨 **Lehnert** 🔇, In der Bärmeke 10, ☏ 64 39, ≤, ⛱, 🌳 – 🅿
Karte 23/43 – **14 Z : 28 B** 38/44 - 76/88 Fb.

🏨 **Hof Elsenmann**, Zur Hoppecke 1, ☏ 64 51, 🌳 – 🅿. [D] [E]
Mitte Nov.- Mitte Dez. geschl. – Karte 21/48 – **17 Z : 30 B** 45/55 - 80/92 Fb – P 60/68.

🏠 **Wald-Eck** 🔇, Hoppecketalstr. 43 (W : 2,5 km), ☏ 6 94 06, ⛱, ♨, 🏊, 🌳, Skiverleih –
⟷ 🚗 🅿. 🚫 Rest
Karte 19/33 *(Montag geschl.)* – **17 Z : 31 B** 55 - 100/110.

🍴🍴 Alt Willingen 🔇 mit Zim, Am Orenberg 5, ☏ 62 05, ≤ – 📺 ☎ 🅿
(nur Abendessen) – **7 Z : 14 B**.

In Willingen-Schwalefeld NO : 3,5 km :

🏠 Berghaus Püttmann, Upland Str. 51, ☏ 62 97, ≤, ⛱, ♨, 🏊 – ⇕ 🅿 – **40 Z : 73 B**.

In Willingen-Stryck SO : 3,5 km :

🏨 **Romantik-Hotel Stryckhaus** 🔇, Mühlenkopfstr. 12, ☏ 60 33, ⛱, « Garten », ♨, 🏊 (geheizt), 🏊, 🌳 – ⇕ ♿ 🚗 🅿 ⛺. [AE] [D] [E] [VISA]. 🚫 Rest
Karte 36/70 – **66 Z : 110 B** 80/120 - 170/220 Fb – P 115/145.

In Willingen 1-Usseln SO : 4,5 km :

🏨 **Post-Hotel Usseln**, Korbacher Str. 14 (B 251), ☏ 50 41, Telex 991158, ♨, 🏊, 🌳 – ⇕ 📺 ☎ 🚗 🅿 ⛺. [AE] [D] [E] [VISA]. 🚫
6. Nov.- 17. Dez. geschl. – Karte 26/65 – **32 Z : 65 B** 55/81 - 96/160 Fb – P 70/102.

🏨 **Fewotel - Der Sauerland Treff** 🔇, Am Schneppelnberg 9, ☏ 3 10, ≤, ⛱, ♨, 🏊, 🌳, Fahrrad- und Skiverleih – ⇕ 📺 ☎ 🏃 🅿 ⛺. [AE] [D] [E] [VISA]. 🚫 Rest
Karte 31/56 – **110 Z : 400 B** 79/115 - 138/230 Fb – P 127/173.

🏨 **Stöcker** 🔇, Birkenweg 3, ☏ 73 15, 🌳 – 🅿. 🚫
Nov.- 20. Dez. geschl. – (Restaurant nur für Hausgäste) – **10 Z : 18 B** 36 - 72.

WILLSTÄTT 7608. Baden-Württemberg [413] G 21, [242] ㉔ – 7 300 Ew – Höhe 139 m – ☎ 07852.
◆ Stuttgart 144 – ◆Freiburg im Breisgau 73 – Offenburg 14 – Strasbourg 13.

🍴 **Kinzigbrücke** mit Zim, Sandgasse 1, ☏ 22 80
Juli - Aug. 3 Wochen und über Fasching geschl. – Karte 31/63 – **7 Z : 13 B** 28 - 56.

WILNSDORF Nordrhein-Westfalen siehe Siegen.

WILSTER 2213. Schleswig-Holstein [987] ⑤ – 4 400 Ew – Höhe 6 m – ☎ 04823.
◆Kiel 81 – ◆Hamburg 66 – Itzehoe 10.

🏠 **Busch**, Kohlmarkt 38, ☏ 82 52 – 🅿. [AE] [D] [E]
Karte 21/37 *(nur Abendessen)* – **40 Z : 62 B** 35/54 - 64/84.

🏠 **Stückers Hotel**, Am Markt 7, ☏ 2 38 – 🚗
Juli 2 Wochen geschl. – Karte 21/49 *(Freitag 14 Uhr - Samstag 17 Uhr geschl.)* 🍷 – **18 Z : 22 B** 30/42 - 58/76.

WIMPFEN, BAD 7107. Baden-Württemberg [413] K 19, [987] ㉕ – 6 000 Ew – Höhe 230 m – Heilbad – ☎ 07063.

Sehenswert : Wimpfen am Berg★★ : Klostergasse★ – Wimpfen im Tal : Stiftskirche St. Peter (Kreuzgang★★).

Ausflugsziel : Burg Guttenberg★ : Greifvogelschutzstation und Burgmuseum★ N : 8 km.

[i] Verkehrsamt, Rathaus, Marktplatz, ☏ 70 52.

◆Stuttgart 64 – Heilbronn 16 – ◆Mannheim 73 – ◆Würzburg 113.

🏨 **Sonne** (mit Gästehaus), Hauptstr. 87, ☏ 2 45 – 📺 🚗 🅿
Karte 29/49 🍷 – **24 Z : 45 B** 60/70 - 90/110.

🏨 **Am Kurpark** 🔇 garni, Kirschenweg 16, ☏ 70 91, ♨ – 📺 ☎ 🅿
19. Dez.- 16. Jan. geschl. – **9 Z : 20 B** 55/75 - 85/110 Fb.

WIMSHEIM Baden-Württemberg siehe Pforzheim.

[WINCHERINGEN] 5517. Rheinland-Pfalz [242] ②, [409] ㉗, [57] ④ – 1 400 Ew – Höhe 220 m – ☎ 06583.

Ausflugsziel : Nennig (Mosaikfußboden** der ehem. Römischen Villa) S : 12 km.

Mainz 189 – Luxembourg 34 – Saarburg 13 – •Trier 32.

- Jung, Am Markt 11, ☎ 2 57 – [P]
  Nov. geschl. – Karte 17,50/34 *(Montag geschl.)* – **10 Z : 19 B** 24/29 - 48/58.
- **Haus Moselblick** mit Zim, Am Mühlenberg 1, ☎ 2 88, ≤ Moseltal, – [P]. E
  27. Dez.- 27. Jan. geschl. – Karte 25/48 *(Dienstag geschl.)* – **4 Z : 7 B** 30 - 60.

[WINDEBRUCH] Nordrhein-Westfalen siehe Meinerzhagen.

[WINDECK] 5227. Nordrhein-Westfalen [987] ㉔ – 18 000 Ew – Höhe 235 m – ☎ 02292.

•Düsseldorf 114 – •Koblenz 77 – Limburg an der Lahn 71.

In Windeck-Alsen :

- Waldschlößchen, Forststr. 43, ☎ 27 91, ≤, – [P]. Zim
  7 Z : 14 B.

In Windeck-Herchen :

- **Tannenhof**, Auf der Hardt 22, ☎ (02243) 31 67, – ☎ [P]. [AE] E
  Karte 21/49 – **18 Z : 37 B** 48 - 70.

In Windeck-Schladern :

- **Bergischer Hof**, Elmores Str. 8, ☎ 22 83, – [P]
  Juni - Juli 3 Wochen geschl. – Karte 19/40 *(Montag geschl.)* – **10 Z : 20 B** 32/48 - 64/96.

[WINDELSBACH] Bayern siehe Rothenburg ob der Tauber.

[WINDEN] 7809. Baden-Württemberg [413] H 22, [242] ㉜ – 2 600 Ew – Höhe 320 m – Erholungsort – ☎ 07682 (Elzach).

[i] Verkehrsbüro, Rathaus in Oberwinden, ☎ 3 86.

•Stuttgart 192 – •Freiburg im Breisgau 28 – Offenburg 46.

In Winden-Oberwinden :

- **Sport- und Ferienhotel Schwarzbauernhof**, Rüttlersberg 5 (S : 2 km, über Bahnhofstr.), ☎ 85 67, ≤, Caféterrasse, « Freizeit- und Außenanlagen », – [TV] ☎ [P].
  Mitte Nov.- Mitte Dez. geschl. – (Restaurant nur für Hausgäste) – **55 Z : 100 B** (nur ½ P) 87/114 - 148/240 Fb.
- **Lindenhof**, Bahnhofstr. 14, ☎ 3 69, – [P]
  Karte 22/47 *(Dienstag geschl.)* – **20 Z : 38 B** 35/50 - 70/100 – P 54/70.
- **Waldhorn**, Hauptstr. 27 (B 294), ☎ 2 32 – [P]
  7.- 31. Jan. geschl. – Karte 30/55 *(Mittwoch geschl.)* – **22 Z : 41 B** 32/40 - 58/70.
- **Rebstock** (mit Gästehaus), Hauptstr. 36, ☎ 2 27 – [P]
  Mitte Okt.- Mitte Nov. geschl. – Karte 20/40 *(Dienstag geschl.)* – **29 Z : 53 B** 27/34 - 50/64.

[WINDHAGEN] Nordrhein-Westfalen siehe Honnef, Bad.

[WINDISCHESCHENBACH] 8486. Bayern [413] T 17, [987] ㉗ – 6 300 Ew – Höhe 428 m – ☎ 09681.

•München 261 – Bayreuth 49 – •Nürnberg 115.

- **Weißer Schwan**, Pfarrplatz 1, ☎ 12 30, –
  20. Dez.- 6. Jan. geschl. – Karte 15/31 *(Samstag bis 18 Uhr geschl.)* – **28 Z : 40 B** 20/30 - 40/60 Fb.
- **Oberpfälzer Hof**, Hauptstr. 1, ☎ 7 88, Telex 63708 – [AE] E [VISA]
  5.- 25. Nov. geschl. – Karte 14/32 *(Mittwoch geschl.)* – **32 Z : 58 B** 30/45 - 55/65 Fb.

In Windischeschenbach-Neuhaus O : 1 km :

- Zum Waldnaabtal, Marktplatz 1, ☎ 6 19 – ☎
  12 Z : 24 B Fb.

An der B 15 O : 9,5 km :

- Igl, ✉ 8481 Püchersreuth-Baumgarten, ☎ (09681) 14 22, – ☎ [P]
  30 Z : 75 B.

[WINDORF] 8359. Bayern [413] W 21 – 4 300 Ew – Höhe 306 m – ☎ 08541.

•München 181 – Passau 20 – • Regensburg 104 – Straubing 72.

In Windorf-Rathsmannsdorf NO : 4,5 km :

- **Zur Alten Post**, Schloßplatz 5, ☎ (08546) 10 37 – [P]
  Nov. 3 Wochen geschl. – Karte 16/31 *(Montag geschl.)* – **27 Z : 50 B** 33 - 66 – P 45.

WINDSHEIM, BAD 8532. Bayern [413] O 18, [987] [26] – 12 500 Ew – Höhe 321 m – Heilbad – ☎ 09841.

Sehenswert : Fränkisches Freilandmuseum.

[i] Verkehrsamt, Rathaus, ℘ 9 04 40.

♦München 236 – Ansbach 33 – ♦Bamberg 72 – ♦Nürnberg 44 – ♦Würzburg 57.

- **Kurhotel Residenz** ⛰, Erkenbrechtallee 33, ℘ 9 11, Telex 61526, ☂, Bade- und Massageabteilung, 🏊, [🏊], 🌳 – [⇅] [TV] ☎ ♿ [P] 🏟. [AE] [O] E [VISA]
  Karte 31/53 – **125 Z : 205 B** 89/122 - 128/148 Fb – P 102/140.
- **Reichel's Parkhotel** ⛰, Am Stauchbrunnen 7, ℘ 20 16, Caféterrasse, 🌳 – [⇅] [TV] ☎ [P]
  (Restaurant nur für Hausgäste) – **32 Z : 56 B** 58/75 - 88/110 Fb – P 82/102.
- **Am Kurpark** ⛰, Oberntiefer Str. 40, ℘ 90 20, Telex 61522, 🌳 – [⇅] [TV] ☎ ♿ [P] 🏟
  Karte 20/33 – **30 Z : 52 B** 55/68 - 100/115 Fb.
- **Goldener Schwan**, Rothenburger Str. 5, ℘ 50 61 – [TV] ☎. E
  ◆ Karte 18/45 *(Mittwoch und 28. Dez.- 25. Jan. geschl.)* – **20 Z : 35 B** 42/52 - 72/80 – P 60.
- Zum Storchen, Weinmarkt 6, ℘ 20 11 – [TV] ☎
  24 Z : 44 B.

WINGST 2177. Niedersachsen – 3 400 Ew – Höhe 25 m – Luftkurort – ☎ 04778.

[i] Kurverwaltung, Dorfgemeinschaftshaus Dobrock, ℘ 3 12.

♦Hannover 218 – ♦Bremerhaven 54 – Cuxhaven 39 – ♦Hamburg 97.

- **Waldschlößchen Dobrock** ⛰, Wassermühle 7, ℘ 70 66, Telex 232268, ☂, « Park », 🏊, [🏊], 🌳, 🎾 – ☎ 🚗 [P] 🏟. [AE] [O] E [VISA]
  Karte 23/54 – **45 Z : 79 B** 49/79 - 92/140 Fb – P 80/105.
- **Wikings Inn** ⛰, Schwimmbadallee 6, ℘ 80 90, Telex 232129, 🌳 – [⇅] ☎ [P] 🏟. [AE]. 🚫
  Karte 29/46 – **60 Z : 130 B** 55/140 - 95/160 Fb – P 75/167.
- **Forsthaus Dobrock** ⛰, Hasenbeckallee 39, ℘ 2 90, « Gartenterrasse », 🌳 – [P] 🏟
  5.- 27. Jan. geschl. – Karte 28/57 *(Montag 17 Uhr- Dienstag geschl.)* – **25 Z : 44 B** 58/70 - 100/120 – P 85.
- **Peter**, Bahnhofstr. 1 (B 73), ℘ 2 79 – [P]. [AE] [O] E [VISA]. 🚫
  ◆ *2. Jan.- 4. Feb. geschl.* – Karte 19/40 *(Montag bis 18 Uhr geschl.)* – **20 Z : 44 B** 42/45 - 80.

WINKHAUSEN Nordrhein-Westfalen siehe Schmallenberg.

WINKLARN Bayern siehe Rötz.

WINKLMOOSALM Bayern siehe Reit im Winkl.

WINNENDEN 7057. Baden-Württemberg [413] L 20, [987] [35] – 21 600 Ew – Höhe 292 m – ☎ 07195.

♦Stuttgart 20 – Schwäbisch Gmünd 44 – Schwäbisch Hall 48.

In Winnenden-Birkmannsweiler SO : 3 km :

- **Heubach-Krone**, Hauptstr. 99, ℘ 35 40 – 🚗 [P]
  Juli 3 Wochen geschl. – Karte 22/49 *(Dienstag - Mittwoch geschl.)* 🍷 – **12 Z : 19 B** 35/45 - 70/85.

In Winnenden-Bürg NO : 4,5 km :

- **Schöne Aussicht** ⛰, Neuffenstr. 18, ℘ 7 11 67, ≤ Winnenden und Umgebung, ☂ – ☎ [P]. 🚫 Zim
  Karte 22/52 *(Montag geschl.)* – **16 Z : 32 B** 75 - 110 Fb.

In Berglen-Lehnenberg 7069 SO : 6 km :

- **Zum Rössle**, Lessingstr. 13, ℘ (07195) 78 11, ☂ – [TV] ☎ [P]
  ◆ *Jan. und Juli jeweils 2 Wochen geschl.* – Karte 17,50/50 *(Dienstag geschl.)* – **13 Z : 21 B** 35/53 - 65/85.

WINNINGEN 5406. Rheinland-Pfalz – 2 600 Ew – Höhe 75 m – ☎ 02606.

[i] Verkehrsverein, Rathaus, August-Horch-Str. 3, ℘ 22 14.

Mainz 111 – Cochem 38 – ♦Koblenz 11.

- **Moselblick**, an der B 416, ℘ 22 75, Telex 862358, ≤, ☂, 🏊, Bootssteg – [⇅] [TV] ☎ [P]. [AE] [O] E [VISA]
  Karte 28/61 – **34 Z : 68 B** 92 - 154 Fb.
- **Adler** garni, Fronstr. 10, ℘ 8 06
  3. Jan.- 15. April geschl. – **22 Z : 42 B** 47/70 - 66/84.
- **Marktschenke**, Am Markt 5, ℘ 3 55, eigener Weinbau
  ◆ *Jan. geschl.* – Karte 17,50/39 *(Dienstag geschl.)* 🍷 – **11 Z : 24 B** 45/50 - 80.
- 🍴 **Weinhaus Hoffnung**, Fährstr. 37, ℘ 3 56
  Montag - Dienstag und 15.- 30. Dez. geschl. – Karte 20/48 🍷.

[WINSEN (LUHE)] 2090. Niedersachsen [987] ⑮ – 27 000 Ew – Höhe 8 m – ☏ 04171.

[i] Reisebüro, Rathausstr. 2, ✆ 29 10.

♦Hannover 129 – ♦Bremen 112 – ♦Hamburg 34 – Lüneburg 21.

🏨 **Zum weißen Roß**, Marktstr. 10, ✆ 22 76, Biergarten, « Gemütliche Restauranträume » – ☎ [P]. [AE] [D] [E] [VISA]
Karte 33/62 – **10 Z : 22 B** 63/70 - 95/105.

🏨 **Röttings Hotel**, Rathausstr. 4, ✆ 40 98 – ⇅ ☎ 🚗 [P] ♿. [D] [VISA]. 🚫🐕
Karte 23/54 *(Sonntag geschl.)* – **24 Z : 36 B** 40/63 - 89/105 Fb.

🏨 Dammanns Hotel, Lüneburger Str. 49 (B 4), ✆ 7 13 23, 🌳 – 🚗 [P]
16 Z : 24 B.

🍴 **Schwabenstüble**, Lüneburger Str. 112, ✆ 7 47 67 – [P]. [AE] [E]. 🚫🐕
Mittwoch geschl. – Karte 32/56.

[WINTERBACH] Baden-Württemberg siehe Schorndorf.

[WINTERBERG] 5788. Nordrhein-Westfalen [987] ㉔㉕ – 14 500 Ew – Höhe 700 m – Heilklimatischer Kurort – Wintersport : 672/841 m 🚡51 ⛷20 – ☏ 02981.

⛳9 an der Straße nach Silbach (NW : 3 km), ✆ 17 70.

[i] Kurverwaltung, Hauptstr. 1, ✆ 70 71.

♦Düsseldorf 186 – Marburg 60 – Paderborn 79 – Siegen 69.

🏨 Kur- und Kongreß-Hotel Claassen, Am Waltenberg 41, ✆ 80 10, ≘s, 🏊 – ⇅ [TV] ☎ 🚗 [P] ♿
78 Z : 150 B Fb – 24 Fewo.

🏨 ✻ **Waldhaus** 🛋, Kiefernweg 12, ✆ 20 42, <, ⛱, ≘s, 🏊, 🌳 – ⇅ [TV] ☎ [P]. [D] [E]
22. Nov.- 22. Dez. geschl. – Karte 43/72 *(Montag geschl.)* – **28 Z : 52 B** 40/100 - 82/200 Fb – P 75/135
Spez. Gänsestopfleber in Sauternes-Gelee, Gefüllte Taubenbrust in Blätterteig, Basilikumparfait mit Orangennudeln.

🏨 **Hessenhof**, Am Waltenberg 1, ✆ 22 17, ≘s, 🏊, 🌳 – [TV] ☎ [P]. [D] [E]
11.- 28. April und 6.- 30. Nov. geschl. – Karte 25/46 – **49 Z : 90 B** 53/58 - 90/110 – 2 Fewo 80/115 – P 72/82.

🏨 Schneider, Am Waltenberg 58, ✆ 67 49, 🏊, 🌳 – ⇅ ☎ [P]. 🚫🐕 Rest
20 Z : 40 B Fb.

🏨 **Sporthotel Ambassador** 🛋, Auf der Wallme 5, ✆ 20 75, ≘s, 🏊 – ⇅ [TV] ☎ [P] ♿. [AE] [D] [E] [VISA]
Karte 37/63 – **35 Z : 67 B** 73/98 - 120/150 Fb – P 99/112.

🏨 **Steymann**, Schneilstr. 2, ✆ 70 05, ≘s, 🏊, 🌳 – ☎ [P]. [D] [E]. 🚫🐕 Rest
Karte 27/50 – **38 Z : 60 B** 60/65 - 120/130 Fb.

🏨 **Haus am Walde** 🛋, Am Waltenberg 91, ✆ 4 73, 🌳 – 🚗 [P]. 🚫🐕
April - Mai 4 Wochen und Nov.- 26. Dez. geschl. – (Restaurant nur für Hausgäste) – **14 Z : 22 B** 48/53 - 95/100 – P 73/75.

🏨 **Engemann-Kurve**, Haarfelder Str. 10 (B 480), ✆ 4 14, ≘s, 🏊 – 🚗 [P]
April - Mai und Sept.- Okt. jeweils 3 Wochen geschl. – Karte 24/40 – **23 Z : 36 B** 33/50 - 86/100 – P 62/70.

🏨 **Zur Sonne**, Schneilstr. 1, ✆ 14 68, ⛱ – [P]
1.- 22. Dez. geschl. – Karte 25/48 – **18 Z : 30 B** 40/50 - 80/90 – 3 Fewo 80.

🏨 Haus Waltenberg, Am Waltenberg 37, ✆ 22 25 – 🚗 [P]
18 Z : 32 B.

🏨 **Winterberger Hof**, Am Waltenberg 33, ✆ 14 84, ⛱ – [P]
April 2 Wochen geschl. – Karte 25/52 *(außer Saison Mittwoch geschl.)* – **10 Z : 20 B** 45/60 - 90/110.

🏨 **Haus Nuhnetal** 🛋, Nuhnestr. 12, ✆ 26 17, ≘s, 🏊 – [P]. 🚫🐕 Rest
15. April - 14. Mai geschl. – (Restaurant nur für Pensionsgäste) – **21 Z : 37 B** 38/45 - 76/90 – P 68/75.

🏨 **Haus Herrloh** 🛋, Herrlohweg 3, ✆ 4 70, <, 🌳 – ☎ 🚗 [P]. 🚫🐕 Rest
5. Nov.- 5. Dez. geschl. – Karte 20/54 *(auch Diät)* – **16 Z : 29 B** 29/40 - 58/80 – P 54/65.

An der Straße nach Altastenberg W : 3 km :

🏨 **Berghotel Nordhang - Axel's Restaurant**, In der Renau 5, ✉ 5788 Winterberg, ✆ (02981) 22 09, ⛱ – ☎ [P]. [AE] [D] [E]
Karte 36/66 – **11 Z : 20 B** 55 - 110 – P 85.

In Winterberg 8-Altastenberg W : 5 km :

🏨 **Berghotel Astenkrone**, Astenstr 24, ✆ 70 28, Fax 3290, <, ⛱, ≘s – ⇅ [TV] ☎ 🚗 [P]. [AE] [D] [E]. 🚫🐕 Rest
April geschl. – Karte 40/70 – **22 Z : 38 B** 85/150 - 170/200 Fb – P 136.

🏨 **Mörchen**, Astenstr. 8, ✆ 70 38, ⛱, ≘s, 🏊, 🌳, Fahrrad- und Skiverleih – ☎ [P]
20. Nov.- 20. Dez. geschl. – Karte 26/56 – **39 Z : 70 B** 68/80 - 100/160 Fb – P 89/122.

🏨 **Sporthotel Kirchmeier** 🔇, Renauweg 54, ✆ 80 50, Telex 84509, ⛱, ♨, 🏊, 🌳, 🎾 (Halle), Skischule – 🛗 ☎ [P] 🏛. [D] E. 🐕 Rest
Karte 25/54 – **117 Z : 210 B** 80/100 - 130/170 Fb – 14 Fewo 50/190 – P 100/135.

🏨 **Haus Clemens** 🔇, Renauweg 48, ✆ 13 58, ♨, 🏊, 🌳 – [TV] ☎ 🚗 [P]
◆ *11. Nov.- 24. Dez. geschl.* – Karte 19/48 *(Montag geschl.)* – **16 Z : 27 B** 34/60 - 68/106 – P 51/67.

In Winterberg 5-Hildfeld NO : 7 km :

🏨 **Heidehotel-Hildfeld** 🔇, Am Ufer 13, ✆ (02985) 83 73, <, ⛱, ♨, 🏊, 🌳 – ☎ 🚗 [P]
Karte 33/62 – **35 Z : 65 B** 65/80 - 110/140 Fb – P 77/90.

In Winterberg 6-Langewiese SW : 7,5 km :

🏨 **Wittgensteiner Landhaus** 🔇, Grenzweg 2, ✆ (02758) 2 88, < Rothaargebirge und Sauerland, ♨, 🌳 – [P]
(Restaurant nur für Hausgäste) – **19 Z : 36 B** 30/45 - 60/90 – P 40/55.

In Winterberg 7-Neuastenberg SW : 6 km :

🏨 **Dorint Ferienpark**, Winterberger Str. (B 236), ✆ 20 33, Telex 84539, Fax 3322, <, ♨, 🏊, 🌳, 🎾 (Halle) – [TV] ☎ 🧒 [P] 🏛. [AE] [D] E VISA. 🐕 Rest
Karte 32/61 – **80 Z : 160 B** 118/128 - 180/270 Fb – 87 Fewo 110/220 – P 138/176.

🏨 Zur Post, Winterberger Str. 10 (B 236), ✆ 18 50, <, 🌳 – 🚗 [P]
(Abendessen nur für Hausgäste) – **18 Z : 38 B.**

🏨 **Berghaus Asten** 🔇, Am Gerkenstein 21, ✆ 18 82, <, ⛱, 🌳 – [P]. 🐕 Zim
20. Nov.- 20. Dez. geschl. – Karte 22/38 *(Mittwoch geschl.)* – **10 Z : 16 B** 30/35 - 60/70 – P 48/50.

🏨 **Rossel**, Neuastenberger Str. 21, ✆ 22 07, 🌳 – [P]. 🐕 Zim
Nov. geschl. – Karte 23/38 *(Donnerstag geschl.)* – **25 Z : 40 B** 35/46 - 70/92 – P 52/58.

In Winterberg 5-Niedersfeld N : 8,5 km :

🏨 **Cramer**, Ruhrstr. 50 (B 480), ✆ (02985) 4 71, ♨, 🏊, 🌳 – ☎ 🚗 [P] 🏛. [AE] [D] E. 🐕 Rest
Karte 28/52 *(Dienstag geschl.)* – **23 Z : 44 B** 56/68 - 112/132 Fb – P 82/92.

In Winterberg 2-Siedlinghausen NW : 10 km :

🏨 Schulte - Werneke 🔇, Alterhagen 1, ✆ (02983) 82 66, ⛱, « Garten mit Teich », 🌳 – [TV] 🚗 [P]
23 Z : 39 B Fb.

In Winterberg 4-Silbach NW : 7 km :

🏨 **Büker**, Bergfreiheit 56, ✆ (02983) 3 87, ♨, 🏊, 🌳 – ☎ [P] 🏛. [AE] [D] E
2.- 28. April und 1.- 25. Dez. geschl. – Karte 24/48 *(Mittwoch geschl.)* – **19 Z : 34 B** 57 - 113/117 – P 73/75.

In Winterberg 3-Züschen SO : 6,5 km :

🏨 **Walsbachtal** 🔇, Zum Homberg 11 (W : 2 km), ✆ 17 80, ⛱, ♨, 🏊, 🌳 – [P]
15. Nov.- 25. Dez. geschl. – Karte 22/48 – **25 Z : 48 B** 44 - 88.

🏨 Lindenhof 🔇, Schützenstr. 42, ✆ 18 02, ♨, 🏊 – [P]
17 Z : 30 B.

WINTERBURG 6551. Rheinland-Pfalz – 300 Ew – Höhe 350 m – Erholungsort – ☏ 06756.
Mainz 65 – Kirn 25 – Bad Kreuznach 21.

🏨 **Beck** 🔇, Soonwaldstr. 46, ✆ 2 11, 🏊, 🌳 – ✗ Rest [P]. 🐕
(Restaurant nur für Hausgäste) – **26 Z : 50 B** 55 - 98/104.

WIPPERFÜRTH 5272. Nordrhein-Westfalen [987] (24) – 21 700 Ew – Höhe 275 m – ☏ 02267.
◆Düsseldorf 67 – ◆Köln 50 – Lüdenscheid 27 – Remscheid 20.

XX **Zum Schützenhof**, Gaulstr. 71, ✆ 93 36 – [P]. [AE] [D] E VISA
Samstag bis 17 Uhr und Mittwoch geschl. – Karte 23/57.

In Wipperfürth-Neye NW : 1 km :

🏨 Neyehotel, Joseph-Mäurer-Str. 2, ✆ 70 19, 🏊, 🌳 – ☎ [P]
(nur Abendessen) – **15 Z : 26 B.**

XX Landhaus Alte Mühle 🔇 mit Zim, Neyetal 2, ✆ 30 51, <, « Gartenterrasse » – [TV] ☎ [P]
4 Z : 8 B.

In Wipperfürth-Wasserfuhr NO : 4 km Richtung Halver :

🏨 **Haus Koppelberg**, ✆ 50 51, ⛱, 🌳 – ☎ [P]
Karte 20/43 *(Montag geschl.)* – **11 Z : 22 B** 50 - 75.

WIRGES Rheinland-Pfalz siehe Montabaur.

WIRSBERG 8655. Bayern [413] R 16 – 2 000 Ew – Höhe 355 m – Luftkurort – ☏ 09227 (Neuenmarkt) – [B] Kurverwaltung, Rathaus, Sessenreuther Str. 2, ✆ 8 82.
♦München 250 – Bayreuth 21 – Hof 41.

🏨 **Romantik-Hotel Post**, Marktplatz 11, ✆ 8 61, Telex 642906, Fax 5860, ≘s, 🏊, 🌳 – 🛗 [TV] ☎ [P] 🏛. [AE] [D] E
Karte 24/69 – **50 Z : 85 B** 49/105 - 98/175 Fb.

🏨 **Reiterhof Wirsberg** 🔇, Sessenreuther Str. 50 (SO : 1 km), ✆ 8 88, Telex 643932, <, ⛱, ≘s, 🏊, 🌳, 🐎 (Halle) – ☎ 🚗 [P] 🏛. [AE] [D] E
Karte 24/50 – **14 Z : 28 B** 59/79 - 104/144 Fb – P 74/97 (Neubau mit 35 Z, ✂ ab Frühjahr 1989).

🏨 **Am Lindenberg** 🔇, Am Lindenberg 2, ✆ 8 60, ⛱, ≘s, 🏊, 🌳 – ☎ [P]. [AE] [D] E
Karte 24/44 – **27 Z : 50 B** 48/75 - 80/130 Fb.

🏨 **Hubertushof** 🔇, Schorgasttal 32, ✆ 53 63/3 39, ⛱ – ☎ [P]. [AE] [D]
⇔ Karte 19/46 *(Montag geschl.)* – **16 Z : 27 B** 35/50 - 70/80.

WISPERTAL Hessen siehe Lorch.

WISSEN 5248. Rheinland-Pfalz [987] [24] – 9 300 Ew – Höhe 155 m – Luftkurort – ☏ 02742.
Mainz 127 – ♦Köln 82 – Limburg an der Lahn 67 – Siegen 39.

🏨 **Nassauer Hof**, Nassauer Str. 2, ✆ 40 07 – [TV] ☎ 🚗 🏛. [AE] [D] E [VISA]
Karte 21/46 – **12 Z : 20 B** 50 - 80.

🏨 **Zum Frankenthal**, Im Frankenthal 15 (B 62), ✆ 40 95 – [TV] ☎ 🚗 [P]. [AE] [D] E [VISA]
Karte 21/48 *(Montag geschl.)* – **17 Z : 34 B** 40 - 80.

🏨 **Bürgergesellschaft** garni, Rathausstr. 65, ✆ 22 44
14 Z : 20 B 30 - 55.

🍴 **Alte Post** mit Zim, Siegstr. 1, ✆ 24 06 – [P] 🏛. [D] E
16. Feb.- 15. März geschl. – Karte 21/53 *(Dienstag 14 Uhr - Mittwoch geschl.)* – **7 Z : 11 B** 35/40 - 70/80.

WISSENBACH Hessen siehe Eschenburg.

WITTDÜN Schleswig-Holstein siehe Amrum (Insel).

WITTEN 5810. Nordrhein-Westfalen [987] [14] – 106 000 Ew – Höhe 80 m – ☏ 02302.
Siehe Ruhrgebiet (Übersichtsplan).
♦Düsseldorf 62 – Bochum 10 – ♦Dortmund 21 – Hagen 17.

🏨 **Parkhotel**, Bergerstr. 23, ✆ 5 70 41, Telex 8229195, Bade- und Massageabteilung, ≘s, 🏊 – 🛗 [TV] ☎ [P] 🏛. [AE] [D] E [VISA]
Karte 29/68 – **74 Z : 142 B** 128 - 166 Fb.

🏨 **Haus Hohenstein** 🔇, Hohenstein 32, ✆ 15 61, ⛱, ≘s – [TV] ☎ [P] 🏛. [AE] [D] E [VISA]
Karte 29/55 – **33 Z : 41 B** 95 - 140 Fb.

🍴🍴 **Theater-Stuben**, Bergerstr. 25 (Städt. Saalbau), ✆ 5 44 40, ⛱ – [P] 🏛
Samstag bis 18 Uhr und Juli geschl. – Karte 33/61.

In Witten-Annen :

🏨 **Specht**, Westfalenstr. 104, ✆ 6 03 93 – [P]. 🚫 Zim
15. Juli - 15. Aug. geschl. – Karte 20/30 *(nur Abendessen, Sonn- und Feiertage geschl.)* – **17 Z : 28 B** 40/65 - 80/90.

🍴🍴 **Petersilie** (ehemaliges Försterhaus a.d. 18. Jh.), Ardeystr. 287, ✆ 69 05 95 – [P]. [AE] [D] E [VISA] – *nur Abendessen, Montag geschl.* – Karte 55/78.

WITTENSCHWAND Baden-Württemberg siehe Dachsberg.

WITTINGEN 3120. Niedersachsen [987] [16] – 11 500 Ew – Höhe 80 m – ☏ 05831.
♦Hannover 93 – ♦Braunschweig 65 – Celle 50 – Lüneburg 64.

🏨 **Nöhre**, Bahnhofstr. 2, ✆ 10 15, ≘s, 🏊 – ☎ [P] 🏛
Karte 24/45 – **30 Z : 50 B** 30/48 - 60/85 Fb.

🏨 **Rühlings-Hotel**, Bahnhofstr. 51, ✆ 4 11 – [P]
Juli - Aug. 4 Wochen geschl. – Karte 22/42 *(Sonntag geschl.)* – **11 Z : 15 B** 25/30 - 60.

🍴🍴 **Stadthalle**, Schützenstr. 21, ✆ 3 46 – [P] 🏛
⇔ *Mittwoch geschl.* – Karte 19/44.

WITTLICH 5560. Rheinland-Pfalz [987] [23] [24] – 17 000 Ew – Höhe 174 m – ☏ 06571.
[B] Fremdenverkehrsverein, Rathaus, Marktplatz, ✆ 40 86.
Mainz 129 – ♦Koblenz 91 – ♦Trier 37.

🏨 **Lindenhof** 🔇, Am Mundwald (S : 2 km über die B 49), ✆ 69 20, Telex 4721764, <, ⛱, ≘s, 🏊 – 🛗 [TV] ☎ ♿ [P] 🏛. [AE] [D] E [VISA]
Karte 40/64 – **40 Z : 80 B** 78/92 - 144/168 Fb – 31 Fewo 108/147.

🏨 **Well** garni, Marktplatz 5, ✆ 70 88 – 🛗 ☎. [AE] [D] E [VISA]
27 Z : 42 B 40/60 - 80/90 Fb.

In Wittlich 16-Wengerohr SO : 2,5 km :

🏠 **Zur Post**, Bahnhofstr. 13, ✆ 40 37 – ☎ Ⓟ
✦ Karte 18/41 *(Mittwoch und 10.- 24. Juli geschl.)* – **15 Z : 27 B** 30/43 - 60/86.

In Dreis **5561** SW : 8 km :

🏨 ✿ **Waldhotel Sonnora** 🌙, Auf dem Eichelfeld, ✆ (06578) 4 06, ⩽, « Garten » – [TV] ☎ Ⓟ. [E]. ✗🐕
12. Jan.- 6. Feb. geschl. – Karte 64/85 *(Tischbestellung ratsam)* (Montag-Dienstag 18 Uhr geschl.) – **20 Z : 38 B** 60/80 - 100/120
Spez. Lachs und Steinbutt in Blätterteig, Ravioli von Langostinos in Kerbelcreme, Suprême von Wachtel und Taube auf Trüffelsauce.

WITTLINGEN Baden-Württemberg siehe Binzen.

WITTMUND 2944. Niedersachsen [987] ④ – 19 400 Ew – Höhe 8 m – ✆ 04462.
[i] Fremdenverkehrsamt, Rathaus, Knochenburgstr. 11, ✆ 83 38.
♦Hannover 237 – Emden 51 – ♦Oldenburg 67 – Wilhelmshaven 26.

🏠 Zur Post, Osterstr. 7, ✆ 52 81 – Ⓟ – **10 Z : 17 B.**

In Wittmund-Ardorf S : 8 km :

🍴🍴 **Hilgensteen**, Heglitzer Str. 20, ✆ (04466) 2 89, Biergarten – Ⓟ. [AE] [D] [E]
Okt.- März Dienstag geschl. – Karte **32**/56.

In Wittmund 2 - Carolinensiel-Harlesiel N : 14 km :

🏠 **Wien** 🌙, Am Yachthafen 32, ✆ (04464) 2 59, ⩽ – Ⓟ
Karte 22/37 *(Sept.- April Donnerstag geschl.)* – **18 Z : 31 B** 54/58 - 97/105.

WITZENHAUSEN 3430. Hessen [987] ⑮ – 18 700 Ew – Höhe 140 m – ✆ 05542.
[i] Städt. Verkehrsamt, Rathaus, ✆ 57 45.
♦Wiesbaden 248 – Göttingen 26 – ♦Kassel 36.

🏨 **Stadt Witzenhausen** 🌙 garni, Am Sande 8, ✆ 40 41 – [lift] ☎ 🚗 Ⓟ. [D] [E]
21 Z : 40 B 49 - 75 Fb.

🏠 **Zur Burg** garni, Oberburgstr. 10, ✆ 25 06 – 🚗 Ⓟ. [D] [E] [VISA]
17 Z : 32 B 36/40 - 64/98.

🏡 Deutscher Kaiser, Walburger Str. 16, ✆ 55 72 – **11 Z : 17 B.**

🍴🍴 Am Johannisberg, Am Sande 10 (im Bürgerhaus), ✆ 45 67, Caféterrasse – Ⓟ 🏋.

In Witzenhausen 11-Dohrenbach S : 4 km – Luftkurort :

🏠 **Zur Warte** 🌙, Warteweg 1, ✆ 30 90, ⛱, ♨, 🏊, 🌳 – Ⓟ
✦ Karte 19/39 *(Dienstag geschl.)* – **18 Z : 32 B** 38 - 72 – P 52.

🏠 Zum Stern, Rainstr. 12, ✆ 58 51, 🌳 – ☎ Ⓟ
12 Z : 24 B.

🏠 **Birkenhain** 🌙, Steinbergstr. 12, ✆ 40 21, ♨, 🏊 (geheizt), 🌳 – ☎ Ⓟ. [AE] [D] [E] [VISA]. ✗🐕
(Restaurant nur für Hausgäste) – **12 Z : 21 B** 46 - 80 Fb – P 54/60.

🍴🍴🍴 **Sommersberg-Hotel** 🌙 mit Zim, Rainstr. 32, ✆ 40 97 – [TV] ☎ Ⓟ. [AE] [D] [E]
Karte 39/76 *(mittags nur Menu 26/41)* – **5 Z : 10 B** 50/56 - 90/100.

WITZHAVE 2071. Schleswig-Holstein – 913 Ew – Höhe 45 m – ✆ 04104.
♦ Kiel 96 – ♦Hamburg 24 – ♦Lübeck 54.

🏠 **Pünjer**, Möllner Landstr. 9, ✆ 37 14, ♨ – [TV] ☎ Ⓟ
21. Dez.- 6. Jan. geschl. – Karte 24/32 *(nur Abendessen, Freitag - Samstag und Juli 3 Wochen geschl.)* – **22 Z : 36 B** 55 - 80 Fb.

WITZWORT Schleswig-Holstein siehe Husum.

WÖRISHOFEN, BAD 8939. Bayern [413] O 22,23, [987] ⑯, [426] ⑮ – 13 500 Ew – Höhe 626 m – Kneippheilbad – ✆ 08247.
⛳18 Rieden, Schlingener Str. 27 (SO : 8 km), ✆ (08346) 7 77.
[i] Kurhaus, Hauptstr. 16, ✆ 3 50 20.
♦München 80 – ♦Augsburg 50 – Kempten (Allgäu) 55 – Memmingen 43.

🏨 **Kurhotel Residenz**, Bahnhofstr. 8, ✆ 35 20, Telex 531534, « Park », Bade- und Massageabteilung, 🏃, ♨, 🏊, 🏊, 🌳, Fahrradverleih – [lift] [TV] 🚗 Ⓟ 🏋. [AE] [D]. ✗🐕
23. Nov.- 10. Dez. geschl. – Karte 39/75 *(auch Diät)* – **113 Z : 185 B** 110/240 - 210/420 Fb – P 135/250.

🏨 **Kurhotel Tanneck** 🌙, Hartenthaler Str. 29, ✆ 30 70, Telex 531522, Caféterrasse, Bade- und Massageabteilung, 🏃, ♨, 🏊, 🌳, 🎾 – [lift] ♿ 🚗 Ⓟ 🏋. ✗🐕
(Restaurant nur für Hausgäste) – **80 Z : 119 B** (nur P) 120/200 - 230/300 Fb – 6 Appart. (nur P) 320/390.

🏨 **Kurhotel Kreuzer** 🔇, F.-Kreuzer-Str. 1a, ℘ 35 30, ⛱, « Park », Massage, 🏋, ♨, 🏊, 🌳 – 🛗 🚗 [P]. [AE]. 🚫🐕
Ende Nov.- Ende Jan. geschl. – Karte 30/59 *(auch Diät)* – **100 Z : 140 B** 80/160 - 140/200 Fb – 7 Fewo 100/230 – P 125/195.

🏨 **Der Sonnenhof** 🔇, Hermann-Aust-Str. 11, ℘ 40 21, Telex 539122, Bade- und Massageabteilung, 🏋, ♨, 🏊, 🌳, Fahrradverleih – 🛗 🚗 [P]. 🚫🐕
12. Nov.- 20. Jan. geschl. – Karte 34/61 *(auch Diät)* – **98 Z : 150 B** 90/240 - 210/270 Fb – 12 Appart. 280/310.

🏨 **Kneipp-Kurhotel Fontenay** 🔇, Eichwaldstr. 10, ℘ 30 60, Fax 306185, Massage, 🏋, ♨, 🏊, 🌳 – 🛗 🚭 Zim [TV] ☎ 🚗. [AE] [E]. 🚫🐕
(Restaurant nur für Hausgäste) – **50 Z : 60 B** 85/220 - 160/250 Fb – 4 Appart. 240/300 – P 120/180.

🏨 Kurhotel Edelweiß 🔇, Bürgermeister-Singer-Str. 11, ℘ 3 50 10, Bade- und Massageabteilung, 🏋, ♨, 🏊, 🌳 – 🛗 🚿wc ☎ [P]. 🚫🐕 – (Restaurant nur für Hausgäste) – **52 Z : 80 B** Fb.

🏨 **Kurhotel Eichinger** 🔇, Hartenthaler Str. 22, ℘ 20 37, ⛱, Massage, 🏋, ♨, 🏊, 🌳 – 🛗 ☎ 🚗 [P]. 🚫🐕
(Restaurant nur für Hausgäste) – **41 Z : 55 B** 55/70 - 110/140 Fb – 2 Fewo 85 – P 77/91.

🏨 **Kurhotel Eichwald** 🔇, Eichwaldstr. 20, ℘ 60 94, ⛱, Massage, 🏋, ♨, 🏊, 🌳, Fahrradverleih – 🛗 [TV] ☎ 🚗. 🚫🐕 Rest
Nov.- 15. Dez. geschl. – Karte 28/44 *(auch Diät)* – **53 Z : 95 B** 90/110 - 170/202 Fb – P 120/130.

🏨 **Brandl** 🔇, Hildegardstr. 3, ℘ 20 56, Bade- und Massageabteilung, 🏋, ♨, 🏊 – 🛗 ☎ [P]. 🚫🐕 Rest
Dez.- Jan. geschl. – (Restaurant nur für Hausgäste) – **24 Z : 36 B** 70/110 - 98/174 Fb.

🏨 **Alpenhof**, Gammenrieder Str. 6, ℘ 3 00 50, Massage, 🏋, ♨, 🏊, 🌳 – 🛗 ☎ [P]. 🚫🐕
15. Nov.- 15. Jan. geschl. – (Restaurant nur für Hausgäste) – **22 Z : 32 B** 46/54 - 94/100 Fb.

🏨 **Allgäuer Hof**, Türkheimer Str. 2, ℘ 50 98, ⛱ – 🛗 [TV] ☎ 🚗 [P]. [AE] [O] [E] [VISA]. 🚫🐕
Karte **28**/53 – **32 Z : 48 B** 38/76 - 76/106 Fb.

🏨 **Adler**, Hauptstr. 40, ℘ 20 91, ⛱ – 🛗 ☎ 🚗 [P]. [AE] [O] [E] [VISA]. 🚫🐕 Rest
◆ Karte 18/38 *(Freitag geschl.)* – **56 Z : 70 B** 35/50 - 72/90 Fb.

🏨 **Löwenbräu**, Hermann-Aust-Str. 2, ℘ 50 56, ⛱ – 🛗 ☎ 🚗 [P]. [AE] [O] [E]
15. Dez.- 7. Jan. geschl. – Karte 21/52 *(auch Diät)* (Montag - Dienstag 17 Uhr geschl.) – **22 Z : 32 B** 48/68 - 78/108 Fb – 6 Fewo 50/60.

🏨 **Annely** garni, Hauptstr. 1, ℘ 20 23, Massage, 🏋, ♨, 🏊 – 🛗 ☎ 🚗 [P]. [AE] [O] [E] [VISA]. 🚫🐕
23. Dez.- 10. Jan. geschl. – **39 Z : 50 B** 69/90 - 119/128 Fb.

🏨 **Schwabenhof** 🔇 garni, Füssener Str. 12 (Eingang am Trieb), ℘ 50 76, Massage, 🏋, 🌳 – 🛗 [P]. 🚫🐕
Dez.- Jan. geschl. – **20 Z : 30 B** 53/65 - 79/108.

XX **Sonnenbüchl**, Am Sonnenbüchl 1, ℘ 67 91, ⛱ – [P]
wochentags ab 14 Uhr geöffnet, Montag und 8. Jan.- 4. Feb. geschl. – Karte 31/63.

XX **Ceres**, Fidel-Kreuzer-Str. 11, ℘ 51 45, ⛱
◆ *Mittwoch 15 Uhr - Donnerstag und Dez.- 15. Jan. geschl.* – Karte 19,50/37 *(auch Diät und vegetarische Gerichte).*

X **Landhaus Alfons**, Kaufbeurer Str. 6, ℘ 67 50, ⛱ – [P]
Montag, 10. Jan.- 4. Feb. und Juni - Juli 2 Wochen geschl. – Karte 30/55.

In Bad Wörishofen 3-Schlingen SO : 4 km :

XXX **Jagdhof**, Allgäuer Str.1, ℘ 48 79 – [P]. [AE] [E]
Montag - Dienstag und 2.- 28. Jan. geschl. – Karte 29/60.

WÖRTH AM RHEIN 6729. Rheinland-Pfalz [413] H 19, [987] ㉔ ㉕ – 18 200 Ew – Höhe 104 m – ☏ 07271.

Mainz 154 – ◆Karlsruhe 12 – Landau in der Pfalz 23.

🏨 Anker 🔇 garni, Wilhelmstr. 7, ℘ 7 93 66 – [P]. 🚫🐕 – **16 Z : 27 B.**

🏨 **Garni zum Bahnhof**, Bahnhofstr. 45, ℘ 30 51 – ☎ [P]
12 Z : 18 B 35 - 65.

🏨 Garni Zum Hirsch 🔇, Luitpoldstr. 9, ℘ 70 50 – [P] – **25 Z : 31 B.**

In Wörth-Maximiliansau SO : 1,5 km :

XX **Einigkeit**, Karlstr. 16, ℘ 44 44, bemerkenswerte Weinkarte
Sonntag - Montag und Mitte Juli - Mitte Aug. geschl. – Karte 46/73 (abends Tischbestellung ratsam).

In Wörth-Schaidt W : 14,5 km :

X **Landgasthof Zur Linde** mit Zim, Hauptstr. 93, ℘ (06340) 81 36, 🌳 – [TV] [P]. [E]
10.- 27. Jan. geschl. – Karte 20/49 *(Donnerstag - Freitag 17 Uhr geschl.)* 🍷 – **6 Z : 14 B** 35 - 70.

WÖRTH AN DER DONAU 8404. Bayern [413] U 19,20, [987] ㉗ – 3 500 Ew – Höhe 360 m – ☏ 09482.

◆München 147 – ◆Regensburg 25 – Straubing 23.

🏨 Butz, Kirchplatz 3, ℘ 22 46 – 🚗 [P] – **37 Z : 56 B.**

[WÖRTHSEE] 8031. Bayern [413] Q 22, [426] ⑯ – 4 000 Ew – Höhe 590 m – ✆ 08153.

⛳ Gut Schluifeld, ✆ 24 25.

♦München 32 – Augsburg 55 – Garmisch-Partenkirchen 75.

In Wörthsee-Steinebach :

🏨 **Florianshof** garni, Hauptstr. 48 (Auing), ✆ 88 20, ♨, 🎾 – 📺 ☎ 🅿. E
50 Z : 93 B 40/60 - 65/70 Fb.

[WOLFACH] 7620. Baden-Württemberg [413] H 22, [987] ㉞ ㉟ – 6 300 Ew – Höhe 262 m – Luftkurort – ✆ 07834.

Sehenswert : Dorotheen-Glashütte.

[i] Kur- und Verkehrsamt, Hauptstr. 28, ✆ 91 99.

♦Stuttgart 137 – ♦Freiburg im Breisgau 58 – Freudenstadt 38 – Offenburg 40.

🏨 **Schwarzwaldhotel** 🌿, Kreuzbergstr. 26, ✆ 40 11, ⛱, 🪑 – 🅿
15. März - 10. Nov. – Karte 25/46 – **10 Z : 16 B** 48/68 - 90/120 – P 70/93.

🏨 **Hecht**, Hauptstr. 51, ✆ 5 38 – ☎ 🚗 🅿. 🐕 Rest
6. Jan.- 5. Feb. geschl. – Karte 21/38 *(Montag geschl.)* 🍷 – **12 Z : 22 B** 40/42 - 80 – P 62.

🏠 Krone, Alter Marktplatz 33, ✆ 3 50 – 🚗
23 Z : 40 B.

In Wolfach-St. Roman **7622** NO : 12 km – Höhe 673 m :

🏨 **Adler** 🌿, ✆ (07836) 3 42, Wildgehege, ♨, 🪑, 🏇 – 🚗 🅿 ⛷
25. Nov.- 22. Dez. geschl. – Karte 18/45 *(Montag geschl.)* 🍷 – **24 Z : 40 B** 37/50 - 66/82 Fb – P 53/64.

[WOLFEGG] 7962. Baden-Württemberg [413] M 23, [987] ㊱, [427] ⑧ – 3 000 Ew – Höhe 673 m – Luftkurort – ✆ 07527.

[i] Verkehrsamt, Rathaus, Rötenbacher Str. 11, ✆ 62 71.

♦Stuttgart 167 – Bregenz 46 – Ravensburg 17 – ♦Ulm (Donau) 76.

🏠 **Zur Post** (mit Gästehaus, ♨, 🏊), Rötenbacher Str. 5, ✆ 62 05 – 🚗 🅿
Nov. 3 Wochen geschl. – Karte 19,50/30 *(Dienstag geschl.)* 🍷 – **17 Z : 30 B** 35/40 - 60/70 – P 48/58.

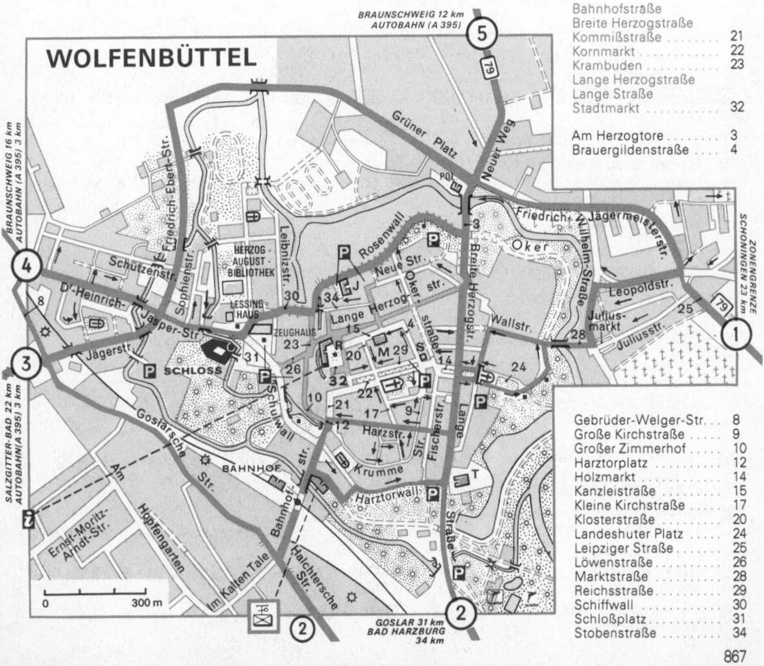

Bahnhofstraße
Breite Herzogstraße
Kommißstraße 21
Kornmarkt 22
Krambuden 23
Lange Herzogstraße
Lange Straße
Stadtmarkt 32

Am Herzogtore 3
Brauergildenstraße 4

Gebrüder-Welger-Str. . . . 8
Große Kirchstraße 9
Großer Zimmerhof 10
Harztorplatz 12
Holzmarkt 14
Kanzleistraße 15
Kleine Kirchstraße 17
Klosterstraße 20
Landeshuter Platz 24
Leipziger Straße 25
Löwenstraße 26
Marktstraße 28
Reichsstraße 29
Schiffwall 30
Schloßplatz 31
Stobenstraße 34

WOLFENBÜTTEL 3340. Niedersachsen [987] ⑯ – 50 000 Ew – Höhe 75 m – ☎ 05331.
Sehenswert : Stadtbild★★ – Fachwerkhäuser★★ – Stadtmarkt★ – Schloß (Turm★).
[i] Verkehrsverein, Stadtmarkt 8, ☎ 2 75 93.
♦Hannover 74 ⑤ – ♦Braunschweig 12 ⑤ – Goslar 31 ②.

Stadtplan siehe vorhergehende Seite.

🏨 **Landhaus Dürkop** 🔇 garni, Alter Weg 47, ☎ 70 53, ♨ – [TV] ☎ 🚗 [P]. [AE] [E] über ⑤
21 Z : 32 B 65/69 - 99 Fb.

🏨 **Waldhaus**, Adersheimer Str. 75, ☎ 4 32 65 – ☎ [P]. [AE] [D] [E] [VISA] über ③
Karte 24/47 – **23 Z : 43 B** 45/75 - 89/119 Fb.

In Wolfenbüttel-Ahlum über ① : 4 km :

🍴🍴 **Gasthaus Reese**, Adenemer Weg 25, ☎ 7 27 79, Biergarten – [P]. [AE] [D] [E] [VISA]
nur Abendessen, 15.- 30. Jan. und Aug. geschl. – Karte 27/58.

WOLFENWEILER Baden-Württemberg siehe Schallstadt.

WOLFERTSCHWENDEN 8941. Bayern [413] N 23, [426] ⑮ – 1 300 Ew – Höhe 676 m – ☎ 08334 (Grönenbach).
♦München 129 – Kempten (Allgäu) 27 – Memmingen 15.

🏨 **Weißenhorn**, Hauptstr. 4, ☎ 2 20, 🌳 – ☎ [P]. [E]
Mitte - Ende Mai und Nov. 1 Woche geschl. – Karte 27/52 *(Montag geschl.)* – **12 Z : 24 B** 43/49 - 79.

WOLFHAGEN 3549. Hessen [987] ⑮ – 13 000 Ew – Höhe 250 m – ☎ 05692.
♦Wiesbaden 238 – ♦Kassel 31 – Paderborn 68.

🏠 **Zum Schiffchen**, Hans-Staden-Str. 27, ☎ 22 75 – [TV] 🚗 [P]
✦ Karte 19,50/42 *(Sonntag ab 15 Uhr geschl.)* – **20 Z : 30 B** 30/35 - 60/70 Fb.

WOLFRAMS-ESCHENBACH 8802. Bayern [413] P 19 – 2 000 Ew – Höhe 445 m – ☎ 09875.
♦München 177 – Ansbach 16 – Nördlingen 54 – ♦Nürnberg 48.

🏨 Alte Vogtei (Haus a.d. 14. Jh.), Hauptstr. 21, ☎ 2 70 – ☎ [P]
10 Z : 17 B.

🏨 **Pension Seitz** 🔇, Duchselgasse 1, ☎ 2 30, ♨, 🏊 (geheizt), 🌳 – 🚗 [P]
(Restaurant nur für Hausgäste) – **30 Z : 35 B** 36 - 72.

Die Namen der wichtigsten Einkaufsstraßen
sind am Anfang des Straßenverzeichnisses in Rot aufgeführt.

WOLFRATSHAUSEN 8190. Bayern [413] R 23, [987] ㊲, [426] ⑰ – 15 500 Ew – Höhe 577 m – ☎ 08171.
♦München 29 – Garmisch-Partenkirchen 57 – Bad Tölz 23 – Weilheim 31.

🏠 **Humplbräu**, Obermarkt 2, ☎ 71 15 – 🚗 [P]
✦ *Mai - Juni 4 Wochen geschl.* – Karte 18/40 *(Sonntag ab 14 Uhr geschl.)* – **22 Z : 50 B** 42/58 - 62/92 – 8 Fewo 82.

In Egling 8195 O : 7 km :

🏨 **Zur Post**, Hauptstr. 11, ☎ (08176) 3 84, ♨ – ☎ 🚗 [P]. [E]
✦ *Nov. 3 Wochen geschl.* – Karte 19,50/38 *(Montag geschl.)* 🍷 – **8 Z : 14 B** 43 - 71.

Siehe auch : *Geretsried*

WOLFSBURG 3180. Niedersachsen [987] ⑯ – 129 000 Ew – Höhe 60 m – ☎ 05361.
[i] Tourist-Information, Pavillon, Rathausplatz, ☎ 28 25 50.
ADAC, Goethestr. 44, ☎ 2 50 84, Notruf ☎ 1 92 11.
♦Hannover 91 ③ – ♦Berlin 229 ② – ♦Braunschweig 33 ③ – Celle 80 ③ – Magdeburg 91 ②.

Stadtplan siehe gegenüberliegende Seite.

🏨 **Holiday-Inn**, Rathausstr. 1, ☎ 1 20 81, Telex 958475, Fax 21608, Grillterrasse, ♨, 🏊 – 🛗 ▤ [TV] [P] 🏛. [AE] [D] [E] [VISA]. ✂ Rest Y **a**
Karte 37/60 – **207 Z : 318 B** 167/214 - 214/240 Fb.

🏨 **Goya**, Poststr. 34, ☎ 2 30 66 – [TV] ☎ [P] Y **b**
Karte 28/55 *(nur Abendessen, Samstag - Sonntag und Juli geschl.)* – **40 Z : 48 B** 85/100 - 115/150 Fb.

🏨 **Alter Wolf** 🔇, Schloßstr. 21, ☎ 6 10 15, « Gartenterrasse » – [TV] ☎ [P] 🏛. [AE] [D] [E]
Karte 26/65 – **31 Z : 41 B** 70/95 - 120/160. X **s**

🏨 Primas, Büssingstr. 18, ☎ 2 00 40, ♨ – [TV] ☎ [P] 🏛 Y **d**
50 Z : 70 B Fb.

WOLFSBURG

Bahnhofspassage	Y 4
Heßlinger Straße	Y
Kaufhof	Y 19
Porschestraße	Y
Rothenfelder Straße	Y
Berliner Brücke	XY 7
Dresdener Ring	X 8
Eichendorffstraße	Y 9
Fallersleber Straße	X 12
Ganghoferstraße	Y 13
Hochring	X 17
Klieverhagen	Y 22
Königsberger Straße	X 23
Lerchenweg	X 24
Marktplatz	Y 25
Pestalozziallee	Y 26
Röntgenstraße	X 27
Rothenfelder Markt	Y 28
Schlesierweg	X 29
Schulenburgallee	X 33
Stadtwaldstraße	X 34

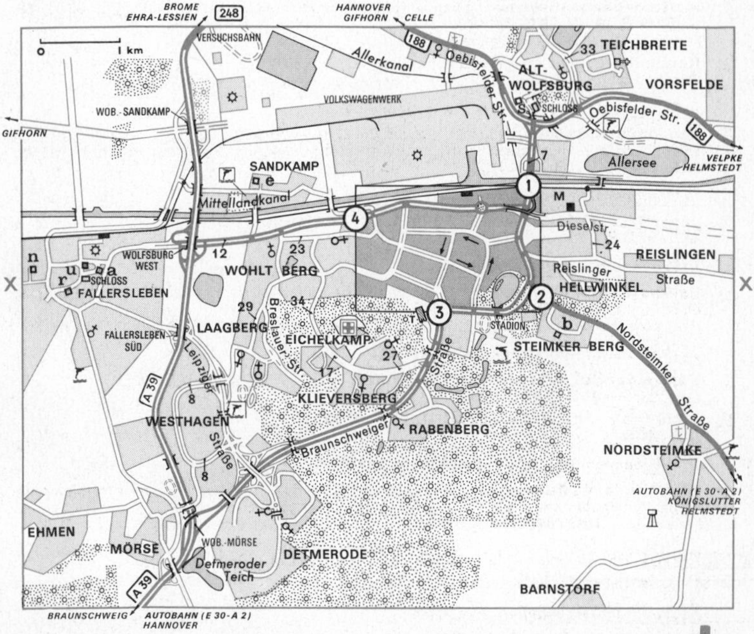

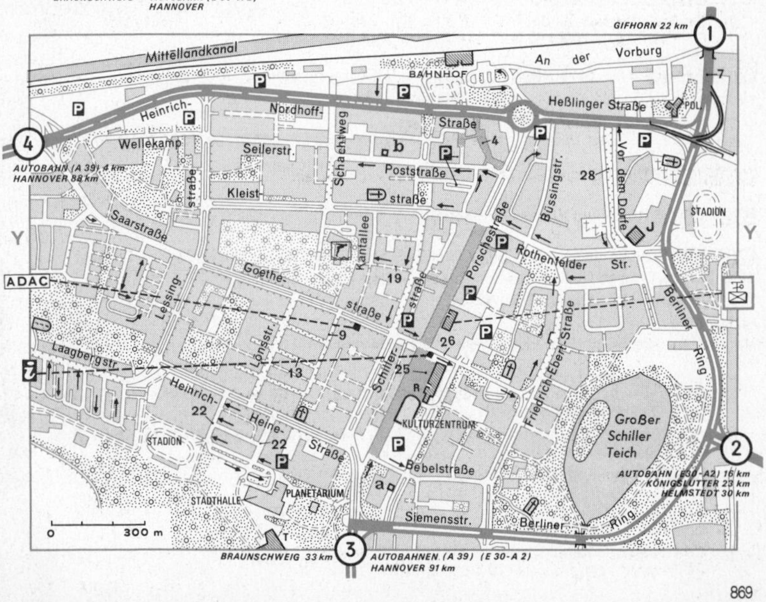

In Wolfsburg 12-Fallersleben – ☎ 05362 :

🏨 **Ludwig im Park - Restaurant La Fontaine**, Gifhorner Str. 25, ✆ 5 10 51, « Stilvolle Einrichtung » – ⇅ [TV] [P] 👥. [AE] [DC] [E] [VISA]. 🚫🐕 X **n**
Karte 65/92 *(Sonntag und Aug. 3 Wochen geschl.)* – **40 Z : 50 B** 130/149 - 195/250 Fb.

🏨 **Zur Börse**, Sandkämperstr. 6, ✆ 23 95 – ☎ 🚗 [P] X **a**
Karte 32/58 *(nur Abendessen, Samstag geschl.)* – **13 Z : 21 B** 70/80 - 110/150 Fb.

🏨 **Hoffmannhaus** (Geburtshaus von Hoffmann von Fallersleben), Westerstr. 4, ✆ 30 02, ⛱ – [TV] ☎ [P] 👥. [AE] [DC] [E] [VISA]. 🚫🐕 X **r**
Karte 37/54 – **18 Z : 30 B** 80 - 130 Fb.

🍴🍴 **Ratskeller**, Bahnhofstr. 17, ✆ 5 11 61 – 👥. [AE] [DC] [E] [VISA] X **u**
Samstag bis 18 Uhr, Sonntag und Juli - Aug. 3 Wochen geschl. – Karte 29/68.

In Wolfsburg 27-Hattorf SW : 10 km über die A 39 X :

🏨 **Landhaus Dieterichs**, Krugstr. 31, ✆ (05308) 22 11 – [TV] ☎ [P]. 🚫🐕
Karte 25/38 *(nur Abendessen, Freitag - Sonntag und Juli - Aug. 3 Wochen geschl.)* – **35 Z : 60 B** 38/46 - 75/80 Fb.

In Wolfsburg 16-Sandkamp :

🏨 **Jäger** 🌙 garni, Fasanenweg 5, ✆ 3 10 11, 🌳 – ☎ 🚗 [P] X **e**
20 Z : 32 B 80 - 110 Fb.

In Wolfsburg 1-Steimkerberg :

🏨 **Parkhotel Steimkerberg** 🌙, Unter den Eichen 55, ✆ 50 50, Fax 505250, ⛱, « Elegante Einrichtung » – [TV] [P] 👥. [AE] [DC] [E] [VISA] X **b**
Juli - Aug. 3 Wochen geschl. – Karte 45/79 *(Freitag geschl.)* – **40 Z : 60 B** 95/140 - 160/180 Fb.

In Wolfsburg 11-Vorsfelde über die B 188 X :

🏨 **Vorsfelder Hof**, Achtenbütteler Weg, ✆ (05363) 41 81 – [TV] ☎ [P]. [AE] [E]. 🚫🐕
Karte 28/50 – **41 Z : 60 B** 59 - 99 Fb.

🏨 Conni, Bahnhofstr. 19, ✆ (05363) 41 41, ♨ – ☎ [P]
29 Z : 44 B.

In Weyhausen 3171 NW : 9 km über die B 188 X:

🏨 **Alte Mühle**, Wolfsburger Str. 72 (B 188), ✆ (05362) 6 20 21, ⛱, « Moderner Hotelbau mit rustikalem Restaurant », ♨, 🏊 – ⇅ [TV] [P] 👥. [AE] [DC] [E] [VISA]
Karte 62/84 – **50 Z : 84 B** 149/172 - 224 Fb.

WOLFSTEIN 6759. Rheinland-Pfalz – 2 500 Ew – Höhe 188 m – ☎ 06304.
Mainz 83 – Kaiserslautern 23 – Bad Kreuznach 47.

In Wolfstein-Reckweilerhof N : 3 km :

🏨 **Reckweilerhof**, an der B 270, ✆ 6 18, ♨ – 🚗 [P]. [E]
Karte 20/45 🍷 – **20 Z : 40 B** 27/38 - 52/74 – P 43/55.

WOLNZACH 8069. Bayern [413] R 21, [987] ㊲ – 7 300 Ew – Höhe 414 m – ☎ 08442.
♦München 59 – Ingolstadt 31 – Landshut 47 – ♦Regensburg 65.

🏨 **Schloßhof**, Schloßstr. 12, ✆ 35 49 – 🚗
23. Dez.- 12. Jan. geschl. – Karte 18/29 *(Samstag geschl.)* – **20 Z : 30 B** 35/60 - 60/100.

WOLPERTSWENDE Baden-Württemberg siehe Weingarten.

WOLSFELD Rheinland-Pfalz siehe Bitburg.

WORMS 6520. Rheinland-Pfalz [413] I 18, [987] ㉔ ㉕ – 73 500 Ew – Höhe 100 m – ☎ 06241.
Sehenswert : Dom★★ (Reliefs aus dem Leben Christi★) – Judenfriedhof★ Z.
[i] Verkehrsverein, Neumarkt 14, ✆ 85 35 60.
ADAC, Ludwigstr. 19, ✆ 66 17.
Mainz 45 ① – ♦Darmstadt 43 ② – Kaiserslautern 53 ④ – ♦Mannheim 22 ③.

Stadtplan siehe gegenüberliegende Seite.

🏨 **Dom-Hotel**, Obermarkt 10, ✆ 69 13, Telex 467846 – ⇅ [TV] ☎ 🚗 👥 (mit ▤). [AE] [DC] [E] [VISA]
Karte 32/58 *(Samstag bis 18 Uhr und Sonntag geschl.)* – **60 Z : 90 B** 73/97 - 115/150 Fb. Y **x**

🏨 **Nibelungen** garni, Martinsgasse 16, ✆ 69 77, Telex 467829 – ⇅ [TV] ☎ [P] 👥. [AE] [DC] [E]. 🚫🐕
46 Z : 68 B 100/120 - 150/180 Fb. Y **a**

🏨 **Kriemhilde**, Hofgasse 2, ✆ 62 78 – ☎. [AE] [DC] [E]. 🚫🐕 Rest Z **c**
Karte 24/42 *(Samstag ab 15 Uhr geschl.)* 🍷 – **20 Z : 32 B** 50/80 - 85/110 Fb.

🏨 **Römischer Kaiser**, Römerstr. 72, ✆ 69 36 – ☎. [AE] [DC] [VISA] Z **b**
Karte 28/61 – **11 Z : 19 B** 75 - 125.

🏨 **Central** garni, Kämmererstr. 5, ✆ 64 57 – ⇅ ☎ 🚗. [AE] [E] Z **a**
20. Dez.- 10. Jan. geschl. – **20 Z : 34 B** 46/75 - 78/95.

WORMS

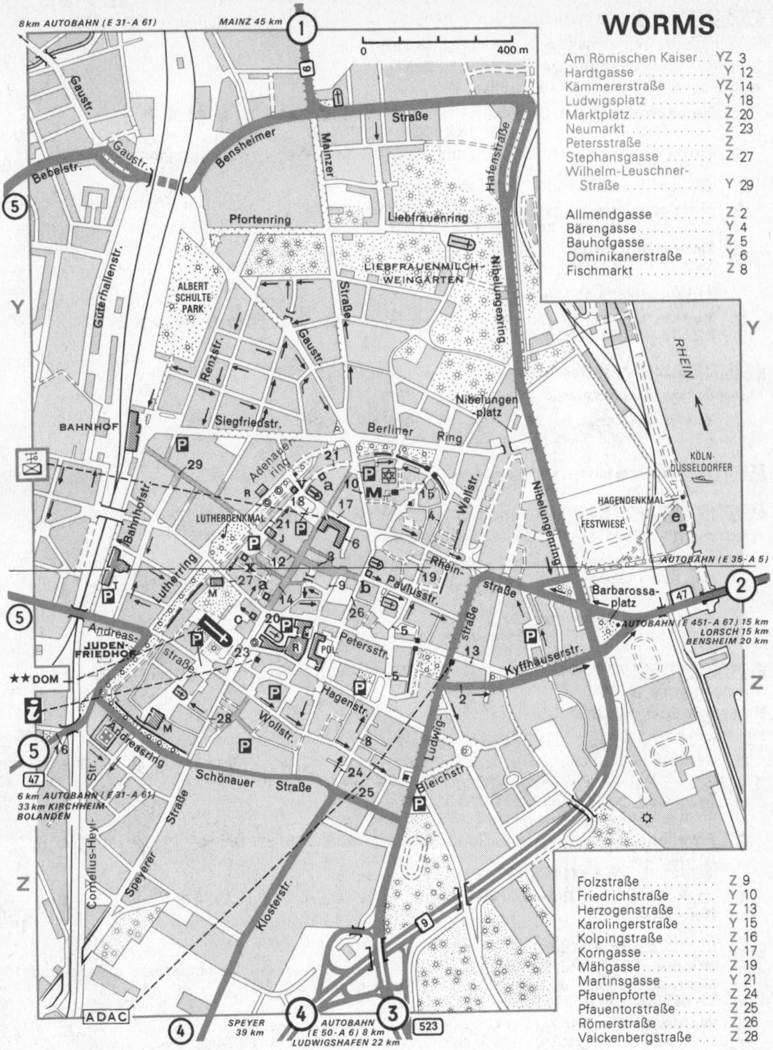

XX **Tivoli** (Italienische Küche), Adenauer-Ring 4, ☎ 2 84 85 – AE ① E VISA — Y **v**
Juli geschl. – Karte 29/57.

X Rheinischer Hof - Rheincafé, Am Rhein 3, ☎ 2 39 50, ←, 🏝 – ℗ — Y **e**

In Worms 21 - Pfeddersheim ⑤ : 5,5 km :

🏠 **Pfeddersheimer Hof**, Zellertalstr. 35 (B 47), ☎ (06247) 8 11, Biergarten – ℗
Karte 22/40 *(Freitag geschl.)* – **18 Z : 34 B** 42 - 68 Fb.

In Worms 31-Rheindürkheim ① : 9 km :

Krone, Im Eck 1, ☎ (06242) 15 14 – TV ℗
(nur Abendessen für Hausgäste) – **8 Z : 13 B** 29/45 - 65/75.

XX ✿ **Rôtisserie Dubs**, Kirchstr. 6, ☎ (06242) 20 23 – E
Samstag bis 18 Uhr, Dienstag und Juli - Aug. 2 Wochen geschl. – Karte 55/90
Spez. Lachs mit Ingwer und Feigensenf, Gänsestopfleber mit Muskatellertrauben in Beerenauslese, Ochsenlende in Heu gegart.

[WORPSWEDE] 2862. Niedersachsen – 8 400 Ew – Höhe 50 m – Erholungsort – 📞 04792.

⛳ Vollersode, Giehlermühlen (N : 18 km), ✆ (04763) 73 13.

ℹ Fremdenverkehrsbüro, Bergstr. 13, ✆ 14 77.

◆Hannover 142 – ◆Bremen 25 – ◆Bremerhaven 59.

🏨 **Eichenhof** 🪑 garni, Ostendorfer Str. 13, ✆ 26 76, ♨, 🌳 – [TV] ☎ [P]. [AE] [D] E. 🐕
Mitte Dez.- Mitte Jan. geschl. – **16 Z : 33 B** 85/112 - 126/156 Fb.

🏨 **Hotel am Kunstcentrum** 🪑 garni, Hans-am-Ende-Weg 4, ✆ 5 50, ♨, 🌳, Fahrradverleih – ☎ [P]. [AE] E
20. Dez.- 5. Jan. geschl. – **21 Z : 40 B** 70/84 - 110/125.

🏨 **Haar** garni, Hembergstr. 13, ✆ 12 88, 🌳 – 🚗 [P]
Nov.- Dez. 4 Wochen geschl. – **17 Z : 29 B** 50/57 - 85/96.

🏨 **Deutsches Haus**, Findorffstr. 3, ✆ 12 05, ⛱ – [P]. [AE] [D] E
Karte 27/52 *(Dienstag - Mittwoch geschl.)* – **9 Z : 14 B** 50/70 - 70/98.

In Worpswede-Ostendorf :

🏨 **Bonner's Hotel** 🪑 garni, Hinterm Berg 24, ✆ 34 55, ♨ – [TV] ☎ [P]. [AE] [D] E [VISA]
8 Z : 16 B 79/89 - 128/148.

[WREMEN] 2851. Niedersachsen – 1 500 Ew – Höhe 2 m – 📞 04705.

◆Hannover 195 – ◆Bremerhaven 18 – Cuxhaven 32.

🍴 **Zur Börse**, Lange Str. 22, ✆ 4 24 – [AE] [D] E [VISA]
Mittwoch und 23. Jan.- 12. Feb. geschl. – Karte 27/60.

[WRIEDEL] Niedersachsen siehe Amelinghausen.

[WÜLFRATH] 5603. Nordrhein-Westfalen – 20 700 Ew – Höhe 195 m – 📞 02058.

◆Düsseldorf 21 – ◆Essen 24 – ◆Köln 50 – Wuppertal 15.

🍴🍴🍴 **Glocke** (in einem Haus a.d. 17. Jh.), Kirchplatz 4 (1. Etage), ✆ 7 14 12
nur Abendessen, Sonn- und Feiertage sowie Juni - Juli 3 Wochen geschl. – Karte 45/68 (Tischbestellung ratsam).

🍴🍴 **Ratskeller**, Wilhelmstr. 131, ✆ 55 01
Samstag bis 18 Uhr und Mittwoch geschl. – Karte 34/51.

[WÜNNENBERG] 4798. Nordrhein-Westfalen [987] (15) – 9 800 Ew – Höhe 271 m – Luftkurort – Kneippkurort – 📞 02953.

ℹ Verkehrsamt, Im Aatal 3, ✆ 17 20.

◆Düsseldorf 169 – Brilon 20 – ◆Kassel 84 – Paderborn 28.

🏨 **Jagdhaus** 🪑, Schützenstr. 58, ✆ 2 23, ⛱, 🏋, ♨, 🏊, 🌳 – [TV] ☎ 🚗 [P] 👥. [AE] [D] E
Karte 23/59 *(Dienstag ab 14 Uhr geschl.)* – **40 Z : 75 B** 46/95 - 110/170 Fb.

🏨 Tannenhof 🪑, Tannenweg 14, ✆ 4 37, 🌳 – [P]
(Restaurant nur für Hausgäste) – **18 Z : 30 B.**

🏨 **Forellenhof** 🪑, Im Aatal (beim Kurpark, S : 1 km), ✆ 83 62, ⛱, ♨, 🏊, 🌳 – [TV] ☎ [P] 👥. [AE] [D] E
Karte 24/42 – **6 Z : 11 B** 55/95 - 85/110 – 16 Fewo 65/110.

🏨 **Park-Café Haus Rabenskamp** 🪑 garni, Hoppenberg 2, ✆ 83 49 – [P]
16 Z : 26 B 40 - 70.

In Wünnenberg-Bleiwäsche S : 8 km :

🏨 **Waldwinkel** 🪑 (mit Gästehaus), Roter Landweg, ✆ 5 44, ≤, « Gartenterrasse », Bade- und Massageabteilung, 🏋, ♨, 🏊, 🌳 – ⇅ [TV] [P] 👥. [AE] [D] E [VISA]
Karte 28/57 – **74 Z : 140 B** 70/98 - 140/210 Fb.

🏨 **Waldhaus Fischer** 🪑, Zur Glashütte 30, ✆ 2 71, 🌳 – 🚗 [P]
➡ *15. Nov.- 15. Dez. geschl.* – Karte 18,50/30 – **21 Z : 36 B** 32/34 - 60/64.

In Wünnenberg-Haaren N : 7,5 km :

🏨 **Münstermann**, Paderborner Str. 7, ✆ (02957) 10 20, ♨, 🏊 – [P]
15.- 29. Dez. geschl. – Karte 20/39 *(Freitag geschl.)* – **49 Z : 76 B** 36/45 - 62/80 – P 62.

[WÜRSELEN] 5102. Nordrhein-Westfalen [408] (26), [212] (2), [213] (24) – 33 600 Ew – Höhe 180 m – 📞 02405.

◆Düsseldorf 80 – ◆Aachen 6,5 – Mönchengladbach 47.

🏨 **Park-Hotel**, Aachener Str. 2 (B 57), ✆ 25 36 – ⇅ ☎ 🚗 [P]
➡ Karte 15/47 *(Sonntag ab 14 Uhr geschl.)* – **42 Z : 69 B** 38/60 - 70/90.

🍴🍴 **Rathaus-Restaurant**, Morlaixplatz 3, ✆ 51 30 – [P]. [AE] [D] E [VISA]
Karte 36/63.

In Würselen-Bardenberg NW : 2,5 km :

🍴🍴 **Alte Mühle** 🪑 mit Zim, Im Wurmtal, ✆ 1 50 66, ⛱, ♨, 🏊, 🌳 – [TV] ☎ [P] 👥. [AE] [D] E
Karte 31/60 – **20 Z : 34 B** 85 - 130.

WÜRZBACH Baden-Württemberg siehe Oberreichenbach.

WÜRZBURG 8700. Bayern [413] M 17, [987] ㉕ ㉖ – 124 000 Ew – Höhe 182 m – ☎ 0931.

Sehenswert : Residenz** (Kaisersaal**, Hofkirche**, Treppenhaus*, Hofgarten*) – Haus zum Falken* X N – Mainbrücke* Y – St.-Alfons-Kirche* Z – Neumünster (Fassade*) XY E – Festung Marienberg : Mainfränkisches Museum**, Fürstengarten <* Z – Käppele (Terrasse <**) Z A.

Ausflugsziel : Romantische Straße ** (von Würzburg bis Füssen).

🚗 ℘ 3 43 43.

[i] Verkehrsamt, Pavillon vor dem Hauptbahnhof, ℘ 3 74 36.

[i] Verkehrsamt im Würtzburg-Palais, am Congress-Centrum, ℘ 3 73 35.

ADAC, Sternplatz 1, ℘ 5 23 26, Notruf ℘ 1 92 11.

♦München 281 ② – ♦Darmstadt 123 ④ – ♦Frankfurt am Main 119 ④ – Heilbronn 105 ④ – ♦Nürnberg 110 ②.

Stadtplan siehe nächste Seite.

🏨 **Maritim Hotel Würzburg**, Pleichertorstr. 5, ℘ 5 08 31, Telex 680005, Fax 18682, ≘s, [▣] – [⇅] ▤ [TV] ♿ [P] 🏛. [AE] ① E [VISA]. ✗ Rest — X k
Restaurants : – **Palais** *(Aug. und Sonntag geschl.)* Karte 61/82 – **Weinstube** Karte 42/67 – **293 Z : 530 B** 155/255 - 208/308 Fb – 4 Appart. 540.

🏨 **Rebstock** (Rokokofassade a.d.J. 1737), Neubaustr. 7, ℘ 3 09 30, Telex 68684, Fax 3093100 – [⇅] ▤ Rest [TV] [P] 🏛. [AE] ① E [VISA] — Y v
2.- 16. Jan. geschl. – Karte 43/66 *(Sonn- und Feiertage ab 15 Uhr geschl.)* – **Fränkische Weinstube** *(ab 15 Uhr geöffnet, Dienstag geschl.)* Karte 28/50 – **81 Z : 116 B** 118/198 - 188/285 Fb.

🏨 **Walfisch** 🐚, Am Pleidenturm 5, ℘ 5 00 55, Telex 68499, Fax 51690, < Main und Festung – [⇅] ▤ [TV] ☎ 🚗 🏛. [AE] ① E [VISA] — Y b
Karte 26/50 *(auch vegetarische Gerichte)* (Sonntag ab 15 Uhr geschl.) – **41 Z : 60 B** 110/150 - 160/220.

🏨 **Amberger**, Ludwigstr. 17, ℘ 5 01 79, Telex 68465 – [⇅] [TV] ☎ 🚗 🏛. [AE] ① E [VISA] — X t
24. Dez.- 6. Jan. geschl. – Karte 28/56 *(auch vegetarische Gerichte)* (Sonntag 15 Uhr - Montag geschl.) – **75 Z : 115 B** 115/140 - 140/200 Fb.

🏨 **Grüner Baum** garni, Zeller Str. 35, ℘ 4 70 81, Telex 680109 – [TV] ☎ 🚗. [AE] ① E [VISA] — Z e
23. Dez.- 7. Jan. geschl. – **24 Z : 48 B** 100/140 - 150/190 Fb.

🏨 **Alter Kranen** garni, Kärrnergasse 11, ℘ 5 00 39 – [⇅] [TV] ☎. [AE] ① E — X a
17 Z : 26 B 70/100 - 100/120.

🏨 **Strauss - Restaurant Würtzburg**, Juliuspromenade 5, ℘ 5 05 88 – [⇅] [TV] ☎ 🚗 [P] 🏛
20. Dez.- Jan. geschl. – Karte 23/52 *(Dienstag geschl.)* 🍷 – **75 Z : 125 B** 64/85 - 100/110 Fb. — X v

🏨 **Franziskaner** garni (siehe auch Restaurant Klosterschänke), Franziskanerplatz 2, ℘ 1 50 01 – [⇅] ☎. [AE] ① E [VISA] — Y x
24. Dez.- 1. Jan. geschl. – **47 Z : 74 B** 72/100 - 90/132.

🏨 **St. Josef** garni, Semmelstr. 28, ℘ 5 31 41 – [TV] ☎ 🚗. ✗ — X p
35 Z : 50 B 60/80 - 100/130.

🏨 **Schönleber** garni, Theaterstr. 5, ℘ 1 20 68 – [⇅] ☎. [AE] ① E [VISA]. ✗ — X n
22. Dez.- 7. Jan. geschl. – **34 Z : 50 B** 48/85 - 75/130.

🏨 **Würzburger Hof** garni, Barbarossaplatz 2, ℘ 5 38 14, Telex 68453 – [⇅] [TV] ☎. [AE] ① E [VISA] — X r
36 Z : 60 B 70/120 - 140/210 Fb.

🏨 **Bahnhofhotel Excelsior** garni, Hauger Ring 2, ℘ 5 04 84, Telex 68435 – [⇅] ☎. [AE] ① E [VISA] — X m
46 Z : 62 B 45/90 - 80/200 Fb.

🏨 **Stift Haug** garni, Textorstr. 16, ℘ 5 33 93 – ☎. [AE] ① E [VISA]. ✗ — X u
20 Z : 30 B 45/75 - 75/105.

🏨 **Russ**, Wolfhartsgasse 1, ℘ 5 00 16 (Hotel) 5 91 29 (Rest.) – ☎ 🚗 — Y k
Karte 20/41 – **30 Z : 42 B** 46/90 - 80/128.

🏨 **Central** garni, Koellikerstr. 1, ℘ 5 69 52 – [⇅] [TV] ☎ 🚗. [AE] ① E [VISA] — X e
17. Dez.- 8. Jan. geschl. – **23 Z : 35 B** 40/65 - 90/120.

🏨 **Luitpoldbrücke** garni, Pleichertorstr. 26, ℘ 5 02 44 – [TV] ☎. [AE] ① E [VISA] — X z
20. Dez.- 10. Jan. geschl. – **33 Z : 55 B** 50/90 - 80/140 Fb.

🏠 **Urlaub** 🐚, Bronnbachergasse 4, ℘ 5 48 13, ≘s – [⇅] ☎ 🚗 — X s
◆ *23. Dez.- 7. Jan. geschl.* – Karte 19,50/38 *(Freitag geschl.)* 🍷 – **24 Z : 37 B** 41/66 - 66/100.

🍴 **Ratskeller - Ratsbierstube**, Langgasse 1, ℘ 1 30 21 – [AE] ① E [VISA] — Y R
Nov.- März Dienstag und 9.- 23. Jan. geschl. – Karte 27/54.

🍴 **Zur Stadt Mainz** mit Zim (altfränkische Gaststuben), Semmelstr. 39, ℘ 5 31 55 – ☎
20. Dez.- 20. Jan. geschl. – Karte 26/60 *(Tischbestellung ratsam)* (Feiertage und Sonntag 15 Uhr - Montag geschl.) – **22 Z : 35 B** 36/39 - 60/70. — X p

🍴 **Klosterschänke**, Franziskanerplatz 2, ℘ 5 52 21 – [AE] ① E [VISA] — Y x
◆ *Sonntag 15 Uhr - Montag geschl.* – Karte 17/49 *(auch vegetarische Gerichte)*.

🍴 **Burggaststätte**, In der Festung Marienberg, ℘ 4 70 12, < Würzburg, 🌳 – ♿ [P] — Z
Montag und 8. Jan.- 13. Feb. geschl. – Karte 23/40.

🍴 Hemmerlein mit Zim, Balthasar-Neumann-Promenade, « Laubenterrasse » — Y s
10 Z : 16 B.

WÜRZBURG

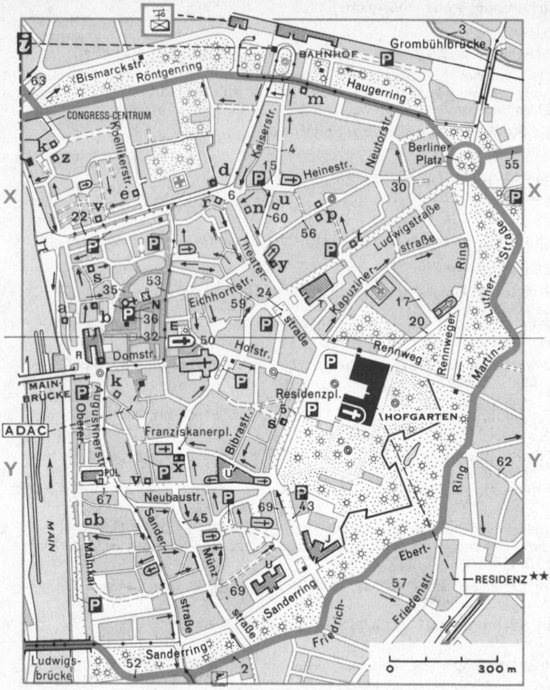

Augustinerstraße Y
Bahnhofstraße X 4
Barbarossaplatz X 6
Domstraße Y
Eichhornstraße X
Juliuspromenade X 22
Kaiserstraße X
Kürschnerhof XY 32
Marktplatz X 36
Schönbornstraße X 53
Semmelstraße X 56
Spiegelstraße X 59
Textorstraße X 60
Theaterstraße X

Am Studentenhaus Y 2
Auverastraße X 3
Balthasar-Neumann-Promenade Y 5
Franz-Ludwig-Str. Z 9
Friedensbrücke Z 12
Haugerkirchplatz X 15
Hofstallstraße X 17
Husarenstraße X 20
Kantstraße Z 23
Kardinal-Faulhaber-Platz X 24
Keesburgstraße Z 25
Kroatengasse X 30
Marienplatz X 35
Mergentheimer Str. Z 37
Nikolausstraße Z 39
Nürnberger Straße Z 42
Ottostraße Y 43
Peterstraße Y 45
Rimparer Straße Z 49
St. Kiliansplatz Y 50
Sanderglacisstraße Y 52
Schweinfurter Str. X 55
Sieboldstraße Y 57
Urlaubstraße Z 61
Valentin-Becker-Str. Y 62
Veitshöchheimer Str. Z 63
Virchowstraße Z 65
Vogelweider Weg Z 66
Wirsbergstraße Y 67
Zwinger Y 69

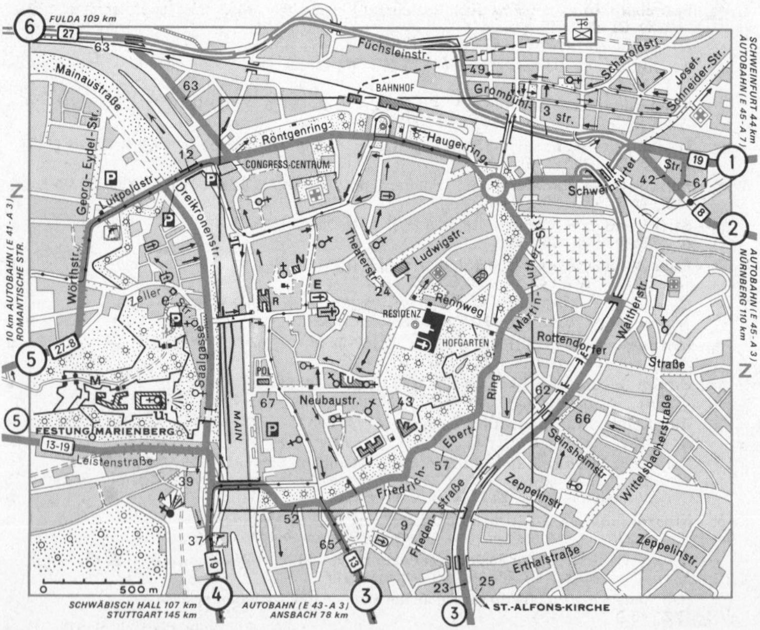

Fränkische Weinstuben :

X **Weinhaus zum Stachel**, Gressengasse 1, ✆ 5 27 70, « Innenhof "Stachelhof" » – E
ab 16 Uhr geöffnet, Sonntag, 1.- 10. Jan. und 12. Aug.- 5. Sept. geschl. – Karte 28/52 ♁. X b

X **Bürgerspital-Weinstuben**, Theaterstr. 19, ✆ 1 38 61 X y
Dienstag geschl. – Karte 21/38 ♁.

X **Juliusspital**, Juliuspromenade 19, ✆ 5 40 80 X d
Mittwoch und Feb. geschl. – Karte 20/40 ♁.

In Würzburg-Heidingsfeld ④ : 3 km :

Post Hotel, Mergentheimer Str. 162, ✆ 70 50 05/6 50 05 (Hotel) 88 03 04 (Rest.), Telex 68471 – TV P
Karte 21/44 *(Balkan-Küche)* (Montag geschl.) – **66 Z : 130 B** 79/119 - 119/169 Fb.

In Würzburg-Lindleinsmühle ① : 2 km :

Lindleinsmühle garni, Frankenstr. 15, ✆ 2 30 46, – P
21 Z : 39 B 50/55 - 90.

In Würzburg-Versbach ① : 3 km :

Mühlenhof-Daxbaude, Frankenstr. 205, ✆ 2 10 01, Telex 680077, – TV P. AE E
Karte 35/65 *(Montag geschl.)* – **34 Z : 70 B** 90/120 - 120/140.

In Würzburg-Zellerau ⑤ : 2 km :

Wittelsbacher Höh, Hexenbruchweg 10, ✆ 4 20 85, Telex 680085, ≤ Würzburg, « Gartenterrasse », – TV P. AE E VISA
Karte 35/65 – **74 Z : 140 B** 89/133 - 142/198 Fb.

Im Steinbachtal SW : 5 km über ④ :

XX **Waldesruh**, Steinbachtal 82, ✉ 8700 Würzburg, ✆ (0931) 8 76 25, – P. AE E VISA
Mittwoch und 15.- 31. Jan. geschl. – Karte 32/61.

X **Postkutscherl**, Waldkugelweg 5, ✉ 8700 Würzburg, ✆ (0931) 7 29 58, – E.
Dienstag und Aug. geschl. – Karte **32**/55.

Auf dem Steinberg ⑥ : 6,5 km, schmale Zufahrt ab Unterdürrbach :

Schloß Steinburg, ✉ 8700 Würzburg, ✆ (0931) 9 30 61, Telex 680102, ≤ Würzburg und Marienberg, « Gartenterrasse », – P. AE E VISA
Karte 30/60 – **50 Z : 90 B** 75/100 - 130/170 Fb.

In Höchberg **8706** ⑤ : 4 km :

Lamm, Hauptstr. 76, ✆ (0931) 40 90 94, – P. E VISA
26. Dez.- 15. Jan. geschl. – Karte 21/54 *(Mittwoch geschl.)* ♁ – **38 Z : 60 B** 65/98 - 90/150 Fb.

Frankenhof, Hauptstr. 3, ✆ (0931) 40 90 91 – P
27 Z : 52 B Fb.

In Rottendorf **8702** ② : 6 km :

Zum Kirschbaum, Würzburger Str. 18 (B 8), ✆ (09302) 8 12 – P
Karte 19/43 *(Nov.- Feb. Samstag geschl.)* – **61 Z : 84 B** 40/70 - 80/120.

X **Waldhaus**, nahe der B 8, ✆ (09302) 12 56, – P
Donnerstag und 21. Aug.- 8. Sept. geschl. – Karte 21/46 ♁.

In Biebelried **8710** ② : 12 km, nahe der Autobahnausfahrt A 3 und A 7 :

Leicht (altfränkische Gaststuben), Würzburger Str. 3 (B 8), ✆ (09302) 8 14, – P. AE E
23. Dez.- 10. Jan. geschl. – Karte 34/58 *(Sonntag geschl.)* – **70 Z : 105 B** 85/110 - 120/180 Fb.

In Erlabrunn **8702** ⑥ : 12 km :

Gästehaus Tenne garni, Würzburger Str. 4, ✆ (09364) 93 84, « Bäuerliche Einrichtung » – P.
13 Z : 21 B 40 - 70.

Weinhaus Flach, Würzburger Str. 16, ✆ (09364) 13 19, , eigener Weinbau – P
Mitte Jan.- Mitte Feb. geschl. – Karte 18,50/48 ♁ – **22 Z : 35 B** 40/45 - 66/75.

WÜSTENROT **7156**. Baden-Württemberg 413 L 19 – 5 900 Ew – Höhe 485 m – Erholungsort – ☎ 07945.

♦Stuttgart 58 – Heilbronn 27 – Schwäbisch Hall 24.

Waldhotel Raitelberg, Schönblickstr. 39, ✆ 83 11, , – P. E
Karte 25/57 ♁ – **35 Z : 60 B** 62/82 - 95/115 Fb.

In Wüstenrot-Neulautern SW : 4 km :

Café Waldeck, Waldeck 7, ✆ (07194) 3 23, ≤, , – P. Zim
Mitte Dez.- Mitte Feb. geschl. – Karte 22/45 ♁ – **17 Z : 28 B** 30/41 - 56/82 – P 42/57.

WUNSIEDEL 8592. Bayern [418] S 16, [987] ㉗ – 11 000 Ew – Höhe 537 m – ☏ 09232.

Ausflugsziel : Luisenburg : Felsenlabyrinth** S : 3 km.

ℹ Verkehrsamt, Jean-Paul-Str. 5 (Fichtelgebirgshalle), 📞 60 21 62.

♦München 280 – Bayreuth 48 – Hof 36.

🏨 **Wunsiedler Hof**, Jean-Paul-Str. 3, 📞 40 81, ☂ – ⇅ ☎ [P] 👥. [AE] [D] [E]
Karte 30/58 – **35 Z : 70 B** 55/60 - 88/97 Fb.

🏨 **Kronprinz von Bayern**, Maximilianstr. 27, 📞 35 09 – [TV] ☎ [P]
Karte 23/63 *(Montag geschl.)* – **28 Z : 50 B** 45/50 - 90.

🏨 **Garni-Leeg** 🐦, Alte Landgerichtsstr. 18, 📞 22 01, 🌳 – 🚗
12 Z : 17 B 30/35 - 47/56.

In Wunsiedel-Juliushammer O : 3,5 km Richtung Arzberg :

🏨 **Juliushammer** 🐦, 📞 10 85, Telex 641279, ≘s, 🏊 (geheizt), [🏊], 🌳, 🎾 – ☎ [P] 👥. [AE] [D] [E]
Karte 25/49 – **18 Z : 38 B** 55 - 76/95 Fb – 3 Fewo 130/156.

WUNSTORF 3050. Niedersachsen [987] ⑮ – 38 000 Ew – Höhe 50 m – ☏ 05031.

ℹ Städt. Verkehrsamt, Steinhude, Meerstr. 2, (Strandterrassen), 📞 17 45.

♦Hannover 23 – Bielefeld 94 – ♦Bremen 99 – ♦Osnabrück 124.

🏨 **Wehrmann**, Kolenfelder Str. 86, 📞 1 21 63 – ⇅ ☎ [P] 👥. 🚫🐕
Karte 21/32 *(nur Abendessen, Sonn- und Feiertage geschl.)* – **25 Z : 33 B** 55 - 88.

In Wunstorf 2-Steinhude NW : 8 km – Erholungsort – ☏ 05033 :

🏨 **Haus am Meer** 🐦, Uferstr. 3, 📞 10 22, <, « Gartenterrasse » – [TV] ☎ [P]
15. Dez.- Jan. geschl. – Karte 34/61 – **13 Z : 26 B** 58/75 - 85/150.

🏨 **Tiedemann** 🐦 garni, Am Knick 4, 📞 53 94
8 Z : 14 B 38/55 - 70.

🏨 Schaumburger Hof, Graf-Wilhelm-Str. 22, 📞 15 70
15 Z : 28 B.

🍴 **Schweers-Harms-Fischerhus**, Graf-Wilhelm-Str. 9, 📞 52 28, ☂, « Altes niedersächsisches Bauernhaus » – [P]
Sept.- Mai Montag und Anfang Jan.- Mitte Feb. geschl. – Karte 24/51.

🍴 **Strandterrassen**, Meerstr. 2, 📞 50 00, <, ☂ – [P]. [D] [E] [VISA]
Karte 22/44.

WUPPERTAL 5600. Nordrhein-Westfalen [987] ⑭ – 380 000 Ew – Höhe 167 m – ☏ 0202.

Sehenswert : Schwebebahn* – Von-der-Heydt-Museum*.

⛳ Siebeneickerstr. 386 (AX), 📞 (02053) 71 77 ; ⛳ Frielinghausen 1, 📞 (0202) 6 47 57 53.

ℹ Informationszentrum, Wuppertal-Elberfeld, Pavillon Döppersberg, 📞 5 63 21 80.

ADAC, Wuppertal-Elberfeld, Friedrich-Ebert-Str. 146, 📞 31 34 52 und Wuppertal-Barmen, Friedrich-Engels-Allee 305, 📞 8 26 26, Notruf 📞 1 92 11.

♦Düsseldorf 36 ④ – ♦Dortmund 48 ① – ♦Duisburg 55 ⑦ – ♦Essen 35 ⑤ – ♦Köln 56 ①.

Stadtpläne siehe nächste Seiten.

In Wuppertal 2-Barmen :

🏨 **Golfhotel Juliana**, Mollenkotten 195, 📞 6 47 50, Telex 8591227, Fax 6475777, « Terrasse mit < », Bade- und Massageabteilung, ≘s, 🏊 (geheizt), [🏊], 🌳, 🎾, ⛳ – ⇅ 🚭 Zim [TV] ♿ 🚗 [P] 👥. [AE] [D] [E] [VISA] BX **u**
Karte 43/80 *(Tischbestellung ratsam)* – **147 Z : 262 B** 150/210 - 200/225 Fb – 3 Appart. 395.

🏨 **Villa Christina** 🐦 garni, Richard-Strauss-Allee 18, 📞 62 17 36, « Ehem. Villa in einem kleinen Park », 🏊 (geheizt), 🌳 – [TV] ☎ [P]. [AE] [D] [E] [VISA] DZ **y**
7 Z : 12 B 80/90 - 135/140.

🏨 **Zur Krone** garni, Gemarker Ufer 19, 📞 59 50 20 – ⇅ ☎ 🚗. [AE] [D] [E] [VISA] DZ **a**
17 Z : 24 B 68/73 - 98.

🏨 **Imperial** garni, Heckinghauser Str. 10, 📞 59 40 55, Fax 592628 – ⇅ [TV] ☎ 🚗. [AE] [D] [E] [VISA]. 🚫🐕 DZ **e**
27 Z : 40 B 69/95 - 95/125 Fb.

🏨 **Paas**, Schmiedestr. 55 (B 51), 📞 66 17 06 – ☎ [P]. [AE] [D] [E] [VISA] BX **n**
Karte 21/46 *(Samstag geschl.)* – **12 Z : 18 B** 60/70 - 90/100.

🏨 Parkhotel garni, Mollenkotten 245, 📞 66 00 25 – ☎ 🚗 [P] BX **h**
20 Z : 32 B.

🍴🍴 Restaurant an der Oper, Friedrich-Engels-Allee 378 (B 7), 📞 55 52 70 – [P] BX **x**

🍴🍴 **Jagdhaus Mollenkotten**, Mollenkotten 144, 📞 52 26 43, Gartenterrasse – [P]. [AE] [D] [E] [VISA]
Montag - Dienstag, 9.- 24. Jan. und 28. Juni - 20. Juli geschl. – Karte **27**/60. BX **e**

🍴🍴 **Maître**, Hugostr. 12, 📞 50 55 89 – [D] BX **a**
nur Abendessen, Montag und Juni - Juli 2 Wochen geschl. – Karte 28/55.

XX Palette Röderhaus, Sedanstr. 68, ✆ 50 62 81, « Antiker Hausrat, Gemäldegalerie » — DZ **d**
nur Abendessen.

XX **Im Vockendahl**, Märkische Str. 124, ✆ 52 05 17 – Ⓟ. E — BX **c**
Dienstag geschl. – Karte 31/61.

XX **Zum Futterplatz**, Obere Lichtenplatzer Str. 102, ✆ 55 63 49 – Ⓟ. ⓓ E VISA — Y **a**
Dienstag und Juni - Juli 4 Wochen geschl. – Karte 33/64.

XX **Villa Foresta**, Forestastr. 11, ✆ 62 19 75, « Gartenterrasse » – Ⓟ — BXY **r**
Karte 30/54.

X **Taverne Aramis** (Mövenpick), Alter Markt 5 (1. Etage), ✆ 59 34 50 – AE ⓓ E — DZ **r**
Karte 29/52.

In Wuppertal 12-Cronenberg :

Zur Post garni, Hauptstr. 49, ✆ 47 40 41 – TV ☎ Ⓟ. AE ⓓ E VISA — AY **e**
18 Z : 22 B 59/95 - 110/145.

In Wuppertal 1-Elberfeld :

Waldhotel Eskeshof, Krummacher Str. 251, ✆ 71 10 47, Telex 8592849, ≤, – TV ☎ ♿ Ⓟ. AE ⓓ E VISA. Rest — AY **b**
Karte 31/58 – **51 Z : 60 B** 98/159 - 128/189 Fb.

Astor garni, Schloßbleiche 4, ✆ 45 05 11, Telex 8591892 – TV ☎ — CZ **e**
45 Z : 55 B 80/120 - 120/160 Fb.

Zur Post garni, Poststr. 4, ✆ 45 01 31 – TV ☎. AE ⓓ E VISA — CZ **p**
55 Z : 80 B 85/105 - 115/130.

Hanseatic garni, Friedrich-Ebert-Str. 116a, ✆ 31 00 88 – TV ☎. AE ⓓ E VISA — AY **r**
23. Dez.- 8. Jan. geschl. – **16 Z : 24 B** 70/85 - 100/120.

Rubin garni, Paradestr. 59, ✆ 45 00 77 – TV ☎ Ⓟ. E VISA. — CZ **f**
12 Z : 20 B 70/80 - 110/120.

XX La Laterna (Italienische Küche), Friedrich-Ebert-Str.15, ✆ 30 41 51 – Ⓟ — CZ **n**

X **Ratskeller** (Mövenpick), Neumarkt 10, ✆ 44 62 92 – AE ⓓ E VISA — CZ **R**
Karte 27/60.

X **Am Husar**, Jägerhofstr. 2, ✆ 42 48 28 – Ⓟ. AE ⓓ E — AY **a**
Samstag bis 18 Uhr und Mittwoch geschl. – Karte 30/62.

X Zum alten Kuhstall, Boettinger Weg 3, ✆ 74 34 27, – Ⓟ — AY **s**

X **Bosnien Stube** (Jugoslawische Küche), Sportstr. 19, ✆ 44 48 21 – AE ⓓ E — CZ **c**
Karte 18/42.

In Wuppertal 21-Ronsdorf :

Atlantic, In der Krim 11, ✆ 46 40 55, Telex 8592414, – TV ☎ Ⓟ. AE ⓓ E VISA — BY **n**
23. Dez.- 2. Jan. geschl., Restaurant geöffnet – Karte 29/58 *(Samstag bis 18 Uhr geschl.)* – **24 Z : 37 B** 98 - 138/168 Fb.

In Wuppertal 11-Sonnborn :

Vollrath garni, Möbeck 42, ✆ 74 30 10 – TV ☎ Ⓟ — AY **t**
30 Z : 38 B 40/75 - 80/130.

XX **Le Menu**, Rutenbecker Weg 159, ✆ 74 42 43, – Ⓟ. ⓓ E VISA — AY **c**
Samstag bis 18 Uhr und Montag geschl. – Karte 50/76.

In Wuppertal 1-Varresbeck :

Novotel, Otto-Hausmann-Ring 203, ✆ 7 19 00, Telex 8592350, Fax 7190333, (geheizt), – TV ☎ ♿ Ⓟ. AE ⓓ E VISA — AY **u**
Karte 33/58 – **128 Z : 256 B** 140 - 180 Fb.

XX Windlicht, Deutscher Ring 40, ✆ 71 02 20 – Ⓟ — AY **d**

In Wuppertal 11-Vohwinkel :

XXX **Scarpati** mit Zim (Italienische Küche), Scheffelstr. 41, ✆ 78 40 74, – TV ☎ Ⓟ. AE ⓓ E VISA — AY **n**
Karte 36/75 – **7 Z : 11 B** 118 - 170.

In Hattingen-Oberelfringhausen **4320** N : 8 km :

XXX **Landhaus Felderbachtal**, Felderbachstr. 133, ✆ (0202) 52 20 11, « Gartenterrasse » – Ⓟ. AE ⓓ E VISA — BX **t**
Karte 48/75 (Tischbestellung ratsam).

Michelin road maps for Germany :
no 984 at 1:750 000
no 987 at 1:1 000 000
no 412 at 1:400 000 (Rhineland-Westphalia, Rhineland-Palatinate, Hessen, Saar)
no 413 at 1:400 000 (Bavaria and Baden-Württemberg)

WUPPERTAL

Straße	Planquadrat	Nr.
Blombacher Bach	BY	7
Briller Straße	AY	13
Cronenberger Straße	AY	16
Dahler Straße	BX	18
Freudenberger Str.	AY	22
Hans-Böckler-Straße	AX	29
Haspeler Straße	AY	30
Höhenstraße	AX	36
Jägerhofstraße	AY	42
Jesinghauser Straße	BX	44
Kapellenweg	ABY	46
Lenneper Straße	BY	59
Liebigstraße	BX	61
Lönsstraße	BY	63
Lüttringhauser Straße	BY	64
Märkische Straße	BX	67
Marktstraße	BY	68
Mörikestraße	BX	71
Nützenberger Straße	AY	72
Oberdüsseler Weg	AX	74
Oberer Grifflenweg	AY	75
Rauental	BX	80
Rauentaler Bergstraße	BX	81
Schmiedestraße	BX	86
Schönebecker Straße	BX	87
Staubenthaler Straße	BY	92
Tannenbergstraße	AY	95
Varresbecker Straße	AY	97
Virchowstraße	AY	98
Westkotter Straße	BX	102

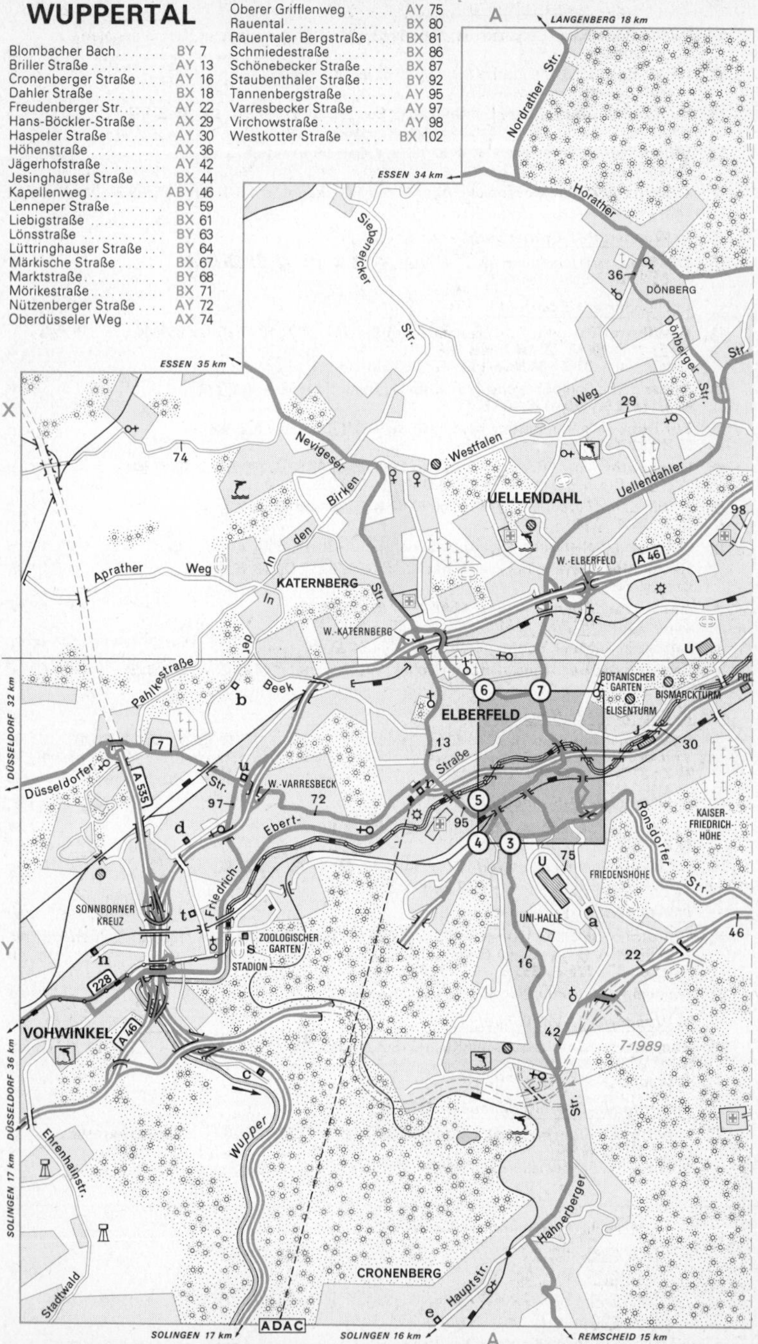

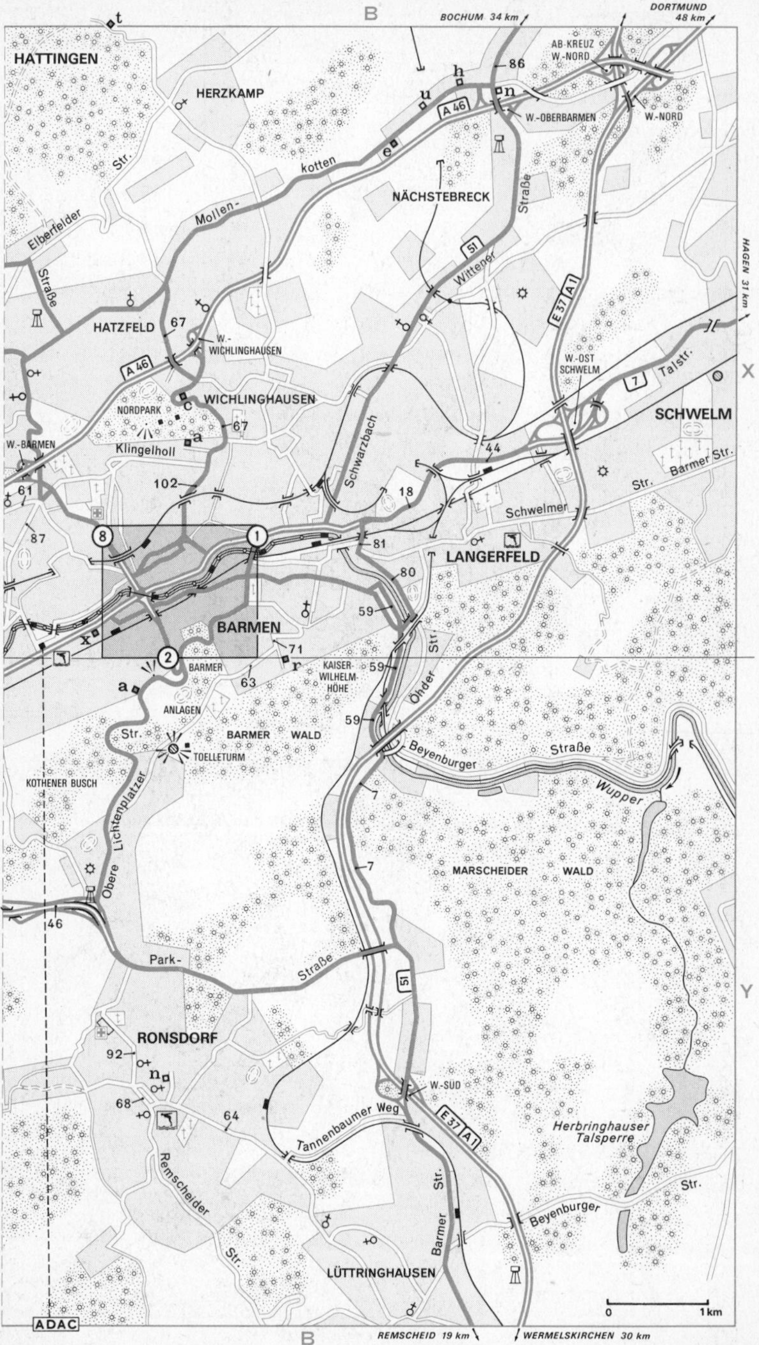
B
BOCHUM 34 km
DORTMUND 48 km
HATTINGEN
HERZKAMP
AB-KREUZ W.-NORD
W.-OBERBARMEN
W.-NORD
A 46
Mollen-
kotten
Elberfelder
Str.
Straße
NÄCHSTEBRECK
Wittener
Straße
51
E 37 A1
HAGEN 31 km
HATZFELD
W.-WICHLINGHAUSEN
W.-OST SCHWELM
Talstr.
7
X
WICHLINGHAUSEN
NORDPARK
Klingelholl
W.-BARMEN
Schwarzbach
SCHWELM
Barmer Str.
Schwelmer Str.
LANGERFELD
BARMEN
BARMER
ANLAGEN
KAISER-WILHELM-HÖHE
BARMER WALD
TOELLETURM
Öhder Str.
Beyenburger Straße
Wupper
KOTHENER BUSCH
Obere Lichtenplatzer Str.
MARSCHEIDER WALD
Park-
Straße
Y
RONSDORF
W.-SÜD
Tannenbaumer Weg
Herbringhauser Talsperre
Remscheider Str.
Barmer Str.
Beyenburger Str.
LÜTTRINGHAUSEN
0
1 km
ADAC
REMSCHEID 19 km
WERMELSKIRCHEN 30 km

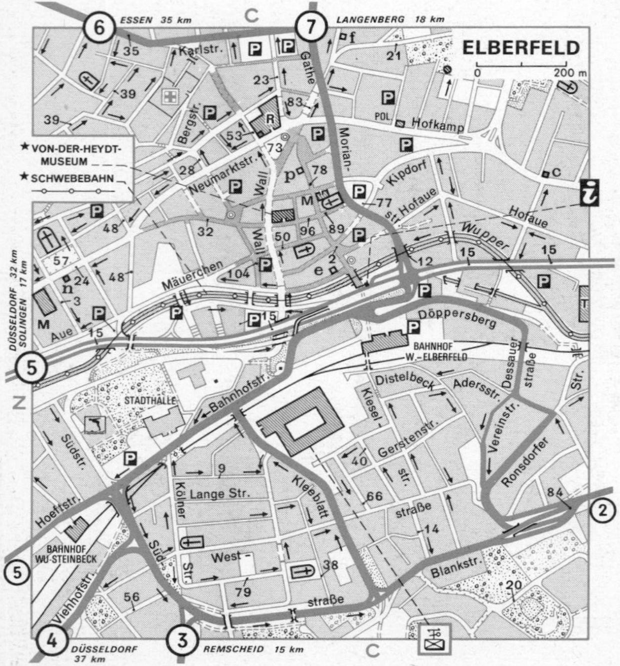

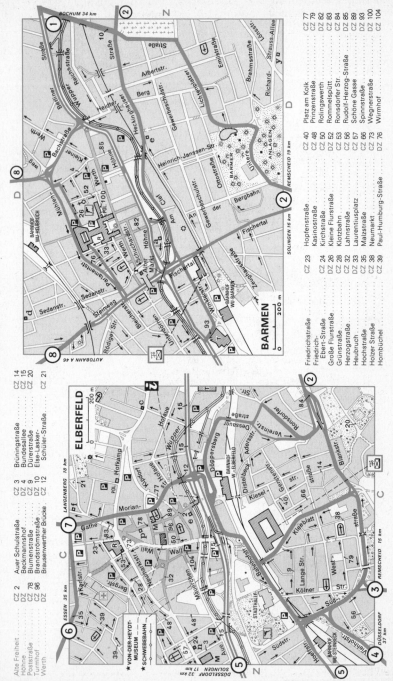

ELBERFELD
0 200 m
ESSEN 35 km
LANGENBERG 18 km
DÜSSELDORF 32 km SOLINGEN 17 km
DÜSSELDORF 37 km
REMSCHEID 15 km
★ VON-DER-HEYDT-MUSEUM
★ SCHWEBEBAHN
Karlstr.
Gathe
Morian-
Hofkamp
Kipdorf
Hofaue
Wupper
Bergstr.
Neumarktstr.
Wall
Mäuerchen
Döppersberg
BAHNHOF W.-ELBERFELD
Bahnhofstr.
Distelbeck
Adersstr.
Dessauer straße
Vereinstr.
Ronsdorfer
Kiesel-
Gerstenstr.
Kleeblatt
Kölner
Lange Str.
West-
Süd-
Str.
Blankstr.
straße
Südstr.
Hoeftstr.
Viehhofstr.
BAHNHOF WU-STEINBECK
STADTHALLE
Aue

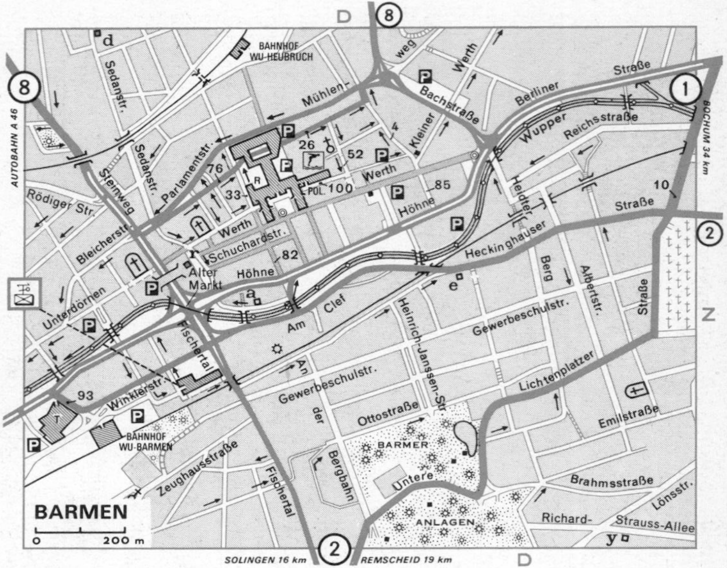

BARMEN
0 200 m
AUTOBAHN A 46
BOCHUM 34 km
SOLINGEN 16 km
REMSCHEID 19 km
BAHNHOF WU-HEUBRUCH
BAHNHOF WU-BARMEN
Sedanstr.
Steinweg
Parlamentstr.
Mühlen-
Bachstraße
Kleiner
Werth
Berliner Straße
Wupper
Reichsstraße
Heidter
Heckinghauser Straße
Berg
Albertstr.
Höhne
Schuchardstr.
Alter Markt
Rödiger Str.
Bleicherstr.
Unterdörnen
Fischertal
Am Clef
Winklerstr.
Gewerbeschulstr.
Heinrich-Janssen-Str.
An der Bergbahn
Ottostraße
Lichtenplatzer
Emilstraße
Brahmsstraße
Richard-Strauss-Allee
Lönsstr.
Zeughausstraße
BARMER ANLAGEN
Untere

WURTZBOURG = Würzburg.

WURZACH, BAD 7954. Baden-Württemberg [413] M 23, [987] ㊱, [426] ⑭ – 12 000 Ew – Höhe 652 m – Heilbad – ℘ 07564 – **Sehenswert** : Pfarrkirche★.

[i] Kurverwaltung, Mühltorstr. 1, ℘ 30 21 53.

♦Stuttgart 159 – Bregenz 66 – Kempten (Allgäu) 47 – ♦Ulm (Donau) 68.

Rössle, Schulstr. 12, ℘ 20 55, – [TV] ☎ [P] – **21 Z : 34 B.**

WYK Schleswig-Holstein siehe Föhr (Insel).

XANTEN 4232. Nordrhein-Westfalen [987] ⑬ – 16 600 Ew – Höhe 26 m – ℘ 02801.
Sehenswert : Dom St. Viktor★.

[i] Verkehrsamt, Rathaus, Karthaus 2, ℘ 3 72 38.

♦Düsseldorf 66 – ♦Duisburg 42 – Kleve 26 – Wesel 16.

Hövelmann, Markt 31, ℘ 40 81 (Hotel) 30 03 (Rest.), Fahrradverleih – [TV] ☎ [P]. [AE] [E] [VISA]. Zim
Karte 25/55 *(Donnerstag geschl.)* – **23 Z : 40 B** 70/80 - 110/130.

Limes Hotel - Restaurant Fünf Gulden, Niederstr. 1, ℘ 40 91 – [TV] ☎. [AE] [E] [VISA]
Karte 34/60 – **40 Z : 80 B** 99/120 - 149 Fb.

Außerhalb SW : 2 km, Richtung Sonsbeck :

Landhaus Am Rös'chen, Philosophenweg 2, ✉ 4232 Xanten, ℘ (02801) 14 12, – [TV] ☎ [P]
6 Z : 12 B Fb.

ZABERFELD 7129. Baden-Württemberg [413] J 19 – 2 900 Ew – Höhe 227 m – ℘ 07046.

♦Stuttgart 54 – Heilbronn 26 – ♦Karlsruhe 48.

In Zaberfeld-Leonbronn NW : 3 km :

Löwen, Zaberfelder Str. 11, ℘ 26 03 – ☎ [P].
Ende Dez.- Mitte Jan. geschl. – Karte 15/28 *(Donnerstag geschl.)* – **5 Z : 9 B** 25/29 - 50/58.

ZANG Baden-Württemberg siehe Königsbronn.

ZEIL AM MAIN 8729. Bayern [413] O 16 – 5 300 Ew – Höhe 237 m – ℘ 09524.

[i] Verkehrsamt, Rathaus, Marktplatz, ℘ 16 41.

♦München 270 – ♦Bamberg 29 – Schweinfurt 27.

Kolb, Krumer Str. 1, ℘ 90 11, – [TV] ☎ [P]
Karte 19,50/33 – **21 Z : 37 B** 35/49 - 69/89.

🍴 **Fränkische Weinstube** mit Zim (Fachwerkhaus a.d.17.Jh.), Marktplatz 1 (B 26), ℘ 2 79, nur Eigenbauweine
9.- 31. Jan. und 29. Aug.- 11. Sept. geschl. – Karte 26/45 *(Dienstag - Donnerstag geschl.)* – **7 Z : 9 B** 30 - 60.

ZEISKAM Rheinland-Pfalz siehe Bellheim.

ZEITLOFS Bayern siehe Brückenau, Bad.

ZELL AM HARMERSBACH 7615. Baden-Württemberg [413] H 21, [242] ㉘, [87] ⑥ – 6 300 Ew – Höhe 223 m – Erholungsort – ℘ 07835 – [i] Verkehrsbüro, Alte Kanzlei 2, ℘ 6 65.

♦Stuttgart 168 – ♦Freiburg im Breisgau 55 – Freudenstadt 43 – Offenburg 22.

Sonne, Hauptstr. 5, ℘ 13 44, – ☎ [P]. [AE] [E]. Zim
8. Feb.- 10. März geschl. – Karte 26/56 *(Donnerstag geschl.)* – **19 Z : 34 B** 49/58 - 90/106 – P 80/86.

Hirsch, Hauptstr. 46, ℘ 2 17, – ☎.
8.- 28. Feb. geschl. – Karte 31/55 *(Montag geschl.)* – **18 Z : 32 B** 35/48 - 60/86.

Zum Schwarzen Bären, Kirchstr. 5, ℘ 2 51, – ☎. [E]. Zim
Mitte Nov.- Mitte Dez. geschl. – Karte 19,50/50 *(Mittwoch geschl.)* – **28 Z : 45 B** 42/65 - 80/98 Fb – P 78/85.

Kleebad, Jahnstr. 8, ℘ 33 15, <, Caféterrasse, – [P].
Nov.- Dez. 4 Wochen geschl. – (Restaurant nur für Hausgäste) – **17 Z : 28 B** 38/48 - 72/82 – P 56/62.

In Zell-Unterharmersbach :

Rebstock, Hauptstr. 104, ℘ 39 13, – [P]
9. Jan.- 9. Feb. geschl. – Karte 21/42 *(Dienstag geschl.)* – **18 Z : 32 B** 42 - 80/84 – P 63/65.

Schützen, Hauptstr. 170, ℘ 4 09 – [P]
7. Jan.- 1. Feb. geschl. – Karte 18,50/38 *(Donnerstag geschl.)* – **16 Z : 30 B** 43 - 76 – P 61.

Eckwaldblick, Rebhalde 1, ℘ 6 41, – [P]. Zim
1.- 15. Dez. geschl. – Karte 19,50/41 *(Montag geschl.)* – **29 Z : 50 B** 36/58 - 72/96 – P 60/76.

[ZELL AM WALDSTEIN] Bayern siehe Münchberg.

[ZELL AN DER MOSEL] 5583. Rheinland-Pfalz [987] ㉔ – 5 500 Ew – Höhe 94 m – ☏ 06542.

Sehenswert : Zell-Kaimt : <★★ von der Umgehungsstraße.

[i] Tourist - Information, Rathaus, Balduinstr. 44, ☎ 7 01 22.

Mainz 105 – Cochem 39 – ♦Trier 69.

🏨 **Zum grünen Kranz**, Balduinstr. 12, ☎ 42 76, <, eigener Weinbau, ♨, 🏊 – |⇕| ☏. [VISA]
Karte 27/60 – **32 Z : 55 B** 50/70 - 100/130 – P 75/98.

🏨 **Zur Post**, Schloßstr. 25, ☎ 42 17 – |⇕| Ⓟ 🏛. [AE] [D] [E] [VISA]. 🚫
→ *Mitte Feb.- Mitte März geschl.* – Karte 18/36 *(Montag geschl.)* 🍷 – **16 Z : 30 B** 43/55 - 86/110.

🏨 **Am Brunnen - Restaurant Belle Epoque**, Balduinstr. 51, ☎ 40 60, <
Karte 45/72 – **19 Z : 36 B** 50/85 - 100/160.

🏨 Weinhaus Mayer, Balduinstr. 15, ☎ 45 30, <, eigener Weinbau – 🚫 Zim
nur Saison – **14 Z : 29 B.**

In Zell-Kaimt :

🏨 **Zur Schröter-Klause** 🌙 (mit Weinstube), Marientaler Au 58, ☎ 4 16 55, ☂, ♨, 🎾 – Ⓟ
15. März - 15. Nov. – (nur Abendessen für Hausgäste) – **9 Z : 16 B** 45/55 - 70/100.

In Zell - Merl :

🍴 **Bürgerstube**, Mühlental 29, ☎ 2 17 71
→ *Dienstag und Jan. geschl.* – Karte 19/51 🍷.

[ZELL IM WIESENTAL] 7863. Baden-Württemberg [413] G 23, [242] ㊵, [427] ⑤ – 6 400 Ew – Höhe 444 m – Erholungsort – ☏ 07625.

♦Stuttgart 196 – Basel 32 – Donaueschingen 73 – ♦Freiburg im Breisgau 48.

🏨 **Löwen**, Schopfheimer Str. 2, ☎ 2 08 – ☏ 🚗 Ⓟ. [D]
Karte 21/47 *(Freitag - Samstag 18 Uhr und 18. Feb.- 4. März geschl.)* 🍷 – **36 Z : 65 B** 35/50 - 68/90 Fb.

In Zell-Gresgen W : 5 km – Höhe 730 m – Erholungsort :

🏨 Löwen 🌙, ☎ 3 96, Biergarten, 🌳 – Ⓟ
21 Z : 33 B.

In Zell-Pfaffenberg N : 5,5 km – Höhe 700 m :

🏠 **Berggasthof Schlüssel**, Pfaffenberg 2, ☎ 3 75, 🌳 – Ⓟ
→ *Mitte Jan.- Mitte Feb. geschl.* – Karte 19,50/48 *(Dienstag geschl.)* 🍷 – **12 Z : 18 B** 36 - 64.

[ZELLINGEN] 8705. Bayern [413] M 17 – 5 400 Ew – Höhe 166 m – ☏ 09364.

♦München 296 – Aschaffenburg 60 – Bad Kissingen 53 – ♦Würzburg 16.

In Zellingen - Retzbach :

🏨 **Zum Löwen**, Untere Hauptstr. 9, ☎ 99 17, Telex 689702, ♨, 🏊 – ☏ Ⓟ 🏛. [AE] [D] [E] [VISA]
Karte 21/54 – **33 Z : 60 B** 59 - 98 Fb.

[ZELTINGEN-RACHTIG] 5553. Rheinland-Pfalz – 2 650 Ew – Höhe 105 m – Erholungsort – ☏ 06532.

[i] Verkehrsamt, Zeltingen, Uferallee 13, ☎ 24 04.

Mainz 121 – Bernkastel-Kues 8 – ♦Koblenz 99 – ♦Trier 43 – Wittlich 10.

In Zeltingen :

🏨 **Nicolay zur Post**, Uferallee 7, ☎ 20 91, <, ☂, ♨, 🏊 – |⇕| ☏ 🚗 Ⓟ 🏛. [AE] [D] [E] [VISA].
🚫 Rest
Anfang Jan.- Anfang Feb. geschl. – Karte 29/54 *(Montag bis 15 Uhr geschl.)* 🍷 – **37 Z : 70 B** 65/75 - 88/120 Fb – P 79/110.

🏨 **Winzerverein**, Burgstr. 7, ☎ 21 19, <, ☂, ♨ – ☏ Ⓟ. [AE] [E]
→ Karte 19/48 – **52 Z : 90 B** 35/40 - 60/80.

[ZEMMER] Rheinland-Pfalz siehe Kordel.

[ZENTING] 8359. Bayern [413] W 20, [426] ⑦ – 1 200 Ew – Höhe 450 m – Wintersport : 600/1 000 m ⛷2 – ☏ 09907.

♦München 172 – Cham 89 – Deggendorf 30 – Passau 33.

Im Ortsteil Ranfels S : 4 km :

🏨 Birkenhof 🌙, ☎ 2 69, <, ☂, 🏊 (geheizt), 🌳, 🐎 – 🚗 Ⓟ. 🚫 Rest
21 Z : 40 B.

ZERF 5504. Rheinland-Pfalz [57] ⑤, [242] ② – 1 600 Ew – Höhe 400 m – ☏ 06587.
Mainz 160 – ◆Saarbrücken 61 – ◆Trier 22.

🍴 **Zur Post** mit Zim (Gasthof a.d. 17. Jh.), Marktplatz 1, ☎ 2 43, ⛱ – [P]
◆ Karte 19/37 *(Donnerstag geschl.)* – **3 Z : 6 B** 31 - 62.

In Greimerath **5501** S : 7 km :

🏨 **Zur Post**, Hauptstr. 73, ☎ (06587) 8 57 – 📞 [P]
◆ *19.- 25. Dez. geschl.* – Karte 17,50/40 *(Dienstag geschl.)* 🍷 – **12 Z : 26 B** 31/36 - 58/66.

ZEVEN 2730. Niedersachsen [987] ⑮ – 11 900 Ew – Höhe 30 m – ☏ 04281.
◆Hannover 147 – ◆Bremen 55 – ◆Bremerhaven 60 – ◆Hamburg 74.

🏨 **Hotel Landhaus** garni, Kastanienweg 17, ☎ 30 22, 🌳 – [TV] 📞 [P]. [AE] [O] [E]. 🚫🐕
15 Z : 29 B 53 - 84 Fb.

🏨 **Paulsen**, Meyerstr. 22, ☎ 25 17 – [TV] 📞 [P] 🚸. [AE] [O] [E] [VISA]
Karte 27/51 *(Sonntag geschl.)* – **27 Z : 55 B** 55 - 90.

🏨 **Garni**, Poststr. 20, ☎ 34 92, 🌳 – 🚗 [P]. [O] [E]. 🚫🐕
16 Z : 30 B 45/55 - 80/85.

🏨 **Spreckels Gasthaus**, Bremer Str. 2, ☎ 24 33 – [TV] [P]. 🚫🐕
◆ Karte 19,50/43 *(Samstag - Sonntag nur Abendessen)* – **26 Z : 42 B** 40/50 - 70/85.

In Gyhum-Sick **2730** S : 10 km :

🏨 **Niedersachsen-Hof**, an der B 71, ☎ (04286) 10 56 – ♿ 🚗 [P]. [AE] [O] [E] [VISA]. 🚫🐕 Zim
Juli 2 Wochen geschl. – Karte 20/37 *(Freitag geschl.)* – **15 Z : 22 B** 42/45 - 70/75.

ZICHERIE Niedersachsen siehe Brome.

ZIERENBERG 3501. Hessen – 6 700 Ew – Höhe 280 m – Luftkurort – ☏ 05606.
◆Wiesbaden 235 – ◆Kassel 20 – Warburg 28.

Auf dem Dörnberg O : 3 km :

🍴 **Dörnberghaus**, ✉ 3501 Zierenberg, ☎ (05606) 85 00, ≤ Habichtswald, ⛱ – [P]
10. Nov.- 24. Dez. und Montag geschl. – Karte 24/45.

In Zierenberg 4-Burghasungen SW : 6 km :

🏠 **Gasthof Gerhold**, Zierenberger Str. 9, ☎ 92 26 – [P]. 🚫🐕 Zim
◆ Karte 14/21 *(Donnerstag geschl.)* – **8 Z : 14 B** 33/42 - 60 – P 49/52.

ZIRNDORF 8502. Bayern [413] P 18, [987] ㉖ – 21 000 Ew – Höhe 290 m – ☏ 0911 (Nürnberg).
Siehe Nürnberg (Umgebungsplan).
◆München 175 – Ansbach 35 – ◆Nürnberg 9.

🏨 **Knorz** garni, Volkhardtstr. 18, ☎ 60 70 61 – 📞 🚗 — AS **u**
16 Z : 28 B 45/60 - 75/90 Fb.

🏨 **Kneippkurhotel** 🔇, Achterplätzchen 5, ☎ 60 90 03, ⛱ – 📞 🚗 [P] — AS **m**
Karte 25/39 *(Sonntag - Montag 17 Uhr geschl.)* – **19 Z : 28 B** 48 - 85 Fb.

In Zirndorf-Wintersdorf SW : 5 km über Rothenburger Straße AS :

🏨 **Lämmermann**, Ansbacher Str. 28, ☎ (09127) 88 19, ⛱, 🌳 – 📞 🚗 [P]
◆ Karte 19/38 *(Montag und Ende Aug.- Anfang Sept. geschl.)* 🍷 – **24 Z : 35 B** 32/48 - 60/90 Fb.

ZORGE 3421. Niedersachsen – 1 800 Ew – Höhe 340 m – Luftkurort – ☏ 05586.
[i] Kurverwaltung, Am Kurpark 4, ☎ 2 51.
◆Hannover 137 – Braunlage 15 – Göttingen 70.

🏨 Kunzental 🔇, Im Förstergarten 7, ☎ 12 61, ⛱, 🌳 – [P] – **24 Z : 46 B.**

🏨 **Wolfsbach**, Hohegeißer Str. 25, ☎ 4 26, 🌳 – [TV] [P]. [AE] [O] [E]. 🚫🐕
16. Nov.- 15. Dez. geschl. – (Restaurant nur für Hausgäste) – **16 Z : 25 B** 33/38 - 63/73 – P 51/57.

ZORNEDING 8011. Bayern [413] S 22 – 7 000 Ew – Höhe 560 m – ☏ 08106.
◆München 20 – Wasserburg am Inn 34.

🏨 **Neuwirt**, Münchner Str. 4 (B 304), ☎ 28 25, ⛱ – 📞 🚗 [P]. [AE] [O] [E] [VISA]
◆ *15. Aug.- 2. Sept. geschl.* – Karte 19/42 🍷 – **30 Z : 48 B** 60 - 85.

ZUGSPITZE Bayern siehe Garmisch-Partenkirchen bzw. Grainau.

ZUSMARSHAUSEN 8901. Bayern [413] O 21, [987] ㊱ – 4 700 Ew – Höhe 466 m – ☏ 08291.
◆München 88 – ◆Augsburg 30 – Donauwörth 47 – ◆Ulm (Donau) 55.

🏨 Zur Post, Augsburger Str. 2, ☎ 3 02 – [P] – **25 Z : 45 B.**

🏨 **Krone**, Augsburger Str. 9, ☎ 2 12 – [P]. [AE] [O] [E] [VISA]
◆ Karte 19,50/32 *(10.- 31. Okt. geschl.)* – **65 Z : 137 B** 33/40 - 64/72.

ZUZENHAUSEN Baden-Württemberg siehe Sinsheim.

ZWEIBRÜCKEN **6660.** Rheinland-Pfalz [413] F 19, [987] [24], [87] [11] – 35 900 Ew – Höhe 226 m – ☎ 06332.

ℹ Verkehrsamt, Schillerstr. 6, ✆ 87 16 90.

ADAC, Poststr. 14, ✆ 1 58 48.

Mainz 139 – Pirmasens 25 – ◆Saarbrücken 41.

🏨 **Europas Rosengarten** 🔇, Rosengartenstr. 60, ✆ 4 90 41, ⛱ – ⇅ ☎ ♿ 🅿 👥. [AE] [D] E VISA
Karte 28/46 🍷 – **47 Z : 94 B** 65 - 100 Fb.

🏨 **Hitschler**, Fruchtmarktstr. 8, ✆ 25 74/7 55 74 – [AE] [D] E VISA
Karte **27**/55 *(Freitag und Samstag jeweils bis 18 Uhr geschl.)* – **16 Z : 25 B** 48 - 78/84.

🏨 **Rosenhotel** garni, Von-Rosen-Str. 2, ✆ 60 14/7 60 14 – ⇅ [TV] ☎. [AE] [D] E VISA
43 Z : 56 B 45/53 - 76/84.

🏠 **Gambrinus**, Poststr. 13, ✆ 66 89 – ☎ 🅿. [AE] [D] E VISA
◆ *Weihnachten - Anfang Jan. geschl.* – Karte 18/40 *(Samstag geschl.)* 🍷 – **11 Z : 17 B** 40/45 - 66/77.

Außerhalb O : 3 km :

🏨 **Romantik-Hotel Fasanerie** 🔇, Fasaneriestraße, ✉ 6660 Zweibrücken, ✆ (06332) 4 40 74, Telex 451182, « Terrasse mit ≤ », ♨, 🏊 – [TV] ☎ 🅿 👥. [AE] [D] E VISA
Karte 45/65 – **50 Z : 100 B** 95/130 - 150 Fb – 13 Appart. 200.

In Battweiler **6661** NO : 9 km :

🏨 **Schweizer Haus**, Hauptstr. 17, ✆ (06337) 3 83 – [TV] ☎ 🅿. [AE] [D] E VISA
Karte 23/55 *(Dienstag geschl.)* 🍷 – **6 Z : 12 B** 75 - 110 Fb.

ZWEIFALL Nordrhein-Westfalen siehe Stolberg/Rheinland.

ZWIEFALTEN **7942.** Baden-Württemberg [413] L 22, [987] [35] – 2 700 Ew – Höhe 540 m – Erholungsort – ☎ 07373.

Sehenswert : Ehemalige Klosterkirche★★.

◆Stuttgart 84 – Ravensburg 63 – Reutlingen 43 – ◆Ulm (Donau) 50.

🏠 **Zur Post**, Hauptstr. 44, ✆ 3 02, ⛱, 🌳 – 🚗 🅿
1.- 28. Jan. geschl. – Karte 21/37 *(Dienstag geschl.)* 🍷 – **13 Z : 25 B** 35/40 - 56/80 – 2 Fewo 30/70.

🏠 **Hirsch**, Reutlinger Str. 2, ✆ 3 18 – 🚗 🅿
◆ *März geschl.* – Karte 17/25 *(Montag geschl.)* – **10 Z : 17 B** 30 - 60.

ZWIESEL **8372.** Bayern [413] W 19, [987] [28], [426] [7] – 10 500 Ew – Höhe 585 m – Luftkurort – Wintersport : 600/700 m ⛷2 ⛷10 – ☎ 09922.

ℹ Verkehrsamt, Stadtplatz 27 (Rathaus), ✆ 13 08.

◆München 179 – Cham 59 – Deggendorf 36 – Passau 63.

🏨 **Waldbahn**, Bahnhofplatz 2, ✆ 30 01, ⛱, « Garten », ♨, 🌳 – ☎ 🚗 🅿. 🚫 Zim
◆ *Nov. geschl.* – Karte 19/39 🍷 – **28 Z : 56 B** 45/59 Fb – P 59/73.

🏨 **Kurhotel Sonnenberg** 🔇, Augustinerstr. 9, ✆ 20 31, ≤, ♨, 🏊, 🌳 – ☎ 🅿
Karte 23/40 – **22 Z : 42 B** 48/65 - 95/130 – P 65/79.

🏨 **Deutscher Rhein**, Stadtplatz 42, ✆ 16 51, Biergarten – [TV] ☎ 🅿. [AE] [D] E VISA
Karte 22/47 – **18 Z : 41 B** 43/60 - 70/88 – P 69/97.

🏨 Kapfhammer, Holzweberstr. 6, ✆ 13 06, ♨ – 🅿. 🚫 Rest
36 Z : 75 B.

🏨 **Zwieseler Hof**, Regener Str. 5, ✆ 26 31 – [TV] ☎ 🚗 🅿. [AE] E
◆ Karte 18/40 – **19 Z : 35 B** 33/35 - 60 Fb.

🏨 **Zum Goldwäscher**, Jahnstr. 28, ✆ 95 12, ♨ – ☎ 🚗 🅿
◆ *Nov.- Dez. 3 Wochen geschl.* – Karte 18/33 – **10 Z : 18 B** 35/40 - 70 – P 59/64.

In Zwiesel-Rabenstein NW : 5 km – Höhe 750 m :

🏨 **Linde** 🔇, Lindenweg 9, ✆ 16 61, ≤ Zwiesel u. Bayer. Wald, ⛱, ♨, 🏖, 🏊, 🌳 – ⇅ [TV] ☎
◆ 🅿. 🚫 Rest
April und 29. Okt.- 17. Dez. geschl. – Karte 18,50/38 – **39 Z : 75 B** 65 - 120/130 Fb.

In Lindberg-Zwieslerwaldhaus **8372** N : 10 km – Höhe 700 m – Wintersport : ⛷4 :

🏨 **Waldgasthof Naturpark** 🔇, ✆ (09925) 5 81, ♨, 🏖, 🌳 – 🅿. E
◆ *15. Nov.- 25. Dez. geschl.* – Karte 18/33 – **16 Z : 33 B** 38/42 - 72/78 Fb – P 60/66.

ZWIESELBERG Baden-Württemberg siehe Freudenstadt.

[ZWINGENBERG] 6144. Hessen [413] IJ 17 – 5 600 Ew – Höhe 97 m – ☏ 06251 (Bensheim).

♦Wiesbaden 61 – ♦Darmstadt 23 – Mainz 62 – ♦Mannheim 37 – Heidelberg 45.

🏨 **Zum Löwen**, Löwenplatz 6, ✆ 7 11 34 – [P] 🏛
Karte 22/60 *(Montag geschl.)* – **14 Z : 30 B** 65 - 120.

🏨 Freihof, Marktplatz 8, ✆ 7 95 59 – ☎ [P]. 🚫🐕
(abends Tischbestellung ratsam) – **12 Z : 16 B**.

[ZWISCHENAHN, BAD] 2903. Niedersachsen [987] ⑭ – 24 500 Ew – Höhe 11 m – Moorheilbad – ☏ 04403.

Sehenswert : Parkanlagen★.

[i] Kurverwaltung, Auf dem Hohen Ufer 24, ✆ 5 90 81.

♦Hannover 185 – Groningen 121 – ♦Oldenburg 17 – Wilhelmshaven 53.

🏨 **Am Kurgarten** 🐌 garni, Unter den Eichen 30, ✆ 5 90 11, ≘s, 🏊, 🌳 – [TV] 🚗. [AE] [E]. 🚫🐕
19 Z : 35 B 90/140 - 180/260 Fb.

🏨 **Seehotel Fährhaus** 🐌, Auf dem Hohen Ufer 8, ✆ 47 11, Fax 4712, ←, « Terrasse am See », 🏊, 🌳 – [lift] [TV] ☎ 🚗 [P] 🏛. [D] [E] [VISA]
Karte 29/61 – **54 Z : 100 B** 70/145 - 115/200 Fb – P 85/127.

🏨 **Haus Ammerland** 🐌, Rosmarinweg 24, ✆ 10 74, 🌳 – [TV] ☎ [P]. 🚫🐕
(nur Abendessen für Hausgäste) – **23 Z : 45 B** 52/70 - 95/125 – 6 Fewo 65/100.

🏨 **Am Torfteich** 🐌 garni, Rosmarinweg 7, ✆ 10 33, ≘s – [TV] ☎ [P]
12 Z : 21 B 68/88 - 110/130 Fb.

🏨 **Kopenhagen**, Brunnenweg 8, ✆ 5 90 88, ⛱, ≘s – [TV] ☎ [P]. [AE]. 🚫🐕
(Restaurant nur für Hausgäste) – **10 Z : 20 B** 75/95 - 140/180 Fb – P 100/125.

🏨 **Hof von Oldenburg**, Am Brink 4, ✆ 21 69 – [TV] ☎ [P]
Karte 28/60 – **11 Z : 22 B** 55/85 - 100/140 Fb – P 85/110.

🍴🍴 Der Ahrenshof, Burgweg 7, ✆ 39 89, « Einrichtung eines Ammerländer Bauernhauses, Gartenterrasse » – [P]
(abends Tischbestellung ratsam).

In Bad Zwischenahn - Aschhauserfeld NO : 4 km Richtung Wiefelstede :

🏨 **Romantik-Hotel Jagdhaus Eiden** 🐌, ✆ 10 22, Fax 58583, Spielcasino im Hause, « Gartenterrasse », ≘s, 🏊, 🌳, Fahrradverleih – [TV] [P] 🏛. [AE] [D] [E] [VISA]. 🚫🐕 Zim
Karte 37/66 *(bemerkenswerte Weinkarte)* (siehe auch Rest. **Apicius**) – **59 Z : 105 B** 68/112 - 138/225 Fb.

🏨 **Haus Borggräfe** 🐌 garni, Veilchenweg 17, ✆ 34 55, ≘s, 🏊, 🌳 – [TV] ☎ [P]. [D]
14 Z : 24 B 45/70 - 90/120 – 2 Fewo 75.

🏨 **Pension Andrea** garni, Wiefelsteder Str. 43, ✆ 47 41, 🌳 – [TV] ☎ [P]
16 Z : 26 B 60/80 - 90/120 – 2 Fewo 75.

🍴🍴🍴 ✿ **Apicius**, im Jagdhaus Eiden, ✆ 10 22 – [P]. [AE] [D] [E] [VISA]. 🚫🐕
Sonntag 15 Uhr - Montag und Jan. 3 Wochen geschl. – Karte 62/92 *(bemerkenswerte Weinkarte)* (abends Tischbestellung ratsam)
Spez. Zwischenahner Aal in Beaujolaissauce, Hummer in Champagner, Heidschnuckenrücken in der Kräuterkruste.

🍴🍴 **Goldener Adler**, Wiefelsteder Str. 47, ✆ 26 97, ⛱, « Ammerländer Bauernhaus » – [P]
Dienstag geschl. – Karte 32/59.

In Bad Zwischenahn - Aue NO : 6 km Richtung Wiefelstede :

🍴 **Klosterhof**, Wiefelsteder Str. 67, ✆ 87 10, ⛱, « Ammerländer Bauernhaus » – [P]. [AE] [D] [E] [VISA]
Montag geschl. – Karte 27/53.

FERIENDÖRFER - FERIENZENTREN (Auswahl)

Die angegebenen Preise gelten pro Wohneinheit und Tag. Eventuelle Nebenkosten sind nicht enthalten.

Alle Wohnungen haben Kochgelegenheit, die meisten Anlagen verfügen über ein Restaurant.

LOCALITÉS POSSÉDANT UN CENTRE DE VACANCES

Les prix indiqués ne concernent que le logement, par jour et ne comprennent pas les éventuels suppléments.

Tous les appartements sont équipés d'une cuisine, mais la plupart des centres de vacances possèdent aussi un restaurant.

TOWNS WITH A HOLIDAY VILLAGE

The prices given apply only to accommodation. These are daily rates and do not include any additional expenses.

Every flat has a kitchen, but most holiday villages have a restaurant as well.

LOCALITÀ CON CENTRO VACANZE

I prezzi indicati corrispondono al solo alloggio giornaliero e non comprendono eventuali supplementi.

Tutti gli appartamenti dispongono di cucina sebbene, nella maggior parte dei centri vacanze, esista anche un ristorante.

Bischofsmais 8379. Bayern 413 W 20 – 09920

Waldferiendorf Dürrwies, (SO: 4,5 km über Seiboldsried vorm Wald), 3 35, Ferienwohnungen in hist. Bauernhäusern, – nur Selbstverpflegung – 32 Fewo.

Bitburg 5520. Rheinland-Pfalz 987 ㉓, 409 ㉗ – 06561

Dorint Ferienpark Südeifel, 5521 Biersdorf (NW: 12 km), (06569) 8 41, Telex 4729607, Benutzung der Einrichtungen des Sporthotels – AE VISA
Restaurant im Sporthotel – 59 Fewo und 56 Bungalows(2-6 Pers.) 80/175.

Böbrach 8371. Bayern 413 W 19 – 09923 (Teisnach)

Rothbach Hof (Ferienpark Maisried), Maisried 6, 23 68, Forellenteich, –
17 Fewo (3-7 Pers.).

Brodersby - Schönhagen 2343. Schleswig-Holstein – 04644

Dorint Aparthotel Schönhagen, Schloßstr. 1, 4 67, Telex 22890, (Halle), Fahrradverleih – wc AE VISA
Mitte März - Okt. – Karte 29/56 – 182 Fewo (2-7 Pers.) 75/175 (Übernachtung mit Frühstück möglich).

Damp 2335. Schleswig-Holstein – 04352

Ostseebad Damp Haus Klabautermann, 8 06 66, Telex 29322, Bade- und Massageabteilung, (geheizt), (Halle) – AE VISA
Karte 28/56 *(5 Restaurants)* – 400 Fewo und 291 Häuser (2-8 Pers.) 75/189.

Daun 5568. Rheinland-Pfalz 987 ㉓ – 06592

Dorint Hotel und Eifel-Ferienpark Daun, Im Grafenwald, 71 30, (Halle), (Halle, Schule) – AE VISA
Karte 27/65 – 66 Fewo und 73 Bungalows (2-6 Pers.) 65/194.

Dorum 2853. Niedersachsen 987 ④ – 04742

Ferienpark Land Wursten, in Dorum-Neufeld (NW: 6,5 km), (04741) 29 48, Bade- und Massageabteilung, Fahrradverleih –
nur Selbstverpflegung – 15 Fewo und 63 Häuser(2-6 Pers.) 280/795 pro Woche.

Esens 2943. Niedersachsen 987 ④ – 04971

Aquantis, Bensersiel (NW : 4 km), 20 20, Bade- und Massageabteilung, Fahrradverleih –
Anfang März - Okt. – Karte 28/56 (auch Self-service) – 206 Fewo (2-6 Pers).

Fehmarn 2448. Schleswig-Holstein 987 ⑥ – 04371

IFA Ferien-Centrum-Südstrand, Südstrandpromenade 1, 50 11 01, Telex 29825, Fahrradverleih –
Karte 22/48 *(4 Rest., auch Self-service)* – 850 Fewo und 8 Bungalows (1-8 Pers.) 70/240.

Frankenau 3559. Hessen – 06455

Feriendorf Frankenau, Am Sternberg (N : 2 km), 80 11, Telex 482520, Fahrradverleih, –
136 Häuser (3-6 Pers).

Freyung 8393. Bayern 413 X 20, 987 ㉘, 426 ⑦ – 08551

Feriendorf Franz Hajek, Bergstr. 30, 44 19, –
nur Selbstverpflegung – 20 Häuser (2-6 Pers.) 350/710 pro Woche.

Frielendorf 3579. Hessen – 05684

Ferienwohnpark am Silbersee, 74 72, Telex 991732, Fahrradverleih –
Karte 22/38 *(Sept.- Mai Montag und Nov.- 15. Dez. geschl.)* – 26 Fewo und 80 Häuser (2-12 Pers.) 420/987 pro Woche.

Goslar-Hahnenklee 3380. Niedersachsen 987 ⑯ – 05325

Ferienpark Hahnenklee, Am Hahnenkleer Berg 1, 20 21, Telex 953735, (geheizt), –
nur Selbstverpflegung – 400 Fewo (1-6 Pers.).

Griesbach im Rottal 8399. Bayern 413 W 21, 987 ㊳ – 08532

Appartment-Hotel Griesbacher Hof, Thermalbadstr. 24, 70 10, Bade- und Massageabteilung, –
148 Fewo (1-4 Pers.).

Gunderath 5441. Rheinland-Pfalz – 02657

Ferienpark Heilbachsee, Am Kurberg, 12 07, Telex 8611897, Fax 1460, – Rest
Karte 20/45 – 218 Bungalows (2-6 Pers.) 345/1185 pro Woche.

Haidmühle 8391. Bayern 413 Y 20, 426 ⑧ – 08556

Ferienhaus Wiesengrund, Bischofsreut (NW : 4 km), (08556) 3 59, Damwildgehege, –
11. April - 16. Mai und 21. Sept.- 15. Dez. geschl. – nur Abendessen für Hausgäste – 24 Fewo (1-4 Pers.) 41/80.

Appartement-Hotel Dreisessel, 4 22, –
8. April - 6. Mai und 7. Okt.- 16. Dez. geschl. – nur Selbstverpflegung – 80 Fewo (2-5 Pers.) 40/100.

Apparthotel Hochstein, 4 05, –
Nov. geschl. – Karte 17/29 *(Montag geschl.)* – 77 Fewo (2-5 Pers.) 280/611 pro Woche.

Hausen-Roth (Naturpark-Rhön) 8741. Bayern 413 N 15 – 09779

Rhön-Park-Hotel, Rother Kuppe (SW : 5 km), 9 10, Telex 672877, Rhön, (Halle) – Rest
Karte 27/60 *(auch Self-service)* – 320 Fewo (1-4 Pers.) 62/138.

Hirzenhain 6476. Hessen 413 K 15 – 06045

Ferienwohnpark Hirzenhain, Am Höhenblick, 3 37, Telex 4184017, –
Karte 23/36 *(Nov.- Feb. Montag geschl.)* – 70 Häuser (3-6 Pers.) 340/785 pro Woche.

Hofbieber 6417. Hessen 413 M 15 – 06657

Ferienpark Hofbieber - Hotel Georgshöhe, Fuldaer Str. 1, 80 52, –
18 Fewo und 9 Häuser (2-6 Pers.) und 16 Z : 28 B.

Hohenroda 6431. Hessen – 06676

Ferienanlage Hohenroda, in Hohenroda - Oberbreizbach (W : 1 km), 5 01, Telex 493146, –
nur Selbstverpflegung – 67 Bunggalows (2-6 Pers.).

Immenstaad am Bodensee 7997. Baden-Württemberg 413 KL 23, 24 – ☎ 07545

Ferienwohnpark, Gehrenberg 50 (Zufahrt über die B 31), ✆ 22 27, Fahrradverleih – TV P
Mitte März - Okt. – 80 Fewo und 95 Häuser (2-6 Pers.) 633/813 pro Woche.

Kellenhusen 2436. Schleswig-Holstein – ☎ 04364 (Dahme)

IFA-Ostsee-Hotel, Leuchtturmweg 4, ✆ 8 91, Telex 297424 – TV ☎ ♿ P
100 Fewo (2-4 Pers).

Kirchheim 6437. Hessen 987 ㉕ – ☎ 06628

See-Park-Kirchheim, Reimboldshausen (SW : 4,5 km), ✆ 80 01, Telex 493115, <, (Halle), Wasserskilift, Eissporthalle, Wasserorgel, Fahrradverleih – TV ☎ P AE ⓓ E
Karte 25/48 – 50 Fewo und 105 Bungalows (1-6 Pers.) 420/812 pro Woche.

Kleinwalsertal Vorarlberg 413 N 24,25, 987 ㊱, 426 ⑮㉙ – ☎ 08329 (Riezlern)

Aparthotel Kleinwalsertal, Wildentalstr. 3, ✉ 8986 Mittelberg, ✆ 6 51 10, Telex 59145, – TV ☎ P. Rest
136 Fewo (2-5 Pers.).

IFA - Appartement Ferienhotel, Oberseitestr. 23, ✉ 8985 Hirschegg, ✆ 5 07 80, <, – TV ☎ P. Rest
Anfang April - Mitte Mai und Nov.- 20. Dez. geschl. – Karte 26/59 – 29 Fewo (3-5 Pers.) 160/240.

Langeoog (Insel) 2941. Niedersachsen 987 ④ – ☎ 04972

Aquantis, Kavalierspad, ✆ 60 79, Telex 27785, Fahrradverleih – TV ♿.
100 Fewo (2-4 Pers.).

Lechbruck 8923. Bayern 413 P 23, 426 ⑯ – ☎ 08862

Allgäuer Urlaubsdorf Lechbruck am See, Hochbergle 2, ✆ 77 11, Telex 59719, <, Ski- und Fahrradverleih – ☎ P. AE ⓓ E
Anfang Nov.- Anfang Dez. geschl. – Karte 19,50/35 *(Mittwoch geschl.)* – 146 Häuser (2-6 Pers.) 455/896 pro Woche.

Liebenzell, Bad 7263. Baden-Württemberg 413 IJ 20, 987 ㉟ – ☎ 07052

Schwarzwaldferienpark Sonnenhöhe, Am Hährenwald 1, (Monakam, NO : 4 km), ✆ 20 98, Telex 726156, – P
34 Fewo und 65 Häuser (2-8 Pers.).

Michelstadt 6120. Hessen 413 K 17, 987 ㉕ – ☎ 06061

Feriendorf Vielbrunn, in Michelstadt-Vielbrunn (NO : 13,5 km), ✆ (06066) 5 84, – TV P. Zim
Karte 18/40 *(Montag geschl.)* – 84 Häuser (2-6 Pers.) 266/693.

Missen-Wilhams 8979. Bayern 413 N 24, 426 ⑮ – ☎ 08320

Ferienwohnpark Oberallgäu, Weissenberg 1 (in Wilhams), ✆ 80, Telex 54475, <, Fahrradverleih – ☎ P
130 Fewo (2-6 Pers.).

Mitterfels 8446. Bayern 413 UV 20 – ☎ 09961

Appartement-Hotel, Steinburger Str. 2, ✆ 5 53, Telex 69720, (Halle) – TV ☎ P – 85 Fewo (2-6 Pers.).

Nesselwang 8964. Bayern 413 O 24, 987 ㊱, 426 ⑮ – ☎ 08361

Feriendorf Sonnenhäuser (SW : 2 km), Bürgermeister-Martin-Str. 8, ✆ 6 16, <, (geheizt), – TV ☎ P
nur Selbstverpflegung – 15 Fewo und 70 Häuser (2-10 Pers.) 45/125.

Neukirchen vorm Wald 8391. Bayern 413 X 20 – ☎ 08504

Gut Giesel, in 8391 Feuerschwendt (O : 6 km), ✆ (08505) 7 87, Telex 57797, Fax 4149, <, – ☎ ♿ P. Rest
Anfang Nov.- Mitte Dez. geschl. – (Restaurant nur für Hausgäste) – 12 Fewo und 20 Bungalows (1-6 Pers.) 55/85 (½ P pro Pers.) - P 85/125 - (auch 7 Z : 13 B, P 54/75).

Oberhambach 6589. Rheinland-Pfalz – ☎ 06782

Hunsrück-Ferienpark Hambachtal, ✆ 10 10, Telex 426605, Massage, (Halle), Ski- und Fahrradverleih – TV ☎ P AE ⓓ E VISA
Restaurants : – **Hambach-Grill** Karte 25/53 – **Blauer Papillon** *(wochentags nur Abendessen, Dienstag geschl.)* Karte 38/63 – 218 Bungalows (2-6 Pers.) 95/173 (auch 48 Z : 96 B 57/93 - 77/123).

Oberreute 8999. Bayern [413] M 24, [426] ⑭ – ✆ 08387

Falkenhof Ferienappartements 🔇 Oberreute-Irsengrund (S : 1,5 km), Falkenweg 1, ✆ 24 55, <, Massage, 🏊, 🌳 – [P]
nur Selbstverpflegung – 15 Fewo (2-6 Pers.) 370/546 pro Woche.

Oldenburg in Holstein 2440. Schleswig-Holstein [987] ⑥ – ✆ 04361

Ferienzentrum Weissenhäuser Strand, Seestr. 1 (NW : 6 km), ✆ 49 01, Telex 297417, Bade- und Massageabteilung, 🏊, 🏊, 🎾, Fahrradverleih – |$| 📺 ☎ ♿ 🏃 [P] 🏕. 🎾
8. Jan.- 17. März geschl. – Karte 26/52 *(3 Rest., auch Self-service)* – 900 Fewo und 107 Bungalows (2-8 Pers.) 45/237 (auch 98 Z : 192 B 66/94 - 96/152 Fb).

Regen 8370. Bayern [413] W 20, [987] ㉘ – ✆ 09921

Ferienanlage Weißenstein 🔇, in Regen-Kattersdorf, Siegfried-von-Vegesack-Str. 1, ✆ 10 86, <, 🏊, 🏊, 🎾 – 📺 🏃 [P]. [AE] [E]
Nov.- 15. Dez. geschl. – Karte 20/38 – 213 Fewo (2-4 Pers.) 50/87.

Rotenburg (Wümme) 2720. Niedersachsen [987] ⑮ – ✆ 04261

Ferienzentrum Bothel 🔇, ✉ 2725 Bothel (SO : 8 km), ✆ (04266) 4 87, 🏕, 🏊, 🏊, 🌳, Fahrradverleih – [P]
24 Fewo und 12 Bungalows (2-6 Pers.).

Saarburg 5510. Rheinland-Pfalz [987] ㉓, [409] ㉗, [242] ② – ✆ 06581

Feriendorf Hostenberg 🔇, (W : 7 km über Saarburg-Kahren), ✆ 44 40, Telex 4729817, <, 🌳 – 📺 ☎ [P]
Karte 22/40 *(nur Abendessen, Jan. und Montag geschl.)* – 35 Fewo und 40 Häuser (2-6 Pers.) 175/812 pro Woche.

Salzgitter 3320. Niedersachsen [987] ⑮⑯ – ✆ 05341

Sport- und Ferienpark Mahner Berg 🔇, ✆ 3 00 30, <, 🌳, 🎾 (Halle), 🐴(Halle), Tennisschule – 📺 ☎ [P]
45 Fewo und Bungalows (2-6 Pers.).

Scharbeutz 2409. Schleswig-Holstein [987] ⑥ – ✆ 04503 (Timmendorfer Strand).

Ferienparadies Klingberg am See - Restaurant Zum Moorteich 🔇, Uhlenflucht 24 (Klingberg), ✆ (04524) 97 75 (Fewo) 17 78 (Rest.), 🏠, 🏊, 🏊, 🌳, 🎾, Fahrradverleih – 📺 [P]
Karte 22/46 *(Okt.- April Mittwoch geschl.)* – 11 Fewo und 60 Häuser (2-8 Pers.) 650/1100 pro Woche.

Thalfang 5509. Rheinland-Pfalz [987] ㉔ – ✆ 06504

Ferienpark Himmelberg 🔇, ✆ 4 18, <, 🏊, 🌳, 🎾 – 📺 [P]
nur Selbstverpflegung – 79 Fewo und 30 Bungalows (2-5 Pers.) 43/97.

Todtmoos 7867. Baden-Württemberg [413] GH 23, [987] ㉞, [427] ⑤ – ✆ 07674

Appartement-Hotels Sonne und Sonnenhof, Forsthausstr. 11, ✆ 5 91, 🏊, 🏊 – ☎ 🚗 [P]
nur Selbstverpflegung – 46 Fewo (2-6 Pers.) 65/115.

Vohenstrauss 8483. Bayern [413] U 18, [987] ㉗ – ✆ 09651

Ferienanlage Maximilianshof 🔇, in Vohenstrauss 3-Böhmischbruck, ✆ (09656) 13 26, 🏊, 🏊, 🌳 – [P]. [AE] [E]
95 Fewo und 96 Häuser (2-5 Pers.).

Waldbrunn 6935. Baden-Württemberg [413] K 18 – ✆ 06274

Feriendorf Waldbrunn 🔇, Waldbrunn-Waldkatzenbach, ✆ 15 24, 🌳, 🎾 (Halle) – 📺 [P]
nur Selbstverpflegung – 194 Häuser (2-6 Pers.) 295/686 pro Woche.

Welschneudorf 5431. Rheinland-Pfalz – ✆ 02608

Landhotel Rückerhof 🔇, Tiergartenweg, ✆ 2 08, 🌳, 🐴, Fahrradverleih – [P]
Karte 26/46 *(wochentags nur Abendessen, Dienstag geschl.)* – 13 Fewo und 7 Häuser (2-6 Pers) 72/126.

ORTE MIT MINDESTENS EINEM HOTEL MIT 🎾, ⛳, 🏇 ODER ♿

LOCALITÉS POSSÉDANT AU MOINS UN HOTEL AVEC 🎾, ⛳, 🏇 OU ♿

PLACES WITH AT LEAST ONE HOTEL WITH 🎾, ⛳, 🏇 OR ♿

LOCALITÀ CHE POSSIEDONO COME MINIMO UN ALBERGO CON 🎾, ⛳, 🏇 O ♿

	🎾	⛳	🏇	♿
Aach (Hegau)	x			
Aachen				x
Achern				x
Achim				x
Adenau			x	
Ahaus				x
Ahrensburg			x	
Aibling, Bad	x			x
Alexandersbad, Bad	x			
Alfdorf		x	x	
Alpirsbach	x		x	
Alsfeld	x			
Altensteig	x			
Altötting				x
Alzenau	x			
Alzey	x			
Amberg	x			
Amorbach	x			
Ankum	x		x	
Argenbühl	x			
Arnsberg				x
Attendorn	x		x	
Augsburg				x
Aurich				x
Backnang	x			
Baden-Baden	x			x
Badenweiler	x			
Baiersbronn	x			x
Bamberg				x
Barnstorf				x
Barsinghausen	x			
Beckum				x
Bederkesa				x
Beilngries				x
Bellingen, Bad				x
Bendorf	x			
Berg	x			
Bergzabern, Bad				x
Berlin				x
Bernkastel-Kues	x			x
Bertrich, Bad				x
Bevensen, Bad	x		x	x
Beverungen			x	
Bexbach	x			
Bielefeld			x	x
Bippen	x			
Birkenau	x			
Birnbach, Bad				x
Bischofsgrün	x			x
Bischofsmais	x			x
Bispingen				x
Bissendorf				x
Bitburg	x			
Bochum				x
Bocklet, Bad				x
Bodenmais	x		x	
Bodenteich			x	x
Bodman-Ludwigshafen	x			
Böblingen				x
Böbrach	x		x	
Bollendorf	x		x	
Bonn				x
Bonndorf			x	
Boppard	x			x
Borgholzhausen	x			
Bosau				x
Brakel				x
Bramstedt, Bad				x
Braunlage	x			
Braunschweig				x
Bregenz (A)	x			x
Breisach	x			x
Breisig, Bad				x
Breitenbach a.H.				x
Breitnau				x
Bremen				x
Bremerhaven				x
Brensbach	x			
Brodersby-Schönhagen	x			
Bruchsal				x
Brückenau, Bad			x	x
Buchenberg	x			
Büchlberg			x	
Bühl	x			
Büsum	x			x
Burgdorf	x			
Chieming	x		x	
Colmberg		x		
Cuxhaven				x
Damp	x			
Darmstadt				x
Dassendorf	x			
Datteln	x			x
Daun	x		x	x
Dernbach (Kreis Neuwied)	x			
Detmold				x
Diemelsee				x
Diepholz	x			
Dierdorf	x			
Dillingen/Saar	x			x
Dingolfing				x
Döttesfeld	x			
Donaueschingen		x	x	
Dortmund	x			x
Driburg, Bad	x		x	
Drolshagen	x			

Duderstadt				x
Dülmen				x
Dürkheim, Bad				x
Dürrheim, Bad				x
Düsseldorf				x
Duisburg				x
Durbach				x
Ebersberg	x			
Eckernförde	x			x
Egestorf	x		x	x
Eichstätt				x
Eigeltingen			x	
Einbeck				x
Eisenberg	x			
Eisenberg (Pfalz)				x
Eisenschmitt	x			
Elfershausen				x
Emmerich				x
Ems, Bad				x
Emsdetten				x
Emstal				x
Eschbach	x			
Eschenlohe				x
Esens				x
Eslohe	x		x	
Essen	x			x
Esslingen				x
Ettal	x			
Ettlingen				x
Euskirchen				x
Eutin				x
Extertal			x	
Fassberg	x			
Fehmarn				x
Feldafing	x			
Feldberg i. Schw.	x			
Feuerschwendt	x		x	x
Filderstadt				x
Fischen im Allgäu	x			
Fischerbach				x
Fleckeby	x			
Flensburg				x
Forbach	x			
Frankenau	x		x	
Frankfurt am Main	x			x
Freiamt	x			
Freiburg im Breisgau	x			x
Freilassing	x			
Freudenstadt			x	
Freyung	x			x
Friedeburg				x
Friedrichshafen	x			x
Frielendorf	x		x	
Fürstenberg	x			
Fürth				x
Füssing, Bad				x
Fulda				x
Gaggenau			x	
Gaienhofen	x		x	
Garmisch-Partenkirchen	x			
Geesthacht				x
Gelsenkirchen				x
Geretsried				x
Gernsbach	x			
Gersfeld	x			
Gifhorn				x
Glottertal	x			
Glücksburg				x
Gmund a. T.	x			
Göppingen				x
Göttingen	x			
Goslar	x			x
Grafenau	x			
Grainau	x			
Grasellenbach	x			
Grassau	x			
Grefrath	x			
Griesbach i. R.	x			x
Grömitz	x			
Gronau in Westfalen	x		x	
Grünberg	x			
Gütersloh				x
Gummersbach	x			
Gunderath	x			x
Gutach im Breisgau	x			x
Haan				x
Häusern	x			
Hagnau				x
Halblech	x			
Halle i. W.	x			
Hamburg				x
Hamm in Westf.				x
Hammelburg	x			
Hanau		x		x
Handeloh	x			
Hannover	x			x
Harpstedt	x			
Harzburg, Bad	x			
Haselünne	x			
Hassloch				x
Hattorf am Harz				x
Hausen-Roth	x			
Hauzenberg	x			
Heidelberg				x
Heidenheim a.d. B.			x	
Heilbronn				x
Heimborn	x			
Heimbuchental	x			
Heitersheim				x
Herleshausen	x			x
Hermannsburg				x
Herrenberg				x
Herrsching am Ammersee	x			
Hersbruck	x			
Hersfeld, Bad				x
Herten				x
Herzberg				x
Herzogenaurach	x			
Hildesheim				x
Hindelang	x			x
Hinterzarten	x			
Hirzenhain	x			
Hitzacker				x
Höhr-Grenzhausen	x		x	x
Hönningen, Bad				x
Hof				x
Hofbieber	x			
Hofheim am Taunus	x			
Hofheim in Unterfranken			x	
Hohenroda	x		x	x
Hollfeld	x			

Holzminden				x
Honnef, Bad	x	x	x	x
Horben	x			x
Horn-Bad Meinberg	x			x
Idar-Oberstein				x
Immenstadt im Allgäu			x	
Ingolstadt				x
Inzell				x
Iserlohn	x			x
Ismaning				x
Isny	x			
Jesteburg				x
Jungholz in Tirol	x			x
Kämpfelbach				x
Kaisersbach	x			
Kalkar				x
Kamp-Lintfort	x			
Kandel				x
Karben	x			
Karlshafen, Bad				x
Karlsruhe				x
Kassel				x
Katzenelnbogen	x			x
Kelheim				x
Kelkheim	x			
Kell am See				x
Kellenhusen				x
Kelsterbach				x
Kevelaer	x		x	x
Kiel				x
Kipfenberg				x
Kirchen	x			
Kirchham	x			
Kirchheim	x			x
Kissingen, Bad	x			x
Kleinwalsertal	x			
Kleve	x			
Kleve, Kreis Steinburg			x	
Koblenz				x
Köln	x			x
König, Bad	x		x	
Königshofen, Bad				x
Königslutter	x			
Königstein	x			
Königstein im T.	x			
Königswinter	x			x
Kössen	x		x	
Konstanz	x			x
Konz				x
Krefeld				x
Kreuth	x			
Kreuznach, Bad				x
Kronberg im Taunus		x		
Kümmersbruck	x			
Kyllburg	x			x
Laasphe	x			x
Laer, Bad	x			
Lage (Lippe)				x
Lahnstein	x			x
Lahr				x
Lalling	x			
Lam	x			
Langelsheim			x	
Langeoog				x
Lautenbach				x
Lauterberg, Bad	x			x

Lechbruck				x
Leer				x
Lembruch				x
Lenzkirch	x			x
Lichtenau				x
Liebenzell, Bad	x			
Limburg a.d. L.				x
Lindau im Bodensee	x			x
Lindlar		x		
Lingen				x
Lippspringe, Bad				x
Lippstadt				x
Löf	x			
Löffingen	x			
Löwenstein				x
Lohmar	x			
Lorch am Rhein				x
Ludwigsburg				x
Ludwigshafen am Rhein	x			
Lübeck				x
Lügde	x			
Lüneburg				x
Maikammer				x
Mainz	x			x
Malente-Gremsmühlen	x			
Mannheim				x
Marburg				x
Marktheidenfeld	x			x
Marl				x
Mayen	x		x	
Mechernich	x		x	
Mellrichstadt				x
Menden				x
Mendig				x
Mergentheim, Bad				x
Merzig	x			
Mettlach	x			x
Mettmann	x			
Michelstadt			x	
Minden				x
Mittenwald				x
Mitterfels	x			
Mönchberg	x			
Mönchengladbach				x
Moers				x
Monheim				x
Mossautel	x			
Müllheim				x
München	x			x
Münden	x			
Münster (Westfalen)	x	x		x
Münstertal	x			
Nagold	x			
Nassau	x			
Nastätten	x			
Nauheim, Bad				x
Naumburg			x	
Neckarsteinach				x
Neckarwestheim		x		
Neresheim	x			
Nesselwang	x			
Nettetal				x
Neualbenreuth	x	x		
Neuburg a.d.D.	x			
Neuenahr-Ahrweiler, Bad	x			x
Neuenkirchen/Steinfurt	x			

Neuenrade	x			
Neukirchen vorm Wald	x		x	x
Neumagen-Dhron	x			
Neumünster				x
Neunkirchen (B.-W.)	x			
Neunkirchen am Brand	x			
Neureichenau	x			
Neuss				x
Neustadt a.d. A.				x
Nidda				x
Niederstotzingen	x			
Niefern-Öschelbronn				x
Nohfelden	x			
Nordenham			x	
Norderney (Insel)	x			
Norderstedt				x
Nordhorn				x
Nümbrecht				x
Nürnberg	x			x
Oberaudorf	x			
Oberaula	x			
Oberelsbach	x			
Oberhambach	x		x	
Oberkirch	x			
Obernzell	x		x	
Oberried	x		x	x
Oberstaufen	x			
Oberstdorf				x
Obing	x			
Ochsenfurt	x			
Ockfen				x
Odelzhausen				x
Öhringen	x	x		
Oestrich-Winkel				x
Oeynhausen, Bad				x
Offenbach				x
Offenburg				x
Oldenburg				x
Oldenburg in Holstein	x			x
Olsberg	x			x
Osnabrück				x
Osterhofen	x			
Osterholz-Scharmbeck				x
Ostfildern				x
Overath	x			
Owschlag	x			
Paderborn				x
Passau				x
Pattensen				x
Peine				x
Petersberg	x			
Petershagen	x			
Peterstal-Griesbach, Bad	x			
Pfarrkirchen	x			
Pforzheim				x
Pfronten	x			x
Piding	x			
Pliezhausen				x
Pöcking				x
Pommersfelden	x			
Prien am Chiemsee				x
Radolfzell	x			
Ramsau	x			
Ransbach-Baumbach	x			
Ratingen	x			x
Regen	x			

Regensburg	x			x
Reichelsheim	x		x	
Reichenhall, Bad	x		x	
Reinbek				x
Remscheid				x
Reutlingen				x
Rickenbach	x			
Rieneck			x	
Rinteln				x
Rippoldsau-Schapbach, Bad	x			
Rodach				x
Rötz	x			
Rosengarten				x
Rosshaupten			x	
Rotenburg/Fulda	x			
Rothenburg o.d. T.				x
Rothenfelde, Bad				x
Rottach-Egern	x			
Rottenbuch	x			
Rüdesheim	x			
Ruhpolding	x		x	x
Saarbrücken				x
Saarlouis				x
Salzburg (A)	x	x		x
Salzgitter	x		x	x
Salzschlirf, Bad	x			x
Salzuflen, Bad	x	x		x
Sande				x
St. Augustin				x
St. Englmar	x		x	
Sassendorf, Bad				x
Scharbeutz	x			
Scheidegg	x			x
Schifferstadt	x			
Schleswig				x
Schliersee	x			
Schluchsee	x			x
Schmallenberg	x		x	x
Schömberg (Kleis Calw)				x
Schönau am Königssee	x			x
Schönsee	x		x	
Schönwald	x			
Schopfheim				x
Schotten	x			
Schüttorf				x
Schwabmünchen	x			
Schwäbisch Gmünd			x	x
Schwäbisch Hall				x
Schwangau	x			x
Schwarmstedt	x			x
Schwarzach				x
Schwarzwaldhochstraße	x			x
Schweinfurt				x
Schweitenkirchen				x
Schwetzingen				x
Seebach	x			
Seeheim-Jugenheim				x
Seewald	x		x	
Siegen				x
Simbach am Inn	x			
Simmern				x
Simonswald	x			
Sindelfingen				x
Singen (Hohentwiel)				x
Sinspelt	x			
Sobernheim	x			

Soden a. T., Bad				x
Soltau	x			x
Sonthofen	x	x		
Sooden-Allendorf, Bad				x
Stade				x
Stadland	x			
Stadtallendorf	x			
Stadthagen				x
Stadtkyll	x			
Starzach			x	
Steben, Bad				x
Stipshausen				x
Stolberg/Rhld.			x	x
Straubenhardt	x			
Straubing				x
Stuhr				x
Stuttgart	x			x
Südlohn				x
Suhlendorf	x		x	
Sulzbach/Rosenberg	x			
Sulzbach/Taunus				x
Sulzburg	x			
Teinach-Zavelstein, Bad	x			
Teisendorf	x			
Thalfang	x			
Thurmannsbang	x			
Timmendorfer Strand	x	x		x
Titisee-Neustadt	x			x
Todtmoos	x			
Todtnau	x			
Tornesch				x
Trier				x
Trittenhein			x	
Tübingen				x
Überkingen				x
Überlingen	x			
Uelzen				x
Uetersen				x
Üxheim	x		x	
Uhldingen-Mühlhofen	x			
Ulm (Donau)				x
Ulmet	x			
Unterreichenbach	x			
Urach, Bad				x
Vechta				x
Velbert				x
Velen	x			
Vellberg	x			
Verden a.d. A.				x
Visselhövede				x
Wadern	x			
Waiblingen				x
Waischenfeld				x
Waldbreitbach	x			
Waldbrunn	x			
Waldkirchen	x			
Wald-Michelbach	x			x
Waldsee, Bad				x
Walldorf	x			x
Wallgau				x
Wangen im Allgäu	x			
Wangerland				x
Warendorf				x
Wasserburg a.B.				x
Wedel				x
Weilburg				x
Weiler-Simmerberg	x			
Weilrod	x			
Weiskirchen	x			x
Welschneudorf			x	
Wenden	x			
Wertheim	x			
Wesel				x
Wieden	x			
Wiefelstede	x			
Wiehl				x
Wiesbaden				x
Wiesmoor		x		x
Wildbad im Schwarzwald	x			x
Wildeshausen	x			
Wildungen, Bad	x			x
Wilhelmshaven				x
Willingen (Upland)	x			x
Winden	x			
Windsheim, Bad				x
Wingst	x			
Winterberg	x			
Wirsberg	x		x	
Wittlich				x
Wörishofen, Bad	x			x
Wörthsee	x			
Wolfach			x	
Würzburg				x
Wunsiedel	x			
Wuppertal	x	x		x
Xanten				x
Zell am H.				x
Zell an der Mosel	x			
Zenting			x	
Zeven				x
Zweibrücken				x

AUSZUG AUS DEM MESSE- UND VERANSTALTUNGSKALENDER

EXTRAIT DU CALENDRIER DES FOIRES ET AUTRES MANIFESTATIONS

EXCERPT FROM THE CALENDAR OF FAIRS AND OTHER EVENTS

ESTRATTO DEL CALENDARIO DELLE FIERE ED ALTRE MANIFESTAZIONI

Messe- und Ausstellungsgelände sind im Ortstext angegeben.

Baden-Baden	Frühjahrs-Meeting	20. 5. - 28. 5.
	Rennwoche	25. 8. - 3. 9.
Bayreuth	Wagner-Festspiele	25. 7. - 28. 8.
Berlin	Internationale Grüne Woche	27. 1. - 5. 2.
	Internationale Tourismus-Börse (ITB)	4. 3. - 9. 3.
	Internationale Funkausstellung	25. 8. - 3. 9.
Bielefeld	Urlaub - Touristik - Freizeit	29. 4. - 7. 5.
Bregenz (A)	Festspiele	21. 7. - 24. 8.
Dortmund	Internationale Zweirad-Ausstellung	1. 3. - 5. 3.
Dürkheim, Bad	Dürkheimer Wurstmarkt	9. 9. - 18. 9.
Düsseldorf	Internationale Bootsausstellung	21. 1. - 29. 1.
	IGEDO - Internationale Modemesse	5. 3. - 8. 3.
	Internationale Messe Kunststoff + Kautschuk	2.11. - 9.11.
Essen	Camping-Touristik	11. 3. - 19. 3.
	Internationaler Caravan-Salon	30. 9. - 8.10.
	Motor-Show	1.12. - 10.12.
Ettlingen	Schloß-Spiele	16. 6. - 19. 8.
Frankfurt	Internationale Frankfurter Messen	18. 2. - 22. 2.
		26. 8. - 30. 8.
	IAA - Internationale Automobil-Ausstellung	14. 9. - 24. 9.
	Frankfurter Buchmesse	11.10. - 16.10.
Freiburg	Camping- und Freizeitausstellung	11. 3. - 19. 3.
Friedrichshafen	IBO - Messe	29. 4. - 7. 5.
	Internationale Wassersportausstellung (INTERBOOT)	23. 9. - 1.10.
Hamburg	REISEN - Tourismus, Caravan, Auto	11. 2. - 19. 2.
	INTERNORGA	10. 3. - 15. 3.
	Internationale Boots-Ausstellung	21.10. - 29.10.
Hannover	ABF (Ausstellung Auto-Boot-Freizeit)	4. 2. - 12. 2.
	Hannover Messe CeBIT	8. 3. - 15. 3.
	Hannover Messe INDUSTRIE	5. 4. - 12. 4.
Heidelberg	Schloß-Spiele	27. 7. - 29. 8.
Hersfeld, Bad	Festspiele und Opern	20. 6. - 19. 8.
Karlsruhe	Therapiewoche	2. 9. - 6. 9.
	Offerta	28.10. - 5.11.
Kempten i.A.	Allgäuer Festwoche	12. 8. - 20. 8.
Kiel	FREIZEIT - NORDTOURISTIK - Nordboot	24. 2. - 26. 2.
Köln	Internationale Möbelmesse	24. 1. - 29. 1.
	DOMOTECHNIKA	14. 2. - 17. 2.
	ANUGA	14.10. - 19.10.
	PHILATELIA	3.11. - 5.11.
Landshut	Fürstenhochzeit	24. 6. - 16. 7.
Mannheim	Maimarkt	29. 4. - 9. 5.
München	C - B - R Caravan - Boot - Reisemarkt	4. 2. - 12. 2.
	Internationale Handwerksmesse	4. 3. - 12. 3.
	Mode Woche München	19. 3. - 22. 3.
	» » »	1.10. - 4.10.
	BAUMA	10. 4. - 16. 4.
	Opern-Festspiele	6. 7. - 31. 7.
	Oktoberfest	16. 9. - 1.10.

Nürnberg	Internationale Spielwarenmesse	9. 2. - 15. 2.
	Freizeit - Boot - Caravan - Camping - Touristik	25. 2. - 5. 3.
	Christkindlesmarkt	1.12. - 23.12.
Recklinghausen	Ruhr-Festspiele	1. 5. - 18. 6.
Saarbrücken	FREIZEIT Touristik - Camping - Sport	11. 3. - 19. 3.
	Internationale Saarmesse	22. 4. - 1. 5.
Salzburg (A)	Festspiele	18. 3. - 26. 3.
	»	29. 7. - 27. 8.
Segeberg, Bad	Karl-May-Spiele	24. 6. - 3. 9.
Siegen	Automobil-Ausstellung	24. 2. - 26. 2.
Stuttgart	CMT - Ausstellung für Caravan, Motor, Touristik	21. 1. - 29. 1.
	Cannstatter Volksfest	23. 9. - 8.10.
	AMA - Auto- und Motorrad-Ausstellung	28.10. - 5.11.
Ulm	Leben-Wohnen-Freizeit	11. 3. - 19. 3.
Villingen - Schwenningen	Südwest-Messe	20. 5. - 28. 5.
Würzburg	Mainfranken-Messe	30. 9. - 8.10.
Wunsiedel	Luisenburg-Festspiele	7. 6. - 6. 8.

TELEFON-VORWAHLNUMMERN EUROPÄISCHER LÄNDER

INDICATIFS TÉLÉPHONIQUES EUROPÉENS

EUROPEAN DIALLING CODES

INDICATIVI TELEFONICI DEI PAESI EUROPEI

	von de from dal		nach en to in	von de from dal		nach en to in
B	Belgien	0049*	Deutschland		0032	Belgien
DK	Dänemark	00949	»		0045	Dänemark
SF	Finnland	99049	»		00358	Finnland
F	Frankreich	1949*	»		0033	Frankreich
GR	Griechenland	0049	»		0030	Griechenland
GB	Großbritannien	01049	»		0044	Großbritannien
IRL	Irland	1649	»		00353	Irland
I	Italien	0049	»		0039	Italien
YU	Jugoslawien	9949	»		0038	Jugoslawien
FL	Liechtenstein	0049	»		0041	Liechtenstein
L	Luxemburg	05	»		00352	Luxemburg
NL	Niederlande	0949*	»		0031	Niederlande
N	Norwegen	09549	»		0047	Norwegen
A	Österreich	06	»		0043	Österreich
P	Portugal	0049 u. 0749	»		00351	Portugal
S	Schweden	00949	»		0046	Schweden
CH	Schweiz	0049	»		0041	Schweiz
E	Spanien	0749*	»		0034	Spanien

Wichtig: Bei Auslandsgesprächen von und nach Deutschland darf die voranstehende Null (0) der Ortsnetzkennzahl nicht gewählt werden, ausgenommen bei Gesprächen von Luxemburg und Österreich nach Deutschland.

* *nach den ersten beiden Vorwahlziffern erneuten Wählton abwarten, dann weiterwählen.*

Important : Pour les communications d'un pays étranger (Luxembourg et Autriche exceptés) vers l'Allemagne, le zéro (0) initial de l'indicatif interurbain allemand n'est pas à chiffrer.

* *après les deux premiers chiffres : attendre la tonalité.*

Note : When making an international call (excluding Luxemburg and Austria) to Germany do not dial the first "0" of the city codes.

* *After the first two digits wait for the dialling tone.*

Importante : per comunicare con la Germania da un paese straniero (Lussemburgo e Austria esclusi) non bisogna comporre lo zero (0) iniziale dell'indicativo interurbano tedesco.

* *composte le prime due cifre, aspettare il segnale di "libero".*

NOTIZEN